엣센스

제2판

民衆
活用玉篇

민중서림 편집국 편

民衆書林

제 2 판을 내며

한자(漢字)는 과거에서 현재에 이르기까지 우리 사회의 거의 모든 분야에서 한글과 함께 두루 사용되고 있지만, 대다수의 사람들, 특히 젊은이들에게는 그저 어렵고 복잡하고 시대에 뒤떨어진 글자로만 여겨져 왔으며, 정보화 시대가 가속화됨에 따라 이러한 현상은 더욱 심화되고 있다.

그러나, 우리말의 70% 이상이 한자어(漢字語)로 되어 있는 언어적 현실에 비추어 볼 때, 한자를 읽고 쓸 줄 알아야만 우리말, 특히 개념(槪念)과 사유(思惟)를 나타내는 수많은 단어들을 정확하게 이해할 수 있으며, 한자 문화권(漢字文化圈)에서 형성된 우리의 역사와 문화를 제대로 계승·발전시킬 수 있다고 하겠다.

이에, 우리는 누구나 어려워하는 한자를 언제 어디서나 쉽게 활용할 수 있도록 하기 위해 휴대하기 간편하고 실용적인 '활용옥편(活用玉篇)'을 편찬한 바 있다.

이번 제 2 판에서는 기존의 편찬 의도(編纂意圖)를 그대로 유지하면서도 한층 강화된 내용으로 독자들의 변화된 요구에 부합하기 위하여 온 힘을 기울였다.

중국어를 공부하는 학습자들을 위해 한어 병음 자모(漢語拼音字母) 및 중국어 간체자(簡體字)를 함께 수록하였으며, 중요 한자에 표기한 필순(筆順)을 강화하여 보다 쉽게 한자에 접할 수 있도록 하는 동시에, 표제자도 400여 자를 보충하여 모두 약 7,600 자를 실어 일상생활에서 활용하는 데 전혀 불편함이 없도록 하였다.

아무쪼록 이 사전이 초판이 발행되었던 당시의 바람대로 많은 독자들의 가장 가까운 곳에서 끊임없이 활용되는 훌륭한 공구서가 되기를 바라는 바이다.

2006년 12월

민중서림 편집국

머 리 말

우리는 일찍이 1965년에 이상은 박사(李相殷博士) 감수(監修)로 된 '한한대자전(漢韓大字典)'을 내고, 이어 1967년에는 '신자해(新字海)'를 간행한 바 있거니와, 두 책이 모두 자상하고 정확한 자해(字解)로써 크게 호평을 받아 판(版)을 거듭하고 있으니, 이에 더한 영광이 없다고 생각한다.

이러한 애용자 여러분의 성원에 힘입어 우리는 이번에 다시 포켓판 크기의 알찬 휴대용 옥편을 펴내기로 하였다.

항상 몸에 지니고 요긴하게 활용할 수 있는 부피 작은 책이면서, 필요하고도 충분한 요건을 두루 갖춘 자전(字典)의 편찬을 주안점(主眼點)으로 삼은 데에, 이 자전을 '활용 옥편(活用玉篇)'이라 이름 지은 소이(所以)가 있다.

이 '활용 옥편' 편찬에 특히 용심(用心)한 점은 다음과 같다.

1. 일상생활에는 물론 한문 전적(漢文典籍)의 독해에도 능히 활용할 수 있는 7,000여 자를 실어, 학생은 물론 사회 일반인의 수용(需用)에도 응할 수 있도록 하였다.
2. 자상하고 정확한 자해(字解)에 곁들여, 모든 표제 한자의 자원(字源)을 밝혀 이해를 돕도록 하였다.
3. 8,000여 개의 숙어(熟語)를 엄선 수록함으로써 최대한으로 활용도를 높였다.

아무쪼록 이 '활용 옥편'이 한자 내지 한문의 이해와 실용에 이바지되기를 간절히 빌어 마지않는다.

1983년 3월   일

민중서림 편집국

부록의 추가

근자에 한자 교육에 대한 재인식이 높아 감에 따라, 보다 유용한 '생활 옥편'이 되도록 꼭 알아 두어야 할 필수 사항들을 새로이 부록에 추가하였다. 추가된 부록들은 '한자의 필순'·'중국의 간체자 표'·'실용 넉자 숙어 모음'·'인명용 한자'이다.

1994년 7월   일

일 러 두 기

I. 이 옥편의 구성

이 옥편은 본문과 부록과 색인(索引)의 세 부문으로 이루어졌다.

□ **본문(本文)**……표제자(標題字)의 해설(解說)과 숙어(熟語)의 두 부분으로 나뉜다.

　① **표제자**

　　㉠ 중학교·고등학교 한문 교육용 기초 한자

　　㉡ 국어 어휘에 쓰이는 한자

　　㉢ 한문의 고전 독해에 필요한 한자

　　㉣ 일상생활에 흔히 쓰이는 약자(略字)·속자(俗字) 및 본자(本字)

　② **숙어**……일상생활에 많이 쓰이는, 그 표제자를 첫 자로 하는 숙어를 추려서 실었다.

□ **부록(附錄)**……교육용 기초 한자·인명용 한자·한자의 필순·중국의 간체자·실용 4 자 성어 등을 실었다.

□ **색인(索引)**……권말(卷末)에 총획 색인(總畫索引)·자음 색인(字音索引)을 붙이고, 앞뒤 면지(面紙)에는 부수 색인(部首索引)을 붙였다.

II. 표제자(標題字)의 해설(解說)

□ **표제자의 배열**……강희자전(康熙字典)에 따라 부수순(部首順)·획수순(畫數順)으로 하였으며, 같은 획수일 경우에는 자형상(字形上) 그 소속 부수가 놓인 차례, 관·변·방·각(冠偏旁脚), 곧 상·좌·우·하(上左右下)의 차례로 배열하였다.

□ **표제자의 개괄적 해설**

　① **표제자**……표제자는 큰 활자(活字)로 실어, 【 　】, 〖 　〗, 〚 　〛로 묶었다.

　　【 　】……중학교 교육용 기초 한자 900 자

　　〖 　〗……고등학교 교육용 기초 한자 900 자

　　〚 　〛……교육 한자 이외의 한자 약 5,800 자

　② **총획 및 획수**……표제자 왼쪽에 그 글자가 속(屬)하는 부수(部首) 안에서의 획수와 그 글자의 총획(總畫)을 표시하였다.

　보기 　$\begin{smallmatrix}4\\5\end{smallmatrix}$【丙】

　③ **자음(字音)과 훈(訓)**……㉠ 표제자 다음에 그 글자의 대표적인

훈(訓)과 자음(字音)을 달아 놓았다.

[보기] 1 ② 【七】 일곱 칠 [入]質 | qī

㉡ 우리나라에서만 쓰이는 한자 및 우리나라에 특유한 음을 가지는 한자에는 그 음 다음에 《韓》을 질러 놓았다.

[보기] 6 ⑦ 〖串〗 [一]버릇 관[去]諫 [二]꿰미 천[去]霰 [三]《韓》 땅이름 곶 | guàn chuàn

④ **운자**(韻字)……훈(訓)과 음(音)에 바로 이어, 그 표제자가 속하는 운목(韻目)을 표시하였다. 그리고, 그 **사성**(四聲)의 구별은 [平][上][去][入]으로 각각 나타내었다.

㉠ 평성(平聲)……억양(抑揚)이 없는 평평한 발음
㉡ 상성(上聲)……어미(語尾)가 세고 끝이 올라가는 음
㉢ 거성(去聲)……어두(語頭)가 세고 끝이 올라가는 음
㉣ 입성(入聲)……짧고 빨리 거두어들이는 음

또, 운이 다름에 따라 뜻이 달라질 경우에는, 운과 뜻풀이를 일치(一致)시키기 위하여 [一][二][三] 등으로 구분하여 그 관계를 나타내었다.

⑤ **병음과 간체자**……운과 뜻풀이 세로선 뒤에 그 한자의 병음과 간체자를 제시하였다.

[보기] 10 ⑪ 【乾】 [一]하늘 건 [平]先 [二]마를 건 [本]간[平]寒 | 干 qián gān

⑥ **일본어의 음과 훈**……그 한자의 대표적인 일본어의 음을 「가타카나」로, 훈을 「히라가나」로 실었다.

⑦ **영어**……일본어의 훈 다음에 영어도 제시하였다.

[보기] 4 ⑤ 〖丘〗 언덕 구 [平]尤 | qiū
[日] キュウ〔おか〕 [英] hill

⑧ **초서체**(草書體)……표제자란의 맨 끝 오른쪽에 그 글자의 표준적인 초서체를 보였다.

[三] **필순**(筆順)

중학교·고등학교의 교육용 기초 한자 1,800 자에 한하여, 교과서체(教科書體) 활자로 표준적인 필순을 보였다.

四 자해(字解)

보기 ② ③ 【下】 ━아래 하 ⊕馬
하⊕내릴 하 ⊕禡
하⊕禡 xià

字解 ━ ① 아래 하, 밑 하(上之對). ¶ 下向(하향). ② 낮은
사람 하(賤也). ¶ 下人(하인). ③ 뒤 하(後也). ¶ 下略(하
략). ④ 낮출 하(卑也). ¶ 下誠(하성). ━ ① 내릴 하, 내려갈
하, 내려줄 하(自上而). ¶ 下車(하차). ② 물리칠 하. ¶ 卻
下(각하). ③ 떨어질 하(降也). ¶ 下落(하락). ④ 손댈 하, 착
수할 하. ¶ 下手(하수).

① 훈(訓)과 음(音)을 고딕체 활자로 표시하고, 다시 그 뒤에 비슷한
뜻을 한자(漢字)말로 나타내어, 응용력을 기를 수 있게 하였다.
② 음이 다름에 따라 운이 다르거나, 음은 같더라도 뜻에 따라 운
(韻)이 다를 경우에는 ━ ━ ━…으로써 구별하였다.
③ 훈이 둘 이상 있을 경우에는 ①②③…으로써 구분하였다.
④ 우리나라에서만 쓰이는 한자 및 우리나라에 특유한 음 또는 훈을
가지는 한자에는 《韓》을 붙여 표시하였다.
⑤ 뜻풀이 다음에는 그 글자를 응용한 숙어의 용례를 보였다.
⑥ 약자(略字)・속자(俗字) 등에 대하여는 본자(本字)의 항에 뜻풀
이를 실음을 원칙으로 하였다.

보기 ⑥ ⑨ 【浅】 淺(천)(水部 8획)의 略字

보기 ② ⑥ 【灯】 燈(등)(火部 12획)의 略字・
簡體字

五 자원(字源)

먼저 육서(六書)로써 문자(文字)의 구성(構成)을 표시한 다음, 그
글자의 자원(字源)을 간결하게 해설하였다.

보기 ③ ⑥ 【汚】 ━더러울 오
⊕虞
━팔 와⊕麻 wū
wā

字解 ……

字源 形聲. 氵(水)+亐〔音〕

① **상형(象形)**……눈으로 볼 수 있는 것의 모양에서 그 특징을 강
조해서 나타내는 글자 형성법. 소의 뿔을 강조하여 나타낸 「牛」자
(字) 따위.
② **지사(指事)**……「一, 二」와 같은 숫자(數字)나, 「上, 下」와 같
이, 어떤 일을 기호적(記號的)으로 나타내는 글자 형성법.
③ **회의(會意)**……둘 이상의 글자를 합쳐서 한 글자를 만들고, 본
디의 각 글자와는 음(音) 및 뜻이 다른 별개의 것을 나타내는
글자 형성법. 「人」과 「言」을 합쳐 「信」을 만드는 따위.

④ **형성(形聲)**……두 글자를 합쳐서 된 새 글자의, 한쪽 부분이 발음을, 다른 한쪽 부분이 뜻을 나타내는 글자 형성법. 「靑」으로 발음을 나타내고 「氵=水」로 뜻을 나타내어, 「淸」을 만드는 따위.

⑤ **가차(假借)**……음(音)만을 빌려서 본디의 뜻과는 다른 의미를 나타내는 글자 사용법. 「길다」의 뜻의 「長」을 「장관(長官)」의 뜻으로 사용하는 따위.

⑥ **전주(轉注)**……한 글자를 딴 뜻으로 전용(轉用)하는 글자 사용법. 풍류를 나타내는 「樂(악)」을 즐겁다의 뜻인 「樂(락)」으로 쓰는 따위.

辛 **참고(參考)**

參考에서는 그 표제자에 대한 약자(略字)·같은 글자·속자(俗字) 및 그 글자의 본음(本音) 따위와 그 밖에 참고 사항을 설명하였다.

보기 　10
　　㉑ **【鷄】** 닭 계 ㉗齊 　鸡 jī

字解……
字源……
參考 雞(隹部 10획)는 同字

보기 　8
　　⑭ **【箇】** 낱 개 ㉤箇 　个 gè

字解……
字源……
參考 個(人部 8획)는 속자.

壬 **주의(注意)**

注意에서는 글자 모양이 비슷하여 혼동(混同)하기 쉬운 한자를 들어 분간할 수 있게 하였다.

보기 　7
　　⑩ **哲** 밝을 철 ㈧屑 　zhé

字解……
字源……
注意 晢(日部 8획)는 딴 글자.

Ⅲ. 숙어(熟語)와 그 풀이

癸 **숙어의 배열**

① 자수(字數)의 다소에 관계없이 음의 가나다순에 따라 배열하

였다.
② 음이 같은 때에는, 둘째 한자의 획수의 적고 많은 순서에 따랐다.

〓 숙어의 음……숙어 한자 다음에 음을 달아 주었다.

> 보기 [三寒四溫 삼한사온] 사흘은 춥고 나흘 동안은 따뜻한, 우리나라나 만주 등의 겨울 기후의 현상.

〓 숙어의 풀이

뜻이 둘 이상 있을 경우에는 ㉠㉡㉢……으로 구별하고, 또 우리나라에 특유한 뜻을 가진 것에는 《韓》 표시를 하였다.

> 보기 [劫劫 겁겁] ㉠ 부지런히 힘쓰는 모양. ㉡ 대대(代代).
>   [藥果 약과] ㉠ 유밀과의 한 가지. 과줄. ㉡ 《韓》 감당하기가 아주 쉬운 일.

IV. 색인(索引)의 이용법

책 끝에 총획 색인(總畫索引)·자음 색인(字音索引) 및 가나다순 중학교·고등학교 한문 교육용 기초 한자 및 인명용 한자 색인을 첨부하였다. 또, 앞뒤의 면지(面紙)에는 부수 색인(部首索引)을 실었으며, 본문을 찾아보는 데 편리하도록 각 면(面)마다 난외(欄外)에 그 면에 나오는 표제자가 속하는 부수 및 획수를 적어 놓았다.

〓 총획 색인(總畫索引)

이 책에 수록된 모든 표제자를 부수(部首)에 의하지 않고 획수만으로도 찾아볼 수 있도록 총획수에 따라 대별(大別)하고 다시 부수 차례로 배열하여, 그 옆에 본문의 면수(面數)를 적어 놓았다.

〓 자음 색인(字音索引)

① 이 책에 수록된 모든 표제자를 가나다순으로 배열하고, 같은 음의 글자는 부수·획수 차례로 늘어놓아, 그 옆에 본문의 면수(面數)를 밝혀 놓았다.
② 한 글자가 몇 개의 음을 가질 때에는 각 음마다 올려 실었다. 예를 들면,
   [說]은 「설·세·열·탈」의 네 군데에
   [樂]은 「악·락·요」의 세 군데에 실었다.
   또, 본음·속음을 가지는 글자도 각각 그 음자리마다 올렸다.

〓 한문 교육용 기초 한자 색인

중·고등학교 학생의 학습에 도움이 되도록, 교육용 기초 한자 1,800자의 음을 알아 찾아볼 수 있는 교육 한자 찾아보기를 가나다순으로 배열하였다.

四 인명용 한자

인명용 한자도 찾아 보기 쉽도록 가나다 순으로 배열하였다.

五 부수 색인(部首索引)

① 앞 면지 1, 2면과 뒷 면지 2, 3면에 각각 부수 색인을 붙여, 그 부

수가 시작되는 면수(面數)를 표시하였다.

② 또, 각면의 위쪽 난외에는 그 면에 실려 있는 표제자들이 속하는 부수와 획수(畫數)를 표시해 놓았다.

V. 面紙에 관하여

▯ 부수 색인(部首索引)

앞면지(面紙) 1, 2면 및 뒷면지 2, 3면에 부수 색인을 붙였다.

▯ 운자표(韻字表)

106운(韻)을 사성(四聲)에 따라 평성(平聲)・상성(上聲)・거성(去聲)・입성(入聲)으로 구분한 일람표를 뒷 면지 1면에 실었다.

一 〔1 획〕 部
(한일부)

---

0 【一】 한일 | yī 一
① ㈜質

㉯ イチ・イツ〔ひとつ〕 ⑧ one

字解 ① 한 일, 하나 일(數之始).
¶ 一人(일인). ② 첫째 일(數之本). ¶ 一等(일등). ③ 오로지 일(專也). ¶ 一心(일심). ④ 같을 일(同也). ¶ 同一(동일). ⑤ 온 일, 온통 일(統括之辭). ¶ 一變(일변). ⑥ 혹시 일, 만일 일(或然之辭). ¶ 萬一(만일).

字源 指事. 가로의 한 획으로 하나의 수효를 나타냄.

[一家 일가] ㉠ 한집. ㉡ 한 가족. 한집안. ㉢ 한 학파. ㉣ 한 유파.
[一刻如三秋 일각여삼추] 기다리는 마음이 간절함을 비유한 말.
[一擧手一投足 일거수일투족] 손 한 번 들고 발 한 번 옮기는 일이라는 뜻으로, 아주 조그만 동작이나 행동.
[一擧兩得 일거양득] 한 가지 일로 두 가지 이득을 봄, 일석이조(一石二鳥). ㉥ 兩得(양득).
[一擧一動 일거일동] 사소한 동작.
[一脈相通 일맥상통] 처지・성질・생각 등이 통함. 서로 비슷함.
[一目瞭然 일목요연] 한눈에 알아 볼 수 있게 분명함.
[一瞥 일별] 한 번 흘끗 봄.
[一心同體 일심동체] 한마음 한 몸. 곧, 서로 굳게 결합함.
[一致 일치] 어긋남 없이 한결같게 서로 맞음.
[一片丹心 일편단심] 오로지 한 곳으로 향한 한 조각의 정성된 마음.
[均一 균일] 한결같이 고름. 차이가 없음.
[單一 단일] 단 하나.
[唯一 유일] 오직 그것 하나뿐임.
[統一 통일] 두 개 이상의 것을 몰아서 하나로 만듦.

---

1 【丁】 넷째천간 정 | dīng 乙
① ㉮靑
②

一 丁

㉯ テイ・チョウ〔ひのと〕

字解 ① 넷째천간 정(天干第四位). ¶ 丁亥(정해). ② 장정 정(成年者). ¶ 壯丁(장정). ③ 일꾼 정(僕役). ¶ 園丁(원정). ④ 당할 정(當也). ¶ 丁憂(정우).

字源 象形. 못을 본뜬 글자이므로 원뜻은 「못」.

參考 속칭 「고무래 정」으로 훈(訓)함은 잘못.

[丁年 정년] ㉠ 태세의 천간이 '丁'으로 된 해. ㉡ 남자 나이 20 살.
[丁寧 정녕] ㉠ 추측건대 틀림없이. ㉡ 태도가 친절함.
[丁字閣 정자각] 능에서 제사를 지내는 '丁'자의 집.
[兵丁 병정] 병역에 복무하는 장정.
[壯丁 장정] ㉠ 혈기가 왕성한 남자. ㉡ 징병 적령기의 남자.

---

1 【七】 일곱 칠 | qī 七
① ㈜質
②

一 七

㉯ シチ・シツ〔ななつ〕 ⑧ seven

字解 일곱 칠(數名), 일곱번 칠(七回).

字源 指事. 十의 끝 획(畫)을 구부려서 나타낸 것.

[七難八苦 칠난팔고] 갖은 고난.
[七大洋 칠대양] 일곱 군데의 큰 바다. 곧, 남태평양・북태평양・북대서양・남대서양・인도양・북극해・남극해.
[七色 칠색] 일곱 가지 빛. 곧, 적(赤)・청(靑)・황(黃)・녹(綠)・자(紫)・남(藍)・주황(朱黃).
[七情 칠정] 일곱 가지 감정. 유학에서는 희(喜)・노(怒)・애(哀)・구(懼)・애(愛)・오(惡)・욕(欲), 또는 희・노・애・락・애・오・욕. 불가(佛家)에서는 희(喜)・노(怒)・우(憂)・구(懼)・애(愛)・증(憎)・욕(欲).

1
획

² ③ 【三】 ❶석 삼 ⑦覃 | sān
❷거듭 삼 ⑦勘 | sàn

一 二 三

⑪ サン〔みっつ〕 ⑳ three

字解 ❶석 삼(二之加一), 세번 삼(三回). ¶ 三國(삼국). ❷거듭 삼(頻也). ¶ 再三(재삼).

字源 指事. 一을 셋 포개어 3 의 수효를 나타냄.

參考 参(厶部 9획)은 같은 음에 의한 가차자(假借字).

[三權 삼권] 국가 통치의 세 가지 권력. 곧, 입법권·행정권·사법권.
[三寒四溫 삼한사온] 사흘은 춥고 나흘은 따뜻한, 우리나라나 만주 등의 겨울 기후의 현상.

² ③ 【下】 ❶아래 하 ⑦馬
❷내릴 하 ⑦禡 | xià

一 丁 下

⑪ カ・ゲ〔した・くだる〕 ⑳ bottom, get off

字解 ❶① 아래 하, 밑 하(上之對). ¶ 下向(하향). ② 낮은 사람 하(賤也). ¶ 下人(하인). ③ 뒤 하(後也). ¶ 下略(하략). ④ 낮출 하(卑也). ¶ 下誠(하성). ❷① 내릴 하, 내려줄 하(自上而下). ¶ 下車(하차). ② 물리칠 하. ¶ 却下(각하). ③ 떨어질 하(降也). ¶ 下落(하락). ④ 손댈 하, 착수할 하. ¶ 下手(하수).

字源 指事. 일정한 위치를 나타내는 가로획보다 아래임을 뜻함.

[下界 하계] 사람이 사는 이 세상.
[下剋上 하극상] 아랫사람이 윗사람을 범함.
[下級 하급] (上·中·下로 나누었을 때의) 아래 계급.
[下落 하락] ㉠ 내림. ㉡ 값이 떨어짐. ㉢ 등급이 떨어짐.
[下陵上替 하릉상체] 아랫사람이 윗

사람을 능범(陵犯)하여 윗사람의 권위가 땅에 떨어짐.
[下馬評 하마평] 어떤 관직에 임명될 후보자에 관한 세상의 풍설.
[下行 하행] ㉠ 아래쪽으로 내려감. ㉡ 서울에서 지방으로 내려감.
[閣下 각하] 높은 지위에 있는 사람에 대한 경칭.
[目下 목하] 바로 이때. 지금.
[門下 문하] 스승의 밑. 제자.
[卑下 비하] ㉠ 스스로를 겸손하게 낮추거나 상대방을 업신여겨 낮춤. ㉡ 땅이 낮음.
[手下 수하] ㉠ 손아래. ㉡ 부하.

² ③ 【万】 萬(만)(艸部 9획)의 俗字

² ③ 【丈】 어른 장 ⑦養 | zhàng

一 ナ 丈

⑪ ジョウ〔たけ〕 ⑳ elder

字解 ① 어른 장(長老尊稱). ¶ 丈夫(장부), 椿府丈(춘부장). ② 길이의 단위 장(十尺). ③ 길 장(人身長).

字源 會意. 十과 又(손)와의 합자. 척(尺) 의 열 배의 뜻.

[丈量 장량] 토지의 면적을 측량함.
[丈夫 장부] 장성한 남자.
[丈人 장인] 아내의 아버지.
[丈尺 장척] ㉠ 길이. ㉡ 길이가 일 장(一丈) 되는 자.
[方丈 방장] ㉠ 가로·세로가 1장(丈)인 넓이. ㉡ 중들의 처소. ㉢ 주지.
[岳丈 악장] 장인의 경칭.

² ③ 【兀】 상 기 ⑦支 | jī

⑪ キ〔だい〕 ⑳ table

字解 상 기(几基也).

字源 象形. 물건을 받쳐서 내는 상의 모양을 본뜸.

注意 兀(儿部 1획)은 딴 글자.

2
③【上】 [一]위 상 [去]漾 [二]오를 상[上]養 shàng shǎng

丨 ⺊ 上

[日] ジョウ〔うえ・あがる〕
[英] top, rise

[字解] [一] ① **위 상**(下之對). ¶ 上下(상하). ② **앞상, 첫째 상**(前也, 初也). ¶ 上旬(상순). ③ **임금 상**(君也). ¶ 聖上(성상). ④ **높을 상**(尊也). ¶ 上客(상객). [二] ① **오를 상**(昇也). ¶ 上昇(상승). ② **올릴 상**(進也). ¶ 上納(상납). ③ **상성 상**(上聲).

[字源] 指事. 횡선을 그어 그 위에 표지를 하여 위쪽임을 나타낸 것.

[上價 상가] 웃돈.
[上京 상경] 시골에서 서울로 올라감. 상락(上洛).
[上古 상고] 퍽 오랜 옛날. 태고.
[上告 상고] 윗사람에게 고함.
[上納 상납] ㉠ 구실(세금)을 관아에 바침. ㉡ 진상하는 금품을 바침.
[上申 상신] 웃어른이나 관청 등에 의견이나 사정을 여쭘.
[上弦 상현] 음력 매달 7~8일의 달.
[極上 극상] ㉠ 서열 따위가 위임. ㉡ 품질 따위가 아주 좋음.
[無上 무상] 그 위에 더할 수 없음. 가장 좋음.
[至上 지상] 더할 수 없이 높은 위. 최상.

3
④【不】 [一]아닌가 부 [平]尤 [二]아닐 불[入]物 [三]클 비 [平]虞 fǒu bù pī

一 ア 不 不

[日] フ〔いなや・ざる・おおきい〕
[英] not, big

[字解] [一] **아닌가 부**(未定辭). [二] **아닐 불, 아니할 불, 못할 불, 없을 불**(未也, 非也). ¶ 不可(불가). [三] **클 비**.

[字源] 象形. 꽃의 암술의 씨방의 모양.

[參考] 不 다음에 'ㄷ·ㅈ'을 첫소리로 하는 글자가 오면, '불'의 발음은 '부'로 됨.

[不當 부당] 이치에 맞지 않음. 정당하지 아니함.
[不得已 부득이] 마지못하여 하는 수 없이.
[不自由 부자유] 자유롭지 못함.
[不可缺 불가결] 없어서는 안됨.
[不共戴天 불공대천] 한 하늘 아래에서 같이 살지 못함. 곧, 살려 둘 수 없다는 뜻.
[不眠不休 불면불휴] 자지도 않고 쉬지도 않음. 곧, 조금도 쉬지 않고 힘써 일함.
[不撓不屈 불요불굴] 한번 결심한 마음이 흔들리거나 굽힘이 없이 억셈.
[不朽 불후] 썩어서 없어지지 아니함. 영구히 전함.

3
④〖丐〗 빌 개 [去]泰 gài

[日] カイ〔こう〕 [英] beg, beggar

[字解] ① **빌 개**(乞也). ¶ 丐乞(개걸). ② **거지 개**(乞人). ¶ 乞丐(걸개).

[參考] 匃(勹部 3획)의 이체자(異體字).

[丐乞 개걸] 비럭질을 함.

3
④【丑】 둘째지지 축 [本]추[上]有 丑 chǒu

㇆ ㇆ 丑 丑

[日] チュウ〔うし〕 [英] cow

[字解] ① **둘째지지 축**(十二支第二位). ② **소 축**. ③ **수갑 축**(手械).

[字源] 象形. 又(손)로 물건을 나타내는 丨을 잡는 모양을 나타냄.

[丑年 축년] 그 해의 간지(干支)의 지지(地支)가 '丑'인 해.
[丑時 축시] 오전 1~3 시까지.

1
획

1
획

³
④ 【与】 與(여)(臼部 7획)의 俗字

⁴
⑤ 【丙】 남녘 병
㊤梗 bǐng

一 ㄱ ㄲ 丙 丙

㊐ ヘイ〔ひのえ〕 ㊤ south

字解 ① 남녘 병(南方). ② 셋째천간 병(天干第三位).

字源 象形. 책상의 모양, 일설(一說)에는 저울대의 모양이라고 함.

[丙科 병과] 시험 성적의 셋째 등급.
[丙子 병자] 육십갑자(六十甲子)의 열셋째.

⁴
⑤ 【世】 대 세
㊁霽 shì

一 十 卅 卅 世

㊐ セイ・セ〔よ〕 ㊤ generation

字解 ① 대 세, 대대 세, 세대 세. ¶ 世代(세대). 世系(세계). ② 세상 세, 인간 세. ¶ 世界(세계). ③ 평생 세(生涯). ¶ 終世(종세). ④ 백년 세. ¶ 世紀(세기). ⑤ 맏 세. ¶ 世子(세자).

字源 會意. 十을 셋 병렬(竝列)하여 끝의 한 획을 모로 길게 한 것. 삼십 년의 뜻. 전하여, 세대(世代)의 뜻이 됨.

参考 卋(十部 4획)는 속자.

[世間 세간] 이 세상.
[世說 세설] 세상의 풍설(風說).
[世俗 세속] 세상의 풍속.
[世孫 세손] 임금의 맏손자.
[世襲 세습] 직위・재산 등을 대대로 이어받음.
[世稱 세칭] 세상에서 일컬음.
[世態 세태] 세상 형편. 세상(世相).
[世波 세파] 세상(世波).
[隔世 격세] ㉠ 세대를 거름. ㉡ 심히 변한 딴 세대.
[經世 경세] 세상을 다스림.

⁴
⑤ 【且】 또 차
㊤馬 qiě

丨 冂 冂 月 且

㊐ ショ〔かつ〕 ㊤ and

字解 ① 또 차, 또한 차(又也). ¶ 重且大(중차대). ② 우선 차. ¶ 且置(차치). ③ 구차스러울 차. ¶ 苟且(구차).

字源 象形. 신전(神殿)에 공물(供物)을 차리는 대(臺)의 모양.

[且驚且喜 차경차희] 한편으로 놀라기도 하고, 또 한편으로는 기뻐하기도 함.
[且置勿論 차치물론] 내버려 두고 문제 삼지 아니함.
[且月 차월] 음력 6월의 별칭.
[苟且 구차] ㉠ 군색스럽고 구구함. ㉡ 가난함.

⁴
⑤ 【丕】 클 비
㊤支 pī

㊐ ヒ〔おおきい〕 ㊤ great

字解 ① 클 비(大也). ¶ 丕業(비업). ② 으뜸 비(元也). ¶ 丕子(비자).

字源 形聲. 一+不〔音〕

[丕基 비기] 나라를 세우는 큰 사업. 비업(丕業). 홍업(洪業).
[丕子 비자] 임금의 적자(嫡子).
[丕祚 비조] 천자(天子)의 지위.
[丕顯 비현] 크게 밝음. 크게 나타남.

⁴
⑤ 【丘】 언덕 구
㊤尤 qiū

ノ イ ｆ ｆ 丘

㊐ キュウ〔おか〕 ㊤ hill

字解 ① 언덕 구(阜也). ¶ 砂丘(사구). ② 무덤 구. ¶ 丘木(구목).

字源 象形. 사방이 높고 중앙이 낮은 언덕의 모양.

[丘陵 구릉] 언덕. 나직한 산.
[丘墳 구분] 무덤.
[丘首 구수] 여우는 한평생 언덕에 굴을 파고 살기 때문에 언덕 쪽으로 머리를 두고 죽는다는 뜻으로, 근본을 잊지 않거나 또는 고향을 생각함

을 이름.

⁵₆【両】兩(량)(入部 6획)의 俗字

⁵₆【丞】정승 승│chéng
⊕蒸

㈰ ジョウ〔たすける〕 ⑳ minister

字解 ① 정승 승(丞相). ② 이을 승(繼也). ③ 도울 승(佐也).

字源 會意. 卄+卩+凵

[丞相 승상] 정승(政丞). 재상(宰相).
[政丞 정승] 조선 때 의정(議政)의 대신. 곧, 영의정·좌의정·우의정.

⁷₈【並】■나란 히설 병│bìng
⊕迴 bàng
■연할 방⊕漾

丶丷ㅛ꒬꒭並並並

㈰ ヘイ〔ならぶ〕·ホウ〔つらなる〕
⑳ parallel, adjoin

字解 ■ ① 나란히설 병(併也). ¶並列(병렬). ② 나란할 병(比也). ■ 연할 방(連接).

字源 會意. 두 사람이 나란히 서 있음을 뜻함.

[並列 병렬] 나란히 늘어섬.
[並立 병립] 나란히 섬.

┌─────────────┐
│ 丨 〔1 획〕 部 │
│ (뚫을곤부) │
└─────────────┘

⁰_①【丨】위아래 로통할 곤⊕阮│gǔn

㈰ コン〔すすむ, しりぞく〕

字解 위아래로통할 곤(上下相通).

字源 指事. 위아래로 서로 통함을 나타냄.

²_③【个】낱 개│gè
⊕箇

㈰ コ〔かず〕 ⑳ piece

字解 낱 개(枚也). ¶五个(오개).

字源 指事. 介의 속자로 人 밑에 丨로 한 개의 뜻을 나타냄.

參考 個(人部 8획)·箇(竹部 8획)와 같으나, 주로 '個'가 쓰임.

[个个 개개] 하나하나. 한 개 한 개.

²_③【丫】가장귀 아⊕麻│yā

㈰ ア〔ふたまた〕
⑳ crotch of branches

字解 ① 가장귀 아(物之岐頭), 가닥 아. ② 총각 아(總角).

字源 象形. 나무의 줄기가 가장귀 지게 갈라진 모양을 본뜸.

[丫髻 아계] 총각으로 땋은 머리. 전하여, 소녀 또는 계집종.
[丫童 아동] 아동(兒童). 소년.

³_④【中】■가운 데 중⊕東│zhōng
■맞을 zhòng
중⊕送

丨口口中

㈰ チュウ〔なか·あたる〕
⑳ middle, strike

字解 ■ ① 가운데 중(四方之央). ¶中央(중앙). ② 안 중, 속 중(内也). ¶胸中(흉중). ③ 사이 중(間也). ¶中間(중간). ④ 범위 중(圍也). ¶伏中(복중). ⑤ 진행 중. ¶作業中(작업 중). ■ 맞을 중(至的). ¶的中(적중).

字源 指事. 어떤 것을 하나의 선(線)으로 꿰뚫어 「속·안」을 뜻함.

[中堅 중견] (단체나 사회에서) 중심적 역할을 하는 사람.
[中年 중년] 청년과 노년과의 사이의 연령. 곧, 40 세 전후.
[中道 중도] ㉠ 중정(中正)의 도. ㉡ 길의 한가운데.

[中老 중로] 50～60세 전후의 사람. 중늙은이.
[中立 중립] 대립되는 두 편 사이에서 어느 한편에도 치우치지 않는 중간적인 자리에 섬.
[中壽 중수] 80세. 일설에는 100세.
[中心 중심] ㉠ 마음속. ㉡ 한가운데.
[中夜 중야] 한밤중.
[中外 중외] 나라의 안과 밖.
[中秋 중추] 음력 8월.
[中興 중흥] 쇠퇴한 국가나 집안 등이 다시 흥함.
[空中 공중] 하늘과 땅 사이의 빈 곳. 하늘.
[命中 명중] 화살이나 총포탄이 겨냥한 곳에 바로 맞음.
[的中 적중] 목표에 어김없이 들어맞음.

4 ⑤ 〖丱〗 쌍상투 관 [去]諫 guàn

[日] カン〔あげまき〕 [英] two topknots

[字解] 쌍상투 관.

[字源] 象形. 어린아이의 머리털을 좌우로 갈라, 머리 위에 두 개의 뿔같이 잡아맨 모양을 본뜸.

6 ⑦ 〖串〗 [一]버릇 관[去]諫 [二]꿰미 천[去]霰 [三]《韓》 땅이름 곶 guàn chuàn

[日] カン〔なれる〕・セン〔つらめく, てがた〕

[英] habit, string

[字解] [一] ① 버릇 관(慣也), 익숙해질 관(狎習). ② 수표 관(劵也). [二] 꿰미 천(連穿). [三] 《韓》 땅이름 곶(地名, 岬也). ¶ 竹串島(죽곶도). 長山串(장산곶).

[字源] 象形. 고대에 화폐로 사용되었던 조개를 실로 꿴 모양을 본뜸.

[串柹 관시] 곶감.
[串童 관동] 가무에 익숙한 아이.

丶 〔1획〕 部 (점부)

0 ① 〖丶〗 심지 주 [上]麌 zhǔ

[日] チュ〔しるし〕 [英] point

[字解] ① 심지 주, 등불 주(炷也). ② 점 주, 점찍을 주(句讀點).

[字源] 指事. 사물을 나타내는 글자의 어떤 개소(個所)를 특히 지시(指示)함. 구두점(句讀點)의 부호(符號)로 쓰임.

2 ③ 〖丸〗 알 환[平]寒 wán

丿 九 丸

[日] ガン〔まる〕 [英] ball

[字解] ① 알 환. ¶ 彈丸(탄환). ② 둥글 환(圜也). ③ 자루 환(數詞). ¶ 一丸(일환).

[字源] 形聲. 人을 바탕으로 「厂(엄)」의 전음이 음을 나타냄. 사람이 몸을 굴리는 일.

[丸藥 환약] 알약.
[丸丸 환환] 나무가 꼿꼿한 모양.
[彈丸 탄환] 탄알.

3 ④ 【丹】 붉을 단 [平]寒 dān

丿 冂 刀 丹

[日] タン〔あか〕 [英] red

[字解] ① 붉을 단(赤色). ¶ 丹青(단청). ② 정성스러울 단(衷心). ¶ 丹心(단심). ③ 신약 단(神藥). ¶ 仙丹(선단).

[字源] 指事. 井의 생략형을 바탕으로, 「단사(丹砂)」를 나타냄.

[丹心 단심] 속에서 우러나오는 정성스러운 마음. ¶ 一片丹心(일편단심).
[丹田 단전] 아랫배.
[丹青 단청] ㉠ 붉은빛과 푸른빛 채

1획

색. ㉡ 옛날식 전각의 벽·기둥·천장 따위에 여러 가지 무늬를 그린 채색.

4
⑤ 【主】주인 주 | zhǔ
   ㊤麌

丶 亠 亠 ㅖ 主

㊐ シュ〔あるじ〕 ㊎ lord

字解 ① 주인 주(賓之對). ¶ 地主(지주). ② 임금 주(君也). ¶ 君主(군주). ③ 우두머리 주(頭也). ¶ 祭主(제주). ④ 주체 주, 자신 주(自也). ¶ 主觀(주관). ⑤ 주되는 주, 주될 주. ¶ 主唱(주창). ⑥ 위패 주. ¶ 神主(신주).

字源 象形. 촛대 위의 심지에서 불이 타고 있는 모양을 본뜬 글자. 밤의 등불은 한 가족의 중심 위치를 차지한다는 데서, 군주·주인의 뜻으로 쓰임.

[主客 주객] ㉠ 주인과 손님. ㉡ 주되는 것과 부차적인 것.

[主觀 주관] 자기만의 관점.

[主婦 주부] 한 집안의 주인의 아내.

[主産物 주산물] 어떤 지방에서 가장 많이 생산되는 물건.

[主旨 주지] 중요한 뜻.

[公主 공주] 왕후가 낳은 임금의 딸.

[自主 자주] 남의 보호나 간섭을 받지 않고, 자신의 일을 혼자서 처리함.

[宗主 종주] ㉠ 적장자. ㉡ 조상의 위패.

┌─────────────────┐
│ 丿   〔1 획〕 部 │
│   (삐침부)   │
└─────────────────┘

0
① 【丿】삐칠 별 | piě
   ㊤屑

㊐ ヘツ〔みぎからひだりへまがる〕
㊎ sweep up

字解 삐칠 별(左引之).

字源 指事. 오른쪽 위에서 왼쪽 아래로 그은 자모(字母).

1
② 【乂】
   ■풀벨 예
   ㊤隊 ■징계할
   애㊤泰 | yì ài

㊐ ガイ〔かる〕·ガイ〔こらしめる〕
㊎ mow

字解 ■① 풀벨 예(芟草). ② 다스릴 예(治也). ③ 어질 예(賢也). ④ 정리할 예(整也). ■징계할 애.

字源 會意. 풀을 좌우로 후려쳐 쓰러뜨림을 뜻함.

[乂寧 예녕] 예안(乂案).

[乂案 예안] 잘 다스려져 편안함.

[乂淸 예청] 잘 다스려져 조용함.

[康乂 강예] 편안하게 다스림. 또, 잘 다스려서 편안함.

[俊乂 준예] 재주와 슬기가 뛰어난 사람.

1
② 【乃】이에 내 | nǎi
   ㊤賄

丿 乃

㊐ ダイ·ナイ〔すなわち〕
㊎ hereupon

字解 ① 이에 내(語助辭), 곧 내(卽也). ¶ 人乃天(인내천). ② 너 내(汝也). ¶ 乃父(내부). ③ 접때 내. ¶ 乃者(내자).

字源 指事. 말을 하려고 하면서 주저하는 느낌을 주는 상태를 나타냄.

參考 迺(辵部 6획)와 동자.

[乃父 내부] 그대의 아버지.

[乃至 내지] ㉠ 얼마에서 얼마까지. ㉡ 또는. 혹은.

2
③ 【久】오랠 구 | jiǔ
   ㊤有

丿 ㄅ 久

㊐ キュウ〔ひさしい〕
㊎ long time

字解 오랠 구(暫之反).

字源 指事. 人과 丶과의 합자. 사람을 뒤에서 잡고 오랫동안 놓지 않는 모양. 전하여, 시간의 경과를 뜻

함.

[久遠 구원] 아득하고 멂.

[悠久 유구] 연대(年代)가 오래됨.

[恒久 항구] 변치 않고 오래 감.

---

³
④ **【之】** 갈 지 ⑧支 zhī ㄓ

丶 亠 ㇀ 之

⑪ シ〔の・これ〕 ⑱ go

字解 ① 갈 지(往也). ¶ 之東之西
(지동지서). ② 의 지(所有格, 語
辭). ¶ 人之常情(인지상정). ③ 이
지(此也).

字源 象形. 대지에서 풀이 자라는
모양. 또, 대명사·조사로 차용함.

[之東之西 지동지서] 동으로 갔다
서로 갔다 함. 곧, 어떤 일에 주견이
없이 갈팡질팡함을 이르는 말.

[一言以蔽之 일언이폐지] 한마디의
말로 전체의 뜻을 다 말함.

---

⁴
⑤ **【乎】** 그런가 호 ⑧虞 hū ㄏㄨ

丿 亻 乊 ᵕ 乎

⑪ コ〔か、や〕

字解 그런가 호(感歎詞), 어조사 호
(語助辭). ① 의문·영탄(詠歎)·반
어(反語)·호격(呼格)을 나타냄. ¶
不亦君子乎(불역군자호). ② '…
에', '…보다'의 뜻을 나타내는 '於
(어)·于(우)'와 같게 쓰이는 전치사.
¶ 浴乎沂(욕호기). ③ 부사를 만드
는 어미로 씀. ¶ 確乎(확호).

字源 形聲. 「丂(교)」의 전음이 음
을 나타냄.

[斷乎 단호] 결심한 것을 처리하는
데 과단성이 있음.

[確乎 확호] 아주 든든하고 굳셈.

---

⁴
⑤ **【乏】** 떨어질 핍 ㊁洽 fá

丿 亻 ⺀ 乏

⑪ ボウ〔とぼしい〕 ⑱ exhaust

字解 떨어질 핍(久絕), 모자랄 핍
(不足), 가난할 핍(貧也).

字源 指事. 正의 반대의 모양으로,
부정(不正)에서 생기는 부족(不足)
을 뜻한다고 함.

[乏材 핍재] 인재가 없음.

[缺乏 결핍] ㉠ 다 써서 없어짐. ㉡
있어야 할 것이 없어지거나 모자람.

[窮乏 궁핍] 가난하고 구차함.

---

⁴
⑤ **【乍】** 잠깐 사 ㊁禡 zhà ㄓㄚˋ

⑪ サ〔たちまち〕 ⑱ moment

字解 잠깐 사(暫也), 언뜻 사(忽
也).

字源 會意. 칼로 물건을 가르는 모
양. 作의 원자(原字).

[乍晴 사청] 비가 오다가 잠깐 갬.

---

⁷
⑧ **【乖】** 어그러
질 괴 ⑧佳 guāi ㄍㄨㄞ

⑪ カイ〔そむく〕 ⑱ deviate

字解 ① 어그러질 괴(戾也), 거스
를 괴(背反). ¶ 乖離(괴리). ② 까
다로울 괴. ¶ 乖愎(괴팍).

字源 會意. 양의 뿔이 좌우로 서로
등을 지고 있는 모양과, 北으로 이
루어짐.

[乖離 괴리] 어그러져 동떨어짐.

[乖異 괴이] 상반(相反)함.

[乖愎 괴팍] 꾀까다롭고 강퍅함.

---

⁸
⑨ **【乗】** 乘(承)(次條)의 俗字

---

⁹
⑩ **【乘】**
━탈 승 ⑧蒸 chéng ㄔㄥ
━탈것 승 ㊁徑 shèng ㄕㄥˋ

一 二 千 千 乖 乖 乘 乘

⑪ ジョウ〔のる・へいしゃ〕

⑱ ride, palanquin

字解 ━ ① 탈 승(降之反). ¶ 乘
車(승차). ② 의지할 승, 기회탈
승. ¶ 乘機(승기). ③ 곱할 승, 곱
셈 승(算也). ¶ 乘除法(승제법).

乗 ① 탈것 **승**(輿也). ¶乗輿(승여). ② 대 **승**(輛也). ¶萬乗天子(만승천자). ③ 사기 **승**(史也). ¶史乗(사승). ④ 법 **승**(敎法). ¶大乗佛教(대승불교).

字源 會意. 사람이 나무에 오른 모양.

参考 乗(丿部 8획)은 속자.

[乗客 승객] 배나 차 등을 타는 손님.

[乗馬 승마] 말을 탐. 타는 말.

[乗勝長驅 승승장구] 싸움에서 이긴 기세를 타고 계속 적을 몰아침.

[史乗 사승] 역사의 기록.

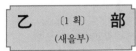

乙 〔1 획〕 部
(새을부)

⁰/_① **【乙】** 새 을 │ yǐ
人質

日 オツ〔きのと〕 英 bird

字解 ① 새 을(鳥名), 제비 을(燕也). ② 둘째천간 을(天干第二位). ¶乙亥(을해). ③ 아무 을(某也). ¶甲男乙女(갑남을녀).

字源 象形. 이른 봄에 초목의 싹이 트려고 할 때, 추위 때문에 웅크리고 있는 모양.

[乙種 을종] 갑·을·병의 차례에서 둘째 등급의 종류.

[甲乙 갑을] 순서·우열을 나타내 가리키는 말. 곧, 첫째와 둘째.

¹/_② **【九】** 아홉 구 │ jiǔ
上有

丿 九

日 キュウ·ク〔ここのつ〕 英 nine

字解 ① 아홉 구, 아홉번 구(數名). ¶九日(구일). ② 많을 구(多也). ¶九重宮闕(구중궁궐).

字源 指事. 丿와 굽은 선으로 한 자리 숫자의 최대수를 나타냄.

[九死一生 구사일생] 여러 차례 어려운, 죽을 고비를 넘어서 겨우 살아남.

[九牛一毛 구우일모] 썩 많은 가운데서 아주 적은 수를 이르는 말.

[九折 구절] ㉠ 꼬불꼬불함. ㉡ 꼬불꼬불한 비탈길.

²/_③ **【乞】** 빌 걸 │ qǐ
人物

日 キツ·コツ〔こう〕 英 beg

字解 빌 걸(求也).

字源 假借. 기의 생략자로 열망하는 뜻으로 차용함.

[乞食 걸식] 빌어먹음.

[乞人 걸인] 거지.

[哀乞 애걸] 애처롭게 하소연하여 빎.

²/_③ **【也】** 어조사 야 │ yě
上馬

㇇㇇ゖ

日 ヤ〔なり〕 英 particle

字解 ① 어조사 야(語助辭). ¶是非之心智之端也(시비지심지지단야). ② 또 야(亦也).

字源 假借. 뱀의 상형. 이 음을 빌려 어조사로 씀.

[也無妨 야무방] 별로 해로울 것이 없음.

⁶/_⑦ **【乱】** 亂(란)(乙部 12획)의 略字

⁷/_⑧ **【乳】** 젖 유 │ rǔ
上麌

㇒㇏㇏㇏㇏㇏ 乳

日 ニュウ〔ちち〕 英 milk

字解 ① 젖 유(湩也). ¶乳房(유방). ② 젖같은물 유. ¶乳劑(유제). ③ 기를 유(育也). ¶乳母(유모). ④ 젖모양의것 유. ¶鍾乳石(종유석).

字源 會意. 乙(제비)과 孚의 합자. 옛날에는 제비가 돌아올 무렵 임신

하기를 신에게 기원했기 때문이라고 함.

[乳兒 유아] 젖먹이.
[乳齒 유치] 젖니.
[母乳 모유] 제 어머니의 젖.
[粉乳 분유] 가루우유.
[授乳 수유] 어린애에게 젖을 먹임.

1
획

10
⑪ 【乾】 ■하늘 건
㊀先
■마를 건
㊀간㊀寒 干 qián
gān

十 古 苜 吉 直 車 車 乾 乾

�日 ケン〔そら〕・カン〔かわく〕
㊎ sky, dry

字解 ■ ① 하늘 건(天也). ② 건괘 건(坤之對). ¶ 乾卦(건괘). ③ 임금 건(帝位). ■ ① 마를 건, 말릴 건(燥也). ¶ 乾葡萄(건포도). ② 건성 건, 건성으로할 건. ¶ 乾酒酊(건주정).

字源 會意. 倝+乙.

[乾坤 건곤] ㉠ 하늘과 땅을 상징적으로 일컫는 말. 천지(天地). ㉡ 건괘(乾卦)와 곤괘(坤卦).
[乾空 건공] 허공.
[乾燥 건조] 물기가 없음. 마름. ¶ 無味乾燥(무미건조).
[乾草 건초] 베어서 말린 풀. 또, 말라죽은 풀.

12
⑬ 【亂】 어지러울 란
㊀翰 乱 luàn

丿 厂 午 令 奇 肖 肖 窗 亂

㊐ ラン〔みだれる〕 ㊎ disorderly

字解 ① 어지러울 란(紊也). ¶ 亂世(난세). ② 난리 란(兵寇). ¶ 戰亂(전란).

字源 會意. 왼쪽은 실패에 감긴 실의 상하(上下)에 손이 있는 모양으로, 엉클어진 실을 두 손으로 풀고 있는 모양, 오른쪽의 乙도 또한 풀어서 정리함의 뜻. 전하여, 풀어 정리할 대상, 즉 어지러움을 뜻함.

參考 亂(乙部 6획)은 약자.

[亂動 난동] 사리에 어그러지게 함부로 행동함. 또, 그 행동.
[亂立 난립] 질서 없이 뒤섞이어 섬.
[內亂 내란] 나라 안에서 생긴 난리.
[叛亂 반란] 정부나 지배자에 대항하여 내란을 일으킴.

╔═══════════════════╗
亅 〔1 획〕 部
(갈고리궐부)
╚═══════════════════╝

0
① 【亅】 갈고리 궐
㊀月 jué 亅

㊐ ケツ〔かぎ〕 ㊎ hook

字解 갈고리 궐(鉤之逆者).

字源 象形. 밑 끝이 굽은 갈고리의 모양을 본뜸.

1
② 【了】 마칠 료
㊤篠 le, liǎo 了

㇈ 了

㊐ リョウ〔おわる〕 ㊎ finish

字解 ① 마칠 료(訖也). ¶ 完了(완료). ② 깨달을 료(理解). ¶ 了解(요해). ③ 밝을 료(瞭也). ④ 어조사 료(語助辭).

字源 假借. 두 손이 없는 아이의 모양이라고 함.

[了解 요해] 사정·형편을 자세히 앎.
[修了 수료] 일정한 학과를 다 배워마침.
[完了 완료] 완전히 끝냄.
[終了 종료] 일을 마침. 끝남.

3
④ 【予】 ■나 여
㊀魚
■줄 여
㊤語 yú
yǔ 予

一 マ マ 予

㊐ ヨ〔われ・あたえる〕 ㊎ I, give

字解 ■ 나 여(余也). ¶ 予一人(여일인). ■ 줄 여(與也).

字源 象形. 직기(織機)의 횡사(橫絲)를 끼는 북의 모양이며, 杼의 원자(原字). 전(轉)하여, 「주다」의 뜻.

參考 豫(豕部 9획)의 약자로도 쓰임.

5
6 【争】 爭(쟁)(爪部 4획)의 俗字

7
8 【事】 일 사去寘 shì

一 Ｔ Ｔ 巪 亘 写 耳 事

日 ジ〔こと〕 英 affair

字解 ① 일 사(動作云爲). ¶ 萬事(만사). 事物(사물). 事故(사고). ② 섬길 사(奉也). ¶ 事大(사대). ③ 부릴 사(使役也). ④ 일삼을 사(營也, 治也). ⑤ 찌를 사, 꽂을 사(剚也).

字源 形聲. 史를 바탕으로 하여 「之(지)」의 생략형의 전음이 음을 나타냄.

[事件 사건] 벌어진 일이나 일거리. 뜻밖에 일어난 일.

[事由 사유] 일의 까닭.

[家事 가사] 집안일.

[慶事 경사] 축하할 만한 기쁜 일.

二
〔2 획〕
(두이부) 部

0
2 【二】 두 이去寘 èr

二

日 二〔ふたつ〕 英 two

字解 ① 두 이(一之加一). ② 다음 이, 二陣(이진). ③ 두가지로 할 이. ¶ 二信(이신).

字源 指事. 가로의 두 직선으로 둘이라는 수효를 나타냄.

參考 弍(弋部 2획)는 옛 글자. 貳(貝部 5획)는 갖은자.

[二律背反 이율배반] 꼭 같은 근거를 가지고 정당하다고 주장하는, 서로 모순되는 두 명제(命題). 또, 그 사이의 관계.

[二重苦 이중고] 한꺼번에 겹치는 고생.

[唯一無二 유일무이] 오직 하나뿐으로 둘도 없음.

2
획

1
3 【于】 ■어조사 우
■탄식할 우去虞 yú wū 魚

一 二 于

日 ウ・ヨ〔ああ〕 英 particle, sigh

字解 ■ ① 어조사 우(語助辭). 于今(우금). ② 갈 우(往也). ¶ 于歸(우귀). ■ 탄식할 우. ¶ 우차(于嗟).

字源 象形. 트집 간 활을 바로잡는 제구를 본뜬 모양.

[于先 우선] ㉠ 먼저. ㉡ 아쉬운 대로.

[至于今 지우금] 예로부터 지금에 이르기까지.

2
4 【云】 이를 운去文 yún

二 ニ 丟 云

日 ウン〔いう〕 英 say

字解 이를 운(曰也), 말할 운. ¶ 云謂(운위).

字源 象形. 구름이 하늘로 솟아오르는 모양을 나타냄. 雲의 원자(原字). 「이름」의 뜻으로 쓰이는 것은 음의 차용임.

[云云 운운] 이러쿵저러쿵.

2
4 【互】 서로 호去遇 hù

一 工 互 互

日 ゴ〔たがい〕 英 each other

字解 서로 호(交也).

[字] 象形. 새끼줄을 감는 것의 모양이라고 함. 전하여, 「서로」의 뜻으로 쓰임.

[互惠 호혜] 서로 도와 줌으로써 끼치는 피차간의 은혜.

[相互 상호] 피차가 서로.

2획

²④ 【五】 다섯 오 上麌 | wǔ | 五

一 丁 五 五

日 ゴ〔いつつ〕 英 five

[字解] ① 다섯 오(數名). ② 다섯 번 오(五回).

[字源] 指事. 二와 교호로 어긋매기어 그은 선으로 「다섯」을 나타냄.

[參考] 伍(人部 4획)는 갖은자.

[五十步百步 오십보백보] 조금의 차이는 있으나, 크게 차이가 없음.

²④ 【井】 우물 정 上梗 | jǐng | 井

一 二 ‡ 井

日 セイ〔いど〕 英 well

[字解] ① 우물 정(地穴出水). ¶ 井中蛙(정중와). ② 정자꼴 정. ¶ 井間紙(정간지). ③ 저자 정(市場). ¶ 市井(시정).

[字源] 象形. 우물의 난간을 나타냄.

[井水 정수] 우물물.

[井中観天 정중관천] 우물 안에 앉아 하늘을 봄. 곧, 견문이 좁음.

⁴⑥ 【亙】 ■구할 선 上先 ■굳셀 환 上寒 ■건널 긍 上徑 | xuān huán gèn(gèng) | 亙

日 セン〔もとめる〕・カン〔たけし〕 英 seek, strong

[字解] ■ 구할 선(求也). ■ 굳셀 환. ■ 건널 긍 互(次條)와 同字.

[字源] 會意. 상하(上下)를 뜻하는 二와 회전의 뜻의 回의 合字.

⁴⑥ 【亘】 건널 긍 上徑 | gèn (gèng) | 亘

日 コウ〔わたる〕 英 across

[字解] ① 건널 긍(徑渡也). ② 뻗칠 긍(延袤也).

[字源] 會意. 二(양쪽 강가)와 舟의 합자. 양 강가를 배로 건너감의 뜻.

[亘帶 긍대] 널리 뻗어 빙 두름.

⁵⑦ 【况】 발어사 황 上漾 | kuàng | 况

日 キョウ〔ここに〕

[字解] 발어사 황(發語辭).

[字源] 形聲. 「兄(형)」의 전음이 음을 나타냄.

[注意] 况(冫部 5획)・況(水部 5획)은 딴 글자.

⁵⑦ 【亜】 亞(아)(二部 6획)의 俗字

⁵⑦ 【些】 적을 사 上麻 | xiē | 些

日 サ〔いささか〕 英 a little

[字解] 적을 사(少也).

[字源] 會意. 此+二

[些細 사세] 조금. 하찮음.

[些少 사소] 하찮것없이 적음.

⁶⑧ 【亞】 ■버금 아 上禡 ■누를 압 入洽 | yà yā | 亞

一 厂 厂 厂 币 币 币 亞

日 ア〔つぎ〕・アク〔おす〕 英 secondary, press

[字解] ■ ① 버금 아(次也). ¶ 亞子(아자). ② '亞細亞'의 준말로 쓰임. ¶ 東南亞(동남아). ■ 누를 압(壓也).

[字源] 象形. 고대의 주거(住居)의 모양을 본뜸.

[亞流 아류] 으뜸에 다음가는 유. 또,

그 유의 사람이나 사물.

[亞熱帶 아열대] 열대와 온대의 중간 지대.

---

⁷_⑨【亟】 ■빠를 극⑧職 ■자주 기⑤寘 | jí qì | 丞

㊐ キョク〔すみやか〕・キ〔しばしば〕
㊐ quick, frequently

字解 ■ ① 빠를 극(疾也). ¶亟速(극속). ② 급할 극(急也). ■ 자주 기(頻也). ¶亟遊(기유).

字源 會意. 人(사람)・口(입)・又(손)・二(천지(天地))의 합자.

┌─────────────┐
│ 亠 〔2 획〕 部 │
│   (돼지해밑부)   │
└─────────────┘

⁰_②【亠】 두㊀尤 | tóu | 二

㊐ トウ〔なべぶた〕

字解 두. 자의(字義) 미상.

字源 문자 정리의 필요에 따라 부수(部首)로 올려진 문자.

---

¹_③【亡】 ■멸할 망㊀陽 ■없을 무㊁虞 | wáng wú | 乞

㊐ ボウ〔ほろびる〕・ブ〔ない〕
㊐ ruin, do not exist

字解 ■ ① 멸할 망(滅也). ¶亡國(망국). ② 달아날 망(逃也). ¶逃亡(도망). ③ 잃을 망(失也). ¶亡失(망실). ④ 죽을 망(死也). ¶亡靈(망령). ■ 없을 무. ¶亡慮(무려).

字源 會意. 乚(숨음)과 入의 합자. 사람이 도망해 와서 숨음의 뜻. 따라서, 「없음・멸망함」의 뜻이 됨.

參考 亽(入部 1획)은 본자.

[亡國 망국] ㉠ 망한 나라. ㉡ 나라를 망침. ¶亡國恨(망국한).

[亡命 망명] 혁명이나 그 밖의 이유로 타국으로 몸을 피함.

---

²_④【亢】 ■올라갈 항㊀漾 ■목 항㊀陽 | kàng gāng | 亢

㊐ コウ〔たかぶる・のど〕
㊐ rise, neck

字解 ■ ① 올라갈 항(擧也). ¶亢進(항진). ② 막을 항, 대적할 항(禦也). ¶亢扞(항한). ③ 별이름 항(星名). ¶亢宿(항수). ■ 목 항(頸也). ¶絕亢(절항).

字源 象形. 경맥(頸脈)의 모양을 본뜸.

[亢進 항진] ㉠ 위세 좋게 뽐내며 나아감. ㉡ 기능・기세 등이 높아져 감. ㉢ 병세 따위가 나빠짐.

---

⁴_⑥【交】 사귈 교㊀肴 | jiāo | 乞

丶 亠 亍 六 交 交

㊐ コウ〔まじわる〕 ㊐ associate

字解 ① 사귈 교(相合). ¶社交(사교). ② 섞일 교, 오고갈 교(往來). ¶交通(교통). ③ 바꿀 교, 바뀔 교(更也). ¶交換(교환). ④ 흘레할 교(媾合). ¶交尾(교미).

字源 象形. 사람의 종아리가 교차해 있는 모양을 본뜬 글자.

[交流 교류] ㉠ 서로 뒤섞이어 흐름. ㉡ 문화・경제・경험 등을 서로 소개하거나 교환함.

[交友 교우] 친구를 사귐.

[國交 국교] 국가간의 교제.

[外交 외교] 국제간의 교섭.

---

⁴_⑥【亥】 돼지 해㊀賄 | hài | 亥

丶 亠 亍 亥 亥 亥

[日] ガイ〔い〕 [英] pig

[字解] ① **돼지 해**(豚也). ② **끝지지 해**(地支末位).

[字源] 象形. 豕(돼지)를 본뜸.

[亥年 해년] 태세가 해(亥)로 된 해.

4 ⑥ 【亦】 [一]또 역 [入]陌 [二]클 혁 [本]역 yì

[日] エキ〔また〕・ヤク〔おおいに〕 [英] also, big

[字解] [一] **또 역, 또한 역**(又也). [二] **클 혁**(大也).

[字源] 指事. 사람의 양옆구리를 나타냄.

[亦是 역시] 이것도 또한.

5 ⑦ 〖亨〗 형통할 형 [平]庚 hēng

[日] キョウ〔とおる〕 [英] go well

[字解] **형통할 형**(通也).

[字源] 會意. 정자(正字)는 亯. 高의 생략체와 日(삶은 요리)과의 합자. 삶은 요리를 고봉으로 담아 신전(神前)에 바침의 뜻.

[注意] 享(亠部 6획)은 딴 글자.

[亨通 형통] ㉠ 모든 일이 뜻과 같이 잘 됨. ㉡ 운이 좋아서 출세함.

6 ⑧ 〖享〗 누릴 향 [上]養 xiǎng

[日] キョウ〔うける〕 [英] enjoy

[字解] ① **누릴 향**(受也). ¶ 享有(향유). ② **드릴 향**(獻也). ¶ 享右(향우). ③ **제사지낼 향, 제사 향**(祭也). ¶ 享祀(향사).

[字源] 象形. 기초가 되는 대상(臺上)에 세워진 조상을 모신 곳을 본뜸.

[注意] 亨(亠部 5획)은 딴 글자.

[享樂 향락] 즐거움을 누림.

6 ⑧ 【京】 서울 경 [平]庚 jīng

[日] キョウ〔みやこ〕 [英] capital

[字解] ① **서울 경**(首都). ¶ 京鄕(경향). ② **클 경**(大也), **높을 경**(高也). ¶ 京觀(경관). ③ **천만 경**(十兆).

[字源] 象形. 언덕 위에 집이 서 있는 것을 본뜬 글자. 고대에는 높은 곳에 신전(神殿)을 모시고 그 둘레에 사람이 모여 산 데서 「서울」을 뜻하게 됨.

[京觀 경관] 큰 구경거리라는 뜻으로, 전공을 보이기 위하여 전쟁이 끝난 뒤에 적의 시체를 쌓아올리고 흙을 덮은 큰 무덤.

[京鄕 경향] 서울과 시골.

[歸京 귀경] 서울로 돌아오거나 돌아감.

[上京 상경] 시골에서 서울로 올라감.

7 ⑨ 〖亭〗 정자 정 [平]青 tíng

[日] テイ〔あずまや〕 [英] arbor

[字解] ① **정자 정, 집 정**(觀覽處). ¶ 亭子(정자). ② **역마을 정, 여인숙 정**(宿所). ¶ 驛亭(역정). ③ **곧을 정**(直也). ¶ 亭亭(정정).

[字源] 形聲. 高〈省〉+丁〔音〕

[亭子 정자] 놀기 위하여 산수(山水)가 좋은 곳에 지은 집.

7 ⑨ 〖亮〗 밝을 량 [去]漾 liàng

[日] リョウ〔あきらか〕 [英] bright

[字解] ① **밝을 량**(明也). ¶ 明亮(명량). ② **도울 량**(佐也).

[字源] 會意. 儿(人)+高〈省〉

[亮察 양찰] 밝게 살핌.

2
획

7 ⑨ **[変]** 變(변)(言部 16획)의 略字

8 ⑩ **[亳]** 은나라 서울 박 ⟨人⟩藥 | bó(bò)

  ⓙ ハク〔いんのみやこ〕

  字解 은나라서울 박(湯所都).

  字源 形聲. 高〈省〉+乇〔音〕

8 ⑩ **[亭]** 亭(정)(亠部 8획)의 俗字

11 ⑬ **[亶]** 믿음 단 ⓔ루 | dǎn | ⓔ credit

  ⓙ タン〔まこと〕

  字解 ① 믿음 단, 믿을 단(信也). ¶ 亶其然乎(단기연호) ② 도타울 단(篤也). ③ 많을 단(多也).

  字源 形聲. 靣+旦〔音〕

  [亶父 단보] 주(周)의 태왕(太王). 문왕(文王)의 조부.

20 ㉒ **[亹]** 一 힘쓸 미 ⓔ尾 二 골어귀 문 ⓔ元 | wěi mén | ⓔ endeavor

  ⓙ ビ・モン〔つとめる〕

  字解 一 ① 힘쓸 미(勉也). ¶ 亹亹(미미). ② 문채날 미. ¶ 斐亹(비미). 二 골어귀 문(兩山峙立如門).

  字源 會意. 高〈省〉+興〈省〉+旦

  [亹亹 미미] ㉠ 열심히 노력하는 모양. ㉡ 물이 쉴 사이 없이 흘러가는 모양.

人(亻) 〔2 획〕 **部**
(사람인부)

---

0 ② **[人]** 사람 인 ⓔ眞 | rén | 人

  ノ 人

  ⓙ ジン・ニン〔ひと〕 ⓔ man

  字解 ① 사람 인(動物最靈者). 人類(인류). ② 남 인(己之對), 딴 사람 인(他人). 與人相約(여인상약). ③ 인품 인, 인격 인. ¶ 爲人(위인). ④ 백성 인(民也). ¶ 人民(인민).

  字源 象形. 사람이 허리를 굽히고 서 있는 것을 옆에서 본 모양을 본뜬 글자.

  參考 변으로 쓰일 때는 '亻'.

  [人間 인간] ㉠ 사람. ㉡ 세상(世上). ㉢ 속세(俗世).

  [人智 인지] 사람의 슬기나 지능.

  [爲人 위인] 사람의 됨됨이.

  [證人 증인] 증거로 서는 사람. 증거인.

2 ④ **[今]** 이제 금 ⓔ侵 | jīn | 今

  ノ 人 스 今

  ⓙ キン・コン〔いま〕 ⓔ now

  字解 ① 이제 금(是時也), 오늘 금(今日). ¶ 昨今(작금). ② 바로 금. ¶ 今時(금시).

  字源 會意. 지붕 밑을 나타내고, 陰의 원자(原字). 단, 예부터 시(時)를 나타내는 「지금」의 뜻으로 차용됨.

  [今昔之感 금석지감] 예와 지금과의 사이에 변화가 심함을 보고 느끼는 정.

  [今時初聞 금시초문] 이제야 비로소 처음 들음.

2 ④ **[介]** 끼일 개 ⓔ卦 | jiè | 介

  ノ 人 介 介

  ⓙ カイ〔はさまる〕 ⓔ lie between

  字解 ① 끼일 개, 사이에끼일 개(際也). ¶ 介在(개재). ② 딱지 개, 단단한껍질 개(甲也). ¶ 介殼

(개각). ③ **갑옷 개**(冑也). ¶ 介冑(개주). ④ **소개할 개**(仲媒). ¶ 仲介(중개).

[字源] 會意. 人(사람)과 八(사물을 가름)의 합자.

[介殼 개각] 연체동물의 단단한 겉 껍데기.

[介入 개입] (사건이나 사이에) 끼어 들어감.

2 ④ 【从】 從(종)(彳部 8획)의 本字

2 ④ 【仄】 기울 측 [入]職 zè

[日] ソク〔ほのか〕 [英] incline

[字解] ① **기울 측, 기울일 측**(傾也, 昃也). ¶ 仄日(측일). ② **희미할 측**(幽也). ¶ 仄聞(측문). ③ **측운 측**(音韻). ¶ 平仄(평측). ④ **곁 측, 모 측**(側也). ¶ 仄行(측행).

[字源] 會意. 人(사람)이 厂(벼랑) 밑에 있는 모양. 벼랑 중턱의 좁은 굴 속에 사람이 기웃하게 있는 뜻. 전하여, 「기울어짐」의 뜻.

[仄聞 측문] 어렴풋이 들음. 얼핏 풍문에 들음.

[仄韻 측운] 평성(平聲) 이외의 운. 상(上)·거(去)·입(入)의 삼성(三聲)에 딸린 운자. 측성(仄聲).

[仄日 측일] 기우는 해. 지는 해. 사양(斜陽).

2 ④ 【什】 [一]세간 집 [本]십 [入]緝 [二]열 십 [入]緝 shí

[日] ジュウ〔とお〕 [英] furniture, ten

[字解] [一] **세간 집, 가구 집.** ¶ 什物(집물). [二] **열 십**(十也), **열사람 십**(十人). ¶ 什長(십장).

[字源] 形聲. 人+十〔音〕

[什長 십장] ㉠ 병졸 열 사람 가운데의 우두머리. ㉡ 공사판에서의 감독.

[什物 집물] 살림살이에 드는 온갖 그릇.

2 ④ 【仁】 어질 인 [平]眞 rén

ノ 亻 亻 仁

[日] ジン・ニン〔いつくしみ〕

[英] merciful

[字解] ① **어질 인, 인자할 인**(心之德愛). ¶ 仁慈(인자). ② **씨 인**(果核中實). ¶ 杏仁(행인).

[字源] 會意. 人(사람)과 二의 합자. 두 사람이 친하게 지냄을 뜻하는 데서, 「어질다」의 뜻으로 쓰임.

[仁義 인의] 어진 것과 의로운 것.

[仁兄 인형] 친구를 부를 때 쓰는 존칭.

[杏仁 행인] 살구씨 껍데기 속의 알맹이.

2 ④ 【仆】 넘어질 부[去]遇 fù pū

[日] フ〔たおれる〕 [英] fall

[字解] ① **넘어질 부**(僵也). ② **엎어질 부**(顚覆).

[字源] 形聲. 人+卜〔音〕

[仆伏 부복] 넘어져 엎드림.

[仆斃 부폐] 넘어져 죽음. 폐사(斃死).

2 ④ 【仂】 나머지 륵[入]職 lè lì

[日] リョク〔あまり〕 [英] rest

[字解] ① **나머지 륵**(餘也). **십분의 일 륵**(十分之一). ② **힘쓸 륵**(勵也).

[字源] 形聲. 人+力〔音〕

2 ④ 【仇】 원수 구 [平]尤 chóu

[日] キュウ〔あだ〕 [英] enemy

[字解] ① **원수 구, 적 구**(怨敵). ¶ 仇敵(구적). ② **짝 구**(匹也), **상대 구.** ¶ 仇匹(구필).

[字源] 形聲. 人+九〔音〕

[仇怨 구원] ㉠ 원한. ㉡ 원수.
[仇敵 구적] 원수. 적(敵).

2 ④ 【仍】 인할 잉 [平]蒸 | réng 

[日] ジョウ〔よる・なお〕 [英] cause

[字解] ① **인할 잉**(因也), **그대로따를 잉**. ¶ 仍用(잉용). ② **거듭 잉**, **거푸 잉**(重也). ¶ 仍任(잉임).

[字源] 形聲. 人+乃〔音〕

[仍用 잉용] 이전 것을 그대로 씀.
[仍任 잉임] 임기가 다 된 관리를 계속 임용(任用)함.

2 ④ 【仏】 佛(불)(人部 5획)의 略字

2 ④ 【内】 內(내)(入部 2획)의 俗字

3 ⑤ 【令】 [一]영 령 [去]敬 [二]하여금 령 [平]庚 | lìng 

ノ 人 𠆢 今 令

[日] レイ〔しめる・のり〕
[英] order, making

[字解] [一] ① **영 령**, **영내릴 령**(命也). ¶ 命令(명령). ② **법 령**, **규칙 령**(法也, 律也). ¶ 大統領令(대통령령). ③ **벼슬 령**, **원 령**(官名). ¶ 縣令(현령). ④ **좋을 령**. ¶ 令名(영명). ⑤ **남을높이는말 령**. ¶ 令愛(영애). [二] ① **하여금 령**(使也). ② **가령 령**(假也). ¶ 設令(설령).

[字源] 會意. 亼(集의 옛 글자)와 卩(節)과의 합자. 천자가 제후(諸侯)에게 내린 節(작위의 증표)을 모을 때의 호령.

[令夫人 영부인] 남의 아내를 높이어 이르는 말.
[令息 영식] 남의 아들의 존칭.
[令室 영실] 영부인.

[縣令 현령] ㉠ 신라·고려 때 현의 으뜸 벼슬. ㉡ 조선 때 큰 현의 원.

3 ⑤ 【仝】 同(동)(口部 3획)과 同字

3 ⑤ 【以】 써 이 [上]紙 | yǐ 

丶 𠃊 𠄌 𠃋 以

[日] イ〔もって〕 [英] with

[字解] ① **써 이**(用也) (『…로써, …에 의하여, …때문에, …고, …에도 불구하고』의 뜻과 어조를 돕기 위하여 쓰는 말). ¶ 以心傳心(이심전심). ② **부터 이**. ¶ 以下(이하). ③ **까닭 이**(因也). ¶ 所以(소이).

[字源] 形聲. 人을 바탕으로 「㠯(이)」가 음을 나타냄.

[以實直告 이실직고] 사실 그대로 고함.
[以心傳心 이심전심] 마음에서 마음으로 전함.
[以下 이하] 어느 한도의 아래.

3 ⑤ 【仔】 자세할 자 [平]支 [上]紙 | zǐ 

[日] シ〔こまか〕 [英] detailed

[字解] ① **자세할 자**(細也). ¶ 仔細(자세). ② **견딜 자**(克也). ③ **새끼 자**. ¶ 仔蟲(자충).

[字源] 形聲. 人+子〔音〕

[仔詳 자상] ㉠ 차분하고 꼼꼼함. ㉡ 아주 자세함.

3 ⑤ 【仕】 벼슬 사 [上]紙 | shì 

ノ 亻 仁 什 仕

[日] シ・ジ〔つかえる〕
[英] official rank

[字解] ① **벼슬 사**(官也). ② **벼슬할 사**(宦也). ③ **섬길 사**(事也).

[字源] 形聲. 人+士〔音〕

[仕官 사관] ㉠ 벼슬살이를 함. ㉡ 부하가 달마다 상관에게 뵈는 일.

³⑤【他】다를 타 ⊕歌 | tā   仂

ノイイ仲他

⊜ タ〔ほか〕 ⊛ different

字解 다를 타(異也), 딴 타, 남 타 (自之對).

字源 形聲. 人+也〔音〕.

[他意 타의] 다른 생각이나 마음.

³⑤【仗】의장 장 ⊕漾 | zhàng   仗

⊜ ジョウ〔へいき〕 ⊛ weapon

字解 ① 의장 장(兵衛儀仗), 무기 장(武器). ¶儀仗(의장). ② 의지할 장(依也), 기댈 장(倚也), 짚을 장(馮依).

字源 形聲. 人+丈〔音〕.

[仗義 장의] 정의에 의하여 일을 행함.

[兵仗 병장] 예전에, 병사의 병기.

³⑤【付】줄 부 ⊕遇 | fù   付

ノイイ什付

⊜ フ〔あたえる〕 ⊛ give

字解 ① 줄 부(與也). ¶交付(교부). ② 부탁 부(託也). ¶付託(부탁). ③ 붙일 부(貼也). ¶貼付(첩부).

字源 會意. 寸(손에 물건을 듦)과 人의 합자. 사람에게 물건을 줌의 뜻.

[付書 부서] 편지를 부침.

[付送 부송] 물건을 부침.

[付託 부탁] (무슨 일을) 하여 달라고 맡기거나 청함.

[交付 교부] 관공서 등에서 내줌.

³⑤【仙】신선 선 ⊕先 | xiān   仙

ノイイ仙仙

⊜ セン〔せんにん〕 ⊛ hermit

字解 ① 신선 선(不老不死者). ¶仙境(선경). ② 센트 선, 미국 화폐 단위인 센트(cent)의 약자로 씀.

字源 會意. 人+山.

[仙境 선경] ㉠ 신선이 산다고 하는 곳. ㉡ 경치가 썩 좋고 그윽한 곳.

[仙女 선녀] 여자 선인.

[仙藥 선약] ㉠ 불로불사의 약. ㉡ 신통한 효력이 있는 약.

[詩仙 시선] ㉠ 천재적인 시인 ㉡ 중국 당나라 때의 이백(李白)을 이르는 말.

³⑤【仞】길 인 ⊛震 | rèn   仞

⊜ ジン〔ひろ〕 ⊛ fathom

字解 길 인(長也, 八尺). ¶九仞(구인).

字源 形聲. 人+刃〔音〕.

參考 仭(人部 3획)은 속자.

[千仞 천인] 천 길.

³⑤【仟】일천 천 ⊕先 | qiān   仟

⊜ セン〔かしら〕 ⊛ thousand

字解 ① 일천 천(千也). ② 논두둑 천(阡也). ¶仟佰(천백). ③ 무성할 천(草盛貌). ¶仟仟(천천).

字源 形聲. 人+千〔音〕.

參考 '千'의 갖은자로 쓰임.

[仟佰 천백] 동서남북으로 통하는 논두둑.

[仟仟 천천] 초목이 무성한 모양.

³⑤【仡】█날랠 흘⊛物 | yì / █흔들 릴올⊛月 | wù   仡

⊜ キツ〔いさましい〕・コツ〔ゆれる〕 ⊛ nimble, shake

字解 █ ① 날랠 흘(壯勇貌). ② 높을 흘(高大). █ 흔들릴 올(船動

搖之貌也).

字源 形聲. 人+乞(气)〔音〕

[仡仡 흘흘] ㉠ 힘이 세고 용맹한 모양. ㉡ 높고 큰 모양.

---

³ 【代】 대신할 대
⑤ 대㉠隊 dài 代

ノ イ 仁 代 代

㈰ ダイ〔かわる〕 ㊤ substitute

字解 ① 대신할 대(代身). ¶ 代理(대리). ② 번갈아 대(更也, 替也). ¶ 交代(교대). ③ 세 대, 시대 대(世也). ¶ 現代(현대). ④ 사람의 일생 대. ¶ 一代記(일대기). ⑤ 대대, 계승의차례 대. ¶ 第三代(제삼대). ⑥〔韓〕값 대, 대금 대. ¶ 花代(화대).

字源 形聲. 人+弋〔音〕

[代金 대금] 물건의 값으로 치르는 돈.

[代代 대대] ㉠ 거듭되는 여러 대. ¶ 代代孫孫(대대손손). ㉡ 대를 이어 계속.

[代理 대리] 어떤 사람이나 직무를 대신함. 또, 그렇게 대신하는 사람.

[代書 대서] 남을 대신하여 글을 씀.

[交代 교대] 어떤 일을 서로 번갈아 들어 함.

[歷代 역대] 지내 내려온 여러 대(代).

---

³ 【伋】 仍(人部 3획)의 俗字

---

⁴ 【企】 도모할 기㉠紙
⑥ 　　　㉠實 qǐ 企

ノ 人 个 仝 仝 企

㈰ キ〔くわだてる〕 ㊤ scheme

字解 ① 도모할 기. ¶ 企畫(기획). ② 발돋움할 기(擧踵望). ¶ 企望(기망).

字源 會意. 人(사람)과 止(그침)의 합자. 발돋움하여 멀리를 바라보는 뜻을 나타냄.

2획

[企圖 기도] 일을 꾸며 내려고 꾀함.

[企業 기업] ㉠ 사업을 기획함. ㉡ 경제 분야에서의 경영 활동.

[企畫 기획] 일을 꾸며 계획함.

---

⁴ 【会】 會(회)(日部 9획)의 略字·
⑥ 　　　簡體字

---

⁴ 【仰】 우러러볼 앙
⑥ 앙㉠養 yǎng 仰

ノ イ 仁 化 仰 仰

㈰ ギョウ〔あおぐ〕 ㊤ look up

字解 ① 우러러볼 앙(俯之對). ② 사모할 앙(慕也).

字源 會意. 卬(고개를 들고 쳐다봄)과 人의 합자.

[仰望 앙망] 우러러 바람.

[仰臥 앙와] 가슴과 배를 위로 하고 반듯이 누움.

[信仰 신앙] 신이나 초자연적인 절대자를 믿고 받드는 일.

---

⁴ 【仲】 버금 중
⑥ 　　　㉠送 zhòng 仲

ノ イ 仆 巾 巾 仲

㈰ チュウ〔なか〕 ㊤ second

字解 ① 버금 중, 둘째 중(次也). ¶ 仲兄(중형). ② 가운데 중(中也). ¶ 仲介(중개).

字源 形聲. 人+中〔音〕

[仲秋 중추] 음력 8월.

[仲兄 중형] 둘째형.

---

⁴ 【件】 것 건
⑥ 　　　㉠銑 jiàn 件

ノ イ 仁 化 件 件

㈰ ケン〔くだん〕 ㊤ thing

字解 ① 것 건(物件, 事件, 條件). ¶ 要件(요건). ② 건 건(物數). ¶ 一件書類(일건 서류). ③ 구분할 건(區別).

字源 會意. 人+牛

[件名 건명] ㉠ 일이나 물건의 이름. ㉡ 서류의 제목.

[件數 건수] 사건의 수.
[要件 요건] 중요한 용건.
[條件 조건] 내놓는 요구나 견해.

4 ⑥ 【价】 착할 개 [去]卦 | jiè

[日] カイ〔おおきい〕 [英] good

[字解] ① **착할 개**(善也). ② **클 개**(大也).

[字源] 形聲. 人+介〔音〕

4 ⑥ 【任】 맡길 임 [去]沁 | rèn

丿 亻 亻 仁 仟 任

[日] ニン〔まかせる〕 [英] charge

[字解] ① **맡길 임, 맡을 임**(保也). ¶ 擔任(담임). ② **일 임**(事也). ¶ 重任(중임). ③ **마음대로할 임, 버려둘 임.** ¶ 放任(방임).

[字源] 形聲. 人+壬〔音〕

[任期 임기] 일정한 책임을 맡아 보는 기간.
[任免 임면] 임관과 면관.
[任意 임의] 자기 의사대로 하는 일.
[兼任 겸임] 여러 가지 직무를 겸함.
[解任 해임] 어떤 지위나 임무를 내놓게 함.

4 ⑥ 【仿】 髣(방)(髟部 4획)·彷(彳部 4획)과 同字.

4 ⑥ 【伉】 [一]짝 항 [去]漾 [二]높을 항[平]陽 | gāng

[日] コウ〔たぐい·ただしい〕 [英] mate, high

[字解] [一] ① **짝 항, 배필 항**(配偶). ¶ 伉儷(항려). ② **굳셀 항**(健也). ¶ 伉直(항직). ③ **질직할 항**(直也). [二] **높을 항**(高大).

[字源] 形聲. 人+亢〔音〕

[伉儷 항려] 남편과 아내. 짝.

4 ⑥ 【伊】 저 이[平]支 | yī

[日] イ〔かれ〕 [英] he, she

[字解] ① **저 이**(彼也). ② **이 이**(是也). ③ **어조사 이**(發語辭).

[字源] 形聲. 人+尹〔音〕

4 ⑥ 【伋】 생각할 급[入]緝 | jí

[日] キュウ〔いつわり〕 [英] think

[字解] ① **생각할 급**(思也). ② **거짓 급**(詐也). ¶ 伋伋(급급).

[字源] 形聲. 人+及〔音〕

[伋伋 급급] 속이는 모양.

4 ⑥ 【伍】 항오 오 [上]麌 | wǔ

[日] ゴ〔くみ〕 [英] rank

[字解] ① **항오 오**(軍列), **대열 오.** ¶ 落伍(낙오). ② **반 오**(五戶). ¶ 伍長(오장). ③ **다섯 오**(五也).

[字源] 形聲. 人+五〔音〕

[參考] '五'의 갖은자로도 쓰임.

[伍伴 오반] 동아리. 반려(伴侶).
[隊伍 대오] 군대 행렬의 줄.

4 ⑥ 【伎】 재주 기 [上]紙 | jì

[日] ギ·キ〔わざ〕 [英] skill

[字解] **재주 기, 기술 기**(技也).

[字源] 形聲. 人+支〔音〕

[伎倆 기량] 기술상의 재주. 기량(技倆).

4 ⑥ 【伏】 엎드릴 복[入]屋 | fú

[日] フク〔ふせる〕 [英] prostrate

[字解] ① **엎드릴 복**(跧也). ¶ 伏望(복망). ② **숨을 복, 감출 복**(藏也). ③ **굴복할 복, 항복할 복.** ¶ 屈伏(굴복). ④ **절후 복**(時令). ¶ 三伏(삼복).

[字源] 會意. 人과 犬의 합자. 개가 사람 옆에 엎드려 사람의 뜻을 살피는 모양.

[伏望 복망] 엎드려 바란다는 뜻으로, 웃어른께 삼가 바람의 뜻.

[伏兵 복병] 적을 불의에 치기 위하여 적이 행동하는 요긴한 목에 군대가 숨음. 또, 그 군대.

[伏中 복중] 초복에서 말복까지의 사이.

[屈伏 굴복] 머리를 숙이고 꿇어 엎드림.

⁴₆【伐】칠 벌 ⊼月 | fá

ノ イ ⁄ 代 伐 伐

㈰ バツ〔うつ〕 ㊐ attack

字解 ① 칠 벌(征也). ② 벨 벌(斫木). ¶ 伐木(벌목). ③ 공 벌(功也). ¶ 不伐不德(불벌부덕). ④ 자랑할 벌(矜也). ⑤ 방패 벌(干也).

字源 會意. 戈(창)으로 人(사람)을 침의 뜻.

[伐木 벌목] 나무를 벰.

[伐採 벌채] 나무를 베어 냄.

[伐草 벌초] 무덤의 잡초를 베는 일.

[盜伐 도벌] 산의 나무를 몰래 벰.

[征伐 정벌] 적이나 죄 있는 무리를 무력으로 침.

⁴₆【休】쉴 휴 ⊼尤 | xiū

ノ イ ⁄ 什 休 休

㈰ キュウ〔やすむ〕 ㊐ rest

字解 ① 쉴 휴(息也). ¶ 休息(휴식). ② 아름다울 휴(美也), 좋을 휴(善也). ¶ 休德(휴덕). ③ 그칠 휴(止也).

字源 會意. 人과 木의 합자. 사람이 나무 그늘에서 쉼의 뜻.

[休校 휴교] ㉠ 학교를 쉼. ㉡ 학교가 쉼.

[休明 휴명] 썩 밝음.

[休會 휴회] 회의를 쉼.

[不眠不休 불면불휴] 자지도 쉬지도 않는다는 뜻으로, 쉴 새 없이 힘써 일함의 뜻.

⁴₆【伃】 | yú

궁녀의 벼슬이름 ㊤魚

㈰ ヨ〔うつくしい〕

字解 궁녀의벼슬이름 여(古代女官位).

字源 形聲. 人+予〔音〕

⁴₆【份】 彬(빈)(彡部 8획)의 古字

⁴₆【仮】 假(가)(人部 9획)의 略字

⁴₆【伝】 傳(전)(人部 11획)의 略字

⁵₇【余】나 여 ㊤魚 | yú

ノ 人 ⼎ ⼐ 仐 余 余

㈰ ヨ〔われ〕 ㊐ I

字解 ① 나 여(我也). ② 나머지 여(餘也). ③ 사월 여. ¶ 余月(여월).

字源 形聲. 「舍(사)」의 전음이 음을 나타냄. 「나」의 뜻은 음의 차용임.

參考 ②의 뜻으로는 餘(食部 7획)와 같은 글자.

[余等 여등] 우리들.

⁵₇【伯】맏 백 ⊼陌 | bó

ノ イ ⁄⼎ ⼎ 伯 伯 伯

㈰ ハク〔おさ〕 ㊐ elder

字解 ① 맏 백, 첫 백(長也). ¶ 伯兄(백형). ② 우두머리 백. ¶ 畫伯(화백). ③ 백작 백(爵名). ④ 큰아버지 백. ¶ 伯父(백부).

字源 形聲. 人+白〔音〕

[伯仲 백중] ㉠ 맏형과 둘째 형. ㉡ 서로 어금지금함. ¶ 伯仲之勢(백중지세).

[伯兄 백형] 백씨(伯氏), 장형(長兄).
[畫伯 화백] '화가'의 경칭.

5
⑦ 【估】값 고 ⊕霽 gū, gǔ 估
⊕コ〔あたい〕 ⊛ price
字解 ① 값 고(價也). ¶ 估價(고가). ② 매매할 고, 흥정할 고. ¶ 估客(고객).
字源 形聲. 人+古〔音〕.
[估價 고가] 값, 가격. 시세.
[估稅 고세] 상품에 과하는 세금.

5
⑦ 【伴】짝 반 ⊕旱 bàn 伴
⊕ハン〔ともなう〕 ⊛ companion
字解 ① 짝 반(侶也). ¶ 伴侶(반려). ② 모실 반(陪從). ¶ 伴奏(반주).
字源 形聲. 人+半〔音〕.
[伴侶 반려] 짝이 되는 친구. 동반자.
[同伴 동반] 함께 데리고 감.

5
⑦ 【伶】영리할 령 ⊕靑 líng 伶
⊕レイ〔わざおぎ〕 ⊛ clever
字解 ① 영리할 령(俐也). ¶ 伶俐(영리). ② 악공 령(樂工). ¶ 伶人(영인).
字源 形聲. 人+令〔音〕.
[伶俐 영리] 눈치 빠르고 슬기로움.

5
⑦ 【伸】펼 신 ⊕眞 shēn 伸
丿 亻 亻 㐅 佀 佀 伸
⊕シン〔のびる〕 ⊛ extend
字解 ① 펼 신(舒也), 늘일 신(屈之對). ¶ 伸張(신장). ② 기지개켤 신. ¶ 欠伸(흠신). ③ 말할 신, 사뢸 신(申也). ¶ 追伸(추신).
字源 形聲. 人+申〔音〕.
[伸張 신장] 늘여 넓게 폄.
[伸縮 신축] 늘어남과 줄어듦.

[屈伸 굴신] 굽힘과 폄.

5
⑦ 【伺】엿볼 사 ⊕寘 sì 伺
⊕シ〔うかがう〕 ⊛ peep
字解 ① 엿볼 사(偵察). ¶ 伺察(사찰). ② 찾을 사(訪也). ¶ 伺候(사후).
字源 形聲. 人+司〔音〕.
[伺隙 사극] 기회를 엿봄.
[伺察 사찰] 남의 행동을 은근히 엿보아 살핌.
[伺候 사후] ㉠ 웃어른께 안부를 여쭘. ㉡ 동정을 엿봄.

5
⑦ 【似】같을 사 ⊕紙 sì, shì 似
丿 亻 亻 伋 佀 似 似
⊕シ・ジ〔にる〕 ⊛ alike
字解 같을 사(肖也), 닮을 사, 비슷할 사(像也, 類也).
字源 形聲. 人+以〔㠯〕〔音〕.
[似而非 사이비] 겉으로는 같아 보이나 실제로는 다름.
[類似 유사] 서로 비슷함.

5
⑦ 【伽】절 가 ⊕歌 gā 伽
⊕カ・ガ〔とぎ〕 ⊛ temple
字解 절 가(伽藍).
字源 形聲. 人+加〔音〕.
[伽藍 가람] 중이 살며 불도를 닦는 집. 절.

5
⑦ 【佃】밭갈 전 ⊕先 tián, diàn 佃
⊕デン〔つくだ〕 ⊛ till
字解 ① 밭갈 전(治田), 밭 전. ¶ 佃作(전작). ② 사냥할 전(狩獵). ¶ 佃漁(전어).
字源 形聲. 人+田〔音〕.
[佃民 전민] 경작인(耕作人).
[佃作 전작] 밭을 만듦. 농업에 종사함.

5 ⑦ 【但】 다만 단 ㊤旱 dàn

丿 亻 亻 亻 但 但 但

㊐ タン〔ただし〕 ㊖ only

字解 **다만 단, 오직 단**(徒也).

字源 形聲. 人+旦〔音〕

[但書 단서] 본문 밖에 단(但)자를 붙여 어떤 조건이나 예외의 뜻을 나타내는 글.

[但只 단지] 다만.

5 ⑦ 〖佇〗 우두커니설 저 ㊤語 zhù

㊐ チョ〔たたずむ〕 ㊖ vacantly

字解 ① **우두커니설 저, 머물러있을 저**(久立貌). ② **기다릴 저**(待也).

字源 形聲. 人+宁〔音〕

參考 竚(立部 5획)는 동자.

[佇立 저립] 우두커니 섬.

5 ⑦ 〖佈〗 펼 포 ㊋遇 bù

㊐ フ〔しく〕 ㊖ diffuse

字解 **펼 포, 널리알릴 포**(徧也).

字源 形聲. 人+布〔音〕

參考 布(巾部 2획)와 같은 뜻으로 쓰임.

[佈告 포고] 법령·명령·지시 등을 공포하여 알리는 일. 포고(布告).

5 ⑦ 【位】 자리 위 ㊋寘 wèi

丿 亻 亻 亻 亻 位 位

㊐ イ〔くらい〕 ㊖ position

字解 ① **자리 위**(坐也), **지위 위**(官爵). ¶ 官位(관위). ② **위치 위, 방위 위**(方角). ¶ 方位(방위). ③ **분 위**(敬稱). ¶ 各位(각위).

字源 會意. 人(사람)과 立의 합자. 사람이 일정한 자리에 섬을 뜻함.

[位置 위치] 사람이나 물건이 있는 곳. 자리.

[位牌 위패] 단(壇)·묘(廟)·원(院)·절 등에 모시는 신주의 이름을 적은 나무패.

[地位 지위] 있는 자리. 위치.

5 ⑦ 〖佖〗 점잖을 필 ㊇質 bí

㊐ ヒツ〔ただしい〕 ㊖ decent

字解 ① **점잖을 필**. ② **가득할 필**.

字源 形聲. 人+必〔音〕

5 ⑦ 【低】 낮을 저 ㊥齊 dī

丿 亻 亻 亻 亻 低 低

㊐ テイ〔ひくい〕 ㊖ low

字解 ① **낮을 저**(高之對). ¶ 高低(고저). ② **숙일 저**(垂也). ¶ 低頭(저두). ③ **쌀 저**(賤價). ¶ 低廉(저렴).

字源 形聲. 人+氐〔音〕

[低廉 저렴] 값이 쌈.

[低溫 저온] 낮은 온도.

[低下 저하] ㉠ 내려감. ㉡ 나빠짐. ㉢ 값이 떨어짐.

5 ⑦ 【住】 살 주 ㊋遇 zhù

丿 亻 亻 亻 什 住 住

㊐ ジュウ〔すむ〕 ㊖ dwell

字解 ① **살 주**(居也). ¶ 住居(주거). ② **머무를 주**(留也). ¶ 住民(주민). ③ **그칠 주**(止也).

字源 形聲. 人+主〔音〕

[住居 주거] ㉠ 일정한 곳에 자리를 잡고 삶. 거주. ㉡ 사람이 사는 집.

[住宅 주택] 들어 사는 집.

[安住 안주] 자리 잡고 편히 삶.

[移住 이주] 다른 곳에 옮아가서 삶.

5 ⑦ 〖佐〗 도울 좌 ㊋箇 zuǒ

丿 亻 亻 什 佐 佐 佐

㊐ サ〔たすける〕 ㊖ assist

[字解] **도울 좌**(輔也), **도움 좌**(助也).

[字源] 形聲. 人+左〔音〕

[輔佐 보좌] 상관을 도와 일을 처리함.

5 ⑦ 〖佑〗 도울 우 [去]宥 yòu

[日] ユウ〔たすける〕 [英] help

[字解] **도울 우**(助也), **도움 우**(祐也).

[字源] 形聲. 人+右〔音〕

[佑命 우명] 하늘의 도움.
[天佑 천우] 하늘의 도움.

5 ⑦ 〖体〗 [一]용렬할 분[上]阮 [二]몸 체[上]薺 bèn tǐ

[日] ホン〔あらい〕・タイ〔からだ〕
[英] inferior, body

[字解] [一] ① **용렬할 분**(劣也). ② **상여꾼 분**. ¶ 体夫(분부). [二] **몸 체**.

[字源] 形聲. 人+本〔音〕

[參考] 오늘날은 [一]의 뜻으로는 거의 쓰이지 않고, 體(骨部 13획)의 속자로만 주로 쓰임.

[体夫 분부] 상여꾼.

5 ⑦ 〖佔〗 覘(점)(見部 5획)과 同字

5 ⑦ 【何】 어찌 하 [平]歌 hé

丿 亻 亻 仃 仃 何 何

[日] カ〔なに〕 [英] how, what

[字解] ① **어찌 하, 무슨 하, 무엇 하**(曷也), **어느 하**(孰也). ¶ 何必(하필). ② **누구 하**(孰也). ¶ 誰何(수하). ③ **얼마 하**(若干). ¶ 幾何(기하).

[字源] 形聲. 人+可〔音〕

[何處 하처] 어디. 어느 곳.

[幾何 기하] ① 얼마. ② '기하학'의 준말.

[誰何 수하] 누구.

5 ⑦ 〖佚〗 [一]숨을 일[上]質 [二]방탕할 질[本]절[入]屑 yì dié

[日] イツ〔たのしむ〕・テツ〔ゆるい〕
[英] hide, dissipated

[字解] [一] ① **숨을 일**(隱也), **달아날 일**(遁也). ¶ 佚民(일민). ② **편할 일**(不勞), **즐길 일**(樂也). ¶ 佚樂(일락). [二] ① **방탕할 질**. ¶ 佚蕩(질탕). ② **갈마들 질**(更遞).

[字源] 形聲. 人+失〔音〕

[佚道 일도] 백성을 편안케 하는 길.
[佚樂 일락] 편안하게 즐김. 일락(逸樂).
[佚書 일서] 흩어져 없어진 책. 세상에 전하지 않는 책.
[佚蕩 질탕] 놀음놀이가 지나쳐서 방탕에 가까움.

5 ⑦ 〖佗〗 다를 타 [去]歌 tuó

[日] タ〔ほか〕 [英] different

[字解] ① **다를 타**(他也). ② **짊어질 타**(駝也). ¶ 佗負(타부).

[字源] 形聲. 人+它〔音〕

[佗負 타부] 등에 짊어짐.
[佗佗 타타] 옹용(雍容)한 모양. 자득(自得)한 모양.

5 ⑦ 【佛】 부처 불 [入]物 fó

丿 亻 亻 伊 伊 佛 佛

[日] ブツ〔ほとけ〕 [英] Buddha

[字解] ① **부처 불**(釋迦牟尼). ② **어그러질 불**(乖戾).

[字源] 形聲. 人+弗〔音〕

[參考] 仏(人部 2획)은 약자.

[佛經 불경] 불교의 경문.
[佛語 불어] ㉠ 프랑스 말. ㉡ 부처

2획

님의 말씀.

5 ⑦ 【作】 지을 작 人약 zuò 作

丿 亻 亻 亻 佇 作 作

日 サク〔つくる〕 美 make

字解 ① 지을 작, 만들 작(造也). ¶ 作家(작가). ② 일으킬 작, 일어날 작(興也, 起也). ¶ 振作(진작). ③ 일할 작. ¶ 作業(작업). ④ 저술할 작. ¶ 傑作(걸작). ⑤ 농사 작. ¶ 豐作(풍작).

字源 形聲. 人+乍〔音〕

[作家 작가] 문학 작품을 창작하는 일에 종사하는 사람. 특히, 소설가를 일컬음.

[作詩 작시] 시(詩)를 만듦.

[作業 작업] 일정한 목적 아래 하는 노동. 일.

[傑作 걸작] 썩 훌륭한 작품.

[振作 진작] 떨쳐 일으킴.

5 ⑦ 【佞】 아첨할 녕 去徑 níng 佞

日 ネイ〔へつらう〕 美 flatter

字解 ① 아첨할 녕(諂也), 간사할 녕, 말잘할 녕. ¶ 佞臣(영신). ② 뛰어난재주 녕(才也). ¶ 不佞(불녕).

字源 會意. 女+仁

[佞諂 영첨] 아첨함.

[佞慧 영혜] 구변(口辯)이 좋고 잔꾀가 있음.

5 ⑦ 【佝】 꼽추 구 去후 去宥 gōu 佝

日 コウ・ク〔せむし〕 美 hunchback

字解 꼽추 구, 곱사등이 구(短醜傴佝).

字源 形聲. 人+句〔音〕

參考 傴(人部 11획), 痀(疒部 5획)는 동자.

[佝僂 구루] 꼽추. 곱사등이.

5 ⑦ 【侶】 似(사)(人部 5획)와 同字

5 ⑦ 【你】 너 니 上紙 nǐ

爾(이)(爻部 10획)의 俗字

5 ⑦ 【来】 來(래)(人部 6획)의 略字

6 ⑧ 【侖】 생각할 륜 平元 lún 侖

日 ロン〔おもう〕 美 think

字解 생각할 륜(思也).

字源 會意. 亼(集의 본자)과 册과의 합자. 경전(經典)에 입각하여 인도(人道)를 생각함의 뜻.

6 ⑧ 【來】 올 래 平灰 lái 來

一 ナ ナ ヌ 办 攰 办 來

字解 ① 올 래(往之對). ¶ 來往(내왕). ② 다가올 래(至也), 앞으로 래. ¶ 將來(장래).

字源 象形. 보리의 모양. 고대에는 보리를 來라고 했음. 「오다」의 뜻으로 차용함.

[來客 내객] 찾아오는 손님.

[來往 내왕] 오고가고 함.

[將來 장래] 앞으로 닥쳐올 때.

6 ⑧ 【佩】 찰 패 去隊 pèi 佩

日 ハイ〔おびる〕 美 wear

字解 ① 찰 패(帶也). ¶ 佩用(패용). ② 패물 패, 노리개 패. ¶ 玉佩(옥패).

字源 會意. 人+凡+巾

[佩刀 패도] ㉠ 패검(佩劍). ㉡ 노리개에 차는 장도(粧刀).

[佩物 패물] ㉠ 몸에 차는 장식물. ㉡ 노리개.

6 ⑧ 【侁】 갈 신 平眞 shēn

2획

🖭 シン〔ゆく〕 🔘 go
字解 ① 갈 신. ② 성 신.
字源 形聲. 人+㲻〔音〕

6
⑧【佯】거짓 양
㊀陽 yáng 佯

🖭 ヨウ〔いつわる〕 🔘 lie
字解 ① 거짓 양(詐也). ¶ 佯狂
(양광). ② 노닐 양(佯也). ¶ 倘佯
(상양).
字源 形聲. 人+羊〔音〕
[佯病 양병] 꾀병.

6
⑧【佰】━일백
백㊀陌 bǎi(bó)
━밭두 mò
둑 맥
㊀陌 佰

🖭 ヒャク〔もも〕・ミャク〔あぜ〕
🔘 hundred, ridge
字解 ━ 일백 백(百也). ¶ 五
佰元(오백원). ② 백사람어른 백
(百人長). ━ 밭두둑 맥(陌也).
字源 會意. 人과 百의 합자. 여러
사람의 우두머리의 뜻.
參考 ━ 은 百과 통용.

6
⑧【佳】아름다울
가㊀佳 jiā 佳

ノ イ 亻 竹 佧 佳 佳

🖭 カ〔よい〕 🔘 beautiful
字解 ① 아름다울 가. ¶ 才子佳
人(재자가인). ② 좋을 가(善也),
훌륭할 가. ¶ 佳節(가절). 佳作
(가작).
字源 形聲. 人+圭〔音〕
[佳人 가인] 아름다운 여인. 미인.

6
⑧【倂】━아우를
병㊀敬 bǐng
━나란히 bìng
할 병㊀迵
倂

🖭 ヘイ〔ならぶ〕
🔘 merge, side by side

字解 ━ 아우를 병. ¶ 合倂(합
병). ━ 나란히할 병(並也). ¶ 倂
用(병용).
字源 形聲. 人+幷〔音〕
[倂合 병합] 합하여 하나로 함.
[合倂 합병] 병합(倂合).

6
⑧【佶】헌걸찰
길㊀質 jí 佶

🖭 キツ〔すこやか〕 🔘 healthy
字解 ① 헌걸찰 길(壯健之貌). ②
바를 길(正也). ¶ 佶屈聱牙(길굴
오아).
字源 形聲. 人+吉〔音〕
[佶屈聱牙 길굴오아] 글의 뜻이 어
려워서 읽기가 매우 거북함.

6
⑧【佸】━힘뻗을
괄㊀曷 huó
━이를 활
㊀曷
佸

🖭 カツ〔いたる〕 🔘 arrive
字解 ━ 힘뻗을 괄(會力貌). ━ 이
를 활(至也).
字源 形聲. 人+舌(昏)〔音〕

6
⑧【佹】포갤 궤
㊀紙 guǐ 佹

🖭 キ〔かさねる〕 🔘 pile up
字解 ① 포갤 궤(重累). ② 의지할
궤(依也).
字源 形聲. 人+危〔音〕

6
⑧【佻】━방정맞
을 조㊀蕭 tiāo
━늦출 요
㊀蕭
佻

🖭 チョウ〔かるい〕・ヨウ〔ゆるめる〕
🔘 frivolous, loosen
字解 ━ 방정맞을 조(輕也). ━
늦출 요.
字源 形聲. 人+兆〔音〕
[佻志 조지] 경박한 마음.
[輕佻 경조] 가볍고 방정맞음.

6 ⑧ 【佼】 예쁠 교 ㊤巧 | jiáo

㊐ コウ〔みめよい〕 ㊕ pretty

字解 **예쁠 교, 아름다울 교**(好貌).

字源 形聲. 人+交〔音〕

[佼佼 교교] 예쁜 모양. 남보다 나은 모양. 뛰어난 모양.

[佼人 교인] 예쁜 사람. 가인(佳人).

6 ⑧ 【佾】 줄춤 일 ㊀質 | yì

㊐ イツ〔まい〕 ㊕ rank of dance

字解 **줄춤 일**(周舞).

字源 形聲. 人+𠔁〔音〕

[佾舞 일무] 중국 주(周)대의 고전 무용.

6 ⑧ 【佺】 이름 전 ㊥先 | quán

㊐ セン〔せんにんのな〕

字解 **이름 전**. '偓一'은 신선의 이름.

字源 形聲. 人+全〔音〕

6 ⑧ 【使】 하여금 사 ㊤紙 | shǐ

ノ 亻 亻 亻 亻 亻 使 使

㊐ シ〔つかう〕 ㊕ making

字解 ① **하여금 사**(令也). ② **시킬 사, 부릴 사**(役也). ¶ 使役(사역). ③ **사신 사, 심부름꾼 사**(使來者). ¶ 特使(특사). ④ **가령 사**(假定辭). ¶ 設使(설사).

字源 會意. 人과 吏의 합자. 명을 받아 일을 처리하는 사람의 뜻.

[使命 사명] ㉠ 사자(使者)로서 받은 바 명령. ㉡ 부하(負荷)된 임무.

[使臣 사신] 임금의 명을 받아 외국에 가는 신하.

[使用 사용] ㉠ 물건을 씀. ㉡ 사람을 부려 씀.

6 ⑧ 【侃】 굳셀 간 ㊤旱 | kǎn

㊐ カン〔つよい〕 ㊕ vigorous

字解 **굳셀 간, 강직할 간**(剛直).

字源 會意. 㐰(信의 고자(古字))과 川의 합자. 강물이 끊이지 않고 흐르듯이 「신의를 다함」의 뜻.

[侃侃 간간] 성품이나 행실이 꼬장꼬장함.

[侃諤 간악] 강직하여 기탄없이 직언(直言)하는 모양.

6 ⑧ 【侈】 사치할 치 ㊤紙 | chǐ

㊐ シ〔おごる〕 ㊕ luxurious

字解 **사치할 치**(奢也).

字源 形聲. 人+多〔音〕

[侈心 치심] 사치를 좋아하는 마음.

[侈風 치풍] 사치스러운 풍속.

[奢侈 사치] 신분에 지나치게 치레함.

6 ⑧ 【侊】 성찬 광 ㊥陽 ㊥庚 | guāng

㊐ コウ〔おおきい, さかん〕

㊕ feast

字解 **성찬 광**. 잘 차린 음식. **푸짐한 광**.

字源 形聲. 人+光〔音〕

6 ⑧ 【例】 법식 례 ㊃霽 | lì

ノ 亻 亻 亻 伢 伢 例 例

㊐ レイ〔たとえ〕 ㊕ example

字解 ① **법식 례**(法式), **조목 례**. ¶ 例規(예규). ② **본보기 례**(引用), **예 례**. ¶ 例題(예제). 凡例(범례).

字源 形聲. 人+列(㓠)〔音〕

[例規 예규] 관례로 되어 있는 규칙.

[例文 예문] 예로서 드리는 글.

[慣例 관례] 관습이 된 전례.

[用例 용례] 쓰고 있는 예.

6 ⑧ 【侍】 모실 시 ㊃寘 | shì

ノ イ イ゙ 伫 疒 佳 侍 侍

侍 ㈰ ジ〔はべる〕 ㉝ serve

字解 모실 시(陪側), 받들 시.

字源 形聲. 人+寺〔音〕

[侍女 시녀] 귀인의 곁에서 시중을 드는 여자.

[侍下 시하] 부모나 조부모가 살아 있는 가정 환경.

6
8 【侏】난쟁이 주㊦虞 | zhū

㈰ シュ〔こびと〕 ㉝ dwarf

字解 ① 난쟁이 주(短人). ② 동자 기둥 주(樑上短柱).

字源 形聲. 人+朱〔音〕

[侏儒 주유] ㋺ 난쟁이. ㋵ 광대. 배우.

6
8 【侑】권할 유 ㊦宥 | yòu

㈰ ユウ〔すすめる〕 ㉝ exhort

字解 ① 권할 유(勸也). ¶侑觴 (유상). ② 도울 유(佑也).

字源 形聲. 人+有〔音〕

[侑觴 유상] 술잔을 권함.

6
8 【侔】가지런 할 모 ㊦尤 | móu

㈰ ボウ〔ひとしい〕 ㉝ similar

字解 ① 가지런할 모(均也), 고를 모(上下等). ¶侔德(모덕). ② 취 할 모(取也). ¶侔利(모리).

字源 形聲. 人+牟〔音〕

6
8 【侗】■미련할 통㊦東
■정성 동㊦送 | tóng dòng

㈰ トウ〔おろか・まこと〕 ㉝ stupid, sincerity

字解 ■ 미련할 통(無分別). ■ 정 성 동(眞也).

字源 形聲. 人+同〔音〕

6
8 【侄】어리석을 질㊥質 | zhí

㈰ シツ〔おろか〕 ㉝ stupid

字解 ① 어리석을 질. ② 단단할 질.

字源 形聲. 人+至〔音〕

6
8 【侘】낙망할 차㊦麻 ㊦禡 | chà

㈰ タ〔ほこる〕 ㉝ despair

字解 ① 낙망할 차(失意貌). ② 자 랑할 차(誇也).

字源 形聲. 人+宅〔音〕

6
8 【供】이바지 할공 ㊦冬 | gōng gòng

ノ イ イ゙ 什 卅 世 供 供

㈰ キョウ〔そなえる〕 ㉝ offer

字解 ① 이바지할 공(給也). ¶提 供(제공). ② 바칠 공(進也). ¶供 物(공물). ③ 진술할 공. ¶供述 (공술).

字源 形聲. 人+共〔音〕

[供給 공급] 물품을 대어 줌.

[供述 공술] 심문에 응하여 진술함.

[供養米 공양미] 신이나 부처 앞에 바치는 쌀.

8 【依】의지할 의㊦微 | yī

ノ イ イ゙ 广 疒 佐 佗 依

㈰ イ・エ〔よる〕 ㉝ depend

字解 ① 의지할 의(賴也), 기댈 의 (倚也). ¶依據(의거). ② 좇을 의, 따를 의(從也). ¶依例(의례).

字源 形聲. 人+衣〔音〕

[依據 의거] ㋺ 일정한 사실에 근거 함. ㋵ 의지하여 응거함.

[依他心 의타심] 남에게 의지하는 마음.

[依託 의탁] 남에게 의뢰함.

6/8 【徊】

徊(회)(彳部 6획)와 同字

6/8 【徇】 좇을 순 ㉿震 xùn

� ジュン〔したがう〕 ㊤ follow

字解 좇을 순(從也).

字源 形聲. 人+旬(音)

6/8 【価】

價(가)(人部 13획)의 略字

6/8 【侮】

侮(모)(人部 7획)의 俗字

7/9 【俎】 도마 조 ㉯語 zǔ

� ソ〔まないた〕
㊤ chopping board

字解 ① 도마 조. ¶ 俎上肉(조상
육). ② 적대 조(祭器). ¶ 俎豆
(조두).

字源 會意. 仌(고기의 모양)과 且
(제사 때 고기를 담는 받침)의 합자.
전하여, 어육을 조리하는 도마의
뜻. 또, 「且(저)」의 전음이 음을 나
타냄.

[俎豆 조두] 제사 때 쓰는 나무로 만
든 그릇의 한 가지.

7/9 【侮】 업신여길 모 ㉯霽 wǔ

� ブ〔あなどる〕 ㊤ insult

字解 업신여길 모(慢也).

字源 形聲. 人+每(音)

[侮蔑 모멸] 업신여기고 얕봄.

[侮辱 모욕] 깔보아서 욕보임.

7/9 【侯】 제후 후 ㊥尤 hóu

� コウ〔きみ〕 ㊤ feudal lords

字解 ① 제후 후, 임금 후(君也).

¶ 諸侯(제후). ② 과녁 후(的也).
¶ 侯鵠(후곡). ③ 후작 후(五爵第
二位). ¶ 侯爵(후작).

字源 會意. 𠂉(사람)와 厂(과녁 뒤
의 막)과 矢의 합자. 활을 쏘는 과녁
의 뜻.

[侯公 후공] 제후.

[諸侯 제후] 봉건 시대에, 영토를 가
지고 그 영내의 백성을 다스리던 사
람.

7/9 【侵】 침노할 침 / 침범할 침 ㊥侵 qīn

亻 亻 亻 扂 伊 伊 侵 侵

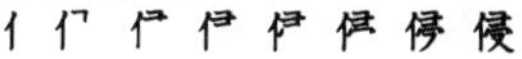

� シン〔おかす〕 ㊤ invade

字解 침노할 침, 범할 침(犯也).

字源 會意. 人과 又(손)와 帚(비)
의 생략형의 합자. 사람이 비를 들
고 구석에서부터 점차 쓸어 나간
데서「점진함」의 뜻. 전하여,「범
함·침노함」의 뜻이 됨.

[侵犯 침범] 남의 권리·재산·영토
따위를 침노하여 범함.

[侵蝕 침식] 조금씩 개먹어 들어감.

[侵害 침해] 불법적으로 남을 해침.

7/9 【侶】 벗 려 ㉯語 lǚ

� リョ〔とも〕 ㊤ companion

字解 벗 려(朋也), 짝 려, 벗할 려
(伴也).

字源 形聲. 人+呂(音)

[侶行 여행] 동무 삼아 같이 감.

[伴侶 반려] 짝이 되는 동무.

7/9 【便】 편할 편 ㊒先 / ㉿霰 / 오줌 변 ㊥先 biàn

亻 亻 仁 佢 佢 佰 便 便

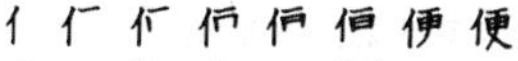

� ベン〔たより・いばり〕
㊤ convenient, feces and urine

字解 ■ ① 편할 편(安也), 편리할
편. ¶ 便利(편리). ② 아첨할 편.

¶ 便佞(편녕). ③ 소식 편(音信). ¶ 便紙(편지). 信便(신편). ④ 편의 편. ¶ 人便(인편). 〓 ① 오줌 변(尿也). ② 똥 변(糞也). ¶ 小便(소변). ② 문득 변, 곧 변(卽也).

字源 會意. 人과 更의 합자. 불편한 곳이 있으면 형편 좋게 고침의 뜻.

[便利 편리] 편하고 이로우며 이용하기 쉬움.

[便紙 편지] 상대자에게 알리고자 하는 내용을 써서 보내는 글.

[人便 인편] 사람이 오고가는 편.

7
⑨【係】맬 계 | 系 | xì
㊅霽

亻 亻 亻 亻 係 係 係 係

㊐ ケイ〔かかる〕 ㊤ relate

字解 ① 맬 계(縛也), 이을 계(繼也). ¶ 關係(관계). ② (韓)계 계. ¶ 係長(계장).

字源 形聲. 人+系〔音〕.

[係累 계루] ㉠ 이어서 얽어맴. ㉡ 몸에 얽매인 누. 처자·권속들의 누.

[係員 계원] 일을 맡아보는 사람.

7
⑨【俉】맞이할 오 | wù
㊅遇

㊐ ゴ〔むかえる〕 ㊤ welcome

字解 맞이할 오.

字源 形聲. 人+吾〔音〕.

7
⑨【促】재촉할 촉 | cù
㊇沃

亻 亻 亻 亻 亻 亻 促 促

㊐ ソク〔うながす〕 ㊤ urge

字解 ① 재촉할 촉(催也). ¶ 督促(독촉). ② 촉박할 촉(迫也), 다가올 촉(近也). ¶ 促迫(촉박).

字源 形聲. 人+足〔音〕.

[促迫 촉박] 기한의 밭음.

[促進 촉진] 재촉하여 빨리 나아가게 함.

[督促 독촉] 독려하여 재촉함.

7
⑨【俄】갑자기 | é
아㊀歌

㊐ ガ〔にわか〕 ㊤ suddenly

字解 ① 갑자기 아(速也). ¶ 俄然 (아연). ② 아라사 아. ¶ 俄羅斯 (아라사).

字源 形聲. 人+我〔音〕.

[俄然 아연] 갑자기. 갑작스러운 모양.

7
⑨【俅】공순할 구 | qiú
㊀尤

㊐ キュウ〔つつましい〕 ㊤ polite

字解 공순할 구(恭順貌).

字源 形聲. 人+求〔音〕.

7
⑨【俊】준걸 준 | jùn
㊀震

亻 亻 亻 亻 亻 俊 俊 俊

㊐ シュン〔すぐれる〕 ㊤ eminence

字解 ① 준걸 준(傑秀), 뛰어날 준 (儁也, 雋也). ¶ 俊傑(준걸). ② 클 준(大也), 높을 준(峻也). ¶ 俊德 (준덕).

字源 形聲. 人+夋〔音〕.

[俊傑 준걸] 재주와 지혜가 뛰어남. 또, 그런 사람.

[俊骨 준골] 준수하게 생긴 골격. 또, 그러한 사람.

[俊德 준덕] 큰 덕. 대덕(大德). 준덕 (峻德).

[俊秀 준수] 재주와 슬기가 뛰어남. 또, 그 사람. 준매(俊邁).

[俊才 준재] 뛰어난 재주. 또, 그러한 사람.

7
⑨【俓】徑(경)(彳部 7획)과 同字

7
⑨【俐】똑똑할 리 | lì
㊀眞

㊐ リ〔かしこい〕 ㊤ clever

字解 똑똑할 리, 영리할 리(慧也).

字源 形聲. 人+利〔音〕.

【俔】
7
9
目엿볼 현
国銃
二비유할
견国霰

俔 xiàn
qiàn 伣

日 クン・グン〔うかがう〕・ケン〔たとえる〕

英 steal a glance, com

字解 ■ 엿볼 현. ■ 비유할 견.

字源 形聲. 人+見〔音〕

【俑】
7
9
목우 용
国腫

yǒng 俑

日 ヨウ〔ひとがた〕英 wooden doll

字解 목우 용(木偶).

字源 形聲. 人+甬〔音〕

【俗】
7
9
풍속 속
八沃

sú 俗

ノ イ 个 俗 俗 俗 俗 俗

日 ゾク〔ならい〕英 custom

字解 ① 풍속 속. ¶ 世俗(세속).
② 속될 속(雅之對). ¶ 俗語(속어). ③ 시속 속(俗世). ④ 속인 속(僧之對). ¶ 俗人(속인).

字源 形聲. 人+谷〔音〕

[俗語 속어] 통속적인 저속한 말.
[俗人 속인] 승려가 아닌 일반 사람. ❷ 평범한 일반 사람.
[通俗 통속] 일반 세상에 널리 통하는 풍속.

【俘】
7
9
사로잡을 부
田虞

fú 俘

日 フ〔とりこ〕英 capture

字解 사로잡을 부(軍所獲也), 포로 부(囚也).

字源 形聲. 人+孚〔音〕

[俘虜 부로] 전쟁에서 적에게 사로잡힌 군인. 포로(捕虜).
[俘殺 부살] 사로잡음과 죽임.

【俚】
7
9
속될 리
国紙

lǐ 俚

日 リ〔いやしい〕英 vulgar

字解 속될 리(鄙俗).

[俚諺 이언] 속담. 속언(俗諺).

【俛】
7
9
二숙일 부
国麌
二힘쓸 면
国銑

俛 fǔ
miǎn 俛

日 フ〔ふす〕・メン〔つとめる〕

英 stoop, endeavor

字解 ■ 숙일 부(俯也). ¶ 俛視(부시). ■ 힘쓸 면(勉也). ¶ 俛焉(면언).

字源 會意. 人+免

[俛勉 면면] 열심히 노력함.
[俛視 면시] 굽어봄. 부시(俯視).

【保】
9
보전할
보国皓

bǎo 保

ノ イ 仁 伄 伃 侣 侔 保 保

日 ホ〔たもつ〕英 keep

字解 ① 보전할 보, 지킬 보(守也). ¶ 安保(안보). ② 보설 보(任也). ¶ 保證(보증). ③ 고용인 보(備也). ④ 보루 보(堡也). ¶ 保城(보성).

字源 會意. 사람이 아이를 업고 있는 모양. 전하여, 「지킴·키움」의 뜻이 됨.

[保管 보관] 남의 물품이나 돈을 맡아서 보호·관리함.
[保有 보유] 가지고 있음.
[保人 보인] 보증인.
[保證 보증] 어떤 사물에 대하여 틀림없음을 책임짐.
[安保 안보] 외부로부터의 침략에 대하여 국가의 안전을 보장하는 일.

【俟】
7
9
二기다릴 사
国紙
二성기울田支

俟 sì
qí 俟

日 シ〔まつ〕・キ〔せい〕

英 wait for, family name

2획

字解 ■ 기다릴 사(待也). ■ 성기.
字源 形聲. 人+矣〔音〕
參考 竢(立部 7획)는 고자.

[俟命 사명] 임금의 명령을 기다림. 천명에 맡김.

7⁄9 【俠】 호협할 협⊕葉 | 俠 xiá | 传

⽇ キョウ〔おとこだて〕 ⊛ chivalrous

字解 호협할 협, 협객 협(傅也).
字源 形聲. 人+夾〔音〕

[俠客 협객] 호협한 기개를 지닌 사람.
[義俠 의협] 강자를 누르고 약자를 도우려는 마음.

7⁄9 【信】 믿을 신⊝震 xin | 펼 신⊕眞 shēn | 信

丿 亻 亻 亻 信 信 信

⽇ シン〔まこと・のべる〕 ⊛ trust, spread

字解 ■ ① 믿을 신(疑之對). ¶ 信念(신념). ② 편지 신, 음신 신(音信). ¶ 書信(서신). ③ 표지 신. ¶ 信號(신호). ④ 진실로 신(誠也). ¶ 信賞必罰(신상필벌). ■ 펼 신(伸也). ¶ 屈而不信(굴이불신).
字源 會意. 人과 言의 합자. 사람의 말에 거짓이 있어서는 안 됨의 뜻.

[信念 신념] 굳게 믿는 마음.
[信賞必罰 신상필벌] 상벌(賞罰)을 공정·엄중히 하는 일.
[信號 신호] 일정한 부호나 표시로 의사를 통하거나 지시를 하는 일. 또, 그 방법.
[花信 화신] 꽃이 피었다는 소식.

7⁄9 【俙】 소송할 희 ⊕微 | xī

⽇ キ〔うったえる〕 ⊛ sue

字解 ① 소송할 희. ② 아첨할 희.
字源 形聲. 人+希〔音〕

8⁄10 【倉】 곳집 창⼊陽 | cāng | 仓 | 公

亻 ㄥ 公 仐 仐 仐 俞 倉 倉

⽇ ソウ〔くら〕 ⊛ warehouse

字解 ① 곳집 창(穀藏), 창고 창. ¶ 倉庫(창고). ② 갑자기 창(卒也), 당황할 창(遽也). ¶ 倉卒(창졸). ③ 푸를 창(靑也, 蒼也). ¶ 倉海(창해).
字源 象形. 곡물을 쌓아 두기 위한 창고의 모양을 본뜬 모양.

[倉庫 창고] 물자를 저장·보관하기 위한 건물.
[倉卒 창졸] 허둥지둥함. 급작스러움.
[穀倉 곡창] ㉠ 곡식을 저장하는 창고. ㉡ 곡식이 많이 나는 지방.

8⁄10 【修】 닦을 수⊕尤 | xiū | 修

亻 亻 亻 俏 俏 俢 修 修

⽇ シュウ〔おさめる〕 ⊛ cultivate

字解 ① 닦을 수(飭也), 다스릴 수(理也). ¶ 修養(수양). ② 꾸밀 수(飾也). ¶ 修飾(수식). ③ 고칠 수. ¶ 修理(수리). ④ 길 수(長也).
字源 形聲. 彡+攸〔音〕

[修理 수리] 고장난 데나 허름한 데를 손보아 고침. 수선(修繕).
[修飾 수식] 꾸밈.
[修養 수양] 신체와 정신을 단련하며, 지식과 품성을 높임.
[改修 개수] 고쳐 수정함.
[編修 편수] 책을 편집하고 수정함.

8⁄10 【俯】 숙일 부⊕麌 | fǔ | 俯

⽇ フ〔ふす〕 ⊛ bend

字解 숙일 부(俛也).
字源 形聲. 人+府〔音〕

[俯瞰 부감] 높은 곳에서 아래를 내

려다봄. ¶ 俯瞰圖(부감도).

[俯伏 부복] 고개를 숙이고 엎드림.

[俯仰 부앙] 하늘을 우러러보고 세상을 굽어봄.

8 ⑩ 【俱】 함께 구 [平]虞 | jù

亻 佀 佀 伹 俱 俱 俱 俱

[日] ク〔ともに〕 [英] together

[字解] ① 함께 구(偕也), 다 구(皆也). ¶ 俱歿(구몰). ② 갖출 구(具也). ¶ 俱存(구존).

[字源] 形聲. 人+具〔音〕

[參考] 具(八部 6획)와 같은 뜻.

[俱沒 구몰] 부모가 다 죽음.

8 ⑩ 【俳】 광대 배 [平]佳 | pái

[日] ハイ〔わざおぎ〕 [英] actor

[字解] 광대 배(雜戲), 배우 배.

[字源] 形聲. 人+非〔音〕

[俳優 배우] 연극·영화 등에서, 어떤 역을 맡아 연기하는 사람.

8 ⑩ 【俵】 나누어줄 표 [去]嘯 | biào

[日] ヒョウ〔たわら〕 [英] distribute

[字解] ① 나누어줄 표(分與). ② 흩을 표(散也).

[字源] 形聲. 人+表〔音〕

8 ⑩ 【俶】 [一]비로소 숙 [入]屋 [二]뛰어날 척 [入]錫 | chù tì

[日] シュク〔はじめ〕·チャク〔すぐれる〕 [英] begin, surpass

[字解] [一] ① 비로소 숙(始也). ② 착할 숙(善也). [二] 뛰어날 척.

[字源] 形聲. 人+叔〔音〕

8 ⑩ 【俺】 나 엄 [去]豔 | ǎn

[日] エン〔おれ〕 [英] I

[字解] 나 엄(我也).

[字源] 形聲. 人+奄〔音〕

8 ⑩ 【俾】 [一]더할 비 [上]紙 [二]흘겨볼 비 [本]폐 [去]霽 | bǐ pì

[日] ヒ〔しむ〕·ヘイ〔にらむ〕

[英] more, look at sideways

[字解] [一] ① 더할 비(裨也). ② 시킬 비(使也). ③ 좇을 비(從也). [二] 흘겨볼 비(睥也). ¶ 俾倪(비예).

[字源] 形聲. 人+卑〔音〕

[俾倪 비예] 곁눈으로 흘겨봄.

8 ⑩ 【倀】 갈팡질팡할 창 [平]陽 | chāng

[日] チョウ〔まよう〕 [英] flustered

[字解] ① 갈팡질팡할 창(狂行). ② 길잃을 창(失道).

[字源] 形聲. 人+長〔音〕

8 ⑩ 【俸】 녹 봉 [去]宋 | fèng

[日] ホウ〔ふち〕 [英] salary

[字解] 녹 봉(秩祿), 급료 봉(給料).

[字源] 形聲. 人+奉〔音〕

8 ⑩ 【倆】 재주 량 [上]養 | 俩 liǎ

[日] リョウ〔たくみ〕 [英] skill

[字解] 재주 량, 솜씨 량(技也).

[字源] 形聲. 人+兩〔音〕

[技倆 기량] 기술상의 재능.

8 ⑩ 【個】 낱 개 [去]箇 | 个 gè

亻 亻 们 們 們 個 個 個

[日] コ〔ひとつ〕 [英] piece

[字解] 낱 개(枚也).

[字源] 形聲. 人+固〔音〕

2
획

[參考] 箇(竹部 8획)는 본자. 个(ㅣ部 2획)는 동자.

[個別 개별] 낱낱이. 따로따로.

[個性 개성] 개인마다 각각 다르게 형성되는 취미·성격 등의 특성.

[個人 개인] 한 사람 한 사람. 각자.

8
10 **【倍】** 곱 배㊤箇 | bèi | 佶

亻 亻 俨 伫 倅 倅 倍 倍

㊐ バイ〔ます〕 ㊁ double

[字解] ① 곱 배(加等), 곱할 배. ¶ 百倍(백배). ② 더할 배(加也). ¶ 倍前(배전).

[字源] 形聲. 人+音〔音〕

[倍加 배가] 어떤 수량의 갑절이 되게 더함.

[倍蓰 배사] 여러 갑절.

[倍增 배증] 갑절로 늚.

8
10 **【們】** 무리 문㊤元 | men | 们

㊐ モン〔ら〕 ㊁ group

[字解] 무리 문(等輩). ¶ 我們(아문).

[字源] 形聲. 人+門〔音〕

8
10 **【倒】** ■ 넘어질 도㊤皓 | dǎo
 ■ 거꾸로 도㊡號 | dào

亻 亻 佟 佟 倅 倒 倒

㊐ トウ〔たおれる・さかさま〕 ㊁ fall, upside down

[字解] ■ 넘어질 도, 넘어뜨릴 도(仆也). ¶ 倒壞(도괴). ■ 거꾸로 도(顚也). ¶ 顚倒(전도).

[字源] 形聲. 人+到〔音〕

[倒壞 도괴] 무너짐. 넘어져 깨어짐.

[倒立 도립] 거꾸로 섬.

8
10 **【倔】** 군셀 굴㊂物 | jué | 佪

㊐ クツ〔つよい〕 ㊁ tough

[字解] 군셀 굴(强也), 굳을 굴(梗戾).

[字源] 形聲. 人+屈〔音〕

[倔强 굴강] 남에게 굽힘이 없이 의지가 군셈. 굴강(屈强).

8
10 **【倖】** 요행 행㊤梗 | xíng | 倖

㊐ コウ〔さいわい〕 ㊁ luck

[字解] 요행 행(幸也).

[字源] 形聲. 人+幸〔音〕

8
10 **【候】** 철 후㊡宥 | hòu | 候

亻 亻 俨 俨 俟 俟 候 候

㊐ コウ〔うかがう〕 ㊁ season

[字解] ① 철 후(節候). ¶ 候鳥(후조). ② 염탐할 후(覗也). ¶ 斥候(척후). ③ 조짐 후(兆也). ¶ 徵候(징후). ④ 지킬 후(護也). ⑤ 기다릴 후(待也). ¶ 候補(후보).

[字源] 形聲. 人+矦(侯)〔音〕

[注意] 侯(人部 7획)는 딴 글자.

[徵候 징후] 좋거나 언짢은 조짐.

8
10 **【倚】** ■ 의지할 의㊤紙 | yǐ
 ■ 기이할 기㊤支 | 倚

㊐ イ〔よる〕・キ〔めずらしい〕 ㊁ rely, strange

[字解] ■ ① 의지할 의(依也), 기댈 의. ¶ 倚支(의지). ② 치우칠 의(偏也). ¶ 倚傾(의경). ■ 기이할 기.

[字源] 形聲. 人+奇〔音〕

[倚子 의자] 앉을 때 몸을 뒤로 기대는 기구.

[倚支 의지] ㉠ 몸을 기대고 있음. ㉡ 남에게 의뢰함.

8
10 **【倜】** 기개있을 척㊂錫 | tì | 倜

2
획

⽇ テキ〔たかい〕 ⑳ unrestrained

字解 ① 기개있을 척(不羈). ② 높이들 척(高擧貌).

字源 形聲. 人+周〔音〕

[倜儻 척당] ㉠ 남에게 구속되지 않는 모양. ㉡ 보통 사람보다 뛰어남.

[倜然 척연] 높이 오른 모양.

8 ⑩〖倞〗 ■멀 량 ⏁漾 liàng
■굳셀 경 ⏁敬 jìng

⽇ リョウ〔とおい〕・ケイ〔つよい〕 ⑳ far, strong

字解 ■ 멀 량(遠也). ■ 굳셀 경(彊也).

字源 形聲. 人+京〔音〕

8 ⑩〖値〗값 치 ⏁寘 zhí 値 値

イ イ 仁 仩 佔 佔 値 値

⽇ チ〔ね・あたい〕 ⑳ value

字解 ① 값 치(價也), 값어치 치. ¶ 價値(가치). ② 만날 치(遇也). ¶ 値遇(치우).

字源 形聲. 人+直〔音〕

[値遇 치우] 서로 만남.

8 ⑩〖倣〗본받을 방 ⏂養 fǎng 仿 倣

⽇ ホウ〔ならう〕 ⑳ imitate

字解 ① 본받을 방(效也). ② 배울 방(習也).

字源 形聲. 人+放〔音〕

[倣傚 방효] 모방함.

[模倣 모방] 본떠서 함.

8 ⑩〖倡〗 ■여광대 창 ⏂陽 chāng
■부를 창 ⏁漾 chàng

⽇ ショウ〔わざおぎ・となえる〕 ⑳ comedian, sing

字解 ■ ① 여광대 창(俳也). 倡優(창우). ② 기생 창(娼也). 倡樓(창루). ■ 부를 창. ¶ 倡導(창도).

字源 形聲. 人+昌〔音〕

[倡女 창녀] ㉠ 주석에서 노래를 불러 흥을 돋우는 여자. ㉡ 몸을 파는 것을 업으로 하는 여자.

[倡導 창도] ㉠ 말로 부르짖어 사람을 인도함. 창도(唱導). ㉡ 법리(法理)를 베풀어 불도(佛道)에 인도함.

8 ⑩〖借〗빌릴 차 ⏁禡 jiè ⏃陌 借

イ 仁 什 什 併 併 借 借

⽇ シャク〔かりる〕 ⑳ borrow

字解 ① 빌릴 차. ¶ 借用(차용). ② 빌려줄 차(假也). ¶ 假借(가차). ③ 가령 차(設辭). ¶ 借問(차문).

字源 形聲. 人+昔〔音〕

[借款 차관] 국제간의 자금의 대차.

[借用 차용] 물건이나 돈을 빌리거나 꾸어 씀. ¶ 借用證(차용증).

[假借 가차] 임시로 빌림.

8 ⑩〖倥〗 ■미련할 공 ⏀東 kōng
■바쁠 공 ⏁董 kǒng

⽇ コウ〔いそがしい〕 ⑳ foolish, busy

字解 ■ 미련할 공(童蒙), 무지할 공. ¶ 倥侗(공동). ■ 바쁠 공. ¶ 倥傯(공총).

字源 形聲. 人+空〔音〕

[倥侗 공동] 지각이 없는 모양.

[倥傯 공총] 일이 많아서 바쁨.

8 ⑩〖倦〗게으를 권 ⏁霰 juàn 倦

⽇ ケン〔うむ〕 ⑳ lazy

字解 게으를 권(懈也), 진력날 권, 고달플 권(疲也).

[字源] 形聲. 人+卷〔音〕

[倦怠 권태] 싫증이 나서 게을러짐.

8/10 **【倨】** 거만할
거㊂御 | jù 倨

㊐ キョ〔おごる〕 ㊤ haughty

[字解] ① 거만할 거(不遜). ¶ 倨慢(거만). ② 책상다리할 거(踞也). ¶ 箕倨(기거).

[字源] 形聲. 人+居〔音〕

[倨慢 거만] 겸손하지 않고 뽐냄.

8/10 **【倩】** ■예쁠 천
㊂霰
■빌릴 청
㊂散 | qiàn 倩

㊐ セン〔うるわしい〕・セイ〔やとう〕 ㊤ pretty, lend

[字解] ■ 예쁠 천(美也). ¶ 倩粧(천장). ■ ① 빌릴 청(借也). ② 고용할 청(雇也). ¶ 倩工(청공).

[字源] 形聲. 人+靑〔音〕

[倩粧 천장] 예쁜 단장.
[倩倩 천천] 예쁜 모양.
[倩工 청공] 일시적인 용인(傭人).

8/10 **【倪】** 어릴 예
㊂齊 | ní 倪

㊐ ゲイ〔おさない〕 ㊤ young

[字解] ① 어릴 예(幼者). ¶ 倪倪(예예). ② 흘겨볼 예(睨也). ¶ 俾倪(비예). ③ 가 예(際也), 끝 예(端也). ¶ 端倪(단예).

[字源] 形聲. 人+兒〔音〕

[倪倪 예예] 어리고 약한 모양.

8/10 **【倫】** 인륜 륜
㊂眞 | lún 伦

亻 伶 俭 伶 佮 偹 倫 倫

㊐ リン〔みち〕 ㊤ moral

[字解] ① 인륜 륜, 윤리 륜(人道). ¶ 倫理(윤리). ② 무리 륜(類也). ¶ 倫匹(윤필).

[字源] 形聲. 人+侖〔音〕

[倫理 윤리] 사람이 지켜야 할 도리와 규범.

[天倫 천륜] 부자·형제 사이에서 마땅히 지켜야 할 떳떳한 도리.

8/10 **【倬】** 클 탁
㊂覺 | zhuō 倬

㊐ タク〔おおきい〕 ㊤ large

[字解] ① 클 탁(大也). ② 밝을 탁(明貌).

[字源] 形聲. 人+卓〔音〕

8/10 **【倅】** ■버금 쉬
㊂隊
■백사람 졸
㊂月 | cuì
zú 倅

㊐ サイ〔そえ〕・ソツ〔ひゃくたん〕 ㊤ second

[字解] ■ 버금 쉬. ■ 백사람 졸.

[字源] 形聲. 人+卒〔音〕

8/10 **【倭】** ■왜국 왜
㊀㊂歌
■두를 위
㊂支 | wō 倭

㊐ ワ〔やまと〕 ㊤ Japan, surround

[字解] ■ 왜국 왜(日本). ¶ 倭寇(왜구). ■ 두를 위.

[字源] 形聲. 人+委〔音〕

[倭國 왜국] 옛날에 일본을 달리 일컫던 이름.

8/10 **【倮】** 벌거벗을
라㊤智 | luǒ

㊐ ラ〔はだか〕 ㊤ naked body

[字解] 벌거벗을 라(赤體).

[字源] 形聲. 人+果〔音〕

8/10 **【倂】** 併(병)(人部 6획)의 本字

8/10 **【倧】** 신인 종
㊂冬 | zōng

ⓐ ソウ〔しんじん〕 ⊛ god man
字解 신인(神人) 종. 한배검 종(단군을 이름).
字源 形聲. 人+宗〔音〕

2획

⁸**【倘】**㊀혹시 당 ㊤養 tǎng
⑩　　　㊁어정거 cháng
릴 상㊦陽 *佣*

ⓐ トウ〔もし〕・ショウ〔さまよう〕
⊛ if, saunter
字解 ㊀ 혹시 당, 아마 당 (或然辭). ¶ 倘來(당래). ㊁어정거릴 상. ¶ 倘佯(상양).
字源 形聲. 人+尙〔音〕
參考 ㊀은 儻(人部 20획)과 동자.
[倘來 당래] 혹은. 만약에.
[倘佯 상양] 어정거려 거닒.

⁸**【倏】**갑자기 shū *倏*
⑩　　　숙㊅屋

ⓐ シュク〔にわか〕 ⊛ suddenly
字解 갑자기 숙(瞬間).
字源 形聲. 犬+攸〔音〕
[倏忽 숙홀] 갑자기. 흘연히.

⁸**【倐】**倏(숙)(前條)의 俗字
⑩

⁹**【偃】**누울 언 yǎn *偃*
⑪　　　㊤阮 yàn

ⓐ エン〔よこになる〕 ⊛ lie
字解 ① 누울 언, 쓰러질 언(倒也). ¶ 偃臥(언와). ② 쉴 언(息也), 편안할 언. ¶ 偃息(언식). ③ 방죽 언(堤也). ④ 그칠 언(止也).
字源 形聲. 人+匽〔音〕
[偃憩 언게] 누워서 쉼.
[偃戈 언과] 전쟁을 그만둠. 세상이 태평해짐. 언무(偃武).
[偃臥 언와] 드러누움. 엎드려서 자리에 듦.
[偃月 언월] 활 모양으로 된 달. 초승달.

⁹**【假】**㊀거짓 가 jiǎ *假*
⑪　　　㊤禡
㊁멀 하㊦麻 xiá
㊂이를 격 gé
㊇陌

イ ⺅ ⺅⺅ ⺅⺅⺅ 作 作 假 假 假

ⓐ カ〔かり〕・カ〔ほるか〕・キャク〔いたる〕
⊛ falsehood, far, reach
字解 ㊀ ① 거짓 가(眞之對). ¶ 假裝(가장). ② 잠시 가(非永久), 임시 가. ¶ 假稱(가칭). ③ 빌릴 가(借也). ¶ 假借(가차). ④ 너그러울 가(寬也). ¶ 假貸(가대). ⑤ 가령 가(設辭). ¶ 假令(가령). ㊁ 멀 하. ㊂ 이를 격.
字源 形聲. 人+叚〔音〕
參考 仮(人部 4획)는 약자.
[假令 가령] 설사(設使). 설령.
[假飾 가식] 거짓으로 꾸밈.
[假裝 가장] ㉠ 거짓 꾸밈. ㉡ 가면으로 장식함.
[假定 가정] ㉠ 임시로 정함. ㉡ 사실인지 아닌지 아직 분명하지 않은 것을 사실인 것처럼 인정함.
[假稱 가칭] ㉠ 임시로 일컬음. ㉡ 거짓으로 일컬음.

⁹**【偈】**㊀중의귀 jì *偈*
⑪　　　㊁힘쓸걸 jié
㊇霽

ⓐ ゲ・ケツ〔いこう〕・ケツ〔たけだけしい〕
⊛ Buddhist hymn, endeavor
字解 ㊀ 중의귀글 게. ¶ 偈頌(게송). ㊁ 힘쓸 걸.
字源 形聲. 人+曷〔音〕
[偈句 게구] 불타(佛陀)의 귀글.

⁹**【倻】**(韓)나라 yē
⑪　　　이름 야

ⓐ ヤ〔くにのな〕
字解 (韓) 나라이름 야.
字源 形聲. 人+耶〔音〕

9 [11] 【偉】 클 위 [上]尾 | 伟 wěi

亻 亻 𠆢 伫 侓 偉 偉 偉

[日] イ〔えらい〕 [英] great

[字解] **클 위**(大也), **뛰어날 위**(大人物).

[字源] 形聲. 人+韋〔音〕

[偉大 위대] 뛰어나고 훌륭함.
[偉業 위업] 위대한 사업. 대업(大業).
[偉人 위인] 훌륭한 사람.

9 [11] 〖偏〗 치우칠 편[平]先 | piān

[日] ヘン〔かたよる〕 [英] lean

[字解] **치우칠 편**(側也), **기울 편**, **편벽될 편**. ¶ 偏僻(편벽).

[字源] 形聲. 人+扁〔音〕

[偏愛 편애] 어느 한쪽만을 사랑함.
[偏重 편중] 한쪽으로 치우침.

9 [11] 〖偓〗 거리낄 악[入]覺 | wò

[日] アク〔はばかれ〕 [英] hesitate

[字解] **거리낄 악**. **악착할 악**(狗愚之貌).

[字源] 形聲. 人+屋〔音〕

9 [11] 〖偰〗 맑을 설 [入]屑 | xiè

[日] セツ〔きよい〕 [英] clear

[字解] ① **맑을 설**(淨也). ② **성 설**(姓也). ¶ 偰伯(설백).

[字源] 形聲. 人+契〔音〕

9 [11] 〖偕〗 함께 해 [本]개[平]佳 | xié

[日] カイ〔ともに〕 [英] together

[字解] ① **함께 해**(俱也). ¶ 偕老(해로). ② **굳셀 해**(强壯貌). ¶ 偕偕(해해).

[字源] 形聲. 人+皆〔音〕

[偕老 해로] 부부가 일생을 함께 늙음. ¶ 百年偕老(백년해로).

9 [11] 〖做〗 지을 주 [去]遇 | zuò

[日] サ〔つくる〕 [英] make

[字解] **지을 주**(造也).

[字源] 會意. 人+故

[看做 간주] 그렇다고 침. 그렇게 여김.

9 [11] 〖停〗 머무를 정[平]青 | tíng

亻 亻 𠂉 侕 侑 停 停 停

[日] テイ〔とどまる〕 [英] stay

[字解] **머무를 정**(行中止).

[字源] 形聲. 人+亭〔音〕

[停頓 정돈] 한곳에 있어서 움직이지 않음. 침체하여 나아가지 않음.
[停車 정차] 가던 차가 머무름. 또는 멈춤. 정거(停車).
[調停 조정] 분쟁을 중간에 서서 화해시킴.

9 [11] 〖健〗 건강할 건[去]願 | jiàn

亻 亻 亻 亻 佳 侓 健 健

[日] ケン〔すこやか〕 [英] strong

[字解] ① **건강할 건**(無病), **굳셀 건**(强也). ¶ 健康(건강). ② **잘 건**, **잘할 건**. ¶ 健忘(건망).

[字源] 形聲. 人+建〔音〕

[健康 건강] 몸이 튼튼하고 병이 없음.
[健忘 건망] 사물을 잘 잊어버림.

9 [11] 〖偪〗 핍박할 핍[入]職 | bī

[日] フク〔せまる〕 [英] press

[字解] **핍박할 핍**(逼也).

[字源] 形聲. 人+畐〔音〕

9 [11] 〖偲〗 [一]간절히 책망할 시 [平]支 [二]재주많을 시[本]채[平]灰 | sī cāi

[日] シ〔しのぶ〕· サイ〔つよい〕
[英] rebuke, many-talente
[字解] [一] 간절히책망할 시(切責). [二] 재주많을 시(多才).
[字源] 形聲. 人+思〔音〕

9 ⑪ 【側】 곁 측 [入]職 | 侧 cè
亻 仴 伯 俱 側 側 側 側
[日] ソク〔かたわら〕 [英] side
[字解] ① 곁 측(傍也). ¶ 側近(측근). ② 기울일 측, 기울어질 측(傾也). ¶ 反側(반측).
[字源] 形聲. 人+則〔音〕
[側近 측근] ㉠ 곁의 가까운 곳. ㉡ 윗사람 곁에서 썩 가까이 지냄.
[側面 측면] 정면이 아닌 옆면.
[側方 측방] 옆쪽.
[反側 반측] 누운 자리가 불편해서 몸을 뒤척임.

9 ⑪ 【偵】 염탐할 정 [平]庚 | 侦 zhēn
[日] テイ〔うかがう〕 [英] spy
[字解] 염탐할 정, 엿볼 정(探伺), 물을 정(問也).
[字源] 形聲. 人+貞〔音〕
[偵察 정찰] 적의 형편을 몰래 살핌.

9 ⑪ 【偶】 짝 우 [去]有 | ǒu
亻 亻ㄇ 亻日 亻目 偶 偶 偶 偶
[日] グウ〔たまたま〕 [英] couple
[字解] ① 짝 우, 배필 우(耦也). ¶ 配偶(배우). ② 우연 우(遇也). ¶ 偶然(우연). ③ 허수아비 우(俑也). ¶ 偶像(우상).
[字源] 形聲. 人+禺〔音〕
[偶像 우상] ㉠ 목석·금속 따위로 만든 상(像). ㉡ 숭배의 대상이 되는 인물(人物).
[偶然 우연] 뜻하지 않은 일. 뜻밖에.
[配偶 배우] 배필.

9 ⑪ 【偸】 훔칠 투 [平]尤 | tōu
[日] トウ〔ぬすむ〕 [英] steal
[字解] ① 훔칠 투(盜也). ¶ 偸盜(투도). ② 엷을 투(薄也). ¶ 偸薄(투박). ③ 구차할 투(苟且). ¶ 偸生(투생).
[字源] 形聲. 人+兪〔音〕
[偸盜 투도] ㉠ 남의 물건을 몰래 훔침. 도둑. ㉡ 불교에서 이르는 오계(五戒)의 하나. 곧, 도둑질.
[偸薄 투박] 매정함. 인정머리 없음.

9 ⑪ 【偽】 僞(위)(人部 12획)의 略字

10 ⑫ 【傘】 우산 산 [上]旱 | 伞 sǎn
[日] サン〔かさ〕 [英] umbrellar
[字解] 우산 산(繖也), 일산 산(蓋也).
[字源] 象形. 비나 햇볕을 가리는 우산을 벌려 놓은 모양을 본뜬 글자.
[傘下 산하] 보호를 받는 어떤 세력의 그늘.

10 ⑫ 【傀】 [一]꼭두각시 괴 [上]賄 [二]기이할 괴 [平]灰 | kuǐ guī
[日] カイ〔あやつりにんぎょう · おおきい〕
[英] puppet, strange
[字解] [一] 꼭두각시 괴. ¶ 傀儡(괴뢰). [二] ① 기이할 괴(怪也). ¶ 傀奇(괴기). ② 클 괴(偉也). ¶ 傀然(괴연).
[字源] 形聲. 人+鬼〔音〕
[傀奇 괴기] 기이함. 괴상함.
[傀儡 괴뢰] 꼭두각시. 망석중이.

10 ⑫ 【傅】 스승 부 [去]遇 | fù
[日] フ〔かしずく〕 [英] teacher
[字解] ① 스승 부(師也). ¶ 師傅(사부). ② 도울 부(輔也). ¶ 傅佐

2획

(부좌). ③ 붙을 부(附也).

字源 形聲. 人+尃〔音〕.

注意 傳(人部 11획)은 딴 글자.

[傅佐 부좌] 남의 도움이 됨. 또는 남을 도와주는 사람.

---

10 ⑫ 【傍】 곁 방 ㊧陽 bàng 傍

亻 亻 亻 仵 倅 倅 傍 傍

㊐ ボウ〔かたわら〕 ㊍ beside

字解 곁 방(近通側).

字源 形聲. 人+旁〔音〕.

[傍觀 방관] ㊀ 옆에서 봄. ㊁ 그 일에 상관하지 않고 보고만 있음.

[傍若無人 방약무인] 옆에 사람이 없는 것같이 언행이 무례함.

[傍聽 방청] 공판·회의 따위를 옆에서 들음.

---

10 ⑫ 【傑】 뛰어날 걸 ㊡屑 jié 杰 傑

亻 亻' 亻' 俗 俗 傑 傑 傑

㊐ ケツ〔すぐれる〕
㊍ distinguished

字解 뛰어날 걸, 훌륭할 걸(秀也).

字源 形聲. 人+桀〔音〕.

[傑作 걸작] 아주 잘된 훌륭한 작품.

[女傑 여걸] 호걸다운 여자. 여장부.

---

10 ⑫ 【傒】 이름 혜 ㊧齊 xī 傒

㊐ ケイ〔つなぐ〕 ㊍ name

字解 ① 이름 혜(人名). ② 이을 혜(繫也).

字源 形聲. 人+奚〔音〕.

---

10 ⑫ 【傔】 시중들 겸 ㊡豔 qiàn 傔

㊐ ケン〔したべる〕 ㊍ attend

字解 시중들 겸, 따를 겸(從也), 시중꾼 겸.

字源 形聲. 人+兼〔音〕.

[傔從 겸종] 하인. 시중드는 사람.

---

10 ⑫ 【傖】 천할 창 ㊧庚 cāng 伧 傖

㊐ ソウ〔いやしい〕 ㊍ mean

字解 천할 창(賤也), 촌뜨기 창(鄙也).

字源 形聲. 人+倉〔音〕.

[傖父 창부] ㊀ 비천한 사람의 일컬음. ㊁ 시골뜨기.

---

10 ⑫ 【備】 갖출 비 ㊡寘 bèi 备 備

亻 亻' 亻' 伳 伳 倄 偌 備

㊐ ビ〔そなえる〕 ㊍ prepare

字解 갖출 비(具也), 준비할 비.

字源 形聲. 人+萄〔音〕.

[備忘錄 비망록] 잊지 않기 위하여 적어 두는 기록.

[完備 완비] 빠짐없이 완전히 구비함.

---

10 ⑫ 【傚】 본받을 효 ㊡效 xiào 傚

㊐ コウ〔ならう〕 ㊍ imitate

字解 ① 본받을 효(法也). ② 배울 효(學也).

字源 形聲. 人+效〔音〕.

---

11 ⑬ 【僉】 다 첨 ㊧鹽 qiān 佥

㊐ セン〔みな〕 ㊍ all

字解 다 첨, 모두 첨(皆也).

字源 會意. 亼(集의 고자(古字)과 吅(많은 사람의 말을 나타냄)과 从(從의 고자(古字))의 합자. 많은 사람의 의견이 일치하는 일. 전하여, 「모든 사람」을 뜻함.

[僉意 첨의] 여러 사람의 의견.

---

11 ⑬ 【催】 재촉할 최 ㊧灰 cuī 催

亻 亻' 亻' 仦 仦 佯 催 催 催

2
획

⊕サイ〔うながす〕 ⊛urge

字解 ① 재촉할 최(促也). ¶催促
(최촉). ②(韓)열 최, 베풀 최. ¶
開催(개최).

字源 形聲. 人+崔〔音〕

[催促 최촉] 빨리 할 것을 요구함. 재
촉.

[主催 주최] 주장하여 개최함.

---

11 ⑬【傭】품팔이할 佣 傭
용⊕冬 yōng

⊕ヨウ〔やとう〕 ⊛employed

字解 ① 품팔이할 용(役也). ② 품
살 용(役也).

字源 形聲. 人+庸〔音〕

[傭女 용녀] 고용살이하는 여자.
[傭員 용원] 관청에 임시로 채용된
사람.
[雇傭 고용] 삯을 받고 남의 일을 해
줌.

---

11 ⑬【傲】거만할 傲
오⊕號 ào

亻 亻⁺ 亻⁺ 件 倖 傲 傲 傲

⊕ゴウ〔おごる〕 ⊛arrogant

字解 ① 거만할 오(驕也). ¶傲慢
(오만). ② 업신여길 오(侮也). ¶
傲視(오시).

字源 形聲. 人+敖〔音〕

[傲氣 오기] ㉠ 남에게 지기 싫어하
는 마음. ㉡ 거만한 기세.
[傲慢不遜 오만불손] 거만하고 언
행이 방자함.
[傲頑 오완] 오만하고 완고함.

---

11 ⑬【傳】▇전할
전⊕先 传 傳
▇전기
전⊕霰 chuán
zhuàn

亻 亻⁺ 亻⁺ 佢 伸 值 傳 傳

⊕テン・デン〔つたえる・うまつぎば〕
⊛convey, biography

字解 ▇ ① 전할 전. ¶傳達(전
달). ② 펼 전(布也). ¶宣傳(선

전). ③ 옮길 전(移也). ¶傳染(전
염). ▇ ① 전기 전(一代記). ¶傳
記(전기). ② 경서의주해 전. ¶
經傳(경전). ③ 역 전(驛也). ¶傳
馬(전마).

字源 形聲. 人+專〔音〕

參考 伝(人部 4획)은 약자.

注意 傅(人部 10획)는 딴 글자.

[傳記 전기] 개인의 생애를 서술한
기록.
[傳染 전염] ㉠ 옮아 물듦. ㉡ 병이
남에게 옮음.
[宣傳 선전] 말하여 전함. 널리 전함.

---

11 ⑬【傴】곱사등이 伛 傴
구⊕우⊕麌 yǔ

⊕ウ〔せむし〕 ⊛hunchback

字解 ① 곱사등이 구(僂也). ¶傴
僂(구루). ② 구부릴 구(曲也).

字源 形聲. 人+區〔音〕

[傴僂 구루] ㉠ 곱사등이. 꼽추. ㉡
몸을 구부림.

---

11 ⑬【債】빚 채⊕卦 債 債
zhài

亻 亻⁺ 仹 倩 倩 債 債 債

⊕サイ〔かり〕 ⊛debt

字解 ① 빚 채(負財). ② 빌릴 채
(貸也).

字源 形聲. 人+責〔音〕

[債權 채권] 빌려 준 쪽이 빌린 쪽에
대해 가지는 권리.
[債務 채무] 빌린 것을 도로 갚아야
하는 의무.
[負債 부채] 남에게 빚을 짐.

---

11 ⑬【傷】상할 상 伤 傷
⊕陽 shāng

亻 亻⁺ 仵 伊 侔 傷 傷 傷

⊕ショウ〔きずつく〕 ⊛injure

字解 ① 상할 상(創也), 다칠 상.
¶傷處(상처). ② 해칠 상(戕害).
¶傷害(상해). ③ 애태울 상, 근심
할 상(憂思). ¶傷心(상심).

[字源] 形聲. 人+煬〈省〉〔音〕

[傷心 상심] 마음을 상함. 애태움.
[傷處 상처] 다친 자리.
[傷害 상해] 남의 몸에 상처를 내어 해를 입힘.

2획

11 ⑬ 〖傾〗 기울어질 경 [平]庚 | 倾 qīng

[日] ケイ〔かたむく〕 [英] incline

[字解] ① **기울어질 경**(斜也), **기울일 경**. ¶ 傾斜(경사). ② **위태로울 경**(危也), **위태롭게할 경**. ¶ 傾國(경국).

[字源] 形聲. 人+頃〔音〕

[傾國之色 경국지색] 뛰어나게 아름다운 미인을 일컫는 말.
[傾斜 경사] 비스듬히 기울어짐. 또는 기울어진 정도.

11 ⑬ 〖僂〗 곱사등이 루 [上]尤 | 偻 lóu

[日] ル・ロウ〔せむし〕
[英] hunchback

[字解] ① **곱사등이 루**(傴也). ¶ 僂背(누배). ② **구부릴 루**(曲也). ¶ 僂指(누지).

[字源] 形聲. 人+婁〔音〕

11 ⑬ 〖僄〗 가벼울 표 [平]蕭 | piào

[日] ヒョウ〔はやい〕 [英] light

[字解] ① **가벼울 표**(輕也). ② **빠를 표**(捷也).

[字源] 形聲. 人+票〔音〕

[僄輕 표경] 동작이 가볍고 빠름.

11 ⑬ 〖僅〗 겨우 근 [去]震 | 仅 jǐn

[日] キン〔わずか〕 [英] barely

[字解] ① **겨우 근**(纔也). ¶ 僅僅(근근). ② **적을 근**(少也). ¶ 僅少(근소).

[字源] 形聲. 人+堇〔音〕

[僅僅 근근] 겨우.
[僅少 근소] 아주 적음.

11 ⑬ 〖僇〗 욕할 륙 [入]屋 | lù

[日] リク〔はずかしめる〕
[英] abuse

[字解] ① **욕할 륙**(辱也). ② **죽일 륙**(殺也).

[字源] 形聲. 人+翏〔音〕

11 ⑬ 〖僊〗 신선 선 [平]先 | xiān

[日] セン〔やまびと〕 [英] hermit

[字解] **신선 선**(仙人).

[字源] 會意. 䙴(가볍게 떠오름)과 人의 합자. 속세를 떠나 장생한다는 선인(仙人)의 뜻이라 함.

12 ⑭ 〖僰〗 오랑캐이름 북 [入]職 | bó

[日] ボク〔えびす〕

[字解] **오랑캐이름 북**(犍爲蠻).

[字源] 形聲. 人+棘〔音〕

12 ⑭ 〖像〗 형상 상 [上]養 | xiàng

[日] ゾウ・ショウ〔かたち〕
[英] figure

[字解] ① **형상 상**, **모양 상**(形像). ¶ 現像(현상). ② **본뜰 상**(似也, 擬也). ¶ 像形(상형).

[字源] 形聲. 人+象〔音〕

[像擬 상의] 모방하여 만듦.
[現像 현상] 형상을 나타냄.

12 ⑭ 〖僑〗 객지에 살 교 [平]蕭 | 侨 qiáo

⽇ キョウ〔かりずまい〕

字解 객지에살 교(旅寓).

字源 形聲. 人+喬〔音〕

[僑胞 교포] 외국에 나가 사는 동포.

12
⑭ 【僕】 사내종 복⑧沃 仆 pú

⽇ ボク〔しもべ〕 英 servant

字解 ① 사내종 복(奴也). ② 종 노복 (奴僕)
(노복). ② 마부 복. ¶ 僕御(복
어). ③ 저 복(自之卑稱). ¶ 僕輩
(복배).

字源 形聲. 人+菐〔音〕

[僕婢 복비] 사내종과 계집종. 노비
(奴婢).

[僕使 복사] 하인. 종.

12
⑭ 【僚】 동료 료⑧蕭 liáo

⽇ リョウ〔とも〕 英 companion

字解 ① 동료 료(同官). ② 同僚
(동료). ② 관리 료(吏也). ¶ 官僚
(관료).

字源 形聲. 人+寮〔音〕

[僚友 요우] 같은 기관이나 직장에
서 함께 일하는 사람.

[同僚 동료] 같은 곳에서 같은 일을
보는 사람.

12
⑭ 【僞】 거짓 위⑧寘 伪 wěi

イ ゙ ゙ ゙ ゚ 伪 伪 僞 僞

⽇ ギ〔いつわる〕 英 lie

字解 거짓 위(假也), 속일 위(詭
也). ¶ 眞僞(진위).

字源 形聲. 人+爲〔音〕

[僞善 위선] 겉으로만 착한 체함.

12
⑭ 【僦】 임금 추⑧宥 jiù

⽇ シュウ〔やとう〕 英 rent

字解 ① 임금 추(賃金). ② 고용할
추(賃也).

字源 形聲. 人+就〔音〕

12
⑭ 【僥】 요행 요⑧蕭 侥 yáo

⽇ ギョウ〔さいわい〕 英 luck

字解 요행 요. ¶ 僥倖(요행)

字源 形聲. 人+堯〔音〕

[僥倖 요행] 뜻밖에 이루어지는 일.

12
⑭ 【僧】 중 승⑧蒸 僧 sēng

亻 价 伲 伵 僧 僧 僧 僧

⽇ ソウ〔ぼうず〕 英 monk, bonze

字解 중 승(俗之對).

字源 形聲. 人+曾〔音〕

[僧侶 승려] 중.

12
⑭ 【僨】 넘어질 분⑧問 偾 fèn

⽇ フン〔たおれる〕 英 fall

字解 넘어질 분(僵也).

字源 形聲. 人+賁〔音〕

12
⑭ 【僬】 난쟁이 초⑧蕭 jiāo

⽇ ショウ〔こびと〕 英 dwarf

字解 난쟁이 초(短人).

字源 形聲. 人+焦〔音〕

12
⑭ 【僭】 참람할 참⑧點⑧豔 僭 jiàn

⽇ セン〔おごる〕 英 excessive

字解 참람할 참(僣也), 분에넘칠
참. ¶ 僭越(참월).

字源 形聲. 人+朁〔音〕

參考 僣(人部 12획)은 속자.

[僭濫 참람] 제 분수에 넘쳐 방자스
러움. 참월(僭越).

12
⑭ 【僣】 僭(참)(前條)의 俗字

2 획

【僮】하인 동 ⊕東 | tóng 僮
⑭
日 ドウ〔わらべ〕 英 servant
字解 ① 하인 동, 종 동(奴婢). ¶
僮僕(동복). ② 아이 동(童也). ③
어리석을 동(愚也).
字源 形聲. 人+童〔音〕
[僮僕 동복] 사내아이 종.
[僮然 동연] 어리석은 모양.

【僖】기뻐할 희 ⊕支 | xī 俙
⑭
日 キ〔たのしむ〕 英 joyful
字解 기뻐할 희(樂也), 즐거워할
희(喜也).
字源 會意. 人과 喜의 합자. 사람이
기뻐함의 뜻.

【僱】雇(고)(隹部 4획)의 俗字
⑭

【儁】준걸 준 ⊕震 | jùn 俊
⑮
日 シュン〔すぐれる〕
英 eminence
字解 ① 준걸 준(俊也). ② 영특할
준(絶異卓特).
字源 形聲. 人+雋〔音〕
参考 俊(人部 7획)과 동자.
[儁傑 준걸] 영특하고 걸출함. 또, 그
러한 사람.
[儁出 준출] 영특하고 걸출함. 또, 그
러한 사람. 준일(儁逸).

【僵】넘어질 강 ⊕陽 | jiāng 僵
⑮
日 キョウ〔たおれる〕 英 fall
字解 넘어질 강(仆也), 쓰러질 강
(偃也).
字源 形聲. 人+畺〔音〕
[僵屍 강시] ㉠ 쓰러져 있는 시체.
㉡ 얼어 죽은 송장. 강시(殭屍).

【價】값 가 ⊕禡 | jià 价
⑮
イ 尸 僃 僃 價 價 價 價
日 カ〔あたい〕 英 price
字解 값 가(物直).
字源 形聲. 人+賈〔音〕
参考 価(人部 6획)는 약자.
[價格 가격] 화폐로 나타낸 상품의
교환 가치.
[價値 가치] 값. 값어치.
[高價 고가] 비싼 가격.

【僻】 ■궁벽할 벽 ⊕陌 | pì ■피할 비 ⊕寘 | bì 俿
⑮
日 ヘキ〔かたよる〕・ヒ〔ひめがき〕
英 secluded
字解 ■ ① 궁벽할 벽(陋也), 후미
질 벽. ¶ 僻村(벽촌). ② 치우칠
벽, 편벽될 벽(偏也). ③ 僻見(벽
견). ■ ① 피할 비(避也). ② 성가
퀴 비(女牆). ¶ 僻倪(비예).
字源 形聲. 人+辟〔音〕
[僻字 벽자] 흔히 쓰이지 않는 야릇
하고 까다로운 글자.
[僻村 벽촌] 궁벽한 마을.

【儀】거동 의 ⊕支 | yí 仪 儀
⑮
广 俨 併 偁 倅 儀 儀 儀
日 ギ〔のり〕 英 manner
字解 ① 거동 의. ¶ 儀容(의용).
② 법도 의(法也). ¶ 儀典(의전).
③ 본받을 의. ¶ 儀範(의범). ④
법식 의. ¶ 婚儀(혼의). ⑤ 본딸
의(擬也).
字源 形聲. 人+義〔音〕
[儀範 의범] 예의범절이 모범이 될
만한 태도.
[儀式 의식] 경사나 흉사의 예식으로
갖추는 법식. 식전(式典).
[禮儀 예의] 예절과 몸가짐.

【儂】나 농 ⊕冬 | nóng 儂
⑮
日 ノウ〔われ〕 英 I

字解 나 농(我也).
字源 形聲. 人+農〔音〕

---

¹³_⑮【億】억 억㊤職 | 亿 yì | 億

亻亻仟仟倍億億億

㊐ オク〔はかる〕
㊇ hundred million

字解 ① 억 억(數名). ¶ 億萬(억만). ② 많은수 억. ¶ 億兆蒼生(억조창생).
字源 形聲. 人+意〔音〕

[億萬 억만] ㊀ 억. ㊁ 썩 많은 수효.
[億兆蒼生 억조창생] 수많은 백성.

---

¹³_⑮【儆】경계할 경㊤梗 | jǐng | 儆

㊐ ケイ〔いましめる〕 ㊇ guard

字解 경계할 경(戒也).
字源 形聲. 人+敬〔音〕

[儆警 경경] 경계하는 모양.
[儆戒 경계] 잘못되는 일이 없도록 미리 마음을 가다듬어 조심함.

---

¹³_⑮【儇】영리할 현㊤先 | xuān | 儇

㊐ ケン〔りこう〕 ㊇ clever

字解 영리할 현(慧悧).
字源 形聲. 人+睘〔音〕

[儇儇 현현] 약빠른 모양.

---

¹³_⑮【儈】거간 쾌㊋괴㊏泰 | kuài | 儈

㊐ カ〔すあい〕 ㊇ broker

字解 거간 쾌(仲買人).
字源 形聲. 人+會〔音〕

[家儈 가쾌] 가옥 매매의 중개인.

---

¹³_⑮【儉】검소할 검㊤琰 | jiǎn | 儉

亻亻仫仱伶俭儉儉

㊐ ケン〔つづまやか〕 ㊇ thrifty

字解 ① 검소할 검(約也). ¶ 儉素(검소). ② 넉넉하지못할 검, 적을 검(少也).
字源 形聲. 人+僉〔音〕

[儉素 검소] 수수하고 사치하지 아니함.
[儉約 검약] 검소하고 절약함.

---

¹³_⑮【儋】멜 담㊇覃 | dān | 儋

㊐ タン〔になう〕 ㊇ shoulder

字解 ① 멜 담(負荷). ② 독 담(罃也).
字源 形聲. 人+詹〔音〕

---

¹³_⑮【儴】잘 새㊑사㊎寘 | sài | 儴

㊐ サイ〔こまかい〕 ㊇ minute

字解 ① 잘 새(細碎). ② 무성의 새(無誠).
字源 形聲. 人+塞〔音〕

[儴說 새설] 자질구레한 보잘것없는 이야기.

---

¹⁴_⑯【儐】인도할 빈㊤震 | 傧 bīn | 儐

㊐ ヒン〔すすめる・ひそめる〕 ㊇ guide

字解 ① 인도할 빈. ② 대접할 빈.
字源 形聲. 人+賓〔音〕

---

¹⁴_⑯【儒】선비 유㊌虞 | rú | 儒

亻亻仟伃儒儒儒儒

㊐ ジュ〔じゅしゃ〕 ㊇ scholar

字解 ① 선비 유(學者). ② 유교 유. ¶ 儒學(유학).
字源 形聲. 人+需〔音〕

[儒教 유교] 고대 중국에서 발생한 공자(孔子)를 조(祖)로 하는 교(教).
[儒道 유도] 유교의 도.
[儒生 유생] 유교를 닦는 선비. 유가(儒家).

2획

14 ⑯ 【儔】 짝 주 ⊕尤 chóu | 侜 俦

⽇ チュウ〔ともがら〕 ⊛ comrade

字解 ① 짝 주(同輩), 무리 주(等類). ② 누구 주(誰也).

字源 形聲. 人+壽〔音〕

[儔類 주류] 같은 패.

14 ⑯ 【儕】 무리 제 ⊕佳 chái | 侪 儕

⽇ サイ・セイ〔ともがら〕 ⊛ company

字解 ① 무리 제(等輩). ② 함께 제(偕也).

字源 形聲. 人+齊〔音〕

[儕等 제등] 동무. 동료. 동배.

14 ⑯ 【儘】 盡(진)(皿部 9획)과 同字

15 ⑰ 【償】 갚을 상 ⊕陽 cháng | 偿 償

亻 亻' 亻'' 亻''' 償 償 償 償

⽇ ショウ〔つぐなう〕 ⊛ repay

字解 갚을 상(還也), 보상 상(報酬).

字源 形聲. 人+賞〔音〕

[償金 상금] 갚는 돈. 배상금.
[償還 상환] 다른 돈이나 물품으로 대신해서 갚음.
[補償 보상] 남의 손해를 갚아 줌.

15 ⑰ 【儡】 ▬꼭두각시 뢰 ⊕賄 lěi ▭실패할 뢰 ⊕灰 léi | 儡

⽇ ライ〔すたれる・でく〕 ⊛ puppet, fail

字解 ▬ 꼭두각시 뢰, 망석중이 뢰, 허수아비 뢰. ¶ 儡傀(괴뢰). ▭ 실패할 뢰. ¶ 儡身(뇌신).

字源 形聲. 人+畾〔音〕

[儡身 뇌신] 실패하여 영락한 몸.
[傀儡 괴뢰] 꼭두각시.

15 ⑰ 【優】 넉넉할 우 ⊕尤 yōu | 优 優

亻 伛 伛 伛 儍 儍 儍 優

⽇ ユウ〔ゆたか〕 ⊛ ample

字解 ① 넉넉할 우(饒也). ② 도타울 우, 후할 우(渥也). ¶ 優待(우대). ③ 부드러울 우(柔也), 품위 있을 우(雅也). ④ 뛰어날 우, 나을 우(劣之對). ¶ 優等(우등). ⑤ 광대 우(俳也). ¶ 俳優(배우). ⑥ 머뭇거릴 우(無決心). ¶ 優柔(우유).

字源 形聲. 人+憂〔音〕

[優待 우대] 특별히 잘 대접함.
[優雅 우아] 품위가 높고 아름다움.

16 ⑱ 【儲】 쌓을 저 ⊕魚 chǔ | 储 儲

字解 ① 쌓을 저(貯也), 마련해둘 저. ¶ 儲米(저미). ② 버금 저(副也). ¶ 儲位(저위). ③ 동궁 저, 태자 저(世子). ¶ 儲君(저군).

字源 形聲. 人+諸〔音〕

[儲米 저미] 급한 일에 쓰기 위하여 미리 마련해 둔 쌀.

17 ⑲ 【儳】 ▬빠를 참 ⊕咸 chán ▭천하게 여길 참 ⊕陷 chàn | 儳

⽇ ザン〔はやい・いやしい〕 ⊛ fast, humble

字解 ▬ 빠를 참(疾也). ▭ 천하게 여길 참(輕賤貌).

字源 形聲. 人+毚〔音〕

[儳道 참도] 지름길.
[儳言 참언] 남의 말이 끝나기도 전에 꺼내는 말.

17 ⑲ 【儵】 갯빛 숙 ⑧屋 shū | 儵

⽇ シュク〔あおぐろい〕 ⊛ grey

字解 갯빛 숙(青黑繪).

字源 形聲. 黑+攸〔音〕

[儵忽 숙홀] 갑자기. 홀연(忽然).

19
㉑ 【儷】 짝 려 俪 儷
㊤霽
㈎레이〔つれあい〕 ㊤ couple

字解 짝 려(偶也).

字源 形聲. 人+麗〔音〕

[儷皮 여피] 암수 한 쌍의 사슴의 가죽. 혼례의 납폐(納幣)로 쓰임.

19
㉑ 【儺】 역귀쫓을 나 ㊤歌 儺
㈎다〔おにやらい〕 ㊤ exorcise

字解 역귀쫓을 나(驅疫).

字源 形聲. 人+難〔音〕

[儺禮 나례] 궁중에서 악귀(惡鬼)를 쫓던 의식.

20
㉒ 【儻】 빼어날 당 ㊤養 儻
㈎토우〔たちまち〕 ㊤ excel

字解 ① 빼어날 당(卓異). ¶ 儻蕩(당탕). ② 갑자기 당(忽也). ¶ 儻來(당래). ③ 혹시 당(或然). ¶ 儻或(당혹).

字源 形聲. 人+黨〔音〕

[儻蕩 당탕] 마음이 호탕한 모양. 마음이 너그럽고 넓은 모양.

20
㉒ 【儼】 근엄할 엄 ㊤琰 儼
㈎겐〔おごそか〕 ㊤ stern

字解 ① 근엄할 엄(嚴也). ② 공손할 엄(敬也), 삼갈 엄.

字源 形聲. 人+嚴〔音〕

[儼恪 엄각] 위엄이 있으면서도 공손함.

[儼然 엄연] 근엄한 모양.

儿 〔2 획〕 部
(어진사람인부)

0
② 【儿】 어진사람 인 人㊀眞 rén 儿
㈎진〔ひと〕 ㊤ person

字解 어진사람 인(仁人).

字源 象形. 사람이 꿇어앉아 있는 형상으로, 사람의 동작이나 사람의 모양을 나타내는 글에 많이 쓰임.

1
③ 【兀】 우뚝할 올 ㊤月 wù 兀
㈎코츠〔たかい〕 ㊤ high

字解 ① 우뚝할 올(高貌). ¶ 突兀(돌올). ② 발뒤꿈치벨 올(刖足). ¶ 兀者(올자). ③ 움직이지 않을 올(不動貌). ¶ 兀然(올연).

字源 指事. 儿(사람)과 一(머리)로 이루어지며, 「사람의 머리」의 뜻.

[兀兀 올올] ㉠ 움직이지 않는 모양. 근면한 모양. ㉡ 뒤뚱뒤뚱하여 위태로운 모양.

[兀刑 올형] 발을 자르는 형벌.

2
④ 【允】 진실로 윤 ㊤軫 yǔn 允
㈎인〔まこと〕 ㊤ sincere

字解 ① 진실로 윤(誠也). ¶ 允文允武(윤문윤무). ② 승낙할 윤(許也). ¶ 允許(윤허). ③ 마땅할 윤(當也). ¶ 允當(윤당).

字源 形聲. 儿(사람)을 바탕으로 하여 「厶(사)」의 전음이 음을 나타냄.

[允文允武 윤문윤무] 진실로 문(文)하고, 진실로 무(武)함. 임금이 문무의 덕을 아울러 갖춤을 칭찬하는 말.

2
④ 【元】 으뜸 원 ㊦青 yuán 元
一 二 テ 元
㈎겐〔もと〕 ㊤ first

字解 ① 으뜸 원(原也), 우두머리 원(頭也). ¶ 元首(원수). ② 처음 원(初也), 시작 원(始也). ¶ 元旦(원단). ③ 근본 원(本也). ¶ 元素

(원소). ④ **클 원**(大也). ¶ 元勳(원훈). ⑤ **맏 원**. ¶ 元子(원자). ⑥ **기운 원**(氣也). ¶ 元氣(원기).

字源 指事. 사람의 머리를 가리킨 글자.

[元氣 원기] ㉠ 마음과 몸의 정력. ㉡ 본디 타고난 기운. ㉢ 만물의 정기.
[元旦 원단] 정월 초하룻날 아침.
[元首 원수] 국가의 최고 통치권을 가진 사람. 곧, 임금 또는 대통령.
[元兇 원흉] 흉악한 무리의 우두머리.
[紀元 기원] 연대를 계산하는 데 기초가 되는 해.

3 ⑤ 【兄】 맏 형 ㊥庚 xiōng

丨 口 口 尸 兄

㊐ ケイ・キョウ〔あに〕
㊎ elder brother

字解 ① **맏 형, 형 형, 언니 형**(弟之對). ¶ 兄弟(형제). ② **벗을높여부르는말 형**. ¶ 老兄(노형).

字源 會意. 口와 儿(사람)과의 합자. 사람 위에 서서 지시(指示)하는 사람의 뜻.

[兄嫂 형수] 형의 아내.
[舍兄 사형] 자기 형을 남에게 겸손히 일컫는 말.

3 ⑤ 〖充〗 充(충)(次條)의 本字

4 ⑥ 【充】 가득할 충㊥東 chōng

一 士 去 产 充

㊐ ジュウ〔みちる〕 ㊎ full

字解 ① **가득할 충, 찰 충**(滿也). ¶ 充滿(충만). ② **채울 충**(實也). ¶ 充當(충당). ③ **막을 충**(塞也). ¶ 充耳(충이).

字源 會意. 儿(사람)과 育의 생략체의 합자(合字). 사람이 자라서 커짐의 뜻.

[充滿 충만] 가득 참.
[充電 충전] 축전지나 축전기에다 전기를 채움.
[補充 보충] 모자람을 보태어 채움.

4 ⑥ 【兆】 조 조 ㊤篠 zhào

丿 丿 扌 兆 兆 兆

㊐ チョウ〔きざし〕 ㊎ trillion

字解 ① **조 조**(萬億). ¶ 兆民(조민). ② **점괘 조**(卜筮). ¶ 兆占(조점). ③ **빌미 조, 조짐 조**(未作意). ¶ 兆朕(조짐). ④ **묏자리 조**(塋域). ¶ 兆域(조역).

字源 象形. 거북의 등딱지를 구워 점칠 때 갈라진 틈의 모양. 「조짐」의 뜻.

[兆民 조민] 많은 백성. 억조창생.
[兆域 조역] 묘(墓)가 있는 곳.
[前兆 전조] 미리 나타나 보이는 조짐.

4 ⑥ 〖兇〗 흉악할 흉㊥冬 xiōng

㊐ キョウ〔わるい〕 ㊎ cruel

字解 ① **흉악할 흉**(惡也). ¶ 兇漢(흉한). ② **두려워할 흉**(恐也). ¶ 兇兇(흉흉).

字源 形聲. 儿+凶〔音〕

參考 ①은 凶(凵部 2획)과 同字.

[兇漢 흉한] 흉악하고 사나운 행동을 하는 사람.

4 ⑥ 【先】 ㊀먼저 선 ㊥先 ㊁앞설 선 ㊦霰 xiān

丿 𠂉 屮 生 生 先

㊐ セン〔さき・さきだつ〕
㊎ first, go first

字解 ㊀ ① **먼저 선**(後之對). ¶ 先見(선견). ② **옛 선**(古也). ③ **돌아가신이 선**. ¶ 先考(선고). ㊁ **앞설 선**(前也). ¶ 先驅(선구).

字源 會意. 儿(사람)과 之(감)의 합

자. 「나아가다」의 뜻.

[先見 선견] 미리 앞을 내다봄.

[先考 선고] 돌아가신 아버지. 선인(先人). 선친(先親).

[先驅 선구] ㉠ 어떤 사상이나 일에 앞선 사람. 선구자. ㉡ 말 탄 행렬의 앞장선 사람. 전구(前驅).

[先妣 선비] 돌아가신 어머니.

$\frac{4}{6}$ 【光】 빛 광 | 陽 guāng 光

`ノ ⺌ 屮 屮 半 光`

� コウ〔ひかり〕 英 light

字解 ① 빛 광(明耀), 빛날 광(華采). ¶ 光彩(광채). ② 영화 광(榮也), 영화로울 광. ¶ 榮光(영광). ③ 경치 광(景也). ¶ 風光(풍광). ④ 세월 광. ¶ 光陰(광음).

字源 會意. 火와 人의 합자. 사람의 위에 있는 불. 전하여, 불이 빛남. 「빛남」의 뜻.

[光明 광명] ㉠ 밝은 빛. ㉡ 밝게 빛남.

[光陰 광음] 세월.

[風光 풍광] 경치.

$\frac{5}{7}$ 【克】 이길 극 | 職 kè 克

`一 十 古 古 古 克 克`

� コク〔かつ〕 英 overcome

字解 ① 이길 극(勝也). ¶ 克服(극복). ② 능할 극(能也).

字源 形聲. 儿+古〔音〕

[克服 극복] 어려움을 이겨 냄.

[克復 극복] 원상으로 복귀함.

$\frac{5}{7}$ 【兌】 바꿀 태 | 泰 duì 兌

� ダ〔よろこぶ〕 英 exchange

字解 ① 바꿀 태(易也). ¶ 兌換(태환). ② 괘이름 태(卦名). ¶ 兌卦(태괘).

字源 會意. 儿(사람)과 口와 八의 합자. 사람이 입을 열어 기뻐 웃음

의 뜻.

[兌換 태환] 지폐 또는 은행권을 발행자가 정화(正貨)와 바꾸는 일.

$\frac{5}{7}$ 【免】 ㉠면할 면 ㉡銑 ㉡해산할 문 ㉢問 | miǎn wèn 免

`ノ ⺈ ⺈ 台 孕 免 免`

� メン〔まぬかれる〕・モン〔うむ〕 英 avoid, break up

字解 ㉠ ① 면할 면, 벗을 면(脫也). ¶ 免除(면제). ② 허락할 면(許也). ¶ 免許(면허). ③ 내칠 면. ¶ 罷免(파면). ㉡ 해산할 문. 아이를 낳음.

字源 會意. 刀＝勹(사람)와 穴과 儿(사람)의 합자. 여자가 출산함의 뜻.

[免疫 면역] 어떤 전염성 질병에 저항력을 가지는 일.

[免除 면제] 의무나 책임 따위를 면해 줌.

[放免 방면] 가두었던 사람을 놓아 줌.

$\frac{5}{7}$ 【兕】 외뿔난 들소 시 ㉡紙 | sì 兕

� ジ〔いっかくうし〕 英 rhinoceros

字解 외뿔난들소 시(一角野牛).

字源 象形. 외뿔 난 들소의 모양을 본뜸.

$\frac{5}{7}$ 【児】 兒(아)(儿部 6획)의 略字

$\frac{5}{7}$ 【兎】 兔(토)(儿部 6획)의 俗字

$\frac{6}{8}$ 【兒】 ㉠아이 아 ㉡支 ㉡성 예 ㉢齊 | ér ní 兒

`ノ 亻 ㇒ 臼 臼 臼 兒 兒`

� ジ・ニ〔こ〕・ゲイ〔せい〕

㊄ child, family name

字解 █ ① 아이 아, 아기 아(孩子). ¶ 兒童(아동). ② 아들 아(男兒). ¶ 豚兒(돈아). ③ 젊은남자의 애칭 아. ¶ 健兒(건아). █ 성 예.

字源 會意. 白(신생아의 숨구멍이 아직 굳어지기 전의 모양)와 儿(사람)의 합자.「유아」의 뜻.

參考 児(儿部 5획)는 약자.

[兒女子 아녀자] 여자와 어린아이.

[兒童 아동] ㉠ 어린아이. ㉡ 초등학교에서 배우는 아이.

[健兒 건아] 건강하고 씩씩한 사나이.

6
8 【兎】토끼 토
㊇遇 | tù

ノ ア ア 身 身 身 兎 兎

㊊ ト〔うさぎ〕 ㊄ rabbit

字解 ① 토끼 토(獸名). ¶ 兎脣(토순). ② 달 토(月之異稱). ¶ 兎影(토영).

字源 象形. 토끼가 웅크리고 있는 모양.

參考 兔(儿部 5획)는 속자.

[兎脣 토순] 언청이.

[兎影 토영] 달 그림자. 달빛.

6
8 【免】 免(면)(儿部 5획)의 俗字

7
9 【兗】땅이름
연㊤銑 | yǎn

㊊ エン

字解 땅이름 연(兗州).

字源 形聲. 允+合〔音〕

8
10 【党】 黨(당)(黑部 8획)의 略字

9
11 【兜】투구 두
㊩도㊥尤 | dōu

㊊ ト〔かぶと〕 ㊄ helmet

字解 투구 두(首鎧).

字源 象形. 사람이 투구를 쓴 모양을 본뜸.

12
14 【兢】조심할
긍㊥蒸 | jīng

㊊ キョウ〔つつしむ〕 ㊄ careful

字解 조심할 긍(戒也), 삼갈 긍(愼也).

字源 形聲.「誩(경)」이 음을 나타내며 뒤에 자체가 兢으로 바뀌었음.

[兢兢 긍긍] ㉠ 굳고 강한 모양. ㉡ 삼가고 두려워하는 모양.

```
入  〔2 획〕  部
       (들입부)
```

0
2 【入】들입
�入緝 | rù

ノ 入

㊊ ニュウ〔いる〕 ㊄ enter

字解 ① 들 입, 들일 입, 들어올 입, 들어갈 입(出之對). ¶ 入閣(입각). ② 빠질 입(沒也). ¶ 沒入(몰입).

字源 指事. 입구를 나타내며「들어가다·넣다」를 뜻함.

[入閣 입각] 내각(內閣)의 일원으로 참가함. 곧, 국무 위원이 됨.

[沒入 몰입] 깊이 파고들거나 빠짐.

1
3 【𠆢】 亡(망)(亠部 1획)의 本字

2
4 【內】안내
㊤隊 | nèi

丨 冂 內 內

㊊ ナイ〔うち〕 ㊄ inside

字解 ① 안 내, 속 내(外之對). ¶ 內容(내용). ② 나라안 내(我國). ¶ 內亂(내란). ③ 대궐 내(宮裏). 조정 내. ¶ 內角(내각). ④ 아내 내(妻也). ¶ 內患(내환). ⑤ 부녀자 내(女也). ¶ 內簡(내간). ⑥ 드

러나지않을 내(祕密). ¶ 內應(내응).

[字源] 會意. 冂과 入의 합자. 어느 범위 안으로 들어감의 뜻. 따라서, 「들어감·안쪽」의 뜻.

[內閣 내각] 국가의 행정권을 담당하는 최고 기관.
[內簡 내간] 여자의 편지. 안편지.
[內容 내용] ㉠ 사물의 속내. ㉡ 사물의 기초를 이루는 본질이나 의의.
[內患 내환] ㉠ 아내의 병. ㉡ 국내의 근심.
[案內 안내] 인도하여 알려 줌.

4 ⑥ 【全】 온전할 전[平]先 | quán

丿 入 亼 仝 仐 全

[日] ゼン〔まったく〕 [英] perfect

[字解] ① **온전할 전**(完也). ¶ 完全(완전). ② **모두 전, 전부 전**(皆也). ¶ 全部(전부).

[字源] 會意. 亼(集의 본자(本字))의 생략형과 王(구슬)의 합자. 많이 모은 구슬 중에서 가장 순수하고 빼어난 구슬의 뜻. 따라서 「완전함」의 뜻이 됨.

[全部 전부] 모두 다.
[保全 보전] 보호하여 안전하게 유지함.

6 ⑧ 【兩】 [一]두 량 [上]養 [二]《韓》냥 냥 | 两 liǎng

一 厂 冂 币 币 両 兩 兩

[日] リョウ〔ふたつ〕 [英] two

[字解] [一] **두 량**(再也), **둘 량**(貳也), **짝 량**(耦也). ¶ 兩立(양립). [二] 《韓》 ① **냥 냥**(錢數, 百分). ② **근량 냥**(斤量).

[字源] 象形. 저울추를 본뜬 글자.

[參考] 両(一部 5획)은 속자.

[兩家 양가] 양편의 집. 양쪽의 집.
[兩斷 양단] 둘로 자름. 둘로 끊음.
[兩得 양득] 한 가지 일을 해서 두 가지 이득을 봄. 일거양득.

7 ⑨ 【兪】 그럴 유 [平]虞 | yú

[日] ユ〔しかり〕 [英] such

[字解] ① **그럴 유**(然也). ② **성 유**(姓也).

[字源] 會意. 亼(集의 본자)과 舟와 巜(물)의 합자. 나무를 파내어 만든 통나무 배.

八 〔2 획〕 部
(여덟팔부)

0 ② 【八】 여덟 팔 [入]點 | bā

丿 八

[日] ハチ〔やっつ〕 [英] eight

[字解] **여덟 팔**(數名).

[字源] 象形. 네 개의 손가락을 나란히 한 양손을 내민 모양.

[八方美人 팔방미인] 어느 모로 보아도 아름다운 미인(美人).
[八字 팔자] 사람이 출생한 연월일시의 간지(干支) 여덟 글자. ¶ 四柱八字(사주팔자). 이것으로 사람의 생사화복(生死禍福)을 점침으로, 사람의 한평생의 운수를 뜻하는 말로 쓰임.

2 ④ 【公】 공변될 공[平]東 | gōng

丿 八 公 公

[日] コウ〔おおやけ〕 [英] public

[字解] ① **공변될 공**(平分無私). ¶ 公正(공정). ② **여러 공**(私之對). ¶ 公共(공공). ③ **관청 공**(官也), **벼슬 공**. ¶ 公職(공직). ④ **귀인 공**. ¶ 公子(공자). ⑤ **상대를높이는말 공**. ¶ 貴公(귀공). ⑥ **작위 공**(爵名).

[字源] 會意. 厶(나)와 八(배반)의 합자. 사심을 떨쳐 버리는 뜻. 전하여, 「공공(公共)」의 뜻.

2 획

2
획

[公共 공공] 일반 사회의 공중에 다 같이 관계되는 것.

[公用 공용] ㉠ 공공 목적에 사용함. ㉡ 공공 목적에 사용되는 비용.

[公益 공익] 사회와 공중의 이익.

[公正 공정] 공평하고 올바름.

[公職 공직] 관청이나 공공 단체의 직무.

2
④【兮】 어조사 혜 ㊥齊 xī 芳

丶ハムぐ兮

�日 ケイ〔じょじ〕

字解 어조사 혜(語助辭).

字源 會意. 八와 丂의 합자. 일단 말소리를 멈추고 다시 높이는 뜻.

2
④【六】 여섯 륙 ㊅屋 liù 亏

丶一ヶ六

�日 ロク〔むっつ〕 ㊎ six

字解 여섯 륙(數名), 여섯번 륙. ¶ 六回(육회).

字源 象形. 좌우의 손가락을 세 개씩 내민 모양을 본뜸.

[六旬 육순] ㉠ 육십일(日). ㉡ 예순 살.

[六爻 육효] 점괘의 여섯 가지 획수.

4
⑥【共】 함께 공 ㊂宋 gòng 苂

一十廾廾共共

�日 キョウ〔とも〕 ㊎ together

字解 함께 공, 같이 공, 한가지할 공(同也).

字源 會意. 물건을 양손으로 받쳐 들고 있는 뜻.

[共犯 공범] 두 사람 이상이 공모하여 범한 범죄. 또, 그러한 사람.

[共存 공존] 함께 살아감. 같이 존재함. ¶ 共存共榮(공존공영).

[公共 공공] 국가나 사회와 관계되는 일.

5
⑦【兵】 군사 병 ㊤庚 bīng 髙

ノイ仁仄丘乒兵

㊡ ヘイ〔つわもの〕 ㊎ soldier

字解 ① 군사 병(從戎鬪者), 병졸 병. ¶ 兵卒(병졸). ② 병기 병(戎器), 무기 병(武器). ¶ 兵馬(병마). ③ 전쟁 병(戰也). ¶ 兵火(병화).

字源 會意. 斤(도끼)과 𦥑(양손)의 합자. 무기를 두 손으로 쥐고 있음의 뜻.

[兵力 병력] ㉠ 군대의 세력. ㉡ 군대의 수효.

[兵務 병무] 군사상의 사무.

[兵卒 병졸] 군사(軍士).

[將兵 장병] 장교와 병사.

6
⑧【其】 그 기 ㊥支 qí 其

一十十甘甘甘其其其

㊡ キ〔その〕 ㊎ it, that

字解 ① 그 기(指物辭). ② 어조사 기(語助辭). ¶ 誰其然乎(수기연호).

字源 象形. 위는 箕(키)의 모양이며, 丌(기)가 음을 나타냄. '그·그것'의 뜻으로 쓰임은 음의 차용.

[其間 기간] 그 사이. 그 동안.

6
⑧【具】 갖출 구 ㊤遇 jù 昺

丨𠕁冂𠕁目且具具

㊡ グ〔そなえる〕 ㊎ equip

字解 ① 갖출 구(備也). ¶ 具備(구비). ② 그릇 구(器也), 연장 구. ¶ 器具(기구).

字源 會意. 鼎(세발솥)을 바치는 모양. 물건을 정돈하여 갖춤의 뜻.

[具備 구비] 빠짐없이 갖춤. ¶ 具備書類(구비 서류).

[農具 농구] 농사일에 쓰는 기구.

6
⑧【典】 법 전 ㊤銑 diǎn 典

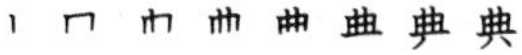

ᐁ ᐁ ᐁ ᐁ ᐁ 曲 曲 典

囸 テン〔のり〕 英 law

字解 ① 법 전(法也), 법식 전(方式), 기준 전(規則). ¶ 典法(전법). ② 책 전(大册). 典籍(전적). ③ 예 전(禮也), 의식 전(儀式). ¶ 祭典(제전). ④ 주관할 전(主也). ¶ 典獄(전옥). ⑤ 저당잡힐 전(質貨). ¶ 典當鋪(전당포).

字源 會意. 기록한 책을 제사상에 바쳐 놓은 모양을 본뜬 글자. 법이나 귀한 책을 뜻함.

[典當 전당] 물품을 담보로 하고 돈을 융통하는 일. ¶ 典當鋪(전당포).

[典法 전법] 규칙. 법. 전율(典律).

[典型 전형] ㉠ 법이 될 만한 본보기. ㉡ 조상·스승을 본받은 틀.

[古典 고전] 옛날의 의식이나 법식.

8
⑩ 〔兼〕 겸할 겸
囸鹽 | jiān

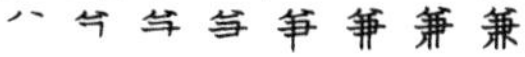

ᐁ ᐁ ᐁ ᐁ 争 争 兼 兼

囸 ケン〔かねる〕 英 combine

字解 겸할 겸(并也). ¶ 兼職(겸직).

字源 會意. 두 줄기의 벼〔禾〕를 쥐고 있는 모양을 본뜬 글자. 아울러 「가짐」을 뜻함.

[兼備 겸비] 두 가지 이상을 겸해 갖춤.

[兼用 겸용] 같이 씀. 하나를 동시에 두 용도에 씀.

[兼職 겸직] 한 사람이 두 가지 이상의 직무를 겸함.

10
⑫ 〔無〕 兼(겸)(前條)의 俗字

14
⑯ 〔冀〕 바랄 기
囸賔 | jì

囸 キ〔こいねがう〕 英 hope

字解 바랄 기(望也), 하고자할 기(欲也).

字源 形聲. 北+異〔音〕

[冀望 기망] 원하고 바람. 희망.

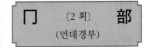

冂 〔2획〕 部
(먼데경부)

0
② 〔冂〕 ◼먼데 경㊉青 | jiōng
◼빌 경 | jiōng
㉡洄

囸 ケイ〔はるか·むなしい〕 英 remote, empty

字解 ◼ 먼데 경(遠介也), 경계 경(國境). ◼ 빌 경(空也).

字源 指事. 교외(郊外)의 경계의 모양을 나타냄.

2
④ 〔円〕 圓(원)(口部 10획)의 略字

2
④ 〔冉〕 冉(염)(冂部 3획)의 同字

2
④ 〔内〕 內(내)(入部 2획)의 俗字

3
⑤ 〔册〕 책 책㊉陌 | cè

ᐁ ᐁ ᐁ ᐁ 册

囸 サツ〔ふみ〕 英 book

字解 ① 책 책(書籍). ② 세울 책(立也), 봉할 책(封也). ¶ 册封(책봉).

字源 象形. 대쪽을 실로 꿰어 묶은 모양을 본뜬 글자.

參考 冊(冂部 3획)과 동자.

[册封 책봉] ㉠ 칙명을 내려 식록(食祿)·작위를 줌. ㉡ (韓) 왕세자(王世子)·세손(世孫)·후(后)·비(妃)·빈(嬪) 들을 봉작(封爵)함.

[册子 책자] 책.

[書册 서책] 책.

2
획

³
⑤ 【册】 册(책)(冂部 3획)과 同字

³
⑤ 【回】 回(회)(口部 3획)의 古字

³
⑤ 【冉】 나아갈 염 │ rǎn
　　　　 염⊥琰

冉

日 ゼン〔たれさがる〕 英 advance

字解 ① 나아갈 염(進行貌). ② 부드럽고약할 염(柔弱).

字源 象形. 머리카락이 더부룩하게 나 있는 모양.「나아감」의 뜻은 음의 차용.

參考 冄(冂部 2획)과 동자.

[冉冉 염염] ㉠ 나아가는 모양. ㉡ 부드럽고 약한 모양.

⁴
⑥ 【再】 두 재 │ zài
　　　　 재⊥隊

一 厂 冂 币 再 再

日 サイ〔ふたたび〕 英 twice

字解 두 재(一加一), 두번 재(兩也), 거듭 재(重也), 다시 재(更也).

字源 象形. 대바구니 위에 물건을 얹어 놓은 모양을 그린 글자. 포개는 데서「거듭」을 뜻함.

[再建 재건] 무너진 것을 다시 일으켜 세움.

[再婚 재혼] 두 번째의 결혼. 두 번 결혼함.

⁵
⑦ 【冏】 빛날 경 │ jiǒng
　　　　 ⊕青

日 ケイ〔ひかる〕 英 bright

字解 ① 빛날 경(光也). ② 밝을 경(明也).

字源 形聲.「冋(형)」의 전음이 음을 나타냄.

⁶
⑧ 【冒】 冒(모)(次條)의 俗字

⁷
⑨ 【冒】 무릅쓸 모 │ mào
　　　　 모⊥號

冒

日 ボウ〔おかす〕 英 risk

字解 무릅쓸 모, 범할 모(犯也).

字源 會意. 冃과 目의 합자. 눈을 물건으로 가림을 뜻하는 글자.

[冒瀆 모독] 침범하여 욕되게 함.

[冒險 모험] 위험을 무릅씀.

⁷
⑨ 【胄】 투구 주 │ zhòu
　　　　 ⊕宥

冑

日 チュウ〔かぶと〕 英 helmet

字解 투구 주(首鎧).

字源 形聲. ① 月+由〔音〕 ② 차양이 깊숙한 투구를 본뜸.

注意 胄(肉部 5획)는 딴 글자.

[甲胄 갑주] 갑옷과 투구.

⁹
⑪ 【冕】 면류관 면 │ miǎn
　　　　 면⊥銑

冕

日 ベン〔かんむり〕 英 crown

字解 면류관 면(冠也).

字源 形聲. 曰+免〔音〕.

[冕旒冠 면류관] 옛날 제왕(帝王)의 정복(正服)에 갖추어 쓰던 관.

冖 〔2 획〕 部
(민갓머리부)

⁰
② 【冖】 덮을 멱 │ mì
　　　　 入錫

日 ベキ〔おおう〕 英 cover

字解 덮을 멱(人布覆物).

字源 象形. 덮개를 본뜬 글자로서「덮음」을 뜻함.

²
④ 【冗】 穴(용)(冖部 2획)의 俗字

³
⑤ 【写】 寫(사)(宀部 12획)의 略字

³
⑤ 【宜】 宜(의)(宀部 5획)와 同字

2
획

7
⑨ **[冠]** ■갓 관 ⊕東
⊜어른 관 ⊕翰

guān
guàn

`冖 冖 冖 冠 冠 冠 冠 冠`

㊐ カン〔かんむり・かぶる〕 ㊛ hat

字解 ■① 갓 관, 관 관(冕弁總名).
¶ 衣冠(의관). ② 볏 관. ¶ 鷄冠
(계관). ■① 어른 관(成人), 어른
될 관(元服). ¶ 冠禮(관례). ② 으
뜸 관(爲衆之首). ¶ 冠絕(관절).

字源 會意. 冖(머리에 쓰는 것)과
元(머리)과 寸(법도)의 합자. 관은
위계 신분에 따른 법이 있음을 뜻
함.

[冠婚喪祭 관혼상제] 관례·혼례·상
례·제례의 총칭.

8
⑩ **[寇]** 寇(구)(宀部 8획)의 俗字

8
⑩ **[蒙]** 蒙(몽)(艸部 10획)과 同字

8
⑩ **[冢]** 무덤 총
⊕腫

zhǒng

㊐ チョウ〔つか〕 ㊛ tomb

字解 ① 무덤 총(塚也). ② 클 총
(大也), 맏 총(長也). ¶ 冢子(총
자). ③ 터주 총(封土). ¶ 冢土(총
토).

字源 形聲. 冖+豕〔音〕

注意 家(宀部 8획)은 딴 글자.

[冢子 총자] ㊀ 맏아들. ㊁ 태자(太
子).

[冢墓 총묘] 무덤.

8
⑩ **[冤]** 원통할 원
⊕元

yuān

㊐ エン〔あだ〕 ㊛ grievous

字解 원통할 원. 원죄 원.

字源 會意. 冖(덮개)과 兔(토끼)의
합자. 토끼가 망을 뒤집어쓰고 움
직이지 못하는 모양.

[冤罪 원죄] 억울하게 쓴 죄.

[冤痛 원통] ㊀ 분하고 억울함. ㊁
몹시 원망스러움.

8
⑩ **[冥]** 이두울 명
명⊕青

míng

㊐ メイ〔くらい〕 ㊛ dark

字解 ① 어두울 명(暗也). ¶ 冥冥
(명명). ② 깊숙할 명(幽深), 아득
할 명(高遠), 그윽할 명(幽陰). ¶
冥想(명상). ③ 저승 명(他界). ¶
冥界(명계). ④ 눈부실 명(視不見).
¶ 冥助(명조). ⑤ 망설일 명(迷
惑).

字源 會意. 冖(덮음)과 日과 六의
합자. 음력 십육일에 달이 어두워
지기 시작함의 뜻.

[冥福 명복] 죽은 후의 행복.

[冥想 명상] 고요히 눈을 감고 생각
함.

9
⑪ **[富]** 富(부)(宀部 9획)의 俗字

12
⑭ **[寫]** 寫(사)(宀部 12획)의 俗字

14
⑯ **[冪]** 덮을 멱
⊼錫

mì

㊐ ベキ〔おおう〕 ㊛ cover

字解 ① 덮을 멱(覆也). ¶ 冪冪(멱
멱). ② 멱 멱(同數相乘積).

字源 形聲. 冖+幎〔音〕

[冪冪 멱멱] 구름 같은 것이 덮여 있
는 모양.

[冪數 멱수] 멱이 되는 수.

冫 〔2 획〕 部
(이수부)

0
② **[冫]** 얼음 빙
⊕蒸

bīng

㊐ ヒョウ〔こおり〕 ㊛ ice

2획

字解 얼음 빙(冬寒水結).
字源 象形. 얼음이 처음 얼었을 때의 모양. 추위나 얼음의 뜻을 나타내는 글에 쓰임.

³⑤【冬】겨울 동 ⊕冬 dōng 冬

ノ ク 夂 冬 冬

⊜ トウ〔ふゆ〕 ⊛ winter
字解 겨울 동(四時之一).
字源 會意. 夂(終의 옛 글자)과 冫(얼음)의 합자. 사계절의 마지막이고, 얼음이 어는 추운 때의 뜻.
[冬眠 동면] 동물이 땅속 또는 구멍 등에서 겨울을 나는 일.

⁴⑥【冱】찰 호 ⊕遇 hù 冱

⊜ コ〔こおる〕 ⊛ cold
字解 찰 호(冷也), 얼 호(凍也).
字源 形聲. 冫(仌)+互〔音〕.
[冱寒 호한] 혹독한 추위. 혹한(酷寒).

⁴⑥【冰】氷(빙)(水部 1획)의 本字

⁴⑥【冲】沖(충)(水部 4획)의 俗字

⁴⑥【决】決(결)(水部 4획)의 俗字

⁵⑦【冶】쇠불릴 야 ⊕馬 yě 冶

⊜ ヤ〔いる〕 ⊛ forge
字解 ① 쇠불릴 야(鎔也), 단련할 야(鍊也). ¶ 冶金(야금). ② 예쁠 야, 요염할 야(妖也). ¶ 冶郞(야랑).
字源 形聲. 冫(仌)+台〔音〕
[冶金 야금] 광석에서 쇠붙이를 공업적으로 골라내거나 합금을 만드는 일.

[冶郞 야랑] 예쁘게 단장한 남자.
[冶態 야태] 요염한 자태.

⁵⑦【冷】찰 랭 ⊕梗 lěng 冷

丶 冫 冫 冷 冷 冷 冷

⊜ レイ〔つめたい〕 ⊛ cold
字解 ① 찰 랭(寒也). ¶ 寒冷(한랭). ② 쌀쌀할 랭(薄情). ③ 식힐 랭(退熱). ¶ 冷却(냉각).
字源 形聲. 冫(仌)+令〔音〕.
[冷凍 냉동] 인공적으로 얼게 함.
[冷藏 냉장] 썩거나 상하지 않게 온도가 낮은 곳에 넣어 둠.
[冷情 냉정] 매정하고 쌀쌀함.

⁵⑦【況】況(황)(水部 5획)의 俗字

⁶⑧【冽】맵게찰 렬 ⊕屑 liè 冽

⊜ レツ〔さむい〕 ⊛ cold
字解 맵게찰 렬(寒氣嚴).
字源 形聲. 冫(仌)+列(列)〔音〕
[冽冽 열렬] 추위가 혹독한 모양.

⁸⑩【凄】쓸쓸할 처 ⊕齊 qī 凄

⊜ セイ〔すさまじい〕 ⊛ dreary
字解 ① 쓸쓸할 처(寒涼). ② 심할 처(烈也).
字源 形聲. 冫(仌)+妻〔音〕
參考 淒(水部 8획)와 동자.
[凄涼 처량] ㉠ 몹시 쓸쓸함. ㉡ 초라하고 구슬픔.
[凄切 처절] 몹시 처량함.
[凄慘 처참] 대단히 참혹함.

⁸⑩【清】서늘할 정 ⊕青 ⊕紙 qīng 清

⊜ セイ〔すずしい〕 ⊛ cool
字解 서늘할 정(凉也), 찰 정(冷也).

字源 形聲. 冫(仌)+青〔音〕

[冬溫夏淸 동온하청] 겨울에는 따뜻하게, 여름에는 시원하게 한다는 뜻으로, 부모를 잘 섬겨 효도함을 일컫는 말.

⁸₁₀【凋】시들 조 | diāo 凋
㊀ チョウ〔しぼむ〕 ㊄ wither
字解 ① 시들 조(半傷). ② 느른할 조(力盡貌). ③ 여윌 조(悴傷).
字源 形聲. 冫(仌)+周〔音〕
[凋落 조락] 시들어 떨어짐.

⁸₁₀【凌】능가할 릉㊉蒸 | líng 凌
㊀ リョウ〔しのぐ〕 ㊄ exceed
字解 ① 능가할 릉. ¶ 凌駕(능가). ② 업신여길 릉(侮也). ¶ 凌蔑(능멸). ③ 심할 릉(暴也). ¶ 凌雨(능우). ④ 범할 릉. ¶ 凌辱(능욕).
字源 形聲. 冫(仌)+夌〔音〕
[凌駕 능가] 남과 비교하여 그것보다 넘어섬.
[凌蔑 능멸] 업신여겨 깔봄.
[凌辱 능욕] ㉠ 업신여기어 욕보임. ㉡ 폭력으로 여자를 강간하여 욕보임.

⁸₁₀【凍】얼 동㊉送 | dòng 冻
冫 冫 冫 冫 冫 冫 凍 凍 凍
㊀ トウ〔こおる〕 ㊄ freeze
字解 얼 동(氷壯). ¶ 凍結(동결).
字源 形聲. 冫(仌)+東〔音〕
[凍死 동사] 얼어 죽음.
[冷凍 냉동] 냉각시켜서 얼림.

⁸₁₀【凉】涼(량)(水部 8획)의 俗字

⁸₁₀【准】승인할 준㊈軫 | zhǔn 淮
㊀ ジュン〔のり〕 ㊄ grant
字解 ① 승인할 준. ② 법도 준(法規). ¶ 准則(준칙).
字源 形聲. 冫(仌)+隹〔音〕
參考 準의 속자.
注意 淮(水部 8획)는 딴 글자.
[認准 인준] 공무원의 임명에 대한 입법부의 승인.

⁹₁₁【减】減(감)(水部 9획)의 俗字

¹⁰₁₂【准】準(준)(水部 10획)의 俗字

¹²₁₄【凘】성엣장 시㊉支 | sī 凘
㊀ シ〔ながれるこおり〕 ㊄ ice drifts
字解 성엣장 시(流冰).
字源 形聲. 冫(仌)+斯〔音〕

¹³₁₅【凜】찰 름㊉寢 | lǐn 凜
㊀ リン〔りりしい〕 ㊄ cold
字解 ① 찰 름(寒也). ¶ 凜冽(늠렬). ② 늠름할 름(勇貌). ¶ 凜凜(늠름).
字源 形聲. 冫(仌)+稟〔音〕
參考 凛(冫部 13획)은 속자.
[凜冽 늠렬] 추위가 매우 심함.
[凜凜 늠름] 위풍이 있고 당당함.

¹³₁₅【凛】凜(름)(前條)의 俗字

¹⁴₁₆【凝】엉길 응㊉蒸 | níng 凝
㊀ ギョウ〔こる〕 ㊄ congeal
字解 ① 엉길 응(結也). ¶ 凝結(응결). ② 모을 응(聚也). ¶ 凝視(응시). ③ 막힐 응(不通). ¶ 凝滯(응체).
字源 形聲. 冫(仌)+疑〔音〕

2
획

[凝結 응결] ㉠ 한데 엉기어 뭉침. ㉡ 기체의 액화 현상.
[凝視 응시] 시선을 모아 한 곳을 똑바로 눈여겨봄.

几 〔2획〕 部
(안석궤부)

0 ②〖几〗 안석 궤 ㊥紙 | jī
㊐ キ〔つくえ〕 ㊮ backrest
字解 ① **안석 궤**(凭坐). ¶ 几杖(궤장). ② **적대 궤**(俎也). ¶ 几筵(궤연). ③ **책상 궤**(机也). ¶ 几案(궤안).
字源 象形. 안석·서안 등을 본뜬 글자.
注意 儿(部首)은 딴 글자.
[几案 궤안] ㉠ 의자·사방침·안석 따위의 총칭. ㉡ 책상.
[几硯 궤연] 책상과 벼루.
[几杖 궤장] 팔을 얹고 기대어 몸을 편하게 하는 안석과 지팡이.

1 ③【凡】 무릇 범 ㊦咸 | fán
丿 几 凡
㊐ ボン〔およそ〕 ㊮ in general
字解 ① **무릇 범**(大概). ¶ 大凡(대범). ② **대강 범**(大指), **개요 범**(要也). ③ **범상할 범**(常也), **평범할 범**(普通). ¶ 平凡(평범). ④ **모두 범**(皆也). ¶ 凡節(범절).
字源 會意. 二(짝수)와 几(뭉뚱그림)와의 합자. 「모두」의 뜻.
參考 凢(几部 1획)은 속자.
[凡例 범례] 책 내용의 대강이나 읽을 때 주의할 사항 등을 따로 적어 일러두는 글.
[凡夫 범부] 평범한 사나이.
[凡事 범사] ㉠ 평범한 일. ㉡ 모든 일.
[大凡 대범] 무릇.

1 ③〖凢〗 凡(범)(前條)의 俗字

3 ⑤〖処〗 處(처)(虍部 5획)의 略字

6 ⑧〖凭〗 기댈 빙 ㊥蒸 | píng
㊐ ヒョウ〔よる〕 ㊮ lean
字解 ① **기댈 빙**(倚也). ② **의지할 빙**(依也).
字源 會意. 人과 壬과 几의 합자. 사람이 책상에 몸을 기댐을 뜻함.

9 ⑪〖凰〗 봉새 황 ㊥陽 | huáng
㊐ オウ〔ほうおう〕
㊮ Chinese phoenix
字解 **봉새 황**(雌鳳).
字源 形聲. 几+皇〔音〕

10 ⑫〖凱〗 개선할 개 ㊤賄 | 凯 kǎi
㊐ ガイ〔かちどき〕 ㊮ triumph
字解 ① **개선할 개, 전승악 개**(凱旋軍勝樂). ¶ 凱歌(개가). ② **즐길 개**(樂也), **화할 개**(和也). ¶ 凱弟(개제).
字源 形聲. 几+豈〔音〕
[凱歌 개가] 전승을 축하하는 노래.
[凱旋 개선] 싸움에 이기고 돌아옴.
[凱風 개풍] 온화한 바람. 남풍.

12 ⑭〖凳〗 걸상 등 ㊦徑 | dèng
㊐ トウ〔こしかけ〕 ㊮ stool
字解 **걸상 등**(牀屬), **평상 등**(几屬).
字源 形聲. 几+登〔音〕
[凳床 등상] 발판이나 걸상으로 쓰게 된 나무로 만든 기구의 한 가지.

12 ⑭ 【凴】 凭(빙)(几部 6획)과 同字

凵 〔2 획〕 部
(위터진입구부)

0 ② 【凵】 입벌릴 감[上]嗛 [平]勘 | qiǎn

[日] カン〔はる〕 [英] open mouth

[字解] ① **입벌릴 감**(張口). ② **위터진그릇 감**(受物之器).

[字源] 象形. 입을 크게 벌린 모양을 본뜬 글자.

2 ④ 【凶】 흉할 흉 [平]冬 | xiōng 

ノ メ 㐫 凶

[日] キョウ〔わるい〕 [英] evil

[字解] ① **흉할 흉**(不吉). ¶ 凶事(흉사). ② **흉악할 흉**(惡也). ¶ 凶惡(흉악). ③ **해칠 흉**(傷也). ¶ 凶器(흉기). ④ **흉년 흉**(五穀不實). ¶ 凶年(흉년).

[字源] 象形. 凵(함정)과 㐅(갈라진 틈)의 합자. 전하여, 「나쁨」의 뜻.

[凶事 흉사] 불길한 일.
[凶惡 흉악] ㉠ 성질이 거칠고 사나움. ㉡ 용모가 험상궂고 모짊.

3 ⑤ 【出】 [一]날 출 [入]質 [二]낼 출[平]寘 | chū 

丨 屮 屮 出 出

[日] シュツ〔でる・だす〕
[英] come out

[字解] [一] ① **날 출**(生也), **낳을 출**(產也), **태어날 출**(誕也). ¶ 出生(출생). ② **나갈 출**(外出), **떠날 출**(去也), **나올 출**(入之對). ¶ 外出(외출). ③ **뛰어날 출**(特也). ¶ 出衆(출중). ④ **시집갈 출**(嫁也). ¶ 出嫁(출가). ⑤ **나타날 출**(見也). ⑥ **나아갈 출**. ¶ 出仕(출사). [二] **낼 출, 내어놓을 출**. ¶ 出品(출품).

[字源] 象形. 풀이 밑에서 위로 몇 겹으로 겹쳐서 무성하게 뻗어 자라는 모양.

[出嫁 출가] 처녀가 시집감.
[出衆 출중] 뭇사람 속에서 뛰어남.
[出品 출품] 전람회·박람회·품평회 같은 곳에 물건을 내놓음.
[露出 노출] 밖으로 드러나거나 드러냄.

3 ⑤ 【凹】 오목할 요[平]肴 | āo 

[日] オウ〔くぼむ〕 [英] hollow

[字解] **오목할 요**(凸之對).

[字源] 象形. 중앙이 오목하게 들어간 형상을 본뜬 글자.

[凹凸 요철] 오목하게 들어감과 볼록하게 솟음.

3 ⑤ 【凸】 볼록할 철 [入]月 | tū 

[日] トツ〔つきでる〕 [英] protuberant

[字解] **볼록할 철**.

[字源] 象形. 가운데가 볼록 내민 모양을 본뜸.

6 ⑧ 【函】 [一]함 함[平]咸 [二]갑옷 함 [平]覃 | 函 hán 

[日] カン〔はこ・よろい〕
[英] box, armor

[字解] [一] ① **함 함**(箱也). ¶ 函籠(함롱). ② **편지 함**(書也). ¶ 惠函(혜함). [二] ① **갑옷 함**(鎧也). ¶ 函人(함인). ② **넣을 함**(容也). ¶ 函丈(함장).

[字源] 象形. 혀의 모양을 본뜸. 일설에, 화살을 넣는 용기의 모양.

[函籠 함롱] ㉠ 함과 농. ㉡ 옷을 담는 함처럼 생긴 농.
[函人 함인] 옛날에 갑옷과 투구를

만들던 사람.

6 ⑧ 〖画〗 畫(화)(田部 7획)의 略字

7 ⑨ 〖凾〗 函(함)(凵部 6획)의 俗字

10 ⑫ 〖歯〗 齒(치)(部首)의 略字

刀(刂) 〔2 획〕 部 (칼도부)

0 ② 【刀】 칼 도 (平)豪 | dāo

ㄱ 刀

(日) トウ〔かたな〕 (英) knife

字解 **칼 도**(兵刃).

字源 象形. 칼을 본뜬 글자.

[刀匠 도장] 칼을 만드는 장인.
[刀貨 도화] 옛날 중국에서 사용하던 칼 모양을 한 금속제 화폐.
[名刀 명도] 이름난 검. 명검.

0 ② 〖刁〗 조두 조 (平)蕭 | diāo

(日) チョウ〔どら〕 (英) small gong

字解 **조두 조**(古軍用器).

字源 形聲. 「刀(도)」의 자형을 바꾼 것.

[刁斗 조두] 냄비와 징을 겸한 구리로 만든 옛날 군대에서 쓰던 기구.

1 ③ 〖刃〗 칼날 인 (去)震 | rèn

ㄱ 刀 刃

(日) ジン〔は〕 (英) edge

字解 ① **칼날 인**(刀鋻). ¶ 刃傷(인상). ② **칼질할 인**. ¶ 自刃(자인).

字源 指事. 칼에 丿을 찍어 날이 있는 곳을 가리킴. 「칼날」의 뜻.

參考 刄(刀部 1획)은 속자.

[刃傷 인상] 칼로 사람을 상하게 함. 또, 그 상처.
[自刃 자인] 칼로 자기 목숨을 끊음.

1 ③ 〖刄〗 刃(인)(前條)의 俗字

2 ④ 〖切〗 一 끊을 절 (入)屑 二 모두 체 (去)霽 | qiē qiè

一 七 切 切

(日) サツ〔きる〕・サイ〔すべる〕 (英) cut, all

字解 一 ① **끊을 절**(斷也), **벨 절**(斬也), **썰 절**(刻也). ¶ 切斷(절단). ② **갈 절**(磨也), **문지를 절**(相磨). ¶ 切齒腐心(절치부심). ③ **정성스러울 절**(懇也). ④ **적절할 절**(剴切), **절실할 절**. ¶ 適切(적절). ⑤ **절박할 절**(迫也). ⑥ **떨어질 절**(絕也). ¶ 切品(절품). 二 **모두 체**(皆也), **온통 체**(大凡). ¶ 一切(일체).

字源 形聲. 刀+七〔音〕

[切除 절제] 베어 냄. 베어 없앰.
[切齒腐心 절치부심] 몹시 분하여 이를 갈며 속을 썩임.
[切親 절친] 매우 친함.
[一切 일체] 모든 것. 온갖 사물.

2 ④ 【分】 一 나눌 분 (平)文 二 신분 분 (去)問 | fēn fèn

丿 八 分 分

(日) ブン〔わける〕 (英) divide, status

字解 一 ① **나눌 분**(割也), **가를 분**(合之對). ¶ 分斷(분단). ② **구별할 분**(辨別). ¶ 分別(분별). ③ **푼 분**(尺度單位寸之下). ¶ 五分(오푼). 二 **신분 분**(地位), **직분 분**(職位). ¶ 身分(신분).

字源 會意. 刀와 八(나눔)의 합자.

「나눔」의 뜻.

[分別 분별] ㉠ 사물을 종류에 따라 나눔. ㉡ 세상 물정을 알아서 가림.

[區分 구분] 따로따로 갈라 나눔.

2 ④ 【刈】 풀벨 예 [去]隊 | yì

[日] カイ〔かる〕 [英] mow

[字解] ① **풀벨 예**(芟草). ② **벨 예**(斷也).

[字源] 會意. メ(풀을 벰)과 刀의 합자.

[刈穫 예확] 농작물을 베어 거둬들임.

3 ⑤ 【刊】 책펴낼 간 [平]寒 | kān

一 二 千 干 刊

[日] カン〔きざむ〕 [英] publish

[字解] ① **책펴낼 간**. ¶ 刊行(간행). ② **새길 간**(刻也), **깎을 간**(削也). ¶ 刊定(간정).

[字源] 形聲. 刂(刀)+干〔音〕

[刊定 간정] 쓸데없는 문자(文字)를 삭제하고 잘못을 바로잡음.

[刊行 간행] 인쇄하여 발행함.

3 ⑤ 【刋】 끊을 천 [去]霰 | qiàn

[日] セン〔きる〕 [英] cut

[字解] **끊을 천**(切也).

[字源] 形聲. 刂(刀)+千〔音〕

4 ⑥ 【刎】 목자를 문 [上]吻 | wěn

[日] フン〔くびはねる〕 [英] behead

[字解] ① **목자를 문**(剄也). ② **스스로목자를 문**(自刎也).

[字源] 形聲. 刂(刀)+勿〔音〕

[刎頸之交 문경지교] 죽고 살기를 같이하여 목이 떨어져도 두려워하지 않을 만큼 친한 사귐. 또, 그러한 벗.

4 ⑥ 【刑】 형벌 형 [平]青 | xíng

一 二 于 开 刑 刑

[日] ケイ〔しおき〕 [英] punishment

[字解] ① **형벌 형**(罰也). ② **목자를 형**(剄也). ③ **법 형**(法也).

[字源] 形聲. 刂(刀)+开(幵)〔音〕

[參考] 荆(刀部 6획)은 본자.

[刑罰 형벌] 유죄 판결을 받은 사람에게 국가가 제재를 가하는 일.

4 ⑥ 【刓】 깎을 완 [平]寒 | wán

[日] ガン〔けずる〕 [英] round off

[字解] **깎을 완**(削也).

[字源] 形聲. 刂(刀)+元〔音〕

[刓削 완삭] 깎음. 네모진 나무를 깎아서 둥글게 함.

4 ⑥ 【刖】 발꿈치자를 월 [入]月 | yuè

[日] ゲツ〔あしきる〕 [英] cut heel

[字解] **발꿈치자를 월**(斷足).

[字源] 形聲. 刂(刀)+月〔音〕

[刖刑 월형] 발뒤꿈치를 자르는 형벌.

4 ⑥ 【列】 벌일 렬 [入]屑 | liè

一 ア 万 歹 歹 列

[日] レツ〔つらなる〕 [英] arrange

[字解] ① **벌일 렬**(分解), **나란히설 렬**(陳也). ¶ 列擧(열거). ② **여러 렬**(多數者). ¶ 列強(열강). ③ **줄 렬**(行也). ¶ 隊列(대열). ④ **차례 렬**(序也), **등급 렬**(位也). ¶ 序列(서열).

[字源] 會意. 刂(刀)+歹(歺)

[列強 열강] 여러 강한 나라들.

[列擧 열거] 실례나 사실들을 여러 가지 죽 들어서 말함.

[列島 열도] 열을 지은 모양으로 된 섬.

2획

2
획

[陳列 진열] 물건을 죽 벌여 놓음.

⁴⁶〔刘〕劉(류)(刀部 13획)의 略字

⁵⁷〔删〕깎을 산 ㊥刪│shān

㊐サン〔けずる〕 ㊍ cut

字解 ① 깎을 산(削也). ② 제할
산(除也).

字源 會意. 刂(刀)+册

參考 刪(刀部 5획)과 동자.

[删削 산삭] 필요하지 않다고 인정
하는 글자나 구절을 지워 버림. 산제
(删除).

⁵⁷〔判〕판단할 판 ㊥翰│pàn

㊐ハン〔わける〕 ㊍ judge

字解 ① 판단할 판(斷也). ¶判斷
(판단). ② 판결할 판. ¶裁判(재
판). ③ 구별이똑똑할 판. ¶判異
(판이).

字源 形聲. 刂(刀)+半〔音〕

[判決 판결] 시비(是非)나 선악(善
惡)을 판단하여 결정함.

[判明 판명] 사실이 똑똑하게 드러
남. 분명히 알려짐.

[判異 판이] 분명하게 아주 다름.

[批判 비판] 비평하고 판단함.

⁵⁷〔別〕다를 별 ㊤屑│bié

㊐ベツ〔わかれる〕 ㊍ different

字解 ① 다를 별(異也). ¶別味(별
미). ② 헤어질 별(離也). ¶離別
(이별). ③ 나눌 별(分解), 분별할
별(辨也). ¶區別(구별).

字源 會意. 骨(뼈)와 刀의 합자. 뼈
와 살을 갈라놓음의 뜻. 따라서, 물
건을 나눔의 뜻.

參考 别(刀部 5획)은 속자.

[別途 별도] ㉠ 딴 방면. ㉡ 딴 용도.

[別味 별미] 별다른 맛. 또, 그러한
음식.

[分別 분별] 사물을 종류에 따라 구
별하여 가름.

⁵⁷〔别〕別(별)(刀部 5획)의 俗字

⁵⁷〔利〕이로울 리 ㊥寘│lì

丶二千禾禾利利

㊐リ〔するどい〕 ㊍ profit

字解 ① 이로울 리(吉也), 이익 리
(益也). ¶利益(이익). ② 날카로
울 리(銳也). ¶利劍(이검). ③ 편
리할 리(便好). ¶便利(편리). ④
통할 리(通也). ¶利深(이심). ⑤
변리 리(利息). ¶利子(이자). ⑥
이길 리(勝也). ¶勝利(승리).

字源 會意. 刀와 和의 생략형의 합
자. 예리한 칼은 단련이 잘 조화되
지 않으면 안됨의 뜻.

[利劍 이검] 썩 잘 드는 긴 칼.

[利尿 이뇨] 오줌이 잘 나오게 함.

[利用 이용] 필요할 때 이롭게 씀.

[利害 이해] ㉠ 이익과 손해. ㉡ 득
실(得失).

[福利 복리] 행복과 이익.

⁵⁷〔刦〕겁탈할 겁 ㊤葉│jié

㊐コウ〔おびやかす〕 ㊍ plunder

字解 겁탈할 겁(強取), 막을 겁(禁
持).

字源 形聲. 刂(刀)+去〔音〕

參考 刧(刀部 5획)・劫(刀部 5획)은
동자.

[刦奪 겁탈] ㉠ 남의 것을 강제로 빼
앗음. ㉡ 강간(強姦).

⁵⁷〔初〕처음 초 ㊥魚│chū

㇀㇀㇀初初初

ショ〔はじめ〕 ⑧ beginning

字解 처음 초(始也).

字源 會意. 衣와 刀의 합자. 재단을 하는 것은 의류를 만드는 시초의 일이라는 뜻.

[初步 초보] 첫걸음.
[初夜 초야] 첫날밤.
[初志 초지] 처음에 먹은 뜻. ¶初志一貫(초지일관).

5
⑦ 【刧】 刧(겁)(刀部 5획)과 同字

6
⑧ 【刱】 처음 창 ⑧漾 chuàng

ソウ〔はじめる〕 ⑧ beginning

字解 처음 창(始也), 비로소 창(初也).

字源 形聲. 井+刃〔音〕.

[刱意 창의] 새로 생각해 냄. 또, 그 의견. 창의(創意).

6
⑧ 【券】 문서 권 ⑤願 quàn

ケン〔わりふ〕 ⑧ bond

字解 문서 권(契也), 증서 권(證書).

字源 形聲. 刀+龹〔音〕.

注意 券(力部 6획)은 딴 글자.

[旅券 여권] 행정 기관에서 외국 여행을 승인하는 증명서.

6
⑧ 【刮】 비빌 괄 ⑥點 guā

カツ〔けずる〕 ⑧ rub

字解 ① 비빌 괄(摩切), 닦을 괄(摩功). ¶刮目(괄목). ② 깎을 괄(削也), 갈 괄(磨也). ¶刮摩(괄마).

字源 形聲. 刂(刀)+舌(昏)〔音〕.

[刮摩 괄마] 그릇을 닦아서 윤을 냄.
[刮目 괄목] 눈을 비비고 자세히 봄. 다시 봄.

6
⑧ 【到】 이를 도 ⑤號 dào

一 厶 互 互 至 至 到 到

トウ〔いたる〕 ⑧ reach

字解 ① 이를 도(至也). ¶到處(도처). ② 주밀할 도. ¶周到(주도).

字源 形聲. 至+刂(刀)〔音〕.

[到處 도처] 가는 곳마다. 곳곳마다.
[周到 주도] 주의가 두루 미치고 빈틈없이 찬찬함.

6
⑧ 【刲】 찌를 규 ⑥齊 kuī

ケイ〔さく〕 ⑧ stab

字解 ① 찌를 규(刺也). ② 벨 규(割也).

字源 形聲. 刂(刀)+圭〔音〕.

6
⑧ 【刵】 귀벨 이 ⑥寘 èr

ジ〔みみきる〕 ⑧ cut ear

字解 귀벨 이(斷耳).

字源 形聲. 刂(刀)+耳〔音〕.

6
⑧ 【制】 억제할 제 ⑤霽 zhì

丿 一 亡 与 告 制 制 制

セイ〔おきて〕 ⑧ restrain

字解 ① 억제할 제(止也), 어거할 제(御也), 금할 제(禁也). ¶抑制(억제). ② 법도 제(法度也), 규정 제(度也). ¶制度(제도). ③ 천자의 말 제(天子之言). ¶制勅(제칙). ④ 정할 제(斷也). ¶制定(제정).

字源 會意. 작은 가지가 있는 나무를 칼로 끊어냄의 뜻.

[制可 제가] 천자의 허락.
[制度 제도] 국가·사회 구조의 체제. 국가의 형태.
[制定 제정] 제도·문물 등을 정함.
[抑制 억제] 억눌러서 그치게 함.

6
⑧ 【刷】 인쇄할 쇄 ⑥살⑧點 shuā

[日] サツ〔する〕 [英] print

[字解] ① **인쇄할 쇄, 박을 쇄.** ¶ 印刷(인쇄). ② **솔질할 쇄**(理馬毛). ¶ 刷新(쇄신). ③ **닦을 쇄**(拭也).

[字源] 形聲. 刂(刀)+㕞(省)〔音〕

2획

[刷新 쇄신] 묵은 것을 없애고 새롭게 함. ¶ 庶政刷新(서정쇄신).

[校正刷 교정쇄] 교정을 보기 위해 찍어 낸 인쇄물.

6 ⑧ **〖刺〗** [一] 찌를 자 [去]寘 [二] 칼로찌를 척 [入]陌 | cì cī

[日] シ・セキ〔さす〕 [英] pierce

[字解] [一] ① **찌를 자**(直傷). ¶ 刺戟(자극). ② **가시 자**(棘芒). ¶ 有刺鐵線(유자철선). ③ **책망할 자**(責也), **헐뜯을 자**(非難). ¶ 諷刺(풍자). ④ **바느질할 자.** ¶ 刺繡(자수). ⑤ **자자할 자**(黥也). ¶ 刺字(자자). ⑥ **명함 자.** ¶ 名刺(명자). [二] **칼로찌를 척**(刃之). ¶ 刺殺(척살).

[字源] 會意. 刀와 朿(나무에 가시가 있는 모양)의 합자. 찌름의 뜻이며, 또「朿(자)」가 음을 나타냄.

[注意] 剌(刀部 7획)은 딴 글자.

[刺客 자객·척객] 암살하는 사람.

[刺殺 자살·척살] 찔러 죽임.

[諷刺 풍자] 무엇에 빗대어 재치있게 경계하거나 비판함.

6 ⑧ **〖刻〗** 새길 각 [入]職 | kè

[日] コク〔きざむ〕 [英] carve

[字解] ① **새길 각**(鏤也). ¶ 刻骨(각골). ② **모질 각, 몰인정할 각, 심할 각.** ¶ 刻薄(각박). ③ **시각 각**(時刻). ¶ 寸刻(촌각).

[字源] 形聲. 刂(刀)+亥〔音〕

[刻苦 각고] 몹시 애씀.

[刻骨難忘 각골난망] 입은 은혜의 고마움이 뼈에 새겨져 잊혀지지 아니함.

[刻薄 각박] 혹독하고 인정이 없음.

6 ⑧ **〖刑〗** 刑(형)(刀部 4획)의 本字

6 ⑧ **〖刹〗** 刹(찰)(刀部 7획)의 俗字

7 ⑨ **〖剄〗** 목벨 경 [上]迥 | 刭 jǐng

[日] ケイ〔くびきる〕 [英] behead

[字解] **목벨 경.**

[剄殺 경살] 목을 쳐서 죽임.

7 ⑨ **〖剃〗** 머리깎을 체 [去]霽 | tì

[日] テイ〔そる〕 [英] cut hair

[字解] **머리깎을 체**(除髮).

[字源] 形聲. 刂(刀)+弟〔音〕

[剃髮 체발] ㉠ 머리를 깎음. ㉡ 중이 됨.

7 ⑨ **〖刹〗** 절 찰 [入]黠 | chà

[日] セツ〔てら〕 [英] temple

[字解] ① **절 찰**(寺也). ¶ 寺刹(사찰). ② **짧은시간 찰**(時之極少者). ¶ 刹那(찰나).

[字源] 形聲. 刂(刀)+殺(省)〔音〕

[參考] 刹(刀部 6획)은 속자.

[刹那 찰나] 지극히 짧은 시간.

[寺刹 사찰] 절.

7 ⑨ **【則】** [一] 곧 즉 [入]職 [二] 법 칙 [本] 측 [入]職 | 则 zé

[日] ソク〔のり〕 [英] namely, law

[字解] [一] **곧 즉**(語助辭). ¶ 然則

(연즉). [二] 법 칙(天理), 법칙 칙(法也). ¶ 規則(규칙).

[字源] 會意. 貝와 刀의 합자. 물건을 공평하게 분할함의 뜻. 공평의 뜻에서 전하여 「법칙」의 뜻이 됨.

[則度 칙도] 법도.
[則效 칙효] 본받음.
[原則 원칙] 근본이 되는 법칙.

7 ⑨ 〖削〗 [一]깎을 삭 [去]震 [二]채지 소 [去]效 [三]칼집 초 [本]소[去]嘯 xiāo shào qiào

丶 小 ⺌ 肖 肖 肖 削 削

[日] サク〔けずる〕·ショウ·ソウ〔さや〕 [英] cut, scabbard

[字解] [一] ① 깎을 삭(析也, 刊也, 分也). ¶ 削減(삭감). ② 빼앗을 삭(奪除). ¶ 削奪(삭탈). [二] 채지(采地) 소. [三] 칼집 초.

[字源] 形聲. 刂(刀)+肖〔音〕

[削減 삭감] 깎고 줄임.
[削奪 삭탈] ㉠ 빼앗음. ㉡ 죄를 지은 사람의 벼슬과 품계를 뗌. ¶ 削奪官職(삭탈관직).

7 ⑨ 〖剋〗 이길 극 [入]職 kè

[日] コク〔かつ〕 [英] overcome

[字解] ① 이길 극(勝也). ¶ 相剋(상극). ② 정할 극, 굳은약속 극(必也). ③ 능할 극(能也).

[字源] 形聲. 刂(刀)+克〔音〕

[剋勝 극승] 이김. 승리함.
[相剋 상극] 둘 사이에 화합하지 못하고 항상 충돌함.

7 ⑨ 〖剌〗 [一]어그러질 랄 [入]曷 [二]《韓》 수라 라 là

[日] ラツ〔もとる〕 [英] deviate

[字解] [一] ① 어그러질 랄(戾也). ¶ 剌戾(날려). ② 물고기뛰는소리 랄(魚躍聲). ¶ 潑剌(발랄). [二] 《韓》 수라 라.

[字源] 會意. 束(다발)과 刀의 합자. 다발을 잘라냄의 뜻.

[注意] 刺(刀部 6획)는 딴 글자.

[潑剌 발랄] 표정이나 행동이 생기가 있고 활기참.

7 ⑨ 【前】 앞 전 [平]先 qián

丷 䒑 广 亣 肯 肯 前 前

[日] ゼン〔まえ〕 [英] front

[字解] 앞 전, 먼저 전(後之對).

[字源] 形聲. 刂를 바탕으로 「歬(전)」이 음을 나타냄. 剪의 원자(原字). 「앞」이라는 뜻은 가차(假借).

[前代未聞 전대미문] 지금까지 들어 본 일이 없음.
[前後 전후] ㉠ 앞뒤. ㉡ 먼저와 나중. ㉢ 경(頃). 쯤.

7 ⑨ 〖負〗 負(부)(貝部 2획)의 俗字

7 ⑨ 〖刱〗 刱(창)(刀部 6획)의 俗字

8 ⑩ 〖剏〗 刱(창)(刀部 6획)의 俗字

8 ⑩ 〖剔〗 [一]뼈바를 척 [入]錫 [二]깎을 체 [去]霽 tī tì

[日] テキ〔とく〕·テイ〔そる〕 [英] debone

[字解] [一] 뼈바를 척(解骨). [二] 깎을 체.

[字源] 形聲. 刂(刀)+易〔音〕

[剔抉 척결] 살을 긁고 뼈를 발라냄. ¶ 爬羅剔抉(파라척결).

8 ⑩ 〖剕〗 발꿈치 벨 비 [去]未 fèi

2획

(日) ヒ〔あしきる〕 (英) cut heel

字解 **발꿈치벨 비**(刖足).

字源 形聲. 刂(刀)+非〔音〕

8 ⑩ 〖剡〗 一 땅이름 섬 (上)琰 二 날카로울 염 (去)琰 | shàn yǎn

(日) セン〔はんのは〕・エン〔するどい〕

字解 **一 땅이름 섬. 二 날카로울 염.**

字源 形聲. 刂(刀)+炎〔音〕

8 ⑩ 〖剖〗 쪼갤 부 (上)有 | pōu

(日) ボウ〔さく〕 (英) split

字解 **쪼갤 부**(劈也), **가를 부.** ¶ 解剖(해부).

字源 形聲. 刂(刀)+杏(音)〔音〕

[剖棺斬屍 부관참시] 죽은 뒤에 큰 죄가 드러났을 때, 관을 쪼개고 목을 베어 극형을 추시(追施)하던 일.

8 ⑩ 〖剗〗 一 깎을 잔 (本)찬(上)潸 二 벨 전 (上)銑 | 刬 chǎn

(日) サン・セン〔けずる〕 (英) cut

字解 **一 깎을 잔**(削也). **二 벨 전.**

字源 形聲. 刂(刀)+戔〔音〕

8 ⑩ 〖剛〗 굳셀 강 (平)陽 | 刚 gāng

冂 冂 冂 冂 岡 岡 剛 剛

(日) コウ〔つよい〕 (英) firm

字解 **굳셀 강**(強也), **강할 강**(堅也, 硬也).

字源 形聲. 刂(刀)+岡〔音〕

[剛斷 강단] 마음이 굳세고 결단력이 있음.

[外柔內剛 외유내강] 겉은 부드럽고 순한 듯하나, 속은 꿋꿋하고 곧음.

8 ⑩ 〖剝〗 벗길 박 (入)覺 | bāo

(日) ハク〔はぐ〕 (英) strip

字解 **벗길 박**(脫也). ¶ 剝皮(박피).

字源 形聲. 刂(刀)+彔〔音〕

[剝製 박제] 동물의 내장을 발라내고 약·솜 따위를 넣어 살아 있을 때와 같은 모양으로 만듦.

[剝奪 박탈] 벗기고 빼앗음. 강제로 빼앗음.

8 ⑩ 〖剞〗 새길 기 (上)紙 | jī

(日) キ〔きざむ〕 (英) carve

字解 **① 새길 기**(刻也). ¶ 剞劂(기궐). **② 새김칼 기**(刻鏤刀).

字源 形聲. 刂(刀)+奇〔音〕

[剞劂 기궐] 인쇄하기 위하여 나무판에 글자를 새김. 또, 그 칼.

8 ⑩ 〖剟〗 깎을 철 (入)屑 | duō

(日) テツ・タツ〔けずる〕 (英) peel

字解 **① 깎을 철**(削也). **② 벨 철**(割也).

字源 形聲. 刂(刀)+叕〔音〕

8 ⑩ 〖剤〗 劑(제)(刀部 14획)의 略字

9 ⑪ 〖剪〗 가위 전 (上)銑 | jiǎn

(日) セン〔はさみ〕 (英) scissors

字解 **① 가위 전.** ¶ 剪刀(전도). **② 벨 전**(切也). ¶ 剪定(전정).

字源 形聲. 刂(刀)+前〔音〕

參考 翦(羽部 9획)은 본자.

[剪刀 전도] 가위.

[剪定 전정] 나무의 가지를 잘라 다듬는 일. 전지(剪枝).

9 ⑪ 〖副〗 一 버금 부 (去)宥 二 쪼갤 복 (入)職 | fù pì

一 ㅁ 글 믕 畐 畐 副 副

[日] フウ〔そう〕・フク〔おける〕
[英] second, split

[字解] [一] ① **버금 부**(次也), **다음 부, 둘째 부**(貳也). ¶ 副食(부식). ② **머리꾸미개 부**(首飾). ¶ 副笄(부계). ③ **도울 부**(輔佐). [二] **쪼갤 복.**

[字源] 形聲. 刂(刀)+畐〔音〕

[副讀本 부독본] 주된 독본에 첨가하여 보조적으로 쓰이는 학습용의 독본.

[副食 부식] 주식에 딸려 먹게 되는 음식물. 반찬 따위.

9 ⑪ 〖剬〗 똑같이 자를 단 [平]寒 duān

[日] タン〔たちきる〕

[字解] ① **똑같이자를 단**(斷齊). ② **단정할 단**(整飭貌).

[字源] 形聲. 刂(刀)+耑〔音〕

9 ⑪ 〖剩〗 剩(잉)(次條)의 略字

10 ⑫ 〖剩〗 남을 잉 [去]徑 shèng

[日] ジョウ〔あまる〕 [英] surplus

[字解] **남을 잉**(餘也).

[字源] 形聲. 刂(刀)+乘〔音〕

[參考] 剩(刀部 9획)은 약자.

[剩餘 잉여] 나머지. 쓰고 난 나머지.

10 ⑫ 〖割〗 나눌 할 [本]갈[入]曷 gē

[日] カツ〔わる〕 [英] divide

宀 宀 宔 宔 害 害 割 割

[字解] ① **나눌 할**(分也). ¶ 割當(할당). ② **가를 할**(截也), **벨 할**(切也), **끊을 할**(斷也). ¶ 割腹(할복). ③ 《韓》 **할 할**(十分之一). ¶ 二割(이할).

[字源] 形聲. 刂(刀)+害〔音〕

[割當 할당] 몫을 나누어 분배함. 또, 그 분량.

[割腹 할복] 배를 가름.

[割讓 할양] 나누어 줌.

10 ⑫ 〖剴〗 맞을 개 [去]灰 kǎi

[日] ガイ〔する〕 [英] fit

[字解] ① **맞을 개, 들어맞을 개**(適切). ¶ 剴切(개절). ② **문지를 개**(摩也). ③ **낫 개**(鎌也).

[字源] 形聲. 刂(刀)+豈〔音〕

[剴切 개절] 알맞고 적절함.

10 ⑫ 〖剫〗 斮(착)(斤部 10획)과 同字

10 ⑫ 〖創〗 비롯할 창 [平]陽 创 chuàng

𠆢 今 今 侖 倉 倉 創 創

[日] ソウ〔はじめ〕 [英] begin

[字解] ① **비롯할 창, 시작할 창**(始也). ¶ 創刊(창간). ② **상할 창**(傷也), **다칠 창**(戕也). ¶ 創傷(창상).

[字源] 形聲. 刂(刀)+倉〔音〕

[創傷 창상] 연장에 다침. 또, 그 상처.

[創造 창조] 처음으로 만듦.

11 ⑬ 〖剿〗 끊을 초 [平]肴[上]篠 chāo

[日] ショウ〔ころす〕 [英] cut

[字解] ① **끊을 초**(絶也), **죽일 초**(殺也). ¶ 剿滅(초멸). ② **노략질할 초**(略取). ¶ 剿說(초설).

[字源] 形聲. 刂(刀)+巢〔音〕

[剿滅 초멸] 도둑을 쳐서 무찌름.

[剿說 초설] 남의 학설을 훔치어 자기 것으로 만듦.

11 ⑬ 〖剷〗 剿(초)(前條)와 同字

11 ⑬ 〖剽〗 표독할 표[上]嘯 piāo

2획

日 ヒョウ〔おびやかす〕 英 fierce

字解 ① 표독할 표(勇悍). ¶ 剽悍 (표한). ② 도둑질할 표(盜也). ¶ 剽竊(표절). ③ 빠를 표(輕疾). ¶ 剽急(표급). ④ 찌를 표(刺也). ⑤ 겁박할 표(劫也).

字源 形聲. 刂(刀)+票〔音〕

[剽竊 표절] 남의 글을 훔치어 제것으로 함.

12
⑭ 【刐】 새김칼 궐 入月 | jué

日 ケツ〔ほる〕 英 gouge

字解 새김칼 궐(刻刀). 새길 궐(彫也).

字源 形聲. 刂(刀)+厥〔音〕

12
⑭ 【劃】 그을 획 划 入陌 | huà

一 尸 聿 聿 書 書 畫 劃

日 カク〔くぎる〕 英 draw

字解 ① 그을 획(以刀破物). ② 계획할 획(作事). ¶ 計劃(계획). ③ 나눌 획(剖也).

字源 形聲. 刂(刀)+畫〔音〕

參考 畫(田部 7획)과 동자.

[區劃 구획] 경계를 갈라 정함. 또는 그 구역.

13
⑮ 【劈】 쪼갤 벽 入錫 | pī

日 ヘキ〔つんざく〕 英 rend

字解 쪼갤 벽(割破).

字源 形聲. 刂(刀)+辟〔音〕

[劈開 벽개] 결을 따라 쪼갬.

[劈頭 벽두] 일의 첫머리. 글의 첫머리.

13
⑮ 【劇】 심할 극 剧 入陌 | jù

亠 广 虍 虍 虏 豦 豦 劇

日 ゲキ〔はげしい〕 英 violent

字解 ① 심할 극(甚也). ¶ 劇烈 (극렬). ② 연극 극. ¶ 劇場(극장). ③ 바쁠 극(忙也).

字源 形聲. 刂(刀)+豦〔音〕

[劇藥 극약] 심한 작용을 가진 약.

[劇場 극장] 영화를 상영(上映)하거나 연극을 상연(上演)하는 곳.

13
⑮ 【劋】 끊을 초 上篠 | jiāo

日 ショウ〔ころす〕 英 cut

字解 끊을 초(絕也).

字源 形聲. 刂(刀)+巢〔音〕

13
⑮ 【劉】 죽일 류 刘 平尤 | liú

日 リュウ〔ころす〕 英 kill

字解 ① 죽일 류. ② 성 류(姓也).

字源 形聲. 金+刂(刀)+卯〔音〕

參考 刘는 약자. 유(兪)와 구별하기 위하여 묘금도(卯金刀)류라고도 함.

13
⑮ 【劍】 칼 검 剑 平豔 | jiàn

日 ケン〔つるぎ〕 英 sword

字解 칼 검(刀之大也).

字源 形聲. ① 金文은 金+僉〔音〕. ② 篆文은 刃+僉〔音〕.

參考 劒(刀部 13획)·劎(刀部 14획)은 동자.

[劍客 검객] 검술을 잘 하는 사람.

13
⑮ 【劒】 劍(검)(前條)과 同字

14
⑯ 【劎】 劍(검)(前前條)과 同字

14
⑯ 【劑】 ■약지을 제 平霽 ■자를 자 入支 | 剂 jì

日 ザイ〔やくざい〕・スイ〔てがた〕
英 prepare, cut

字解 ━ ① 약지을 제. ¶ 調劑(조제). ② 약재 제. ¶ 藥劑(약제). ━ 자를 자.

字源 形聲. 刂(刀)+齊〔音〕

參考 劑(刀部 8획)은 약자.

〔調劑 조제〕 여러 가지 약을 조합하여 약제를 만듦.

14
(16) 【劓】 코벨 의 | yi
去寘

日 ギ〔はなきる〕 英 cut the nose

字解 코벨 의(削鼻).

字源 會意. 鼻+刀

〔劓刑 의형〕 코를 베는 형벌. 옛날 중국의 오형(五刑)의 한 가지.

力 〔2 획〕 部
(힘력부)

0
(2) 【力】 힘 력 入職 | li

フ 力

日 リョク・リキ〔ちから〕
英 strength

字解 ① 힘 력(筋力). ¶ 力士(역사). ② 힘쓸 력(盡力). ¶ 力說(역설).

字源 象形. 팔에 힘을 주었을 때 근육이 불거진 모양.

〔力士 역사〕 뛰어나게 힘이 센 사람.

〔力說 역설〕 힘써 말함.

〔力著 역저〕 힘을 들여서 지은 저서.

〔努力 노력〕 애를 쓰고 힘을 들임.

3
(5) 【加】 더할 가 | jiā
平麻

フ カ カ 加 加

日 カ〔くわえる〕 英 add

字解 ① 더할 가(減之對). ¶ 加工(가공). ② 미칠 가(及也). ③ 더욱 가(益也).

字源 會意. 力(힘)과 口의 합자. 더함을 뜻하는 글자.

〔加減 가감〕 ㉠ 보탬과 뺌. 가법과 감법. ㉡ 적당히 조절함.

〔加擔 가담〕 ㉠ 어떤 일이나 무리에 한몫 낌. ㉡ 같은 편이 되어 일을 함께 함.

3
(5) 【功】 공 공 | gōng
平東

一 T エ 巧 功

日 コウ〔いさお〕 英 merits

字解 ① 공 공(過之對). ¶ 功勞(공로). ② 상복이름 공(喪服). ¶ 大功(대공).

字源 形聲. 力+工〔音〕

〔功過 공과〕 공로와 과오.

〔功臣 공신〕 훈공이 있는 신하.

4
(6) 【劤】 강할 근 | jin
平問

日 キン〔ちからがおおい〕
英 strong

字解 강할 근. 힘셀 근.

字源 形聲. 力+斤〔音〕

4
(6) 【劣】 용렬할 렬 入屑 | liè

丿 小 小 少 劣 劣

日 レツ〔おとる〕 英 inferior

字解 용렬할 렬(拙弱). 질이떨어질 렬, 힘이모자랄 렬(優之對).

字源 會意. 力(힘)과 少(적음)의 합자. 용렬함을 뜻하는 글자. 즉,「못남」을 뜻함.

〔劣等 열등〕 낮은 등급.

〔劣勢 열세〕 세력이 열등함.

〔庸劣 용렬〕 평범하고 수준이 보통보다 못함.

5
(7) 【助】 도울 조 | zhù
去御

丨 П Π Ħ 目 助 助

2
획

� ジョ〔たすける〕 ㉫ help
字解 도울 조(佐也).
字源 形聲. 力+且〔音〕
[助力 조력] 힘을 도움. 또는 도와주는 힘.

5
⑦【劫】겁탈할 겁入葉 jié 劫

� キョウ〔おびやかす〕 ㉫ plunder
字解 ① 겁탈할 겁(強取), 빼앗을 겁. ¶ 劫奪(겁탈). ② 위협할 겁(威脅). ¶ 劫迫(겁박). ③ 부지런할 겁(勤也). ¶ 劫劫(겁겁). ④ 겁 겁(佛一世之稱). ¶ 永劫(영겁).
字源 會意. 去와 力의 합자, 가려고 하는 것을 힘으로 위협하여 못 가게 함의 뜻.
參考 刦(刀部 5획)・刧(刀部 5획)은 동자.

[劫姦 겁간] 폭력을 써서 성폭행함. 강간. 겁탈(劫奪).
[劫劫 겁겁] ㉠ 부지런히 힘쓰는 모양. ㉡ 대대(代代).
[劫奪 겁탈] 위협하여 빼앗음
[永劫 영겁] 극히 긴 세월. 영원한 세월.

5
⑦【劬】수고할 구上虞 qú 劬

� ク〔つとめる〕 ㉫ laborious
字解 수고할 구(勞也), 힘들일 구, 애먹을 구(苦也).
字源 形聲. 力+句〔音〕

[劬勞 구로] ㉠ 자식을 기르는 수고. ㉡ 병으로 하는 고생.

5
⑦【劭】￣권면할 소㊀蕭 ￣높을 소 shào 劭
㊁嘯

� ショウ〔すすめる〕 ㉫ admonish
字解 ￣권면할 소(勸勉). ￣높을 소(高也).
字源 形聲. 力+召〔音〕

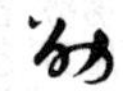

5
⑦【努】힘쓸 노 上麌 nǔ 努

乙 ㄣ 女 奴 奴 努 努

� ド〔つとめる〕 ㉫ endeavor
字解 힘쓸 노(勉也).
字源 形聲. 力+奴〔音〕

[努力 노력] 힘을 쏨. 힘을 다함.

5
⑦【劳】勞(로)(力部 10획)의 略字

5
⑦【励】勵(려)(力部 15획)의 俗字

6
⑧【劾】캐물을 핵入職 hé 劾

� ガイ〔きわめる〕 ㉫ pry
字解 캐물을 핵, 죄상을 조사할 핵(推窮罪人).
字源 形聲. 力+亥〔音〕

[劾情 핵정] 정상을 조사하여 따짐.
[彈劾 탄핵] ㉠ 죄상을 들어서 논란하여 책망함. ㉡ 대통령・국무총리・국무위원 등의 죄상을 따져 문책함.

6
⑧【劻】급할 광㊤陽 kuāng 劻

� キョウ〔にわか〕 ㉫ urgent
字解 급할 광, 갑자기 광(迫遽).
字源 形聲. 力+匡〔音〕

[劻勷 광양] 성미가 몹시 조급함.

6
⑧【効】效(효)(攴部 6획)의 俗字

7
⑨【勁】굳셀 경㊤敬 jìng 勁

� ケイ〔つよい〕 ㉫ strong
字解 굳셀 경(強也, 堅也, 健也, 銳也).
字源 形聲. 力+巠〔音〕

[勁直 경직] 굳세고 바름.

7 ⑨ 【勃】 우쩍일어날 발 [入]月 | bó 

[日] ボツ〔おこる〕
[英] happen suddenly

[字解] ① **우쩍일어날 발**(興起貌). ¶ 勃起(발기). ② **갑자기 발**(卒也). ¶ 勃然(발연). ③ **성할 발**(盛也). ¶ 勃勃(발발).

[字源] 形聲. 力+孛〔音〕

[勃起 발기] 머리를 쳐듦. 불끈 일어남.

[勃勃 발발] ㉠ 사물이 한창 성한 모양. ㉡ 몸이 가뿐하고 민첩한 모양.

[勃然 발연] ㉠ 우쩍 일어나는 모양. ㉡ 발끈 성내는 모양.

7 ⑨ 【勅】 칙서 칙 [入]職 | chì 

[日] チョク〔みことのり〕 [英] edict

[字解] ① **칙서 칙**(天子制書). ② **신칙할 칙**(飭也). ③ **경계할 칙**(誡也).

[字源] 會意. 束+力

[參考] 敕(攴部 7획)과 동자.

[勅書 칙서] 황제의 명령을 적은 문서.

7 ⑨ 【勉】 힘쓸 면 [上]銑 | miǎn 

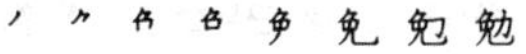

[日] ベン〔つとめる〕 [英] strive

[字解] **힘쓸 면**(努力), **부지런할 면**(勤也).

[字源] 形聲. 力+免〔音〕

[參考] 俛(人部 7획)과 동자.

[勉勵 면려] 스스로 힘씀. 또, 남을 힘쓰게 함.

[勤勉 근면] 부지런히 힘씀.

7 ⑨ 【勇】 날랠 용 [上]腫 | yǒng

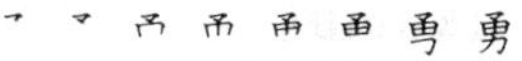

[日] ユウ〔いさましい〕 [英] brave

[字解] ① **날랠 용**(氣健, 銳也), **날쌜 용**, **용맹할 용**(果敢). ② **억셀 용**(猛也).

[字源] 形聲. 力+甬〔音〕

[勇氣 용기] 용감한 기력.

[勇猛 용맹] 날래고 사나움.

8 ⑩ 【勍】 셀 경 [平]庚 | qíng 

[日] ケイ〔つよい〕 [英] strong

[字解] **셀 경**.

[字源] 形聲. 力+京〔音〕

9 ⑪ 【勒】 굴레 륵 [入]職 | lè 

[日] ロク〔くつわ〕 [英] bridle

[字解] ① **굴레 륵**(絡銜), **재갈 륵**(馬轡). ② **억지로할 륵**(抑也). ¶ 勒買(늑매). ③ **다스릴 륵**(治也). ④ **새길 륵**(刻也). ¶ 勒銘(늑명).

[字源] 形聲. 革+力〔音〕

[勒買 늑매] 강제로 물건을 삼.

[勒銘 늑명] 글자를 금석(金石)에 새김. 또, 그 글자.

[勒葬 늑장] 남의 땅이나 남의 동네 근처에 강제로 장사를 지냄.

9 ⑪ 【動】 움직일 동 [上]董 | 动 dòng 

[日] ドウ〔うごく〕 [英] move

[字解] ① **움직일 동**(靜之對). ¶ 動搖(동요). ② **어지러울 동**(亂也). ¶ 動亂(동란). ③ **동물 동**(動物). ④ **일할 동**. ¶ 勞動(노동).

[字源] 形聲. 力+重〔音〕

[動亂 동란] 폭동·반란·전쟁 등으로 사회가 질서 없이 소란해지는 일.

[動植物 동식물] 동물과 식물.

9 ⑪ 【勗】 勖(욱)(力部 9획)의 訛字

9 ⑪ 【勘】 헤아릴 감 [去]勘 | kān 

2획

[日] カン〔かんがえる〕 [英] consider

[字解] ① **헤아릴 감, 생각할 감**(考也). ¶ 勘案(감안). ② **문초할 감**(鞫囚). ¶ 勘罪(감죄).

[字源] 形聲. 力+匹+甘〔音〕

[勘案 감안] 생각함.
[勘罪 감죄] 죄인을 문초하여 처분함.

9 ⑪ 【務】 힘쓸 무 [去]遇 | 务 wù

[日] ム〔つとめる〕 [英] endeavor

[字解] ① **힘쓸 무**(勞力). ¶ 務望(무망). ② **일 무, 직무 무**(事務). ¶ 公務(공무).

[字源] 形聲. 力+敄〔音〕

[務望 무망] 힘써 바람.
[公務 공무] 공적인 일.

9 ⑪ 〖勖〗 힘쓸 욱 [入]沃 | xù

[日] キョク〔つとめる〕 [英] strive

[字解] **힘쓸 욱**(勉也).

[字源] 形聲. 力+冒〔音〕

[參考] 勗(力部 9획)은 와자.

10 ⑫ 〖勛〗 勳(훈)(力部 14획)의 古字

10 ⑫ 【勞】 [一]수고로울 로[平]豪 [二]위로할 로[平]號 | 劳 láo lào

[日] ロウ〔つとめる・ねぎらう〕 [英] toil, recognize

[字解] [一] ① **수고로울 로**(事功), **일할 로**(勤也). ¶ 勞苦(노고). ② **고단할 로**(苦役), **지칠 로**(疲也). ¶ 疲勞(피로). [二] **위로할 로**(慰也). ¶ 慰勞(위로).

[字源] 會意. 力+熒〈省〉

[參考] 労(力部 5획)는 약자.

[勞苦 노고] 힘들여 애쓰는 수고.
[疲勞 피로] 지침. 고단함.

10 ⑫ 【勝】 이길 승 [去]徑 | 胜 shèng

[日] ショウ〔かつ〕 [英] win

[字解] ① **이길 승**(負·敗之對). ¶ 勝利(승리). ② **나을 승, 훌륭할 승**(優也), **경치좋을 승**. ¶ 勝地(승지).

[字源] 會意. 力+朕

[勝地 승지] 경치가 좋은 이름난 곳.
[勝敗 승패] 이김과 짐. 승부(勝負).

11 ⑬ 〖勠〗 협력할 륙 [入]屋 | lù

[日] リク〔あわせる〕 [英] unite

[字解] **협력할 륙**(并力).

[字源] 形聲. 力+翏〔音〕

11 ⑬ 【勤】 부지런할 근 [平]文 | qín

[日] キン〔つとめる〕 [英] diligent

[字解] ① **부지런할 근**(勞也). ¶ 勤勞(근로). ② **근무할 근**. ¶ 勤務(근무).

[字源] 形聲. 力+堇〔音〕

[勤勞 근로] 부지런히 일함.
[勤續 근속] 근무를 한곳에서 오래 계속함.

11 ⑬ 〖勦〗 수고로울 초 [平]肴 [上]篠 | chāo

[日] ソウ〔つくす〕 [英] toil

[字解] ① **수고로울 초**(勞也). ¶ 勦民(초민). ② **빼앗을 초**(取也). ③ **날쌜 초**(輕捷).

[字源] 形聲. 力+巢〔音〕

[勦民 초민] 백성을 수고롭게 함.

〔2획〕

11
⑬ 【勣】공적 | jī
  ⑧(入)錫
  日 セキ〔いさお〕 英 merits
  字解 공 적(功也).
  字源 形聲. 力+責〔音〕

11
⑬ 【勧】勸(권)(力部 18획)의 略字

11
⑬ 【募】모을 모 | mù
  ⑤遇
  ' 艹 艹 芦 苩 莫 莫 募 募
  日 ボ〔つのる〕 英 collect
  字解 모을 모(集也), 부를 모(招也),
  널리구할 모(廣求).
  字源 形聲. 力+莫〔音〕
  [募兵 모병] 병정을 모집함.
  [募集 모집] 필요한 사람이나 물품
  을 널리 구하여 모음.
  [公募 공모] 널리 공개하여 모집함.

11
⑬ 【勢】기세 세 | shì
  ⑤霽
  一 ナ 坴 封 劫 執 執 墊 勢
  日 セイ〔いきおい〕 英 force
  字解 ① 기세 세(活動力), 권세 세
  (威力). ¶ 勢道(세도). ② 형세 세
  (形勢). ¶ 時勢(시세). ③ 불알 세
  (外腎). ¶ 去勢(거세).
  字源 形聲. 力+埶〔音〕
  [勢力 세력] 남을 복종시키는 기세
  와 힘.
  [破竹之勢 파죽지세] 대적을 거침
  없이 물리치고 쳐들어가는 당당한
  기세.

13
⑮ 【勳】勳(훈)(次條)의 俗字

14
⑯ 【勳】공 훈 | xūn
  ⑤文
  日 クン〔いさお〕 英 merits
  字解 공 훈(功也).
  字源 形聲. 力+熏〔音〕

參考 勳(力部 10획)은 古字.
[勳功 훈공] 나라를 위하여 세운 공
로. 공훈(功勳).

15
⑰ 【勵】힘쓸 려 | lì
  ⑤霽
  一 厂 厂 厉 厉 厲 厲 勵 勵
  日 レイ〔はげむ〕 英 exert
  字解 ① 힘쓸 려(勉也). ¶ 勵行(여
  행). ② 권장할 려(勸勉). ¶ 獎勵
  (장려).
  字源 形聲. 力+厲〔音〕
  參考 励(力部 5획)는 속자.
  [勵行 여행] 힘써 행함. 또, 행하기를
  장려함.
  [激勵 격려] 마음이나 기운을 북돋
  우어 힘쓰도록 함.

17
⑲ 【勷】급할 양 | ráng
  ⑤陽
  日 ジョウ〔いそぐ〕 英 haste
  字解 급할 양(急也), 바쁠 양(忙
  也).
  字源 形聲. 力+襄〔音〕

18
⑳ 【勸】권할 권 | quàn
  ⑤願
  艹 芦 芦 芦 雚 雚 雚 勸 勸
  日 カン〔すすめる〕 英 advise
  字解 권할 권(獎也, 助也, 敎也).
  字源 形聲. 力+雚〔音〕
  參考 勧(力部 11획)은 약자.
  [勸善懲惡 권선징악] 착한 일을 권
  장하고 악한 일을 징계함.

勹 〔2획〕部
(쌀포부)

0
② 【勹】쌀 포 | bǎo
  ⑤看

ⓗ ホウ〔つつむ〕 ⓔ wrap

字解 쌀 포(裹也, 包也).

字源 象形. 사람이 허리를 구부리어 물건을 안고 있는 모양.

2획

¹③【勺】구기 작 | sháo
⑧藥

ⓗ シャク〔くむ〕 ⓔ ladle

字解 ① 구기 작(飮器), 잔 작(杯也), 잔질할 작(酌也). ② 적을 작(少量). ③ 작 작(容量單位). ¶ 一勺(일작).

字源 象形. 손잡이가 있는 국자의 모양을 본뜸.

[勺水不入 작수불입] 물을 한 모금도 마시지 못한다는 뜻으로, 음식을 조금도 먹지 못함.

¹③【勺】勺(작)(前條)의 俗字

²④【勻】━적을 균 | yún
🇰윤⑧眞
━고를 균 | jūn
⑧眞

ⓗ イン〔ととのう〕・キン〔ひとしい〕 ⓔ few, even

字解 ━적을 균. ━고를 균.

字源 象形. 현악기의 조율기(調律器)의 모양을 본뜸.

²④【勾】굽을 구 | gōu
⑧尤

ⓗ コウ〔まがる〕 ⓔ bend

字解 굽을 구(曲也).

字源 形聲. 厶=口(구)가 음을 나타냄.

[勾配 구배] 기울기. 물매.

²④【勿】━말 물 | wù
⑧物
━떨 물 | mò
⑧月

ⓗ ブツ〔ない〕・ボツ〔かきなでる〕 ⓔ not, shake off

字解 ━① 말 물(禁止之助辭). ¶ 勿驚(물경). ② 없을 물, 아닐 물(否定之助辭). ¶ 勿禁(물금). ━떨 몰. 먼지를 떪.

字源 象形. 장대 끝에 세 개의 기가 달려 있는 모양.

[勿驚 물경] 놀라지 마라. 또는 놀랍게도의 뜻.

[勿論 물론] 말할 것도 없음.

³⑤【包】쌀 포 | bāo
🇰肴

ⓗ ホウ〔つつむ〕 ⓔ wrap

字解 ① 쌀 포, 꾸릴 포(裹也). ② 보따리 포. ¶ 小包(소포).

字源 象形. 배 속에 아기를 가지고 있는 모양.

[包攝 포섭] 받아들임. 감싸 줌.

[包含 포함] ㉠ 속에 싸이어 있음. ㉡ 함유함.

⁴⑥【匈】오랑캐 흉 | xiōng
🇰冬

ⓗ キョウ〔むね〕 ⓔ savage

字解 ① 오랑캐 흉(北方之人種之名). ¶ 匈奴(흉노). ② 떠들썩할 흉(喧擾意). ¶ 匈匈(흉흉).

字源 形聲. 勹+凶〔音〕

[匈匈 흉흉] 인심이 몹시 어지럽고 어수선함.

⁷⑨【匍】길 포 | pú
🇰虞

ⓗ ホ〔はらばう〕 ⓔ crawl

字解 길 포(手行).

字源 形聲. 勹+甫〔音〕

[匍匐 포복] 땅에 배를 대고 김.

⁹⑪【匐】길 복 | fú
⑧職

ⓗ フク〔はらばう〕 ⓔ crawl

[字解] **길 복**(手行).

[字源] 形聲. 勹+畐〔音〕

[匐枝 복지] 땅 위를 덩굴지어 뻗는 줄기.

9 ⑪ **【匏】** 박 포 [平]肴 páo

[日] ホウ〔ひさご〕 [英] gourd

[字解] **박 포**(瓠也).

[字源] 形聲. 瓠〈省〉+包〔音〕

[匏樽 포준] 박으로 만든, 술을 담는 용기.

匕 〔2 획〕 部 (비수비부)

0 ② **【匕】** 비수 비 [上]紙 bǐ

[日] ヒ〔さじ〕 [英] dagger

[字解] ① **비수 비**(短劍). ¶ 匕首(비수). ② **숟가락 비**(匙也). ¶ 匕箸(비저). ③ **활촉 비**(矢鏃).

[字源] 象形. 끝이 뾰족한 숟가락의 형상을 본뜬 글자.

[匕首 비수] 날이 날카로운 단도.
[匕箸 비저] 숟가락과 젓가락.

2 ④ **【化】** 화할 화 [去]禡 huà

丿 亻 亻' 化

[日] カ・ゲ〔かわる〕 [英] change

[字解] ① **화할 화**(變也). ¶ 化石(화석). ② **교화할 화**. ¶ 敎化(교화).

[字源] 會意. 바로 선 사람과 거꾸로 선 사람을 합친 글자. 사물이 변함을 뜻함.

[化石 화석] 지질 시대에 살던 동식물의 유해 및 그 유적이 수성암 등의 암석 속에 남아 있는 것.
[化合 화합] 두 가지 이상의 원소가 화학적으로 결합하여 다른 물질을 생성하는 일.
[敎化 교화] 가르쳐 이끌어 착한 사람이 되게 함.

3 ⑤ **【北】** [一]북녘 북 [入]職 [二]달아날 배 [去]隊 běi bèi

丨 ㅓ 扌 扌' 北

[日] ホク〔きた〕・ハイ〔そむく〕
[英] north, run away

[字解] [一] **북녘 북**(南之對). ¶ 北極(북극). [二] **달아날 배**(敗走).

[字源] 會意. 사람이 서로 등지고 있는 모양으로 배반의 뜻이며, 남향의 반대쪽이란 뜻에서 북쪽을 뜻함.

[北極 북극] 북쪽 끝.
[北狄 북적] 북쪽의 오랑캐.
[敗北 패배] 싸움이나 겨루기에 짐.

9 ⑪ **【匙】** 숟가락 시[平]支 chí

[日] シ〔さじ〕 [英] spoon

[字解] **숟가락 시**(食事道具).

[字源] 形聲. 匕+是〔音〕

[匙箸 시저] 숟가락과 젓가락. 수저.

匚 〔2 획〕 部 (터진입구몸부)

0 ② **【匚】** 상자 방 [平]陽 fāng

[日] ホウ〔はこ〕 [英] box

[字解] **상자 방**(箱也), **모진그릇 방**(器之方者).

[字源] 象形. 대로 엮은 물건을 넣어 두는 상자를 뜻함.

3 ⑤ **【匜】** 손대야 이[平]支 [上]紙 yí

2 획

[日] イ〔はんぞう〕 [英] washbowl

[字解] **손대야 이, 양치그릇 이**(盥器).

[字源] 形聲. 匚+也〔音〕

3 ⑤ 【匝】 두루 잡 [入]合 | zā

[日] ソウ〔めぐる〕 [英] surround

[字解] **두루 잡**(周也).

[字源] 形聲. 匚+巾〔音〕

4 ⑥ 【匠】 장인 장 [去]漾 | jiàng

[日] ショウ〔たくみ〕 [英] artisan

[字解] ① **장인 장, 장색 장, 바치 장**(作器者). ② **궁리할 장**(考案). ¶ 意匠(의장).

[字源] 會意. 斤(도끼)과 匚(곱자)의 합자. 둘 다 목수의 연장. 따라서, 목수의 뜻에서 전하여, 「기술자」의 뜻이 됨.

[匠人 장인] 물건 만드는 일을 업으로 삼는 사람. 장색(匠色).

[名匠 명장] 기술이 뛰어나 이름난 명장.

4 ⑥ 【匡】 바를 광 [平]陽 | kuāng

[日] キョウ〔ただす〕 [英] correct

[字解] ① **바를 광**(正也), **바로잡을 광**(改正). ¶ 匡正(광정). ② **두려워할 광**(恐也). ¶ 匡懼(광구). ③ **밥통 광**(飯櫃).

[字源] 形聲. 匚+王(㞷)〔音〕

[匡懼 광구] 두려워함. 공구(恐懼).

[匡惡 광악] 나쁜 일을 올바로 고침.

[匡正 광정] 바르게 고침. 교정(矯正).

[匡濟 광제] 악을 바르게 하여 선으로 인도함.

5 ⑦ 【匣】 갑 갑 [入]洽 | xiá

[日] コウ〔はこ〕 [英] case

[字解] **갑 갑**(箱子), **궤 갑**(匱也).

[字源] 形聲. 匚+甲〔音〕

[匣奩 갑렴] 빗을 넣어 두는 상자.

7 ⑨ 【匧】 옷상자 협 [入]葉 | qiè

[日] キョウ〔はこ〕 [英] trunk

[字解] **옷상자 협, 의장 협**(藏衣笥).

[字源] 形聲. 匚+夾〔音〕

8 ⑩ 【匪】 [一]도둑 비 [上]尾 [二]나눌 분 [平]文 | fěi fēn

[日] ヒ〔あらず〕・フン〔おける〕

[英] thief, divide

[字解] [一] ① **도둑 비**(盜也), **악할 비**(惡也). ¶ 匪賊(비적). ② **아닐 비**(非也). ¶ 匪他(비타). ③ **문채 날 비**(采貌). ¶ 匪色(비색). [二] **나눌 분**(分也). ¶ 匪頒(분반).

[字源] 形聲. 匚+非〔音〕

[匪頒 분반] 임금이 여러 신하에게 하사물(下賜物)을 나누어 줌.

[匪賊 비적] 떼를 지어 돌아다니며 재물을 약탈하는 도둑의 무리.

9 ⑪ 【匭】 갑 궤 [上]紙 | guǐ

[日] キ〔はこ〕 [英] case

[字解] **갑 궤**(匣也).

[字源] 形聲. 匚+軌〔音〕

11 ⑬ 【匯】 물돌 회 [上]賄 | 汇 huì

[日] カイ〔めぐる〕 [英] whirl

[字解] **물돌 회**(水廻流), **물모일 회**(合流).

[字源] 形聲. 匚+淮〔音〕

[匯流 회류] 물이 모여서 흐름. 합류(合流).

12 ⑭ 【匱】 궤 궤 [去]寘 | 匮 kuì

〔匚部〕

匤 キ〔ひつ〕 英 chest
字解 ① 궤 궤(藏器之大), 갑 궤(櫃也). ¶ 匱櫝(궤독). ② 다할 궤(竭也), 없어질 궤(乏也). ¶ 匱竭(궤갈).
字源 形聲. 匚+貴〔音〕
參考 ①은 櫃(木部 14획)와 동자.

[匱竭 궤갈] 죄다 없어짐.
[匱櫝 궤독] 함. 상자.
[金匱 금궤] 금을 넣어 두는 함.

13
⑮ 奩 경대 렴 lián
匣 염 鹽
⊕ レン〔かがみばこ〕
英 mirror stand
字解 ① 경대 렴(鏡匣). ② 향그릇 렴(香器).
字源 形聲. 匚+僉〔音〕

匚 〔2 획〕 部
(터진에운담부)

0
② 匸 감출 혜 xi
⊕ 壽
⊕ ケイ〔かくす〕 英 conceal
字解 감출 혜(藏也), 덮을 혜(覆也).
字源 指事. 물건을 감추거나 가림을 뜻함.

2
④ 区 區(匸部 9획)의 略字

2
④ 匹 짝 필 pǐ
質
집오리 목
屋
一 丆 兀 匹
⊕ ヒツ〔ひき〕・ボク〔あひる〕
英 mate, duck
字解 ━ ① 짝 필(配匹). ¶ 配匹 (배필). ② 상대 필(敵也). ¶ 匹敵 (필적). ③ 천한사람 필(賤也). ¶ 匹夫(필부). ④ 동물따위를세는단위 필. ¶ 馬五匹(마오필). ⑤ 필 필(帛長). ━ 집오리 목(鴨也).
字源 象形. 말의 꼬리를 본뜸.

[匹夫 필부] ㉠ 한 사람의 남자. ㉡ 천한 남자.
[匹敵 필적] 능력・세력 등이 서로 엇비슷하여 견줄 만함.
[配匹 배필] 부부의 짝. 배우(配偶).

5
⑦ 医 醫(酉部 11획)의 略字

9
⑪ 匿 숨길 닉 nì
⊕ 職
⊕ トク〔かくす〕
字解 숨길 닉(藏也), 숨을 닉(隱也).
字源 形聲. 匚+若〔音〕

[匿名 익명] 이름을 숨김.
[匿伏 익복] 숨어 엎드림.
[隱匿 은닉] 물건이나 범죄인을 몰래 숨기어 감춤.

9
⑪ 區 구역 구 qū
區⊕處 ōu
숨길 우
尤
一 丆 戸 戸 严 吊 区 品 區
⊕ ク〔しきる〕・オウ〔かくす〕
英 district
字解 ━ ① 구역 구. ¶ 區內(구내). ② 나눌 구(分也). ¶ 區別 (구별). ③ 조그마할 구(小也). ④ (韓) 행정구획 구. ¶ 中區(중구). ━ ① 숨길 우(匿也). ② 용량의단위 우(斗六升).
字源 會意. 品과 匚(감춤)의 합자. 물건을 감춤의 뜻. 감추는 곳에서 전하여, 작게 나눔. 「구역」의 뜻이 됨.
參考 区(匸部 2획)는 약자.

[區區 구구] ㉠ 제각각 다름. ㉡ 사

소한 모양. [ㄷ] 변변치 못한 모양.
[區內 구내] 구역의 안.
[區廳 구청] 구(區)의 행정 사무를 맡아보는 관청.

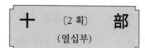

十 〔2 획〕 部
(열십부)

0 ② 【十】 열십 [入]緝 shí

一 十

[日] ジュウ〔とお〕 [英] ten

[字解] **열 십**(九加一).

[字源] 假借. 바늘의 상형. 그 음을 숫자의 십에 차용한 것.

[參考] 什(人部 2획)은 동자.

[十中八九 십중팔구] 열이면 여덟이나 아홉이 그러함. 곧, 거의 예외 없이 그렇게 될 것이란 추측을 나타냄.

1 ③ 【廿】 스물입 [入]緝 niàn

[日] ジュウ〔にじゅう〕 [英] twenty

[字解] **스물 입**(二十).

[字源] 會意. 十을 둘 합한 모양.

1 ③ 【千】 일천천 [平]先 qiān

丿 二 千

[日] セン〔ち〕 [英] thousand

[字解] ① **일천 천**(仟也). ¶ 千里(천리). ② **여러번 천, 많을 천**(多也). ¶ 千秋(천추).

[字源] 形聲. 十을 바탕으로 「人(인)」의 전음이 음을 나타냄.

[千載一遇 천재일우] 천 년에 한 번 만남. 천 년에 한 번 있을까 말까 한 좋은 기회.

2 ④ 【卅】 서른삽 [入]合 sà

[日] ソウ〔さんじゅう〕 [英] thirty

[字解] **서른 삽**(三十).

[字源] 會意. 十을 셋 합친 것.

2 ④ 【升】 되승 [平]蒸 shēng

丿 二 チ 升

[日] ショウ〔ます〕 [英] measure

[字解] ① **되 승**(十分之一斗). ¶ 斗升(두승). ② **오를 승**(昇也). ③ **태평할 승**(平也). ¶ 升平(승평). ④ **나아갈 승**(進也), **바칠 승**(獻也). ¶ 升鑑(승감). ⑤ **익을 승, 곡식 여물 승**(成熟). ⑥ **새 승, 승새 승**(布縷).

[字源] 會意. 斗에 一획을 더하여 되로 떠올림의 뜻. 전하여, 「오름」의 뜻.

[升平 승평] 나라가 태평함.
[斗升 두승] [ㄱ] 말과 되. [ㄴ] 사물을 헤아리는 기준.

2 ④ 【午】 낮오 [上]麌 wǔ

丿 𠂉 𠂉 午

[日] ゴ〔ひる〕 [英] noon

[字解] ① **낮 오**(日中). ¶ 午睡(오수). ② **일곱째지지 오**(十二支第七位). ¶ 午時(오시). ③ **교차할 오**(交也).

[字源] 象形. 절굿공이 모양을 본뜸.

[午睡 오수] 낮잠.
[午正 오정] 낮 열두 시.
[午砲 오포] 정오를 알리는 대포 소리.

2 ④ 【卄】 廿(입)(十部 1획)의 同字

2 ④ 【卆】 卒(졸)(十部 6획)의 俗字

3 ⑤ 【卉】 卉(훼)(十部 4획)의 俗字

3/5 【半】 반 반 | bàn

⺽ 翰

ノハヒ午半

� ハン〔なかば〕 ㉺ half

字解 ① 반 반, 절반 반(物中分), 가운데 반(中也). ¶ 半月(반월). ② 조각 반(大片). ¶ 半紙(반지).

字源 會意. 八과 牛의 합자. 소를 둘로 가르는 뜻. 전하여, 널리 나누다의 뜻이 되고, 또 나눈 반쪽을 말함.

[半生 반생] 일생의 절반.

[半信半疑 반신반의] 반은 믿고 반은 의심함. 믿으면서도 한편으로는 의심함.

[半月 반월] 반달. 조각달.

4/6 【卉】 풀 훼 ㊤尾 | huì

⺽ 未

キ〔くさ〕 ㉺ plants

字解 풀 훼(草也).

字源 會意. 屮(풀)를 셋 겹친 모양. 여러 풀의 뜻.

參考 芔(十部 3획)는 속자.

[卉木 훼목] 풀과 나무. 초목(草木).

4/6 【古】 世(세)(一部 4획)의 俗字

4/6 【卍】 만자 만 | wàn

⺽ 願

マン〔まんじ〕 ㉺ fylfot, swastika

字解 만자 만(佛書萬字).

字源 象形. 부처의 가슴에 있는 길상(吉祥)의 표시를 본뜸.

[卍字窓 만자창] 卍 자 모양으로 짠 창.

6/8 【協】 화할 협 ㊤葉 | xié

⺽ 業

一十十十切协協協

キョウ〔かなう〕 ㉺ harmonize

字解 ① 화할 협(和也). ② 도울 협(助也), 힘을합할 협(合力). ¶ 協力(협력).

字源 會意. 劦+十.

[協同 협동] 힘과 마음을 함께 합함.

[協商 협상] ㉠ 협의. ㉡ 둘 이상의 나라 사이에 외교 문서를 교환하여 어떤 일을 약속하는 일.

6/8 【卑】 낮을 비 | bēi

⺽ 支

ノイヴヴヴヴ自由由卑

ヒ〔いやしい〕 ㉺ lowly

字解 ① 낮을 비(下也), 천할 비(賤也). ¶ 卑賤(비천). ② 나라 이름 비. ¶ 鮮卑(선비). ③ 아첨할 비(諂也).

字源 會意. 甶(주기(酒器)의 상형)과 十(손)의 합자, 손에 주기를 든 모양.

[卑怯 비겁] ㉠ 겁이 많음. ㉡ 하는 일이 정당하지 못하고 야비함.

[卑賤 비천] 신분이 낮고 천함.

6/8 【卒】 군사 졸 ㋧月 | zú
마칠 졸 | cú
㋦줄 ㋦質

一十广产立立卒卒

ソツ〔しもべ・おわる〕 ㉺ soldier, finish

字解 ㋧ ① 군사 졸(士也). ¶ 卒兵(졸병). ② 갑자기 졸, 별안간 졸(急也). ¶ 卒倒(졸도). ③ 종 졸(僕也, 從也). ㋦ ① 마칠 졸(終盡). ¶ 卒業(졸업). ② 죽을 졸(死也). ¶ 卒逝(졸서).

字源 會意. 衣(옷)와 十의 합자. 병사 따위가 입는 옷의 뜻.

[卒倒 졸도] 뇌출혈이나 뇌빈혈 따위로 인하여 갑자기 정신을 잃고 쓰러짐.

[卒兵 졸병] 병사. 병졸.

[卒逝 졸서] 죽음.

6/8 【卓】 높을 탁 | zhuó
㋦覺

日 タク〔つくえ〕 英 high

字解 ① 높을 탁(高也). ¶ 卓立(탁립). ② 뛰어날 탁(偉也), 훌륭할 탁. ¶ 卓越(탁월). ③ 책상 탁(机也). ¶ 卓上(탁상).

字源 會意. 匕(비교함)과 부(먼저)의 합자. 비교하여 먼저 것이 높고 빼어남의 뜻.

參考 桌(木部 6획)은 동자.

[卓立 탁립] 우뚝하게 높이 섬. 많은 무리에서 빼어남.

[卓越 탁월] 남보다 훨씬 뛰어남.

[卓子 탁자] 책상.

⁷⑨【南】 남녘 남│韓罘　nán　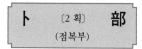

一 十 十 冉 冉 冉 南 南 南

日 ナン〔みなみ〕 英 south

字解 남녘 남(北之對).

字源 形聲. 「𢆉(임)」의 전음이 음을 나타냄.

[南極 남극] 지축(地軸)의 남쪽 끝.

[南窓 남창] 남쪽으로 향한 창.

[南向 남향] 남쪽으로 향함.

[越南 월남] 남쪽으로 넘어감.

⁷⑨【単】 單(단)(口部 9획)의 俗字

¹⁰⑫【博】 넓을 박│人藥　bó

十 忄 忄 忄 忄 博 博 博

日 ハク・バク〔ひろい〕 英 extensive

字解 ① 넓을 박(廣也). ¶ 博愛(박애). ② 노름 박(錢之戲). ¶ 賭博(도박).

字源 會意. 十(많음)과 尃(펴 미침)의 합자. 「널리 통함」의 뜻.

[博覽 박람] ㉠ 책을 많이 읽음. ㉡ 돌아다니며 사물을 널리 봄.

[博識 박식] 학식이 많음. 또, 그러한 사람.

[博愛 박애] 모든 것을 널리 평등하게 사랑함.

[博學 박학] 널리 배움. 학문이 썩 넓음. 또, 그러한 사람. ¶ 博學多聞(박학다문).

[賭博 도박] 돈이나 재물을 걸고 서로 따먹기를 다투는 것.

┌─────────────────────┐
│　　卜　　〔2 획〕　　部　│
│　　　　　　　　（점복부）　│
└─────────────────────┘

⁰②【卜】 ━점 복│人屋│bǔ
━(韓)짐
바리짐

卜 卜

日 ボク〔うらなう〕 英 divination

字解 ━ 점 복, 점칠 복(占也). ¶ 卜師(복사). ━ (韓)짐바리 짐(擔也).

字源 指事. 옛날 사람은 쇠뼈나 거북의 갑각(甲殼)을 구워 생긴 금으로 길흉을 점 쳤음. 그 금을 본뜬 글자.

[卜術 복술] 점을 치는 술법.

[卜駄 복태] 말 등에 실은 짐바리.

²④【卞】 조급할 변│韓霰　biàn

日 ベン〔のり〕 英 hasty

字解 ① 조급할 변(躁疾). ② 법 변.

字源 指事. 弁의 별체(別體)의 글자.

[卞急 변급] 참을성이 없고 급함. 조급(躁急).

³⑤【占】 ━점 점│韓鹽　zhān
━차지할 점│韓豔　zhàn

丨 卜 卜 占 占

日 セン〔うらなう・しめる〕 英 divination, occupy

[字解] [一] **점 점**(卜也), **점칠 점**(問卜). ¶ 占術(점술). [二] **차지할 점**(固有), **점령할 점**(擅據). ¶ 獨占(독점).

[字源] 會意. 卜(점)과 口＝問(물음)의 합자. 점괘로 길흉을 판단함의 뜻.

[占星 점성] 별을 보고 점을 침.

5 ⑦ 【卣】 술통 유 [平]尤 [上]有 yǒu

[日] コウ〔さけつぼ〕 [英] wine barrel

[字解] **술통 유**(中尊).

[字源] 象形. 술을 담는 용기의 상형.

6 ⑧ 【卦】 점괘 괘 [去]卦 guà

[日] カイ・ケ〔うらかた〕
[英] divination sign

[字解] **점괘 괘**(筮兆).

[字源] 形聲. 卜+圭〔音〕

[卦辭 괘사] 점괘를 푼 글이나 말.
[卦兆 괘조] 점치어 나타난 형상.

6 ⑧ 【卧】 臥(와)(臣部 2획)의 俗字

9 ⑪ 【卨】 [一] 偰(설)(人部 9획)과 同字 [二] 契(설)(大部 6획)과 同字

卩 (㔾) 〔2 획〕 部
(병부절부)

0 ② 【卩】 병부 절 [入]屑 jié

[日] セツ〔ふし〕

[字解] **병부 절**(符節).

[字源] 象形. 사람이 무릎을 꿇은 모양을 본뜬 글자.

[參考] 㔾은 동자.

3 ⑤ 【卯】 토끼 묘 [上]巧 mǎo

[日] ボウ〔う〕 [英] rabbit

[字解] **토끼 묘**(兔也), **넷째지지 묘**(十二支第四位).

[字源] 象形. 문의 양쪽 문짝을 밀어 여는 모양. 강제로 쳐들어가는 뜻. 십이지의 「묘」는 음의 차용임.

[卯君 묘군] 묘(卯)의 해에 난 사람.
[卯方 묘방] 24 방위의 하나로, 정동(正東)을 중심으로 한 방위.

3 ⑤ 【卮】 잔 치 [平]支 zhí

[日] シ〔さかずき〕 [英] wine cup

[字解] **잔 치**(酒杯).

[字源] 會意. 𠂊(사람)과 卩(절도)의 합자. 사람이 술을 마시는 데는 절도가 있어야 함의 뜻.

[卮酒 치주] ㉠ 잔에 따라 놓은 술. ㉡ 잔술. 배주(杯酒).

4 ⑥ 【印】 도장 인 [去]震 yìn

[日] イン〔しるし〕 [英] seal

[字解] ① **도장 인**(刻文). ¶ 印鑑(인감). ② **찍을 인**. ¶ 印刷(인쇄).

[字源] 會意. 무릎을 꿇고 있는 사람을 손으로 누르는 형상으로, 「날인(捺印)」의 뜻을 나타냄.

[印鑑 인감] 도장의 진위(眞僞)를 대조하기 위하여 관청 등에 미리 제출해 두는 인발.
[印刷 인쇄] 글·그림을 판(版)에 박아 내는 일.
[調印 조인] 약정서에 도장을 찍음.

4 ⑥ 【危】 위태할 위 [平]支 wēi

[日] キ〔あやうい〕 [英] dangerous

[字解] ① **위태할 위**(殆也). ¶ 危急

(위급). ② **두려워할 위**(懼也). ¶ 危懼(위구). ③ **높을 위**(高也). ¶ 危樓(위루).

[字源] 會意. ⺈(사람)과 厂(벼랑)과 㔾(꿇어앉음)의 합자. 사람이 벼랑 위에서 위험해서 꿇어앉아 있는 뜻. 전하여, 「위험」의 뜻.

【危懼 위구】 ㉠ 두려움. ㉡ 불안하여 두려워함.

【危樓 위루】 매우 높은 누각.

【危險 위험】 위태로움. 안전하지 못함.

5 ⑦ 【邵】 높을 소 [去]嘯 | shào 

[日] ショウ〔たかい〕 [英] lofty

[字解] **높을 소**(高也).

[字源] 形聲. 卩(卪)+召〔音〕

5 ⑦ 【即】 卽(즉)(卩部 7획)의 俗字

5 ⑦ 【却】 물리칠 각 [入]藥 | què 

[日] キャク〔しりぞく〕 [英] repel

[字解] ① **물리칠 각**(斥也). ¶ 却下(각하). ② **물러날 각**(退也). ¶ 退却(퇴각). ③ **발어사 각**(發語助辭). ¶ 却說(각설). ④ **어조사 각**(語助辭).

[字源] 形聲. 卩(卪)+去〔音〕

[參考] 卻(卩部 7획)은 본자.

【却說 각설】 말머리를 돌릴 때 첫머리에 쓰는 말.

【却下 각하】 원서나 소송 따위를 받지 아니하고 물리침.

【忘却 망각】 어떤 사실을 잊어버림.

5 ⑦ 【卵】 알 란 [上]旱 | luǎn 

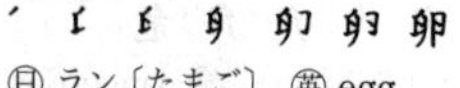

[日] ラン〔たまご〕 [英] egg

[字解] ① **알 란**(凡物無乳生者). ¶ 鷄卵(계란). ② **기를 란**(撫育). ¶ 卵育(난육).

[字源] 象形. 개구리의 알을 본뜬 글자.

【卵白 난백】 달걀의 흰자위.

【卵育 난육】 품에 안아서 키움.

【卵黃 난황】 달걀의 노른자.

【累卵 누란】 쌓아 놓은 새알. 곧, 위태로운 형편의 비유.

6 ⑧ 【卸】 짐부릴 사[去]禡 | xiè 

[日] シャ〔おろす〕 [英] unload

[字解] **짐부릴 사**(解載車馬).

[字源] 會意. 卩(절도)과 止와 午의 합자. 적당한 곳에서 차를 세워 말을 풀어 놓음의 뜻. 「午(오)」의 전음이 음을 나타냄.

6 ⑧ 【卹】 恤(휼)(心部 6획)과 同字

6 ⑧ 【卷】 책권 권 [去]霰 | 卷 juǎn 

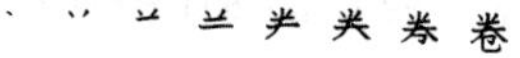

[日] カン〔まく〕 [英] volume

[字解] ① **책권 권**(書秩). ¶ 卷數(권수). ② **접을 권, 말 권**(捲也). ¶ 卷尺(권척). ③ **굽을 권**(曲也).

[字源] 形聲. 卩(卪)+𢍏〔音〕

[注意] 券(刀部 6획)은 딴 글자.

【卷數 권수】 책의 수효.

【卷尺 권척】 줄 자. 강철·헝겊 따위로 만들어 둥근 갑 속에 말아 두는 자.

【卷軸 권축】 두루마리.

6 ⑧ 【卺】 술잔 근 [上]軫 | jǐn 

[日] キン〔さかずき〕 [英] wine cup

[字解] **술잔 근**(酒杯).

[字源] 會意. 丞과 㔾의 합자. 몸을 삼가하여 남의 마음을 받아들임의 뜻을 나타냄.

〔卩部〕

7
⑨ 【卻】 却(각)(卩部 5획)의 本字

7
⑨ 【即】 곧 즉 ⏜〢職 | jí ⟋⟍

′ ⼎ ⼎ ⼎ ⼎ 皀 即 即

⽇ ソク〔すなわち〕 ⽶ soon

字解 ① 곧 즉, 이제 즉(今也). ¶
即刻(즉각). ② 즉 즉(是也). ③ 나
아갈 즉(就也). ¶ 即位(즉위).

字源 會意. 사람이 무릎을 꿇고 밥
상 앞에 앉아 있는 모양. 「卩(절)」
의 전음이 음을 나타냄.

參考 卽(卩部 7획)·即(卩部 5획)은
속자.

[即決 즉결] 그 자리에서 결정함.
[即死 즉사] 그 자리에서 곧 죽음.
[即位 즉위] 왕위에 오름.

7
⑨ 【卽】 即(즉)(卩部 7획)의 俗字

7
⑨ 【卼】 위태할 올⏜〢月 | wù 𥄉

⽇ ゴツ〔あやうい〕 ⽶ danger

字解 위태할 올(危也).

字源 形聲. 危+兀〔音〕

10
⑫ 【卿】 卿(경)(次條)과 同字

10
⑫ 【卿】 벼슬 경 ⏜庚 | qīng 𨛜

′ ⼁ ⼎ ⼎ 鄉 卿 卿 卿 卿

⽇ キョウ〔きみ〕 ⽶ sir

字解 ① 벼슬 경(爵也). ② 존칭
경(時人尊稱之號). ③ 임금이신하
를부르는말 경(君呼臣).

字源 會意. 두 사람이 음식물을 서
로 향하고 있는 모양으로, 임금의
음식을 다루는 사람, 곧 지위가 높
은 사람을 뜻함.

參考 卿(卩部 10획)은 동자.

[卿士大夫 경사대부] 정승(政丞) 이

외의 모든 벼슬아치들의 총칭.

〔2획〕 部

厂 〔2획〕 部
(민엄호밑부)

0
② 【厂】 언덕 한 ⏜부 | hàn ⼎
⏞翰 | hǎn

⽇ ガン〔がけ·きし〕 ⽶ hill

字解 ① 언덕 한(崖也). ② 석굴
한(巖穴).

字源 象形. 산의 가파른 벼랑을 뜻
함.

2
④ 【厄】 ▄재앙 액 ⏜陌 | è ⼎
▄옹이 와 ⏜䏁 | è
⏞䏁

一 厂 厃 厄

⽇ ヤク〔わざわい〕·ガ〔ふし〕
⽶ calamity, node

字解 ▄ 재앙 액(災也), 액 액(禍
也). ▄ 옹이 와.

字源 形聲. 卩+厂〔音〕

[厄年 액년] 운수가 모질고 사나운
해.
[厄運 액운] 액을 당할 운수.

6
⑧ 【厓】 언덕 애 ⏞佳 | yá 厓

⽇ ガイ〔がけ〕 ⽶ hill

字解 ① 언덕 애(崖也). ② 물가
애(山邊水際).

字源 形聲. 厂+圭〔音〕

7
⑨ 【厖】 클 방 ⏞망⏞江 | páng 厖

⽇ ボウ〔おおきい·あつい〕
⽶ massive

字解 ① 클 방(大也). ¶ 厖大(방
대). ② 두꺼울 방(厚也). ¶ 厖尾
(방미). ③ 섞일 방(雜也), 어지러

울 방(亂也). ¶ 厖雜(방잡).

[字源] 形聲. 厂+尨〔音〕

[厖大 방대] 규모나 양이 대단히 큼.

[厖眉 방미] [ㄱ] 흑백이 섞인 희끗희끗한 눈썹. [ㄴ] 노인.

2획

7 ⑨ 【厚】 두터울 후[上]有 hòu

[日] コウ〔あつい〕 [英] thick

[字解] ① **두터울 후**(重愼). ¶ 厚待(후대). ② **두꺼울 후**(薄之對). ¶ 厚顔(후안). ③ **짙을 후**(濃也). ¶ 濃厚(농후).

[字源] 會意. 厂(벼랑)과 㫗(두터움)의 합자. 산이 두텁게 겹쳐 있는 뜻. 또, 「㫗(후)」가 음을 나타냄.

[厚待 후대] 후하게 대접함. 또는 그러한 대접.

[溫厚 온후] 태도가 부드럽고 착실함.

7 ⑨ 〖厘〗 [一]터 전 [平]先 [二]리 리 [平]支 chán lí

[日] テン〔みせ〕・リ〔おさめる〕

[字解] [一] **터 전**. [二] **리 리**(貨幣之最少單位, 一錢之十分一).

[字源] 釐(里部 11획)의 생략형.

8 ⑩ 〖厝〗 [一]둘 조 [去]遇 [二]숫돌 착 [入]藥 cuò

[日] ソ〔おく〕・サク〔といし〕

[英] whetstone, put

[字解] [一] **둘 조**(置也). [二] **숫돌 착**(礪石).

[字源] 形聲. 厂+昔〔音〕

8 ⑩ 【原】 근원 원 [平]元 yuán

[日] ゲン〔はら〕 [英] origin

[字解] ① **근원 원**(源也), **근본 원**(本也). ¶ 原理(원리). ② **둔덕 원**(地高平), **발판 원**(地廣平). ¶ 高原(고원). ③ **용서할 원**(免也). ¶ 原宥(원유).

[字源] 會意. 厂(벼랑)과 泉의 합자. 계곡의 맑은 물이 흘러나오는 「수원(水源)」의 뜻.

[原告 원고] 법원에 소송을 제기하여 재판을 먼저 청구한 사람.

[原動力 원동력] 운동을 일으키는 근원이 되는 힘. 열(熱)·수력(水力)·동력(動力) 따위.

[原頭 원두] 들 근처. 들판.

[原油 원유] 땅에서 퍼낸 그대로 정제하지 않은 광유(鑛油).

9 ⑪ 〖厠〗 廁(측)(广部 9획)의 俗字

10 ⑫ 〖厥〗 [一]그 궐 [入]月 [二]나라이름 궐 [本]굴[入]物 jué

[日] ケツ〔その〕・クツ〔とっけつ〕

[英] the

[字解] [一] ① **그 궐, 그것 궐**(其也). ¶ 厥女(궐녀). ② **짧을 궐**(短也). ¶ 厥尾(궐미). ③ **숙일 궐**(頓也). ¶ 厥角(궐각). ④ **어조사 궐**(語助辭). ⑤ **돌파낼 궐**(發石). [二] **나라이름 궐**(國名). ¶ 突厥(돌궐).

[字源] 形聲. 厂+欮〔音〕

[厥尾 궐미] 짧은 꼬리.

[厥者 궐자] 그 사람.

10 ⑫ 〖厦〗 廈(하)(广部 10획)의 俗字

10 ⑫ 〖厨〗 廚(주)(广部 12획)의 俗字

11 ⑬ 〖厪〗 겨우 근 [去]震 jǐn

[日] キン〔わずか〕 [英] narrowly

[字解] ① **겨우 근**(僅也). ② **적을**

근(少也).

字源 形聲. 厂+堇〔音〕

11 ⑬ 〖廐〗 廏(구)(广部 11획)의 俗字

12 ⑭ 〖厭〗 一 싫을 염 (去)豔 二 빠질 암 (上)感 三 누를 엽 (入)葉 四 젖을 읍 (入)緝 | 厌 | yàn àn yā yì

㊐ エン〔いとう〕・アン〔おぼれる〕・ヨウ〔おさえる〕・ユウ〔うるおう〕

㊥ dislike, fall, oppress, get wet

字解 一 ① 싫을 염, 미워할 염(嫌也). ¶ 厭世(염세). ② 만족할 염(足也), 물릴 염(飽也). ¶ 厭足(염족). ③ 덮을 염(閉藏貌). ¶ 厭然(염연). 二 빠질 암. 三 누를 엽(抑也). ¶ 厭勝(엽승). 四 젖을 읍.

字源 形聲. 厂+猒〔音〕

[厭忌 염기] 싫어하고 꺼림.
[厭棄 염기] 싫증이 나서 버림.
[厭世 염세] 세상을 괴롭고 귀찮게 여김.
[厭然 염연] 덮어서 숨기는 모양.
[厭足 염족] 만족함.
[厭勝 엽승] 주술(呪術)을 써서 사람을 누름. 또, 그 주술.

12 ⑭ 〖厮〗 廝(시)(广部 12획)의 同字

12 ⑭ 〖厰〗 廠(창)(广部 12획)의 俗字

13 ⑮ 〖厲〗 一 갈 려 (去)霽 二 문둥병 라 (去)泰 | 历 | lài lì

㊐ レイ〔とぐ〕・ライ〔かったい〕

㊥ whet, leprosy

字解 一 ① 갈 려(磨也). ¶ 厲劍(여검). ② 숫돌 려(砥也). ¶ 厲石(여석). ③ 엄할 려(嚴也), 사나울 려(虐也). ¶ 厲民(여민). ④ 힘쓸 려(勵也). ¶ 厲行(여행). 二 문둥병 라.

字源 形聲. 「萬(만)」의 전음이 음을 나타냄.

[厲民 여민] 백성을 몹시 가혹하게 다스림.
[厲石 여석] 숫돌.

13 ⑮ 〖鴈〗 雁(안)(隹部 4획)의 同字

15 ⑰ 〖厳〗 嚴(엄)(口部 17획)의 俗字

厶 〔2 획〕 部 (마늘모부)

0 ② 〖厶〗 一 사사 사 (平)支 二 아무 모 (上)有 | sī mǒu

㊐ シ〔わたくし〕・ボウ〔なにがし〕

㊥ private, anyone

字解 一 ① 사사 사(自營). ② 나 사(我也). 二 아무 모.

字源 象形. 보습의 모양을 본뜸. 음을 빌려 「私(나)」의 뜻으로 쓰임.

3 ⑤ 【去】 갈 거 (去)御 | qù

一 十 土 去 去

㊐ キョ〔さる〕 ㊥ leave

字解 ① 갈 거(離也, 行也), 지날 거(過也). ¶ 過去(과거). ② 버릴 거(棄也), 물리칠 거(除也). ¶ 除去(제거). ③ 거성 거(四聲之一). ¶ 去聲(거성).

字源 形聲. 大(사람)를 바탕으로 「厶(사)」의 전음이 음을 나타냄.

[去來 거래] ㉠ 감과 옴. 왕래. ㉡

2획

금품을 대차하거나 매매하는 일.

[去就 거취] 가거나 옴. 진퇴.

[過去 과거] 지나간 때.

[收去 수거] 거두어 감.

[除去 제거] 털어서 없애 버림.

[撤去 철거] 건물·시설 따위를 치워버림.

6
⑧ **[參]** 參(삼·참)(次條)의 俗字

9
⑪ **[參]** ■석 삼
　　　 ㊥覃
　　　 ■참여할 참
　　　 ㊥覃
參 sān
cān

丶 丶 ▸ 亽 �央 夾 突 参 參

�日 サン〔みつ・まじわる〕
㊤ three, participate in

字解 ■석 삼, 셋 삼(數名, 三也).
¶ 參拾(삼십). ■① 참여할 참(干
與). ¶ 參加(참가). ② 뵐 참(謁
也). ¶ 參拜(참배). ③ 견줄 참.
¶ 參考(참고). ④ 가지런하지 아
니할 참(不齊). ¶ 參差(참치). ⑤
섞일 참(間廁).

字源 形聲. 晶(별 모양)을 바탕으로
「㐱(삼)」이 음을 나타냄.

參考 毿(ㅿ部 10획)·參(ㅿ部 6획)
은 속자.

[參加 참가] 어떤 모임이나 단체에
참여하거나 가입함.

[參考 참고] ㉠ 살펴서 생각함. ㉡
참조하여 고증함.

[參拜 참배] 신이나 부처에게 배례
함.

10
⑫ **[叅]** 參(삼·참)(前條)의 俗字

13
⑮ **[毚]** 약은토
　　　 끼 준
　　　 ㊥眞
jùn

�日 シュン〔ずるいうさぎ〕
㊤ cunning rabbit

字解 약은토끼 준(狡兔).

字源 形聲. 兔+㲋〔音〕

又 〔2 획〕 **部**
(또우부)

0
② **[又]** ■또 우
　　　 ㊤宥
　　　 ■용서할 유
　　　 ㊤宥
yòu 又

フ 又

�日 ユウ・ウ〔また〕 ㊤ and, pardon

字解 ■ 또 우(更也). ■ 용서할
유(恕也).

字源 象形. 오른손을 본뜬 글자. 옛
날에는 「오른손·가지다·돕다」등
의 뜻으로 썼음.

[又重之 우중지] 더욱이.

1
③ **[叉]** 깍지낄
　　　 차 ㊥麻
chā 叉

�日 サ・シャ〔また〕
㊤ interlace fingers

字解 ① 깍지낄 차(手指錯交). ②
가장귀 차(股枝), 양갈래 차(兩分).
¶ 交叉(교차). ③ 귀신이름 차.
¶ 夜叉(야차).

字源 象形. 又(손)에 물건을 낀 모
양.

[叉手 차수] ㉠ 팔짱을 낌. ㉡ 손을
대지 아니함.

[交叉 교차] 서로 엇갈리거나 마주
침.

[夜叉 야차] 잔인·혹독한 귀신. 두억
시니.

2
④ **[双]** 雙(쌍)(隹部 10획)의 俗字

2
④ **[収]** 收(수)(支部 2획)의 俗字

2
④ **[及]** 미칠 급
　　　 ㊤緝
ji 及

丿 丂 乃 及

�日 キュウ〔およぶ〕 ㊤ reach

字解 ① 미칠 급(逮也), 이를 급(至也). ¶ 言及(언급). ② 및 급, 와 급, 과 급(皆與). ¶ 予及汝偕亡(여급여해망).

字源 會意. 사람한테 손이 닿는 모양. 앞지른 사람을 따라붙는 뜻으로, 사물이 미침을 나타냄.

[及其也 급기야] 필경에 가서는. 마지막에는.

[及第 급제] ㉠ 과거에 합격됨. ㉡ 시험에 합격됨.

[過不及 과불급] 능력 따위가 지나치거나 미치지 못함.

²④【友】벗 우｜㊤有｜yŏu　友

一ナ方友

㊐ ユウ〔とも〕 ㊤ friend

字解 ① 벗 우(同志), 벗할 우(相交). ¶ 朋友(붕우). ② 우애 우(善於兄弟). ¶ 友于兄弟(우우형제).

字源 會意. 손을 포갠 모양을 그린 글자. 친하게 서로 돕는다는 뜻.

[友愛 우애] ㉠ 동기간의 사랑. ㉡ 벗 사이의 정.

²④【反】┳돌이킬 반㊤阮／┳뒤칠 번㊕元／┳팔 판㊕删｜fǎn fàn fān

一厂反反

㊐ ハン〔かえす・ひさぐ〕 ㊤ react, return, sell

字解 ┳ ① 돌이킬 반, 되받을 반(還也). ¶ 反擊(반격). ② 되풀이할 반(重也). ¶ 反復(반복). ③ 반대할 반(贊之對). ¶ 反共(반공). ┳ 뒤칠 번, 뒤집어엎을 번(翻也). ¶ 反耕(번경). ┳ 팔 판(販也).

字源 形聲. 又+厂〔音〕.

[反擊 반격] 쳐들어오는 적을 되받아 공격함.

[反撥 반발] 되받아서 퉁김.

[反復 반복] 한 일을 되풀이함.

[反省 반성] 자기가 한 일을 스스로 돌이켜 살핌.

[反逆 반역] 배반하여 모역(謀逆)함.

[反畓 번답] 밭을 논으로 만드는 일.

⁶⑧【叔】아재비 숙㊤屋｜shū　叔

一卜卜卡赤赤叔叔

㊐ シュク〔おじ〕 ㊤ uncle

字解 아재비 숙(姪之對).

字源 形聲. 又+朩〔音〕.

⁶⑧【取】취할 취㊤麌｜qŭ　取

一丁丌斤斤耳耳取取

㊐ シュ〔とる〕 ㊤ take

字解 ① 취할 취. ¶ 取捨(취사). ② 가질 취. ¶ 取得(취득).

字源 會意. 귀와 손을 뜻하는 글자. 전쟁에 이겨서, 적의 목 대신 귀를 잘라 가진 데서 「가짐」의 뜻을 나타냄.

[取捨選擇 취사선택] 가질 것은 가지고, 버릴 것은 버려서 골라잡음.

⁶⑧【受】받을 수㊤宥｜shòu　受

一爫爫爫爫爫爫受受

㊐ ジュ〔うける〕 ㊤ receive

字解 받을 수(授之對).

字源 會意. 爪와 又(손)와 冖(舟의 생략형)의 합자. 위에서 건네는 것을 밑에서 받음의 뜻. 「冖(주)」의 전음이 음을 나타냄.

[受難 수난] 어려운 일이나 처지를 당함. 재난을 당함.

[受信 수신] 우편·전보 따위의 통신을 받음.

[受胎 수태] 아기를 뱀.

[受刑 수형] 형벌을 받음.

[授受 수수] 물품을 주고받음.

3
획

〔又部〕

$\begin{smallmatrix}7\\9\end{smallmatrix}$【叙】 敍(서)(支部 7획)의 俗字

$\begin{smallmatrix}7\\9\end{smallmatrix}$【叛】 배반할
반⊕翰 │ pàn

ノ ✓ ㆍ 午 半 半 叛 叛

㊐ ハン〔そむく〕 ㊤ rebel

字解 배반할 반(背叛).

字源 形聲. 反+半〔音〕

[叛亂 반란] 반역하여 난리를 꾸밈.
또, 그 난리.

[謀叛 모반] 조국을 배반하고 남의
나라를 좇기를 꾀함.

$\begin{smallmatrix}8\\10\end{smallmatrix}$【叟】 늙은이
수⊕徑 │ sŏu

㊐ ソウ〔おきな〕 ㊤ old man

字解 늙은이 수(老也).

字源 會意. 又(손)와 宀(집)과 火의
합자. 집 안에서 불을 가지고 물건
을 찾는 뜻. 搜(手部 10획)의 원자
(原字).

[釣叟 조수] 낚시질하는 늙은이.

$\begin{smallmatrix}14\\16\end{smallmatrix}$【叡】 밝을 예
⊕霽 │ ruì

㊐ エイ〔あきらか〕 ㊤ clear

字解 ① 밝을 예(深明通達), 명철
할 예(賢也). ¶ 叡智(예지). ② 임
금언동 예. ¶ 叡覽(예람).

字源 會意. 𣦵(더러움을 제거함)과
谷(깊음)의 생략형과 目(밝음)의 합
자. 「생각이 깊음」을 뜻함.

参考 睿(目部 9획)는 동자.

[叡覽 예람] 임금이 열람함. 상람(上
覽). 어람(御覽).

[叡智 예지] 밝고 뛰어난 지성.

$\begin{smallmatrix}16\\18\end{smallmatrix}$【叢】 모을 총
⊕東 │ cóng 从

㊐ ソウ〔くさむら〕 ㊤ cluster

字解 ①모을 총(聚也). ¶ 叢書(총
서). ② 떨기 총(灌木密生), 떼 총
(群也). ¶ 叢中(총중).

字源 形聲. 丵+取〔音〕

[叢書 총서] ㉠ 서적을 모음. 또, 그
서적. ㉡ 일정한 체계에 따라 계속
해서 간행되는 출판물. ㉢ 여러 권
의 책을 모아 한 질을 이룬 책.

[叢中 총중] 떼를 지은 뭇사람의 속.

口 〔3 획〕 部
(입구부)

$\begin{smallmatrix}0\\3\end{smallmatrix}$【口】 입구
⊕有 │ kŏu 𠮯

丨 冂 口

㊐ コウ・ク〔くち〕 ㊤ mouth

字解 ① 입 구(人所以言食). ¶ 口
腔(구강). ② 말할 구(辯舌). ¶ 口
頭(구두). ③ 어귀 구(關也). ¶ 洞
口(동구). ④ 인구 구. ¶ 人口(인
구).

字源 象形. 입 모양을 본뜬 글자.

[口腔 구강] 입 안.

[口頭契約 구두계약] 말로 맺은 계
약.

[口舌 구설] 남의 입에 오르내리는
말. 시비(是非)나 비방하는 말.

[洞口 동구] 동네 어귀.

$\begin{smallmatrix}2\\5\end{smallmatrix}$【只】 다만 지
⊕紙 │ zhǐ 只

丨 冂 口 口 只

㊐ シ〔ただ〕 ㊤ only

字解 다만 지(但也).

字源 象形. 口를 바탕으로 하며, 八
은 말이 끝나서 어기(語氣)가 흘어
지는 모양.

[只今 지금] 이제. 현재. 바로 이 시
각.

[但只 단지] 다만. 오직.

$\begin{smallmatrix}2\\5\end{smallmatrix}$【另】 다를 령
⊕徑 │ lìng 另

⑤ レイ〔わける〕 ⑧ another

字解 ① 다를 령(別也), 헤어질 령(離也). ¶ 別日(영일). ② 쪼갤 령(割也), 나눌 령(分也).

字源 象形. 骨(부수)의 변형.

[另居 영거] 따로 삶. 별거(別居).

[另日 영일] 다른 날. 딴 날.

²⑤ 〔号〕 號(호)(虍部 7획)의 略字

²⑤ 〔叩〕 두드릴 고 ⑧有 kòu

⑩ コウ〔たたく〕 ⑧ knock

字解 ① 두드릴 고(擊也). ¶ 叩門(고문). ② 조아릴 고(稽顙). ¶ 叩頭(고두).

字源 形聲. 卩+口〔音〕

[叩頭 고두] 깊이 머리를 숙이어 절함. 고수(叩首).

[叩門 고문] 남을 방문하여 문을 두드림.

²⑤ 〔叮〕 정성스러울 정 ⑧青 dīng

⑩ テイ〔ねんごろ〕 ⑧ polite

字解 정성스러울 정.

字源 形聲. 口+丁〔音〕

[叮嚀 정녕] ㉠ 간곡함. ㉡ (韓) 틀림없이. 꼭. 정녕(丁寧).

²⑤ 〔叶〕 화합할 협 ⑧葉 xié

⑩ キョウ〔かなふ〕 ⑧ harmonize

字解 화합할 협(和也).

字源 會意. 口와 十의 합자. 열 사람의 의견이 일치함을 뜻함.

[叶韻 협운] 어떤 운(韻)의 문자(文字)가 다른 운에 전용(轉用)되는 일.

²⑤ 〔叫〕 부르짖을 규 ⑧嘯 jiào

⑩ キョウ〔さけぶ〕 ⑧ shout

字解 부르짖을 규(嚖也), 울 규(鳴也).

字源 形聲. 口+丩〔音〕

[叫喚 규환] 부르짖고 외침.

[絶叫 절규] 힘을 다해 애타게 부르짖음.

²⑤ 〔叭〕 나팔 팔 ⑧꼇 bā

⑩ ハツ〔らっぱ〕 ⑧ bugle

字解 나팔 팔(軍中吹器).

字源 形聲. 口+八〔音〕

[喇叭 나팔] 금속으로 만든 관악기로, 군대가 행진할 때 또는 신호에 쓰임.

²⑤ 〔叱〕 꾸짖을 질 ⑧質 chì

⑩ シツ〔しかる〕 ⑧ scold

字解 꾸짖을 질(訶也).

字源 形聲. 口+七〔音〕

[叱正 질정] 꾸짖어 바로잡음.

[叱責 질책] 꾸짖어 나무람.

²⑤ 〔史〕 역사 사 ⑧紙 shǐ

ノ 口 口 史 史

⑩ シ〔ふみ〕 ⑧ history

字解 ① 역사 사, 사기 사(國之記錄). ¶ 歷史(역사). ② 사관 사. ¶ 史官(사관). ③ 문인 사, 문필가 사(文章家). ¶ 文史(문사).

字源 會意. 中과 又(손)의 합자. 기록은 공평·중정(中正)하지 않으면 안 되기 때문에 손에 중정을 가지는 뜻. 널리 「기록·역사」의 뜻이 됨.

[史家 사가] 역사가. 역사에 정통한 사람.

[史話 사화] 역사에 관한 이야기.

[文化史 문화사] 인류의 정신적·사

회적 활동의 역사.

²⁵【可】 ■옳을 가
┗智
■오랑캐임금이름 극
人職 | kě
kè

一 ﬁ ﬁ ﬁ 可 可

㊐ カ〔よい〕・コク〔こくかん〕
㊍ right

字解 ■ ① 옳을 가(否之對). ¶可決(가결). ② 허락할 가(許也). ¶許可(허가). ③ 가히 가(肯也). ¶可能(가능). ④ 좋은 점 가(美點). ■오랑캐임금이름 극.

字源 會意. 口+丁(丂).

[可決 가결] 회의에서 일정한 안건이나 사항을 심의하고, 가하다고 결정함.

[可能 가능] ㉠ 할 수 있음. ㉡ 될 수 있음.

[裁可 재가] 안건을 결재하여 허가함.

²⁵【司】 맡을 사
㊞支 | sī | 弓

ﬁ ﬁ ﬁ 司 司

㊐ シ〔つかさどる〕㊍ preside

字解 ① 맡을 사(主也). ¶司會(사회). ② 벼슬 사. ¶上司(상사). ③ 관아 사(官衙).

字源 假借. 后의 자형을 거꾸로 한 것. 后는 안에서 명령하는 자, 사는 밖에서 일을 보는 신(臣)을 나타냄.

[司直 사직] 재판관. 법관.

[司會 사회] 회의나 예식의 진행을 맡아 봄. 또, 그 사람.

[上司 상사] ㉠ 위 등급의 관청. ㉡ 벼슬이나 지위가 위인 사람.

²⁵【右】 오른쪽 우㊞有 | yòu | 太

ノ ナ 右 右 右

㊐ ユウ・ウ〔みぎ〕㊍ right

字解 ① 오른쪽 우(左之對). ¶右

翼(우익). ② 숭상할 우(崇尙). ¶右武(우무). ③ 도울 우(助也).

字源 會意. ナ가 오른손의 모양. 口를 더하여 손과 입이 서로 조력(助力)함의 뜻.

[右武 우무] 무(武)를 숭상함. 상무(尙武).

[右往左往 우왕좌왕] 이리저리 왔다 갔다 함. 갈팡질팡함.

²⁵【古】 예고㊞麌 | gǔ | 右

一 十 十 古 古

㊐ コ〔ふるい〕㊍ old

字解 예 고, 옛 고(今之對).

字源 會意. 十과 口의 합자. 십대(十代)씩이나 전하여 내려오는 옛날 일의 뜻.

[古來 고래] 예로부터 지금까지.

[古稀 고희] 일흔 살을 일컬음.

²⁵【句】 구절 구㊞遇 | jù | 勺

ノ ク 勺 句 句

㊐ ク〔くぎり〕㊍ phrase

字解 구절 구(文詞止處章句).

字源 會意. 勹(굽은 모양)와 口(말)의 합자. 문장이나 말의 구절의 뜻.

[句讀點 구두점] 문장의 구절을 구두법에 따라 표하는 점.

[句節 구절] ㉠ 구와 절(節). ㉡ 한 토막의 말이나 글.

[難句 난구] 이해하기 어려운 문구.

²⁵【召】 ■부를 소
㊞嘯
■(韓)대추 조 | zhào | 召

ﬁ ﬁ ﬁ 召 召

㊐ ショウ〔めす〕㊍ call

字解 ■ ① 부를 소(呼也). ② 청할 소(招也). ■ (韓)대추 조(棗也).

字源 形聲. 口+刀〔音〕

[召集 소집] 불러서 모음.

[召喚 소환] 사법 기관이 피고인·증인 등을 출두시키는 일.

---

²／⑤ 【台】 █별이름 태 ㊥灰 / █나 이 ㊥支 | tāi / yí 台

㊐ タイ〔ほし〕·イ〔われ〕 ㊤ I

字解 █ ① 별이름 태. ¶ 三台星(삼태성). ② 높은벼슬 태(高官). ¶ 台座(태좌). ③ 늙을 태(大老). █ 나 이(我也). ¶ 台德(이덕).

字源 形聲. 口+厶(目)〔音〕

[台德 이덕] 나의 덕(德). 이(台)는 아(我)의 뜻으로, 임금이 자신을 일컬을 때 씀.

[台室 태실] 왕공(王公)의 지위.

---

³／⑥ 【吊】 弔(조)(弓部 1획)의 俗字

---

³／⑥ 【吁】 탄식할 우 ㊥虞 | yù 吁

㊐ ク·ウ〔ああ〕 ㊤ sigh

字解 탄식할 우(歎也).

字源 形聲. 口+于〔音〕

[吁嗟 우차] 아 하고 탄식함. 또, 그 모양.

---

³／⑥ 【吃】 말더듬을 흘 ㊤글 ㊤質 | chī 吃

㊐ キツ〔どもる〕 ㊤ stammer

字解 ① 말더듬을 흘(言蹇難). ② 먹을 흘(喫也).

字源 形聲. 篆文은 口+乞〔音〕

[吃水 흘수] 배 밑이 물에 잠기는 깊이나 정도. ¶ 吃水線(흘수선).

[吃語 흘어] 더듬어 가면서 하는 말.

---

³／⑥ 【吋】 █꾸짖을 두 ㊤有 / █인치 촌 | dòu / cùn ㌑

㊐ トウ〔しかる〕·スン〔インチ〕

㊤ scold, inch

字解 █ 꾸짖을 두(叱也). █ 인치 촌(英國度名).

字源 形聲. 口+肘〈省〉〔音〕

---

³／⑥ 【吐】 토할 토 ㊤麌 / ㊤遇 | tǔ / tù 吐

3획

丨 冂 口 口 吽 吐

㊐ ト〔はく〕 ㊤ vomit

字解 ① 토할 토(歐也, 瀉也), 뱉을 토, 게울 토(吞之對). ¶ 吐瀉(토사). ② 펼 토(舒也), 말할 토. ¶ 吐露(토로).

字源 形聲. 口+土〔音〕

[吐露 토로] 속마음을 드러내어서 말함.

[吐瀉 토사] 게우고 설사함.

---

³／⑥ 【吏】 관리 리 ㊤寘 | lì 吏

一 厂 厂 戸 吏 吏

㊐ リ〔つかさ〕 ㊤ officer

字解 ① 관리 리(治人者). 官吏(관리). ② (韓) 아전 리. ¶ 吏屬(이속).

字源 會意. 一과 史(공적인 기록을 적는 사람)의 합자. 관리는 일심으로 일하는 사람이라는 뜻.

[吏屬 이속] 아전의 무리.

[官吏 관리] 관직에 있는 사람.

---

³／⑥ 【向】 █향할 향 ㊤漾 / █성상 상 ㊤漾 | xiàng 向

丿 亻 冂 冋 向 向

㊐ コウ〔むく〕·ショウ〔せい〕

㊤ face, family name

字解 █ ① 향할 향, 대할 향(對也). ① 傾向(경향). ② 나아갈 향(前進). ¶ 向上(향상). ③ 접때 향, 이전 향(曩也). ¶ 向時(향시). █ 성 상(姓也).

[字源] 象形. 집에 창문이 있는 모양. 창문은 남쪽과 북쪽이 서로 마주 보고 있으므로 「향함」의 뜻이 됨.

[向上 향상] ㉠ 위를 향하여 나아감. ㉡ 보다 나아지거나 나아지려고 노력함.

[向時 향시] 접때. 지난번.

[方向 방향] 향하는 쪽.

3 ⑥【同】 한가지 동[平]東 tóng

丨 冂 冂 冂 同 同

[日] ドウ〔おなじ〕 [英] same

[字解] ① **한가지 동**(共也), **함께 동**(皆也), **같을 동**(仝也). ¶ 同感(동감). ② **화할 동**(和也). ¶ 和同(화동).

[字源] 形聲. 口+凡〔音〕

[同苦同樂 동고동락] 괴로움도 즐거움도 함께함.

3 ⑥【各】 각각 각[入]藥 gè

丿 夂 夂 夂 各 各

[日] カク〔おのおの〕 [英] each

[字解] **각각 각, 따로따로 각**(個別), **제각기 각**. ¶ 各國(각국). 各自(각자).

[字源] 會意. 口와 各(반대함)의 합자. 사람들이 하는 말이 서로 맞지 않음의 뜻.

[各界 각계] 사회의 각 방면(方面). 직업·직무에 따라 갈라진 사회의 각 분야.

[各色 각색] ㉠ 제각기의 빛깔. ㉡ 여러 가지. 각종.

3 ⑥【合】 [一]합할 합[入]合 [二]《韓》홉 홉 [本]합[入]合 hé

丿 人 亼 亼 合 合

[日] ゴウ〔あう〕 [英] unite

[字解] [一] ① **합할 합**(同也), **모을 합**(會也). ¶ 合同(합동). ② **맞을 합**(適也). ¶ 合理(합리). [二]《韓》**홉 홉**(量名十龠).

[字源] 會意. 亼(集의 본자(本字))과 口(사람)의 합자. 사람이 모임의 뜻.

[合同 합동] 여럿이 모여 하나가 되어 함께함.

[合意 합의] 뜻이 맞음. 의견이 합치함.

3 ⑥【吉】 길할 길[入]質 jí

一 十 士 吉 吉 吉

[日] キツ・キチ〔よい〕 [英] lucky

[字解] ① **길할 길**(凶之對), **좋을 길**(善也), **상서로울 길**(祥也). ¶ 吉凶(길흉). ② **행복할 길**(福也). ③ **예식 길**. ¶ 吉禮(길례).

[字源] 會意. 士와 口의 합자. 훌륭한 사람이 하는 말은 모두가 훌륭하다는 뜻.

[吉禮 길례] 관례(冠禮)·혼례(婚禮) 같은 경사스러운 일.

[吉祥 길상] 운수가 좋은 조짐. 경사가 날 조짐. 상서(祥瑞).

[吉凶 길흉] 좋은 일과 언짢은 일. ¶ 吉凶禍福(길흉화복).

3 ⑥【名】 이름 명[平]庚 míng

丿 夕 夕 夕 名 名

[日] メイ〔な〕 [英] name

[字解] ① **이름 명**(稱號也), **이름지을 명**(作名). ¶ 命名(명명). ② **이름날 명**(顯也). ¶ 名曲(명곡). ③ **사람 명**(人數). ¶ 五名(오명).

[字源] 會意. 夕과 口의 합자. 저녁이 되어 어두우면 자기 이름을 말해서 알려야 했었음.

[名曲 명곡] 뛰어나게 잘된 악곡(樂曲). 유명한 노래나 악곡.

[名稱 명칭] 사물을 부르는 이름. 호칭.

[命名 명명] 사람·사물·사건 따위에 이름을 지어 붙임.

3 ⑥ 【后】 왕후 후 [上]有 | hòu

[日] コウ〔きさき〕 [英] empress

[字解] ① **왕후 후**(天子之妃). ¶ 王后(왕후). ② **임금 후**(君也). ¶ 后王(후왕). ③ **사직 후**(地祇). ¶ 后土(후토). ④ **뒤 후**(後也).

[字源] 象形. 司의 반대의 모양. 위에서서 호령을 내리는 사람의 뜻.

[后王 후왕] 임금. 천자(天子).
[后土 후토] ㉠ 토지를 맡은 신. ㉡ 국토(國土).
[王后 왕후] 왕비.

4 ⑦ 【呂】 음률 려 [上]語 | lǚ

[日] リョ・ロ〔せぼね〕 [英] tune

[字解] ① **음률 려**(陰律). ② **등뼈 려**(背骨).

[字源] 象形. 척추뼈의 모양을 본뜸.

[呂鉅 여거] 교만한 모양.
[律呂 율려] 음악. 또는 그 가락.

4 ⑦ 【呈】 보일 정 [平]庚 | chéng

[日] テイ〔あらわす〕 [英] show

[字解] ① **보일 정**(示也), **드러낼 정**(露也). ¶ 露呈(노정). ② **드릴 정**(獻也). ¶ 贈呈(증정).

[字源] 形聲. 口+壬〔音〕

[呈納 정납] 물건을 바침.
[呈進 정진] 드림.
[贈呈 증정] 남에게 물건을 드림.

4 ⑦ 【吳】 나라이름 오[平]虞 | 旲 wú

[日] ゴ〔くにのな〕

[字解] ① **나라이름 오**(國名). ② **시끄러울 오**(譁也).

[字源] 會意. 口와 大의 합자. 과장해서 말함의 뜻.

[吳越同舟 오월동주] 사이가 나쁜 사람끼리 한 장소에 맞부딪침을 이르는 말. 또는 서로 반복하면서도 공통의 곤란·이해에 대하여 협력함의 비유.

4 ⑦ 【呆】 [一]어리석을 매[本]태[平]灰 [二]지킬 보 [上]晧 [三]어리석을 태[平]灰 | mèi bǎo dāi

[日] バイ〔おろか〕・ホウ・ボウ〔たもつ〕・タイ〔おろか〕

[英] stupid, keep

[字解] [一] **어리석을 매**(愚也). [二] **지킬 보**. [三] **어리석을 태**.

[字源] 保(人部 7획)의 고자(古字)라고도 하고, 某(木部 5획)의 고자라고도 함.

4 ⑦ 【吟】 [一]읊을 음 [平]侵 [二]입다물 금 [去]沁 | yín jìn

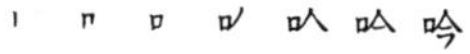

[日] ギン〔うたう・うめく〕・キン〔つぐむ〕

[英] recite, shut

[字解] [一] ① **읊을 음**(咏也). ¶ 吟味(음미). ② **끙끙앓을 음**(呻也). ¶ 呻吟(신음). ③ **울 음**(鳴聲). ¶ 猿吟(원음). [二] **입다물 금**.

[字源] 形聲. 口+今〔音〕

[吟味 음미] ㉠ 시나 노래를 읊어 그 맛을 봄. ㉡ 사물의 의미를 새겨 궁구함.
[吟詩 음시] 시를 읊음.
[吟唱 음창] 읊음. 노래 부름.
[呻吟 신음] 병이나 고통으로 앓는 소리를 냄.

4 ⑦ 【吠】 짖을 폐 [去]隊 | fèi

[日] ハイ〔ほえる〕 [英] bark

[字解] **짖을 폐**(犬鳴).

[字源] 會意. 口와 犬의 합자. 개가 짖음의 뜻.

[吠嘷 폐호] 짖음.

[狗吠 구폐] 개가 짖음.

---

⁴⑦【吩】분부할
분⊕文 ｜ fēn

�日 フン〔いいつける〕 ㊛ command
字解 분부할 분(命也).
字源 形聲. 口+分〔音〕

[吩咐 분부] 윗사람이 아랫사람에게
명령함. 또, 그 명령. 분부(分付).

---

⁴⑦【吪】움직일
와⊕歌 ｜ é

�日 カ〔うごく〕 ㊛ move
字解 ① 움직일 와(動也). ② 거짓
말 와(謬也).
字源 形聲. 口+化〔音〕

---

⁴⑦【吮】빨 연
⊕전⊕銑 ｜ shǔn

�日 エン〔すう〕 ㊛ suck
字解 ① 빨 연(嗽也). ② 핥을 연
(舐也).
字源 形聲. 口+允〔音〕

[吮墨 연묵] ㉠ 붓을 핥음. ㉡ 좋은
시(詩)를 지으려고 고심함.
[吮癰 연옹] 종기의 고름을 빪.
[吮癰舐痔 연옹지치] 남에게 지나치
게 아첨함을 일컫는 말.

---

⁴⑦【訥】━말더듬
을 눌入月 ｜ nè
━떠들 납入月 ｜ nà
㊀설⊕屑

�日 トツ〔どもる・ときのこえ〕
㊛ stammer, make a noise
字解 ━ 말더듬을 눌(言難). ¶ 訥
吃(눌홀). ━ 떠들 납. ¶ 訥喊(납
함).
字源 形聲. 口+內〔音〕

[訥然 눌연] 말을 더듬는 모양.
[訥吃 눌흘] ㉠ 말을 더듬거림. ㉡
일 따위로 나가는 것이 더디고 잘 안됨.
[訥喊 납함] 여러 사람이 일제히 큰
소리를 지름.

---

⁴⑦【吸】숨들이쉴
흡入緝 ｜ xī

丨 ㅁ ㅁ 吖 吸 吸 吸

�日 キュウ〔すう〕 ㊛ inhale
字解 ① 숨들이쉴 흡(氣入). ¶ 呼
吸(호흡). ② 마실 흡(飲也), 빨 흡.
¶ 吸煙(흡연).
字源 形聲. 口+及〔音〕

[吸煙 흡연] 담배를 피움.
[吸血鬼 흡혈귀] ㉠ 사람의 피를 빨
아먹는 귀신. ㉡ 사람의 고혈(膏血)
을 착취하는 악독한 인간.
[呼吸 호흡] 숨을 쉼.

---

⁴⑦【吹】불 취⊕支 ｜ chuī

丨 ㅁ ㅁ 叮 叮 吓 吹

�日 スイ〔ふく〕 ㊛ blow
字解 ① 불 취(出氣噓也). ② 충동
할 취(衝也). ③ 바람불 취(風也).
字源 會意. 口와 欠(숨을 내쉼)의
합자. 크게 숨을 내쉼의 뜻.

[吹鳴 취명] 사이렌 등을 불어 울림.
[吹奏 취주] 피리·나팔 등을 불어 연
주함.
[鼓吹 고취] ㉠ 북을 치고 피리를 붊.
㉡ 용기와 기운을 북돋워 일으킴.

---

⁴⑦【吻】입술 문
⊕吻 ｜ wěn

�日 フン〔くちびる〕 ㊛ lips
字解 입술 문(口脣邊).
字源 形聲. 口+勿〔音〕

[吻合 문합] 위아래의 입술이 맞는
것처럼 꼭 들어맞음.
[接吻 접문] 입맞춤.

---

⁴⑦【吼】울 후⊕有 ｜ hǒu

�日 コウ〔ほえる〕 ㊛ roar
字解 ① 울 후(牛鳴), 사나운짐승
울 후(猛獸鳴聲). ② 성낸소리 후
(厚怒).
字源 形聲. 口+孔〔音〕

[吼怒 후노] 성내어 으르렁거림.
[獅子吼 사자후] 사자가 울부짖음.
썩 잘하는 연설. 또는 부처의 설법.

4
⑦ 【吽】
■개짖
는소리
우⊕尤
■소울
음⊕侵

ōu
hŏu

⊖ ゴウ〔ほえる〕・イン〔ほえる〕
㋰ bark, moo

字解 ■개짖는소리 우(犬爭). ■
소울 음(牛鳴).

字源 會意. 口와 牛의 합자. 소가
우는 것을 뜻함.

4
⑦ 【呀】
입딱벌
릴하
⊕麻

yā

⊖ ガ〔くちをあける〕
㋰ open one's mouth

字解 ①입딱벌릴 하(張口貌). ②경
탄하는말 하(驚歎聲).

字源 形聲. 口+牙〔音〕

4
⑦ 【呎】
피트척

chǐ

⊖ セキ〔フィート〕 ㋰ feet

字解 피트 척(英國尺度).

字源 會意. 口와 尺의 합자. 척도
(尺度)의 단위를 나타내는 취음자
(取音字).

4
⑦ 【君】
임금군
⊕文

jūn

ㄱ ㄱ ㄱ ㄱ ㄹ 君 君

⊖ クン〔きみ〕 ㋰ king

字解 ①임금 군(臣之對). ¶君主
(군주). ②남편 군(夫也). ¶郎君
(낭군). ③그대 군(下輩呼稱), 자
네 군(同輩呼稱). ¶諸君(제군).
④어진이 군, 군자 군(賢也). ¶
君子(군자). ⑤봉작 군(封號). ¶
大院君(대원군).

字源 會意. 尹과 口의 합자. 호령하

여 사람을 다스림의 뜻.

[君子 군자] ㉠ 학식과 덕행이 높은
사람. ㉡ 벼슬이 높은 사람. ㉢ 아
내가 남편을 가리키는 말.
[君主 군주] 임금.
[夫君 부군] '남의 남편'의 높임말.

4
⑦ 【吝】
인색할
린⊕震

lìn

⊖ リン〔おしむ〕 ㋰ stingy

字解 인색할 린(鄙嗇), 아낄 린(惜
也).

字源 會意. 口+文

[吝嗇 인색] 재물을 다랍게 아낌.

4
⑦ 【吞】
삼킬탄
⊕元

tūn

⊖ ドン〔のむ〕 ㋰ swallow

字解 삼킬 탄(吐之對).

字源 會意. 口+天

[吞牛之氣 탄우지기] 소라도 삼킬
만한 장대한 기상.
[併吞 병탄] 아울러 삼킴.

4
⑦ 【否】
■아닐 부
⊕有
■막힐 비
⊕紙

fŏu
pǐ

一 ㄱ ㄱ 丕 丕 否 否

⊖ ヒ〔いな・ふさがる〕
㋰ not, be closed

字解 ■아닐 부, 아니 부(可之對).
¶否定(부정). ■①막힐 비(塞
也). ¶否塞(비색). ②나쁠 비(惡
也). ¶否運(비운). ③괘이름 비
(封名). ¶否卦(비괘).

字源 會意. 口와 부정의 뜻의 不의
합자. 또「不(부)」는 음을 나타냄.

[否認 부인] 인정하지 않음.
[否塞 비색] 운수가 꽉 막힘.

4
⑦ 【含】
머금을
함⊕覃

hán

丿 人 人 今 今 含 含

[日] ガン〔ふくむ〕 [英] include

[字解] ① **머금을 함**(銜也). ② **품을 함**(懷也).

[字源] 形聲. 口+今〔音〕

[含蓄 함축] ㉠ 속에 지니어 드러나지 아니함. ㉡ 의미심장함.

4 ⑦ 【吾】 [一]나 오 [平]虞 [二]친하지 않을 어 [平]漁 wú yú

一 丅 丐 五 吾 吾 吾

[日] ゴ〔われ〕・ギョ〔したしまない〕 [英] I

[字解] [一] ① **나 오**(我也). ② **글읽는 소리 오**(讀書之聲). ¶ 吾伊(오이). [二] **친하지않을 어**.

[字源] 形聲. 口+五〔音〕

[吾等 오등] 우리들.
[吾伊 오이] 글 읽는 소리.

4 ⑦ 【告】 [一]알릴 고 [去]號 [二]뵙고청할 곡 [入]沃 [三]국문할 국 [入]屋 gào gù jú

丿 𠂉 牛 生 牛 告 告

[日] コク〔つげる〕・コク〔つげる〕・キク〔といただす〕
[英] tell, ask

[字解] [一] ① **알릴 고**(報也), **여쭐 고**(白也). ¶ 報告(보고). ② **하소연할 고**(請也), **고소할 고**(訴也). ¶ 告發(고발). [二] **뵙고청할 곡**. ¶ 出必告(출필곡). [三] **국문할 국**.

[字源] 會意. 牛와 口의 합자. 소가 사람을 뿔로 받지 못하게 뿔에 가로대를 붙들어 맨 모양.

[告發 고발] 범죄자가 아닌 사람이 수사 기관에 범죄 사실을 신고하여 처벌을 요구하는 행위.
[告白 고백] 사실대로 말함.
[密告 밀고] 남에게 넌지시 일러바침. 고자질함.

4 ⑦ 【品】 品(품)(口部 6획)의 略字

5 ⑧ 【呪】 저주할 주 [去]宥 zhòu

[日] ジュ〔のろう〕 [英] curse

[字解] **저주할 주**(詛也).

[字源] 會意. 口+口+儿

[詛呪 저주] 남이 안되기를 빌고 바람.

5 ⑧ 【呱】 울 고 [平]虞 gū

[日] コ〔なく〕 [英] cry

[字解] **울 고**(泣也), **아이우는소리 고**(小兒啼聲).

[字源] 形聲. 口+瓜〔音〕

[呱呱 고고] ㉠ 아이가 태어나면서 처음 우는 소리. ㉡ 젖먹이의 우는 소리.

5 ⑧ 【味】 맛 미 [去]未 wèi

丨 口 口 口一 口二 吽 味 味

[日] ミ〔あじ〕 [英] taste

[字解] ① **맛 미, 맛볼 미, 맛들일 미**. ¶ 味覺(미각). ② **기분 미**(氣分). ③ **뜻 미**(意也). ¶ 意味(의미). ④ **취향 미**. ¶ 趣味(취미).

[字源] 形聲. 口+未〔音〕

[味覺 미각] 혓바닥을 자극하는 맛의 감각.
[珍味 진미] 음식의 썩 좋은 맛.

5 ⑧ 【呵】 꾸짖을 가 [本]하 [平]歌 hē

[日] カ〔しかる〕 [英] scold

[字解] ① **꾸짖을 가**(責也). ¶ 呵責(가책). ② **껄껄웃을 가**(笑聲). ¶ 呵呵(가가).

[字源] 形聲. 口+可〔音〕

[呵責 가책] 엄하게 꾸짖거나, 꾸짖어 책망함. 가책(苛責).

5
⑧ 〖呶〗 지껄일 노[平]肴 | náo

[日] ド〔やかましい〕 [英] hubhub

[字解] **지껄일 노**(讙聲).

[字源] 形聲. 口+奴

[呶呶 노노] 말이 많은 모양. 떠들썩하게 지껄이는 모양.

5
⑧ 〖呻〗 끙끙거릴 신[平]眞 | shēn

[日] シン〔うめく〕 [英] moan

[字解] ① **끙끙거릴 신**(吟也). ② **웅얼거릴 신**(誦也).

[字源] 形聲. 口+申〔音〕

[呻吟 신음] 병이나 다른 고통으로 앓는 소리를 냄.

5
⑧ 【呼】 부를 호[平]虞 | hū

[日] コ〔よぶ, はく〕 [英] call

[字解] ① **부를 호**(喚也), **부르짖을 호**(叫也). ¶ 呼名(호명). ② **숨 내쉴 호**(外息). ¶ 呼吸(호흡). ③ **탄식하는 소리 호**(嘆息之聲). ¶ 嗚呼(오호).

[字源] 形聲. 口+乎〔音〕

[呼名 호명] 이름을 부름.
[呼吸 호흡] ㉠ 숨을 내쉼과 들이쉼. ㉡ 생물체가 산소를 흡수하고 탄산가스를 내보내는 작용.

5
⑧ 〖咀〗 씹을 저[上]語 | jǔ

[日] ソ〔かむ〕 [英] chew

[字解] **씹을 저**(嚼也), **맛볼 저**(含味).

[字源] 形聲. 口+且〔音〕

[咀嚼 저작] ㉠ 음식물을 씹음. ㉡ 글의 뜻을 깊이 감상함.

5
⑧ 〖咄〗 꾸짖을 돌[入]月 | duō

[日] トツ〔しかる〕 [英] scold

[字解] ① **꾸짖을 돌**(呵也). ¶ 咄嗟(돌차). ② **놀라지르는 돌**(啐也), **혀차는소리 돌**(咨語). ¶ 咄咄(돌돌).

[字源] 形聲. 口+出〔音〕

[咄嗟 돌차] ㉠ 꾸짖음. ㉡ 혀를 차면서 애석히 여김. ㉢ 순간. 일이 매우 급박함. ¶ 咄嗟間(돌차간).

5
⑧ 〖咆〗 으르렁거릴 포[平]肴 | páo

[日] ホウ〔ほえる〕 [英] roar

[字解] ① **으르렁거릴 포**(獸呼). ② **성불끈낼 포**(怒貌).

[字源] 形聲. 口+包〔音〕

[咆哮 포효] 사나운 짐승이 울부짖음.

5
⑧ 〖呟〗 소리 현[本] 견[上]銑 | juǎn

[日] ケン〔こえ〕 [英] sound

[字解] **소리 현**.

[字源] 形聲. 口+玄〔音〕

5
⑧ 〖咏〗 詠(영)(言部 5획)과 同字

5
⑧ 〖咐〗 분부할 부[平]虞 | fù

[日] フ〔いいつけ〕 [英] order

[字解] **분부할 부**(吩也).

[字源] 形聲. 口+付〔音〕

[咐囑 부촉] 분부하여 맡김.
[吩咐 분부] 윗사람의 당부나 명령.

5
⑧ 【和】 화할 화[平]歌 | hé

[日] ワ〔やわらぐ〕 [英] peaceful

[字解] ① **화할 화**(相應), **화목할 화**(睦也). ¶ 和睦(화목). ② **순할 화**

(順也), **온화할 화**(不爭, 溫也). ¶ 和氣(화기). ③ **가락맞출 화**(聲相應), **화답할 화**(答也). ¶ 和答(화답). ④ **화해할 화**(平也). ¶ 和解(화해).

[字源] 形聲. 口+禾〔音〕

[和睦 화목] 서로 뜻이 맞고 정다움.

[和解 화해] 다툼질을 서로 그치고 불화(不和)를 풂.

[總和 총화] 전체를 합하여 모은 수. 총계.

5 ⑧ 【命】 목숨 명 [去]敬 mìng

丿 人 亼 亼 合 合 命 命

㊐ メイ〔いのち〕 [英] life

[字解] ① **목숨 명**(壽也). ¶ 生命(생명). ② **운수 명**(運也). ¶ 運命(운명). ③ **명령할 명, 명령 명**(使也, 令也). ¶ 天命(천명). ④ **이름지을 명**(名也). ¶ 命名(명명). ⑤ **표적 명**(指名處). ¶ 命中(명중).

[字源] 會意. 口와 令의 합자. 입으로 명령을 내림의 뜻.

[命令 명령] 윗사람이 아랫사람에게 무엇을 하도록 시킴. 또, 그 내용.

[命名 명명] 사람이나 물건에 이름을 지어 붙임.

[薄命 박명] 기구한 운명. 팔자가 사나움.

5 ⑧ 〖周〗 두루 주 [平]尤 zhōu

丿 冂 冂 月 用 周 周 周

㊐ シュウ〔まわり, あまねし〕
[英] all around

[字解] ① **두루 주, 두루미칠 주**(密致). ¶ 周到(주도). ② **둘레 주, 두를 주**(旋也, 繞也). ¶ 周邊(주변). ③ **주밀할 주**(密也). ¶ 周密(주밀). ④ **나라이름 주**(國名). ¶ 周代(주대).

[字源] 會意. 用와 口의 합자. 말을 하는 데는 조심하여야 함의 뜻.

[周到 주도] 주의가 두루 미쳐 빈틈없이 찬찬함.

[周圍 주위] ㉠ 어떤 곳의 바깥. 둘레. ㉡ 원의 바깥.

[周知 주지] 여러 사람이 두루 앎. 또, 여러 사람이 두루 알게 함.

[周察 주찰] 두루 살핌.

5 ⑧ 〖咎〗 [一]허물 구 ㊤有 [二]성 고 [平]豪 jiù gāo

㊐ キュウ〔とがめる〕・コウ〔せい〕
[英] fault, family name

[字解] [一] ① **허물 구**(罪過). ¶ 咎悔(구회). ② **재앙 구**(災也). ¶ 咎徵(구징). ③ **꾸짖을 구**(責也). ¶ 誰怨誰咎(수원수구). [二] **성 고**.

[字源] 會意. 人과 各(다름)의 합자. 만사가 뒤틀림의 뜻. 전하여, 「허물·재앙」의 뜻이 됨.

[咎責 구책] 나무람. 꾸짖음.

5 ⑧ 〖咖〗 《現》커피차 가 kā

㊐ カ〔コーヒー〕 [英] coffee

[字解] 《現》 **커피차 가**(熱帶產植物茶名).

[字源] 形聲. 口+加〔音〕

6 ⑨ 【品】 품수 품 ㊤寢 pǐn

丨 口 口 口 品 品 品 品

㊐ ヒン〔しな〕 [英] goods

[字解] ① **품수 품, 등급 품**(物格). ¶ 品數(품수). ② **물건 품, 물품 품**(物也). ¶ 物品(물품). ③ **품격 품**. ¶ 品格(품격). ④ **품계 품, 벼슬자리 품**(官秩). ¶ 品階(품계). ⑤ **품평할 품, 비평할 품**(評也). ¶ 品評(품평).

[字源] 會意. 口를 세 개 모아 많은 사람의 뜻을 나타냄.

[參考] 品(口部 4획)은 약자.

[品格 품격] 품성과 인격.

[品數 품수] 등급으로 나눈 차례.

[品評 품평] 물품의 좋고 나쁨과 가

치를 평정함. ¶ 品評會(품평회).

[人品 인품] 사람의 품격.

6
⑨【咢】깜짝놀
랄 악
㈠藥 | è

㈎ ガク〔おどろく〕 ㊤ surprised

字解 ① 깜짝놀랄 악(驚也). ② 바른말할 악(直言).

字源 形聲. 吅+芎〔音〕

6
⑨【咫】짧을 지
㊤紙 | zhǐ

㈎ シ〔みじかい〕 ㊤ short

字解 짧을 지(短也), 가까울 지(近也). ¶ 咫尺(지척).

字源 尺+只〔音〕

[咫尺 지척] 매우 가까운 거리.

6
⑨【吒】꾸짖을 타
㊤禡 | zhà

㈎ タ〔しかる〕 ㊤ scold

字解 ① 꾸짖을 타. ② 뽐낼 타.

字源 形聲. 口+宅〔音〕

6
⑨【咥】
■허허
웃을 희
㊤寘
■웃을 질
㈠屑
| xì
dié

㈎ キ〔わらう〕・テツ〔かむ〕
㊤ laughter, bite

字解 ■ 허허웃을 희(笑聲). ■ ① 웃을 질(笑也). ② 깨물 질(齧也).

字源 形聲. 口+至〔音〕

6
⑨【咬】
■깨물 교
㊤巧
■새지저
귈 교㊥看
| yǎo
jiāo

㈎ コウ〔かむ・なく〕
㊤ bite, twitter

字解 ■ 깨물 교, 물 교(齧也). ¶

咬傷(교상). ■ 새지저귈 교〔鳥聲〕.
¶ 咬咬(교교).

字源 形聲. 口+交〔音〕

[咬咬 교교] 새가 지저귀는 소리.

[咬傷 교상] 짐승에게 물려서 상함. 또, 그 상처.

3
획

6
⑨【咯】
■울 각
㈠藥
■말다툼할
락㈠藥
| gè
luò

㈎ カク〔きじのこえ〕・ラク〔いいあらそう〕
㊤ twitter, quarrel

字解 ■ 울 각(雉聲). ■ 말다툼할 락.

字源 形聲. 口+各〔音〕

參考 俗에 咯(口部 9획)의 약자로 잘못 쓰임.

6
⑨【哈】마실 삽
㈠洽 | hē

㈎ コウ〔すする〕 ㊤ sip

字解 마실 삽.

字源 形聲. 口+合〔音〕

6
⑨【咳】기침 해
㊥灰 | ké
hái

㈎ ガイ〔せき〕 ㊤ cough

字解 ① 기침 해(欬也). ② 방긋웃을 해(小兒笑).

字源 形聲. 口+亥〔音〕

[咳嗽 해수] 기침.

6
⑨【咻】
■지껄일 휴
㊥尤
■따스할 후
㊤遇
| xiū
xù

㈎ キュウ〔かまびすしい〕・ク〔あたためる〕
㊤ gibber, warm

字解 ■ 지껄일 휴(讙也). ■ 따스할 후.

字源 形聲. 口+休〔音〕

6 ⑨【咽】 [一]목구멍 인 [本]연[平]先 [二]목멜 열 [入]屑 [三]삼킬 연 [去]霰 yān yè yàn

[日] イン〔のど〕・エツ〔むせぶ〕・エン〔のむ〕

[英] throat, choked, swallow

[字解] [一] **목구멍 인**(嗌也). ¶ 咽喉(인후). [二] **목멜 열**(聲塞). ¶ 嗚咽(오열). [三] **삼킬 연**.

[字源] 形聲. 口+因〔音〕

[咽喉 인후] 목구멍.

[嗚咽 오열] 목메어 욺. 흐느껴 욺.

6 ⑨【咿】 선웃음 이[平]支 yī

[日] イ〔わらう〕 [英] forced smile

[字解] ① **선웃음 이**(强笑). ¶ 咿喔(이악). ② **글읽는소리 이**(讀書之聲). ¶ 咿唔(이오). ③ **짐승우는 소리 이**(動物鳴).

[字源] 形聲. 口+伊〔音〕

[咿喔 이악] ㉠ 아첨하여 선웃음을 웃음. ㉡ 꿩 같은 것이 우는 소리. ㉢ 노 젓는 소리.

[咿唔 이오] 글 읽는 소리.

6 ⑨【哂】 빙그레웃을 신[上]軫 shěn

[日] シン〔わらう〕 [英] laugh at

[字解] ① **빙그레웃을 신**(微笑). ② **비웃을 신**(嘲笑).

[字源] 形聲. 口+甄〈省〉〔音〕

6 ⑨【哄】 떠들 홍 [去]送 hōng

[日] コウ〔どよめく〕 [英] clamor

[字解] **떠들 홍**(衆之聲), **큰소리로 웃을 홍**(大笑聲).

[字源] 形聲. 口+共〔音〕

[哄笑 홍소] 크게 입을 벌리고 웃음. 떠들썩하게 웃어 댐.

6 ⑨【哇】 [一]토할 와 [平]麻 [二]음란한 소리 왜 [平]佳 [三]목멜 화 [平]佳 wā wā huá

[日] アイ・カイ〔はく・わらう〕・カイ〔むせぶ〕

[英] vomit, be choked

[字解] [一] **토할 와**. [二] **음란한소리 왜**(淫聲). [三] **목멜 화**.

[字源] 形聲. 口+圭〔音〕

6 ⑨【哀】 슬플 애 [平]灰 āi

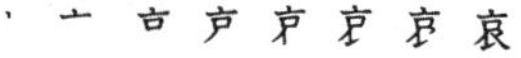

[日] アイ〔あわれ〕 [英] grievous

[字解] ① **슬플 애, 슬퍼할 애, 슬픔 애**(悲也, 傷也). ¶ 哀悼(애도). ② **불쌍히여길 애**(憐也), **가엾이 여길 애**(閔也). ¶ 哀憐(애련).

[字源] 形聲. 口+衣〔音〕

[哀悼 애도] 사람의 죽음을 슬퍼함.

[哀憐 애련] 가엾고 애처롭게 여김.

6 ⑨【咸】 [一]다 함 [平]感 [二]덜 감 [上]豏 xián

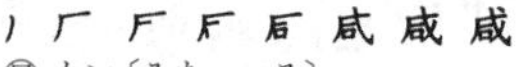

[日] カン〔みな・へる〕

[英] all, remove

[字解] [一] **다 함**(皆也). [二] **덜 감**.

[字源] 會意. 戌+口

[咸集 함집] 모두 모임.

6 ⑨【哉】 어조사 재[平]灰 zāi

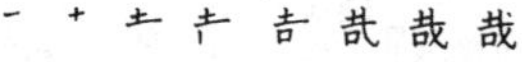

[日] サイ〔かな〕

[字解] ① **어조사 재**(語助辭). ¶ 痛哉(통재). ② **비롯할 재**(始也). ¶ 哉生魄(재생백).

[字源] 形聲. 口+𢦏〔音〕

[哉生明 재생명] 음력으로 초사흘. 달이 처음으로 빛을 나타낸다는 뜻으로 월초.

6 ⑨ 【咨】 물을 자 ㊥支 zī

㊐ シ〔はかる〕 ㊤ consult

字解 ① 물을 자(問也), 상의할 자(議也), 꾀할 자(謀也). ¶ 咨問(자문). ② 탄식할 자(嗟嘆). ¶ 咨歎(자탄).

字源 形聲. 口+次〔音〕

[咨問 자문] 남에게 의견을 물어서 어떤 일을 꾀함.

[咨歎 자탄] 슬퍼하여 탄식함.

7 ⑩ 【哭】 울 곡 ㊇屋 kū

ㅣ ㅁ ㅁ ㅁ 罒 哭 哭

㊐ コク〔なく〕 ㊤ weep

字解 ① 울 곡(哀聲). ② 곡할 곡(弔也).

字源 形聲. 犬+口+口〔音〕

[哭臨 곡림] 장사(葬事) 때 여러 사람이 슬피 욺.

[哭聲 곡성] 슬피 우는 소리.

[哭泣 곡읍] 소리 내어 슬피 욺.

7 ⑩ 【員】 ■관원 원 ㊥先 ■더할 운 ㊥文㊥問 員 yuán yán

ㄇ ㄇ 므 呂 冒 冒 員 員

㊐ イン〔かず〕・ウン〔せい〕 ㊤ official, increase

字解 ■ 관원 원(官員). ¶ 員吏(이원). ② 둘레 원(人數, 物數). ■ 더할 운.

字源 會意. 貝+口

[員丘 원구] 신선(神仙)이 사는 곳.

[員石 원석] 둥근 돌. 원석(圓石).

[員數 원수] 사람의 수. 물건의 수.

[滿員 만원] 정한 인원이 다 참.

7 ⑩ 【哨】 ■보초설 초 ㊤嘯 ■가늘고작을 소 ㊤效 shào qiào

㊐ ソウ〔ものみ〕・ショウ〔ゆがむ〕 ㊤ guard, thin and small

字解 ■ 보초설 초, 망볼 초(防盜). ■ 가늘고작을 소.

字源 形聲. 口+肖〔音〕

[哨所 초소] ㉠ 보초가 서 있는 장소. ㉡ 보호 방위하는 최전선.

7 ⑩ 【哩】 어조사 리 ㊤寘 lǐ

㊐ リ〔マイル〕

字解 ① 어조사 리(語助辭). ② 마일 리(英國里程).

字源 形聲. 口+里〔音〕

7 ⑩ 【哮】 으르렁거릴 효 ㊤看 xiào

㊐ コウ〔ほえる〕 ㊤ roar

字解 으르렁거릴 효(猛獸怒號), 성낼 효(大怒).

字源 形聲. 口+孝〔音〕

[咆哮 포효] 사나운 짐승이 울부짖음.

7 ⑩ 【唎】 소리 리 ㊤寘 lì

㊐ リ〔おと〕 ㊤ sound

字解 소리 리.

7 ⑩ 【哺】 먹일 포 ㊤遇 bǔ

㊐ ホ〔ふくむ〕 ㊤ feed

字解 ① 먹일 포. ¶ 哺乳(포유). ② 씹어먹을 포(嚼食). ③ 기를 포(養育).

字源 形聲. 口+甫〔音〕

[哺乳 포유] 제 몸의 젖으로 새끼를 먹여 기름. ¶ 哺乳動物(포유동물).

7 ⑩ 〖哽〗 목멜 경 [上]梗 | gěng

[日] コウ〔むせぶ〕 [英] choked

[字解] **목멜 경**(咽也), **목막힐 경**(咽塞).

[字源] 形聲. 口+更〔音〕

[哽咽 경열] 목이 메게 흑흑 느끼어 욺.

7 ⑩ 〖唄〗 염불소리 패[去]卦 | 呗 bài

[日] バイ〔うた〕 [英] prayer

[字解] **염불소리 패**(梵音聲).

[字源] 形聲. 口+貝〔音〕

7 ⑩ 〖唆〗 부추길 사[平]歌 | suō

[日] サ〔そそのかす〕 [英] incite

[字解] ① **부추길 사**(嗾也). ② **아이 들군호할 사**(小兒相應).

[字源] 形聲. 口+夋〈省〉〔音〕

[示唆 시사] 미리 암시하여 일러 줌.

7 ⑩ 〖唏〗 훌쩍훌쩍 울 희[平]微 | xī

[日] キ〔なく〕 [英] sob

[字解] **훌쩍훌쩍울 희**(哀聲).

[字源] 形聲. 口+希〔音〕

7 ⑩ 〖哱〗 어지러울 발[入]月 | bó

[日] ボツ〔みだれる〕 [英] confused

[字解] **어지러울 발**(亂也).

[字源] 形聲. 口+孛〔音〕

[哱囉 바라] 꽹과리보다 작은 악기의 한 가지.

7 ⑩ 〖哥〗 소리 가 [平]歌 | gē

[日] カ〔あに〕 [英] song

[字解] ① **소리 가**(聲也), **노래할 가**(歌也). ② **형 가**(呼兄). ③ 《韓》 **성 지명할 가**(指稱姓氏). ¶ 金哥(김가).

[字源] 會意. 可를 둘 겹쳐 소리를 길게 뽑아 노래함을 뜻함.

7 ⑩ 〖哲〗 밝을 철 [入]屑 | zhé

一 十 扌 扌 扩 折 哲 哲

[日] テツ〔あきらか〕 [英] wise

[字解] **밝을 철**(明也), **슬기로울 철**(智也).

[字源] 形聲. 口+折〔音〕

[參考] 喆(口部 9획)은 동자.

[注意] 晳(日部 8획)은 딴 글자.

[哲人 철인] ㉠ 학식이 높고 사리에 밝은 사람. ㉡ 철학자.

7 ⑩ 〖唇〗 [一]놀랄 진 [平]眞 [二]입술 순 [本]진[平]眞 | chún

[日] シン〔おどろく・くちびる〕

[英] be surprised, lips

[字解] [一] **놀랄 진**(驚也). [二] **입술 순**.

[字源] 形聲. 口+辰〔音〕

[注意] 脣(肉部 7획)은 딴 글자.

7 ⑩ 〖唐〗 당나라 당[平]陽 | táng

丶 亠 广 户 户 庚 唐 唐

[日] トウ〔から〕

[字解] ① **당나라 당**(國名). ¶ 唐詩(당시). ② **황당할 당**(大言). ¶ 荒唐(황당). ③ **갑자기 당**(遽也). ¶ 唐突(당돌). ④ **제방 당**(隄也).

[字源] [illegible]+口〔音〕

[唐突 당돌] 꺼리[illegible]없이 올차고 다부짐.

[荒唐 황당] 터무니없고 허황함.

8 ⑪ 〖唯〗 [一]오직 유 [平]支 [二]누구 수 [平]支 | wéi

ㅁ ㅁ' 미 미' 叶 咋 唯 唯 唯

[日] イ・ユイ〔ただ〕・スイ〔たれ〕
[英] only, who

[字解] [一] ① 오직 유(惟也, 維也, 獨也). ¶ 唯一(유일). ② 대답할 유(應諾辭). ¶ 唯唯(유유). [二] 누구 수.

[字源] 形聲. 口+隹〔音〕

[唯心 유심] 삼계유일심(三界唯一心).

[唯我獨存 유아독존] 이 세상에서 오직 자기만 잘났다는 태도를 이르는 말.

[唯一 유일] 오직 하나.

8 ⑪ 【唱】 노래 창 [去]漾 chàng

ㅁ ㅁ 叩 吅 唱 唱 唱 唱

[日] ショウ〔となえる〕 [英] sing

[字解] ① 노래 창(詩也, 歌也), 노래 부를 창. ¶ 唱歌(창가). ② 인도할 창(導也), 먼저부를 창(先唱). ¶ 唱導(창도).

[字源] 形聲. 口+昌〔音〕

[唱歌 창가] 곡조에 맞추어 노래 부름. 또, 그 노래.

[唱導 창도] 앞장을 서서 주장하여 사람을 인도함.

8 ⑪ 【唳】 학울 려 [去]霽 lì

[日] レイ〔なく〕 [英] honk

[字解] 학울 려(鶴鳴).

[字源] 形聲. 口+戾〔音〕

[鶴唳 학려] 학이 욺. 또, 학의 울음소리.

8 ⑪ 【唵】 머금을 암 [上]感 ǎn

[日] アン〔ふくむ〕 [英] bear

[字解] ① 머금을 암. ② 발어사(범어 'om'의 음역사. 주문·진언을 욀 때 쓰임.

[字源] 形聲. 口+奄〔音〕

8 ⑪ 【唾】 침 타 [去]箇 tuò

[日] ダ〔つば〕 [英] spit

[字解] ① 침 타(口液). ② 침뱉을 타(吐唾).

[字源] 形聲. 口+坐(垂)〔音〕

[唾液 타액] 침.

8 ⑪ 【啁】 [一]지껄일 조[平]肴 [二]새지저귈 주[平]尤 zhāo zhōu

[日] トウ・チュウ〔やかましい〕・チュウ〔さえずる〕
[英] gabble, twitter

[字解] [一] 지껄일 조(多言). [二] 새 지저귈 주(鶩雀聲). ¶ 啁啾(주추).

[字源] 形聲. 口+周〔音〕

[啁唧 주즉] 많은 벌레가 한꺼번에 우는 소리.

8 ⑪ 【啄】 [一]쫄 탁 [本]착[入]覺 [二]부리 주 [去]宥 zhuó

[日] タク〔ついばむ〕・チュウ〔くちばし〕
[英] peck, break

[字解] [一] ① 쫄 탁(鳥食). ¶ 啄木(탁목). ② 똑똑두드릴 탁(叩叩聲). ¶ 啄啄(탁탁). [二] 부리 주(咮也).

[字源] 形聲. 口+豖〔音〕

[啄木鳥 탁목조] 딱따구리.

8 ⑪ 【啖】 [一]씹을 담 [上]感 [二]삼킬 담 [去]勘 dàn

[日] タン〔くう・くらわす〕
[英] eat, swallow

[字解] [一] 씹을 담(噍也). [二] 삼킬 담(呑也).

[字源] 形聲. 口+炎〔音〕

[啖啖 담담] 욕심내어 먹는 모양.

[啖食 담식] 게걸스럽게 먹음.

3획

3획

8 ⑪ 【啜】 훌쩍거릴 철入屑 chuò 啜

㈰ テツ〔すする〕 ㊤ sob

字解 ① 훌쩍거릴 철(泣貌). ¶ 啜泣(철읍). ② 먹을 철(食也). ¶ 啜汁(철즙).

字源 形聲. 口＋炎〔音〕

[啜泣 철읍] 소리 내지 않고 훌쩍거리며 욺.

[啜汁 철즙] 단물을 빪. 남의 힘으로 이익을 얻음의 비유.

8 ⑪ 【啞】 ■벙어리 아上馬 ■웃음소리 액入陌 yā è 啞

㈰ ア〔おし〕・アク〔わらう〕 ㊤ dumb, laughter

字解 ■ ① 벙어리 아(病瘖不言). ¶ 盲啞(맹아). ② 놀랄 아. ¶ 啞然(아연). ③ 까마귀는소리 아(烏聲). ¶ 啞啞(아아). ■ 웃음소리 액(笑聲).

字源 形聲. 口＋亞〔音〕

[啞然 아연] 어이없어 입을 벌리고 있는 모양. ¶ 啞然失色(아연실색).

[盲啞 맹아] 시각 장애인과 청각 장애인.

8 ⑪ 【啡】 ■숨소리 배上賄 ■(新)커피 배 pēi fēi 啡

㈰ ハイ〔つば〕・ヒ〔コーヒー〕 ㊤ breath, coffee

字解 ■ 숨소리 배. ■ (新)커피 배.

字源 形聲. 口＋家〔音〕

[咖啡 가배] '커피'의 음역.

8 ⑪ 【啣】 銜(함)(金部 6획)의 俗字

8 ⑪ 【商】 장사 상㊤陽 shāng 商

一 亠 亠 产 产 产 商 商 商

㈰ ショウ〔あきない〕 ㊤ trade

字解 ① 장사 상, 장사할 상(賈也). ¶ 商業(상업). ② 장수 상. ¶ 行商(행상). ③ 헤아릴 상(外知內). ¶ 商量(상량). ④ 나라이름 상(國名). ¶ 宮商角徵羽(궁상각치우).

字源 會意. 章(명백함)의 생략형과 冏(명백함)의 합자. 명백하게 추측함의 뜻. 「장사」의 뜻은 음의 차용.

[商工 상공] 상업과 공업.

[商量 상량] 헤아려 생각함.

[商品 상품] 판매를 위해 유통되는 생산물.

8 ⑪ 【問】 물을 문㊥問 wèn 问

丨 冂 冂 門 門 門 問 問

㈰ モン〔とう〕 ㊤ ask

字解 ① 물을 문(訊也), 물음 문(答之對). ¶ 問答(문답). ② 문초할 문(訊罪). ¶ 問招(문초). ③ 방문할 문(訪也), 찾을 문(尋也). ¶ 存問(존문).

字源 形聲. 口＋門〔音〕

[問答 문답] ㉠ 서로 묻고 대답하고 함. ㉡ 물음과 대답.

[問病 문병] 앓는 사람을 찾아보고 위문함.

8 ⑪ 【售】 팔아넘길 수㊤有 shòu 售

㈰ シュウ〔うる〕 ㊤ sell

字解 ① 팔아넘길 수(賣也). ② 갚을 수(償也).

字源 形聲. 口＋雔(省)〔音〕

8 ⑪ 【啓】 열 계㊦薺 qǐ 启

丶 彐 彐 彐' 厈 厈 啓 啓

㈰ ケイ〔ひらく〕 ㊤ enlighten

字解 ① 열 계, 일깨울 계(教也). ¶ 啓蒙(계몽). ② 인도할 계(導

3획

也). ¶ 啓導(계도). ③ 여쭐 계(奏事). ¶ 謹啓(근계). ④ 별이름 계. ¶ 啓明星(계명성).

字源 形聲. 口+攴〔音〕

[啓蒙 계몽] 우매한 사람을 가르치고 깨우쳐 줌.

[啓示 계시] 가르쳐 보임.

8
⑪ 【啗】 먹을 담 ⊕感
⊗勘 dàn 啗

⽇ タン〔くらう・くらわす〕 ⊛ eat

字解 ① 먹을 담. ② 먹일 담.

字源 形聲. 口+臽〔音〕

[啗嚼 담작] 씹어 먹음.

9
⑫ 【單】 ■홑 단 ⊕寒
⊗⊕오랑캐
임금 선先 dān
chán 単

丶 丷 丬 丬 閂 閂 閂 閂 閂 單

⽇ タン〔ひとつ〕・ゼン〔ぜんう〕 ⊛ single

字解 ■ ① 홑 단(獨也). ¶ 單一(단일). ② 다할 단(盡也). ③ 외로울 단(孤也). ¶ 孤單(고단). ④ 단자 단. ¶ 名單(명단). ■ 오랑캐 임금 선. ¶ 單于(선우).

字源 形聲. 「吅(훤)」의 전음이 음을 나타냄.

參考 単은 약자.

[單身 단신] 홑몸.

[單于 선우] 흉노의 추장.

[名單 명단] 사람의 이름을 적은 표.

9
⑫ 【喪】 ■복입
을 상 ⊕陽
⊕⊗喪
■잃을
상 ⊕⊗漾 sāng
sàng 喪

一 𠂇 𠩺 𠩺 𠩺 𠩺 𠩺 𠩺 喪

⽇ ソウ〔うしなう・もにふくする〕 ⊛ wear mourning, lose

字解 ■ ① 복입을 상(持服). ¶ 喪服(상복). ② 초상 상. ¶ 喪家(상가). ③ 죽을 상(亡也). ¶ 喪亂

(상란). ■ 잃을 상(失也), 망할 상(亡也). ¶ 喪失(상실).

字源 會意. 哭과 亡의 합자. 사람이 죽어 울며 슬퍼함의 뜻.

[喪家 상가] 초상난 집. 상제의 집.

[喪失 상실] 잃어버림.

9
⑫ 【啼】 울 제 ⊕齊 tí 啼

⽇ テイ〔なく〕 ⊛ weep

字解 ① 울 제(泣也). ¶ 啼泣(제읍). ② 새울 제(鳥鳴). ¶ 啼血(제혈).

字源 形聲. 口+帝〔音〕

[啼泣 제읍] 눈물을 흘리며 욺. 체읍(涕泣).

[啼血 제혈] ㉠ 피를 토하며 욺. ㉡ 두견이의 슬피 우는 소리.

9
⑫ 【啾】 두런거릴
추 ⊕尤 jiū 啾

⽇ シュウ〔なく〕 ⊛ murmur

字解 ① 두런거릴 추(小聲). ② 찍찍거릴 추, 웅얼거릴 추(唧也).

字源 形聲. 口+秋〔音〕

[啾啾 추추] ㉠ 두런거리는 소리. ㉡ 벌레·새·짐승 등이 구슬프게 우는 소리.

9
⑫ 【喀】 토할 객 ⊗陌 kā 喀

⽇ カク〔はく〕 ⊛ vomit

字解 토할 객(嘔也).

字源 形聲. 口+客〔音〕

參考 欬(口部 6획)는 같은 뜻으로 쓰고 있음.

[喀痰 객담] 담을 뱉음. 또, 그 담.

[喀血 객혈] 피를 토함. 각혈(咯血).

9
⑫ 【喁】 ■입벌름
거릴 옹 yóng
■화답할 우 yú 喁
⊕有

3획

日 ギョウ〔あぎとう〕・グ〔かけごえ〕
英 quiver, respond

字解 입벌름거릴 옹(魚口聚貌).
二 화답할 우(相呼).

字源 形聲. 口+禺〔音〕

---

9 ⑫ 【喃】 재재거릴 남⊕咸 | nán

日 ナン〔しゃべる〕 英 chatter

字解 ① 재재거릴 남, 수다스러울 남(謫也). ② 글읽는소리 남(讀書聲).

字源 形聲. 口+南〔音〕

[喃喃 남남] ⑦ 수다스럽게 말함. ¶ 喃喃細語(남남세어). ⓛ 글을 읽는 소리.

---

9 ⑫ 【喇】 나팔 라 ⊕랄入曷 | lǎ

日 ラツ〔らっぱ〕 英 trumpet

字解 ① 나팔 라(樂器). ¶ 喇叭(나팔). ② 말급히할 라(言急). ③ 라마교 라(喇嘛教).

字源 形聲. 口+剌〔音〕

[喇嘛 라마] 라마교의 중.
[喇叭 나팔] 금속으로 만든 관악기(管樂器)의 한 가지.

---

9 ⑫ 【喉】 목구멍 후⊕尤 | hóu

口 口' 叮 吧 唉 唉 喉 喉

日 コウ〔のど〕 英 throat

字解 ① 목구멍 후(咽也). ¶ 喉頭(후두). ② 목 후, 긴한곳 후(要所). ¶ 喉舌(후설).

字源 形聲. 口+侯〔音〕

[喉頭 후두] 기관(氣管)의 위 끝부분. 숨의 통로가 되고 발성 기관이 있음.
[喉舌 후설] ⑦ 중요한 곳. ⓛ 목구멍과 혀.

---

9 ⑫ 【喊】 고함지를 함⊕感 | hǎn

日 カン〔さけぶ〕 英 shout

字解 고함지를 함(謹呼).

字源 形聲. 口+咸〔音〕

[喊聲 함성] 여러 사람이 함께 지르는 고함 소리.

---

9 ⑫ 【喋】 二 재재거릴 첩入葉 / 쪼아먹을 잡入洽 | dié / zhá

日 チョウ〔しゃべる〕・トウ〔ついばむ〕 英 chatter, peck

字解 一 ① 재재거릴 첩(便語). ¶ 喋喋(첩첩). ② 피흐르는 모양 첩(血流貌). ¶ 喋血(첩혈). 二 쪼아먹을 잡.

字源 形聲. 口+葉〔音〕

[喋喋 첩첩] 말을 거침없이 수다스럽게 지껄이는 모양.
[喋血 첩혈] 유혈이 낭자한 모습.

---

9 ⑫ 【喘】 혈떡일 천⊕銑 | chuǎn

日 ゼン〔あえぐ〕 英 pant

字解 ① 헐떡일 천(急息, 疾息). ¶ 喘氣(천기). ② 기침병 천(病也). ¶ 喘息(천식).

字源 形聲. 口+耑〔音〕

[喘氣 천기] 천식 같은 증세.
[喘息 천식] ⑦ 헐떡임. 숨참. ⓛ 숨이 차고 기침이 나는 병.

---

9 ⑫ 【喔】 닭우는소리 악入覺 | wō

日 アク〔なく〕 英 cackling

字解 ① 닭우는소리 악(鷄鳴). ¶ 喔喔(악악). ② 선웃음칠 악(強笑). ¶ 唯喔(이악).

字源 形聲. 口+屋〔音〕

[喔喔 악악] 닭 우는 소리.
[喔唯 악유] ⑦ 수다스럽게 지껄임. ⓛ 시끄럽게 욺.

---

9 ⑫ 【喙】 부리 훼去隊 | huì

[日] カイ〔くちばし〕 [英] bill

[字解] ① **부리 훼, 주둥이 훼**(鳥獸口). ② **괴로울 훼**(苦也).

[字源] 形聲. 口+彖〔音〕

[喙息 훼식] 주둥이로 숨을 쉬는 새·짐승 따위.

9 ⑫ 【喚】 부를 환 [去]翰 | 喚 huàn 

[日] カン〔よぶ〕 [英] call

[字解] **부를 환**(呼也).

[字源] 形聲. 口+奐〔音〕

[喚起 환기] 사라지려는 기억을 불러일으킴.

[喚問 환문] 관청에서 불러내어 물어봄.

9 ⑫ 【喝】 [一]꾸짖을 갈[入]曷 [二]목멜 애 [去]卦 | hè yè 

[日] カツ〔しかる〕・アイ〔むせぶ〕 [英] rebuke, choked

[字解] [一] ① **꾸짖을 갈**(訶也). ¶ 喝破(갈파). ② **고함지를 갈**(大聲). ¶ 喝報(갈보). ③ **쉰목소리 갈**(聲之歇). [二] **목멜 애**.

[字源] 形聲. 口+曷〔音〕

[喝采 갈채] 기뻐서 크게 소리 질러 칭찬함. ¶ 拍手喝采(박수갈채).

[喝破 갈파] ㉠ 큰 소리로 꾸짖어 누름. ㉡ 남의 언론을 설파함. ㉢ 남이 미처 밝히지 못한 것을 깨침.

9 ⑫ 【喞】 벌레소리 즉[入]職 | 喞 jí 

[日] ソク〔すだく〕 [英] squeak

[字解] ① **벌레소리 즉**(喞嘖). ② **물댈 즉**(水其上).

[字源] 形聲. 口+卽〔音〕

[喞喞 즉즉] ㉠ 탄식을 하는 소리. ㉡ 소곤소곤 속삭이는 소리. ㉢ 새·쥐·벌레 따위의 소리.

[喞筒 즉통] 무자위. 펌프.

9 ⑫ 【営】 營(영)(火部 13획)의 俗字

9 ⑫ 【喟】 한숨쉴 위[本]귀 [去]寘 | kuì 

[日] キ〔なげく〕 [英] sigh

[字解] **한숨쉴 위**(太息).

[字源] 形聲. 口+胃〔音〕

[喟然 위연] 한숨을 쉼. 탄식함. 또, 그 모양.

9 ⑫ 【喧】 시끄러울 훤[平]元 | xuān 

[日] ケン〔かまびすしい〕 [英] boisterous

[字解] **시끄러울 훤, 떠들 훤**(大語).

[字源] 形聲. 口+宣〔音〕

[喧騷 훤소] 뒤떠들어서 소란함.

[喧然 훤연] 시끄러운 모양.

[喧藉 훤자] 여러 사람의 입으로 퍼져서 왁자하게 됨.

9 ⑫ 【喨】 소리맑을 량[去]漾 | liàng 

[日] リョウ〔ほがらか〕 [英] sonorous

[字解] **소리맑을 량**(淸徹之聲).

[字源] 形聲. 口+亮〔音〕

9 ⑫ 【喩】 깨우칠 유[去]遇 | 喻 yù 

[日] ユ〔さとす〕 [英] enlighten

[字解] ① **깨우칠 유, 알려줄 유**(曉諭). ¶ 訓喩(훈유). ② **이를 유, 고할 유**(告也). ③ **비유할 유**. ¶ 比喩(비유).

[字源] 形聲. 口+兪〔音〕

[喩勸 유권] 깨우치고 권함. 타일러 격려함.

[喩喩 유유] 기뻐하는 모양.

[比喩 비유] 사물을 직접 설명하지 않고 그와 비슷한 다른 사물을 빌려 표현하는 일.

3 획

9/12 【喫】 마실 끽 㖺긱 入錫 chī 喫

日 キツ〔のむ〕 英 drink

字解 ① 마실 끽(飮也), 먹을 끽(食也). ② 喫茶(끽다). ③ 당할 끽, 받을 끽(受也). ¶ 喫苦(끽고).

字源 會意. 口+契〔音〕

[喫苦 끽고] 고생을 겪음.
[喫茶 끽다] 차를 마심.
[喫煙 끽연] 담배를 피움. 흡연.

9/12 【喆】 哲(철)(口部 7획)의 同字

9/12 【喬】 높을 교 㖴蕭 qiáo 喬

日 キョウ〔たかい〕 英 tall

字解 ① 높을 교(高也), 높이솟을 교(上竦). ¶ 喬木(교목). ② 교만할 교(驕也). ¶ 喬志(교지).

字源 會意. 夭(구부러짐)와 高의 생략형의 합자. 높고 상부가 구부러짐의 뜻. 전하여, 「넓고 높음」의 뜻.

[喬木 교목] 키가 큰 나무.
[喬松 교송] 높이 솟은 소나무.
[喬然 교연] 교만한 모양.

9/12 【啻】 뿐 시 㖴寘 chì 啻

日 シ〔ただ〕 英 only

字解 뿐 시, 다만 시(猶止也, 但也, 不止是, 不啻).

字源 形聲. 口+帝〔音〕

9/12 【善】 착할 선 㖴銑 shàn

丶 丷 並 美 美 美 善 善

日 ゼン〔よい〕 英 good

字解 ① 착할 선(惡之對). 善良(선량). ② 좋을 선(吉也), 훌륭할 선(良也). ¶ 善策(선책). ③ 친할 선, 사이좋을 선(親也). 親善(친선). ④ 잘할 선(巧也). ¶ 善用(선

용). ⑤ 옳게여길 선(己所好尙). ¶ 獨善(독선). ⑥ 아낄 선(愛惜).

字源 會意. 羊과 言의 합자. 「경사스러운 말」의 뜻.

[善良 선량] 착하고 어짊.
[善用 선용] 알맞게 잘 씀.
[獨善 독선] 자기만이 옳다고 생각하고 행동하는 일.

9/12 【喜】 기쁠 희 㖴紙 xǐ 喜

一 十 士 吉 吉 吉 直 喜

日 キ〔よろこぶ〕 英 pleasure

字解 기쁠 희(悅也), 좋을 희(好也), 즐거울 희(樂也). ¶ 喜報(희보).

字源 會意. 壴(악기)와 口의 합자. 음악을 들으며 입을 벌려 좋아하며 웃음의 뜻. 전하여, 「좋아함」의 뜻.

參考 憘(心部 12획)는 고자.

[喜色 희색] 기뻐하는 얼굴빛. ¶ 喜色滿面(희색만면).
[喜喜樂樂 희희낙락] 매우 기뻐하고 즐거워함.

10/13 【嗅】 냄새맡을 후 㖴有 xiù 嗅

日 キュウ〔かぐ〕 英 smell

字解 냄새맡을 후(以鼻取氣).

字源 會意. 臭(냄새)와 口(콧구멍)의 합자.

[嗅官 후관] 오관(五官)의 하나. 냄새를 맡는 기관인 코를 일컬음.

10/13 【嗔】 성낼 진 㖴眞 / 성할 전 㖴先 chēn tián

日 シン〔いかる〕・テン〔さかん〕 英 anger, vigorous

字解 성낼 진(怒也). 성할 전.

字源 形聲. 口+眞〔音〕

[嗔責 진책] 성내어 책망함.

10 ⑬ 〖嗚〗 탄식할 오[平]虞 | wū

[日] オ〔ああ〕 [英] be fond of

[字解] ① **탄식할 오**(歎辭). ¶ 嗚呼(오호). ② **노랫소리 오**(歌也). ¶ 嗚嗚(오오).

[字源] 形聲. 口+烏〔音〕

[嗚嗚 오오] 노래를 부르는 소리.
[嗚呼 오호] 탄식의 소리.

10 ⑬ 〖嗛〗 [一]부족할 겸 [上]琰 [二]넉넉할 협 [入]葉 [三]머금을 함 [平]咸 | qiǎn qiè xián

[日] ケン〔ふくむ〕・キョウ〔あきたりる〕・カン〔ふくむ〕

[英] deficient, enough, keep in mouth

[字解] [一] ① **부족할 겸**(不足), **작을 겸**(小也). ¶ 嗛嗛(겸겸). ② **입에 먹이물고있을 겸**(頰裏貯食). [二] ① **넉넉할 협**, **만족할 협**(足也). ¶ 嗛志(협지). ② **상쾌할 협**(快也). ¶ 嗛然(협연). [三] ① **머금을 함**(口有銜). ② **한할 함**(恨也).

[字源] 形聲. 口+兼〔音〕

[嗛嗛 겸겸] ㉠ 작은 모양. ㉡ 겸양하는 모양.
[嗛志 협지] 만족한 마음.

10 ⑬ 〖嗜〗 즐길 기 [去]寘 | shì

[日] シ〔たしなむ〕 [英] like

[字解] **즐길 기**, **좋아할 기**(好也).

[字源] 形聲. 口+耆〔音〕

[嗜僻 기벽] 편벽되게 즐기는 버릇.
[嗜好 기호] 즐기고 좋아함. 또, 그 취미. ¶ 嗜好品(기호품).

10 ⑬ 〖嗟〗 탄식할 차[平]麻 | jiē

[日] サ〔なげく〕 [英] sigh

[字解] ① **탄식할 차**(歎也). ¶ 嗟歎(차탄). ② **찬탄할 차**(賞也). ¶ 嗟稱(차칭).

[字源] 形聲. 口+差〔音〕

[嗟稱 차칭] 마음에 감동하여 칭찬함.
[嗟歎 차탄] 탄식하고 한탄함.

10 ⑬ 〖嗤〗 비웃을 치[平]支 | chī

[日] シ〔わらう〕 [英] laugh

[字解] **비웃을 치**(嘲笑).

[字源] 形聲. 口+蚩〔音〕

[參考] 蚩(虫部 4획)는 동자.

[嗤侮 치모] 비웃고 업신여김.
[嗤笑 치소] 비웃음.

10 ⑬ 〖嗣〗 이을 사 [去]寘 | sì

[日] シ〔つぐ〕 [英] succeed to

[字解] ① **이을 사**, **대이을 사**(繼也). ¶ 後嗣(후사). ② **익힐 사**(習也).

[字源] 形聲. 冊(冊)+口+司〔音〕

[嗣子 사자] 대를 이을 아들. 맏아들.
[後嗣 후사] 대를 잇는 자식.

10 ⑬ 〖嗇〗 인색할 색[入]職 | 啬 sè

[日] ショク〔おしむ〕 [英] stingy

[字解] ① **인색할 색**(愛惜), **아낄 색**(愛也), **다라울 색**(吝也). ¶ 吝嗇(인색). ② **탐낼 색**(貪也). ③ **곡식 거둘 색**(穡也). ¶ 嗇夫(색부).

[字源] 會意. 來(수확)와 㐭의 생략형의 합자. 수장(收藏)하여 잘 내지 않는 뜻. 전하여, 「아낌」의 뜻.

[嗇夫 색부] ㉠ 낮은 벼슬아치. 소신(小臣). ㉡ 농부(農夫).
[吝嗇 인색] 재물을 아끼는 태도가 몹시 지나침.

11 ⑭ 〖嗽〗 [一]기침할 수[去]宥 [二]빨 삭 [入]覺 | sòu shuò

3 획

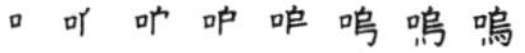

3
획

㊐ ソウ〔せき〕・サク〔すう〕
㊱ cough, suck

字解 ■ ① 기침할 수(咳也). ¶
咳嗽(해수). ② 양치질할 수(漱口).
¶ 含嗽(함수). ■ 빨 삭. 빨아들
임.

字源 形聲. 본디 欠을 바탕으로「束
(속)」의 전음이 음을 나타냄. 후에
다시 口를 더한 글자.

11 ⑭ 【嗾】 ■부추길
수㊤有
■부추길
주㊥有   sŏu

㊐ ソウ〔そそのかす〕 ㊱ instigate

字解 ■ 부추길 수(教唆). ■ 부추
길 주(教唆).

字源 形聲. 口+族〔音〕

[使嗾 사주] 남을 부추겨 좋지 않은
일을 시킴.

11 ⑭ 【嘆】 탄식할
탄㊱翰   叹
tàn

口 ロ ロⁿ ロⁿ 呼 嘆 嘆 嘆

㊐ タン〔なげく〕 ㊱ sigh

字解 탄식할 탄, 한숨쉴 탄(太息).

字源 會意. 口+難(省)

參考 欺(欠部 11획)과 동자.

[嘆息 탄식] 한숨을 쉬며 한탄함.

11 ⑭ 【嘖】 嚼(작)(口部 18획)의 同字

11 ⑭ 【嘔】 ■토할 구
㊤虞有
■기뻐할
후㊥虞   ōu
xū   呕

㊐ オウ〔はく〕・ク〔よろこぶ〕
㊱ vomit, glad

字解 ■ 토할 구(吐也). ¶ 嘔吐
(구토). ■ 기뻐할 후(喜也).

字源 形聲. 口+區〔音〕

[嘔吐 구토] 토함. 게움.

[嘔喩 후유] 기뻐하는 모양.

11 ⑭ 【嘖】 떠들썩할
책㊱陌   啧
zé

㊐ サク〔かまびすしい〕
㊱ clamorous, noisy

字解 떠들썩할 책(爭言).

字源 形聲. 口+責〔音〕

[嘖嘖 책책] 떠들썩한 모양. 언쟁하
는 소리.

11 ⑭ 【噓】 풍칠 허
㊱魚   嘘
xū

㊐ キョ〔うそ〕 ㊱ lie

字解 풍칠 허, 거짓말할 허(虛口吐
氣).

字源 形聲. 口+虛〔音〕

[噓言 허언] 거짓말.

11 ⑭ 【嘗】 맛볼 상
㊤陽   尝
cháng

⸱⸱ ⸰ ⸰ᵘ ⸰ᵘ 尚 尚 嘗 嘗 嘗

㊐ ショウ〔なめる〕 ㊱ taste

字解 ① 맛볼 상(探味). ¶ 嘗膽(상
담). ② 일찍 상(曾也). ¶ 未嘗不
(미상불). ③ 시험할 상(試也). ¶
嘗試(상시).

字源 形聲. 旨+尚〔音〕

[嘗膽 상담] 쓸개를 맛본다는 뜻으
로, 고생을 참고 견딤.

[嘗禾 상화] 그 해의 햇곡식으로 신
에 제사 지냄. 또, 그 제사.

11 ⑭ 【嘉】 아름다울
가㊱麻   嘉
jiā

㊐ カ〔よい〕 ㊱ beautiful

字解 ① 아름다울 가(佳也). ¶ 嘉
言(가언). ② 착할 가, 좋을 가(善
也). ¶ 嘉祥(가상). ③ 칭찬할 가
(褒也). ¶ 嘉尚(가상). ④ 즐거워
할 가(樂也). ¶ 嘉納(가납). ⑤ 경
사 가(慶也). ¶ 嘉禮(가례).

字源 形聲. 壴+加〔音〕

[嘉祥 가상] 좋은 징조. 길조(吉兆).

[嘉尚 가상] 착하고 기특함.

[嘉言 가언] 본받을 만한 좋은 말. 가

3
획

언(佳言). 미언(美言).

12/15 〔囂〕器(기)(口部 13획)의 俗字

12/15 〔嘬〕물 최 zuō
㊅卦 chuài
㊐ サイ〔かむ〕 ㊁ bite
字解 물 최(齧也).
字源 形聲. 口+最〔音〕

12/15 〔嘲〕조롱할 cháo
㊐看 zhāo
㊐ チョウ〔あざける〕 ㊁ jeer
字解 ① 조롱할 조(挪也). ② 비웃을 조(嗤也).
字源 形聲. 口+朝〔音〕
〔嘲弄 조롱〕 비웃거나 깔보고 놀림.

12/15 〔嘴〕부리 취 zuǐ
㊤紙
㊐ シ〔くちばし〕 ㊁ beak
字解 부리 취(鳥口).
字源 形聲. 口+觜〔音〕
〔嘴太鴉 취태아〕 큰부리까마귀.

12/15 〔嘶〕말울 시 sī
㊐齊
㊐ セイ〔いななく〕 ㊁ neigh
字解 ① 말울 시(馬鳴). ② 새 울 시(鳥鳴), 벌레울 시(蟲鳴). ③ 목 쉴 시(嘎也).
字源 形聲. 口+斯〔音〕
〔嘶噪 시조〕 말 등이 시끄럽게 욺.

12/15 〔嘻〕 ■탄식하는
소리 희㊐支
■아 의
xī
㊐ キ〔わらう〕·イ〔ああ〕
㊁ sigh, Ah!
字解 ■① 탄식하는소리 희, 두려워하는소리 희(驚恨之歎). ② 즐거

워하는모양 희(笑樂之貌). ■ 아의. 원망하여 내는 소리.
字源 形聲. 口+喜〔音〕
〔嘻嘻 희희〕 ㉠ 만족의 웃음. ㉡ 화락하게 웃는 소리.

12/15 〔噎〕목멜 열 yē
㊆屑㊆質
㊐ イツ〔むせぶ〕 ㊁ be choked
字解 목멜 열(飯窒喉閉).
字源 形聲. 口+壹〔音〕

12/15 〔噴〕뿜을 분 噴 pēn
㊉願
㊐ フン〔ふく〕 ㊁ spout
字解 ① 뿜을 분(吒也). ¶ 噴水(분수). ② 재채기할 분(噴嚏). ¶ 噴嚔(분체).
字源 形聲. 口+賁〔音〕
參考 噴(口部 13획)는 본자.
〔噴嚔 분체〕 재채기.
〔噴出 분출〕 내뿜음. 뿜어냄.

12/15 〔噉〕먹을 담 dàn
㊤感
㊐ タン〔くう〕 ㊁ eat
字解 먹을 담(食也).
字源 會意. 口+敢
參考 啖(口部 8획)과 동자.

12/15 〔囑〕囑(촉)(口部 21획)의 俗字

12/15 〔器〕器(기)(次條)의 略字

13/16 〔器〕그릇 기 qì
㊉寘
口口 吅吅 吅 哭 哭 哭 器
㊐ キ〔うつわ〕 ㊁ vessel
字解 ① 그릇 기(飯食之用器). ② 도구 기(道具). ③ 인물 기(才也). ¶ 天下之器(천하지기).

3획

字源 會意. 개고기를 네 개의 접시에 쌓아 올린 모양. 전하여, 「그릇」의 뜻.

參考 器(口部 12획)는 약사.

[器物 기물] 살림에 쓰는 그릇붙이.

[陶器 도기] 오지그릇.

13획
⑯ 〔豐〕 놀랄 악
㋐藥 | è

�〔おどろく〕 ㊷ startled

字解 ① 놀랄 악(愕也). ¶ 豐夢(악몽). ② 엄숙한모양 악(嚴也). ¶ 豐豐(악악).

字源 形聲. 吅+吅+玉〔音〕

[豐夢 악몽] ㉠ 심히 놀란 뒤에 꾸는 꿈. ㉡ 불길한 꿈.

13획
⑯ 〔嘯〕 ━휘파람
불 소㋐嘯
━꾸짖을
질㋐質 | xiào / chì

㊐ショウ〔うそぶく〕・シツ〔しかる〕 ㊷ whistle, scold

字解 ━① 휘파람불 소(蹙口吹聲). ¶ 長嘯(장소). ② 읊조릴 소(吟也). ¶ 嘯詠(소영). ━② 꾸짖을 질.

字源 形聲. 口+肅〔音〕

[嘯詠 소영] 시 따위를 읊조림.

[長嘯 장소] ㉠ 휘파람을 길게 붊. ㉡ 시 따위를 길게 읊조림.

13획
⑯ 〔噱〕 껄껄웃을
각㋐藥 | jué / xué

㊐キャク〔あらう〕 ㊷ laughter

字解 ① 껄껄웃을 각. ② 입속 각.

字源 形聲. 口+豦〔音〕

13획
⑯ 〔噤〕 입다물
금㋑寢 | jìn

㊐キン〔つぐむ〕 ㊷ shut

字解 ① 입다물 금(口閉). ¶ 噤口(금구). ② 닫을 금(閉也). ¶ 噤門(금문).

字源 形聲. 口+禁〔音〕

[噤口 금구] 입 다물고 말을 하지 않음.

[噤門 금문] 문을 닫음. 폐문(閉門).

13획
⑯ 〔噪〕 떠들 조
㋐소㋑號 | zào | noisy

㊐ソウ〔さわぐ〕 ㊷ noisy

字解 ① 떠들 조(騷也), 시끄러울 조(謙也). ② 새가떼지어지저귈 조(群鳥鳴).

字源 形聲. 口+喿〔音〕

[噪音 조음] 불규칙하게 뒤섞여서 시끄럽게 들리는 소리.

13획
⑯ 〔噫〕 ━탄식할
희㋐支
━트림할
애㋑卦 | yī / ài

口 吖 吖 吖 哮 嗌 噫 噫

㊐イ〔ああ〕・アイ〔おくび〕 ㊷ alas, belch

字解 ━ 탄식할 희(歎聲). ¶ 噫嗚(희오). ━ 트림할 애(飽出息). ¶ 噫欠(애흠).

字源 形聲. 口+意〔音〕

[噫欠 애흠] 트림과 하품.

[噫嗚 희오] 슬피 탄식하는 모양.

13획
⑯ 〔噬〕 씹을 서
㋐霽 | shì

㊐ゼイ〔かむ〕 ㊷ chew

字解 씹을 서(齧也).

字源 形聲. 口+筮〔音〕

[噬臍 서제] 배꼽을 물려고 해도 입이 미치지 않는다는 뜻으로, 기회를 잃고 후회해도 소용이 없음의 비유. 세제막급(噬臍莫及).

13획
⑯ 〔噭〕 ━주둥이
교㋐嘯
━할할격
격㋑錫 | qiào / chì

㊐キョウ〔さけぶ〕・ケキ〔はげしい〕 ㊷ beak, violent

字解 ━ ① 주둥이 교. ② 울 교 (泣貌). ━ 격할 격(泣貌).
字源 形聲. 口+敫〔音〕

13
⑯ 〔噸〕 톤 돈　吨　dūn
㈰ トン　㊤ ton
字解 톤 돈(英國衡名. 二百七十一 貫).
字源 形聲. 口+頓〔音〕

13
⑯ 〔噲〕 목구멍 쾌　哙　kuài
㊁卦
㈰ カイ〔のど〕　㊤ throat
字解 ① 목구멍 쾌. ① 시원할 쾌.
字源 形聲. 口+會〔音〕

13
⑯ 〔噴〕 噴(분)(口部 12획)의 本字

14
⑰ 〔嚀〕 정녕 녕　咛　níng
㊦青
㈰ ネイ〔ねんごろ〕　㊤ earnest
字解 정녕 녕(懇也).
字源 形聲. 口+寧〔音〕
〔叮嚀 정녕〕 추측건대 틀림없이.

14
⑰ 〔嚅〕 말머뭇거릴 유　rú
㊤虞
㈰ ジュ〔くちをつぐむ〕　㊤ halt
字解 ① 말머뭇거릴 유(欲言而復縮). ② 말많을 유(多言).
字源 形聲. 口+需〔音〕
〔嚅唲 유아〕 선웃음치는 모양. 아첨하느라고 억지로 웃는 모양.

14
⑰ 〔嚆〕 울 효　hāo
㊥肴
㈰ コウ〔さけぶ〕　㊤ whiz
字解 ① 울 효(矢鳴). ¶ 嚆矢(효시). ② 부르짖을 효(叫也).
字源 形聲. 口+高〔音〕

〔嚆矢 효시〕 ㉠ 우는살. 향전(響箭). ㉡ 일의 맨 처음. 시작.

14
⑰ 〔嚇〕 ━ 위협할 하　㊤禡　吓　xià
혁㈜陌　hè
㈰ カ〔おどす〕・カク〔いかる〕
㊤ threaten, scold
字解 ━ ① 위협할 하(喝也). ¶ 威嚇(위하). ② 웃을 하(笑也). ¶ 嚇嚇(하하). ━ 꾸짖을 혁(呵也), 성낼 혁(怒也). ¶ 嚇怒(혁노).
字源 形聲. 口+赫〔音〕
〔嚇怒 혁노〕 크게 성냄.
〔威嚇 위하〕 위협(威脅).

15
⑱ 〔嚏〕 재채기할 체　嚏　tì
㊤霽
㈰ テイ〔くしゃみ〕　㊤ sneeze
字解 재채기할 체(噴鼻).
字源 形聲. 口+疐〔音〕

16
⑲ 〔嚥〕 삼킬 연　咽　yàn
㊤霰
㈰ エン〔のむ〕　㊤ swallow
字解 삼킬 연(咽也, 飮也).
字源 形聲. 口+燕〔音〕
〔嚥下 연하〕 삼킴.

16
⑲ 〔嚬〕 찡그릴 빈　颦　pín
㊤眞
㈰ ヒン〔ひそめる〕　㊤ frown
字解 찡그릴 빈(眉蹙).
字源 形聲. 口+頻〔音〕
參考 顰(頁部 15획)과 同字.
〔嚬眉 빈미〕 마음에 언짢아하여 얼굴을 찡그림.

16
⑲ 〔嚮〕 향할 향　向　xiàng
㊤漾
㈰ キョウ〔むかう〕　㊤ face

[字解] ① **향할 향**(向也), **대할 향**(對也). ¶ 嚮導(향도). ② **접때 향**(曏也). ¶ 嚮者(향자).

[字源] 形聲. 鄕+向〔音〕

[嚮導 향도] ㉠ 길을 안내함. 또는, 길을 인도하는 사람. ㉡ 전진하는 군대의 맨 앞장에 서는 병사. 향도병(嚮導兵).

[嚮者 향자] 접때.

16 ⑲ **【嚭】** 클 비 [上]紙 | pǐ

[日] ヒ〔おおきい〕 [英] great

[字解] **클 비**(大也).

[字源] 形聲. 喜+否〔音〕

16 ⑲ **【噓】** 울 허 [平]魚 | xū

[日] キョ〔なく〕 [英] sob

[字解] ① **울 허**(泣也). ② **두려워할 허**.

[字源] 形聲. 口+歔〔音〕

17 ⑳ **【嚴】** 엄할 엄 [平]鹽 | 严 yán

吅 … 嚴

[日] ゲン・ゴン〔おごそか〕
[英] strict

[字解] ① **엄할 엄**(畏憚), **엄숙할 엄**(威重之貌). ¶ 嚴禁(엄금). ② **혹독할 엄**(寒氣凛冽). ¶ 嚴冬(엄동). ③ **훈계할 엄**(戒也). ④ **공경할 엄**(尊敬也). ¶ 嚴慕(엄모).

[字源] 形聲. 吅+厰〔音〕

[參考] 厳(攴部 13획)은 약자.

[嚴禁 엄금] 엄중하게 금지함.
[嚴冬 엄동] 혹독하게 추운 겨울.
[嚴命 엄명] 엄중한 명령.
[威嚴 위엄] 점잖고 엄숙함.

17 ⑳ **【嚶】** 새소리 앵 [平]庚 | 嘤 yīng

[日] オウ〔なく〕 [英] chirp

[字解] **새소리 앵**(鳥聲).

[字源] 形聲. 口+嬰〔音〕

[嚶嚶 앵앵] ㉠ 새가 서로 응하여 우는 소리. ㉡ 벗이 서로 격려하는 소리.

17 ⑳ **【嚳】** 급히고할 곡 [入]沃 | 喾 kù

[日] コク〔つげる〕 [英] inform

[字解] ① **급히고할 곡**(急告). ② **제왕이름 곡**(高辛氏號帝嚳).

[字源] 形聲. 告+學〈省〉〔音〕

18 ㉑ **【囂】** 시끄러울 효 [平]蕭 | 嚣 xiāo

[日] ゴウ〔かまびすしい〕 [英] noisy

[字解] **시끄러울 효**(喧嘩), **떠들 효**(騷也).

[字源] 會意. 㗊(시끄러움)와 頁(머리)의 합자. 머리에서 김이 날 정도로 큰 소리로 소리를 지르고 있는 모양.

[囂囂 효효] ㉠ 시끄러운 모양. ㉡ 세상일을 근심하는 모양.

18 ㉑ **【嚼】** 씹을 작 [入]藥 | jiáo, jué

[日] シャク〔かむ〕 [英] chew

[字解] ① **씹을 작**(咀齧). ¶ 咀嚼(저작). ② **맛볼 작**(探味). ¶ 嚼復嚼(작부작).

[字源] 形聲. 口+爵〔音〕

[嚼復嚼 작부작] ㉠ 맛보고 또 맛봄. ㉡ 또 한 잔 또 한 잔 하고 술을 억지로 권할 때 쓰는 말.

[咀嚼 저작] 음식을 씹음.

18 ㉑ **【囀】** 새지저귈 전 [去]霰 | 啭 zhuàn

[日] テン〔さえずる〕 [英] chirp

[字解] ① **새지저귈 전**(鳥鳴). ② **가락 전**(韻也).

[字源] 形聲. 口+轉〔音〕

18 ㉑ 〚囁〛 말머뭇거릴 섭[本]녑 [入]葉 | 嗫 niè

[日] ショウ〔ささやく〕 [英] hesitate

[字解] ① **말머뭇거릴 섭**(囁將言未言). ② **소곤거릴 섭**(細言).

[字源] 形聲. 口+聶〔音〕

[囁嚅 섭유] 말을 못 하고 입만 어물어물함.

19 ㉒ 〚囈〛 잠꼬대 예[去]霽 | 呓 yì

[日] ゲイ〔たわごと〕 [英] somniloquy

[字解] **잠꼬대 예**(譫也).

[字源] 形聲. 口+藝〔音〕

[囈語 예어] 잠꼬대.

19 ㉒ 〚囍〛 《韓》쌍희 희

[字解] 《韓》 **쌍희 희**. 기쁠 희(喜)에서 한 획을 떼어 낸 글자 두 개를 나란히 하여 만든 문양 글자로, 기쁨이 겹침을 뜻함. 실제의 문장에는 쓰이지 않고, 공예품·그릇·베갯머리 등에 무늬로 쓰임.

19 ㉒ 〚囊〛 주머니 낭[平]陽 | náng

[日] ノウ〔ふくろ〕 [英] pocket

[字解] **주머니 낭**(有底橐), **자루 낭**(袋也).

[字源] 形聲. 橐의 생략형을 바탕으로 「襄(양)」의 생략형의 전음이 음을 나타냄.

[囊中之錐 낭중지추] 주머니 속의 송곳. 곧, 유능한 사람은 숨어 있어도 남의 눈에 드러난다는 뜻.

[行囊 행낭] 무엇을 넣어 가지고 다니는 주머니.

20 ㉓ 〚囏〛 艱(간)(艮部 11획)의 古字

21 ㉔ 〚囑〛 부탁할 촉[入]沃 | 嘱 zhǔ

[日] ショク〔たのむ〕 [英] entrust

[字解] **부탁할 촉, 위촉할 촉**(付託).

[字源] 形聲. 口+屬〔音〕

[參考] 嘱(口部 12획)은 속자.

[囑望 촉망] 잘되기를 바라고 기대함.

[囑託 촉탁] 일을 부탁하여 맡김.

[委囑 위촉] 어떤 일을 맡기어 부탁함.

21 ㉔ 〚囓〛 씹을 설 [入]屑 | niè

[日] ゲツ〔かむ〕 [英] chew

[字解] **씹을 설**(噬也).

[字源] 形聲. 口+齧〔音〕

囗 〔3 획〕 部
(에운담·큰입구부)

0 ③ 〚囗〛 [一]에울 위 [平]微 [二]나라 국 [入]職 | wéi guó

[日] イ〔かこむ〕・コク〔くに〕

[英] encircle, country

[字解] [一] **에울 위**(圍也). [二] **나라 국**(國也).

[字源] 指事. 어떤 범위를 둘러싸는 뜻.

[參考] [一]은 「圍」의 고자. [二]는 「國」의 고자.

2 ⑤ 〚囚〛 가둘 수 [平]尤 | qiú

丨 冂 冂 囚 囚

[日] シュウ〔とらえる〕 [英] imprison

[字解] ① **가둘 수, 갇힐 수**(禁錮). ¶ 囚人(수인). ② **죄수 수**(有罪繫獄者). ¶ 罪囚(죄수). ③ **잡을 수**(拘也).

[字源] 會意. 囗(둘러쌈)와 人의 합

3
획

자. 사람을 한곳에 가두어 둠의 뜻.

[囚人 수인] 옥에 갇힌 사람.

[脫獄囚 탈옥수] 감옥에서 몰래 빠져 도망한 죄수.

3획

²⑤【四】넉 사 〔去〕寘 sì 囚

丨 冂 冂 四 四

⊕ シ〔よっつ, よん〕 ⊛ four

字解 넉 사(數名).

字源 指事. 처음에는 三으로 표시했으나, 三과 혼동되기 쉬우므로 전국 시대(戰國時代) 무렵부터 四로 대용하게 됨.

[四骨 사골] 소의 네 다리뼈.

[四方 사방] ㉠ 동서남북. ㉡ 전하여, 모든 방면.

[四分五裂 사분오열] 여러 갈래로 갈기갈기 찢어짐.

[四通八達 사통팔달] 길이 이리저리 사방으로 통함.

[四肢 사지] 팔과 다리. 수족.

²⑤【囙】因(인)(口部 3획)의 俗字

³⑥【回】■돌아올 회 ⊕灰／■간사할 회 ⊕隊 huí 囬

丨 冂 冂 冂 冋 回 回

⊕ カイ・エ〔めぐる〕・カイ〔まかる〕 ⊛ return, get away

字解 ■①돌아올 회(返也), 돌 회(轉也), 돌이킬 회(旋也). ¶ 回路(회로). ②간사할 회(邪也). ¶ 回邪(회사). ③굽힐 회(曲折), 어길 회(違也). ④번 회(番也), 횟수 회(度數). ¶ 回數(회수). ■피할 회(畏避). ¶ 回避(회피).

字源 象形. 물이 일정한 곳을 중심으로 빙빙 돎을 본뜬 글자.

參考 囬(口部 3획)는 고자.

[回甲 회갑] 육십일 세의 일컬음. 환갑(還甲).

[回讀 회독] 책을 돌려 읽음.

[回覽 회람] 차례로 돌려 가며 봄.

[回邪 회사] 요사스럽고 올바르지 못함.

[回數 회수] 차례의 수효. 몇 회인가의 수나 차례를 세는 말.

[回信 회신] 회답하는 편지나 전보.

[回春 회춘] ㉠ 봄이 돌아옴. ㉡ 도로 젊어짐.

[回避 회피] ㉠ 몸을 피하여 만나지 아니함. ㉡ 책임을 피함.

³⑥【因】인할 인 ⊕眞 yīn 囙

丨 冂 冂 冈 因 因

⊕ イン〔よる〕 ⊛ cause

字解 ①인할 인(仍也), 이어받을 인(襲也), 말미암을 인(由也). ¶ 因襲(인습). ②의지할 인(賴也). ¶ 因人(인인). ③까닭 인(故也). ¶ 原因(원인). ¶ 因緣(인연).

字源 會意. 囗(집)의 속에 大(사람)가 있는 모양.

[因果 인과] ㉠ 원인과 결과. ㉡ 전생의 악업에 대한 불운의 보응.

[因襲 인습] 이전부터 전하여 내려오는 풍습.

[因緣 인연] ㉠ 서로의 연분. 연줄. ㉡ 사물의 내력. 유래(由來).

[敗因 패인] 싸움에 지거나 일에 실패한 원인.

³⑥【団】團(단)(口部 11획)의 略字

⁴⑦【囮】■후림새 와 ⊕歌／■후림새 유 ⊕尤 é (yóu) 囮

⊕ カ・ユウ〔おとり〕 ⊛ decoy

字解 ■후림새 와(鳥媒). ■후림새 유.

字源 形聲. 囗+化〔音〕

4 ⑦ 【困】 곤할 곤 [去]願 | kùn

丨 冂 冃 用 闲 闲 困

[日] コン〔こまる〕 [英] distress

[字解] ① **곤할 곤**(悴也), **노곤할 곤, 지칠 곤**(疲羸微隱). ¶ 勞困(노곤). ② **어려울 곤**(難也), **괴로울 곤**(苦也). ③ **가난할 곤**(貧也). ¶ 困窮(곤궁).

[字源] 會意. 木(나무)이 口(우리) 안에 갇혀 자라지 못하고 있다는 뜻. 전하여, 「곤란함·난처함」의 뜻.

[困窮 곤궁] 가난하고 곤란함.
[勞困 노곤] 피곤하여 나른하다.

4 ⑦ 【国】 國(국)(口部 8획)의 俗字

4 ⑦ 【囲】 圍(위)(口部 9획)의 略字

4 ⑦ 【囬】 回(회)(口部 3획)의 俗字

4 ⑦ 【図】 圖(도)(口部 11획)의 略字

5 ⑧ 【囷】 둥근곳집 균 [平]眞 | qūn

[日] キン〔こめぐら〕 [英] warehouse

[字解] **둥근곳집 균**(圓廩).

[字源] 會意. 囗(울타리)와 禾(벼)의 합자. 벼가 울타리 속에 있음의 뜻.

5 ⑧ 【囹】 옥 령 [平]青 | líng

[日] レイ〔ひとや〕 [英] prison

[字解] **옥 령, 감옥 령**(獄也). ¶ 囹圄(영어). 囹圉(영어).

[字源] 形聲. 口+令〔音〕

[囹圄 영어] 옥. 감옥. 교도소.

5 ⑧ 【固】 굳을 고 [去]遇 | gù

丨 冂 冃 冃 冃 冃 冋 固

[日] コ〔かたい〕 [英] firm, hard

[字解] ① **굳을 고, 단단할 고**(堅也). ¶ 固體(고체). ② **진실로 고**(本然之辭). ¶ 固所願(고소원). ③ **완고할 고, 우길 고**(陋也). ¶ 頑固(완고). ④ **이미 고**(已然之辭). ¶ 固有(고유). ⑤ **굳이 고**(再三). ¶ 固守(고수).

[字源] 形聲. 口+古〔音〕

[固所願 고소원] 진실로 바라던 바.
[固有 고유] ㉠ 본디부터 있음. ㉡ 어떤 물건에만 특별히 있음.
[固執 고집] 자기 의견을 굳게 지킴.
[固體 고체] 일정한 형상과 부피가 있는 물체.
[頑固 완고] 완전하고 튼튼하다.

5 ⑧ 【囯】 國(국)(口部 8획)의 略字

6 ⑨ 【囿】 동산 유 [去]宥 | yòu

[日] ユウ〔その〕 [英] garden

[字解] **동산 유**(苑也).

[字源] 形聲. 口+有〔音〕

[囿苑 유원] 짐승을 기르는 동산.

7 ⑩ 【圂】 [一]뒷간 혼 [去]願 [二]가축 환 [去]諫 | hùn huàn

[日] コン〔かわや〕・カン〔かちく〕
[英] toilet, livestock

[字解] [一] ① **뒷간 혼**(厠也). ② **돼지우리 혼**(豕厠). [二] **가축 환**.

[字源] 會意. 囗(우리)와 豕(돼지)의 합자. 옛날 중국에서는 변소에서 돼지를 사육함. 전하여, 「변소」의 뜻.

7 ⑩ 【圃】 채마밭 포 [上]麌 | pǔ

[日] ホ〔はたけ〕
[英] vegetable garden

3 획

字解 채마밭 포, 남새밭 포(菜圃).
字源 形聲. 口+甫〔音〕
[圃田 포전] ㉠ 채마밭. 남새밭. ㉡ 논밭.

7 【圄】옥어 ㊤語 yǔ 圄
⑩
㈰ ギョ・ゴ〔ひとや〕 ㊂ jail
字解 옥어, 감옥 어(獄也).
字源 形聲. 口+吾〔音〕
[圄圉 영어] 죄수를 가두는 곳. 감옥.

8 【圈】우리 권 ㊤霰 juàn
⑪ quān 圈
㈰ ケン〔おり・まげもの〕
㊂ pen, cage
字解 ① 우리 권(檻也). ¶圈牢(권뢰). ② 한정된지역 권. ¶南極圈(남극권). ③ 동그라미 권(圓也). ¶圈點(권점).
字源 形聲. 口+卷〔音〕
[圈牢 권뢰] 짐승을 가두는 우리.
[勢力圈 세력권] 세력이 미치는 범위.

8 【圉】마부어 ㊤語 yǔ 圉
⑪
㈰ ギョ〔うまかい〕 ㊂ groom
字解 ① 마부 어(養馬者). ¶圉者(어자). ② 어릿어릿할 어(因而未舒之貌). ¶圉圉(어어).
字源 會意. 口(죄인을 가두어 두는 우리)와 幸(형벌에 쓰는 도구)의 합자. 「감옥」의 뜻. 전하여, 「마구간」의 뜻.
[圉圉 어어] 몸이 괴로워서 어릿어릿하는 모양.
[圉者 어자] 마부.

8 【國】나라국 ㉵職 guó 国
⑪
丨 冂 冂 同 回 或 國 國 國
㈰ コク〔くに〕 ㊂ state
字解 나라 국(邦也). ¶國基(국

기). 國力(국력).
字源 會意. 或(경계를 설정한 토지)이 나라의 뜻이었지만, 「혹」의 뜻으로 쓰이게 되었기 때문에, 口를 더한 글자.
參考 国(口部 4획)·囯(口部 5획)은 속자.
[國費 국비] 국고에서 지출하는 비용.
[國是 국시] 국가가 내세운 정책상의 기본 방침.
[愛國 애국] 자기 나라를 사랑함.

9 【圍】둘레위 ㊀微 wéi 囲
⑫ 围
冂 冂 冂 冃 同 同 圍 圍 圍
㈰ イ〔かこむ〕 ㊂ surround
字解 ① 둘레 위(周也). 範圍(범위). ② 둘러쌀 위, 두를 위, 에울 위(繞也). ¶圍繞(위요).
字源 形聲. 口+韋〔音〕
參考 囲(口部 4획)는 약자.
[圍繞 위요] 에워쌈. 싸고돎.
[範圍 범위] 한정된 구역의 언저리.

9 【圓】 圓(원)(口部 10획)의 俗字
⑫

10 【園】동산원 ㊤元 yuán 园
⑬
冂 冂 冃 冑 青 青 園 園
㈰ エン〔その〕 ㊂ garden
字解 ① 동산 원(圃之樊樹果所). ② 뜰 원(庭也). ¶公園(공원). ③ 능원(塋域). ¶園陵(원릉). ④ 밭 원(畑也). ¶園藝(원예).
字源 形聲. 口+袁〔音〕
[園藝 원예] 채소·화초·과목 따위를 심어 가꾸는 일.
[樂園 낙원] 안락하게 살 수 있는 즐거운 곳. 이상향.

10 【圓】둥글 원 ㊤先 yuán 圆
⑬

丨 冂 冂 冏 冏 閏 冒 圓

🗋 エン〔まる〕 ⓐ round

[字解] ① 둥글 원(方之對). ¶ 圓盤
(원반). ② 둘레 원(周也). ¶ 一圓
(일원). ③ 온전할 원(全也), 원만
할 원(豐滿). ¶ 圓熟(원숙).

[字源] 形聲. 口+員[音]

[參考] 圓(口部 9획)은 속자. 円(冂部
2획)은 약자.

[圓滿 원만] ㉠ 조금도 결함이나 부
족이 없음. ㉡ 감정이 급하거나 거
칠지 않음.

[圓熟 원숙] ㉠ 무르익음. ㉡ 충분
히 손에 익어 숙련됨. ㉢ 인격이나
지식 따위가 오묘한 경지에 이름.

[圓滑 원활] ㉠ 일이 거침없이 잘 되
어 감. ㉡ 모나지 않고 원만함.

11 【圖】그림 도 图
⑭　ⓒ虞
　　　　tú

冂 冂 冏 冏 圄 圖 圖 圖

🗋 ト・ズ〔えがく〕 ⓐ picture

[字解] ① 그림 도, 그릴 도(畫也).
¶ 圖表(도표). ② 꾀할 도(謀也).
¶ 圖謀(도모).

[字源] 會意. 口(일정한 토지)와 啚
(물건을 아끼는 뜻)와의 합자. 국
가를 경영함이 어렵다는 뜻. 전하
여, 「꾀함」의 뜻.

[參考] 図(口部 4획)는 약자.

[圖謀 도모] 앞으로 할 일에 대하여
수단과 방법을 꾀함.

[圖解 도해] 그림으로 설명함. 또, 그
그림.

11 【團】둥글 단 团
⑭　ⓐ寒
　　　　tuán

冂 冂 冏 冏 閅 閉 團 團

🗋 ダン〔まるい〕 ⓐ round

[字解] ①둥글 단(圓也). ¶ 圓扇(단
선). ② 모일 단, 모을 단(聚也).
¶ 團結(단결). ③ 모임 단, 덩어리
단(聚結貌). ¶ 團體(단체). ④ 단
속할 단. ¶ 團束(단속).

[字源] 形聲. 口+專[音]

[參考] 団(口部 3획)은 약자.

[團結 단결] 많은 사람이 한마음으로
뭉침.

[團扇 단선] 둥근 모양의 부채.

[團體 단체] 같은 목적을 위하여 두
사람 이상이 모여 만든 집단.

3
획

13 【圜】
⑯
■두를 환 ⓒ删　huán
■둥글 원 ⓒ先　yuán
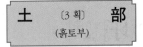

🗋 カン〔めぐる〕・エン〔まるい〕
ⓐ round

[字解] ■ 두를 환(回也), 에울 환(繞
也). ¶ 圜視(환시). ■ 둥글 원(圓
也). ¶ 圜冠(원관).

[字源] 形聲. 口+睘[音]

[圜冠 원관] 둥근 갓.

[圜視 환시] 사방에서 많은 사람이
주시함. ¶ 衆人圜視(중인환시).

＿＿＿＿＿＿＿＿＿＿＿＿＿＿＿＿

土　〔3 획〕　部
(흙토부)

0 【土】
③
■흙 토 ⓒ麌
■뿌리 두 ⓒ麌
　tǔ
　dù

一 十 土

🗋 ド〔つち〕・ド・ト〔ずね〕
ⓐ soil, root

[字解] ■ ① 흙 토(壤也). ¶ 土砂
(토사). ② 땅 토(地也). ③ 오행의
하나 토(五行之一). ¶ 土生金(토
생금). ④ 별이름 토(星名). ¶ 土
星(토성). ⑤ 지방 토(地方). ¶ 土
俗(토속). ■ 뿌리 두.

[字源] 象形. 토중(土中)에서 초목의
싹이 나는 곳. 따라서, 「흙」의 뜻.

[土砂 토사] 흙과 모래.

[土俗 토속] 그 지방의 특유한 풍속
(風俗).

3획

〔土着民 토착민〕 대대로 그 땅에서 살고 있는 백성.
〔土豪 토호〕 지방의 호족(豪族).

²⑤〔厓〕 壓(압)(土部 14획)의 略字

³⑥〔圭〕 홀 규 ⊕齊 | guī
홀 규 | 〔たま〕 ⊛ mace
字解 ① 홀 규(瑞玉). ② 용량단위 규(量名六十四黍). ¶ 刀圭(도규). ③ 모날 규, 모 규(廉隅). ¶ 圭角(규각).
字源 會意. 土를 둘 겹친 글자. 임금으로부터 하사받은 영토를 통치함의 뜻.
參考 珪(玉部 6획)는 고자.
〔圭角 규각〕 ㉠ 옥(玉)의 모. ㉡ 언행이 모나서 남과 잘 어울리지 않는 일.
〔刀圭 도규〕 ㉠ 옛날에, 가루약을 뜨던 숟가락. ㉡ 의술.

³⑥〔圩〕 방축 우 ⑧虞 | yú
ウ〔つつみ〕 ⊛ bank
字解 ① 방축 우(築堤防水). ② 언덕 우(岸也).
字源 形聲. 土+于〔音〕.

³⑥〔圬〕 흙손 오 ⊕虞 | wū
オ〔こて〕 ⊛ trowel
字解 흙손 오(泥鏝).
字源 形聲. 土+亏〔音〕.
〔圬人 오인〕 미장이.

³⑥〔圮〕 무너질 비 ⊕紙 | pǐ
ヒ〔やぶれる〕 ⊛ collapse
字解 무너질 비(岸毁).
字源 形聲. 土+己〔音〕.
注意 圯(次條)는 딴 글자.

〔圮墳 비분〕 무너진 묘.
〔圮毁 비훼〕 허물어짐.

³⑥〔圯〕 흙다리 이 ⊕支 | yí
イ〔つちばし〕 ⊛ mud bridge
字解 흙다리 이(土橋).
字源 形聲. 土+巳〔音〕.
注意 圮(前條)는 딴 글자.
〔圯上 이상〕 흙다리 위.

³⑥〔地〕 땅 지 ⊕寘 | dì
一 十 土 圹 坩 地
チ〔つち〕 ⊛ earth
字解 ① 땅 지(天之對). ¶ 地下(지하). ② 곳 지(所也). ¶ 地點(지점). ③ 지위 지(位也), 처지 지(處也). ¶ 地位(지위). ④ 바탕 지. ¶ 素地(소지).
字源 形聲. 土+也〔音〕.
〔地位 지위〕 ㉠ 처지. 위치. ㉡ 신분.
〔地質 지질〕 땅의 성질. 지각을 구성하는 암석 지층의 성질.
〔處地 처지〕 자기가 처해 있는 경우 또는 환경.

³⑥〔在〕 있을 재 ⊕隊 ⊕賄 | zài
一 ナ 才 オ 在 在
ザイ〔ある〕 ⊛ exist
字解 있을 재(存也), 살 재(居也).
字源 形聲. 金文은 土+才〔音〕.
〔在京 재경〕 서울에 머물러 있음.
〔所在 소재〕 어떤 곳에 있음. 또는 있는 곳.

⁴⑦〔圻〕 서울지경 기 ⊕微
지경 은 ⊕文 | qí / yín
キ〔みやて〕・キン〔かぎり〕

ⓐ boundary

字解 ━ 서울지경 기(王畿). ⊟ 지경 은(垠也).

字源 形聲. 土+斤〔音〕

注意 坼(土部 5획)은 딴 글자.

[圻內 기내] 지경의 안. 경내(境內).

4
⑦ 【址】 터 지 ⓢ紙 | zhǐ

ⓙ シ〔あと〕 ⓐ foundation

字解 터 지(基也).

字源 形聲. 土+止〔音〕

[址臺 지대] 탑이나 집채들의 아랫도리에 돌로 쌓은 부분.

[寺址 사지] 절터.

4
⑦ 【坍】 물이언덕을칠 단 ⓢ覃 | tān

ⓙ タン〔みずがきしをうつ〕

字解 ① 물이언덕을칠 단. ② 무너진언덕 단.

4
⑦ 【坂】 고개 판 ⓢ阮 | bǎn

ⓙ ハン〔さか〕 ⓐ slope

字解 고개 판, 산비탈 판(山脊).

字源 形聲. 土+反〔音〕

參考 阪(阜部 4획)은 동자.

4
⑦ 【均】
━고를 균 ⓢ眞
⊟따를 연 ⓟ先
⊟운 운 ⓠ問
| jūn
yán
yùn

一 十 土 圴 圴 均 均

ⓙ キン〔ひとしい〕・エン〔そう〕・ウン〔ひびき〕

ⓐ even, go after, rime

字解 ━ 고를 균(同也, 調也), 평평할 균(平也). ⊟ 따를 연. ⊟ 운 운.

字源 形聲. 土+勻〔音〕

[均等 균등] 차별 없이 고름.

[均分 균분] 고르게 나눔.

4
⑦ 【坊】 동네 방 ⓟ陽 | fāng

ⓙ ボウ〔まち〕 ⓐ village

字解 ① 동네 방(邑里之名). ¶ 坊坊曲曲(방방곡곡). ② 방 방(房也).

[坊民 방민] 그 방(坊) 안에서 살던 백성.

[坊坊曲曲 방방곡곡] 한군데도 빠짐없는 여러 곳. 도처(到處).

4
⑦ 【坎】 구덩이 감 ⓢ感 | kǎn

ⓙ カン〔あな〕 ⓐ hole

字解 ① 구덩이 감(陷也). ¶ 坎穽(감정). ② 괘이름 감(卦名). ¶ 坎方(감방). ③ 험할 감(險也). ¶ 坎坷(감가).

字源 形聲. 土+欠〔音〕

[坎穽 감정] 짐승을 사로잡기 위하여 파 놓은 구덩이. 허방다리. 함정(陷穽).

4
⑦ 【坏】
━날기와 배 ⓟ灰
⊟무너질 괴 ⓣ卦
| pī

ⓙ ハイ〔ふさぐ〕・カイ〔つぶれる〕

ⓐ unbaked tile, collapse

字解 ━ ① 날기와 배(未成瓦). ¶ 坏土(배토). ② 틈막을 배(以土卦縫隙). ③ 뒷담 배(屋後牆). ④ 언덕 배(丘也). ⊟ 무너질 괴.

字源 形聲. 土+不〔音〕

[坏土 배토] ㉠ 질그릇의 원료가 되는 흙. ㉡ 한 줌의 흙.

4
⑦ 【坑】 구덩이 갱 ⓟ庚 | kēng

ⓙ コウ〔あな〕 ⓐ pit

字解 ① 구덩이 갱(陷塹). ② 구덩

이에묻을 갱.
字源 形聲. 土＋亢〔音〕
參考 阬(阜部 4획)은 동자.
[坑口 갱구] 굴의 어귀. 갱도(坑道)의 입구.

---

⁴ 【坐】 앉을 좌
⑦ ㊤箇 | zuò

丿 亻 丷 从 从 华 坐 坐

㊐ ザ〔すわる〕 ㊍ sit
字解 ① 앉을 좌(行之對). ¶ 坐視(좌시). ② 죄입을 좌(被罪人). ¶ 坐罪(좌죄).
字源 會意. 土와 从(두 사람)의 합자. 흙 위에 두 사람이 서로 마주 보고 앉아 있는 뜻.
[坐視 좌시] 간섭하지 않고 가만히 두고 보기만 함.
[坐罪 좌죄] 죄를 받음.
[坐向 좌향] 묏자리나 집터 같은 것의 위치의 등진 방위에서 정면으로 바라보이는 방향.

---

⁵ 【坡】 고개 파
⑧ ㊤歌 | pō

㊐ ハ〔さか〕 ㊍ slope
字解 ① 고개 파(坂也). ¶ 坡陀(파타). ② 둑 파(堤也). ¶ 坡岸(파안).
字源 形聲. 土＋皮〔音〕
[坡岸 파안] 제방의 언덕. 제방.
[坡陀 파타] 비탈지고 평탄하지 않은 모양.

---

⁵ 【坤】 땅 곤
⑧ ㊤元 | kūn

一 十 土 圹 圹 坤 坤 坤

㊐ コン〔つち〕 ㊍ earth
字解 ① 땅 곤(乾之對). ¶ 乾坤(건곤). ② 괘이름 곤(卦名).
字源 會意. 土와 申(伸)의 합자. 만물을 자라게 하는 대지의 뜻.
[坤卦 곤괘] 팔괘(八卦)의 하나.

[坤殿 곤전] 왕후. 왕비.
[乾坤 건곤] 하늘과 땅. 천지(天地).

---

⁵ 【坦】 평탄할 탄
⑧ ㊤旱 | tǎn

㊐ タン〔たいらか〕 ㊍ flat
字解 ① 평탄할 탄, 평평할 탄(平也). ¶ 平坦(평탄). ② 너그러울 탄(寬也). ¶ 坦率(탄솔).
字源 形聲. 土＋旦〔音〕
[坦坦 탄탄] 평평하고 넓음. ¶ 坦坦大路(탄탄대로).

---

⁵ 【坩】 도가니 감
⑧ ㊤覃 | gān

㊐ カン〔つぼ〕 ㊍ melting pot
字解 도가니 감(土器).
字源 形聲. 土＋甘〔音〕
[坩堝 감과] 도가니.

---

⁵ 【坪】 땅평평할 평
⑧ ㊤庚 | píng

㊐ ヘイ〔つぼ〕 ㊍ plain
字解 ① 땅평평할 평(地平). ② (韓)평 평(日度四方六尺). ¶ 建坪(건평).
字源 形聲. 土＋平〔音〕
[建坪 건평] 건물 터의 평수.

---

⁵ 【坰】 들 경
⑧ ㊤青 | jiōng

㊐ ケイ〔まちはずれ〕 ㊍ field
字解 들 경(郊外).
字源 形聲. 土＋同〔音〕
[坰野 경야] 도시에서 멀리 떨어진 곳. 교외(郊外).

---

⁵ 【坳】 오목할 요
⑧ ㊤看 | ào

㊐ オウ〔くぼみ〕 ㊍ hollow
字解 오목할 요(窊下也).
字源 形聲. 土＋幼〔音〕

5⁸ 〔堯〕 堯(요)(土部 9획)의 俗字

5⁸ 〔坧〕 토대 척
⊗陌 zhí
㈰ セキ〔とだい〕 ⊛ base
字解 토대 척. 기초 척.

5⁸ 〔坼〕 터질 탁
㊀책⊗陌 chè 坼
㈰ タク〔さける〕 ⊛ tear
字解 터질 탁(裂也).
字源 形聲. 土+席(斥)〔音〕
注意 坼(土部 4획)는 딴 글자.
[坼裂 탁렬] 터져 갈라짐.

5⁸ 〔垂〕 드리울 수
㊀支 chuí 垂
㈰ スイ〔たれる〕 ⊛ hang down
字解 ① 드리울 수(自上縋下). ¶垂直(수직). ② 거의 수(將及). ③ 모범 수(範也). ¶垂範(수범)
字源 形聲. 土+𠂹〔音〕
[垂老 수로] ㉠ 거의 노인이 됨. ㉡ 칠십에 가까운 노인.
[垂成 수성] 어떤 일이 거의 이루어짐.
[垂直 수직] ㉠ 똑바로 드리움. 또, 그 상태. ㉡ 하나의 평면 또는 직선에 대하여 직각을 이루고 있는 상태.
[垂訓 수훈] 후세(後世)에 전하는 교훈. ¶山上垂訓(산상수훈).

5⁸ 〔垈〕 ㈖터 대
㈰ しきち ⊛ site
字解 ㈖터 대(宅地).
字源 形聲. 土+代〔音〕
[垈地 대지] 집터로서의 땅.

5⁸ 〔坵〕 丘(구)(一部 4획)와 同字

5⁸ 〔坮〕 臺(대)(至部 8획)와 同字

6⁹ 〔垓〕 지경 해
㊀개㊁灰 gāi 坮
㈰ ガイ〔さかい〕 ⊛ boundary
字解 ① 지경 해(境也). ¶垓心(해심). ② 땅가장자리 해(界也). ¶垓埏(해연).
字源 形聲. 土+亥〔音〕
[垓心 해심] 경계 안의 한가운데.
[垓埏 해연] 땅의 끝. 천지의 끝.

6⁹ 〔垞〕 언덕 택
㊀채⊗陌 chá
㈰ タ〔おか〕 ⊛ hill
字解 ① 언덕 택. ② 성이름 택.
字源 形聲. 土+宅〔音〕

6⁹ 〔垛〕 살받이 타
㊀㊁哿 duǒ 垛
㈰ ダ〔あずち〕 ⊛ target board
字解 살받이 타(射垜).
字源 形聲. 土+朶〔音〕

6⁹ 〔垠〕 끝 은
㊀㊁眞 yín 垠
㈰ ギン〔はて〕 ⊛ verge
字解 끝 은(限也), 가장자리 은(岸也).
字源 形聲. 土+艮(艮)〔音〕
參考 圻(土部 4획) 𡌀와 통용.

6⁹ 〔垢〕 때 구
㊁有 gòu 垢
㈰ コウ〔あか〕 ⊛ dirt
字解 때 구(滓也), 때묻을 구(濁也), 더러울 구(汚也).
字源 形聲. 土+后〔音〕
[垢衣 구의] 때 묻은 옷.

6⁹ 〔垌〕 항아리 동
㊁董 tǒng

㈰ トウ〔つぼ〕 ㊜ crock
字解 ① 항아리 동. ② (韓)동막이 동. 둑을 쌓아 막는 일.

6/9 【垣】 울타리 원㊥元 | yuán

㈰ エン〔かき〕 ㊜ wall
字解 울타리 원(牆也).
字源 形聲. 土+亘〔音〕

[垣牆 원장] 울타리.

6/9 【垤】 개밋둑 질㈧屑 | dié

㈰ チツ〔ありづか〕 ㊜ ant hill
字解 ① 개밋둑 질(蟻封). ② 언덕 질(丘也).
字源 形聲. 土+至〔音〕

6/9 【型】 거푸집 형㊥青 | xíng

㈰ ケイ〔かた〕 ㊜ mold
字解 ① 거푸집 형(鑄型). ¶ 模型(모형). ② 본보기 형(模也). ¶ 典型(전형).
字源 形聲. 土+刑(荊)〔音〕

6/9 【城】 城(성)(土部 7획)의 俗字

6/9 【厔】 厚(후)(厂部 7획)의 古字

7/10 【埃】 티끌 애㊥灰 | āi

㈰ アイ〔ほこり〕 ㊜ dust
字解 티끌 애(塵也). 먼지 애(風揚塵).
字源 形聲. 土+矣〔音〕

[埃及 애급] '이집트'의 음역.
[塵埃 진애] ㉠ 티끌과 먼지. ㉡ 세상의 속된 것을 비유하는 말.

7/10 【埋】 묻을 매㊥佳 | mái

十 土 圤 圤 坦 坦 埋 埋

㈰ マイ〔うずめる〕 ㊜ bury
字解 묻을 매, 묻힐 매(地中藏).
字源 形聲. 土+貍〈省〉〔音〕

[埋沒 매몰] 파묻음. 파묻힘.
[埋葬 매장] ㉠ 죽은 사람을 땅에 묻음. ㉡ 못된 짓을 한 사람을 사회에서 다시 활동하지 못하게 함.

7/10 【垸】 바를 완㊥寒 | huàn

㈰ カン〔ぬる〕 ㊜ plaster
字解 바를 완(잿물에 옻을 타서 바름).
字源 形聲. 土+完〔音〕

7/10 【城】 재 성㊥庚 | chéng

一 十 圢 圢 圻 城 城 城

㈰ ジョウ〔しろ〕 ㊜ castle
字解 재 성(築土以盛民), 성 성(堡壘).
字源 形聲. 土+成〔音〕
參考 城(土部 6획)은 속자.

[城郭 성곽] ㉠ 내성(內城)과 외성(外城)의 전부. ㉡ 성(城).

7/10 【埈】 가파를 준㊥霽 | jùn

㈰ シュン〔けわしい〕 ㊜ steep
字解 ① 가파를 준. ② 서두를 준.
字源 形聲. 土+夋〔音〕

7/10 【埏】 ▉땅가장자리 연㊥先 | yán
▉이길 선㊥先 | shān

㈰ エン〔はて〕・セン〔うつ〕
㊜ knead

字解 ▉ 땅가장자리 연(地際). ▉ ① 이길 선(土和水). ② 부드러운 흙 선(柔土).
字源 形聲. 土+延〔音〕

3
획

---

7 ⑩ 【埒】 낮은담 날 ⊛렬 ⑧屑 | liè 埒

⑪ ラツ〔かこい〕 ⑧ fence

字解 낮은담 날(庫垣).

字源 形聲. 土+守〔音〕

---

8 ⑪ 【埻】 과녁 준 ⊕軫 | zhǔn 埻

⑪ シュン〔まと〕 ⑧ target

字解 ① 과녁 준. ② 법 준.

字源 形聲. 土+享〔音〕

---

8 ⑪ 【執】 잡을 집 ⑧緝 | zhí 执

土 キ キ ⰲ 幸 朝 執 執

⑪ シツ〔とる〕 ⑧ take

字解 ① 잡을 집(捕也), 가질 집(持也). ¶ 執權(집권). ② 벗 집(友也). ¶ 父執(부집).

字源 會意. 幸(죄)와 丮(손에 잡음)의 합자. 죄인을 잡음의 뜻. 따라서, 널리 잡음의 뜻.

[執權 집권] 정권을 잡음.

[執刀 집도] 의사가 수술을 하기 위해 메스를 잡음. 수술함.

[固執 고집] 자기의 의견을 굳게 지킴.

---

8 ⑪ 【域】 지경 역 ⑧職 | yù 域

十 圵 圵 坷 坷 坷 域 域 域

⑪ イキ〔さかい〕 ⑧ boundary

字解 지경 역(界也), 구역 역(區域).

字源 形聲. 土+或〔音〕

[域內 역내] 구역 또는 지역의 안.

[域外 역외] ㉠ 구역 밖. ㉡ 범위 밖. ㉢ 외국.

[聖域 성역] 신성한 지역이나 구역.

---

8 ⑪ 【埠】 부두 부 ⊛보⑧遇 | bù 埠

⑪ フ〔はとば〕 ⑧ wharf

字解 부두 부, 선창 부(泊船之所).

字源 會意. 土와 阜(언덕)의 합자. 또, 「阜(부)」는 음을 나타냄.

[埠頭 부두] 선창. 배를 대는 바닷가.

---

8 ⑪ 【埴】 ■찰흙 식 ⑧職 ■찰흙 치 ⊕寘 | zhí 埴

⑪ ショク・シ〔はに〕 ⑧ clay

字解 ■ 찰흙 식(粘土). ■ 찰흙 치(粘土).

字源 形聲. 土+直〔音〕

[埴土 식토] 도기(陶器)를 만드는 점토.

---

8 ⑪ 【場】 밭두둑 역 ⑧陌 | yì 場

⑪ エキ〔あぜ〕 ⑧ ridge

字解 밭두둑 역(田畔).

字源 形聲. 土+易〔音〕

---

8 ⑪ 【堀】 굴 굴 ⑧月 ⑧物 | kū / jué 堀

⑪ コツ〔あな〕・クツ〔ほる〕 ⑧ dugout

字解 ① 굴 굴. ② 팔 굴.

字源 形聲. 土+屈〔音〕

---

8 ⑪ 【培】 북돋을 배 ⊕灰 | péi 培

十 圵 圵 圹 垃 垃 培 培

⑪ バイ〔つちかう〕 ⑧ nourish

字解 ① 북돋을 배(壅也). ② 가꿀 배(養也).

字源 形聲. 土+音〔音〕

[培養 배양] ㉠ 식물이나 세균 등을 가꾸어 기름. ㉡ 인재(人才)를 길러 냄.

[栽培 재배] 심어서 가꿈.

---

8 ⑪ 【堆】 쌓을 퇴 ⊕灰 | duī 堆

ⓓ タイ〔うずたかい〕 ⑧ heap
字解 쌓을 퇴, 쌓일 퇴(積也).
字源 形聲. 土+隹〔音〕
[堆肥 퇴비] 거름. 두엄.
[堆積 퇴적] 많이 쌓임.

8
⑪ 【埰】식읍 채 | cài
④隊
ⓓ サイ〔ちぎょう〕 ⑧ feud
字解 식읍 채(食邑).
字源 形聲. 土+采〔音〕

8
⑪ 【堈】언덕 강 | gāng
④陽
ⓓ コウ〔おか〕 ⑧ hill
字解 ① 언덕 강(壟也). ② 독 강(甕也).
字源 形聲. 土+岡〔音〕

8
⑪ 【埼】갑 기 | qí
④支
ⓓ キ〔さき〕 ⑧ cape
字解 ① 갑 기. 곶 기. ② 산부리 기.
字源 形聲. 土+奇〔音〕

8
⑪ 【堉】기름진 땅 육 | yù
④屋
ⓓ イク〔こえつち〕 ⑧ fertile land
字解 기름진땅 육(肥壤).
字源 形聲. 土+育〔音〕

8
⑪ 【基】터 기 | jī
④支
一 十 艹 甘 甘 其 其 基 基
ⓓ キ〔もとい〕 ⑧ base
字解 터 기(址也), 근본 기(本也).
字源 形聲. 土+其〔音〕
[基準 기준] 기본이 되는 표준.
[基礎 기초] ㉠ 건물 따위의 무게를 받치기 위하여 만든 바닥. ㉡ 사물

의 근본.

8
⑪ 【堂】집 당 | táng
④陽
丨 丷 ⺌ 屵 屵 尙 堂 堂
ⓓ ドウ〔すまい〕 ⑧ hall
字解 ① 집 당(家也), 대청 당(大廳). ¶ 堂上(당상). ② 번듯할 당(容貌之出家), 당당할 당(正也). ¶ 堂堂(당당). ③ 동조친 당(親屬). ¶ 堂叔(당숙).
字源 形聲. 土+尙〔音〕
[堂堂 당당] ㉠ 매우 의젓하고 떳떳함. ㉡ 형세가 웅대함.
[母堂 모당] 대부인(大夫人).

8
⑪ 【堅】굳을 견 | jiān
④先
丨 厂 产 臣 臣 臤 臤 堅
ⓓ ケン〔かたい〕 ⑧ hard
字解 굳을 견(固也), 굳셀 견(强也).
字源 形聲. 土+臤〔音〕
[堅固 견고] 굳세고 단단함.
[堅持 견지] 굳게 지님.

8
⑪ 【堊】흰흙 악 | è
⑧藥
ⓓ ア〔しらつち〕 ⑧ white clay
字解 ① 흰흙 악(白土). ② 희게 칠할 악(白塗).
字源 形聲. 土+亞〔音〕
[堊室 악실] ㉠ 벽에 흰칠을 한 집. ㉡ 상주가 거처하는 방.

9
⑫ 【堧】빈터 연 | ruán
④先
ⓓ ゼン・ネン〔かわのほとり〕
字解 빈터 연 묘(廟)의 안 담과 바깥 담 사이의 빈 곳.
字源 形聲. 土+耎〔音〕

9
⑫ 【堯】요임금 요 | yáo
요④蕭

㊐ ギョウ〔たかい〕

字解 ① **요임금 요**(陶唐氏號). ¶ 堯舜(요순). ② **높을 요**(高也). ¶ 堯堯(요요).

字源 會意. 垚와 兀의 합자. 굉장히 높음의 뜻. 또, 「垚(요)」가 음을 나타냄.

[堯舜 요순] 중국 고대의 성군(聖君)인 요(堯)임금과 순(舜)임금.

[堯堯 요요] 산이 매우 높은 모양.

9 ⑫ 【報】 ㊀갚을 보 ㊄號 ㊁빨리 부 ㊄遇 | 报 bào fù

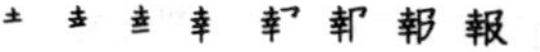

㊐ ホウ〔むくいる〕・フ〔いそぐ〕 ㊊ reward, fast

字解 ㊀ ① **갚을 보**(復也). ② **대답할 보**(酬答). ¶ 報答(보답). ③ **알릴 보, 여쭐 보**(告也). ¶ 報道(보도). ㊁ **빨리 부**.

字源 會意. 㚔(죄인)과 𠬝(법률로 다스림)의 합자. 죄를 논하여 재판함의 뜻. 「갚음」의 뜻은 음의 차용.

[報告 보고] 상부나 대중에게 일의 내용이나 결과를 말이나 글로 알림.

[報道 보도] 신문·통신 등의 뉴스.

[報恩 보은] 남에게 받은 은혜를 갚음.

[朗報 낭보] 기쁜 소식. 반가운 소식.

9 ⑫ 〖堝〗 도가니 과㊉歌 | guō

㊐ カ〔るつぼ〕 ㊊ crucible

字解 **도가니 과**(液金器).

字源 形聲. 土+咼〔音〕

[坩堝 감과] 도가니.

9 ⑫ 〖堞〗 성가퀴 첩㊅葉 | dié

㊐ チョウ〔ひめがき〕 ㊊ parapet

字解 **성가퀴 첩**(城上女垣).

字源 形聲. 土+枼(葉)〔音〕

[城堞 성첩] 성 위에 낮게 쌓은 담. 성가퀴.

9 ⑫ 〖堭〗 벽없는집 황㊉陽 | huáng

㊐ コウ〔あいとの〕

字解 **벽없는집 황**. 정자 같은 것.

字源 形聲. 土+皇〔音〕

9 ⑫ 〖堠〗 돈대 후 ㊄有 | hòu

㊐ ユウ〔いちりづか〕

㊊ milestone

字解 ① **돈대 후**(記里堡, 里程標). ¶ 堠子(후자). ② **봉홧둑 후**(烽火臺), **망대 후**(望臺). ¶ 堠望(후망).

字源 形聲. 土+侯〔音〕

[堠望 후망] 망대(望臺)에 올라가 망을 봄.

[堠子 후자] 길의 이수(里數)를 표시하기 위하여 흙을 산처럼 높이 쌓아 올린 것.

9 ⑫ 〖堤〗 방죽 제 ㊉齊 | dī

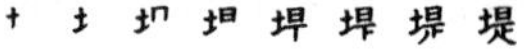

㊐ テイ〔つつみ〕 ㊊ dike

字解 **방죽 제, 둑 제**(塘也).

字源 形聲. 土+是〔音〕

參考 隄(阜部 9획)는 동자.

[堤防 제방] 둑. 방죽.

[防波堤 방파제] 파도를 막기 위하여 항만에 쌓은 둑.

9 ⑫ 〖堪〗 견딜 감 ㊉覃 | kān

㊐ カン〔たえる〕 ㊊ endure

字解 ① **견딜 감**(耐也). ¶ 堪耐(감내). ② **하늘 감**(天也). ¶ 堪輿(감여).

字源 形聲. 土+甚〔音〕

[堪耐 감내] 참고 견딤.

[堪輿 감여] 하늘과 땅. 천지(天地).

3 획

3
획

9
⑫【堰】방죽 언 (去)霰 | yàn 堰
(日)エン〔せき〕 (英)dam
字解 방죽 언(築土以壅水), 둑 언(築土以障水).
字源 形聲. 土+匽〔音〕
參考 隁(阜部 9획)은 동자.
[堰堤 언제] 둑. 방죽.

9
⑫【堣】땅이름 우 (平)虞 | yú 堣
(日)グ〔ちめい〕
字解 땅이름 우.
字源 形聲. 土+禺〔音〕

9
⑫【場】마당 장 (平)陽 | cháng 場 場
十 圠 圠 圯 坥 坤 塄 場
(日)ジョウ〔ば〕 (英)place
字解 마당 장(空地, 平地), 곳 장(所也).
字源 形聲. 土+昜〔音〕
參考 塲(土部 11획)은 속자.
[場所 장소] 처소. 자리. 곳.
[登場 등장] 무대·장면 등에 나옴.

9
⑫【壘】壘(루)(土部 15획)의 俗字

9
⑫【堵】담 도 (上)麌 | dū 堵 堵
(日)ト〔かき〕 (英)wall
字解 ① 담 도(垣也). ¶ 堵牆(도장). ② 편안히살 도. ¶ 安堵(안도).
字源 形聲. 土+者〔音〕
[堵牆 도장] 담. 울타리.
[安堵 안도] ㉠ 평안히 지냄. ㉡ 마음을 놓음.

9
⑫【堗】부엌창 돌 (入)月 | tū
(日)トツ〔けむりだし〕

(英) kitchen funnel
字解 부엌창 돌.

9
⑫【堦】階(계)(阜部 9획)와 同字

9
⑫【堺】界(계)(田部 4획)의 同字

9
⑫【堡】작은성 보 (上)皓 | bǎo 堡
(日)ホウ〔とりで〕 (英)fort
字解 작은성 보(小城), 보루 보. ¶ 堡砦(보채).
字源 形聲. 土+保〔音〕
[堡壘 보루] ㉠ 적을 막기 위하여 쌓은 견고한 진지. ㉡ 가장 튼튼한 발판.

10
⑬【塊】덩어리 괴 (去)泰 | kuài 塊
十 土 圹 圹 坤 坤 塊 塊
(日)カイ〔かたまり〕 (英)lump
字解 덩어리 괴, 흙덩어리 괴(墣也).
字源 形聲. 土+鬼〔音〕
[塊炭 괴탄] 덩이로 된 석탄.
[肉塊 육괴] 고깃덩어리.

10
⑬【塏】높은땅 개 (上)賄 | kǎi 塏
(日)ガイ〔たかだい〕 (英)height
字解 높은땅 개(高臺).
字源 形聲. 土+豈〔音〕

10
⑬【塒】홰 시 (平)支 | shí 塒
(日)シ·ジ〔とや〕 (英)perch
字解 홰 시(鳥樓處).
字源 形聲. 土+時〔音〕

10
⑬【塔】탑 탑 (入)合 | tǎ 塔

十 土 圹 圹 圹 垯 塔 塔

[日] トウ〔そとば〕 [英] tower

[字解] **탑 탑**(西域浮圖).

[字源] 形聲. 土+荅〔音〕

[塔碑 탑비] 탑과 비석.
[佛塔 불탑] 절에 세운 탑.

10 ⑬ **【塘】** 못 당 [平]陽 | táng

[日] トウ〔つつみ〕 [英] pond

[字解] ① **못 당, 연못 당**(池也). ¶ 池塘(지당). ② **방죽 당**(隄也).

[字源] 形聲. 土+唐〔音〕

[塘池 당지] 저수지(貯水池).

10 ⑬ **【塳】** 먼지날 봉 [平]東 | péng

[日] ホウ〔ちりおこる〕 [英] dust rises

[字解] **먼지날 봉**(塵起).

[字源] 形聲. 土+冢〔音〕

[注意] 塚(土部 10획)은 딴 글자.

10 ⑬ **【塡】** [一]메울 전 [平]先 [二]진정할 진 [入]眞 | 填 tián zhèn

[日] テン〔うずめる〕・チン〔しずめる〕 [英] fin

[字解] [一] ① **메울 전**(塞也). ② **만족할 전**(滿足之貌). ③ **북소리 전**(鼓音). [二] ① **진정할 진**(鎭也). ② **오랠 진**(久也).

[字源] 形聲. 土+眞〔音〕

[塡塞 전색] 메움. 메워짐.
[裝塡 장전] 총포에 탄환을 잼.

10 ⑬ **【塤】** 壎(훈)(土部 14획)과 同字

10 ⑬ **【塢】** 작은성 오[上]麌 | 坞 wù

[日] オ〔どて〕 [英] bank

[字解] ① **작은성 오**(小城). ② **마을 오**(村落).

[字源] 形聲. 土+烏〔音〕

[塢壁 오벽] 흙을 쌓아 만든 요새. 작은 요새.

10 ⑬ **【塚】** 무덤 총 [上]腫 | zhǒng

[日] チョウ〔つか〕 [英] tumulus

[字解] **무덤 총.**

[字源] 形聲. 土+冢〔音〕

10 ⑬ **【塩】** 鹽(염)(鹵部 13획)의 俗字

10 ⑬ **【塋】** 무덤 영 [平]庚 | 茔 yíng

[日] エイ〔はか〕 [英] grave

[字解] **무덤 영**(墓也), **산소 영**(葬地).

[字源] 形聲. 土+營〈省〉〔音〕

[塋墳 영분] 묘지.
[先塋 선영] 선산(先山).

10 ⑬ **【塑】** 토우 소 [去]遇 | sù

[日] ソ〔でく〕 [英] clay icon

[字解] ① **토우 소**(土偶). ② **허수아비 소**(埏土像物).

[字源] 形聲. 土+朔〈省〉〔音〕

[塑佛 소불] 흙으로 만든 불상.

10 ⑬ **【塞】** [一]변방 새 [去]隊 [二]막을 색 [入]職 | sài sāi

宀 宀 宑 寉 寒 寒 塞 塞

[日] サイ〔とりで〕・ソク〔ふさぐ〕
[英] frontier, block

[字解] [一] ① **변방 새**(邊境). ¶ 塞翁之馬(새옹지마). ② **요새 새**(邊城要害處). ¶ 要塞(요새). [二] **막을 색**(止也), **막힐 색**(閉也). ¶ 塞源(색원).

[字源] 形聲. 土+寒〔音〕

3 획

3획

[塞翁之馬 새옹지마] 인생의 길흉 화복(吉凶禍福)은 항상 변화가 많아 예측하기 어렵다는 비유.

[塞源 색원] 근원을 막음. ¶ 拔本塞源(발본색원).

[要塞 요새] 국방상 중요한 군사 방어 시설.

10
⑬ 【塟】 葬(장)(艸部 9획)의 俗字

10
⑬ 【塗】 바를 도 ㊀慮 | 涂 tú 　塗

　㊐ ㆍ〔ぬる〕 ㊤ paint

字解 ① 바를 도(塗飾), 칠할 도(塗也). ¶ 塗料(도료). ② 길 도(途也). ¶ 道聽塗說(도청도설). ③ 진흙 도(泥也). ¶ 塗炭(도탄).

字源 形聲. 土+氵(水)+余〔音〕

[塗料 도료] 물건 겉에 발라 썩지 않게 하거나 아름답게 하는 재료.

[塗炭 도탄] 모진 고통. 진땅에 뒹굴고 불에 타는 고통.

11
⑭ 【墐】 매흙질할 근 ㊤震 | jǐn 　墐

　㊐ キン〔ぬる〕 ㊤ plaster

字解 ① 매흙질할 근. ② 파묻을 근.

字源 形聲. 土+菫〔音〕

11
⑭ 【塼】 벽돌 전 ㊀先 | 砖 zhuān 　塼

　㊐ セン〔かわら〕 ㊤ brick

字解 벽돌 전(燒甓).

字源 形聲. 土+專〔音〕

參考 甎(瓦部 11획)은 동자.

[塼甓 전벽] 벽돌. 전벽(甎甓).

11
⑭ 【塽】 높은땅 상㊤養 | shuǎng

　㊐ リウ〔たかくてあかるいいと〕

字解 높은땅 상.

11
⑭ 【墉】 담 용 ㊤冬 | yóng

　㊐ ヨウ〔かき〕 ㊤ wall

字解 ① 담 용. ② 보루 용.

字源 形聲. 土+庸〔音〕

11
⑭ 【墁】 흙손 만 ㊤翰 | màn 　墁

　㊐ マン〔ぬる〕 ㊤ trowel

字解 ① 흙손 만(塗具). ② 벽바를 만(塗壁).

字源 形聲. 土+曼〔音〕

[墁治 만치] 벽을 새로 바름.

11
⑭ 【境】 지경 경 ㊤梗 | jìng 　境

　十 土 圹 圹 培 墙 境

　㊐ キョウ〔さかい〕 ㊤ boundary

字解 ① 지경 경, 경계 경(界也). ¶ 國境(국경). ② 형편 경, 경우 경. ¶ 環境(환경).

字源 形聲. 土+竟〔音〕

[境遇 경우] 부닥친 형편이나 사정.

[國境 국경] 나라와 나라 사이의 경계.

11
⑭ 【塲】 場(장)(土部 9획)의 俗字

11
⑭ 【塵】 티끌 진 ㊤眞 | 尘 chén 　塵

　㊐ ジン〔ちり〕 ㊤ dust

字解 티끌 진(芥也), 먼지 진(埃也).

字源 會意. 鹿(사슴)과 土의 합자. 사슴 무리가 뛰면 흙먼지가 날아오름의 뜻.

[塵世 진세] 이 세상. 귀찮은 세상.

11
⑭ 【塹】 구덩이 참㊤豏 | 堑 qiàn 　塹

　㊐ ザン〔ほり〕 ㊤ pit

字解 구덩이 참(阬也), 해자 참(遶

城水).

字源 形聲. 土+斬〔音〕

[塹壕 참호] 전투를 위해 땅에 판 좁고 긴 호.

11
⑭【塾】글방 숙 | shú
入屋

日 ジュク〔まなびや〕
英 private school

字解 ① 글방 숙(學舍). ② 행랑방 숙(門側堂).

字源 形聲. 土+孰〔音〕

[塾生 숙생] 글방의 학생.
[私塾 사숙] 사설의 서당. 글방.

11
⑭【墅】농막 서 | shù
上語

日 ショ〔なや〕 英 barn

字解 ① 농막 서(田廬). ② 별장 서(別館). ¶別墅(별서).

字源 形聲. 土+野〔音〕

[墅舍 서사] 아래채. 별채.
[別墅 별서] 농장·들 같은 곳에 한적하게 지은 집.

11
⑭【墓】무덤 묘 | mù
去遇

艹 艹 茁 荁 苴 莫 墓 墓

日 ボ〔はか〕 英 grave

字解 무덤 묘(冢也).

字源 形聲. 土+莫〔音〕

[省墓 성묘] 조상의 산소를 찾아 돌봄.

11
⑭【墨】墨(묵)(土部 12획)의 略字

11
⑭【増】増(증)(次條)의 略字

12
⑮【增】■더할 증 | zēng
平蒸 zèng
■겹칠 층
平徑

増

日 ゾウ〔ます〕・ソウ〔かさねる〕
英 increase, pile up

字解 ■ 더할 증(加也), 많아질 증(減之對). ¶ 增減(증감). ¶ 增兵(증병). ■ 겹칠 층.

字源 形聲. 土+曾〔音〕

参考 增(土部 11획)은 약자.

[增減 증감] 많아지는 일과 적어지는 일. 늘림과 줄임.
[增築 증축] 집 따위를 더 늘려 지음.

12
⑮【墦】무덤 번 | fán
平元

日 ハン〔つか〕 英 grave

字解 무덤 번.

字源 形聲. 土+番〔音〕

12
⑮【墡】백토 선 | shàn
上銑

日 セン〔しろつち〕 英 malm

字解 백토(白土) 선.

字源 形聲. 土+善〔音〕

12
⑮【墟】터 허 | xū
平虞
平魚

日 キョ〔あと〕 英 site

字解 ① 터 허(廢趾, 舊跡). ② 큰 언덕 허(大丘).

字源 形聲. 土+虛〔音〕

[廢墟 폐허] 건물·시가·성곽 등의 황폐된 터.

12
⑮【墩】돈대 돈 | dūn
平元

日 トン〔おか〕 英 mound

字解 돈대 돈(平地有堆).

字源 形聲. 土+敦〔音〕

12
⑮【墀】지대뜰 지 | chí
平支

日 チ〔にわ〕

字源 形聲. 土+犀〔音〕

[墮落 타락] ㉠ 도심(道心)을 잃고 속세의 마음으로 떨어짐. ㉡ 품행이 나빠서 못된 구렁에 떨어짐.

12
⑮ 【墳】 봉분 분 ㉔文 坟 fén

土 圵 圹 圻 坢 墳 墳 墳

㊐ フン〔はか〕 ㊟ mound

字解 봉분 분(積土), 무덤 분(墓也).

字源 形聲. 土+賁〔音〕

參考 壠(土部 13획)은 본자.

[墳墓 분묘] 무덤.

12
⑮ 【墜】 떨어질 추 ㉔寘 坠 zhuì

㊐ ツイ〔おちる〕 ㊟ fall

字解 떨어질 추, 떨어뜨릴 추(落也).

字源 形聲. 土+隊〔音〕

[墜落 추락] 높은 곳에서 떨어짐.

12
⑮ 【墨】 먹 묵 ㉘職 mò

冂 罒 黑 黑 黑 墨 墨

㊐ ボク〔すみ〕 ㊟ Chinese ink

字解 ① 먹 묵(土黑). ¶ 墨畵(묵화). ② 자자할 묵(刺字). ¶ 墨刑(묵형).

字源 會意. 土와 黑의 합자. 또, 「黑(흑)」의 전음이 음을 나타냄.

參考 墨(土部 11획)은 약자.

[墨刑 묵형] 옛날 중국의 오형(五刑)의 하나로, 이마에 자자(刺字)하던 형벌.

[墨畵 묵화] 먹으로 그린 동양화.

12
⑮ 【墮】 떨어질 타 ㉒哿 堕 duò

阝 阝 阣 阣 阤 隋 隋 墮

㊐ ダ〔おちる〕 ㊟ fall

字解 떨어질 타, 떨어뜨릴 타(落也).

13
⑯ 【壞】 壞(괴)(土部 16획)의 俗字

13
⑯ 【墺】 ━물가 오 ㉔號 ào
　　 ═물가 욱 ㉛屋 yù

㊐ オウ・イク〔きし〕
㊟ beach, shore

字解 ━ ① 물가 오(水涯). ② 물 오(陸也). ═ ① 물가 욱(水涯). ② 물 욱(陸也).

字源 形聲. 土+奧〔音〕

13
⑯ 【壇】 제터 단 ㉗翰 坛 tán

土 圵 圹 圻 坢 墹 墹 壇

㊐ ダン〔にわ〕 ㊟ altar

字解 ① 제터 단, 제단 단(爲祭處). ¶ 祭壇(제단). ② 단 단(封土). ¶ 演壇(연단).

字源 形聲. 土+亶〔音〕

[壇所 단소] 제단이 있는 곳.

[祭壇 제단] 제사를 지내게 만들어 놓은 단.

13
⑯ 【壝】 壠(분)(土部 12획)의 本字

13
⑯ 【墻】 牆(장)(爿部 13획)의 同字

13
⑯ 【墾】 개간할 간 ㉒阮 垦 kěn

㊐ コン〔ひらく〕 ㊟ reclaim

字解 개간할 간(開田), 밭갈 간(耕也).

字源 形聲. 土+狠〔音〕

[墾耕 간경] 황무지를 개간함.

[開墾 개간] 거친 땅을 개척하여 논밭을 만듦.

13
⑯【壁】바람벽 벽│bì
(土)錫

˴ ｒ ｐ ｆ ｆｆ 辟 辟 壁

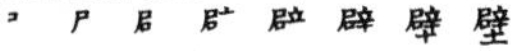

⑪ ヘキ〔かべ〕　㊜ wall
字解 ① 바람벽 벽(屋垣). ¶ 壁畫
(벽화). ② 진터 벽(軍壘). ¶ 壁壘
(벽루).
字源 形聲. 土+辟〔音〕
[壁報 벽보] 벽에 써 붙여 여러 사람
에게 알리는 글.
[壁畫 벽화] 바람벽에 그린 그림.

13
⑯【甕】막힐 옹│yōng
(去)宋

⑪ ヨウ〔ふさぐ〕　㊜ stop up
字解 막힐 옹, 막을 옹(塞也).
字源 形聲. 土+雍〔音〕
[甕塞 옹색] ㉠ 생활이 군색함. ㉡
매우 비좁음.
[甕拙 옹졸] 성질이 너그럽지 않고
생각이 좁음.

14
⑰【壎】질나팔 훈⊕元│xūn

⑪ ケン〔つちぶえ〕
字解 질나팔 훈(燒土樂器).
字源 形聲. 土+熏〔音〕
參考 塤(土部 10획)은 동자.

14
⑰【壔】작은성 도(上)晧│dǎo

⑪ トウ〔とりで〕　㊜ fort
字解 ① 작은성 도(小城). ② 독
도, 방죽 도(隄也).
字源 形聲. 土+壽〔音〕

14
⑰【壕】해자 호⊕豪│háo

⑪ ゴウ〔ほり〕　㊜ moat
字解 해자 호(城下池).
字源 形聲. 土+豪〔音〕
[防空壕 방공호] 공습 때 대피하기

위해 땅을 파서 만든 시설.

14
⑰【壑】골 학│hè
(入)藥

⑪ ガク〔たに〕　㊜ valley
字解 골 학, 구렁 학(溝也).
字源 會意. ⟋𠂤(파다)와 谷과 土의
합자.
[壑谷 학곡] ㉠ 지하실. 토굴. ㉡ 구
렁. 골짜기.

3
획

14
⑰【壓】⊕治 yān
⊜압 ⊜싫어할 염│yā
(去)豔

압 壓

⑪ アツ〔おさえる〕・エン〔きらう〕
㊜ press, hate
字解 ⊜ 누를 압(抑也). ⊜ 싫어할
염.
字源 形聲. 土+厭〔音〕
參考 圧(土部 2획)은 약자.
[壓倒 압도] ㉠ 상대편을 눌러 넘어
뜨림. ㉡ 뛰어나게 남을 능가함.
[壓迫 압박] ㉠ 내리누름. ㉡ 기운
을 펴지 못하게 위압함.

15
⑱【壙】광중 광│kuàng
(去)漾

광 壙

⑪ コウ〔あな〕　㊜ tomb
字解 ① 광중 광(塹穴). ¶ 壙中(광
중). ② 텅빌 광(曠也).
字源 形聲. 土+廣〔音〕
[壙中 광중] 무덤 속.

15
⑱【壘】⊜진 루
⊜紙
⊜끌밋할 뢰
⊕賄
⊜귀신이름
률⊕質│lěi, lěi, lù

⑪ ルイ〔とりで〕・ライ〔さかん〕・
リツ〔かみのな〕
㊜ fort, attractive
字解 ⊜ ① 진 루(陣也), 보루 루
(軍壁). ¶ 堡壘(보루). ② 쌓을 루

(重也). ¶ 壘塊(누괴). 끌밋할 뢰. 🔳 귀신이름 률.

字源 形聲. 土+晶〔音〕

[壘塊 누괴] 가슴에 뭉친 불평.
[堡壘 보루] 적의 접근을 막기 위해 만든 견고한 구축물.

3획

16
⑲ 【壜】 술병 담 ㊤覃
坛 壜
tán

🔲 ドン〔びん〕 🔳 liquor bottle

字解 술병 담(酒瓶).

字源 形聲. 土+曇〔音〕

16
⑲ 【壞】 🔳무너질 괴 ㊍卦㊐怪
🔳혹 회 ㊤賄
坏 壊
huài

土 圹 圹 坷 坷 壊 壊 壊

🔲 カイ〔こわす・やむ〕 🔳 collapse, gnarl

字解 🔳 무너질 괴(自敗), 무너뜨릴 괴(毀也). 🔳 혹 회.

字源 形聲. 土+裏〔音〕

注意 懷(心部 16획)는 딴 글자.

[壞滅 괴멸] 파괴되어 멸망함.
[破壞 파괴] 깨뜨리어 헐어 버림.

16
⑲ 【壟】 밭두둑 롱 ㊤腫
垄 垄
lǒng

🔲 ロウ〔うね〕 🔳 ridge

字解 ① 밭두둑 롱(田中高處). ¶ 壟畝(농묘). ② 언덕 롱(高丘). ¶ 壟斷(농단).

字源 形聲. 土+龍〔音〕

[壟畝 농묘] ㋀ 밭. ㋁ 시골.

17
⑳ 【壤】 부드러운 흙 양 ㊤養
壤 壤
rǎng

土 圹 圹 坍 圸 壊 壌 壌

🔲 ジョウ〔つち〕 🔳 soil

字解 부드러운흙 양(柔土), 땅 양(耕地).

字源 形聲. 土+襄〔音〕

[壤土 양토] ㋀ 흙. 토지. ㋁ 농경에 적합한 토지.

┌─────────────────┐
│ 士 〔3획〕 部 │
│ (선비사부) │
└─────────────────┘

0
③ 【士】 선비 사 ㊤紙
shì
士

一 十 士

🔲 シ〔さむらい〕 🔳 scholar

字解 ① 선비 사(儒也, 四民之首). ¶ 士林(사림). ② 사내 사(男也). ¶ 壯士(장사). ③ 벼슬 사(官之總名). ¶ 士大夫(사대부). ④ 군사 사, 병사 사(卒伍). ¶ 士兵(사병). ⑤ 칭호·직업명에붙이는말 사. ¶ 辯護士(변호사).

字源 會意. 一과 十의 합자. 하나를 듣고 열을 아는 재지가 뛰어난 사람의 뜻.

[士氣 사기] ㋀ 정의를 주장하는 선비의 기개. ㋁ 싸움에 대한 병사의 기세.
[士林 사림] 선비들의 세계. 유림(儒林).
[壯士 장사] ㋀ 기개와 체질이 썩 굳센 사람. ㋁ 역사(力士).

1
④ 【壬】 아홉째천 간 임 ㊤侵
rén
壬

丿 二 千 壬

🔲 ニン〔みずのえ〕

字解 ① 아홉째천간 임(十干之第九位). ¶ 壬年(임년). ② 간사할 임(佞也). ¶ 壬人(임인).

字源 象形. 베틀의 날실을 감는 축(軸)의 상형.

[壬人 임인] 간사한 사람. 아첨 잘하는 사람.

3
⑥ 【壯】 壯(장)(士部 4획)의 俗字

4
⑦ 【声】 聲(성)(耳部 11획)의 略字

4
⑦ 【壱】 壹(일)(士部 9획)의 略字

4
⑦ 【壯】 씩씩할 | 壮 壮
장㊉漾 | zhuàng

丨　丬　丬　壯　壯　壯

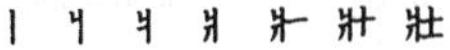

㊐ ソウ〔さかん〕　㊥ brave

字解 ① 씩씩할 장(健也), 굳셀 장(彊也). ¶ 壯丁(장정). ② 웅장할 장(大也). ¶ 壯觀(장관).

字源 形聲. 士+丬〔音〕

參考 壮(士部 3획)은 속자.

[壯觀 장관] 굉장하여 볼 만한 광경.
[壯夫 장부] ㊀ 장년(壯年)의 남자. ㊁ 씩씩한 남자.

4
⑦ 【売】 賣(매)(貝部 8획)의 略字

8
⑪ 【壷】 壺(호)(士部 9획)와 同字

9
⑫ 【壺】 병 호 | 壶 壺
㊉虞 | hú

㊐ コ〔つぼ〕　㊥ bottle

字解 병 호, 항아리 호(酒器, 水器, 祭器).

字源 象形. 단지의 모양을 본뜸.

注意 壼(士部 10획)은 딴 글자.

[壺狀 호상] 병이나 단지·항아리처럼 생긴 모양.
[壺漿 호장] 병에 넣은 음료(飮料). 소량의 음료수.
[投壺 투호] 항아리에 화살을 던져 넣어 승부를 겨루던 놀이.

9
⑫ 【壹】 한 일 | 壹
㊈質 | yī

一　士　士　产　声　声　壹　壹　壹

㊐ イチ〔ひとつ〕　㊥ one

字解 ① 한 일, 하나 일(段借爲一).
② 오직 일, 오로지 일(專也). ¶ 壹意(일의).

字源 形聲. 篆文은 壺+吉〔音〕

參考 壱(士部 4획)은 약자.

[壹意 일의] 한 가지 일에 전념(專念)함.

9
⑫ 【壻】 사위 서 | 壻
㊉霽 | xù

㊐ セイ〔むこ〕　㊥ son-in-law

字解 사위 서(女之夫).

字源 形聲. 士+胥〔音〕

參考 婿(女部 9획)는 속자.

[壻郎 서랑] 남의 사위에 대한 존칭.

10
⑬ 【壼】 대궐안길 | 壸 壸
곤㊤阮 | kǔn

㊐ コン〔きゅうちゅうのみち〕
㊥ road in court

字解 ① 대궐안길 곤(宮中道). ¶ 壼政(곤정). ② 문지방 곤(梱也), 문지방안 곤(梱內). ¶ 壼訓(곤훈).

字源 象形. 대궐(大闕) 안의 길 모양을 본뜸.

注意 壺(士部 9획)는 딴 글자.

[壼奧 곤오] ㊀ 궐내(闕內)의 가장 깊숙한 곳. ㊁ 사물의 심오(深奧)한 데.
[壼闈 곤위] ㊀ 궐내(闕內)의 작은 문. ㊁ 궐내. 궁중.
[壼政 곤정] 궁중의 내정(內政).
[壼訓 곤훈] 부녀자의 예절.

11
⑭ 【壽】 목숨 수 | 寿 寿
㊉宥㊤有 | shòu

一　十　土　生　寺　寿　壽　壽

㊐ ジュ〔ことぶき〕　㊥ life

字解 목숨 수(生命), 나이 수(年也).

字源 形聲. 篆文은 耂(老)+畻〔音〕

參考 寿(寸部 4획)는 약자.

[壽命 수명] ㊀ 타고난 목숨. ㊁ 물품이 그 사용에 견디는 시간.

〔長壽 장수〕목숨이 긺. 오래 삶.

夊 〔3 획〕部
(뒤져올치부)

⁰₃ 【夊】 뒤져올 치 ㈐紙 zhǐ 夊

㊐ チ 〔おくれる〕 ㊂ come after

字解 뒤져올 치, 뒤따라갈 치(從後至).

字源 指事. 발이 밑으로 처져 땅에 닿는 모양.

³₆ 【斈】 學(학)(子部 13획)의 同字

⁴₇ 【麦】 麥(맥)(부수)의 略字

⁶₉ 【変】 變(변)(言部 16획)의 略字

⁷₁₀ 【覔】 覺(각)(見部 13획)의 俗字

夂 〔3 획〕部
(천천히걸을쇠부)

⁰₃ 【夂】 천천히걸을 쇠 ㈐支 suī 夂

㊐ スイ 〔おそい〕 ㊂ walk slowly

字解 ① 천천히걸을 쇠(徐行). ② 편안히걸을 쇠(安行).

字源 指事. 발을 질질 끌며 걷는 모양.

⁷₁₀ 【夏】 여름 하 ㊋禡 xià 夏

一 ㄱ 广 丙 ন 夏 夏 夏

㊐ カ 〔なつ〕 ㊂ summer

字解 ① 여름 하(四季之一). ② 왕조이름 하(朝代名).

字源 會意. 頁(얼굴)와 臼(양손)와 夊(발)의 합자. 훌륭하게 예용(禮容)을 갖춘 사람의 모양의 뜻. 중국인의 뜻.

〔夏穀 하곡〕보리나 밀 따위 여름에 거두는 곡식.

〔夏海 하해〕큰 바다. 대해(大海).

¹⁷₂₀ 【夔】 조심할 기 ㈐支 kuí 夔

㊐ キ 〔もののけ〕 ㊂ careful

字解 ① 조심할 기(悚懼之貌). ② 외발짐승 기, 괴물 기(一足怪獸).

字源 會意. 艹(뿔)와 頁(머리)과 止·己(손)와 발(夊)의 합자. 뿔이 있는 외발의 괴수.

²⁰₂₃ 【夒】 夔(기)(前條)와 同字

夕 〔3 획〕部
(저녁석부)

⁰₃ 【夕】 一 저녁 석
八陌
㈐(韓)흡의
십분의일 사 xī 夕

ノ ㄱ 夕

㊐ セキ 〔ゆうべ〕 ㊂ evening

字解 一 ① 저녁 석(日始入時). ¶ 夕刊(석간). ② 밤 석(夜也). ③ 옛 석(昔也). ④ 기울 석(斜也). ¶ 夕室(석실). 二 (韓) 흡(合)의십분의일 사.

字源 指事. 月(달)에서 한 획을 줄여서 달이 뜨려고 할 무렵, 즉 「저녁」을 나타냄.

〔夕刊 석간〕저녁때 배달되는 신문.
〔夕室 석실〕한편으로 기울어진 방.
〔夕照 석조〕저녁때의 불그스름한 햇빛.

2 ⑤ 【外】 바깥 외 去泰 | wài 外

ノ ク タ 外 外

ⓙ ガイ〔そと〕 英 outside

字解 ① 바깥 외(內之對). 外界
(외계). ② 외국 외(他國). ¶ 外貨
(외화). ③ 멀리할 외(疏也). ¶ 外
面(외면). ④ 외가 외(母之親家).
¶ 外戚(외척).

字源 會意. 夕과 卜(점)의 합자. 점
은 청징(淸澄)한 아침에 쳐야지, 저
녁에 치는 것은 예외임의 뜻. 전하
여「바깥」의 뜻.

[外界 외계] ㉠ 내 몸 이외의 모든
세계. ㉡ 바깥 세계.

[外面 외면] ㉠ 대면하기를 꺼려 얼
굴을 돌려 버림. ㉡ 거죽. 외양.

[外勢 외세] ㉠ 외국의 세력. ㉡ 외
부의 형세.

[外孫 외손] 딸이 낳은 자식.

3 ⑥ 【多】 많을 다 平歌 | duō 多

ノ ク タ タ 多 多

ⓙ タ〔おおい〕 英 many

字解 많을 다(少算之對).

字源 會意. 夕을 둘 겹쳐 일수(日
數)가 많음을 나타냄. 따라서,「많
음」의 뜻.

參考 夥(夕部 3획)는 속자.

[多寡 다과] 많음과 적음.

[多幸 다행] 운수가 좋음. 일이 뜻밖
에 잘됨.

3 ⑥ 【夙】 일찍 숙 入屋 | sù 夙

ⓙ シュク〔はやい〕 英 early

字解 ① 일찍 숙, 이를 숙(早也).
¶ 夙成(숙성). ② 새벽 숙(早朝).
¶ 夙夜(숙야).

字源 會意. 卂(가짐)과 夕과의 합
자. 저녁까지 쉬지 않고 일을 함의
뜻.

[夙成 숙성] 나이에 비하여 키가 크

거나 지각이 일찍 듦.

[夙夜 숙야] 이른 아침부터 밤늦게
까지.

5 ⑧ 【夜】 밤 야 去禡 | yè 夜

ノ 亠 广 广 产 夜 夜 夜

ⓙ ヤ〔よる〕 英 night

字解 밤 야(晝之對).

字源 形聲. 夕을 바탕으로「亦(역)」의
전음인 음을 나타냄.

[夜景 야경] 밤의 경치.

[夜學 야학] ㉠ 야학교. ㉡ 밤에 수
학함.

[徹夜 철야] 밤을 샘.

11 ⑭ 【夤】 조심할 인 平眞 | yín 夤

ⓙ イン〔つつしむ〕 英 cautious

字解 ① 조심할 인(敬惕), 공손할
인(恭也). ¶ 夤畏(인외). ② 연줄
인, 의지할 인(依也). ¶ 夤緣(인
연).

字源 形聲. 夕+寅〔音〕

[夤畏 인외] 공경하여 두려워함.

11 ⑭ 【夥】 많을 과 平火 上哿 | huǒ 夥

ⓙ カ〔おびただしい〕 英 abundant

字解 많을 과(多也).

字源 形聲. 多+果〔音〕

[夥多 과다] 퍽 많음.

11 ⑭ 【夢】 꿈 몽 去送 | mèng 夢 梦

丿 卝 𠁣 芇 莤 萝 蔶 夢

ⓙ ム〔ゆめ〕 英 dream

字解 꿈 몽, 꿈꿀 몽(寐中神遊).

字源 會意. 夕과 瞢(눈이 잘 보이지
않음)의 생략형의 합자.

[夢寐間 몽매간] 잠을 자며 꿈을 꾸
는 동안. 자는 동안.

[夢想 몽상] 꿈 같은 헛된 생각.

3
획

3획

大 〔3 획〕 部
(큰대부)

$^0_③$ 【大】 ■클 대 ㊀泰 / ■클 태㊝簡 | dà,dài / tài 大

一 ナ 大

�日 タイ・ダイ〔おおきい〕・タ〔おおきい〕

㊤ great

字源 ■ ① 클 대(小之對). ¶ 大會(대회). ② 대강 대(槪略). ¶ 大槪(대개). ■ 클 태(太也).

字源 象形. 사람이 팔・다리를 벌린 모양. 「큼」을 뜻함.

[大槪 대개] ㉠ 대강. 대체의 경개(便槪). ㉡ 대부분. ㉢ 대체로.

[大器晚成 대기만성] 크게 될 사람은 늦게 이루어짐.

[大要 대요] 대체의 요지.

$^1_④$ 【太】 클 태 ㊀泰 | tài 太

一 ナ 大 太

�日 タイ〔ふとい〕 ㊤ big

字解 ① 클 태(泰也). ¶ 太平(태평). ② 심할 태(甚也). ¶ 太甚(태심). ③ 첫째 태, 처음 태(始也). ¶ 太初(태초). ④ 〔韓〕 콩 태. ¶ 豆太(두태).

字源 指事. 본디는 大를 둘 겹친 글자였으나, 생략되어 점으로 나타냄.

[太甚 태심] 매우 심함.

[太初 태초] 우주의 맨 처음. 천지가 개벽한 처음. 태시(太始).

[豆太 두태] 콩과 팥.

$^1_④$ 【夫】 사내 부 ㊝虞 | fū, fú 夫

一 二 チ 夫

�日 フ〔おっと〕 ㊤ man

字解 ① 사내 부(男子通稱).

② 남편 부(妻之對). ¶ 夫婦(부부). ③ 일하는남자 부(賦也). ¶ 夫役(부역). ④ 발어사 부(發語辭), 어조사 부(語助辭). ¶ 夫天地者萬物之逆旅(부천지자만물지역려).

字源 會意. 大에 一을 더해서 관(冠)을 쓴 성인을 뜻함.

[夫役 부역] 국가나 공공 단체가 국민에게 의무적으로 지우는 노역.

[夫妻 부처] 부부.

[凡夫 범부] 평범한 사내.

$^1_④$ 【夬】 ■결단할 쾌 ㊀卦 / ■깍지 결㊏屑 | guài / jué 夬

�日 カイ〔きめる〕・ゆがけ

㊤ decide, archer's ring

字解 ■ ① 결단할 쾌(決也). ② 괘이름 쾌(卦名). ■ 깍지 결.

字源 會意. 中(활을 쏠 때 끼는 가죽 장갑)와 又(손)의 합자.

$^1_④$ 【天】 하늘 천 ㊝先 | tiān 天

一 二 チ 天

�日 テン〔そら〕 ㊤ sky, heaven

字解 ① 하늘 천(地之對). ¶ 天文(천문). ② 하느님 천(造化之神). ¶ 天罰(천벌). ③ 자연 천(人之對). ¶ 天然(천연). ④ 임금 천, 천자 천(君主也). ¶ 天恩(천은).

字源 會意. 大(사람이 앞을 향한 모양)의 머리 위에 선 하나를 그어 사람의 머리 위에 있는 것을 나타냄. 따라서, 더 위에 있는 것의 뜻에서, 「하늘」의 뜻이 됨.

[天文 천문] 천체의 현상.

[天性 천성] 태어날 때부터의 성질.

[天顔 천안] 천자의 얼굴. 임금의 얼굴.

$^1_④$ 【夭】 ■일찍죽을 요㊤篠 / ■어린애 오㊤晧 | yāo / ǎo 夭

[日] ヨウ〔わかじに〕・オウ〔わかで〕
[英] die young, child

[字解] [一] ① **일찍죽을 요**(少壯而死). ¶ 夭折(요절). ② **젊을 요**(少也). ¶ 夭夭(요요). ③ **얼굴빛 부드러울 요**. ¶ 夭夭(요요). [二] **어린애 오**.

[字源] 指事. 사람이 연약하게 목을 숙이고 있는 모양. 「요절(夭折)」의 뜻을 나타냄.

[夭夭 요요] ㉠ 젊고 예쁨. ㉡ 마음이 온화하고 얼굴빛이 부드러움.

[夭折 요절] 젊은 나이에 죽음. 요사(夭死).

2 ⑤ 〖央〗 [一]가운데 앙 [平]陽 [二]선명할 영 [平]庚 yāng yīng

丨 冂 冂 央 央

[日] オウ〔なかば〕・エイ〔あざやか〕
[英] center, clear

[字解] [一] **가운데 앙**(中也). [二] **선명할 영**.

[字源] 會意. 大(사람)가 冂(어떤 범위)의 한가운데 서 있는 모양. 따라서, 「중앙」의 뜻.

[中央 중앙] 사방의 중심이 되는 곳.

2 ⑤ 【失】 [一]잃을 실 [入]質 [二]놓을 일 [入]質 shī yì

丿 𠂉 二 失 失

[日] シツ〔うしなう〕・イツ〔はなつ〕
[英] lose, lay down

[字解] [一] ① **잃을 실**(得之對). ¶ 失業(실업). ② **그르칠 실, 잘못할 실**(錯也). ¶ 失言(실언). [二] **놓을 일**.

[字源] 形聲. 手(수)를 바탕으로 「乙(을)」의 전음이 음을 나타내며, 손에서 물건을 떨어뜨림의 뜻.

[失言 실언] 실수로 말을 잘못함. 또, 그 말.

[失職 실직] 직업을 잃음.

[失敗 실패] 일을 잘못하여 그르침.

3 ⑥ 〖夸〗 자랑할 과 [平]麻 kuā

[日] カ〔ほこる〕 [英] boast

[字解] **자랑할 과**(誇張).

[字源] 形聲. 大+亏〔音〕

3 ⑥ 〖夷〗 오랑캐 이[平]支 yí

一 ㇇ ⺕ 弓 夷 夷

[日] イ〔えびす〕 [英] barbarian

[字解] ① **오랑캐 이**(蠻人), **동방종족 이**(東方之人). ¶ 東夷(동이). ② **상할 이**(傷也). ¶ 傷夷(상이). ③ **죽일 이**(殺也), **멸할 이**(滅也). ¶ 夷滅(이멸). ④ **평평할 이, 평탄할 이**(平也). ¶ 夷坦(이탄).

[字源] 會意. 大(사람)와 弓(궁)의 합자. 활을 든 사람의 뜻. 동방의 오랑캐의 뜻은 음의 차용.

[夷滅 이멸] 멸망시킴. 삼족을 멸함.

[夷狄 이적] 오랑캐. 야만인.

[夷坦 이탄] ㉠ 길이 평탄함. ㉡ 마음이 편함.

[東夷 동이] 예전에, 동쪽의 오랑캐라는 뜻.

4 ⑦ 〖夾〗 낄 협 [本]겹 [入]洽 夹 jiā

[日] キョウ〔はさむ〕 [英] insert

[字解] ① **낄 협**(挾也). ¶ 夾攻(협공). ② **좁을 협**(狹也).

[字源] 會意. 大(앞을 향한 사람)가 양옆구리에 물건을 끼고 있음의 뜻.

[夾攻 협공] 양쪽에서 끼고 침.

4 ⑦ 〖夽〗 클 운 [上]吻 yǔn

[日] クン〔おおきい〕 [英] big

[字解] **클 운**.

[字源] 形聲. 大+云〔音〕

5
⑧【奄】문득 엄
上琰 | yǎn

㊐ エン〔おおう〕 ㊥ suddenly

字解 ① 문득 엄, 갑자기 엄(變化疾速類). ¶奄忽(엄홀). ② 내시 엄. ¶奄人(엄인). ③ 덮을 엄(覆也).

字源 會意. 大와 伸의 생략체의 합자. 넓고 크게 덮음의 뜻.

[奄人 엄인] 환관. 고자. 내시.
[奄忽 엄홀] 문득. 갑자기.

5
⑧【奇】기이할 기
㊥支 | qí
jī

一ナ大去去奇奇奇

㊐ キ〔めずらしい〕 ㊥ strange

字解 ① 기이할 기(珍怪). ¶奇蹟(기적). ② 홀수 기(偶之對). ¶奇數(기수). ③ 운수사나울 기(不運). ¶奇薄(기박).

字源 形聲. 大+可〔音〕.

[奇想天外 기상천외] 보통 사람은 생각도 할 수 없는 엉뚱한 생각.
[奇蹟 기적] 사람의 힘으로나 머리로는 도저히 할 수 없는 아주 신기한 일.

5
⑧【奈】⬛어찌 내
㊤隊 | nài
⬛어찌 나
㊤隊 | nà

一ナ大太杏杏奈奈

㊐ ナ・ナイ〔なんぞ〕 ㊥ why, how

字解 ⬛ 어찌 내(那也). ⬛ 어찌 나(那也).

字源 會意. 본디, 木+示. 후에 잘못 변형되어, '大+示'로 되었음.

參考 柰(木部 5획)와 동자.

[奈何 내하] 어찌.

5
⑧【奔】奔(분)(大部 6획)의 略字

5
⑧【奉】받들 봉
㊤腫 | fèng

一二三声夹表奉奉

㊐ ホウ〔たてまつる〕 ㊥ serve

字解 받들 봉(恭承).

字源 會意. 양손에 물건을 받들고 있는 모양에 「手」를 더한 글자.

[奉仕 봉사] ㊀ 남의 뜻을 받들어 섬김. ㊁ 남을 위해 일함.
[奉養 봉양] 집안의 어른을 받들어 모시고 섬김.
[奉獻 봉헌] 신불(神佛)이나 존귀한 이에게 물건을 바침.

6
⑨【奎】별 규
㊥齊 | kuí

㊐ ケイ〔ほし〕 ㊥ star

字解 별 규, 별이름 규(星宿之名).

字源 形聲. 大+圭〔音〕.

[奎文 규문] 문장. 문학. 문물.

6
⑨【奔】달아날 분
㊥元 | bēn

一ナ大本本本奔奔

㊐ ホン〔はしる〕 ㊥ run away

字解 ① 달아날 분, 도망할 분(逃也). ¶奔亡(분망). ② 달릴 분(疾行). 급히갈 분(急赴). ¶奔走(분주). ③ 패할 분(敗也). ¶奔北(분배).

字源 會意. 金文은 大+卉(趾).

參考 奔(大部 5획)은 약자.

[奔忙 분망] 매우 바쁨.
[奔北 분배] 패하여 달아남.
[狂奔 광분] 어떤 목적을 위해 분주히 뛰어다님.

6
⑨【奏】아뢸 주
㊤宥 | zòu

㊐ ソウ〔もうす〕 ㊥ inform

字解 ① 아뢸 주, 여쭐 주(進也). ¶奏達(주달). ② 연주할 주. ¶奏樂(주악).

字源 會意. 무성한 풀을 양손에 받들어 신전에 바치는 모양을 나타냄. 사물을 권하는 일. 따라서, 음악 등

을 듣게 하는 뜻.

[奏達 주달] 천자(天子)에게 아룀. 주문(奏聞).

[奏申 주신] 임금에게 아룀.

[奏樂 주악] 음악을 연주함. 연주하는 음악.

6
⑨ **【奐】** 빛날 환
 ㊤翰 | huàn

㊐ カン〔あきらか〕 ㊍ shine

字解 ① 빛날 환(煥也). ¶ 奐奐(환환). ② 성할 환(盛也). ¶ 奐爛(환란).

字源 形聲. 大+复〈省〉〔音〕

[奐爛 환란] 많은 모양. 많고 성한 모양.

[奐奐 환환] 환히 빛나는 모양.

6
⑨ **【契】**
 ■맺을 계
 ㊤霽
 ■나라이름 글 ㊤物
 ■사람이름 설 ㊤屑
 ■애쓸 결 ㊤屑
 | qì
 xiè
 qiè

　一　三　丰　却　却　却　契　契

㊐ ケイ〔ちぎる〕・キツ〔くにのな〕・セツ〔じんめい〕・ケツ〔つとむくるしむ〕

㊍ contract, exert

字解 ■ 맺을 계(約束), 신표 계(券要). ¶ 契約(계약). ■ 나라이름 글(東夷). ¶ 契丹(글안). ■ 사람이름 설(商祖). ■ 애쓸 결(勤苦). ¶ 契闊(결활).

字源 會意. 大와 㓞(부절(符節)의 합자. 큰 부절의 뜻. 또, 「㓞(할)」의 전음이 음을 나타냄.

[契機 계기] 어떠한 일이 일어나거나 결정되는 근거나 기회.

[契約 계약] 쌍방이 지켜야 할 의무에 관하여 서면이나 구두로 하는 약속.

[契丹 글안] 4세기 이래 몽골 지방에서 유목하던 민족.

6
⑨ **【奕】** 클 혁
 ㊤陌 | yì

㊐ エキ・ヤク〔かさなる〕 ㊍ great

字解 ① 클 혁(大也). ② 아름다울 혁(美也). ¶ 奕奕(혁혁). ③ 겹칠 혁(累也). ¶ 奕世(혁세). ④ 바둑 혁(碁也). ¶ 奕棋(혁기).

字源 形聲. 大+亦〔音〕

[奕代 혁대] 혁세(奕世).

[奕世 혁세] 대대(代代). 여러 대.

[奕奕 혁혁] ㉠ 큰 모양. ㉡ 아름다운 모양. ㉢ 성(盛)한 모양.

7
⑩ **【套】** 전례 투
 ㊤토 ㊩號 | tào

㊐ トウ〔ふた〕 ㊍ precedent

字解 ① 전례 투(前例), 버릇 투(癖也). ¶ 常套(상투). ② 씌우개 투, 덮개 투(蓋也). ¶ 封套(봉투).

字源 會意. 大+長

[套式 투식] 틀에 박힌 법식이나 양식.

[常套 상투] 보통으로 하는 투.

7
⑩ **【奘】** 클 장
 ㊤養 | zhuǎng
 zàng

㊐ ソウ〔さかん〕 ㊍ big

字解 ① 클 장(大也, 壯也). ② 성할 장(盛也).

字源 形聲. 大+壯〔音〕

7
⑩ **【奚】**
 ■어찌 해
 ㊤齊
 ■어느곳 혜
 ㊤齊
 | xī

　一　⺍　⺍⺍　幺幺　爭　奚　奚

㊐ ケイ〔なんぞ〕 ㊍ why, where

字解 ■ ① 어찌 해(何也疑辭). ② 종 해(奴也). ¶ 奚奴(해노). ■ 어느곳 혜.

字源 形聲. 大+繇〈省〉〔音〕

[奚奴 해노] 종.

[奚童 해동] 아이종.

3획

---

9 ⑫ 【奢】 사치 사 ㊩麻 shē
　奎

㊐ シャ〔おごる〕 ㊛ luxury

字解 사치 사, 사치할 사(儉之對).

字源 形聲. 大+者〔音〕

[奢侈 사치] 신분에 지나치게 치레함. 분수없이 호사함.

---

9 ⑫ 【昊】 거만할 오 ㊩號 ào

㊐ ゴウ〔おごる〕 ㊛ haughty

字解 ① 거만할 오(慢也). ② 헌걸찰 오(驕健).

字源 形聲. 百+夅〔音〕

---

9 ⑫ 【奠】 정할 전 ㊫霰 diàn

㊐ テン〔さだめる〕 ㊛ settle

字解 ① 정할 전(定也). ¶ 奠都(전도). ② 전올릴 전(薦也). 제사지낼 전(祭也). ¶ 釋奠(석전). ③ 바칠 전(獻也). ¶ 奠雁(전안).

字源 會意. 酋(술단지)와 丌(받침)의 합자. 술을 신전에 바치는 뜻.

[奠都 전도] 도읍을 정함.
[奠菜 전채] 야채를 신불 앞에 바침. 또, 그 야채.
[釋奠 석전] 문묘에서, 공자에게 제사 지내는 의식.

---

10 ⑬ 【奥】 ■안 오 ㊫號 ào
　　　　■따스할 욱 �入屋 yù
　奥

㊐ オウ〔おく〕・イク〔あたたかい〕 ㊛ interior, warm

字解 ■ ① 안 오(內也), 깊을 오(深也). ¶ 深奥(심오). ② 방의 서남구석 오(室之西南隅). ③ 비밀 오(祕密). ■ 따스할 욱(暖也). ¶ 奥室(욱실).

字源 會意. 審〈省〉+廾

[奥地 오지] 해안이나 도시에서 멀리 떨어진 내부의 땅.
[深奥 심오] 이론 따위가 깊고 오묘함.

---

10 ⑬ 【奬】 奬(장)(大部 11획)의 略字

---

11 ⑭ 【奪】 빼앗을 탈 ㊫曷 duó
　奪

一　ナ　六　木　卉　奞　奪　奪

㊐ ダツ〔うばう〕 ㊛ deprive

字解 ① 빼앗을 탈(强取). ¶ 奪取(탈취). ② 잃을 탈(失也). ¶ 奪氣(탈기).

字源 會意. 奞(새가 홰침)과 寸(손)의 합자. 새가 손에서 도망침의 뜻. 빼앗음의 뜻은 음의 차용.

[奪氣 탈기] ㊀ 놀라거나 겁에 질려 기운이 아주 빠짐. ㊁ 몹시 지쳐서 기운이 빠짐.
[奪取 탈취] 빼앗아 가짐.

---

11 ⑭ 【奬】 권면할 장 ㊤養 jiǎng
　奬

Ⅰ　ⅡⅠ　ⅡⅠ　ⅡⅠ　將　將　奬　奬

㊐ ショウ〔すすめる〕 ㊛ exhort

字解 ① 권면할 장, 장려할 장(勸也). ¶ 奬勵(장려). ② 칭찬할 장(賞也). ③ 도울 장(助也).

字源 形聲. 大+將〔音〕

參考 奬(大部 10획)은 약자.

[奬勵 장려] 권하여 북돋워 줌.
[奬學金 장학금] ㊀ 학자 보조금. ㊁ 학문을 연구하기 위한 보조금.

---

12 ⑮ 【奫】 물깊고넓을 윤 ㊩眞 yūn
　奫

㊐ イン〔ふかい〕

字解 물깊고넓을 윤(水深廣貌).

字源 形聲. 大+淵〔音〕

---

12 ⑮ 【奭】 ■클 석 �入陌 shì
　　　　■붉을 혁 ㊤陌 xì
　奭

㊐ セキ〔いかる〕・カク〔あかい〕 ㊛ prosper, red

[字解] [一] ① 클 석(大也), 성할 석(盛也). ② 성낼 석(怒也). [二] 붉을 혁.

[字源] 會意. 皕과 大의 합자. 성황의 뜻.

13 ⑯ 【奮】 떨칠 분 [去]問 | 奋 fèn

一 大 衣 奄 奞 奮 奮 奮

[日] フン〔ふるう〕 [英] rouse up

[字解] ① 떨칠 분(揚也). ¶ 奮發(분발). ② 힘쓸 분(厲也). ¶ 奮戰(분전). ③ 성낼 분(憤激). ¶ 奮怒(분노).

[字源] 會意. 奞(새가 홰침)과 田의 합자. 새가 전야(田野)에서 날아오르려고 홰치는 모양. 전하여, 「분기함」의 뜻.

[奮怒 분노] 분하여 몹시 성냄.
[奮發 분발] 마음을 단단히 먹고 기운을 내어 일어남.
[奮鬪 분투] 있는 힘을 다해서 싸움. ¶ 孤軍奮鬪(고군분투).

女 〔3 획〕 部
(계집녀부)

0 ③ 【女】 [一]계집 녀 [上]語 [二]너 여 [上]語 | nǚ rǔ

ㄑ 女 女

[日] ジョ・ニョ〔おんな・なんじ〕
[英] female, you

[字解] [一] ① 계집 녀(男之對). ¶ 女流(여류). ② 딸 녀(處子). ¶ 長女(장녀). ③ 너 녀(汝也). [二] 너 여.

[字源] 象形. 손을 모으고 무릎을 꿇고 있는 여자의 형상.

[女權 여권] 여자의 사회·정치·법률상의 권리.
[女史 여사] ㉠ 주로, 사회적 활동에 참가하고 있는 여자. ㉡ 결혼한 여자.
[女丈夫 여장부] 남자와 같이 굳세고 걸걸한 여자. 여걸(女傑).

2 ⑤ 【奶】 유모 내 [上]蟹 | nǎi

[日] タイ・ナイ〔ちち・うば〕
[英] nurse

[字解] ① 유모 내. 젖어미 내. ② 젖 내.

[字源] 形聲. 女+乃〔音〕

2 ⑤ 【奴】 종 노 [平]虞 | nú

ㄑ 女 女 奴 奴

[日] ド〔やつ〕 [英] slave

[字解] ① 종 노, 사내종 노(僕也). ¶ 奴婢(노비). ② 놈 노(賤稱). ¶ 守錢奴(수전노).

[字源] 會意. 女와 又(손)의 합자. 일을 하는 여자. 즉, 종을 뜻하나 후세에는 주로 남자에게 쓰임.

[奴婢 노비] 남자종과 여자종.
[奴隷 노예] ㉠ 종. ㉡ 자유와 권리를 구속당하고 남에게 부림을 받는 사람.
[守錢奴 수전노] 돈을 모을 줄만 아는 인색한 사람.

3 ⑥ 【奸】 간음할 간[平]寒 | gān jiān

[日] カン〔よこしま〕 [英] wicked

[字解] ① 간음할 간(姦也). ¶ 奸淫(간음). ② 범할 간(犯也).

[字源] 形聲. 女+干〔音〕

[奸邪 간사] 간교하고 행실이 바르지 못함.

3 ⑥ 【好】 [一]좋을 호 [上]皓 [二]좋아할 호[去]號 | hǎo hào

3 획

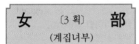

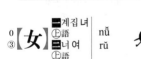

く 女 女 女ᄀ 好 好

[日] コウ〔よい・このむ〕

[英] good, like

[字解] [一] ① 좋을 호(善也). ¶ 好感(호감). ② 사이좋을 호(睦也). ¶ 友好(우호). ③ 아름다울 호(美也). ¶ 好美(호미). [二] 좋아할 호(嗜也). ¶ 嗜好(기호).

[字源] 會意. 女와 子의 합자. 젊은 여자의 아름다움을 나타냄.

[好感 호감] 좋은 감정.

[愛好 애호] 사랑하고 즐김.

3 ⑥ 【如】 같을 여 [平]魚 | rú

く 女 女 如 如 如

[日] ジョ・ニョ〔ごとし〕 [英] like

[字解] ① 같을 여(似也). ¶ 如意(여의). ② 어떠할 여, 어찌 여(疑問辭). ¶ 如何(여하). ③ 갈 여(行也). ④ 만일 여(若也). ¶ 如或(여혹). ⑤ 어조사 여(語助辭). ¶ 缺如(결여).

[字源] 形聲. 口+女〔音〕

[如實 여실] 사실과 같음.

[如意 여의] 일이 뜻대로 됨.

[如何 여하] 사정이 어떠함.

3 ⑥ 〖妃〗 [一]왕비 비 [平]微 [二]짝 배 [去]隊 | fēi pèi

く 女 女 女ᄀ 女ᄀ 妃

[日] ヒ〔きさき〕・ハイ〔つれそう〕

[英] queen, couple

[字解] [一] 왕비 비(次于后者, 太子之嫡室). ¶ 妃嬪(비빈). [二] 짝 배.

[字源] 會意. 女+己

[妃嬪 비빈] 비와 빈. 후(后) 다음이 비(妃), 비 다음이 빈(嬪).

3 ⑥ 〖妄〗 망령될 망[去]漾 | wàng

丶 亠 亡 妄 妄 妄

[日] モウ〔みだり〕 [英] absurd

[字解] 망령될 망, 허망할 망(虛誕), 실없을 망(不誠實).

[字源] 形聲. 女+亡〔音〕

[妄發 망발] ㉠ 그릇하여 자기나 또는 조상에게 욕이 되게 말을 함. ㉡ 망령된 말을 함. 망언(妄言).

[妄想 망상] 이치에 맞지 않는 망령된 생각.

4 ⑦ 〖妗〗 [一]싱글벙글할 첨[平]鹽 [二]방정맞을 함[平]咸 [三]외숙모 금[去]沁 | xiān jìn

[日] セン〔しなよくわらう〕・カン〔かるがるしい〕・キン〔おば〕

[英] smile, rash, aunt

[字解] [一] 싱글벙글할 첨. [二] 방정맞을 함. [三] 외숙모 금.

[字源] 形聲. 女+今〔音〕

4 ⑦ 〖妊〗 아이밸 임[去]沁 | rèn

[日] ニン〔はらむ〕 [英] pregnant

[字解] 아이밸 임(懷孕).

[字源] 形聲. 女+壬〔音〕

[參考] 姙(女部 6획)과 동자.

[妊娠 임신] 아이를 뱀.

4 ⑦ 〖姸〗 姸(연)(女部 6획)의 略字

4 ⑦ 〖妓〗 기생 기[上]紙 | jì

[日] キ〔あそびめ〕 [英] prostitute

[字解] ① 기생 기(樂女). ¶ 妓女(기녀). ② 갈보 기, 창녀 기(遊女). ¶ 娼妓(창기).

[字源] 形聲. 女+支〔音〕

[妓生 기생] 노래나 춤 따위로 술자리에서 흥을 돕는 것을 업으로 삼는 여자.

[娼妓 창기] 전에, 몸을 팔던 천한 기생.

4 ⑦ 【妖】 [一]요망할 요[平]蕭 [二]아름다울 교[上]巧 yāo jiāo

[日] ヨウ〔なまめかしい〕・コウ〔うつくしい〕
[英] strange, beautiful

[字解] [一] ① **요망할 요, 요사할 요.** ¶ 妖妄(요망). ② **고울 요, 요염할 요**(艷也). ¶ 妖艷(요염). ③ **요괴 요, 도깨비 요**(奇怪). ¶ 妖怪(요괴). [二] **아름다울 교.**

[字源] 形聲. 女+夭〔音〕

[妖怪 요괴] 요사한 귀신.
[妖妄 요망] ㉠ 요사스럽고 망령됨. ㉡ 언행이 경솔함.
[妖艷 요염] 사람이 홀릴 만큼 아리따움.
[姦妖 간요] 간사하고 요망함.

4 ⑦ 【妙】 묘할 묘 [去]嘯 miào

[日] ミョウ〔たえ〕 [英] exquisite

[字解] ① **묘할 묘**(神化不測). ¶ 妙計(묘계). ② **예쁠 묘**(美也). ¶ 妙態(묘태). ③ **젊을 묘**(少年). ¶ 妙齡(묘령).

[字源] 會意. 女+少

[妙齡 묘령] 젊은 여자의 꽃다운 나이. 곧, 20 세 전후의 여자의 나이.
[妙策 묘책] 매우 교묘한 꾀.

4 ⑦ 【妣】 죽은어미 비[上]紙 bǐ

[日] ヒ〔なきはは〕
[英] deceased mother

[字解] **죽은어미 비**(亡母).

[字源] 形聲. 女+比〔音〕

[先妣 선비] 돌아가신 어머니.

4 ⑦ 【妤】 궁녀 여 [平]魚 yú

[日] ヨ〔うつくしい〕 [英] court maid

[字解] ① **궁녀 여**(女官位). ② **아름다울 여**(美也).

[字源] 形聲. 女+予〔音〕

4 ⑦ 【妨】 방해할 방[平]陽 fáng

[日] ボウ〔さまたげる〕 [英] hinder

[字解] ① **방해할 방, 훼방할 방**(障害). ¶ 妨害(방해). ② **거리낄 방**(礙也). ¶ 無妨(무방).

[字源] 形聲. 女+方〔音〕

[妨害 방해] 헤살을 놓아 해를 끼침.
[無妨 무방] 지장이 없음.

4 ⑦ 【妒】 妬(투)(女部 5획)와 同字

4 ⑦ 【妝】 粧(장)(米部 6획)과 同字

4 ⑦ 【妥】 온당할 타[上]哿 tuǒ

[日] ダ〔おだやか〕 [英] proper

[字解] **온당할 타, 평온할 타**(平穩).

[字源] 會意. 爪(손)와 女의 합자. 여자를 위에서 손으로 눌러 진정시킴의 뜻.

[妥當 타당] 사리에 맞아 마땅함.

5 ⑧ 【姈】 여자의자 령[平]青 líng

[日] レイ・リョウ〔さかしい〕

[字解] **여자의자(字) 령.**

[字源] 形聲. 女+令〔音〕

5 ⑧ 【妸】 여자의자 아[平]歌 ē

[日] ア〔しなやか〕

[字解] **여자의자(字) 아.**

[字源] 形聲. 女+可〔音〕

3획

5 ⑧ 【姃】 단정할 정[平]庚 zhēng

[日] セイ・ショウ〔ただしい〕

[字解] ① **단정할 정.** ② **여자의자 정.**

[字源] 形聲. 女+正〔音〕

5 ⑧ 【姓】 여자이름자 주[本]투[上]有 tǒu

[日] トウ〔おんなのあさな〕

[字解] ① **여자이름자**(字) **주.** ② **예쁠 주.**

[字源] 形聲. 女+主〔音〕

5 ⑧ 【妬】 투기할 투[去]遇 dù

[日] ト〔ねたむ〕 [英] envy

[字解] **투기할 투, 강샘할 투**(嫉也).

[字源] 形聲. 女+石〔音〕

[參考] 妒(女部 4획)는 동자.

[妬忌 투기] 질투. 강샘.
[嫉妬 질투] 강샘.

5 ⑧ 【妲】 여자이름 달[入]曷 dá

[日] ダツ〔おんなのあざな〕 [英] envy

[字解] **여자이름 달**(紂妃妲己).

[字源] 形聲. 女+旦〔音〕

[妲己 달기] 중국 은(殷)나라 주왕(紂王)의 비(妃). 주왕을 부추겨 포악한 짓을 많이 했다고 함.

5 ⑧ 【妹】 손아랫누이 매[去]隊 mèi

ㄑ 乆 女 女一 女二 女午 妹 妹

[日] マイ〔いもうと〕
[英] younger sister

[字解] **손아랫누이 매**(女弟). ¶ 男妹(남매).

[字源] 形聲. 女+未〔音〕

[妹夫 매부] 누이의 남편.
[妹弟 매제] 《韓》손아랫누이의 남편.
[妹兄 매형] 《韓》손윗누이의 남편. 자형(姉兄).

5 ⑧ 【姁】 [一]할미 후 [上]麌 [二]어여쁠 후[平]虞 xū xǔ

[日] ク〔うつくしい〕
[英] grandmother, pretty

[字解] [一] **할미 후.** [二] **어여쁠 후**(美也).

[字源] 形聲. 女+句〔音〕

5 ⑧ 【姆】 여스승 모 [本]무[上]麌 mǔ

[日] ボ〔うば〕 [英] female teacher

[字解] ① **여스승 모**(女師). ② **유모 모**(乳母).

[字源] 形聲. 女+母〔音〕

[保姆 보모] ㉠ 유치원 교사의 구칭. ㉡ 보육원 등에서, 아동의 보육에 종사하는 여자.

5 ⑧ 【姉】 누이 자 [上]紙 zǐ

ㄑ 乆 女 女' 女亠 姉 姉

[日] シ〔あね〕 [英] elder sister

[字解] **누이 자**(女兄).

[字源] 形聲. 女+市〔音〕

[參考] 姊(女部 5획)는 본자.

[姉妹 자매] ㉠ 손윗누이와 손아랫누이. ㉡ 여자끼리의 언니와 동생 또는 그와 같이 서로 관계가 깊은 사이.

5 ⑧ 【姊】 姉(자)(女部 5획)의 本字

5 ⑧ 【始】 비로소 시[上]紙 shǐ

ㄑ 乆 女 女厶 女厶 女台 始 始

[日] シ〔はじめ〕 [英] begin

[字解] **비로소 시, 비롯할 시, 처음**

시(終之對).

字源 形聲. 女+台〔音〕

[始末書 시말서] 잘못된 일의 경위를 자세히 적은 문서.

[始終 시종] 처음과 끝.

[開始 개시] 처음으로 시작함.

5
⑧【姐】 누이 저㉠자 jiě
㊤馬

㊒ ソ〔あね〕 ㊟ elder sister

字解 ① 누이 저(姉也). ② 계집애 저, 여자 저(女子). ¶ 小姐(소저).

字源 形聲. 女+且〔音〕

[小姐 소저] 아가씨.

5
⑧【姑】 시어미 고
고㊤虞 gū

� ㄑ ㄅ ㄅ 女 女' 女+ 姑 姑 姑

㊒ コ〔しゅうとめ〕
㊟ mother-in-law

字解 ① 시어미 고(夫之母). ¶ 姑婦(고부). ② 고모 고(父之姉妹). ¶ 姑母(고모). ③ 잠깐 고(暫也). ¶ 姑息(고식).

字源 形聲. 女+古〔音〕

[姑母 고모] 아버지의 누이.

[姑婦 고부] 시어머니와 며느리.

[姑息 고식] 당장에는 탈이 없는 일 시적(一時的)인 안정. ¶ 姑息因循(고식인순).

5
⑧【姒】 맏동서 사㊤紙 si

㊒ ジ〔あによめ〕 ㊟ sister-in-law

字解 ① 맏동서 사(長嫂), 동서 사(同嫂). ¶ 姒婦(사부). ② 언니 사(姉也). ③ 형수 사(嫂也). ¶ 姒娣(사제).

字源 形聲. 女+以〔音〕

[姒婦 사부] 손아랫동서가 맏동서를 일컫는 말.

[姒娣 사제] 형수와 계수. 여자 동서.

5
⑧【姓】 성 성
㊦敬 xìng

ㄑ ㄅ 女 女 女' 妌 姓 姓

㊒ セイ〔かばね〕 ㊟ surname

字解 ① 성 성, 씨 성(氏系統稱). ¶ 姓名(성명). ② 백성 성(民也). ¶ 百姓(백성).

字源 形聲. 女+生〔音〕

[姓名 성명] 성과 이름.

[姓銜 성함] 성명의 높임말.

[百姓 백성] 일반 국민.

5
⑧【妻】 아내 처
㊥齊 qī

一 ㄱ � ㊒ 串 妻 妻 妻

㊒ サイ〔つま〕 ㊟ wife

字解 ① 아내 처(夫之對). ¶ 夫妻(부처). ② 시집보낼 처(以女嫁人).

字源 會意. 中(비)와 又(손)와 女(여자)의 합자. 손에 비를 든 여자의 뜻.

[妻男 처남] 아내의 남자 형제(兄弟). 처남(妻娚).

[妻子 처자] 아내와 자식.

[夫妻 부처] 부부.

5
⑧【妾】 첩 첩
㈤葉 qiè

丶 ㄅ 寸 立 立 亲 妾 妾

㊒ ショウ〔めかけ〕 ㊟ concubine

字解 ① 첩 첩(側室). ¶ 妾室(첩실). ② 나 첩(婦人自卑稱). ¶ 小妾(소첩).

字源 會意. 辛(죄)와 女의 합자. 옛날, 죄 있는 여자를 종으로 삼았음.

[妾室 첩실] 첩을 점잖게 일컫는 말. 작은집.

[蓄妾 축첩] 첩을 둠.

5
⑧【委】
■맡길 위 ㊤紙 wěi
■쌓일 위 ㊥寘 wèi
■의젓할 위 ㊤支 wēi

一 ㄴ 干 干 禾 禾 委 委

㊒ イ〔ゆだねる・そうこ・ゆったり〕

英 entrust, be piled up, dignified

字解 ━ ① 맡길 위(任也). ¶ 委任(위임). ② 버릴 위(棄也). ¶ 委棄(위기). ③ 자세할 위(精細). ¶ 委細(위세). ④ 시들 위, 쇠할 위(萎也). ¶ 委靡(위미). ᅳ 쌓일 위(累也), 쌓을 위(積也). ¶ 委積(위적). ᄐ 의젓할 위(從容自得). ¶ 委委(위위).

字源 會意. 女+禾

[委員 위원] 어떤 일에 대하여 그 처리를 위임받은 사람.
[委委 위위] 의젓하고 아름다움.
[委任 위임] 어떤 일을 책임지워 맡김. ¶ 委任狀(위임장).
[委託 위탁] 맡기어 부탁함. 의뢰함.

6
9 【姦】간음할 간㉿刪 | jiān 奸

ㄥㄥ女女妥妥姦姦

日 カン〔みだら〕 英 adultery

字解 ① 간음할 간(淫也). 姦淫(간음). ② 간사할 간(奸也). ¶ 姦慝(간특).

字源 會意. 女를 셋 합해서 여자의 불의(不義) 또는 악(惡)함을 뜻함.

[姦淫 간음] 부부가 아닌 남녀가 성적 관계를 맺음.
[姦慝 간특] 간사하고 음간 침.

6
9 【姞】삼갈 길㉿質 | jí 姞

日 キツ〔つつしむ〕 英 discreet

字解 ① 삼갈 길. ② 성 길.

字源 形聲. 女+吉〔音〕

6
9 【姙】妊(임)(女部 4획)과 同字

6
9 【姚】━예쁠 요㉿嘯
        ᅳ가벼울 조㉿嘯 | yáo tiáo 姚

日 ヨウ〔みめよい〕・チョウ〔かるがるしい〕

英 charming, light

字解 ━ ① 예쁠 요, 고울 요(美也). ¶ 姚冶(요야). ② 날랠 요(急疾). ¶ 嫖姚(표요). ᅳ 가벼울 조.

字源 形聲. 女+兆〔音〕

[姚冶 요야] 용모가 아름다움.
[嫖姚 표요] 날쌤. 날램.

6
9 【姣】아름다울 교㊤巧 | jiāo 姣

日 コウ〔うつくしい〕 英 pretty

字解 아름다울 교(美也).

字源 形聲. 女+交〔音〕

[姣美 교미] 얼굴이 아름다움.
[姣冶 교야] 곱고 아름다움. 또, 그러한 여자. 미녀(美女).

6
9 【姆】할미 모㊤麌 | mǔ, lǎo 姆

日 ボ・モ〔うば・ばば〕 英 grandmother

字解 할미 모. 노파 모.

字源 會意. 女+老

6
9 【娃】━예쁠 왜㊤佳
        ᅳ예쁠 와㊤麻 | wá 娃

日 アイ・ワ〔みめよい〕 英 pretty

字解 ━ 예쁠 왜. ᅳ 예쁠 와.

字源 形聲. 女+圭〔音〕

6
9 【姝】예쁠 주㉿虞 | shū 姝

日 シュ〔みめよい〕 英 pretty

字解 ① 예쁠 주. ② 연약할 주.

字源 形聲. 女+朱〔音〕

6
9 【姤】만날 구㊤宥 | gòu 姤

日 コウ・ク〔あう〕 英 meet

字解 ① 만날 구(遇也). ② 어여쁠 구(美也).

字源 形聲. 女+后〔音〕

3
획

6 ⑨ 〔姨〕 이모 이 | ㊥支 | yí 姨
㊐ イ〔おば〕 ㊡ mother's sister
字解 이모 이(母之姉妹).
字源 形聲. 女+夷〔音〕.
[姨母 이모] 어머니의 자매(姉妹).

6 ⑨ 〔姪〕 조카 질 | ㊣質 | zhí 姪
く 女 女 妒 妒 妒 姪 姪
㊐ テツ〔めい〕 ㊡ nephew
字解 조카 질(兄弟之子).
字源 形聲. 女+至〔音〕.
[姪女 질녀] 조카딸.
[姪壻 질서] 조카사위.
[姪孫 질손] 조카의 아들. 형제의 손자. 종손(從孫).

6 ⑨ 〔姬〕 계집 희 | ㊥기㊥支 | jí 姬
㊐ キ〔ひめ〕 ㊡ girl
字解 계집 희(女也), 아가씨 희(婦人美稱).
參考 姫(女部 6획)는 속자.
[姬妾 희첩] 첩. 소실.
[舞姬 무희] 춤을 업으로 삼는 여자.

6 ⑨ 〔姮〕 항아 항 | ㊥蒸 | héng 姮
㊐ コウ〔つき〕
字解 항아 항(月中仙女).
字源 形聲. 女+亘〔音〕.
參考 嫦(女部 11획)은 속자.
[姮娥 항아] ㉠ 달의 딴 이름. ㉡ 달 속에 있다는 선녀. 상아(嫦娥).

6 ⑨ 〔姹〕 소녀 차 | ㊤馬 | chà 姹
㊐ タ〔おとめ〕 ㊡ girl
字解 ① 소녀 차(少女). ② 아리따울 차(美也).
字源 形聲. 女+宅〔音〕.

6 ⑨ 〔姻〕 혼인 인 | ㊥眞 | yīn 姻
く 女 女 如 奶 姻 姻 姻
㊐ イン〔えんぐみ〕 ㊡ marriage
字解 혼인 인(嫁娶).
字源 形聲. 女+因〔音〕.
[姻戚 인척] 외가와 처가에 딸린 겨레붙이.
[婚姻 혼인] 결혼.

6 ⑨ 〔娟〕 娟(연)(女部 7획)의 俗字

6 ⑨ 〔妍〕 고울 연 | ㊥先 | yán 妍
㊐ ケン〔うつくしい〕 ㊡ beautiful
字解 ① 고울 연, 아름다울 연(美也). ② 총명할 연(慧也).
字源 形聲. 女+幵〔音〕.
[妍醜 연추] 아름다움과 추함.

6 ⑨ 〔威〕 위엄 위 | ㊥微 | wēi 威
㊐ イ〔たけし〕 ㊡ dignity
字解 ① 위엄 위(尊嚴). ¶ 威信(위신). ② 세력 위(權勢). ¶ 威力(위력). ③ 으를 위(嚇也). ¶ 威脅(위협).
字源 會意. 女+戉〔音〕.
[威德 위덕] 위엄과 덕망.
[威力 위력] ㉠ 큰 권세(權勢). ㉡ 권위에 찬 힘.
[威信 위신] 위엄과 신의.
[威壓 위압] 위협하여 억누름. 위력으로 내리누름.

6 ⑨ 〔姜〕 성 강 | ㊥陽 | jiāng 姜
㊐ キョウ〔つよい〕 ㊡ surname
字解 ① 성 강(人姓). ¶ 姜太公(강태공). ② 강할 강(強也).
字源 形聲. 女+羊〔音〕.

6 9 【姿】 맵시 자 ⊕支 | zī

ゝ ` ¿ ゞ ゾ 次 姿 姿

日 シ〔すがた〕 英 figure
字解 ① 맵시 자, 모습 자(態也).
¶ 姿態(자태). ② 성품 자, 바탕
자(素質). ¶ 姿質(자질).
字源 形聲. 女+次〔音〕

[姿勢 자세] 몸을 가지는 상태.
[姿態 자태] ㉠ 몸을 가지는 태도와
맵시. ㉡ 모습. 모양.

6 9 【姬】 姬(희)(女部 6획)의 俗字

7 10 【娍】 아름다울 성⊕敬 | shèng

日 セイ〔すらりとしてみめよい〕
英 pretty
字解 ① 아름다울 성. ② 여자이
름 성.

7 10 【娉】 ■물을 빙 ⊕敬 / ■예쁠 병 ⊕庚 | pin

日 ヘイ〔とう〕・ホウ〔うつくしい〕
字解 ■ ① 물을 빙(問也). ② 장
가들 빙(娶也). ■ 예쁠 병.
字源 形聲. 女+甹〔音〕

7 10 【娘】 ■각시 낭 ⊕낭⊕陽 / ■각시 랑 ⊕陽 | niáng

ゝ ㇈ 女 女' 妒 妒 娘 娘

日 ジョウ〔むすめ〕 英 girl
字解 ■ ① 각시 낭, 아가씨 낭(孃
也). ② 娘子(낭자). ③ 어머니 낭
(母也). ■ 각시 랑. 계집 랑.
字源 形聲. 女+良〔音〕

[娘子 낭자] 처녀. 소녀.

7 10 【娛】 즐거워할 오⊕虞 | yú

日 ゴ〔たのしむ〕 英 amuse
字解 즐거워할 오(樂也).
字源 形聲. 女+吳〔音〕
注意 娛(言部 7획)는 딴 글자.

[娛樂 오락] 즐겁게 노는 놀이.
[娛娛 오오] 즐거워하는 모양.
[娛遊 오유] 즐거이 놂.
[娛嬉 오희] 즐거워하고 기뻐함.

7 10 【娜】 날씬할 나⊕智 | nuó

日 ダ〔うつくしい〕 英 slender
字解 날씬할 나(美女貌).
字源 形聲. 女+那〔音〕

7 10 【娠】 아이밸 신⊕眞 | shēn

日 シン〔はらむ〕 英 pregnant
字解 아이밸 신(懷身).
字源 形聲. 女+辰〔音〕

[妊產 임산] 아이를 배고 낳는 일.
[妊娠 임신] 아이를 뱀. 잉태함.

7 10 【娣】 누이동생 제⊕霽 | dì

日 テイ〔いもうと〕
英 younger sister
字解 ① 누이동생 제(妹也). ② 손
아랫동서 제(長婦謂稚婦).
字源 形聲. 女+弟〔音〕
[娣婦 제부] 손아랫동서.

7 10 【娥】 예쁠 아 ⊕歌 | é

日 ガ〔みめよい〕 英 pretty
字解 ① 예쁠 아(美貌). ¶ 娥姣(아
교). ② 여자이름 아. ¶ 娥英(아
영). ③ 항아 아. ¶ 姮娥(항아).
字源 形聲. 女+我〔音〕

[娥姣 아교] 아름답게 잘생긴 모양.
[娥影 아영] 달빛. 월광.

7 ⑩ 〖娩〗 [一]해산할 만(本)면 (上)銑 [二]순할 면 (上)阮 | wǎn miǎn

(日) バン〔うむ〕・ベン〔しとやか〕 (英) deliver, gentle

字解 [一] **해산할 만**(生子). ¶ 分娩(분만). [二] **순할 면**(順也). ¶ 婉娩(완만).

字源 形聲. 女+免〔音〕

[分娩 분만] 아이를 낳음.

7 ⑩ 〖娚〗 말소리 남(平)覃 | nán

(日) ナン〔あに〕 (英) voice

字解 ① **말소리 남**(語聲). ② 《韓》 **오라비 남**(姉妹謂男兄弟).

字源 形聲. 女+男〔音〕

7 ⑩ 〖娟〗 [一]아름다울 연(平)先 [二]예쁜모양 견(平)先 | juān

(日) ケン〔みめよい〕・エン〔あでやか〕 (英) beautiful

字解 [一] **아름다울 연**(美好貌), **아름다운모양 연**(好恣態貌). [二] **예쁜 모양 견**.

字源 形聲. 女+肙〔音〕

參考 娟(女部 6획)은 속자.

[娟秀 연수] 얼굴이 아름답고 빼어남.

7 ⑩ 〖娑〗 춤출 사 (平)歌 | suō

(日) シャ〔まう〕 (英) dance

字解 ① **춤출 사**(舞也). ② **세상 사**(塵世). ¶ 娑婆(사바).

字源 形聲. 女+沙〔音〕

[娑婆 사바] 범어(梵語) saba의 음역(音譯). 괴로움이 많은 이 세상. 속세.

[娑娑 사사] 옷자락이 바람에 나부끼는 모양.

7 ⑩ 〖娫〗 예쁠 연 (平)先 | yán

(日) エン〔みめよい〕 (英) beautiful

字解 **예쁠 연.**

8 ⑪ 〖婠〗 점잖을 완 (平)寒 | wān

(日) ワン〔しなよし〕 (英) good-natured

字解 ① **점잖을 완.** ② **예쁠 완.**

字源 形聲. 女+官〔音〕

8 ⑪ 〖娼〗 창녀 창 (平)陽 | chāng

(日) ショウ〔あそびめ〕(英) prostitute

字解 **창녀 창, 노는계집 창**(遊女).

字源 形聲. 女+昌〔音〕

[娼女 창녀] 몸을 파는 것으로 업을 삼는 여자.

[娼優 창우] 광대.

8 ⑪ 〖婉〗 아름다울 완(本)원 (上)阮 | wǎn

(日) エン〔しとやか〕 (英) beautiful

字解 ① **아름다울 완, 예쁠 완**(好眉目). ¶ 婉美(완미). ② **순할 완**(順也). ¶ 婉娩(완만). ③ **은근할 완**(曲也). ¶ 婉曲(완곡).

字源 形聲. 女+宛〔音〕

[婉曲 완곡] 말이나 행동을 빙 둘러서 넌지시 함.

[婉美 완미] 날씬하게 예쁘고 아름다움.

8 ⑪ 〖婕〗 예쁠 첩 (入)葉 | jié

(日) ショウ〔うつくしい〕 (英) pretty

字解 **예쁠 첩**(美貌)

字源 形聲. 女+疌〔音〕

8 ⑪ 【婚】 혼인할 혼 (平)元 | hūn

3 획

くタダダダ媂婚婚

⊕ コン〔えんぐみ〕 ⊛ marry

字解 혼인할 혼, 혼인 혼(嫁娶). ¶ 結婚(결혼).

字源 會意. 女와 昏(저녁때)의 합자. 결혼식은 저녁에 행하여졌음.

[婚事 혼사] 혼인에 관한 모든 일.

[婚姻 혼인] 장가들고 시집감. 남녀가 부부가 되는 일.

[新婚 신혼] 갓 혼인함.

[再婚 재혼] 두 번째 혼인함.

8 ⑪ 【婢】 계집종 비 ㊤紙 │ bì

くタダダ姑婶婶婶

⊕ ヒ〔はしため〕 ⊛ maid servant

字解 ① 계집종 비(女奴). ¶ 婢僕(비복). ② 소첩 비(女自己卑稱).

字源 形聲. 女+卑〔音〕

[婢女 비녀] 계집종.

[婢僕 비복] 계집종과 사내종.

[婢子 비자] ㉠ 계집종. ㉡ 여자가 자신을 낮추어 일컫는 말.

8 ⑪ 【婥】 예쁠 작 ㊤藥 │ chuò

⊕ シャク〔うつくしい〕 ⊛ pretty

字解 예쁠 작(美也, 好也), 예쁜모양 작(美態貌).

字源 形聲. 女+卓〔音〕

[婥約 작약] 몸매가 호리호리하고 간드러짐.

8 ⑪ 【婦】 며느리 부 ㊤有 │ fù

くタダダ妤妤婦婦

⊕ フ〔よめ〕 ⊛ daughter-in-law

字解 ① 며느리 부(子之妻). ¶ 子婦(자부). ② 지어미 부(女子已嫁). ¶ 婦道(부도). ③ 아내 부(妻也). ¶ 夫婦(부부).

字源 會意. 女와 帚(비)의 합자. 집안에서 청소 따위를 하는 여자, 즉

「며느리」의 뜻.

[婦道 부도] 여자가 마땅히 지켜야 할 도리.

[婦人 부인] 결혼한 여자.

[姑婦 고부] 시어머니와 며느리.

8 ⑪ 【婭】 동서 아 ㊤禡 │ yà

⊕ フ〔あいむこ〕 ⊛ brother-in-law

字解 동서 아(妻之姉妹之夫).

字源 形聲. 女+亞〔音〕

[婭婿 아서] 아내의 자매의 남편.

[姻婭 인아] 사위 쪽의 사돈 및 남자편의 동서간의 통칭.

8 ⑪ 【婬】 간통할 음 ㊤侵 │ yín

⊕ イン〔みだら〕 ⊛ harlot

字解 ① 간통할 음(姦也). ② 음탕할 음(蕩也).

字源 形聲. 女+㸒〔音〕

8 ⑪ 【娶】 장가들 취 ㊤遇 │ qǔ

⊕ シュ〔めとる〕 ⊛ marry

字解 장가들 취(取婦).

字源 形聲. 女+取〔音〕

[娶妻 취처] 아내를 얻음. 장가를 듦.

8 ⑪ 【婁】 ㊀끌 루 ㊤虞 ㊁빌 루 ㊤尤 │ lóu

⊕ ル・ロウ〔ひく〕 ⊛ drag, empty

字解 ㊀ 끌 루(曳也). ㊁ ① 빌 루(空也). ② 거둘 루(收斂). ③ 별이름 루(二十八宿之一).

字源 會意. 毋(없음)와 中과 女의 합자.「허무함」의 뜻.

8 ⑪ 【婆】 ㊀할미 파 ㊤歌 ㊁사바 바 ㊤歌 │ pó

3
劃

─────────────

日 バ〔ばば・ほんご〕
英 old woman

字解 ━ ① 할미 파(老也). ¶ 老婆(노파). ② 춤추는모양 파(舞者之容). ¶ 婆娑(파사). ━ 사바바.

字源 形聲. 女+波〔音〕

[婆娑 파사] ㉠ 춤추는 모양. ㉡ 옷자락이 바람에 나부끼는 모양.

[老婆 노파] 늙은 여자. 할머니. 할멈.

8
⑪ 〔婪〕탐할 람
㊥覃　lán　梵

日 ラン〔むさぼる〕 英 covet

字解 탐할 람(貪也).

字源 形聲. 女+林〔音〕

[婪酣 남감] 게걸스럽게 먹음.

9
⑫ 〔婷〕예쁠 정
㊥青　tíng

日 テイ〔みめよい〕 英 beautiful

字解 예쁠 정(美好貌).

字源 形聲. 女+亭〔音〕

[婷婷 정정] ㉠ 아름답고 예쁜 모양. ㉡ 꽃이 조용히 핀 모양.

9
⑫ 〔婾〕━ 엷을 유
㊥虞　yú
━ 간교할 투
㊥尤　tōu

日 ユ・トウ〔ぬすむ〕
英 thin, crafty

字解 ━ 엷을 유(薄也). ━ ① 간교할 투(巧黠). ② 훔칠 투(偸也).

字源 形聲. 女+兪〔音〕

9
⑫ 〔媒〕중매 매
㊥灰　méi

ㄥ 女 妒 娉 娋 娝 婞 媒

日 バイ〔なかだち〕 英 go between

字解 중매 매, 중매설 매(謀合二姓者).

─────────────

字源 形聲. 女+某〔音〕

[仲媒 중매] 혼인을 중간에서 소개하는 일. 또는 그 사람.

9
⑫ 〔媟〕무람없을 설
㊦屑　xiè

日 セツ〔なれる〕 英 familiar

字解 ① 무람없을 설. ② 깔볼 설.

字源 形聲. 女+枼〔音〕

[媟嫚 설만] 너무 친하여 무람없음.

9
⑫ 〔媓〕어머니 황
㊥陽　huáng

日 コウ〔はは〕 英 mother

字解 어머니 황.

字源 形聲. 女+皇〔音〕

9
⑫ 〔媚〕아첨할 미
㊤寘　mèi

日 ビ〔こびる〕 英 flatter

字解 ① 아첨할 미(諂也). ¶ 媚態(미태). ② 예쁠 미(美也). ¶ 明媚(명미).

字源 形聲. 女+眉〔音〕

[媚笑 미소] 아양을 떠는 웃음.
[媚態 미태] 아양을 떠는 모양. 아첨하는 태도.
[明媚 명미] 밝고 아름다움.

9
⑫ 〔媛〕예쁠 원
㊤霰　yuán

日 エン〔ひめ〕 英 beautiful

字解 예쁠 원(美也), 예쁜여자 원(美女).

字源 形聲. 女+爰〔音〕

[媛妃 원비] 아름다운 여자. 미녀.
[才媛 재원] 재주가 있는 젊은 여자.

9
⑫ 〔媧〕━ 여신이름 과
㊦麻㊤卦　wā
━ 여신이름 왜
㊤卦　wā
㊥佳

[日] カ・カイ〔めがみ〕 [英] goddess

[字解] [一] 여신이름 와. [二] 여신이름 왜(女神名).

[字源] 形聲. 女+咼〔音〕

9 ⑫ 〖媄〗 빛고울 미[上]紙 | měi

[日] ビ・ミ〔みめよい〕

[字解] 빛고울 미.

[字源] 形聲. 女+美〔音〕

9 ⑫ 〖媤〗 《韓》시집 시

[日] こんか [英] husbands home

[字解] 《韓》 시집 시(夫家). ¶ 媤父母(시부모).

[媤宅 시댁] 시가(媤家)의 존칭.

9 ⑫ 〖婿〗 壻(서)(士部 9획)와 俗字

10 ⑬ 〖媼〗 할미 온 [本]오[上]皓 | ǎo

[日] オウ〔おうな〕 [英] old woman

[字解] 할미 온(祖母), 노파 온(老女).

[字源] 形聲. 女+𥁕〔音〕

[媼嫗 온구] 늙은 여자. 老婆(노파).

10 ⑬ 〖媳〗 며느리 식[入]陌 | xí

[日] セキ〔よめ〕

[英] daughter-in-law

[字解] 며느리 식(子婦).

[字源] 形聲. 女+息〔音〕

[媳婦 식부] 며느리.

10 ⑬ 〖媽〗 어미 마 [上]麌 | 妈 mā

[日] ボ〔はは〕 [英] mother

[字解] ① 어미 마(母之稱). ② 암말 마(牝馬).

[字源] 形聲. 女+馬〔音〕

10 ⑬ 〖嫄〗 사람이름 원[平]元 | yuán

[日] ケン〔あざな〕

[字解] 사람이름 원.

[字源] 形聲. 女+原〔音〕

10 ⑬ 〖媾〗 겹혼인할 구[去]宥 | gòu

[日] コウ〔まじわる〕

[字解] ① 겹혼인할 구(重婚). ② 사랑할 구(愛也). ③ 화친할 구(和睦). ¶ 媾和(구화). ④ 교접할 구(情交). ¶ 媾合(구합).

[字源] 形聲. 女+冓〔音〕

[媾合 구합] 남녀가 성적으로 관계함. 성교(性交).

[媾和 구화] 싸우던 나라끼리 서로 화친함. 강화(講和).

10 ⑬ 〖媿〗 부끄러울 괴[去]寘 | kuì

[日] キ〔はじる〕 [英] ashamed

[字解] 부끄러울 괴(慚也).

[字源] 形聲. 女+鬼〔音〕

10 ⑬ 〖嫁〗 시집갈 가 [去]禡 | jià

[日] カ〔とつぐ〕 [英] marry

[字解] ① 시집갈 가(女子適人). ¶ 出嫁(출가). ② 떠넘길 가(推惡于人). ¶ 嫁禍(가화).

[字源] 形聲. 女+家〔音〕

[嫁娶 가취] 시집가고 장가드는 일.

[出嫁 출가] 처녀가 시집감.

10 ⑬ 〖嫂〗 형수 수 [上]皓 | sǎo

[日] ソウ〔あによめ〕

[英] elder brother's wife

[字解] 형수 수(兄妻).

[字源] 形聲. 女+叟〔音〕

[嫂叔 수숙] 형제의 아내와 남편의 형제.

3
획

[弟嫂 제수] 아우의 아내.

10 ⑬ 【嫉】 투기할 질⑧質 | jí

日 シツ〔ねたむ〕 ⑧ envy

字解 ① 투기할 질(妬也). ¶ 嫉妬(질투). ② 미워할 질(憎也). ¶ 嫉視(질시).

字源 形聲. 女+疾〔音〕

[嫉視 질시] 밉게 봄. 흘겨봄.

[嫉妬 질투] 강샘. 샘.

10 ⑬ 【嫋】 간들거릴 뇨⑧篠 | niǎo

日 ジョウ〔しなやか〕 ⑧ reeling

字解 ① 간들거릴 뇨(柔長貌). ¶ 嫋嫋(요뇨). ② 휘늘어지는모양 뇨(柳垂貌). ¶ 嫋娜(요나).

字源 形聲. 女+弱〔音〕

[嫋娜 요나] 호리호리하고 아름다움.

10 ⑬ 【嫌】 혐의할 혐⑧鹽 | xián

日 ケン〔きらう〕 ⑧ abhor

字解 ① 혐의할 혐(不平於心), 의심할 혐(疑也). ¶ 嫌疑(혐의). ② 싫어할 혐(不好). ¶ 嫌惡(혐오).

字源 形聲. 女+兼〔音〕

[嫌惡 혐오] 싫어하고 미워함.

[嫌疑 혐의] ㉠ 의심적음. ㉡ 범죄를 저지른 사실이 있으리라는 의심. ¶ 嫌疑事實(혐의 사실).

10 ⑬ 【媵】 잉첩 잉⑧徑 | yìng

日 ヨウ〔こしもと〕

字解 ① 잉첩 잉(從嫁). ¶ 媵從(잉종). ② 보낼 잉, 전송할 잉(送也).

字源 形聲. 女+朕〈省〉〔音〕

[媵從 잉종] 귀인이 시집갈 때 따라가던 종.

[媵妾 잉첩] 귀인의 시중을 드는 첩.

11 ⑭ 【嫤】 고울 근⑧吻 | jǐn

日 キン〔みめよい〕 ⑧ pretty

字解 고울 근.

字源 形聲. 女+堇〔音〕

11 ⑭ 【嫙】 아리따울 선⑧先 | xuán

日 セン〔みめよい〕 ⑧ pretty

字解 아리따울 선.

字源 形聲. 女+旋〔音〕

11 ⑭ 【嫖】 가벼울 표⑧蕭 | piáo

日 ヒョウ〔かるい〕 ⑧ swift

字解 ① 가벼울 표(輕也), 몸가벼울 표, 날랠 표(僄也). ¶ 嫖姚(표요). ② 음란할 표(邪淫). ¶ 嫖子(표자).

字源 形聲. 女+票〔音〕

[嫖姚 표요] 날램.

[嫖子 표자] 유녀(遊女). 매음부(賣淫婦).

11 ⑭ 【嫗】 할미 구⑧遇 | yù

日 ウ〔おうな〕 ⑧ old woman

字解 할미 구(老嫗).

字源 形聲. 女+區〔音〕

[老嫗 노구] 늙은 여자. 할멈.

11 ⑭ 【嫡】 정실 적⑧錫 | dí

日 テキ・チャク〔よつぎ〕 ⑧ legal wife

字解 ① 정실 적(正室), 본마누라 적(正夫人). ② 맏아들 적(本妻所生長子).

字源 形聲. 女+商〔音〕

[嫡子 적자] ㉠ 정실이 낳은 아들. ㉡ 본처 소생의 장자.

11 ⑭ 【嫣】 상긋웃을 언⑧先 | yān

日 エン〔うるわしい〕
英 charming smile
字解 상긋웃을 언(巧笑態).
字源 形聲. 女+焉〔音〕
[嫣然 언연] 상긋상긋 웃는 모양.

11
⑭ 【嫦】 姮(상·항)(女部 6획)의 俗字

11
⑭ 【嫩】 어릴 눈 | nèn
㊀顧
日 ドン〔わかい〕 英 young
字解 어릴 눈(少也), 연약할 눈(弱也).
字源 形聲. 媆의 속자. 媆은 「奧(연)」의 전음이 음을 나타냄. 媆은 쓰이지 않게 되고 嫩이 쓰이고 있음.
[嫩芽 눈아] 새로 돋아나는 싹.

11
⑭ 【嫪】 사모할 로 | lào
로㊀號
日 ロウ〔こいしたう〕 英 long for
字解 사모할 로(戀惜).
字源 形聲. 女+翏〔音〕

11
⑭ 【嫠】 과부 리 | lí
㊀支
日 リ〔やもめ〕 英 widow
字解 과부 리(寡婦).
字源 形聲. 女+斄〔音〕
[嫠節 이절] 과부의 절개.

12
⑮ 【嫿】 탐스러울 화 | huà
화㊀禡
日 カ〔うつくしい〕 英 desirable
字解 탐스러울 화.

12
⑮ 【嬉】 즐길 희 | xī
㊀支
日 キ〔たのしむ〕 英 enjoy
字解 ① 즐길 희(樂也). ¶ 嬉遊(희

유). ② 희학질할 희(戲也). ¶ 嬉笑(희소).
字源 形聲. 女+喜〔音〕
[嬉笑 희소] 희롱하여 웃음.
[嬉嬉 희희] 즐거워 웃는 모양. 또, 그 소리.

12
⑮ 【嬋】 고울 선 | 婵 | chán
㊀先
日 セン〔あでやか〕 英 beautiful
字解 고울 선(物有色態). ¶ 嬋娟(선연).
字源 形聲. 女+單〔音〕
[嬋娟 선연] 자태가 예쁘고 아름다운 모양.

12
⑮ 【嬌】 아리따울 교 | 娇 | jiāo
교㊀蕭
日 キョウ〔なまめかしい〕 英 lovely
字解 ① 아리따울 교(妖嬈), 아름다울 교(美也). ② 아양떨 교(媚也).
字源 形聲. 女+喬〔音〕
[嬌態 교태] 아양부리는 자태.

13
⑯ 【嬙】 궁녀 장 | qiáng
㊀陽
日 ショウ〔こしもと〕
英 court lady
字解 궁녀 장(女官名嬙嬙).
字源 形聲. 女+嗇〈省〉〔音〕

13
⑯ 【嬛】 ■산뜻할 현 | xuān
■홀몸 경 | qióng
日 ケン〔かたい〕・ケイ〔ひとり〕
英 smart, alone
字解 ■산뜻할 현(輕麗). ■홀몸 경(獨夫).
字源 形聲. 女+睘〔音〕

13
⑯ 【嬴】 가득할 영 | yíng
영㊀庚

[日] エイ〔みちる〕 [英] full

[字解] ① **가득할 영, 찰 영**(滿也). ¶ 嬴縮(영축). ② **남을 영**(餘也). ¶ 嬴餘(영여).

[字源] 形聲. 女+𣎆〔音〕

[參考] 嬴(女部 13획)은 동자.

[嬴餘 영여] 나머지. 잉여(剩餘).
[嬴縮 영축] 줄었다 늘었다 함. 신축.

13 ⑯ **【嬖】** 사랑할 폐 [去]霽 | bì

[日] ヘイ〔きにいり〕 [英] love

[字解] **사랑할 폐**(愛也), **귀여움받을 폐**(寵愛).

[字源] 形聲. 女+辟〔音〕

[嬖臣 폐신] 총애를 받는 신하.
[嬖姬 폐희] 총애를 받는 여자.

14 ⑰ **【嬪】** 궁녀 빈 [平]眞 | 嫔 pín

[日] ヒン〔ひめ〕 [英] lady-in-waiting

[字解] ① **궁녀 빈**(婦官). ¶ 嬪宮(빈궁). ② **아내 빈**(婦也). ¶ 嬪儷(빈려).

[字源] 形聲. 女+賓〔音〕

[嬪宮 빈궁] 왕세자(王世子)의 부인.
[嬪儷 빈려] 부부(夫婦).
[嬪娥 빈아] 아름다운 궁녀.
[嬪從 빈종] 궁녀들.
[嬪妾 빈첩] 천자(天子)의 첩.

14 ⑰ **【嬬】** 아내 유 [平]虞 | rú

[日] ジュ〔つま〕 [英] wife

[字解] ① **아내 유**(妻也). ② **약할 유**(弱也).

[字源] 形聲. 女+需〔音〕

14 ⑰ **【嬭】** 젖어미 내 [上]蟹 | 奶 nǎi

[日] ダイ・デイ〔うば〕 [英] nurse

[字解] ① **젖어미 내**(乳母). ② **누님 내**(姉也).

[字源] 形聲. 女+爾〔音〕

14 ⑰ **【嬴】** 嬴(영)(女部 13획)과 同字

14 ⑰ **【嬰】** 어릴 영 [平]庚 | 婴 yīng

[日] エイ〔あかご〕 [英] baby

[字解] **어릴 영, 어린애 영**(乳養兒).

[字源] 會意. 女와 賏(목걸이)의 합자. 또, 「賏(영)」이 음을 나타냄.

[嬰兒 영아] 젖먹이. 유아(乳兒).

15 ⑱ **【嬻】** 더럽힐 독 [入]屋 | dú

[日] トク〔けがす〕 [英] soil

[字解] **더럽힐 독**(媟嬻也).

[字源] 形聲. 女+賣〔音〕

17 ⑳ **【孀】** 과부 상 [平]陽 | shuāng

[日] ソウ〔やもめ〕 [英] widow

[字解] **과부 상, 홀어미 상**(寡婦).

[字源] 形聲. 女+霜〔音〕

[孀婦 상부] 과부. 홀어미.

17 ⑳ **【孃】** 계집애 양[本]냥 [平]陽 | niáng

[日] ジョウ〔むすめ〕 [英] girl

[字解] ① **계집애 양**(娘也). ¶ 令孃(영양). ② **어머니 양**(母也).

[字源] 形聲. 女+襄〔音〕

[貴孃 귀양] 처녀에 대한 존칭.
[令孃 영양] 남의 딸에 대한 존칭.

19 ㉒ **【孌】** 좇을 련 [上]銑 | liàn luán

[日] レン〔うつくしい〕 [英] follow

[字解] ① **좇을 련**(從也). ② **순할 련**(順也). ③ **사모할 련**(慕也). ④ **예쁠 련**(美好貌).

[字源] 形聲. 女+䜌〔音〕

[孌童 연동] ㉠ 예쁜 소년. 미소년. ㉡ 남창(男娼).

3 획

3획

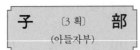

子 〔3획〕 **部**
(아들자부)

⁰③ 【子】 아들 자 ⊕紙 | zǐ

一了子

⊕ シ〔こ〕 ⊛ son

字解 ① 아들 자(息也). ② 첫째지지 자(地支第一位). ¶ 子時(자시). ③ 자작 자. ¶ 公侯伯子男(공후백자남). ④ 새끼 자. ¶ 魚子(어자). ⑤ 열매 자, 씨 자(草木之實). ¶ 種子(종자). ⑥ 당신 자, 자네 자(貴公). ⑦ 임 자(男稱, 子孫稱其先人曰子). ¶ 孔子(공자). ⑧ 어조사 자(語助辭). ¶ 후자(疹子). ⑨ 사람 자(人也). ¶ 女子(여자).

字源 象形. 갓난아기의 모습. 머리와 양손과 다리(기저귀를 하고 있기 때문에 하나로 돼 있음)를 본뜸.

[子婦 자부] ㉠ 며느리. ㉡ 아들과 며느리.
[子孫 자손] ㉠ 아들과 손자. ㉡ 후손.
[種子 종자] 씨. 씨앗.
[册子 책자] 책. 서적.

⁰③ 【孑】 외로울 혈 ⊛結 入屑 | jié

⊕ ケツ〔ひとり〕 ⊛ alonely

字解 ① 외로울 혈(孤也, 單也). ② 창 혈(戟也).

字源 象形. 子의 오른 팔이 없는 모양을 본뜬 글자.

[孑遺 혈유] 남겨진 외톨 씨. 나머지.
[孑孑單身 혈혈단신] 의지할 곳이 없는 홀몸.

⁰③ 【孓】 ■짧을 궐 入月 ⊝장구벌레 궐 ⊛公⊕睡 | jué

⊕ ケツ・キョウ〔ぼうふら〕
⊛ short, larva of a mosquito

字解 ■ 짧을 궐(短也). ⊝ 장구벌레 궐(水蟲俗呼沙蟲長成化爲蚊).

字源 象形. 子의 왼팔이 없는 모양을 본뜬 글자.

¹④ 【孔】 구멍 공 ⊕董 | kǒng

一了子孔

⊕ コウ・キョウ〔あな〕 ⊛ hole

字解 ① 구멍 공(穴也). ¶ 眼孔(안공). ② 매우 공, 심히 공(甚也). ¶ 孔棘(공극). ③ 성 공(姓也). ¶ 孔丘(공구).

字源 會意. 子와 乙(제비)의 합자. 아기를 안산(安産)함의 뜻. 옛날 제비가 돌아올 무렵 여자가 아기 갖기를 기원하는 습관이 있었다 함.

[孔孟 공맹] 공자(孔子)와 맹자(孟子).
[孔雀 공작] 꿩과에 속하는 새.
[孔穴 공혈] 구멍.
[瞳孔 동공] 눈동자.
[毛孔 모공] 털구멍.

²⑤ 【孕】 아이밸 잉 ⊛徑 | yùn

⊕ ヨウ〔はらむ〕 ⊛ pregnant

字解 아이밸 잉(懷姙).

字源 形聲. 子+乃〔音〕

[孕胎 잉태] 아이를 뱀. 임신(妊娠).

³⑥ 【字】 글자 자 ⊕寘 | zì

丶丶宀宁字字

⊕ ジ〔もじ〕 ⊛ letter

字解 ① 글자 자(文也). ② 사랑할 자(愛也), 기를 자(養也). ¶ 字牧(자목). ③ 자 자(副名).

字源 會意. 宀(집)와 子의 합자. 생식(生殖)함의 뜻.

[字母 자모] ㉠ 발음(發音)의 근본이 되는 글자. 음을 표시하는 글자. ㉡

활자를 만드는 데 쓰는 근본이 되는 자형(字型).

[字牧 자목] 고을 원(員)이 백성을 사랑으로 다스림.

[字解 자해] 글자의 풀이. 특히 한자의 풀이.

[點字 점자] 점으로 된 맹인용 글자.

³⑥【存】있을 존 ⊕元　cún 　存

一ナ允存存存

⊕ ソン・ゾン〔ある〕　⊛ exist

字解 ① 있을 존(在也). ¶ 存在(존재). ② 물을 존(問也). ¶ 存問(존문). ③ 보존할 존(保也). ④ 살아 있을 존. ¶ 生存(생존).

字源 形聲. 在〈省〉+孫〈省〉〔音〕.

[存亡之秋 존망지추] 사느냐 죽느냐의 중대한 고비.

[存問 존문] 안부를 물음.

⁴⑦【孜】부지런할 자 ⊕支　zī　孜

⊕ シ〔つとめる〕　⊛ diligent

字解 부지런할 자(勤也).

字源 形聲. 攵(攴)+子〔音〕.

[孜孜 자자] 꾸준하고 부지런한 모양. 쉬지 않고 힘쓰는 모양.

⁴⑦【孚】미쁠 부 ⊕虞　fú　孚

⊕ フ〔まこと〕　⊛ sincere

字解 ① 미쁠 부(信也). ¶ 孚佑(부우). ② 기를 부(養育). ¶ 孚育(부육). ③ 씨 부(種也). ¶ 孚甲(부갑). ④ 알 부(卵也), 알깔 부(孵化).

字源 會意. 爪와 子의 합자. 새가 알을 발로 위치를 바꾸면서 품는 뜻.

[孚育 부육] 양육(養育)함.

⁴⑦【孝】효도 효 ⊕效　xiào　孝

一十土尹孝孝孝

⊕ コウ〔こうこう〕　⊛ filial piety

字解 ① 효도 효, 부모잘섬길 효 (愛好父母). ¶ 孝道(효도). ② 상복입을 효(喪服). ¶ 孝廬(효려).

字源 會意. 老의 생략형과 子의 합자. 아들이 노인을 업고 있는 모양으로 아들이 부모를 공양함의 뜻.

[孝道 효도] 부모를 잘 섬기는 도리.

[孝子 효자] ㉠ 부모를 잘 섬기는 아들. ㉡ 부모 제사 때 자기를 일컫는 말. ㉢ 부모의 상중(喪中)에 있는 사람.

[孝中 효중] 남의 상중(喪中)을 높여 일컫는 말.

⁵⑧【孟】맏 맹 ⊕敬 / 맹랑할 맹 ⊕망⊕漾　mèng　孟

フ了了圣圣舌舌盂孟

⊕ モウ〔おさ・とりとめがな〕　⊛ first born, false

字解 ▬ ① 맏 맹(長也). ¶ 孟仲季(맹중계). ② 첫 맹(始也). ¶ 孟冬(맹동). ③ 성 맹. ¶ 孔孟(공맹). ▬ 맹랑할 맹(不精要之貌). ¶ 孟浪(맹랑).

字源 形聲. 子+皿〔音〕.

[孟冬 맹동] ㉠ 음력 10월의 딴 이름. ㉡ 초겨울.

[孟浪 맹랑] ㉠ 생각과 달리 허망함. ㉡ 함부로 만만히 볼 수 없음.

[孟仲季 맹중계] 맏이와 둘째, 셋째의 형제자매(兄弟姉妹)의 차례.

⁵⑧【孤】외로울 고 ⊕虞　gū　孤

了孑孑孑孤孤孤

⊕ コ〔みなしご〕　⊛ lonely

字解 ① 외로울 고(獨也). ¶ 孤立(고립). ② 아비없을 고(無父), 부모없을 고(無父母). 孤兒(고아).

字源 形聲. 子+瓜〔音〕.

3획

[孤獨 고독] ㉠ 외로움. ㉡ 어려서 부모를 여읜 아이와 자식 없는 늙은 이.

[孤立 고립] 외롭게 섬. 외따로 있음.

[孤兒 고아] 부모가 없는 아이.

5
⑧ 【季】끝 계 ㊀眞 | jì

一 二 千 千 禾 禾 季 季

㈰ キ〔すえ〕 ㉵ end

字解 ① 끝 계(末也), 막내 계(末子). ¶ 季氏(계씨). ② 철 계(時節). ¶ 季節(계절).

字源 會意. 子와 稚(어림)의 생략형의 합자. 또,「稚(치)」의 전음이 음을 나타냄.

[季氏 계씨] 남의 남자 아우를 높여 이르는 말.

[季春 계춘] ㉠ 음력 삼월. ㉡ 늦봄.

5
⑧ 【帑】처자 노 ㊀虞 | nú

㈰ ド〔つま〕
㉵ wife and children

字解 처자 노(妻子).

字源 形聲. 子+奴〔音〕

[帑戮 노륙] 처자까지 사형에 처하는 일.

5
⑧ 【学】學(학)(子部 13획)의 俗字

6
⑨ 【孩】아이 해 ㊀灰 | hái

㈰ ガイ〔あかご〕 ㉵ child

字解 아이 해, 어린아이 해, 어릴 해(幼也).

字源 形聲. 子+亥〔音〕

[孩子 해자] 젖먹이.

7
⑩ 【孫】손자 손 ㊀元 | sūn

了 了 孑 孑 孫 孫 孫 孫

㈰ ソン〔まご〕 ㉵ grandson

字解 손자 손(子之子).

字源 會意. 子와 系(계속됨)의 합자. 아들 뒤에 계속되는 것의 뜻.

[孫婦 손부] 손자의 아내.

[宗孫 종손] 종가의 맏손자.

8
⑪ 【孰】누구 숙 ㊵屋 | shú

一 古 古 亨 享 享 孰 孰

㈰ ジュク〔いずれ〕 ㉵ who

字解 ① 누구 숙(誰也). ② 무엇 숙(何也). ③ 어느 숙(比較之助詞). ¶ 孰若(숙약).

字源 會意. 享(삶은 것)과 丮(양손으로 듦)의 합자. 熟의 본자(本字).

[孰能御之 숙능어지] 누가 능히 막으리의 뜻으로, 막기 어렵다는 말.

[孰若 숙약] 어느 편이.

9
⑫ 【孱】잔약할 잔 ㊀删 | chán / càn

㈰ セン〔よわい〕 ㉵ feeble

字解 잔약할 잔(弱也, 劣也).

字源 會意. 尸+孨

[孱弱 잔약] 몸이 튼튼하지 않고 아주 약함.

10
⑬ 【孳】■부지런 할 자 ㊵支 | zī / ■새끼칠 자 ㊺寘 | zì

㈰ ジ〔つとめる・こをもつ〕 ㉵ diligent, have

字解 ■ 부지런할 자(勤勉). ¶ 孳孳(자자). ■ ① 새끼칠 자(産也). ② 흘레할 자(交接). ¶ 孳孕(자잉).

字源 形聲. 子+玆〔音〕

[孳育 자육] 새끼를 낳아서 기름.

[孳孳 자자] 부지런히 일하는 모양.

11
⑭ 【孵】알깔 부 ㊀虞 | fū

㈰ フ〔かえる〕 ㉵ hatch

作之孼(자작지얼).

字源 形聲. 子+辥〔音〕

参考 孼(子部 17획)은 속자.

[孼根 얼근] 화근. 재앙의 근원.

[孼子 얼자] 서자(庶子). 첩의 자식.

13
⑯ 【學】 배울 학 學
入覺 xué
ﾏ ｒ ｆ ｆ 闄 鰹 壑 學 學

日 ガク〔まなぶ〕 英 learn

字解 ① 배울 학, 공부할 학(受教傳業). ¶ 學生(학생). ② 학문 학. ¶ 學說(학설). ③ 학자 학. ¶ 碩學(석학). ④ 학교 학. ¶ 學窓(학창).

字源 會意. 臼(양손)와 宀(집)와 子와 爻의 합자. 아이가 집 안에서 손짓·몸짓(예의범절)을 배움의 뜻. 「爻(효)」의 전음이 음을 나타냄.

[學歷 학력] 수학(受學)한 이력.

[學者 학자] 학문에 통달하거나 학문을 연구하는 사람.

[就學 취학] 학교에 입학하여 공부함.

14
⑰ 【孺】 젖먹이 유 上遇 rú 孺

日 ジュ〔ちのみご〕 英 baby

字解 ① 젖먹이 유(乳子), 어린애 유(年少者). ¶ 孺嬰(유영). ② 딸릴 유(屬也). ¶ 孺人(유인). ③ 사모할 유(慕也). ¶ 孺慕(유모).

字源 形聲. 子+需〔音〕

[孺童 유동] 어린아이.

[孺慕 유모] 어린아이가 부모를 따르듯이 깊이 사모함.

[孺弱 유약] 어린아이.

[孺嬰 유영] 젖먹이. 아이.

16
⑲ 【孽】 첩의자식 얼 入屑 niè 孽

日 ゲツ〔めかけばらのこ〕 英 bastard

字解 ① 첩의자식 얼(庶子). ¶ 孽子(얼자). ② 재앙 얼(災也). ¶ 自

17
⑳ 【孼】 孽(얼)(前條)의 俗字

19
㉒ 【孿】 ■쌍둥이 산 上諫 ■쌍둥이 련 luán 孿
上先

日 サン・レン〔ふたご〕 英 twins

字解 ■ 쌍둥이 산(雙生子). ■ 쌍둥이 련.

字源 形聲. 子+縊〔音〕

3
획

宀 〔3획〕 部
(갓머리부)

0
③ 【宀】 움집면 mián
上先

日 ベン〔うかんむり〕 英 house

字解 움집 면(交覆深屋).

字源 象形. 집의 지붕을 본뜸.

2
⑤ 【宁】 우두커니설 저 上語 zhù 宁

日 チョ〔たたずむ〕 英 vacantly stand

字解 우두커니설 저(佇也).

字源 象形. 실패의 상형. 전하여, 저장함의 뜻. 貯의 원자(原字). 우두커니 섬의 뜻은 음의 차용.

2
⑤ 【宄】 도둑 귀 上紙 guǐ 宄

日 キ〔よこしま〕 英 thief

字解 도둑 귀(姦也).

字源 形聲. 宀+九〔音〕

3획

2 ⑤【冗】쓸데없을 용 ⊥腫 | rǒng | 宂

🔵 ジョウ〔むだ〕 🔴 useless

字解 ① 쓸데없을 용(散也), 긴하지 않을 용(剩也). ¶ 冗官(용관). ② 번거로울 용(煩雜). ¶ 冗雜(용잡).

字源 會意. 宀(집) 안에 儿(사람)이 움직이지 않고 있음의 뜻. 전하여, 「쓸데없음」의 뜻이 됨.

參考 宂(宀部 2획)은 속자.

[冗談 용담] 쓸데없는 말. 객담.
[冗言 용언] 무용지언. 쓸데없는 말.
[冗雜 용잡] ㉠ 번잡함. ㉡ 자질구레하고 대수롭지 아니함.

3 ⑥【宅】━집 택 ⑧陌 ━(韓)댁 댁 | zhái | 宅

🔵 タク〔いえ〕 🔴 house

字解 ━ ① 집 택(居處). ¶ 住宅(주택). ② 구덩이 택, 무덤 택(墓穴). ¶ 宅兆(택조). ━ (韓)댁 댁(他人之家尊稱). ¶ 宅內(댁내). 釜山宅(부산댁).

字源 形聲. 宀+乇〔音〕

[宅地 택지] 집터.
[宅內 댁내] 남의 집안을 높여 이르는 말.

3 ⑥【宇】집 우 ⊥麌 | yǔ | 宇

🔵 ウ〔いえ〕 🔴 house

字解 ① 집 우(屋也). ¶ 屋宇(옥우). ② 하늘 우, 세계 우, 천지사방 우(天地四方). ¶ 宇宙(우주). ③ 도량 우(度量). ¶ 氣宇(기우).

字源 形聲. 宀+于〔音〕

[宇宙 우주] ㉠ 온갖 물질이 존재하는 공간. ㉡ 무한히 큰 공간과 거기 존재하는 천체와 모든 물질.
[屋宇 옥우] 집. 가옥.

3 ⑥【守】지킬 수 ⊥有 | shǒu | 守

🔵 シュ〔まもる〕 🔴 keep

字解 ① 지킬 수(護也), 막을 수(防也). ¶ 守節(수절). ② 살필 수(視也). ¶ 看守(간수).

字源 會意. 宀(관청)과 寸(법도)의 합자. 관리가 법도에 따라 관직을 지킴의 뜻. 따라서, 다스림의 뜻에서 「지킴」의 뜻이 됨.

[守備 수비] 적의 침해로부터 지킴.
[守錢奴 수전노] 돈을 모을 줄만 아는 인색한 이의 낮춤말.
[守護 수호] 지키어 보호함.
[看守 간수] 물건을 잘 보관하거나 보호함.

3 ⑥【安】편안 안 ⑧寒 | ān | 安

🔵 アン〔やすい〕 🔴 comfortable

字解 ① 편안 안(危之對). ② 안존할 안(無動懼). ③ 어찌 안(何也, 焉也). ¶ 安得不然(안득불연). ④ 값쌀 안(廉價). ¶ 安價(안가).

字源 會意. 여자가 집 안에 편안히 있음을 나타냄.

[安價 안가] ㉠ 값이 쌈. 염가(廉價). ㉡ 수월함. 호락호락함.
[安得不然 안득불연] 어찌 그러하지 않겠는가.
[安眠 안면] 편안히 잠을 잠.

4 ⑦【宋】송나라 송 ⑧宋 | sòng | 宋

🔵 ソウ〔くにのな〕

字解 송나라 송(國名).

字源 會意. 宀+木

[宋襄之仁 송양지인] 쓸데없는 동정(同情). 옛날 송(宋)나라 양공(襄公)이 초(楚)나라와 싸울 때 공자(公子) 목이(目夷)가 적(敵)이 포진(布陣)하기 전에 공격하자고 진언(進言)하였

으나, 양공은 군자(君子)는 남이 곤궁에 빠져 있을 때 괴롭혀서는 안된다 하고 듣지 않다가, 도리어 초나라에게 패망했다는 고사.

4 ⑦ **【完】** 완전할 완[平]寒 | wán

[日] カン〔まったく〕 [英] complete

[字解] ① **완전할 완**(全也), **완전히 할 완**(竣也). ② **지킬 완**(保全). ③ **튼튼할 완**(堅好).

[字源] 形聲. 宀+元〔音〕

[完結 완결] 완전히 끝을 맺음.
[完璧 완벽] ㉠ 흠이 없는 구슬. ㉡ 결점이 없이 훌륭함.

4 ⑦ **【宏】** 클 굉[本]횡 [平]庚 | hóng

[日] コウ〔ひろい〕 [英] great

[字解] **클 굉**(大也), **넓을 굉**(廣也).

[字源] 形聲. 宀+厷〔音〕

[宏壯 굉장] ㉠ 크고 훌륭함. ㉡ 대단함.

5 ⑧ **【宓】** [一]사람이름 복[入]屋 [二]편안할 밀[入]質 | fú mì

[日] フク〔ひとのな〕・ヒツ〔やすらか〕 [英] peaceful

[字解] [一] **사람이름 복.** [二] **편안할 밀.**

[字源] 形聲. 宀+必〔音〕

5 ⑧ **【宖】** 집울림 횡[平]庚 | hóng

[日] コウ〔ひびき〕

[字解] **집울림 횡.**

[字源] 形聲. 宀+弘〔音〕

5 ⑧ **【宕】** 방탕할 탕[去]漾 | dàng

[日] トウ〔すぎる〕 [英] dissolute

[字解] ① **방탕할 탕**(蕩也). ¶ 豪宕(호탕). ② **탕건 탕.** ¶ 宕巾(탕건).

[字源] 形聲. 宀+碭〈省〉〔音〕

[宕巾 탕건] 갓 아래에 받쳐 쓰는 관(冠)의 한 가지.
[宕子 탕자] 방탕한 자. 탕자(蕩子). 탕아(蕩兒).
[豪宕 호탕] 호기롭고 걸걸함.

5 ⑧ **【宗】** 마루 종[平]冬 | zōng

[日] ソウ・シュウ〔むね〕 [英] ancestral

[字解] ① **마루 종, 으뜸 종, 근본 종**(本也). ¶ 宗家(종가). ② **종묘 종, 사당 종, 제사 종**(尊祖廟). ¶ 宗廟(종묘). ③ **일족 종, 동성 종**(一族, 同姓). ¶ 宗氏(종씨). ④ **갈래 종, 파 종, 교파 종**(流派). ¶ 宗派(종파).

[字源] 會意. 宀(집)과 示(신)의 합자. 조상의 영혼을 모신 곳. 또, 제사를 지내는 일족의 장(長)의 뜻.

[宗家 종가] 한 문중에서 족보상으로 맏이로만 내려온 큰 집.
[宗教 종교] 신의 힘이나 초자연적인 존재에 대한 신앙과 숭배.
[宗廟 종묘] 임금의 조상을 모시는 사당(祠堂).

5 ⑧ **【官】** 벼슬 관[平]寒 | guān

[日] カン〔つかさ〕 [英] official rank

[字解] ① **벼슬 관**(職也), **관가 관**(朝廷治事處). ¶ 官界(관계). ② **기관 관**(知覺之器). ¶ 五官(오관).

[字源] 會意. 宀(집)과 自(많은 사람)의 합자. 「관청」의 뜻.

[官吏 관리] 관직에 있는 사람.
[官認 관인] 관청에서 인가함.
[器官 기관] 일정한 모양과 생리 기능을 갖는 생물체의 부분.

3획

5 ⑧ 【宙】 하늘 주 ㊤有 zhòu

宀 宀 宀 宀 宀 宙 宙

�日 チュウ〔そら〕 ㊎ heaven

字解 하늘 주(天也), 무한한시간 주(無限時間).

字源 形聲. 宀+由〔音〕

[宙表 주표] 하늘 밖.
[宇宙 우주] 세계를 둘러싸고 있는 공간.

5 ⑧ 【定】 정할 정 ㊦徑 dìng

丶 宀 宀 宀 宇 宇 定 定

㊐ テイ〔さだめる〕 ㊎ set

字解 ① 정할 정(決也). ② 편안할 정(安也). ③ 고요할 정(靜也). ④ 그칠 정(止也).

字源 會意. 집 안의 물건을 바르게 다스림의 뜻.

[定員 정원] 일정한 규칙으로 정한 인원.
[定婚 정혼] 혼인하기로 약정함.
[判定 판정] 판별하여 결정함.
[確定 확정] 확고하게 정함.

5 ⑧ 【宛】 ㊤阮 굽을 완 wǎn ㊤阮 나라이름 원 yuān 원㊥元

宀 宀 宀 宀 宛 宛

㊐ エン〔あたかも〕 ㊎ curved

字解 ㊀ ① 굽을 완(曲也). ¶ 宛延(완연). ② 완연 완(宛然). ㊁ 나라이름 원.

字源 形聲. 宀+夗〔音〕

[宛延 완연] 긴 것이 꾸불꾸불한 모양.
[宛然 완연] ㊀ 뚜렷하게 나타남. ㊁ 모양이 서로 비슷함. 흡사(恰似).

5 ⑧ 【宜】 마땅할 의 의㊤支 yí

丶 丶 宀 宀 宀 宜 宜 宜

㊐ ギ〔よろしい〕 ㊎ suitable

字解 마땅할 의(當也), 옳을 의(所安適理).

字源 會意. 宀(집)과 一(땅)을 바탕으로 「多(다)」의 전음이 음을 나타냄.

[宜當 의당] 마땅히 그러함.

5 ⑧ 【宝】 寶(보)(宀部 17획)의 略字

5 ⑧ 【実】 實(실)(宀部 11획)의 略字

6 ⑨ 【客】 손 객 ㊤陌 kè

丶 宀 宀 宀 宏 宏 客 客 客

㊐ カク・キャク〔まろうど〕 ㊎ guest

字解 ① 손 객, 나그네 객(主의 對). ¶ 客地(객지). ② 붙일 객, 의탁할 객(寄也). ¶ 食客(식객). ③ 외계 객(外界). ¶ 客觀(객관). ④ 과거 객(過去). ¶ 客年(객년). ⑤ 사람 객(人也). ¶ 說客(세객). ⑥ 《韓》쓸데없을 객, 객쩍을 객(不要). ¶ 客氣(객기).

字源 形聲. 宀+各〔音〕

[客年 객년] 지난 해. 작년(昨年).
[客談 객담] 객쩍은 말. 군말.
[客夢 객몽] 객지에서 꾸는 꿈.
[客地 객지] 자기 집을 멀리 떠나 있는 곳. 타향(他鄕).
[賀客 하객] 축하하는 손님.

6 ⑨ 【宣】 베풀 선 ㊤先 xuān

丶 宀 宀 宀 宁 宁 宣 宣 宣

㊐ セン〔のべる〕 ㊎ proclaim

字解 ① 베풀 선(布也). ② 널리 펼 선(弘也). ¶ 宣撫(선무). ③ 임금의말 선(勅也). ¶ 宣旨(선지). ④ 밝을 선(明也).

字源 形聲. 宀+亘〔音〕

[宣敎 선교] 종교를 널리 펼침.
[宣撫 선무] 대중에게 정부의 본뜻

을 이해시켜 민심을 안정시킴.

[宣旨 선지] ㉠ 천자(天子)의 명령. 조칙(詔勅). ㉡ 《韓》임금의 명령을 널리 폄.

6⑨【室】 집 실 〔宀質〕 shì

⽇ シツ〔むろ〕 ⽶ room

字解 ① 집 실(家屋). ② 방 실(房也). ③ 아내 실(妻也). ¶ 室人(실인). ④ 별이름 실(二十八宿之一). ¶ 室宿(실수).

字源 會意. 宀(집)과 至의 합자. 사람이 와서 머무르는 곳의 뜻. 또, 「至(지)」의 전음이 음을 나타냄.

[室宿 실수] 별의 이름. 실성(室星). 이십팔수(二十八宿)의 하나.

[室人 실인] 자기 아내를 일컫는 말.

[內室 내실] 여자가 거처하는 방.

6⑨【宥】 용서할 유 〔宀去宥〕 yòu

⽇ ユウ〔ゆるす〕 ⽶ pardon

字解 용서할 유(寬也).

字源 形聲. 宀+有〔音〕.

[宥和 유화] 서로 용서하고 화합함.

6⑨【宦】 벼슬 환 〔宀去諫〕 huàn

⽇ カン〔つかえる〕 ⽶ official rank

字解 ① 벼슬 환(官也). ② 벼슬살이할 환(仕也). ¶ 宦族(환족). ③ 내시 환(去勢宮中侍者). ¶ 宦官(환관).

字源 會意. 宀과 臣의 합자. 관에 종사하는 사람의 뜻.

[宦官 환관] 거세하여 궁내(宮內)에서 일하는 사람. 내시(內侍).

[宦族 환족] 대대로 벼슬하는 집안.

7⑩【成】 서고 성 〔宀庚〕 chéng

⽇ セイ〔ぞうしょしつ〕 ⽶ library

字解 서고 성(책을 넣어 두는 곳집).

字源 形聲. 宀+成〔音〕.

7⑩【宮】 집 궁 〔宀東〕 gōng

⽇ キュウ〔みや〕 ⽶ palace

字解 ① 집 궁(住也). ② 궁궐 궁(天子之住居). ¶ 宮女(궁녀). ③ 오음(五音)의하나 궁. ¶ 宮商角徵羽(궁상각치우). ¶ 宮調(궁조). ④ 임금 궁(君也). ¶ 東宮(동궁). ⑤ 궁형 궁(五刑之一). ¶ 宮刑(궁형).

字源 象形. 동(棟)이 연해 있는 건물의 모양. 건물이 몇 채씩 있는 큰 집의 뜻.

[宮女 궁녀] 궁중에서 대전(大殿), 내전(內殿)을 가까이 모시던 여자.

[宮調 궁조] 아악(雅樂)의 가장 기본적인 조(調)의 하나.

[宮中 궁중] ㉠ 대궐 안. 궁궐 안. ㉡ 집안. 가내(家內).

[東宮 동궁] ㉠ 황태자. 왕세자. ㉡ 태자궁. 세자궁.

7⑩【宰】 재상 재 〔宀上賄〕 zǎi

⽇ サイ〔つかさ〕 ⽶ premier

字解 ① 재상 재(諸官之長). ¶ 宰相(재상). ② 주장할 재(主也). ③ 다스릴 재(治也). ¶ 主宰(주재). ④ 잡을 재(屠殺). ¶ 宰殺(재살).

字源 會意. 宀(관청)과 辛(죄인)의 생략형의 합자. 관리가 관청에서 죄인을 재관함의 뜻. 전하여, 「다스림」의 뜻.

[宰相 재상] 임금을 도와 모든 관원을 지휘하는 이품 이상의 벼슬자리에 있는 사람을 두루 이르는 말.

[主宰 주재] 주장하여 맡음. 또는 그 사람.

3획

7/10 【害】

㊀해칠 해
㊁태
㊁어찌할 해
㊁曷

hài
hé

ㆍ 宀 宀 宀 宀 宝 室 害 害

㊎ ガイ〔そこなう〕・カツ〔なに〕
㊀ harm

[字解] ㊀ ① 해칠 해(傷也). ¶ 殺害(살해). ② 손해 해(損也). ¶ 損害(손해). ③ 방해할 해(妨也). ¶ 妨害(방해). ④ 요해 해(險阻之地). ¶ 要害(요해). ㊁ 어찌 할(何也). ¶ 害喪(할상).

[字源] 會意. 宀(집)과 口와 丰의 합자. 집안에서 일어나는 중상(中傷)의 말. 「丰(개)」의 전음이 음을 나타냄.

[害毒 해독] 해와 독.
[害惡 해악] 남을 해치는 악한 일.
[害蟲 해충] 인류 생활에 해를 끼치는 벌레.
[加害 가해] 남에게 손해를 끼침.

7/10 【宴】

㊀잔치 연
㊁殽

yàn

ㆍ 宀 宀 宀 宀 宴 宴 宴 宴

㊎ エン〔さかもり〕 ㊀ banquet

[字解] ① 잔치 연(饗也). ¶ 宴會(연회). ② 편안할 연(安也). ¶ 宴息(연식).

[字源] 會意. 宀(집)과 妟(요염한 여자)의 합자. 주연을 베풀고 즐기는 뜻. 또, 「妟(연)」이 음을 나타냄.

[宴息 연식] 편안히 쉼. 연거(宴居).
[宴會 연회] 여러 사람이 모여 주식(酒食)을 베풀고 가창무도(歌唱舞蹈) 등을 하는 일.

7/10 【宵】

밤 소
㊁蕭

xiāo

㊎ ショウ〔よい〕 ㊀ night

[字解] ① 밤 소(夜也). ¶ 晝宵(주소). ② 초저녁 소(定昏也). ③ 작을 소(小也). ¶ 宵人(소인).

[字源] 形聲. 宀+月+小〔音〕

[宵半 소반] 밤중. 한밤중.
[宵人 소인] 못난 사람. 소인(小人).
[晝宵 주소] 낮과 밤.

7/10 【家】

㊀집 가
㊁麻
㊁계집 가
㊁虞

jiā
gū

ㆍ 宀 宀 宀 宁 字 家 家 家

㊎ カ・ケ〔いえ〕・コ〔おば〕
㊀ house, woman

[字解] ㊀ ① 집 가(住居). ② 집안 가(一族). ③ 자기집 가(他之對). ④ 용한이 가(專有長者). ¶ 大家(대가). ㊁ 계집 고.

[字源] 會意. 宀+豕〔音〕

[家屋 가옥] 사람이 사는 집.
[家牒 가첩] 한 집안의 족보.
[農家 농가] 농사를 짓는 사람의 집.

7/10 【宸】

집 신
㊁眞

chén

㊎ シン〔てんしのいどころ〕
㊀ palace

[字解] ① 집 신(屋宇). ② 대궐 신(宮也). ¶ 宸闕(신궐).

[字源] 形聲. 宀+辰〔音〕

[宸襟 신금] 천자의 마음.

7/10 【容】

얼굴 용
㊁冬

róng

ㆍ 宀 宀 宀 宊 宊 宊 容 容

㊎ ヨウ〔いれる〕 ㊀ face

[字解] ① 얼굴 용(貌也). ¶ 容貌(용모). ② 담을 용(入也). ¶ 容量(용량). ③ 용납할 용, 용서할 용(受也, 宥也). ¶ 容共(용공). ④ 쉬울 용(易也). ¶ 容易(용이).

[字源] 會意. 宀(집)과 谷의 합자. 집도 골짜기도 사물을 잘 받아들이기 때문.

[容共 용공] 공산주의나 그 정책을 용인하는 일.
[容器 용기] 물건을 담는 그릇.

[容量 용량] 물건이 담기는 분량.
[容貌 용모] 얼굴 모양.
[容易 용이] 쉬움.
[容忍 용인] 참고 용서함.
[寬容 관용] 너그럽게 포용함.
[許容 허용] 허락하여 용납함.

8
⑪ 【宿】 一잘 숙
〔人〕屋 二별 수
㊀有 sù, xiǔ
xiù

宀 宀 宀 宀 宀 宿 宿 宿

�日 シュク〔やどる〕 ㊤ lodge, star
字解 一 ① 잘 숙(夜止). ② 묵을
숙(泊也). ¶ 宿泊(숙박). ③ 지킬
숙(守也). ¶ 宿直(숙직). ④ 본디
숙(素也). ⑤ 오랠 숙(久也). ¶ 宿
願(숙원). 二 별 수(列星). ¶ 星宿
(성수).
字源 形聲. 篆文은 宀+佀〔音〕
[宿泊 숙박] 남의 집이나 여관에서
머무름.
[宿願 숙원] 오래된 희망. 늘 바라던
소원. ¶ 宿願事業(숙원 사업).
[宿直 숙직] 관청·직장 등에서, 잠을
자며 밤을 지키는 일.
[寄宿 기숙] 남의 집에서 먹고 자고
함.

8
⑪ 【寂】 고요할
적〔人〕錫 jì

宀 宀 宀 宀 宀 宋 宋 寂

㊀ セキ·ジャク〔さびしい〕
㊤ quiet
字解 ① 고요할 적(靜也). ② 쓸쓸
할 적(寞也, 寥也). ¶ 寂寞(적막).
③ 죽을 적(死也). ¶ 寂滅(적멸).
字源 形聲. 篆文은 宀+朩〔音〕
[寂寞 적막] 적적함. 고요함.
[寂滅 적멸] ㉠ 자연히 없어져 버림.
㉡ 불교에서 번뇌의 경지를 떠남. 곧,
죽음.

8
⑪ 【寄】 부칠 기
㊤寘 jì

宀 宀 宀 宀 宀 宵 宵 寄

�日 キ〔よる〕 ㊤ send
字解 ① 부칠 기(送也). ② 맡길
기(託也). ¶ 寄稿(기고). ③ 붙여
살 기(寓也). ¶ 寄生(기생). ④ 의
지할 기(依也).
字源 形聲. 宀+奇〔音〕
[寄稿 기고] 원고(原稿)를 신문사나
잡지사 같은 데에 냄.
[寄別 기별] 알림. 통지함.
[寄宿 기숙] 남의 집에 몸을 붙여 숙
식(宿食)함.

8
⑪ 【寅】 셋째지
지 인㊤眞 yín

宀 宀 宀 宀 宙 宙 宙 寅

㊀ イン〔とら〕
字解 ① 셋째지지 인(十二支中第三
位). ¶ 寅時(인시). 寅方(인방).
② 공경할 인(敬也). 寅念(인념).
字源 會意. 宀과 大(사람)와 臼(양
손)의 합자. 몸을 삼감의 뜻.
[寅恭 인공] 삼가 공경함.
[寅時 인시] 오전 3~5시까지의 두
시간.

8
⑪ 【密】 빽빽할
밀㊤質 mì

宀 宀 宀 宀 宓 宓 密 密

㊀ ミツ〔ひそか〕
㊤ dense
字解 ① 빽빽할 밀(稠也). ¶ 密林
(밀림). ② 촘촘할 밀(疏之對).
稠密(조밀). ③ 비밀할 밀(祕也).
¶ 祕密(비밀). ④ 가까울 밀(近
也). ¶ 密接(밀접). ⑤ 친할 밀(親
也). ¶ 親密(친밀).
字源 形聲. 山+宓〔音〕
注意 蜜(虫部 8획)은 딴 글자.
[密告 밀고] 비밀히 일러바침.
[密會 밀회] ㉠ 비밀히 모임. ㉡ 남
몰래 만남.
[緊密 긴밀] 관계가 서로 밀접함.

8 ⑪【寇】 도둑 구 | 寇 kòu
去宥
㊐ コウ〔あだ〕 ㊎ bandit

字解 ① 도둑 구(賊也), 떼도둑 구(群賊). ② 외적 구(外敵). ¶ 倭寇(왜구). ③ 약탈할 구(强取), 침범할 구(侵也). ¶ 寇掠(구략).

字源 會意. 攴(칠)과 完의 합자. 완전한 것을 쳐부수다의 뜻. 따라서, 해를 가하다의 뜻.

參考 寇(→宀部 8획)는 속자.

[寇掠 구략] 남의 나라에 쳐들어가서 노략질함.

[倭寇 왜구] 옛날에, 일본 해적을 일컫던 말.

8 ⑪【采】 녹봉 채 | 寀 cǎi
上賄
㊐ サイ ㊎ stipend

字解 녹봉 채(祿俸).

字源 形聲. 宀+采〔音〕

8 ⑪【寃】 冤(원)(→宀部 8획)과 同字

8 ⑪【㝉】 寧(녕)(→宀部 11획)과 同字
일설(一說)에는 俗字

9 ⑫【富】 가멸 부 | 富 fù
去宥
㊐ フ〔とむ〕 ㊎ rich

字解 ① 가멸 부(豐財). ② 넉넉할 부(裕也).

字源 形聲. 宀+畐〔音〕

參考 冨(→宀部 9획)는 속자.

[富强 부강] 나라가 부유하고 강함.

[富貴 부귀] 재산이 많고 지위가 높음.

9 ⑫【寐】 잘 매 | 寐 mèi
去寘
㊐ ビ〔ねる〕 ㊎ sleep

字解 잘 매(臥也, 寢也).

字源 形聲. 宀+爿+未〔音〕

[寐息 매식] 코를 곪.
[寐語 매어] 잠꼬대.
[寤寐 오매] 깨어 있는 때나 자는 때.

9 ⑫【寒】 찰 한 | 寒 hán
平寒

宀宀宀牢牢牢寒寒寒

㊐ カン〔さむい〕 ㊎ cold

字解 ① 찰 한(暑之對). ¶ 寒氣(한기). ② 떨 한(戰慄). ¶ 惡寒(오한). ③ 적적할 한(寂也). ④ 가난할 한(貧也). ¶ 寒村(한촌).

字源 會意. 寒의 옛 모양은 宀과 茻(풀)과 人의 합자이며, 집 안에 풀을 깔고 누운 모양. 추위를 나타냄. 冫는 얼음이며 역시 추위를 나타냄.

[寒氣 한기] 추운 기운. 추위.
[寒村 한촌] 가난하고 쓸쓸한 마을.
[貧寒 빈한] 살림이 가난하여 집안이 쓸쓸함.

9 ⑫【寓】 붙여살 우 | 寓 yù
去遇
㊐ グウ〔よせる〕 ㊎ dwell

字解 ① 붙여살 우(寄也). ¶ 寓居(우거). ② 핑계삼을 우(託也). ¶ 寓話(우화).

字源 形聲. 宀+禺〔音〕

[寓居 우거] 정착하지 아니하고 임시로 거주함.

[寓話 우화] 딴 사물에 빗대어 교훈이나 풍자의 뜻을 은연중에 나타내는 이야기.

9 ⑫【寔】 이 식 | 寔 shí
入職
㊐ ショク〔まこと〕 ㊎ this

字解 ① 이 식(是也). ② 참 식, 진실로 식(正也, 實也).

字源 形聲. 宀+是〔音〕

10 ⑬【寖】 잠길 침 | 寖 jìn
平侵
㊐ シン〔ひたす〕 ㊎ sink

字解 ① 잠길 침(浸也). ② 점점 침(漸也).

字源 形聲. 宀+浸〔音〕

10 ⑬ 【寗】寧(녕)(宀部 11획)의 俗字

10 ⑬ 【寘】둘 치 | zhì
去寘

囯 シ〔おく〕　愛 lay

字解 ① 둘 치(置也). ② 찰 치(滿也).

字源 形聲. 宀+眞〔音〕

10 ⑬ 【㝢】게으를 유 | yǔ
上麌

囯 ユ〔おこたる〕　愛 idle

字解 게으를 유(懶也).

字源 形聲. 宀+禹〔音〕

10 ⑬ 【寛】寬(관)(宀部 12획)의 俗字

10 ⑬ 【甯】寧(녕)(宀部 11획)과 同字

10 ⑬ 【寑】寢(침)(宀部 11획)의 略字

11 ⑭ 【寞】쓸쓸할 막 | mò
入藥

囯 バク〔さびしい〕　愛 lonely

字解 쓸쓸할 막(寂也), 고요할 막(靜也).

字源 形聲. 宀+莫〔音〕

[寞寞 막막] 고요하고 쓸쓸함.
[索寞 삭막] 황폐하여 쓸쓸함.

11 ⑭ 【察】살필 찰 | chá
入黠

宀 宀 宀 宀 宀 宀 宀 察

囯 サツ〔しらべる〕　愛 watch

字解 살필 찰(監也), 상고할 찰(考也).

字源 形聲. 宀+祭〔音〕

[察色 찰색] 혈색을 보고 병을 진찰함.
[觀察 관찰] 사물을 자세히 살펴봄.

11 ⑭ 【寡】적을 과 | guā
上馬

宀 宀 宀 宀 宀 宀 寡 寡

囯 カ〔すくない〕　愛 few

字解 ① 적을 과(多之對). ¶ 多寡(다과). ② 홀어미 과(喪夫者). ¶ 寡婦(과부). ③ 나 과(王者自稱). ¶ 寡人(과인).

字源 會意. 宀과 頒(나눔)의 합자. 나누면 적어짐의 뜻. 따라서, 「적음」의 뜻.

[寡婦 과부] 홀어미. 과수(寡守).
[衆寡 중과] 수효의 많음과 적음.

11 ⑭ 【寢】잘 침 | qīn
上寢

宀 宀 宀 宀 宀 宀 宀 寢

囯 シン〔ねる〕　愛 sleep

字解 ① 잘 침(臥也). ¶ 寢具(침구). ② 쉴 침(息也), 그칠 침(止也). ¶ 寢息(침식).

字源 形聲. 㝱의 생략형을 바탕으로 「寑(침)」의 생략형이 음을 나타냄.

[寢具 침구] 이부자리와 베개.
[寢息 침식] ㉠ 하던 일을 쉼. ㉡ 잠을 잠. ㉢ 떠들썩하던 일이 그침.

11 ⑭ 【寤】깰 오 | wù
去遇

囯 ゴ〔さめる〕　愛 awake up

字解 ① 깰 오(覺也). ¶ 寤寐(오매). ② 깨달을 오(悟也).

字源 形聲. 㝱(省)+吾〔音〕

[寤寐 오매] 잠이 깨어 있을 때나 잘 때.

11 ⑭ 【寥】쓸쓸할 료 | liáo
平蕭

3획

ⓗ リョウ〔さびしい〕 ⓔ solitary

字解 ① 쓸쓸할 료(寂也), 잠잠할 료(靜也). ¶ 寂寥(적료). ② 휑할 료(空虛). ¶ 寥廓(요확).

字源 形聲. 宀+翏〔音〕

[寥廓 요확] ㉠ 텅 비고 끝없이 넓음. 휑함. ㉡ 넓은 하늘.

11 ⑭ 【實】 ▪열매 실 ⓐ質 ▪이를 지 ⓐ寘 shí 实 実

宀 宀 宀 宀 宐 宐 實 實 實

ⓗ ジツ〔まこと〕・シ〔いたる〕 ⓔ fruit, reach

字解 ▪ ① 열매 실(種子, 穀也). ¶ 果實(과실). ② 실제 실, 사실 실(事實). ¶ 實際(실제). ③ 참될 실(誠也). ¶ 眞實(진실). ④ 찰 실, 옹골찰 실(滿也). ¶ 充實(충실). ▪ 이를 지.

字源 會意. 宀(집)과 貫(끈으로 꿴 동전)의 합자. 집 안에 재화가 가득함의 뜻. 따라서, 「가득함」의 뜻.

參考 実(宀部 5획)은 약자.

[實果 실과] 과실. 과일. 과실(果實).
[實存 실존] 실제로 존재함.
[眞實 진실] 거짓없이 바르고 참됨.

11 ⑭ 【寧】 편안할 녕 ⓐ靑 níng, ning 宁 寧

宀 宀 宀 宀 宁 宁 宵 寧

ⓗ ネイ〔むしろ〕 ⓔ peaceful

字解 ① 편안할 녕(安也). ¶ 寧日(영일). ② 차라리 녕(願望助詞, 安也). ③ 어찌 녕(反語助詞, 何也). ④ 문안할 녕(省視), 친정갈 녕(問父母安否). ¶ 寧親(영친).

字源 會意. 宀과 皿과 心의 합자. 음식물이 그릇에 수북이 담겨 있어 안심하고 살 수 있음의 뜻. 뒤에 음을 나타내는 「丁(정)」을 더하였음.

[寧日 영일] 편안한 날. 평화스러운 날.
[寧親 영친] 객지에서 부모를 뵈려

고 고향으로 돌아감. 귀성(歸省).

11 ⑭ 【寨】 나무우 리 채 ⓐ卦 zhài 寨

ⓗ サイ〔とりで〕 ⓔ palisade

字解 나무우리 채(藩落木柵).

字源 會意. 宋(꼭 매어 막음의 뜻)와 木의 합자.

[木寨 목채] 나무 울타리.

12 ⑮ 【審】 ▪살필 심 ⓐ寢 ▪돌 반 ⓐ寒 shěn pán 审 審

宀 宀 宀 宋 宋 宋 審 審

ⓗ シン〔つまびらか〕・ハン〔まわる〕 ⓔ investigate, deliberate

字解 ▪ ① 살필 심(詳察), 조사할 심(詳觀, 詳聽). ¶ 審查(심사). ¶ 審理(심리). ② 자세히밝힐 심(明也). ¶ 審美(심미). ▪ 돌 반.

字源 會意. 宀과 釆=番(분별함)의 합자. 「밝힘」의 뜻.

[審美 심미] 미와 추를 분별함. 미의 본질을 규명함.
[審議 심의] 심사하고 논의함.

12 ⑮ 【憲】 밝을 혜 ⓐ霽 huì

ⓗ ケイ〔あきらかにする〕 ⓔ bright

字解 ① 밝을 혜. ② 살필 혜.

12 ⑮ 【寫】 베낄 사 ⓐ馬 xiě 写 寫

宀 宀 宀 宀 宋 宎 寫 寫

ⓗ シャ〔うつす〕 ⓔ copy

字解 ① 베낄 사(謄抄). ¶ 寫本(사본). ② 그릴 사(摹畵). ¶ 寫生(사생).

字源 形聲. 宀+舄〔音〕

參考 写(宀部 3획)는 약자. 寫(宀部 12획)는 속자.

[寫本 사본] 옮기어 베낌. 또, 그 문

서나 책.

[寫生 사생] 실물(實物)·실경(實景)을 그대로 그림.

12/15 〔**寬**〕너그러울 관 ㊤寒 寬 kuān 寬

宀 宀 宇 宵 宵 寛 寬 寬

㊐ カン 〔ひろい〕 ㊊ generous

字解 너그러울 관(裕也), 넓을 관(廣也).

字源 會意. 宀+萈

參考 寬(宀部 10획)은 속자.

[寬大 관대] 마음이 너그럽고 큼.

[寬容 관용] 너그럽게 용서함.

12/15 〔**寮**〕동관 료 ㊤蕭 liáo 寮

㊐ リョウ 〔つかさ〕 ㊊ co-worker

字解 ① 동관 료(同官), 벼슬아치 료(官也). ¶ 寮友(요우). ② 집 료(舍也), 작은창문 료(小窓). ¶ 寮舍(요사).

字源 形聲. 宀+寮〔音〕

[寮舍 요사] 기숙사(寄宿舍).

[寮友 요우] ㉠ 동료. ㉡ 같은 기숙사생.

13/16 〔**寯**〕모을 준 ㊥震 jùn

㊐ シュン 〔あつめる〕 ㊊ gather

字解 ① 모을 준, 모일 준. ② 재주 준.

13/16 〔**寰**〕경기고을 환 ㊤刪 huán 寰

㊐ カン 〔てんしのりょうち〕 ㊊ capital area

字解 경기고을 환(畿內).

字源 形聲. 宀+睘〔音〕

[寰宇 환우] 천하. 세계. 천지.

16/19 〔**寵**〕괼 총 ㊤腫 寵 chǒng 寵

㊐ チョウ 〔いつくしむ〕 ㊊ favor

字解 괼 총(愛也).

字源 形聲. 宀+龍〔音〕

[寵愛 총애] 특별히 귀엽게 여겨 사랑함.

16/19 〔**寳**〕寶(宀部 17획)의 俗字

17/20 〔**寶**〕보배 보 ㊤皓 宝 bǎo 寶

宀 宀 宇 宇 宙 宵 寶 寶

㊐ ホウ 〔たから〕 ㊊ treasure

字解 ① 보배 보(珍也, 金銀珠玉之凡名), 보배로울 보(貴重). ¶ 寶物(보물). ② 돈 보(貨幣). ¶ 通寶(통보). ③ 재보 보(財也). ¶ 國寶(국보). ④ 옥새 보(符璽). ¶ 御寶(어보). ¶ 寶位(보위).

字源 會意. 宀(집)과 玉·貝·缶의 합자. 집 안에 옥과 貝(재화)가 있는 모양. 「缶(부)」의 전음이 음을 나타냄.

參考 宝(宀部 5획)는 약자. 寶(宀部 16획)는 속자.

[寶劍 보검] 보배로운 칼. 귀중한 칼.

[寶物 보물] 보배로운 물건.

[國寶 국보] 국가의 보배로 지정한 물건.

寸 〔3 획〕 部
(마디촌부)

0/3 〔**寸**〕치 촌 ㊤願 cùn 寸

一 十 寸

㊐ スン 〔すこし〕 ㊊ inch

字解 ① 치 촌(度十分). ¶ 尺寸(척촌). ② 《韓》촌수 촌. ¶ 四寸(사촌).

字源 指事. 사람의 손을 뜻하는 又와 장소를 가리키는 뜻의 一의 합자

(合字). 팔목에서 맥을 짚는 자리까지의 거리를 뜻함.

[寸暇 촌가] 얼마 안 되는 겨를.
[寸志 촌지] 조그마한 뜻. 자기의 증정물(贈呈物)을 낮추어 이르는 말.
[原寸 원촌] 실물과 같은 치수.

3 ⑥【寺】[一]마을 사[去]寘 [二]내시 시[去]寘 sì

一 十 土 圭 寺 寺

[日] ジ〔てら・はべる〕
[英] temple, eunuch

[字解] [一] ① 마을 사(官舍). ② 절 사(僧居). [二] ① 내시 시(宦官). ¶ 寺人(시인). ② 모실 시(侍也).

[字源] 會意. 土와 寸(법도)의 합자. 일을 하는 곳, 「관청」의 뜻.

[寺田 사전] 절에 딸린 밭.
[寺人 시인] 임금을 곁에서 모시고 후궁(後宮)의 일들을 맡아보던 사람. 내시(內侍). 환관(宦官).
[山寺 산사] 산속에 있는 절.

4 ⑦〖対〗對(대)(寸部 11획)의 略字

4 ⑦〖寿〗壽(수)(士部 11획)의 略字

5 ⑧〖㝵〗碍(애)(石部 8획)와 同字

5 ⑧〖尃〗爵(작)(爪部 14획)과 同字

6 ⑨〖封〗봉할 봉 [平]冬 fēng

一 十 土 圭 圭 圭 封 封

[日] フウ〔ほうじる〕 [英] seal

[字解] ① 봉할 봉(緘也). ¶ 封緘(봉함). ② 흙더미쌓을 봉. ¶ 封土(봉토). ③ 제후봉할 봉. ¶ 封建(봉건).

[字源] 會意. 之(가다)와 土와 寸(법도)의 합자. 맡겨진 영토에 가서 다스림의 뜻.

[封君 봉군] 봉토(封土)가 있는 사람. 곧, 제후(諸侯).
[封墳 봉분] 무덤 위에 흙을 쌓아 높게 만듦. 또, 그 흙더미.
[封套 봉투] 편지나 서류 등을 넣는 봉지.
[密封 밀봉] 단단히 봉함.

7 ⑩【射】[一]쏠 사[去]禡 [二]벼슬이름 야[去]禡 [三]맞힐 석[入]陌 [四]싫을 역[入]陌 shè yè shí yì

丿 丫 亻 自 身 身 射 射

[日] シャ〔いる〕・ヤ〔ほくや〕・セキ〔いる〕・エキ〔いとう〕
[英] shoot, official rank, hit, hate

[字解] [一] 쏠 사(發矢). ¶ 射擊(사격). [二] 벼슬이름 야(官名). ¶ 僕射(복야). [三] 맞힐 석. ¶ 射中(석중). [四] 싫을 역(厭也). ¶ 無射(무역).

[字源] 會意. 身과 寸(법도)의 합자. 활을 쏘는 데는 법칙이 있음의 뜻.

[射殺 사살] 쏘아 죽임.
[射中 석중] ㉠ 쏘아 맞힘. ㉡ 숨는 것을 알아맞힘.
[噴射 분사] 액체나 기체 따위를 세차게 내뿜음.

7 ⑩〖尅〗剋(극)(刀部 7획)과 同字

7 ⑩〖将〗將(장)(寸部 8획)의 略字

7 ⑩〖尃〗[一]펼 부[平]虞 [二]널리 포[去]遇 fū bù

[日] フ〔しく〕・ホ〔あまねし〕
[英] diffuse, widely

字解 ■ 펼 부. ■ 널리 포.

字源 形聲. 寸+甫〔音〕

8 ⑪【尉】 ■벼슬이름 위㈜未　wèi ■다리미 울　yù ㈧物

㈰ イ〔やすんずる〕・ウツ〔のむ〕

㋰ official rank, iron

字解 ■ ① 벼슬이름 위(官名). ¶ 尉官(위관). ② 편안히할 위(安也). ■ 다리미 울(火斗).

字源 會意. 叺(=仁)과 火와 寸(손)의 합자. 불을 손에 들고 위에 눌러 평평하게 폄의 뜻. 熨의 원자(原字).

[尉官 위관] 군(軍)의 대위(大尉)・중위・소위의 통칭.

8 ⑪【將】 ■장수 장㈜漾 jiàng ■장차 장㈜陽 jiāng

丨　丬　丬　爿　护　护　將　將

㈰ ショウ〔ひきいる・まさに〕

㋰ general, future

字解 ■ 장수 장. ¶ 大將(대장). ■ ① 장차 장(漸也). ¶ 將來(장래). ② 청컨대 장(請也). ③ 나아갈 장(進也). ¶ 日就月將(일취월장). ④ 기를 장(養也). ¶ 將養(장양).

字源 形聲. 寸+肉+爿〔音〕

[將相之器 장상지기] 장수(將帥) 또는 재상(宰相)이 될 만한 그릇.

[將來 장래] 장차 옴. 앞날.

[將帥 장수] 군사를 거느리고 지휘하는 사람. 장군(將軍).

[將養 장양] 양육함.

[勇將 용장] 용감한 장수.

[日就月將 일취월장] 날로 달로 자라거나 발전해 나감.

8 ⑪【專】 ■오로지 전㈜先 zhuān

一　一　币　百　亩　亩　專　專

㈰ セン〔もっぱら〕　㋰ only

字解 ① 오로지 전(獨也). ¶ 專攻(전공). ② 제마음대로할 전(擅也). ¶ 專橫(전횡).

字源 形聲. 寸+重〔音〕

注意 專(寸部 7획)는 딴 글자.

[專決 전결] 단독으로 결정함.

[專斷 전단] 혼자 생각으로 마음대로 결단함. 전결(專決).

[專制 전제] 다른 사람의 의사를 존중함이 없이 마음대로 일을 처리함.

9 ⑫【尊】 ■높을 존㈜元 ■술그릇 준㈜元 zūn

丷　八　什　酉　酋　奠　尊　尊

㈰ ソン〔とうとい・たる〕

㋰ high, wine barrel

字解 ■ ① 높을 존(貴也, 高也). ¶ 尊卑(존비). ② 어른 존(君父稱). ¶ 尊長(존장). ③ 공경할 존, 높일 존(敬也). ¶ 尊敬(존경). ■ 술그릇 준(酒器). ¶ 尊酒(준주).

字源 會意. 酋(술단지)를 양손으로 받들고 있는 모양. 제사에 쓰는 귀한 술단지의 뜻. 따라서, 「공경함・존귀함」의 뜻.

[尊敬 존경] 받들어 공경함.

[尊待 존대] 존경하여 대접함.

[尊名 존명] 높은 칭호. 남의 이름의 경칭.

[尊銜 존함] 상대자를 높여 그 이름을 이르는 말.

[推尊 추존] 높이어 우러르며 공경함.

9 ⑫【尋】 ■찾을 심㈜侵 xún

フ　ヨ　ヨ　尹　尹　尋　尋　尋

㈰ ジン〔たずねる〕　㋰ visit, search

字解 ① 찾을 심, 물을 심(繹也, 搜也, 求也). ¶ 尋訪(심방). ② 여덟자 심(度名八尺). ¶ 千尋(천심).

③ 보통 심. ¶ 尋常(심상).

字源 會意. 彐(又=오른손)와 工(左)·口(右)와 寸(척도)의 합자. 좌우의 손을 벌린 길이의 뜻.

[尋人 심인] 사람을 찾음. 또는 찾을 사람.

[尋常 심상] 대수롭지 않고 예사로움.

[推尋 추심] 찾아내서 가지거나 받아냄.

---

¹¹⑭【對】대답할 | 対
대④隊 | duì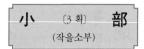

〟 〟 〟 业 业 業 對 對

日 タイ・ツイ〔こたえ〕 美 reply

字解 ① 대답할 대(答也). ¶ 對答(대답). ② 대할 대, 마주볼 대(物並峙). ¶ 對面(대면). ③ 짝 대, 상대 대(配也). ¶ 對偶(대우). ④ 적수 대. ¶ 韓國對日本(한국 대 일본).

字源 會意. 丵(초목이 무성함)과 口와 寸(법도)의 합자. 응대(應對)하는 데는 말이 많지만, 법도가 있음의 뜻. 따라서, 「마주 봄」의 뜻.

参考 対(寸部 4획)는 약자.

[對備 대비] 무엇에 대응할 준비.
[對座 대좌] 마주 앉음.
[對處 대처] 어떠한 일에 대응(對應)하는 처치(處置).
[應對 응대] 이야기를 나누거나 물음에 답함.

---

¹³⑯【導】이끌 도 | 导
도⑥號 | dǎo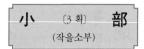

丷 丷 首 首 道 道 導 導

日 ドウ〔みちびく〕 美 guide

字解 이끌 도(引也). ¶ 導火線(도화선).

字源 形聲. 寸+道(音)

[導線 도선] 전기를 전도하는 철선.
[導入 도입] 이끌어 들임.
[導訓 도훈] 지도하여 가르침.
[引導 인도] ㉠ 가르쳐서 일깨움.
ⓛ 길을 안내함.

【小】[3 획] 部
(작을소부)

⁰③【小】작을 소 | xiǎo
①篠 |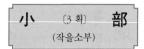

亅 亅 小

日 ショウ〔ちいさい〕 美 small

字解 ① 작을 소(微也, 狹隘). ② 적을 소, 조금 소(微也, 少也). ¶ 小戶(소호). ③ 첩 소(妾也). ¶ 小室(소실).

字源 象形. 작은 점 세 개로 작음을 나타냄.

[小康 소강] 형세가 조금 안정됨.
[小祥 소상] 사람이 죽은 지 돌 만에 지내는 제사. 소기(小朞).
[小生 소생] ㉠ 후배. ⓛ 자기를 낮추어 일컫는 말.
[小心 소심] ㉠ 조심함. 도량이 좁음. ⓛ 小膽(소담).
[縮小 축소] 규모를 줄여 작게 함.
[狹小 협소] 좁고 작음.

---

¹④【少】적을 소①篠 | shǎo
젊을 소④嘯 | shào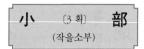

亅 亅 小 少

日 ショウ〔すくない・わかい〕
美 few, young

字解 ━ ① 적을 소(不多). ¶ 少額(소액). ② 잠시 소(短也). ━ ① 젊을 소(老之對). ¶ 少年(소년). ② 버금 소(副貳).

字源 形聲. 「ノ(별)」의 전음이 음을 나타냄.

[少年易老學難成 소년이로학난성] 세월은 빠르고 배우기는 어렵다는 뜻으로, 늙기 전에 배우기에 힘쓰라는 말.

[少僧 소승] 젊은 승려.
[少壯 소장] 젊고 혈기가 왕성함. ¶ 少壯派(소장파).
[僅少 근소] 아주 적음.
[年少 연소] 나이가 어림.

2 ⑤ 【尓】 爾(이)(爻部 10획)와 同字

3 ⑥ 【尖】 뾰족할 첨 [平]鹽 | jiān

丨 丿 小 尐 尖 尖

[日] セン〔とがる〕 [英] pointed

[字解] ① **뾰족할 첨**(末銳). ② **날카로울 첨**(先銳).

[字源] 會意. 小와 大의 합자. 커다란 것의 끝이 작게 된 것. 따라서, 「뾰족함」의 뜻.

[尖端 첨단] ㉠ 물건의 뾰족하게 모난 끝. ㉡ 시대의 사조(思潮)·유행 같은 것에 앞장서는 일.
[尖利 첨리] 끝이 뾰족하고 날카로움. 첨예(尖銳).

3 ⑥ 【当】 當(당)(田部 8획)의 略字

5 ⑧ 【尙】 오히려 상 [去]漾 | shàng

丨 丿 小 尒 尙 尙 尙 尙

[日] ショウ〔なお〕
[英] still, rather

[字解] ① **오히려 상**(猶也). ¶ 尙早(상조). ② **숭상할 상**(崇也). ¶ 尙武(상무). ③ **높일 상**(尊也). ¶ 高尙(고상).

[字源] 形聲. 八을 바탕으로 「向(향)」의 전음이 음을 나타냄.

[尙古 상고] 옛적의 문물(文物)을 숭상함.
[尙今 상금] 이제까지. 아직.
[尙文 상문] 문필(文筆)을 숭상함.
[高尙 고상] 인품·학문·예술 등이 품위가 있고 훌륭함.
[崇尙 숭상] 높여 소중히 여김.

10 ⑬ 【尟】 尠(선)(次條)의 本字

10 ⑬ 【尠】 적을 선 [去]銑 | xiǎn

[日] セン〔すくない〕 [英] few

[字解] **적을 선**(少也).

[字源] 會意. 甚과 少의 합자. 아주 적음을 나타냄.

[參考] 尟(小部 10획)은 본자. 鮮(魚部 6획)은 동자.

[尠少 선소] 대단히 적음. 선소(鮮少).

尢(兀·尣)〔3 획〕 部
(절름발이왕부)

0 ③ 【尢】 절름발이 왕 [平]陽 | wāng

[日] オウ〔せむし〕 [英] lame person

[字解] ① **절름발이 왕**(一足跛曲). ② **곱사 왕**(傴僂).

[字源] 象形. 정강이가 굽은 모양을 본뜬 글자.

[注意] 尤(尢部 1획)는 딴 글자.

1 ④ 【尤】 더욱 우 [平]尤 | yóu

一 ナ 尢 尤

[日] ユウ〔もっと〕 [英] moreover

[字解] ① **더욱 우**(甚也). ¶ 尤甚(우심). ② **허물 우**. ¶ 愆尤(건우). ③ **탓할 우**(怨也, 咎也).

[字源] 形聲. 乙을 바탕으로 「又(우)」가 음을 나타냄.

[尤妙 우묘] 더욱 신묘함.
[尤甚 우심] 더욱 심함.
[愆尤 건우] 허물. 잘못.

4 ⑦ 【尨】 삽살개 방 [平]江 | máng

3 획

[日] ボウ〔むくいぬ〕 [英] shaggy dog

[字解] ① **삽살개 방**(犬多毛者). ¶ 尨犬(방견). ② **클 방**(大貌). ¶ 尨大(방대).

[字源] 會意. 犬과 彡(긴 털)의 합자. 털이 많은 개의 뜻.

[尨狗 방구] 삽살개.
[尨大 방대] 두툼하고 큼.

3 획

4 ⑦ 〖尪〗 절름발이 왕 [平]陽 wāng

[日] オウ〔せむし〕 [英] lame person

[字解] **절름발이 왕**(跛曲脛).

[字源] 形聲. 尣+王〔音〕

9 ⑫ 【就】 나아갈 취[去]有 jiù

亠 古 古 亨 京 京 就 就

[日] シュウ〔つく〕 [英] enter

[字解] ① **나아갈 취**. ¶ 就任(취임). ② **이룰 취**. ¶ 成就(성취).

[字源] 會意. 京(높은 언덕)과 尤(뛰어남)의 합자. 가장 높은 언덕의 뜻. 또, 「尤(우)」의 전음이 음을 나타냄.

[就業 취업] 업무를 봄. 업에 종사함.
[就寢 취침] 잠을 잠.
[就航 취항] 항해(航海)하기 위해 배가 떠남.
[去就 거취] 물러남과 나아감.
[成就 성취] 목적대로 일을 이룸.

尸 〔3 획〕 部 (주검시부)

0 ③ 〖尸〗 주검 시 [平]支 shī

[日] シ〔しかばね〕 [英] corpse

[字解] ① **주검 시**(死骸). ¶ 尸蟲(시충). ② **시동 시, 신주 시**(尸童神像). ¶ 尸童(시동).

[字源] 象形. 사람이 반듯이 누워 있는 모양을 본뜬 글자.

[尸居 시거] 아무 일도 하지 아니하고 있음.
[尸童 시동] 옛날, 제사 지낼 때 신위 대신 그 자리에 앉히던 어린아이.
[尸蟲 시충] 시체에 생기는 벌레.

1 ④ 【尺】 자 척 [入]陌 chǐ

ㄱ ㅋ 尸 尺

[日] シャク〔ものさし〕 [英] measure

[字解] ① **자 척**(度名, 十寸爲尺). ② **짧을 척, 작을 척**(近距離). ¶ 咫尺(지척).

[字源] 指事. 尸와 乙의 합자. 乙은 팔을 굽힌 모양으로, 팔목에서 팔꿈치까지의 거리를 나타냄.

[尺度 척도] ㉠ 계량이나 평가의 기준. ㉡ 잰 길이.
[尺牘 척독] 편지.
[尺地 척지] 좁은 땅.
[咫尺 지척] 아주 가까운 거리.

1 ④ 〖尹〗 다스릴 윤[上]軫 yǐn

[日] イン〔おさめる〕 [英] govern

[字解] ① **다스릴 윤**(治也). ② **바를 윤**(正也). ③ **미쁨 윤**(信也). ④ **벼슬 윤**. ¶ 京兆尹(경조윤).

[字源] 會意. 又(손)와 丨(지휘봉)의 합자. 지휘봉을 손에 들고 지시함의 뜻.

2 ⑤ 〖尻〗 꽁무니 고[平]豪 kāo

[日] コウ〔しり〕 [英] rump

[字解] ① **꽁무니 고**(臀也). ② **밑바닥 고**(底也).

[字源] 形聲. 尸+九〔音〕

[尻坐 고좌] 궁둥이를 땅에 대고 앉음.

2 ⑤ 〖尼〗 신중 니 [平]支 ní

ㄊ 二〔あま〕 英 nun

字解 신중 니(女僧).

字源 形聲. 尸+匕〔音〕

[尼僧 이승] 여자 승려.

[比丘尼 비구니] 여자 승려. 여승.

3
⑥ 【尽】 盡(진)(皿部 9획)의 俗字

4
⑦ 【尾】꼬리 미
⑫尾 wěi

ㄱ ㄱ ㄧ 尸 尸 尸 尾 尾

ㄊ ビ〔お〕 英 tail

字解 ① 꼬리 미(鳥獸蟲魚之末梢).
¶ 尾骨(미골). ② 끝 미(終也). ¶
末尾(말미). ③ 흘레할 미(交尾).
④ 마리 미. ¶ 千尾(천미).

字源 會意. 尸(사람의 몸)와 뒤에
늘어진 毛의 합자.

[尾骨 미골] 척추의 가장 아랫부분
에 있는 3~5개의 작은 뼈로 된 부분.

[尾蔘 미삼] 인삼의 가는 뿌리.

[尾行 미행] 몰래 뒤를 따라감.

[交尾 교미] 동물의 암수가 교접하
는 일.

[末尾 말미] 끝부분. 맨 끄트머리.

4
⑦ 【尿】오줌 뇨
⑫嘯 niào

ㄱ ㄱ ㄧ 尸 尸 尿 尿

ㄊ ニョウ〔ゆばり〕 英 urine

字解 오줌 뇨(小便).

字源 會意. 尸(인체)와 水의 합자.

[尿道 요도] 방광(膀胱)에 있는 오줌
을 몸 밖으로 내보내는 관(管).

[尿素 요소] 오줌에 들어 있는 질소
화합물.

[排尿 배뇨] 오줌을 눔.

4
⑦ 【屁】방귀 비
⑫寘 pì

ㄊ ヒ〔へ〕 英 fart

字解 방귀 비(氣下泄).

字源 形聲. 尸+比〔音〕

[屁口 비구] 똥구멍.

[放屁 방비] 방귀를 뀜.

4
⑦ 【局】판 국
⑧沃 jú 局

ㄱ ㄱ ㄧ 尸 尸 局 局 局

ㄊ キョク〔つぼね〕 英 board

字解 ① 판 국(棋盤). ¶ 對局(대
국). ② 말릴 국(卷也). ③ 부분 국
(部分). ¶ 局部(국부). ④ 마을 국,
관청 국(官署). ¶ 局長(국장).

字源 會意. 尺(법칙)과 口의 합자.
말을 삼감의 뜻. 전하여, 「구획 짓
다·한정하다」의 뜻.

[局面 국면] ㉠ 사건이 변천하여 가
는 정형(情形). ㉡ 승패를 다투는 바
둑·장기 등의 판의 형세.

[局部 국부] ㉠ 전체 가운데의 한 부
분. ㉡ 남녀의 생식기(生殖器).

[局限 국한] 어떠한 국부(局部)에만
한정(限定)함.

[難局 난국] 처리하기 어려운 국면
이나 고비.

[政局 정국] 정치의 국면.

5
⑧ 【居】 살 거㊀魚
어조사 기㊁支
jū
jī 居

ㄱ ㄱ ㄧ 尸 尸 尸 居 居

ㄊ キョ〔いる〕·キ〔や〕 英 dwell

字解 ㊀ ① 살 거(居之). ¶ 居住
(거주). ② 있을 거(存也). ¶ 居喪
(거상). ③ 어조사 거(語助辭). ㊁
어조사 기(語助辭).

字源 形聲. 尸+古〔音〕

[居住 거주] 일정한 곳에 자리를 잡
고 삶. 또, 그 집.

5
⑧ 【届】이를 계
㊀卦 jiè 届

ㄊ カイ〔とどく〕 英 reach

字解 ① 이를 계(至也). ¶ 届期(계
기). ② 극한 계(極也).

字源 形聲. 尸+由〔音〕

[參考] 屆(尸部 5획)는 속자.
[注意] 屈(尸部 5획)은 딴 글자.

[屆期 계기] 기한에 이름.

5 ⑧ 〖届〗 屆(계)(尸部 5획)의 俗字

5 ⑧ 〖屈〗 굽을 굴 [入]物 | qū

ㄱ コ 尸 尸 屈 屈 屈 屈

[日] クツ〔かがむ〕 [英] bend

[字解] ① **굽을 굴**(曲也). ② **굽힐 굴**. ¶ 屈節(굴절). ③ **다할 굴**(竭也). ¶ 屈力(굴력). ④ **강할 굴**(強也). ¶ 屈強(굴강).

[字源] 形聲. 尸+出〔音〕

[注意] 屆(尸部 5획)는 딴 글자.

[屈強 굴강] 굳셈.
[屈服 굴복] 굽히어 복종함.
[屈辱 굴욕] 자기 의사(意思)를 굽히어 남에게 복종하는 치욕(恥辱).
[卑屈 비굴] 용기가 없고 비겁함.

6 ⑨ 【屋】 집 옥 [入]屋 | wū

ㄱ コ 尸 尸 屋 屋 屋 屋

[日] オク〔いえ〕 [英] house

[字解] ① **집 옥**(舍也). ¶ 屋外(옥외). ② **덮개 옥**. ¶ 屋上(옥상).

[字源] 會意. 尸(사람)와 至의 합자. 사람이 이르러 머무름의 뜻을 나타냄.

[屋內 옥내] 집 안. 건물 안.
[屋上 옥상] 지붕 위.

6 ⑨ 〖屍〗 주검 시 [平]支 | shī

[日] シ〔しかばね〕 [英] corpse

[字解] **주검 시**(死體).

[字源] 會意. 尸+死

[屍汁 시즙] 시체가 썩어서 나오는 물. 추깃물.
[屍體 시체] 주검. 송장.

6 ⑨ 〖屎〗 [一]똥 시[上]紙 [二]끙끙거릴 히[平]支 | shǐ xī

[日] シ〔くそ〕・キ〔うめく〕
[英] excrement, groan

[字解] [一] **똥 시**(糞也). [二] **끙끙거릴 히**(呻吟). ¶ 殿屎(전히).

[字源] 會意. 尸(사람)와 米의 합자. 사람의 몸에서 나오는 쌀의 뜻.

[屎尿 시뇨] 똥과 오줌. 분뇨(糞尿).

6 ⑨ 〖屏〗 屛(병)(尸部 8획)의 略字

7 ⑩ 〖屐〗 나막신 극[入]陌 | jī

[日] ゲキ〔げた〕 [英] sabots

[字解] **나막신 극**(木履).

[字源] 形聲. 履의 생략형을 바탕으로 「支(지)」의 전음이 음을 나타냄.

[屐聲 극성] 나막신 소리. 곧, 사람의 발자국 소리.

7 ⑩ 〖屑〗 가루 설 [入]屑 | xiè

[日] セツ〔くず〕 [英] dross

[字解] ① **가루 설**(碎末). ¶ 屑塵(설진). ② **업신여길 설**(輕視).

[字源] 形聲. 尸+肖〔音〕

[屑紙 설지] 쓰지 못할 부스러기 종이.
[屑塵 설진] 티끌. 먼지.
[不屑 불설] 마음에 두지 않음.

7 ⑩ 【展】 펼 전 [上]銑 | zhǎn

コ 尸 尸 屏 屈 屉 展 展

[日] テン〔のべる〕 [英] spread

[字解] ① **펼 전**(舒也). ¶ 展開(전개). ② **늘일 전**(放寬). ¶ 展期(전기). ③ **살필 전**(省視, 審也). ¶ 展墓(전묘).

[字源] 形聲 「襄(전)」의 생략형이 음을 나타냄.

[展開 전개] 펴서 벌임.

[展覽 전람] ㉠ 펴서 봄. ㉡ 벌이어 놓고 봄.

[展墓 전묘] 성묘(省墓)함.

[展示 전시] 여러 가지를 벌여 놓고 보임. 전람(展覽).

[發展 발전] 더 낫고 좋은 상태로 나아감.

8
⑪〔屛〕
■병풍 병
㊥青
㊤두려워할 병㊥庚
目물리칠 병
㊤梗

píng
bīng

一 コ ㋡ 尸 尸 戸 屛 屛 屛

㊐ヘイ・ビョウ〔へい・かき〕 ㊍ folding screen, fear, repulse

字解 ■병풍 병. ¶屛風(병풍). ■두려워할 병(恐也). ¶屛氣(병기). 目물리칠 병(斥退). ¶屛黜(병출).

字源 形聲. 尸+幷〔音〕

參考 屏(尸部 6획)은 약자.

[屛氣 병기] 숨을 죽이고 가슴을 죔. 병식(屛息).

[屛風 병풍] 바람을 막거나 장식을 위하여 방 안에 둘러치는 물건.

[硯屛 연병] 먼지나 먹이 튀는 것을 막기 위하여 벼루 머리에 치는 작은 병풍.

9
⑫〔屠〕
잡을 도
㊤虞

tú

㊐ト〔ほうる〕 ㊍ slaughter

字解 ①잡을 도(殺也). ¶屠殺(도살). ②백장 도(殺畜者). ¶屠漢(도한).

字源 形聲. 尸+者〔音〕

[屠家 도가] 백장.

[屠戮 도륙] 무찔러 죽임.

[浮屠 부도] ㉠ 부처. ㉡ 부처나 승려의 유골을 안장한 탑.

9
⑫〔属〕 屬(속)(尸部 18획)의 俗字

11
⑭〔屢〕
자주 루
㊤遇

lǚ

一 ㋡ 尸 尸 戸 屚 屚 屢 屢

㊐ル〔しばしば〕 ㊍ frequently

字解 ①자주 루(頻也). ②여러 루(數也).

字源 形聲. 尸+婁〔音〕

[屢代 누대] 여러 대.

[屢屢 누누] 여러 번.

[屢次 누차] 여러 차례. 여러 번.

11
⑭〔屣〕
■신 사
㊤紙
目신 시
㊤寘

xǐ

㊐シ〔ぞうり〕 ㊍ footwear

字解 ■신 사(麻鞋). 目신 시(麻鞋).

字源 形聲. 履(省)+徙〔音〕

[屣履 시리] ㉠ 신. ㉡ 허둥지둥 신을 끌면서 마중 나간다는 뜻으로, 대단히 반가워하며 마중 나가는 것을 형용한 말.

12
⑮〔層〕
층 층
㊤蒸

céng

一 尸 尸 屋 屋 屋 屑 層 層

㊐ソウ〔かさなる〕 ㊍ story

字解 ①층 층(級也). ②겹 층(累也).

字源 形聲. 尸+曾〔音〕

[層階 층계] 층층대.

[層巖絶壁 층암절벽] 여러 층의 바위로 된 낭떠러지.

[層層臺 층층대] 《韓》층층으로 쌓은 대(臺). 충대(層臺).

[層層侍下 층층시하] 《韓》부모・조부모가 다 생존한 시하.

[層下 층하] 《韓》남보다 낮게 대접함.

[地層 지층] 자갈・모래・진흙・생물체 등이 물 밑에 퇴적하여 이룬 층.

12
⑮〔履〕
신 리
㊤紙

lǚ

3
획

尸 尸 尸 尸 屛 屛 屛 履

[日] リ〔くつ〕 [英] footwear

[字解] ① **신 리**(皮靴). ¶ 木履(목리). ② **밟을 리**(踏也). ¶ 履歷(이력).

[字源] 會意. 尸(사람)와 彳·夊(둘 다 걸어감의 뜻)와 舟(나막신의 모양)의 합자. 사람이 신고 다니는 것의 뜻.

3 획

[履修 이수] 차례를 따라 학문을 닦음.

[履行 이행] ㉠ 실제로 행함. 실행함. ㉡ 품행(品行).

[木履 목리] 나막신.

12 ⑮ 〖屧〗 나막신 섭 [入]葉 | xiè

[日] ショウ〔げた〕 [英] sabots

[字解] **나막신 섭**(屐也).

[字源] 形聲. 履〈省〉+枼〔音〕

14 ⑰ 〖屨〗 삼신 구 [去]遇 | jù

[日] ク〔くつ〕 [英] hemp sandals

[字解] **삼신 구**(麻鞋).

[字源] 形聲. 履〈省〉+婁〔音〕

15 ⑱ 〖屩〗 신 갹 [入]藥 | juē

[日] キャク〔くつ〕 [英] footwear

[字解] **신 갹**(草履).

[字源] 形聲. 履〈省〉+喬〔音〕

18 ㉑ 〖屬〗 [一]무리 속 [入]沃 [二]부탁할 촉 [入]沃 | 属 zhǔ shǔ

尸 尸 屖 屖 屬 屬 屬 屬

[日] ゾク〔つらなる〕·ショク〔たくする〕 [英] group, entrust

[字解] [一] ① **무리 속**(儕等, 類也). ¶ 等屬(등속). ② **이을 속**(續也). ③ **붙을 속**(附屬). ¶ 屬國(속국). ④ **글엮을 속**(綴文字曰屬文). ¶ 屬文(속문). [二] ① **부탁할 촉**(托也). ¶ 屬託(촉탁). ② **붙일 촉**(附着). ¶ 屬望(촉망). ③ **조심할 촉**(恭順貌). ¶ 屬屬(촉촉).

[字源] 形聲. 尾+蜀〔音〕

[參考] 属(尸部 9획)은 속자.

[屬國 속국] 정치적으로 다른 나라에 매여 있는 나라.

[屬吏 속리] 하급 관리.

[屬望 촉망] 잘 되기를 바라고 기대함.

[屬屬 촉촉] ㉠ 공경하여 전일(專一)한 모양. ㉡ 온순한 모양.

[屬託 촉탁] 어떤 일을 남에게 부탁하여 맡김. 또는 맡는 사람.

[附屬 부속] 주된 것에 딸려 있음.

[從屬 종속] 딸려 있음.

屮 〔3 획〕 部 (풀철부)

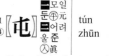

0 ③ 〖屮〗 풀 철 [入]屑 | chè

[日] テツ〔めばえ〕 [英] grass

[字解] **풀 철**(草木初生葉).

[字源] 象形. 초목의 싹의 모양.

0 ③ 〖屮〗 左(좌)(工部 2획)의 本字

[字源] 象形. 왼손의 모양을 본뜸.

1 ④ 〖㞢〗 之(지)(丿部 3획)의 古字

1 ④ 〖屯〗 [一]모일 둔 [平]元 [二]어려울 준 [入]眞 | tún zhūn

[日] トン〔たむろ〕·チュン〔なやむ〕 [英] gather, hard

字解 ━ ① 모일 둔(聚也). ¶ 屯聚(둔취). ② 진칠 둔(勒兵守). ¶ 屯營(둔영). ━ 어려울 준(難也). ¶ 屯險(준험).

字源 象形. 屮(풀의 싹)이 一(땅)을 뚫고 나오려고 굴곡하고 있는 모양. 「괴로워함·머무름」의 뜻이 됨.

[屯兵 둔병] 군대가 머물러 있음.
[屯所 둔소] 군대가 머물러 지키고 있는 곳. 주둔한 곳.
[屯營 둔영] 진(陣)·진영(陣營).
[屯險 준험] 세상을 살아 나가는 데 어려움이 많음.
[駐屯 주둔] 군대가 일정한 지역에 머물러 있음.

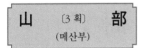

山 〔3획〕 部
(메산부)

⁰₃ [山] 메 산 | ㊀删 | shān | 山

丨 凵 山

㉥ サン〔やま〕 ⊛ mountain

字解 메 산(土聚高峙宣氣生萬物).

字源 象形. 산의 모양을 본뜸. 연해 있는 세 개의 봉우리의 모양.

[山閣 산각] 산중에 세운 누각(樓閣).
[山勢 산세] 산의 기복(起伏)·굴절(屈折)한 형세(形勢).
[山容 산용] 산의 모양.
[山河衿帶 산하금대] 산과 강이 둘러싼 자연의 요해.
[鑛山 광산] 광물을 캐는 곳.
[先山 선산] 조상의 무덤. 또는 무덤이 있는 곳.

³₆ [屹] 쭈뼛할 흘 | ㊀物 | yi | 屹

㉥ キツ〔そばだつ〕 ⊛ towering

字解 쭈뼛할 흘(山崒). ¶ 屹立(흘립).

字源 形聲. 山+乞〔音〕

[屹立 흘립] 산이 험하게 우뚝 솟음.

⁴₇ [岌] 산높을 급 | ㊀緝 | jí | 岌

㉥ キュウ〔たかい〕 ⊛ lofty

字解 산높을 급(高貌).

字源 形聲. 山+及〔音〕

[岌峨 급아] 산이 높이 솟은 모양.

⁴₇ [岑] 산봉우리 잠 | ㊀侵 | cén | 岑

㉥ シン·ギン〔みね〕 ⊛ peak

字解 산봉우리 잠(山小而高).

字源 形聲. 山+수〔音〕

[岑嶺 잠령] 높은 산봉우리.
[岑樓 잠루] 높이 솟은 산. 또는 높은 다락집.

⁴₇ [岐] 가닥나뉠 기 | ㊀支 | qí | 岐

㉥ キ〔ふたまた〕 ⊛ fork

字解 가닥나뉠 기(分支).

字源 形聲. 山+支〔音〕

[岐路 기로] 갈림길.
[分岐 분기] 나뉘어서 갈라짐.

⁵₈ [岺] 산이름 령 | ㊀青 | líng |

㉥ レイ〔やまがふかい〕

字解 산이름 령, 산깊을 령.

字源 形聲. 山+令〔音〕

⁵₈ [岭] 岺(령)(前條)과 同字

⁵₈ [岷] 산이름 민 | ㊀眞 | mín |

㉥ ビン·ミン〔やまのな〕

字解 ① 산이름 민. ② 강이름 민.

字源 形聲. 篆文은 山+敃〔音〕

3획

---

⁵₈【岫】산굴 수 | xiù | 岫
㊤宥
㊐ シュウ〔いわあな〕 ㊍ cave
字解 ① 산굴 수. ② 산봉우리 수.
字源 形聲. 山+由〔音〕

---

⁵₈【峀】 岫(수)(前條)와 同字

---

⁵₈【岸】언덕 안 | àn | 岸
㊤翰
丨 屵 屵 屵 岸 岸 岸 岸
㊐ ガン〔きし〕 ㊍ hill
字解 언덕 안(厓也).
字源 形聲. 屵+干〔音〕
[岸壁 안벽] 벽과 같이 깎아지른 듯한 물가의 언덕.
[岸邊 안변] 언덕의 가. 물가.
[海岸 해안] 바닷가.

---

⁵₈【岩】 巖(암)(山部 20획)의 俗字·簡體字

---

⁵₈【岬】곶 갑 | jiǎ | 岬
㊤洽
㊐ コウ〔みさき〕 ㊍ cape
字解 ① 곶 갑. ② 산허리 갑(山脅).
③ 산사이 갑.
字源 形聲. 山+甲〔音〕
[岬角 갑각] 바다로 뾰족하게 내민 땅.

---

⁵₈【岱】산이름 대 | dài | 岱
㊤隊
㊐ タイ〔やまのな〕
字解 ① 산이름 대. ② 클 대.
字源 形聲. 山+代〔音〕

---

⁵₈【岾】〓〔韓〕고개 재 | 〓
〔韓〕절이름 점
字解 〓 〔韓〕고개 재(嶺也). 〓
〔韓〕절이름 점. ¶ 楡岾寺(유점사).

---

⁵₈【岡】산등성이 강 | 冈 | 岡
㊤陽 | gāng
㊐ コウ〔おか〕 ㊍ hill
字解 산등성이 강(山脊).
字源 形聲. 「𦉡(岡(망)의 원자)」의 전음이 음을 나타냄.
參考 崗(山部 8획)은 속자.
注意 罔(网部 3획)은 딴 글자.
[岡陵 강릉] 언덕이나 작은 산.

---

⁵₈【岵】산 호 | hù
㊤麌
㊐ コ〔しげやま〕 ㊍ mountain
字解 산 호.
字源 形聲. 山+古〔音〕

---

⁵₈【岳】큰산 악 | yuè | 岳
㊤覺
丿 丷 Ｆ 丘 乒 乒 岳 岳
㊐ ガク〔たけ〕 ㊍ mountain
字解 큰산 악(山宗).
字源 會意. 丘와 山의 합자. 산 위에 산이 겹쳐서 솟아 있는 모양.
[岳父 악부] 장인.
[山岳 산악] 높고 큰 산.

---

⁶₉【峙】산우뚝할 치 | zhì | 峙
㊤紙
㊐ ジ〔そばだつ〕 ㊍ towering
字解 산우뚝할 치(屹立).
字源 形聲. 山+寺〔音〕
[峙立 치립] 우뚝 솟음.
[對峙 대치] 서로 마주 대하여 버팀.

---

⁷₁₀【峯】봉우리 봉 | fēng | 峯
㊤冬
丨 丨 屵 屵 岁 岁 峷 峷 峯
㊐ ホウ〔みね〕 ㊍ peak
字解 봉우리 봉(直上而銳).
字源 形聲. 山+夆〔音〕
參考 峰(山部 7획)은 동자.
[峯頭 봉두] 산꼭대기.

[最高峯 최고봉] ㉠ 주봉(主峯). ㉡ 어떤 방면에 가장 뛰어남.

7 ⑩ 〖峨〗 높을 아 ㊥歌 | é

㊐ ガ〔けわしい〕 ㊎ high

字解 **높을 아**(嵯峨嶠).

字源 形聲. 山+我〔音〕

[峨峨 아아] ㉠ 산이 높고 바위가 험한 모양. ㉡ 몸가짐이 엄숙하고 위엄이 있는 모양.

7 ⑩ 〖峭〗 가파를 초 ㊦嘯 | qiào

㊐ ショウ〔けわしい〕 ㊎ steep

字解 ① **가파를 초**(嶮也). ¶ 峻峭(준초). ② **급할 초**(急也). ¶ 峭急(초급).

字源 形聲. 山+肖〔音〕

[峭急 초급] 성질이 날카롭고 팔팔함.

[峻峭 준초] 산이 높고 험함.

7 ⑩ 〖峴〗 재 현 ㊤銑 | 岘 xiàn

㊐ ケン〔みね〕 ㊎ ridge

字解 **재 현, 고개 현**(嶺嶠).

字源 形聲. 山+見〔音〕

7 ⑩ 〖峻〗 높을 준 ㊦震 | jùn

㊐ シュン〔けわしい〕 ㊎ lofty

字解 ① **높을 준**(高也), **가파를 준**(嶮也). ¶ 峻嶺(준령). ② **엄할 준**(嚴也). ¶ 峻嚴(준엄).

字源 形聲. 山+夋〔音〕

注意 竣(立部 7획)은 딴 글자.

[峻嶺 준령] 높고 가파른 고개.

[峻嚴 준엄] 매우 엄격함.

7 ⑩ 〖峽〗 골짜기 협 ㊇洽 | 峡 xiá

㊐ キョウ〔はざま〕 ㊎ valley

字解 **골짜기 협**(山峭夾水).

字源 形聲. 山+夾〔音〕

7 ⑩ 〖峰〗 峯(봉)(山部 7획)과 同字

7 ⑩ 【島】 섬 도 ㊤皓 | 岛 dǎo

丿 卢 自 阜 鳥 鳥 島 島

㊐ トウ〔しま〕 ㊎ island

字解 **섬 도**(海中有山可依止).

字源 形聲. 본디 鳥와 山의 합자로, 「鳥(조)」의 전음이 음을 나타냄.

參考 嶌(山部 11획)·嶋(山部 11획)는 동자.

[島嶼 도서] 섬의 총칭. 큰 것을 「도」, 작은 것을 「서」라고 함.

[孤島 고도] 외딴섬.

8 ⑪ 【崇】 높일 숭 ㊥東 | chóng

' 山 屵 屵 岦 峑 崇 崇

㊐ スウ〔あがめる〕 ㊎ venerate

字解 ① **높일 숭**(尊也). ¶ 崇拜(숭배). ② **높을 숭**(高也). ¶ 崇高(숭고).

字源 形聲. 山+宗〔音〕

[崇高 숭고] 존귀하고 고상함.

[崇拜 숭배] 존경하여 절함.

[崇尙 숭상] 높이어 소중(所重)하게 여김.

8 ⑪ 〖崍〗 산이름 래 ㊥灰 | lái

㊐ ライ〔やまのな〕

字解 **산이름 래**.

字源 形聲. 山+來〔音〕

8 ⑪ 〖崒〗 험할 줄 ㊇質 | zú

㊐ シュツ〔けわしい〕 ㊎ steep

字解 ① **험할 줄**. ② **무너질 줄**.

字源 形聲. 山+卒〔音〕

3획

⁸_⑪【崒】崒(줄)(前候)과 同字

⁸_⑪【崑】산이름 | kūn
곤⊕元

　回 コン〔やまのな〕

　字解 산이름 곤(山名崑崙山).

　字源 形聲. 山+昆〔音〕

　参考 崐(山部 8획)은 동자.

［崑崙 곤륜〕 산 이름. 중국 티베트에 있는 산으로, 고래로 미옥(美玉)을 산출함.

［崑玉 곤옥〕 곤륜산에서 나는 아름다운 옥.

⁸_⑪【崔】높을 최 | cuī
최⊕灰

　回 サイ〔たかい〕 英 lofty

　字解 높을 최(山高貌).

　字源 形聲. 山+隹〔音〕

［崔嵬 최외〕 산이 높고 험함.

⁸_⑪【崖】낭떠러지 | yá
애⊕佳

　回 ガイ〔がけ〕 英 cliff

　字解 낭떠러지 애(水邊崖岸).

　字源 會意. 山과 厓의 합자. 높은 벼랑의 뜻.

［崖脚 애각〕 낭떠러지 밑.

［崖隒 애겸〕 벼랑. 끝.

［斷崖 단애〕 깎아지른 듯한 낭떠러지.

⁸_⑪【崙】산이름 | lún
륜⊕元

　回 ロン〔やまのな〕

　字解 산이름 륜(山名崑崙).

　字源 形聲. 山+侖〔音〕

　参考 崘(山部 8획)과 동자.

⁸_⑪【崩】무너질 | bēng
붕⊕蒸

山 屮 屶 屵 屶 岸 岸 崩 崩

　回 ホウ〔くずれる〕 英 collapse

　字解 ① 무너질 붕(自上隊下出壞).
　¶ 崩壞(붕괴). ② 죽을 붕(殂落).
　¶ 崩御(붕어).

　字源 形聲. 山+朋

［崩壞 붕괴〕 무너짐.

⁸_⑪【崧】우뚝솟을 | sōng
숭⊕東

　回 スウ〔たかい〕 英 high

　字解 우뚝솟을 숭(竦也).

　字源 形聲. 山+松〔音〕

⁸_⑪【崗】崗(강)(山部 5획)의 俗字

⁸_⑪【崎】험할기 | qí
기⊕支

　回 キ〔けわしい〕 英 steep

　字解 험할 기(山路險峻).

　字源 形聲. 山+奇〔音〕

［崎嶇 기구〕 ㉠ 산길이 험함. ㉡ 사람이 살아가는 데 험한 일이 많음.

⁸_⑪【崛】우뚝솟을 | jué
굴⊕物

　回 クツ〔たかい〕 英 towering

　字解 우뚝솟을 굴(勃起貌).

　字源 形聲. 山+屈〔音〕

［崛起 굴기〕 산이 우뚝 솟음.

⁸_⑪【崢】가파를 | zhēng
쟁⊕庚

　回 ソウ〔けわしい〕 英 lofty

　字解 가파를 쟁(險也).

　字源 形聲. 山+爭〔音〕

［崢嶸 쟁영〕 산이 높고 험한 모양.

⁸_⑪【崐】崑(곤)(山部 8획)과 同字

⁸_⑪【崕】崖(애)(山部 8획)와 同字

8 ⑪ 【崘】 崙(륜)(山部 8획)과 同字

9 ⑫ 【嵄】 깊은산 미㊤紙 | měi

㊐ ビ〔やま〕 ㊇ mountain

字解 **깊은산 미.**

9 ⑫ 【嵌】 ━산골짜기 감㊥咸 ━새겨넣을 감㊎陷 | qiàn

㊐ カン〔たに・ほらあな〕

㊇ valley, inlay

字解 ━ ① **산골짜기 감**(深谷). ② **굴 감**(坎旁孔). ━ **새겨넣을 감**(陷入中也). ¶ 상감(象嵌).

字源 形聲. 山+㪁〈省〉〔音〕

[嵌入 감입] 장식 같은 것을 박아 넣음.

9 ⑫ 【崱】 연할 즉㊈職 | zè

㊐ ショク〔つらなる〕 ㊇ continue

字解 **연할 즉**(山連).

字源 形聲. 山+則〔音〕

9 ⑫ 【嵐】 남기 람㊥覃 | 岚 lán

㊐ ラン〔あらし〕 ㊇ mist

字解 **남기 람**(山氣蒸潤).

字源 會意. 山과 기운을 뜻하는 風의 합자. 산에 서리는 기운을 뜻함.

[嵐氣 남기] 저녁나절에 멀리 보이는 산 같은 데 떠오르는 푸르스름하고 흐릿한 기운. 이내.

[晴嵐 청람] 화창한 날에 아른거리는 아지랑이.

9 ⑫ 【嵔】 높을 위㊥灰 | wēi

㊐ アイ〔たかい〕 ㊇ lofty

字解 ① **높을 위**(不平貌). ② **울퉁불퉁할 위**(不平也).

字源 形聲. 山+威〔音〕

9 ⑫ 【嵋】 산이름 미㊥支 | méi

㊐ ビ〔やまのな〕

字解 **산이름 미**(峨嵋蜀山名).

字源 形聲. 山+眉〔音〕

9 ⑫ 【嵎】 산굽이 우㊥虞 | yú

㊐ グウ〔くま〕

㊇ mountain recesses

字解 **산굽이 우**(山曲).

字源 形聲. 山+禺〔音〕

9 ⑫ 【嵁】 울퉁불퉁할 감㊤覃 | kān

㊐ カン〔けわしい〕 ㊇ steep

字解 **울퉁불퉁할 감**(不平也).

字源 形聲. 山+甚〔音〕

[嵁巖 감암] 험하여 평탄하지 아니한 모양.

9 ⑫ 【嵆】 嵇(혜)(次條)와 同字

9 ⑫ 【嵇】 산이름 혜㊥齊 | jī

㊐ ケイ〔やまのな〕

字解 ① **산이름 혜**(亳州山名). ② **성 혜**(姓也, 嵇康).

字源 形聲. 山+稽〈省〉〔音〕

9 ⑫ 【嵒】 바위 암㊥咸 | 岩 yán

㊐ ガン〔いわお〕 ㊇ rock

字解 ① **바위 암**(山巖). ② **가파를 암**(山高貌).

字源 會意. 品+山

[嵒險 암험] 가팔라 위험함.

9 ⑫ 【嵓】 嵒(암)(前條)과 同字

3획

10
⑬ 【嵩】 높을 숭
㊀東 sōng 峯

㊐ スウ〔たかい〕 ㊤ high

字解 ①높을 숭(高也). ¶嵩峻(숭준). ②숭산 숭(山名). ¶嵩山(숭산).

字源 會意. 山+高

[嵩山 숭산] 중국 오악(五嶽)의 하나인 중악(中嶽).

[嵩峻 숭준] 높고 험함.

10
⑬ 【嵬】 높을 외
㊀灰 wéi 嵬

㊐ カイ〔たかい〕 ㊤ lofty

字解 높을 외(高而不平也). ¶嵬岌(외급).

字源 形聲. 山+鬼〔音〕

[嵬崛 외굴] 높고 큰 모양.

[嵬岌 외급] 산이 높이 솟은 모양.

10
⑬ 【嵯】 ■산높을 차㊀歌 ■울쑥 불쑥할 치㊀支 嵯 cuó cī 嵯

㊐ サ〔たかい〕・シ〔ふぞろい〕 ㊤ lofty

字解 ■산높을 차(高也). ■울쑥불쑥할 치(山不齊也).

字源 形聲. 山+差〔音〕

[嵯峨 차아] 산이 높고 험함.

11
⑭ 【嶄】 가파를 참㊀咸 崭 zhǎn 嶄

㊐ サン〔けわしい〕 ㊤ lofty

字解 가파를 참(山高峻貌). ¶嶄絕(참절).

字源 形聲. 山+斬〔音〕

參考 嶃(山部 11획)과 동자.

[嶄新 참신] 생각하는 바가 새롭고 새뜻함. 참신(斬新).

[嶄絕 참절] 산이 높고 험준함.

11
⑭ 【嶋】 島(도)(山部 7획)의 本字

11
⑭ 【嶂】 산봉우리 장㊀漾 zhàng 嶂

㊐ ショウ〔みね〕 ㊤ peak

字解 산봉우리 장(連峯峻貌).

字源 形聲. 山+章〔音〕

11
⑭ 【嶇】 가파를 구㊀虞 岖 qū 嶇

㊐ ク〔けわしい〕 ㊤ steep

字解 ①가파를 구(山峻也). ②언틀먼틀할 구(山路不平也). ③산꼭대기 구(山頂).

字源 形聲. 山+區〔音〕

[嶇路 구로] 험한 길.

[崎嶇 기구] ㉠산길이 험함. ㉡세상살이가 순탄치 못함.

11
⑭ 【嶃】 嶄(참)(山部 11획)과 同字

12
⑮ 【嶝】 고개 등㊀徑 dèng 嶝

㊐ トウ〔さかみち〕 ㊤ hill

字解 고개 등.

字源 形聲. 山+登〔音〕

12
⑮ 【嶢】 높을 요㊀蕭 yáo 嶢

㊐ キョウ〔たかい〕 ㊤ lofty

字解 높을 요.

字源 形聲. 山+堯〔音〕

12
⑮ 【嶔】 우뚝솟을 금㊀侵 qīn 嶔

㊐ キン・ケン〔いただき〕 ㊤ lofty

字解 ①우뚝솟을 금(山勢聳立貌). ②산꼭대기 금(山頂).

字源 形聲. 山+欽〔音〕

[嶔崛 금구] 험한 모양.

[嶔岑 금잠] 산이 우뚝 솟은 모양.

3
획

12
⑮ 【嶠】 산쭈뼛할 교 (去) 嘯 / 峤 qiáo

ⓐ キョウ〔やまみち〕 ⓔ lofty

字解 ① 산쭈뼛할 교(山銳而高). ¶ 嶠嶽(교악). ② 산길 교(山遙). ¶ 嶠路(교로).

字源 形聲. 山+喬〔音〕.

參考 嶠(山部 12획)와 동자.

[嶠路 교로] 산길.
[嶠嶽 교악] 높은 산.

12
⑮ 【嶣】 嶠(교)(前條)와 同字

13
⑯ 【嶪】 험준할 업 (入)葉 yè

ⓐ ギョウ〔けわしい〕 ⓔ steep

字解 험준할 업(山高貌).

字源 形聲. 山+業〔音〕.

14
⑰ 【嶷】 ■산이름 의 (支) yí / ■숙성할 억 (職) nì

ⓐ ギ〔やまのな〕・ギョク〔さとい〕 ⓔ precocious

字解 ■ 산이름 의(九嶷山名). ■ 숙성할 억(小兒有識). ¶ 嶷嶷(억억).

字源 形聲. 山+疑〔音〕.

[嶷嶷 억억] ㉠ 어린아이가 영리함. ㉡ 덕이 높은 모양.

14
⑰ 【嶺】 재 령 (上)梗 ling / 岭

山 产 岁 当 芦 岢 嵛 嵛 嶺

ⓐ レイ〔みね〕 ⓔ ridge

字解 재 령, 산고개 령(山肩通路).

字源 形聲. 山+領〔音〕.

[嶺雲 영운] 산봉우리에 걸린 구름.
[峻嶺 준령] 높고 험한 재.

14
⑰ 【嶽】 큰산 악 (入)覺 yuè / 岳

ⓐ ガク〔たけ〕 ⓔ mountain

字解 큰산 악(山宗).

字源 形聲. 山+獄〔音〕.

參考 岳(山部 5획)은 동자.

[山嶽 산악] 높고 큰 산.

14
⑰ 【嶸】 가파를 영 (平)庚 róng

ⓐ エイ〔けわしい〕 ⓔ steep

字解 가파를 영(山峻貌).

字源 形聲. 山+榮〔音〕.

[崢嶸 쟁영] 산이 높고 험한 모양.

14
⑰ 【嶼】 섬 서 (上)語 yǔ(xù)

ⓐ ショ〔しま〕 ⓔ island

字解 섬 서(陸島).

字源 形聲. 山+與〔音〕.

[島嶼 도서] 크고 작은 여러 섬들.

18
㉑ 【巋】 ■우뚝설 귀 (去)寘 kuì / ■가파를 귀 (支) kuī / (上)紙

ⓐ キ〔けわしい・たかくけわしい〕 ⓔ lofty, steep

字解 ■ 우뚝설 귀, 혼자우뚝선모양 귀(獨貌). ■ 가파를 귀(高峻貌).

字源 形聲. 山+歸〔音〕.

[巋然 귀연] 높고 험한 모양.

18
㉑ 【巍】 높고클 외 (平)微 wēi(wéi)

ⓐ ギ〔たかい〕 ⓔ lofty

字解 높고클 외(高大貌).

字源 形聲. 嵬+委〔音〕.

[巍然 외연] 산이나 건축물 따위가 매우 높게 솟아 있는 모양.

19
㉒ 【巓】 산꼭대기 전 (平)先 diān

㉱ テン〔いただき〕 ⊛ peak
字解 산꼭대기 전(山頂).
字源 形聲. 山+顚〔音〕.

19 ⑳ **巒** 메 만⒜란
㉲寒 | 巒 luán

㉱ ラン〔やま〕 ⊛ mountain
字解 메 만(山圓峯).
字源 形聲. 山+縊〔音〕.

[巒岡 만강] 산봉우리.
[峯巒 봉만] 길게 이어진 산봉우리.

20 ㉓ **巖** 바위 암
㉲咸 | 岩 yán

字解 바위 암(石窟).
字源 形聲. 山+嚴〔音〕.
參考 岩(山部 5획)은 속자·간체자.

[巖窟 암굴] 바위에 뚫린 굴.
[巖礁 암초] 물속에 잠겨 보이지 않는 바위.

20 ㉓ **巘** 봉우리
헌㉲阮 | yǎn

㉱ ケン〔みね〕 ⊛ peak
字解 봉우리 헌(山峰).
字源 形聲. 山+獻〔音〕.

巛(川)〔3 획〕 部
(개미허리부)

0 ③ **巛** 川(천)(次條)의 本字

0 ③ **川** 내 천
㉲先 | chuān

ノ 丿 川

㉱ セン〔かわ〕 ⊛ stream
字解 내 천(通流水).

字源 象形. 양쪽 언덕 사이로 물이 흐르고 있는 모양을 본뜬 글자.

[川獵 천렵] 냇물에서 하는 고기잡이.
[山川 산천] 산과 내.
[河川 하천] 시내. 강.

3 ⑥ **州** 고을 주
㉲尤 | zhōu

ノ 丿 ㇇ 州 州 州 州

㉱ シュウ〔す〕 ⊛ region
字解 ① 고을 주(郡縣). ¶ 州郡(주군). ② 섬 주(水中可居).
字源 會意. 냇물에 둘러싸인 삼각주를 본떠서, 한정된 구역을 뜻함.

[州郡 주군] 주(州)와 군(郡)의 뜻으로, 전하여 지방(地方).

4 ⑦ **巡** 돌 순
㉲眞 | xún

く 巜 巛 巡 巡 巡

㉱ ジュン〔めぐる〕 ⊛ patrol
字解 돌 순(廻也). ¶ 巡察(순찰).
字源 會意. 辵과 川(돌아 흐름)의 합자.

[巡歷 순력] 각처로 돌아다님.
[巡視 순시] 돌아다니며 시찰함.
[巡廻 순회] 각처로 돌아다님.

8 ⑪ **巢** 새집 소
㉲看 | cháo

㉱ ソウ〔す〕 ⊛ nest
字解 ① 새집 소(鳥棲). ¶ 巢居(소거). ② 큰피리 소(大笙). ¶ 巢笙(소생).
字源 象形. 巛(세 마리의 새)이 나무 위의 둥지에 들어 있는 모양.

[巢窟 소굴] 도둑·비도(匪徒)·악한 등의 근거지.

工 〔3 획〕 部
(장인공부)

⁰(3)【工】장인 공 ⊕東 gōng ㄍㄨㄥ

一 T 工

⊕ コウ・ク〔たくみ〕 ⊛ artisan

字解 ①장인 공(匠也). ¶ 工匠(공장). ②공교할 공(巧也). ¶ 工巧(공교).

字源 象形. 자·곱자를 본떠 공작에 관한 것을 나타냄.

[工巧 공교] 교묘함.
[工事 공사] ㉠토목 공사. ㉡건축·제작 등에 관한 일.
[工匠 공장] 연장을 써서 물건을 만드는 사람.
[竣工 준공] 공사를 마침.
[着工 착공] 공사를 시작함.

²(5)【巧】공교할 교⊕上巧 qiǎo ㄑㄧㄠ

一 T 工 I᳠ 巧

⊕ コウ〔たくみ〕 ⊛ skilful

字解 공교할 교(拙之反).
字源 形聲. 工+丂〔音〕

[巧態 교태] 여자의 요염한 자태.
[計巧 계교] 여러 가지로 생각해서 짜낸 꾀.
[精巧 정교] 정밀하고 자세함.

²(5)【巨】클 거 ⊕語 jù ㄐㄩ

一 厂 戸 戸 巨

⊕ キョ〔おおきい〕 ⊛ great

字解 클 거(大也).
字源 象形. 손잡이가 달린 커다란 자의 모양. 전하여, 「큼」의 뜻.

[巨金 거금] 큰 돈. 많은 돈.
[巨物 거물] 큰 인물이나 물건.

²(5)【左】■왼 좌⊕上哿 ■도울 좌⊕去箇 zuǒ ㄗㄨㄛ

一 ナ 左 左 左

⊕ サ〔ひだり・たすける〕

⊛ left, aid

字解 ■①왼 좌, 왼편 좌(右之對). ②증거 좌(證也). ¶ 證左(증좌). ■도울 좌(助也).
字源 會意. ナ가 왼손의 상형. 그것에 工을 더한 左는 공작(工作)할 때 왼손이 오른손을 돕는다는 뜻.
參考 뒤에 도와 줌의 뜻에는 佐가 전용자가 되었음.

[左顧右眄 좌고우면] 이쪽저쪽으로 돌아봄. 좌우고면(左右顧眄).
[左言 좌언] 사리에 어긋나는 말.
[左衝右突 좌충우돌] 이리저리 마구 치고받고 함.
[證左 증좌] 증거.

⁴(7)【巫】무당 무 ⊕虞 wū(wú) ㄨ

⊕ フ・ブ〔みこ〕 ⊛ witch

字解 무당 무(事無形以舞降神者).
字源 象形. 무당이 춤출 때 소매의 모양을 본뜸.

[巫女 무녀] 무당.

⁷(10)【差】■틀림 차⊕麻 ㉠채 차⊕佳 ■나을 차㉠채⊕卦 ■들쭉날쭉할 치⊕支 chā chài cī ㄔㄚ

ʼ ʼ ⺧ ⺧ 芏 半 芊 差 差

⊕ サ〔たがう〕・サイ〔いえる〕・シ〔ひとしくない〕

⊛ differ, get well, uneven

字解 ■①틀림 차(舛也). ¶ 差訛(차와). ②나머지 차. ¶ 差額(차액). ③부릴 차(使也). ¶ 差送(차송). ■①나을 차(病愈). ¶ 差度(차도). ②견줄 차(較也). ¶ 差勝(차승). ■들쭉날쭉할 치(不齊貌). ¶ 參差(참치).
字源 會意. 羊(늘어진 꽃술의 끝이 맞지 않음)과 左(손가락의 길이가 맞지 않음)의 합자. 「어긋남」의 뜻.

[差減 차감] 비교하여 덜어 냄.
[差等 차등] 차이 나는 등급.

[差送 차송] 사람을 시켜서 보냄. 차견(差遣).
[差勝 차승] 조금 나음.
[差額 차액] 어떤 액수에서 다른 어떤 액수를 감한 나머지 액수.
[隔差 격차] 수준 등의 차이.
[快差 쾌차] 병이 다 나음.

3획

己 〔3 획〕 部 (몸기부)

0 ③【己】 몸기 [上]紙 | jǐ

ㄱ コ 己

[日] キ・コ〔おのれ〕 [英] self, body

[字解] ① **몸 기**(身也). ¶ 知己(지기). ② **여섯째천간 기**(天干第六位). ¶ 己未(기미).

[字源] 象形. 실을 둘둘 만 모양. 紀의 원자(原子). 「자신(自身)」의 뜻으로 쓰임은 음의 차용.

[注意] 己·巳는 딴 글자.

[己未 기미] 육십갑자(六十甲子)의 쉰여섯째.
[克己 극기] 자기의 감정이나 욕심을 의지로 눌러 이김.
[知己 지기] 자기를 알아주는 친구.

0 ③【已】 이미 이 [上]紙 | yǐ

ㄱ コ 已

[日] イ〔すでに〕 [英] already

[字解] ① **이미 이**(卒事辭). ¶ 已往(이왕). ② **그칠 이, 말 이**(止也). ③ **너무 이**(太過). ¶ 已甚(이심). ④ **따름 이**(啻也). ¶ 而已(이이).

[字源] 目의 변체(變體). 以와 같음.

[注意] 己·巳는 딴 글자.

[已成 이성] 이미 이루어짐.
[已往 이왕] 이전(以前). 그전. 기왕(旣往). 이미.

0 ③【巳】 여섯째 지지 사 [上]紙 | sì

ㄱ コ 巳

[日] シ〔み〕 [英] snake

[字解] **여섯째지지 사**(地支第六位).

[字源] 象形. 뱀이 몸을 사리고, 꼬리를 드리우고 있는 모양을 본뜬 글자.

[注意] 己·已는 딴 글자.

[巳時 사시] 하루를 열두 시간으로 나눌 때의 여섯째 시간. 곧, 상오 9~11시까지의 사이.

1 ④〖巴〗 땅이름 파[平]麻 | bā

[日] ハ〔ともえ〕

[字解] ① **땅이름 파**(地名, 中國四川省重慶地方). ¶ 巴蜀(파촉). ② **뱀 파**(食象蛇). ¶ 巴蛇(파사).

[字源] 象形. 일종의 뱀의 모양. 소용돌이의 뜻.

[巴蛇 파사] 큰 뱀의 일종.

4 ⑦〖巵〗 卮(치)(卩部 3획)와 同字

6 ⑨〖巷〗 거리 항 [去]絳 | xiàng

一 艹 丗 丠 共 巷 巷 巷

[日] コウ〔ちまた〕 [英] street

[字解] **거리 항**(里中道).

[字源] 會意. 共과 邑의 합자. 邑(마을) 안에서 사람과 같이 함의 뜻.

[巷間 항간] 서민(庶民)들.
[巷說 항설] 거리에 떠도는 소문.

9 ⑫〖巽〗 괘이름 손[去]願 | xùn

[日] ソン〔たつみ〕

[字解] ① **괘이름 손**(卦名). ¶ 巽方(손방). ② **사양할 손**(讓也). ¶ 巽言(손언).

[字源] 會意. 㔾㔾(卩卩)+丌

[巽言 손언] 유순(柔順)하여 남에게 거슬리지 않는 말씨. 손여지언(巽與之言)의 준말.

巾 部 〔3 획〕
(수건건부)

0 ③ 【巾】 수건 건 ㊀眞 | jīn 〔이미지 巾〕

㊐ キン〔ふきん〕 ㊗ towel

字解 ① 수건 건(帨也). ¶ 手巾(수건). ② 건 건(男子冠). ¶ 巾帶(건대).

字源 象形. 앞치마·수건 따위의 천의 모양.

[巾帶 건대] 상복에 쓰는 건과 띠.

[巾櫛 건즐] ㉠ 수건(手巾)과 빗. ㉡ 머리를 빗고 낯을 씻는 일.

2 ⑤ 【市】 저자 시 ㊤紙 | shì 〔이미지 市〕

丶 亠 亠 广 市

㊐ シ〔いち〕 ㊗ market

字解 ① 저자 시(買買所之也). ¶ 市場(시장). ② 시가 시(都邑). ¶ 市街(시가).

字源 會意. ㇄(及의 옛 글자)와 H(경계)와 음부(音符)인 㞢(之)의 합자. 일정한 장소에 도달함의 뜻.

[市街 시가] 도시의 큰 길거리.

[市井 시정] ㉠ 저자. 장. 전하여, 인가(人家)가 많은 곳. 시가. ㉡ 시가에 사는 평민(平民). 민가(民家). ㉢ 세간(世間). 속류(俗流).

2 ⑤ 【布】 베 포 ㊤遇 | bù 〔이미지 布〕

丿 ナ オ 右 布

㊐ フ·ホ〔ぬの〕 ㊗ hemp cloth

字解 ① 베 포(麻枲葛織). ¶ 布木(포목). ② 베풀 포(施也). 펼 포(陳也). ¶ 布告(포고).

字源 形聲. 巾+父(ナ)〔音〕.

[布告 포고] 국가의 결정적인 의사를 공식적으로 일반에게 알림.

[布石 포석] ㉠ 바둑 둘 때 처음에 돌을 벌려 놓음. ㉡ (韓) 일의 장래를 위하여 손을 씀.

3 ⑥ 【帆】 돛 범 ㊌咸 | fān 〔이미지 帆〕

㊐ ハン〔ほ〕 ㊗ sail

字解 돛 범(舟楫使風), 돛달 범.

字源 形聲. 巾+凡〔音〕.

[帆船 범선] 돛달배.

[出帆 출범] 배가 돛을 달고 떠남.

4 ⑦ 【希】 바랄 희 ㊀微 | xī 〔이미지 希〕

丿 ㄨ ナ ㅊ 爷 希 希

㊐ キ〔ねがう〕 ㊗ hope

字解 ① 바랄 희(望也). ¶ 希望(희망). ② 드물 희(寡也).

字源 會意. 爻(선이 교차한 모양)와 巾의 합자. 「직조한 천」의 뜻.

參考 稀(禾部 7획)와 통용하여 드묾의 뜻이 됨.

[希望 희망] 앞일에 대하여 기대를 가지고 바람.

4 ⑦ 【帋】 紙(糸部 4획)와 同字

5 ⑧ 【帕】 ▇머리띠 말 ㊆點 | mò / ▇배띠 파 ㊤禡 | pà 〔이미지 帕〕

㊐ バツ〔はちまき〕·ハ〔ふくさ〕 ㊗ headband, waist band

字解 ▇① 머리띠 말(額首飾). ② 싸맬 말(以錦纏股). ▇ 배띠 파. ¶ 帕腹(파복).

字源 會意. 巾+白〔音〕.

5 ⑧ 【帓】 ▇띠 말 ㊆點 / ▇버선 말 ㊆月 | mò

㊐ バツ〔おび〕 ㊗ headband

3
획

字解 ■ ① 띠 말(帶也). ② 수건 말(巾也). ■ 버선 말(足衣也).

字源 形聲. 巾+末〔音〕

5
8 **〔帖〕** ■문서 첩 入葉
■(韓)체 지체 | tiē,tiě,
tiè

日 チョウ〔こばり〕 ® note

字解 ■ ① 문서 첩, 장부 첩(卷也). ¶ 帖子(첩자). ② 좋을 첩. ¶ 帖服(첩복). ③ 타첩할 첩. ¶ 妥帖(타첩). ■(韓)체지 체(徒隷委任狀帖). 관청에서 이례(吏隷)를 고용하는 서면(書面). ¶ 帖紙(체지).

字源 形聲. 巾+占〔音〕

[帖子 첩자] 장부(帳簿).

[帖紙 체지] 관아(官衙)에서 이례(吏隷)를 고용하는 서면.

5
8 **〔帙〕** 책 질 入質 | zhì

日 チツ〔ふまき〕 ® series

字解 ① 책 질. ¶ 帙子(질자). ② 책갑 질(書衣).

字源 形聲. 巾+失〔音〕

[帙子 질자] 접은 책. 접본(摺本).

5
8 **〔帑〕** ■처자 노 ㊺處
■나라금고 탕 ㊤養 | nú
tǎng

日 ド〔つまこ〕・トウ〔かねぐら〕 ® wife and children, safe

字解 ■ 처자 노(妻子). ¶ 妻帑(처노). ■ 나라금고 탕(金幣所藏府). ¶ 內帑金(내탕금).

字源 形聲. 巾+奴〔音〕

[帑庫 탕고] 화폐(貨幣)를 넣어 두는 곳집.

[內帑金 내탕금] 임금의 사사로운 일에 쓰던 돈.

5
8 **〔帘〕** 술기 렴 ㊤鹽 | lián

日 レン〔のぼり〕

字解 술기 렴(酒家幟).

字源 會意. 穴의 생략형과 巾의 합자. 하늘에 휘날리는 천의 뜻.

5
8 **〔帚〕** 비 추 ㊤有 | zhǒu

日 ソウ〔ほうき〕 ® broom

字解 비 추(箒也).

字源 會意. 다 쓸고 난 뒤에 비를 거꾸로 세워 놓은 모양.

[帚掃 추소] 비로 쓺.

5
8 **〔帛〕** 비단 백 入陌 | bó

日 ハク〔きぬ〕 ® silk

字解 ① 비단 백(絹也). ¶ 帛書(백서). ② 폐백 백(幣也). ¶ 幣帛(폐백).

字源 形聲. 巾+白〔音〕

[帛書 백서] 비단에 쓴 글자. 또, 그 비단.

6
9 **〔帥〕** ■장수 수 ㊣眞
■거느릴 솔 入質 | shuài

丿 亻 亻 亻 亻 亣 亣 帥 帥

日 スイ〔かしら〕・シュツ〔ひきいる〕 ® general, lead

字解 ■ 장수 수(將帥). ¶ 元帥(원수). ■ 거느릴 솔(領兵).

字源 會意. 巾+自〔音〕

[帥先 솔선] 앞장서서 인도함. 솔선(率先).

[帥長 수장] 군대의 우두머리.

[元帥 원수] 군인의 가장 높은 계급.

[統帥 통수] 군대를 통솔함.

6
9 **〔帝〕** 임금 제 ㊤霽 | dì

丶 亠 亠 亠 产 产 产 帝 帝

日 テイ〔みかど〕 ® emperor

字解 임금 제(王, 天下之號君帝).

字源 形聲. 二(上)를 바탕으로 「朿(자)」의 전음이 음을 나타냄.

[帝王 제왕] 황제. 천자(天子).
[帝位 제위] 제왕의 자리.
[上帝 상제] 하느님.
[皇帝 황제] 제국의 군주.

7/10 【帨】 수건 세 | shuì 帨

国 ゼイ〔てぬぐい〕 英 towel

字解 수건 세(女子佩巾).

字源 形聲. 巾+兌〔音〕

[佩帨 패세] 여자가 허리에 차고 다니는 수건.

7/10 【師】 스승 사 | shī 師

′ ′ ′ ′ ′ 自 自 師 師

国 シ〔せんせい〕 英 teacher

字解 ① 스승 사(教人以道者). ¶ 師範(사범). ② 군사 사(軍旅稱衆). ¶ 師團(사단).

字源 會意. 自(지층(地層)의 겹)와 帀(골고루 돎)의 합자. 사물이 많이 모여 있음의 뜻. 따라서, 「군단」의 뜻.

注意 師(巾部 6획)는 딴 글자.

[師團 사단] 군대 편성의 한 단위. 「군단」의 아래. 여단의 위.
[師範 사범] ㉠ 모범. ㉡ 스승.
[師事 사사] 스승으로 섬김.
[教師 교사] 선생.
[恩師 은사] 가르친 선생님을 높여 이르는 말.

7/10 【席】 자리 석 | xí 席

′ ′ ナ 广 广 庐 庐 席 席

国 セキ〔むしろ〕 英 seat

字解 ① 자리 석, 돗자리 석(薦也). ¶ 席捲(석권). ② 깔 석(藉也). ③ 베풀 석(陳也).

字源 形聲. 巾+庶〈省〉〔音〕

[席捲 석권] 힘들이지 않고 모조리 빼앗음.

[席次 석차] ㉠ 자리의 차례. ㉡ 성적 순서.
[首席 수석] 석차의 제일 위.
[出席 출석] 어떤 자리에 출석함.

7/10 【帰】 歸(귀)(止部 14획)의 俗字

8/11 【帳】 휘장 장 | zhàng 帳

丨 冂 巾 巾 帆 帳 帳 帳

国 チョウ〔とばり〕 英 curtain

字解 ① 휘장 장(帷也). ¶ 帳幕(장막). ② 장부책 장. ¶ 帳簿(장부).

字源 形聲. 巾+長〔音〕

[帳幕 장막] 한데에 베풀어서 볕 또는 비를 가리고 사람이 들어 있게 친 물건.
[帳簿 장부] 금품(金品)의 수입·지출 또는 기타의 사항(事項)을 기록하는 책.

8/11 【帷】 휘장 유 | wéi 帷

国 イ〔とばり〕 英 curtain

字解 휘장 유(幔也), 장막 유(幕也).

字源 形聲. 巾+隹〔音〕

[帷幕 유막] 진영(陣營)에 치는 장막.

8/11 【帶】 띠 대 | dài 帶

一 卅 卅 卅 卅 带 帯 帶

国 タイ〔おび〕 英 belt

字解 ① 띠 대(紳也). ¶ 革帶(혁대). ② 찰 대(佩也). ¶ 帶劍(대검). ③ 데릴 대(隨行). ¶ 帶同(대동).

字源 象形. 옛날에는 여러 가지의 용구를 띠에 매달았기 때문에 그것들이 매달려 있는 모양.

[帶劍 대검] 칼을 참. 또, 그 칼.
[帶同 대동] 함께 데리고 감.

[地帶 지대] 한정된 땅의 구역.
[携帶 휴대] 물건을 몸에 지님.

8 ⑪ 【常】 항상 상 [平]陽 cháng 

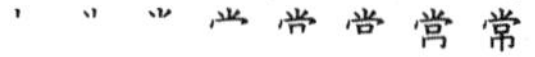

[日] ジョウ〔つね〕 [英] always

[字解] ① **항상 상, 늘 상**(恒久). ¶ 常備(상비). ② **떳떳할 상**(庸也). ¶ 常理(상리). ③ 《韓》 **상사람 상**. ¶ 常民(상민).

[字源] 形聲. 巾+尙〔音〕

[常理 상리] 떳떳한 도리. 당연한 이치.
[常民 상민] 상사람. 보통 백성.
[常備 상비] 늘 준비하여 둠. 평상시에 갖추어 둠.
[常置 상치] 항상 베풀어 둠.
[常套 상투] 항상 하는 투.
[無常 무상] ㉠ 때가 없음. ㉡ 모든 것이 덧없음.
[恒常 항상] 언제나. 늘.

3 획

9 ⑫ 〖帽〗 모자 모 [去]號 mào 

[日] ボウ〔ぼうし〕 [英] hat

[字解] **모자 모**(冠也).

[字源] 形聲. 巾+冒〔音〕

[帽子 모자] 머리에 쓰는 물건의 총칭.
[脫帽 탈모] 모자를 벗음.

9 ⑫ 〖幀〗 그림족자 정[本]쟁 [去]敬 帧 zhèng 

[日] テイ〔がふく〕 [英] picture scroll

[字解] **그림족자 정**(張畫繪).

[字源] 形聲. 巾+貞〔音〕

[幀畫 탱화] 그림으로 그려서 벽에 거는 불상(佛像).

9 ⑫ 〖幃〗 홑휘장 위[平]微 帏 wéi 

[日] イ〔とばり〕 [英] curtain

[字解] ① **홑휘장 위**(單帳). ¶ 幃帳(위장). ② **향주머니 위**(香囊).

[字源] 形聲. 巾+韋〔音〕

[幃帳 위장] 휘장. 장막.

9 ⑫ 〖幄〗 장막 악 [入]覺 wò 

[日] アク〔とばり〕 [英] tent

[字解] **장막 악**(覆帳形如屋), **군막 악**(軍旅之帳).

[字源] 形聲. 巾+屋〔音〕

[幄幕 악막] 진중(陣中)에 치는 휘장.

9 ⑫ 〖帿〗 과녁 후 [平]尤 hóu

[日] コウ〔まと〕 [英] target

[字解] **과녁 후**.

9 ⑫ 〖幅〗 [一]폭 폭 [本]복[入]屋 [二]행전 핍 [本]벽[入]職 fú bī 

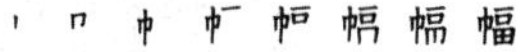

[日] フク〔はば〕・ヒョク〔むかばき〕 [英] width, leggings

[字解] [一] **폭 폭, 넓이 폭**(布帛廣狹). [二] **행전 핍**(行纏).

[字源] 形聲. 巾+畐〔音〕

[幅廣 폭광] 한 폭이 될 만한 너비.

9 ⑫ 〖幇〗 幫(방)(巾部 14획)과 同字

10 ⑬ 〖幎〗 덮을 멱 [入]錫 mì 

[日] ベキ〔おおう〕 [英] cover

[字解] **덮을 멱**(覆也).

[字源] 形聲. 巾+冥〔音〕

[幎目 멱목] 소렴(小殮) 때 주검의 얼굴을 싸는 헝겊.

10 ⑬ 〖幌〗 휘장 황 [上]養 huǎng

日 コウ〔とばり〕　英 curtain
字解 ① 휘장 황. ② 덮개 황.
字源 形聲. 巾+晃〔音〕

11
⑭〔幗〕머리장식 괵 guó 帼國
上陌

日 カク〔かみかざり〕
英 headdress
字解 머리장식 괵(婦人冠巾).
字源 形聲. 巾+國〔音〕

11
⑭〔幘〕머리싸개 책 zé 幘
上陌

日 サク〔ずきん〕　英 headband
字解 ① 머리싸개 책(覆髻也). ②
볏 책(鷄冠).
字源 形聲. 巾+責〔音〕

11
⑭〔幕〕장막 막 mù 幕
上藥

巾 ⺾ 艹 苩 草 莫 莫 幕 幕
日 バク〔まく〕　英 curtain
字解 ① 장막 막(帷在上也). ¶ 幕舍
(막사). ② 군막 막(軍旅無常居故
以帳幕之也). ¶ 幕下(막하).
字源 形聲. 巾+莫〔音〕

[幕間 막간] 연극에서 막과 막 사이.
¶ 幕間劇(막간극).
[幕僚 막료] ㉠ 장군을 보좌하는 참
모. ㉡ 고문.
[幕後 막후] ㉠ 막의 뒤. ㉡ 뒤편.
[黑幕 흑막] ㉠ 검은 장막. ㉡ 드러
나지 않은 음흉한 내막.

12
⑮〔幞〕복두 복 fú 幞
上沃

日 ボク〔ずきん〕　英 hood
字解 복두 복(幞頭), 두건 복(頭
巾).
字源 形聲. 巾+業〔音〕

[幞頭 복두] 과거에 급제한 사람이
증서를 받을 때 쓰던 갓의 한 가지.

12
⑮〔幟〕표기 치 帜 zhì 幟
去寘

日 シ〔のぼり〕　英 flag
字解 표기 치, 표지 치(旌旗屬標).
字源 形聲. 巾+戠〔音〕

[旗幟 기치] ㉠ 군중에서 쓰는 기.
㉡ 표지로 세운 기.

12
⑮〔幡〕기 번 fān 幡
㊀元

日 ハン〔はた〕　英 banner
字解 ① 기 번(幟也). ¶ 幡旗(번
기). ② 먹걸레 번(書兒拭觚布). ③
나부낄 번(飛揚貌). ¶ 幡然(번연).
字源 形聲. 巾+番〔音〕

[幡旗 번기] 기(旗).
[幡然 번연] ㉠ 기가 펄펄 나부끼는
모양. ㉡ 마음이 갑자기 변하는 모
양.

12
⑮〔幢〕■기 당
㊀江
■수레휘장 당
去絳
chuáng 幢

日 ドウ〔はた〕　英 pennon
字解 ■ 기 당(旌旗屬麾), ¶ 幢竿
(당간). ■ 수레휘장 당(車幨帷).
¶ 幢容(당용).
字源 形聲. 巾+童〔音〕

[幢竿 당간] 절의 당(幢)을 달아 세우
는 대(臺). '당'은 절문 앞에 세우는
기(旗).
[幢容 당용] 수레 안에 드리우는 휘
장.

12
⑮〔幣〕비단 폐 币 bì 幣
去霽

丷 爿 币 帛 敝 敝 幣 幣
日 ヘイ〔ぜに〕　英 silk
字解 ① 비단 폐(絹也), 폐백 폐(帛
也). ¶ 幣物(폐물). ② 돈 폐(錢
也). ¶ 貨幣(화폐).
字源 形聲. 巾+敝〔音〕

[幣物 폐물] 선사하는 물건.
[造幣 조폐] 화폐를 만듦.
[貨幣 화폐] 돈.

13
(16)【**幨**】수레휘 | chān
장 첨 | chàn
⑦鹽

日 セン〔たれぎぬ〕 英 curtain

字解 ① 수레휘장 첨(車帷). ② 옷
깃 첨(披衣).

字源 形聲. 巾+詹〔音〕

[幨帷 첨유] ㉠ 수레의 휘장. ㉡ 남
을 공경하여 일컫는 말.

14
(17)【**幫**】도울 방 | 帮
⑦陽 | bāng

日 ホウ〔たすける〕 英 help

字解 도울 방, 곁들 방(凡事物旁助
者).

字源 形聲. 帛(巾+白)+封〔音〕

參考 帮(巾部 9획)은 동자.

[幫助 방조] 거들어서 도와줌.

干 〔3 획〕 部
(방패간부)

0
(3)【**干**】방패 | gān
간
⑦寒

一 二 干

日 カン〔たて〕 英 shield

字解 ① 방패 간(盾也). ¶ 干城(간
성). ② 범할 간(犯也). ¶ 干犯(간
범). ③ 구할 간. ¶ 干求(간구).
④ 마를 간. ¶ 干滿(간만). ⑤ 간
여할 간. ¶ 干輿(간여). ⑥ 천간
간(天自甲至癸). ¶ 干支(간지). ⑦
얼마 간(幾許).

字源 象形. 끝이 두 갈래진 창을 본
뜬 글자.

注意 于(二部 1획)는 딴 글자.

[干求 간구] 바라고 구함.

[干滿 간만] 간조(干潮)와 만조(滿
潮). 썰물과 밀물.

[干涉 간섭] 남의 일에 나서서 참견
함.

[干城 간성] ㉠ 방패와 성. 나라의
밖을 막고 안을 지키는 것. ㉡ 나라
를 지키는 군인이나 인물.

[干潮 간조] 썰물.

[干支 간지] 십간(十干)과 십이지(十
二支). 천간(天干)과 지지(地支).

[若干 약간] 얼마 안됨. 얼마쯤.

2
(5)【**平**】평평할 | píng
평⑦庚
고루다스 | pián
려질 편
⑦先

一 ᄀ ᅎ ᅲ 平

日 ヘイ〔たいら〕 英 even

字解 ■① 평평할 평(坦也). ¶
平面(평면). ② 다스릴 평(治也).
¶ 平亂(평란). ③ 화평할 평(和
也). ¶ 平和(평화). ④ 고를 평(均
也). ¶ 平均(평균). ⑤ 쉬울 평(易
也). ¶ 平易(평이). ⑥ 보통 평.
¶ 平凡(평범). ⑦ 평성 평(發音上
四聲中一). ¶ 平聲(평성). ■ 고
루다스려질 편(辨治).

字源 指事. 亏와 八(좌우로 나누
어 짐)의 합자. 기(氣)가 막힘 없이
상승하여 평평하게 됨의 뜻. 전하
여, 「평평함」의 뜻.

[平亂 평란] 난리를 평정함.

[平面 평면] ㉠ 평평한 표면. ㉡ 한
표면 위의 임의의 두 점을 통하는 직
선이 늘 그 위에 있는 면.

[平凡 평범] 뛰어난 점이 없음. 보통
(普通).

[平牀 평상] 나무로 만든 침상의 한
가지.

[平聲 평성] 한자의 사성(四聲)의 하
나. 상평(上平)과 하평(下平) 두 가지
가 있음.

[平行 평행] ㉠ 무사히 여행함. ㉡
두 직선이 같은 평면 위에 있어서 서
로 만나지 않음.

[公平 공평] 공정함.

3 ⑥ 【年】 해 년 [平]先 nián

[日] ネン〔とし〕 [英] year

[字解] ① **해 년**(穀一熟歲也). ¶ 年例(연례). ② **나이 년**(齡也). ¶ 年輩(연배).

[字源] 形聲. 禾(곡물)를 바탕으로「千(천)」의 전음이 음을 나타냄.

[年代 연대] ㉠ 경과한 햇수. ㉡ 연수(年數)와 시대(時代).
[年例 연례] 여러 해 내려오는 전례.
[年輩 연배] 나이. 연령.
[年齒 연치] 나이. 연령.

3 ⑥ 〖并〗 幷(병)(次條)의 俗字

5 ⑧ 〖幷〗 아우를 병[平]庚 bìng

[日] ヘイ〔あわす〕 [英] put together

[字解] **아우를 병**(竝也), **합할 병**(合也), **겸할 병**(兼也).

[字源] 會意. 두 사람이 나란히 따름과, 방패를 가지고 나란히 섬을 뜻함.

[參考] 并(干部 3획)은 속자.

[幷呑 병탄] 아울러 삼킴. 아울러서 모두 자기 것으로 함. 삼켜 버림.

5 ⑧ 【幸】 다행 행 [上]梗 xìng

[日] コウ〔さいわい〕 [英] fortunate

[字解] ① **다행 행**(福善稱). ¶ 幸福(행복). ② **요행 행**(非分而得). ¶ 僥幸(요행). ③ **바랄 행**(冀也). ¶ 幸冀(행기). ④ **거동 행**(車駕所至). ¶ 行幸(행행). ⑤ **괼 행**(寵愛). ¶ 幸姬(행희).

[字源] 會意. 夭와 屰(거꾸로)의 합자. 요절에 역행하여 장수함의 뜻에서,「다행」의 뜻이 됨.

[幸冀 행기] 바람. 원함.
[幸福 행복] ㉠ 좋은 운수. ㉡ 만족감을 느끼는 정신 상태.
[幸運 행운] 좋은 운수.
[多幸 다행] 뜻밖에 잘되어 좋음.
[不幸 불행] 행복하지 못함.

10 ⑬ 〖幹〗 [一]줄기 간 [去]翰 [二]주관할 관[上]旱 干 gàn guǎn

[日] カン〔みき・つかさどる〕
[英] trunk, manage

[字解] [一] ① **줄기 간**(草木莖). ¶ 根幹(근간). ② **몸 간**(體也). ¶ 軀幹(구간). ③ **등뼈 간**(脊骨). ¶ 骨幹(골간). ④ **맡을 간**(堪事). ¶ 幹事(간사). ⑤ **능할 간**(才能). ⑥ **천간 간**(干支, 天干). [二] **주관할 관**.

[字源] 形聲. 본자는「榦」. 木을 바탕으로「倝(간)」이 음을 나타냄.

[幹部 간부] 단체의 수뇌부. 또, 그 임원.
[幹線 간선] 철도·도로 등의 중요한 선로.
[才幹 재간] 재주와 능력.

幺 〔3 획〕 部
(작을요부)

0 ③ 〖幺〗 작을 요 [平]蕭 yāo

[日] ヨウ〔ちいさい〕 [英] small

[字解] ① **작을 요**(小也). ¶ 幺麽(요마). ② **어릴 요**(幼也).

[字源] 象形. 유충(幼蟲)의 모양.

1 ④ 〖幻〗 허깨비 환[去]諫 huàn

[日] ゲン〔まぼろし〕 [英] ghost

[字解] ① **허깨비 환**(幻形). ¶ 幻想

3 획

(환상). ② **변할 환**(化也). ¶ 幻生(환생). ③ **미혹할 환**(惑也). ¶ 幻惑(환혹). ④ **요술 환**(妖術). ¶ 幻術(환술).

字源 象形. 予(주다)를 거꾸로 한 모양. 주는 척하고 주지 않는 일.

[幻覺 환각] 실제는 없는데도 마치 그 사물(事物)이 있는 것처럼 느끼는 감각.

[幻想 환상] ㉠ 현실에 없는 것을 있는 것같이 느끼는 망상(妄想). ㉡ 종잡을 수 없이 일어나는 생각.

[幻生 환생] ㉠ 형상(形象)을 바꾸어서 다시 태어남. ㉡ 허깨비처럼 나타남.

2 ⑤ 【幼】 一어릴 유 ㊀宥 二깊을 요 ㊀嘯 | yòu yáo

ㄑ ㄠ 幺 幻 幼

㊐ ユウ〔おさない〕・ヨウ〔ふかい〕
㊌ infantile, recondite

字解 一 **어릴 유**(小也, 人生十年). 二 **깊을 요**.

字源 會意. 幺와 力의 합자. 태어나서 아직 힘이 약함을 나타냄.

[幼兒 유아] 어린아이.
[幼弱 유약] 나이가 어림.
[老幼 노유] 늙은이와 어린이.

6 ⑨ 〖幽〗 그윽할 유㊥尤 | yōu

丨 ㇑ 幺 幺 幺幺 幽 幽 幽

㊐ ユウ〔かすか〕 ㊌ gloomy

字解 ① **그윽할 유, 깊을 유**(深也). ¶ 幽玄(유현). ② **숨을 유**(隱也). ¶ 幽人(유인). ③ **어두울 유**(闇也). ¶ 幽明(유명). ④ **가둘 유**(囚也). ¶ 幽閉(유폐). ⑤ **귀신 유**. ¶ 幽宅(유택). ⑥ **저승 유**(冥途). ¶ 幽界(유계).

字源 會意. 丝(미소(微少)함)와 山(깊숙함의 뜻)의 합자. 「희미함・어둠」의 뜻.

[幽靈 유령] ㉠ 죽은 사람의 혼령. ㉡ 이름뿐이고 실제는 없는 것.

[幽明 유명] ㉠ 어둠과 밝음. ㉡ 내세(來世)와 현세(現世).

[幽僻 유벽] 두메. 궁벽한 마을.

[幽閉 유폐] 가둠. 감금함.

[幽玄 유현] 이치가 매우 깊어 알기 어려움.

9 ⑫ 【幾】 一몇 기 ㊤尾 二기미 기 ㊥微 | 几 jǐ

丿 ㄠ 丝 丝 丝 丝 幾 幾

㊐ キ〔いく・きざい〕
㊌ some, touch

字解 一 **몇 기, 얼마 기**(幾何多少). ¶ 幾日(기일). 二 ① **기미 기**. ¶ 幾微(기미). ② **거의 기**(庶幾尙也), **가까울 기**(近也). ¶ 幾敗(기패). ③ **위태할 기**(危也). ¶ 幾殆(기태). ④ **바랄 기, 바라건대 기**. ¶ 庶幾(서기).

字源 會意. 丝(미소)와 戍(지킴)의 합자. 적을 방어함에는 위험의 조짐을 알지 못하면 안됨의 뜻.

[幾日 기일] 며칠.
[幾殆 기태] 위태로움.
[幾何 기하] ㉠ 얼마. 기허(幾許). ㉡ 기하학의 준말.
[庶幾 서기] ㉠ 가까움. ㉡ 거의. ㉢ 바라건대.

广 〔3 획〕 部 (엄호밑부)

0 ③ 〖广〗 집 엄 ㊤琰 | yǎn

㊐ ゲン〔いわや〕 ㊌ house

字解 ① **집 엄**(巖屋). ② **마룻대 엄**(棟頭).

字源 象形. 한쪽이 벼랑에 붙은 집의 형상.

3획

2 ⑤ [庀] 다스릴 비 ㊤紙 | pǐ

庀

ㄖ ヒ〔おさめる・そなえる〕
㊍ manage

字解 ① 다스릴 비(治也). ② 갖출 비(具也). ③ 덮을 비(庇也).

字源 形聲. 广+匕〔音〕

2 ⑤ [広]

廣(광)(广部 12획)의 略字

2 ⑤ [庁]

廳(청)(广部 22획)의 略字

3 ⑥ [庄]

莊(장)(艸部 7획)의 俗字

4 ⑦ [庀] 덮을 비 ㊤寘 | pì

庀

ㄖ ヒ〔かばう〕 ㊍ shelter, cover

字解 덮을 비(覆也).

字源 形聲. 广+比〔音〕

[庇護 비호] 감싸서 보호함.

4 ⑦ [庋] 시렁 기 ㊤紙 | guǐ

庋

ㄖ キ〔たな〕 ㊍ shelf

字解 ① 시렁 기(藏食物也). ¶ 庋閣(기각). ② 올려놓을 기, 둘 기. ¶ 庋置(기치).

字源 形聲. 广+支〔音〕

[庋置 기치]　시렁에 올려놓음.

4 ⑦ [序] 차례 서 ㊤語 | xù

序

、 一 广 广 产 庐 序

ㄖ ジョ〔ついで〕 ㊍ order

字解 ① 차례 서(次第). ¶ 序列(서열). ② 학교 서(學宮). ¶ 庠序(상서). ③ 담 서. ¶ 東序(동서). ④ 실마리 서. ¶ 序曲(서곡).

字源 形聲. 广+予〔音〕

[序論 서론]　머리말. 서설(序說).
[序列 서열]　차례를 정하여 늘어놓

음.
[順序 순서]　정해 놓은 차례.
[秩序 질서]　사물의 일정한 차례나 규칙.

4 ⑦ [床] 평상 상 ㊥陽 | chuáng

床

、 一 广 广 庁 床 床

ㄖ ショウ〔とこ・ゆか〕 ㊍ couch

字解 ① 평상 상(臥榻床簀). ② 마루 상(人所坐臥).

字源 形聲. 广+牀〔省〕〔音〕

參考 牀(爿部 4획)의 속자.

[床石 상석]　무덤 앞에 제물을 차리기 위해 놓은 돌상.
[平床 평상]　나무로 만든 침상.

4 ⑦ [応]

應(응)(心部 13획)의 俗字

5 ⑧ [底] 밑 저 ㊤薺 | dǐ

底

、 一 广 广 庐 庐 底 底

ㄖ テイ〔そこ〕 ㊍ bottom

字解 ① 밑 저(下也). ¶ 海底(해저). ② 속 저, 구석 저. ¶ 徹底(철저). ③ 이를 저(至也). ¶ 底止(저지).

字源 形聲. 广+氐〔音〕

[底面 저면]　밑의 면(面).
[底邊 저변]　사회적・경제적으로 기저(基底)를 이루는 계층.
[底意 저의]　속에 품고 있는 뜻.
[海底 해저]　바다의 밑바닥.

5 ⑧ [庖] 부엌 포 ㊥肴 | páo

庖

ㄖ ホウ〔くりや〕 ㊍ kitchen

字解 ① 부엌 포(廚也). ② 푸줏간 포(廚也, 宰殺所). ¶ 庖丁(포정).

字源 形聲. 广+包〔音〕

[庖丁 포정]　백장.
[庖廚 포주]　㋀ 부엌. 주방(廚房). ㋁ 푸줏간.

5 ⑧ 【店】 전방 점 [去]豔 diàn

丶 亠 广 广 庐 庐 店 店

[日] テン〔みせ〕 [英] shop

[字解] **전방 점**(肆也).

[字源] 形聲. 广+占〔音〕

[店頭 점두] 가게 앞.
[店舖 점포] 가게. 상점.
[露店 노점] 한데에 벌여 놓은 가게.
[支店 지점] 본점에서 갈려 나온 가게.

5 ⑧ 【庚】 일곱째천간 경 [平]庚 gēng

丶 亠 广 户 庐 庐 庚 庚

[日] コウ〔かのえ〕

[字解] ① **일곱째천간 경**(天干第七位). ¶ 庚辰(경진). ② **길 경**(道也). ③ **나이 경**(年齒). ¶ 同庚(동경). ④ **고칠 경**(事之變也).

[字源] 會意. 𠂹(절굿공이)와 𦥑(양손)의 합자. 절굿공이로 곡식을 찧는 것을 나타냄. 십간의 뜻은 음의 차용.

[同庚 동경] 같은 나이.

5 ⑧ 〖府〗 마을 부 [上]麌 fǔ

丶 亠 广 广 庁 庁 府 府

[日] フ〔くら・みやこ〕 [英] village

[字解] ① **마을 부, 관청 부**(官舍). ¶ 政府(정부). ② **곳집 부**(藏文書財幣所). ¶ 府庫(부고). ③ **고을 부**(州也). ¶ 都護府(도호부). ④ **죽은아비 부**(府君).

[字源] 形聲. 广+付〔音〕

[府庫 부고] 궁정의 문서·재보를 넣어 두는 곳집.
[府君 부군] 남자 조상이나 죽은 아버지를 높여 부르는 말.
[官府 관부] 조정. 정부.

6 ⑨ 〖庠〗 학교 상 [平]陽 xiáng

[日] ショウ〔まなびや〕 [英] school

[字解] **학교 상**(學也).

[字源] 形聲. 广+羊〔音〕

[庠序 상서] 향리(鄕里)의 학교. 또, 그 학교.

6 ⑨ 【度】 [一]법도 도 [去]遇 [二]헤아릴 탁 [入]藥 dù duó

丶 亠 广 广 庐 庐 庐 度

[日] ド〔のり〕・タク〔はかる〕
[英] law, consider

[字解] [一] ① **법도 도**(法制). ¶ 制度(제도). ② **자 도**. ¶ 度量衡(도량형). ③ **국량 도**(度量). ④ **도수 도, 횟수 도**. ¶ 七年度(칠년도). ⑤ **단위 도**(單位). ¶ 攝氏五度(섭씨오도). ⑥ **건널 도**. ¶ 濟度(제도). [二] **헤아릴 탁**(忖也). ¶ 度地(탁지).

[字源] 形聲. 又+庶〈省〉〔音〕

[度量 도량] 사물을 너그럽게 용납하여 처리할 수 있는 포용성.
[度外 도외] ㉠ 법도(法度) 밖. ㉡ 생각 밖. 문제 밖.
[法度 법도] 법률과 제도.
[制度 제도] 정해진 법도.

7 ⑩ 〖座〗 자리 좌 [去]箇 zuò

丶 亠 广 广 広 庛 座 座

[日] ザ〔せき〕 [英] seat

[字解] **자리 좌**(坐具), **지위 좌**(位也).

[字源] 會意. 广(집) 안에 사람이 앉아 있다의 뜻.

[座談 좌담] 마주 자리를 잡고 앉아서 하는 이야기. 좌담(坐談).
[座席 좌석] 앉은 자리.
[座中 좌중] ㉠ 여러 사람이 모인 자리. ㉡ 자리의 가운데.
[權座 권좌] 권력을 가진 자리.
[星座 성좌] 별자리.

7
⑩【庫】곳집 고
去遇 kù

庫

ー广广序序序庫庫

日 コ〔くら〕 英 warehouse

字解 곳집 고(貯藏所兵車藏).

字源 會意. 广(집)과 車(차)의 합자.
전차(戰車)를 넣어 두는 곳집의 뜻.

[庫直 고직] 창고지기.
[在庫 재고] 창고에 있음.
[倉庫 창고] 물건을 보관하는 건물.

7
⑩【庭】뜰 정
平青 tíng

庭

ー广广庐庄庭庭

日 テイ〔にわ〕 英 garden

字解 ① 뜰 정(堂階前). ¶ 庭園(정
원). ② 집안 정. ¶ 家庭(가정).
③ 조정 정(廷也).

字源 形聲. 广+廷〔音〕

[庭柯 정가] 뜰에 있는 나무.
[庭園 정원] 집 안의 뜰과 꽃밭.
[校庭 교정] 학교의 운동장.
[親庭 친정] 시집간 여자의 본집.

8
⑪【庵】초막 암
平覃 ān

庵

ー广广广庐庐庵庵

日 アン〔いおり〕 英 hut

字解 초막 암, 암자 암(小草舍).

字源 形聲. 广+奄〔音〕

參考 菴(艸部 8획)과 동자.

[庵子 암자] ㉠ 큰 절에 딸린 작은
절. ㉡ 중이 임시로 거처하며 도를
닦는 집.

8
⑪【庶】여러 서
去御 shù

庶

ー广广庐庐庐庶庶

日 ショ〔もろもろ〕 英 many

字解 ① 여러 서, 무리 서(衆也).
¶ 庶務(서무). ② 가까울 서(近
也). ¶ 庶幾(서기). ③ 바랄 서(冀
也). ¶ 庶幾(서기). ④ 첩의아들
서(支子). ¶ 庶子(서자).

字源 會意. 广(집)과 炗(빛)의 합자.
집 안의 빛이 있는 곳에 사람이 모
여 있음의 뜻.

[庶民 서민] 평민(平民). 백성.
[庶政 서정] 모든 정치(政治).

8
⑪【康】편안할
강平陽 kāng

康

ー广广庐庐庐庚康康

日 コウ〔やすい〕 英 peaceful

字解 ① 편안할 강(安也). ¶ 小康
(소강). ② 즐거울 강(樂也). ¶ 康
樂(강락). ③ 풍년 강(年豐).
康年(강년).

字源 形聲. 米+庚〔音〕

[康寧 강녕] 건강하고 편안함.
[康樂 강락] 편안히 즐거워함. 안락
(安樂).
[小康 소강] 소란스러운 상태가 얼
마 동안 가라앉는 일.

8
⑪【庸】떳떳할
용平冬 yōng

庸

ー广广庐庐庐庸庸

日 ヨウ〔つね〕 英 honorable

字解 ① 떳떳할 용(常也). ¶ 中庸
(중용). ② 쓸 용(用也). ¶ 登庸
(등용). ③ 어리석을 용(愚也).
庸劣(용렬). ④ 범상할 용(凡也).
¶ 庸才(용재).

字源 會意. 庚와 用의 합자. 「씀」
의 뜻. 또,「用(용)」이 음을 나타냄.

[庸劣 용렬] 못생기어 재주가 남만
못함. 어리석음. 또, 그 사람.
[庸才 용재] 용렬한 재주.
[登庸 등용] 인재를 뽑아서 씀.

8
⑪【唐】■현이름
적入陌
■韓움집 움 jí

唐

日 セキ〔なんめい〕 英 hut

字解 ■ 현이름 적, 중국의현이름
적. ■ (韓)움집 움(窨也). ¶ 唐
幕(움막).

9 ⑫ 〖庾〗 곳집 유 [上]麌 | yǔ

[日] ユ〔こめぐら〕 [英] warehouse

[字解] ① 곳집 유(藏也). ② 열엿 말 유(量名, 十六斗也).

[字源] 形聲. 广+臾〔音〕

9 ⑫ 〖廁〗 뒷간 측 [本]치[去]寘 | 厕 cè

[日] シ〔かわや〕 [英] toilet

[字解] ① 뒷간 측. ¶ 廁間(측간). ② 섞일 측(雜也). ③ 돼지우리 측(豕牢也).

[字源] 形聲. 广+則〔音〕

[參考] 厠(厂部 9획)은 속자(俗字).

[廁間 측간] 뒷간.

9 ⑫ 〖廂〗 곁채 상 [平]陽 | xiāng

[日] ショウ〔ひさし〕 [英] annex

[字解] 곁채 상(廊也).

[字源] 形聲. 广+相〔音〕

9 ⑫ 〖廃〗 廢(폐)(广部 12획)의 略字

10 ⑬ 〖廈〗 큰집 하 [上]馬 | shà, xià

[日] カ〔いえ〕 [英] mansion

[字解] 큰집 하(大屋).

[字源] 形聲. 广+夏〔音〕

[參考] 厦(厂部 10획)는 속자.

[廈屋 하옥] 크나큰 집.
[大廈 대하] 너르고 큰 집.

10 ⑬ 〖廉〗 청렴할 렴 [平]鹽 | 廉 lián

丶 亠 广 产 庐 庐 廉 廉

[日] レン〔いさぎよい〕 [英] upright

[字解] ① 청렴할 렴, 염치 렴(不貪). ¶ 淸廉(청렴). ② 값쌀 렴(安價). ¶ 廉價(염가). ③ 살필 렴(察也). ¶ 廉探(염탐). ④ 모 렴(稜角也). ¶ 廉隅(염우).

[字源] 形聲. 广+兼〔音〕

[廉價 염가] 싼 값. 염치(廉直).
[廉探 염탐] 남몰래 사정을 조사함.
[低廉 저렴] 물건 따위의 값이 쌈.
[淸廉 청렴] 고결하고 물욕이 없음.

10 ⑬ 〖廊〗 행랑 랑 [平]陽 | láng

丶 亠 广 庐 庐 庐 廊 廊

[日] ロウ〔ひさし〕 [英] corridor

[字解] 행랑 랑, 곁채 랑(東西序廡).

[字源] 形聲. 广+郞〔音〕

[廊下 낭하] ㉠ 행랑(行廊). ㉡ 길게 골목진 마루. 복도(複道).

10 ⑬ 〖廆〗 버릇 외 [本]회[上]賄 | huì

[日] カイ〔くせ〕 [英] habit

[字解] 버릇 외(癖也).

[字源] 形聲. 广+鬼〔音〕

10 ⑬ 〖廌〗 豸(치)(部首)와 同字

11 ⑭ 〖廄〗 마구 구 [去]宥 | 厩 jiù

[日] キュウ〔うまや〕 [英] stable

[字解] 마구 구(馬舍).

[字源] 形聲. 广+㲃〔音〕

[參考] 廐(广部 11획)는 속자.

[廄舍 구사] 마굿간.

11 ⑭ 〖廐〗 廄(구)(前條)의 俗字

11 ⑭ 〖廑〗 겨우 근 [平]文 | jǐn qín

[日] キン〔わずか〕 [英] barely

[字解] ① 겨우 근(纔也). ② 오막집 근(小屋). ③ 부지런할 근(勤也).

[字源] 形聲. 广+堇〔音〕

[廑廑 근근] 겨우.

11 【廓】⑭
■클 확
㉠곽 ㈎藥
■둘레 곽
곽 ㈎藥

kuò

カク〔おおきい・くるわ〕
large, circumference

字解 ■ ① 클 확(大也), 넓을 확(空也).
¶ 廓大(확대). ② 휑할 확(空也).
¶ 廓然(확연). ■ ① 둘레 곽. ¶
輪廓(윤곽). ② 외성 곽(郭也).

字源 形聲. 广+郭〔音〕

[廓大 확대] 늘여서 크게 함. 펼쳐서
크게 함. 확대(擴大).

[廓廓 확확] 넓은 모양. 공허한 모양.

[外廓 외곽] 바깥 테두리.

[輪廓 윤곽] ㉠ 테두리. ㉡ 사물의
겉모양. 또는 대강.

11 【廕】⑭
덮을 음
㉠沁

yìn

イン〔おおう〕 ㊍ cover

字解 ① 덮을 음(庇也). ¶ 廕庇(음
비). ② 그늘 음.

字源 形聲. 广+陰〔音〕

[廕官 음관] 부모나 조상의 덕으로
얻은 벼슬.

[廕庇 음비] 덮어 감싸 줌. 보호함.

[廕敍 음서] 조상(祖上)의 공로에 따
라 자손에게 벼슬을 주는 일.

11 【廖】⑭
성 료
㉠蕭

liáo

リョウ ㊍ family name

字解 ① 성 료(姓也). ② 사람이름
료(人名). ¶ 伯廖(백료).

字源 形聲. 广+翏〔音〕

12 【廚】⑮
부엌 주
㉠虞

chú

チュウ〔くりや〕 ㊍ kitchen

字解 ① 부엌 주(所熟食炊也). ¶
廚房(주방). ② 함 주, 상자 주(櫝
也).

字源 形聲. 广+尌〔音〕

參考 厨(厂部 10획)는 속자.

[廚房 주방] 부엌.

[庖廚 포주] 쇠고기·돼지고기 따위
를 파는 가게. 푸줏간.

12 【廛】⑮
전방 전
㉠先

chán

テン〔みせ〕 ㊍ shop

字解 ① 전방 전(市邸). ¶ 廛鋪(전
포). ② 터 전(百晦一家之居).

字源 會意. 广(집)과 里와 八(나눔)
과 土의 합자. 마을의 땅을 나누어
집을 지음. 즉,「택지」의 뜻.

[廛宅 전택] 일반 주민들 집.

[廛鋪 전포] 점포. 상점. 가게. 전방.

12 【廝】⑮
하인 시
㉠支

sī

シ〔めしつかい〕 ㊍ servant

字解 ① 하인 시, 종 시(奴也).
廝徒(시도). ② 천할 시(賤也). ¶
廝役(시역).

字源 形聲. 广+斯〔音〕

[廝徒 시도] 집안일을 맡아보는 하
인.

[廝役 시역] ㉠ 천한 일. ㉡ 하인.
종.

12 【廞】⑮
■벌여놓
을 흠 ㉠侵
■노할 흠
㉡寢

xīn

キン〔つらねる・おこる〕
arrange, get angry

字解 ■ ① 벌여놓을 흠(陳也). ②
일으킬 흠(興也). ■ ① 노할 흠
(盛怒貌也). ② 막힐 흠(游塞也).

字源 形聲. 广+欽〔音〕

[廞飾 흠식] 벌여 놓아 장식함.

12 【廟】⑮
사당 묘
㉠嘯

miào

一 广 广 庐 庐 庫 廟 廟

ビョウ〔たまや〕 ㊍ shrine

字解 ① 사당 묘(祠也). ¶ 宗廟(종

묘). ② **묘당 묘**(祠也). ¶ 廟堂(묘당).

字源 會意. 广+朝

[廟堂 묘당] 종묘(宗廟)와 명당(明堂). 조정을 뜻함.

[廟議 묘의] 조정의 회의. 조의(朝議).

[宗廟 종묘] 역대 제왕과 왕비의 위패를 모신 사당.

12 ⑮ 〖廠〗 헛간 창 ㊤養 | 厂 chǎng

㊐ ショウ〔なや〕 ㊇ barn

字解 ① **헛간 창**(露舍屋無壁). ¶ 廠舍(창사). ② **공장 창**. ¶ 造兵廠(조병창).

字源 形聲. 广+敞〔音〕

參考 厰(厂部 12획)은 속자.

[廠舍 창사] 헛간.

[造兵廠 조병창] 병기를 만드는 곳.

12 ⑮ 〖廡〗 곁채 무 ㊤麌 | 庑 wǔ

㊐ ブ〔ひさし〕 ㊇ annex

字解 **곁채 무**(堂下周屋).

字源 形聲. 广+無〔音〕

12 ⑮ 〖廢〗 폐할 폐 ㊋隊 | 废 fèi

丶 广 广 庐 庐 庐 廢 廢

㊐ ハイ〔すたれる〕 ㊇ abolish

字解 ① **폐할 폐**(止也). ¶ 廢棄(폐기). 廢止(폐지). ② **집쏠릴 폐**(屋傾). ③ **떨어질 폐**(墮也).

字源 形聲. 广+發〔音〕

參考 廃(广部 9획)는 약자.

注意 癈(疒部 12획)는 딴 글자.

[廢棄 폐기] 버림.

[廢墟 폐허] 건물·성곽 등이 파괴를 당하여 황폐해진 터.

[荒廢 황폐] 거칠어져서 못 쓰게 됨.

12 ⑮ 【廣】 넓을 광 ㊤養 | 广 guǎng

丶 亠 广 广 产 庙 庿 廣

㊐ コウ〔ひろい〕 ㊇ broad

字解 ① **넓을 광**(濶也). ¶ 廣大(광대). ② **널리 광**. ¶ 廣告(광고). ③ **넓이 광**(橫量). ¶ 廣輪(광륜).

字源 形聲. 广+黃〔音〕

參考 広(广部 2획)은 약자.

[廣漠 광막] 아득하게 넓음.

[廣韻 광운] 수(隋)나라의 육법언(陸法言)이 지은 운서(韻書).

[廣義 광의] 범위를 넓게 잡음의 뜻.

[廣狹 광협] 넓음과 좁음.

13 ⑯ 〖廨〗 공해 해 ㊋卦 | xiè, jiè

㊐ カイ・ゲ〔やくしょ〕

㊇ government office

字解 **공해 해**(官舍).

字源 形聲. 广+解〔音〕

[廨署 해서] 관아. 관서.

13 ⑯ 〖廩〗 곳집 름 ㊤寢 | lǐn

㊐ リン〔くら〕 ㊇ granary

字解 ① **곳집 름**(米藏). ¶ 倉廩(창름). ② **녹미 름**. ¶ 廩料(늠료).

字源 會意. 广+稟〔音〕

[廩料 늠료] 지방 관원의 급료(給料).

[廩廩 늠름] ㉠ 위의(威儀)가 바른 모양. ㉡ 위태로운 모양.

[倉廩 창름] 곳집. 곡물 창고.

16 ⑲ 〖廬〗 ▬ 오두막집 려 ㊥魚 ▬ 창자루 로 ㊥虞 | 庐 lú

㊐ リョ〔いおり〕・ロ〔ほこのえ〕

㊇ hut, spear handle

字解 ▬ ① **오두막집 려**(廬舍). ¶ 草廬(초려). ② **주막 려, 여인숙 려**. ¶ 廬舍(여사). ▬ **창자루 로**.

字源 形聲. 广+盧〔音〕

[廬幕 여막] 상제가 거처하는 무덤 근처에 있는 초막.

[廬山眞面目 여산진면목] 여산의 실제의 모양. 여산은 보는 장소에 따라 다르게 보이므로, 알기 어려운 사물의 진상(眞相)을 이름.

[草廬 초려] ㉠ 초가집. ㉡ 자기 집의 낮춤말.

18
㉑ **[雝]** 벽옹 옹　㊤冬　yōng
㈰ ヨウ〔やわらぐ〕

字解 ① 벽옹 옹(天子之學校). ¶ 辟雝(벽옹). ② 화락할 옹(和也).
字源 形聲. 广+雝〔音〕.

[雝雝 옹옹] 화락(和樂)한 모양.

22
㉕ **[廳]** 관청 청　厅　㊤靑　tīng
　一 广 广 庁 庁 庁 庁 庁 廳

㈰ チョウ〔やくしょ〕
㊗ public office

字解 ① 관청 청(治官處). ¶ 廳舍(청사). ② 마루 청(大廳).
字源 形聲. 广+聽〔音〕.
參考 庁(广部 2획)은 약자.

[廳舍 청사] 관청의 건물.
[官廳 관청] 국가의 사무를 맡아보는 기관.

```
	 廴 〔3 획〕 部
	　　(민책받침부)
```

0
③ **[廴]** 길게걸을 인　yǐn　乁
㈰ イン〔ながくあゆむ〕

字解 길게걸을 인(長行).
字源 指事. 彳을 길게 늘인 모양.

4
⑦ **[延]** 끌 연　yán　延
　一 ｨ 干 正 延 延 延

㈰ エン〔のばす〕　㊗ delay

字解 ① 끌 연, 늘일 연, 물릴 연(長行也). ¶ 延期(연기). ② 이을 연(邅延也). ¶ 延命(연명). ③ 끌어들일 연, 맞을 연(迎也). ¶ 延見(연견).
字源 會意. 正+廴.

[延命 연명] 목숨을 겨우 이어 감.
[延長 연장] 늘이어 길게 함.
[延着 연착] 일정한 시각보다 늦게 도착함.
[遲延 지연] 기한을 끌어서 늦춤.

4
⑦ **[廷]** 조정 정　㊤靑　tíng　廷
　一 二 千 壬 任 狂 廷

㈰ テイ〔おおやけ〕　㊗ court

字解 ① 조정 정(朝也). ¶ 朝廷(조정). ② 마을 정(官衙也). ¶ 法廷(법정).
字源 形聲. 廴+壬〔音〕.

[廷臣 정신] 조정(朝廷)에서 벼슬하는 신하.
[法廷 법정] 법관이 재판을 행하는 장소.

6
⑨ **[建]** 세울 건　㊤願　jiàn　建
　一 ｺ ｻ ｺ ｺ 聿 聿 律 建 建

㈰ ケン〔たてる〕　㊗ build

字解 세울 건, 일으킬 건, 베풀 건(立也, 樹也, 置也). ¶ 建功(건공).
字源 會意. 聿(是)과 廴(廷의 생략)의 합자. 조정에서 법을 제정함의 뜻.

[建國 건국] 나라를 세움.
[建設 건설] ㉠ 건물을 짓거나 시설들을 이룩함. ㉡ 어떤 사업을 이룩함.
[建築 건축] 건물을 만듦.
[再建 재건] 다시 일으켜 세움.

6
⑨ **[廻]** 돌 회　㊦灰　huí　廻

3
획

⊜ カイ〔めぐる〕 ⊛ turn

字解 ① 돌 회, 돌릴 회(轉也). ② 피할 회. ¶ 廻避(회피).

字源 形聲. 辵+回〔音〕

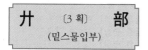

廾 〔3획〕 部
(밑스물입부)

⁰/₃【廾】들 공 | gǒng
⊕韭

⊜ キョウ〔ささげる〕 ⊛ hold

字解 들 공(竦手).

字源 會意. 十을 둘 합한 모양.

---

²/₅【弁】─고깔 변 | biàn
⊕霰
二즐거워 | pán
할 반⊕寒

⊜ ベン〔かんむり〕・バン〔たのしむ〕 ⊛ conical cap, enjoy

字解 ─ 고깔 변, 관 변(周冠). 二 즐거워할 반(樂也).

字源 會意. ㅿ(관의 모양)와 廾(양손)의 합자. 「관(冠)을 씀」의 뜻.

[弁服 변복] 관과 옷.

---

³/₆【異】─말 이 | yì
⊕支
二다를 | 이⊕寘

⊜ イ〔やむ・ことなる〕 ⊛ stop, different

字解 ─ 말 이(已也). 二 다를 이(異也).

字源 形聲. 廾+已〔音〕

---

⁴/₇【弄】희롱할 | nòng
롱⊕送

一 丅 王 王 丟 丟 弄 弄

⊜ ロウ〔もてあそぶ〕 ⊛ banter

字解 ① 희롱할 롱(戲也). ¶ 弄談

(농담). ② 놀 롱, 즐길 롱(玩也). ¶ 弄月(농월). ③ 업신여길 롱(侮也). ¶ 愚弄(우롱).

字源 會意. 王(玉)과 廾(양손)의 합자. 양손으로 구슬을 가지고 놂의 뜻.

[弄奸 농간] 속이려는 간사한 짓.
[弄瓦 농와] 딸을 낳음.
[弄璋 농장] 사내아이를 낳음.
[嘲弄 조롱] 비웃거나 놀림.
[戲弄 희롱] 장난삼아 놀림.

---

⁶/₉【弈】바둑 혁 | yì
⊕역⊕陌

⊜ エキ〔ご〕

字解 바둑 혁(圍棋).

字源 形聲. 廾+亦〔音〕

參考 奕(大部 6획)은 동자.

[弈棋 혁기] 바둑을 둠.

---

¹²/₁₅【弊】해질 폐 | bì
⊕霽

丷 冉 尚 敝 敝 敝 弊

⊜ ヘイ〔やぶれる〕 ⊛ get tattered

字解 ① 해질 폐(壞也). ¶ 弊衣(폐의). ② 폐 폐(惡也). ¶ 弊害(폐해). ③ 곤할 폐(困也). ¶ 疲弊(피폐).

字源 形聲. 犬+敝〔音〕

[弊端 폐단] 괴롭고 번거로운 일. 또, 좋지 못하고 해로운 일.
[弊習 폐습] 나쁜 풍습. 폐풍(弊風).
[弊害 폐해] 폐단과 손해.
[民弊 민폐] 국민에게 끼치는 폐해.

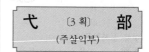

弋 〔3획〕 部
(주살익부)

⁰/₃【弋】주살 익 | yì
⊗職

⊜ ヨク〔いぐるみ〕
⊛ stringed arrow

[字解] ① **주살 익**(繳射). ¶ 弋矰(익증). ② **홰 익**(橛也).

[字源] 象形. 나무 그루터기의 모양.

[弋羅 익라] 주살과 그물.

2 ⑤ 【弎】 二(部首)의 古字

3 ⑥ 【式】 법 식 [去]職 shì

一 二 亍 亍 式 式

[日] シキ〔のり〕 [英] rule

[字解] ① **법 식, 제도 식**(法也). ¶ 法式(법식). ② **예식 식, 의식 식.** ¶ 式場(식장). ③ **꼴 식, 형식 식**(制度). ¶ 樣式(양식). ④ **절할 식**(敬而俛). ¶ 式車(식거). ⑤ **식 식.** ¶ 方程式(방정식).

[字源] 形聲. 工+弋〔音〕

[式車 식거] 수레 위의 가로지른 나무를 잡고 절을 함.

[式辭 식사] 《韓》 식장(式場)에서 그 식에 대해 인사로 하는 말.

[式順 식순] 의식의 진행 순서.

[方式 방식] 방법이나 형식.

[形式 형식] ㉠ 격식. 절차. ㉡ 겉모양.

4 ⑦ 【弉】 말뚝 장 [平]陽 zāng

[日] ソウ〔くい〕 [英] stake

[字解] **말뚝 장**(繫船杙).

[字源] 形聲. 弋+爿〔音〕

10 ⑬ 【弑】 죽일 시 [去]寘 shì

[日] シ〔しいす〕 [英] murder

[字解] **죽일 시, 윗사람죽일 시**(下殺上). ¶ 弑殺(시살).

[字源] 形聲. 杀+式〔音〕

[弑殺 시살] 부모나 임금을 죽임.

[弑逆 시역] 부모나 임금을 죽이는 대역(大逆) 행위.

[弑害 시해] 시살(弑殺).

弓 〔3 획〕 部
(활궁부)

0 ③ 【弓】 활 궁 [平]東 gōng

ㄱ ㅋ 弓

[日] キュウ〔ゆみ〕 [英] bow

[字解] ① **활 궁**(射器弧也). ¶ 弓術(궁술). ② **여덟자 궁**(土地八尺).

[字源] 象形. 활을 본떠서 만든 글자.

[弓術 궁술] 활 쏘는 기술.

[弓弩 궁노] 활과 쇠뇌.

[弓腰 궁요] 활같이 구부러진 허리.

[弓形 궁형] 활같이 생긴 모양.

[國弓 국궁] 우리나라 고유의 활.

1 ④ 【弔】 [一]조상할 조 [去]嘯 [二]이를 적 [入]錫 diào dì

ㄱ ㅋ 弓 弔

[日] チョウ〔とむらう〕・テキ〔いたる〕 [英] condole, arrive

[字解] [一] ① **조상할 조**(問終). ¶ 弔喪(조상). ② **불쌍히여길 조**(愍也). ¶ 弔恤(조휼). ③ **매어달 조**(懸也). [二] **이를 적**(至也).

[字源] 會意. 弓과 亻(사람)의 합자. 옛날 장례에서는 사람이 활을 가지고 갔기 때문임.

[弔歌 조가] 조의(弔意)를 표하는 노래.

[弔意 조의] 죽은 이를 슬퍼하여 조상하는 마음.

[弔鐘 조종] 죽은 사람에 대해 슬퍼하는 뜻으로 치는 종.

[慶弔 경조] 경사스러운 일과 궂은 일.

[謹弔 근조] 삼가 조상함.

1 ④ 【引】 당길 인 [上]軫 yǐn

ㄱ ㄱ 弓 引

[日] イン〔ひく〕 [英] pull

[字解] ① 당길 인(開弓). ¶ 引力(인력). ② 이끌 인, 인도할 인(導也). ¶ 引率(인솔). ③ 물러날 인(退也). ¶ 引退(인퇴). ④ 늘일 인(長也). ¶ 引伸(인신). ⑤ 맡을 인, 질 인. ¶ 引責(인책). ⑥ 노랫가락 인(歌曲). ¶ 箜篌引(공후인). ⑦ 문체이름 인(文體名).

[字源] 指事. 丨은 弓(활)을 잡아당김의 뜻.

[引渡 인도] 남에게 넘겨줌.
[引導 인도] ㉠ 가르쳐 일깨움. ㉡ 길을 안내함.
[引上 인상] ㉠ 끌어올림. ㉡ 물건 값을 올림.
[引受 인수] 물건이나 권리를 넘겨받음.
[引致 인치] ㉠ 끌어들임. ㉡ 끌어올림. ㉢ 강제로 관청에 연행함.
[誘引 유인] 남을 꾀어냄.
[割引 할인] 일정한 값에서 얼마를 싸게 함.

2 ⑤ 【弘】 넓을 홍 [平]篜 hóng 弘

ㄱ ㄱ 弓 弘 弘

[日] コウ〔ひろい〕 [英] extensive

[字解] ① 넓을 홍, 넓힐 홍(廣也). ¶ 弘報(홍보). ② 클 홍(大也). ¶ 弘謀(홍모).

[字源] 形聲. 弓+厶〔音〕

[弘大 홍대] 넓고 큼.
[弘文 홍문] 문학을 넓힘. 학문을 넓힘.

2 ⑤ 【弗】 아닐 불 [入]物 fú 弗

ㄱ ㄱ 弓 弔 弗

[日] フツ〔あらず〕 [英] not

[字解] ① 아닐 불(不也). ¶ 弗豫(불예). ② 떨 불(去也). ③ 달러 불(美國貨幣名). ¶ 弗貨(불화).

[字源] 會意. 끈으로 매어도 물건이 뒤로 젖히는 모양에 따라 돌아온다는 뜻을 나타냄.

[弗弗 불불] ㉠ 크게 일어나는 모양. 또, 빠른 모양. ㉡ 찬성하지 않는 모양. 전하여, 추종하지 않는 모양.

3 ⑥ 【弛】 [一]늦출 이 [本]시[上]紙 [二]떨어질 치[上]紙 chí,shí 弛

[日] シ〔ゆるむ〕・チ〔おちる〕
[英] loosen, fall

[字解] [一] ① 늦출 이, 느슨할 이, 이즈러질 이(緩也). ¶ 弛緩(이완). ② 활시위풀 이, 부릴 이(弓解弦). ¶ 一張一弛(일장일이). [二] 떨어질 치(落也).

[字源] 形聲. 弓+也〔音〕

[弛禁 이금] 금제(禁制)를 늦춤.
[弛緩 이완] ㉠ 느슨함. 늦추어짐. ㉡ 맥이 풀리고 힘이 없어짐.
[弛惰 이타] 게으름.

4 ⑦ 【玦】 깍지 결 [平]屑 jué 玦

[日] ケツ〔ゆがけ〕 [英] arrow fly

[字解] 깍지 결(鉤弦發矢者).

[字源] 形聲. 弓+夬〔音〕

4 ⑦ 【弝】 줌통 파 [去]禡 bà 弝

[日] ハ〔ゆづか〕 [英] handle of a bow

[字解] 줌통 파(弣中手執處).

[字源] 形聲. 弓+巴〔音〕

4 ⑦ 【弟】 아우 제 [平]薺 dì 弟

丶 丷 丬 当 弓 弟 弟

[日] テイ〔おとうと〕
[英] younger brother

[字解] ① 아우 제(男子後生). ¶ 兄弟(형제). ② 나이어린사람 제(少也). ③ 자기의겸칭 제. ¶ 遇弟

(우제).

[字源] 象形. 물건을 무두질한 가죽으로 칭칭 묶어서 다발로 만든 모양. 물건을 다발로 만드는 데는 순서와 차례가 있어 순서의 뜻이 되고, 다시 형제의 순서인 「동생」의 뜻이 됨.

[弟嫂 제수] 아우의 아내.
[弟子 제자] 스승의 가르침을 받았거나 받는 사람.
[師弟 사제] 스승과 제자.

⁵⁄₈ 【弣】 줌통 부 ㊤麌 fū

🔲 フ〔ゆづか〕 ㉱ handle of a bow
[字解] 줌통 부(弓中央).
[字源] 形聲. 弓+付〔音〕

⁵⁄₈ 【弤】 활 저 ㊤薺 dǐ

🔲 テイ〔あかぬりのゆみ〕 ㉱ bow
[字解] 활 저(漆赤弓).
[字源] 形聲. 弓+氏〔音〕

⁵⁄₈ 【弦】 시위 현 ㊦先 xián

ㄱ ㄱ ㄱ 引 弘 弦 弦
🔲 ゲン〔つる〕 ㉱ bowstring
[字解] ① 시위 현(弓絲). ¶ 弓弦(궁현). ② 악기줄 현(樂器絲). ¶ 弦歌(현가). ③ 초승달 현(半月). ¶ 上弦(상현).
[字源] 形聲. 弓+玄〔音〕

[弦管 현관] 거문고와 피리.
[弦月 현월] 초승달.

⁵⁄₈ 【弧】 활 호 ㊤虞 hú

🔲 コ〔ゆみ〕 ㉱ arc, bow
[字解] 활 호(木弓). ¶ 弧矢(호시).
[字源] 形聲. 弓+瓜〔音〕

[弧弓 호궁] 기를 단 나무 활.
[弧宴 호연] 생일(生日) 잔치.

⁵⁄₈ 【弥】 彌(미)(弓部 14획)와 同字

⁵⁄₈ 【弩】 쇠뇌 노 ㊤麌 nǔ

🔲 ド〔いしゆみ〕 ㉱ crossbow
[字解] 쇠뇌 노(有臂機射).
[字源] 形聲. 弓+奴〔音〕

[弩砲 노포] 쇠뇌.

⁶⁄₉ 【弭】 활 미 ㊤紙 mǐ

🔲 ビ〔ゆはず〕 ㉱ bow
[字解] ① 활 미(角弓). ② 활고자 미(弓末). ③ 그칠 미(止也).
[字源] 會意. 弓+耳

[弭兵 미병] 싸움을 그만둠.

⁶⁄₉ 【弯】 彎(만)(弓部 19획)의 略字·簡體字

⁷⁄₁₀ 【弱】 약할 약 ㊦藥 ruò

ㄱ ㄱ 弓 弓 弓 弱 弱 弱
🔲 ジャク〔よわい〕 ㉱ weak
[字解] ① 약할 약(强之對). ¶ 弱勢(약세). ② 나이젊을 약, 어릴 약(未壯). ¶ 弱冠(약관). ③ 날씬할 약. ¶ 腰弱(요약).
[字源] 會意. 구부러진 활의 모양과 彡(깃)의 합자. 다 같이 약함의 뜻.

[弱骨 약골] ㉠ 몸이 약한 사람. ㉡ 약한 골격.
[弱年 약년] ㉠ 나이가 어림. ㉡ 스무 살.

⁸⁄₁₁ 【張】 ■베풀 장 ㊤陽 / ■배부를 창 ㊤漾 zhāng / zhàng

ㄱ ㄱ ㄱ 引 引 弭 張 張
🔲 チョウ〔はる·はれる〕 ㉱ extend, full
[字解] ■ ① 베풀 장(施也). ¶ 張

3
획

飮(장음). ② 활시위얽을 장, 당길 장(弦弓). ¶ 緊張(긴장). ③ 장막 장(帳也). ④ 자랑할 장(自侈大也). ¶ 誇張(과장). ⑤ 고칠 장(更也). ¶ 更張(경장). ➌ 배부를 창(腹滿也).

字源 形聲. 弓+長〔音〕

[張本 장본] ㉠ 일의 발단이 되는 근원. ㉡ 문장(文章) 등에서 미리 복선(伏線)을 쳐 놓는 일.

[誇張 과장] 사실보다 지나치게 떠벌려 나타냄.

[伸張 신장] 늘이고 펼침.

[擴張 확장] 늘이어 넓힘.

8
⑪ 【強】 ➊강함 강㊀陽 qiáng
➋힘쓸 강㊤養 qiǎng

フ ㄱ ㄢ 弓 彈 弨 弨 強 強

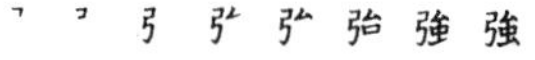

⊕ キョウ〔つよい・つとめる〕 ⊛ strong, endeavor

字解 ➊ ① 강할 강(健壯). ¶ 強國(강국). ¶ 列強(열강). ② 나머지 강(數餘). ➋ ① 힘쓸 강(勉也). ② 억지쓸 강, 강제할 강. ¶ 強奪(강탈).

字源 形聲. 虫+彊〈省〉〔音〕

參考 强(弓部 9획)은 속자.

[強硬 강경] 타협하거나 굽힘이 없이 힘차고 굳셈. ¶ 強硬策(강경책).

[強力 강력] ㉠ 센 힘. 또, 그 사람. ㉡ 폭력. ¶ 強力犯(강력범).

[強要 강요] 강제로 시키거나 무리하게 요구함.

[富強 부강] 부유하고 강력함.

[自強不息 자강불식] 스스로 힘쓰며 쉬지 않음.

8
⑪ 【弸】 ➊찰 붕㊇蒸 bēng
➋화살소리 팽㊤庚 péng

⊕ ホウ〔みちる・ゆみなり〕 ⊛ fill

字解 ➊ 찰 붕(滿也). ➋ 화살소리 팽(弓聲).

字源 形聲. 弓+朋〔音〕

8
⑪ 【弴】 활 돈㊀元 dūn

⊕ トン〔ゆみ〕 ⊛ bow

字解 활 돈(畫弓).

字源 形聲. 弓+享〔音〕

9
⑫ 【弼】 도울 필㊅質 bì

⊕ ヒツ〔たすける〕 ⊛ aid

字解 ① 도울 필(輔也). ¶ 輔弼(보필). ② 도지개 필(正弓器).

字源 會意. 弜+百

[弼成 필성] 도와서 이루게 함.

[弼佐 필좌] 도움. 또, 그 사람.

9
⑫ 【强】 強(강)(弓部 8획)의 俗字

9
⑫ 【弾】 彈(탄)(弓部 12획)의 略字

10
⑬ 【彀】 당길 구㊤宥 gòu

⊕ コウ〔はる〕 ⊛ draw

字解 당길 구(張弓).

字源 形聲. 弓+殼〔音〕

11
⑭ 【彃】 쏠 필㊅質 bì

⊕ ヒツ〔いる〕 ⊛ shoot

字解 ① 쏠 필(射也). ② 활시위 필(弓弦).

字源 形聲. 弓+畢〔音〕

12
⑮ 【彈】 ➊탄알 탄㊀翰 dàn
➋쏠 탄㊅寒 tán

フ ㄱ 弓 弓 弜 彈 彈 彈

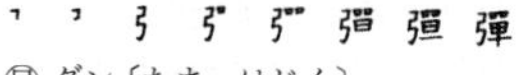

⊕ ダン〔たま・はじく〕 ⊛ bullet, shoot

[字解] [一] ① 탄알 탄(丸也). ¶ 彈丸(탄환). ② 튀길 탄. ¶ 彈力(탄력). ③ 탈 탄, 칠 탄. ¶ 彈琴(탄금). ④ 탄핵할 탄(劾也). ¶ 彈劾(탄핵). [二] 쏠 탄.

[字源] 形聲. 弓+單〔音〕

[參考] 弾(弓部 9획)은 약자.

[彈琴 탄금] 거문고를 탐.
[彈力 탄력] ㉠ 튀기는 힘. ¶彈力性(탄력성). ㉡ 탄환(彈丸)의 나아가는 힘. ㉢ 탄성체(彈性體)가 그것에 가하여지는 외력(外力)에 대하여 반발하는 힘.
[彈壓 탄압] 남을 억지로 누름.
[彈劾 탄핵] 죄상을 따져 문책함.
[糾彈 규탄] 책임이나 죄상을 엄하게 따지고 나무람.
[指彈 지탄] ㉠ 손가락으로 튀김. ㉡ 지목하여 비난함.

12 ⑮ **【彉】** 당길 확 [入]藥 | guō

[日] カク〔はる〕 [英] draw

[字解] **당길 확**(張弓).

[字源] 形聲. 弓+黃〔音〕

13 ⑯ **【彊】** [一]굳셀 강 [平]陽 [二]힘쓸 강 [上]養 | qiáng qiǎng

[日] キョウ〔つよい・つとめる〕
[英] strong, endeavor

[字解] [一] **굳셀 강**(健也). ¶ 彊弩(강노). [二] **힘쓸 강**(勉也). ¶ 自彊(자강).

[字源] 形聲. 弓+畺〔音〕

[參考] 強(弓部 8획)은 동자.

[彊弩 강노] 센 쇠뇌.
[自彊 자강] 스스로 힘씀.

14 ⑰ **【彌】** 두루 미 [平]支 | 弥 mí

[日] ビ・ミ〔いよいよ〕 [英] widely

[字解] ① **두루 미**(徧也). ¶ 彌漫(미만). ② **더욱 미**(益也). ¶ 彌盛(미성). ③ **기울 미**. ¶ 彌縫(미봉). ④ **오랠 미**(久也). ¶ 彌久(미구).

[字源] 形聲. 金文은 弓+日+爾

[參考] 弥(弓部 5획)는 동자.

[彌久 미구] 매우 오래됨. 오래 끎.
[彌滿 미만] 가득 참.
[彌彌 미미] 조금씩. 초초(稍稍).
[彌盛 미성] 더욱더 성함.
[彌日 미일] ㉠ 날을 거듭함. 여러 날을 거듭하여. ㉡ 하루 종일.

15 ⑱ **【彍】** 당길 확 [入]藥 | kuò

[日] カク〔はる〕 [英] pull

[字解] ① **당길 확**(張弓). ② **빠를 확**(迅速).

[字源] 形聲. 弓+廣〔音〕

19 ㉒ **【彎】** 당길 만 [本]완[平]刪 | 弯 wān

[日] ワン〔ひく〕 [英] draw

[字解] ① **당길 만**(引也). ¶ 彎弓(만궁). ② **굽을 만**. ¶ 彎曲(만곡).

[字源] 會意. 弓+䜌

[參考] 弯(弓部 6획)은 약자.

[彎弓 만궁] 활에 화살을 먹여 당김.

彐(⺕·彑)〔3 획〕 部
(터진가로왈부)

0 ③ **【彐】** 돼지머리 계[去]霽 | jì

[日] ケイ〔いのこのあたま〕
[英] pig's head

[字解] **돼지머리 계**(豕頭).

[字源] 象形. 멧돼지의 머리 부분의 상형.

3 ⑥ **【夛】** 多(다)(夕部 3획)의 俗字

3 ⑥ 【当】 當(당)(田部 8획)의 略字

5 ⑧ 【彔】 새길 록 [入]屋 | lù

[日] ロク〔きをきざむ〕 [英] carve

[字解] ① **새길 록.** ② **근본 록.**

[字源] 象形. 두레박 우물의 도르레 근처에 물이 넘치는 모양.

3 획

6 ⑨ 【彖】 판단할 단[去]翰 | tuàn

[日] タン〔だんずる〕 [英] judge

[字解] **판단할 단**(斷也).

[字源] 會意. 彑와 豕(돼지)의 합자. 돼지가 뜀의 뜻.

8 ⑪ 【彗】 비 혜 [去]霽 | huì

[日] スイ〔ほうき〕 [英] broom

[字解] ① **비 혜**(竹箒). ¶ 彗掃(혜소). ② **살별 혜**(欃槍妖星). ¶ 彗星(혜성).

[字源] 會意. 又(손)와 𡗗(풀이 무성한 모양)의 합자. 즉, 「비」의 뜻.

[彗星 혜성] ㉠ 별 이름. 살별. ㉡ 뛰어나게 뚜렷함을 비유하는 말.

[彗芒 혜망] 혜성의 꼬리에서 비치는 광망(光芒).

9 ⑫ 【彘】 돼지 체 [去]霽 | zhì

[日] テイ〔いのこ〕 [英] pig

[字解] **돼지 체**(豕也).

[字源] 形聲. 彑와 比와 矢의 합자. 「矢(시)」의 전음이 음을 나타냄.

[彘肩 체견] 돼지의 어깻죽지 살.

10 ⑬ 【彙】 무리 휘 [本]위[去]未 | 汇 huì

[日] イ〔どうるい〕 [英] group

[字解] ① **무리 휘**(類也). ¶ 語彙(어휘). ② **고슴도치 휘**(蝟也). ③ **모을 휘**(集也). ¶ 彙報(휘보).

[字源] 形聲. 옛 글자 모양으로는 털 긴 돼지의 상형과 「胃(위)」의 합자로, 「胃」의 생략형이 음을 나타냄.

[彙類 휘류] 동아리.

13 ⑯ 【彝】 彝(이)(次條)의 俗字

15 ⑱ 【彝】 떳떳할 이[平]支 | yí

[日] イ〔のり〕 [英] honorable

[字解] ① **떳떳할 이**(常也). ¶ 彝訓(이훈). ② **술그릇 이.** ¶ 彝器(이기). ③ **법 이.** ¶ 彝憲(이헌).

[字源] 會意. 糸와 廾(양손)과 米(그릇 속의 알맹이) 彑(기물의 모양)의 합자.

[參考] 彜(彐部 13획)는 속자.

[彝訓 이훈] 사람으로서 항상 지켜야 할 교훈.

23 ㉖ 【彠】 잴 확 [入]藥 | huò

[日] カク〔はかる〕 [英] measure

[字解] **잴 확, 자 확**(度也).

[字源] 形聲. 尋+蒦〔音〕

彡 〔3 획〕 部 (터럭삼부)

0 ③ 【彡】 터럭 삼 [平]咸 | shān

[日] サン〔ながいかみ〕 [英] hair

[字解] ① **터럭 삼, 긴머리 삼**(毛長). ② **그릴 삼**(毛髮繪飾).

[字源] 象形. 털의 모양을 본뜸.

4 ⑦ 【形】 형상 형 [平]青 | xíng

一 二 于 开 开 开' 形

日 ケイ〔かたち〕 英 form

字解 ① 형상 형, 모양 형, 꼴 형(體也). ¶ 形體(형체). ② 얼굴 형(現세). ¶ 形色(형색). ③ 나타날 형(現세). ¶ 形迹(형적). ④ 형세형. ¶ 形勢(형세). 地形(지형).

字源 形聲. 彡+开(幵)〔音〕.

參考 形(彡部 6획)은 본자.

[形狀 형상] 생긴 모양.
[形體 형체] 물건의 모양과 그 바탕인 몸.
[形便 형편] 일이 되어 가는 모양.
[整形 정형] 형체를 바로잡음.
[地形 지형] 땅의 생김새.

---

⁴⁄₇ 【彤】 붉은칠 동 ㊤冬 | tóng

日 トウ〔あか〕 英 red paint

字解 붉은칠 동(丹飾). ¶ 彤矢(동시).

字源 會意. 丹(붉음)과 彡(장식함)의 합자. 붉은색으로 칠하여 아름답게 장식함의 뜻.

[彤矢 동시] 붉게 칠한 화살.
[彤雲 동운] 붉은 구름.

---

⁶⁄₉ 【形】 形(형)(彡部 4획)의 本字

---

⁶⁄₉ 【彦】 선비언 ㊤霰 | yàn

日 ゲン〔ひこ〕 英 scholar

字解 선비 언(美士).

字源 形聲. 文+彡+厂〔音〕.

[彦聖 언성] 뛰어나서 사리(事理)에 통달함. 또, 그 사람.

---

⁷⁄₁₀ 【彧】 문채욱 ㊤屋 | yù

日 イク〔あや〕 英 beautiful coloring

字解 ① 문채 욱(文彩). ② 무성할 욱(茂盛貌).

字源 形聲. 彡+或〔音〕.

---

⁸⁄₁₁ 【彩】 무늬 채 ㊤賄 | cǎi

日 サイ〔いろどる〕 英 pattern

字解 ① 무늬 채(文色). ¶ 文彩(문채). ② 채색 채(文色精光). ¶ 彩色(채색). ③ 빛 채(光也). ¶ 光彩(광채).

字源 形聲. 彡+采〔音〕.

[彩文 채문] 무늬. 문채.
[彩色 채색] 색을 칠함.
[光彩 광채] 눈부신 빛.
[色彩 색채] 빛깔.

---

⁸⁄₁₁ 【彪】 범표 ㊤尤 | biāo

日 ヒョウ〔とら〕 英 tiger

字解 ① 범 표, 작은범 표(小虎). ② 문채날 표(文也).

字源 會意. 虎+彡.

[彪蔚 표위] 호피의 아름다운 문채.

---

⁸⁄₁₁ 【彫】 새길 조 ㊤蕭 | diāo

日 チョウ〔ほる〕 英 carve

字解 ① 새길 조(鏤也). ¶ 彫刻(조각). ② 시들 조(瘁也). ¶ 彫弊(조폐).

字源 形聲. 彡+周〔音〕.

[彫像 조상] 조각한 물상(物像). 또, 물상을 조각함.
[彫琢 조탁] 새기고 쫌.

---

⁸⁄₁₁ 【彬】 ▇빛날 빈 ㊤眞 ▇밝을 반 ㊤刪 | bīn / bān

日 ヒン〔かがやく〕・ハン〔あきらか〕 英 brilliant, light

字解 ▇ 빛날 빈(文質備也). ¶ 彬彬(빈빈). ▇ 밝을 반(文釆明也).

字源 形聲. 彡+焚(省)〔音〕.

[彬蔚 빈위] 문채가 찬란한 모양.

3
획

3획

9 ⑫ 【彭】 ■땅이름
팽㊀방
㊀庚
■곁 방
㊀陽
péng
bāng

㈰ ホウ〔さかん〕 ㊤ side

字解 ■ 땅이름 팽(地名). ■ ①
곁 방(近也). ② 많을 방(多衆貌).

字源 會意. 彡+壴

[彭湃 팽배] 파도가 출렁거리는 모양. 파도가 서로 쳐서 되돌아가는 모양.

11 ⑭ 【彰】 밝을 창
㊀장㊀陽
zhāng

㈰ ショウ〔あきらか〕 ㊤ light

字解 ① 밝을 창(明也). ¶ 彰明(창명). ② 드러낼 창(著明也). ¶ 彰示(창시). ③ 무늬 창(文飾).

字源 形聲. 彡+章〔音〕

[彰顯 창현] 뚜렷하게 나타냄. 또, 환히 나타남.

11 ⑭ 【彯】 끈치렁거
릴표㊀嘯
piāo

㈰ ヒョウ〔ひもがたれさがる〕

字解 끈치렁거릴 표(長組貌).

字源 形聲. 彡+票〔音〕

12 ⑮ 【影】 그림자
영㊤梗
yǐng

㇒ 口 日 旦 景 景 景 景 影

㈰ エイ〔かげ〕 ㊤ shadow

字解 ① 그림자 영(物之陰形). ¶ 暗影(암영). ② 화상 영. ¶ 影幀(영정).

字源 形聲. 彡+景〔音〕

[影響 영향] 한 가지 사물로 인하여 다른 사물에 미치는 결과.

彳 〔3 획〕 部
(두인변·중인변부)

---

0 ③ 【彳】 조금걸을
척㊀陌
chì

㈰ テキ〔あゆむ〕 ㊤ hobble

字解 조금걸을 척(小步).

字源 象形. 行(십자로)의 생략. 도로의 모양.

3 ⑥ 【彴】 ■운성 박
㊀覺
■외나무다
리 작㊀藥
bó
zhuó

㈰ ハク〔いっぽんばし〕・シャク〔まるきばし〕

㊤ meteor, log bridge

字解 ■ 운성 박(奔星). ■ 외나무다리 작(橫木橋).

字源 形聲. 彳+勺〔音〕

4 ⑦ 【彷】 배회할
방㊀陽
páng

㈰ ホウ〔さまよう〕 ㊤ wander

字解 ① 배회할 방(徘徊也). ¶ 彷徨(방황). ② 비슷할 방(相似也). ¶ 彷彿(방불).

字源 形聲. 彳+方〔音〕

[彷彿 방불] 거의 비슷함. 또, 흐릿하여 분별하기 어려움. 방불(髣髴).

[彷徨 방황] 일정한 방향이나 목적이 없이 이리저리 돌아다님.

4 ⑦ 【㣚】 두려워
할 송
㊀冬
zhōng

㈰ ショウ〔あわてる〕 ㊤ fear

字解 두려워할 송(惶懼貌).

字源 形聲. 彳+公〔音〕

4 ⑦ 【役】 부릴 역
㊀陌
yì

㇒ 彳 彳 彳 役 役 役

㈰ エキ・ヤク〔つとめ〕 ㊤ work

字解 ① 부릴 역(使也). ¶ 使役(사역). ② 역사 역, 부역 역(賦役). ¶ 役事(역사). ③ 일 역(職務). ¶

役員(역원). ④ **싸움 역, 전쟁 역**(戰爭). ¶ 戰役(전역).

字源 會意. 彳과 殳(팔모창)의 합자. 창을 들고 가서 국경을 지킴의 뜻.

[役事 역사] 토목·건축 따위의 공사.
[役割 역할] 특별히 맡은 소임.
[役刑 역형] 죄수(罪囚)에게 노역(勞役)을 시키는 형벌.
[苦役 고역] 고된 노동.
[兵役 병역] 군인으로 복무하는 일.

5 ⑧【彼】저 피 ㊤紙 bǐ 

丿 彡 彳 彳 犭 犭 彼 彼

㊐ ヒ〔かれ〕 ㊇ that

字解 ① **저 피**(此之對). ¶ 彼此(피차). ② **그 피**. ¶ 彼我(피아).

字源 形聲. 彳+皮〔音〕

[彼己 피기] ㉠ 그 사람과 나. ㉡ 그. 그 사람.

5 ⑧〖彽〗배회할 저 ㊥齊 dī 

㊐ テイ〔ぶらつく〕 ㊇ wander

字解 **배회할 저**. ¶ 彽徊(저회).

字源 形聲. 彳+氐〔音〕

5 ⑧〖彿〗비슷할 불 ㊇物 fú 

㊐ フツ〔にる〕 ㊇ similar

字解 **비슷할 불**(相似).

字源 形聲. 彳+弗〔音〕

參考 髴(髟部 5획)은 동자.

[彷彿 방불] 거의 비슷함.

5 ⑧【往】갈 왕 ㊤養 wǎng 

丿 彡 彳 彳 彳 彳 往 往

㊐ オウ〔ゆく〕 ㊇ go

字解 ① **갈 왕**(去也). ¶ 往來(왕래). ② **옛 왕**(昔也). ¶ 往年(왕년). ③ **이따금 왕**(時時). ¶ 往往(왕왕).

字源 形聲. 甲骨文은 㞢+王〔音〕

[往古 왕고] 옛날. 예전.
[往路 왕로] 가는 길.
[往復 왕복] 갔다가 돌아옴.
[旣往 기왕] ㉠ 지나간 때. ㉡ 이미. 벌써.

5 ⑧〖徃〗往(왕)(前條)의 俗字

5 ⑧〖征〗갈 정 ㊥庚 zhēng 

丿 彡 彳 彳 行 行 征 征

㊐ セイ〔ゆく〕 ㊇ go

字解 ① **갈 정**(行也). ¶ 征途(정도). ② **칠 정**(上伐下). ¶ 征伐(정벌).

字源 形聲. 彳+正〔音〕

[征路 정로] ㉠ 출정(出征)하는 길. ㉡ 여행길.
[征伐 정벌] 군대를 파견하여 죄 있는 자를 침.
[征服 정복] 토벌하여 항복시킴.
[遠征 원정] 멀리 적을 치러 감.
[出征 출정] 싸움터로 나감.

5 ⑧〖徂〗㊀갈 조 ㊥虞 ㊁겨냥할 저 ㊥虞 cú 

㊐ ソ〔ゆく·ねらう〕
㊇ go, take aim

字解 ㊀ **갈 조**(往也). ¶ 徂年(조년). ㊁ **겨냥할 저**(狙也). ¶ 徂擊(저격).

字源 形聲. 彳+且〔音〕

[徂徠 조래] 감과 옴. 갔다 옴. 왕래(往來).

5 ⑧〖径〗徑(경)(彳部 7획)의 略字

6 ⑨【待】기다릴 대 ㊤賄 dài 

ノ 彳 彳 彳 彳 徃 待 待

[日] タイ〔まつ〕 [英] wait

[字解] ① **기다릴 대**(俟也). ¶ 待機(대기). ② **대접할 대**(遇也). ¶ 待接(대접).

[字源] 形聲. 彳+寺〔音〕

[待令 대령] 명령을 기다림.
[待望 대망] 기다리고 바람.
[待遇 대우] 예의를 갖추어 대함.
[待避 대피] 위험 따위를 잠시 피함.
[冷待 냉대] 푸대접함.
[虐待 학대] 혹독하게 대우함.

6 ⑨ 〖徇〗 두루 순 [去]震 | xùn

[日] ジュン〔あまねく〕 [英] widely

[字解] ① **두루 순**. ¶ 徇通(순통). ② **좇을 순**(殉也). ¶ 徇國(순국).

[字源] 形聲. 彳+旬(句)〔音〕

[徇求 순구] 두루 구함.

6 ⑨ 〖很〗 패려궂을 흔 [上]阮 | hěn

[日] コン〔もとる〕 [英] perverse

[字解] ① **패려궂을 흔**. ¶ 很戾(흔려). ② **말다툼할 흔**(諍訟).

[字源] 形聲. 「艮(간)」의 전음이 음을 나타냄.

[很心 흔심] 심술궂은 마음.

6 ⑨ 〖徉〗 노닐 양 [平]陽 | yáng

[日] ヨウ〔さまよう〕 [英] roam

[字解] **노닐 양**(戲蕩).

[字源] 形聲. 彳+羊〔音〕

[徜徉 상양] 이리저리 거닒.

6 ⑨ 〖徊〗 노닐 회 [平]灰 | huái

[日] カイ〔さまよう〕 [英] stroll

[字解] **노닐 회**(彷徨).

[字源] 形聲. 彳+回〔音〕

[徘徊 배회] 이리저리 어정거림.

6 ⑨ 【律】 법 률 [入]質 | lǜ

[日] リツ〔のり〕 [英] law

[字解] ① **법 률**(法也). ¶ 律法(율법). ② **가락 률**. ¶ 律客(율객). ③ **율 률**. ¶ 律詩(율시).

[字源] 形聲. 彳+聿〔音〕

[律動 율동] 규율(規律)이 바른 운동. 주기적인 운동.
[音律 음률] 소리·음악의 가락.

6 ⑨ 【後】 뒤 후 [上]有 | 后 hòu

ノ 彳 彳 彳 彳 彳 後 後

[日] ゴ〔うしろ〕 [英] later

[字解] ① **뒤 후**(前之對). ② **아들 후**(嗣也). ¶ 無後(무후).

[字源] 會意. 彳와 幺(어림)와 夊(발을 끌고 걸음)의 합자. 어린 사람처럼 좀 떨어져서 걸음의 뜻. 따라서, 「뒤」의 뜻.

[後繼 후계] 뒤를 이음.
[後進 후진] 자기보다 나중에 나옴. 또, 그 사람.
[最後 최후] 맨 끝. 가장 뒤.

7 ⑩ 〖徐〗 천천히 할 서 [平]魚 | xú

ノ 彳 彳 彳 徐 徐 徐 徐

[日] ジョ〔おもむろ〕 [英] slow

[字解] **천천히할 서**(緩也). ¶ 徐徐(서서). ¶ 徐行(서행).

[字源] 形聲. 彳+余〔音〕

7 ⑩ 〖徑〗 지름길 경 [去]徑 | 径 jìng

彳 彳 彳 彳 徑 徑 徑 徑

[日] ケイ〔みち〕 [英] short cut

[字解] ① **지름길 경**(小路). ¶ 徑路(경로). ② **곧을 경**(直也). ¶ 徑情直行(경정직행). ③ **지름 경**. ¶ 直徑(직경).

[字源] 形聲. 彳+巠〔音〕

参考 徑(彳部 5획)은 약자.

[徑情直行 경정직행] ㉠곧장 감. ㉡
곧게 행동함.

[捷徑 첩경] 지름길.

7
⑩ 【徒】무리 도
㊦虞 | tú 徒

ㄱ ㅓ ㅓ ㅓ ㅓ ㅓ ㅓ ㅓ 徒

㊐ ト〔かち〕 ㊊ group

字解 ① 무리 도(輩也). ¶ 徒輩(도
배). ② 걸어다닐 도(步行). ¶ 徒
步(도보). ③ 보졸 도(步兵). ④ 다
만 도(但也). ⑤ 헛될 도. ¶ 徒勞
(도로). ⑥ 징역 도. ¶ 徒刑(도
형).

字源 形聲. 篆文은 辵+土〔音〕

[徒黨 도당] 무리. 동류(同類).

[徒食 도식] 아무 일도 하지 않고 삶.

[信徒 신도] 종교를 믿는 사람들.

7
⑩ 【従】從(종)(彳部 8획)의 略字

8
⑪ 【得】■얻을 득
㈇職
■덕 덕
㈇職 | dé 得

ㄱ ㅓ ㅓ ㅓ 何 得 得 得 得

㊐ トク〔える・とくとする〕 ㊊ get

字解 ■ ① 얻을 득(獲也). ② 탐
할 득(貪也). ③ 만족할 득(滿足).
¶ 得意(득의). ■ 덕 덕.

字源 會意. 彳와 貝(옛날 화폐)와
寸(손)의 합자. 가서 화폐를 손에 넣
음의 뜻. 따라서, 손에 넣음. 이익의
뜻이 됨.

[得勝 득승] 싸움에 이김.

[得失 득실] ㉠얻음과 잃음. ㉡이
익과 손해. ㉢성공과 실패.

[得點 득점] 점수를 얻음.

[拾得 습득] 주음.

[習得 습득] 배워 터득함.

8
⑪ 【徘】노닐 배
㊦灰 | pái 徘

㊐ ハイ〔さまよう〕 ㊊ wander

字解 노닐 배(徘也).

字源 形聲. 彳+非〔音〕

参考 裴(衣部 8획)는 동자.

[徘徊 배회] 노닒. 천천히 이리저리
왔다갔다 함.

8
⑪ 【徙】옮길 사
㊤紙 | xǐ 徙

㊐ シ〔うつる〕 ㊊ remove

字解 옮길 사(遷移).

字源 形聲. 辵+止〔音〕

[徙居 사거] 집을 옮김.

[徙木之信 사목지신] 나무를 옮겨
신용을 얻었다는 뜻으로, 위정자(爲
政者)가 백성을 속이지 아니함을 이
름.

[徙播 사파] 옮김.

[移徙 이사] 집을 옮김.

8
⑪ 【徜】노닐 상
㊦陽 | cháng 徜

㊐ ショウ〔さまよう〕 ㊊ ramble

字解 노닐 상(戱蕩).

字源 形聲. 彳+尙〔音〕

[徜徉 상양] 노닒. 목적 없이 왔다 갔
다 함.

8
⑪ 【從】■좇을
종㊦冬
■따를
종㊦宋 | cóng
zòng 從

ㄱ ㅓ ㅓ ㅓ 从 仦 徉 徉 從

㊐ ジュウ〔したがう〕
㊊ obey, follow

字解 ■ ① 좇을 종(順也). ¶ 從
軍(종군). ② 종사할 종. ¶ 從業
(종업). ③ 부터 종(自也). ¶ 從前
(종전). ④ 조용할 종(舒緩貌). ¶
從容(종용). ⑤ 세로 종(縱也). ■
① 따를 종(隨也). ¶ 主從(주종).
② 친족 종(同宗). ¶ 從兄(종형).
③ 버금 종. ¶ 從一品(종일품).

字源 會意. 从(從의 원자)과 辵(길
을 감)의 합자. 「从(종)」이 음을 나

타냄.

참고 從(彳部 7획)은 속자.

[從犯 종범] 주범(主犯)을 도운 범죄. 또, 그 사람.
[從屬 종속] 딸려 붙음.
[從心 종심] 일흔 살의 별칭.
[從兄 종형] 사촌형.
[順從 순종] 고분고분 따름.

3획

8
⑪ 【徠】 올 래⑭灰 | lài | 徕

⊖ ライ〔くる〕 ⊛ come

字解 ① 올 래(來也). ② 위로할 래(慰勉).

字源 形聲. 彳+來〔音〕.

8
⑪ 【御】 ━어거할 어⑧御 ━맞을 아⑭禡 | yù / yà | 御

彳 彳 彳 徉 徉 徉 徉 御 御

⊖ ギョ〔はべる〕・ガ〔むかえる〕 ⊛ drive, meet

字解 ━ ① 어거할 어, 거느릴 어(統也). ¶ 制御(제어). ② 마부 어(馬夫). ¶ 御者(어자). ③ 드릴 어. ¶ 御命(어명). ④ 막을 어(禦也). ━ 맞을 아.

字源 形聲. 彳+卩+午〔音〕.

[御命 어명] 임금의 명령.
[御前 어전] 임금의 앞.
[崩御 붕어] 임금이 세상을 떠남.
[制御 제어] 억눌러 알맞게 조절함.

9
⑫ 【徧】 두루미칠 편⑧霰 | biàn | 徧

⊖ ヘン〔あまねし〕 ⊛ allaround

字解 ① 두루미칠 편. ¶ 徧讀(편독). ② 두루다닐 편. ③ 두루 편(周也). ¶ 徧歷(편력).

字源 形聲. 彳+扁〔音〕.

9
⑫ 【徨】 배회할 황⑭陽 | huáng | 徨

⊖ コウ〔さまよう〕 ⊛ wander

字解 배회할 황(徘徊). ¶ 彷徨(방황).

字源 形聲. 彳+皇〔音〕.

[徨徨 황황] 배회하는 모양. 방황하는 모양.

9
⑫ 【復】 ━회복할 복⑧屋 ━다시 부⑧宥 | fù | 复

彳 彳 彳 彳 彳 彳 復 復

⊖ フク〔かえる〕・フウ〔また〕 ⊛ recover

字解 ━ ① 회복할 복(回復), 돌이킬 복. ¶ 回復(회복). ② 대답할 복(答也). ¶ 復命(복명). ③ 갚을 복. ¶ 復讐(복수). ④ 되풀이할 복(反也). ¶ 復習(복습). ⑤ 돌려보낼 복(返也). ¶ 復返(복반). ━ 다시 부(又也), 재차. ¶ 復興(부흥).

字源 形聲. 彳+复〔音〕.

[復古 복고] 옛날 모양대로 돌아감. 또, 옛날 모양대로 돌아가게 함.
[復舊 복구] 그전 모양으로 돌아감.
[復活 부활] ㉠ 소생(蘇生)함. ㉡ 재흥(再興)함.
[往復 왕복] 갔다가 돌아옴.
[回復 회복] 이전 상태로 돌이킴.

9
⑫ 【循】 돌 순⑭眞 | xún | 循

彳 彳 彳 彳 彳 循 循 循

⊖ ジュン〔めぐる〕 ⊛ revolve

字解 ① 돌 순. ¶ 循環(순환). ② 좇을 순(順從). ¶ 循俗(순속).

字源 形聲. 彳+盾〔音〕.

[循行 순행] 여러 곳을 돌아다님.
[循環 순환] ㉠ 쉬지 않고 자꾸 돎. ㉡ 돈을 내돌림.

10
⑬ 【徭】 역사 요⑭蕭 | yáo | 徭

⊖ ヨウ〔えだち〕

㘇 compulsory labor

字解 역사 요(役也). 부역(賦役).

字源 形聲. 彳+备〔音〕

[繇役 요역] 나라에서 구실 대신 시키던 노동.

10 ⑬ 【微】 작을 미 ㊥微 | wēi 澂

彳 彳 彳 彳 彳 衜 衜 微 微

㊐ ヒ〔かすか〕 㘇 tiny

字解 ① 작을 미(細也). ¶ 微細(미세). ② 정묘할 미. ¶ 微妙(미묘). ③ 숨길 미(匿也). ¶ 微行(미행). ④ 천할 미(賤也). ¶ 微賤(미천). ⑤ 희미할 미(不明). ¶ 微明(미명). ¶ 稀微(희미).

字源 形聲. 彳+敳〔音〕

[微力 미력] 적은 힘. 하찮은 수고. 전하여, 자기의 힘을 겸손하게 일컫는 말.

[微笑 미소] 소리를 내지 아니하고 빙긋이 웃음. ¶ 微笑政策(미소정책).

[稀微 희미] 어렴풋함.

10 ⑬ 【徯】 기다릴 혜 ㊥齊 | xī(xí) 徯

㊐ ケイ〔まつ〕 㘇 wait

字解 기다릴 혜(待也).

字源 形聲. 彳+奚〔音〕

11 ⑭ 【徴】 微(징)(彳部 12획)의 略字

11 ⑭ 【微】 微(미)(彳部 10획)의 俗字

12 ⑮ 【徵】 ㊀부를 징 ㊥蒸 | zhēng ㊁음률이름 치 ㊤紙 | zhī 征 澂

彳 彳 彳 彳 徎 徎 徵 徵

㊐ チョウ〔めす〕 㘇 call, scales

字解 ㊀ ① 부를 징(召也). ¶ 徴

兵(징병). ② 거둘 징(歛也). ¶ 徴發(징발). ③ 효험 징(驗也). ¶ 徴驗(징험). ④ 조짐 징. ¶ 徴兆(징조). ㊁ 음률이름 치(五音之一).

字源 會意. 微의 생략형과 壬(나타남)의 합자. 미천하게 숨어 있어도 세상에 알려져 부름을 받음의 뜻.

參考 徴(彳部 11획)은 약자.

[徴募 징모] 불러서 모집함.

[徴役 징역] 불러 공공(公共)의 일을 시킴.

[徴兆 징조] 조짐. 전조(前兆).

[特徴 특징] 특별히 두드러진 점.

12 ⑮ 【徹】 뚫을 철 ㊤屑 | chè 澂

彳 彳 彳 徍 徎 徎 徹 徹

㊐ テツ〔とおる〕 㘇 penetrate

字解 ① 뚫을 철(穿也). ② 통할 철(通也).

字源 會意. 彳와 攵(가르침)과 育의 합자. 교도(敎導)하면 알게 됨의 뜻. 전하여, 「뚫고 감」의 뜻.

[徹頭徹尾 철두철미] 처음부터 끝까지 철저함.

[徹底 철저] ㊀ 물이 맑아 깊은 속까지 환히 비침. ㊁ 일을 끝까지 관철(貫徹)함.

[透徹 투철] 사리에 어긋남이 없이 철저함.

12 ⑮ 【德】 큰 덕 ㊤職 | dé 悳

彳 彳 彳 彳 衜 衜 德 德 德

㊐ トク〔とく〕 㘇 virtue

字解 ① 큰 덕, 덕 덕(行道有得). ¶ 德性(덕성). ② 은혜 덕, 은덕 덕(惠也).

字源 形聲. 彳+悳〔音〕

參考 悳(彳部 11획)은 속자.

[德行 덕행] 어질고 두터운 행실.

[美德 미덕] 아름다운 덕성.

13 ⑯ 【徼】 돌 요 ㊂교 ㊤嘯 | jiào 澂

④ キョウ〔めぐる〕 ⑧ patrol
字解 ① 돌 요(循也). ② 순라군 요(邏卒).
字源 形聲. 彳+敫〔音〕

14/⑰ 【徽】 아름다울 휘 ⊕微 huī

④ キ〔うつくしい〕 ⑧ beautiful
字解 ① 아름다울 휘(美也). ¶ 徽音(휘음). ② 기러기발 휘(琴節). ¶ 徽琴(휘금). ③ 세겹노끈 휘(三糾繩). ¶ 徽索(휘삭). ④ 표기 휘. ¶ 徽章(휘장).
字源 形聲. 糸+微〔省〕〔音〕

[徽琴 휘금] 기러기발이 없는 작은 거문고.
[徽言 휘언] 착한 말. 아름다운 말.

心(㣺·忄) 〔4획〕 部
(마음심부)

0/④ 【心】 마음 심 ⊕侵 xīn

④ シン〔こころ〕 ⑧ mind, heart
字解 ① 마음 심(形之君而神明之主). ¶ 心理(심리). ② 염통 심(臟也). ¶ 心臟(심장). ③ 가운데 심(中也). ¶ 中心(중심). ④ 근본 심(根本).
字源 象形. 심장을 본뜬 글자.

[心境 심경] 마음의 상태.
[心亂 심란] 마음이 산란함.
[心情 심정] 마음과 정. 생각.
[銘心 명심] 마음에 새겨 둠.

1/⑤ 【必】 반드시 필⊗屑 ⊗質 bì

④ ヒツ〔かならず〕 ⑧ surely
字解 ① 반드시 필(須也). ¶ 必罰(필벌). ② 오로지 필(專也). ③ 기필할 필. ¶ 必勝(필승).
字源 會意. 八(나눔)과 弋(말뚝)의 합자. 말뚝을 세워 경계를 분명히 나눔의 뜻.

[必死 필사] 죽을 결심을 하고 전력을 다함.
[必須 필수] 꼭 있어야 함.
[必至 필지] 장차 반드시 이름. 필연적으로 그렇게 됨.
[期必 기필] 꼭 되기를 기약함.
[何必 하필] 어찌하여 꼭 그렇게.

2/⑤ 【忉】 근심할 도 ⊕豪 dāo

④ トウ〔うれえる〕 ⑧ anxiety
字解 근심할 도(憂也).
字源 形聲. 忄(心)+刀〔音〕

3/⑦ 【忌】 꺼릴 기 ⊕寘 jì

④ キ〔いむ〕 ⑧ avoid
字解 ① 꺼릴 기(憚也). ¶ 忌避(기피). ② 미워할 기(憎惡). ③ 시기할 기. 猜忌(시기). ④ 기일 기. ¶ 忌祭(기제).
字源 形聲. 心+己〔音〕

[忌祭 기제] 죽은 날에 지내는 제사. 기사(忌祀).
[忌憚 기탄] 어렵게 여겨서 꺼림.
[禁忌 금기] 금하고 꺼림.
[猜忌 시기] 샘하여 미워함.

3/⑦ 【忍】 참을 인 ⊕軫 rěn

④ ニン〔しのぶ〕 ⑧ bear
字解 ① 참을 인(耐也). ¶ 忍從(인종). ② 잔인할 인. ¶ 殘忍(잔인).
字源 形聲. 心+刃〔音〕

[忍苦 인고] 괴로움을 참음.

[忍耐 인내] 참고 견딤.
[不忍 불인] 모질지 못해 차마 하지 못함.

---

³/₇【志】 ▬뜻 지 ⊕寘 / ▬기치 치 ⊕寘 │ zhì

一 十 士 志 志 志

⊕ シ〔こころざし〕 ⊛ intent

字解 ▬ ① 뜻 지(意也). ¶ 意志 (의지). 志願(지원). ② 기록할 지 (記也). ¶ 三國志(삼국지). ▬ 기 치 치.

字源 會意. 之(士)와 心의 합자로, 마음이 향하여 가는 곳의 뜻. 또, 「士(사)」의 전음이 음을 나타냄.

[志望 지망] 바람.
[志士 지사] 절의(節義)가 있는 선비. 국가·민족을 위해 몸을 바치는 사람.
[志學 지학] 학문에 뜻을 둠.
[志向 지향] 뜻이 쏠리어 향하는 바.
[雄志 웅지] 웅대한 뜻. 큰 뜻.
[意志 의지] 생각. 의향.

---

³/₇【忘】 잊을 망 ⊕陽 / ⊕漾 │ wàng

丶 亠 亡 广 忘 忘 忘

⊕ ボウ〔わすれる〕 ⊛ forget

字解 잊을 망. ¶ 忘却(망각).

字源 會意. 亡(잃음)과 心의 합자. 마음을 잃음의 뜻. 또, 「亡(망)」이 음을 나타냄.

[忘却 망각] 잊어버림.
[忘年 망년] 그 해가 가는 것을 잊고 즐거이 놂. ¶ 忘年會(망년회).
[忘失 망실] 잊어버림.
[健忘 건망] 잘 잊어버림.

---

³/₆【忖】 헤아릴 촌 ⊕阮 │ cǔn

⊕ ソン〔はかる〕 ⊛ consider

字解 헤아릴 촌(思也).

字源 形聲. ↑(心)+寸〔音〕

[忖度 촌탁] 남의 마음을 미루어 헤아림.

---

³/₆【忙】 바쁠 망 ⊕陽 │ máng

丶 丶 忄 忙 忙 忙

⊕ ボウ〔いそがしい〕 ⊛ busy

字解 바쁠 망(心迫). ¶ 忙殺(망살).

字源 會意. 心과 亡의 합자. 이 글자의 경우는 사물을 잊는 원인이 되는 바쁨을 나타냄. 또, 「亡(망)」이 음을 나타냄.

[忙中閑 망중한] 바쁜 중에도 어쩌다 있는 한가함. 짬.
[多忙 다망] 매우 바쁨.

---

³/₇【忒】 변할 특 ⊛職 │ tè

⊕ トク〔うたがう〕 ⊛ change

字解 ① 변할 특(變也). ② 의심할 특(疑也).

字源 形聲. 心+弋〔音〕

---

⁴/₈【忠】 충성 충 ⊕東 │ zhōng

丶 口 口 中 忠 忠 忠 忠

⊕ チュウ〔まごころ〕 ⊛ loyalty

字解 ① 충성 충(盡心不欺). ¶ 忠臣(충신). ② 공변될 충(無私).

字源 形聲. 心+中〔音〕

[忠烈 충렬] 충성(忠誠)을 다하여 절의(節義)를 세움.
[忠臣出於孝子之門 충신출어효자지문] 충신은 반드시 효자임.
[忠實 충실] 성실하고 참됨.
[忠言 충언] 충고(忠告)하는 말.
[不忠 불충] 충성을 다하지 않음.

---

⁴/₈【忞】 힘쓸 민 ⊕眞 │ mín

⊕ ビン〔つとめる〕 ⊛ strive

字解 힘쓸 민.

字源 形聲. 心+文〔音〕

4
8 【念】생각 념 | niàn

ノ 人 스 今 今 念 念 念

日 ネン〔おもう〕 英 thought

字解 ① 생각 념. 생각할 념(常思). ¶ 念頭(염두). ② 욀 념(誦也). ¶ 念佛(염불). ③ 스물 념(二十). ¶ 念日(염일).

字源 會意. 心+今

[念慮 염려] ㉠ 생각함. ㉡ 걱정함.
[念願 염원] 마음속으로 생각하고 바라는 바. 소원(所願).
[信念 신념] 굳게 믿는 마음.

4
8 【忽】문득 홀 | hū

ノ ク ク 勿 勿 忽 忽 忽

日 コツ〔たちまち〕 英 suddenly

字解 ① 문득 홀(卒也). ¶ 忽然(홀연). ② 소홀히할 홀(輕也). ¶ 忽待(홀대).

字源 形聲. 心+勿〔音〕

注意 忽(心部 5획)은 딴 글자.

[忽待 홀대] 탐탁하지 않은 대접. 또는 소홀히 대접함.
[忽然 홀연] 느닷없이. 갑자기.
[疏忽 소홀] 허술히 여기거나 대수롭지 않게 봄.

4
8 【忿】분할 분 | fèn

日 フン〔いかる〕 英 grow angry

字解 ① 분할 분(悁也). ② 성낼 분(怒也).

字源 形聲. 心+分〔音〕

[忿怒 분노] 화. 성.

4
8 【忝】욕될 첨 | tiǎn

日 テン〔かたじけない〕 英 ashamed

字解 욕될 첨(辱也).

忝汚 첨오] 욕되게 하여 더럽힘.

4
7 【忡】근심할 충 | chōng

日 チュウ〔うれえる〕 英 anxiety

字解 근심할 충(憂也).

字源 形聲. ↑(心)+中〔音〕

4
7 【忤】거스를 오 | wǔ

日 ゴ〔さからう〕 英 oppose

字解 거스를 오(逆也).

字源 形聲. ↑(心)+午〔音〕

[忤色 오색] 마음에 거슬려 불쾌(不快)한 빛.

4
7 【快】쾌할 쾌 | kuài

丶 丶 忄 忄 忦 快 快

日 カイ〔こころよい〕 英 delightful

字解 ① 쾌할 쾌(稱心可也). ¶ 快感(쾌감). ② 빠를 쾌(急也). ¶ 快速(쾌속). ③ 잘들 쾌. ¶ 快刀(쾌도).

字源 形聲. ↑(心)+夬〔音〕

[快擧 쾌거] 시원스럽게 하는 행위.
[快走 쾌주] 빨리 달림. 질주(疾走).
[明快 명쾌] 분명하고 시원함.
[痛快 통쾌] 마음이 매우 시원함.

4
7 【忱】정성 침 | chén

日 シン〔まこと〕 英 sincerity

字解 정성 침(誠也).

字源 形聲. ↑(心)+尤〔音〕

[忱恂 침순] 정성(精誠).
[微忱 미침] 변변찮은 정성.

4
7 【忸】부끄러워 할 뉵 | niǔ

日 ジク〔はじる〕・ジュウ〔なれる〕 英 blush

字解 부끄러워할 뉵(恧也).
字源 形聲. ↑(心)+丑〔音〕
參考 恧(心部 6획)은 동자.

[忸恨 육한] 부끄러워하고 원망함.

4
⑦ 【忻】 기뻐할
흔⊕文 | xīn

⽇ キン〔よろこぶ〕 ⑳ be pleased
字解 기뻐할 흔(喜也).
字源 形聲. ↑(心)+斤〔音〕

4
⑦ 【忼】 강개할
강⊕養 | kāng
(kàng)

⽇ コウ〔なげく〕 ⑳ lament
字解 강개할 강(壯士不得志於心也).
字源 形聲. ↑(心)+亢〔音〕

5
⑨ 【怎】 어찌 즘
⊕寢 | zěn

⽇ シン〔なんぞ〕 ⑳ why
字解 어찌 즘(猶何也).
字源 形聲. 乍〔音〕+心〔音〕

5
⑨ 【怒】 성낼 노
⊕遇⊕虞 | nù

ㄑ ㄐ ㄐ ㄐ ㄑ ㄑ ㄑ 怒
⽇ ド〔いかる〕 ⑳ angry
字解 ① 성낼 노(憤激). ¶ 怒氣(노기). ② 세찰 노. ¶ 怒濤(노도).
字源 形聲. 心+奴〔音〕
注意 恕(心部 6획)는 딴 글자.

[怒濤 노도] 성난 파도. 세찬 파도.
[怒發大發 노발대발] 몹시 성을 냄.
[激怒 격노] 몹시 성냄.
[憤怒 분노] 분하여 몹시 성냄.

5
⑨ 【思】 ▤생각할 사⊕支
▤생각 사⊕寘
▤수염많을 새⊕灰 | sī
sì
sāi

ㄈ ㄇ ㄇ ㄇ 囲 囲 囲 思 思
⽇ シ〔おもう・おもい〕・サイ〔ひげおおい〕
⑳ think
字解 ▤ ① 생각할 사(念也). ¶ 思考(사고). ② 그리워할 사. ¶ 思慕(사모). ③ 슬퍼할 사, 근심할 사. ¶ 思婦(사부). ④ 어조사 사(語助辭). ▤ 생각 사(慮也), 의사 사. ¶ 思想(사상). ▤ 수염많을 새.
字源 會議. 囟(신)과 心의 합자. 머리로 생각함의 뜻.

[思慕 사모] ㉠ 그리워함. ㉡ 우러러 받들고 마음으로 따름.
[思想 사상] ㉠ 생각. ㉡ 판단과 추리를 거쳐서 생긴 의식 내용. ㉢ 사회 및 인생에 대한 일정한 견해.
[思索 사색] 사물의 이치를 파고들어 깊이 생각함.

5
⑨ 【怠】 게으를
태⊕賄 | dài

ㄥ ㅿ ㅢ 台 台 怠 怠 怠
⽇ タイ〔おこたる〕 ⑳ lazy
字解 ① 게으를 태(惰也). ¶ 怠慢(태만). ② 거만할 태(慢也).
字源 形聲. 心+台〔音〕

[怠慢 태만] 게으름. 느림.

5
⑨ 【急】 급할 급
⊕緝 | jí

ㄏ ㄅ ㄅ ㄅ 刍 刍 急 急 急
⽇ キュウ〔いそぐ〕 ⑳ urgent
字解 ① 급할 급(迫也). ¶ 急遽(급거). ② 중요할 급. ¶ 急所(급소).
字源 形聲. 心+及〔音〕

[急急 급급] 몹시 급함.
[急變 급변] ㉠ 갑자기 일어난 변고(變故). ㉡ 별안간 달라짐.
[至急 지급] 매우 급함.

5
⑨ 【怨】 ▤원망할
원⊕願
▤원수 원⊕元 | yuàn
yùn

ノ ク 夕 夘 夗 夗 怨 怨

[日] エン〔うらむ・あだ〕
[英] grudge, enemy

[字解] [一] ① **원망할 원**(恨也). ¶ 怨望(원망). ② **원수 원**(仇也). ¶ 怨讎(원수). [二] **원수 원**.

[字源] 形聲. 心+夗〔音〕

[怨府 원부] 대중의 원한이 쏠리는 단체나 기관.

[怨恨 원한] 원통하고 한이 되는 생각.

[宿怨 숙원] 오래 묵은 원한.

5 ⑨ **【怱】** 바쁠 총 [平]東 cōng

[日] ソウ〔にわか〕 [英] busy

[字解] **바쁠 총**(急遽怱怱).

[字源] 形聲. 心+匆〔音〕

[注意] 忽(心部 4획)은 딴 글자.

[怱忙 총망] 매우 급하고 바쁨.

5 ⑧ **【怍】** 부끄러울 작 [入]藥 zuò

[日] サク〔はじる〕 [英] blush, shame

[字解] **부끄러울 작**(慚也), **무안할 작**(顔色變).

[字源] 形聲. 忄(心)+乍〔音〕

5 ⑧ **【怊】** 슬퍼할 초 [平]蕭 chāo

[日] チョウ〔かなしむ〕 [英] grieve

[字解] **슬퍼할 초**(悲也).

[字源] 形聲. 忄(心)+召〔音〕

[怊悵 초창] ㉠ 원망하는 모양. ㉡ 뜻을 이루지 못하여 섭섭해하는 모양.

5 ⑧ **【怾】** 《韓》 산이름 기

[字解] 《韓》 **산이름 기**. '怾怛山'《地誌》

5 ⑧ **【怏】** 원망할 앙 [去]漾 [上]養 yàng

[日] オウ〔うらむ〕 [英] grudge

[字解] **원망할 앙**(怨也), **앙심먹을 앙**(情不滿足).

[字源] 形聲. 忄(心)+央〔音〕

[怏心 앙심] 원한을 품은 마음.

5 ⑧ **【怔】** 황겁할 정 [平]庚 zhēng

[日] セイ〔おそれる〕
[英] be afraid of

[字解] **황겁할 정**(惶遽).

[字源] 形聲. 忄(心)+正〔音〕

5 ⑧ **【怕】** 두려워할 파 [去]禡 pà

[日] ハク〔おそれる〕 [英] fear

[字解] **두려워할 파**(懼也).

[字源] 形聲. 忄(心)+白〔音〕

[怕懼 파구] 두려워함.

5 ⑧ **【怖】** 두려워할 포 [去]遇 bù

[日] フ〔おそれる〕 [英] fear

[字解] **두려워할 포**(惶懼).

[字源] 形聲. 忄(心)+布〔音〕

[怖遽 포거] 두려워하여 어쩔 줄 모름.

[怖駭 포해] 두려워하여 놀람.

[恐怖 공포] 무서움과 두려움.

5 ⑧ **【怙】** 믿을 호 [上]麌 hù

[日] コ〔たのむ〕 [英] rely on

[字解] **믿을 호**(恃也).

[字源] 形聲. 忄(心)+古〔音〕

[怙勢 호세] 권세를 믿음.

5 ⑧ **【怛】** 슬플 달 [入]曷 dá

[日] ダツ〔いたむ〕 [英] sad

[字解] ① **슬플 달, 슬퍼할 달**(悼也). ¶ 惻怛(측달). ② **놀랄 달**(驚也). ¶ 怛然(달연).

[字源] 形聲. 忄(心)+旦〔音〕

[怛然 달연] 깜짝 놀라는 모양. 악연(愕然).

[惻怛 측달] 불쌍히 여겨 슬퍼함.

5 ⑧ 〖怜〗 [一]영리할 령[平]靑 [二]불쌍히여길 련[平]先 | líng lián

㊐ レイ〔さとい〕·レン〔あわれむ〕 [英] clever, feel pity for

[字解] [一] **영리할 령**(慧也). [二] **불쌍히여길 련**(可哀).

[字源] 形聲. 忄(心)+令〔音〕

[怜悧 영리] 눈치 빠르고 슬기로움.

5 ⑧ 〖怡〗 기쁠 이 [平]支 | yí

㊐ イ〔よろこぶ〕 [英] pleased

[字解] ① **기쁠 이**(悅也). ¶ 怡悅(이열). ② **온화할 이**(和也). ¶ 怡顔(이안).

[字源] 形聲. 忄(心)+台〔音〕

[怡顔 이안] 기쁜 안색을 함.

[怡悅 이열] 기뻐하며 좋아함.

5 ⑧ 【性】 성품 성 [去]敬 | xìng

丶 丷 忄 忄' 忄𠂉 忄牛 性 性

㊐ セイ〔たち〕 [英] nature

[字解] ① **성품 성**(稟也), **바탕 성**(質也). ¶ 性格(성격). ② **성별 성**. ¶ 性別(성별).

[字源] 會意. 生과 心의 합자. 타고난 성질의 뜻. 또, 「生(생)」의 전음이 음을 나타냄.

[性別 성별] 남성과 여성의 구별.

[性分 성분] 타고난 성질.

[性慾 성욕] 남녀간의 성교(性交)를 행하고자 하는 욕망. 색욕(色慾).

[性品 성품] 성질과 품격.

[異性 이성] 성질 또는 암수가 서로 다름.

[適性 적성] 알맞은 성질.

5 ⑧ 〖怩〗 부끄러워할 니[平]支 | ní

㊐ ジ〔はじる〕 [英] feel ashamed

[字解] **부끄러워할 니**(慚也).

[字源] 形聲. 忄(心)+尼〔音〕

[忸怩 육니] 부끄러워하는 모양.

5 ⑧ 〖怪〗 기이할 괴[去]卦 | guài

丶 丷 忄 忄フ 忄又 怪 怪 怪

㊐ カイ〔あやしい〕 [英] strange

[字解] ① **기이할 괴**(奇也). ¶ 怪力(괴력). ② **의심할 괴**(疑也).

[字源] 形聲. 忄(心)+圣〔音〕

[怪奇 괴기] 괴상하고 기이함.

[怪漢 괴한] 행동이 수상한 사나이.

[妖怪 요괴] 요사스러운 귀신.

5 ⑧ 〖怫〗 [一]답답할 불[入]物 [二]발끈할 비 [去]未 | fù fèi

㊐ ヒツ〔むすばれる〕·フツ〔いかる〕 [英] feel heavy, flare up

[字解] [一] **답답할 불**(鬱也). ¶ 怫鬱(불울). [二] **발끈할 비**(忿貌). ¶ 怫然(비연).

[字源] 形聲. 忄(心)+弗〔音〕

[怫然 비연] 불끈 성내는 모양.

5 ⑧ 〖怯〗 겁낼 겁 [入]葉 | qiè

㊐ キョウ〔おそれる〕 [英] fear

[字解] ① **겁낼 겁**(恐也). ¶ 怯言(겁언). ② **겁많을 겁**(多畏). ¶ 卑怯(비겁).

[字源] 會意. 忄(心)+去

[怯夫 겁부] 겁이 많은 남자.

5 ⑧ 〖怭〗 설만할 필[入]質 | bì

㊐ ヒツ〔あなどる〕 [英] look down on

[字解] **설만할 필**(媟慢).

字源 形聲. ↑(心)+必〔音〕

5 8 〔怳〕 어슴푸 레할 황 ㊖養 | huǎng | 忧

㊍ コウ〔うっとりする〕 ㊛ gloomy

字解 ① 어슴푸레할 황(沖漠難狀). ¶ 怳惚(황홀). ② 멍할 황(自失貌). ¶ 怳然(황연).

字源 形聲. ↑(心)+兄〔音〕

參考 怳(心部 6획)은 동자.

4 획

[怳惚 황홀] 눈이 부시어 어릿어릿 하도록 찬란하거나 화려함.

5 8 〔怵〕 두려워 할 출 ㊂質 | chù | 怵

㊍ ジュツ〔おそれる〕 ㊛ fear

字解 두려워할 출(恐也).

字源 形聲. ↑(心)+朮〔音〕

[怵然 출연] 두려워하는 모양.
[怵惕 출척] 두려워 불안한 모양.
[怵怵 출출] 두려워하는 모양.

6 10 〔恥〕 부끄러울 치 ㊂紙 | chǐ | 恥

一 丆 丆 王 耳 耳 耻 恥

㊍ チ〔はじる〕 ㊛ ashamed

字解 부끄러울 치(慚也).

字源 形聲. 心+耳〔音〕

參考 耻(止部 4획)는 속자.

[恥辱 치욕] 부끄럽고 욕됨. 불명예.

6 10 〔恁〕 ㊀생각할 임 ㊂沁 ㊁당신 님 ㊀侵 | rèn
nín | 恁

㊍ ジン〔おもう〕・ニン〔あなた〕 ㊛ think, you

字解 ㊀ ① 생각할 임(念也). ② 이러할 임(如此). ㊁ 당신 님.

字源 形聲. 心+任〔音〕

6 10 〔惠〕 惠(혜)(心部 8획)의 俗字

6 10 〔恐〕 두려울 공 ㊂腫 | kǒng | 恐

一 丁 卫 凡 玑 巩 巩 恐 恐

㊍ キョウ〔おそれる〕 ㊛ fear

字解 두려울 공(懼也).

字源 形聲. 心+巩〔音〕

[恐喝 공갈] 무섭게 으르고 위협함.
[恐怖 공포] 무서움. 두려움.

6 10 〔恕〕 용서할 서 ㊂御 | shù | 恕

ㄥ 女 女 如 如 如 恕 恕

㊍ ジョ〔ゆるす〕 ㊛ pardon

字解 ① 용서할 서(宥也). ¶ 容恕 (용서). ② 어질 서(仁也), 동정할 서(同情心). ¶ 恕思(서사). 忠恕 (충서).

字源 會意. 心과 如의 합자. 자기 일처럼 생각해 줌의 뜻. 또, 「如 (여)」의 전음이 음을 나타냄.

注意 怒(心部 5획)는 딴 글자.

[恕思 서사] 남을 동정하는 마음. 또 는 동정.
[恕免 서면] 용서하여 죄를 묻지 않 음.
[容恕 용서] 잘못이나 죄를 꾸짖거 나 벌하지 않고 끝냄.

6 10 〔恙〕 근심할 양 ㊂漾 | yàng | 恙

㊍ ヨウ〔つつが〕 ㊛ anxiety

字解 ① 근심할 양(憂也). ¶ 恙憂 (양우). ② 병 양(病也). ¶ 無恙 (무양).

字源 形聲. 心+羊〔音〕

[恙憂 양우] 염려되는 일. 근심.
[無恙 무양] 몸에 탈이 없음.

6 10 〔恚〕 성낼 에 ㊀혜㊁寘 | huì | 恚

㊍ イ〔いかる〕 ㊛ angry

字解 성낼 에(恨也), 분낼 에(憤也).

字源 形聲. 心+圭〔音〕

[恚憤　에분] 노하여 분개함.

6 ⑩ 〖恝〗 [一]근심없을 괄[本]갈 [入]黠 [二]근심없을 개[去]卦　jiá

[日] カツ・カイ〔うれいない〕
[英] free from care

[字解] [一] **근심없을 괄**(無愁貌). [二] **근심없을 개**(無愁貌).

[字源] 形聲. 心+丯〔音〕

[恝待　괄대] 푸대접함. 괄시(恝視).

6 ⑩ 〖恣〗 방자할 자[去]寘　zì

[日] シ〔ほしいまま〕 [英] arrogant

[字解] **방자할 자**(縱也). ¶ 放恣(방자). 恣行(자행).

[字源] 形聲. 心+次〔音〕

[恣意　자의] 방자한 마음.
[恣行　자행] 제멋대로 행함. 또, 그 행동.

6 ⑩ 〖恧〗 부끄러울 뉵[入]屋　nǜ

[日] ジク〔はじる〕 [英] ashamed

[字解] **부끄러울 뉵**(慚愧).

[字源] 形聲. 心+而〔音〕

[參考] 忸(心部 4획)은 동자.

[恧焉　육언] 부끄러워하는 모양.

6 ⑩ 【恩】 은혜 은[平]元　ēn

[日] オン〔めぐみ〕 [英] favor

[字解] ① **은혜 은**(惠也). ¶ 恩功(은공). ② **사랑할 은**(愛也). ¶ 恩寵(은총).

[字源] 形聲. 心+因〔音〕

[恩人　은인] 은혜를 베풀어 준 사람.
[恩寵　은총] 은혜와 총애(寵愛).
[恩惠　은혜] 남에게서 받은 고마운 혜택.
[報恩　보은] 은혜를 갚음.

6 ⑩ 〖息〗 숨쉴 식[入]職　xī

[日] ソク〔いき〕 [英] breathe

[字解] ① **숨쉴 식**(呼吸). ¶ 窒息(질식). ② **쉴 식**(休也), **그칠 식**(止也). ¶ 休息(휴식). ③ **살 식, 생존할 식.** ¶ 棲息(서식). ④ **자식 식**(子也). ¶ 令息(영식). ⑤ **이자 식**(錢生子). ¶ 利息(이식).

[字源] 會意. 自(코)와 心의 합자. 가슴속의 숨이 코로부터 드나듦의 뜻.

[棲息　서식] 동물이 깃들여 삶.
[窒息　질식] 숨이 막힘.
[休息　휴식] 일을 멈추고 쉼.

6 ⑩ 〖恋〗 戀(연)(心部 19획)의 略字

6 ⑩ 〖恭〗 공손할 공[平]冬　gōng

[日] キョウ〔うやうやしい〕
[英] respectful, polite

[字解] **공손할 공**(敬也), **공경할 공, 삼갈 공.** ¶ 恭己(공기).

[字源] 形聲. ⺗(心)+共〔音〕

[恭敬　공경] 삼가서 예를 차려 높임.
[恭遜　공손] 공경하고 겸손함.

6 ⑨ 〖恂〗 [一]진실할 순[平]眞 [二]엄할 준[去]震　xún shùn

[日] ジュン〔まこと・にわか〕
[英] sincere, severe

[字解] [一] ① **진실할 순**(信實貌). ¶ 恂恂(순순). ② **두려워할 순, 무서워할 순.** ¶ 恂慄(순율). [二] **엄할 준**(嚴也).

[字解] 形聲. 忄(心)+旬〔音〕

[恂恂 순순] ㉠ 진실하고 공손한 모양. ㉡ 두려워하는 모양.

[恂慄 순율] 두려워서 부들부들 떪.

6 ⑨ 【恃】 믿을 시 [上]紙 | shì

[日] ジ〔たのむ〕 [英] rely on

[字解] 믿을 시(賴也), 의뢰할 시(依也).

[字源] 形聲. 忄(心)+寺〔音〕

[恃賴 시뢰] 믿고 의지함. 의지로 삼음.

6 ⑨ 【恆】 [一] 항상 항 [平]蒸 [二] 반달 긍 [去]徑 | héng gèng

丶 忄 忄 忄 忻 恆 恆 恆

[日] コウ〔つね・ゆみはりづき〕

[英] always, a half moon

[字解] [一] 항상 항(常也). [二] 반달 긍(月弦).

[字源] 會意. 二(상하 또는 좌우)와 忄(心)과 舟의 합자. 마음의 배가 양쪽 기슭을 왕복하며 변하지 않음의 뜻.

[參考] 恒(心部 6획)은 속자.

[恆久 항구] 변하지 않고 오래감.

[恆產 항산] 살아갈 수 있는 일정한 재산. 또는, 일정한 생업(生業).

[恆常 항상] 늘.

[恆時 항시] 늘.

[恆心 항심] 일정 불변한 마음. 사람이 늘 지니고 있는 착한 마음.

6 ⑨ 【恒】 恆(항·긍)(前條)의 俗字

6 ⑨ 【恇】 겁낼 광 [平]陽 | kuāng

[日] キョウ〔おそれる〕 [英] fear

[字解] 겁낼 광(怯也), 두려워할 광(恐也).

[字源] 形聲. 忄(心)+匡〔音〕

[恇駭 광해] 겁내고 놀람.

6 ⑨ 【恍】 황홀할 황 [上]養 | huǎng

[日] コウ〔ほのか〕 [英] raptured

[字解] 황홀할 황(惚也). ¶ 恍惚(황홀).

[字源] 形聲. 忄(心)+光〔音〕

[參考] 怳(心部 5획)은 동자.

6 ⑨ 【恟】 두려울 흉 [平]冬 | xiōng

[日] キョウ〔おそれる〕 [英] fear

[字解] 두려울 흉(懼也).

[字源] 形聲. 忄(心)+匈〔音〕

[恟恟 흉흉] 두려워 떠드는 모양. ¶ 人心恟恟(인심흉흉).

6 ⑨ 【恢】 클 회 [本]괴 [平]灰 | huī

[日] カイ〔ひろい〕 [英] large

[字解] 클 회, 넓을 회(志大). ¶ 恢宏(회굉).

[字源] 形聲. 忄(心)+灰〔音〕

[恢宏 회굉] 넓음.

6 ⑨ 【恤】 구휼할 휼 [本]술 [入]質 | xù

[日] ジュツ〔あわれむ〕 [英] pity

[字解] 구휼할 휼(賑也).

[字源] 形聲. 忄(心)+血〔音〕

[恤民 휼민] 빈민이나 이재민을 구제(救濟)함.

6 ⑨ 【恨】 한할 한 [去]願 | hèn

丶 忄 忄 忄 忄 恨 恨 恨

[日] コン〔うらむ〕 [英] deplore

[字解] ① 한할 한(怨之極). ¶ 恨歎(한탄). ② 뉘우칠 한(悔也). ¶ 悔恨(회한).

[字源] 形聲. 忄(心)+艮〔音〕

[注意] 浪(水部 7획)은 딴 글자.

[恨憤 한분] 한탄하고 분개함.

[恨歎 한탄] 원통하거나, 또는 뉘우쳐 탄식함.

[餘恨 여한] 풀지 못하고 남은 원한.

6
⑨【恪】 ☰삼갈 각
㈎藥
☲삼갈 격
㈎藥
kè

🈁 カク〔つつしむ〕 🇬🇧 be discreet in

字解 ☰ 삼갈 각(謹也). ☲ 삼갈 격(謹也).

字源 形聲. ↑(心)+各〔音〕

[恪勤 각근] 조심하여 부지런히 힘씀.

6
⑨【恫】 상심할
통㈎東
tōng

🈁 ドウ〔いたむ〕 🇬🇧 be absent-minded

字解 상심할 통(悲也).

字源 形聲. ↑(心)+同〔音〕

6
⑨【恬】 편안할
념㈎첨
㈎鹽
tián

🈁 テン〔やすらか〕 🇬🇧 peaceful

字解 ① 편안할 념(安也). ¶ 安恬(안념). ② 고요할 념(靜也). ¶ 恬虛(염허).

字源 形聲. ↑(心)+𦧺〔音〕

[恬淡 염담] 마음이 편안하여 욕심이 없음.

[恬虛 염허] 마음이 고요하고 욕심이 없음.

6
⑨【恰】 흡사할
흡㈎洽
qià

🈁 コウ〔あたかも〕 🇬🇧 similar

字解 흡사할 흡(宛然).

字源 形聲. ↑(心)+合〔音〕

[恰似 흡사] 거의 같음. 비슷함.

6
⑨【悦】 悅(열)(心部 7획)의 俗字

6
⑨【恠】 怪(괴)(心部 5획)의 俗字

7
⑪【患】 근심 환
㈎諫
huàn

丨口口日串串患患患

🈁 カン〔うれえる〕 🇬🇧 anxiety

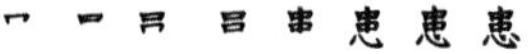

字解 ① 근심 환, 근심할 환(憂也). ¶ 患難(환난). ② 병 환(疾也). ¶ 患者(환자).

字源 形聲. 心+串〔音〕

[患難 환난] 근심과 재난.

[患者 환자] 병을 앓는 사람.

[宿患 숙환] 오랜 병환.

[後患 후환] 어떤 일로 인해 후에 오는 근심이나 걱정.

7
⑪【悠】 멀 유
㈎尤
yōu

丨亻亻攸攸攸悠悠悠

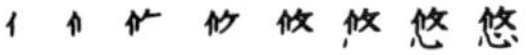

🈁 コウ〔はるか〕 🇬🇧 distant

字解 ① 멀 유(遠也), 아득할 유(眇邈無期貌). ¶ 悠久(유구). ② 한가할 유(閒暇貌). ¶ 悠悠自適(유유자적). ③ 근심할 유. ¶ 悠爾(유이). ④ 생각할 유(思也).

字源 形聲. 心+攸〔音〕

[悠久 유구] 연대(年代)가 오래됨.

[悠悠自適 유유자적] 속된 일에 마음을 괴롭히지 않고, 자기가 하고 싶은 대로 조용히 생각하는 일.

7
⑪【悤】 바쁠 총
㈎東
cōng

🈁 ソウ〔あわてる〕 🇬🇧 busy

字解 ① 바쁠 총. ② 밝을 총.

字源 形聲. 心+囪〔音〕

7
⑪【悉】 다 실
㈎質
xī

🈁 シツ〔ことごとく〕 🇬🇧 all

字解 ① 다 실(皆也). ¶ 知悉(지실). ② 다알 실(詳盡知也).

字源 會意. 心과 釆(판별)의 합자.

마음속으로 판별하여 앎의 뜻.

[知悉 지실] 모두 앎. 죄다 앎. 자세히 앎.

7
⑪ 【惡】 惡(악)(心部 8획)의 俗字

7
⑩ 【悅】 기쁠 열 入屑 | yuè   怳

丶忄忄忄忄忄忄悅

日 エツ〔よろこぶ〕 英 pleased

字解 기쁠 열, 기뻐할 열(喜也), 즐거울 열(樂也).

字源 形聲. 「兌(태)」의 전음이 음을 나타냄.

参考 悅(心部 6획)은 속자.

[悅樂 열락] 기뻐하고 즐거워함.

[喜悅 희열] 기쁨과 즐거움.

7
⑩ 【悁】 성낼 연 ⊕先 | yuān   怏

日 エン〔いかる〕 英 angry

字解 ① 성낼 연(忿也). ② 근심할 연(愁也).

字源 形聲. 忄(心)+肙〔音〕

7
⑩ 【悃】 정성 곤 ⊕阮 | kǔn   悃

日 コン〔まこと〕 英 sincerity

字解 정성 곤, 정성스러울 곤(至純一也). ¶ 悃悃(곤곤).

字源 形聲. 忄(心)+困〔音〕

[悃悃 곤곤] ㉠ 간절한 모양. ㉡ 지조(志操)가 곧은 모양.

[悃望 곤망] 간절하게 바람.

7
⑩ 【悄】 근심할 초 ⊕篠 | qiǎo   悄

日 ショウ〔うれえる〕 英 worry

字解 ① 근심할 초(憂也). ¶ 悄然(초연). ② 고요할 초. ¶ 悄愴(초창).

字源 形聲. 忄(心)+肖〔音〕

[悄然 초연] 의기를 잃어서 기운이 없는 모양. 근심하고 슬퍼하는 모양.

[悄愴 초창] ㉠ 근심하고 슬퍼하는 모양. ㉡ 고요한 모양.

7
⑩ 【悌】 공경할 제 ⊕霽 | tì   悌

日 テイ〔したがう〕 英 respectful

字解 공경할 제(善兄弟也).

字源 形聲. 忄(心)+弟〔音〕

[悌友 제우] 형제간이나 장유(長幼)의 사이에서 정의(情誼)가 두터움.

[孝悌 효제] 효도와 우애.

7
⑩ 【悍】 사나울 한 ⊕翰 | hàn   悍

日 カン〔あらい〕 英 wild

字解 ① 사나울 한(彊很也). ② 날랠 한(勇也).

字源 形聲. 「旱(한)」이 음을 나타냄.

[悍戾 한려] 포악하고 도리에 어그러짐.

[悍馬 한마] 사나운 말. 드센 말.

[悍勇 한용] 사납고 용맹스러움.

[標悍 표한] 날래고 사나움.

7
⑩ 【悔】 뉘우칠 회 ⊕隊 | huǐ   悔

丶忄忄忙忙忙悔悔悔

日 カイ〔くやむ〕 英 repent

字解 뉘우칠 회(懊也), 한할 회(恨也).

字源 形聲. 忄(心)+每〔音〕

[悔改 회개] 잘못을 뉘우치고 고침.

[悔悟 회오] 잘못을 뉘우쳐 깨달음.

[後悔 후회] 이전의 잘못을 깨닫고 뉘우침.

7
⑩ 【悒】 근심할 읍 入緝 | yì   悒

日 ユウ〔うれえる〕 英 worry

字解 근심할 읍(憂也).

字源 形聲. 忄(心)+邑〔音〕

7
10 〔悖〕 ➊어그러질 패(隊) ➋우쩍일 발 入月 | bèi bó | 悖

㉠ ハイ〔もとる〕・ボツ〔さかん〕
㉰ violate

字解 ➊어그러질 패(逆也). ➋우쩍일어날 발(勃也).

字源 形聲. ↑(心)+孛〔音〕

[悖倫 패륜] 인륜(人倫)에 어그러짐.
[悖逆 패역] 인륜에 어긋나 불순함.
[行悖 행패] 체면에 어그러지도록 버릇없는 짓을 함.

7
10 〔悚〕 두려워할 송 上腫 | sǒng | 悚

㉠ ショウ〔おそれる〕 ㉰ fear

字解 두려워할 송(怖也), 송구스러울 송(懼也).

字源 形聲. ↑(心)+束〔音〕

[悚懼 송구] 마음에 두렵고 미안함.
[罪悚 죄송] 죄스럽고 황송함.
[惶悚 황송] ㉠ 두려워함. ㉰ 몸둘 바가 없음.

7
10 〔悛〕 고칠 전 ㊤先平眞 | quān | 悛

㉠ シュン〔あらためる〕 ㉰ correct

字解 고칠 전(改也).

字源 形聲. ↑(心)+夋〔音〕

[悛容 전용] ㉠ 위의(威儀)를 차려 얼굴색을 고침. ㉰ 잘못을 뉘우친 모양.
[改悛 개전] 과거의 잘못을 뉘우쳐 마음을 바르게 고침.

7
10 〔悟〕 깨달을 오 ㊅遇 | wù | 悟

⺗ 忄 忄 忷 忷 悟 悟 悟

㉠ ゴ〔さとる〕 ㉰ realize

字解 깨달을 오(覺也), 깨우칠 오(啓發人).

字源 形聲. ↑(心)+吾〔音〕

[悟性 오성] ㉠ 사물을 잘 깨닫는 성질. 재주. ㉰ 사물을 이해하는 힘. 이성(理性)과 감성(感性)과의 중간에 위치한 논리적 사유의 능력.
[覺悟 각오] ㉠ 깨달음. ㉰ 닥쳐올 일에 대한 마음의 준비.

7
10 〔悧〕 영리할 리 支 | lì

㉠ リ〔さとい〕 ㉰ bright

字解 영리할 리(慧也). ¶ 怜悧(영리).

字源 形聲. ↑(心)+利〔音〕

7
〔悩〕 惱(뇌)(心部 9획)의 俗字

7
〔悩〕 惱(뇌)(心部 9획)의 略字

8
12 〔悶〕 번민할 민 ㊅問 ㊀願 | mèn | 悶

㉠ モン〔もだえる〕 ㉰ agonize

字解 번민할 민(煩也).

字源 形聲. 心+門〔音〕

[悶鬱 민울] 안타깝고 답답함.
[苦悶 고민] 괴로워하고 속을 태움.

8
12 〔悲〕 슬플 비 支 | bēi | 悲

丿 丿 扌 丬 非 非 非 悲 悲

㉠ ヒ〔かなしい〕 ㉰ sad

字解 슬플 비(痛也).

字源 形聲. 心+非〔音〕

[悲感 비감] 슬프게 느낌.
[悲觀 비관] ㉠ 사물을 슬프게 생각하여 실망함. ㉰ 세상을 괴롭고 악한 것으로만 봄.
[悲壯 비장] 슬픔 속에 오히려 씩씩한 기운이 있음.
[悲慘 비참] 차마 눈으로 볼 수 없을 만큼 슬프고 끔찍함.

8 ⑫【惑】미혹할 혹 ⑧職 huò

一丆丆亘或或或惑惑

㈰ ワク〔まどう〕 ㊤ confuse

字解 미혹할 혹(迷也). ¶ 誘惑(유혹).

字源 形聲. 心+或〔音〕

[惑星 혹성] 태양의 주위를 도는 천체들. 행성(行星).

[惑世 혹세] ㉠ 세상을 어지럽게 함. ¶ 惑世評民(혹세무민). ㉡ 어지러운 세상.

[迷惑 미혹] 마음이 흐려 무엇에 홀림.

[疑惑 의혹] 의심하여 수상히 여김.

8 ⑫【惠】은혜 혜 ㊤霽 huì

一丆丏亩亩重惠惠

㈰ ケイ〔めぐみ〕 ㊤ favor

字解 ① 은혜 혜(恩也). ¶ 惠澤(혜택). ② 인자할 혜(仁也). ¶ 惠聲(혜성). ③ 줄 혜(賜也). ¶ 惠書(혜서).

字源 會意. 心과 重(삼감)의 합자. 또, 「重(혜)」가 음을 나타냄.

[惠澤 혜택] 은혜와 덕택.

[惠化 혜화] 은혜를 베풀어 사람을 교화함.

[恩惠 은혜] 고마운 혜택.

8 ⑫【惡】 ■나쁠 악 ㈧藥 ■미워할 오 ㊤遇 è / wù

一丆丆亞亞亞惡惡惡

㈰ アク・オ〔わるい〕・オ〔いずくんぞ・ああ〕 ㊤ bad, hate

字解 ■ 나쁠 악(不良). ¶ 惡評(악평). ■ 미워할 오(憎也).

字源 形聲. 心+亞〔音〕

參考 悪(心部 7획)은 속자.

[惡感 악감] 나쁜 감정.

[惡毒 악독] 마음이 흉악하고 독살스러움.

[惡寒 오한] ㉠ 추위를 싫어함. ㉡ 몸이 오슬오슬 춥고 괴로운 증세.

[憎惡 증오] 몹시 미워함.

8 ⑫【悳】德(덕)(彳部 12획)의 古字

8 ⑪【悻】발끈성낼 행 ㊤梗 xìng

㈰ コウ〔いかる〕 ㊤ angry

字解 발끈성낼 행(很怒).

字源 形聲. ↑(心)+幸〔音〕

[悻悻 행행] 발끈 성을 내는 모양.

8 ⑪【悰】즐길 종 ㊦冬 cóng

㈰ ソウ〔たのしむ〕 ㊤ enjoy

字解 즐길 종.

字源 形聲. ↑(心)+宗〔音〕

8 ⑪【悱】말나오지 아니할 비 ㊤尾 fěi

㈰ ヒ〔いいもだえる〕 ㊤ hesitate

字解 말나오지아니할 비(有意未言).

字源 形聲. ↑(心)+非〔音〕

[悱悱 비비] 마음속으로는 알고 있으면서 말로는 표현하지 못하는 모양.

8 ⑪【悴】파리할 췌 ㊤취 ㊦寘 cuì

㈰ スイ〔やつれる〕 ㊤ haggard

字解 파리할 췌(瘦瘁).

字源 形聲. ↑(心)+卒〔音〕

[悴顔 췌안] 생기가 없는 얼굴.

[憔悴 초췌] 병이나 고생·근심으로 파리하고 해쓱함.

8 ⑪【悵】슬퍼할 창 ㊦漾 chàng

⊕ チョウ〔いたむ〕 ⊛ grieve

[字解] 슬퍼할 창(悲也). 탄식할 창.
¶ 悵怏(창앙).

[字源] 形聲. 忄(心)+長〔音〕

[悵然 창연] 한탄하는 모양. 슬퍼하
는 모양.

[悲悵 비창] 슬프고 마음 아픔.

8획 ⑪ 【悸】 두근거릴
계⊛寘 | jì 悸

⊕ キ〔おそれる〕 ⊛ throb

[字解] ① 두근거릴 계(心動). ¶ 悸
慄(계율). ② 늘어질 계(帶下垂貌).

[字源] 形聲. 忄(心)+季〔音〕

[悸慄 계율] 부들부들 떨며 두려워
함.

[動悸 동계] 심장의 고동이 심하여
가슴이 두근거림.

8획 ⑪ 【悼】 슬퍼할
도⊛號 | dào 悼

⊕ トウ〔いたむ〕 ⊛ grieve

[字解] 슬퍼할 도(悲也).

[字源] 形聲. 忄(心)+卓〔音〕

[悼歌 도가] 죽은 사람을 애도하는
노래.

[哀悼 애도] 남의 죽음을 슬퍼함.

8획 ⑪ 【悽】 슬퍼할
처⊛齊 | qī 悽

ノ 亻 忄 忄 忙 悽 悽 悽

⊕ セイ〔いたむ〕 ⊛ grieve

[字解] 슬퍼할 처(悲也).

[字源] 形聲. 忄(心)+妻〔音〕

[悽絶 처절] 너무 슬퍼하여 기절할
것 같음. 몹시 슬픔.

[悽慘 처참] 끔찍스럽게 참혹함.

8획 ⑪ 【悾】 정성스러
울 공⊛東 | kōng 悾

⊕ コウ〔まこと〕 ⊛ sincere

[字解] ① 정성스러울 공(誠也).
悾悾(공공). ② 경황없을 공(悾不

得志). ¶ 悾憁(공총).

[字源] 形聲. 忄(心)+空〔音〕

[悾憁 공총] 바쁘기만 하고 뜻대로
되지 않아 마음이 상하는 모양. 실의
(失意)한 모양. 경황이 없는 모양.

8획 ⑪ 【情】 뜻 정
⊛庚 | qíng 情

ノ 亻 忄 忄 忋 情 情 情

⊕ ジョウ〔なさけ〕 ⊛ sentiment

[字解] ① 뜻 정(性之動意也). 정 정.
¶ 感情(감정). ② 사랑 정. ¶ 情
死(정사). ③ 사정 정. ¶ 情勢(정
세).

[字源] 形聲. 忄(心)+靑〔音〕

[參考] 情(心部 8획)은 동자.

[情景 정경] ㉠ 상태. 상황. 광경.
㉡ 정취(情趣)와 경치.

[情勢 정세] 사정과 형세.

[情況 정황] 사물의 정세와 형편.

[多情 다정] 매우 정다움.

8획 ⑪ 【惇】 도타울 돈
⊛元⊛眞 | dūn 惇

⊕ トン〔あつい〕 ⊛ hearty

[字解] 도타울 돈(厚也).

[字源] 形聲. 忄(心)+享〔音〕

[惇德 돈덕] 인정이 많은 덕행.

[惇信 돈신] 정성으로 믿음.

8획 ⑪ 【惆】 실심할
추⊛尤 | chóu 惆

⊕ チョウ〔かなしむ〕 ⊛ disappointed

[字解] 실심할 추(失意). ¶ 惆然(추
연).

[字源] 形聲. 忄(心)+周〔音〕

[惆然 추연] ㉠ 실망하여 슬퍼하는
모양. ㉡ 슬퍼하여 한탄하는 모양.

8획 ⑪ 【惋】 한탄할
완⊛翰 | wǎn 惋

⊕ ワン〔なげく〕 ⊛ deplore

[字解] 한탄할 완(駭恨).

4획

字源 形聲. ↑(心)+宛〔音〕

8
⑪ 【倦】 삼갈 권
㊀先
ケン〔つつしむ〕 영 eschew
quán

字解 삼갈 권(謹也).
字源 形聲. ↑(心)+卷〔音〕

4
획

8
⑪ 【傪】 ━실심할 삼 ㊀勘
━생각할 탐 ㊀勘
サン〔おもう〕・タン〔おもう〕
영 stupefied, think
sàn
tàn

字解 ━실심할 삼(失志貌). ━생각할 탐(思也).
字源 形聲. ↑(心)+祭〔音〕

8
⑪ 【惕】 두려워할 척 ㊀錫
テキ〔おそれる〕 영 fear
tì

字解 ① 두려워할 척(憂懼也). ¶ 惕念(척념). ② 공경할 척(敬也). ¶ 惕悚(척송).
字源 形聲. ↑(心)+易〔音〕
[惕悚 척송] 두려워하여 삼감.
[惕然 척연] 두려워하는 모양.
[怵惕 출척] 두려워서 조심함.

8
⑪ 【惘】 실심할 망 ㊀養
モウ〔ぼんやりする〕 영 stupefied
wǎng

字解 실심할 망(失心).
字源 形聲. ↑(心)+罔〔音〕
[惘然 망연] 맥이 풀려 멍한 모양.

8
⑪ 【惙】 근심할 철 ㊀屑
テツ〔うれえる〕 영 worry
chuò

字解 근심할 철(憂也). ¶ 惙惙(철철).
字源 形聲. ↑(心)+叕〔音〕

8
⑪ 【惚】 황홀할 홀 ㊀月
コツ〔うっとりする〕 영 rapture
hū

字解 황홀할 홀(微妙不測貌). ¶ 恍惚(황홀).
字源 形聲. ↑(心)+忽〔音〕

8
⑪ 【惛】 ━흐릴 혼 ㊀元
━번민할 민 ㊀願
コン〔くらい〕・ボン・モン〔もだえる〕
영 dull, worry
hūn
mèn

字解 ━흐릴 혼(心不明). ━번민할 민.
字源 形聲. ↑(心)+昏〔音〕
[惛耄 혼모] 늙어서 정신이 흐리고 쇠약함. 혼모(昏耗).

8
⑪ 【惜】 아낄 석 ㊀陌
xī

丶 ↑ 忄 忰 忰 忰 惜 惜

セキ・シャク〔おしむ〕 영 grudge
字解 아낄 석, 아깝게여길 석(怜也). ¶ 惜吝(석린).
字源 形聲. ↑(心)+昔〔音〕
[惜別 석별] 이별을 섭섭히 여김.

8
⑪ 【惝】 경황없을 창 ㊀養
ショウ〔しつぼうする〕
영 have no mind for
chǎng

字解 경황없을 창, 낙심할 창(失意不悅貌).
字源 形聲. ↑(心)+尙〔音〕

8
⑪ 【惟】 생각할 유 ㊀支
wéi

丶 ↑ 忄 忄 忄 忄 惟 惟

イ〔おもう・ただ〕 영 think
字解 ① 생각할 유(思也). ¶ 惟精(유정). ② 오직 유(獨也). ¶ 惟獨(유독).

[字源] 形聲. 忄(心)+隹〔音〕

[惟獨 유독] 오직 홀로.
[惟一 유일] 오직 하나.
[思惟 사유] 논리적으로 생각함.

8 ⑪ 【悷】 서러워할 려[去]霽 | lì

[日] レイ〔かなしむ〕 [英] be sad about

[字解] **서러워할 려**(悲貌懔懔).

[字源] 形聲. 忄(心)+戾〔音〕

8 ⑪ 【慘】 慘(참)(心部 11획)의 俗字

8 ⑪ 【情】 情(정)(臼部 8획)과 同字 · 簡體字

9 ⑫ 【惰】 지혜 서 [平]魚 | xū

[日] シヨ〔さとい〕 [英] wisdom

[字解] **지혜 서. 슬기 서.**

[字源] 形聲. 忄(心)+胥〔音〕

9 ⑬ 【愛】 사랑 애 [去]隊 | 爱 ài

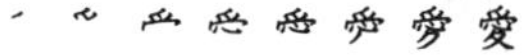

[日] アイ〔いつくしむ〕 [英] love

[字解] ① **사랑 애, 사랑할 애**(仁之發). ¶ 愛好(애호). ② **그리워할 애**(慕也). ③ **아낄 애**(吝惜). ¶ 愛惜(애석).

[字源] 形聲. 고자(古字)는 炁. 夂를 바탕으로 「旡(기)」의 전음이 음을 나타냄.

[愛撫 애무] 사랑하여 어루만짐.
[愛惜 애석] ㉠ 아깝고 서운함. ㉡ 사랑하고 아낌.
[愛玩 애완] 사랑하며 즐겨 구경함.
[愛情 애정] 사랑하는 정이나 마음.
[愛好 애호] 사랑하고 좋아함.
[博愛 박애] 모든 사람을 평등하게 사랑함.

9 ⑬ 【感】 느낄 감 [本]함[上]感 | gǎn

[日] カン〔かんずる〕 [英] feel

[字解] ① **느낄 감**(動人心也). ¶ 感想(감상). ② **감동할 감**(動也). ¶ 感化(감화).

[字源] 會意. 心+咸〔音〕

[感謝 감사] ㉠ 고마움. 고맙게 여김. ㉡ 고맙게 여기어 사의(謝意)를 표함.
[感想 감상] ㉠ 느끼어 생각함. ㉡ 느낀 바. 느낀 생각.
[感情 감정] 느끼어 일어나는 심정.
[敏感 민감] 감각이 예민함.

9 ⑬ 【愗】 어리석을 무[去]有 | mào

[日] ボウ〔おろか〕 [英] stupid

[字解] **어리석을 무**(遇貌怐愗).

[字源] 形聲. 心+敄〔音〕

9 ⑬ 【想】 생각할 상[上]養 | xiǎng

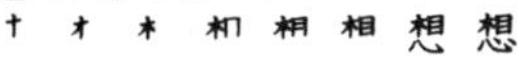

[日] ソウ〔おもう〕 [英] imagine

[字解] **생각할 상**(思也).

[字源] 形聲. 心+相〔音〕

[想起 상기] 지난 일을 생각하여 냄.
[想念 상념] 마음에 떠오르는 생각. 마음속에 품는 여러 가지 생각.
[想像 상상] 머릿속으로 그려 생각함.
[假想 가상] 가정해서 생각함.

9 ⑬ 【惷】 어수선할 준[上]軫 | chǔn

[日] シュン〔みだれる〕
[英] be in disorder

[字解] ① **어수선할 준**(亂也). ② **어리석을 준**(愚也).

[字源] 形聲. 心+春〔音〕

9 ⑬ 【惹】 이끌 야 [上]馬 | rě

4 획

4
획

　　　　　　　　　　　　　　　　　　圓 ジャク〔ひく〕　英 provoke
字解 이끌 야(引着).
字源 形聲. 心+若〔音〕
[惹起 야기] 끌어 일으킴.

9
⑬【愁】근심 수
　　　　㉠尤　chóu
一 千 禾 秋 秋 秋 愁 愁
圓 シュウ〔うれえる〕　英 anxiety
字解 근심 수, 근심할 수(憂也).
字源 形聲. 心+秋〔音〕
[愁心 수심] 근심하는 마음.
[哀愁 애수] 슬픈 시름.

9
⑬【愆】허물 건
　　　　㉠先　qiān
圓 ケン〔あやまる〕　英 fault
字解 ① 허물 건(過失也). ¶ 愆悔
(건회). ② 어그러질 건(差也). ¶
愆期(건기).
字源 形聲. 心+衍〔音〕
[愆期 건기] 기일을 어김.
[愆悔 건회] 허물. 잘못.

9
⑬【愈】더할 유
　　　　㊤虞　yù
ハ 〜 亇 亇 愈 愈 愈 愈
圓 ユ〔いよいよ〕　英 more
字解 ① 더할 유(益也). ¶ 愈愈(유
유). ② 나을 유(勝也, 過也). ③ 병
나을 유(病差癒也).
字源 形聲. 心+兪〔音〕
[愈出愈怪 유출유괴] 갈수록 더욱 괴
상하여짐.

9
⑬【愍】가엾어
　　　　할 민
　　　　㊤軫　mǐn
圓 ビン〔あわれむ〕　英 feel pity for
字解 가엾어할 민(憐也).
字源 形聲. 心+敃〔音〕
[愍然 민연] 불쌍한 모양.

[憐愍 연민] 불쌍히 여김.

9
⑬【意】■뜻 의
　　　　㊤寘　yì
　　　　■한숨쉴
　　　　희㊤支　yī
一 一 立 中 音 音 音 音 意 意
圓 イ〔こころ・ああ〕
英 meaning, sigh
字解 ■ ① 뜻 의(志之發心所慮).
② 생각 의(思也). ¶ 意見(의견).
■ 한숨쉴 희(噫也).
字源 會意. 音과 心의 합자. 마음에
생각하는 일은 음성이 되어 밖으로
나타남의 뜻.
[意思 의사] 마음먹은 생각.
[意向 의향] 무엇을 하려는 생각.

9
⑬【愚】어리석을
　　　　우㊤虞　yú
口 日 目 昌 禺 禺 愚 愚
圓 グ〔おろか〕　英 stupid
字解 어리석을 우(癡也). ¶ 愚昧
(우매).
字源 形聲. 心+禺〔音〕
[愚見 우견] ㉠ 자기의 의견의 겸칭.
㉡ 어리석은 생각.
[愚弄 우롱] 어리석다고 깔보아 놀
려 댐.

9
⑫【愒】■쉴 게
　　　　㉭霽　qì
　　　　■탐할
　　　　개㊤泰　kài
　　　　■으를
　　　　할㊤曷　hè
圓 ケイ〔いこう〕・カイ〔むさぼる〕・
カツ〔おびやかす〕
英 rest, covet, scare
字解 ■ 쉴 게. ■ 탐할 개. ■
으를 할.
字源 形聲. ↑(心)+曷〔音〕

9
⑫【惰】게으를
　　　　타㊤哿　duò

4획

ⓙ ダ〔おこたる〕 ⓔ lazy
字解 게으를 타(怠也, 懈也). ¶ 怠惰(태타).
字源 形聲. 忄(心)+育(隋)〈省〉〔音〕

[惰性 타성] 오래되어 굳어진 버릇.

---

9 ⑫ **〔愃〕** ■너그러울 훤⊕阮 ■쾌할 선⊕先 xuān 愃

ⓙ ケン〔ゆたか〕・セン〔こころよい〕
ⓔ generous, refreshed
字解 ■너그러울 훤. ■쾌할 선.
字源 形聲. 忄(心)+宣〔音〕

---

9 ⑫ **〔惱〕** 괴로워할 뇌⊕皓 ⊕皓 náo 惱

ハ 忄 忄″ 忄″ 悩 悩 悩 悩

ⓙ ノウ〔なやむ〕 ⓔ troubled
字解 괴로워할 뇌. ¶ 煩惱(번뇌).
字源 形聲. 忄(心)+𡿺〔音〕

[惱殺 뇌쇄] 심히 고민함. 또, 심히 고민하게 함.
[苦惱 고뇌] 괴로워하고 번뇌함.

---

9 ⑫ **〔惴〕** 두려워할 췌⊕취 ⊕寘 zhuì 惴

ⓙ ズイ〔おそれる〕 ⓔ fear
字解 두려워할 췌(憂懼).
字源 形聲. 忄(心)+耑〔音〕

[惴縮 췌축] 두려워서 기를 못 폄.

---

9 ⑫ **〔惶〕** 두려워할 황⊕陽 huáng 惶

ⓙ コウ〔おそれる〕 ⓔ fear
字解 두려워할 황(恐懼).
字源 形聲. 忄(心)+皇〔音〕

[惶恐 황공] 위엄이나 지위에 눌려 어쩔 줄 모를 정도로 두려워함.

---

9 ⑫ **〔惸〕** 독신자 경⊕庚 qióng 惸

ⓙ ケイ〔ひとりもの〕 ⓔ bachelor
字解 ① 독신자 경(獨也無兄弟). ② 근심할 경(憂也).
字源 形聲. 忄(心)+子+曹〈省〉〔音〕

---

9 ⑫ **〔惻〕** 슬퍼할 측⊕職 cè 惻

ⓙ ソク〔いたむ〕 ⓔ grieve
字解 ① 슬퍼할 측(悲也). ② 가엾게여길 측(傷悼也).
字源 形聲. 忄(心)+子+則〔音〕

[惻怛 측달] 불쌍히 여겨 슬퍼함.
[惻隱 측은] 가엾고 애처로움.

---

9 ⑫ **〔惼〕** 편협할 편⊕銑 biān 惼

ⓙ ヘン〔かたよる〕 ⓔ illiberal
字解 편협할 편(性愊).
字源 形聲. 忄(心)+扁〔音〕

---

9 ⑫ **〔愀〕** ■핼쑥할 초⊕篠 ■쓸쓸할 추⊕有 qiǎo 愀

ⓙ ショウ〔うれえる〕
ⓔ look pale, lonesome
字解 ■핼쑥할 초(容色變). ¶ 愀如(초여). 愀然(초연). ■쓸쓸할 추.
字源 形聲. 忄(心)+秋〔音〕

---

9 ⑫ **〔愉〕** ■즐거울 유⊕虞 ■구차할 투⊕尤 yú tōu 愉

ⓙ ユ〔たのしい〕・トウ〔うすい〕
ⓔ glad, very poor
字解 ■ 즐거울 유, 즐거워할 유(樂也). ■구차할 투.
字源 形聲. 忄(心)+兪〔音〕

[愉樂 유락] 기뻐하며 즐거워함.
[愉快 유쾌] 마음이 상쾌함.

9 ⑫ 【惺】 깨달을 성 [平]青 | xīng

[日] セイ〔さとる〕 [英] comprehend

[字解] ① 깨달을 성. ② 영리할 성.

[字源] 形聲. 忄(心)+星〔音〕

[惺悟 성오] 깨달음.

9 ⑫ 【愊】 [一]정성 픽 [本]벽 [入]職 [二]답답할 핍 [入]緝 | bì

[日] フク〔まこと・むすばれる〕

[英] sincerity, feel heavy

[字解] [一] 정성 픽(誠至也). [二] 답답할 핍(鬱也).

[字源] 形聲. 忄(心)+畐〔音〕

9 ⑫ 【愎】 괴팍할 퍅 [入]職[本]벽 | bì

[日] フク〔もとる〕 [英] perverse

[字解] 괴팍할 퍅(佷也, 戾也). 성질이 강팍함.

[字源] 形聲. 忄(心)+复〔音〕

[乖愎 괴팍] 까다롭고 걸핏하면 성을 냄.

9 ⑫ 【愕】 놀랄 악 [入]藥 | è

[日] ガク〔おどろく〕

[英] surprised

[字解] 놀랄 악, 깜짝놀랄 악(倉卒驚遽貌).

[字源] 形聲. 忄(心)+咢〔音〕

[參考] 噩(口部 13획)은 동자.

[愕然 악연] 깜짝 놀라는 모양.

[驚愕 경악] 깜짝 놀람.

9 ⑫ 【愜】 쾌할 협 [本]겹[入]葉 | qiè

[日] キョウ〔こころよい〕

[英] delightful

[字解] 쾌할 협(快也).

[字源] 形聲. 忄(心)+匧〔音〕

9 ⑫ 【愞】 懦(유・나)(心部 14획)와 同字

9 ⑫ 【愠】 慍(온)(心部 10획)의 俗字

9 ⑬ 【慈】 慈(자)(心部 10획)의 俗字

10 ⑭ 【愨】 삼갈 각 [入]覺 | 悫 què

[日] カク〔まこと〕

[英] be discreet in

[字解] 삼갈 각(謹也).

[字源] 形聲. 心+㱿〔音〕

[參考] 慤(心部 11획)은 속자.

[愨士 각사] 성실한 사람.

10 ⑭ 【愬】 [一]하소연할 소 [去]遇 [二]두려워할 색 [入]陌 | sù shuò

[日] ソ〔うったえる〕・サク〔おそれる〕

[英] appeal, fear

[字解] [一] 하소연할 소(告也). [二] 두려워할 색(驚懼).

[字源] 形聲. 心+朔〔音〕

[參考] [一]은 訴(言部 5획)와 통용.

10 ⑭ 【愿】 삼갈 원 [去]願 | yuàn

[日] ゲン〔つつしむ〕

[英] be discreet in

[字解] ① 삼갈 원(謹也). ② 착할 원(善也).

[字源] 形聲. 心+原〔音〕

[愿朴 원박] 솔직하여 꾸밈이 없음.

10 ⑭ 【慂】 권할 용 [上]腫 | yǒng

[日] ヨウ〔すすめる〕 [英] persuad

[字解] 권할 용(勸也).

[字源] 形聲. 心+涌〔音〕

[慫慂 종용] ㉠ 잘 달래어 하게 함.

ⓛ 꾀어서 권함.

10⑭【慇】은근할 은㊚文 │ yīn
ⓙ イン〔ねんごろ〕 ⓔ polite
字解 은근할 은(委曲也).
字源 形聲. 心+殷〔音〕

[慇懃 은근] ㉠ 서로 통하는 마음이 남모르게 살뜰함. ⓛ 겉으로 드러내지는 않으나, 속으로 생각하는 정도는 깊음.

10⑭【慈】사랑 자㊦支 │ cí
ⓙ ジ〔いつくしむ〕 ⓔ mercy
字解 ① 사랑 자(愛也). ¶ 慈愛(자애). ② 어머니 자(母也). ¶ 慈堂(자당).
字源 形聲. 心+玆〔音〕
參考 慈(心部 9획)는 속자.

[慈母 자모] 인자한 어머니. 모친(母親).
[慈愛 자애] ㉠ 사랑. ⓛ 어머니의 사랑.
[慈親 자친] ㉠ 인자한 어버이. ⓛ (韓) 자기 어머니의 겸칭.

10⑭【態】태도 태㊦隊 │ tài
ⓙ タイ〔さま〕 ⓔ attitude
字解 ① 태도 태. ¶ 態臣(태신). ② 모양 태(姿也).
字源 會意. 心과 能(잘 앎)의 합자. 마음에 새기고 난 뒤에 태도에 나타남의 뜻.

[態度 태도] 몸가짐. 모양.
[世態 세태] 세상의 상태나 형편.

10⑬【慍】성낼 온㊦問 │ yùn
ⓙ オン〔いかる〕 ⓔ angry
字解 ① 성낼 온(怒也). ② 노염품을 온(含怒貌). ③ 한할 온(恨也).
字源 形聲. ↑(心)+㬈〔音〕
參考 慍(心部 9획)은 속자.

[慍色 온색] 성내고 원망하는 얼굴빛.

10⑬【愧】부끄러워할 괴㊦寘 │ kuì
字解 부끄러워할 괴(慙也).
字源 形聲. ↑(心)+鬼〔音〕

[愧色 괴색] 부끄러워하는 얼굴빛.
[慙愧 참괴] 부끄럽게 여김.

10⑬【愴】슬퍼할 창㊦漾 │ chuàng
ⓙ ソウ〔いたむ〕 ⓔ grieve
字解 슬퍼할 창(悲也).
字源 形聲. ↑(心)+倉〔音〕

[悲愴 비창] 몹시 슬프고 가슴 아픔.

10⑬【愷】편안할 개㊤賄 │ kǎi
ⓙ ガイ〔やわらぐ〕 ⓔ peaceful
字解 ① 편안할 개(康也). ② 즐거울 개(樂也). ¶ 愷悌(개제). ③ 싸움이긴풍류 개(畢勝樂). ¶ 愷樂(개악).
字源 會意. 豈(즐김)와 心의 합자. 또, 「豈(개)」는 음을 나타냄.
參考 凱(几部 10획)와 통용.

[愷悌 개제] 화락함. 온화하고 단정함.

10⑬【愼】삼갈 신㊦震 │ shèn
ⓙ シン〔つつしむ〕 ⓔ be discreet in
字解 삼갈 신(謹也).

[字源] 形聲. 小(心)+眞〔音〕

[參考] 慎(心部 10획)과 동자.

[愼色 신색] 여색(女色)을 삼감.
[愼重 신중] 매우 조심스러움.
[謹愼 근신] 삼가고 조심함.

10 ⑬ 【愾】 [一]성낼 개 [去]隊 [二]한숨쉴 희[去]未 | 忾 kài xì

[日] ガイ〔いかる〕·キ〔ためいき〕
[英] angry, sigh

[字解] [一] **성낼 개**(怒恨也). ¶ 敵愾心(적개심). [二] **한숨쉴 희**(太息也).

[字源] 形聲. 忄(心)+氣〔音〕

10 ⑬ 【慄】 두려워할 률 [入]質 | 栗 lì

[日] リツ〔おそれる〕 [英] fear

[字解] **두려워할 률**(懼也).

[字源] 形聲. 忄(心)+栗〔音〕

[戰慄 전율] 몹시 두려워 몸이 떨림.

10 ⑬ 【慆】 방자할 도[平]豪 | tāo

[日] トウ〔ほしいまま〕 [英] impertinent

[字解] ① **방자할 도**(慢也). ② **의심할 도**(疑也). ③ **오랠 도**(久也).

[字源] 形聲. 忄(心)+舀〔音〕

10 ⑬ 【慊】 [一]찐덥지 않을 겸 [上]琰 [二]혐의 혐 [平]鹽 [三]족할 협 [入]葉 | qiàn xiàn qiè

[日] ケン〔あきたらない·うたがう〕·キョウ〔あきたりる〕
[英] displease, suspicion, enough

[字解] [一] **찐덥지않을 겸**(意不滿). ¶ 慊如(겸여). [二] **혐의 혐**(嫌也). [三] **족할 협**.

[字源] 形聲. 忄(心)+兼〔音〕

[慊然 겸연] ㉠ 마음에 차지 않는 모양. ㉡ 미안해서 면목이 없는 모양.

10 ⑬ 【慌】 허겁지겁할 황 [上]養 | huāng

[日] コウ〔あわただしい〕 [英] hurried

[字解] ① **허겁지겁할 황**. ¶ 慌忙(황망). ② **흐리멍덩할 황**(不分明).

[字源] 形聲. 忄(心)+荒〔音〕

[慌忙 황망] 바빠서 허겁지겁하며 어찌할 바를 모름. 당황함.
[唐慌 당황] 바빠서 어리둥절함.

10 ⑬ 【愰】 밝을 황 [上]養 | huàng

[日] コウ〔あかるい〕 [英] bright

[字解] ① **밝을 황**(明也). ② **들뜰 황**. ¶ 愰懩(황양).

[字源] 形聲. 忄(心)+晃〔音〕

10 ⑬ 【慎】 愼(신)(心部 10획)과 同字

11 ⑮ 【慶】 [一]경사 경 [去]敬 [二]어조사 강[平]陽 | 庆 qìng qiāng

一 广 户 声 声 鹿 廖 慶

[日] ケイ〔よろこぶ〕 [英] happy

[字解] [一] **경사 경**(福也). [二] **어조사 강**.

[字源] 會意. 声(鹿의 생략)과 心과 夂(다리)의 합자. 옛날에는 길사(吉事)의 예물에는 사슴의 가죽을 보냈음.

[慶事 경사] 축하할 만한 기쁜 일.
[慶賀 경하] 경사로운 일에 대하여 기쁜 뜻을 표함.

11 ⑮ 【慜】 총명할 민[上]軫 | mǐn

[日] ビン〔さとい〕 [英] wise

[字解] ① **총명할 민**. ② **민첩할 민**.

4 획

11 ⑮【憂】 근심 우 | 忧 | *(cursive)*

一丌丙画画憂憂憂憂

⊕ ユウ〔うれえる〕 ⊛ anxiety

字解 ① 근심 우(愁思). ¶ 憂慮(우려). ② 상제될 우(居喪). ¶ 丁憂(정우).

字源 形聲. 夂+恖〔音〕

[憂慮 우려] 걱정함. 근심함.

[憂患 우환] ㉠ 근심. 걱정. ㉡ 질병.

[杞憂 기우] 쓸데없는 근걱정을 함. 또는, 그 걱정.

11 ⑮【慙】 부끄러워 할 참 ⊕覃 | 慚 | cán | *(cursive)*

日旦車斬斬斬慙慙

⊕ ザン〔はじる〕 ⊛ shame

字解 부끄러워할 참(愧也).

字源 形聲. 心+斬〔音〕

參考 慚(心部 11획)과 동자.

[無慙 무참] 말할 수 없이 부끄러움.

11 ⑮【慝】 악할 특 ⑤職 | tè | *(cursive)*

⊕ トク〔わるい〕 ⊛ wicked

字解 악할 특(惡也).

字源 會意. 心과 匿(감춤)의 합자. 숨어서 하는 악행(惡行).

11 ⑭【憁】 바쁠 총 ⑤送 | còng

⊕ ソウ〔せわしい〕 ⊛ busy

字解 ① 바쁠 총. ② 심심할 총.

字源 形聲. 忄(心)+悤〔音〕

11 ⑮【慧】 슬기 혜 ⑤霽 | huì | *(cursive)*

彗彗彗彗彗彗彗彗

⊕ ケイ・エ〔さとい〕 ⊛ wisdom

字解 슬기 혜(才智).

字源 形聲. 心+彗〔音〕

[慧敏 혜민] 슬기가 있고 민첩함.

[慧眼 혜안] 사물을 명찰(明察)하는 눈.

[知慧 지혜] 슬기.

11 ⑮【慫】 종용할 종 ⊕腫 | 怂 | sǒng | *(cursive)*

⊕ ショウ〔すすめる〕 ⊛ persuade

字解 종용할 종(慫也).

字源 形聲. 心+從〔音〕

[慫慂 종용] ㉠ 잘 설명하고 달래어 하게 함. ㉡ 꾀어서 권함.

11 ⑮【慮】 ■생각할 려 ⑤御 ■사실할 록 ⑤屋 | 虑 | lǜ / lǜ | *(cursive)*

一广户卢虍虍虛慮慮

⊕ リョ〔おもんばかる〕・ロク〔はかる〕 ⊛ consider, investigate

字解 ■ ① 생각할 려(謀思). ② 걱정할 려(憂也). ■ 사실할 록(錄也).

字源 形聲. 心+虍〔音〕

[慮外 여외] 뜻밖. 의외(意外).

[考慮 고려] 생각하여 헤아림.

11 ⑮【慰】 위로할 위 ⑤未 | wèi | *(cursive)*

� 尸尸屒尉尉尉慰慰

⊕ イ〔なぐさめる〕 ⊛ comfort

字解 위로할 위(安之以惬其情).

字源 形聲. 心+尉〔音〕

[慰勞 위로] ㉠ 수고를 치하하여 마음을 즐겁게 함. ㉡ 괴로움이나 슬픔을 잊게 함.

11 ⑮【慼】 慽(척)(心部 11획)과 同字

11 ⑮【慾】 욕심 욕 ⑤沃 | yù | *(cursive)*

八爻谷谷谷欲欲慾慾

⊕ ヨク〔むさぼる〕 ⊛ desire

字解 욕심 욕(情所好嗜).

字源 會意. 心과 欲의 합자. 또, 「欲(욕)」은 음을 나타냄.

參考 欲(欠部 7획)은 본자.

[慾望 욕망] 무엇을 하거나 가지고자 함. 또, 그 마음.

11⑮【惷】 ■천치 창 ■어리석을 송 | chuāng chōng

㊊江 ㊋冬

㊐ トウ・ショウ〔おろか〕 ㊤ idiot, fool

字解 ■ 천치 창(癡騃). ■ 어리석을 송.

字源 形聲. 心+春〔音〕

11⑮【愨】 慤(각)(心部 10획)의 俗字

11⑮【憇】 憩(게)(心部 12획)의 俗字

11⑮【慕】 사모할 모 ㊤遇 | mù

艹 苩 芦 莫 莫 慕 慕

㊐ ボ〔したう〕 ㊤ long for

字解 ① 사모할 모(係慕不忘). ② 생각할 모(思也).

字源 形聲. 㣺(心)+莫〔音〕

[慕情 모정] 사모하는 마음.

[思慕 사모] 생각하고 그리워함.

11⑭【慓】 날랠 표 ㊤蕭 | piāo

㊐ ヒョウ〔はやい〕 ㊤ swift

字解 날랠 표(疾也).

字源 形聲. 㣔(心)+票〔音〕

[慓毒 표독] 사납고 독살스러움.

11⑭【慘】 아플 참 ㊤感 | cǎn

忄 忄 忙 忭 怦 惨 慘

㊐ サン〔いたむ〕 ㊤ sore

字解 ① 아플 참(痛也). ② 혹독할 참(酷毒). ¶ 慘敗(참패). ③ 근심할 참(愁也). ④비통할 참(痛感).

字源 形聲. 㣔(心)+參〔音〕

參考 惨(心部 8획)은 속자.

[慘狀 참상] 참혹한 상태. 참혹한 정상(情狀).

[慘酷 참혹] 끔찍하게 불쌍함. 끔찍하게 비참함.

[悲慘 비참] 슬프고 참혹함.

11⑭【慟】 서러워할 통 ㊤送 | tòng

㊐ ドウ〔なげく〕 ㊤ grieve

字解 서러워할 통(哀過心動).

字源 形聲. 㣔(心)+動〔音〕

[慟哭 통곡] 슬퍼서 큰 소리로 욺.

[慟絶 통절] 너무 서러워서 정신을 잃음.

11⑭【傲】 傲(오)(人部 11획)와 同字

11⑭【慢】 게으를 만 ㊤諫 | màn

忄 忄 忙 怛 怛 慢 慢 慢

㊐ マン〔おこたる〕 ㊤ lazy

字解 ① 게으를 만(怠也). ② 느릴 만(緩也). ¶ 慢性(만성). ③ 방종할 만(放肆). ¶ 放慢(방만). ④ 업신여길 만. ¶ 侮慢(모만).

字源 形聲. 㣔(心)+曼〔音〕

[慢心 만심] 자신을 지나치게 보고 자랑하며 남을 업신여기는 마음.

[傲慢 오만] 태도나 행동이 건방지고 거만함.

11⑭【慣】 익숙할 관 ㊤諫 | guàn

忄 忄 忄 怕 怕 慣 慣 慣

㊐ カン〔なれる〕 ㊤ accustomed

字解 ① 익숙할 관(習熟). ② 버릇 관. ¶ 慣習(관습).

字源 形聲. 㣔(心)+貫〔音〕

[慣例 관례] 습관이 된 전례.
[慣習 관습] ㉠ 익숙함. ㉡ 버릇. 습관. ㉢ 풍습.
[習慣 습관] 버릇.

11 ⑭ 【慨】 슬퍼할 개[去]隊 | kǎi

丶 忄 忄 怛 悙 慨 慨

[日] ガイ〔なげく〕 [英] grieve

[字解] ① 슬퍼할 개(悲也). ② 강개할 개(失意壯士不得志).

[字源] 形聲. 忄(心)+旣〔音〕

[慨然 개연] 분개하는 모양. 대단히 슬퍼하는 모양.
[慨嘆 개탄] 의분이 북받쳐 탄식함. ¶ 慨嘆之事(개탄지사).
[憤慨 분개] 매우 분하게 여김.

11 ⑭ 【慳】 인색할 간[平]刪 | 悭 qiān

[日] ケン〔おしむ〕 [英] stingy

[字解] 인색할 간, 아낄 간(吝也).

[字源] 形聲. 忄(心)+堅〔音〕

[慳吝 간린] 인색함. 구두쇠.

11 ⑭ 【慴】 겁낼 습 [本]접[入]葉 | shè

[日] ショウ〔おそれる〕 [英] fear

[字解] ① 겁낼 습(怯也). ② 두려워할 습(懼也).

[字源] 形聲. 忄(心)+習〔音〕

[慴伏 습복] 두려워하여 굴복함.

11 ⑭ 【慵】 게으를 용[平]冬 | yōng

[日] ヨウ〔ものうい〕 [英] lazy

[字解] 게으를 용(懶也).

[字源] 形聲. 忄(心)+庸〔音〕

11 ⑭ 【慷】 강개할 강[上]養 [平]陽 | kāng

[日] コウ〔なげく〕 [英] indignant

[字解] 강개할 강(激昂也).

[字源] 形聲. 忄(心)+康〔音〕

[慷慨 강개] ㉠ 의분(義憤)이 북받쳐 슬퍼하고 한탄함. ㉡ 뜻을 얻지 못하여 한탄하는 모양.

11 ⑭ 【慽】 근심 척 [入]錫 | qī

[日] セキ〔うれえる〕 [英] worry

[字解] 근심 척(憂也).

[字源] 形聲. 忄(心)+戚〔音〕

[參考] 慼(心部 11획)과 동자.

11 ⑭ 【慚】 慙(참)(心部 11획)과 同字

12 ⑯ 【憋】 모질 별 [入]屑 | biē

[日] ヘツ〔せっかち〕 [英] wicked

[字解] ① 모질 별(惡也). ② 성급할 별(急性).

[字源] 形聲. 心+敝〔音〕

12 ⑯ 【憊】 고달플 비[去]卦 | 惫 bèi

[日] ハイ〔つかれる〕 [英] tired out

[字解] 고달플 비(疲極).

[字源] 形聲. 心+備(葡)〔音〕

[憊色 비색] 고달픈 안색.

12 ⑯ 【憑】 기댈 빙 [平]蒸 | 凭 píng

[日] ヒョウ〔よる〕 [英] rely

[字解] ① 기댈 빙(依也). ¶ 憑據(빙거). ② 증거 빙(證據, 證書). ¶ 證憑(증빙).

[字源] 形聲. 心+馮〔音〕

[憑藉 빙자] ㉠ 핑계함. ㉡ 남의 세력에 의거함.

12 ⑯ 【憖】 억지로 은[平]震 | yìn

[日] ギン〔なまじいに〕 [英] by force

字解 ① 억지로 은(強仍也). ② 원할 은(願也).
字源 形聲. 心+㹷〔音〕

字解 쉴 게(息也).
字源 會意. 活(省)+息
[休憩 휴게] 잠깐 쉼.

12 ⑯【憙】기뻐할 희㊀未 xǐ
㊐ キ〔よろこぶ〕 ㊍ pleasant
字解 ① 기뻐할 희(悅也). ② 좋아할 희(好也).
字源 會意. 喜와 心의 합자로 「기뻐함」의 뜻. 또, 「喜(희)」가 음을 나타냄.

12 ⑯【憝】원망할 대㊀隊 duì
㊐ タイ〔うらむ〕 ㊍ resent
字解 원망할 대(怨也).
字源 形聲. 心+敦〔音〕

12 ⑯【憨】어리석을 감㊀覃 hān
㊐ カン〔おろか〕 ㊍ stupid
字解 어리석을 감(愚癡).
字源 形聲. 心+敢〔音〕

12 ⑯【憲】법 헌㊀願 xiàn 宪
㊐ ケン〔のり〕 ㊍ constitution
字解 ① 법 헌(法也). ¶ 憲法(헌법). ② 고시할 헌(懸法示人).
字源 會意. 心과 目과 害의 생략형과의 합자. 마음이나 눈의 명백한 동작으로 해를 제거함의 뜻. 뒤에 음을 빌려 「법」의 뜻이 됨.
[憲章 헌장] 법적으로 규정한 규범.
[違憲 위헌] 헌법을 어김.

12 ⑯【憩】쉴 게㊀霽 qì
㊐ ケイ〔いこう〕 ㊍ rest

12 ⑮【憓】사랑할 혜㊀霽 huì 㥮
㊐ ケイ〔したがう〕 ㊍ love
字解 ① 사랑할 혜. ② 순할 혜.
字源 形聲. ↑(心)+惠〔音〕

12 ⑮【憎】미워할 증㊀蒸 zēng 憎
㊐ ゾウ〔にくむ〕 ㊍ hate
字解 미워할 증(惡也).
字源 形聲. ↑(心)+曾〔音〕
[憎惡 증오] 미워함.
[憎嫌 증혐] 미워하고 싫어함.
[愛憎 애증] 사랑함과 미워함.

12 ⑮【憐】불쌍히 여길 련㊀先 lián 怜 憐
㊐ レン〔あわれむ〕 ㊍ pity
字解 ① 불쌍히여길 련(哀也). ¶ 憐憫(연민). ② 어여삐여길 련(愛也). ¶ 愛憐(애련).
字源 形聲. ↑(心)+粦〔音〕
[憐憫 연민] 불쌍히 여김. 가엾이 여김.
[憐恤 연휼] 불쌍히 여겨 구휼함.
[可憐 가련] 신세가 딱하고 가엾음.

12 ⑮【憒】심란할 궤㊀隊 kuì 憒
㊐ カイ〔みだれる〕 ㊍ troubled
字解 심란할 궤(心亂也).
字源 形聲. ↑(心)+貴〔音〕
注意 潰(水部 12획)는 딴 글자.
[憒亂 궤란] 마음이 걷잡을 수 없이 어지러움.

4
획

12/15 【憔】 파리할 초⊕蕭 | qiáo | 憔

🇯 ショウ〔やつれる〕 🇬 get thin

字解 파리할 초(瘦也).

字源 形聲. 忄(心)+焦〔音〕

[憔悴 초췌] 병이나 근심 등으로 파리하고 해쓱함.

12/15 【憚】 꺼릴 탄⊕翰 | dàn | 憚

🇯 タン〔はばかる〕 🇬 avoid

字解 ① 꺼릴 탄(忌難). ¶ 忌憚(기탄). ② 두려워할 탄(畏也). ¶ 憚服(탄복).

字源 形聲. 忄(心)+單〔音〕

[憚服 탄복] 두려워서 복종함.
[忌憚 기탄] 꺼림. 어려워함.

12/15 【憤】 결낼 분⊕吻 | fèn | 憤

忄 忄 忄 忄 忄 情 憤 憤

🇯 フン〔いきどおる〕 🇬 indignant

字解 결낼 분(懣也).

字源 形聲. 忄(心)+賁〔音〕

參考 憤(心部 13획)은 본자

[憤慨 분개] 격분하여 개탄함.
[憤怒 분노] 분하여 몹시 성냄.
[義憤 의분] 정의를 위하여 일어나는 분노.

12/15 【憧】 그리워할 동⊕冬 | chōng | 憧

🇯 ドウ〔あこがれる〕 🇬 miss

字解 ① 그리워할 동. ¶ 憧憬(동경). ② 뜻정치못할 동(意不定). ¶ 憧憧(동동).

字源 形聲. 忄(心)+童〔音〕

[憧憬 동경] 그리워하며 마음에 두고 생각함.

12/15 【憫】 불쌍히여길 민⊕軫 | mǐn | 憫

🇯 ビン〔あわれむ〕 🇬 pity

字解 ① 불쌍히여길 민(憐也). ¶ 憐憫(연민). ② 근심할 민(憂也). ¶ 憫惘(민망).

字源 形聲. 忄(心)+閔〔音〕

[憫惘 민망] 딱하여 걱정스러움.
[憐憫 연민] 불쌍하고 딱하게 여김.

12/15 【憬】 깨달을 경⊕梗 | jǐng | 憬

🇯 ケイ〔とおい〕 🇬 realize

字解 ① 깨달을 경(覺寤). ② 멀 경(遠也).

字源 形聲. 忄(心)+景〔音〕

[憬悟 경오] 깨달음. 각성함.
[憧憬 동경] 마음에 두고 애틋하게 생각하며 그리워함.

12/15 【憮】 ■어루만질 무⊕麌 ■아리따울 후⊕虞 클 호⊕虞 | wǔ | 憮

🇯 ブ〔いつくしむ〕・ブ〔みめよい〕・コ〔おおきい, おごる〕

🇬 caress, lovely, big

字解 ■ 어루만질 무(撫也). ¶ 懷憮(회무). ■ 아리따울 후(嫵也). ■ 클 호(泰也).

字源 形聲. 忄(心)+無〔音〕

[憮然 무연] ㉠ 멍한 모양. ㉡ 괴이하게 여겨 놀라는 모양.
[懷憮 회무] 어루만져 안심시킴.

12/15 【憘】 喜(희)(口部 9획)의 古字

13/17 【懃】 은근할 근⊕文 | qín | 懃

🇯 キン〔ねんごろ〕 🇬 polite

字解 은근할 근(委曲貌).

字源 形聲. 心+勤〔音〕

[懃懃 근근] 정성스러움. 친절함.
[懜懜 은근] ㉠ 겸손하고 정중함. ㉡ 속으로 생각하는 정이 깊음.

---

13 〔17〕 【懇】 정성 간 ㊤阮 kěn 恳

ﾀ ﾖ ﾖ ﾖ-ﾖ 鈤 鈤 懇 懇

㊐ コン〔ねんごろ〕 ㊐ sincerity

字解 정성 간(悃也).

字源 形聲. 心+貇〔音〕

[懇願 간원] 간절히 원함.
[懇切 간절] 정성스럽고 절실함.

---

13 〔17〕 【懲】 공경할 경 ㊤敬 jǐng 憼

㊐ ケイ〔つつしむ〕 ㊐ respect

字解 ① 공경할 경(敬也). ② 엄숙할 경(肅也). ③ 경계할 경(戒也).

字源 形聲. 心+敬〔音〕

---

13 〔17〕 【應】 응할 응 ㊤徑 응당 응 ㊤蒸 yìng yīng 应

一 广 庁 庐 庐 雁 雁 應 應

㊐ オウ〔あたる・まさに〕 ㊐ respond, naturally

字解 ① 응할 응(物相感). ¶ 應答(응답). ② 응당 응(當也). ¶ 應當(응당).

字源 形聲. 心+雁〔音〕

[應諾 응낙] ㉠ 대답함. ㉡ 승낙함.
[應當 응당] 꼭. 반드시. 으레.
[應募 응모] 모집에 응함.

---

13 〔17〕 【懋】 힘쓸 무 ㊤宥 mào (mòu) 懋

㊐ ボウ〔つとめる〕 ㊐ strive

字解 ① 힘쓸 무(勉也). ¶ 懋戒(무계). ② 성할 무(盛也). ¶ 懋勳(무훈).

字源 形聲. 心+楙〔音〕

[懋戒 무계] 힘써 경계함.
[懋勳 무훈] 빛나는 훈장.

---

13 〔16〕 【憶】 생각할 억 ㊏職 yì 忆

ㅏ ㅏ ㅏ- ㅏ- 怕 怕 憶 憶

㊐ オク〔おもう〕 ㊐ recall

字解 ① 생각할 억(念也). ¶ 追憶(추억). ② 기억할 억(回憶記也). ¶ 記憶(기억).

字源 形聲. 忄(心)+意〔音〕

[憶昔 억석] 옛날을 기억함.
[追憶 추억] 지난 일을 돌이켜 생각함.

---

13 〔16〕 【憸】 ■간사할 섬 ㊤鹽 ■간사할 험 ㊤琰 xiān 憸

㊐ セン・ケン〔よこしま〕 ㊐ sly

字解 ■ 간사할 섬(詖也). ■ 간사할 험(姦也).

字源 形聲. 忄(心)+僉〔音〕

---

13 〔16〕 【憺】 ■편안할 담 ㊤感 ■움직일 담 ㊏勘 dàn 憺

㊐ タン〔やすい〕 ㊐ tranquil

字解 ■ 편안할 담(安也). ■ 움직일 담(動也). ¶ 憯憺(참담).

字源 形聲. 忄(心)+詹〔音〕

[憺然 담연] 편안한 모양.
[憯憺 참담] 참혹하고 암담함.

---

13 〔16〕 【憾】 ■한할 감 ㊏勘 ■근심할 담 ㊤感 hàn dàn 憾

㊐ カン〔うらむ〕・タン〔うおえる〕 ㊐ regret, be anxious

字解 ■ 한할 감(恨也). ■ 근심할 담.

字源 形聲. 忄(心)+感〔音〕

[憾情 감정] 언짢게 여겨 원망하거나 성내는 마음.
[遺憾 유감] 마음에 남아 있는 언짢은 마음.

13 ⑯ 【懈】 게으를 해 [平]함[去]卦 | xiè

[日] カイ〔おこたる〕 [英] lazy

[字解] **게으를 해**(懶怠).

[字源] 形聲. 忄(心)+解〔音〕

[懈怠 해태] 게으름. 태만함.

13 ⑯ 【懊】 한할 오 [上]皓 | ào

[日] オウ〔なやむ〕 [英] regret

[字解] **한할 오**(恨也).

[字源] 形聲. 忄(心)+奧〔音〕

[懊恨 오한] 뉘우치고 한탄함.

13 ⑯ 【懌】 기뻐할 역[入]陌 | yì

[日] エキ〔よろこぶ〕 [英] be glad

[字解] **기뻐할 역**(悅也).

[字源] 形聲. 忄(心)+睪〔音〕

13 ⑯ 【懍】 [一]두려워할 름[上]寢 [二]찰 람 [上]感 | lǐn lǎn

[日] リン〔つつしむ〕・ラン〔かなしみいたむ〕

[英] fear

[字解] [一] ① **두려워할 름**(畏也). ¶ 懍懍(늠름). ② **공경할 름**(敬也). [二] **찰 람**.

[字源] 形聲. 忄(心)+稟〔音〕

[懍懍 늠름] ㉠ 두려워하는 모양. ㉡ 두려워하여 삼가는 모양. ㉢ 풍채가 당당한 모양.

13 ⑯ 【憤】 憤(분)(心部 12획)의 本字

13 ⑯ 【懐】 懷(회)(心部 16획)의 俗字

14 ⑱ 【懟】 원망할 대[去]隊 | 怼 duì

[日] タイ〔うらむ〕 [英] resent

[字解] **원망할 대**(怨也).

[字源] 形聲. 心+對〔音〕

14 ⑱ 【懣】 [一]번민할 만 [上]旱 [二]번민할 문 [去]願 | 懑 mèn

[日] モン・マン〔もだえる〕

[英] agonize

[字解] [一] **번민할 만**(煩悶). [二] **번민할 문**.

[字源] 形聲. 心+滿〔音〕

14 ⑱ 【懕】 편안할 염[平]鹽 | yān

[日] エン〔やすい〕 [英] well

[字解] **편안할 염**(安也).

[字源] 形聲. 心+厭〔音〕

14 ⑰ 【懜】 어리석을 몽[平]東 | méng

[日] ボウ〔くらい〕 [英] stupid

[字解] **어리석을 몽**(無知貌), **어두울 몽**(惛也).

[字源] 形聲. 忄(心)+夢〔音〕

14 ⑰ 【懦】 [一]나약할 나[去]箇 [二]겁쟁이 유[平]虞 | nuò

[日] ジュ・ダ〔よわい〕

[英] feeble, coward

[字解] [一] **나약할 나**, **겁쟁이 나**(弱也). [二] **겁쟁이 유**(弱也), **나약할 유**.

[字源] 形聲. 忄(心)+需〔音〕

[參考] 愞(心部 9획)는 동자.

[懦弱 나약] 뜻이 굳세지 못하고 약함.

14 ⑰ 【懞】 흐리멍덩할 몽[平]東 | méng

[日] モウ〔くらい〕 [英] dim

[字解] **흐리멍덩할 몽**(不明瞭).

4 획

회(慰也).

字源 形聲. ↑(心)+裏〔音〕
參考 懷(心部 13획)는 속자.

[懷柔 회유] 어루만져 잘 달램.
[懷疑 회의] ㉠ 의심을 품음. ㉡ 인식을 부정하여 진리를 믿지 아니함.
[懷抱 회포] 마음속에 품은 생각.

15
⑲ 【懲】 징계할 징 ㊛蒸 chéng 惩

㈰ チョウ〔こらす〕 ㉑ punish
字解 징계할 징(戒也).
字源 形聲. 心+徵〔音〕
[懲惡 징악] 못된 마음이나 행위를 징계함.

17
⑳ 【懺】 뉘우칠 참 ㊛陷 chàn 忏

㈰ サン〔くいる〕 ㉑ repent
字解 뉘우칠 참(悔過), 회개할 참. ¶懺洗(참세).
字源 形聲. ↑(心)+韱〔音〕
[懺禮 참례] 부처에 참회하여 예배하고 복을 빎.
[懺悔 참회] 과거의 잘못을 뉘우쳐 고백함.

16
⑳ 【懸】 달 현 ㊛先 xuán 悬

県 県 県 県 県 県 県 懸

㈰ ケン〔かける〕 ㉑ hang
字解 ① 달 현(揭也), 걸 현(繫也). ¶懸板(현판). ② 멀 현(遠也). ¶懸隔(현격).
字源 會意. 縣(걸)과 心의 합자. 또,「縣(현)」이 음을 나타냄.
[懸隔 현격] 썩 동떨어짐.
[懸板 현판] 글이나 그림을 새겨서 문 위에 다는 널조각, 편액(扁額).

18
㉒ 【懿】 아름다울 의 ㊛寘 yì 懿

㈰ イ〔うるわしい〕 ㉑ beautiful
字解 아름다울 의(醇美).
字源 形聲. 본디 欠+心+壹〔音〕
[懿德 의덕] 아름답고 뛰어난 덕.

16
⑲ 【懶】 게으를 라 ㊛旱㊤旱 lǎn / 미워할 뢰 ㊤泰 lài 懒

㈰ ラン〔おこたる〕・ライ〔にくむ〕 ㉑ lazy, hate

字解 ▬ ① 게으를 라(懈怠). ② 느른할 라(疲困). ③ 누울 라(臥也). ▬ 미워할 뢰(嫌惡). ¶憎懶(증뢰).
字源 形聲. ↑(心)+賴〔音〕

18
㉑ 【懼】 두려워할 구 ㊛遇 jù 惧

忄 忄 忄 忄 惧 惧 惧 懼 懼 懼

㈰ ク〔おそれる〕 ㉑ fear
字解 두려워할 구(恐也).
字源 形聲. ↑(心)+瞿〔音〕
[懼然 구연] 두려워하는 모양.
[悚懼 송구] 두렵고 미안함.

16
⑲ 【懶】 懶(라・뢰)(前條)의 俗字

16
⑲ 【懷】 품을 회 ㊛佳 huái 怀

忄 忄 忄 忄 忄 懷 懷 懷

㈰ カイ〔いだく〕 ㉑ cherish
字解 ① 품을 회(藏也), 생각할 회(念也). ¶懷抱(회포). ② 위로할

18
㉑ 【懽】 기뻐할 환 ㊛寒 huān 懽

㈰ カン〔よろこぶ〕 ㉑ pleased
字解 기뻐할 환(喜也).
字源 形聲. ↑(心)+雚〔音〕

参考 歡(欠部 18획)과 동자.

[懽心 환심] 기뻐하는 마음.

18획
②[懾] 두려워할 섭 懾 shè
㊊葉
㊐ ショウ〔おそれる〕 ㊤ fear
字解 두려워할 섭(恐懼也). ¶ 懾懾(섭습).
字源 形聲. ↑(心)+聶〔音〕

[懾畏 섭외] 두려워함.

19획
②[戀] 사모할 련 恋 liàn
㉓㊊霰
㊐ レン〔こい〕 ㊤ love
字解 사모할 련(慕也).
字源 形聲. 心+䜌〔音〕
参考 恋(心部 6획)은 약자.

[戀慕 연모] 간절히 그리워함.
[悲戀 비련] 비극으로 끝나는 사랑.

20획
②[懼] 놀랄 확 jué
㉓㊊藥
㊐ カク〔おどろく〕 ㊤ be surprised
字解 놀랄 확(驚懼).
字源 形聲. ↑(心)+矍〔音〕

24획
②[戇] 어리석을 당 戇 zhuàng
㉘장㊊絳
㊐ コウ〔おろか〕 ㊤ foolish
字解 어리석을 당(愚直).
字源 形聲. 心+贛〔音〕

[戇直 당직] 고지식하고 어리석음.

戈 〔4획〕 部
(창과부)

0획
④[戈] 창 과㊀歌 gē

一 七 戈 戈

㊐ カ〔ほこ〕 ㊤ spear
字解 창 과(平頭戟).
字源 象形. 긴 자루에 직각으로 날을 잡아맨 모양.

[戈劍 과검] 창과 칼. 무기(武器).
[戈盾 과순] 창과 방패.
[兵戈 병과] ㉠ 싸움에 쓰는 창. ㉡ 무기. ㉢ 전쟁.

1획
⑤[戊] 다섯째 천간 무 wù
㊀有

ノ 厂 戊 戊 戊

㊐ ボ〔つちのえ〕
字解 다섯째천간 무(十干之第五位).
字源 假借. 본디, 쌍날을 꽂은 창과 같은 무기의 상형. 십간의 하나로 차용됨.

4획

[戊夜 무야] 오경(五更). 곧, 오전 3시에서 5시 사이의 동안.

1획
⑤[戉] 도끼 월 yuè
㊊月
㊐ エツ〔まさかり〕 ㊤ ax
字解 도끼 월(威斧).
字源 象形. 도끼의 모양을 본뜸.

2획
⑥[戌] 열한째 지지 술 xū
㊊質

ノ 厂 F 戊 戌 戌

㊐ ジュツ〔いぬ〕 ㊤ dog
字解 열한째지지 술(十二支之第十一位).
字源 形聲. 戊+一〔音〕

2획
⑥[戍] 수자리 수 shù
㊊遇
㊐ ジュ〔まもる〕 ㊤ frontier guards
字解 수자리 수(守邊).
字源 會意. 人과 戈의 합자. 사람이

무기를 들고 지킴의 뜻.

注意 戌(戈部 2획)은 딴 글자.

[戍樓 수루] 적군의 동정을 살피기 위하여 성 위에 세운 망루(望樓).

²⑥ 【戎】 병장기 융 │ róng
⑪東

㊐ ジュウ〔つわもの・えびす〕
㊊ arms

字解 ① 병장기 융(兵器). ¶ 戎馬(융마). ② 싸움수레 융(兵車名). ③ 군사 융(兵也). ④ 오랑캐 융(西夷).

字源 會意. 戈와 甲(갑옷)의 합자. 「무기」의 뜻.

[戎馬 융마] 전쟁에 쓰는 말.

²⑥ 【成】 成(성)(次條)의 俗字

³⑦ 【成】 이룰 성 │ chéng
⑪庚

丿 厂 厂 瓜 成 成 成

㊐ セイ〔なる〕 ㊊ accomplish
字解 이룰 성, 될 성(就也).
字源 形聲. 戊+丁〔音〕.
參考 成(戈部 2획)은 속자.

[成功 성공] 목적을 이룸.
[成就 성취] 목적한 바를 이룸.

³⑦ 【我】 나 아 ㊛哿 │ wǒ

丿 一 二 午 手 我 我
㊐ ガ〔われ〕 ㊊ I
字解 나 아(自謂己身), 우리 아(此側).
字源 會意. 手와 戈의 합자. 무기를 손에 들고 내 몸을 지킴의 뜻.

[我田引水 아전인수] 자기에게 이로울 대로만 함. 제 논에 물대기.
[自我 자아] 자기 자신.

³⑦ 【戒】 경계할 계 ㊛卦 │ jiè

一 一 二 庁 戒 戒 戒
㊐ カイ〔いましめる〕 ㊊ warn

字解 ① 경계할 계(儆也). ¶ 戒嚴(계엄). ② 삼갈 계(愼也). ③ 타이를 계(諭也). ¶ 戒告(계고).

字源 會意. 양손에 戈(창)을 들고 예기할 수 없는 사건에 대비함의 뜻. 따라서, 「훈계함」의 뜻.

[戒嚴 계엄] 국가가 비상 사태를 당하여 일정 지역을 병력으로 경계하며, 그 지역내의 행정·사법권의 일부나 전부를 계엄 사령관이 관할하는 일. ¶ 戒嚴令(계엄령).

[破戒 파계] 계율을 지키지 않음.

⁴⑧ 【戕】 죽일 장 ㊛陽 │ qiāng

㊐ ショウ〔ころす〕 ㊊ kill
字解 죽일 장(殺也), 상하게할 장(傷也).
字源 形聲. 歹+爿〔音〕
[戕賊 장적] 죽임. 살해.

⁴⑧ 【戔】 ■해칠 잔 ㊛寒
■적을 전 ㊛先 │ cán / jiān

㊐ サン〔そこなう〕・セン〔すくない〕
㊊ harm, few
字解 ■해칠 잔. ■적을 전.
字源 會意. 戈+戈

⁴⑧ 【或】 ■혹 혹 ㊊職
■나라 역 ㊊職 │ huò / yù

一 厂 戸 戸 豆 或 或 或
㊐ ワク〔あるいは〕・ヨク・イキ〔くに〕
㊊ maybe, state
字解 ■혹 혹(疑辭). ■나라 역.
字源 會意. 口(영역)와 戈의 합자. 구획을 지어 둘러싸 지킴의 뜻. 域

의 원자(原字). 「혹」의 뜻은 음의 차용.

[或是 혹시] ㉠ 만일에. 행여나. ㉡ 어떠할 경우에.

6 ⑩ 〖戙〗 배널판 동[去]送 dòng

[日] トウ〔ふないた〕 [英] board

[字解] **배널판 동**(船板木).

[字源] 形聲. 戈+同〔音〕

7 ⑪ 〖戚〗 [一]겨레 척 [入]錫 [二]재촉할 촉[入]沃 qī cù

丿 厂 厈 厈 戚 戚 戚 戚

[日] セキ〔みうち〕・ショク〔せまる〕 [英] race, press

[字解] [一] ① **겨레 척**(親族). ¶ 親戚(친척). ② **슬플 척**(哀也), **근심할 척**(憂也). ¶ 休戚(휴척). [二] **재촉할 촉**. 促(人部 7획)과 同字.

[字源] 形聲. 戉+尗〔音〕

[外戚 외척] ㉠ 같은 본 이외의 친척. ㉡ 외가 쪽 친척.

[姻戚 인척] 혼인으로 맺어진 친족.

7 ⑪ 〖戛〗 창 알[入]黠 jiá

[日] カツ〔ほこ〕 [英] spear

[字解] ① **창 알**(長矛). ② **칠 알**(擊也), **서로부딪치는소리 알**(相擊音). ¶ 戛戛(알알).

[字源] 會意. 百(목)과 戈의 합자. 戟의 머리 부분의 뜻.

[參考] 戞(戈部 8획)은 속자.

[戛戛 알알] 굳은 물건이 서로 부딪치는 소리.

8 ⑫ 〖戟〗 갈래진창 극[入]陌 jǐ

[日] ゲキ〔ほこ〕 [英] spear

[字解] **갈래진창 극**(有枝矛).

[字源] 會意. 戈와 榦(가지)의 생략형의 합자. 가지가 있는 창의 뜻.

[戟盾 극순] 창과 방패.

[刺戟 자극] ㉠ 어떤 반응에 작용이 일어나게 함. ㉡ 흥분시키는 일.

8 ⑫ 〖戞〗 戛(알)(戈部 7획)의 俗字

9 ⑬ 〖戡〗 이길 감[平]覃 kān

[日] カン〔かつ〕 [英] subdue

[字解] ① **이길 감**(勝也). ¶ 戡定(감정). ② **죽일 감**(殺也). ¶ 戡殄(감진). ③ **찌를 감**(刺也).

[字源] 形聲. 戈+甚〔音〕

[戡定 감정] 전쟁에 이겨 난리를 평정함.

[戡殄 감진] 몰살함. 모조리 멸망시킴.

9 ⑬ 〖戢〗 거둘 즙[入]緝 jí

[日] シュウ〔おさめる〕 [英] gather

[字解] **거둘 즙**(藏兵), **병장기모을 즙**(聚也).

[字源] 形聲. 戈+咠〔音〕

9 ⑬ 〖戣〗 양지창 규[平]支 kuí

[日] キ〔ほこ〕 [英] spear

[字解] **양지창 규**(戟屬).

[字源] 形聲. 戈+癸〔音〕

9 ⑬ 〖戦〗 戰(전)(戈部 12획)의 略字

10 ⑭ 〖截〗 끊을 절[入]屑 jié

[日] セツ〔たつ〕 [英] cut off

[字解] **끊을 절**(斷也).

[字源] 形聲. 고자(古字)는 戳. 「雀(작)」의 전음이 음을 나타냄.

4 획

[截斷 절단] 자름. 끊어 버림. 절단(切斷).

11
⑮ 【戮】 죽일 륙
㉺屋 lù

⽇ リク〔ころす〕 ⊛ kill

字解 ① 죽일 륙(殺也), 육시할 륙(斬屍). ¶ 戮誅(육주). ② 욕될 륙(辱也). ¶ 戮辱(육욕). ③ 합할 륙(并也). ¶ 戮力(육력).

字源 形聲. 戈+翏〔音〕

[戮辱 육욕] 욕. 치욕.
[殺戮 살륙] 사람을 마구 죽임.

12
⑯ 【戰】 싸울 전
㉺霰 zhàn

一 冂 冒 里 単 戰 戰 戰

⽇ セン〔たたかう〕 ⊛ fight

字解 ① 싸울 전(鬪也), 싸움 전. ¶ 戰爭(전쟁). ② 두려워떨 전(懼慄). ¶ 戰慄(전율).

字源 形聲. 戈+單〔音〕

參考 战(戈部 9획)은 약자.

[戰傷 전상] 싸움에서 상처를 입음.
[戰慄 전율] 두려워서 벌벌 떪.
[戰爭 전쟁] 싸움. 전투(戰鬪).

12
⑯ 【戯】 戱(희)(次條)의 俗字

13
⑰ 【戱】
희㉺實 희롱할
호㉺處 탄식할
㉺支 기 휘
xì
hū
huī

丶 广 卢 虍 虐 虚 戱 戱

⽇ ギ〔たわむれる〕・コ〔ああ〕・キ〔はた〕 ⊛ banter, sigh, banner

字解 ▬ ① 희롱할 희(弄也), 놀 희(遊也). ¶ 遊戱(유희). ② 연극 희. ¶ 戱曲(희곡). ▬ 탄식할 호(呼也). ¶ 於戱(오호). ▤ 기 휘.

字源 形聲. 戈+虛〔音〕

參考 戲(戈部 12획)는 속자.

[戱弄 희롱] 말이나 행동으로 실없이 놀리는 일.
[戱謔 희학] 실없는 말로 하는 농지거리.
[遊戱 유희] 장난으로 놂. 즐겁게 놂.

13
⑰ 【戴】 일 대
㉺隊 dài

⽇ タイ〔いただく〕 ⊛ carry on the head

字解 ① 일 대(以頭荷). ¶ 戴冠(대관). ② 받들 대(奉也). ¶ 推戴(추대).

字源 形聲. 戈+異〔音〕

[戴冠 대관] 관을 씀.
[戴天 대천] 하늘 아래 삶. 이 세상에 존재함.
[推戴 추대] 윗사람으로 떠받듦.

戶 〔4 획〕 部
(지게호부)

0
④ 【戶】 지게 호
㉺麌 hù

一 厂 彐 戶

⽇ コ〔と〕 ⊛ door

字解 ① 지게 호(室口). ¶ 門戶(문호). ② 집 호(家屋). ¶ 戶籍(호적). 戶牖(호유).

字源 象形. 門의 반쪽을 본뜬 글자.

[戶主 호주] 한 집안의 주장이 되는 사람.
[門戶 문호] 한집으로 출입하는 문.

1
⑤ 【戹】 재앙 액
㉺陌 è

⽇ ヤク〔せまい〕 ⊛ misfortune

字解 ① 재앙 액(災也). ② 좁을 액(隘也).

字源 形聲. 戶+乙〔音〕

⁴⁄₈ 【戾】 어그러질 려 $\overline{\pm}$霽　lì

⽇ レイ〔もどる〕 ⊛ be against

字解 ① 어그러질 려(乖背). ② 悖
戾(패려). ② 이를 려(至也). ¶ 戾
天(여천). ③ 돌려줄 려(返也). ¶
返戾(반려).

字源 會意. 戶와 犬의 합자. 개가
문 밑으로 억지로 나옴의 뜻. 따라
서, 「어그러짐」의 뜻.

[戾道 여도] 귀로. 돌아가는 길.
[悖戾 패려] 말이나 행동이 어긋나
고 사나움.

⁴⁄₈ 【房】 방 방 $\overline{\pm}$陽　fáng

一 ﹄ ﹄ 戶 戶 戽 房 房

⽇ ボウ〔へや〕 ⊛ room

字解 ① 방 방(室也). ¶ 暖房(난
방). ② 별이름 방(星名). ¶ 房宿
(방수).

字源 形聲. 戶+方〔音〕

[房事 방사] 남녀가 교합하는 일.
[暖房 난방] 방을 덥게 함.

⁴⁄₈ 【所】 바 소 $\overline{\pm}$語　suŏ

ノ ﹄ ﹄ ﹄ ﹄ ﹄ 所 所

⽇ ショ〔ところ〕 ⊛ place

字解 ① 바 소, 것 소(語辭). ¶ 所
感(소감). ② 곳 소, 처소 소(處
也). ¶ 所在(소재).

字源 會意. 戶+斤

[所感 소감] 느낀 바, 또는 느낀 바의
생각. 감상(感想).
[所聞 소문] 전하여 들리는 말.
[所在 소재] 있는 지점.
[住所 주소] 생활의 근거를 둔 곳.
[處所 처소] 거처하는 곳.

⁵⁄₉ 【扁】 ▬작을
편 $\overline{\pm}$先
▬현판
편 $\overline{\pm}$변
$\overline{\pm}$銑　biăn
piān

⽇ ヘン〔ひらたい・こぶね〕
⊛ small, hanging board

字解 ▬ 작을 편(小也). ¶ 扁舟(편
주). ▬ ① 현판 편(署門額). ¶ 扁
額(편액). ② 편편할 편(器物不圓
者). ¶ 扁平(편평).

字源 會意. 戶와 册의 합자. 호적표
(戶籍標) 또는 대문에 다는 대나무
패의 뜻.

[扁額 편액] 방 안이나 대청 또는 문
위에 가로 다는 현판.
[扁舟 편주] 작은 배. 조각배. 편주
(片舟).
[扁平 편평] 넓고 평평함.

⁵⁄₉ 【扃】 빗장 경 $\overline{\pm}$青　jiōng

⽇ ケイ〔かんぬき〕 ⊛ crossbar

字解 빗장 경(關門橫木).

字源 形聲. 戶+冋〔音〕

[扃扉 경비] ㉠ 문. ㉡ 문을 잠금.

⁶⁄₁₀ 【扆】 병풍 의 $\overline{\pm}$尾　yĭ

⽇ イ〔ついたて〕 ⊛ folding screen

字解 병풍 의(屛風).

字源 形聲. 戶+衣〔音〕

[扆座 의좌] 천자(天子)의 자리. 천
자가 항상 거처하는 곳.

⁶⁄₁₀ 【扇】 부채 선 shàn,
$\overline{\pm}$霰 shān

⽇ セン〔うちわ〕 ⊛ fan

字解 부채 선(箑也), 부채질할 선.
¶ 扇惑(선혹).

字源 會意. 戶와 羽의 합자. 「부
채」의 뜻.

[扇風器 선풍기] 전기의 힘으로 바
람을 일으키는 기구.

⁷⁄₁₁ 【扈】 뒤따를 호 $\overline{\pm}$麌　hù

⽇ コ〔したがう〕 ⊛ follow

字解 ① 뒤따를 호(後從), 호종할

호. ¶ 扈從(호종). ② **입을 호**(被也).

[字源] 形聲. 邑+戶〔音〕

[扈從 호종] 임금의 행차(行次)에 뒤따라 감.

[跋扈 발호] 제멋대로 날뜀.

8 ⑫ **【扉】** 문짝 비 [平]微 fēi

[日] ヒ〔とびら〕 [英] door

[字解] **문짝 비, 사립문 비**(門扇).

[字源] 形聲. 戶+非〔音〕

[柴扉 시비] 사립문.

4획

手(扌)〔4 획〕部
(손수부)

0 ④ **【手】** 손 수 [上]有 shǒu

ノ 二 三 手

[日] シュ〔て〕 [英] hand

[字解] ① **손 수**(上肢也). ¶ 手足(수족). ② **손으로할 수.** ¶ 手工(수공). ③ **손수할 수**(親也). ¶ 手交(수교). ④ **재주 수**(伎倆). ¶ 手腕(수완). ⑤ **능한사람 수**(能也). ¶ 名手(명수). ⑥ **잡을 수**(執也). ¶ 手劍(수검).

[字源] 象形. 다섯 손가락을 편 모양을 본뜬 글자.

[參考] 변으로 쓰일 때는 '扌'이 됨.

[手工 수공] 손끝을 써서 만드는 공예.

[手交 수교] 손수 내줌.

[手談 수담] 바둑.

[手法 수법] ㉠ 수단. 방법. ㉡ 작품의 솜씨.

[手腕 수완] 일을 꾸미거나 치러 나가는 재간. 능력(能力).

[手足 수족] ㉠ 손과 발. ㉡ 손발과 같이 요긴하게 부리는 사람.

[着手 착수] 일을 시작함.

0 ③ **【才】** 재주 재 [平]灰 cái

一 十 才

[日] サイ〔はたらき〕 [英] talent

[字解] ① **재주 재**(藝也). ② **겨우 재**(纔也).

[字源] 指事. 초목의 싹이 지표(地表)에 조금 나온 모양. 「조금」의 뜻.

[才幹 재간] 솜씨. 기량(技倆)

[才德 재덕] 재주와 덕행. ¶ 才德兼備(재덕겸비).

[秀才 수재] 뛰어난 재주. 또, 그런 사람.

1 ④ **【扎】** 뺄 찰 [入]黠 zhā

[日] サツ〔ぬく〕 [英] pull out

[字解] **뺄 찰**(拔也).

[字源] 形聲. 扌(手)+乚〔音〕

2 ⑤ **【扑】** 칠 복 [入]屋 pū

[日] ボク〔うつ〕 [英] strike

[字解] **칠 복**(打也).

[字源] 形聲. 扌(手)+卜〔音〕

2 ⑤ **【打】** 칠 타 [上]馬 dǎ

一 十 扌 扌 打

[日] ダ〔うつ〕 [英] strike

[字解] ① **칠 타**(擊也). ② **타 타, 다스 타**(物十二枚). ③ **관사 타**(冠詞). ¶ 打算(타산).

[字源] 形聲. 扌(手)+丁〔音〕

[打破 타파] 규율이나 관례를 깨뜨려 버림.

[強打 강타] 강하게 때림.

2 ⑤ **【扔】** 당길 잉 [平]蒸 rēng

[日] ジョウ〔ひく〕 [英] pull

[字解] **당길 잉**(引也).

[字源] 形聲. 扌(手)+乃〔音〕

2 ⑤ 【払】 拂(불)(手部 5획)의 略字

3 ⑥ 【扣】 두드릴 구㊀有 kòu

㊐ コウ〔たたく〕 ㊀ knock

字解 **두드릴 구**(叩也).

字源 形聲. 扌(手)+口〔音〕

[扣舷 구현] 뱃전을 두드림. 또, 그 소리.

3 ⑥ 【扛】 마주들 강㊥江 káng

㊐ コウ〔あげる〕 ㊀ raise

字解 **마주들 강**(橫關對擧).

字源 形聲. 扌(手)+工〔音〕

3 ⑥ 【托】 받칠 탁 ㊇藥 tuō

一 十 扌 扌 扌 托

㊐ タク〔たのむ〕 ㊀ hold

字解 ① **받칠 탁**(手推物), **받침 탁**(臺也). ¶ 托子(탁자). ② **의지할 탁**(依也), **맡길 탁**(託也). ¶ 依托(의탁). ③ **열 탁**(拓也).

字源 形聲. 扌(手)+乇〔音〕

[托生 탁생] 의탁하여 삶.
[托子 탁자] 찻잔의 받침.
[依托 의탁] 남에게 의뢰하여 부탁함.

3 ⑥ 【扞】 막을 한 ㊀翰 hàn

㊐ カン〔ふせぐ〕 ㊀ defend

字解 **막을 한**, **방어할 한**(禦也).

字源 形聲. 扌(手)+干〔音〕

[扞拒 한거] 막음. 막아 물리침.

3 ⑥ 【扤】 흔들릴 올 ㊇月 wù

㊐ ゴツ〔うごく・うごかす〕 ㊀ shake

字解 ① **흔들릴 올**. ② **위태할 올**.

字源 形聲. 扌(手)+兀〔音〕

3 ⑥ 【扠】 집을 차 ㊥麻 chā

㊐ サ〔はさみとる〕 ㊀ pick up

字解 **집을 차**(挾取).

字源 形聲. 扌(手)+叉〔音〕

4 ⑧ 【承】 ㊀받들 승 ㊥蒸 ㊁건질 증 ㊤迥 chéng zhèng

ㄱ 了 子 手 手 承 承 承

㊐ ショウ〔うける・すくう〕

㊀ inherit, pick up

字解 ㊀ ① **받들 승**(奉也). ¶ 承命(승명). ② **받을 승**(受也). ¶ 承恩(승은). ③ **이을 승**(繼也). ¶ 繼承(계승). ④ **받아들일 승**(納也). ¶ 承認(승인). ㊁ **건질 증**.

字源 會意. 卩(삼감)과·(양손)과 手의 합자. 삼가 군주의 명령을 받듦의 뜻. 따라서, 「받음」의 뜻.

[承諾 승낙] 청하는 바를 들어줌.
[承服 승복] ㉠ 납득함. ㉡ 죄를 자복함.
[繼承 계승] 조상이나 전임자의 뒤를 이음.

4 ⑦ 【扮】 꾸밀 분 ㊍반㊀諫 bàn

㊐ フン〔よそおう〕 ㊀ decorate

字解 **꾸밀 분**(裝飾).

字源 形聲. 扌(手)+分〔音〕

[扮裝 분장] ㉠ 몸을 치장함. ㉡ 배우가 등장 인물로 꾸밈. ㉢ 사실이 아닌 것을 사실처럼 꾸밈의 비유.

4 ⑦ 【扱】 ㊀거두어 가질 흡 ㊇緝 ㊁짚을 삽 ㊇洽 ㊂《韓》 취급할 급 xī chā

ⓐ キュウ〔おさめる〕・ソウ〔および〕
ⓔ harvest

字解 ━ 거두어가질 흡(斂指). ━ 짚을 삽(拜手至地). ━ 〔韓〕취급할 급. ¶ 取扱(취급).

字源 形聲. 扌(手)+及〔音〕

[取扱 취급] 사물을 다룸.

4
⑦ 【扶】 ━도울 부ⓐ虞 fú
　　　 ━길 포ⓐ虞 pú

一 十 扌 扩 扶 扶 扶

ⓐ フ〔たすける〕・ホ〔はう〕
ⓔ assist, crawl

字解 ━ ① 도울 부(助也). ¶ 扶助(부조). ② 부축할 부(旁助). ¶ 扶腋(부액). ━ 길 포(手行也, 匍也).

字源 形聲. 扌(手)+夫〔音〕

[扶侍 부시] 곁에서 모셔 부축함.
[扶腋 부액] 곁부축.
[扶養 부양] 생활 능력이 없는 가족을 먹이고 입힘.

4
⑦ 【批】 ━비평할 비ⓐ紙 pī
　　　 ━칠 별ⓘ屑 bié

一 十 扌 扩 扯 批 批

ⓐ ヒ〔うつ〕・ヘツ〔うつ〕
ⓔ criticize, hit

字解 ━ ① 비평할 비(評也). ¶ 批判(비판). ② 손으로칠 비(手擊). ¶ 批頰(비협). ③ 비답 비(帝皇詔答). ¶ 批准(비준). ━ 칠 별. 때림.

字源 形聲. 扌(手)+比〔音〕

[批准 비준] 전권 위원이 서명·조인한 조약을 국가 원수가 확인하는 절차.
[批評 비평] 사물의 시비·선악·미추(美醜)를 평가하여 논하는 일.
[批頰 비협] 남의 뺨을 때림.

4
⑦ 【抵】 곁매칠 지ⓐ紙 zhǐ

ⓐ シ〔うつ〕 ⓔ clap

字解 곁매칠 지(側擊).

字源 形聲. 扌(手)+氏〔音〕

4
⑦ 【扼】 움켜쥘 액ⓘ陌 è

ⓐ ヤク〔おさえる〕 ⓔ clutch

字解 움켜쥘 액(把也, 握也), 누를 액(抑也).

字源 形聲. 扌(手)+厄〔音〕

參考 搤(手部 10획)과 동자.

[扼腕 액완] 성이 나거나 분해서 자기의 팔을 부르쥠.

4
⑦ 【技】 재주기ⓐ紙 jì

一 十 扌 扌 扩 抟 技

ⓐ ギ〔わざ〕 ⓔ skill

字解 재주 기, 재능 기(才能).

字源 形聲. 扌(手)+支〔音〕

[技巧 기교] ㉠ 손재주가 기묘함. ㉡ 예술 작품의 창작 표현의 솜씨나 수단.
[技能 기능] 기술상의 재능.

4
⑦ 【抃】 손뼉칠 변ⓐ霰 biàn

ⓐ ベン〔てをうつ〕 ⓔ clap

字解 손뼉칠 변(歌舞之節).

字源 形聲. 扌(手)+卞〔音〕

4
⑦ 【抄】 ━베낄 초ⓐ肴 chāo
　　　 ━가로챌 초ⓘ效

一 十 扌 扌 抄 抄 抄

ⓐ ショウ〔かすめる・うつす〕
ⓔ copy, steal

字解 ━ 베낄 초, 가려베낄 초(謄寫). ¶ 抄本(초본). ━ 가로챌 초, 빼앗을 초(掠取). ¶ 抄掠(초략).

字源 形聲. 扌(手)+少〔音〕

[抄掠 초략] 폭력으로 빼앗음.

[抄本 초본] 원본의 일부를 베끼거나 발췌한 문서. ¶ 戶籍抄本(호적초본).

4
⑦ 【抉】 도려낼 결
결 屑   jué   抉

㊐ ケツ〔くじる〕 ⑳ gouge

字解 ① 도려낼 결, 긁어낼 결(剔也). ¶ 剔抉(척결). ② 들추어낼 결(摘發). ¶ 抉摘(결적).

字源 形聲. 扌(手)+夬〔音〕

[抉摘 결적] 숨겨진 것을 들추어냄.

[剔抉 척결] 숨살을 도려내고 뼈를 발라냄.

4
⑦ 【把】 잡을 파
馬   bǎ   把

㊐ ハ〔にぎる〕 ⑳ hold

字解 ① 잡을 파, 쥘 파(握也), 가질 파(執持). ¶ 把握(파악). ② 자루 파, 손잡이 파(柄也). ③ 지킬 파(守也). ¶ 把守(파수). ④ 묶음 파, 단 파. ¶ 菜把(채파).

字源 形聲. 扌(手)+巴〔音〕

[把手 파수] 자루. 손잡이.

[把守 파수] 경계하여 지킴. 또, 그 사람. ¶ 把守兵(파수병).

[把握 파악] ㉠ 꽉 잡아 쥠. ㉡ 어떠한 일을 잘 이해하여 확실하게 바로 앎.

4
⑦ 【抑】 누를 억
職   yì   抑

一 十 扌 扌 却 却 抑

㊐ ヨク〔おさえる〕 ⑳ suppress

字解 ① 누를 억(按也), 억누를 억(揚之對). ② 발어사 억(發語辭).

字源 形聲. 「印(인)」의 생략형의 전음이 음을 나타냄.

[抑壓 억압] 힘으로 억누름.

[抑制 억제] 억지로 제지(制止)함.

못하게 함.

[屈抑 굴억] 억누름.

4
⑦ 【抒】 떠낼 서
語   shū   抒

㊐ ジョ〔のべる〕 ⑳ dip

字解 ① 떠낼 서(挹也). ② 쏟을 서. ¶ 抒情(서정). ③ 덜 서(除也). ¶ 抒泄(서설).

字源 形聲. 扌(手)+予〔音〕

[抒情 서정] 자기의 감정을 펴서 나타냄. ¶ 抒情詩(서정시).

4
⑦ 【抓】 긁을 조
效   zhuā   抓

㊐ ソウ〔かく〕 ⑳ scratch

字解 ① 긁을 조(搔也). ② 할퀼 조(爪刺).

字源 會意. 手+爪

4
⑦ 【抔】 움큼 부
尤   póu   抔

㊐ ホウ〔すくう〕 ⑳ handful

字解 ① 움큼 부, 줌 부(手掬物). ¶ 抔土(부토). ② 움켜쥘 부(手掬).

字源 形聲. 扌(手)+不〔音〕

[抔飮 부음] 손으로 움켜 떠서 마심.

4
⑦ 【投】 던질 투
尤   tóu
句 구두 두   dòu
宥

一 十 扌 扌 投 抄 投

㊐ トウ〔なげる・とまる〕 ⑳ throw, punctuation

字解 ■ ① 던질 투(擲也). ¶ 投擲(투척). ② 줄 투, 보낼 투(贈也). ③ 버릴 투(棄也). ¶ 投賣(투매). ④ 머무를 투, 묵을 투(泊也). ¶ 投宿(투숙). ■ 구두 두(句讀).

字源 形聲. 扌+殳〔音〕

[投稿 투고] 신문사·잡지사 등에 원고를 보냄. 또는, 그 원고.

[投擲 투척] 물건을 던짐.

4⑦ [抗] 대항할 항⊛강 ⊕漾 | kàng 抗

一 亅 扌 扩 扩 扩 抗

⑪ コウ〔てむかう〕 ⑳ compete

字解 形聲. ① 대항할 항, 겨룰 항(亢也). ¶抗拒(항거). ② 막을 항(御也). ¶抗禦(항어). ③ 들 항, 올릴 항(擧也). ¶抗手(항수).

字源 形聲. 扌(手)+亢〔音〕

[抗拒 항거] 대항함. 버팀.
[抗手 항수] 손을 올림, 손을 듦.
[抗議 항의] 반대의 의견을 주장함.
[抗爭 항쟁] 대항하여 다툼.
[抗戰 항전] 적과 대항해 전쟁함.

4⑦ [折] ■꺾을 절 ⊙屑 ■천천할 제 ⊕齊 | zhé tí 折

一 亅 扌 扩 扩 折 折

⑪ セツ〔おる〕・テイ〔やすらか〕 ⑳ break off, slow

字解 ■ ① 꺾을 절(拗也), 굽힐 절(屈也), 휠 절(曲也). ¶折骨(절골). ② 결단할 절(斷也). ③ 일찍죽을 절(夭死). ¶夭折(요절). ④ 꾸짖을 절(直указ人過失). ¶面折(면절). ■ 천천할 제.

字源 會意. 斤(도끼)과 잘린 木과의 합자. 도끼로 나무를 자름의 뜻.

[折骨 절골] 뼈가 부러짐.
[折半 절반] 둘로 나눔. 또, 그 반.
[屈折 굴절] 휘어져 꺾임.

4⑦ [択] 擇(택)(手部 13획)의 略字

4⑦ [抛] 抛(포)(手部 5획)의 俗字

5⑨ [拜] 절 배 ⊕卦 | bài 拜

⌒ ⌒ ⌒ 手 手 扌 扌 扌 拜

⑪ ハイ〔おがむ〕 ⑳ bow

字解 ① 절 배, 절할 배(屈身表敬意). ¶拜禮(배례). ② 삼가고공경할 배(敬容之總稱). ¶拜謁(배알). ③ 벼슬줄 배, 벼슬받을 배(授官). ¶拜官(배관).

字源 形聲. 「來(회)」의 전음이 음을 나타냄.

參考 拜(手部 5획)는 속자.

[拜官 배관] 벼슬아치가 됨. 관직에 나아감.
[拜讀 배독] 삼가 읽음.
[拜禮 배례] 절을 하는 예.
[拜謁 배알] 삼가 만나 뵘. 높은 어른을 뵘.

5⑨ [拏] 잡을 나 ⊕麻 | ná 拏

⑪ ダ〔つかむ〕 ⑳ grasp

字解 形聲. 잡을 나(捕也).

字源 形聲. 手+奴〔音〕

[拏捕 나포] 죄인이나 적선(敵船) 같은 것을 붙잡음.

5⑧ [抨] 탄핵할 평⊕庚 | pēng 抨

⑪ ホウ〔しりぞける〕 ⑳ impeach

字解 탄핵할 평(揮也).

字源 形聲. 扌(手)+平〔音〕

5⑧ [抮] 휘어잡을 진⊗軫 | zhěn 抮

⑪ シン〔ねじる〕 ⑳ grab

字解 휘어잡을 진(引捩).

字源 形聲. 扌(手)+参〔音〕

5⑧ [拌] ■버릴 반 ⊕寒 ■가를 판 ⊕翰 | pān pàn 拌

⑪ ハン〔すてる・さく〕 ⑳ abandon, part

字解 ■ 버릴 반. ■ 가를 판.

字源 形聲. 扌(手)+半〔音〕

披 ■헤칠 피
■支
■찢어질 피
■紙 pī

⊕ ヒ〔ひらく・きく〕 ⊗ open, torn

字解 ■ ① 헤칠 피, 펼 피, 열 피(開也). ② 나눌 피(分給). ③ 입을 피. ¶ 披服(피복). ■ 찢어질 피, 찢을 피(裂也).

字源 形聲. 扌(手)+皮〔音〕

[披瀝 피력] 속마음을 조금도 숨기지 않고 털어놓음.

[披露 피로] ㉠ 문서 등을 펴 보임. ㉡ 일반에게 널리 공포함. ¶ 披露宴(피로연).

抱 안을 포
■皓 bào

⊕ ホウ〔いだく〕 ⊗ embrace

一 十 扌 扌 抒 抱 抱 抱

字解 안을 포, 품을 포(擁也), 가질 포(持也).

字源 形聲. 扌(手)+包〔音〕

[抱負 포부] ㉠ 안고 지고 함. ㉡ 마음속에 품은 자신(自信)이나 계획.

[抱擁 포옹] 품에 껴안음. 얼싸안음.

[懷抱 회포] 마음에 품은 생각.

抵 ■막을 저
■薺
■칠 지
■紙 dǐ
zhǐ

一 十 扌 扌 扩 扡 抵 抵

⊕ テイ〔あたる〕・シ〔うつ〕 ⊗ resist, strike

字解 ■ ① 막을 저(拒也). ¶ 抵抗(저항). ② 거스릴 저(逆也). ¶ 抵觸(저촉). ③ 당할 저(當也). ¶ 抵罪(저죄). ④ 이를 저(至也). ¶ 抵死(저사). ⑤ 대컨 저. 대체로 보아. 무릇. ¶ 大抵(대저). ■ 칠 지.

字源 形聲. 扌(手)+氐〔音〕

[抵觸 저촉] ㉠ 서로 부딪침. 서로 모순됨. ㉡ 법률·규칙 등에 닥뜨려 걸려듦.

[抵抗 저항] ㉠ 대항함. 적과 마주 대하여 버팀. ㉡ 어떤 힘에 대하여 그것과는 반대의 방향으로 작용하는 힘.

[大抵 대저] 대체로 보아. 무릇.

抹 바를 말
■曷 mǒ

⊕ マツ〔ぬる〕 ⊗ smear

字解 ① 바를 말, 칠할 말(塗也). ¶ 塗抹(도말). ② 지울 말, 없앨 말(滅也). ¶ 抹殺(말살). ③ 스칠 말, 지날 말(通過). ¶ 一抹(일말). ④ 문지를 말(摩也).

字源 形聲. 扌(手)+末〔音〕

[抹殺 말살] ㉠ 아주 없애 버림. ㉡ 남의 존재를 면목 없게 함.

[抹消 말소] 지워 없애 버림.

[一抹 일말] ㉠ 한 번 칠하는 일. ㉡ 약간. 아주 조금.

抽 뽑을 추
■尤 chōu

一 十 扌 扌 扣 抽 抽 抽

⊕ チュウ〔ぬく〕 ⊗ draw out

字解 뽑을 추, 뺄 추(拔也, 擢也).

字源 形聲. 扌(手)+由〔音〕

[抽籤 추첨] 제비를 뽑음. 제비뽑기.

[抽出 추출] ㉠ 뽑아냄. ㉡ 용매(溶媒)를 써서 고체 또는 액체에서 어떤 물질을 뽑아냄.

押 ■수결 압
■洽
■단속할 갑
■洽 yā
jiā

⊕ オウ〔おす〕・コウ〔くくる, なれる〕 ⊗ sign, control

字解 ■ ① 수결 압(署名), 도장찍을 압(捺印). ¶ 押印(압인). ② 운 밟을 압, 운달 압(用韻). ¶ 押韻(압운). ③ 누를 압(按也). ¶ 押釘(압정). ④ 압수할 압, 압류할 압. ¶ 押收(압수). ■ 단속할 갑.

字源 形聲. 扌(手)+甲〔音〕

4획

[押送 압송] 죄인을 잡아 보냄.

[押韻 압운] 같은 운자(韻字)를 써서 시(詩)를 지음. 같은 운자를 구각(句脚)에 지음.

[押印 압인] 도장 따위를 찍음.

[押釘 압정] 손가락으로 눌러 박는 머리가 납작한 쇠못.

5⁄8【拂】 ➊떨 불 ➋도울 필 ㊤物 ㊤質 | fú bì | 拂

㊐ フツ〔はらう〕・ヒツ〔たすける〕 ㊧ sweep, aid

字解 ➊ ① 떨 불, 떨어뜨릴 불(除去). ¶ 拂拭(불식). ② 거스릴 불(逆也), 어길 불(違也). ¶ 拂逆(불역). ③ 치를 불(代價支給). ¶ 支拂(지불). ➋도울 필.

字源 形聲. 扌(手)+弗〔音〕

參考 払(手部 2획)은 약자.

[拂拭 불식] 털고 훔치어 깨끗이 함.

[拂逆 불역] 거스름. 어김.

[先拂 선불] 먼저 치러 줌.

[支拂 지불] 값을 치름.

5⁄8【拄】 버틸 주 ㊤麌 | zhǔ | 拄

㊐ チュウ〔ささえる〕 ㊧ prop

字解 ① 버틸 주(牚也), 받칠 주(撑持). ② 손가락질할 주.

字源 形聲. 扌(手)+主〔音〕

[拄杖 주장] ㉠ 지팡이를 짚음. ㉡ 지팡이.

[拄頰 주협] 두 손으로 턱을 받침. 턱을 굄.

5⁄8【担】 擔(담)(手部 13획)의 略字

5⁄8【拆】 터질 탁 ㊤陌 | chāi(chè) | 拆

㊐ タク〔ひらく〕 ㊧ split

字解 터질 탁, 쪼갤 탁(裂也).

字源 形聲. 扌(手)+斥〔音〕

[拆字 탁자] 한자의 자획을 분해하는 글자 놀이. 파자(破字). 松을 十・八・公으로 나누는 따위.

5⁄8【拇】 엄지손가락 무 ㊤有 | mǔ | 拇

㊐ ボ〔おやゆび〕 ㊧ thumb

字解 엄지손가락 무(手大指).

字源 形聲. 扌(手)+母〔音〕

[拇印 무인] 손도장.

5⁄8【拈】 ➊집을 념 ➋집을 점 ㊤鹽 ㊤鹽 | niān niān | 拈

㊐ ネン・セン〔つまむ〕 ㊧ pinch

字解 ➊ 집을 념. ➋ 집을 점(持也), 딸 점(指取也).

字源 形聲. 扌(手)+占〔音〕

[拈香 점향] 향을 집어 피움. 분향.

5⁄8【拉】 끌고갈 랍 ㊤合 | lā | 拉

㊐ ラツ〔くじく〕 ㊧ drag

字解 ① 끌고갈 랍, 잡아갈 랍(拘引). ¶ 拉致(납치). ② 꺾을 랍(摧折). ¶ 拉枯(납고).

字源 形聲. 扌(手)+立〔音〕

[拉枯 납고] 마른 나무를 꺾음. 곧, 매우 쉬움을 이름.

[拉北 납북] 북쪽으로 납치해 감.

[拉致 납치] 불법으로 사람을 잡아 감.

5⁄8【拊】 어루만질 부 ㊤麌 | fǔ | 拊

㊐ フ〔なでる〕 ㊧ stroke

字解 ① 어루만질 부(撫也, 揗也) ¶ 拊育(부육). ② 두드릴 부, 칠 부(擊也). ¶ 拊手(부수).

字源 形聲. 扌(手)+付〔音〕

[拊育 부육] 어루만져 기름. 무육(撫育).

[拊掌 부장] 손뼉을 침. 좋아하는 모양.

---

⁵₈〔抛〕던질 포
㊀看　pāo

㊐ ホウ〔なげうつ〕　㊊ throw

字解 ① 던질 포(擲也). ¶抛擲(포척). ② 버릴 포(棄也). ¶抛棄(포기).

字源 會意. 扌(手)+尤+力

參考 抛(手部 4획)는 속자.

[抛棄 포기] ㉠ 하던 일을 중도에 그만둠. ㉡ 자기의 권리나 자격을 버리고 행사하지 않음.

---

⁵₈〔拍〕손뼉칠 박
㊀백㊁陌　pāi

一 亅 扌 扌 扩 护 拍 拍

㊐ ハク〔うつ〕　㊊ clap

字解 ① 손뼉칠 박(掌呼). ¶拍手(박수). ② 박자 박(曲調). ¶拍子(박자).

字源 形聲. 扌(手)+白〔音〕

[拍手 박수] 손뼉을 침. ¶拍手喝采(박수갈채).

[拍子 박자] ㉠ 곡조의 진행하는 시간을 헤아리는 단위. ㉡ 음악의 장단을 맞추는 일.

[拍掌 박장] 손바닥을 침.

---

⁵₈〔拐〕속일 괴
㊀蟹　guǎi

㊐ カイ〔かたる〕　㊊ deceive

字解 ① 속일 괴, 꾈 괴(騙也). ¶誘拐(유괴). ② 지팡이 괴(杖也). ¶拐杖(괴장).

字源 形聲. 扌(手)+另〔音〕

[拐騙 괴편] 속임. 기만함.

---

⁵₈〔拑〕재갈먹일 겸㊀鹽　qián

㊐ ケン〔つぐむ〕　㊊ gag

字解 재갈먹일 겸(鉗也).

字源 形聲. 扌(手)+甘〔音〕

參考 箝(竹部 8획)·鉗(金部 5획)은 동자.

[拑口 겸구] ㉠ 입을 다물고 말하지 않음. ㉡ 언론의 자유를 속박함.

---

⁵₈〔拒〕막을 거
㊀語
㊁방진구
㊀虞　jù
jǔ

一 亅 扌 扌 扩 扩 拒 拒

㊐ キョ〔こばむ〕·ク〔ほうじん〕　㊊ defend, square formation

字解 ㊀ ① 막을 거(御也), 맞설 거(敵對). ¶拒逆(거역). ② 물리칠 거(許之對). ¶拒絕(거절). ㊁ 방진 구. 방형(方形)의 진(陣)

字源 形聲. 扌(手)+巨〔音〕

[拒否 거부] 거절함.

[拒逆 거역] 윗사람의 뜻이나 명령을 항거하여 거스름.

[拒絕 거절] 응낙하지 않고 물리침. 거부하여 뗴어 버림.

---

⁵₈〔拓〕열 척㊀
㊁박을 탁㊀藥　zhí
tuò, tà

一 亅 扌 扌 扩 扩 拓 拓

㊐ セキ·タク〔ひらく〕·タク〔おす, いしずり〕　㊊ open, rubbed copy

字解 ㊀ 열 척, 헤칠 척(開也). ¶開拓(개척). ㊁ 박을 탁(模搨也). ¶拓本(탁본).

字源 形聲. 扌(手)+石〔音〕

[拓殖 척식] 척지(拓地)와 식민.

[拓地 척지] 토지를 개척함.

[拓本 탁본] 금석에 새긴 글씨나 그림을 그대로 종이에 박아 냄. 또, 그 박은 종이. 탑본(搨本).

[開拓 개척] ㉠ 땅을 일구어 논밭을 만듦. ㉡ 일을 처음으로 시작하여 그 부분의 길을 닦음.

5⑧〔拔〕

■빼낼 발
⑧點
■성할 패
⑧隊

拔 bá
bèi

拔

一 十 扌 扌 扩 扦 拔 拔 拔

⽇ バツ〔ぬく〕・ハイ〔しげる〕
⑧ pull out, dense

字解 ■ ① 뺄 발, 뽑아낼 발(抽也). ¶ 拔本(발본). ② 빼어날 발, 뛰어날 발(挺也). ¶ 拔群(발군). ③ 가릴 발(擢也). ¶ 選拔(선발). ■ 성할 패.

字源 形聲. 扌(手)+友〔音〕

[拔群 발군] 여럿 가운데서 특별히 빼어남.
[拔本 발본] 근원을 뽑아 버림.
[拔擢 발탁] 많은 사람 중에서 사람을 추려 내어 씀.
[選拔 선발] 여럿 중에서 가려 뽑음.

5⑧〔拖〕

扡(타)(次條)와 同字

5⑧〔扡〕

끌 타
⑦歌

tuō

扡

⽇ タ〔ひく〕 ⑧ drag

字解 끌 타(曳也).

字源 形聲. 扌(手)+它〔音〕

參考 拖(手部 5획)와 동자.

5⑧〔拗〕

■비뚤
요⑦效
■겪을
요⑥巧
■누를
욱⑧屋

ào
ǎo
niù

拗

⽇ ョゥ〔ねじける・くじく〕・イク〔おさえる〕
⑧ crooked, break, press

字解 ■ 비뚤 요(拗也), 비꼬일 요(心戾). ¶ 執拗(집요). ■ 꺾을 요(手拉折). ¶ 拗矢(요시). ■ 누를 욱.

字源 形聲. 扌(手)+幼〔音〕

[拗性 요성] 고집스러운 성질. 비뚤어진 성질.

[執拗 집요] ㉠ 고집이 셈. ㉡ 끈질기게 추근댐.

5⑧〔拘〕

거리낄
구⑦虞

jū

拘

一 十 扌 扌 扚 扚 拘 拘

⽇ コウ〔とらえる〕 ⑧ hesitate

字解 ① 거리낄 구(曲礙). ¶ 拘礙(구애). ② 잡을 구(執也). ¶ 拘禁(구금).

字源 形聲. 扌(手)+句〔音〕

[拘束 구속] ㉠ 체포하여 신체를 속박함. ㉡ 자유 행동을 제한 또는 정지시킴.
[拘礙 구애] 거리낌. 얽매임.

5⑧〔拙〕

졸할 졸
⑧질⑦屑

zhuō

拙

一 十 扌 扌 扎 扟 拙 拙

⽇ セツ〔つたない〕 ⑧ clumsy

字解 졸할 졸(不巧), 못생길 졸(鈍也). ¶ 拙劣(졸렬). 拙筆(졸필).

字源 形聲. 扌(手)+出〔音〕

[拙劣 졸렬] 옹졸하고 비열함.
[拙作 졸작] ㉠ 보잘것없는 작품. ㉡ 자신의 작품에 대한 겸손의 말.

5⑧〔招〕

■부를 초
⑦蕭
■들 교
⑦蕭
■별이름
소⑦蕭

zhāo
qiáo
sháo

招

十 扌 扌 扗 扣 招 招 招

⽇ ショウ〔まねく〕・キョウ〔あげる〕・ショウ〔ほしのな〕
⑧ call

字解 ■ 부를 초(呼也). ■ 들 교. 지적함. ■ 별이름 소.

字源 形聲. 扌(手)+召〔音〕

[招待 초대] 손님을 불러 대접함.
[招來 초래] ㉠ 불러옴. ㉡ 어떤 결과를 가져오게 함.
[招致 초치] 불러들임.

4
획

〔拽〕
5
8
　━당길 예
　㊀霽
　━━끌 열 ㊇屑
　━━맥짚을 설
　　㊇屑

yì
yè
shé

㊐ エイ・エツ〔ひく〕・セツ〔かぞえる〕
㊍ pull, drag, take pulge

字解 ━당길 예(引也). ━━끌 열(拕也). ━━맥짚을 설.
字源 形聲. 扌(手)+世〔音〕

〔抬〕
5
8
　━칠 태
　㊉支
　━━들 대 ㊉支

chī
tái

扲

㊐ チ〔むちうつ〕　㊍ flog, raise
字解 ━칠 태(擊也). ━━들 대(擔也).
字源 形聲. 扌(手)+台〔音〕
參考 笞(竹部 5획)와 동자. 擡(手部 14획)의 약자.

〔拠〕 據(거)(手部 13획)의 略字
5
8

〔拝〕 拜(배)(手部 5획)의 俗字
5
8

〔拡〕 擴(확)(手部 15획)의 略字
5
8

〔拳〕
6
10
　주먹 권
　㊉先

quán

扲

ハ　ム　丷　半　尖　失　叁　拳

㊐ ケン〔こぶし〕　㊍ fist
字解 주먹 권(屈手).
字源 形聲. 扌(手)+㒸〔音〕

[拳銃 권총] 피스톨. 단총(短銃).
[拳鬪 권투] 주먹으로 서로 때려서 승부(勝負)를 결정하는 운동 경기.

〔挈〕
6
10
　━이끌 설
　㊇屑
　━━결 ㊇屑
　━━끊을 계
　　㊄霽

qiè
qì

扲

㊐ ケツ〔たつさえる〕・ケイ〔たつ〕
㊍ lead, cut

字解 ━이끌 설(提也). ━━끊을 계(絶也).
字源 形聲. 手+㓞〔音〕

[挈家 설가] 온 가족을 이끌고 감.

〔拏〕 拏(나)(手部 5획)와 同字
6
10

〔拿〕 拏(나)(手部 5획)의 俗字
6
10

〔挙〕 擧(거)(手部 13획)의 略字
6
10

〔括〕
6
9
　싹 괄
　㊇曷

kuò

括

㊐ カツ〔くくる〕　㊍ wrap
字解 싹 괄(包也), 맺을 괄(結也), 묶을 괄(絜也).
字源 形聲. 扌(手)+舌(昏)〔音〕

[括弧 괄호] 숫자나 문장의 앞뒤를 막아 다른 것과의 구별을 하는 기호. ( )·〔 〕·[ ]따위.
[包括 포괄] 휩싸서 하나로 묶음.

〔拭〕
6
9
　닦을 식
　㊇職

shì

拭

㊐ ショク〔ぬぐう〕　㊍ wipe
字解 닦을 식, 지울 식, 씻을 식(淸也).
字源 形聲. 扌(手)+式〔音〕

[拭目 식목] 눈을 닦고 봄. 주의해서 봄.
[拂拭 불식] 털고 훔치어 깨끗이 함.

〔拮〕
6
9
　━바쁘게 일할 길
　　㊂質
　━━다그칠 갈 ㊄點
　━━일할 결
　　㊇屑

jié
jiá
jié

拮

㊐ キツ〔はたらく〕・カツ〔せまる〕・クツ〔はたらく〕

[英] work hard, press, work

[字解] [一] ① **바쁘게일할 길**(手口共作). ¶ 拮据(길거). ② **죄어질 길**, **버틸 길**. ¶ 拮抗(길항). [二] **다그칠 갈**. [三] **일할 결**.

[字源] 形聲. 扌(手)+吉〔音〕

[拮据 길거] 바쁘게 일함. 손과 입을 동시에 놀림.

[拮抗 길항] 버티고 대항함. ¶ 拮抗作用(길항작용).

4 획

6 ⑨ 【拯】 건질 증 [上]迥 zhěng

[日] ショウ〔すくう〕 [英] rescue

[字解] ① **건질 증**(援也). ② **구원할 증**(救也). ③ **도울 증**(助也).

[字源] 形聲. 扌(手)+丞〔音〕

[拯濟 증제] 구제함.

6 ⑨ 【拱】 팔짱낄 공[上]腫 gǒng

[日] キョウ〔こまぬく〕 [英] join hands

[字解] ① **팔짱낄 공**(斂手). ¶ 拱手(공수). ② **아름 공**(兩手合把). ¶ 拱木(공목).

[字源] 形聲. 扌(手)+共〔音〕

[拱木 공목] 아름드리 되는 나무.

[拱手 공수] ㉠ 왼손을 오른손 위에 놓고 두 손을 마주 잡아서 공경하는 뜻을 나타내는 예. ㉡ 팔짱을 끼고 아무 일도 하지 않음.

6 ⑨ 【拷】 두드릴 고[入]皓 kǎo

[日] ゴウ〔うつ〕 [英] beat

[字解] **두드릴 고**, **때릴 고**(打也).

[字源] 形聲. 扌(手)+考〔音〕

[拷問 고문] 죄상을 자백시키기 위하여 신체적인 고통을 줌. ¶ 拷問致死(고문치사).

6 ⑨ 【拽】 [一]끌 예 [去]霽 [二]끌 열[入]屑 yè

[日] エイ・エツ〔ひく〕 [英] drag

[字解] [一] **끌 예**(引也). [二] **끌 열**(拖也).

[字源] 會意. 手+曳

6 ⑨ 【拾】 [一]주울 습 [入]緝 [二]열 십[入]緝 [三]오를 섭 [入]葉 [四]번갈아 겁 [入]葉 shí shí shè jiè

十 扌 扌 扒 扲 拎 拾 拾

[日] ジュウ〔ひろう〕・ジュウ〔じゅう, とお〕・ショウ〔のぼる〕・キョウ〔かわるがわる〕

[英] pick up, ten, rise, alternately

[字解] [一] **주울 습**(掇也). ¶ 拾得(습득). [二] **열 십**(十也). ¶ 參拾(삼십). [三] **오를 섭**. [四] **번갈아 겁**.

[字源] 形聲. 扌(手)+合〔音〕

[拾得 습득] 주움. ¶ 拾得物(습득물).

[收拾 수습] 흩어진 물건을 주워 거둠.

6 ⑨ 【拶】 맞닥뜨릴 찰[入]曷 zā

[日] サツ〔せまる〕 [英] be faced with

[字解] ① **맞닥뜨릴 찰**. ② **손가락질할 찰**.

[字源] 會意. 扌(手)+巛

6 ⑨ 【持】 가질 지 [平]支 chí

十 扌 扌 扌 扌 扌 持 持

[日] ジ〔もつ〕 [英] hold

[字解] ① **가질 지**(執也). ② **잡을 지**(握也).

[字源] 形聲. 扌(手)+寺〔音〕

[持久 지구] 오래 버팀. ¶ 持久力(지구력). 持久戰(지구전).

[持論 지론] 늘 주장하는 이론.

[持病 지병] 오랫동안 낫지 않는 병. 고질.

[持續 지속] 계속해 지녀 나감. 같은 상태가 오래 계속됨. ¶ 持續性(지속성).

6 ⑨ 【挂】 一 걸 괘 (去)卦 二 나눌 계 (平)齊 guà guī

(日) ケイ〔かける・わける〕
(英) hang, divide
字解 一 **걸 괘, 달 괘**(懸也). 二 **나눌 계.**
字源 形聲. 扌(手)+圭〔音〕
參考 掛(手部 8획)는 동자.

[挂冠 괘관] 의관을 벗어서 걺. 벼슬을 그만둠을 이르는 말.
[挂帆 괘범] 돛을 닮.

6 ⑨ 【挃】 벼베는 소리 질 (入)質 zhì

(日) チツ〔つく〕
字解 ① **벼베는소리 질**(穫禾聲). ② **두드릴 질**(擅也).
字源 形聲. 扌(手)+至〔音〕

6 ⑨ 【指】 손가락 지(上)紙 zhǐ

十 扌 扌 扌 扌 指 指 指
(日) シ〔ゆび〕 (英) finger
字解 ① **손가락 지**(手足端). ¶ 指紋(지문). ② **가리킬 지**(示也). ¶ 指示(지시).
字源 形聲. 扌(手)+旨〔音〕

[指紋 지문] 손가락 끝마디 안쪽에 있는 피부의 주름. 또는 그것이 어떤 물건에 남긴 흔적.
[指彈 지탄] ㉠ 손가락을 튀김. ㉡ 부정한 사람을 지적하여 규탄함.
[指呼之間 지호지간] 가리켜 부를 만한 가까운 거리.
[屈指 굴지] ㉠ 손가락을 꼽아 헤아림. ㉡ 손꼽아 헤아릴 만큼 뛰어남.

6 ⑨ 【按】 一 누를 안 (去)翰 二 막을 알 (入)曷 àn è

(日) アン〔おさえる〕・アツ〔とどめる〕
(英) press, in check
字解 一 ① **누를 안**(抑也). ¶ 按摩(안마). ② **살필 안**(察也). ③ **생각할 안**(考也). ④ **알아볼 안**(驗也). ¶ 按察(안찰). ⑤ **어루만질 안**(撫也). 二 **막을 알.**
字源 形聲. 扌(手)+安〔音〕

[按摩 안마] 몸을 두들기거나 문질러서 피의 순환을 도와 주는 일.
[按察 안찰] 조사하여 바로잡음.

6 ⑨ 【挌】 칠 격 (入)陌 gé

(日) カク〔うつ〕 (英) strike
字解 **칠 격**(擊也).
字源 形聲. 扌(手)+各〔音〕
參考 格(木部 6획)은 동자.

[挌殺 격살] 때려 죽임.
[挌鬪 격투] 서로 맞붙어 싸움. 격투(格鬪).

6 ⑨ 【挑】 一 돋울 도(上)篠 二 멜 조 (平)蕭 tiǎo tiāo

十 扌 扌 扌 扌 挑 挑 挑
(日) チョウ〔いどむ・になう〕
(英) incite, shoulder
字解 一 **돋울 도, 집적거릴 도**(撥也). 二 ① **멜 조**(杖荷). ② **돋울 조**(引調).
字源 形聲. 扌(手)+兆〔音〕

[挑發 도발] 집적거려 일을 돋우어 일으킴. ¶ 戰爭挑發(전쟁도발).
[挑燈 조등] 등불을 돋움.
[挑選 조선] 인물을 선택함.

7 ⑩ 【挫】 꺾을 좌 (去)箇 cuò

(日) ザ〔くじく〕 (英) break

4 획

字解 ① 꺾을 좌(折也). ② 꺾일 좌(摧折).

字源 形聲. 扌(手)+坐〔音〕

[挫折 좌절] 기세·의지 등이 꺾이거나 꺾음. ¶ 挫折感(좌절감).

7
10 【挻】 ■ 당길 연
㊀선 先
■ 이길 선
㊀先 | shān

㊐ セン〔ながくする・こねる〕
㊊ pull, knead

字解 ■ 당길 연. ■ 이길 선.

字源 形聲. 扌(手)+延〔音〕

7
10 【振】 떨칠 진
㊤震 | zhèn

十 扌 扩 扩 护 护 振 振

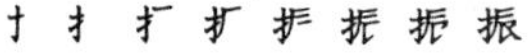

㊐ シン〔ふる〕 ㊊ tremble

字解 ① 떨칠 진(奮也). ¶ 振興(진흥). ② 떨 진. ¶ 振怖(진포). ③ 진동할 진(震也). ¶ 振動(진동). ④ 구원할 진(救也). ¶ 振恤(진휼).

字源 形聲. 扌(手)+辰〔音〕

[振撫 진무] 구원하여 편안하게 함.
[振幅 진폭] 진동하는 폭.
[振興 진흥] 침체된 상태에서 떨쳐 일으킴.

7
10 【挹】 퍼낼 읍
㊉緝 | yì | scoop out

㊐ ユウ〔くむ〕

字解 ① 퍼낼 읍(扱出). ¶ 挹酌(읍작). ② 누를 읍(抑也). ¶ 挹損(읍손). ③ 잡아당길 읍(引也).

字源 形聲. 扌(手)+邑〔音〕

[挹損 읍손] 자기 감정을 누르고 겸손함.
[挹酌 읍작] 퍼냄. 떠냄.

7
10 【挺】 뺄 정
㊤迥 | tǐng

㊐ テイ〔ぬく〕 ㊊ extract

字解 ① 뺄 정(拔也). ② 빼어날 정. ¶ 挺立(정립). ③ 꼿꼿할 정(直也). ④ 먼저나아갈 정. ¶ 挺身(정신). ¶ 挺挺(정정).

字源 形聲. 扌(手)+廷〔音〕

[挺立 정립] 뛰어나게 높이 솟아 있음. 특별히 뛰어남.
[挺身 정신] ㉠ 남들보다 앞서서 자진하여 나아감. 솔선함. ㉡ 간신히 빠져나감.

7
10 【挼】 ■ 비빌 뇌
㊀灰
■ 제미 휴
㊀支 | ruó
suī | 挼

㊐ ダイ〔もむ〕・キ〔たべものをまつるまつり〕
㊊ rub, memorial service

字解 ■ 비빌 뇌(按捼). ■ 제미 휴(祭食也).

字源 形聲. 扌(手)+妥〔音〕

7
10 【挽】 당길 만
㊂阮 | wǎn | 挽

㊐ バン〔ひく〕 ㊊ draw

字解 ① 당길 만, 끌 만(引也). ¶ 挽留(만류). ② 상여꾼노래 만. ¶ 挽歌(만가).

字源 形聲. 扌(手)+免〔音〕

[挽留 만류] 붙잡고 말림.

7
10 【挾】 낄 협
㊂葉 | 挾
xié | 挾

㊐ キョウ〔はさむ〕 ㊊ hold

字解 ① 낄 협(挾也). ② 가질 협(持也). ③ 품을 협(懷也).

字源 形聲. 扌(手)+夾〔音〕

[挾攻 협공] 사이에 두고 양쪽에서 들이침. 협격(挾擊).

7
10 【捂】 닿을 오
㊤遇 | wǔ

㊐ ゴ〔ふれる〕 ㊊ touch

字解 ① 닿을 오. ② 거스를 오(逆也).

字源 形聲. 扌(手)+吾〔音〕

7 ⑩ 【捃】 주울 군 ㊄問 | jùn

㊐ クン〔ひろう〕 ㊊ pick up

字解 **주울 군**(拾也).

字源 形聲. 扌(手)+君〔音〕

[捃拾 군습] 주워 모음.

7 ⑩ 【捄】 一 담을 구 ㊉虞 二 길 구 ㊍尤 三 구원할 구 ㊄宥 | jū jiū jiù

㊐ ク〔もる〕·キュウ〔ながい·すくう〕 ㊊ put in, long, relieve

字解 一 **담을 구**(捊也). 二 **길 구**(長也). 三 **구원할 구**(救也).

字源 形聲. 扌(手)+求〔音〕

7 ⑩ 【捆】 두드릴 곤 ㊤阮 | kǔn

㊐ コン〔うつ〕 ㊊ knock

字解 **두드릴 곤**(擊也).

字源 形聲. 扌(手)+困〔音〕

[捆屨 곤구] 짚신을 죄고 두드려 단단하게 만듦.

7 ⑩ 【捉】 잡을 착 ㊇覺 | zhuō

扌 扌 扌 扌 扌 扌 捉 捉

㊐ ソク〔とらえる〕 ㊊ seize

字解 **잡을 착**(持也, 握也, 捕也).

字源 形聲. 扌(手)+足〔音〕

[捉筆 착필] 붓을 잡고 글을 씀.
[捕捉 포착] 꼭 붙잡음.

7 ⑩ 【捋】 뽑을 랄 ㊇曷 | luō

㊐ ラツ〔つみとる〕 ㊊ pick

字解 ① **뽑을 랄**(以指歷取). ② **만질 랄**(摩也).

字源 形聲. 扌(手)+寽〔音〕

7 ⑩ 【捌】 깨뜨릴 팔 ㊇黠 | bā

㊐ ハツ〔やぶる〕 ㊊ break

字解 ① **깨뜨릴 팔**(破也). ② **나눌 팔**(分也).

字源 形聲. 扌(手)+別〔音〕

7 ⑩ 【捍】 막을 한 ㊄翰 | hàn

㊐ カン〔ふせぐ〕 ㊊ defend

字解 **막을 한**(防也, 守也).

字源 形聲. 扌(手)+旱〔音〕

[捍邊 한변] 국경을 수비함.
[捍塞 한색] 막음. 방지함.
[捍衛 한위] 막아서 지킴.

7 ⑩ 【捎】 一 덜 소 ㊉蕭 二 추릴 소 ㊉肴 | xiāo shāo

㊐ ショウ〔のぞく〕·ソウ〔かる〕 ㊊ exclude, choose

字解 一 **덜 소**(除也). 二 ① **추릴 소**(選也). ② **벨 소**(芟也).

字源 形聲. 扌(手)+肖〔音〕

7 ⑩ 【捏】 반죽할 날 ㊍녈 ㊇屑 | niē

㊐ ネツ〔こねる〕 ㊊ knead

字解 ① **반죽할 날**(捻聚). ② **꿰어 맞출 날**. ¶ 捏造(날조).

字源 形聲. 扌(手)+圼〔音〕

參考 揑(手部 9획)은 속자.

[捏造 날조] ㉠ 흙 같은 것으로 반죽하여 물건의 형상을 만듦. ㉡ 무근한 사실을 조작함. ¶ 虛僞捏造(허위날조).

7 ⑩ 【捐】 버릴 연 ㊉先 | juān

㊐ エン〔すてる〕 ㊊ abandon

字解 ① 버릴 연(棄也). ② 줄 연 (與也). ③ 덜 연(除減).
字源 形聲. 扌(手)+肙〔音〕

[捐金 연금] 돈을 기부함.
[捐補 연보] 자기의 재산을 내어 남의 부족을 도와줌.

7
⑩【挪】문지를 나⑭歌 | nuó

日 ナ〔もむ〕 英 rub

字解 ① 문지를 나(揉也). ② 옮길 나(移也). ③ 유용할 나(流用). ¶ 挪貸(나대).
字源 形聲. 扌(手)+那〔音〕

[挪貸 나대] 꾸어 온 것을 다시 남에게 빌려 줌.
[挪用 나용] 돈이나 물건을 일시 돌려 씀.

7
⑩【揶】희롱할 야⑭麻 | yé

日 ヤ〔からかう〕 英 ridicule

字解 희롱할 야(擨也).
字源 形聲. 扌(手)+邪〔音〕
參考 捓(手部 9획)는 동자.

[揶揄 야유] 남을 빈정거려 놀림.

7
⑩【捕】잡을 포⑤遇 | bǔ

丨 扌 扌 扩 护 捅 捕 捕

日 ホ〔とらえる〕 英 catch

字解 잡을 포(擒捉).
字源 形聲. 扌(手)+甫〔音〕

[捕告 포고] ㉠ 죄인을 잡음. ㉡ 죄인이 있다고 신고함.
[捕虜 포로] 전투에서 사로잡힌 적의 군사.
[捕縛 포박] 잡아 묶음.
[捕繩 포승] 죄인을 포박(捕縛)하는 노끈.
[捕獲 포획] ㉠ 사로잡음. ㉡ 짐승이나 물고기를 잡음.
[生捕 생포] 사로잡음.

7
⑩【捗】━거둘 보⑤遇 | bù, pú
━칠 척 | zhì
入職

日 ホ〔おさめる〕・チョク〔うつ〕 英 obtain, beat

字解 ━ 거둘 보(收斂). ━ 칠 척 (打也).

8
⑫【掌】손바닥 장⑭養 | zhǎng

丷 丷 ゾ 毕 労 堂 堂 掌

日 ショウ〔てのひら〕 英 palm

字解 ① 손바닥 장(手中). ¶ 合掌 (합장). ② 맡을 장, 주장할 장(主也).
字源 形聲. 扌(手)+尙〔音〕

[掌握 장악] 손에 쥠. 손에 넣음.
[分掌 분장] 일을 나누어 맡음.

8
⑫【掔】끌 견⑭先 | qiān

日 ケン〔ひく〕 英 drag

字解 끌 견(牽也).
字源 形聲. 扌(手)+臤〔音〕

8
⑫【掣】━끌 체⑮霽 | chè
━당길 철
入屑

日 セイ・セツ〔ひく〕 英 drag, draw

字解 ━ 끌 체(曳也). ¶ 掣曳(체예). ━ 당길 철(挽也). ¶ 掣肘(철주).
字源 形聲. 手+制〔音〕

[掣曳 체예] 끌어 멈춤. 방해함.
[掣肘 철주] 남의 팔꿈치를 당겨서 부자유하게 함. 간섭하여 마음대로 못하게 함.

8
⑪【捧】받들 봉⑭腫 | pěng

[日] ホウ〔ささげる〕 [英] hold up

[字解] ① **받들 봉**(兩手承). ② **끌어안을 봉**(抱也). ¶ 捧腹(봉복).

[字源] 形聲. 扌(手)+奉〔音〕

[捧納 봉납] ㉠ 물건을 받쳐 올림. 봉상(捧上). ㉡ 물건을 거두어 받아들임.

[捧讀 봉독] 공경(恭敬)하여 두 손으로 받들어 읽음.

[捧腹 봉복] 배를 끌어안고 크게 웃음.

8 ⑪ **〖捿〗** 棲(서)(木部 8획)와 同字

8 ⑪ **〖捨〗** 버릴사 [上]馬 | 舍 shě

十 扌 扌 扐 扲 拎 捈 捨

[日] シャ〔すてる〕 [英] throw away

[字解] ① **버릴 사**(棄也). ¶ 取捨(취사). ② **베풀 사**(施也). ¶ 喜捨(희사).

[字源] 形聲. 扌(手)+舍〔音〕

[喜捨 희사] 남에게 재물을 기꺼이 내놓음.

8 ⑪ **〖捩〗** [一]비틀 렬 [入]屑 [二]채 려 [去]霽 | liè

[日] レツ〔ねじる〕・レイ〔ばち〕 [英] twist

[字解] [一] **비틀 렬**(拗也). [二] **채 려**. 비파를 타는 제구.

[字源] 形聲. 扌(手)+戾〔音〕

[捩柁 열타] 키를 틀어서 배의 방향을 바꿈. 전타(轉柁).

8 ⑪ **〖捫〗** 어루만질 문[平]元 | 扪 mén

[日] モン〔なでる〕 [英] stroke

[字解] ① **어루만질 문**(撫也). ② **잡을 문**(摸也).

[字源] 形聲. 扌(手)+門〔音〕

8 ⑪ **〖捭〗** [一]두손으로칠 패 [上]蟹 [二]가를 벽 [入]陌 | bǎi bò

[日] ハイ〔なげうつ〕・ハク〔さく〕 [英] open

[字解] [一] ① **두손으로칠 패**(兩手擊). ② **던질 패**(擲也). [二] **가를 벽**(開也).

[字源] 形聲. 扌(手)+卑〔音〕

8 ⑪ **〖据〗** 일할 거 [平]魚 | jū

[日] キョ〔すえる・はたらく〕 [英] work

[字解] **일할 거**(口足爲事).

[字源] 形聲. 扌(手)+居〔音〕

[拮据 길거] 바쁘게 일함.

8 ⑪ **〖捲〗** 말 권 [平]先 | 卷 juǎn

[日] ケン〔まく〕 [英] roll up

[字解] ① **말 권**(卷也). ¶ 捲簾(권렴). ② **주먹 권**(拳也).

[字源] 形聲. 扌(手)+卷〔音〕

[捲土重來 권토중래] 한 번 패했다 세력을 회복해서 다시 쳐들어옴.

8 ⑪ **〖捶〗** 매질할 추[上]紙 | chuí

[日] スイ〔むちうつ〕 [英] thrash

[字解] **매질할 추**(以杖擊), **회초리 추**(鞭也). ¶ 馬捶(마추).

[字源] 形聲. 扌(手)+垂〔音〕

[捶撻 추달] 매로 때림.

8 ⑪ **〖捷〗** 빠를 첩 [入]葉 | jié

[日] ショウ〔はやい〕 [英] fast

[字解] ① **빠를 첩**(敏也). ¶ 捷徑(첩경). ② **이길 첩**(勝也). ¶ 捷報(첩보).

[字源] 形聲. 扌(手)+疌〔音〕

[捷徑 첩경] 지름길.
[捷報 첩보] 싸움에 이겼다는 소식.
[敏捷 민첩] 능란하고 재빠름.

8획 ⑪【捺】손으로누르를 날入局 | nà 捺
⑪ ㊐ ナツ〔おす〕 ㊟ press
字解 손으로누르를 날(手重按).
字源 形聲. 扌(手)+奈〔音〕
[捺印 날인] 도장을 찍음. 날장(捺章).

8획 ⑪【捻】비틀념 ㊀념 ㊆葉 | niǎn 捻
⑪ ㊐ ネン〔ひねる〕 ㊟ twist
字解 비틀 념. ¶ 指捻(지념).
字源 形聲. 扌(手)+念〔音〕
[捻出 염출] 재물이나 생각을 짜냄.

8획 ⑪【挼】￭비빌 뇌 ￭灰 ￭꺾을 나 ㊆歌 | ruó
⑪ ㊐ ダ〔もむ〕 ㊟ rub, break
字解 ￭ 비빌 뇌(兩手切摩). ￭ ① 꺾을 나(摧也). ② 문댈 나(挼也).
字源 形聲. 扌(手)+委〔音〕

8획 ⑪【捽】잡을 졸 ㊀月 | zuó(zú) 捽
⑪ ㊐ ソツ〔つかむ〕 ㊟ clasp
字解 ① 잡을 졸(持頭髮). ② 뽑을 졸(拔取也).
字源 形聲. 扌(手)+卒〔音〕

8획 ⑪【掀】들 흔 ㊆元 | xiān 抓
⑪ ㊐ ケン〔あげる〕 ㊟ lift
字解 들 흔, 들어올릴 흔(以手高擧). ¶ 掀動(흔동).
字源 形聲. 扌(手)+欣〔音〕
[掀動 흔동] 들어올리고 움직임. 곧, 뒤흔듦. '흔천동지(掀天動地)'의 준

8획 ⑪【掃】쓸 소 ㊀皓 | sāo 扫 掃
⑪ 扌 扌 扌 扩 扩 扫 扫 掃 掃
㊐ ソウ〔はく〕 ㊟ sweep
字解 쓸 소(拚除).
字源 會意. 扌(손)와 帚(비)의 합자. 「비로 쓺」의 뜻.
[掃除 소제] 쓸어서 깨끗하게 함.
[掃蕩 소탕] 쓸 듯이 모조리 무찔러 없앰. ¶ 掃蕩戰(소탕전).

8획 ⑪【掇】주울 철 ㊀탈 入屑 | duō 掇
⑪ ㊐ テツ〔とる〕 ㊟ pick up
字解 주울 철(拾取).
字源 形聲. 扌(手)+叕〔音〕
[掇遺 철유] 선인(先人)의 유업(遺業)을 주워 모음.

8획 ⑪【授】줄 수 ㊂宥 | shòu 授
⑪ 扌 扌 扌 扩 扩 扩 挖 授
㊐ ジュ〔さずける〕 ㊟ give
字解 ① 줄 수(受之對). ¶ 授與(수여). ② 가르칠 수(敎也). ¶ 授業(수업).
字源 形聲. 扌(手)+受〔音〕
[授業 수업] 학업을 가르쳐 줌.
[授與 수여] 증서·상장·상품 또는 훈장 같은 것을 줌.
[授乳 수유] 어린아이에게 젖꼭지를 물려 젖을 먹임.

8획 ⑪【掉】흔들 도 ㊂嘯 | diào 掉
⑪ ㊐ トウ〔ふるう〕 ㊟ shake
字解 ① 흔들 도(搖也). ② 떨칠 도(振也).
字源 形聲. 扌(手)+卓〔音〕
[掉舌 도설] 혀를 휘둘러 변론함. 구설(口說)을 힘차게 함.

8 ⑪ 【掊】 一 거둘 부 ㊥尤 二 칠 부 ㊤有 | póu pǒu

㊐ ホウ〔かく・うつ〕
㊊ gather up, strike

字解 **一 거둘 부**(聚斂). **二 칠 부**(擊也).

字源 形聲. 扌(手)+咅〔音〕

[掊克 부극] ㉠ 과도한 세금을 징수함. ㉡ 자만하여 남에게 이김을 좋아함.

8 ⑪ 【掎】 당길 기 ㊤紙 | jǐ

㊐ キ〔ひく〕 ㊊ pull

字解 ① **당길 기**(偏引). ② **다리 잡을 기**(牽一脚). ¶ 掎角(기각).

字源 形聲. 扌(手)+奇〔音〕

[掎角 기각] 사슴을 잡을 때 뒤에서는 발을 잡고 앞에서는 뿔을 쥔다는 뜻으로, 앞뒤에서 협격(挾擊)함을 이름.

8 ⑪ 【掏】 가릴 도 ㊥豪 | tāo

㊐ トウ〔えらぶ〕 ㊊ select

字解 ① **가릴 도**(擇也). ② **더듬을 도**. ¶ 掏摸(도모).

字源 形聲. 扌(手)+匋〔音〕

[掏兒 도아] 들치기. 소매치기.

8 ⑪ 【排】 물리칠 배 ㊥佳 | pái

㊐ ハイ〔おす〕 ㊊ reject

字解 ① **물리칠 배**(斥也). ¶ 排斥(배척). ② **밀 배**(推也). ③ **밀어낼 배**(擠也). ¶ 排泄(배설). ④ **늘어설 배**(列也). ¶ 按排(안배).

字源 形聲. 扌(手)+非〔音〕

[排擊 배격] 남의 사상·의견·물건 따위를 물리침.

[排泄 배설] 먹은 음식을 삭이고, 남은 찌끼를 몸 밖으로 내보냄. ¶ 排泄物(배설물).

[排斥 배척] 물리쳐 내침.

8 ⑪ 【掖】 겨드랑이 액 ㊇陌 | yè

㊐ エキ〔わき〕 ㊊ armpit

字解 ① **겨드랑이 액**(臂下). ② **낄 액**(腋下挾持).

字源 形聲. 扌(手)+夜〔音〕

[掖門 액문] 궁궐의 정문 좌우에 있는 작은 문.

[扶掖 부액] 겨드랑이를 붙들어 걸음을 도움.

8 ⑪ 【掘】 一 팔 굴 ㊇物 二 뚫을 궐 ㊇月 | jué

㊐ クツ〔ほる〕・コツ〔ほる, うがつ〕
㊊ dig, bore

字解 **一 팔 굴**(搰也), **파낼 굴**. **二 뚫을 궐**.

字源 形聲. 扌(手)+屈〔音〕

[掘鑿 굴착] 땅을 파서 구멍을 뚫음.

[發掘 발굴] 땅 속의 물건을 파냄.

8 ⑪ 【掛】 걸 괘 ㊦卦 | guà

十 扌 扌 扌 挂 挂 掛 掛

㊐ カイ〔かける〕 ㊊ hang

字解 **걸 괘**(懸也).

字源 形聲. 扌(手)+卦〔音〕

參考 挂(手部 6획)와 동자.

[掛圖 괘도] 걸어 놓고 보는 학습용의 그림이나 도표.

8 ⑪ 【掞】 一 펼 섬 ㊦卦 二 불꽃 염 ㊤琰 | shàn yàn

㊐ セン〔のべる〕・エン〔するどい〕
㊊ realize, flame

字解 **一 펼 섬**(舒也). **二 불꽃 염**. **탈 염**.

字源 形聲. 扌(手)+炎〔音〕

8〔掠〕 一 노략질할 략 ⑥送
一 노략질할 량 ⑥漾

lüè

† ‡ ‡ 扩 护 护 护 掠
⊜ リャク・リョウ〔かすめる〕
⊛ plunder

字解 一 노략질할 략(奪取). 二 노략질할 량, 볼기칠 량.

字源 形聲. 扌(手)+京〔音〕

[掠奪 약탈] 폭력을 써서 무리하게 빼앗음. 겁략(劫掠).

8〔採〕 캘 채 ⑥賄

cǎi

† ‡ ‡ 扩 扩 护 抒 採
⊜ サイ〔とる〕 ⊛ pick up

字解 ① 캘 채, 딸 채(摘也). ¶ 採鑛(채광). ② 가릴 채(選也). ¶ 採擇(채택).

字源 會意. 手(손)와 采(취함)의 합자. 또, 「采(채)」는 음을 나타냄.

[採鑛 채광] 광산에서 광석을 캐냄.
[採用 채용] 사람을 선택해서 씀.
[採擇 채택] 가려서 취함.
[特採 특채] 특별히 채용함.

8〔探〕 찾을 탐 ⑥覃

tān

† ‡ ‡ 扩 扩 护 护 探
⊜ タン〔さぐる〕 ⊛ search

字解 찾을 탐(閟索), 더듬을 탐(偵也).

字源 會意. 手(손)와 深(深의 본자)의 합자. 깊은 곳을 더듬어 취함의 뜻. 또, 「深(심)」의 전음이 음을 나타냄.

[探究 탐구] 파고들어 깊이 연구함.
[探索 탐색] 형편·행동 따위를 살핌.
[廉探 염탐] 몰래 남의 사정이나 내막을 살핌.

8〔接〕 접할 접 ⑧葉

jiē

† ‡ ‡ 扩 护 护 按 接 接
⊜ セツ〔つぐ〕 ⊛ join

字解 ① 접할 접(觸也), 이을 접(連也). ¶ 隣接(인접). ② 사귈 접(交也). ¶ 接待(접대).

字源 形聲. 扌(手)+妾〔音〕

[接待 접대] 손님을 맞아서 대접함.
[接觸 접촉] ㉠ 맞붙어서 닿음. ㉡ 교섭함.
[迎接 영접] 손님을 맞아 대접함.

8〔控〕 ⑤送 당길 공
⑥絳 칠 강
⑪江

kòng
qiāng

⊜ コウ〔ひく・うつ〕
⊛ draw, strike

字解 一 ① 당길 공(引也). ¶ 控弦(공현). ② 고할 공(告也). ¶ 控訴(공소). 二 칠 강(打也). ¶ 控捲(강권).

字源 形聲. 扌(手)+空〔音〕

[控御 공어] ㉠ 말을 어거함. ㉡ 남의 자유를 제어하여 다스림.
[控除 공제] 금전·수량 등을 덜어냄.
[控弦 공현] ㉠ 활의 시위를 잡아당김. ㉡ 활을 잘 쏘는 병사.

8〔推〕 一 ⑤支 옮길 추
⑥灰 밀 퇴
⑯추⑩灰

tuī

† ‡ ‡ 扩 扩 扩 拊 推 推
⊜ スイ〔うつりかわる〕・タイ〔おす〕
⊛ move, push

字解 一 ① 옮길 추(遷移). ¶ 推移(추이). ② 밀 추. ¶ 推進(추진). ③ 미루어헤아릴 추. ¶ 推理(추리). ④ 천거할 추. ¶ 推戴(추대). 二 밀 퇴(排也).

字源 形聲. 扌(手)+隹〔音〕

[推戴 추대] 모셔 올려 받듦.
[推進 추진] 진척되도록 밀고 나아감.
[推察 추찰] 미루어 생각함.
[推薦 추천] 어떤 조건에 적합한 대

상을 책임지고 소개함. ¶ 推薦書(추천서).

8 ⑪ 【掩】 가릴 엄 [去]琰 | yǎn

[日] エン〔おおう〕 [英] cover

[字解] ① **가릴 엄**(蔽也), **덮을 엄**(蓋也). ¶ 掩蔽(엄폐). ② **덮칠 엄**(襲也).

[字源] 形聲. 扌(手)+奄〔音〕

[掩襲 엄습] 불시에 덮침. 뜻하지 않은 사이에 습격함.
[掩蔽 엄폐] 덮어서 숨김.
[掩護 엄호] ㉠ 비호(庇護)함. ㉡ 적을 막아 자기편을 가려 보호함.

8 ⑪ 【措】 [一]놓을 조 [去]遇 [二]잡을 책 [入]陌 | cuò

[日] ソ〔おく〕・サク〔とらえる〕
[英] put, catch

[字解] [一] ① **놓을 조**(置也). ② **베풀 조**(施也). [二] **잡을 책**.

[字源] 形聲. 扌(手)+昔〔音〕

[措辭 조사] 시문(詩文)의 어구(語句)의 배치.
[措處 조처] 일을 정돈하여 처리함.
[擧措 거조] 행동거지.

8 ⑪ 【掫】 야경돌 추[平]尤 | zōu

[日] ソウ〔よまわり〕
[英] keep night watch

[字解] **야경돌 추**(夜警).

[字源] 形聲. 扌(手)+取〔音〕

8 ⑪ 【掬】 움킬 국 [入]屋 | jū

[日] キク〔すくう〕 [英] grasp

[字解] **움킬 국**(兩手撮物).

[字源] 會意. 원자(原子)는 匊. 勹와 米의 합자. 쌀을 양손으로 감싸고 가짐의 뜻. 手를 더한 것이 掬.

[掬水 국수] 물을 양손으로 움켜 뜸. 또, 움켜 뜬 물.
[掬飮 국음] 물을 움켜 떠 마심.

8 ⑪ 【掜】 [一]비길 예 [上]薺 [二]땅길 예 [去]霽 | nǐ yì

[日] ゲイ〔なぞらえる・つる〕
[英] tie, get stiff

[字解] [一] **비길 예**(擬也). [二] **땅길 예**(手筋急).

[字源] 形聲. 扌(手)+兒〔音〕

9 ⑫ 【掾】 아전 연 [去]霰 | yuàn

[日] エン〔したやく〕 [英] petty official

[字解] **아전 연**(屬官通稱).

[字源] 形聲. 扌(手)+彖〔音〕

[掾吏 연리] 하급 관리. 속관(屬官).

9 ⑫ 【揄】 [一]빈정거릴 유[平]虞 [二]요적옷 요 [平]蕭 | yú yáo

[日] ユ〔からかう〕・ヨウ〔きさきのころも〕
[英] ridicule

[字解] [一] ① **빈정거릴 유**(擧手笑弄). ¶ 揶揄(야유). ② **끌 유**(引也). [二] **요적**(揄狄)**옷 요**. 꿩을 수놓은 옛날의 귀부인 옷.

[字源] 形聲. 扌(手)+俞〔音〕

[揄揚 유양] 칭찬하여 치켜세움.
[揶揄 야유] 남에게 빈정거려 놀림.

9 ⑫ 【揆】 헤아릴 규[上]支 | kuí

[日] キ〔はかる〕 [英] calculate

[字解] ① **헤아릴 규**(度也). ② **법도 규**(法也).

[字源] 形聲. 扌(手)+癸〔音〕

[揆度 규탁] 미루어 헤아림. 헤아려 생각함.

9 ⑫ 【揉】 ㉠휠 유 ㉡비빌 유 ㉢尤 | róu 揉

� ジュウ〔もむ・ためる〕 ㉭ bend, rub

字解 ━ 휠 유(作撓). ¶ 揉木(유목). ━ 비빌 유(捻也). ¶ 揉紙(유지).

字源 會意. 手(扌)와 柔의 합자. 손으로 비벼서 부드럽게 한다는 뜻이며, 「柔(유)」가 음을 나타냄.

[揉木 유목] 나무를 휘어잡음.
[揉目 유목] 눈을 비빔.

9 ⑫ 【描】 그릴 묘 ㉢蕭 | miáo 描

� ビョウ〔えがく〕 ㉭ draw

字解 그릴 묘(畫也).

字源 形聲. 扌(手)+苗〔音〕

[描寫 묘사] 사물을 있는 그대로 그려 냄.

9 ⑫ 【提】 ━끌 제 ㉢齊 ━떼지어 날 시 ㉢支 | tí / shí 提

扌 扌 扌 扩 押 押 提 提

� テイ〔さげる〕・シ〔とりがむれとぶ〕 ㉭ drag, in groups fly

字解 ━ 끌 제(挈也), 들 제(擧也). ¶ 提携(제휴). ━ 떼지어날 시.

字源 形聲. 扌(手)+是〔音〕

[提供 제공] 가져다 주어 이바지함.
[提示 제시] 어떠한 문제·내용·방향 등을 드러내어 보임.
[提携 제휴] ㉠ 서로 붙잡아 끌어줌. ㉡ 행동을 함께 하기 위해 서로 붙들어 도움. ¶ 技術提携(기술제휴).

9 ⑫ 【揞】 감출 암 ㉠感 | ǎn

� アン〔かくす・おおう〕 ㉭ hide

字解 감출 암(藏也).

字源 形聲. 扌(手)+音〔音〕

9 ⑫ 【插】 꽂을 삽 ㉢洽 | chā 挿

� ソウ〔さす〕 ㉭ insert

字解 꽂을 삽(刺入), 끼울 삽(挾也).

字源 形聲. 扌(手)+臿〔音〕

參考 挿(手部 9획)은 속자.

[插入 삽입] 사이에 끼워 넣음.
[插畫 삽화] 서적·신문·잡지 등에 삽입하여 기사 내용에 관계가 있게 한 그림.

9 ⑫ 【揖】 ━읍할 읍 ㉢緝 ━모일 집 ㉢緝 | yī / jí 揖

� ユウ〔えしゃく〕・シュウ〔あつまる〕 ㉭ bow, gather

字解 ━ 읍할 읍(拱手以相禮). ━ 모일 집(聚也).

字源 形聲. 扌(手)+咠〔音〕

[揖禮 읍례] 읍을 하는 예법.

9 ⑫ 【揚】 날릴 양 ㉠陽 | yáng 揚

扌 扌 扌 扩 押 押 揚 揚 揚

� ヨウ〔あげる〕 ㉭ let fly

字解 ① 날릴 양(飛擧), 떨칠 양(顯也). ¶ 揚名(양명). ② 높일 양, 올릴 양(擧也). ¶ 止揚(지양). ③ 칭찬할 양(稱美). ¶ 讚揚(찬양).

字源 會意. 扌(손)와 昜(오름)의 합자. 또, 「昜(양)」이 음을 나타냄.

[揚名 양명] 이름을 드날림.
[揚水 양수] 물을 자아 올림.
[宣揚 선양] 널리 떨침.

9 ⑫ 【搜】 찾을 수 ㉠尤 | sōu 搜

� ソウ〔さがす〕 ㉭ seek for

字解 ① 찾을 수(索也). ② 화살소

리 수(矢行勁疾聲).
字源 形聲. 扌(手)+突〔音〕

9/12 【換】 바꿀 환 ㊀翰 huàn 換　換

一 扌 扩 扩 捄 換 換 換

㈰ カン〔かえる〕 �English exchange
字解 바꿀 환(交易也).
字源 形聲. 扌(手)+奐〔音〕
[換言 환언] 바꾸어 말함.
[換率 환율] 두 나라 사이의 화폐 교
환 비율.
[交換 교환] 서로 바꿈.

9/12 【揠】 뽑을 알 ㊉黠 yà 揠

㈰ アツ〔ぬく〕 ㊍ pull out
字解 뽑을 알(拔也).
字源 形聲. 扌(手)+匽〔音〕
[揠苗助長 알묘조장] 갓 심은 모를
빨리 자라게 하기 위하여 뽑아 올려
말라죽게 하였다는 고사에서, 성미
가 급하면 도리어 손해를 본다는 말.

9/12 【掩】 가릴 엄 ㊁琰 yǎn 掩

㈰ エン〔おおう〕 ㊍ cover
字解 가릴 엄(手掩).
字源 形聲. 扌(手)+奄〔音〕

9/12 【握】 쥘 악 ㊊覺 wò 握

㈰ アク〔にぎる〕 ㊍ grasp
字解 쥘 악(掌也).
字源 形聲. 扌(手)+屋〔音〕
[握手 악수] 인사·감사·친선 등의
표시로 서로 손을 내어 잡는 일.

9/12 【揣】 헤아릴 췌 ㊌취 ㊁紙 chuāi 揣

㈰ シ〔はかる〕 ㊍ estimate
字解 헤아릴 췌(探求), 잴 췌(量也).

字源 形聲. 扌(手)+尚〔音〕
[揣知 췌지] 미루어 헤아려서 앎.

9/12 【揭】 들 게 ㊀계 ㊁霽 qì 揭

㈰ ケイ〔かかげる〕 ㊍ hoist
字解 들 게(高擧).
字源 形聲. 扌(手)+曷〔音〕
[揭揭 게게] ㉠ 긴 모양. ㉡ 높이 솟
은 모양. ㉢ 물건이 빠지려고 하는
모양.
[揭揚 게양] 높이 들어 올려 걺.

9/12 【揮】 휘두를 휘 ㊀微 huī 揮

扌 扌 护 押 捭 捯 揮 揮

㈰ キ〔ふるう〕 ㊍ wield
字解 ① 휘두를 휘(振也). ¶ 揮毫
(휘호). ② 지휘할 휘. ¶ 指揮(지
휘). ③ 뿌릴 휘(散也). ¶ 揮汗(휘
한).
字源 形聲. 扌(手)+軍〔音〕
[揮發 휘발] 보통 온도에서 액체가
기체로 변하여 날아 흩어지는 현상.
[指揮 지휘] 명령하여 사람들을 움
직임.

9/12 【揲】 맥짚을 설 ㊊屑 shé 揲

㈰ セツ〔みゃくをみる〕
㊍ take the pulse
字解 맥짚을 설(閱持).
字源 形聲. 扌(手)+枼〔音〕
[揲蓍 설시] 시초점(蓍草占)을 칠 때
시초(蓍草)를 셈.

9/12 【援】 도울 원 ㊁霰 yuán 援

扌 扌 扌 扩 护 押 援 援

㈰ エン〔たすける〕 ㊍ aid
字解 ① 도울 원(助也). ¶ 應援(응
원). ② 당길 원(引也), 잡을 원(取

也, 持也). ¶ 援筆(원필).

[字源] 形聲. 扌(手)+爰〔音〕

[援助 원조] 도와줌.
[援筆 원필] 붓을 잡음. 곧, 글씨를 씀.
[援護 원호] 구원하여 보호함.
[支援 지원] 지지하여 도움.
[後援 후원] 뒤에서 도와줌.

9 ⑫ 【揵】 [一]멜 건 [平]先 [二]막을 건[上]阮 qián jiàn

[日] ケン〔になう〕·せき〔とじる〕 [英] shoulder, fill

[字解] [一] ① 멜 건(以肩擧物). ② 들 건(擧也). [二] 막을 건(閉也).

[字源] 形聲. 扌(手)+建〔音〕

9 ⑫ 【揀】 [一]가릴 간 [平]潸 [二]가릴 련 [去]霰 拣 jiǎn

[日] カン·レン〔えらぶ〕 [英] distinguish

[字解] [一] 가릴 간(擇也). [二] 가릴 련.

[字源] 形聲. 扌(手)+柬〔音〕

[參考] 柬(木部 5획)과 동자.

[揀擇 간택] ㉠ 분간해 가림. ㉡ 임금의 아내나 며느리 또는 사윗감을 고름.
[分揀 분간] 서로 다름을 가려서 앎.

9 ⑫ 【揶】 揶(야)(手部 7획)의 同字

9 ⑫ 【揑】 捏(날)(手部 7획)의 俗字

9 ⑫ 【揷】 插(삽)(手部 9획)의 俗字

9 ⑫ 【揺】 搖(요)(手部 10획)의 略字

10 ⑭ 【搴】 [一]가질 건[平]先 [二]빼앗을 건 [上]銑 qiān

[日] ケン〔とる〕 [英] pluck out, take

[字解] [一] ① 가질 건(取也). ② 뺄 건(拔也). ③ 줄어들 건(縮也). [二] 빼앗을 건(拔取).

[字源] 形聲. 手+寒〈省〉〔音〕

[搴出 건출] 뽑아냄.

10 ⑬ 【搆】 끌 구[平]尤 gòu

[日] コウ〔ひく〕 [英] draw

[字解] 끌 구(牽也).

[字源] 形聲. 扌(手)+冓〔音〕

[搆兵 구병] 군대를 출동시킴.

10 ⑬ 【搉】 두드릴 각[入]覺 què

[日] カク〔たたく〕 [英] knock

[字解] ① 두드릴 각(敲擊). ② 도거리할 각(獨也, 專也). ¶ 搉利(각리).

[字源] 形聲. 扌(手)+隺〔音〕

[搉利 각리] 이익을 독점함.

10 ⑬ 【損】 덜 손 [上]阮 损 sǔn

十 扌 扌' 扌' 扌' 捐 損 損

[日] ソン〔そこなう〕 [英] diminish

[字解] ① 덜 손(偏去), 감할 손(減也). ¶ 損耗(손모). ② 상할 손(傷也). ¶ 損傷(손상). ③ 잃을 손(失也). ¶ 損失(손실).

[字源] 形聲. 扌(手)+員〔音〕

[損耗 손모] 물건을 써서 닳아짐.
[損失 손실] ㉠ 축나서 없어짐. ㉡ 밑짐. 또, 그 일.
[損害 손해] 경제적으로 밑지는 일.

10 ⑬ 【搏】 칠 박 [入]藥 bó

[日] ハク〔うつ〕 [英] strike

[字解] ① **칠 박, 두드릴 박**(拍也). ② **잡을 박**(捕也).

[字源] 形聲. 扌(手)+尃〔音〕

[搏殺 박살] 손으로 쳐서 죽임.

[搏景 박영] 사람의 그림자를 침. 일의 이룰 수 없음을 이름.

[龍虎相搏 용호상박] 용과 범이 서로 싸움. 곧, 두 강자가 서로 싸운다는 뜻.

10 ⑬ 【搐】 땅길 축 [入]屋 | chù

[日] チク〔いたむ〕 [英] be cramped

[字解] **땅길 축**(牽制).

[字源] 形聲. 扌(手)+畜〔音〕

10 ⑬ 【搒】 [一]배저을 방 [去]敬 [二]매질할 방 [平]庚 | bàng péng

[日] ホウ〔ふねをやる・むちうつ〕 [英] row a boat, whip

[字解] [一] **배저을 방**(進船). [二] **매질할 방**(笞杖).

[字源] 形聲. 扌(手)+旁〔音〕

10 ⑬ 【搔】 긁을 소 [平]豪 | sāo

[日] ソウ〔かく〕 [英] scratch

[字解] ① **긁을 소**(手爬). ¶ 搔癢(소양). ② **떠들 소**(騷也).

[字源] 形聲. 扌(手)+蚤〔音〕

[搔癢 소양] 가려운 데를 긁음. ¶ 隔靴搔癢(격화소양).

10 ⑬ 【搖】 흔들릴 요 [平]蕭 | 摇 yáo

扌 扌 扌 扌 扌 扌 搖 搖

[日] ヨウ〔ゆれる〕 [英] shake

[字解] **흔들릴 요**(動也).

[字源] 形聲. 扌(手)+䍃〔音〕

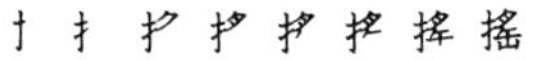

[參考] 揺(手部 9획)는 약자.

[搖動 요동] 물체가 흔들려 움직임.

[搖籃 요람] ㉠ 젖먹이를 담아서 재우는 채롱. ㉡ 사물의 발달한 장소. ㉢ 고향, 또는 어린 시절.

[動搖 동요] 움직이고 흔들림.

10 ⑬ 【搗】 찧을 도 [上]皓 | 捣 dǎo

[日] トウ〔つく〕 [英] pound

[字解] **찧을 도**(舂也). ¶ 搗精(도정).

[字源] 形聲. 扌(手)+島〔音〕

[參考] 擣(手部 14획)는 동자.

[搗精 도정] 곡식을 찧고 대낌.

[搗砧 도침] 피륙·종이 따위를 다듬잇돌에 다듬어 반드럽게 하는 일.

10 ⑬ 【搜】 [一]찾을 수 [平]尤 [二]어지러울 소 [上]巧 | sōu shǎo

[日] ソウ〔さがす・みだれる〕 [英] search, disorder

[字解] [一] **찾을 수**(索也). [二] **어지러울 소**.

[字源] 形聲. 扌(手)+叟〔音〕

[搜査 수사] 찾아다니며 조사함.

10 ⑬ 【搢】 꽂을 진 [本]창 [去]震 | jìn

[日] シン〔はさむ〕 [英] insert

[字解] **꽂을 진**(揷也). ¶ 搢笏(진홀).

[字源] 形聲. 扌(手)+晉〔音〕

[搢笏 진홀] 홀(笏)을 조복(朝服)의 대대(大帶)에 꽂음.

10 ⑬ 【搤】 쥘 액 [入]陌 | è

[日] アク〔しめる〕 [英] grasp

[字解] ① **쥘 액**(握也). ② **조를 액**. ¶ 搤殺(액살).

[字源] 形聲. 扌(手)+益〔音〕

参考 抳(手部 4획)은 동자.

[搤咽 액인] 목을 누름. 급소를 잡음의 비유. ¶ 搤咽拊背(액인부배).

10 ⑬ 【搦】 잡을 닉 ⼊職 nuò 搦
日 ジャク〔とる〕 英 hold
字解 잡을 닉(捉也).
字源 形聲. 扌(手)+弱〔音〕

10 ⑬ 【搨】 베낄 탑 ⼊合 tà 搨
日 トウ〔する〕 英 copy
字解 베낄 탑(搨寫).
字源 形聲. 扌(手)+昜〔音〕
参考 搭(手部 10획)은 동자.

[搨本 탑본] 금석(金石)에 새긴 글씨나 그림을 종이에 그대로 박아 냄. 또, 그 종이. 탁본(拓本).

10 ⑬ 【搪】 막을 당 ⊕陽 táng 搪
日 トウ〔ふせぐ〕 英 cross path
字解 막을 당(塞也).
字源 形聲. 扌(手)+唐〔音〕

10 ⑬ 【搬】 옮길 반 ⊕寒 bān 搬
日 ハン〔はこぶ〕 英 carry
字解 옮길 반(遷運).
字源 形聲. 扌(手)+般〔音〕
参考 般(舟部 4획)은 본자.

[搬出 반출] 운반하여 냄.
[運搬 운반] 옮겨서 나름.

10 ⑬ 【搭】 탈 탑 ⼊合 dā 搭
日 トウ〔のる〕 英 ride
字解 탈 탑(乘也), 실을 탑(載也). ¶ 搭乘(탑승).
字源 形聲. 扌(手)+荅〔音〕

[搭乘 탑승] 배·비행기·수레 따위를

탐. ¶ 搭乘員(탑승원).

[搭載 탑재] 배·비행기·수레 따위에 짐을 실음.

10 ⑬ 【搯】 두드릴 도 ⊕豪 tāo 搯
日 トウ〔たたく〕 英 beat
字解 두드릴 도(叩也).
字源 形聲. 扌(手)+舀〔音〕

10 ⑬ 【搰】 팔 골 ⼊月 hú 搰
日 コツ〔ほる〕 英 dig
字解 ① 팔 골(掘也). ② 흐릴 골(濁也).
字源 形聲. 扌(手)+骨〔音〕

10 ⑬ 【搶】 ■빼앗을 창 ⊕養 ■어지러울 창 ⊕庚 qiāng cāng 搶
日 ソウ〔うばう〕
英 plunder, disorder
字解 ■ 빼앗을 창(爭取). ¶ 搶奪(창탈). ■ 어지러울 창(亂貌). ¶ 搶攘(창양).
字源 形聲. 扌(手)+倉〔音〕

[搶攘 창양] 몹시 어수선한 모양.
[搶奪 창탈] 폭력을 써서 빼앗음.
[搶風 창풍] 돛이 바람을 받음.

10 ⑬ 【搾】 짤 착 ⼊禡 자 ⊕禡 zhà 搾
日 サク〔しぼる〕 英 squeeze
字解 짤 착(壓物取汁). ¶ 搾取(착취).
字源 會意. 手(손)와 窄(눌러 줄어들게 함)의 합자.
参考 榨(木部 10획)은 본자.

10 ⑬ 【携】 가질 휴 ⊕齊 xié 携
扌 扩 扩 扩 揹 携 携 携

ⓗ ケイ〔たずさえる〕 ⓔ carry

字解 ① 가질 휴(持也), 들 휴(懸持), ¶ 携帶(휴대). ② 끌 휴, 이끌 휴(提也). ¶ 提携(제휴).

字源 形聲. 扌(手)+巂〔音〕

[携帶 휴대] 손에 들거나 몸에 지님.
[携引 휴인] 끌고 감. 함께 감.
[提携 제휴] 서로 붙잡아 끌어 줌.

10 ⑬ 【摂】 攝(섭)(手部 18획)의 略字

11 ⑮ 【摩】 갈 마 ㊌歌 | mó 摩

ⓗ マ〔する〕 ⓔ rub

字解 ① 갈 마(研也), 어루만질 마(撫也). ¶ 撫摩(무마). ② 닳아없어질 마(消滅).

字源 形聲. 手+麻〔音〕

[摩滅 마멸] 닳아서 없어짐.
[摩擦 마찰] 서로 닿아서 비빔.

11 ⑮ 【摯】 지극할 지 ㊀眞 | zhì 摯

ⓗ シ〔とる〕 ⓔ cordial

字解 ① 지극할 지(至也, 極也). ¶ 眞摯(진지). ② 잡을 지(握持). ¶ 摯拘(지구).

字源 形聲. 手+執〔音〕

[摯拘 지구] 잡음. 잡아맴. 구속함.
[眞摯 진지] 참되고 착실함.

11 ⑮ 【摹】 본뜰 모 ㊌虞 | mó 摹

ⓗ モ〔ならう〕 ⓔ imitate

字解 본뜰 모(規倣).

字源 形聲. 手+莫〔音〕

[摹印 모인] 옥새(玉璽) 글자에 쓰는 고전(古篆). 팔체(八體)의 하나.

11 ⑮ 【摮】 칠 오 ㊌豪 | áo

ⓗ ゴウ〔うつ〕 ⓔ hit

字解 칠 오(擊也).

字源 形聲. 手+敖〔音〕

11 ⑮ 【摰】 위태할 얼 ㊂屑 | niè 摰

ⓗ ゲツ〔あやふい〕 ⓔ dangerous

字解 위태할 얼(危也).

字源 形聲. 手+執〔音〕

11 ⑭ 【摋】 칠 살 ㊂曷 | sà 摋

ⓗ サツ〔うつ〕 ⓔ hit

字解 ① 칠 살(側手擊). ② 지울 살(掃滅).

字源 形聲. 扌(手)+殺〔音〕

11 ⑭ 【摎】 묶을 규 ㊌尤 | jiū 摎

ⓗ キュウ〔しめる〕 ⓔ bind

字解 ① 묶을 규(束也). ② 얽어 죽일 규(縛殺).

字源 形聲. 扌(手)+翏〔音〕

11 ⑭ 【摏】 찌를 용 ㊀송㊌冬 | chōng 摏

ⓗ ショウ〔つく〕 ⓔ stab

字解 찌를 용(衝也).

字源 形聲. 扌(手)+春〔音〕

11 ⑭ 【摘】 딸 적 ㊂錫 | zhāi 摘

扌 扩 扩 掐 摘 摘 摘 摘

ⓗ テキ〔つむ〕 ⓔ pick

字解 ① 딸 적(手取). ¶ 摘芽(적아). ② 들추어낼 적(發也). ¶ 摘發(적발).

字源 形聲. 扌(手)+商〔音〕

[摘發 적발] 숨어 드러나지 않은 것을 들추어냄.
[摘芽 적아] 싹을 땀. 농작물의 새싹 중 필요 없는 것을 골라 따 버리는 일.

4 획

4
획

11
⑭ 【摛】 ■펼 치 ⑱支
⑲펼 리 ⑱支
chǐ
lí

摛

㊐ チ・リ〔のべる〕 ㊤ spread

字解 ■ ① 펼 치(舒也). ② 펼 치
(發也). ⑲ 펼 리(張也).

字源 形聲. 扌(手)+离〔音〕

11
⑭ 【摧】 ■꺾을
최⑱灰
⑲꼴 좌
㊤簡
cuī
cuò

摧

㊐ サイ〔くじく〕・サ〔まぐさ〕
㊤ break, fodder

字解 ■ ① 꺾을 최(折也). ¶ 摧
折(최절). ② 억누를 최(抑也). ¶
摧抑(최억). ⑲ 꼴 좌(秣也), 여물
먹일 좌(莝也).

字源 形聲. 扌(手)+崔〔音〕

[摧抑 최억] 억누름.
[摧折 최절] 꺾고 부러뜨림.

11
⑭ 【摭】 주울 척
⑧陌
zhí

摭

㊐ セキ〔ひろう〕 ㊤ pick up

字解 주울 척(拾也).

字源 形聲. 扌(手)+庶〔音〕

11
⑭ 【摳】 걷을 구
㊤尤
kōu

抠

摳

㊐ コウ〔かかげる〕 ㊤ take up

字解 걷을 구(褰裳).

字源 形聲. 扌(手)+區〔音〕

[摳衣 구의] 옷자락을 걷어 올림. 옛
날에 하던 예법의 하나.

11
⑭ 【摴】 노름 저
㊤魚
chū

摴

㊐ チョ〔ばくち〕 ㊤ gambling

字解 노름 저(局戲). ¶ 摴蒲(저
포).

字源 形聲. 扌(手)+零〔音〕

11
⑭ 【摶】 ■칠 단
㊤寒
⑲쥘 전
㊤先
tuán
zhuān

摶

㊐ タン〔まるめる〕・セン〔あわせす
べる〕
㊤ hit, hold

字解 ■ ① 칠 단(擊也). ② 둥글
단(圓也). ⑲ 쥘 전.

字源 形聲. 扌(手)+專〔音〕

11
⑭ 【摸】 ■더듬
어찾을
모⑲막
⑧藥
⑲본뜰
모㊤虞
mō
mó

摸

㊐ バク〔なでる〕・ボ・モ〔うつす〕
㊤ grope, imitation

字解 ■ 더듬어찾을 모. ¶ 摸索
(모색). ⑲ 본뜰 모(規倣). ¶ 摸倣
(모방).

字源 形聲. 扌(手)+莫〔音〕

參考 摹(手部 11획)・模(木部 11획)
는 동자.

[摸倣 모방] 본받음. 본뜸.
[摸本 모본] 원본(原本)을 본떠 베낀
책.
[摸寫 모사] 베낌.
[摸索 모색] 더듬어 찾음. ¶ 暗中摸
索(암중모색).

11
⑭ 【摺】 ■접을
접㊤葉
⑧葉
⑲꺾을
랍⑧合
zhé
lā

折

摺

㊐ シュウ〔たたむ〕・ロウ〔くじく〕
㊤ fold, break off

字解 ■ 접을 접, 개킬 접(疊也).
¶ 摺扇(접선). ⑲ 꺾을 랍, 부러뜨
릴 랍(折也). ¶ 摺齒(납치).

字源 形聲. 扌(手)+習〔音〕

[摺齒 납치] 이를 부러뜨림.
[摺紙 접지] 종이를 접음. 또, 그 종
이.

11 ⑭ 〖摽〗 [一]칠 표 [平]蕭 [二]떨어질 표 [上]篠 biào

[日] ヒョウ〔うつ〕 [英] hit, fall

[字解] [一] 칠 표(擊也). [二] 떨어질 표(落也).

[字源] 形聲. 扌(手)+票〔音〕

11 ⑭ 〖撤〗 거둘 철 [入]屑 chè

[日] テツ〔のぞく〕 [英] gather

[字解] ① 거둘 철, 치울 철(除也). ¶ 撤去(철거). ② 필 철(發也). ③ 뽑을 철(抽也).

[字源] 形聲. 扌(手)+撤〔音〕

[參考] 撤(手部 12획)은 속자.

[撤市 철시] 시장·가게 따위의 문을 닫음.

11 ⑭ 〖摠〗 總(총)(糸部 11획)과 同字

12 ⑮ 〖撅〗 [一]걷을 게 [去]霽 [二]칠 궐 [入]月 guì juē

[日] ゲツ〔うつ〕・ケイ〔かかげる〕 [英] roll up, attack

[字解] [一] 걷을 게(揭衣). [二] ① 칠 궐(擊也). ② 팔 궐(掘也).

[字源] 形聲. 扌(手)+厥〔音〕

12 ⑮ 〖撈〗 잡을 로 [平]豪 捞 lāo

[日] ロウ〔とる〕 [英] fish up

[字解] ① 잡을 로(沈取). ¶ 漁撈(어로). ② 《韓》 끙게 로(農具曳介).

[字源] 形聲. 扌(手)+勞〔音〕

[撈採 노채] 물속으로 들어가 채취(採取)함.

12 ⑮ 〖撏〗 딸 잠 [平]覃 xián

[日] ジン〔つむ〕 [英] pick

[字解] 딸 잠(摘也).

[字源] 形聲. 扌(手)+尋〔音〕

12 ⑮ 〖撐〗 버틸 탱 [本]쟁 [平]庚 撑 chēng

[日] トウ〔ささえる〕 [英] support

[字解] 버틸 탱(支柱).

[字源] 形聲. 扌(手)+牚〔音〕

[參考] 撑(手部 12획)은 속자.

[支撐 지탱] 오래 버티거나 배겨 냄.

12 ⑮ 〖撑〗 撐(탱)(前條)의 俗字

12 ⑮ 〖撒〗 흩을 살 [入]曷 sā

[日] サン〔ちらす〕 [英] scatter

[字解] 흩을 살(散放), 뿌릴 살(散也). ¶ 撒水(살수).

[字源] 形聲. 扌(手)+散〔音〕

[注意] 撤(手部 12획)은 딴 글자.

[撒水 살수] 물을 뿌림. ¶ 撒水車(살수차).

[撒布 살포] 뿌림.

12 ⑮ 〖撓〗 [一]휘어질 뇨 [去]效 [二]돌 효 [平]蕭 挠 náo xiāo

[日] ドウ〔たゆむ〕・キョウ〔めぐる〕 [英] bend, circulate

[字解] [一] ① 휘어질 뇨(曲也), 휠 뇨, 굽힐 뇨(屈也). ¶ 撓改(요개). ② 요란할 뇨(喧囂), 어지러울 뇨(亂也), 흔들릴 뇨(擾也). ¶ 撓亂(요란). [二] 돌 효.

[字源] 形聲. 扌(手)+堯〔音〕

[撓改 요개] 휘어서 고침.

[撓亂 요란] 시끄럽고 떠들썩함.

12 ⑮ 〖撕〗 끌 시 [平]齊 sī

[日] セイ〔ひっさげる〕 [英] drag

4획

[字解] ① **끌 시**(提也). ② **일깨울 시**(覺也).

[字源] 形聲. 扌(手)+斯〔音〕

12 ⑮ 【擳】 누를 준 [本]존[上]阮 | zŭn

[日] ソン〔おさえる〕 [英] restrain

[字解] ① **누를 준**(裁抑). ② **준절할 준**(節制).

[字源] 形聲. 扌(手)+尊〔音〕

[擳節 준절] ㉠ 눌러 절제함. ㉡ 감정을 억제하고 법도를 따름.

12 ⑮ 【撚】 꼴 년 [上]銑 | niăn

[日] ネン〔よる〕 [英] twist

[字解] **꼴 년**(捻也), **손끝으로비빌 년**(指頭相摩).

[字源] 形聲. 扌(手)+然〔音〕

[撚絲 연사] 꼰 실.
[撚紙 연지] 책 같은 것을 매기 위하여 손끝으로 비벼 꼰 종이 끈.

12 ⑮ 【撝】 [一]찢을 휘[平]支 [二]도울 위[平]支 | huī wéi

[日] キ〔さく〕·イ〔たすける〕 [英] tear, aid

[字解] [一] ① **찢을 휘**(裂也). ② **두를 휘**(揮也). [二] **도울 위**(佐也).

[字源] 形聲. 扌(手)+爲〔音〕

12 ⑮ 【撞】 칠 당 [平]江 | zhuàng

[日] トウ〔つく〕 [英] strike

[字解] **칠 당**(擊也), **찌를 당**(刺也), **부딪힐 당**(衝也).

[字源] 形聲. 扌(手)+童〔音〕

[撞着 당착] 앞뒤가 서로 맞지 않음.

12 ⑮ 【撟】 손들 교 [上]篠 | jiăo

[日] キョウ〔あげる〕 [英] lift

[字解] ① **손들 교**(擧手). ② **굳셀 교**(強也). ③ **바로잡을 교**(正曲).

[字源] 形聲. 扌(手)+喬〔音〕

12 ⑮ 【撥】 [一]다스릴 발[入]曷 [二]방패 벌[入]月 | 拨 bō

[日] ハツ〔おさめる·たて〕 [英] rule, shield

[字解] [一] ① **다스릴 발**(治也). ¶ 撥亂(발란). ② **없앨 발**(除也). ¶ 撥悶(발민). ③ **퉁길 발**(弓反). ¶ 反撥(반발). ④ **채 발**(鼓絃物). ¶ 撥木(발목). [二] **방패 벌**.

[字源] 形聲. 扌(手)+發〔音〕

[撥亂 발란] 어지러운 세상을 다스려 편안하게 함.
[撥悶 발민] 고민을 없애 버림.

12 ⑮ 【撩】 다스릴 료[平]蕭 | liáo

[日] リョウ〔おさめる〕 [英] rule

[字解] **다스릴 료**(理也).

[字源] 形聲. 扌(手)+尞〔音〕

12 ⑮ 【撫】 어루만질 무 [上]麌 | 抚 fŭ

[日] ブ〔なでる〕 [英] stroke

[字解] **어루만질 무**(按也), **위로할 무**(慰勉). ¶ 慰撫(위무).

[字源] 形聲. 扌(手)+無〔音〕

[撫摩 무마] ㉠ 손으로 어루만짐. ㉡ 마음을 달래어 위로함.
[愛撫 애무] 사랑하여 어루만짐.

12 ⑮ 【播】 뿌릴 파 [去]箇 | bō

扌 扌 扌′ 扌ᅮ 扌ᅲ 扌采 播 播

[日] ハ〔まく〕 [英] sow

[字解] ① **뿌릴 파**(種也). ¶ 播種(파종). ② **달아날 파**. ¶ 播遷(파천).

4
획

③ 퍼뜨릴 파, 펼 파(布也).
¶ 傳播(전파).
字源 形聲. 扌(手)+番〔音〕
[播種 파종] 논밭에 곡식의 씨앗을 뿌림.
[播遷 파천] 임금이 궁궐을 떠나 난을 피함.
[傳播 전파] 널리 전하여 퍼짐.

12
⑮ 【撮】 찍을 촬
入曷 cuō 撮
日 サツ〔とる〕 英 take
字解 ① 찍을 촬. ¶ 撮影(촬영).
② 취할 촬(取也). ¶ 撮要(촬요).
③ 자밤 촬(三指取). 자밤은 손가락 끝으로 집을 만한 분량. ¶ 撮土(촬토).
字源 形聲. 扌(手)+最〔音〕
[撮影 촬영] 형상을 사진으로 찍음.
[撮要 촬요] 요점을 골라 취함.
[撮土 촬토] 한 자밤의 흙, 곧 아주 작은 땅.

12
⑮ 【撰】
━ 지을 찬上潸
━ 가릴 선上銑 zhuàn
xuǎn 撰
日 サン・セン〔えらぶ〕
英 compose, choose
字解 ━ 지을 찬(著述). ¶ 撰述(찬술). ━ 가릴 선(擇也).
字源 形聲. 扌(手)+巽〔音〕
[撰述 찬술] 글을 지음. 책을 저작함.
[修撰 수찬] 서책을 편찬함.

12
⑮ 【撲】
━ 칠 박入覺
━ 종아리채
복入屋 pū 扑 撲
日 ボク〔うつ・むち〕
英 beat, cane
字解 ━ 칠 박(擊也). ¶ 撲殺(박살). ━ 종아리채 복.
字源 形聲. 扌(手)+業〔音〕
[撲滅 박멸] 짓두들겨서 아주 없애 버림.
[撲殺 박살] 때려죽임. 쳐 죽임.
[撲打 박타] 두드림. 때림.

12
⑮ 【撤】 撤(철)(手部 11획)의 本字

13
⑰ 【擊】 칠 격
入錫 击 jī 擊
日 ゲキ〔うつ〕 英 attack
字解 ① 칠 격(打也, 撲也). ¶ 擊滅(격멸), 擊退(격퇴). ② 마주칠 격(觸也). ¶ 目擊(목격).
字源 形聲. 扌(手)+毄〔音〕
[擊滅 격멸] 쳐서 멸망시킴.
[擊壤歌 격양가] 풍년이 들어 농부가 태평한 세월을 구가하는 노래.
[襲擊 습격] 갑자기 적을 들이침.

13
⑰ 【擘】 엄지손
가락 벽入陌 bò 擘
日 ハク〔おやゆび〕 英 thumb
字解 ① 엄지손가락 벽(大指). ② 나눌 벽(分也).
字源 形聲. 手+辟〔音〕
[巨擘 거벽] 학식이 뛰어난 사람.

13
⑰ 【擎】 들 경
平庚 qíng 擎
日 ケイ〔ささげる〕 英 lift up
字解 들 경(擧也).
字源 形聲. 手+敬〔音〕

13
⑯ 【撻】 매질할
달入曷 挞 tà 撻
日 タツ〔むちうつ〕 英 whip
字解 ① 매질할 달(打也). ② 빠를 달(疾也).
字源 形聲. 扌(手)+達〔音〕
[鞭撻 편달] ㉠ 채찍으로 때림. ㉡ 일깨워 주고 격려함.

4획

13/16 【撼】흔들 감 ㊀함 ㊁感 | hàn

㊐ カン〔うごく〕 ㊅ shake

字解 흔들 감(搖也), 움직일 감(動也).

字源 形聲. 扌(手)+感〔音〕

[撼天動地 감천동지] 천지를 뒤흔듦. 활동이 매우 눈부시거나, 소리가 매우 큼의 형용. 진천동지(震天動地).

13/16 【撽】칠 교 ㊀蕭 ㊁가질 교 ㊁篠 | qiào

㊐ キョウ〔うつ・もつ〕 ㊅ attack, take

字解 ㊀ 칠 교(擊也). ㊁ 가질 교(持也).

字源 形聲. 扌(手)+敫〔音〕

13/16 【撾】칠 과 ㊀麻 | zhuā

㊐ カ〔うつ〕 ㊅ hit

字解 ① 칠 과(擊也). ② 두드릴 과(打也).

字源 形聲. 扌(手)+過〔音〕

13/16 【擁】안을 옹 ㊀腫 ㊁가릴 옹 ㊁冬 | yǒng / yōng

㊐ ヨウ〔だく・さえぎる〕 ㊅ embrace, cover

字解 ㊀ ① 안을 옹(抱也). ¶ 抱擁(포옹). ② 부축할 옹, 도울 옹(衛也). ¶ 擁衛(옹위). ③ 가질 옹(藏持). ¶ 擁書(옹서). ㊁ 가릴 옹(遮也), 막을 옹(障也).

字源 形聲. 扌(手)+雍〔音〕

[擁護 옹호] 지지하여 유리하도록 보호함. ¶ 人權擁護(인권옹호).

[抱擁 포옹] 품속에 껴안음.

13/16 【擅】멋대로 할 천 ㊀ 선㊁霰 | shàn

㊐ セン〔ほしいまま〕 ㊅ selfishly

字解 멋대로할 천, 오로지할 천(專也).

字源 形聲. 扌(手)+亶〔音〕

[擅斷 천단] 제멋대로 일을 결단함.

13/16 【擇】가릴 택 ㊀陌 | zé

丨 扌 扩 扩 押 押 撺 撺 擇

㊐ タク〔えらぶ〕 ㊅ select

字解 가릴 택(選也), 뽑을 택(選拔).

字源 形聲. 扌(手)+睪〔音〕

參考 択(手部 4획)은 약자.

[擇日 택일] 좋은 날을 가림.

[選擇 선택] 골라서 뽑음.

13/16 【操】잡을 조 ㊀豪 ㊁지조 조 ㊁號 | cāo / cào

丨 扌 扩 扩 押 押 押 捛 捛 操

㊐ ソウ〔とる・みさお〕 ㊅ grasp, fidelity

字解 ㊀ ① 잡을 조(把持). ② 부릴 조, 다룰 조. ¶ 操縱(조종). ㊁ 지조 조(節也, 持念). ¶ 志操(지조).

字源 形聲. 扌(手)+喿〔音〕

[操觚 조고] 글을 씀. 문필(文筆)에 종사함.

[操縱 조종] 마음대로 다루어 부림.

[貞操 정조] 곧고 깨끗한 절개.

13/16 【擋】처리할 당 ㊁漾 | dàng

㊐ トウ〔あたる〕 ㊅ handle

字解 ① 처리할 당(處理). ¶ 摒擋(병당). ② 물리칠 당(斥也).

字源 形聲. 扌(手)+當〔音〕

13
⑯〔摜〕━ 꿸 관　guān
　　　㊤諫 ━ 꿸 환　huàn

⊕ カン〔つらぬく〕 ⊛ wear
字解 ━ 꿸 관(貫也). ━ 꿸 환(貫也).
字源 形聲. 扌(手)+貫〔音〕

13
⑯〔擒〕사로잡 을 금　qín
　　　㊥侵

⊕ キン〔とらえる〕 ⊛ capture
字解 사로잡을 금(生捉), 잡을 금(捉也).
字源 形聲. 扌(手)+禽〔音〕

[擒縱 금종] 사로잡는 것과 놓아주는 것.
[生擒 생금] 산 채로 잡음.

13
⑯〔擔〕멜 담　担
　　　㊤覃　　dān

† 扌 扩 扩 护 擔 擔 擔
⊕ タン〔になう〕 ⊛ shoulder
字解 ① 멜 담, 짐 담(負也). ② 맡을 담(任也). ¶ 擔任(담임).
字源 形聲. 扌(手)+詹〔音〕
参考 担(手部 5획)은 약자.

[擔任 담임] 책임을 지고 임무에 당함. 임무를 맡음.
[分擔 분담] 나누어서 맡음.

13
⑯〔擗〕가슴칠 벽　pì
　　　㊤陌

⊕ ヘキ〔むねうつ〕 ⊛ hit breast
字解 가슴칠 벽(拊心).
字源 形聲. 扌(手)+辟〔音〕

[擗踊 벽용] 몹시 슬퍼서 가슴을 치고 뛰며 슬퍼함.
[擗摽 벽표] 벽용(擗踊).

13
⑯〔據〕의거할 거　据
　　　㊥御　　jù

† 扌 扌 扩 护 撂 據 據
⊕ キョ〔よる〕 ⊛ depend
字解 ① 의거할 거(依也). ¶ 據點(거점). ② 웅거할 거(拒守). ¶ 雄據(웅거).
字源 形聲. 扌(手)+豦〔音〕

[據點 거점] 의거하여 지키는 곳. 활동의 근거지.
[典據 전거] 근거로 삼는 문헌상의 출처.
[割據 할거] 땅을 분할하여 웅거함.

13
⑯〔撿〕檢(검)(木部 13획)과 同字

13
⑯〔擄〕노략질 할 로　掳
　　　㊤麌　　lǔ

⊕ ロ〔かすめとる〕 ⊛ plunder
字解 ① 노략질할 로(掠也). ② 사로잡을 로(獲也).
字源 形聲. 扌(手)+虜〔音〕
参考 虜(虍部 6획)는 동자.

[擄掠 노략] 떼를 지어 돌아다니면서 사람과 재물을 빼앗음.

14
⑱〔擥〕쥘 람　lǎn
　　　㊤感

⊕ ラン〔とる〕 ⊛ take
字解 ① 쥘 람(撮持). ¶ 擥取(남취). ② 총찰할 람(總括). 주관함.
字源 形聲. 手+臨〔音〕

14
⑰〔擠〕밀칠 제　挤
　　　㊤霽　　jī

⊕ セイ〔おす〕 ⊛ push
字解 ① 밀칠 제(推也), 물리칠 제(排也). ② 떨어질 제(墜也).
字源 形聲. 扌(手)+齊〔音〕

[擠陷 제함] 악의를 가지고 남을 죄에 빠지게 하여 해침.

14
⑰〔擡〕들 대　抬
　　　㊤灰　　tái

⊕ タイ〔もたげる〕 ⊛ raise

[字解] **들 대**(擧也).

[字源] 形聲. 扌(手)+臺〔音〕

[擡頭 대두] ㉠ 머리를 처듦. ㉡ 글을 쓸 때 경의를 표하는 글귀를 딴 줄로 잡아 몇 자 올려 쓰는 서식.

14 ⑰ 【擢】 뽑을 탁 [入]覺 | zhuó

[日] テキ〔ぬく〕 [英] select

[字解] **뽑을 탁**(選也), **뺄 탁**(拔也), **빼낼 탁**(抽出).

[字源] 形聲. 扌(手)+翟〔音〕

[擢用 탁용] 많은 사람 가운데서 우수한 사람을 뽑아 씀.

[拔擢 발탁] 많은 사람 가운데서 추려 씀.

14 ⑰ 【擣】 [一]찧을 도 [上]皓 [二]밸 주 [平]尤 | dǎo chóu

[日] トウ〔つく〕・チュウ〔あつまる〕 [英] grind, dense

[字解] [一] ① **찧을 도**(舂也). ¶ 擣葯(도약). ② **칠 도**(敲也). [二] **밸 주**.

[字源] 形聲. 扌(手)+壽〔音〕

[參考] 搗(手部 10획)는 동자.

[擣葯 도약] 환약 재료를 골고루 섞어 반죽하여 찧는 일.

[擣衣 도의] 다듬이질함.

14 ⑰ 【擦】 비빌 찰 [入]黠 | cā

[日] サツ〔こする〕 [英] rub

[字解] **비빌 찰**(摩之急).

[字源] 形聲. 扌(手)+察〔音〕

[擦過傷 찰과상] 스치거나 문질려서 벗어진 상처.

[摩擦 마찰] ㉠ 맞대어 비빔. ㉡ 서로 뜻이 맞지 않아 옥신각신함.

14 ⑰ 【擩】 물들 유 [上]麌 | rǔ

[日] ジュ〔ひたす〕 [英] steep

[字解] **물들 유**(染也).

[字源] 形聲. 扌(修)+需〔音〕

14 ⑰ 【擬】 비길 의 [上]紙 | 拟 nǐ

[日] ギ〔なぞらえる〕 [英] liken

[字解] ① **비길 의**(儀也), **흉내낼 의**(模也). ¶ 擬聲(의성). ② **헤아릴 의**(度也).

[字源] 形聲. 扌(手)+疑〔音〕

[擬聲 의성] 어느 소리를 인공적으로 흉내 내는 소리.

[擬人 의인] 물건을 사람에 비김.

14 ⑰ 【擭】 [一]덫 화 [去]禡 [二]덫 확 [入]藥 [三]잡을 획 [入]陌 | huò huò wò

[日] カ・カク〔わな〕・ワク〔とる〕 [英] trap, grasp

[字解] [一] **덫 화**(捕獸檻). [二] **덫 확**(捕獸檻). [三] **잡을 획**(手取).

[字源] 形聲. 扌(手)+蒦〔音〕

14 ⑰ 【擯】 물리칠 빈 [去]震 | 摈 bìn

[日] ヒン〔しりぞける〕 [英] reject

[字解] ① **물리칠 빈**(排斥), **버릴 빈**(棄也). ¶ 擯斥(빈척). ② **손님맞을 빈**(接賓). ¶ 擯相(빈상).

[字源] 形聲. 扌(手)+賓〔音〕

[擯者 빈자] 손님 접대를 하는 사람.

[擯斥 빈척] 아주 물리쳐 버림.

14 ⑰ 【擱】 놓을 각 [入]藥 | 搁 gē

[日] カク〔おく〕 [英] put

[字解] **놓을 각**(置也).

[字源] 形聲. 扌(手)+閣〔音〕

[參考] 閣(門部 6획)과 동자.

[擱坐 각좌] 배가 좌초(坐礁)함.

[攔筆 각필] 쓰던 글을 멈추고 붓을 놓음. 쓰기를 끝냄. 편지글에 쓰임.

14 ⑱【擧】 들 거 ㊤語 | 举 jǔ

ㄒ ㄥ ㄥ ㄸ ㄸ 段 段 與 舉

㊐ キョ〔あげる〕 ㊍ lift

字解 ① 들 거(扛也). ¶擧手(거수). ② 날 거(鳥飛). ③ 일으킬 거(起也). ④ 거둥 거(動也). ¶ 一擧一動(일거일동).

字源 會意. 與와 手의 합자. 많은 사람이 함께 들어 올림의 뜻. 또,「與(여)」의 전음이 음을 나타냄.

[擧皆 거개] 모두. 거의 다.
[擧論 거론] 말을 꺼냄. 의제(議題)를 제출함.
[擧措 거조] 행동거지(行動擧止).
[擧火 거화] ㉠ 횃불을 켬. ㉡ 불을 듦. ㉢ 불을 땜. ㉣ 밥을 지음. 곧, 생활함.
[科擧 과거] 지난날, 문무관을 등용할 때 보이던 시험.
[列擧 열거] 하나씩 들어 말함.
[快擧 쾌거] 통쾌하고 장한 일.

15 ⑲【攀】 더위잡을 고오를 반㊤刪 | pān

㊐ ハン〔よじる〕 ㊍ climb up

字解 ① 더위잡을고오를 반(翻也). ② 당길 반(引也).

字源 形聲. 手+樊〔音〕.

[攀慕 반모] 의지하고 그리워함.
[登攀 등반] 높은 곳에 기어오름.

15 ⑱【擲】 던질 척 ㉮陌 | zhì

㊐ テキ〔なげる〕 ㊍ throw

字解 던질 척(投也).

字源 形聲. 扌(手)+鄭〔音〕.

[擲柶 척사] (韓) 윷놀이.
[擲殺 척살] 내던져 죽임.
[投擲 투척] 던짐.

15 ⑱【擴】 넓힐 확 ㉮藥 | 扩 kuò

扌 扩 扩 扩 擴 擴 擴 擴

㊐ カク〔ひろめる〕 ㊍ expand

字解 넓힐 확(張小使大).

字源 形聲. 扌(手)+廣〔音〕.

參考 拡(手部 5획)은 약자.

[擴大 확대] 크게 넓힘. 확장(擴張).
[擴聲器 확성기] 음성을 확대하는 장치.
[擴張 확장] 늘여서 넓게 함.
[擴充 확충] 넓혀서 충실하게 함.

15 ⑱【擷】 뽑을 힐 ㊋屑 | xié

㊐ ケツ〔つまみとる〕 ㊍ uproot

字解 뽑을 힐(捋取).

字源 形聲. 扌(手)+頡〔音〕.

15 ⑱【擺】 열 파 ㊌蟹 | 摆 bǎi

㊐ ハイ〔ひらく〕 ㊍ spread out

字解 ① 열 파(擗也, 開也). ¶擺脫(파탈). ② 흔들 파(搖也, 振也). ¶擺撥(파발).

字源 形聲. 扌(手)+罷〔音〕.

[擺脫 파탈] ㉠ 헤쳐서 없애 버림. 제거해 버림. ㉡ 예절이나 구속에서 벗어남.

15 ⑱【擾】 요란할 요㊤篠 | 扰 rǎo

㊐ ジョウ〔みだす〕 ㊍ disturbed

字解 ① 요란할 요(騷也), 어지러울 요(亂也). ¶騷擾(소요). ② 길들일 요(馴也), 따르게할 요(順也). ¶擾民(요민).

字源 形聲. 扌(手)+憂〔音〕.

[擾亂 요란] 이수선하게 어지러움. 시끄럽고 떠들썩함.
[擾民 요민] 백성을 잘 다스려서 따르게 함.
[擾擾 요요] 어지러운 모양. 소란한 모양.

4획

15 ⑱ 【摘】

■던질 척
㈧陌 zhí
■들출 적
㈧錫 tì

㈰ テキ〔なげる・あばく〕
㊌ throw, expose

字解 ■ ① 던질 척(投也). ② 긁을 척(搔也). ■ 들출 적. ¶ 摘發(적발).

字源 形聲. 扌(手)+適〔音〕

15 ⑱ 【攄】

펼 터
㊀처㈜魚 shū

㈰ チョ〔のべる〕
㊌ spread

字解 펼 터(舒也).

字源 會意. 扌(手)+慮

[攄得 터득] 경험을 쌓거나 연구하여 깨달아 앎.

15 ⑱ 【攅】

攢(찬)(手部 19획)의 俗字

16 ⑲ 【攉】

■손뒤집을 확㈧藥 huò
■도거리할 각 què

㈰ カク〔てをかえす・しめる〕
㊌ mass

字解 ■ 손뒤집을 확(手反覆). ■ ① 도거리할 각. 이익을 독점함 ② 헤아릴 각.

字源 形聲. 扌(手)+霍〔音〕

16 ⑲ 【擐】

목책 환
㊌潸 huǎn

㈰ カン〔やらい〕 ㊌ wooden fence

字解 목책 환(木柵).

字源 形聲. 扌(手)+圜〔音〕

16 ⑲ 【攏】

합칠 롱
㊀董 lǒng

㈰ ロウ〔とる〕 ㊌ combine

字解 ① 합칠 롱(抱束也). ② 빼앗을 롱(掠也). ③ 다스릴 롱(理也).

字源 形聲. 扌(手)+龍〔音〕

17 ⑳ 【攔】

막을 란
㊎寒 lán

㈰ ラン〔さえぎる〕 ㊌ shut out

字解 막을 란(遮也).

字源 形聲. 扌(手)+闌〔音〕

17 ⑳ 【攖】

가까이할 영
㊌庚 yīng

㈰ エイ〔ちかづく〕 ㊌ approach

字解 ① 가까이할 영(迫近). ② 어지러울 영(亂也).

字源 扌(手)+嬰〔音〕

[攖寧 영녕] 마음이 항상 조용하고 편안하여 외물(外物)에 의하여 혼란되지 아니함.

17 ⑳ 【攘】

■물리칠 양㊀陽 rǎng
■어지러울 녕 ㊌庚 níng

㈰ ジョウ〔はらう〕・ドウ〔みだす〕
㊌ drive out, dizzy

字解 ■ ① 물리칠 양(排也). ¶ 攘夷(양이). ② 훔칠 양(盜也). ¶ 攘奪(양탈). ■ 어지러울 녕. 어지럽힐 녕.

字源 形聲. 扌(手)+襄〔音〕

[攘夷 양이] 오랑캐를 물리침.
[攘斥 양척] 물리침.
[攘奪 양탈] 힘으로 빼앗아 가짐.

17 ⑳ 【攙】

찌를 참
㈧咸 chān

㈰ サン〔さす〕 ㊌ pierce

字解 ① 찌를 참(刺也). ② 날카로울 참(銳也). ③ 붙들 참(扶也).

字源 形聲. 扌(手)+毚〔音〕

18 ㉑ 【攛】

던질 찬
㊛翰 cuān

㈰ サン〔なげうつ〕 ㊌ throw

字解 던질 찬(擲也).

字源 形聲. 扌(手)+竄〔音〕

18
㉑ 攜 携(휴)(手部 10획)의 本字

18
㉑ 攝 ━끌어잡을 섭(入)葉
━고요할 녑(入)葉
摂 shè
聶 niè
㈰ セツ〔とる・おさめる〕・ショウ〔やすらか〕
㈜ hold up, quiet
字解 ━① 끌어잡을 섭(引持). ¶攝取(섭취). ② 겸할 섭(兼也), 대신할 섭(代也). ¶攝政(섭정). ③ 단정히할 섭(整也). ¶攝生(섭생). ④ 빌 섭(假借). ━고요할 녑.
字源 形聲. 扌(手)+聶〔音〕
參考 摂(手部 10획)은 약자.
[攝生 섭생] 적당한 운동과 적당한 음식물로 건강을 유지하도록 꾀함.
[攝政 섭정] 임금을 대신하여 정치를 함. 또, 그 사람.
[攝取 섭취] ㉠ 영양분을 빨아들임. ㉡ 부처가 자비로 중생을 제도함.

19
㉓ 攣 ━걸릴 련(上)先
⊕오그라질 련(去)霰
挛 luán
lián
㈰ レン〔つながる・かがまる〕
㈜ relate, confract
字解 ━걸릴 련(係也). ━① 오그라질 련(手足曲病). ② 사모할 련(慕也).
字源 形聲. 手+戀〔音〕
[攣攣 연련] 그리워하는 모양.

19
㉒ 攢 모일 찬 ⊕寒
攒 cuán
㈰ サン〔あつまる〕　㈜ gather
字解 모일 찬(聚也).
字源 形聲. 扌(手)+贊〔音〕
參考 攒(手部 15획)은 속자.
[攢立 찬립] 떼를 지어 섬. 모여 섬.

19
㉒ 攤 펼 탄 ⊕寒
摊 tān

㈰ ダ〔ひらく〕　㈜ spread
字解 펼 탄(手布也), 열 탄(開也). ¶攤書(탄서).
字源 形聲. 扌(手)+難〔音〕
[攤書 탄서] 책을 펼침.

20
㉓ 攩 칠 당 ⊕養
dǎng
㈰ トウ〔くみ〕　㈜ attack
字解 ① 칠 당(挋打). ② 막을 당(遮遏). ③ 무리 당(朋輩).
字源 形聲. 扌(手)+黨〔音〕

20
㉓ 攪 어지러울 교(上)巧
搅 jiǎo
㈰ カク・コウ〔みだす〕　㈜ disturb
字解 ① 어지러울 교, 어지럽힐 교(亂也). ② 휘저을 교. ¶攪水(교수).
字源 形聲. 扌(手)+覺〔音〕
[攪亂 교란] 뒤흔들어 어지럽게 함.
[攪拌 교반] 휘저어 섞음.

20
㉓ 攫 움킬 확 ⊕곽(入)藥
jué
㈰ カク〔つかむ〕　㈜ seize
字解 움킬 확(手把).
字源 形聲. 扌(手)+矍〔音〕
[攫拏 확나] 움켜쥐고 끌어당김.
[攫攘 확양] 주먹을 쥐고 소매를 걷어 올림.
[一攫 일확] ㉠ 한 움큼. ㉡ 손쉽게 얻음.

21
㉔ 攬 가질 람 ⊕感
揽 lǎn
㈰ ラン〔とる〕　㈜ take
字解 가질 람(持也), 잡아당길 람(手取).
字源 形聲. 扌(手)+覽〔音〕
[攬轡澄淸 남비징청] 말의 고삐를 잡고 천하를 깨끗이 한다는 뜻으로,

재상이 되어 어지러운 천하를 바로 잡으려고 하는 큰뜻.

[攬要 남요] 요령을 잡음.

[攬筆 남필] 붓을 잡음. 집필(執筆).

[收攬 수람] 인심 등을 거두어 모아 잡음.

4획

支 〔4 획〕 部
(지탱할지부)

⁰₄**【支】** 지탱할 지 / 支 | zhī

一 十 ⇁ 支

⽇ シ〔ささえる〕 ⽶ support

字解 ① 지탱할 지(拄也). ¶ 支持 (지지). ② 헤아릴 지(度也). ¶ 度 支(탁지). ③ 갈릴 지. ¶ 支流(지류). ④ 지급 지(出也). ¶ 支出(지출). ⑤ 지지 지(十二辰名). ¶ 干 支(간지).

字源 會意. 十은 「个(개)」의 변형으로 대나무 가지. 손으로 대나무 가지를 받치고 있음을 나타냄.

[支給 지급] 지출하여 급여함. 내어 줌.

[支路 지로] 갈림길.

[支配 지배] ㉠ 사무를 구분하여 처리함. ㉡ 맡아 다스림.

[支援 지원] 지지하여 응원함.

[支店 지점] 본점에서 갈려 나온 가게.

[支撐 지탱] 버텨 나감. 배겨 나감.

[收支 수지] 수입과 지출.

[依支 의지] ㉠ 몸을 기댐. ㉡ 마음을 붙여 도움을 받음.

⁸₁₂**【攲】** 기울어질 기 / 攴 | jī

⽇ キ〔かたむく〕 ⽶ lean

字解 기울어질 기(不正也).

字源 形聲. 支+奇〔音〕

[攲案 기안] 독서 때 편리하도록 책을 비스듬히 올려놓게 된 대.

攴(攵) 〔4 획〕 部
(등글월문부)

⁰₄**【攴】** 칠 복 / 人屋 | pū

⽇ ボク〔うつ〕 ⽶ tap

字解 칠 복(小擊).

字源 會意. 卜(채찍)과 又(손)의 합자. 손에 채찍을 들고 가볍게 침의 뜻. 「卜(복)」이 음을 나타냄.

²₆**【收】** 거둘 수 / 尤 | shōu

丨 丩 ㇇ 收 收

⽇ シュウ〔おさめる〕 ⽶ gather

字解 ① 거둘 수(斂也). ¶ 收納(수 납). ② 잡을 수(捕也). ¶ 收監(수 감).

字源 形聲. 攵(攴)+丩〔音〕

[收容 수용] ㉠ 데려다 넣어 둠. ㉡ 거두어 넣어 둠. ㉢ 범죄자를 교도소에 가둠.

[收入 수입] 곡물 또는 금전 등을 거두어들임. 또, 그 물건이나 금액.

[買收 매수] 물건을 사들임.

²₆**【攷】** 考(고)(老部 2획)의 古字

³₇**【攸】** 아득할 유 / 尤 | yōu

⽇ ユウ〔ところ〕 ⽶ remote

字解 ① 아득할 유(遠貌). ② 곳 유(所也). ③ 달릴 유(迅走). ④ 바 유(語助辭).

字源 會意. 攴와 人과 水의 생략형의 합자. 사람을 수중에서 수영시킴의 뜻.

[攸然 유연] ㉠ 빨리 달리는 모양. ㉡ 태연한 모양. 침착하고 여유 있는

모양.

3⑦ 【改】 고칠 개 ㊤賄 | gǎi

㇇ㄱㄹㄹㄹㄹㄹ改

㉰ カイ〔あらためる〕 ㉫ improve

字解 **고칠 개**(更也). ¶ 改選(개선). 改革(개혁). 改名(개명).

字源 形聲. 攵(攴)+己〔音〕.

[改選 개선] 새로 선거(選擧)함.
[改作 개작] 고치어 다시 지음. 또, 고치어 다시 만듦.
[改革 개혁] 새롭게 뜯어고침.
[悔改 회개] 잘못을 뉘우치고 고침.

3⑦ 【攻】 칠 공 ㊤東 | gōng

一ㄒエ王玎攻攻

㉰ コウ〔せめる〕 ㉫ attack

字解 ① **칠 공**(擊也). ¶ 攻略(공략). ② **닦을 공**(習也). ¶ 專攻(전공).

字源 形聲. 攵(攴)+工〔音〕.

[攻擊 공격] ㉠ 나가서 적을 침. ㉡ 엄하게 논박함. 몹시 꾸짖음. 공박(攻駁).
[攻勢 공세] 공격하는 태세.
[侵攻 침공] 남의 나라에 쳐들어감.

4⑧ 【放】 놓을 방 ㊣漾 | fàng

ㄟㆍㅗ方ゟゟゟ放放

㉰ ホウ〔はなつ〕 ㉫ release

字解 ① **놓을 방**(置也, 釋也). ¶ 放心(방심). 放免(방면). ② **내쫓을 방**(逐也). ¶ 追放(추방). ③ **방자할 방**(肆也). ¶ 放恣(방자). ④ **버릴 방**(棄也). ¶ 放棄(방기).

字源 形聲. 攵(攴)+方〔音〕.

[放賣 방매] 물건을 내팖.
[放置 방치] 그대로 내버려 둠.
[放蕩 방탕] 주색(酒色)에 빠짐. 虛浪放蕩(허랑방탕).
[釋放 석방] 잡혀 있는 사람을 풀어

자유롭게 함.
[追放 추방] 쫓아냄.

4⑧ 【政】 政(정)(支部 5획)과 同字

5⑨ 【敃】 ㆍ강할 민 ㊤眞 ㆍ어지러울 분 ㊤真 | mǐn fēn

㉰ ミン〔つとめる〕・フン〔みだれる〕 ㉫ strong, dizzy

字解 ㆍ**강할 민**. ㆍ**어지러울 분**.

字源 會意. 民+攵〔攴〕

5⑨ 【敂】 두드릴 구 ㊤有 | kòu

㉰ コウ〔うつ〕 ㉫ knock

字解 **두드릴 구**(叩也).

字源 形聲. 攵+句〔音〕.

5⑨ 【政】 정사 정 ㊤敬 | zhèng

一丆下正正政政政

㉰ セイ〔まつりごと〕 ㉫ politics

字解 **정사 정**(以法正民). ¶ 政治(정치).

字源 形聲. 攵(攴)+正〔音〕.

參考 政(支部 4획)과 同字.

[政見 정견] 정치상의 의견이나 식견.
[政變 정변] 정계(政界)의 큰 변동.
[國政 국정] 나라의 정사.
[內政 내정] 국내의 정치.

5⑨ 【故】 연고 고 ㊤遇 | gù

ㅡ十古古古故故故

㉰ コ〔ゆえ〕 ㉫ reason

字解 ① **연고 고**(原因). ¶ 事故(사고). ② **일 고**(事也). ③ **예 고**(舊也). ¶ 今故(금고). ④ **죽을 고**(死也). ¶ 故人(고인). ⑤ **짐짓 고**. ¶ 故意(고의). ⑥ **고로 고**(承上起

下語).

字源 形聲. 攵(攴)+古〔音〕

[故事 고사] 옛날부터 전해 내려오는 유래(由來) 있는 일. 고사(故事).

[故尋事端 고심사단] 일부러 일을 일으킴.

[故意 고의] ㉠ 일부러 하는 마음. 짐짓하는 마음. ㉡ 남의 권리를 침해하는 줄 알면서도 행하는 의사(意思).

[故土 고토] ㉠ 옛날에 놀던 땅. ㉡ 고향.

[故編 고편] 옛 서적.

[無故 무고] 아무 사고 없이 편안함.

[緣故 연고] ㉠ 까닭. 이유. ㉡ 혈연·정분 또는 법률상으로 맺어진 관계.

6
⑩【效】본받을 효
禹效 | xiào

⊐ コウ〔ならう〕 ⊛ imitate

字源 ① 본받을 효(象也, 倣也). ¶ 放效(방효). ② 힘쓸 효(勉也). ¶ 效忠(효충). ③ 보람 효(驗也). ¶ 效果(효과).

字源 形聲. 攵(攴)+交〔音〕

參考 効(力部 6획)는 속자.

[效果 효과] ㉠ 보람. ㉡ 좋은 결과.

[效顰 효빈] 무턱대고 남의 흉내를 냄.

[效情 효정] 진정(眞情)을 다함.

[效則 효칙] 본받아서 법으로 삼음.

[藥效 약효] 약의 효력.

[特效 특효] 특별한 효험이나 효과.

6
⑩【敉】어루만
질 미
禹紙 | mǐ

⊐ ビ〔なでる〕 ⊛ stroke

字源 어루만질 미(撫也).

字源 形聲. 攵(攴)+米〔音〕

7
⑪【敍】차례 서
禹語 | xù

⊐ ジョ〔のべる〕 ⊛ order

字源 ① 차례 서(次第). 敍次(서차). ② 쓸 서(用也). ¶ 敍用(서용). ③ 줄 서(授也).

字源 形聲. 攴+余〔音〕

參考 叙(又部 7획)는 속자.

[敍述 서술] 차례를 따라 말하거나 적음.

[敍任 서임] 관위(官位)를 수여함.

7
⑪【敏】민첩할
민禹軫 | mǐn

⊐ ビン〔すばやい〕 ⊛ quick

字源 ① 민첩할 민(疾也). ¶ 敏速(민속). ② 공손할 민(恭也). ¶ 恭敏(공민).

字源 形聲. 攵(攴)+每〔音〕

[敏感 민감] 예민한 감각. 감각이 예민함.

[敏腕 민완] 민첩한 수완.

[敏活 민활] 민첩하고 활발함.

[過敏 과민] 지나치게 예민함.

[銳敏 예민] 감각이 날카롭고 빠름.

7
⑪【救】구원할
구禹宥 | jiù

⊐ キュウ〔すくう〕 ⊛ save

字源 ① 구원할 구. ¶ 救命(구명). ② 도울 구(助也). ¶ 救助(구조).

字源 形聲. 攵(攴)+求〔音〕

[救世 구세] 세상 사람을 구제함.

[救援 구원] 도와 건져 줌.

[自救 자구] 스스로 자신을 구함.

7
⑪【敔】막을 어
禹語 | yǔ

⊐ ギョ〔さしとめる〕 ⊛ shut out

字源 ① 막을 어(禁也). ② 악기 이름 어(樂器名).

字源 形聲. 攵(攴)+吾〔音〕

7
⑪ **【敎】** 가르칠 │ 敎 교去效 jiāo

⺷ ⺈ ⺹ ⺹ 耂 𡥉 𡥉 教 教

� キョウ〔おしえる〕 ⑳ teach

字解 ① 가르칠 교(訓也). ¶ 敎師
(교사). ② 교령 교. ¶ 敎令(교령).

字源 會意. 爻(배움)와 攵(회초리)
의 합자. 회초리로 쳐서 가르쳐 배
우게 함의 뜻. 또, 「孝(교)」가 음을
나타냄.

參考 敎(支部 7획)는 속자・간체자.

[敎唆 교사] 남을 선동(煽動)하여 못
된 일을 하게 함. ¶ 敎唆犯(교사범).

[敎習 교습] 가르쳐 익히게 함.

[敎主 교주] 종교를 창시한 사람.

[國敎 국교] 국가가 지정하여 전 국
민이 믿도록 하는 종교.

[說敎 설교] 종교의 교의를 설명함.

7
⑪ **【敖】** ━ 거만할 오去號 áo
━ 놀 오平豪 áo

� ゴウ〔おごる・かまびす〕
⑳ arrogant, play

字解 ━ 거만할 오(傲也). ¶ 敖慢
(오만). ━ 놀 오, 희롱할 오(戲也).
¶ 敖遊(오유).

字源 會意. 出과 放의 합자. 「나가
놀다」의 뜻.

[敖蔑 오멸] 교만하여 남을 업신여김.

[敖民 오민] 빈둥빈둥 노는 백성.

7
⑪ **【敗】** 패할 패 去卦 敗 bài

丨 冂 冃 貝 貯 貯 敗 敗

� ハイ〔やぶれる〕 ⑳ be defeated

字解 ① 패할 패. ¶ 敗北(패배).
② 무너질 패, 헐 패(壞也, 潰也).
③ 썩을 패(腐也). ¶ 腐敗(부패).

字源 形聲. 攵(攴)+貝〔音〕

[敗亡 패망] 패하여 망함.

[敗兵 패병] 전쟁에 진 군사.

[腐敗 부패] 썩어서 못 쓰게 됨.

[惜敗 석패] 아깝게 짐.

7
⑪ **【敕】** 칙서 칙 入職 chì

� チョク〔みことのり〕
⑳ Royal letter

字解 ① 칙서 칙(制書). ¶ 敕書
(칙서). ② 경계할 칙(誡也). ¶ 敕
戒(칙계).

字源 會意. 攵(攴)+束. 쳐서 수속(收
束)시킴. 즉, 「경계함」의 뜻.

參考 勅(力部 7획)과 동자.

[敕命 칙명] 천자(天子)의 명령.

4
획

7
⑪ **【教】** 教(교)(支部 7획)의 俗字・
簡體字

8
⑫ **【敝】** 해질 폐 去霽 bì

� ヘイ〔やぶれる〕 ⑳ worn-out

字解 ① 해질 폐. ¶ 敝履(폐리).
② 버릴 폐(棄也). ③ 겸사 폐. ¶
敝社(폐사).

字源 形聲. 攵(攴)+㡀〔音〕

[敝履 폐리] 해진 신. 전(轉)하여, 버
려도 아깝지 않은 물건.

[敝社 폐사] 자기 회사의 낮춤말.

8
⑫ **【敜】** 막을 녑 入葉 niè

� ジョウ〔ふさぐ〕 ⑳ stop up

字解 막을 녑(塞也). 틀어막음.

字源 形聲. 攵(攴)+念〔音〕

8
⑫ **【敞】** 높을 창 上養 chǎng

� ショウ〔たかい〕 ⑳ high

字解 높을 창(高曠). ¶ 高敞(고
창).

字源 形聲. 攵(攴)+尙〔音〕

[敞豁 창활] 앞이 탁 틔어 넓음.

8
⑫ **【敢】** 감히 감 上感 gǎn

一 干 手 耳 耳 訂 訌 敢 敢

日 カン〔あえて〕 英 dare

字解 ① 감히 감(昧冒之辭). ¶ 敢
行(감행). ② 결단성있을 감. ¶
敢然(감연).

字源 形聲. 고자(古字)는 受(手)를
바탕으로 「古(고)」의 전음이 음을
나타냄.

[敢行 감행] 과감하게 행함.
[果敢 과감] 과단성이 있고 용감함.

4획

8 12 【散】 헤어질 산
㊅翰㊤早 | sǎn 散

一 艹 共 芹 肯 背 散 散

日 サン〔ちる〕 英 get scattered

字解 ① 헤어질 산(分離). ② 한산할 산(閒也). ¶ 散
策(산책). ③ 가루약 산(藥石屑).
¶ 胃散(위산). ④ 쓸모없을 산.
¶ 散材(산재).

字源 形聲. 月(肉)을 바탕으로 「㪔
(산)」의 생략형이 음을 나타냄.

[散見 산견] 여기저기 보임.
[散藥 산약] 가루약.
[散在 산재] 여기저기 흩어져 있음.
[分散 분산] 갈라져 흩어짐.
[閒散 한산] 한가하고 쓸쓸함.

8 12 【敦】 ▀도타울 돈㊅元 | dūn
▀다스릴 퇴㊅灰 | duī 敦

亠 𠧢 亯 享 亯 享 敦 敦

日 トン〔あつい〕・タイ〔わさめる〕
英 cordial, rule

字解 ▀ 도타울 돈(厚也). ▀ 다스
릴 퇴.

字源 形聲. 攵(攴)+享

[敦篤 돈독] 인정(人情)이 두터움.
[敦厚 돈후] ㉠ 인정(人情)이 많음.
심덕(心德)이 두터움. ㉡ 사물(事物)
에 정성을 들임.

9 13 【敬】 공경할
경㊅敬 | jìng 敬

丷 艹 芍 茍 莳 莳 敬

日 ケイ〔うやまう〕 英 respect

字解 ① 공경할 경(恭也). ¶ 敬愛
(경애). ② 삼갈 경(謹愼). ¶ 敬畏
(경외).

字源 會意. 攵와 茍(꼴・다잡음)의
합자. 「삼감」의 뜻. 따라서, 「존경
함」의 뜻.

[敬老 경로] 노인을 공경함.
[敬遠 경원] 공경하되 가까이 하지 아
니함.
[尊敬 존경] 높여 공경함.

9 13 【敭】 揚(양)(手部 9획)의 古字

9 13 【敉】 數(수)(攴部 11획)의 俗字

10 14 【敲】 두드릴
고㊅肴 | qiāo 敲

日 コウ〔たたく〕 英 beat

字解 두드릴 고(叩也).

字源 形聲. 攴+高〔音〕

[敲門 고문] 문을 두드려 사람을 찾
음.
[推敲 퇴고] 시문을 지을 때, 자구(字
句)를 여러 번 생각하여 고침.

11 15 【敵】 원수적
㊅錫 | dí 敵

亠 𠤬 ꯙ 啇 敵 敵 敵

日 テキ〔かたき〕 英 enemy

字解 ① 원수 적(仇也). ¶ 仇敵(구
적). ② 짝 적(匹也). ¶ 匹敵(필
적).

字源 形聲. 攵(攴)+啇〔音〕

[敵對 적대] 적으로 맞섬. ¶ 敵對視
(적대시).
[敵手 적수] ㉠ 재주나 힘이 맞서는
사람. ㉡ 원수.
[敵意 적의] 적대시(敵對視)하는 마
음.
[對敵 대적] 서로 맞서 겨룸.

4
획

11 ⑮ 【敷】 펼 부 ㊤虞 fū

日 フ〔しく〕　英 lay

字解 ① 펼 부(布也). ② 베풀 부(陳也).

字源 形聲. 攵(攴)+尃〔音〕

[敷設 부설] 펴서 베풀어 놓음. 깔아서 설치함.

[敷衍 부연] ㉠ 알기 쉽게 자세히 늘어놓아 설명함. ㉡ 널리 퍼지게 함.

11 ⑮ 【數】
- 셈할 수 ㊤麌
- 자주 삭 ㊤覺
- 촘촘할 촉 ㊤沃

shù
shuò
cù

日 スウ〔かず・かぞえる〕・サク〔しばしば〕・ショク〔こまかい〕
英 count, frequently, dense

字解 ■ ① 셈할 수(計也). ¶ 數式(수식). ② 셈 수(枚也). ¶ 數量(수량). ③ 몇 수, 두서너 수(幾也). ¶ 數年(수년). ④ 운수 수. ¶ 命數(명수). ⑤ 꾀 수. ¶ 術數(술수). ■ 자주 삭(頻屢). ¶ 頻數(빈삭). ■ 촘촘할 촉(細密). ¶ 數罟(촉고).

字源 會意. 攵(攴)+婁

參考 数(支部 9획)는 속자.

[數數 삭삭] ㉠ 자주. 여러 번. ¶ 數數往來(삭삭왕래). ㉡ 바쁜 모양.

[數量 수량] 수와 분량(分量).

[數次 수차] 자주. 대여섯 차례.

[數罟 촉고] 촘촘한 그물.

[術數 술수] 꾀.

[運數 운수] 사람에게 정해진 운명의 좋고 나쁨.

11 ⑮ 【夐】 아득할 형 ㊤敬 xiòng

日 ケイ〔はるか〕　英 far

字解 아득할 형(遠貌).

字源 形聲. 𡰪을 바탕으로「奐(환)」

의 생략형이 음을 나타냄.

參考 夐(夊部 11획)의 본자.

12 ⑯ 【敽】 맬 교 ㊤篠 jiǎo

日 キョウ〔つなぐ〕　英 bind

字解 맬 교(繫連).

字源 形聲. 攴+喬〔音〕

12 ⑯ 【整】 가지런할 정 ㊤梗 zhěng

束　束　束　敕　敕　整　整　整

日 セイ〔ととのえる〕　英 evenly

字解 가지런할 정(齊也). ¶ 整列(정렬).

字源 會意. 束(다발로 함)과 父(침)과 正과의 합자. 다발로 묶고 다시 두드려서 모양을 바로잡음의 뜻.

[整頓 정돈] 가지런히 함.

[整然 정연] 질서 있는 모양.

13 ⑰ 【斁】
- 싫어할 역 ㊤陌
- 패할 두 ㊤遇

yì
dù

日 エキ・ト〔あきる〕
英 dislike, get defeated

字解 ■ 싫어할 역(厭也). ■ 패할 두(敗也).

字源 形聲. 攵(攴)+睪〔音〕

13 ⑰ 【斂】 거둘 렴 ㊤琰 liǎn

日 レン〔おさめる〕　英 gather

字解 ① 거둘 렴(收也). ¶ 斂穫(염확). ② 모을 렴(聚也). ¶ 出斂(추렴). ③ 감출 렴(藏也). ¶ 斂跡(염적). ④ 염할 렴. ¶ 斂襲(염습).

字源 形聲. 攵(攴)+僉〔音〕

注意 歛(欠部 13획)은 딴 글자.

[斂手 염수] 손을 오므림.

[斂跡 염적] 종적을 감춤.

[收斂 수렴] 생각·주장 등을 한군데

로 모음.

14 ⑱ 【斃】 넘어져죽을 폐 [去]霽 | 毙 bì

[日] ヘイ〔たおれる〕 [英] die

[字解] ① 넘어져죽을 폐(死也). ② 넘어질 폐(踣也).

[字源] 形聲. 死+敝〔音〕

[斃踣 폐부] 넘어짐. 엎드러짐.
[斃死 폐사] 쓰러져 죽음.

14 ⑱ 【斀】 줄 탁 [本]착 [入]覺 | chuō

[日] タク〔さずける〕 [英] give

[字解] ① 줄 탁(授也). ② 아플 탁(痛也). ③ 찌를 탁(刺也).

[字源] 形聲. 攴+翟〔音〕

16 ⑳ 【斆】 가르칠 효 [去]效 | xiào

[日] コウ〔おしえる〕 [英] instruct

[字解] ① 가르칠 효(教也). ② 깨우칠 효(悟也).

[字源] 形聲. 攴+學〔音〕

文 〔4 획〕 部
(글월문부)

0 ④ 【文】 [一]글월 문 [平]文 [二]자자할 문 [去]問 | wén wèn

丶 亠 亣 文

[日] ブン〔ふみ・かざる〕
[英] sentence, tattoo

[字解] [一] ① 글월 문(書契). ¶ 文章(문장). ② 글자 문. ¶ 文字(문자). ③ 문채 문(斑也). ¶ 文彩(문채). ④ 빛날 문(華也). [二] ① 자자할 문. ¶ 文身(문신). ② 꾸밀 문(飾也). ¶ 文竿(문간).

[字源] 會意. 선(線)이 교차하고 있음의 뜻. 일설(一說)에 象形. 가슴 있는 곳에서 깃이 겹쳐 있는 모양. 사선으로 교차된 줄무늬. 무늬에서 「문장」의 뜻이 됨.

[文庫 문고] ㉠ 책을 쌓아 두는 곳집. ㉡ 서적·문서를 담는 상자.
[文盲 문맹] 글자를 읽지 못함. 또, 그 사람. 까막눈이.
[文士 문사] ㉠ 문필에 종사하는 사람. ㉡ 소설·희곡 등의 작가.
[文彩 문채] ㉠ 무늬. ㉡ 문장의 아름다운 광채. 문채(文采).
[文獻 문헌] ㉠ 책과 어진 사람. 문물 제도의 전거(典據)가 되는 것. ㉡ 학술 연구에 자료가 되는 문서.
[本文 본문] 문서 중의 주가 되는 글.
[作文 작문] 글을 지음.

3 ⑦ 【斈】 學(학)(子部 13획)의 俗字

4 ⑧ 【斉】 齊(제)(部首)의 俗字

7 ⑪ 【斎】 齋(재)(齊部 3획)의 俗字

7 ⑪ 【斌】 빛날 빈 [平]眞 | bīn

[日] ヒン〔かがやく〕 [英] shine

[字解] 빛날 빈(文質貌).

[字源] 會意. 文+武

[斌斌 빈빈] 모양과 내용이 잘 조화된 모양.

8 ⑫ 【斑】 얼룩 반 [平]刪 | bān

[日] ハン〔まだら〕 [英] stain

[字解] 얼룩 반(相雜貌).

[字源] 形聲. 고자(古字)는 辬. 「辡(변)」의 전음이 음을 나타냄.

[注意] 班(玉部 6획)은 딴 글자.

[斑紋 반문] 얼룩얼룩한 무늬. 아롱진 무늬.

[斑點 반점] 얼룩얼룩하게 박힌 점.

---

8 [斐] 문채날 비㊤尾 | fēi

㊐ ヒ〔あやかる〕 ㊤ florid

字解 문채날 비(文章相錯).

字源 形聲. 文+非〔音〕.

參考 匪(匸部 8획)는 동자.

[斐文 비문] 아름다운 장식.

斗 〔4 획〕 部
(말두부)

0 [斗] 말 두㊤有 | dǒu

丶丶㇐斗

㊐ ト〔ます〕 ㊤ unit of measure

字解 ① 말 두(量名, 十升). ¶ 斗量(두량). ② 갑자기 두(忽也). ③ 별이름 두. ¶ 斗牛(두우).

字源 象形. 자루가 달린 국자의 모양을 본뜬 글자.

[斗量 두량] 말로 곡식을 됨. 전(轉)하여, 말로 될 만큼 많음.

[斗糧 두량] 한 말의 양식. 전(轉)하여, 얼마 안되는 양식.

[泰斗 태두] ㊀ 태산과 북두성. ㊁ 어떤 분야에서 가장 권위 있는 사람의 비유.

[火斗 화두] 다리미.

---

6 [料] ━되질할 료㊤蕭 ┃ liào
━거리 료㊦嘯

丷丷ﾑ 米 米 米 斜 料

㊐ リョウ〔はかる〕 ㊤ estimate, matter

字解 ━ ① 되질할 료(量也). ② 셀 료(計也). ③ 헤아릴 료(度也). ¶ 料度(요탁). ━ ① 거리 료. 材料(재료). ② 녹 료(祿也).

[料量 요량] ㊀ 앞일에 대하여 잘 생각하고 헤아림. ㊁ 양기(量器)로 됨. 되질함. ㊂ 회계(會計).

[料理 요리] ㊀ 일을 처리함. ㊁ 음식물을 만듦. 또, 그 음식.

[無料 무료] 값을 받지 않음.

[染料 염료] 물감.

---

7 [斛] 휘 곡㊤屋 ┃ hú
㊦곡㊦青

㊐ コク〔こくます〕 ㊤ measure

字解 휘 곡(量名, 十斗).

字源 形聲. 斗+角〔音〕.

[斛量 곡량] 곡식을 휘로 되는 일.

---

7 [斜] ━비낄 사㊦麻 ┃ xié
━골짜기이 ┃ yé
름 야

八 ㇏ ㇛ 全 余 糸 斜 斜

㊐ シャ〔ななめ〕・ヤ〔たにのな〕 ㊤ inclined

字解 ━ 비낄 사(不正橫也). ━ 골짜기이름 야.

字源 形聲. 斗+余〔音〕.

[斜視 사시] ㊀ 곁눈질함. ㊁ 사팔눈.

[斜陽 사양] 지는 해. 석양(夕陽).

---

8 [斝] 옥잔 가㊤馬 ┃ jiǎ

㊐ カ〔たまのさかずき〕

字解 옥잔 가(玉爵).

字源 會意. 閂(잔 모양)과 斗(술을 따름)의 합자.

---

9 [斞] 열엿말 유㊤麌 ┃ yǔ

㊐ ユ〔じゅうろくとう〕

字解 열엿말 유(十六斗).

字源 形聲. 斗+臾〔音〕.

右上: 4 획

字源 會意. 米와 斗의 합자. 「되로 쌀을 됨」의 뜻.

9 ⑬ 【斟】 술따를 짐 (本)침 (平)侵 zhēn

(日) シン〔くむ〕 (英) pour

字解 ① **술따를 짐**(酌也). ¶ 斟酒(짐주). ② **짐작할 짐**(計也). ¶ 斟酌(짐작).

字源 形聲. 斗+甚〔音〕

[斟酌 짐작] ㉠ 술을 잔에 따름. ㉡ 사정이나 형편을 어림쳐 헤아림.

[斟酒 짐주] 술을 잔에 따름.

10 ⑭ 【斡】 一 주장할 간 (上)旱 二 돌 알 (入)曷 guǎn wò

(日) カン〔つかさどる〕·アツ〔めぐる〕 (英) manage, go around

字解 一 **주장할 간**(主也). 二 **돌 알**(旋也).

字源 會意. 斗+倝

[斡旋 알선] ㉠ 돎. 돌림. ㉡ 남의 일을 주선(周旋)하여 줌. 돌봄.

10 ⑭ 【斠】 평미레질할 각 (入)覺 jiào

(日) カク〔とかきをかける〕 (英) strickle

字解 **평미레질할 각**(平斗斛).

字源 形聲. 斗+冓〔音〕

11 ⑮ 【㷉】 熨(위·울)(火部 11획)와 同字

斤 〔4 획〕 部 (날근부)

0 ④ 【斤】 도끼 근 (平)文 jīn

一 厂 斤 斤

(日) キン〔まさかり〕 (英) ax

字解 ① **도끼 근**. ② **근 근**(衡量, 十六兩). ③ **날 근**.

字源 象形. 나무를 자르는 도끼의 모양을 본뜸.

[斤量 근량] ㉠ 무게. 중량. ㉡ 저울로 무게를 닮.

1 ⑤ 【斥】 물리칠 척 (入)陌 chì

一 厂 斤 斤 斥

(日) セキ〔しりぞける〕 (英) refuse

字解 ① **물리칠 척**(擯也). ¶ 排斥(배척). ② **엿볼 척**. ¶ 斥候(척후).

字源 形聲. 고자(古字)는 㡿. 「屰(역)」의 전음이 음을 나타냄.

[斥和 척화] 화의를 물리침.

[斥候 척후] 적군(敵軍)의 형편(形便)을 엿봄. 또, 그 군사. 척후병(斥候兵).

[排斥 배척] 반대하여 물리침.

4 ⑧ 【斧】 도끼 부 (上)麌 fǔ

(日) フ〔おの〕 (英) ax

字解 **도끼 부**(斫木器).

字源 形聲. 斤+父〔音〕

[斧柯 부가] 도끼 자루. 전(轉)하여, 정치를 하는 권력.

5 ⑨ 【斫】 찍을 작 (入)藥 zhuó

(日) シャク〔きる〕 (英) cut

字解 **찍을 작, 칠 작**(擊也).

字源 形聲. 斤+石〔音〕

[斫刀 작도] 《韓》 짚·꼴 등을 써는 연장.

5 ⑨ 【斪】 호미 구 (平)虞 qú

(日) ク〔すき〕 (英) weeding hoe

字解 **호미 구**(鋤屬).

字源 形聲. 斤+句〔音〕

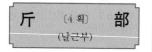

7 ⑪ 〖斬〗 벨 참 ⊥廉 zhǎn 斩 *[행서]*

日 ザン〔きる〕 英 behead

字解 ① 벨 참, 끊을 참(截也). ¶斬首(참수). ② 도련하지않은상복 참. ¶斬衰(참최).

字源 會意. 車와 斤(도끼)의 합자. 「참죄」(斬罪)의 뜻.

[斬首 참수] 목을 벰. 단두(斷頭).

[斬新 참신] 가장 새로움.

7 ⑪ 〖断〗 斷(단)(斤部 14획)의 俗字

8 ⑫ 〖斫〗 ⼀벨 착 ⊼覺 ⼀깎을 작 ⊼覺 zhuó *[행서]*

日 サク〔きる〕・シャク〔けずる〕 英 cut

字解 ⼀ 벨 착(斬也). ⼀ 깎을 작(削也).

字源 形聲. 斤＋昔〔音〕

8 ⑫ 〖斯〗 ⼀이 사 ④支 ⼀천할 시 ⊕支 sī *[행서]*

一 井 其 其 斯 斯 斯 斯

日 シ〔この・いやしい〕 英 this, humble

字解 ① 이 사(此也). ¶斯界 (사계). ② 어조사 사(語助辭). ⼀ 천할 시(賤也).

字源 會意. 其＋斤

[斯界 사계] ㉠ 이 분야. ㉡ 이 사회.

[斯道 사도] ㉠ 이 도(道), 성인의 도. ㉡ 유교의 도덕. ㉢ 각자가 종사하는 학문. 또는 기예에 관한 방면.

[斯學 사학] 이 학문.

9 ⑬ 〖新〗 새 신 ⊕眞 xīn *[행서]*

⼀ ㅗ ㅛ 立 辛 亲 新 新 新

日 シン〔あたらしい〕 英 new

字解 새 신, 새로울 신(初也).

字源 形聲. 斤＋木＋辛〔音〕

[新刊 신간] 책을 새로 간행함. 또, 그 책. ¶新刊書籍(신간 서적).

[新綠 신록] 새 잎의 푸른빛. 또 새 잎.

[新正 신정] 새해의 정월. 또, 설.

[更新 경신] 옛것을 고쳐 새롭게 함.

10 ⑭ 〖斲〗 깎을 착 ⊼覺 zhuó *[행서]*

日 タク〔けずる〕 英 cut

字解 깎을 착(削也).

字源 形聲. 斤＋𣃲〔音〕

參考 斵(斤部 13획)은 속자.

[斲木 착목] 딱따구리. 탁목조(啄木鳥).

13 ⑰ 〖斵〗 斲(착)(前條)의 俗字

14 ⑱ 〖斷〗 ⼀끊을 단 ⊥旱 ⼀결단할 단⊕翰 duàn 断 *[행서]*

⺊ ⺊⺊ 丝 继 丝 斷 斷 斷

日 ダン〔たつ・ひとしい〕 英 cut off, decide

字解 ⼀ 끊을 단(截也). ¶斷絕 (단절). ⼀ 결단할 단(決也). ¶斷定(단정).

字源 會意. 𢇍(실을 가로로 자른 모양)과 斤(도끼)의 합자. 「도끼로 자름」의 뜻.

參考 断(斤部 7획)은 속자.

[斷交 단교] 교제를 끊음.

[斷末魔 단말마] (佛敎)임종(臨終)의 고통. 또는 죽는 잘라.

[斷折 단절] 꺾음. 부러뜨림.

[決斷 결단] 딱 잘라 결정하거나 단정을 내림.

[中斷 중단] 중도에서 끊어짐. 또는 끊음.

方 〔4획〕部
(모방부)

0 ④【方】모 방 fāng 方

一 亠 方 方

⑤ ホウ〔かた〕 ⑧ square

字解 ① 모 방, 네모 방(矩也). ¶
方形(방형). ② 방위 방, 방향 방
(嚮也). ¶ 方位(방위). ③ 이제 방
(今也). ④ 방법 방, 술법 방.
方案(방안). ⑤ 바를 방, 떳떳할 방
(常也). ¶ 方正(방정). ⑥ 견줄 방
(比也). ¶ 方人(방인). ⑦ 바야흐
로 방(且也). ¶ 方今(방금). ⑧ 처
방 방(投藥配劑). ⑨ 배나란히세울
방(併舟). ¶ 方舟(방주).

字源 象形. 뱃머리를 연결한 두 척
의 배를 간략하게 그린 모양. 늘어
섬이 본뜻. 곁·옆의 뜻은 음의 차용.
전하여, 「방향」의 뜻.

[方角 방각] 동서남북의 향방.
[方途 방도] 일을 처리해갈 길.
[方正 방정] 말이나 행동이 바르고
점잖음.
[近方 근방] 가까운 곳.
[百方 백방] ㉠ 여러 가지 방법. ㉡
여러 방향 또는 방법.

4 ⑧【於】一어조사 어⑧魚 yú 扵
二오홉다할 오⑧虞 wū

一 亠 方 方 扩 於 於

⑤ オ〔おいて〕オ・ウ〔ああ〕 ⑧ sigh

字解 一 어조사 어(語助辭). ¶ 於
是乎(어시호). 二 오홉다할 오(歎
辭). ¶ 於乎(오호).

字源 假借. 烏(까마귀)의 상형인 고
자(古字). 어조사로 쓰임은 음의 차
용.

[於是乎 어시호] 이에 있어서. 이제
야.

[於乎 오호] 아아. 감탄하는 소리.

5 ⑨【施】一베풀 시⑧支 shī 施
二옮길 이⑧寘 yì

丶 亠 方 方 扩 扩 旃 施

⑤ シ〔ほどこす〕・イ〔うつる〕
⑧ give, move

字解 一 ① 베풀 시(設也). ¶ 施
設(시설). ② 줄 시(與也). ¶ 施賞
(시상). 二 옮길 이(移也).

字源 形聲. 㫃+也〔音〕

[施工 시공] 공사를 시행함.
[施肥 시비] 논밭에 거름을 줌.
[施行 시행] 실제로 베풀어 행함.
[實施 실시] 실제로 베풀어 행함.

5 ⑨【斿】깃발 유⑧尤 yóu 斿

⑤ コウ〔はた〕 ⑧ flag

字解 ① 깃발 유(旌旗之流). ② 놀
유(游也).

字源 會意. 㫃+子

5 ⑨【旀】《韓》하며 며

字解 《韓》하며 며(句讀接續詞). 한
국어의 「며」음을 표기하기 위하여
만든 글자.

6 ⑩【旂】기 기⑧微 qí 旂

⑤ キ〔はた〕 ⑧ flag

字解 ① 기 기(交龍旗). ② 방울단
기(懸鈴旗).

字源 形聲. 㫃+斤〔音〕

6 ⑩【旃】기 전⑧先 zhān 旃

⑤ セン〔はた〕 ⑧ flag

字解 기 전(曲柄旗).

字源 形聲. 㫃+丹〔音〕

4
획

6 【旅】 나그네 려 | lǚ
0　　　　　려⊕語

亠　宀　方　扩　扩　扩　旅　旅

㊐ リョ〔たび〕　㊏ passenger

字解 ① 나그네 려, 여행할 려(覉旅寄客). ¶旅行(여행). ② 군대 려(五百人爲旅軍也). ¶旅團(여단). ③ 무리 려(衆也). ¶旅力(여력).

字源 會意. 㫃(깃발)과 从(사람의 모임)의 합자. 군기 밑에 많은 사람이 모여 있음. 병사의 집단의 뜻. 군대는 이동하기 때문에 "여행"의 뜻이 됨.

[旅館 여관] 나그네를 묵게 하는 집. 여사(旅舍).
[旅團 여단] 몇 개의 독립 대대(大隊)로 편성되는 군대의 편제 단위.
[旅窓 여창] 나그네가 거처하는 방.
[行旅 행려] 나그네가 되어 다님. 또는 그 나그네.

6 【旄】 ■기 모 | máo
10　　　　　⊕豪
　　　　　■늙은이 모 | mào
　　　　　모㊉號

㊐ ボウ〔はた・としより〕
㊏ flag, old man

字解 ■ 기 모(旗懸牛尾幢也). ■ 늙은이 모(老人).
字源 形聲. 㫃+毛〔音〕

6 【旆】 기 패 | pèi
10　　　　　㊉泰

㊐ ハイ〔はた〕　㊏ flag
字解 기 패(繼旐旗).
字源 形聲. 㫃+市〔音〕

[旆旆 패패] 깃발이 날리는 모양.

6 【旁】 ■곁 방 | páng
10　　　　　⊕陽
　　　　　■달릴 팽 | pēng

㊐ ホウ〔かたわら・うまがはしってとまらない〕

㊏ side, run

字解 ■ ① 곁 방(側也). ② 널리 방(溥也). ¶旁求(방구). ■ 달릴 팽.

字源 形聲. 甲骨文·金文은 凡+方〔音〕

[旁求 방구] 널리 구함. 두루 구함.

7 【旋】 돌 선 | xuán
11　　　　　⊕先

亠　宀　方　扩　扩　斿　斿　旋

㊐ セン〔めぐる〕　㊏ revolve

字解 ① 돌 선. ¶旋回(선회). ② 돌아올 선. ¶凱旋(개선).

字源 會意. 㫃와 疋(걷는 일)의 합자. 지휘관의 지시(指示)대로 움직임의 뜻.

[旋毛 선모] 소용돌이 모양으로 난 머리털. 가마.
[旋回 선회] 둘레를 빙빙 돎.
[凱旋 개선] 싸움에 이기고 돌아옴.
[斡旋 알선] 남의 일을 잘되도록 마련하여 줌.

7 【旌】 기 정 | jīng
11　　　　　⊕庚

㊐ セイ〔はた〕　㊏ flag

字解 ① 기 정(旗名析羽置竿). ¶旌旗(정기). ② 나타낼 정(表也). ¶旌門(정문).

字源 形聲. 㫃+生〔音〕

[旌旗 정기] 정(旌)과 기(旗).

7 【族】 ■겨레 족 | zú
11　　　　　⊗屋
　　　　　■풍류가락 | zòu
　　　　　주㊉有

亠　宀　方　扩　扩　斿　族　族

㊐ ゾク〔やから〕・ソウ〔かなでる〕
㊏ tribe, melody

字解 ■ ① 겨레 족. ¶民族(민족). ② 일가 족, 친족 족(同姓宗族祖子孫九族). ¶族譜(족보). ③ 무리 족(衆也). ¶魚族(어족). ■

풍류가락 주.

[字源] 會意. 㫃와 矢의 합자. 군기 밑에 화살이 많이 있음의 뜻. 전하여, 같은 종류의 것이 모임의 뜻. 또, 「鏃」의 원자(原字).

[族譜 족보] 씨족(氏族)의 계보(系譜).
[族屬 족속] 겨레붙이.
[魚族 어족] 물고기의 종족.
[親族 친족] 촌수가 가까운 겨레붙이.

⁷_⑪【**勇**】 敷(부)(支部 11획)의 古字

⁸_⑫【**旐**】기 조 │ zhào
上篠
⽇ チョウ〔はた〕 ⑱ flag
[字解] 기 조(龜蛇旗).
[字源] 形聲. 㫃+兆〔音〕

⁸_⑫【**旒**】깃발 류 │ liú
⽥尤
⽇ リュウ〔はた〕 ⑱ flag
[字解] ① 깃발 류(旗脚). ② 면류관 끈 류(冕前後垂).
[字源] 形聲. 㫃+㐬〔音〕
[旒冕 유면] 실로 구슬을 꿰어 앞뒤에 늘어뜨린 귀인(貴人)의 갓.

¹⁰_⑭【**旗**】기 기 │ qí
⽥支
丶 亠 方 扩 扩 扩 旂 旗 旗 旗
⽇ キ〔はた〕 ⑱ flag
[字解] ① 기 기(軍將所建). ¶ 旗艦(기함). ② 표 기(標也).
[字源] 形聲. 㫃+其〔音〕
[旗手 기수] 기를 드는 사람.
[旗幟 기치] ㉠ 군기(軍旗). ㉡ 기의 표지(標識). 전하여, 거취(去就)·찬부(贊否)의 태도.
[反旗 반기] 반대의 뜻을 나타낸 행동이나 표시.
[白旗 백기] ㉠ 바탕이 흰 기. ㉡ 항

복을 표시하는 흰 기.

¹⁴_⑱【**旛**】기 번 │ fān
⽥元
⽇ バン〔はた〕 ⑱ flag
[字解] 기 번(旌旗總名).
[字源] 形聲. 㫃+番〔音〕
[旛幟 번치] 기의 표지(標識). 표지를 한 기.

¹⁵_⑲【**旜**】기 전 │ zhān
⽥先
⽇ セン〔はた〕 ⑱ flag
[字解] 기 전(曲柄旗).
[字源] 形聲. 㫃+亶〔音〕

¹⁵_⑲【**旞**】기 수 │ suì
去寘
⽇ スイ〔はた〕 ⑱ flag
[字解] 기 수(裝羽旗).
[字源] 形聲. 㫃+遂〔音〕

无(旡) 〔4획〕 部
(없을무부)

⁰_④【**无**】없을 무 │ wú
⽥虞
⽇ ム〔ない〕 ⑱ nothing
[字解] 없을 무(無也).
[字源] 미상(未詳). 음(音)이 「無(무)」와 통하므로 「없음」의 뜻으로 쓰임.
[无疆 무강] 끝이 없음. 무강(無疆).

⁰_④【**旡**】목멜 기 │ jì
去未
⽇ キ〔のどつまる〕 ⑱ choke
[字解] 목멜 기(氣塞).
[字源] 假借. 欠(숨을 내뿜음)을 반대로 한 모양.

4
획

⁵₉【既】 旣(기)(次條)의 略字·簡體字

⁷₁₁【旣】이미기｜旣 **jì**
去未

ㄐ白自自自旣旣旣

㊐ キ〔すでに〕 ㊤ already

字解 이미 기(已也).

字源 形聲. 皀+旡〔音〕

参考 既(无部 5획)는 약자·간체자

[旣得 기득] 이미 얻어서 차지함.
[旣往 기왕] 이전.
[旣存 기존] 이전부터 있음.
[旣婚 기혼] 이미 혼인을 하였음.

```
日　〔4 획〕　部
　（날일부）
```

⁰₄【日】날 일｜ **rì**
入質

ㄧㄇㄇ日

㊐ ニチ〔ひ〕 ㊤ day

字解 ① 날 일(一晝夜). ¶ 日課(일과). ② 해 일(太陽也). ¶ 日光(일광). ¶ 日星(일성). ③ 낮 일(晝也). ¶ 日夜(일야).

字源 象形. 해를 본뜬 글자.

[日間 일간] 며칠 되지 아니한 기간.
[日光 일광] 햇빛.
[日暮 일모] 해가 질 때. 해 질 무렵.
[日淺 일천] 시작한 뒤로 날짜가 많지 아니함.
[忌日 기일] 사람이 죽은 날. 제삿날.
[翌日 익일] 이튿날. 다음날.

¹₅【旦】아침 단｜ **dàn**
去翰

ㄧㄇㄇ日旦

㊐ タン〔あした〕 ㊤ morning

字解 아침 단(朝也). ¶ 旦夕(단석).

字源 象形. 日(해)이 一(땅)의 위에 솟는 모양.

[旦暮 단모] ㉠ 아침과 저녁. ㉡ 절박(切迫)함.
[元旦 원단] ㉠ 설날. ㉡ 설날 아침.
[一旦 일단] ㉠ 우선. ㉡ 잠깐.

¹₅【旧】舊(구)(白部 12획)의 俗字

²₆【早】일찍 조｜ **zǎo**
上皓

ㄧㄇㄇ日旦早

㊐ ソウ〔はやい〕 ㊤ early

字解 일찍 조, 새벽 조(晨也).

字源 會意. 日과 甲(시작)의 합자. 일광이 쬐기 시작함의 뜻.

注意 투(日部 3획)은 딴 글자.

[早晩 조만] ㉠ 이름과 늦음. ㉡ 아침 저녁. ㉢ 이르든지 늦든지. 어느 때든. ㉣ 가까운 장래에.
[早朝 조조] 이른 아침.
[早退 조퇴] 정해진 시각보다 일찍 돌아감.
[早婚 조혼] 혼기가 채 못 되어 혼인함.

²₆【旭】아침해 욱｜ **xù**
入沃

㊐ キョク〔あさひ〕 ㊤ morning sun

字解 ① 아침해 욱. ¶ 旭日(욱일). ② 해뜰 욱(日初出貌). ¶ 旭光(욱광).

字源 形聲. 日+九〔音〕

[旭日 욱일] 아침 해. ¶ 旭日昇天(욱일승천).

²₆【旨】뜻 지｜ **zhǐ**
上紙

㊐ シ〔むね〕 ㊤ intention

字解 ① 뜻 지(意向). ¶ 趣旨(취지). ② 맛 지(味也). ¶ 甘旨(감지).

字源 會意. 日(甘)과 匕(순가락)의

합자. 맛이 있는 것을 숟가락으로 입안에 넣음의 뜻. 따라서,「맛있음」의 뜻. 뜻의「뜻」은 음의 차용.

[旨意 지의] 뜻. 생각.
[旨酒 지주] 맛 좋은 술.

2
6 〔旬〕열흘 순
⊕眞 | xún 旬

ノ勹勹旬旬旬

⑪ ジュン〔とおか〕 ⑭ ten days

字解 ① 열흘 순(十日). ¶ 旬刊(순간). ② 열번 순. ¶ 七旬(칠순). ③ 두루미칠 순(徧也). ¶ 旬宣(순선).

字源 會意. 勹(쌈)와 日의 합자.「열」을 일컬음.

[旬朔 순삭] 열흘날과 초하루.
[上旬 상순] 초하루부터 초열흘까지의 동안.
[七旬 칠순] 나이 70세.

3
7 〔昊〕■햇빛 대
⊕友 | tài
■클 영⊕梗 | yīng

⑪ タイ〔ひかげ〕・エイ〔おおきい〕 ⑭ sunshine, big

字解 ■ 햇빛 대. ■ 클 영.
字源 形聲. 日+大〔音〕

3
7 〔旱〕가물 한
⊕旱 | hàn
⊕翰 旱

丨口日日旦旱旱

⑪ カン〔ひでり〕 ⑭ drought

字解 가물 한(亢陽不雨).
字源 形聲. 日+干〔音〕
注意 早(日部 2획)는 딴 글자.

[旱魃 한발] 가뭄.
[旱害 한해] 가뭄의 피해.
[枯旱 고한] 한발(旱魃)로 식물이 말라 죽음.
[大旱 대한] 큰 가뭄.

3
7 〔旰〕늦을 간
⊕翰 | gàn 旰

⑪ カン〔ひがくれる〕 ⑭ late

字解 늦을 간(晚也).
字源 形聲. 日+干〔音〕

[旰食 간식] 임금이나 제후(諸侯)가 정사에 바빠서 밤늦게 식사를 하는 일.

3
7 〔旴〕클 우
⊕虞 | xū 旴

⑪ ク〔おおいなり〕 ⑭ large

字解 ① 클 우(大也). ② 해뜰 우(日初出).
字源 形聲. 日+于〔音〕

4
8 〔映〕光(광)(儿部 4획)과 同字

4
8 〔昑〕밝을 금
⊕寢 | qǐn

⑪ キン〔あきらか〕 ⑭ bright

字解 밝을 금. 환할 금.
字源 形聲. 日+今〔音〕

4
8 〔旽〕■밝을 돈
⊕元 | tūn
■친밀할 순 | zhùn
⊕震

⑪ トン〔おける〕・シュン〔ねんごろ〕 ⑭ bright, friendly

字解 ■ 밝을 돈. 동틀 돈. ■ 친밀할 순.

4
8 〔昐〕햇빛 분
⊕文 | fēn

⑪ フン〔ひのひかり〕 ⑭ sunshine
字解 햇빛 분.

4
8 〔昌〕창성할 창
창⊕陽 | chāng 昌

丨口日日旦目昌昌昌

⑪ ショウ〔さかん〕 ⑭ prosper

字解 창성할 창(盛也).
字源 會意. 日과 曰(말)의 합자.「아

름다운 말」의 뜻.

[昌盛 창성] 성(盛)함. 번창(繁昌)함.
[昌昌 창창] 창성한 모양.
[繁昌 번창] 한창 잘되어 성함
[隆昌 융창] 매우 기운차고 성하게
일어남.

4
8 【旻】 하늘 민 ⊕眞 | mín | 旻

㊐ ビン〔あきぞら〕 ⊕ sky
字解 하늘 민(秋天). 가을 하늘.
字源 形聲. 日+文〔音〕
[旻天 민천] ㉠ 가을 하늘. ㉡ 하늘.

4
8 【昂】 밝을 앙 ⊕陽 | áng | 昂

㊐ コウ〔あがる〕 ⊕ bright
字解 ① 밝을 앙(明也). ② 들 앙
(擧也).
字源 形聲. 日+卬〔音〕
[昂騰 앙등] 물건 값이 오름. 등귀(騰
貴).
[昂揚 앙양] 높이 올라감. 높이 올림.
높아짐.

4
8 【昃】 기울 측 ⊕職 | zè | 昃

㊐ ショク〔かたむく〕 ⊕ decline
字解 기울 측(日西也).
字源 形聲. 日+仄〔音〕
參考 仄(人部 2획)은 동자.

4
8 【昆】 형 곤 ⊕元 | kūn | 昆

㊐ コン〔あに〕 ⊕ brother
字解 ① 형 곤(兄也). ¶ 昆季(곤
계). ② 자손 곤(孫也). ③ 많을 곤
(衆多). ¶ 昆蟲(곤충).
字源 會意. 日과 比의 합자. 해 밑
에 사람이 많이 줄 섬의 뜻.
[昆季 곤계] 맏형과 막내아우. 전하
여, 형제.
[昆後 곤후] 자손(子孫).

4
8 【昇】 오를 승 ⊕蒸 | shēng | 昇

丿 丿 冂 冂 日 日 尸 尹 昇
㊐ ショウ〔のぼる〕 ⊕ ascend
字解 오를 승, 올릴 승(日上).
字源 形聲. 日+升〔音〕
參考 升(十部 2획)과 통용함.

[昇降 승강] 오르고 내림.
[昇格 승격] 격을 올림. 격이 높아짐.
[昇給 승급] 봉급이 오름.
[昇進 승진] 직위가 오름.
[上昇 상승] 위로 올라감.

4
8 【昊】 하늘 호 ⊕皓 | hào | 昊

㊐ コウ〔そら〕 ⊕ sky
字解 하늘 호(夏天). 여름 하늘.
字源 形聲. 고자(古字)는 界.「夰
(호)」가 음을 나타냄.
[昊天 호천] ㉠ 하늘. ㉡ 여름 하늘.
㉢ 하느님. 상제(上帝).

4
8 【易】 바꿀
역 ⊗陌
쉬울
이 ⊕寘 | yì | 易

丿 丿 冂 冃 日 尸 尸 易 易
㊐ エキ〔かえる〕・イ〔やすい〕
⊕ exchange, easy
字解 ■ ① 바꿀 역(換也). ¶ 貿
易(무역). ② 주역 역. ¶ 易經(역
경). ■ 쉬울 이(不難). ¶ 容易(용
이).
字源 象形. 도마뱀의 모양. 蝎의 원
자(原字). 도마뱀은 빛깔이 변해 보
이기 때문에「변행・바꿈」의 뜻이
됨.「쉬움」의 뜻은 음의 차용
[易學 역학] 주역에 관하여 연구하
는 학문.
[易簡 이간] 간단하고 쉬움.
[易易 이이] 쉬운 모양.
[交易 교역] 서로 물건을 사고팔아
장사함.
[簡易 간이] 간단하고 쉬움.

[容易 용이] 아주 쉬움.

4 ⑧ 【明】 밝을 명 [平]庚 | míng 

丨 冂 月 日 日) 明 明 明

[日] メイ・ミョウ〔あかるい〕
[英] bright

[字解] ① **밝을 명**(照也). ¶ 明月(명월). ② **똑똑할 명**(聰也). ¶ 聰明(총명). ③ **밝힐 명**(顯也). ¶ 明確(명확). ④ **이승 명**(現世). ¶ 幽明(유명). ⑤ **명나라 명**(中國王朝名). ¶ 明太祖(명태조).

[字源] 會意. 日+月

[明年 명년] 다음 해.
[明瞭 명료] 분명하고 똑똑함. ¶ 簡單明瞭(간단명료).
[明滅 명멸] 켜졌다 꺼졌다 함.
[明朝 명조] ㉠ 내일 아침. ㉡ 활자(活字)의 한 체(體).
[分明 분명] 흐리지 않고 또렷함.
[幽明 유명] 저승과 이승.
[聰明 총명] 영리하고 재주가 있음.

4 ⑧ 〖旺〗 성할 왕 [去]漾 | wàng 

[日] オウ〔さかん〕 [英] vigorous

[字解] **성할 왕**(物之始盛).

[字源] 形聲. 日+王〔音〕

[旺盛 왕성] 사물(事物)이 성함.
[旺運 왕운] 왕성한 운수.

4 ⑧ 〖旼〗 온화할 민 [平]眞 | mín 

[日] ビン〔やわらぐ〕 [英] mild

[字解] **온화할 민**(和貌).

[字源] 形聲. 日+文〔音〕

4 ⑧ 〖昉〗 밝을 방 [上]養 | fǎng 

[日] ホウ〔あきらか〕 [英] bright

[字解] ① **밝을 방**(明也). ② **비로소 방**(始也).

[字源] 形聲. 日+方〔音〕

4 ⑧ 〖昕〗 새벽 흔 [平]文 | xīn 

[日] キン〔あさ〕 [英] dawn

[字解] **새벽 흔**(日將出明之始).

[字源] 形聲. 日+斤〔音〕

4 ⑧ 〖昒〗 [一]어둑새벽 물 [入]物 [二]어둑새벽 홀 [入]月 | hū

[日] ブツ・コツ〔よあけ〕 [英] dawn

[字解] [一] **어둑새벽 물**(尙冥). [二] **어둑새벽 홀**(尙冥).

[字源] 形聲. 日+勿〔音〕

4 ⑧ 〖旿〗 밝을 오 [上]麌 | wū 

[日] ゴ〔あきらか〕 [英] light

[字解] **밝을 오**(日當午而盛明).

[字源] 形聲. 日+午〔音〕

4 ⑧ 〖昏〗 어두울 혼 [平]元 | hūn 

[日] コン〔くらい〕 [英] dark

[字解] **어두울 혼**(闇也).

[字源] 會意. 日과 氏(低)의 생략형의 합자. 해가 서쪽에 떨어짐의 뜻.

[昏迷 혼미] 마음이 미혹(迷惑)하고 흐리멍덩함.
[昏絶 혼절] 정신이 아찔하여 까무러침.
[黃昏 황혼] 해가 지고 어둑어둑할 무렵.

4 ⑧ 【昔】 옛 석 [入]陌 | xī 

一 十 廾 丗 共 昔 昔 昔

[日] セキ〔むかし〕 [英] ancient

[字解] ① **옛 석**(古也). ¶ 古昔(고석). ② **접때 석**(曩日).

[字源] 會意. 巛(말린 고기의 주름)과 日의 합자. 「말린 고기」의 뜻. 腊의 원자(原字). 「옛」의 뜻은 가차(假借).

4 획

[昔日 석일] ㉠ 옛적. ㉡ 어제. 또는 사오일 전.

[今昔 금석] 지금과 옛날.

⁵⁹【昤】햇빛 령 | líng
㊝靑
㉰レイ〔ひのひかり〕 ㉱ sunshine
字解 햇빛 령. 햇살 령.
字源 形聲. 日+令〔音〕

⁵⁹【昂】昂(앙)(日部 4획)의 俗字

⁵⁹【星】별 성 | xīng
㊝靑
丨冂冃日尸旦甼早星
㉰セイ〔ほし〕 ㉱ star
字解 ① 별 성(列宿總名). ¶ 行星(행성). ② 세월 성(歲月). ¶ 星霜(성상).
字源 形聲. 본디, 晶+生〔音〕

[星霜 성상] 세월(歲月). 星은 1년에 하늘을 한번 돌고, 霜은 1년에 한 철 내린다는 뜻에서 온 말. ¶ 十個星霜(십개성상).

[星辰 성신] 별. ¶ 日月星辰(일월성신).

[星座 성좌] 별자리.

[彗星 혜성] ㉠ 살별. ㉡ 갑자기 나타난 뛰어난 인물의 비유.

[曉星 효성] 샛별.

⁵⁹【是】이 시 | shì
㊤紙
丨冂冃日旦甼旱昰是
㉰ゼ〔これ〕 ㉱ this
字解 ① 이 시(此也). ¶ 是日(시일). ② 옳을 시(非之對). ¶ 是非(시비).
字源 會意. 日과 正의 합자. 태양의 운행은 바름의 뜻.

[是非曲直 시비곡직] 옳고 그르고 굽고 곧음.

[是認 시인] 옳다고 인정함.

[國是 국시] 나라 정신에 비춰 옳다고 여기는 주의와 방침.

⁵⁹【昱】빛날 욱 | yù
㊵屋
㉰イク〔あきらか〕 ㉱ bright
字解 빛날 욱(日光也).
字源 會意. 日+立
[昱昱 욱욱] 햇빛이 빛나는 모양.

⁵⁹【昴】별이름 묘 | mǎo
㊤巧
㉰ボウ〔すばる〕 ㉱ Pleiades
字解 별이름 묘(西陸宿名二十八宿之一).
字源 形聲. 日+卯〔音〕

⁵⁹【昜】陽(양)(阜部 9획)의 古字

⁵⁹【昰】是(시)(日部 5획)의 本字
夏(하)(夂部 7획)의 古字

⁵⁹【昺】昞(병)(日部 5획)과 同字

⁵⁹【昞】炳(병)(火部 5획)과 同字

⁵⁹【昡】햇빛 현 | xuàn
㊤霰
㉰ゲン〔ひのひかり〕 ㉱ sunshine
字解 햇빛 현.
字源 形聲. 日+玄〔音〕

⁵⁹【映】비칠 영 | yìng
㊤敬
丨冂日日旷旷映映映
㉰エイ〔うつる〕 ㉱ reflect
字解 비칠 영(明相照).
字源 形聲. 日+央〔音〕
參考 暎(日部 9획)과 동자.

[映像 영상] 광선의 굴절 또는 반사

를 따라 물체의 상(像)이 비추어진 것.

[映彩 영채] 환하게 빛나는 채색(彩色).

[反映 반영] ㉠ 반사하여 비침. ㉡ 어떤 영향이 다른 것에 미쳐 나타남.

[上映 상영] 영화를 영사하여 관객에게 보임.

5 ⑨ 【昧】 어두울 매[去]隊 | mèi

[日] マイ〔くらい〕 [英] obscure

[字解] **어두울 매**(冥也). ¶ 蒙昧(몽매).

[字源] 形聲. 日+未〔音〕

[昧蒙 매몽] ㉠ 어두움. ㉡ 어리석음. 몽매(蒙昧).

[昧爽 매상] 먼동이 틀 무렵.

[愚昧 우매] 어리석고 몽매함.

5 ⑨ 【昨】 어제 작 [入]藥 | zuó

冂 月 日 日' 日𠂉 昨 昨 昨

[日] サク〔きのう〕 [英] yesterday

[字解] **어제 작**(隔一宵).

[字源] 形聲. 日+乍〔音〕

[昨今 작금] 어제와 이제.

[昨非 작비] 지금까지의 그름. 또, 이전의 과실.

[昨春 작춘] 지난 봄.

[再昨年 재작년] 지지난 해.

5 ⑨ 【昭】 밝을 소 [本]조[平]蕭 | zhāo

冂 月 日 日フ 日刀 昭 昭 昭

[日] ショウ〔あきらか〕 [英] bright

[字解] **밝을 소**(明也).

[字源] 形聲. 日+召〔音〕

[昭詳 소상] 분명하고 자세함.

[昭應 소응] 감응이 뚜렷이 드러남.

5 ⑨ 【昳】 기울 질 [本]절[入]屑 | dié

[日] テツ〔かたむく〕 [英] decline

[字解] **기울 질**(日傾).

[字源] 形聲. 日+失〔音〕

5 ⑨ 【昵】 [一]친할 닐 [入]質 [二]아비사당 녜[上]薺 [三]풀 직[入]職 | nì nǐ zhī

[日] ジツ〔したしむ〕・デイ〔ぼうふのたまや〕・ショク〔のり〕

[英] intimate, paste

[字解] [一] **친할 닐**(親近). [二] **아비사당 녜**(禰廟). [三] **풀 직. 아교 직.**

[字源] 形聲. 日+尼〔音〕

[昵懇 일간] 친(親)함.

[昵交 일교] 친함. 또, 그 사람.

5 ⑨ 【昶】 해길 창 [上]養 | chǎng

[日] チョウ〔ながい〕 [英] bright

[字解] ① **해길 창**(日長). ② **밝을 창.**

[字源] 會意. 日과 永의 합자. 해가 긺을 나타냄.

5 ⑨ 【昼】 晝(주)(日部 7획)의 略字

5 ⑨ 【春】 봄 춘[平]眞 | chūn

二 三 夫 夫 夫 春 春 春

[日] シュン〔はる〕 [英] spring

[字解] **봄 춘**(歲之始, 四時首).

[字源] 會意. 艸(풀)와 屯과 日의 합자. 屯은 풀이 지상에 나오려고 하나 추위 때문에 지중에 웅크리고 있는 모양. 따뜻해져 가기는 하나 완전히 따뜻하지 못한 계절의 뜻.

[春耕 춘경] 봄에 하는 논밭갈이.

[春夢 춘몽] 봄의 짧은 밤에 꾸는 꿈. 전(轉)하여, 덧없는 세상일. ¶ 一場春夢(일장춘몽).

[青春 청춘] ㉠ 봄 ㉡ 20세 안팎의 젊은 나이의 비유.

[回春 회춘] ㉠ 봄이 다시 돌아옴. ㉡ 노인이 도로 젊어짐.

5 ⑨ 【昬】 昏(혼)(日部 4획)과 同字

6 ⑩ 【晃】 밝을 황 [去]養 | huǎng 

[日] コウ〔あきらか〕 [英] dazzling

[字解] **밝을 황**(明也).

[字源] 會意. 日과 光의 합자. 「태양 빛」의 뜻. 또, 「光(광)」의 전음이 음을 나타냄.

[晃晃 황황] 빛나는 모양. 밝은 모양.

6 ⑩ 【晄】 晃(황)(前條)과 同字

6 ⑩ 【晏】 늦을 안 [去]諫 | yàn 

[日] アン〔おそい〕 [英] late

[字解] ① **늦을 안**(晚也). ¶ 晏眠(안면). ② **편안할 안**(安也). ¶ 晏息(안식).

[字源] 形聲. 日+安〔音〕

[晏起 안기] 늦게 일어남.
[晏然 안연] 마음이 편안하고 침착한 모양.

6 ⑩ 【晁】 朝(조)(月部 8획)의 古字

6 ⑩ 【時】 때 시 [平]支 | 时 shí 

ㄇ 日 日一 日十 日土 日圭 時 時

[日] ジ〔とき〕 [英] time

[字解] ① **때 시**(辰也). ¶ 時日(시일). ② **철 시**(季節).

[字源] 形聲. 日+寺〔音〕

[時局 시국] 당면한 국내 및 국제적 정세. 현재의 세상 형편.
[時急 시급] 때가 임박(臨迫)함.
[時流 시류] 그 시대의 풍조.
[時速 시속] 한 시간에 달리는 속도.
[時時刻刻 시시각각] 시간이 흐름에 따라. 시각마다.
[時評 시평] 그 당시의 비평이나 평판.
[當時 당시] 일이 생긴 그때.
[失時 실시] 기회를 잃음.

6 ⑩ 【晅】 말릴 훤 [上]阮 | xuǎn 

[日] ケン・カン〔かわく〕 [英] dry

[字解] **말릴 훤**(乾也).

[字源] 形聲. 日+亘〔音〕

6 ⑩ 【晌】 대낮 상 [上]養 | shǎng 

[日] ショウ〔まひる〕 [英] noon

[字解] **대낮 상**(午也).

[字源] 形聲. 日+向〔音〕

[晌飯 상반] 점심밥.
[晌午 상오] 점심때.

6 ⑩ 【晈】 皎(교)(白部 6획)와 同字

6 ⑩ 【晒】 曬(쇄)(日部 19획)의 俗字·簡體字

6 ⑩ 【晉】 진나라 진 [去]震 | 晋 jìn 

[日] シン〔すすむ〕

[字解] ① **진나라 진**. ¶ 晉書(진서). 西晉(서진). ② **나아갈 진**(進也). ¶ 晉接(진접).

[字源] 會意. 日과 臸(도달함)의 합자. 해가 솟아 만물이 나아감의 뜻.

[參考] 晋(日部 6획)은 속자.

[晉體 진체] 중국 진대(晉代)의 명필(名筆) 왕희지(王羲之)의 글씨체.

6 ⑩ 【晋】 晉(진)(前條)의 俗字

7 ⑪ 【晜】 형 곤 [平]元 | kūn 

4획

⽇ コン〔あに〕 ⊛ elder brother
字解 ① 형 곤(兄也). ② 뒤 곤(後也).
字源 會意. 고자(古字)는 罢. 弟와 罢의 합자. 동생에게 미침의 뜻.

7
⑪【晜】晟(성)(次條)과 同字

7
⑪【晟】밝을 성 │ shèng
㊀敬
⽇ セイ〔あきらか〕 ⊛ bright
字解 밝을 성(明也).
字源 形聲. 日+成〔音〕

7
⑪【晛】햇살 현 │ xiàn
㊀霰
⽇ ケン〔ひざし〕 ⊛ sunbeams
字解 햇살 현. 햇빛 현.
字源 形聲. 日+見〔音〕

7
⑪【晥】밝을 환 │ wǎn
㊀濟
⽇ カン〔あきらか〕 ⊛ bright
字解 밝을 환.

7
⑪【晨】새벽 신 │ chén
㊀眞
⽇ シン〔あした〕 ⊛ daybreak
字解 새벽 신(昧爽). ¶ 晨旦(신단).
字源 形聲. 日+辰〔音〕
[晨省 신성] 이른 아침에 부모의 침소에 가서 밤새의 안부를 살핌. ¶ 昏定晨省(혼정신성).
[晨昏 신혼] 아침저녁. 밤낮.

7
⑪【晚】늦을 만 │ wǎn
㊀阮
⼁ 日 旷 旷 晭 晚 晚 晚
⽇ バン〔おそい〕 ⊛ late
字解 늦을 만(後也), 저물 만(暮也).
¶ 晚年(만년).
字源 形聲. 日+免〔音〕
[晚年 만년] 사람의 일생에서 나이 많은 노인의 시절.
[晚成 만성] 늦게야 이루어짐. ¶ 大器晚成(대기만성).
[晚時 만시] 때가 늦음. ¶ 晚時之歎(만시지탄).
[早晚間 조만간] 머지않아.

7
⑪【晞】마를 희 │ xī
㊀微
⽇ キ〔かわく〕 ⊛ dry
字解 ① 마를 희(乾也). ② 말릴 희(燥也).
字源 形聲. 日+希〔音〕
[晞和 희화] 화창(和暢).

7
⑪【晙】밝을 준 │ jùn
㊀震
⽇ シュン〔あきらか〕 ⊛ bright
字解 ① 밝을 준. ② 이를 준.
字源 形聲. 日+夋〔音〕

7
⑪【晡】저녁 포 │ bū
㊀虞
⽇ ホ〔ひぐれ〕 ⊛ evening
字解 저녁 포(夕也).
字源 形聲. 日+甫〔音〕
[晡夕 포석] 저녁때. 박모(薄暮).

7
⑪【晤】밝을 오 │ wù
㊀遇
⽇ ゴ〔あう〕 ⊛ bright
字解 ① 밝을 오(明也). ② 만날 오(遇也).
字源 形聲. 日+吾〔音〕
[晤歌 오가] 마주 대하고 노래함.

7
⑪【晦】그믐 회 │ huì
㊀隊
⽇ カイ〔つごもり〕
⊛ the end of the month

$\boxed{字解}$ ① 그믐 회(月終). ¶ 晦朔(회삭). ② 어두울 회(冥也). ¶ 晦夜(회야).

$\boxed{字源}$ 形聲. 日+每〔音〕

[晦冥 회명] 어두컴컴함.

7
⑪ 【晧】 밝을 호 ㊤皓 | hào

㊐ コウ〔あきらか〕 ㊇ bright

$\boxed{字解}$ ① 밝을 호(明也). ② 해뜰 호(日出貌).

$\boxed{字源}$ 形聲. 日+告〔音〕

7
⑪ 【晝】 낮 주 ㊅有 zhòu

ㄱ 글 글 글 畫 書 書 書 晝

㊐ チュウ〔ひる〕 ㊇ daytime

$\boxed{字解}$ 낮 주(日中).

$\boxed{字源}$ 會意. 日과 畫(구획짓다)의 생략형의 합자. 명암에 따라 밤과 구획지음의 뜻.

$\boxed{參考}$ 昼(日部 5획)는 약자.

[晝食 주식] 낮에 먹는 밥. 점심.
[晝耕夜讀 주경야독] 낮에는 농사짓고 밤에는 글을 읽는다는 말로, '바쁜 틈을 타서 공부함'을 이르는 말.

7
⑪ 【晳】 ■밝을 절 ㊅屑 | zhé
■별반짝반짝할 제 ㊤霽 | zhì

㊐ セツ〔あきらか〕・セイ〔ほしのひかり〕
㊇ bright, glitter

$\boxed{字解}$ ■ 밝을 절(明也). ■ 별반짝반짝할 제(星光貌).

$\boxed{字源}$ 形聲. 日+折〔音〕

8
⑫ 【暘】 볕날 역 ㊅陌 | yì

㊐ エキ〔かげる〕 ㊇ sunshine

$\boxed{字解}$ ① 볕날 역. ② 날씨흐릴 역.

$\boxed{字源}$ 形聲. 日+易〔音〕

8
⑫ 【晶】 수정 정 ㊥庚 | jīng

㊐ ショウ〔あきらか〕 ㊇ crystal

$\boxed{字解}$ ① 수정 정. ¶ 水晶(수정). ② 맑을 정(精光也). ¶ 晶光(정광).

$\boxed{字源}$ 會意. 日을 세 개 겹쳐, 「맑고 깨끗한 빛」의 뜻.

[晶系 정계] 결정(結晶)의 형식(形式)에 따른 구별.
[晶光 정광] 번쩍번쩍하는 빛.

4
획

8
⑫ 【景】 ■빛 경 ㊤梗 | jīng
■그림자 영 ㊤梗 | yǐng

丶 口 日 톤 몯 믐 몯 봄 景

㊐ ケイ〔ひかり〕・エイ〔かげ〕
㊇ sunshine, shadow

$\boxed{字解}$ ■ ① 빛 경(光也). ¶ 景光(경광). ② 경치 경(景致). ¶ 景槪(경개). ③ 클 경(大也). ¶ 景福(경복). ④ 우러러볼 경(慕也). ¶ 景慕(경모). ■ 그림자 영.

$\boxed{字源}$ 形聲. 日+京〔音〕

[景觀 경관] 산천수륙(山川水陸)의 아름다운 현상(現象).
[景慕 경모] 우러러 사모함.
[景福 경복] 크나큰 복.
[景勝 경승] 경치가 좋은 곳.
[絶景 절경] 더할 나위 없이 아름다운 경치.

8
⑫ 【晸】 해돋을 정 ㊤梗 | zhěng

㊐ テイ〔ひがでるさま〕 ㊇ sunrise

$\boxed{字解}$ 해돋을 정(日出).

$\boxed{字源}$ 形聲. 日+政〔音〕

8
⑫ 【晷】 해그림자 구 ㊉궤・귀 | guǐ
㊤紙

㊐ キ〔ひかげ〕 ㊇ shadow

$\boxed{字解}$ ① 해그림자 구(日景). ¶ 晷景(구경). ② 해시계 구. ¶ 晷儀(구의).

字源 形聲. 日+谷〔音〕

[晷刻 구각] 시각(時刻).
[晷漏 구루] 해시계와 물시계.

8
⑫ **【晫】** 한창밝을
탁 ⑧覺 | zhuó

� タク〔さかんなさま〕 ⑧ bright
字解 한창밝을 탁(明盛貌).
字源 形聲. 日+卓〔音〕

8
⑫ **【晬】** 돌 수
㉸쉬 ㉾隊 | zuì

� サイ〔ひとまわり〕 ⑧ birthday
字解 돌 수, 생일 수(周年同時).
字源 形聲. 日+卒〔音〕

[晬宴 수연] 생일잔치.

8
⑫ **【晴】** 갤 청
㉸庚 | qíng

ㄇ 日 日 日 晴 晴 晴 晴

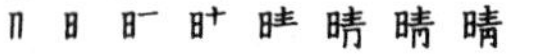

� セイ〔はれる〕 ⑧ clear up
字解 갤 청(雨止日出無雲).
字源 形聲. 日+靑〔音〕
参考 晴(日部 8획)과 동자.

[晴曇 청담] 날씨의 갬과 흐림.
[晴天 청천] 맑게 갠 하늘.
[快晴 쾌청] 구름 한 점 없이 맑게 갬.

8
⑫ **【晻】** ■ 어두울
암 ㉸感 | àn
■ 날흐릴
엄 ㉸琰 | yǎn

� アン〔くらい〕・エン〔ひにひかり
のないさま〕
⑧ dark, cloudy
字解 ■ 어두울 암(暗也). ■ 날
흐릴 엄(日無光).
字源 形聲. 日+奄〔音〕

[晻昧 암매] ㉠ 어두움. 암흑(暗黑).
㉡ 어리석음. 우매(愚昧).

8
⑫ **【晴】** 晴(청)(日部 8획)과 同字

8
⑫ **【晰】** 晳(석)(次條)과 同字

8
⑫ **【晳】** 밝을 석
�入錫 | xī

� セキ〔あきらか〕 ⑧ bright
字解 밝을 석(明也).
字源 形聲. 日+析〔音〕
参考 晰(日部 8획)은 동자.

[明晳 명석] 생각이나 판단이 분명
하고 똑똑함.

8
⑫ **【普】** 넓을 보
㉯麌 | pǔ

ㅛ ㅛ ㅛ ㅛ 並 並 普 普 普

� フ〔あまねし〕 ⑧ widely
字解 넓을 보(博也).
字源 會意. 並과 日의 합자. 구름이
퍼져 해를 가리고 있음의 뜻. 일설
(一說)에 形聲. 「並(병)」의 전음이
음을 나타냄.

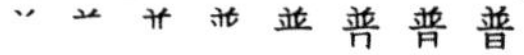

[普及 보급] 널리 퍼짐. 또, 널리 퍼
뜨림.
[普遍 보편] 두루 미침.

8
⑫ **【智】** 슬기 지
㉾寘 | zhì

ㅗ ㅛ ㅕ 矢 知 知 智 智

� チ〔ちえ〕 ⑧ wisdom
字解 슬기 지(知賢, 無所不知).
字源 形聲. 日+知〔音〕

[智略 지략] 슬기로운 계략이나 꾀.
[智謀 지모] 슬기 있는 꾀.
[智慧 지혜] 슬기.
[機智 기지] 상황에 따라 재치 있게
움직이는 슬기.
[才智 재지] 재주와 지혜.

9
⑬ **【暋】** 굳셀 민
㉯軫 | mǐn

� ビン・ミン〔つよい〕 ⑧ strong
字解 굳셀 민. 강할 민.
字源 形聲. 日+啟〔音〕

9
⑬ 【曉】 曉(효)(日部 12획)의 俗字

9
⑬ 【暈】 무리 훈
㉠운㉫間 暈 yùn

㉰ ウン〔かさ〕 ㉱ halo

字解 ① 무리 훈. ¶ 暈圈(훈위).
② 현기증날 훈(眩也). ¶ 暈厥症
(훈궐증).

字源 形聲. 日+軍〔音〕

[暈輪 훈륜] 달무리. 또는, 햇무리.

9
⑬ 【暑】 더울 서
㉡語 暑 shǔ

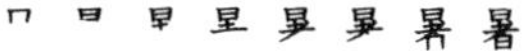

ㄇ 日 甲 罕 号 晃 晃 暑 暑

㉰ ショ〔あつい〕 ㉱ hot

字解 ① 더울 서(熱也). ② 여름철
서(夏節).

字源 形聲. 日+者〔音〕

注意 署(网部 9획)는 딴 글자.

[暑氣 서기] 더운 기운.
[避暑 피서] 선선한 곳으로 옮겨 더
위를 피함.
[酷暑 혹서] 지독한 더위.

9
⑬ 【暄】 따뜻할
훤㉠元 xuān

㉰ ケン〔あたたか〕 ㉱ warm

字解 따뜻할 훤(溫也).

字源 形聲. 日+宣〔音〕

[暄暖 훤난] 따뜻함. 온난(溫暖).
[暄日 훤일] 따뜻한 날.

9
⑬ 【暇】 겨를 가
㉢禡 xiá

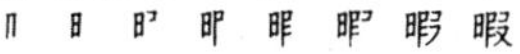

ㄇ 日 旷 旷 旷 旷 旷 暇 暇

㉰ カ〔ひま〕 ㉱ leisure

字解 ① 겨를 가(休暇). ② 한가할
가(閒也). ¶ 閒暇(한가).

字源 形聲. 日+叚〔音〕

注意 假(人部 9획)는 딴 글자.

[暇隙 가극] 틈. 겨를. 여가(餘暇).
[暇日 가일] 틈이 있는 날.

[閒暇 한가] 바쁘지 않고 여유가 있
음.
[休暇 휴가] 학교·직장 등에서 일정
기간 쉬는 일.

9
⑬ 【暉】 빛 휘
㉠微 暉 huī

㉰ キ〔ひかり〕 ㉱ light

字解 ① 빛 휘(日光). ② 빛날 휘
(光發).

字源 形聲. 日+軍〔音〕

[暉映 휘영] 반짝이며 비침. 광채가
비침. 휘영(輝映).

9
⑬ 【暌】 어길 규
㉠齊 kuí

㉰ ケイ〔たがう〕 ㉱ violate

字解 어길 규(違也).

字源 形聲. 日+癸〔音〕

9
⑬ 【暍】 더위먹을
갈㉠알
㉞月 yē

㉰ エツ〔しょきあたり〕
㉱ be sunstruck

字解 더위먹을 갈(傷暑中熱).

字源 形聲. 日+曷〔音〕

9
⑬ 【暖】 ▄따뜻할
난㉠旱 nuǎn
▟부드러
울 훤㉠元 xuān

ㄇ 日 日' 旷 旷 晖 晖 暖 暖

㉰ ダン〔あたたかい〕・ケン〔やわらか〕
㉱ warm, soft

字解 ▄ 따뜻할 난(溫也). ▟ 부드
러울 훤(柔貌).

字源 會意. 日+爰.

[暖帶 난대] 열대와 온대의 중간 지
대.
[暖房 난방] ㉠ 따뜻하게 하여 놓은
방. 또, 방을 따뜻하게 함. ㉡ 이사
(移徙)한 것을 축하하여 이웃 사람들
이 돈을 갹출하여 베푸는 잔치.

[溫暖 온난] 날씨가 따뜻함.
[寒暖 한란] 추움과 따뜻함.

9 ⑬【暗】 어두울 암㊥勘 | àn

刂 日 旷 旷 晔 暗 暗 暗

㊐ アン〔くらい〕 ㊤ dark

字解 ① 어두울 암(不明). ¶ 暗黑(암흑). ② 몰래 암(秘也). ¶ 暗殺(암살). ③ 욀 암. ¶ 暗誦(암송).

字源 形聲. 日+音〔音〕

[暗君 암군] 어리석은 임금.
[暗記 암기] 마음속에 기억하여 잊지 아니함. 욈.
[暗賣 암매] 물건을 남몰래 팖.
[暗黑 암흑] 어둡고 캄캄함.
[明暗 명암] 밝음과 어두움.

9 ⑬【暘】 해돋이 양㊥陽 | yáng

㊐ ヨウ〔ひので〕 ㊤ sunrise

字解 해돋이 양(日出處).

字源 形聲. 日+易〔音〕

[暘谷 양곡] 동쪽의 해 돋는 곳.

9 ⑬【暐】 환할 위㊤尾 | wěi

㊐ イ〔ひかりのさかんなさま〕 ㊤ light

字解 환할 위(光盛貌).

字源 形聲. 日+韋〔音〕

9 ⑬【暎】 映(영)(日部 5획)과 同字

10 ⑭【暣】 날씨 기㊤未 | qì

㊐ キ〔ひのき〕 ㊤ weather

字解 날씨 기. 일기 기.

10 ⑭【暠】 흴 호㊐고㊤皓 | hǎo

㊐ コウ〔しろい〕 ㊤ white

字解 ① 흴 호(白也). ② 밝을 호(明白貌).

字源 形聲. 日+高〔音〕

10 ⑭【暝】 어두울 명㊥青 | míng

㊐ メイ〔くらい〕 ㊤ dark

字解 ① 어두울 명(幽也). ② 쓸쓸할 명(寂也).

字源 形聲. 日+冥〔音〕

10 ⑭【暢】 화창할 창㊤漾 | chàng

日 申 申 申 胛 㫄 㫄 暢 暢

㊐ チョウ〔のどか〕 ㊤ bright

字解 ① 화창할 창. ¶ 和暢(화창). ② 통할 창(通也). ¶ 暢達(창달). ③ 자랄 창. ¶ 暢茂(창무). ④ 펼 창(申也). ¶ 暢懷(창회).

字源 形聲. 申+昜〔音〕

[暢達 창달] ㉠ 자람. 성장함. ㉡ 통달(通達)함.
[和暢 화창] 날씨가 온화하고 맑음.

11 ⑮【暴】 ◼사나울 포㊙폭 | bào
◼쬘 폭 | pù
入屋

口 日 旦 昮 昮 昮 暴 暴

㊐ ボウ〔あらい・さらす〕 ㊤ violent, shine on

字解 ◼ ① 사나울 포(猛也). ¶ 暴惡(포악). ② 지나칠 포. ¶ 暴利(폭리). ③ 갑자기 포(卒起). ¶ 暴騰(폭등). ◼ ① 나타낼 폭(顯也). ¶ 暴露(폭로). ② 쬘 폭(日乾). ¶ 暴暑(폭서).

字源 會意. 日과 出과 𢪒(양손)과 米의 합자. 쌀을 햇볕에 쬠의 뜻.

[暴徒 폭도] 폭동을 일으키는 무리.
[暴動 폭동] 뭇사람이 함부로 소란을 일으키어 사회의 안녕을 해치는 일.
[暴落 폭락] 물가가 갑자기 무척 떨

어짐.

[暴政 폭정] 난폭한 정사(政事).

[暴行 폭행] ㉠ 난폭한 행동. ㉡ 남에게 폭력을 가하는 일.

[橫暴 횡포] 제멋대로 굴며 성질이나 행동이 몹시 난폭함.

11 ⑮ 〖暱〗 친할 닐 [入]質 | nì 

[日] ジツ〔したしむ〕 [英] friendly

[字解] **친할 닐**(親也).

[字源] 形聲. 日+匿〔音〕

[參考] 昵(日部 5획)는 동자.

11 ⑮ 〖暲〗 해돋을 장[平]陽 | zhāng

[日] ショウ〔ひがのぼる〕 [英] sunrise

[字解] ① **해돋을 장**. ② **밝을 장**.

[字源] 形聲. 日+章〔音〕

11 ⑮ 〖暳〗 별반짝거릴 혜 [去]霽 | huì

[日] ケイ〔きらめく〕

[字解] **별반짝거릴 혜**(衆星貌).

[字源] 形聲. 日+彗〔音〕

11 ⑮ 〖暵〗 마를 한 [上]旱 | hàn 

[日] カン〔かわく〕 [英] dry

[字解] ① **마를 한**(乾也). ② **말릴 한**(燥也).

[字源] 形聲. 日+莫〔音〕

11 ⑮ 〖暫〗 잠깐 잠 [去]勘 | 暂 zàn 

[日] ザン〔しばらく〕 [英] moment

[字解] **잠깐 잠**(不久須臾).

[字源] 形聲. 日+斬〔音〕

[暫時 잠시] 오래지 않은 동안. 잠깐 동안.

11 ⑮ 〖暬〗 설만할 설[入]屑 | xiè 

[日] セツ〔なれる〕 [英] haughty

[字解] **설만할 설**(慢也).

[字源] 會意. 日+埶

11 ⑮ 【暮】 저물 모 [去]遇 | mù 

[日] ボ〔くれる〕 [英] sunset

[字解] ① **저물 모**(日晩). ¶ 暮色(모색). ② **늦을 모**(遲也). ¶ 歲暮(세모). ③ **늙을 모**(老也). ¶ 暮境(모경).

[字源] 會意. 해질녘의 원자(原字)인 莫에 다시 日을 더한 글자.

[暮景 모경] ㉠ 저녁때의 경치. ㉡ 모경(暮境).

[暮境 모경] 늙바탕.

[暮年 모년] 노년(老年).

[暮春 모춘] ㉠ 늦봄. ㉡ 음력 3월의 이칭.

[歲暮 세모] 세밑. 한 해의 마지막 때.

12 ⑯ 〖暹〗 해돋을 섬[平]鹽 | 暹 xiān 

[日] セン〔ひがのぼる〕 [英] sunrise

[字解] ① **해돋을 섬**. ② **나라이름 섬**.

[字源] 會意. 日+進

12 ⑯ 〖曇〗 구름낄 담[平]覃 | 昙 tán 

[日] ドン・タン〔くもる〕 [英] cloudy

[字解] **구름낄 담**(雲布).

[字源] 會意. 日과 雲의 합자. 해 밑에 구름이 끼어 일광을 가림의 뜻.

[曇天 담천] 흐린 날. 구름 낀 하늘.

12 ⑯ 〖暾〗 아침해 돈[平]元 | tūn 

[日] トン〔あさひ〕 [英] rising sun

[字解] **아침해 돈**(日始出).

4획

字源 形聲. 日+敦〔音〕

[曈然 엽연] 성한 모양.
[曈煜 엽욱] 소리가 성한 모양.

12／16 **【曀】** 음산할 예去霽 | yì
日 エイ〔くもる〕 英 cloudy
字解 음산할 예(陰而風).
字源 形聲. 日+壹〔音〕

12／16 **【曈】** 해뜰 동㴱東 | tóng
日 トウ〔ひがでる〕 英 sunrise
字解 해뜰 동(日欲明也).
字源 形聲. 日+童〔音〕

12／16 **【暻】** 밝을 경上梗 | jǐng
日 ケイ〔あきらか〕 英 bright
字解 밝을 경(明也).
字源 形聲. 日+景〔音〕

12／16 **【曉】** 새벽 효上篠 | 曉 xiāo
几 日 日一 昨 昨 晒 暁 曉
日 ギョウ〔あかつき〕 英 dawn
字解 ① 새벽 효(曙也). ¶ 曉星(효성). ② 깨달을 효(知也). ¶ 曉習(효습). ③ 타이를 효(開喩). ¶ 曉示(효시).
字源 形聲. 日+堯〔音〕
[曉達 효달] 깨달아 통달함.
[曉得 효득] 깨달아 앎. 알아챔.
[曉星 효성] ㉠ 새벽에 보이는 별. ㉡ 샛별.
[曉諭 효유] 알아듣게 타이름.
[通曉 통효] 환하게 깨달아서 앎.

12／16 **【曄】** 빛날 엽入葉 | yè
日 ヨウ〔ひかる〕 英 shine
字解 빛날 엽(光也).
字源 會意. 日과 華(꽃)의 합자. 찬란하게 빛남의 뜻.

12／16 **【暨】** 및 기上未 | 暨 jì
日 キ〔および〕 英 and
字解 ① 및 기(與也). ② 미칠 기(及也).
字源 形聲. 旦+旣〔音〕

12／16 **【曆】** 책력 력入錫 | 历 lì
厂 厂 厈 厤 厤 厤 曆 曆 曆
日 レキ〔こよみ〕 英 calendar
字解 ① 책력 력(書經). ② 셈할 력(數也).
字源 形聲. 日+厤〔音〕
[曆年 역년] ㉠ 세월(歲月). ㉡ 책력에 정한 일년(一年).
[曆日 역일] ㉠ 책력. ㉡ 책력에 정한 날. 또, 세월.
[曆學 역학] 책력에 관한 학문.
[册曆 책력] 천체를 측정하여 해와 달의 움직임과 절기를 적어 놓은 책.

13／17 **【鄕】** 접때 향上養 | xiàng
日 キョウ〔さきに〕
英 not long ago
字解 접때 향(前時).
字源 形聲. 日+鄕〔音〕

13／17 **【曖】** 희미할 애上隊 | 曖 ài
日 アイ〔くらい〕 英 obscure
字解 ① 희미할 애(日不明). ¶ 晻曖(엄애). ② 가릴 애(翳也). ¶ 曖昧模糊(애매모호).
字源 形聲. 日+愛〔音〕
[曖昧 애매] 확실하지 아니함. 흐림. ¶ 曖昧模糊(애매모호).

14／18 **【曙】** 새벽 서去御 | shǔ

[日]ショ〔あけぼの〕 英 dawn

字解 ① 새벽 서(曉也). ② 밝을 서(明也).

字源 形聲. 日+署〔音〕

[曙光 서광] ㉠ 새벽의 날 새는 빛. 동틀 때 비추는 빛. ㉡ 암흑 속의 광명. 좋은 일이 일어나려는 조짐.

[曙鐘 서종] 새벽에 치는 종. 또, 그 소리.

14
18 【朦】어스레할 몽
㉥東　méng

[日]モウ〔くらい〕 英 dusky

字解 어스레할 몽(日未明). ¶ 朦朧(몽롱).

字源 形聲. 日+蒙〔音〕

14
18 【曛】어스레할 훈
㉥文　xūn

[日]クン〔たそがれ〕 英 twilight

字解 ① 어스레할 훈(日入餘光). ② 황혼 훈(黃昏時).

字源 形聲. 日+熏〔音〕

[曛日 훈일] 석양(夕陽).

[曛黑 훈흑] 해가 져서 어둑어둑함. 또, 그 시각. 황혼(黃昏).

14
18 【曜】빛날 요
㉠嘯　yào

[日]ヨウ〔ひかり〕 英 dazzling

字解 ① 빛날 요(光也). ¶ 曜曜(요요). ② 해비칠 요(日光照). ③ 일월성신 요(日月五星也). ¶ 曜靈(요령).

字源 形聲. 日+翟〔音〕

[曜靈 요령] 태양의 별칭(別稱).

[曜曜 요요] 빛나는 모양.

[曜煜 요욱] 빛남. 광휘를 발함.

15
19 【曝】쬘 폭
㉧屋　pù

[日]バク〔さらす〕 英 expose

字解 쬘 폭(日乾也).

字源 會意. 暴(햇볕에 쬠의 뜻)과 日의 합자.

15
19 【曠】빌 광
㉠漾　kuàng

[日]コウ〔ひろい〕 英 empty

字解 ① 빌 광(空也). ¶ 曠古(광고). ② 멀 광(遠也). ¶ 曠年(광년).

字源 形聲. 日+廣〔音〕

[曠古 광고] 옛날을 공허하게 한다는 뜻으로, 비교할 만한 것이 예전에 없음을 이름. 미증유(未曾有). 공전(空前).

[曠官 광관] 벼슬아치가 직무(職務)를 게을리함.

[曠闊 광활] 국정(國政)이 해이(解弛)하여 소루(疏漏)함.

[曠年 광년] 오랜 세월.

[曠野 광야] 광활(廣闊)한 들.

16
20 【曦】햇빛 희
㉠支　xī

[日]ギ〔ひかり〕 英 sunlight

字解 햇빛 희(日光).

字源 形聲. 日+羲〔音〕

[曦月 희월] 해와 달.

16
20 【曨】어스레할 롱
㉥東　lóng

[日]ロウ〔うすぐらい〕 英 dusky

字解 어스레할 롱(日欲明). ¶ 朦曨(몽롱).

字源 形聲. 日+龍〔音〕

[曨曨 농롱] 어둠침침한 모양. 어스레한 모양.

17
21 【曩】접때 낭
㉠養　nǎng

[日]ノウ〔さき〕 英 not long ago

字解 접때 낭(曩也).

字源 形聲. 日+襄〔音〕

[曩歲 낭세] 지난 해.
[曩日 낭일] 전날. 지난번. 낭석(曩昔). 낭자(曩者).

19 ㉓ **【曬】** 쬘 쇄 [去]卦 | 晒 shài

[日] サイ〔さらす〕 [英] expose

[字解] **쬘 쇄**(曝也). ¶ 曬書(쇄서).

[字源] 會意. 日+麗

[參考] 晒(日部 6획)는 동자.

[曬書 쇄서] 서적을 햇볕에 쬠.

4 획

20 ㉔ **【曭】** 희미할 당[上]養 | tǎng

[日] トウ〔くらい〕 [英] cloudy

[字解] **희미할 당**(日不明).

[字源] 形聲. 日+黨〔音〕

曰 〔4 획〕 部 (가로왈부)

0 ④ **【曰】** [一]가로되 왈 [本]월[入]月 [二]말낼 월 [入]物 | yuē

丨 冂 日 曰

[日] エツ〔いわく・ここに〕 [英] speak

[字解] [一] ① **가로되 왈**(語端). ② **이를 왈**(謂也). ③ **말낼 왈**(發語辭). [二] **말낼 월.**

[字源] 指事. 입을 열어 말하는 모양을 나타냄.

[曰可曰否 왈가왈부] 어떤 일이 좋거니 좋지 않거니 하고 말함.

2 ⑥ **【曳】** 끌 예 [去]霽 | yè

[日] エイ〔ひく〕 [英] drag

[字解] **끌 예**(牽也).

[字源] 會意. 申과 丿의 합자. 옆으로 잡아당겨 늘임의 뜻.

[曳引船 예인선] 강력한 기관을 갖추고, 다른 배를 끌고 가는 배.

2 ⑥ **【曲】** 굽을 곡 [入]沃 | qū qǔ

丨 冂 巾 冊 冊 曲

[日] キョク〔まがる〕 [英] bent

[字解] ① **굽을 곡**(不直). ¶ 曲線(곡선). ② **구석 곡**(邊隅). ¶ 曲水(곡수). ③ **자세할 곡.** ¶ 委曲(위곡). ④ **가락 곡**(歌詞調也). ¶ 曲調(곡조). ⑤ **잠박 곡**(養蠶器).

[字源] 象形. 물건이 꼬불꼬불 굽은 모양을 본뜬 글자.

[曲境 곡경] 몹시 어려운 지경.
[曲論 곡론] 이치(理致)에 어그러진 의론(議論).
[曲線 곡선] 구부러진 선.
[曲藝 곡예] ㉠ 보통 사람이 하지 못하는 재주. 곡마·요술·마술 따위. ㉡ 하찮은 기예.
[曲折 곡절] ㉠ 꼬불꼬불함. ㉡ 문장 같은 것이 변화가 많음. 평범치 않음. ㉢ 자세한 사정. 복잡한 내막.
[歌曲 가곡] 노래.
[小夜曲 소야곡] 세레나데.

3 ⑦ **【更】** [一]고칠 경 [平]庚 [二]다시 갱 [去]敬 | gēng gèng

一 丆 丙 百 亘 更 更

[日] コウ〔かえる・さらに〕
[英] reform, again

[字解] [一] ① **고칠 경**(改也). ¶ 變更(변경). ② **바꿀 경**(代也). ¶ 更代(경대). ③ **지날 경**(歷也). ④ **시각 경.** ¶ 五更(오경). [二] **다시 갱**(再也). ¶ 更生(갱생).

[字源] 會意. 攴+丙

[更新 경신] 고치어 새롭게 함.
[更迭 경질] 서로 바꿈. 교대함.
[更生 갱생] ㉠ 죽을 지경에서 다시 살아남. 소생함. ¶ 自力更生(자력갱생). ㉡ 못 쓰게 된 것을 다시 손

을 대어 쓰게 만듦.

[更新 갱신] 다시 새로워짐.

[變更 변경] 바꾸어 고침.

[初更 초경] 오후 7시부터 9시까지의 동안.

---

⁵₉【曷】어찌 갈 ㊧할〔易〕 hé

㊐カツ〔なんぞ〕 ㊂ why

字解 ① 어찌 갈(何也). 曷爲(갈위). ② 벌레이름 갈(蟲名).

字源 形聲. 日+匈〔音〕.

---

⁶₁₀【書】글 서 书 ㊧魚 shū

フ コ ㅋ ㅋ 圭 聿 聿 書 書

㊐ショ〔かく〕 ㊂ writing

字解 ① 글 서(文也). ¶六書(육서). ② 쓸 서(記也). ¶淨書(정서). ③ 편지 서(牘也). ¶書翰(서한).

字源 形聲. 聿+者〔音〕.

[書簡 서간] 편지.

[書齋 서재] 책을 쌓아 두고 글을 읽고 쓰고 하는 방. 서실(書室).

[書體 서체] ㉠ 글씨의 모양. 글씨의 체재(體裁). ㉡ 글씨체. 곧, 해서(楷書)·행서(行書)·초서(草書) 등.

[良書 양서] 내용이 좋은 책.

[六書 육서] 한자 구성의 여섯 가지 유형. 곧, 상형·지사·회의·형성·전주·가차 등.

---

⁶₁₀【曹】(韓)성 조 書

字解 (韓) 성 조(姓也).

參考 曹(日部 7획)와 같은 글자. 우리나라 성(姓)으로는 반드시 이 글자를 씀.

---

⁷₁₁【曼】길 만 ㊧願 wàn

㊐マン〔ながい〕 ㊂ long

字解 ① 길 만(長也). ¶曼衍(만연). ② 아름다울 만(美也). ¶曼辭(만사).

字源 會意. 篆文은 曰(曰)+目+又

[曼辭 만사] 교묘한 말. 아름다운 말.

[曼衍 만연] ㉠ 끝이 없음. ㉡ 널리 퍼짐.

---

⁷₁₁【曹】무리 조 ㊧豪 cáo 書

㊐ソウ〔ともがら〕 ㊂ fellows

字解 ① 무리 조(群也, 衆也). ¶汝曹(여조). ② 마을 조(局也). ¶六曹(육조). ③ 조나라 조(國名). ④ 성 조(姓也).

字源 會意. 曲의 고형(古形), 棘(동쪽에 줄섬의 뜻)과 曰(변론·재판)의 합자. 재판에 호출된 원고와 피고인 양자의 뜻. 따라서, 「법정·재판관」의 뜻이 됨.

[曹輩 조배] 동아리. 무리.

[法曹 법조] 일반적으로 법률 사무에 종사하는 사람.

---

⁸₁₂【最】가장 최 ㊧泰 zuì 最

ㅁ ㅁ ㅁ ㅁ ㅁ ㅁ ㅁ 最

㊐サイ〔もっとも〕 ㊂ most

字解 가장 최, 제일 최(第一).

字源 會意. 曰(冒)과 取의 합자. 무리하게 범하여 취함의 뜻. 撮의 원자(原字). 가장의 뜻은 음의 차용.

[最高 최고] 가장 높음.

[最善 최선] 가장 좋음. 가장 훌륭함.

---

⁸₁₂【曾】일찍 증 ㊧蒸 zēng 曾

ㅅ ㅆ ㅆ ㅆ ㅆ ㅆ 曾 曾

㊐ソウ〔かつて〕 ㊂ once

字解 ① 일찍 증(嘗也). ¶未曾有(미증유). ② 거듭 증(重也). ¶曾祖(증조).

字源 象形. 甑(시루)의 원자(原字). 日(물을 부어 불에 거는 부분)과 囧(구멍이 뚫린 시루 밑)과 八(김이

나는 모양)로 이루어짐. 전하여, 「거듭」의 뜻.

[曾孫 증손] 아들의 손자.

[曾祖 증조] 증조부. 할아버지의 아버지.

[未曾有 미증유] 일찍이 없었음.

4획

⁸⑫【替】바꿀 체 | tì
上霽

바꿀 체

` 一 = ≠ ≠ 扶 扶 替 替 替

⑪ タイ〔かえる〕 ⑧ change

字解 ① 바꿀 체(交也). ② 쇠할 체(衰也). ¶ 隆替(융체). ③ 폐할 체(廢也).

字源 會意. 曰+扶(竝)

[替代 체대] 서로 번갈아 대신함. 교체함.

[交替 교체] 바꿈.

[代替 대체] 다른 것으로 바꿈.

---

⁹⑬【會】모을 회 上泰 / 그릴 괴 上泰
会 hui / kuài 会

人 人 合 合 合 命 會 會

⑪ カイ〔あう·かく〕 ⑧ meet, draw

字解 ━ ① 모을 회(聚衆). 모일 회. ¶ 會談(회담). ② 마침 회(期也). ¶ 會遇(회우). ③ 깨달을 회. ¶ 會得(회득). ④ 기회 회. ¶ 機會(기회). ⑤ 그림 회(繪也). ━ 그릴 괴.

字源 會意. 亼(集의 본자(本字))과 增의 생략형의 합자. 「모임」의 뜻.

參考 会(人部 4획)는 약자.

[會見 회견] 서로 만나 봄.

[會談 회담] 한곳에 모여서 이야기함. 또, 그 일.

[會同 회동] 여럿이 모임.

[會心 회심] 마음에 맞음. 심기(心氣)에 들어맞음.

[會悟 회오] 깨달음.

[機會 기회] 어떤 일을 해 나아가는 데 가장 알맞은 시기나 경우.

月 〔4획〕 部
(달월부)

⁰④【月】달 월 | yuè
入月
月

丿 刀 月 月

⑪ ゲツ〔つき〕 ⑧ moon

字解 ① 달 월(太陰之精, 水之精). ¶ 滿月(만월). ② 세월 월(光陰). ¶ 閏月(윤월). 歲月(세월).

字源 象形. 이지러진 달을 본뜬 글자.

[月刊 월간] 매달 한 번씩 간행함.

[月俸 월봉] 월급(月給).

[月夜 월야] 달밤.

[月定 월정] 달로 정함.

[滿月 만월] 보름달.

[歲月 세월] 지나가는 시간.

---

²⑥【有】있을 유 上有 / 또 우 上有
yǒu / yòu

丿 ナ 才 有 有 有

⑪ ユウ〔ある·また〕 ⑧ exist, and

字解 ━ ① 있을 유(無之對). ¶ 有名(유명). ② 가질 유(取也). ¶ 所有(소유). ━ 또 우(又也).

字源 會意. ナ=又(손)와 月(고기)의 합자. 손으로 고기를 권함의 뜻. 또 又(우)는 음을 나타내며, 侑의 원자(原字).

[有給 유급] 급료가 있음.

[有望 유망] 앞으로 잘 될 듯함. 희망이 있음.

[有名 유명] 이름이 있음. 이름이 세상에 널리 퍼져 있음.

[有史 유사] 역사가 시작됨. 역사가 있기 비롯함.

[有識 유식] 학식이 있음. 아는 것이 많음.

[保有 보유] 가지고 있음.

4 ⑧ 【朋】 벗 붕 [平]蒸 péng

丿 刀 月 月 月 刖 朋 朋

[日] ホウ〔とも〕 [英] friend

[字解] ① **벗 붕**(友也, 同師同門同道). ¶ 朋友(붕우). ② **떼 붕**(群也). ¶ 朋黨(붕당).

[字源] 象形. 자패(紫貝) 다섯 개를 끈에 꿴 것의 한 쌍. 즉, 열 개의 조개를 일붕(一朋)이라 함.

[朋輩 붕배] 신분·연령 등이 비슷한 벗.

[朋友 붕우] 벗. 친구.

4 ⑧ 【服】 옷 복 [入]屋 fú

丿 刀 月 月 月⁷ 肊 服 服

[日] フク〔きもの〕 [英] clothes

[字解] ① **옷 복**(衣也). ¶ 被服(피복). ② **직책 복**(職也). ③ **일복**(事也). ¶ 服務(복무). ④ **행할 복**(行也). ¶ 服行(복행). ⑤ **생각할 복**(思也). ¶ 服念(복념). ⑥ **다스릴 복**(治也). ⑦ **익을 복**(習也). ¶ 服其水土(복기수토). ⑧ **전동 복**(盛矢器). ⑨ **좇을 복**(從也). ¶ 服從(복종).

[字源] 會意. 月(배)과 𠬝(수습함)의 합자. 수습해서 쓰는 것의 뜻. 일설(一說)에 形聲. 月(舟(배))을 바탕으로 「𠬝(복)」이 음을 나타냄. 뱃전에 붙인 판자의 뜻. 전하여, 몸에 걸치는 의복의 뜻.

[服務 복무] 맡은 일을 봄.

[服役 복역] ㉠ 공역(公役)에 복무함. ㉡ 남의 지휘를 받아 일을 함. ㉢ 징역을 삶.

[服用 복용] 약을 먹음.

[服裝 복장] 옷차림.

[服從 복종] 좇고 따름. 다른 사람의 의사나 명령을 좇음.

[感服 감복] 마음에 깊이 느껴 충심으로 복종함.

[着服 착복] ㉠ 옷을 입음. ㉡ 남의 금품을 부당하게 차지함.

5 ⑨ 〖朏〗 초승달 비[上]尾 fěi

[日] ヒ〔みかづき〕 [英] crescent

[字解] **초승달 비**(月三日明生之名).

[字源] 會意. 月+出

[朏明 비명] 날샐녘.

6 ⑩ 〖朒〗 초하룻달 뉵 [入]屋 nǜ

[日] ジク〔ちぢまる〕

[字解] ① **초하룻달 뉵**(朔月見東方). ② **주눅들 뉵**(不寬伸之貌).

[字源] 形聲. 月+肉〔音〕

6 ⑩ 〖朓〗 그믐달 조 [上]篠 tiǎo

[日] チョウ〔つごもりつき〕

[字解] **그믐달 조**(晦月見西).

[字源] 形聲. 月+兆〔音〕

[朓朒 조뉵] 그믐달과 초하룻달.

6 ⑩ 〖朕〗 나 짐 [上]寢 朕 zhèn

[日] チン〔われ〕 [英] I

[字解] ① **나 짐**(我也). ② **조짐 짐**(兆也). ¶ 兆朕(조짐).

[字源] 未詳. 옛날에는 일반적으로 「나」의 뜻으로 쓰였지만, 진시황(秦始皇) 이래 천자(天子)의 자칭이 됨.

[兆朕 조짐] 길흉이 생길 동기가 미리 드러나 뵈는 빌미.

6 ⑩ 〖朔〗 초하루 삭[入]覺 shuò

丷 䒑 䒑 屰 屰 朔 朔 朔

[日] サク〔ついたち〕
[英] the first day of the month

[字解] ① **초하루 삭**(月一日). ¶ 朔望(삭망). ② **북녘 삭**(北方). ¶ 朔風(삭풍).

[字源] 形聲. 月+屰〔音〕

[朔望 삭망] 초하루와 보름. 음력 1일과 15일.

[朔風 삭풍] 북쪽에서 부는 바람. 북풍.

7
⑪ **【望】** 바랄 망 | wàng | 陽

一 亠 亣 亣 亣 亣 望 望 望

㊐ ボウ〔のぞむ〕 ㊤ hope

字解 ① 바랄 망(希也). ② 希望(희망). ② 바라볼 망(遠也). ¶ 望臺(망대). ③ 원망할 망(怨也). ¶ 怨望(원망). ④ 보름 망(月滿之名). ¶ 望月(망월).

字源 會意. 바람의 뜻의 본자(本字)는 朢. 壬(사람이 서 있는 모양)과 臣(눈을 크게 뜸)의 합자. 사람이 서서 눈을 크게 뜨고 있음의 뜻.

[望月 망월] 보름달.

[望鄕 망향] 고향을 바라보고 그리워함.

[所望 소망] 바라는 바.

[怨望 원망] 남을 못마땅하게 여기고 탓함.

7
⑪ **【朗】** 밝을 랑 | 朗 | lǎng | 上養

丶 亠 亠 亠 亠 亠 朗 朗

㊐ ロウ〔ほがらか〕 ㊤ bright

字解 밝을 랑(明也).

字源 形聲. 月+良〔音〕

[朗讀 낭독] 소리를 높여 읽음. 맑은 소리로 명확히 읽음.

[朗誦 낭송] 소리를 높여 읽거나 욈.

8
⑫ **【朝】** 아침 조 | zhāo | cháo | 蕭

一 十 市 吉 吉 卓 朝 朝

㊐ チョウ〔あさ〕 ㊤ morning

字解 ① 아침 조(早也). ¶ 朝夕(조석). ② 조정 조(君視政). ¶ 朝廷(조정). ③ 뵐 조(臣下觀君). ¶ 朝會(조회). ④ 왕조 조. ¶ 王朝(왕조).

字源 會意. 朏+日

參考 晁(日部 6획)는 고자.

[朝令暮改 조령모개] 아침에 영(令)을 내렸다가 저녁에 고친다는 뜻으로, 법령이 자주 변경됨을 이름.

[朝夕 조석] 아침과 저녁.

[朝野 조야] 조정과 재야. 정부와 민간.

8
⑫ **【期】** 기약할 기 | qī | jī | 支

一 十 甘 甘 甘 其 其 期 期

㊐ キ・ゴ〔とき〕 ㊤ pledge

字解 ① 기약할 기(期約). ¶ 期待(기대). ② 백년 기(百年). ¶ 期頤(기이). ③ 때 기(時也).

字源 形聲. 金文은 日+其〔音〕篆文은 月+其〔音〕

[期待 기대] 믿고 기다림. 바라고 기다림.

[期成 기성] 이루어지기를 기약함.

[期約 기약] 때를 정하여 약속함.

[期限 기한] 미리 정한 시기. 일정한 시기.

[滿期 만기] 정해진 기한이 참.

[適期 적기] 알맞은 시기.

8
⑫ **【朞】** 돌 기 | jī | 支

㊐ キ〔ひとまわり〕 ㊤ anniversary

字解 돌 기(周年復其時).

字源 形聲. 月+其〔音〕

參考 期(月部 8획)와 통용.

[朞年祭 기년제] 사망한 지 한 돌 만에 지내는 제사. 소상(小祥).

12
⑯ **【朣】** 달빛밝으려할 동 | tóng | 東

㊐ トウ〔おぼろ〕

字解 ① 달빛밝으려할 동(月欲明貌). ¶ 朣朧(동롱). ② 흐릴 동. ¶ 朣朦(동몽).

字源 形聲. 月+童〔音〕

[朧朧 동롱] 달이 떠오르기 시작하여 밝으려 하는 모양.

[朧朦 동몽] 흐린 모양. 희미한 모양.

14
⑱ 【朦】흐릴 몽 │ méng 图東

㊐ モウ〔おぼろ〕 ㊤ dim

字解 흐릴 몽(月將入). ¶ 朦朧(몽롱).

字源 形聲. 月+蒙〔音〕.

[朦朧 몽롱] ㋿ 달빛이 흐린 모양. ㋆ 사물이 분명하지 아니한 모양. ㋧ 정신이 흐리멍덩한 모양. 의식이 확실하지 아니한 모양.

16
⑳ 【朧】흐릴 롱 │ lóng 图東

㊐ ロウ〔おぼろ〕 ㊤ dim

字解 흐릴 롱(欲明也).

字源 形聲. 月+龍〔音〕.

[朦朧 몽롱] (달빛이) 흐릿한 모양.

木 〔4획〕 部
(나무목부)

0
④ 【木】나무 목 │ mù 囚屋

一 十 才 木

㊐ ボク〔き〕 ㊤ tree

字解 ① 나무 목(衆樹之總名). ¶ 樹木(수목). ② 질박할 목(質樸). ¶ 木訥(목눌).

字源 象形. 나무 모양을 본뜸. 상부는 가지와 줄기, 하부는 뿌리.

[木克土 목극토] 오행의 운행에서 목(木)은 토(土)를 이긴다는 뜻.

[木星 목성] 태양에서 다섯 번째로 가까운 행성(行星).

[木造 목조] 나무로 지음.

[木柵 목책] 나무 울타리. 울짱.

[樹木 수목] 살아 있는 나무.

1
⑤ 【本】밑 본 │ běn 迅阮

一 十 才 木 本

㊐ ホン〔もと〕 ㊤ origin

字解 ① 밑 본, 뿌리 본(草木根柢). ② 근원 본(原始). ③ 농사 본(農也). ④ 책 본(册也). ¶ 古本(고본).

字源 指事. 木을 바탕으로 一은 그 뿌리 부분을 가리킴.

[本能 본능] 선천적으로 타고난 성능 또는 능력.

[本文 본문] 주석·번역 등의 원문장.

[本夫 본부] 본 남편.

[本業 본업] 주가 되는 직업.

[本質 본질] 사물이나 현상에 내재하는 근본적인 성질.

[古本 고본] 오래된 책. 옛 책.

[臺本 대본] 연극·영화의 각본.

1
⑤ 【札】편지 찰 │ zhá 入黠

㊐ サツ〔ふだ〕 ㊤ letter

字解 ① 편지 찰(小簡). ¶ 書札(서찰). ② 패 찰(票也). ③ 일찍죽을 찰(夭死).

字源 會意. 木+乙.

[書札 서찰] 편지.

[現札 현찰] 현금.

1
⑤ 【未】아닐 미 │ wèi 去未

一 二 キ 才 未

㊐ ミ〔いまだ〕 ㊤ not yet

字解 ① 아닐 미(不也). ¶ 未開(미개). ② 여덟째지지 미(地支第八位). ¶ 未時(미시).

字源 象形. 나무의 상부가 이중(二重)으로 되어 있고, 지엽(枝葉)이 무성하여 열매에 맛이 들었음의 뜻. 「아직」의 뜻은 음의 차용.

[未開 미개] ㋿ 꽃 같은 것이 아직 피지 아니함. ㋆ 민도(民度)가 낮고 문명이 발달하지 못한 상태.

4
획

[未來 미래] 아직 오지 않은 때. 장래.

[未明 미명] 날이 아직 밝기 전.

[未洽 미흡] 아직 흡족하지 못함.

[朴質 박질] 순박하고 질박함.

[素朴 소박] 꾸밈이나 거짓이 없고 수수함.

[淳朴 순박] 꾸밈이 없고 소박함.

---

1 【末】 끝 말 入屑 | mò 끝 말

一 二 十 才 末

㊐ マツ〔すえ〕 ㊊ end

字解 ① 끝 말(木杪端也). ¶ 末端(말단). ② 보잘것없을 말. ¶ 末職(말직). ③ 꼭대기 말(頂上). ④ 가벼울 말(輕也).

字源 指事. 木의 상부에 一을 더하여 선단(先端)을 나타냄. 전하여, 「끝」의 뜻.

[末端 말단] 맨 끄트머리.

[末日 말일] 그 달의 마지막 날. 그믐날.

[末職 말직] 끝자리의 보잘것없는 벼슬. ¶ 微官末職(미관말직).

[粉末 분말] 가루.

[始末 시말] ㉠ 시작과 끝. ㉡ 일의 전말.

---

1 【朮】 삽주 출 入質 | zhú 삽주 출

㊐ ジュツ〔おけら〕

字解 삽주 출(山薊).

字源 象形. 손에 쌀이 붙어 있는 모양의 상형.

[白朮 백출] 삽주의 덩어리진 뿌리. 비위를 돕는 약으로 쓰임.

[蒼朮 창출] 덩어리지지 않은 삽주의 뿌리. 건위제·이뇨제로 쓰임.

---

2 【朴】 순박할 박 入覺 | pǔ 순박할 박

一 十 才 木 朴 朴

㊐ ボク〔きのかお, ほおのき〕 ㊊ simple

字解 ① 순박할 박(淳朴). ② 밑둥 박(本也).

字源 形聲. 木+卜〔音〕

---

2 【机】 책상 궤 入紙 | jī 책상 궤

㊐ キ〔つくえ〕 ㊊ desk

字解 책상 궤(案屬).

字源 形聲. 木+几〔音〕

參考 几(部首)와 통용.

[机案 궤안] 책상.

---

2 【朽】 썩을 후 上有 | xiǔ 썩을 후

㊐ キュウ〔くちる〕 ㊊ rot

字解 ① 썩을 후(腐也). ¶ 不朽(불후). ② 썩은냄새 후(臭也).

字源 形聲. 木+丂〔音〕

[朽木 후목] 썩은 나무.

[老朽 노후] 낡아서 못쓰게 됨.

[不朽 불후] 썩지 아니함.

---

2 【朱】 붉을 주 平虞 | zhū 붉을 주

丿 二 牛 牛 朱

㊐ シュ〔あか〕 ㊊ red

字解 붉을 주(赤也).

字源 指事. 木의 중심에 一과 점을 더하여 이곳이 빨갛다고 가리킨 것. 소나무처럼 나무의 중심부가 빨간 나무의 뜻.

[朱書 주서] 주묵(朱墨)으로 글씨를 씀. 또, 그 글씨.

[印朱 인주] 도장을 찍는 데 쓰는 붉은빛의 재료.

---

2 【朵】 늘어질 타 上智 | duǒ 늘어질 타

㊐ ダ〔たれる〕 ㊊ droop

字解 늘어질 타(木下垂).

字源 會意. 乃+木

[一朵 일타] 한 떨기.

²_⑥【朵】 朵(타)(前條)의 本字

³_⑦【李】 오얏나무
리⒪紙 ｜ lǐ 　李

一 十 十 才 木 本 李 李

㊐リ〔すもも〕 ㊎ plum

字解 ① 오얏나무 리(果名:桃). ¶
桃李(도리). ② 행장 리(行裝). ¶
行李(행리). ③ 성 리(姓也).

字源 會意. 木+子

[桃李 도리] 복숭아나무와 자두나무.

[張三李四 장삼이사] 장씨의 셋째 아
들과 이씨의 넷째 아들. 평범한 보통
사람.

³_⑦【杏】 살구 행
⒪梗 ｜ xìng 　杏

㊐キョウ〔あんず〕 ㊎ apricot

字解 ① 살구 행(果名). ¶ 杏林(행
림). ② 은행 행(樹名). ¶ 銀杏(은
행).

字源 形聲. 木+向〈省〉〔音〕

[杏林 행림] ㋠ 살구나무 숲. ㋡ 의
원(醫院)을 일컫는 말.

[杏花 행화] 살구꽃.

³_⑦【枫】 나무이름
범⒪鹽 ｜ fán

㊐ヘン〔きのな〕

字解 나무이름 범

字源 形聲. 木+凡〔音〕

³_⑦【杅】 바리 우
⒫虞 ｜ yú

㊐ウ〔ゆのみ〕 ㊎ basin

字解 ① 바리 우(飮水器). ② 목욕
통 우(浴器). ③ 만족할 우(滿足).

字源 形聲. 木+于〔音〕

³_⑦【杆】 쓰러진
나무 간
⒳翰 ｜ gān 　杆

㊐カン〔たて〕

字解 ① 쓰러진나무 간(僵木). ②
몽둥이 간(木挺也). ③ 방패 간(盾
也). ④ 난간 간. ¶ 欄杆(난간).

字源 形聲. 木+干〔音〕

參考 桿(木部 7획)은 속자.

[杆格 간격] 일치하지 않음. 서로 상
대방을 받아들이지 않음.

[槓杆 공간] ㋠ 지레. ㋡ 지렛대.

³_⑦【圬】 흙손 오
⒪虞 ｜ wū

㊐オ〔こて〕 ㊎ trowel

字解 ① 흙손 오(塗墁器). ② 흙질
할 오(塗也).

字源 形聲. 木+亏〔音〕

³_⑦【杈】 작살 차
⒫麻 ｜ chā 　杈

㊐サ〔やす〕 ㊎ harpoon

字解 ① 작살 차(捕魚具). ② 가장
귀진나무 차(歧枝木).

字源 形聲. 木+叉〔音〕

³_⑦【杉】 삼목 삼
⒫咸 ｜ shān 　杉

㊐サン〔すぎ〕 ㊎ cedar

字解 삼목 삼(木名似松, 船材).

字源 形聲. 木+彡〔音〕

³_⑦【杌】 등걸 올
⒧月 ｜ wò
　 ｜ ·wù 　杌

㊐ゲツ〔きりかぶ〕·ゴツ〔あやうい〕
㊎ stump

字解 ① 등걸 올(木無枝). ② 위태
할 올(不安貌).

字源 形聲. 木+兀〔音〕

[杌陧 올얼] 위태한 모양. 불안한 모
양.

³_⑦【材】 재목 재
⒪灰 ｜ cái 　材

一 十 十 才 木 村 材

㊐ザイ〔まるた〕 ㊎ timber

4
획

字解 ① 재목 재(木直堪用). ¶ 材木(재목). ② 자품 재(性質). ③ 재능 재(才能). ¶ 人材(인재).

字源 形聲. 木+才〔音〕

[材料 재료] 물건을 만드는 감.
[材木 재목] 건축이나 기구를 만드는 데 재료가 되는 나무.
[材質 재질] ㉠ 목재의 성질. ㉡ 재료의 성질.
[人材 인재] 재능이 있는 사람.
[題材 제재] 주제가 되는 재료.

---

3 ⑦ 【村】 마을 촌 ㊥元 cūn

一 十 オ 木 村 村 村

㊐ ソン〔むら〕 ㊤ village

字解 마을 촌(聚落).

字源 形聲. 木+寸〔音〕

[村落 촌락] 시골 부락.
[村婦 촌부] 시골 아낙네.
[農村 농촌] 농업을 생업으로 하는 지역이나 마을.
[僻村 벽촌] 외진 곳에 있는 마을.

---

3 ⑦ 【杓】 ■북두자루 표 ㊥蕭
■구기 작 ㊤藥 biāo sháo

㊐ ヒョウ〔ひしゃくのえ〕・シャク〔ひしゃく〕

㊤ handle, ladle

字解 ■ 북두자루 표(斗柄). ■ 구기 작(挹酌器).

字源 形聲. 木+勺〔音〕

---

3 ⑦ 【杕】 ■우뚝설 체 ㊤霽
■키 타 ㊤智 dì duò

㊐ テイ〔きのいっぽんたっているさま〕・タ〔かじ〕

㊤ rudder

字解 ■ 우뚝설 체(木生高孤). ■ 키 타(船尾小梢).

字源 形聲. 木+大〔音〕

---

3 ⑦ 【杖】 지팡이 장 ㊤養 zhàng

㊐ ジョウ〔つえ〕 ㊤ stick

字解 ① 지팡이 장(所以扶行). ¶ 短杖(단장). ② 몽둥이 장. ¶ 杖刑(장형). 棍杖(곤장).

字源 形聲. 木+丈〔音〕

[杖殺 장살] 때려죽임.
[杖刑 장형] 곤장으로 볼기를 치던 형벌.
[竹杖 죽장] 대지팡이.

---

3 ⑦ 【杙】 말뚝 익 ㊤職 yì

㊐ イキ〔くい〕 ㊤ stake

字解 말뚝 익(橛也).

字源 形聲. 木+弋〔音〕

---

3 ⑦ 【杜】 막을 두 ㊤麌 dù

㊐ ト〔ふさぐ〕 ㊤ shut

字解 ① 막을 두(塞也). ¶ 杜絕(두절). ② 팥배나무 두(甘棠). ③ 성 두(姓也). ¶ 杜撰(두찬).

字源 形聲. 木+土〔音〕

[杜門不出 두문불출] 집 안에만 틀어박혀 밖에 나가지 아니함.
[杜絕 두절] 교통·통신 등이 막히고 끊어짐.

---

3 ⑦ 【杞】 소태나무 기 ㊤紙 qǐ

㊐ キ〔くこ〕 ㊤ a kind of sumal

字解 ① 소태나무 기. ¶ 枸杞子(구기자). ② 나무이름 기. ¶ 杞柳(기류). ③ 나라이름 기(國名, 夏餘也).

字源 形聲. 木+己〔音〕

[杞柳 기류] 고리버들.
[杞憂 기우] 장래 일에 대한 쓸데없는 걱정. 중국 기(杞)나라 사람이 하늘이 무너져 내려앉지 않을까 걱정했다는 데서 온 말.
[枸杞子 구기자] ㉠ 구기자나무. ㉡

구기자나무의 열매.

3 ⑦ 【杠】 다리 강 [平]江 | gāng

[日] コウ〔こばし〕 [英] bridge

[字解] ① **다리 강**(小橋). ② **깃대 강**(旗竿). ③ **들 강**(擧也).

[字源] 形聲. 木+工〔音〕

[杠梁 강량] 다리. 교량.
[杠首 강수] 깃대의 꼭대기.

3 ⑦ 【束】 묶을 속 [入]沃 | shù

一 ㄱ 冂 日 申 束 束

[日] ソク〔たばねる〕 [英] bind

[字解] ① **묶을 속**(縛也). ¶ 束縛(속박). ② **약속할 속**(約也). ¶ 約束(약속).

[字源] 會意. 木과 口(감아서 묶는 모양)의 합자. 나무의 묶음을 나타냄.

[束縛 속박] 얽어매어 자유를 구속함.
[束帛 속백] 비단 다섯 필을 각각 양 끝에서 마주 말아서 한 묶음으로 한 것. 옛날에 예물로 썼음.
[束手無策 속수무책] 어찌할 도리가 없음.
[結束 결속] ㉠ 맺어 뭉침. ㉡ 동여맴.
[團束 단속] 경계해 단단히 다잡음.

3 ⑦ 【来】 來(래)(人部 6획)의 略字

3 ⑦ 【条】 條(조)(木部 7획)의 俗字

4 ⑧ 【林】 수풀 림 [平]侵 | lín

一 十 才 木 木 村 材 林

[日] リン〔はやし〕 [英] forest

[字解] **수풀 림**(叢木). ¶ 林野(임야).

[字源] 會意. 木을 둘 겹쳐 나무가 많이 있음의 뜻.

[林產 임산] 산림(山林)의 산물(產物).
[林野 임야] 나무가 무성한 들.

4 ⑧ 【杳】 어두울 묘[本]요 [上]篠 | yǎo(miāo)

[日] ヨウ〔くらい〕 [英] dark

[字解] **어두울 묘**(冥也).

[字源] 會意. 木 밑에 日이 있어 일출(日出) 전·일몰(日沒) 후의 어두움의 뜻.

[杳冥 묘명] 아득하고 어두움.
[杳然 묘연] ㉠ 그윽하고 멀어서 눈에 아물아물함. ㉡ 오래되어 기억이 흐릿함. ㉢ 소식이 없어 행방을 알 수 없음.

4 ⑧ 【杰】 傑(걸)(人部 10획)의 俗字

4 ⑧ 【杪】 나무끝 초[本]묘 [上]篠 | miǎo

[日] ビョウ〔こずえ〕 [英] treetop

[字解] ① **나무끝 초**(木末). ② **끝 초**(末也). ¶ 杪春(초춘).

[字源] 形聲. 木+少〔音〕

[杪頭 초두] 나무 끝. 또, 꼭대기.
[杪商 초상] 음력 9월의 이칭.
[杪歲 초세] 연말. 세모.
[杪秋 초추] 가을의 끝. 만추.

4 ⑧ 【杭】 건널 항 [平]陽 | háng

[日] コウ〔わたる〕 [英] across

[字解] ① **건널 항**(渡也). ② **고을이름 항**(禹貢楊州域).

[字源] 形聲. 木+亢〔音〕

4 ⑧ 【杯】 잔 배 [平]灰 | bēi

一 十 才 木 木 杠 杯 杯

[日] ハイ〔さかずき〕 [英] cup

字解 잔 배(飲酒器).
字源 形聲. 木+不〔音〕.
參考 盃(皿部 4획)는 속자.

[杯盤 배반] 술상에 차려 놓은 그릇들.
[杯酒 배주] 술잔에 따른 술.
[乾杯 건배] 축하하거나 기원하면서 술잔을 들어 술을 마시는 일.
[苦杯 고배] ㉠ 쓴 술잔. ㉡ 쓰라린 경험의 비유. 쓴잔.

⁴⁸【杵】공이 저 ㊤語 │ chǔ 杵
㊡ ショ〔きね〕 ㊀ pestle
字解 ① 공이 저(擣穀具也). ② 다듬잇방망이 저(槌衣具).
字源 形聲. 木+午〔音〕.

[杵臼之交 저구지교] ㉠ 귀천을 가리지 않는 교제. ㉡ 머슴들 사이의 교제.

⁴⁸【杶】참죽나무 춘 ㊡眞 │ chūn 杶
㊡ チュン〔たまつばき〕
㊀ a kind of redoak
字解 참죽나무 춘(橋也, 琴材).
字源 形聲. 木+屯〔音〕.

⁴⁸【杷】━비파나무 파㊤麻 │ pá
      ━자루 파㊤禡 │ bà   杷
㊡ ハ〔さらい・つか・え〕
㊀ loquat, handle
字解 ━① 비파나무 파(果名). ¶ 枇杷(비파). ② 써레 파(平田器). ━ 자루 파(柄也).
字源 形聲. 木+巴〔音〕.

⁴⁸【杻】━감탕나무 뉴㊤有
      ━수갑 추 │ niǔ   杻
      ━〔韓〕 싸리 축 │ chǒu
㊡ シュウ〔もちのき〕・チュウ〔てかせ〕
㊀ handcuffs, bush clover
字解 ━ 감탕나무 뉴(檍也). ━ 수갑 추(手械). ━《韓》싸리 축.
字源 形聲. 木+丑〔音〕.

⁴⁸【杼】━북 저 ㊤語 │ zhù
      ━물통 서 │ shù   杼
      ㊦御
㊡ チョ〔ひ〕・ショ〔ながし〕
㊀ shuttle, water pall
字解 ━ 북 저(織具也). ¶ 杼梭(저사). ━ 물통 서(水槽).
字源 形聲. 木+予〔音〕.

⁴⁸【松】소나무 송㊥冬 │ sōng 松
一 十 才 木 朼 朴 松 松
㊡ ショウ〔まつ〕 ㊀ pine tree
字解 소나무 송(百木之長).
字源 形聲. 木+公〔音〕.

[松林 송림] 소나무 숲.
[松栮 송이] 소나무 숲에서 나는 향기로운 식용 버섯.
[松竹 송죽] 소나무와 대나무.
[老松 노송] 늙은 소나무.

⁴⁸【板】널조각 판㊤潸 │ bǎn 板
一 十 才 木 朽 朽 板 板
㊡ ハン〔いた〕 ㊀ board
字解 ① 널조각 판(木片). 板子(판자). ② 판목 판. ¶ 板木(판목).
字源 形聲. 木+反〔音〕.

[板刻 판각] 그림이나 글씨를 나뭇조각에 새김.
[板木 판목] 인쇄하기 위하여 글자나 그림을 새긴 나뭇조각. 판목(版木).
[板本 판본] 목판으로 인쇄한 책.
[懸板 현판] 글자나 그림을 새겨 문위의 벽에 거는 편액(扁額).

4/8 【枇】 비파나무 비⊕文 ┃ pí

⊕ ビ〔びわ〕　英 loquat

字解 비파나무 비(果名). ¶ 枇杷(비파).

字源 形聲. 木+比〔音〕

[枇杷 비파] 비파나무. 또, 그 열매.

4/8 【枉】 굽을 왕⊕養 ┃ wǎng

⊕ オウ〔まげる〕　英 bend

字解 ① 굽을 왕(曲也). ¶ 枉法(왕법). ② 굽힐 왕(屈也). ¶ 枉臨(왕림). ③ 원죄 왕(寃罪). ¶ 枉死(왕사).

字源 形聲. 篆文은 木+坒〔音〕

[枉臨 왕림] '귀한 몸을 굽혀 오신다'는 뜻으로, 남이 자기가 있는 곳으로 옴을 높여 이르는 말.

[枉死 왕사] 억울하게 죽음.

4/8 【枋】 ━나무이름 방⊕陽 / ━자루 병⊕敬 ┃ fāng / bìng

⊕ ホウ〔きのな〕・ヘイ〔え〕　英 handle

字解 ━ 나무이름 방(檀木也). ━ 자루 병.

字源 形聲. 木+方〔音〕

4/8 【枏】 楠(남)(木部 9획)의 本字

4/8 【析】 쪼갤 석⊘錫 ┃ xī

一 十 才 木 杧 杧 析 析

⊕ セキ〔さく〕　英 split

字解 쪼갤 석(破木).

字源 會意. 木과 斤(도끼)의 합자. 도끼로 나무를 쪼갬을 나타낸 글자.

[析出 석출] 분석(分析)하여 냄.

[解析 해석] 사물을 자세하게 풀어서 이론적으로 연구함.

4/8 【枓】 ━두⊕有 / 주⊕虞 ┃ dǒu / zhǔ

⊕ トウ〔ますがた〕・シュ〔ひしゃく〕　英 ladle, cap

字解 ━ 두공 두(柱上方木). ¶ 柱枓(주두). ━ 구기 주(勺也).

字源 形聲. 木+斗〔音〕

4/8 【枕】 베개 침⊕寢 ┃ zhěn

一 十 才 木 木 杧 杧 枕

⊕ チン〔まくら〕　英 pillow

字解 ① 베개 침(臥薦首具). ¶ 枕頭(침두). ② 벨 침(首據).

字源 形聲. 木+尤〔音〕

[枕頭 침두] 베갯머리.

[枕上 침상] ㉠ 베개의 위. ㉡ 잠을 자거나 누워 있을 때.

[起枕 기침] 잠자리에서 일어남.

[木枕 목침] 나무토막으로 만든 베개.

4/8 【枘】 장부 예⊕霽 ┃ ruì

⊕ ゼイ〔ほぞ〕　英 tenon

字解 장부 예(刻木耑所以入鑿).

字源 會意. 木+內

4/8 【枚】 낱 매⊕灰 ┃ méi

⊕ マイ・バイ〔みき〕　英 piece

字解 ① 낱 매(箇也). ¶ 枚擧(매거). ② 줄기 매(幹也).

字源 會意. 木+攵(攴)

[枚擧 매거] 낱낱이 들어서 말함.

4/8 【枝】 ━가지 지⊕支 / ━육손이 기⊕支 ┃ zhī / qí

一 十 才 木 杧 杧 枝 枝

⊕ シ〔えだ〕・キ〔むつゆび〕　英 branch, person with six fingers

[字解] [一] ① **가지 지**(木別生柯). ¶ 枝葉(지엽). ② **버틸 지**. ¶ 枝梧(지오). [二] **육손이 기**(足多指也). ¶ 枝指(기지).

[字源] 形聲. 木+支〔音〕

[枝葉 지엽] ㉠ 가지와 잎. ㉡ 중요하지 않은 부분. ㉢ 자손(子孫).

[枝節 지절] ㉠ 나무의 가지와 마디. ㉡ 곡절이 많은 사단(事端)의 비유.

4 ⑧ **【東】** 동녘 동 [平]東 | 东 dōng

一 𠂆 𠃍 𠃍 𠃍 申 東 東

[日] トウ〔ひがし〕 [英] east

[字解] **동녘 동**(日出方).

[字源] 會意. 木과 日(해)의 합자. 해가 나무 중간까지 돋았음을 나타내므로, 「동쪽」을 뜻함.

[注意] 柬(木部 5획)은 딴 글자.

[東問西答 동문서답] 묻는 말에 엉뚱한 소리로 하는 대답.

[東奔西走 동분서주] 사방으로 바쁘게 다님.

[東丁 동정] ㉠ 물방울이 떨어지는 소리. ㉡ 패옥(佩玉)의 소리.

[東天 동천] 밝을녘의 하늘.

[東風 동풍] 동쪽에서 불어오는 바람. 또, 봄바람.

4 ⑧ **【果】** [一]실과 과 [上]哿 [二]강신제 관 [去]翰 | guǒ guàn

丨 冂 日 日 旦 甲 果 果

[日] カ〔くだもの〕·カン〔まつりのな〕 [英] fruit

[字解] [一] ① **실과 과**(木實). ¶ 果實(과실). ② **과단성있을 과**(敢也). ¶ 果斷(과단). ③ **과연 과**. ¶ 果然(과연). [二] **강신제 관**. 술을 땅에 뿌려 신령의 강림을 비는 제사.

[字源] 象形. 나무 위에 열매가 열린 모양을 본뜸.

[果敢 과감] 과단성이 있게 일을 함.

[果實 과실] 과수의 열매.

[果然 과연] 알고 보니 정말로.

[結果 결과] ㉠ 열매를 맺음. ㉡ 어떤 원인에 의한 결말의 상태.

[效果 효과] 보람 있는 결과.

4 ⑧ **【杲】** [一]밝을 고 [上]皓 [二]밝을 호 [上]皓 | gǎo

[日] コウ〔あきらか〕 [英] bright

[字解] [一] ① **밝을 고**(明也). ② **높을 고**(高也). [二] ① **밝을 호**(明也). ② **높을 호**(高也).

[字源] 會意. 木의 위에 日을 더한 모양. 「밝음」의 뜻.

[杲杲 고고] 밝은 모양.

[杲乎 고호] 높은 모양.

4 ⑧ **【枢】** 樞(추)(木部 11획)의 略字

5 ⑨ **【柾】** [一]관 구 [去]宥 [二]《韓》사람이름 정 | jiù

[日] キュウ〔ひつぎ·まさ〕 [英] coffin

[字解] [一] **관 구**, **널 구**. [二] 《韓》**사람이름 정**.

[字源] 會意. 木+正

5 ⑨ **【柖】** 나무흔들릴 소 [平]蕭 | sháo

[日] ショウ〔まと〕

[字解] **나무흔들릴 소**.

[字源] 形聲. 木+召〔音〕

5 ⑨ **【査】** 사실할 사 [平]麻 | chá

一 十 木 木 杳 杳 杳 査

[日] サ〔しらべる〕 [英] investigate

[字解] ① **사실할 사**(察也). ¶ 査察(사찰). ② **떼 사**(槎也).

[字源] 形聲. 木+且〔音〕

[査問 사문] 조사하여 물어 봄.

[査滓 사재] 찌끼. 앙금.

4획

[査照 사조] 사실(査實)하기 위하여 조회(照會)함.

[査察 사찰] ㉠ 조사하여 살핌. ㉡ 주로 사상적인 동태를 살펴 조사하는 경찰 임무의 한 부분.

[檢査 검사] 어떤 기준의 적합 여부와 이상 유무를 조사함.

[審査 심사] 자세히 조사하여 정함.

5 ⑨ 【柰】 [一]능금나무 내[去]泰 [二]어찌 나[去]箇 nài nài

[日] ダイ・ナイ〔からなし・いかん〕

[英] apple tree, why

[字解] [一] **능금나무 내**(果名). ¶ 柰園(내원). [二] **어찌 나**(那也). ¶ 柰何(나하).

[字源] 形聲. 木+示〔音〕

[柰園 내원] ㉠ 능금나무의 동산. ㉡ 절〔寺〕의 딴 이름.

[柰何 나하] 어찌하여.

5 ⑨ 【枯】 마를 고[平]虞 kū

一 十 木 木 村 村 枯 枯

[日] コ〔かれる〕 [英] wither

[字解] ① **마를 고**(乾也). ¶ 枯渴(고갈). ② **마른나무 고**(槁木). ¶ 枯木(고목).

[字源] 會意. 木과 古의 합자. 또, 「古(고)」가 음을 나타냄.

[枯渴 고갈] 물이 바짝 마름.

[枯骨 고골] 송장의 살이 썩어 없어진 뼈.

[枯死 고사] 말라 죽음.

[枯松 고송] 마른 소나무.

5 ⑨ 【枰】 판 평[平]庚 píng

[日] ヘイ〔ごばん〕

[字解] **판 평**(博局, 碁局).

[字源] 形聲. 木+平〔音〕

[注意] 秤(禾部 5획)은 딴 글자.

5 ⑨ 【枳】 [一]가지 지[平]支 [二]탱자나무 지[上]紙 zhǐ

[日] キ・シ〔からたち〕

[英] branch, trifoliate orange tree

[字解] [一] **가지 지**. 갈라짐. [二] ① **탱자나무 지**(木名似橘). ② **해할 지**(害也).

[字源] 形聲. 木+只〔音〕

[枳殼 지각] 탱자를 썰어 말린 약재. 위장을 맑게 하고 대변을 순하게 하는 데 씀.

5 ⑨ 【枷】 칼 가[平]麻 jiā

[日] カ〔くびかせ〕 [英] cangue

[字解] ① **칼 가**(項械). ¶ 枷鎖(가쇄). ② **도리깨 가**(打穀具). ¶ 連枷(연가).

[字源] 形聲. 木+加〔音〕

[枷鎖 가쇄] 죄인의 목에 거는 형틀과 자물쇠. 곧, 죄인을 다스리는 형구(刑具).

[連枷 연가] 도리깨.

5 ⑨ 【枸】 구기자 구[上]有 gǒu

[日] ク〔くこ〕

[英] chinese matrimony vine

[字解] **구기자 구**(枸杞).

[字源] 形聲. 木+句〔音〕

[枸杞子 구기자] ㉠ 구기자나무. ㉡ 구기자나무의 열매.

5 ⑨ 【枻】 [一]노 예[去]霽 [二]도지개 설[入]屑 yì xiè

[日] エイ〔かい〕・セツ〔ゆだめ〕

[英] oar

[字解] [一] **노 예**(檝也). [二] **도지개 설**(正弓弩具).

[字源] 形聲. 木+世〔音〕

[枻女 예녀] 상앗대로 배를 젓는 여자.

4획

⁵⑨【柿】감 시 ⊕紙 shì 柿

⊕シ〔かき〕 ⊛ persimmon

字解 감 시(赤實果).

參考 柿(木部 5획)는 속자.

[柿雪 시설] 곶감 거죽에 생기는 흰 가루.

[沈柿 침시] 소금물에 우려 떫은 맛을 없앤 감.

[紅柿 홍시] 흠뻑 익어 붉고 말랑말랑한 감. 연시.

⁵⑨【柹】柿(시)(木部 5획)의 俗字

⁵⑨【林】기둥 말 ⊕曷 mò 林

⊕バツ〔はしら〕 ⊛ post

字解 기둥 말, 표말뚝 말(柱也).

字源 形聲. 木+末〔音〕

[標林 표말] 표로 박아 세운 말뚝.

⁵⑨【柁】키 타 ⊕智 tuò 柁

⊕ダ〔かじ〕 ⊛ rudder

字解 키 타(正船木).

字源 形聲. 木+它〔音〕

參考 舵(舟部 5획)와 동자.

[柁手 타수] 배의 키를 조정하는 사람.

⁵⑨【柄】자루 병 ⊕敬 bìng 柄

⊕ヘイ〔え〕 ⊛ handle

字解 ① 자루 병(柯也). ¶ 斗柄(두병). ② 권세 병(權也). ¶ 權柄(권병).

字源 形聲. 木+丙〔音〕

[柄用 병용] 요직(要職)에 등용(登用)되어 권력을 잡음.

[權柄 권병] 권력을 잡은 신분.

[斗柄 두병] 북두칠성 중 자루 모양

의 세 별.

⁵⑨【柈】盤(반)(皿部 10획)의 俗字

⁵⑨【柎】꽃받침 부 ⊕處 fū 柎

⊕フ〔うてな〕 ⊛ calyx

字解 ① 꽃받침 부(花下萼). ② 떳목 부(桴也).

字源 形聲. 木+付〔音〕

⁵⑨【柏】━나무이름 백 ⊕陌 bǎi ／ ━닥칠 박 ⊕陌 pó 柏

⊕ハク〔きのな・せまる〕 ⊛ approach

字解 ━ ① 나무이름 백(椈也). ② 잣나무 백(柏松). ━ 닥칠 박(迫也).

字源 形聲. 木+白〔音〕

參考 栢(木部 6획)은 속자.

[柏葉 백엽] 잣나무 잎.

[松柏 송백] 소나무와 잣나무.

[側柏 측백] 측백나무.

⁵⑨【柑】━홍귤나무 감 ⊕覃 gān ／ ━재갈먹일 겸 ⊕鹽 qián 柑

⊕カン〔こうじ〕・ケン〔くつわをはめる〕 ⊛ gag

字解 ━ 홍귤나무 감(橘屬). ━ 재갈먹일 겸.

字源 形聲. 木+甘〔音〕

[柑子 감자] 감자나무의 열매. 주독(酒毒)을 풀고, 위병(胃病)을 다스리는 데 씀.

[蜜柑 밀감] 귤의 한가지.

⁵⑨【柘】산뽕나무 자 ⊕禡 zhè 柘

⊕シャ〔やまぐわ〕 ⊛ wild mulberry tree

字解 산뽕나무 자(山桑).
字源 形聲. 木+石〔音〕

5
9【柙】━나무이름 합 入洽 xiá
　　　━게 갑 入洽 jiā
㊐ コウ〔おり・はこ〕 ㊤ cage
字解 ━ ① 나무이름 합(香木也).
② 우리 합(藏獸檻). ━ 게 갑(匱
也).
字源 形聲. 木+甲〔音〕

5
9【柚】━유자 유 ㊤有 yòu
　　　━바디 축 入屋 zhú
㊐ ユウ〔ゆず〕・ジク〔たてまき〕
㊤ citron, reed
字解 ━ 유자 유(似橙而酢). ¶ 柚
子(유자). ━ 바디 축(織具受經者).
字源 形聲. 木+由〔音〕
[柚子 유자] 유자나무의 열매.

5
9【柝】딱따기 탁 入藥 tuò
㊐ タク〔ひょうしぎ〕 ㊤ clappers
字解 딱따기 탁(夜警刁斗).
字源 形聲. 木+斥〔音〕
注意 析(木部 4획)은 딴 글자.
[柝聲 탁성] 딱따기 치는 소리.

5
9【柞】━떡갈나무 작 入藥 zuò
　　　━발매할 책 入陌 zé
㊐ サク〔きのな・きる〕
㊤ oak, cutting
字解 ━ 떡갈나무 작(櫟也). ¶ 柞
蠶(작잠). ━ 발매할 책(除木).
字源 形聲. 木+乍〔音〕
[柞蠶 작잠] 멧누에. 떡갈나무의 잎
을 먹고 갈색의 누에고치를 지음.
[柞木 책목] 나무를 벰.

5
9【柢】뿌리 저 ㊤薺 dǐ
㊐ テイ〔ね〕 ㊤ root
字解 ① 뿌리 저(根也). ② 밑 저
(底也).
字源 形聲. 木+氐〔音〕
[根柢 근저] ㉠ 근본. ㉡ 사물의 기
초.

5
9【柩】널 구 ㊤宥 jiù
㊐ キュウ〔ひつぎ〕 ㊤ coffin
字解 널 구(棺也).
字源 形聲. 木+匛〔音〕
[柩衣 구의] 출관(出棺)할 때 관 위를
덮는 홑이불 같은 보자기.

5
9【柯】가지 가 ㊤歌 kē
㊐ カ〔えだ〕 ㊤ branch
字解 가지 가(枝也).
字源 形聲. 木+可〔音〕
[柯葉 가엽] 가지와 잎.

5
9【柱】━기둥 주 ㊤麌 zhù
　　　━버틸 주 ㊤麌 zhǔ
　　　　　　　　㊤遇
十 才 扌 朴 栌 柠 栌 柱 柱
㊐ チュウ〔はしら・ささえる〕
㊤ pillar, endure
字解 ━ ① 기둥 주(楹也). ¶ 電
柱(전주). ② 기러기발 주(雁足).
━ 버틸 주(撐也).
字源 形聲. 木+主〔音〕
[柱聯 주련] 기둥이나 바람벽에 써 붙
이는 한시의 연구(聯句).
[柱石 주석] 기둥과 주추. 전하여, 국
가의 중임을 진 사람의 비유.
[支柱 지주] 버티어 괴는 기둥.

5
9【柲】자루 비 ㊤寘 bì
㊐ ヒ〔え〕 ㊤ shaft

4
획

字解 ① 자루 비(戈戟柄). ② 도지
개 비(弓檠).
字源 形聲. 木+必〔音〕

5
⑨ 【柳】 버드나무
류⊿有 | liǔ 柳

一 十 オ 打 村 柿 柳 柳 柳

⽇ リュウ〔やなぎ〕 ⠁ willow
字解 ① 버드나무 류(小楊也). ¶
楊柳(양류). ② 별이름 류(宿名).
字源 形聲. 木+卯〔音〕
[柳車 유거] 장사(葬事) 때 재궁(梓
宮)이나 시체를 싣고 끌고 가던 큰 수
레.
[柳眉 유미] 버들잎 모양의 아름
다운 눈썹. 곧, 미인의 눈썹의 형용.
[細柳 세류] 가지가 가는 버드나무.
[花柳 화류] ㉠ 꽃과 버들. ㉡ 유곽
또는 노는 계집의 이유.

5
⑨ 【柵】 울짱 책
⊿陌 | zhà 柵

⽇ サク〔やらい〕 ⠁ stockade
字解 울짱 책(寨也).
字源 形聲. 木+冊〔音〕
[柵門 책문] 목책(木柵)의 문.

5
⑨ 【柶】 수저 사
⊿寘 | sì 柶

⽇ シ〔さじ〕 ⠁ spoon
字解 ① 수저 사(匕也). ②〔韓〕
윷 사(擲柶).
字源 形聲. 木+四〔音〕
[擲柶 척사] 윷놀이.

5
⑨ 【柷】 악기이름
축⊿屋 | zhù 柷

⽇ シュク〔がっきのな〕
字解 악기이름 축(樂器名).
字源 形聲. 木+祝〈省〉〔音〕
[柷敔 축어] 악기 이름. 축(柷)은 음
악을 시작할 때, 어(敔)는 그칠 때 울
림.

5
⑨ 【柜】 ■ 느티나
무거⊥語 | jǔ 柜
■ 낙숫물
통구⊿麌 | jǔ

⽇ キョ〔けやき〕・ク〔あまたれうけ〕
⠁ zelkova, downspout
字解 ■ 느티나무 거(木名似柳皮
可煮作飮). ■ 낙숫물통 구.
字源 形聲. 木+巨〔音〕

5
⑨ 【栚】〔韓〕찌 생 栚

⽇ りてい〔ひょう〕 ⠁ strip
字解〔韓〕① 찌 생(標識). ② 장
승 생(路標也). ¶ 長栚(장생).
字源 形聲. 木+生〔音〕

5
⑨ 【柬】 가릴 간
⊥濟 | jiǎn 柬

⽇ カン〔えらぶ〕 ⠁ select
字解 ① 가릴 간(擇也). ② 편지
간(簡也, 札也).
字源 會意. 束과 八의 합자. 다발나
무를 풀어 헤친다는 뜻.
注意 東(木部 4획)은 딴 글자.

5
⑨ 【枲】 모시풀
시⊥紙 | xǐ 枲

⽇ シ〔からむし〕 ⠁ rami plant
字解 모시풀 시(牡麻).
字源 形聲. 木(朮)+台〔音〕

5
⑨ 【架】 시렁 가
⊿禡 | jià 架

フ カ カ カ カ 如 架 架 架

⽇ カ〔たな〕 ⠁ shelf
字解 ① 시렁 가(杙也所以擧物). ¶
書架(서가). ② 횃대 가(衣架).
字源 形聲. 木+加〔音〕
[架空 가공] ㉠ 공중에 건너지름. ㉡
근거 없는 일.
[架設 가설] 건너질러 설치함.
[高架 고가] 높이 건너지름.
[書架 서가] 책을 얹어 놓는 선반.

5 ⑨ 【某】 [一]아무 모 [上]有 [二]매화나무 매[平]灰 mǒu méi

一 卄 卄 甘 甘 甘 某 某

[日] ボウ〔それがし〕・バイ〔うめ〕
[英] anyone, Japanese apricot

[字解] [一] **아무 모**(未定辭不知名者稱). [二] **매화나무 매**(梅也).

[字源] 會意. 甘과 木의 합자. 梅의 고자(古字). 단 열매가 열리는 나무의 뜻. 아무의 뜻으로 쓰임은 가차(假借).

[某種 모종] 어떠한 종류. 아무 종류.
[某處 모처] 아무 곳. 어떤 곳.

5 ⑨ 【桼】 [一] 漆(水部 11획)의 俗字 [二] 七(一部 1획)의 갖은자

5 ⑨ 【染】 물들일 염[上]琰 rǎn

丶 氵 氿 氿 氿 染 染 染

[日] セン〔そめる・そまる〕 [英] dye

[字解] ① **물들일 염**. ¶ 染色(염색). ② **물들 염**(漬也).

[字源] 會意. 木과 水와 九의 합자. 수액(樹液)인 물감 속에 아홉 번 담가 물들임의 뜻.

[染料 염료] 물감.
[染色 염색] 물을 들임.
[感染 감염] 병원체가 몸에 옮음.
[傳染 전염] 나쁜 버릇이나 질병 등이 옮음.

5 ⑨ 【柔】 부드러울 유 [平]尤 róu

乛 マ 孒 予 矛 矛 柔 柔

[日] ジュウ〔やわらかい〕 [英] soft

[字解] ① **부드러울 유**(剛之反). ¶ 柔軟(유연). ② **순할 유**(順也). ¶ 柔順(유순). ③ **약할 유**(弱也). ¶ 柔弱(유약).

[字源] 會意. 矛와 木의 합자. 쌍날창의 자루로 쓰는 탄력성이 있는 나무의 뜻.

[柔謹 유근] 점잖고 신중함.
[柔順 유순] 성질이 온순하고 공손함.
[柔軟 유연] 부드럽고 연함. ¶ 柔軟性(유연성).
[柔毳 유취] 부드러운 솜털.

5 ⑨ 【柴】 [一]섶 시[本]재 [平]佳 [二]울짱 채 [去]卦 chái zhài

[日] サイ〔しば・ふさぐ〕
[英] brushwood, fence

[字解] [一] **섶 시**(薪也). [二] ① **울짱 채**(藩落). ② **막을 채**(塞也).

[字源] 形聲. 木+此〔音〕

[柴糧 시량] 땔나무와 양식.
[柴炭 시탄] 땔나무와 숯. 연료.

5 ⑨ 【栄】 榮(영)(木部 10획)의 略字

6 ⑩ 【桄】 광랑나무 광 [去]漾[平]陽 guàng

[日] コウ〔たがやさん〕

[字解] ① **광랑나무 광**. ② **가득찰 광**.

[字源] 形聲. 木+光〔音〕

6 ⑩ 【栢】 柏(백)(木部 5획)의 俗字

6 ⑩ 【栒】 악기다는 틀 순[上]軫 sǔn

[日] シュン〔しょうけいをかけるはしら〕

[字解] **악기다는틀 순**.

6 ⑩ 【桜】 櫻(앵)(木部 17획)의 俗字

6 ⑩ 【栯】 [一]산이스랏나무 욱[入]屋 [二]나무이름 유[上]有 yòu yǒu

4 획

[日] イク〔いくり〕・ユウ〔きのな〕

[字解] [一] 산이스랏나무 욱. [二] 나무이름 유.

6 ⑩ 〖栓〗 나무못 전[平]先 | shuān

[日] セン〔せん〕 [英] peg

[字解] **나무못 전**(木釘).

[字源] 形聲. 木+全〔音〕

6 ⑩ 〖栖〗 棲(서)(木部 8획)와 同字

6 ⑩ 〖栝〗 [一]향나무 괄[入]曷 [二]땔나무 첨[去]豔 | guā tiàn

[日] カツ〔いぶき〕・テン〔たきぎ〕

[英] aromatic, firewood

[字解] [一] **향나무 괄**(檜也). [二] **땔나무 첨**.

[字源] 形聲. 木+舌〔音〕

6 ⑩ 【校】 학교 교[去]效 | xiào jiào

十 木 木' 杧 杧 杸 柼 校

[日] コウ〔まなびや〕 [英] school

[字解] ① **학교 교**(學舍). ¶ 校長(교장). ② **교정할 교**(校訂). ¶ 校閱(교열). ③ **끊을 교**(檢也). ④ **장교 교**(軍官). ¶ 將校(장교).

[字源] 形聲. 木+交〔音〕

[校了 교료] 교정(校正)을 끝냄. 교정의 종료(終了).

[校閱 교열] 문서나 책의 어구나 글자의 잘못을 살피고 교정하여 검열함.

6 ⑩ 〖栩〗 상수리나무 허[本]후[上]麌 | xǔ

[日] ク〔くぬぎ〕 [英] oak

[字解] ① **상수리나무 허**(橡也栗屬). ② **기뻐할 허**(喜貌).

[字源] 形聲. 木+羽〔音〕

[栩栩 허허] 기뻐하는 모양.

6 ⑩ 〖株〗 그루 주[平]虞 | zhū

十 才 朩 朩 朩 柈 株 株

[日] シュ〔かぶ〕 [英] stump

[字解] ① **그루 주**(木數詞). ¶ 梅三株(매삼주). ② **뿌리 주**(根也). ③《韓》**주식 주**. ¶ 株主(주주).

[字源] 形聲. 木+朱〔音〕

[株式 주식] 주식회사의 총자본을 주(株)의 수에 따라 나눈 자본의 단위.

6 ⑩ 〖栫〗 어살 천[去]霰 | jiàn

[日] セン〔やな〕 [英] weir

[字解] ① **어살 천**(捕魚具). ② **울 천**(籬也). ③ **둘러막을 천**(圍也).

[字源] 形聲. 木+存〔音〕

6 ⑩ 〖栱〗 두공 공[上]腫 | gǒng

[日] キョウ〔ますがた〕

[字解] **두공 공**(柱頭). ¶ 栱枓(공두).

[字源] 形聲. 木+共〔音〕

6 ⑩ 〖栲〗 멀구슬나무 고[上]皓[平]豪 | kǎo

[日] コウ〔やまおうち〕

[英] bead tree

[字解] **멀구슬나무 고**(山樗類漆).

[字源] 形聲. 木+考〔音〕

[栲栳 고로] 고리. 버들고리. 유기(柳器).

6 ⑩ 〖栴〗 단향목 전[平]先 | zhān

[日] セン〔せんだん〕 [英] chinaberry

[字解] **단향목 전**(檀香木).

字源 形聲. 木+㢰〈省〉〔音〕

[栴檀 전단] 자단(紫檀)·백단(白檀) 등의 향나무의 총칭. 단향목(檀香木).

6
⑩ 【核】 씨 핵 | hé
⑧陌

↑ オ ォ 术 ボ 栌 栌 核 核

㈰ カク〔さね〕 ㋰ kernel

字解 ① 씨 핵(果中實). ¶ 核果(핵과). ② 실과 핵(實果). ③ 핵심 핵. ¶ 核心(핵심).

字源 形聲. 木+亥〔音〕

[核武器 핵무기] 핵 에너지를 이용한 여러 가지 무기.

[核心 핵심] 사물의 중심이 되는 가장 요긴한 부분.

6
⑩ 【根】 뿌리 근 | gēn
㊉元

↑ オ オ 朾 朾 朾 根 根 根

㈰ コン〔ね〕 ㋰ root

字解 ① 뿌리 근(柢也). ¶ 草根(초근). ② 근본 근(本也). ¶ 根源(근원).

字源 形聲. 木+艮〔≡〕〔音〕

[根據 근거] ㉠ 사물의 토대. ㉡ 이론·의견 등의 그 근본이 되는 터전.

[根本 근본] 사물의 본바탕.

[根性 근성] 사람의 타고난 성질.

[球根 구근] 알뿌리.

[禍根 화근] 화를 일으키는 근원.

6
⑩ 【栻】 점판 식 | shì
⑧職

㈰ ショク〔うらないのぐ〕

字解 점판 식(推占木局).

字源 形聲. 木+式〔音〕

6
⑩ 【格】 ≡이를 격 | gé
⑧陌
≡그칠 각 | gé
⑧藥

↑ オ ォ 朾 朾 权 格 格

㈰ カク〔いたる・えだ〕 ㋰ arrive, stop

字解 ≡ ① 이를 격(至也). ② 자품격. ¶ 人格(인격). 資格(자격). ③ 올 격(來也). ④ 겨룰 격. ¶ 格鬪(격투). ⑤ 시렁 격(庋也). ≡ 그칠 각(止也). ¶ 迅格(저각).

字源 形聲. 木+各〔音〕

[格式 격식] 격에 어울리는 법식.

[格言 격언] 사리에 적당하여 본보기가 될 만한 묘하게 된 짧은 말.

[格下 격하] 자격 따위를 낮춤.

[品格 품격] 사람된 바탕과 성품.

4
획

6
⑩ 【桁】 ≡도리 형 | héng
㊉庚
≡차꼬 항 | háng
㊉陽
≡횃대 항 | hàng
㊉漾

㈰ コウ〔けた・かせ・ころもかけ〕 ㋰ beam, fetter, clothes rack

字解 ≡ 도리 형(屋橫木). ≡ 차꼬 항(械也). ≡ 횃대 항(衣架).

字源 形聲. 木+行〔音〕

6
⑩ 【桂】 계수나무 계 | guì
㊉霽

↑ オ ォ 朾 柞 样 桂 桂 桂

㈰ ケイ〔かつら〕 ㋰ cinnamon

字解 계수나무 계(江南木百藥之長). ¶ 桂樹(계수).

字源 形聲. 木+圭〔音〕

[桂冠詩人 계관시인] 영국 왕실의 특별한 우대를 받는 시인.

[桂樹 계수] 계수나무.

6
⑩ 【桃】 복숭아 도 | táo
㊉豪

↑ オ 朾 朾 杙 杙 桃 桃 桃

㈰ トウ〔もも〕 ㋰ peach

字解 복숭아 도, 복숭아나무 도(果名).

字源 形聲. 木+兆〔音〕

[桃李 도리] ㉠ 복숭아와 오얏. ㉡ 자기가 채용한 문하생(門下生). 또, 시험으로 채용한 문하생.

6
10 【桅】 ■돛대 외 ㉠紙
■치자나무 괴 ㉠紙
wéi
guǐ

�日 カイ〔ほばしら〕・キ〔くちなし〕
㊚ mast, gardenia

字解 ■돛대 외(檣也). ■치자나무 괴.

字源 形聲. 木+危〔音〕

[桅杆 외간] 돛대.
[桅檣 외장] 돛대.

6
10 【框】 문얼굴 광㊀陽
kuàng

�日 キョウ〔かまち〕 ㊚ doorcase

字解 문얼굴 광(門橢).

字源 形聲. 木+匡〔音〕

6
10 【桎】 차꼬 질 ㉠質
zhì

�日 シツ〔あしかせ〕 ㊚ fetter

字解 차꼬 질(足械).

字源 形聲. 木+至〔音〕

[桎梏 질곡] ㉠ 차꼬와 수갑. ㉡ 자유를 몹시 속박함.

6
10 【桐】 오동나무 동㉠東
tóng

十 木 木 杙 杙 柌 桐 桐 桐

�日 ドウ〔きり〕 ㊚ paulownia

字解 오동나무 동(木名).

字源 形聲. 木+同〔音〕

[桐梓 동재] 오동나무와 가래나무. 곧, 좋은 재목.
[梧桐 오동] 오동나무.

6
10 【桓】 군셀 환㊀寒
huán

� カン〔たけしい〕 ㊚ strong

字解 ① 군셀 환(武貌). ¶ 桓桓(환환). ② 머뭇거릴 환(難進貌).

字源 形聲. 木+亘〔音〕

6
10 【桔】 도라지 길㉠屑
결
jié

� ケツ〔ききょう〕 ㊚ balloonflower

字解 ① 도라지 길(藥名). ¶ 桔梗(길경). ② 두레박틀 길(井上轆). ¶ 桔槔(길고).

字源 形聲. 木+吉〔音〕

[桔梗 길경] 도라지. 조롱꽃과의 다년생 풀. 뿌리는 식용·약용으로 씀.
[桔槔 길고] 돌을 매달아 그 무게로 물을 긷게 된 두레박틀.

6
10 【梳】 梳(소)(木部 7획)의 本字

6
10 【桉】 案(안)(木部 6획)과 同字

6
10 【桟】 棧(잔)(木部 8획)의 略字

6
10 【栽】 심을 재㊀灰
zāi

十 圭 圭 圭 圭 栽 栽 栽

� サイ〔うえる〕 ㊚ plant

字解 ① 심을 재(種也). ② 묘목 재.

字源 形聲. 木+𢦏〔音〕

注意 裁(衣部 6획)는 딴 글자.

[栽培 재배] 식물을 심고 북돋워 가꾸는 일.

6
10 【栗】 밤 률㉠質
lì

一 币 币 西 覀 覀 栗 栗 栗

� リツ〔くり〕 ㊚ chestnut

字解 ① 밤 률, 밤나무 률(果樹實有房多刺). ¶ 生栗(생률). ② 단단할 률(堅也). ③ 공손할 률(謹敬).

字源 會意. 臬(매달려 있는 나무 열매)와 木의 합자.

[栗烈 율렬] 추위가 살을 에는 듯함.
[栗栗 율률] ㉠ 많은 모양. ㉡ 두려워하는 모양. 전전긍긍하는 모양.
[生栗 생률] 날밤.
[棗栗 조율] 대추와 밤.

6
⑩ 【栞】 표할 간 ㊤寒 | kān
㊐ カン〔しおり〕 ㊤ mark
字解 표할 간(樤識也).
字源 形聲. 木+幵〔音〕

6
⑩ 【桀】 하왕이름 걸 ㊤屑 | jié
㊐ ケツ〔あらい〕
字解 ① 하왕이름 걸(夏王號). ¶ 桀紂(걸주). ② 찢을 걸(磔也). ③ 사나울 걸(猛也). ¶ 桀惡(걸악).
字源 會意. 舛(좌우의 다리)과 木의 합자. 나무 위에 죄인의 양다리를 잡아 묶어 높이 달아매는 책형(磔刑)의 뜻.

[桀桀 걸걸] 교만한 모양.
[桀惡 걸악] 매우 포악함.
[桀紂 걸주] 폭군의 대표적인 하(夏)의 걸왕(桀王)과 은(殷)의 주왕(紂王)을 아울러서 일컫는 말.

6
⑩ 【案】 책상 안 ㊤翰 | àn
ㅗ ㅗ 安 安 安 宰 案 案
㊐ アン〔つくえ・かんがえ〕 ㊤ desk
字解 ① 책상 안(書床). ¶ 案机(안궤). ② 생각할 안(考也). ¶ 考案(고안). ③ 안석 안(几屬).
字源 形聲. 木+安〔音〕
參考 桉(木部 6획)은 동자.

[案件 안건] 토의하거나 조사할 사건.
[案內 안내] ㉠ 인도하여 내용을 알려 줌. 또, 그 일. ㉡ 목적하는 곳으로 인도함.

[案上 안상] 책상 위.
[案席 안석] 벽에 세워 놓고 앉을 때의 몸을 기대는 방석.
[勘案 감안] 헤아려 생각함.
[提案 제안] 안을 냄.

6
⑩ 【桑】 뽕나무 상 ㊤陽 | sāng
㇇ ㇇ ㇇ 叒 叒 叒 桑 桑
㊐ ソウ〔くわ〕 ㊤ mulberry
字解 뽕나무 상(蠶所食葉木).
字源 象形. 뽕나무의 모양.
[桑葉 상엽] 뽕나무의 잎사귀.
[桑田碧海 상전벽해] 뽕나무 밭이 변하여 푸른 바다가 된다는 뜻으로, 시세의 변천이 심함을 이름.

6
⑩ 【桌】 卓(탁)(十部 6획)의 古字

6
⑩ 【梳】 梳(소)(次條)의 本字

7
⑪ 【梳】 빗 소 ㊤魚 | shū
㊐ ソ〔くし〕 ㊤ comb
字解 빗 소(鬥櫛). 빗을 소.
字源 形聲. 木+疏〈省〉〔音〕
[梳洗 소세] 머리를 빗고 낮을 씻음.

7
⑪ 【梵】 범어 범 ㊤陷 | fàn
㊐ ボン〔ばらもん〕 ㊤ Sanskrit
字解 범어 범(西域言語).
字源 形聲. 林+凡〔音〕
[梵語 범어] 고대 인도의 언어.
[梵鐘 범종] 절에 걸어 놓고 치는 종.

7
⑪ 【梡】 도마 관 ㊤旱 | kuǎn
㊐ カン ㊤ chopping board
字解 ① 도마 관. ② 땔나무 관.
字源 形聲. 木+完〔音〕

7 ⑪【梶】 나무끝 미㊤尾 | wěi

㊐ ミ〔こずえ〕 ㊮ treetop

字解 **나무끝 미.**

字源 形聲. 木+尾〔音〕

7 ⑪【桯】 기둥 정 ㊥青 | tīng

㊐ テイ〔はしら〕 ㊮ pillar

字解 **① 기둥 정. ② 탁자 정.**

字源 形聲. 木+呈〔音〕

7 ⑪【埜】 野(야)(里部 4획)와 同字

7 ⑪【桮】 술잔 배 ㊥灰 | bēi

㊐ ハイ〔さかずき〕 ㊮ cup

字解 **술잔 배**(飮器).

字源 形聲. 木+否〔音〕

[桮棬 배권] 나무를 휘어서 만든 술잔.

7 ⑪【桴】 마룻대 부 ㊥尤㊥虞 | fú

㊐ フ〔いかだ・むなぎ〕

㊮ ridgepole

字解 **① 마룻대 부**(屋棟). **② 떼 부**(筏也). **③ 북채 부**(鼓槌).

字源 形聲. 木+孚〔音〕

[桴鼓 부고] ㉠ 북채와 북. 곧, 상응함을 말하는 말. ㉡ 북채로 북을 침.

7 ⑪【桭】 처마 진 ㊥眞 | chén

㊐ シン〔のき〕 ㊮ eaves

字解 **① 처마 진. ② 기둥사이 진. ③ 가지런히할 진.**

7 ⑪【桶】 ㊀통 통 ㊤董 ㊁되 용 ㊤腫 | tǒng yǒng

㊐ トウ〔おけ〕・ヨウ〔ます〕

㊮ tub, measure

字解 ㊀ **통 통**(六升入木方器). ㊁ **되 용**(斛也).

字源 形聲. 木+甬〔音〕

[鐵桶 철통] 쇠로 만든 통.

[筆桶 필통] 붓·연필 따위 필기구를 넣어 다니는 기구.

7 ⑪【桷】 서까래 각 ㊇覺 | jué

㊐ カク〔たるき〕 ㊮ rafter

字解 **① 서까래 각**(榱也). **② 가지 각**(平柯).

字源 形聲. 木+角〔音〕

7 ⑪【梃】 막대기 정 ㊤迥 | tǐng

㊐ チョウ〔てこ〕 ㊮ stick

字解 **막대기 정**(杖也).

字源 形聲. 木+廷〔音〕

7 ⑪【梅】 매화나무 매 ㊥灰 | méi

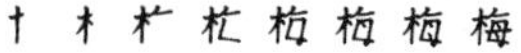

㊐ バイ〔うめ〕

㊮ Japanese apricot tree

字解 **① 매화나무 매**(似杏實酢). ¶ 梅實(매실). **② 매우 매**(梅霖). ¶ 梅雨(매우).

字源 形聲. 木+每〔音〕

[梅實 매실] 매화나무의 열매.

[梅花 매화] 매화나무. 또는 매화꽃.

7 ⑪【梏】 ㊀수갑 곡 ㊇沃 ㊁클 각 ㊇覺 | gù jué

㊐ コク〔てかせ〕・カク〔おおきい〕

㊮ handcuffs, big

字解 ㊀ **수갑 곡**(手械). ㊁ **클 각.**

字源 形聲. 木+告〔音〕

7 ⑪【梐】 울짱 폐 ㊇薺 | bì

ⓙ ヘイ〔ろうや〕 ⓔ wooden fence

字解 ① 울짱 폐(遮欄). ¶ 椑梐(폐호). ② 옥 폐(牢獄).

字源 形聲. 木+坒〔音〕

7
⑪【梓】가래나무 재ⓐ자 ⓤ紙 | zǐ | 梓

ⓙ シ〔あずさ〕 ⓔ wild-walnut tree

字解 ① 가래나무 재(楸也). ¶ 梓宮(재궁). ② 목수 재(木工). ¶ 梓人(재인). ③ 고향 재(故鄕). ¶ 梓里(재리). ④ 판목 재(鋟書於板). ¶ 上梓(상재).

字源 形聲. 木+宰〈省〉〔音〕

[梓宮 재궁] 임금의 관(棺). 임금의 관은 가래나무로 만들었기 때문에 이와 같이 일컬음.

[梓里 재리] 고향. 상재(桑梓).

[梓人 재인] 목수. 목수의 우두머리.

[上梓 상재] 출판하기 위해 인쇄에 돌림.

7
⑪【梔】치자나무 치 ⓤ支 | zhī | 梔

ⓙ シ〔くちなし〕 ⓔ gardenia

字解 치자나무 치(梔桃一名鮮支實可染黃).

字源 形聲. 木+卮〔音〕

[梔子 치자] 치자나무의 열매.

7
⑪【梗】대강 경 ⓤ梗 | gěng | 梗

ⓙ コウ〔おおむね〕 ⓔ generally

字解 ① 대강 경(大略). ¶ 梗槪(경개). ② 곧을 경(直也). ¶ 梗直(경직). ③ 굳셀 경(強猛). ¶ 剛梗(강경). ④ 막힐 경(塞也). ¶ 梗塞(경색). ⑤ 인형 경(偶人). ⑥ 산느릅나무 경(山楡).

字源 形聲. 木+更〈叏〉〔音〕

[梗槪 경개] 소설이나 희곡 따위의 대강의 줄거리. 대략.

[梗塞 경색] 사물이 잘 융통하지 않

고 꽉 막힘.

[梗直 경직] 성질이 참되고 곧음.

7
⑪【梠】처마 려 ⓤ語 | lǔ | 梠

ⓙ リョ・ロ〔のき〕 ⓔ eaves

字解 처마 려(梠端連綿木).

字源 形聲. 木+呂〔音〕

7
⑪【梢】▬나무끝 초ⓐ소 ⓤ肴
▬마들가리 소ⓐ소 ⓤ肴 | shāo | 梢

ⓙ ショウ〔こずえ〕
ⓔ treetop, twigs

字解 ▬ 나무끝 초(杪也). ¶ 梢頭(초두). ▬ 마들가리 소(木無枝柯).

字源 形聲. 木+肖〔音〕

注意 稍(禾部 7획)는 딴 글자.

[梢頭 초두] 나뭇가지의 끝.

[末梢 말초] ㉠ 나뭇가지의 끝. ㉡ 사물의 끝 부분.

4
획

7
⑪【梧】벽오동나무 오 ⓤ虞 | wú | 梧

十 才 才 杧 杯 栖 梧 梧

ⓙ ゴ〔あおぎり〕 ⓔ paulownia

字解 벽오동나무 오(木名).

字源 形聲. 木+吾〔音〕

[梧桐 오동] 오동나무.

7
⑪【梭】북 사 ⓤ歌 | suō | 梭

ⓙ サ〔ひ〕 ⓔ shuttle

字解 북 사(織具所以行緯之笴).

字源 形聲. 木+夋〔音〕

[梭杼 사저] 베틀의 북.

7
⑪【梯】사다리 제ⓐ齊 | tī | 梯

ⓙ テイ〔はしご〕 ⓔ ladder

字解 사다리 제(木階).
字源 形聲. 木+弟[音]
[梯形 제형] 사다리꼴.

7
⑪ 【械】기구 계
㊀卦 xiè

†　オ　オ　オ　杤　栿　械　械　械

㊐ カイ〔かせ〕 ㊍ machine
字解 ① 기구 계(器之總名). ¶ 機械(기계). ② 형틀 계(桎梏). ¶ 械杻(계축). 械繫(계계). ③ 병장기 계(軍器).
字源 會意. 戒와 木의 합자. 죄인의 수족에 끼워 자유를 박탈하는 기구. 또 "戒(계)"는 음을 나타냄.
[械繫 계계] 죄인에게 형구(刑具)를 채워 신체의 자유를 구속함.
[器械 기계] 도구와 기물.
[機械 기계] 동력으로 일을 하는 장치.

7
⑪ 【梱】문지방 곤
㊄阮 kǔn

㊐ コン〔しきい〕 ㊍ doorsill
字解 문지방 곤(門橛).
字源 形聲. 木+困[音]
[梱外之任 곤외지임] 문지방 밖의 임무. 병마를 통솔하는 장군의 직무.

7
⑪ 【梲】━동자기
둥 절㊊屑 zhuō
━막대기 탈㊊曷 tuō

㊐ セツ〔うだち〕・タツ〔つえ〕 ㊍ post, stick
字解 ━동자기둥 절(梁上楹). ━막대기 탈(大杖).
字源 形聲. 木+兌[音]

7
⑪ 【桿】杆(간)(木部 3획)의 俗字

7
⑪ 【梁】들보 량
㊄陽 liáng

氵　氵　沙　沙　沙　涩　涩　梁

㊐ リョウ〔はり〕 ㊍ crossbeam
字解 ① 들보 량(負棟木). ¶ 棟梁(동량). ② 다리 량(木橋). ¶ 橋梁(교량). ③ 징검돌 량(石絶水爲梁).
字源 會意. 氵(水)+刅+木
注意 梁(米部 7획)은 딴 글자.
[梁上君子 양상군자] ㉠ 도둑의 이칭(異稱). 후한(後漢)의 진식(陳寔)이 들보 위에 숨어 있는 도둑을 가리켜 말한 고사(故事)에서 온 말. ㉡ 쥐의 일컬음.

7
⑪ 【梟】올빼미 효
㊀교㊌蕭 xiāo

㊐ キョウ〔ふくろう〕 ㊍ owl
字解 ① 올빼미 효(不孝鳥). ② 목 베어매어달 효(懸首木上). ¶ 梟首(효수). ③ 효용할 효(驍也). ¶ 梟猛(효맹).
字源 會意. 鳥와 木으로 된 글자. 새를 잡아서 나무에 매닮의 뜻.
[梟騎 효기] 날쌔고 강한 기병(騎兵).
[梟猛 효맹] 건장하고 날램.
[梟首 효수] 목을 베어 나무에 매닮.

7
⑪ 【梨】배나무 리
㊄支 lí

ノ　千　禾　利　利　利　梨　梨

㊐ リ〔なし〕 ㊍ pear tree
字解 배나무 리(山樝).
字源 形聲. 木+利[音]
[梨花 이화] 배나무 꽃. 배꽃.

7
⑪ 【條】가지 조
㊌蕭 tiáo

亻　亻　冖　仦　攸　攸　倏　條

㊐ ジョウ〔えだ・すじ〕 ㊍ branch
字解 ① 가지 조(小枝). ¶ 枝條(지조). ② 조리 조. ¶ 條貫(조관). 條理(조리). ③ 조목 조(枚擧). ¶ 條目(조목).

[字源] 形聲. 木+攸〔音〕

[條理 조리] 사물의 가닥 또는 경로. 맥락(脈絡).

[條約 조약] ㉠ 조문으로 맺은 언약. ㉡ 문서에 따른 국가 간의 합의.

[信條 신조] 굳게 믿어 지키는 조목.

8 ⑫ 〖梌〗 檢(검)(木部 13획)의 俗字

8 ⑫ 〖棄〗 버릴 기 [去]寘 | 弃 qì

(필순) 亠 亠 丈 产 弃 丧 奎 棄

[日] キ〔すてる〕 [英] abandon

[字解] **버릴 기**(捐也).

[字源] 會意. 𠫓=去(버림)와 𦍌(쓰레받기)와 𠬞(양손)의 합자. 양손에 쓰레받기를 들고 쓰레기를 버림의 뜻. 따라서, 널리 버림의 뜻.

[棄權 기권] 권리를 버림.

[棄兒 기아] ㉠ 버림받은 아이. ㉡ 어린애를 내버림.

8 ⑫ 〖椧〗 《韓》 홈통 명

[英] spout

[字解] 《韓》 **홈통 명**(물을 이끄는 반원형의 긴 물건).

8 ⑫ 〖棅〗 柄(병)(木部 5획)과 同字

8 ⑫ 〖森〗 나무빽빽할 삼 [平]侵 | sēn

(필순) 一 十 才 木 本 朩 森 森

[日] シン〔もり〕 [英] forest

[字解] ① **나무빽빽할 삼**(木多貌). ¶ 森林(삼림). ② **성할 삼**(盛也). ¶ 鬱森(울삼). 森羅(삼라).

[字源] 會意. 木 셋으로 나무가 무성함을 나타냄.

[森羅萬象 삼라만상] 우주 사이에 벌여 있는 일체(一切)의 현상.

[森林 삼림] 나무가 많이 우거져 있는 곳.

[森嚴 삼엄] 무서우리만큼 엄숙함.

8 ⑫ 〖棼〗 들보 분 [平]文 | fén

[日] フン〔むなぎ〕 [英] crossbeam

[字解] ① **들보 분**(複屋重梁). ② **어지러울 분**(亂也).

[字源] 形聲. 林+分〔音〕

[棼棼 분분] 어지러운 모양.

8 ⑫ 〖棗〗 대추 조 [去]皓 | 枣 zǎo

[日] ソウ〔なつめ〕 [英] jujube

[字解] **대추 조**(棘實赤心果).

[字源] 會意. 대추나무는 가시가 많으므로 朿(가시)를 겹쳤음.

[棗脩 조수] 대추와 포(脯).

[乾棗 건조] 말린 대추.

8 ⑫ 〖棘〗 가시나무 극 [入]職 | jí

[日] キョク〔いばら〕 [英] thorny plant

[字解] **가시나무 극**(荊也).

[字源] 會意. 朿(가시) 둘이 나란히 있는 것으로, 가시가 많음의 뜻.

[棘皮 극피] 석회질의 가시가 돋아 있는 동물의 껍데기.

[荊棘 형극] ㉠ 나무의 온갖 가시. ㉡ 고초와 난관의 비유.

8 ⑫ 〖棉〗 목화 면 [平]先 | mián

[日] メン〔わた〕 [英] cotton

[字解] **목화 면**. ¶ 棉花(면화).

[字源] 會意. 木과 帛의 합자. 피륙의 감을 만드는 나무라는 뜻을 나타냄.

[注意] 綿(糸部 8획)은 딴 글자.

[棉作 면작] 목화(木花) 농사.

[棉布 면포] 무영.

[棉花 면화] 솜.

[木棉 목면] ㉠ 목화(木花). ㉡ 무명.

4
획

【棍】 ■몽둥이 곤㊀願 gùn
⑫ ■묶을 혼㊤阮 hùn

㊐ コン〔ぼう・たばねる〕
㊀ club, bind

字解 ■ 몽둥이 곤, 곤장 곤(刑具). ¶ 棍棒(곤봉). ■ 묶을 혼(束木).

字源 形聲. 木+昆〔音〕

〔棍杖 곤장〕 옛날에 죄인의 볼기를 치던 몽둥이. 형장(刑杖).

【棕】 종려나무 종㊀冬 zōng
⑫ 종㊤束

㊐ シュ・ソウ〔しゅろ〕
㊀ palm tree

字解 종려나무 종(棕櫚).

字源 形聲. 木+宗〔音〕

參考 椶(木部 9획)과 동자.

〔棕櫚 종려〕 종려과의 상록 교목(喬木). 원산지는 열대와 아열대 지방.

【棒】 몽둥이 봉
⑫ ㊦방㊤講 bàng

㊐ ボウ〔つえ〕 ㊀ club

字解 ① 몽둥이 봉(杖也). ¶ 棍棒(곤봉). ② 칠 봉(打也). ¶ 痛棒(통봉).

字源 形聲. 木+奉〔音〕

〔棒高跳 봉고도〕 필드 경기의 한 가지. 긴 막대를 짚고 넘는 높이뛰기 경기. 장대높이뛰기.

〔棍棒 곤봉〕 ㉠ 나무로 병같이 만든 체조 용구의 하나. ㉡ 짤막한 방망이.

【棖】 문설주 정
⑫ ㊤庚 chéng

㊐ チョウ〔ほこだち〕 ㊀ gatepost

字解 문설주 정(楔也).

字源 形聲. 木+長〔音〕

【棚】 시렁 붕
⑫ ㊦팽㊤庚 péng

㊐ ホウ〔たな〕 ㊀ shelf

字解 ① 시렁 붕(棧也). ② 大陸棚(대륙붕). ② 누각 붕(閣也).

字源 形聲. 木+朋〔音〕

〔棚棧 붕잔〕 발 붙이기가 어려울 만큼 가파른 곳에 선반을 매듯이 하여 놓은 길. 비계(飛階). 잔도(棧道).

〔大陸棚 대륙붕〕 대륙이나 큰 섬 주위의 바다 깊이가 평균 200m 까지의 완만한 경사면.

【棟】 마룻대 동
⑫ 동㊤送 dòng

㊐ トウ〔むね〕 ㊀ ridgepole

字解 마룻대 동(屋脊檼也).

字源 形聲. 木+東〔音〕

〔棟樑 동량〕 ㉠ 마룻대와 대들보. ㉡ 한 집안, 한 나라의 기둥이 될 만한 인물.

【棣】 ■산앵두나무 체
⑫ ㊤霽 dì
■익숙할 태㊤隊 dài

㊐ テイ〔にわうめ〕・タイ〔れいぎになれる〕
㊀ hawthorn, be skilled in

字解 ■ 산앵두나무 체(木名似櫻桃). ■ 익숙할 태(閑習貌). ¶ 棣棣(태태).

字源 形聲. 木+隶〔音〕

〔棣棣 태태〕 위의(威儀)가 있는 모양. 예의에 밝은 모양.

【棧】 ■잔교 잔㊤潸
⑫ ■성할 전㊤眞 zhàn / chén

㊐ サン〔かけはし〕・シン〔さかん〕
㊀ suspension bridge, prosperous

字解 ■ 잔교 잔(棚也). ¶ 棧橋(잔교). ■ 성할 전(衆盛貌).

字源 形聲. 木+戔〔音〕

[參考] 栈(木部 6획)은 약자.

[棧道 잔도] 발을 붙일 수 없을 만큼 험한 벼랑 같은 곳에 선반을 매듯이 하여 낸 길.

8 [12] 【棬】 나무그릇 권 [平]先 quān

[日] ケン〔まげもの〕 [英] woodenware

[字解] **나무그릇 권**(屈木爲器).

[字源] 形聲. 木+卷〔音〕

[棬樞 권추] 나무를 휘어 집의 지도리를 만듦. 가난한 집을 뜻함.

[桮棬 배권] 나무를 휘어 만든 그릇.

8 [12] 【棰】 매 추 [上]紙 chuí

[日] スイ〔むち〕 [英] whip

[字解] **매 추**(杖擊).

[字源] 形聲. 木+垂〔音〕

[棰楚 추초] 매. 회초리.

8 [12] 【棱】 모 릉 [平]蒸 léng

[日] ロウ〔かど〕 [英] edge

[字解] **모 릉**(四方木柧也).

[字源] 形聲. 木+夌〔音〕

[參考] 楞(木部 9획)과 동자.

[棱棱 능릉] 모가 난 모양. 세력(勢力)이 있는 모양.

8 [12] 【棲】 깃들일 서 [平]齊 qī

[日] セイ〔すむ〕 [英] roost

[字解] **깃들일 서**(栖也).

[字源] 形聲. 木+妻〔音〕

[參考] 栖(木部 6획)와 동자.

[棲息 서식] ㉠ 삶. 생존함. ㉡ 동물이 어떤 곳에 삶.

8 [12] 【棹】 [一]노 도 [本]조[去]效 [二]책상 탁 [入]覺 zhào zhuō

[日] トウ〔さお〕・タク〔つくえ〕

[英] oar, desk

[字解] [一] **노 도**(檝也). [二] **책상 탁**.

[字源] 形聲. 木+卓〔音〕

[參考] 櫂(木部 14획)와 동자.

[棹歌 도가] 뱃노래. 상앗대로 배를 밀어 내면서 부르는 노래. 도창(棹唱).

8 [12] 【棺】 널 관 [平]寒 guān

[日] カン〔ひつぎ〕 [英] coffin

[字解] **널 관**(關也, 所以掩屍).

[字源] 形聲. 木+官〔音〕

[棺蓋 관개] 관을 덮는 베.

[棺槨 관곽] 속널과 겉널.

[棺柩 관구] 관(棺).

8 [12] 【椀】 주발 완 [上]旱 wǎn

[日] ワン〔はち〕 [英] brass bowl

[字解] **주발 완**(食器小盂).

[字源] 形聲. 木+宛〔音〕

[參考] 盌(皿部 5획)은 동자.

8 [12] 【椄】 접붙일 접 [入]葉 jiē

[日] セツ〔つぎき〕 [英] graft

[字解] **접붙일 접**(續木).

[字源] 形聲. 木+妾〔音〕

[注意] 接(手部 12획)은 딴 글자.

[椄木 접목] 나무를 접붙임.

8 [12] 【椅】 교의 의 [平]支 yǐ

[日] イ〔いす〕 [英] chair

[字解] **교의 의**(坐具). ¶ 椅子(의자).

[字源] 形聲. 木+奇〔音〕

[椅子 의자] 등받이가 있는 걸상.

[交椅 교의] ㉠ 의자. ㉡ 의자같이 생긴 신주(神主)를 모시는 것.

8 ⑫ 【植】 [一]심을 식 [入]職 [二]둘 치[去]寘 | 植 zhí

十 木 朩 朩 朩 朩 植 植

[日] ショク〔うえる〕・チ〔おく〕
[英] plant, put

[字解] **[一] 심을 식**(栽也). ¶ 植木(식목). **[二] 둘 치**(置也).

[字源] 形聲. 木+直〔音〕

[注意] 稙(禾部 8획)은 딴 글자.

[植木 식목] 나무를 심음.
[植民 식민] 국민의 일부분을 국외(國外)에 영주(永住)를 목적으로 이주시킴.
[植樹 식수] 나무를 심음.
[移植 이식] 옮겨 심음.

8 ⑫ 〖椎〗 몽치 추 [平]支 | zhuī

[日] ツイ〔つち〕 [英] mallet

[字解] ① **몽치 추**(鐵棒). ¶ 鐵椎(철추). ② **칠 추**(打也). ¶ 椎擊(추격). ③ **등뼈 추**(脊椎骨). ¶ 脊椎(척추).

[字源] 形聲. 木+隹〔音〕

[椎擊 추격] 침. 때림.
[椎魯 추로] 어리석어 변통성이 없음.
[脊椎 척추] 등뼈.
[鐵椎 철추] 쇠몽치.

8 ⑫ 〖椏〗 가장귀 아[平]麻 | 椏 yā

[日] ア〔また〕 [英] notch

[字解] **가장귀 아**(樹枝).

[字源] 形聲. 木+亞〔音〕

8 ⑫ 〖椑〗 [一]감나무 비 [平]支 [二]널 벽[入]陌 | pí pì

[日] ヘイ〔たる〕・ヘキ〔ひつぎ〕
[英] persimmon tree, coffin

[字解] **[一] 감나무 비**(木名, 實似柿而青). **[二] 널 벽**(親身棺).

[字源] 形聲. 木+卑〔音〕

8 ⑫ 〖椒〗 산초나무 초 [平]蕭 | jiāo

[日] ショウ〔さんしょう〕
[英] chinese pepper tree

[字解] ① **산초나무 초**(山椒). ② **향기 초**(香也).

[字源] 形聲. 木+叔〔音〕

[椒蘭 초란] 산초(山椒)와 난초(蘭草). 향기가 좋은 향.

8 ⑫ 〖棵〗 [一]땔나무 관 [上]旱 [二]도마 과 [上]哿 [三]《韓》괘 괘 | kuǎn kē

[日] カン〔たきぎ〕・カ〔まないた〕
[英] firewood, chopping board

[字解] **[一] 땔나무 관** **[二] 도마 과**. **[三] 《韓》괘 괘**(琴具).

8 ⑫ 〖椁〗 槨(곽)(木部 11획)과 同字

8 ⑫ 〖棋〗 碁(기)(次條)와 同字

8 ⑫ 〖棊〗 바둑 기 [平]支 | qí

[日] ゴ〔こま〕 [英] paduk, go

[字解] **바둑 기**(圍棊, 奕棊).

[字源] 形聲. 木+其〔音〕

[參考] 棋(木部 8획)와 동자.

[棊譜 기보] 바둑을 두어 나간 기록.
[棊戰 기전] 바둑을 둠.

8 ⑫ 〖棐〗 도울 비 [上]尾 | fěi

[日] ヒ〔たすける〕 [英] assist

[字解] ① **도울 비**(輔也). ② **비자나무 비**(木名似柏).

[字源] 形聲. 木+非〔音〕

4
획

棠
8
12
아가위나
무당
⊕陽
táng

回 トウ〔やまなし〕 ⊛ hawthorn

字源 아가위나무 당(杜也).

字源 形聲. 木+尙〔音〕

[棠毬子 당구자] 아가위.

棨
8
12
창 계⊕薺
qǐ

回 ケイ〔ほこ〕 ⊛ spear

字解 창 계(兵欄也).

字源 形聲. 木+啓〈省〉〔音〕

[棨戟 계극] 적흑색의 비단으로 싼 나무 창.

[棨信 계신] 궁중을 출입할 때 신표(信標)로 들고 다니는 계극.

棃
8
12
梨(리)(木部 7획)의 本字

楗
9
13
문빗장
건⊕願
jiàn

回 ケン〔かんぬき〕 ⊛ gate bar

字解 문빗장 건. 방죽 건.

字源 形聲. 木+建〔音〕

㭗
9
13
茂(무)(艸部 5획)의 古字

楣
9
13
문미 미
⊕支
méi

回 ビ〔まぐさ〕 ⊛ lintel of a door

字解 ① 문미 미. ② 처마 미.

字源 形聲. 木+眉〔音〕

楚
9
13
초나라
초⊕語
chǔ

回 ソ〔いばら・むち〕

字源 ① 초나라 초(國名). ¶ 楚漢(초한). ② 고울 초(鮮明貌). ¶ 淸楚(청초). ③ 아플 초, 고통스러울 초. ¶ 苦楚(고초). ④ 종아리 칠

초, 매질할 초(扑撻犯禮). ¶ 楚撻(초달).

字源 形聲. 林+疋〔音〕

[楚撻 초달] 회초리로 종아리를 때림.

[楚楚 초초] ㉠ 가시나무가 우거진 모양. ㉡ 선명(鮮明)한 모양. ㉢ 고통을 견디지 못하는 모양.

[楚漢 초한] 진말(秦末)에 항우(項羽)와 유방(劉邦)이 할거하던 초(楚)나라와 한(漢)나라.

椰
9
13
야자나무
야⊕麻
yē

回 ヤ〔やし〕 ⊛ palm tree

字解 야자나무 야(木名).

字源 形聲. 木+耶〔音〕

[椰子 야자] ㉠ 야자나무. ㉡ 야자나무 열매.

椳
9
13
문지도리
외⊕灰
wēi

回 ワイ〔くるる〕 ⊛ hinge

字解 ① 문지도리 외(門樞). ② (韓) 윗가지 외(輿枙).

字源 形聲. 木+畏〔音〕

椸
9
13
횃대 이
⊕支
yí

回 イ〔ころもかけ〕 ⊛ clothes rack

字解 횃대 이(衣架).

字源 形聲. 木+施〔音〕

[椸架 이가] 의걸이. 횃대.

椹
9
13
모탕
침⊕侵
zhēn
오디
심⊕寢
shèn

回 チン〔あてぎ〕・シン〔くわのみ〕
⊛ wooden block, mulberries

字解 ■ 모탕 침(斫木櫃, 木趺). ■ ① 오디 심(桑實). ② 버섯 심(菌也).

字源 形聲. 木+甚〔音〕

[椹質 침질] ㉠ 모탕. 도끼받침. ㉡

죄인을 참살하는 대(臺).

9
⑬ 【椽】서까래 연⊕先 | chuán 　椽
㊐ テン〔たるき〕 ㊟ rafter
字解 서까래 연(榱也).
字源 形聲. 木+彖〔音〕
[椽木 연목] 서까래.

9
⑬ 【椿】참죽나무 춘⊕眞 | chūn 　椿
㊐ チン〔つばき〕
㊟ a kind of redoak
字解 ① 참죽나무 춘(香橒). ¶ 椿壽(춘수). ② 신기할 춘. ¶ 椿事(춘사).
字源 形聲. 木+春〔音〕
[椿堂 춘당] 남의 아버지에 대한 존칭. 춘부장(椿府丈).
[椿事 춘사] 뜻밖에 생기는 불행한 일. 의외의 사고.
[椿萱 춘훤] 춘당(椿堂)과 훤당(萱堂). 곧, 부모(父母)의 일컬음.

9
⑬ 【楂】떼 사⊕麻 | zhā 　楂
㊐ サ〔いかだ〕 ㊟ raft
字解 ① 떼 사(桴也). ② 풀명자나무 사(果名). ③ 등걸 사(樹下體). ¶ 古楂(고사).
字源 形聲. 木+査〔音〕

9
⑬ 【楊】버들 양⊕陽 | yáng 　楊
木 朾 杤 杤 柺 椥 楊
㊐ ヨウ〔やなぎ〕 ㊟ willow
字解 버들 양(蒲柳). ¶ 白楊(백양).
字源 形聲. 木+昜〔音〕
[楊柳 양류] 버들.
[楊枝 양지] 버드나무의 가지.

9
⑬ 【楓】단풍나무 풍⊕東 | fēng 　枫 枫
十 木 枬 机 机 枫 枫 楓
㊐ フウ〔かえで〕 ㊟ maple tree
字解 단풍나무 풍. ¶ 丹楓(단풍).
字源 形聲. 木+風〔音〕
[楓菊 풍국] 단풍나무와 국화.
[丹楓 단풍] ㉠ 단풍나무. ㉡ 늦가을에 잎이 붉고 누르게 변하는 일.

9
⑬ 【楔】쐐기 설⊕屑 | xiē 　楔
㊐ セツ〔くさび〕 ㊟ wedge
字解 ① 쐐기 설(櫼也). ¶ 楔形(설형). ② 문설주 설(梘也). ¶ 楔子(설자).
字源 形聲. 木+契〔音〕
[楔子 설자] ㉠ 문설주. ㉡ 원곡(元曲)에서 서막(序幕), 또는 간막(間幕).
[楔形 설형] 쐐기와 같이 생긴 모양. ¶ 楔形文字(설형 문자).

9
⑬ 【楛】▆나무이름 호⊕麌 | hù
▆거칠 고⊕麌 | kū 　楛
㊐ コ〔きのな・あらい〕 ㊟ rough
字解 ▆ 나무이름 호(木名歸荊矢幹). ▆ 거칠 고(器物濫惡).
字源 形聲. 木+苦〔音〕
[楛耕 고경] 함부로 갊.
[楛矢 호시] 호목(楛木)으로 만든 화살.

9
⑬ 【楝】멀구슬나무 련㊀霰 | liàn 　楝
㊐ レン〔せんだん〕 ㊟ bead tree
字解 멀구슬나무 련(木名似槐苦楝).
字源 形聲. 木+柬〔音〕
[苦楝 고련] 소태나무.

9
⑬ 【楞】모 릉⊕蒸 | léng 　楞
㊐ リョウ〔かど〕 ㊟ corner

[字解] 모 릉(四方木也, 柧也).
[字源] 會意. 木+四+方
[參考] 棱(木部 8획)과 동자.

9 ⑬ 【楡】 느릅나무 유[平]虞 | yú
[日] ユ〔にれ〕 [英] elm
[字解] 느릅나무 유(白枌).
[字源] 形聲. 木+兪〔音〕

9 ⑬ 【楢】 졸참나무 유[平]尤 | yóu
[日] ユウ〔こなら〕 [英] bristletooth oak
[字解] 졸참나무 유(柔木).
[字源] 形聲. 木+酋〔音〕

9 ⑬ 【楨】 광나무 정[平]庚 | 桢 zhēn
[日] テイ〔ねずみもち〕
[字解] ① 광나무 정(剛木). ② 담치는나무 정(榦也).
[字源] 形聲. 木+貞〔音〕

9 ⑬ 【楫】 [一]노 즙[入]緝 [二]노저을 집[入]緝 | jí
[日] シュウ・シュウ〔かい〕
[英] oar, pull an oar
[字解] [一] 노 즙(棹也). [二] 노저을 집. 노 집.
[字源] 形聲. 木+咠〔音〕
[參考] 檝(木部 13획)은 동자.
[楫師 즙사] 노 젓는 사람. 뱃사공.

9 ⑬ 【楮】 닥나무 저[上]語 | 楮 chǔ
[日] チョ〔こうぞ〕
[英] paper mulberry
[字解] ① 닥나무 저(皮可爲紙). ¶ 楮實(저실). ② 종이 저(紙也). ¶ 楮幣(저폐).
[字源] 形聲. 木+者〔音〕
[楮實 저실] 닥나무의 열매.
[楮幣 저폐] 종이돈. 지화(紙貨). 지폐(紙幣).

9 ⑬ 【楯】 [一]방패 순[上]軫 [二]책상 준[上]軫 | shǔn chūn
[日] ジュン〔たて〕・チュン〔つくえ〕
[英] shield, desk
[字解] [一] ① 방패 순(干也). ② 난간 순(欄干). [二] 책상 준.
[字源] 形聲. 木+盾〔音〕
[楯形 순형] 방패와 같은 형상.

9 ⑬ 【極】 지극할 극[入]職 | 极 jí
十 木 朽 柯 柯 極 極 極
[日] キョク〔きわめる〕 [英] utmost
[字解] ① 지극할 극(至也). ¶ 極致(극치). ② 다할 극(盡也). ¶ 極盡(극진). ③ 극처 극(終也). ¶ 北極(북극). ④ 별이름 극(北辰也). ¶ 極星(극성).
[字源] 形聲. 木+亟〔音〕
[極力 극력] 있는 힘을 다함. 힘을 조금도 아끼지 않음.
[極盡 극진] 힘이나 마음을 다함.
[極致 극치] ㉠ 극도에 이른 풍치. ㉡ 최상의 경지.
[登極 등극] 임금의 자리에 오름.
[罔極 망극] 임금이나 부모의 은혜가 워낙 커서 갚을 길이 없음.

9 ⑬ 【楷】 본보기 해 [本]개 [平]佳[上]蟹 | kǎi
[日] カイ〔かた〕 [英] printed style
[字解] ① 본보기 해(模也). ¶ 楷式(해식). ② 해서 해(書名). ¶ 楷書(해서).
[字源] 形聲. 木+皆〔音〕
[楷書 해서] 서체의 한 가지. 자형(字形)이 가장 방정(方正)한 것. 정서(正書). 진서(眞書).

4획

9
⑬〔楸〕 개오동
나무 추
⑭尤 | qiū | 楸

㈰シュウ〔きささげ〕 ㊍ paulownia

字解 ① 개오동나무 추(梓也). ¶
楸木(추목). ② 바둑판 추(棋局).
¶ 楸枰(추평).

字源 形聲. 木+秋〔音〕

[楸木 추목] 개오동나무. 호도나뭇
과(科)에 딸린 낙엽 활엽 교목.

[楸枰 추평] 바둑판.

9
⑬〔楹〕 기둥 영
⑭庚 | yīng | 楹

㈰エイ〔はしら〕 ㊍ pillar

字解 기둥 영(柱也).

字源 形聲. 木+盈〔音〕

[楹棟 영동] ㉠ 기둥과 마룻대. ㉡
가장 중요한 인물.

9
⑬〔楕〕 楕(타)(木部 12획)와 同字

9
⑬〔楠〕 녹나무
남⑭覃 | nán | 楠

㈰ナン〔くすのき〕 ㊍ camphor tree

字解 녹나무 남(木名).

字源 形聲. 木+南〔音〕

參考 柟(木部 4획)의 속자.

9
⑬〔楼〕 樓(루)(木部 11획)의 俗字

9
⑬〔槩〕 槪(개)(木部 11획)의 略字

9
⑬〔椶〕 棕(종)(木部 8획)과 同字

9
⑬〔業〕 업업㈇葉 | 业 業
yè

㈰ギョウ〔わざ〕 ㊍ business

字解 ① 업 업(事也). ¶ 職業(직
업). ② 종다는널 업(懸鐘具大板).

字源 象形. 종이나 북을 거는 선반
의 모양. 그 장식 판자로부터 전(轉)
하여 문자를 쓰는 판자의 뜻이 되고,
다시 「학업·사업」의 뜻이 됨.

[業務 업무] 생업(生業)의 일.

[業報 업보] 업인(業因)의 응보.

[業績 업적] 공업(功業). 공적.

9
⑬〔楽〕 樂(악)(木部 11획)의 略字

10
⑭〔榥〕 책상 황
⑭養 | huàng | 榥

㈰コウ〔ふづくえ〕 ㊍ desk

字解 ① 책상 황. ② 창문 황.

字源 形聲. 木+晃〔音〕

10
⑭〔榔〕 빈랑나
무 랑
⑭陽 | láng | 榔

㈰ロウ〔びんろう〕 ㊍ betel palm

字解 ① 빈랑나무 랑. ¶ 檳榔(빈
랑). ② 광랑 랑. ¶ 桄榔(광랑).

字源 形聲. 木+郎〔音〕

10
⑭〔榕〕 용나무
용⑭冬 | róng | 榕

㈰ヨウ〔あこう〕

字解 용나무 용(南方樹名).

字源 形聲. 木+容〔音〕

10
⑭〔榛〕 개암나
무 진
⑭眞 | zhēn | 榛

㈰シン〔はしばみ〕 ㊍ hazel

字解 ① 개암나무 진(實如小栗). ¶
榛子(진자). ② 덤불 진(蕪也). ¶
榛叢(진총).

字源 形聲. 木+秦〔音〕

[榛子 진자] 개암나무의 열매.

[榛棘 진극] ㉠ 나뭇가지. ㉡ 가시
나무.

10 ⑭ 【榜】 [一]패 방 [上]養 [二]노 방 [去]漾 bǎng bàng

[日] ボウ〔ふだ·むち〕 [英] placard, oar

[字解] [一] **패 방**(木片也). ¶ 榜文(방문). [二] ① **노 방**(船櫂), **배저을 방**(進船). ¶ 榜人(방인). ② **매질할 방, 볼기칠 방**(笞也). ¶ 榜掠(방략).

[字源] 形聲. 木+旁〔音〕

[榜文 방문] 여러 사람에게 알리기 위하여 길거리에 써 붙이는 글.

[榜人 방인] 뱃사공.

[榜笞 방태] 매질함. 벌로 볼기를 침.

10 ⑭ 【榠】 명사나무 명[平]青 míng

[日] メイ〔めいさ〕

[字解] **명사나무 명**(木名, 果花似木瓜).

[字源] 形聲. 木+冥〔音〕

10 ⑭ 【榧】 비자나무 비[上]尾 fěi

[日] ヒ〔かや〕 [英] Korean nutmeg

[字解] **비자나무 비**(似黏而材光文彩如柏).

[字源] 形聲. 木+匪〔音〕

[榧子 비자] 비자나무의 열매. 살충제로 쓰임.

10 ⑭ 【榨】 搾(착)(手部 10획)의 本字

10 ⑭ 【榭】 정자 사 [去]禡 xiè

[日] シャ〔うてな〕 [英] arbor

[字解] ① **정자 사**(臺有屋). ② **사당 사**(廟無室). ③ **사정 사**(講武之屋).

[字源] 形聲. 木+射〔音〕

10 ⑭ 【榰】 주추 지 [平]支 dīng

[日] シ〔いしずえ〕 [英] cornerstone

[字解] ① **주추 지**(柱礎). ② **버틸 지**(柱也).

[字源] 形聲. 木+耆〔音〕

10 ⑭ 【榱】 서까래 최[平]支 cuī

[日] スイ〔たるき〕 [英] rafter

[字解] **서까래 최**(屋桷椽也).

[字源] 形聲. 木+衰〔音〕

[榱桷 최각] 서까래.

10 ⑭ 【榲】 [一]올발 올 [入]月 [二]삼목 온 [平]元 wēn

[日] オウ〔まるめろ〕·オン〔すぎ〕

[字解] [一] **올발 올**(木名). ¶ 榲桲(올발). [二] **삼목 온**(杉也).

[字源] 形聲. 木+昷〔音〕

10 ⑭ 【榷】 [一]외나무다리 교 [去]效 [二]도거리할 각[入]覺 jiào què

[日] コウ〔まるきばし〕·カク〔せんばい〕 [英] log bridge, monopoly

[字解] [一] **외나무다리 교**(水上橫木所以渡者). [二] **도거리할 각**(獨取利).

[字源] 形聲. 木+隺〔音〕

[榷酤 각고] 정부에서 술을 전매하는 일.

10 ⑭ 【榴】 석류나무 류[平]尤 liú

[日] リュウ〔ざくろ〕 [英] pomegranate tree

[字解] **석류나무 류**(果名).

[字源] 形聲. 木+留〔音〕

[參考] 橊(木部 12획)는 본자.

[榴散彈 유산탄] 속에 무수한 작은 탄알을 넣어서 만든 대포알.

10/14 【榻】 걸상 탑 ⑧合 | tà 榻

⑪ トウ〔こしかけ〕 ⑧ bench

字解 걸상 탑(牀也).

字源 形聲. 木+昜〔音〕

[榻牀 탑상] 긴 의자.
[榻布 탑포] 거칠고 두꺼운 무명.

10/14 【榼】 통 합 ⑧合 | kē 榼

⑪ コウ〔たる〕 ⑧ bucket

字解 ① 통 합(貯水器). ② 뚜껑 합(蓋也).

字源 形聲. 木+盍〔音〕

10/14 【榾】 등걸 골 ⑧月 | gū 榾

⑪ コツ〔きりかぶ〕 ⑧ stump

字解 등걸 골(木頭).

字源 形聲. 木+骨〔音〕

10/14 【構】 얽을 구 ⑧有 | 构 gòu 構

木 朾 朾 栌 構 構 構 構

⑪ コウ〔かまえる〕 ⑧ frame

字解 ① 얽을 구(架屋). ¶ 構造(구조). ② 맺을 구(結也). ¶ 構怨(구원). ③ 이룰 구(成也). ¶ 構成(구성). ④ 서까래 구(欂也).

字源 形聲. 木+冓〔音〕

[構內 구내] 큰 건물의 울안.
[構成 구성] 얽어 만듦.
[構築 구축] 얽어 만들어 쌓아 올림.
[機構 기구] 어떤 목적을 위해 구성한 조직이나 기관.

10/14 【槌】 ━ 망치 추 ⑧支 ━ 망치 퇴 ⑧灰 | 槌 chuí duī 柮

⑪ ツイ〔つち・なげうつ〕 ⑧ mallet

字解 ━ ① 망치 추(鐵槌. 추). ② 칠 추(擊也). ¶ 槌鼓(주

고). ━ ① 망치 퇴(鐵槌(철퇴). ② 칠 퇴(擊也). ③ 던질 퇴(投也).

字源 形聲. 木+追〔音〕

[槌鼓 추고] 북을 침.
[槌碎 추쇄] 망치로 쳐부숨.

10/14 【槍】 창 창 ⑧陽 | 枪 qiāng 枪

⑪ ソウ〔やり〕 ⑧ spear

字解 창 창(梢也). ¶ 槍術(창술).

字源 形聲. 木+倉〔音〕

[槍劍 창검] 창과 칼.

10/14 【槎】 ━ 엇찍을 차 ⑧馬 ━ 떼 사 ⑧麻 | chá 槎

⑪ サ〔ななめにきる・いかだ〕 ⑧ cut slantly, raft

字解 ━ 엇찍을 차(斜斫). ¶ 槎杯(차배). ━ 떼 사(桴也). ¶ 仙槎(선사).

字源 形聲. 木+差〔音〕

[槎杯 사배] 나무를 비스듬히 잘라서 속을 도려낸 술잔.

10/14 【槐】 회화나무 괴 ⑧灰 | huái 槐

⑪ カイ〔えんじゅ〕 ⑧ pagoda tree

字解 ① 회화나무 괴(木名花可染黃色). ¶ 槐木(괴목). ② 삼공 괴(三公). ¶ 槐門(괴문).

字源 形聲. 木+鬼〔音〕

[槐庭 괴정] 조정(朝廷)의 이칭(異稱).

10/14 【槓】 막대기 공 ⑧送 | gāng 槓

⑪ コウ〔てこ〕 ⑧ stick

字解 막대기 공(梃也).

字源 形聲. 木+貢〔音〕

[槓杆 공간] ㉠ 지레. ㉡ 막대기.

10
⑭【榦】幹(간)(干部 10획)의 本字

10
⑭【榮】영화 영 荣
㊞庚 róng

火 火 炊 炒 燃 榮

㊊ エイ〔さかえる〕 ㊟ glorious

字解 ① 영화 영 (辱之反). ¶ 榮辱(영욕). ② 성할 영 (盛也). ¶ 繁榮(번영). ③ 명예 영 (譽也). ¶ 榮光(영광).

字源 形聲. 木+熒〔省〕〔音〕

參考 栄(木部 5획)은 약자.

[榮枯 영고] ㉠ 무성함과 시듦. ㉡ 성(盛)함과 쇠(衰)함. ¶ 榮枯盛衰(영고성쇠).
[榮達 영달] 영귀(榮貴).
[榮辱 영욕] 영예와 치욕.
[榮華 영화] 몸이 귀하게 되어서 이름이 남. ¶ 富貴榮華(부귀영화).
[共榮 공영] 함께 번영함.
[虛榮 허영] ㉠ 분수에 넘치는 외관상의 영예. ㉡ 겉치레.

10
⑭【榘】곱자 구
㊌麌 jǔ

㊊ ク〔かねじゃく〕 ㊟ carpenter's square

字解 ① 곱자 구 (正方器). ② 법 구 (法也).

字源 會意. 巨(곱자의 모양)와 矢(中正)와 木의 합자. 나무로 만든 바른 곱자의 뜻.

10
⑭【槊】￮창 삭
㊋覺
￩(韓)옹속 shuò
소

㊊ サク〔ほこ〕 ㊟ spear

字解 ￮ 창 삭 (矛也). ￩(韓) 옹속 소.

字源 形聲. 木+朔〔音〕

[槊毛 삭모] 기(旗)나 창 따위의 머리를 술이나 이삭 모양으로 만들어 다는 붉은 빛깔의 가는 털.

10
⑭【槃】쟁반 반
㊞寒 pán

㊊ ハン〔たらい〕 ㊟ tray

字解 ① 쟁반 반 (承水器). ¶ 槃盂(반우). ② 즐길 반 (樂也). ¶ 槃遊(반유).

字源 形聲. 木+般〔音〕

[槃盂 반우] 소반과 바리때.
[槃遊 반유] 즐기며 놂.
[涅槃 열반] ㉠ 모든 번뇌에서 벗어난, 영원한 진리를 깨달은 경지. ㉡ 부처·승려의 죽음.

10
⑭【槁】마를 고
㊌皓 gǎo

㊊ コウ〔かれる〕 ㊟ wither

字解 마를 고 (枯也).

字源 形聲. 木+高〔音〕

參考 槀(木部 10획)는 동자.

[槁木 고목] 마른나무. 고목(枯木).

10
⑭【槀】槁(고)(前條)와 同字

10
⑭【槜】樣(양)(木部 11획)의 略字

11
⑮【槻】물푸레나무 규
㊍支 guī

㊊ キ〔つき〕 ㊟ ash tree

字解 물푸레나무 규.

字源 形聲. 木+規〔音〕

11
⑮【樊】새장 번
㊞元 fán

㊊ ハン〔とりかご〕 ㊟ birdcage

字解 ① 새장 번 (籠也). ¶ 樊籠(번롱). ② 울타리 번. ¶ 樊籬(번리). ③ 어수선할 번 (紛雜貌). ¶ 樊然(번연).

字源 會意. 棥(울타리)와 廾(攀의 본자(本字))의 합자. 또, 「棥(번)」이 음을 나타냄.

[樊籠 번롱] ㉠ 새장. ㉡ 자유가 속

박된 좁은 경계.

字源 形聲. 木+皀〔音〕

---

11 ⑮ 【槥】 널 혜
⊕霽 huì 槥

⑪ セイ〔ひつぎ〕 ⑳ coffin

字解 널 혜(小棺).

字源 形聲. 木+彗〔音〕

---

11 ⑮ 【概】 대개 개
⊕隊 gài 枆

木 杧 枏 榰 榰 榰 榊 概

⑪ ガイ〔おおむね〕 ⑳ generally

字解 ① 대개 개(大率). ② 概念(개념). ② 절개 개, 기개 개(志節). ¶ 氣槪(기개). ③ 평미레 개(平斗斛).

字源 形聲. 木+旣〔音〕

參考 概(木部 9획)는 약자. 槩(木部 11획)는 동자.

[概括 개괄] 개요(槪要)를 잡아 한데 뭉뚱그림.

[概念 개념] 여러 관념 속에서 공통되는 요소를 추상하여 종합한 하나의 관념.

[概略 개략] 대체적인 줄거리.

[概論 개론] 개요(槪要)의 논설.

[大概 대개] ㉠ 대부분. ㉡ 줄거리.

---

11 ⑮ 【樛】 늘어져휠 규
⊕尤 jiū 樛

⑪ キュウ〔まがる〕 ⑳ droop

字解 ① 늘어져휠 규(木枝曲垂). ¶ 樛木(규목). ② 두루다닐 규(周流). ¶ 樛流(규류).

字源 形聲. 木+翏〔音〕

[樛流 규류] 두루 돌아다님.

[樛木 규목] 나뭇가지가 늘어져 아래로 굽은 나무.

---

11 ⑮ 【槹】 두레박 고
⊕豪 gāo 槹

⑪ コウ〔はねつるべ〕 ⑳ well bucket

字解 두레박 고(汲水器).

---

11 ⑮ 【槽】 구유 조
⊕豪 cáo 槽

⑪ ソウ〔かいばおけ〕 ⑳ trough

字解 ① 구유 조(獸之食器). ¶ 槽櫪(조력). ② 통 조. ¶ 水槽(수조).

字源 形聲. 木+曹〔音〕

[槽櫪 조력] ㉠ 말구유와 마판. ㉡ 마구간.

[油槽 유조] 기름을 담은 큰 통.

---

11 ⑮ 【槿】 무궁화나 무근⊕吻 jǐn 槿

⑪ キン〔むくげ〕 ⑳ althea

字解 무궁화나무 근(舜也). ¶ 木槿(목근).

字源 形聲. 木+堇〔音〕

[槿域 근역] 우리나라의 별칭. 무궁화가 아름답게 피는 지역이란 뜻.

[槿花 근화] 무궁화. ¶ 槿花一日榮 (근화일일영).

---

11 ⑮ 【樅】 전나무 종⊕冬 cōng 樅

⑪ ショウ〔もみ〕 ⑳ fir

字解 전나무 종(木名松葉柏身).

字源 形聲. 木+從〔音〕

[樅木 종목] 전나무.

---

11 ⑮ 【樓】 다락 루
⊕尤 lóu 樓

十 才 杧 杧 椙 棬 樓 樓

⑪ ロウ〔たかどの〕 ⑳ garret

字解 다락 루(重屋). ¶ 樓閣(누각).

字源 形聲. 木+婁〔音〕

參考 楼(木部 9획)는 속자.

[樓上 누상] ㉠ 누각 위. ㉡ 망루(望樓)의 위.

[摩天樓 마천루] 하늘을 찌를 듯이 높이 솟은 건물.

11
⑮ 【樔】 ━풀막 소⊕肴 ch[l]ao
看
⊕篠 끊을 초 ji[a]o

樔

⊕ ソウ〔ばんごや〕・ショウ〔たつ〕
⊛ cut

字解 ━ 풀막 소(澤上守草樔). ⊕ 끊을 초(截也).
字源 形聲. 木+巢〔音〕

11
⑮ 【樗】 가죽나 무저 ch[=u]
⊕魚

樗

⊕ チョ〔にわうるし〕 ⊛ ailanthus
字解 가죽나무 저(惡木不材). ¶ 樗木(저목).
字源 形聲. 木+雩〔音〕

[樗櫟 저력] 쓸모없는 나무. 전(轉)하여, 아무 소용(所用)이 없는 사람의 비유.

11
⑮ 【標】 표표 bi[a]o
标
⊕蕭
⊕篠

標

十 才 才 杧 栖 栖 標 標 標

⊕ ヒョウ〔しるし〕 ⊛ mark
字解 ① 표 표. ¶ 標識(표지). ② 표할 표(表也). ¶ 標榜(표방). ③ 나무끝 표(木末).
字源 形聲. 木+票〔音〕

[標榜 표방] ㉠ 무슨 명목을 붙여서 어떤 주의·주장을 내세움. ㉡ 남의 선행(善行)을 칭송하기 위해 그 사실을 패에 적어 문 같은 데 걺.
[標的 표적] 목표로 삼는 물건.
[標準 표준] 규범이 되는 준칙.
[標識 표지] 사물을 나타내는 표시.
[目標 목표] 이루거나 도달하려는 대상.

11
⑮ 【樝】 풀명자 나무 사 zh[=a]
⊕麻

樝

⊕ サ〔くさぼけ〕
字解 풀명자나무 사(果屬似梨而酸).
字源 形聲. 木+虘〔音〕

11
⑮ 【樞】 ━지도리 추⊕虞 sh[=u]
枢
나무이름 [=o]u
우⊕尤

枢

⊕ スウ〔かなめ〕・オウ〔やまにれ〕
⊛ pivot

字解 ━ ① 지도리 추(根也). ¶ 樞戶(추호). ② 고동 추. ¶ 樞機(추기). 中樞(중추). ━ 나무이름 우. 느릅나무의 일종.
字源 形聲. 木+區〔音〕
參考 枢(木部 4획)는 약자.

[樞機 추기] ㉠ 사물의 긴하고 요긴한 곳. ㉡ 매우 요긴(要緊)한 정무(政務).
[樞戶 추호] 지도리가 달린 문.
[中樞 중추] 사물의 중심이 되는 중요한 부분이나 자리.

11
⑮ 【樟】 녹나무 장⊕陽 zh[=a]ng

樟

⊕ ショウ〔くすのき〕
⊛ camphor tree
字解 녹나무 장(木名橡樟).
字源 形聲. 木+章〔音〕

[樟腦 장뇌] 녹나무를 증류하여 얻는 희고 향기로운 결정(結晶). 향료·방충제·방취제로 쓰임.

11
⑮ 【模】 법 모⊕虞 mú, mó

模

十 才 才 扩 扩 柑 榵 模

⊕ モ・ボ〔のり〕 ⊛ pattern
字解 ① 법 모(法也). ¶ 模範(모범). ② 본뜰 모(爲規). ¶ 模倣(모방). ③ 거푸집 모. ¶ 模型(모형). ④ 모호할 모. ¶ 模糊(모호).
字源 形聲. 木+莫〔音〕

[模倣 모방] 본받음. 본뜸.
[模範 모범] 본받아 본받을 만함.
[模寫 모사] 본떠 그대로 그림.
[模造 모조] 본떠서 그대로 만듦. 또, 그 물건.
[規模 규모] 사물의 구조나 구상(構想)의 크기.

11 ⑮ **【樣】** [一]모양 양 [去]漾 [二]상수리나무 상[上]養 yàng xiàng

[日] ヨウ〔さま〕・ショウ〔くぬぎのむ〕
[英] style, oak

[字解] [一] ① **모양 양**(狀態). ¶ 同樣(동양). ② **본 양**(式也). ¶ 樣制(양제). [二] **상수리나무 상**.

[字源] 形聲. 木+羕〔音〕

[樣相 양상] 생김새. 모습. 모양.
[樣式 양식] ① 꼴. 모양. 형상. ② 일정한 형식.
[樣態 양태] 사물의 존재나 행동의 모습. 상태.
[多樣 다양] 종류가 많음.
[模樣 모양] 모습. 생김새.

11 ⑮ **【槨】** 덧널 곽 [入]藥 guǒ

[日] カク〔うえひつぎ〕 [英] outer coffin

[字解] **덧널 곽**(葬具外棺).

[字源] 形聲. 木+郭〔音〕

[參考] 椁(木部 8획)은 동자.

11 ⑮ **【樑】** 들보 량 [平]陽 liáng

[日] リョウ〔はり〕 [英] crossbeam

[字解] **들보 량**(負棟).

[字源] 形聲. 木+梁〔音〕

[參考] 梁(木部 7획)의 속자.

[棟樑 동량] ㉠ 마룻대와 들보. ㉡ 한 집안이나 한 나라의 기둥이 될 만한 큰 인재.

11 ⑮ **【権】** 權(권)(木部 18획)의 俗字

11 ⑮ **【槳】** 노 장 [上]養 jiǎng

[日] ショウ〔かじ〕 [英] oar

[字解] **노 장**(楫屬, 縱曰櫓橫曰槳).

[字源] 形聲. 木+將〔音〕

11 ⑮ **【樂】** [一]풍류 악 [入]覺 [二]즐길 락 [入]藥 [三]좋아할 요 [去]效 乐 yuè lè yào

[日] ガク〔おんがく〕・ラク〔たのしむ〕・ゴウ〔このむ〕
[英] music, enjoy, like

[字解] [一] **풍류 악**(八音之總名). ¶ 樂曲(악곡). [二] **즐길 락**(喜也). ¶ 樂園(낙원). [三] **좋아할 요**(好也). ¶ 樂山樂水(요산요수).

[字源] 象形. 크고 작은 북이 받침 위에 놓여 있는 모양.

[參考] 楽(木部 9획)은 약자.

[樂勝 낙승] 힘들이지 않고 이김.
[樂園 낙원] ㉠ 살기 좋은 즐거운 장소. ㉡ 천국(天國).
[樂官 악관] 조정(朝廷)에서 음악을 연주하는 벼슬아치.
[樂山樂水 요산요수] 산과 물을 좋아함. 곧, 자연을 즐기고 좋아함.
[享樂 향락] 즐거움을 누림.

11 ⑮ **【槧】** [一]분판 참 [上]感 [二]편지 첨 [上]琰 qiàn

[日] サン〔ふだ〕・セン〔てがみ〕
[英] board, letter

[字解] [一] **분판 참**(削版). [二] **편지 첨**(牘也).

[字源] 形聲. 木+斬〔音〕

11 ⑮ **【槩】** 概(개)(木部 11획)와 同字

12 ⑯ **【橒】** 나무무늬 운[平]文 yún

[日] ウン〔もくめ〕
[英] wooden pattern

[字解] ① **나무무늬 운**. ② **나무이름 운**.

[字源] 形聲. 木+雲〔音〕

12/16 【橲】 《韓》사람이름 희

字解 《韓》사람이름 희.

12/16 【樵】 나무할 초⊕蕭 qiáo 樵

⊕ ショウ〔たきぎ〕
⊛ gather firewood

字解 ① 나무할 초(採薪). ¶ 樵童
(초동). ② 땔나무 초(柴也).

字源 形聲. 木+焦〔音〕

[樵夫 초부] 나무꾼.

12/16 【樸】 ▬순박할 박⑦覺 ▬나무빽빽할 복⑦屋 朴 pǔ pú 樸

⊕ ハク・ボク〔すなお・つく〕
⊛ simple, packed with trees

字解 ▬ ① 순박할 박(朴也). ¶
質樸(질박). ② 통나무 박(木素).
¶ 樸樕(박속). ▬ 나무빽빽할 복
(木密也).

字源 形聲. 木+業〔音〕

[樸直 박직] 순박하고 정직하여 꾸밈
이 없음.

[樸質 박질] 꾸밈이 없음. 질박함.

12/16 【樹】 ▬나무 수⊕遇 ▬심을 수⊕寘 树 樹 shù

十 オ オ 桔 桔 桔 植 樹 樹

⊕ ジュ〔かき・うえる〕
⊛ tree, plant

字解 ▬ 나무 수(木生植之總名). ¶
樹木(수목). ▬ ① 심을 수(植也).
② 세울 수(立也). ¶ 樹立(수립).

字源 形聲. 木+尌〔音〕

[樹立 수립] 굳게 섬. 또, 굳게 세움.

[樹木 수목] 살아 있는 나무.

12/16 【樺】 자작나무 화⊕禡 huà 樺

⊕ カ〔かば〕 ⊛ white birch

字解 자작나무 화(樺木).

字源 形聲. 木+華〔音〕

[樺榴儵 화류장] 자단(紫檀) 목재로
만든 아름다운 장롱.

12/16 【樽】 술그릇 준⊕元 zūn 樽

⊕ ソン〔たる〕 ⊛ wine cask

字解 술그릇 준(酒桶).

參考 尊(寸部 9획)은 본자. 罇(缶部
12획)은 동자.

[樽酒 준주] 술그릇의 술.

12/16 【橄】 감람나무 감⑤感 gǎn 橄

⊕ カン〔かんらん〕 ⊛ olive

字解 감람나무 감(交趾果名橄欖).

字源 形聲. 木+敢〔音〕

[橄欖油 감람유] 올리브기름.

12/16 【橇】 ▬썰매 취⊕霽 ▬썰매 교⊕蕭 cuì qiāo 橇

⊕ ゼイ・キョウ〔そり〕 ⊛ sledge

字解 ▬ 썰매 취(泥行所乘). ▬ 썰
매 교(泥行所乘).

字源 形聲. 木+毳〔音〕

12/16 【橈】 ▬노 요⊕蕭 ▬휠 뇨⊕效 ráo náo 橈

⊕ ニョウ〔かい〕・ドウ〔まがる〕
⊛ oar, bend

字解 ▬ 노 요(短櫂). ▬ ① 휠 뇨
(枉也). ② 꺾어질 뇨(撓折). ¶ 橈
敗(요패). ③ 약할 뇨(弱也).

字源 形聲. 木+堯〔音〕

[橈折 요절] 꺾어서 굽힘.

[橈敗 요패] 기세를 꺾어 패하게 함.
또, 기세가 꺾이어 패함.

12/16 【橋】

■다리 교
㊉蕭
■셀 고
㊉豪

桥 qiáo
jiǎo 橋

十 木 杧 杧 杯 杯 桥 橋

㊐ キョウ〔はし〕・コウ〔つよい〕
㊍ bridge, powerful

字解 ■ 다리 교(水梁). ■ 셀 고
(起勁疾也).

字源 形聲. 木+喬〔音〕

[橋梁 교량] 다리.

12/16 【橓】

무궁화나
무 순㊉震

shùn

㊐ シュン〔むくげ〕
㊍ rose of Sharon

字解 무궁화나무 순.

12/16 【橘】

귤 귤
㊂質

jú 橘

㊐ キツ〔みかん〕 ㊍ orange

字解 귤 귤(柚屬一名木奴).

字源 形聲. 木+喬〔音〕

[橘顆 귤과] 귤나무의 열매. 귤.
[柑橘 감귤] 귤·밀감의 총칭.

12/16 【橙】

등자나무
등㊉庚
㊉蒸

chéng 橙

㊐ トウ〔だいだい〕 ㊍ orange tree

字解 등자나무 등, 등자 등(木名橘
屬).

字源 形聲. 木+登〔音〕

[橙子 등자] 등자나무의 열매.
[橙黃色 등황색] 붉은빛을 띤 누런
빛깔.

12/16 【橛】

말뚝 궐
㊂月

jué 橛

㊐ ケツ〔くい〕 ㊍ stake

字解 ① 말뚝 궐(杙也). ② 문지방
궐(門梱).

字源 形聲. 木+厥〔音〕

12/16 【機】

베틀 기
㊉微

机 jī 機

扌 机 杉 栌 栌 機 機 機

㊐ キ〔しかけ〕 ㊍ loom

字解 ① 베틀 기(織具). ¶ 機業(기
업). ② 틀 기. ¶ 機械(기계). ③
때 기(時期). ¶ 機會(기회). ④ 실
마리 기(端緒).

字源 形聲. 木+幾〔音〕

[機械 기계] 동력에 의해 움직여 일
정한 작업을 할 수 있게 만들어진 장
치.
[機務 기무] 근본이 되는 중요한 사
무.
[機密 기밀] ㉠ 중요하고 비밀스러
운 일. ㉡ 비밀에 붙여 발설(發說)하
지 아니함.
[失機 실기] 좋은 기회를 놓침.
[投機 투기] 기회를 엿보아 큰 이익
을 보려는 것.

12/16 【橡】

상수리
상㊉養

xiàng 橡

㊐ ショウ〔くぬぎ〕 ㊍ oak tree

字解 상수리 상(栩實).

字源 形聲. 木+象〔音〕

[橡木 상목] 상수리나무.

12/16 【橢】

둥글고길쭉
할 타㊉哿

tuǒ 橢

㊐ ダ〔まるくてほそながい〕 ㊍ oval

字解 둥글고길쭉할 타(器之圓而長
者).

字源 形聲. 木+隋〔音〕

參考 楕(木部 9획)는 동자.

[橢圓 타원] 길고 둥근 원.

12/16 【橫】

■가로 횡
㊉庚
■사나울
횡㊉敬

héng 橫
hèng

一 木 杧 杧 杧 栏 栏 檔 橫

㊐ オウ〔よこ・まげる〕
㊍ crosswise, wild

[字解] [一] ① **가로 횡**(縱之對). ¶ 縱橫(종횡). ② **가로지를 횡.** ¶ 橫斷(횡단). [二] ① **사나울 횡.** ¶ 橫暴(횡포). ② **제멋대로할 횡.** ¶ 專橫(전횡).

[字源] 形聲. 木+黃〔音〕

[橫斷 횡단] ㉠ 가로 끊음. ㉡ 가로 지나감.

[橫厄 횡액] 불의(不意)의 재액(災厄).

[橫暴 횡포] 난폭함.

[專橫 전횡] 권세를 혼자 쥐고 제마음대로 함.

12 ⑯ **【橵】** 《韓》 산자 산

[字解] 《韓》 **산자 산**(屋上瓦下布木). ¶ 橵子(산자).

[字源] 形聲. 木+散〔音〕

[橵子 산자] 지붕 서까래 위나 고물 위에 흙을 받치기 위하여 엮어 까는 나뭇개비 또는 수수깡.

12 ⑯ **【橊】** 榴(류)(木部 10획)의 本字

12 ⑯ **【橐】** 전대 탁 [入]藥 | tuó

[日] タク〔ふくろ〕 [英] sack

[字解] **전대 탁**(無底囊).

[字源] 形聲. 橐의 생략형을 바탕으로 「石(석)」의 전음이 음을 나타냄.

13 ⑰ **【櫑】** 무기이름 뢰[平]灰 | léi

[日] ライ〔きのな〕

[字解] ① **무기이름 뢰.** ② **나무이름 뢰.**

[字源] 形聲. 木+雷〔音〕

13 ⑰ **【檍】** 감탕나무 억[入]職 | yì

[日] ヨク〔もち〕

[字解] **감탕나무 억.**

[字源] 形聲. 木+意〔音〕

13 ⑰ **【橿】** 감탕나무 강[平]陽 | jiāng

[日] キョウ〔もちのき〕

[字解] ① **감탕나무 강**(檍也一名萬年木). ② **굳셀 강**(彊盛貌).

[字源] 形聲. 木+畺〔音〕

13 ⑰ **【橚】** 밋밋할 숙[入]屋 | sù

[日] シュク〔ながい〕

[英] long and slender

[字解] **밋밋할 숙**(長直貌).

[字源] 形聲. 木+肅〔音〕

13 ⑰ **【檝】** 楫(집·즙)(木部 9획)과 同字

13 ⑰ **【檀】** 박달나무 단[平]寒 | tán

十 木 𣏴 𣘷 梈 檀 檀 檀

[日] ダン〔せんだん〕 [英] birch

[字解] ① **박달나무 단**(檀木). ② **단향목 단**(香木). ¶ 栴檀(전단).

[字源] 形聲. 木+亶〔音〕

[檀君 단군] 신화로서의 우리 겨레의 시조. 이름은 왕검(王儉).

13 ⑰ **【檄】** 격서 격[入]錫 | xí

[日] ゲキ〔ふれ〕 [英] written appeal

[字解] **격서 격**(敵惡論告). ¶ 檄文(격문).

[字源] 形聲. 木+敫〔音〕

13 ⑰ **【檉】** 위성류 정[平]庚 | 柽 chēng

[日] テイ〔かわらやなぎ〕

[字解] **위성류 정**(河柳).

[字源] 形聲. 木+聖〔音〕

4획

13 ⑰ 【檎】 능금나무 금[平]侵 qín

[日] キン〔りんご〕 [英] apple

[字解] **능금나무 금.** ¶ 林檎(임금).

[字源] 形聲. 木+禽〔音〕

13 ⑰ 【檐】 [一]처마 첨 [平]鹽 [二]질 담 [去]勘 yán dàn

[日] エン〔のき〕·タン〔になう〕 [英] eaves, bear

[字解] [一] **처마 첨**(屋四垂). [二] **질 담**(擔也).

[字源] 形聲. 木+詹〔音〕

[參考] 簷(穴部 13획)은 동자.

[檐階 첨계] 댓돌.
[檐端 첨단] 처마 끝.
[檐雨 첨우] 처마에서 떨어지는 빗물.

13 ⑰ 【檜】 노송나무 회[去]泰 桧 guì

[日] カイ〔ひのき〕 [英] old pine tree

[字解] **노송나무 회**(柏葉松身).

[字源] 形聲. 木+會〔音〕

[檜風 회풍] 시경(詩經)의 열다섯 국풍(國風)의 하나.
[檜皮 회피] 노송나무의 껍질.

13 ⑰ 【檟】 개오동나무 가[上]馬 槚 jiǎ

[日] カ〔きささげ〕 [英] catalpa

[字解] **개오동나무 가**(楸也).

[字源] 形聲. 木+賈〔音〕

[檟楚 가초] 매. 회초리.

13 ⑰ 【檢】 조사할 검[上]琰 检 jiǎn

十 木 朩 朩 检 桧 検 檢

[日] ケン〔しらべる〕 [英] examine

[字解] ① **조사할 검.** ¶ 檢査(검사). ② **금제할 검**(制也). ③ **봉할 검**(書署).

[字源] 形聲. 木+僉〔音〕

[參考] 検(木部 8획)은 약자.

[檢擧 검거] ㉠ 범죄·법칙 등의 자취를 살피며 그 증거를 걷어 모음. ㉡ 범죄의 용의자를 잡아감.
[檢問 검문] 조사하고 물음.
[點檢 점검] 낱낱이 조사함.

13 ⑰ 【檣】 돛대 장[平]陽 樯 qiáng

[日] ショウ〔ほばしら〕 [英] mast

[字解] **돛대 장**(帆柱).

[字源] 形聲. 木+嗇〔音〕

[檣竿 장간] 돛대.
[檣頭 장두] 돛대의 꼭대기.

13 ⑰ 【檃】 도지개 은[上]吻 yìn yǐn

[日] イン〔ためぎ〕

[字解] **도지개 은**(栝也).

[字源] 形聲. 木+隱〈省〉〔音〕

[檃栝 은괄] 도지개. 檃(은)은 휜 것을 바로잡는 것이며, 栝(괄)은 뒤틀린 방형(方形)을 바르게 하는 것으로, 잘못을 바로잡는다는 뜻.

13 ⑰ 【檗】 황벽나무 벽[入]陌 bò

[日] ビャク〔きはだ〕

[字解] **황벽나무 벽**(黃木可染).

[字源] 形聲. 木+辟〔音〕

13 ⑰ 【檠】 도지개 경[平]庚 qìng

[日] ケイ〔ともしび〕

[字解] ① **도지개 경**(正弓器). ② **등경걸이 경**(燈架).

[字源] 形聲. 木+敬〔音〕

13 ⑰ 【橵】 檠(경)(前條)과 同字

14/18 【檬】 영몽 몽 ⊕梗 méng 檬

㊐ モウ〔レモン・マンコー〕
㊤ lemon
字解 영몽 몽(果名). 레몬. ¶ 檸檬(영몽).
字源 形聲. 木+蒙〔音〕

14/18 【檸】 영몽 녕 ⊕東 níng 檸

㊐ ドウ・ニョウ〔レモン〕 ㊤ lemon
字解 영몽 녕(果名). 레몬. ¶ 檸檬(영몽).
字源 形聲. 木+寧〔音〕

14/18 【檮】 등걸 도 ⊕豪 táo 梼 檮

㊐ トウ〔きりかぶ〕 ㊤ stump
字解 ① 등걸 도(斷木). ② 어리석을 도(不知貌). ¶ 檮昧(도매).
字源 形聲. 木+壽〔音〕

14/18 【檳】 빈랑나무 빈 ⊕眞 bīng 檳 檳

㊐ ビン〔びんろう〕 ㊤ betel palm
字解 빈랑나무 빈(果名).
字源 形聲. 木+賓〔音〕
[檳榔 빈랑] ㉠ 야자과에 속하는 상록 교목. ㉡ 빈랑나무의 열매. 열매는 약재로 쓰임. 빈랑자(檳榔子).

14/18 【檻】 우리 함 ⊕鹹 jiàn 檻 檻

㊐ カン〔おり〕 ㊤ cage
字解 우리 함(圈也). ¶ 檻穽(함정).
字源 形聲. 木+監〔音〕
[檻車 함거] 수레 위에 판자나 난간 같은 것으로 둘러싸 맹수(猛獸) 또는 죄인을 호송(護送)하는 수레.

14/18 【櫂】 노 도 ⊕效 zhào 櫂

㊐ トウ〔かい〕 ㊤ oar
字解 노 도(楫也, 進船木). ¶ 櫂歌(도가).
字源 形聲. 木+翟〔音〕
參考 棹(木部 8획)는 동자.
[櫂歌 도가] 뱃노래.

14/18 【櫃】 함 궤 ⊕寘 gui 柜 櫃

㊐ キ〔ひつ〕 ㊤ box
字解 함 궤(槶也).
字源 形聲. 木+匚+貴〔音〕
[櫃封 궤봉] 물건 따위를 궤에 넣고 봉하여 둠.

14/18 【檿】 檿(염)(次條)과 同字

14/18 【檿】 산뽕나무 염 ⊕琰 yǎn 檿

㊐ エン〔やまぐわ〕
㊤ wild mulberry tree
字解 산뽕나무 염(山桑有點文者).
字源 形聲. 木+猒〔音〕

15/19 【櫌】 곰방메 우 ⊕尤 yōu 櫌

㊐ ユウ〔すき〕
字解 곰방메 우(鉏柄).
字源 形聲. 木+憂〔音〕

15/19 【櫍】 ■모탕 질 ⊕屑　■도끼바탕 질 ⊕質 zhì 櫍

㊐ シツ〔だい〕 ㊤ wooden block
字解 ■모탕 질(斫木具). ■도끼바탕 질(行刑具).
字源 形聲. 木+質〔音〕

15/19 【櫎】 문장 황 ⊕養 huǎng 櫎

ⓗ コウ〔ひさし〕 ⑳ hanging
[字解] ① 문장 황(屛風之屬). ② 책상 황(橫也).
[字源] 形聲. 木+廣〔音〕

15
⑲ 【櫓】노 로 ㊤麌 | 櫓 | lǔ
ⓗ ロ〔やぐら〕 ⑳ oar
[字解] ① 노 로(櫂也, 進船具). ¶ 櫓歌(노가). ② 방패 로(大盾). ③ 망루 로(望樓).
[字源] 形聲. 木+魯〔音〕
[櫓棹 노도] 노와 상앗대.

15
⑲ 【櫚】종려 려 ㊤魚 | 櫚 | lú
ⓗ リョ・ロ〔しゅろ〕 ⑳ hemp palm
[字解] 종려 려(櫚也). ¶ 棕櫚(종려).
[字源] 形聲. 木+閭〔音〕

15
⑲ 【櫛】빗 즐 ㊤質 | 櫛 | zhi
ⓗ シツ〔くし〕 ⑳ comb
[字解] ① 빗 즐(梳枇總名). ② 빗질할 즐(理髮). ③ 늘어설 즐(如櫛齒). ¶ 櫛比(즐비).
[字源] 形聲. 木+節〔音〕
[櫛比 즐비] 빗살 모양으로 촘촘하게 늘어섬.

15
⑲ 【櫝】함 독 ㊤屋 | dú
ⓗ トク〔ひつ〕 ⑳ box
[字解] ① 함 독(函也). ② 널 독(棺也).
[字源] 形聲. 木+賣〔音〕

15
⑲ 【櫞】구연 연 ㊤先 | yuán
ⓗ エン〔まるぶしゅかん〕 ⑳ lemon
[字解] 구연 연(果名). 영몽(檸檬). 레

몬(lemon). ¶ 枸櫞(구연).
[字源] 形聲. 木+緣〔音〕

15
⑲ 【櫟】상수리나 무 력 ㊤錫 | 櫟 | lì
ⓗ レキ〔くぬぎ〕 ⑳ oak
[字解] 상수리나무 력(柞樹似樗苞櫟).
[字源] 形聲. 木+樂〔音〕

15
⑲ 【櫜】활집 고 ㊤豪 | gāo
ⓗ コウ〔ゆみぶくろ〕 ⑳ bow case
[字解] ① 활집 고(弓衣). ② 갑옷전대 고(甲衣).
[字源] 形聲. 櫜의 생략형을 바탕으로 하여 「咎(고)」가 음을 나타냄.

16
⑳ 【櫶】나무이 름 헌 | xiǎn
ⓗ ケン〔きのな〕
[字解] ① 나무이름 헌. ② (韓)사람이름 헌.

16
⑳ 【櫧】종가시 나무 저 ㊤魚 | zhū
ⓗ ショ〔あらかし〕
[字解] 종가시나무 저(木名).
[字源] 形聲. 木+諸〔音〕

16
⑳ 【櫨】거망옻나 무로 ㊤虞 | 枦 | lú
ⓗ ロ〔はぜ〕 ⑳ sumac
[字解] ① 거망옻나무 로(木名). ② 주두 로(柱上枅櫨貌).
[字源] 形聲. 木+盧〔音〕

16
⑳ 【櫩】처마 염 ㊤鹽 | yán
ⓗ エン〔のき〕 ⑳ eaves
[字解] ① 처마 염(屋端四垂). ② 댓돌 염(砌也).
[字源] 形聲. 木+閻〔音〕

16
20 【櫪】마판 력 入錫 lì 櫪

日 レキ〔うまや〕 英 horse paddock

字解 ① 마판 력(馬皂). ② 상수리나무 력(櫟也).

字源 形聲. 木+歷〔音〕

[櫪馬 역마] ㉠ 마구간에 매어 있는 말. ㉡ 속박되어 자유를 잃은 것의 비유.

16
20 【櫬】 ■널 츤 去震 ■무궁화나무 친 去震 chèn qìn 櫬

日 シン〔ひつぎ・むくげ〕 英 coffin, althea

字解 ■ ① 널 츤(親身棺). ② 무궁화나무 츤(木槿). ■ 무궁화나무 친.

字源 形聲. 木+親〔音〕

[櫬宮 츤궁] 천자(天子)의 관(棺).

16
20 【櫳】창 롱 平東 lóng 櫳

日 ロウ〔まど〕 英 window

字解 창 롱(窓也).

字源 形聲. 木+龍〔音〕

16
20 【櫲】녹나무 여 去御 yù

日 ヨ〔くすのき〕 英 camphor tree

字解 녹나무 여(美材).

字源 形聲. 木+豫〔音〕

16
20 【櫱】움 얼 入屑 niè 櫱

日 ゲツ〔ひこばえ〕 英 sprout

字解 움 얼(桩萌).

字源 形聲. 木+辥〔音〕

17
21 【櫺】격자창 령 平青 líng 櫺

日 レイ〔れんじまど〕

英 lattice window

字解 격자창 령(有間隔窓).

字源 形聲. 木+霝〔音〕

17
21 【櫻】앵두나무 앵 平庚 yīng 櫻

日 オウ〔さくら〕 英 cherry

字解 ① 앵두나무 앵(果名). ¶ 櫻桃(앵도). ② 벚나무 앵(黑櫻).

字源 形聲. 木+嬰〔音〕

[櫻桃 앵도] ㉠ 앵두나무. ㉡ 앵두나무의 열매. ㉢ 앵순(櫻脣).

[櫻花 앵화] ㉠ 앵두나무의 꽃. ㉡ 벚꽃.

17
21 【欂】 ■두공 박 入藥 ■두공 벽 入錫 bó 欂

日 ハク・ヘキ〔ますがた〕

字解 ■ ① 두공 박(枓栱). ② 중깃 박(欂也). ■ ① 두공 벽. ② 중깃 벽.

字源 形聲. 木+薄〔音〕

17
21 【欄】난간 란 平寒 lán 欄

木 朾 桿 椚 橺 欄 欄 欄

日 ラン〔てすり〕 英 railing

字解 ① 난간 란(階除木). ② 난란. ¶ 家庭欄(가정난).

字源 會意. 木과 闌의 합자. 사람이 앞에 나가는 것을 막는 나무라는 뜻을 나타냄.

[欄干 난간] 누각이나 층계나 다리의 가장자리를 막은 물건.

[空欄 공란] 지면(紙面)에 글자 없이 비워 둔 난.

18
22 【權】 ■권세 권 平先 ■봉화 관 平翰 quán quàn 權

木 杧 杧 榷 栌 榷 榷 權

4
획

ⓐ ケン〔ちから〕・カン〔のろし〕
ⓦ power, sigal fire
字解 ① 권세 권(攝官). ¶ 權勢(권세). ② 권도 권(反經). ¶ 權道(권도). ③ 저울질할 권(稱也). ¶ 權度(권도). 〓 봉화 관.
字源 形聲. 木+藋〔音〕
參考 権(木部 11획)은 속자.

[權能 권능] 권리를 주장하여 행사할 수 있는 능력.
[權謀 권모] 임기응변(臨機應變)의 꾀.
[權勢 권세] 권리과 세력.
[權限 권한] 권리를 행사할 수 있는 범위.
[公權 공권] 공법상의 권리.
[大權 대권] 국가를 통치하는 권한.

18
22 【櫽】《韓》장롱 장 | 槶

ⓐ たんす ⓦ wardrobe
字解 《韓》장롱 장(所以藏衣).
字源 形聲. 木+藏〔音〕

[櫽籠 장롱] 옷을 넣어 두는 세간.

19
23 【欚】 〓들보 려 ㋠霽 〓거룻배 려 ㊤薺 | lì lǐ   櫺

ⓐ レイ〔むね〕
ⓦ crossbeam, lighter
字解 〓 들보 려(梁也). 〓 거룻배 려(小船).
字源 形聲. 木+麗〔音〕

19
23 【欑】 모을 찬 ㋬寒 | cuán   欑

ⓐ サン〔あつめる〕 ⓦ gather
字解 모을 찬(聚也).
字源 形聲. 木+贊〔音〕

19
23 【欒】 모감주 나무 란 ㋬寒 | luán   栾

ⓐ ラン〔もくげんじ〕

ⓦ golden rain
字解 모감주나무 란(木名似槐).
字源 形聲. 木+䜌〔音〕

[欒栱 난공] 곡계(曲枅)와 두공(枓栱).
[欒欒 난란] 몸이 수척한 모양.
[欒櫨 난로] 난공(欒栱).
[欒荆 난형] 멀구슬나무.

20
24 【㰘】《韓》엄나 무 엄 |

ⓐ はりぎり ⓦ kalopanax
字解 《韓》엄나무 엄(刺桐).
字源 形聲. 木+嚴〔音〕

21
25 【欖】 감람나 무 람 ㌀感 | lǎn   榄

ⓐ ラン〔かんらん〕 ⓦ olive tree
字解 감람나무 람(交趾果名).
字源 形聲. 木+覽〔音〕

[橄欖 감람] 감람나무의 열매.

21
25 【欘】 〓호미 탁 㐅覺 〓도끼 촉 | zhuó zhú   欘

ⓐ タク〔すき〕・チョク〔おの〕
ⓦ weeding hoe, ax
字解 〓 호미 탁(鋤也). 〓 도끼 촉.
字源 形聲. 木+屬〔音〕

21
25 【欛】 칼자루 파 ㋠禡 | bà   欛

ⓐ ハ〔つか〕 ⓦ handle
字解 칼자루 파(刀柄).
字源 形聲. 木+霸〔音〕

22
26 【欝】 鬱(울)(鬯部 19획)의 俗字

24
28 【欞】 櫺(령)(木部 17획)과 同字

欠 〔4획〕部
(하품흠몸부)

欠 하품 흠 ㊤검㊦豔 | qiàn

�日 ケン〔あくび〕 ㊎ yawn

字解 ① 하품 흠, 하품할 흠(張口氣悟). ¶ 欠伸(흠신). ② 모자랄 흠(不足). ¶ 欠乏(흠핍).

字源 會意. 缶(독)과 夬(나눔)의 합자. 기물이 깨짐의 뜻. 또, 「夬(결)」의 전음이 음을 나타냄.

注意 「缺(결)」의 약자로 씀은 잘못.

[欠事 흠사] 결점이 있는 일.
[欠節 흠절] 잘못된 점. 모자라는 곳.
[欠乏 흠핍] 이지러져서 모자람.

2 次 버금 차 ㊦寘 | cì

一 ニ ブ 次 次

�日 ジ〔つぎ〕 ㊎ next

字解 ① 버금 차(亞也). ¶ 次期(차기). ② 차례 차(第也). ¶ 次第(차제). ③ 번 차(回數). ¶ 數次(수차).

字源 形聲. 「二(이)」의 전음이 음을 나타냄.

[次代 차대] ㉠ 다음 대(代). ㉡ 다음 시대(時代).
[次例 차례] 순서(順序).
[次第 차제] 순서. 차례.
[目次 목차] 목록이나 제목·조항 따위의 차례.
[數次 수차] 여러 번. 몇 차례.

4 欣 기뻐할 흔㊥文 | xīn

�日 キン〔よろこぶ〕 ㊎ delight

字解 기뻐할 흔(笑喜也).

字源 形聲. 欠+斤〔音〕.

[欣快 흔쾌] 기쁘고 상쾌함.

4 欧 歐(구)(欠部 11획)의 略字

5 欨 불 구㊤虞 ㊤孃㊦遇 | xū

㊀ク〔ふく〕 ㊎ blow

字解 ① 불 구(吹也). ② 웃을 구(笑貌).

字源 形聲. 欠+句〔音〕

6 欬 기침 해 ㊦隊 | ké, kài

㊀ガイ〔せき〕 ㊎ cough

字解 기침 해(因風氣逆). ¶ 欬嗽(해소).

字源 形聲. 欠+亥〔音〕

參考 咳(口部 6획)과 동자.

7 欵 款(관)(欠部 8획)의 俗字

7 欲 하고자할 욕 ㊦沃 | yù

ハ ハ ハ 谷 谷 谷 欲 欲

㊀ヨク〔ほっする〕 ㊎ desire

字解 ① 하고자할 욕(期願). ② 바랄 욕. ¶ 欲氣(욕기). ③ 탐낼 욕(貪也). ¶ 貪欲(탐욕).

字源 形聲. 欠+谷〔音〕

[欲求 욕구] 바라고 구함. 하고자 함. ¶ 欲求不滿(욕구불만).
[欲速不達 욕속부달] 일을 서두르면 도리어 이루지 못함.
[欲情 욕정] 이성에 대한 육체적 욕망.

7 欷 흐느낄 희㊤微 | xī

㊀キ〔すすりなく〕 ㊎ sob

字解 흐느낄 희(含泣歔欷).

字源 形聲. 欠+希〔音〕

[欷歔 희허] ㉠ 흐느껴 욺. ㉡ 한숨을 쉼.

4 획

4
획

7
⑪【欸】한숨쉴 애⊕灰 | ăi, āi | 欸

日 アイ〔なげく〕 英 sigh
字解 한숨쉴 애(欸也).
字源 形聲. 欠+矣〔音〕

8
⑫【敧】➊기울 기⊕支 | qī
➋어 의⊕支 | yī | 敧

日 キ〔かたむく〕・イ〔ああ〕 英 incline
字解 ➊기울 기(敧也). ➋어 의(猗也).
字源 形聲. 欠+奇〔音〕

8
⑫【欺】속일 기⊕支 | qī | 欺
一 艹 艹 其 其 欺 欺 欺
日 キ〔あざむく〕 英 cheat
字解 속일 기(詐也, 謾也).
字源 形聲. 欠+其〔音〕
[欺瞞 기만] 속임.
[詐欺 사기] 남을 꾀어 속임.

8
⑫【欻】홀연 홀⊕物 | xū | 欻

日 クツ〔たちまち〕 英 suddenly
字解 홀연 홀(忽也). ¶ 欻然(홀연).
字源 會意. 欠+炎
[欻然 홀연] 문득. 갑자기.

8
⑫【欽】공경할 흠⊕金⊕侵 | 欽 | qīn

日 キン〔つつしむ〕 英 respect
字解 ① 공경할 흠(敬也). ¶ 欽仰(흠앙). ② 부러워할 흠(羨望).
字源 形聲. 欠+金〔音〕
[欽慕 흠모] 인격을 존중하여 우러러 따름. 사모함.
[欽仰 흠앙] 공경하고 우러러봄.

8
⑫【款】정성 관⊕旱 | kuǎn | 款

日 カン〔まこと〕 英 sincerity
字解 ① 정성 관. ¶ 款待(관대). ② 조목 관(科條). ¶ 定款(정관). ③ 새길 관(刻也). ¶ 落款(낙관). ④ 머무를 관(留也).
字源 會意. 欠 + 素.
[款待 관대] 정성껏 대접함.
[款署 관서] 낙관(落款)함.

8
⑫【感】서운할 감⊕感 | kǎn | 感

日 カン〔あきたらない〕 英 sorry
字解 ① 서운할 감(不自滿足). ② 구멍 감(坎也).
字源 形聲. 欠+咸〔音〕

8
⑫【歃】➊마실 삽⊕洽 | shà
➋맛볼 흡⊕洽 | xiá | 歃

日 ソウ〔すする〕 英 sip
字解 ➊마실 삽(飮也). ➋맛볼 흡.
字源 形聲. 欠+臿〔音〕

9
⑬【歆】흠향할 흠⊕侵 | xīn | 歆

日 キン〔うける〕 英 receive
字解 ① 흠향할 흠(神食氣也). ¶ 歆嘗(흠상). ② 부러워할 흠(羨貪). ¶ 歆羨(흠선).
字源 形聲. 欠+音〔音〕
[歆嘗 흠상] 신명(神明)에게 제물을 바치고 제사 지냄.
[歆羨 흠선] 부러워함.
[歆饗 흠향] 신명(神明)이 제사 음식의 기(氣)를 마심.

9
⑬【歇】➊쉴 헐⊕月 | xiē
➋개 갈⊕曷 | hè | 歇

日 ケツ〔やすむ〕・カツ〔いぬのな〕 英 rest, dog

字解 ■ ① 쉴 헐(休息). ¶ 間歇
(간헐). ② 다할 헐(竭也). ¶ 歇價
(헐가). ■ 개 갈(猲也).
字源 形聲. 欠+曷[音]

[歇價 헐가] 싼 값.

10
⑭【歉】
■흉년들 겸⊕⦍
■탐할 감⊕⦍
⊕⦍ qiàn

⽇ ケン〔くいたりない〕・カン〔むさぼる〕
⽶ bad year, covet

字解 ■ 흉년들 겸(荒歲). ■ 탐할
감(貪也).
字源 形聲. 欠+兼[音]

[歉年 겸년] 흉년.

10
⑭【歌】
노래 가
⊕歌
gē

一　　哥　哥　歌　歌　歌

⽇ カ〔うた〕　⽶ song

字解 形聲. 欠+哥[音]

[歌舞 가무] ㉠ 노래와 춤. ㉡ 노래
하고 춤춤.
[歌詞 가사] 노랫말.
[歌唱 가창] 노래를 부름.
[詩歌 시가] 시와 노래의 총칭.

11
⑮【歎】
탄식할 탄
⊕翰⊕寒
tàn
叹

一　　　　　　　歎　歎　歎

⽇ タン〔なげく〕　⽶ lament

字解 ① 탄식할 탄(吟息). 歎息
(탄식). ② 칭찬할 탄. ¶ 歎服(탄
복). ③ 화답할 탄(讚和). ¶ 一倡
三歎(일창삼탄).
字源 形聲. 欠+鸛〔省〕[音]
參考 嘆(口部 11획)은 동자.

[歎服 탄복] 깊이 감탄하여 마음으
로 따름.
[歎息 탄식] 한숨 쉬며 한탄함.
[感歎 감탄] 마음에 느끼어 탄복함.

[痛歎 통탄] 몹시 탄식함.

11
⑮【歐】
■토할 구
⊕우⊕有
■노래할
구⊕⊕⊕
尤
欧 ǒu
ōu
敺

⽇ オウ〔なぐ・うたう〕
⽶ vomit, sing

字解 ■ ① 토할 구(吐也). ② 칠
구. ¶ 歐打(구타). ■ ① 노래할
구. ② 구라파 구. ¶ 西歐(서구).
字源 形聲. 欠+區[音]
參考 欧(欠部 4획)은 약자.

[歐美 구미] 유럽 및 미주.
[歐打 구타] 침. 구타(毆打).
[歐吐 구토] 먹은 음식을 게움.

11
⑮【歓】
歡(欠部 18획)의 俗字

12
⑯【歔】
흐느낄
허⊕魚
xū
歔

⽇ キョ〔すすりなく〕　⽶ sob

字解 흐느낄 허(欷也).
字源 形聲. 欠+虛[音]

[歔泣 허읍] ㉠ 흐느껴 욺. ㉡ 두려
워하는 모양.

12
⑯【歙】
들이쉴
흡⋀緝
xī, xié
歙

⽇ キョウ〔すう〕　⽶ draw

字解 들이쉴 흡(飮氣).
字源 形聲. 欠+翕[音]

12
⑯【歜】
기침 흑
⋀職
hēi
歜

⽇ コク〔しわぶき〕　⽶ cough

字解 ① 기침 흑(咳也). ② 침뱉는
소리 흑(唾聲).
字源 形聲. 欠+黑[音]

12
⑯【歕】
뿔불 분
⊕問
pēn
歕

⽇ フン〔はく〕　⽶ blow

[字解] 불 분(吹氣貌).
[字源] 形聲. 欠+賁〔音〕

13 ⑰ 【歛】 줄 감[平]勘 [平]覃 hàn

[日] カン〔あたえる〕 [英] give
[字解] 줄 감(予也).
[字源] 形聲. 欠+僉〔音〕
[注意] 斂(攴部 13획)은 딴 글자.

4 획

13 ⑰ 【歜】 [一]김치 잠[上]感 [二]노할 촉[入]沃 zàn chù

[日] サン〔つけもの〕·ショク〔いかる〕 [英] angry
[字解] [一] 김치 잠(菖蒲昌本菹). [二] 노할 촉(盛氣怒).
[字源] 形聲. 欠+蜀〔音〕

14 ⑱ 【歟】 그런가 여[平]魚 欤 yú

[日] ヨ〔か〕
[字解] 그런가 여(語末辭, 疑辭).
[字源] 形聲. 欠+與〔音〕

15 ⑲ 【歠】 들이마실 철[入]屑 chuò

[日] セツ〔すする〕 [英] drink
[字解] 들이마실 철(大飮).
[字源] 形聲. 㱃(飮의 본자)의 생략형을 바탕으로 「叕(철)」이 음을 나타냄.

18 ㉒ 【歡】 기뻐할 환[平]寒 欢 huān

艹 艹 芢 芢 芢 雚 雚 歡

[日] カン〔よろこぶ〕 [英] delight
[字解] 기뻐할 환(喜也).
[字源] 形聲. 欠+雚〔音〕
[參考] 懽(心部 18획)은 동자. 歓(欠部 11획)은 속자.

[歡迎 환영] 기쁜 마음으로 맞음.
[歡呼 환호] 기뻐하여 고함을 지름.
[哀歡 애환] 슬픔과 기쁨.

止 〔4 획〕 部 (그칠지부)

0 ④ 【止】 그칠 지 [上]紙 zhǐ

丨 ⺊ 𣥂 止

[日] シ〔とまる〕 [英] stop
[字解] ① 그칠 지(停也). ¶ 止血(지혈). ② 막을 지, 금지할 지. ¶ 防止(방지). ③ 머무를 지(留也). ¶ 止水(지수). ④ 거동 지(行儀). ¶ 擧止(거지).
[字源] 象形. 발목 전체의 모양. 趾의 원자(原字). 「머묾」의 뜻으로 쓰임.

[止痛 지통] 아픔이 그침.
[止血 지혈] 출혈을 멈춤, 또는 멈추게 함.
[禁止 금지] 금하여 못하게 함.
[沮止 저지] 막아서 못하게 함.

1 ⑤ 【正】 [一]바를 정[去]敬 [二]정월 정[平]庚 zhèng zhēng

一 丅 下 𤴓 正

[日] セイ·ショウ〔ただしい·しょうがつ〕 [英] right, January
[字解] [一] ① 바를 정(方直不曲). ¶ 正直(정직). ② 본 정. ¶ 正室(정실). ③ 정 정. ¶ 正一品(정일품). [二] 정월 정(歲首). ¶ 正月(정월).
[字源] 會意. 一(하늘)과 止(걸음의 뜻)의 합자. 일월성(日月星) 등 하늘의 운행이 정확함의 뜻. 전하여, 「바름」의 뜻이 됨.

[正刻 정각] 작정(作定)한 바로 그 시각(時刻).
[正道 정도] 바른 도(道). 사람이 행하여야 할 바른 길.
[正午 정오] 낮 열두 시. 오정(午正).

正直 정직] 마음이 바르고 곧음.
正妻 정처] 본처. 정실(正室).
正初 정초] 정월 초승.
改正 개정] 고쳐 바르게 함.
公正 공정] 공평하고 올바름.

---

² ⁶【此】이 차
㊤紙 cǐ ㅽ

丨 丄 ㅏ ㅑ 止 此 此

㊐ シ〔これ〕 ㊍ this

字解 ① 이 차(彼之對). ② 이에
차(發語辭).

字源 會意. 止+匕

[此日彼日 차일피일] 오늘 내일하고
기한을 물림.

[此後 차후] 이 다음. 이 뒤.

[彼此 피차] ㉠ 이편과 저편. ㉡ 저
것과 이것. ㉢ 서로.

---

³ ⁷【步】걸음 보
㊧遇 bù 步

丨 ㅏ 止 止 少 步 步

㊐ ホ・ブ〔あるく〕 ㊍ walking

字解 ① 걸음 보(徒行), 걸을 보.
¶ 步道(보도). ② 여섯자 보(六尺).
③ 운수 보(運也). ㉮ 國步(국보).

字源 象形. 양쪽 다리의 모양을 본
뜸. 한 걸음 한 걸음 걸어감의 뜻을
나타냄.

[步道 보도] 사람이 다니는 길.

[步武 보무] 활발하고 위엄 있게 걷
는 걸음걸이.

[步兵 보병] 도보로 전투하는 병정.

[步行 보행] 걸어감.

[踏步 답보] 제자리걸음.

---

⁴ ⁸【歧】갈래 기
㊥支 qí 吱

㊐ キ〔ふたまたみち〕 ㊍ bifurcate

字解 갈래 기(路二達).

字源 形聲. 止+支〔音〕

參考 岐(山部 4획)는 동자.

[歧路 기로] 갈림길.

---

⁴ ⁸【武】호반 무
㊤麌 wǔ 武

一 二 亅 王 千 千 正 武 武

㊐ ブ〔たけしい〕 ㊍ military

字解 ① 호반 무(軍官虎班). ¶ 武
器(무기). ② 굳셀 무(剛也). ¶ 武
勇(무용). ③ 발자취 무(迹也). ¶
步武(보무).

字源 會意. 戈(창)와 止의 합자. 군
사력에 의하여 전쟁을 미연에 방지
함의 뜻.

[武力 무력] 군대의 힘. 군사상의 힘.

[武藝 무예] 무술에 관한 재주.

[武運 무운] ㉠ 무사(武事)·무인(武
人)의 운수. ㉡ 전쟁의 승패의 운수.

[尙武 상무] 무(武)를 숭상함.

---

⁵ ⁹【歪】㊀비뚤 왜 ㊥佳
㊁비뚤 외 ㊥佳
㊂비뚤 의 ㊥佳
wāi,wǎi 歪

㊐ ワイ〔ゆがむ〕 ㊍ crooked

字解 ㊀ 비뚤 왜(不正). ㊁ 비뚤
외(不正). ㊂ 비뚤 의(不正).

字源 會意. 不와 正의 합자. 바르지
아니함. 곧, 「비뚤」을 나타냄.

[歪曲 왜곡·외곡·의곡] ㉠ 비뚤게 함.
굽혀 바르지 않게 함. ㉡ 사실과 맞
지 않게, 그릇되게 다룸. ¶ 歪曲報
道(왜곡 보도).

---

⁶ ¹⁰【耻】恥(치)(心部 6획)의 俗字

---

⁸ ¹²【齒】齒(치)(部首)의 俗字

---

⁹ ¹³【歲】해 세
㊧霽 suì 歲

ㅏ 止 广 庐 庐 歳 歳 歲 歲

㊐ サイ〔とし〕 ㊍ year

字解 ① 해 세(年也). ¶ 歲拜(세
배). ② 나이 세(年齡). ¶ 年歲(연

세). ③ 세월 세(光陰). ¶ 歲月(세월).

字源 形聲. 步+戌〔音〕

[歲末 세말] 한 해가 거의 다 지나가고 새해가 가까워 오는 섣달그믐께. 세밑.

[歲米 세미] 세초(歲初)에 정부에서 노인에게 주던 쌀.

[歲拜 세배] 섣달그믐이나 정초(正初)에 웃어른에게 하는 인사.

[歲費 세비] 일 년간의 비용.

[歲月 세월] 흘러가는 시간. 광음. ¶ 歲月如流(세월여류).

[歲饌 세찬] ㉠ 세밑에 선사하는 물건. ㉡ 세배 온 사람에게 대접(待接)하는 음식.

[過歲 과세] 설을 쉼.

[太歲 태세] 그 해의 간지(干支).

12⑯ **【歷】** 지낼 력 ㈇錫 | 历 | 歷

一 厂 厚 厚 厤 厤 歷 歷

㈰ レキ〔へる〕 ㊂ pass

字解 ① 지낼 력(過也). ¶ 歷史(역사). ② 두루 력(盡也). ¶ 歷訪(역방). ③ 달력 력(曆也). ④ 분명할 력(明也). ¶ 歷歷(역력).

字源 形聲. 止+厤〔音〕

[歷歷 역력] ㉠ 뚜렷한 모양. 분명한 모양. 똑똑한 모양. ㉡ 물건이 질서 정연하게 서 있는 모양.

[歷任 역임] 여러 벼슬을 차례로 지냄.

[歷朝 역조] ㉠ 역대(歷代)의 조정(朝廷). ㉡ 역대의 천자(天子).

[經歷 경력] 겪어 지내 온 일들.

[遍歷 편력] 두루 겪음.

14⑱ **【歸】** 돌아올 귀 ㈈微 | 归 | 帰

亻 阜 阜 阜 皀 皀 歸 歸 歸

㈰ キ〔かえる〕 ㊂ return

字解 ① 돌아올 귀, 돌아갈 귀(還也). ¶ 歸省(귀성). ② 붙좇을 귀(附也). ¶ 歸順(귀순). ③ 시집갈

귀(嫁也). ¶ 于歸(우귀).

字源 會意. 帚(婦의 생략형)와 止의 합자. 「自(퇴)」의 전음이 음을 나타냄.

[歸結 귀결] 끝을 맺음. 또, 그 결과.

[歸屬 귀속] 돌아가 어느 소속이 됨.

[歸任 귀임] 임지로 돌아감.

[歸鄕 귀향] 객지에서 고향으로 돌아감. 또, 돌아옴.

[復歸 복귀] 본디 상태나 자리로 되돌아감.

歹(歺) 〔4 획〕 部
(죽을사부)

0④ **【歹】** ■앙상한뼈 알 ㈇曷 | é | 歹
■나쁠 대 ㈅賄 | dāi

㈰ ガツ〔ざんこつ〕・タイ〔わるい〕 ㊂ skeleton, bad

字解 ■ 앙상한뼈 알(剐骨之殘). ■ 나쁠 대.

字源 象形. 뼈의 형상을 본뜸.

2⑥ **【死】** 죽을 사 ㈅紙 | sǐ | 死

一 ナ ㄕ ㄗ 歹 死

㈰ シ〔しぬ〕 ㊂ die

字解 ① 죽을 사(歿也). ¶ 死去(사거). ② 다할 사(盡也).

字源 會意. 歹(흐트러진 뼈)와 匕(사람을 거꾸로 한 모양)의 합자. 사람이 정상이 아니고 변화하여 뼈가 됐음의 뜻.

[死境 사경] 죽게 된 지경.

[死文 사문] ㉠ 조문만 있을 뿐 실제로 효력이 없는 법령이나 규칙. ㉡ 내용·정신이 없는 문장.

[死生 사생] 죽음과 삶. ¶ 死生決斷(사생결단).

[死線 사선] 죽을 고비.

[死語 사어] 현대에 쓰이지지 않는 말. 죽은말. 폐어(廢語).
[決死 결사] 죽기를 각오함.
[致死 치사] 죽음에 이르게 함.

4 ⑧ 〖歿〗 죽을 몰 [入]月 | mò

[日] ボツ〔しぬ〕 [英] die
[字解] **죽을 몰**(死也).
[字源] 形聲. 歹(歺)+殳〔音〕

4 ⑧ 〖殀〗 일찍죽을 요[上]篠 | yāo

[日] ヨウ〔わかじに〕 [英] die young
[字解] **일찍죽을 요**(壽之反短折).
[字源] 形聲. 歹(歺)+夭〔音〕
[殀壽 요수] 단명과 장수. 수요(壽殀).

5 ⑨ 〖殂〗 죽을 조 [平]虞 | cú

[日] ソ〔しぬ〕 [英] die
[字解] **죽을 조**(死也).
[字源] 形聲. 歹(歺)+且〔音〕
[殂落 조락] ㉠ 임금의 죽음. ㉡ 정통이 아닌 임금의 죽음.

5 ⑨ 〖殃〗 재앙 앙 [平]陽 | yāng

[日] オウ〔わざわい〕 [英] disaster
[字解] **재앙 앙**(禍也).
[字源] 形聲. 歹(歺)+央〔音〕
[殃禍 앙화] 죄악의 과보(果報)로 받는 재앙(災殃).
[災殃 재앙] 천변지이로 인한 불행한 사고.

5 ⑨ 〖殄〗 다할 진 [上]銑 | tiǎn

[日] テン〔たつ〕 [英] finish
[字解] ① **다할 진**(盡也). ② **끊어질 진**(絕也).
[字源] 形聲. 歹(歺)+㐱〔音〕
[殄滅 진멸] 모조리 망함. 또, 무찔러 모조리 없애 버림.

5 ⑨ 〖殆〗 위태할 태[上]賄 | dài

[日] タイ〔あやうい〕 [英] dangerous
[字解] ① **위태할 태**(危也). ¶ 危殆(위태). ② **거의 태**(幾也). ¶ 殆半(태반).
[字源] 形聲. 歹(歺)+台〔音〕
[殆無 태무] 거의 없음.
[殆半 태반] 거의 절반.

6 ⑩ 〖殉〗 따라죽을 순[去]震 | xùn

[日] ジュン〔したがう〕
[字解] ① **따라죽을 순, 순사할 순**(以人從葬). ② **구할 순**(求也). ③ **경영할 순**(營也).
[字源] 形聲. 歹(歺)+旬〔音〕
[殉教 순교] 자기가 믿는 종교를 위하여 목숨을 바침.
[殉國 순국] 나라를 위하여 목숨을 바침. ¶ 殉國烈士(순국열사).
[殉死 순사] 임금이나 남편 등의 죽음을 따라 자살함.

6 ⑩ 〖殊〗 다를 수 [平]虞 | shū

[日] シュ〔ことに〕 [英] different
[字解] ① **다를 수**(異也). ¶ 特殊(특수). ② **뛰어날 수**(特異). ¶ 殊勳(수훈).
[字源] 形聲. 歹(歺)+朱〔音〕
[殊常 수상] ㉠ 보통과 달리 이상함. ㉡ 보통과 다르게 뛰어남.
[殊異 수이] 유별나게 다름.
[殊勳 수훈] 특별히 뛰어난 공훈(功勳).

4 획

6 ⑩ 〚残〛 殘(잔)(歹部 8획)의 略字

7 ⑪ 〚殍〛 주려죽을 표[上]篠 | piǎo

[日] ヒョウ〔うえじに〕
[英] starve to death

[字解] **주려죽을 표**(餓死).

[字源] 形聲. 歹(歺)+孚〔音〕

[殍餓 표아] 굶어 죽음.

8 ⑫ 〚殗〛 [一]앓을 업[入]葉 [二]죽을 엄[平]鹽 | yè yān

[日] ヨウ〔やむ〕・エン〔しぬ〕
[英] ill, die

[字解] [一] **앓을 업**(病也). [二] **죽을 엄**(歿也).

[字源] 形聲. 歹(歺)+奄〔音〕

8 ⑫ 〚殖〛 심을 식[入]職 | 殖 zhí

[日] ショク〔ふえる〕 [英] plant

[字解] ① **심을 식**(種也). ② **세울 식**(立也). ③ **불릴 식**(興生財利).

[字源] 形聲. 歹(歺)+直〔音〕

[殖産 식산] 재산을 늘림.

8 ⑫ 〚殘〛 남을 잔[平]寒 | 残 cán

[日] ザン〔のこる〕 [英] remain

[字解] ① **남을 잔**(餘也). ¶ 殘額(잔액). ② **잔인할 잔**. ¶ 殘忍(잔인). ③ **해칠 잔**(害也). ④ **죽일 잔**(殺也). ¶ 相殘(상잔).

[字源] 形聲. 歹(歺)+戔〔音〕

[參考] 残(歹部 6획)은 약자.

[殘留 잔류] 남아서 처져 있음.
[殘雪 잔설] 녹다가 남은 눈.
[殘惡 잔악] 잔인(殘忍)하고 악독함.
[殘滓 잔재] 찌꺼기.
[殘虐 잔학] 잔인(殘忍)하고 포악함.
[殘骸 잔해] 남아 있는 시체.
[相殘 상잔] 서로 해치고 싸움.
[衰殘 쇠잔] 쇠하여 힘이나 세력이 점점 약해짐.

10 ⑭ 〚殞〛 죽을 운[入]軫 | 殒 yǔn

[日] イン〔しぬ〕 [英] die

[字解] ① **죽을 운**(歿也). ¶ 殞命(운명). ② **떨어질 운**(落也). ③ **떨어뜨릴 운**.

[字源] 形聲. 歹(歺)+員〔音〕

[參考] 隕(阜部 10획)은 동자.

[殞命 운명] 숨이 떨어짐. 죽음.
[殞石 운석] 지구 밖에서 지구에 떨어진 물체. 별똥. 운석(隕石).

11 ⑮ 〚殣〛 굶어죽을 근[去]震 | jìn, jǐn

[日] キン〔うえじに〕
[英] starve to death

[字解] ① **굶어죽을 근**(餓死). ② **묻을 근**(埋也).

[字源] 形聲. 歹(歺)+堇〔音〕

11 ⑮ 〚殤〛 일찍죽을 상[平]陽 | 殇 shāng

[日] ショウ〔わかじに〕 [英] die young

[字解] **일찍죽을 상**(未成人喪).

[字源] 形聲. 歹(歺)+傷〈省〉〔音〕

[殤死 상사] 스무 살 미만에 죽음. 요사(夭死).

12 ⑯ 〚殪〛 쓰러질 에[去]霽 | yì

[日] エイ〔たおれる〕 [英] exterminate

[字解] ① **쓰러질 에**(死也). ② **다할 에**(盡也).

[字源] 形聲. 歹(歺)+壹〔音〕

[殪仆 에부] 죽어 쓰러짐. 죽음.

12 ⑯ 〚殫〛 다할 탄[平]寒 | 殚 dān

[日] タン〔つくす〕 [英] exhaust

[字解] **다할 탄**(盡也).

[字源] 形聲. 歹(歺)+單〔音〕

[殫亡 탄망] 다하여 없어짐.

13 ⑰ **【殭】** 죽어썩지않을 강[平]陽 jiāng

[日] キョウ〔たおれる〕

[字解] ① **죽어썩지않을 강**(死而不朽). ② **누에말라죽을 강**(蠶白也).

[字源] 形聲. 歹(歺)+畺〔音〕

[殭屍 강시] ㉠ 빳빳하게 굳어서 썩지 않은 시체. ㉡ 얼어 죽은 송장.

13 ⑰ **【殮】** 염할 렴[去]豔 殓 liàn

[日] レン〔かりもがり〕 [英] shroud

[字解] **염할 렴**(衣死).

[字源] 形聲. 歹(歺)+僉〔音〕

[殮襲 염습] 죽은 이의 몸을 씻긴 후에 옷을 입히는 일. 염(殮). 습렴(襲殮).

[殮布 염포] 염습할 때 시체를 묶는 베.

13 ⑰ **【殬】** 썩을 두[去]遇 dù

[日] ト〔やぶる〕 [英] go bad

[字解] **썩을 두.**

[字源] 形聲. 歹(歺)+睪〔音〕

14 ⑱ **【殯】** 초빈할 빈[去]震 殡 bìn

[日] セン〔かりもがり〕

[字解] **초빈할 빈**(死在棺將遷葬柩賓遇之).

[字源] 形聲. 歹(歺)+賓

[殯所 빈소] 발인(發靷) 때까지 관(棺)을 두는 곳.

17 ㉑ **【殲】** 멸할 섬[平]鹽 歼 jiān

[日] セン〔ほろぼす〕 [英] annihilate

[字解] **멸할 섬**(滅也).

[字源] 形聲. 歹(歺)+韱〔音〕

[殲滅 섬멸] 남김없이 무찔러 멸망시킴. 또, 여지없이 멸망함. ¶ 殲滅作戰(섬멸 작전).

殳 〔4 획〕 部
(갖은등글월문부)

0 ④ **【殳】** 몽둥이 수[平]虞 shū

[日] シュ〔ほこ〕 [英] club

[字解] **몽둥이 수**(木杖也).

[字源] 形聲. 又(손)을 바탕으로 「几(궤)」의 전음이 음을 나타냄.

4 ⑧ **【殴】** 毆(구)(殳部 11획)의 略字

5 ⑨ **【段】** 조각 단[去]翰 duàn

[日] ダン〔わかち〕

[字解] ① **조각 단**(分片). ② **갈림 단.** ¶ 段落(단락).

[字源] 會意. 殳+𠂤

[段階 단계] 일이 나아가는 과정.

[段落 단락] ㉠ 결말. ㉡ 긴 글에서 내용상으로 일단 끊어지는 구획.

[階段 계단] 층층대.

[手段 수단] 일을 처리해 나가는 솜씨와 꾀.

6 ⑩ **【殷】** [一]은나라 은[平]文 [二]검붉은빛 안[平]刪 yǐn yān

[日] イン〔さかん〕・アン〔あかぐろいろ〕

[英] dark-red

[字解] [一] ① **은나라 은**(成湯國號). ¶ 殷墟(은허). ② **성할 은**(盛貌). ¶ 殷盛(은성). ③ **천둥소리 은**(雷

發聲). ¶ 殷雷(은뢰). [二] 검붉은 빛 안.

[字源] 會意. 身의 역형(逆形)과 殳(창)의 합자. 「성함」의 뜻.

[殷雷 은뢰] 요란한 우렛소리.
[殷盛 은성] 번성함. 번창함.

6 ⑩ 【殺】 殺(살)(次條)의 俗字

7 ⑪ 【殺】 [一]죽일 살 [入]黠 [二]덜 쇄 [去]卦 | 杀 shā shài 

[日] サツ〔ころす〕・サイ〔そぐ〕
[英] kill, lessen

[字解] [一] ① **죽일 살**(戮也). ¶ 殺氣(살기). ② **없앨 살**. ¶ 抹殺(말살). [二] ① **덜 쇄**(減也). ¶ 相殺(상쇄). ② **매우 쇄**(甚也). ¶ 殺到(쇄도).

[字源] 形聲. 殳와 乂(爻의 생략체)을 바탕으로 「朮(술)」의 전음이 음을 나타냄.

[殺氣 살기] ㉠ 소름이 끼치도록 무시무시한 기운. ¶ 殺氣騰騰(살기등등). ㉡ 가을이나 겨울에 나무를 말라 죽게 하는 차가운 기운.
[殺戮 살육] 사람을 무찔러 죽임.
[殺到 쇄도] 한꺼번에 세차게 몰려듦.
[抹殺 말살] 지워 없애 버림.
[相殺 상쇄] 양편의 셈을 서로 비김.

8 ⑫ 【殼】 껍질 각 [入]覺 | 壳 ké qiào 

[日] カク〔から〕 [英] shell

[字解] **껍질 각**(皮甲).

[字源] 形聲. 篆文은 殳+㱿〔音〕

[殼斗 각두] 참나무·떡갈나무 등의 열매의 밑받침. 깍정이.

8 ⑫ 【殽】 섞일 효 [平]肴 | xiáo 

[日] コウ〔まじる〕 [英] mixed

[字解] ① **섞일 효**(相雜錯). ② **어지러울 효**(亂也). ③ **안주 효**(肴也).

[字源] 形聲. 殳+肴〔音〕

[殽亂 효란] 뒤섞이어 어지러움.
[殽雜 효잡] 뒤섞이어 혼잡함. 효잡(淆雜).

9 ⑬ 【殿】 큰집 전 [去]霰 | diàn 

[日] デン〔との〕 [英] palace

[字解] ① **큰집 전**. ¶ 殿堂(전당). ② **후군 전**(後軍). ¶ 殿軍(전군).

[字源] 形聲. 篆文은 殳+屍〔音〕

[殿閣 전각] ㉠ 임금이 거처하는 궁전. ㉡ 궁전과 누각.
[殿軍 전군] 퇴각할 때 군의 맨 뒤에 있어 적의 추격을 막는 군대. 후군(後軍).
[殿下 전하] ㉠ 궁전 아래. ㉡ 한(漢)나라 이전에는 제후의 존칭. 그 이후에는 황태자·제왕의 존칭.

9 ⑬ 【毁】 헐 훼 [上]紙 | huǐ 

[日] キ〔こわす〕 [英] destroy

[字解] ① **헐 훼**(壞也). ¶ 毁損(훼손). ② **비방할 훼**(訾也). ¶ 毁謗(훼방). ③ **야윌 훼**(瘠也). ¶ 毁瘠(훼척).

[字源] 形聲. 土+毇〈省〉〔音〕

[毁短 훼단] 남의 단점(短點)을 꼬집고 헐뜯어 말함.
[毁損 훼손] ㉠ 체면이나 명예를 손상함. ㉡ 헐거나 깨뜨리어 못쓰게 함.
[毁瘠 훼척] 너무 슬퍼하여 몸이 수척하여짐.

9 ⑬ 【毀】 毁(훼)(前條)의 俗字

11 ⑮ 【毅】 굳셀 의 [去]未 | yì 

[日] キ〔つよい〕 [英] strong

[字解] **굳셀 의**(果敢).

[字源] 形聲. 殳+豙〔音〕

[毅然 의연] 의지가 강하여 사물에 동하지 않는 모양. 용감하고 굳센 모양.

11 ⑮ 【毆】 칠 구 [本]우[上]有 | 殴 ōu

[日] オウ〔なぐる〕 [英] beat

[字解] **칠 구**(捶擊).

[字源] 形聲. 殳+區〔音〕

[參考] 殴(殳部 4획)는 약자.

[毆打 구타] 때리고 두들김.

毋 〔4 획〕 部
(말무부)

0 ④ 【毋】 말 무 [平]虞 | wú

[日] ブ・ム〔ない〕 [英] do not

[字解] ① **말 무**(禁止勿爲辭). ② **없을 무**(莫也).

[字源] 指事. 毋에 一을 더하여 여자를 범하는 자를 一로 금지함의 뜻.

[參考] 無(火部 8획)는 동자.

[注意] 母(毋部 1획)는 딴 글자.

[毋論 무론] 말할 것도 없음. 무론(無論). 물론(勿論).

1 ⑤ 【母】 어머니 모[上]有 | mǔ

[日] ボ〔はは〕 [英] mother

[字解] ① **어머니 모**(父之配). ¶ 母性(모성). ② **할미 모**(老女). ③ **유모 모**. ¶ 乳母(유모). ④ **모체 모**. ¶ 母體(모체). ⑤ **근본 모**. ¶ 母國(모국). ⑥ **암컷 모**(禽獸之牝).

[字源] 指事. 女에 두 점을 더하여 「젖통」을 나타냄.

[注意] 毋(部首)는 딴 글자.

[母系 모계] 어머니 쪽의 계통.

[母堂 모당] 남의 어머니의 존칭. 대부인.

[母子 모자] ㉠ 어머니와 아들. ㉡ 원금(元金)과 이자.

[母親 모친] 어머니.

[叔母 숙모] 작은어머니.

3 ⑦ 【每】 매양 매 [上]賄 | měi mèi

[日] マイ〔ごと〕 [英] always

[字解] ① **매양 매**(常也). ② **마다 매**(各也). ③ **탐낼 매**(貪也).

[字源] 形聲. 屮을 바탕으로「母(모)」의 전음이 음을 나타냄.

[每年 매년] 해마다.

[每番 매번] 번번이.

[每樣 매양] 항상 그 모양으로.

4 ⑧ 【毒】 [一]독 독 [平]沃 [二]거북 대 [去]隊 | dú dài

[日] ドク〔どく〕・タイ〔たいまい〕
[英] poison, sea turtle

[字解] [一] ① **독 독**. ¶ 毒藥(독약). 毒蛇(독사). ② **해칠 독**(害也). [二] **거북 대**. 바다거북.

[字源] 會意. 屮+毐

[毒物 독물] 독이 있는 물질.

[毒殺 독살] 독약을 먹여 죽임.

[毒舌 독설] 사납고 날카롭게 혀를 놀려 남을 해치는 말.

[路毒 노독] 먼 길에 시달려 생긴 피로나 병.

10 ⑭ 【毓】 기를 육 [入]屋 | yù

[日] イク〔やしなう〕 [英] bring up

[字解] **기를 육**(養也).

[字源] 會意. 女와 거꾸로 된 子의 합

자. 여성으로부터 애기가 태어남의 뜻. 「育」의 고자(古字).

比 〔4 획〕 部
(견줄비부)

⁰**【比】** ■견줄 비
^④ ㊤紙
　　■나란할
　　비㊨眞　bǐ　ㄣ乚

一 ㅏ ㅏ 比

㊐ ヒ〔くらべる・たすける〕 ㊊ compare, even

字解 ■ ① 견줄 비(類也, 校次之). ¶ 比較(비교), 無比(무비). ② 비례 비. ¶ 比例(비례). ③ 무리 비(輩也). ¶ 比倫(비륜). ■ 나란할 비, 나란히할 비(竝也). ¶ 比肩(비견).

字源 象形. 두 사람이 나란히 있는 모양. 따라서, 「견줌」의 뜻이 됨.

[比肩 비견] ㉠ 어깨를 나란히 함. 나란히 섬. ㉡ 서로 비슷함.
[比較 비교] 서로 견주어 봄.
[比類 비류] ㉠ 겨눔. 비슷함. ㉡ 비슷한 종류.
[對比 대비] 서로 맞대어 비교함.

⁵**【毖】** 삼갈 비
^⑨ ㊨眞　bì　毖

㊐ ヒ〔つつしむ〕 ㊊ prudent

字解 ① 삼갈 비(愼也). ② 고달플 비(勞也).

字源 形聲. 比+必〔音〕

⁵**【毗】** 도울 비
^⑨ ㊤支　pí　毗乚

㊐ ヒ・ビ〔たすける〕 ㊊ assist

字解 도울 비(補也, 助也).

字源 形聲. 篆文은 囟+比〔音〕

[毗益 비익] 도와서 이롭게 함.

⁵**【毘】** 毗(비)(前條)와 同字
^⑨

¹³**【毚】** 약은토끼
^⑰ 참㊧咸　chàn　毚

㊐ サン〔はしこいうさぎ〕 ㊊ crafty rabbit

字解 약은토끼 참(狡兔).

字源 會意. 毚+兔

毛 〔4 획〕 部
(터럭모부)

⁰**【毛】** 털 모
^④ ㊤豪　máo　毛

一 二 三 毛

㊐ モウ〔け〕 ㊊ hair

字解 ① 털 모(眉髮之屬毫也). ¶ 毛髮(모발). ② 가늘 모, 작을 모, 가벼울 모. ¶ 毛細管(모세관). ③ 풀 모(草也). ¶ 不毛(불모).

字源 象形. 머리털을 본뜬 글자.

[毛根 모근] 터럭이 모공(毛孔) 속에 박힌 부분.
[毛細管 모세관] 털처럼 아주 가는 관(管).
[毛皮 모피] 털이 붙은 짐승의 가죽.
[不毛 불모] 땅이 메말라 식물이 나지 않음.
[脫毛 탈모] 털이 빠짐.

⁶**【毧】** 솜털 융
^⑩ ㊤東　róng　毧

㊐ ジュ〔ほそいけ〕 ㊊ downy hair

字解 솜털 융(細毛).

字源 形聲. 毛+戎〔音〕

⁶**【毣】** ■인정깊
^⑩ 을 목㊤屋　mù
　　■어두울　mào
　　모㊧號

㊐ ボク〔よい〕・モウ〔くらい〕

㉑ be kind, dark

字解 ■ 인정깊을 목(小好貌). ■ 어두울 모.

字源 會意. 羽과 毛의 합자. 깃대의 끝에 다는 장식.

7
⑪【毬】공구 qiú ㉜尤

㉤ キュウ〔まり〕 ㉲ ball

字解 공 구(鞠丸).

字源 形聲. 毛+求〔音〕

[毬馬 구마] 격구(擊毬) 때 타는 말.

7
⑪【毫】잔털 호 háo ㉜豪

一亠亠弃弃亭亭豪豪毫

㉤ ゴウ〔け〕 ㉲ fine hairs

字解 ① 잔털 호(長銳毛). ¶ 毫髮(호발). ② 조금 호(小也). ③ 붓 호(筆也). ¶ 揮毫(휘호). ④ 호 호(數名, 十絲).

字源 形聲. 毛+高〔省〕〔音〕

[毫毛 호모] 가는 털. 전하여, 근소. 약간.

[毫髮 호발] ㉠ 가느다란 털. ㉡ 털 끝만큼 아주 작은 것을 이르는 말.

[秋毫 추호] 가을철에 가늘어진 짐승의 털이란 뜻으로, 몹시 적음의 비유.

[揮毫 휘호] 붓을 휘둘러 글씨를 쓰거나 그림을 그림.

8
⑫【毳】솜털 취㉜절 cuì ㉜霽

㉤ ゼイ〔むくげ〕 ㉲ down

字解 솜털 취(獸細毛).

字源 會意. 毛를 셋 겹쳐서, 촘촘히 난 부드러운 털의 뜻을 나타냄.

[毳毛 취모] 새의 배 밑에 나는 부드럽고 가는 털.

8
⑫【毯】담요담 tǎn ㉜感

㉤ タン〔けむしろ〕 ㉲ blanket

字解 담요 담(毛席).

字源 形聲. 毛+炎〔音〕

[毯子 담자] 담요.

11
⑮【氂】꼬리 리 lí ㉜支

㉤ リ〔からうしのお, うまのお〕 ㉲ tail

字解 ① 꼬리 리(牛馬尾). ② 잡털 리(雜毛).

字源 會意. 犛의 생략형과 毛의 합자. 또, 「犛(리)」가 음을 나타냄.

12
⑯【氄】솜털 용 rǒng ㉜腫

㉤ ジョウ〔にこげ〕 ㉲ down

字解 솜털 용(奧毳細毛).

字源 會意. 毛+喬

12
⑯【氅】새털 창 chǎng ㉜養

㉤ ショウ〔とりのはね〕 ㉲ feathers

字解 새털 창(鷔毛).

字源 形聲. 毛+敞〔音〕

13
⑰【氈】모전 전 zhān ㉜先

㉤ セン〔けおりもの〕 ㉲ carpet

字解 모전 전(踓毛成片).

字源 形聲. 毛+亶〔音〕

[氈帽 전모] 모직으로 만든 모자.

氏 〔4 획〕 部
(각시씨부)

4
획

0
④【氏】■씨 씨 shì ㉜A㉤㉲紙
■나라이 름 지 zhī ㉤㉲紙

丿 亇 乒 氏

4
획

🗾 シ〔うじ〕 🇬🇧 clan

字解 ▆ 씨 氏(所以別子孫之所出). ¶氏族(씨족). ▆ 나라이름 지(西域國名). ¶月氏(월지).

字源 象形. 붕괴되어 가는 「벼랑」의 모양.

[氏名 씨명] 성명(姓名).
[伯氏 백씨] 남의 맏형을 높여 이르는 말.
[姓氏 성씨] 성(姓)의 높임말.

---

¹⑤ 【氏】 ▆근본 저 ①薺 / ▆오랑캐 이름 저④薺 | dī / dī

🗾 テイ〔もと·とも〕 🇬🇧 foundation

字解 ▆ 근본 저(本也). ▆① 오랑캐이름 저(西羌). ¶氐羌(저강). ② 별이름 저(二十八宿一). ¶氐星(저성).

字源 會意. 氏와 一(땅)의 합자. 땅에 닿음의 뜻.

---

¹⑤ 【民】 ▆백성 민 ①眞 | mín

フ ㄱ ㅋ ㄹ ㅌ 民

🗾 ミン〔たみ〕 🇬🇧 people

字解 ▆ 백성 민(衆庶).

字源 指事. 母를 바탕으로 선을 하나 더하여 「산출(産出)함」의 뜻으로 됨.

[民亂 민란] 백성이 떠들고 일어나는 소요(騷擾).
[民願 민원] 국민의 소원이나 청원.
[遺民 유민] 멸망하여 없어진 나라의 백성.

---

⁴⑧ 【氓】 ▆백성 맹 ④庚 | méng

🗾 ボウ〔たみ〕 🇬🇧 people

字解 백성 맹(愚民).

字源 形聲. 民+亡〔音〕

[氓俗 맹속] ㉠ 민간의 풍속. 민속(民俗). ㉡ 백성. 국민.

气 〔4획〕 部

(기운기밑부)

⁰④ 【气】 ▆기운 기④未 / ▆빌 걸⑧物 | qì / qì

🗾 キ〔うんき〕·キツ〔もとめる〕 🇬🇧 vigor, beg

字解 ▆ 기운 기(雲气). ▆ 빌 걸(求乞).

字源 象形. 수증기가 올라가는 모양을 본뜸.

---

²⑥ 【気】 氣(기)(气部 6획)의 略字

---

⁴⑧ 【氛】 ▆기운 분④文 | fēn

🗾 フン〔き〕 🇬🇧 spirit

字解 ① 기운 분(雲氣). ② 요기 분(妖氣).

字源 形聲. 气+分〔音〕

[氛祥 분상] 불길한 징조와 상서로운 징조. 길흉(吉凶).

---

⁶⑩ 【氣】 ▆기운 기④未 | qì

丿 ニ 气 气 气 気 氣 氣 氣

🗾 キ·ケ〔いき〕 🇬🇧 vigor

字解 ① 기운 기. ¶氣力(기력). 精氣(정기). ② 숨 기(息也). ¶氣管(기관). ③ 기체 기. ¶氣壓(기압). ④ 기후 기(候也). ¶氣象(기상).

字源 形聲. 米+气〔音〕

[氣骨 기골] 기혈(氣血)과 골격. 의기(意氣)와 지조(志操).
[氣力 기력] 정신과 육체의 힘.
[氣流 기류] 대기(大氣)의 유동(流動).
[氣勢 기세] 기운차게 뻗는 기세.
[氣熖 기염] 대단한 기세.

[大氣 대기] 지구를 둘러싸고 있는 기체.
[心氣 심기] 마음으로 느끼는 기분.

6 ⑩ 【氤】 기운어릴 인[平]眞 | yīn

[日] イン〔きのさかんなさま〕

[字解] **기운어릴 인**(天地合氣).

[字源] 形聲. 气+因〔音〕

[氤氳 인온] 천지(天地)의 기(氣)가 서로 합하여 어린 모양.

10 ⑭ 【氳】 기운성할 온[平]文 | yūn

[日] ウン〔きのさかんなさま〕

[字解] **기운성할 온**(氣盛). ¶ 氛氳(분온).

[字源] 形聲. 气+昷〔音〕

水(氵)〔4 획〕 部
(물수부)

0 ④ 【水】 물 수 [上]紙 | shuǐ

亅 刁 才 水

[日] スイ〔みず〕 [英] water

[字解] ① **물 수**(地之血氣). ¶ 水道(수도). ② **강 수**(河川). ③ **물일 수**(水之勢). ④ **수성 수**(辰星).

[字源] 象形. 물이 흐르고 있는 모양을 본뜸.

[水路 수로] ㉠ 뱃길. 물길. 항로(航路). ㉡ 물이 흐르는 길.
[水沒 수몰] 물속에 잠김.
[水色 수색] 물빛. 연한 남빛.
[水平 수평] 평평함.
[水泡 수포] ㉠ 물거품. ㉡ 덧없는 인생의 비유. ㉢ 헛된 수고의 비유.
[淡水 담수] 민물. 단물.
[治水 치수] 수리 시설을 하여 홍수나 가뭄의 피해를 막는 일.

1 ⑤ 【氷】 얼음 빙 [平]蒸 | bīng

亅 刁 刁 氺 氷

[日] ヒョウ〔こおり〕 [英] ice

[字解] ① **얼음 빙**(凍也). ② **얼 빙**. ¶ 氷結(빙결).

[字源] 會意. 본자(本字)인 冰은 冫(얼음)과 水의 합자. 氷은 본자의 생략체.

[參考] 冰(冫部 4획)은 본자.

[氷雪 빙설] ㉠ 얼음과 눈. ㉡ 총명한 슬기의 비유. ㉢ 깨끗한 마음의 비유. ㉣ 희고 아름다운 것의 비유.
[氷點 빙점] 어는점.
[氷柱 빙주] 고드름.
[氷板 빙판] 얼음판.
[結氷 결빙] 물이 얼어 얼음이 됨.
[薄氷 박빙] 살얼음.

1 ⑤ 【永】 길 영 [上]梗 | yǒng

丶 亅 ㇇ 永 永

[日] エイ〔ながい〕 [英] long

[字解] ① **길 영**(長也). ② **오랠 영**(久也).

[字源] 指事. 水에 표를 달아, 강에 지류가 생겨 어디까지나 길게 계속되고 있는 모양을 나타냄.

[永劫 영겁] 영원한 세월.
[永久 영구] ㉠ 길고 오램. ㉡ 언제까지나.
[永眠 영면] 죽음.
[永世 영세] 끝없는 세월.
[永住 영주] 한곳에 오래 삶.

2 ⑦ 【求】 구할 구 [平]尤 | qiú

一 十 寸 才 求 求 求

[日] キュウ〔もとめる〕 [英] look for

[字解] ① **구할 구**(覓也, 索也). ② **탐낼 구**(貪也).

[字源] 象形. 모피를 달아맨 모양. 裘의 원자(原字). 「구함」의 뜻은 음의 차용.

4 획

[求乞 구걸] 남에게 돈·먹을거리 등을 거저 달라고 청함.
[求職 구직] 직업을 구함. 직장을 구함.
[求婚 구혼] 결혼할 것을 요청함.
[渴求 갈구] 목마르게 구함.
[要求 요구] 달라고 청함.

2 ⑤ 〖氾〗 넘칠 범 [去]陷 fàn

[日] ハン〔ひろがる〕 [英] overflow

[字解] ① **넘칠 범**(水延漫也). ¶ 氾溢(범일). ② **뜰 범**(汎也). ③ **넓을 범**(汎也). ¶ 氾論(범론).

[字源] 形聲. 氵(水)+巳(音)

[氾濫 범람] ㉠ 물이 넘쳐 흐름. ㉡ 널리 미침.
[氾論 범론] ㉠ 널리 논함. ㉡ 대체에 관한 이론. 범론(汎論). 범론(泛論).

2 ⑤ 〖氿〗 [一]샘 궤 [上]紙 [二]물가 구 [平]尤 guǐ qiú

[日] キ〔いずみ〕·キュウ〔みずぎわ〕 [英] fountain, waterside

[字解] [一] **샘 궤**(側出泉). [二] **물가 구**.

[字源] 形聲. 氵(水)+九〔音〕

2 ⑤ 〖汀〗 물가 정 [平]青 tīng

[日] テイ〔みぎわ〕 [英] waterside

[字解] **물가 정**(水際平地).

[字源] 形聲. 氵(水)+丁〔音〕

[汀渚 정저] 물가. 물가의 편편한 땅.

2 ⑤ 〖汁〗 [一]즙 즙 [本]집[入]緝 [二]맞을 협[入]葉 zhī xié

[日] ジュウ〔しる〕·キョウ〔かなう〕 [英] juice, welcome

[字解] [一] **즙 즙**(液也). [二] **맞을 협**.

[字源] 形聲. 氵(水)+十〔音〕

[汁液 즙액] 즙을 짜내서 된 액.

3 ⑥ 〖汍〗 눈물흐를 환[平]寒 wán

[日] カン〔なみだのながれるさま〕

[字解] **눈물흐를 환**.

[字源] 形聲. 氵(水)+丸〔音〕

3 ⑦ 〖汞〗 수은 홍 [上]董 gǒng

[日] コウ〔みずかね〕 [英] mercury

[字解] **수은 홍**(水銀).

[字源] 形聲. 水+工〔音〕

[汞粉 홍분] 염화제일수은(鹽化第一水銀)의 한방(漢方) 약명.

3 ⑥ 〖汊〗 두갈래진 내 차[去]禡 chà

[日] サ〔えだがわ〕

[字解] **두갈래진내 차**(水歧流).

[字源] 形聲. 氵(水)+叉〔音〕

3 ⑥ 〖汋〗 [一]물결치는 소리 삭 [入]覺 [二]따를 작 [入]藥 zhuò zhuó

[日] サク〔みずがげきするおと〕·シャク〔みずのおと〕

[英] pour

[字解] [一] **물결치는소리 삭**(激水聲). [二] **따를 작**(酌也).

[字源] 形聲. 氵(水)+勺〔音〕

3 ⑥ 〖汎〗 뜰 범 [去]陷 fàn

丶 冫 氵 氿 汎 汎

[日] ハン〔ひろい〕 [英] float

[字解] ① **뜰 범**(浮也). ¶ 汎舟(범주). ② **넓을 범**(博也). ¶ 汎稱(범칭).

[字源] 形聲. 氵(水)+凡〔音〕

[汎說 범설] 종합적으로 설명함. 또, 그 설명. 총설(總說).

3 ⑥ 【汏】 씻을 대 [去]泰 tài

[日] タイ〔あらう〕 [英] wash

[字解] 씻을 대(洗也).

[字源] 形聲. 氵(水)+大〔音〕

[注意] 汰(水部 4획)는 딴 글자.

3 ⑥ 【汐】 석수 석 [入]陌 xī

[日] セキ〔しお〕 [英] evening tide

[字解] 석수 석(夕潮).

[字源] 會意. 水와 夕의 합자. 저녁에 드나드는 「조수」의 뜻.

[汐水 석수] 저녁때 밀려 들어왔다 나가는 바닷물.

3 ⑥ 【汔】 거의 흘 [入]物 qì

[日] キツ〔ほとんど〕 [英] almost

[字解] 거의 흘(幾也).

[字源] 形聲. 氵(水)+乞〔音〕

3 ⑥ 【汜】 지류 사 [上]紙 sì

[日] シ・イ〔えだがわ〕 [英] tributary

[字解] ① 지류 사(水別復入水也). ② 물이름 사(河南水名).

[字源] 形聲. 氵(水)+巳〔音〕

[汜水 사수] 하남성(河南省)을 북류(北流)하는 황하(黃河)의 지류(支流). 범수(氾水)라고도 함.

3 ⑥ 【汕】 오구 산 [去]諫 shàn

[日] サン〔やな〕 [英] scoop net

[字解] 오구 산(罾也).

[字源] 形聲. 氵(水)+山〔音〕

[汕汕 산산] 오구로 물고기를 잡는 모양. 일설(一說)에는, 물고기가 노는 모양.

3 ⑥ 【汚】 [一]더러울 오 [平]虞 [二]팔 와 [平]麻 wū wā

丶 冫 氵 汀 汚 汚

[日] オ〔けがす〕・ワ〔うがつ〕

[英] dirty, dig

[字解] [一] 더러울 오(汙也), 더럽힐 오(辱也). [二] 팔 와. 움푹 들어가게 팜.

[字源] 形聲. 氵(水)+亏〔音〕

[參考] 汙(水部 3획)는 동자.

[汚吏 오리] 청렴하지 못한 벼슬아치.

[汚名 오명] 더럽혀진 이름. 나쁜 평판.

[汚辱 오욕] ㉠ 더럽히고 욕되게 함. ㉡ 수치. 치욕.

3 ⑥ 【汙】 汚(오)(前條)와 同字

3 ⑥ 【汗】 땀 한 [去]翰 hàn

丶 冫 氵 汀 汗 汗

[日] カン〔あせ〕 [英] sweat

[字解] 땀 한(人液). ¶ 汗蒸(한증).

[字源] 形聲. 氵(水)+干〔音〕

[汗衫 한삼] 저고리 속에 껴입는 적삼.

[汗蒸 한증] 특수한 시설로 덥게 해서, 그 속에서 몸에 땀을 내어 병을 치료하는 방법. ¶ 汗蒸幕(한증막).

[盜汗 도한] 몸이 쇠약하여 잘 때 저절로 나는 식은 땀.

[發汗 발한] 병을 다스리기 위해 땀을 냄.

3 ⑥ 【汛】 뿌릴 신 [去]震 xùn

[日] シン〔そそぐ〕 [英] sprinkle

[字解] ① 뿌릴 신(灑也). ② 조수 신(潮也).

[字源] 形聲. 氵(水)+卂〔音〕

[汛掃 신소] 물을 뿌리고 깨끗이 청소함.

³
⑥【汝】너 여
上語 | rŭ | 汝

丶丶氵汀汝汝汝

日 ジョ〔なんじ〕 英 you

字解 너 여(爾也).

字源 形聲. 氵(水)+女〔音〕

[汝等 여등] 너희들.

[汝輩 여배] 너희들. 여등(汝等).

³
⑥【江】강 강
中江 | jiāng | 江

丶丶氵氵汀江江

日 コウ〔かわ〕 英 river

字解 강 강(大河也).

字源 形聲. 氵(水)+工〔音〕

[江心 강심] 강의 한복판.

[江鄕 강향] 강(江)가의 마을. 강촌(江村).

[江湖 강호] ㉠ 강과 호수. ㉡ 자연. ㉢ 세상(世上). ¶ 江湖諸賢(강호제현).

[渡江 도강] 강을 건넘.

³
⑥【池】못 지
中支 | chí | 池

丶丶氵汋池池

日 チ〔いけ〕 英 pond

字解 못 지(穿地通水). ¶ 池塘(지당).

字源 形聲. 氵(水)+也〔音〕

[池塘 지당] 못. 연못. ¶ 池塘春草夢(지당춘초몽).

[池畔 지반] 못가.

[池上 지상] ㉠ 못의 물 위. ㉡ 못가.

[蓮池 연지] 연못.

⁴
⑧【沓】합할 답
入合 | tà | 沓

日 トウ〔かさなる〕 英 put together

字解 합할 답(重也).

字源 會意. 日(말)과 水의 합자. 물이 흐르듯이 이야기함의 뜻.

[沓至 답지] 자꾸 계속하여 옴.

[雜沓 잡답] 북적거리고 붐빔.

⁴
⑦【汩】日 다스릴 골
入月 | gū
日 물 이름 멱 mì
覓

日 コツ〔しずむ〕・ベキ〔かわのな〕

字解 日 다스릴 골(治也). 日 물이름 멱(長沙水名).

字源 形聲. 氵(水)+冥(省)〔音〕

注意 汩(水部 4획)은 딴 글자.

[汩沒 골몰] ㉠ 물속에 잠김. ㉡ 다른 생각을 할 여유가 없이 어떤 일에 파묻힘.

⁴
⑦【汩】흐를 율
入質 | yù | 汩

日 イツ〔ながれる〕 英 flow

字解 ① 흐를 율(水流). ② 빠를 율(疾貌).

字源 形聲. 氵(水)+日〔音〕

注意 汩(水部 4획)은 딴 글자.

⁴
⑦【汪】넓을 왕
中陽 | wāng | 汪

日 オウ〔ひろい・ふかい〕 英 wide

字解 넓을 왕(深廣).

字源 形聲. 氵(水)+生〔音〕

[汪茫 왕망] 물이 넓고 큰 모양.

[汪汪 왕왕] 물이 넓고 깊은 모양.

⁴
⑦【汭】물굽이 예
去霽 | ruì | 汭

日 ゼイ〔かわのくま〕 英 bend

字解 ① 물굽이 예(水曲). ② 물속 예(水內).

字源 會意. 水(물)와 內(안)의 합자. 물이 들어간 곳. 「內(내)」의 전음이 음을 나타냄.

⁴
⑦【汰】씻을 태
去泰 | tài | 汰

日 タ〔あらう〕 英 wash

字解 씻을 태(洮洗也).

字源 形聲. 氵(水)+太〔音〕

注意 汏(水部 3획)는 딴 글자.

[淘汰 도태] 여럿 중에서 불필요한 부분이 줄어 없어짐.

[沙汰 사태] 언덕이나 산비탈이 비로 말미암아 무너지는 일.

4 ⑦ 【汲】 길을 급 入緝 jí

日 キュウ〔くむ〕 英 draw water

字解 ① **길을 급**(引水於井). ¶ 汲水(급수). ② **당길 급**(引也).

字源 形聲. 氵(水)+及〔音〕

[汲汲 급급] 어떤 일에 마음을 쏟아서 쉴 사이가 없는 모양.

[汲器 급기] 두레박.

[汲水 급수] 물을 길음. 물 긷기.

4 ⑦ 【汴】 물이름 변 去霰 biàn

日 ベン〔かわのな〕

字解 ① **물이름 변**(陳留水名). ② **땅이름 변**(宋京名).

字源 形聲. 氵(水)+卞〔音〕

4 ⑦ 【汶】 一 수치 문 平元 二 물이름 문 去問 wèn mén

日 ボン·モン〔はずかしめ〕·ブン〔かわのな〕

英 shame

字解 一 **수치 문**(玷辱). 二 **물이름 문**(琅琊水名).

字源 形聲. 氵(水)+文〔音〕

[汶汶 문문] 더러움. 더럽힘.

4 ⑦ 【汸】 콸콸흐를 방 平陽 pāng

日 ホウ〔さかんにながれる〕

字解 **콸콸흐를 방**(水多流貌). ¶ 汸沱(방타).

字源 形聲. 氵(水)+方〔音〕

[汸汸 방방] 물이 세차게 흐르는 모양.

4 ⑦ 【決】 결정할 결 入屑 jué

丶 冫 氵 汀 氵コ 泱 決

日 ケツ〔きめる〕 英 decide

字解 ① **결정할 결**(斷也). ¶ 決心(결심). ② **끊을 결**(絶也). ¶ 決裂(결렬).

字源 形聲. 氵(水)+夬〔音〕

[決斷 결단] 딱 잘라 결정함.

[決裂 결렬] 의견이 맞지 않아 관계를 끊고 갈라짐.

[決心 결심] 마음을 정함.

[決定 결정] 결단하여 정함. 일의 매듭을 지음.

[決行 결행] 단호히 행함. 단행함.

[終決 종결] 결정이 내려짐.

[判決 판결] 시비·선악을 판단하여 결정함.

4 ⑦ 【汽】 一 김 기 去未 二 거의 흘 入物 qì

日 キ〔ゆげ〕·キツ〔ほとんど〕

英 steam, almost

字解 一 **김 기**(水气也). 二 **거의 흘**(幾也).

字源 形聲. 氵(水)+气〔音〕

[汽笛 기적] 기차·기선 따위의 증기의 힘으로 내는 고동.

[汽車 기차] 증기의 힘으로 궤도 위를 달리는 차.

4 ⑦ 【汾】 클 분 平文 fén

日 フン〔おおきい〕 英 big

字解 ① **클 분**(大也). ② **물이름 분**(太原水名). ③ **물이도는모양 분**(水轉貌). ¶ 汾沄(분운).

字源 形聲. 氵(水)+分〔音〕

[汾水 분수] 산서성(山西省)에서 발원하여 황하(黃河)로 들어가는 강.

[汾沄 분운] 많고 성(盛)한 모양.

[汾河 분하] 분수(汾水).

4 ⑦ 【沁】 물이름 심 [去]沁 | qìn

[日] シン〔しみる〕

[字解] ① **물이름 심**(上黨水名). ② **더듬어찾을 심**(探也).

[字源] 形聲. 氵(水)+心〔音〕

[沁痕 심흔] 밴 흔적. 스며 들어간 자국.

4 ⑦ 【沂】 [一]물이름 기 [平]微 [二]지경 은 [平]眞 | yí yín

[日] キ〔かわのな〕・ギン〔ほとり〕 [英] boundary

[字解] [一] **물이름 기**(魯南水名). [二] **지경 은**.

[字源] 形聲. 氵(水)+斤〔音〕

[注意] 泝(水部 5획)은 딴 글자.

4 ⑦ 【沃】 기름질 옥 [入]沃 | wò

[日] ヨク〔こえる〕 [英] fertile

[字解] ① **기름질 옥, 윤택할 옥**(潤也). ¶ 沃土(옥토). ② **물댈 옥**(漑灌也).

[字源] 形聲. 氵(水)+芺〈省〉〔音〕

[沃盥 옥관] 물을 끼얹어 손을 씻음.
[沃土 옥토] 기름진 땅. 옥지(沃地).
[肥沃 비옥] 땅이 걸고 기름짐.

4 ⑦ 【沄】 돌아흐를 운 [平]文 | yún

[日] ウン〔めぐりながれる〕 [英] whirlpool

[字解] ① **돌아흐를 운**(轉流). ② **깊을 운**(深也). ③ **넓을 운**(廣也).

[字源] 形聲. 氵(水)+云〔音〕

[沄沄 운운] ㉠ 물이 소용돌이치는 모양. ㉡ 넓고 깊은 모양. ㉢ 목소리가 우렁찬 모양.

4 ⑦ 【沅】 물이름 원 [平]元 | yuán

[日] ゲン〔かわのな〕

[字解] **물이름 원**(長沙水名).

[字源] 形聲. 氵(水)+元〔音〕

[沅芷澧蘭 원지예란] 원수(沅水)에서 나는 구릿대와 예수(澧水)에서 나는 난초. 모두 유명한 향초(香草)임.

4 ⑦ 【沆】 넓을 항 [上]養 | hàng

[日] コウ〔ひろい〕 [英] wide

[字解] **넓을 항**(水草廣大貌). ¶ 沆茫(항망).

[字源] 形聲. 氵(水)+亢〔音〕

[沆茫 항망] 수면(水面)이 광대한 모양.
[沆瀁 항양] 물이 깊고, 넓은 모양.

4 ⑦ 【沇】 [一]물이름 연 [上]銑 [二]흐를 유 [上]紙 | yǎn wěi

[日] コン・イ〔かわのな・たにまをながれる〕

[英] flow

[字解] [一] ① **물이름 연**(水名沇水). ② **고을이름 연**(州名). ③ **흐를 연**(流貌). [二] **흐를 유**(流貌).

[字源] 形聲. 氵(水)+允〔音〕

[沇沇 연연] 물이 졸졸 흐르는 모양.
[沇溶 유용] 물이 산골짜기를 흐르는 모양.

4 ⑦ 【沈】 [一]가라앉을 침 [平]侵 [二]성 심 [上]寢 | chén shěn

丶 ⺀ 氵 氵 氵冖 汁 沈

[日] チン〔しずむ〕

[英] sink, family name

[字解] [一] ① **가라앉을 침**(沒也). ¶ 浮沈(부침). ② **빠질 침**(溺也). ¶ 沈潛(침잠). [二] **성 심**(人姓). ¶ 沈氏(심씨).

4 획

4획

字源 形聲. 氵(水)+尤[音]

參考 沉(水部 4획)은 속자.

[沈慮 침려] 생각에 잠김. 깊이 생각함. 침사(沈思).

[沈沒 침몰] 물에 빠져서 가라앉음.

[沈默 침묵] 말없이 잠잠히 있음.

[沈着 침착] ㉠ 가라앉음. 침몰(沈沒). ㉡ 성질이 가라앉고 착실함.

[沈滯 침체] ㉠ 전진하지 못하고 한 자리에 머묾. ㉡ 벼슬이 오르지 아니함.

4
⑦ 【沉】 沈(침·심)(水部 4획)의 俗字

4
⑦ 【沌】 ━기운 덩어리 돈 ㊤阮
━돌 돈 ㊦元   dùn   tún

㊐ トン〔まわる〕 ㊤ turn

字解 ━ 기운덩어리 돈(元氣未判). ━ 돌 돈(轉轉). ¶ 混沌(혼돈).

字源 形聲. 氵(水)+屯[音]

4
⑦ 【沍】 ━막을 호 ㊥혁 ㊦遇
━얼 호 ㊦陌   hù

㊐ コ〔ふさぐ〕・カク〔こおる〕

㊤ close up, freeze

字解 ━ 막을 호(塞也). ━ 얼 호(凍也).

字源 形聲. 氵(水)+互[音]

[沍寒 호한] 얼어붙도록 심한 추위.

4
⑦ 【沐】 ━머리감을 목 ㊤屋   mù

丶丶丬氵氵汁沐沐

㊐ モク〔かみをあらう〕 ㊤ wash hair

字解 머리감을 목(濯髮).

字源 形聲. 氵(水)+木[音]

[沐浴 목욕] ㉠ 머리를 감고 몸을 씻음. ㉡ 은혜를 입음. 목은(沐恩).

[沐猴而冠 목후이관] 겉차림은 사람 모양을 갖추었으나 속과 행동은 사람답지 못한 사람을 조롱하는 말.

4
⑦ 【沒】 ━빠질 몰 ㊤月
━져가라앉을 매 ㊦隊   mò   mèi

丶丶氵氵汐汐沒沒

㊐ ボツ〔しずむ〕・バイ〔しずみおぼれる〕

㊤ sink

字解 ━ ① 빠질 몰(沈也). ¶ 沈沒(침몰). ② 다할 몰(盡也). ¶ 沒落(몰락). ③ 죽을 몰(死也). ¶ 生沒(생몰). ④ 빼앗을 몰(取他人之物). ¶ 沒收(몰수). ⑤ 없을 몰(無也). ¶ 沒人情(몰인정). ━ 빠져가라앉을 매.

字源 會意. 水와 殳(가라앉음의 뜻)과의 합자.

[沒頭 몰두] 일에 열중함.

[沒落 몰락] ㉠ 영락(零落)함. ㉡ 멸망함.

[沒殺 몰살] 죄다 죽임.

[沒收 몰수] 빼앗아 들임.

[沒人情 몰인정] 인정이 아주 없음.

[沒入 몰입] 어떤 일에 빠짐.

[生沒 생몰] 태어남과 죽음.

[沈沒 침몰] 물에 빠져 가라앉음.

4
⑦ 【沔】 ━물이름 면 ㊤銑   miǎn

㊐ ベン〔おぼれる〕

字解 ① 물이름 면(漢水別名). ② 물그득히흐를 면(水流滿). ③ 빠질 면(湎也).

字源 形聲. 氵(水)+丏[音]

4
⑦ 【汩】 ━아득할 물 ㊤物
━숨을 밀 ㊤質   wù   mì

㊐ ブツ〔かすか〕・ビツ〔ひそみかくれる〕

㊤ remote, hide

字解 ■ 아득할 물(深微貌). ■ 숨을 밀.

字源 形聲. 氵(水)+勿〔音〕

[渀漠 물막] 아득한 모양. 어두운 모양.

[渀穆 물목] 깊어 아득한 모양.

---

⁴₇ 【沖】 온화할 충⊕東 | chōng | 沖
㊐ チュウ〔むなしい〕 ㊟ gentle

字解 ① 온화할 충(和也). ¶ 沖氣(충기). ② 빌 충(虛也). ¶ 沖虛(충허). ③ 어릴 충(幼少). ¶ 沖年(충년).

字源 形聲. 氵(水)+中〔音〕

參考 冲(冫部 4획)은 속자.

[沖氣 충기] 하늘과 땅 사이의 잘 조화된 기운.

[沖年 충년] 어린 나이.

[沖天 충천] 하늘 높이 솟음. 하늘에 날아 오름.

[沖虛 충허] 허무함. 잡념을 버리고 마음을 텅 비게 함.

---

⁴₇ 【沘】 물이름 비⊕支 | bǐ | 沘
㊐ ヒ・ビ〔かわのな〕

字解 물이름 비(水名).

字源 形聲. 氵(水)+比〔音〕

---

⁴₇ 【沙】 모래 사⊕麻 | shā shà | 沙
㊐ サ〔すな〕 ㊟ sand

字解 ① 모래 사(疏土). ¶ 沙漠(사막). ② 일 사(汰也).

字源 會意. 水와 少의 합자. 물이 적으면 모래가 보이는 뜻.

參考 砂(石部 4획)와 동자.

[沙漠 사막] 모래만 깔리고 초목(草木)이 나지 않는 넓은 들.

[沙汰 사태] ㉠ 쌀을 일어 모래를 가려냄. ㉡ 사람 또는 물건을 가림. ㉢ 시비곡직(是非曲直)을 바로잡음. ㉣ (韓)산·비탈 같은 것이 무너지

는 현상.

---

⁴₇ 【沚】 물가 지⊕紙 | zhǐ | 沚
㊐ シ〔なぎさ〕 ㊟ waterside

字解 물가 지(小渚).

字源 形聲. 氵(水)+止〔音〕

---

⁴₇ 【沛】 늪 패⊕泰 | pèi | 沛
㊐ ハイ〔さわ〕 ㊟ swamp

字解 ① 늪 패(草澤). ¶ 沛澤(패택). ② 비올 패(雨盛貌). ¶ 沛然(패연).

字源 形聲. 氵(水)+市〔音〕

[沛澤 패택] 초목이 나고 물이 있는 곳. 초목이 무성하여 짐승들이 살 만한 곳.

---

⁴₇ 【沢】 澤(택)(水部 13획)의 略字

---

⁵₈ 【沫】 거품 말⊕曷 | mò | 沫
㊐ マツ〔あわ〕 ㊟ foam

字解 ① 거품 말(泡也). ¶ 泡沫(포말). ② 침 말(涎也). ③ 땀 말(汗也).

字源 形聲. 氵(水)+末〔音〕

[沫醇 말발] 끓는 물의 거품.

[噴沫 분말] 거품을 내뿜음.

[泡沫 포말] 물거품.

---

⁵₈ 【沬】 ■어스레 할 매㊀隊 ■낯씻을 회㊀隊 | mèi huì | 沬
㊐ マイ〔うすあい〕・カイ〔あらう〕 ㊟ dusky, wash face

字解 ■ 어스레할 매, 어둑어둑할 매. ■ 낯씻을 회.

字源 氵(水)+未〔音〕

---

⁵₈ 【沮】 막을 저⊕語 | jǔ | 沮

⽇ ソ〔はばむ〕　⽶ stop up

字解 ① 막을 저(拒也). ¶ 沮止(저지). ② 꺾일 저(壞也, 毁也). ¶ 沮喪(저상).

字源 形聲. 氵(水)+且〔音〕

注意 阻(阜部 5획)는 딴 글자.

[沮喪 저상] 기가 꺾임.

[沮止 저지] 막아서 못하게 함. 방지(防止)함.

[沮害 저해] 방해하여 해침.

5
⑧ 【沱】 눈물흐를
타⑥歌 | tuó | 沱

⽇ タ〔なみだながれる〕　⽶ shed tears

字解 ① 눈물흐를 타(淚貌). ② 비쏟아질 타(大雨貌).

字源 形聲. 氵(水)+它〔音〕

參考 沱(水部 5획)는 동자.

[沱若 타약] ㉠ 눈물이 흐르는 모양. ㉡ 비가 쏟아지는 모양.

5
⑧ 【沲】 沱 (前條)와 同字

5
⑧ 【河】 물 하
⑥歌 | hé | 河

丶丶氵沪沪沪河

⽇ カ・ガ〔かわ〕　⽶ river

字解 물 하, 내 하(大川).

字源 形聲. 氵(水)+可〔音〕

[河口 하구] 바다·호수 등으로 들어가는 강의 어귀.

[河床 하상] 하천 밑의 지반.

[河域 하역] 하천의 유역. 강가.

[河川 하천] 강과 내.

[河海 하해] 강과 바다.

5
⑧ 【泂】 멀 형
⑭逈 | jiǒng

⽇ ケイ〔とおい〕　⽶ far

字解 ① 멀 형. ② 깊을 형. ③ 추울 형.

字源 形聲. 氵(水)+冋〔音〕

5
⑧ 【沸】 ▀끓을
비⑭未
음솟
음칠 불
⑧物 | fèi
fú | 沸

⽇ ヒ〔わく〕・フツ〔わきでる〕　⽶ boil, rise up

字解 ▀ 끓을 비(涫也). ¶ 沸騰(비등). ▀ 용솟음칠 불(泉涌貌). ¶ 沸沸(불불).

字源 形聲. 氵(水)+弗〔音〕

[沸沸 불불] 물이 용솟음치는 모양.

[沸騰 비등] ㉠ 끓어오름. 끓음. ㉡ 떠들썩함. 의론 등이 물 끓 듯함.

5
⑧ 【油】 기름 유
⑥尤 | yóu | 油

丶丶氵汩汩油油油油

⽇ ユ〔あぶら〕　⽶ oil

字解 ① 기름 유(膏也). ¶ 油田(유전). ② 구름일 유(雲盛貌).

字源 形聲. 氵(水)+由〔音〕

[油然 유연] ㉠ 구름이 힘있게 피어나는 모양. ㉡ 개의치 않는 모양. 태연한 모양.

[油田 유전] 석유가 나는 곳.

[油畵 유화] 기름기 있는 채색으로 그린 서양식(西洋式)의 그림.

5
⑧ 【治】 다스릴
치⑥寘 | zhì | 治

丶丶氵氵治治治治治

⽇ ジ・チ〔おさめる〕　⽶ govern

字解 ① 다스릴 치(理也). ¶ 治國(치국). ② 병고칠 치. ¶ 治療(치료).

字源 形聲. 氵(水)+台〔音〕

[治國 치국] 나라를 다스림.

[治療 치료] 병을 다스려 낫게 함.

[治水 치수] 물을 잘 다스려 그 피해를 막음.

5
⑧ 【沼】 늪 소
⑭조⑭篠 | zhāo | 沼

4
획

[日] ショウ〔ぬま〕 [英] swamp

[字解] **늪 소**(曲池).

[字源] 形聲. 氵(水)+召〔音〕

[沼澤 소택] 늪과 못.
[湖沼 호소] 호수와 늪.

5 ⑧ 【沽】 팔 고 [平]虞 | gū

[日] コ〔うる〕 [英] sell

[字解] ① **팔 고**(賣也). ¶ 沽券(고권). ② **살 고**(買也). ¶ 沽酒(고주).

[字源] 形聲. 氵(水)+古〔音〕

[沽券 고권] ㉠ 매도 증서. ㉡ 판 값.
[沽酒 고주] ㉠ 사 온 술. ㉡ 파는 술.

5 ⑧ 【沾】 [一]젖을 첨 [平]鹽 [二]엿볼 점 [本]첨[平]鹽 [三]경망할 접 [入]葉 | zhān chān tiān

[日] セン〔うるおう〕·セン〔みる〕·チョウ〔けいはく〕
[英] get wet, sneak a look, rash

[字解] [一] **젖을 첨**(濡也). [二] **엿볼 점**(覘也). [三] **경망할 접**(輕薄).

[字源] 形聲. 氵(水)+占〔音〕

[沾濕 첨습] 물기에 젖음.

5 ⑧ 【沿】 물따라 내려갈 연[平]先 | yán

[日] エン〔そう〕

[字解] **물따라내려갈 연**(緣水而下). ¶ 沿岸(연안).

[字源] 形聲. 氵(水)+㕣〔音〕

[沿道 연도] 큰 길가에 있는 지역.
[沿邊 연변] 국경·강·도로 등에 인접한 지역.
[沿岸 연안] 강물이나 바닷가를 따라서 인접하여 있는 일대의 지방.
[沿海 연해] ㉠ 바닷가에 있는 일대의 땅. ㉡ 육지에 가까운 바다.
[沿革 연혁] 변천되어 온 내력.

5 ⑧ 【況】 하물며 황[去]漾 | kuàng

[日] キョウ〔いわんや〕 [英] much more

[字解] ① **하물며 황**(矧也). ¶ 況且(황차). ② **모양 황**(樣也). ¶ 狀況(상황).

[字源] 形聲. 氵(水)+兄〔音〕

[參考] 况(冫部 5획)은 속자.

[況且 황차] 하물며.
[近況 근황] 요사이의 형편.
[作況 작황] 농작물의 잘되고 못된 상황.

5 ⑧ 【泄】 [一]샐 설 [入]屑 [二]흩어질 예[去]霽 | xiè yì

[日] セツ〔もれる〕·エイ〔ばらつく〕
[英] leak, scatter

[字解] [一] ① **샐 설**(漏也). ¶ 漏泄(누설). ② **설사 설**(瀉病). ¶ 泄瀉(설사). [二] **흩어질 예**(散也). ¶ 泄泄(예예).

[字源] 形聲. 氵(水)+世〔音〕

[泄瀉 설사] 물찌똥을 눔. 또, 그 똥.
[泄泄 예예] ㉠ 새가 날개를 퍼덕이는 모양. 천천히 움직이는 모양. ㉡ 많은 사람이 웅성거리는 모양. ㉢ 투덜거리며 따라가는 모양.
[排泄 배설] 노폐물을 밖으로 내보냄.

5 ⑧ 【泆】 음탕할 일[入]質 | yì

[日] イツ〔あふれる〕 [英] dissipated

[字解] ① **음탕할 일**(淫放). ② **넘칠 일**(溢也). ③ **물결출렁거릴 일**. ¶ 泆蕩(일탕).

[字源] 形聲. 氵(水)+失〔音〕

4
획

5/8 〔泊〕 배댈 박 入藥 | bó 泊

丶 氵 氵 氵 泊 泊 泊 泊

㊊ ハク〔とまる〕 ㊤ anchor

字解 ① 배댈 박(舟附岸). ② 碇泊(정박). ② 묵을 박. ¶ 宿泊(숙박). ③ 떠돌아다닐 박(流寓). ¶ 漂泊(표박). ④ 조용할 박(靜也).

字源 形聲. 氵(水)+白(音)

[淡泊 담박] 맛이나 빛이 산뜻함.
[碇泊 정박] 배가 닻을 내리고 머묾.

5/8 〔泌〕 ■샘물졸 졸흐를 비 ㊤眞 ■샘물졸 졸흐를 필 ㊤質 | bì 泌

㊊ ヒ・ヒツ〔にじむ〕
㊤ brook murmurs along

字解 ■ ① 샘물졸졸흐를 비(泉水涓流貌). ② 물좁게흐를 비(水狹流). ■ ① 샘물졸졸흐를 필(泉水涓流貌). ② 물좁게흐를 필(水狹流).

字源 形聲. 氵(水)+必〔音〕

[泌尿器 비뇨기] 소변을 배출하는 기관(器官).

5/8 〔泓〕 물속깊 을 홍 ㊤庚 | hóng 泓

㊊ オウ〔ふかい〕 ㊤ deep

字解 ① 물속깊을 홍(水深貌). ② 물맑을 홍(水淸貌).

字源 形聲. 氵(水)+弘〔音〕

[泓澄 홍징] 물이 깊고 맑음.

5/8 〔泔〕 ■뜨물 감 ㊤覃 ■찰 함 ㊤感 | gān hàn 泔

㊊ カン〔しろみず・みちる〕
㊤ water washed rice, fill

字解 ■ ① 뜨물 감(米汁潘瀾). ②

삶을 감(煮也). ■ 찰 함.

字源 形聲. 氵(水)+甘〔音〕

[泔淡 감담] 물이 가득한 모양.

5/8 〔法〕 법 법 入洽 | fǎ 法

丶 氵 氵 氵 氵 汁 汢 法 法

㊊ ホウ〔のり〕 ㊤ law

字解 ① 법 법(制度憲章). ¶ 法律(법률). ② 골 법(象也). ③ 본받을 법(效也). ¶ 法度(법도).

字源 會意. 灋의 생략체. 水(공평한 수준의 뜻)와 廌(사람의 정사(正邪)를 분간한다는 신수(神獸))와 去(악을 제거함)의 합자.

[法規 법규] 법률상의 규정. 법(法).
[法律 법률] 국민이 지켜야 할 나라의 규율. 국법(國法).

5/8 〔泗〕 물이름 사 ㊤시㊤眞 | sì 泗

㊊ シ〔はなしる〕

字解 ① 물이름 사(濟陰水名). ② 콧물 사(鼻液).

字源 形聲. 氵(水)+四〔音〕

[泗洙 사수] ㉠ 중국 산동(山東)과 강소(江蘇)의 두 성(省)을 흐르는 사수(泗水)와 수수(洙水)로, 공자가 이 근처에서 학문을 가르쳤음. ㉡ 공자(孔子)의 학문.

5/8 〔泙〕 물결셀 팽 ㊤庚 | pēng 泙

㊊ ホウ〔みずのおと〕

字解 ① 물결셀 팽(澎也). ② 물소리 팽(水聲).

字源 形聲. 氵(水)+平〔音〕

[泙湃 팽배] 물결이 센 모양.

5/8 〔泚〕 물맑을 체 ㊤霽 | cǐ 泚

㊊ セイ〔きよい〕

字解 ① 물맑을 체(水淸). ② 땀날 체(汗出貌).

[字源] 形聲. 氵(水)+此〔音〕

5 ⑧【泛】 [一]뜰 범 [去]陷 [二]물소리 핍 [入]洽 [三]엎을 봉 [上]腫 | fàn fá fěng

[日] ハン〔うかぶ〕·ホウ〔みずのおと·くつがえす〕

[英] float, murmurs of stream, tip over

[字解] [一] **뜰 범**(浮也). ¶ 泛舟(범주). [二] **물소리 핍**(水聲). [三] **엎을 봉**.

[字源] 形聲. 氵(水)+乏〔音〕

[泛泛 범범] 찬찬하지 아니하고 데면데면함.

[泛舟 범주] 배를 띄움.

[泛稱 범칭] 포괄하여 범위가 넓게 부르는 이름. 범칭(汎稱).

5 ⑧【泝】 거슬러 올라갈 소[去]遇 | sù

[日] ソ〔さかのぼる〕 [英] go upstream

[字解] **거슬러올라갈 소**(逆流上).

[字源] 會意. 水와 斥(역방향으로 나아감)의 합자.

[參考] 遡(辵部 10획)·溯(水部 10획)와 동자.

[注意] 沂(水部 4획)는 딴 글자.

[泝流 소류] 흐르는 물을 거슬러 올라감.

5 ⑧【泠】 맑을 령 [平]青 | líng

[日] レイ〔きよい〕 [英] clear

[字解] ① **맑을 령**(淸也). ② **맑은소리 령**(水令聲). ③ **깨우칠 령**(曉也). ④ **물이름 령**(丹陽水名).

[字源] 形聲. 氵(水)+令〔音〕

[泠洌 영렬] 서늘하고 맑음.

[泠眼 영안] ㉠ 사물에 집착이 없는 눈매. ㉡ 싸늘한 눈. 차가운 눈.

[淸泠 청령] 맑고 투명함.

5 ⑧【泡】 거품 포 [平]肴 | pào

[日] ホウ〔あわ〕 [英] foam

[字解] **거품 포**(水上浮漚).

[字源] 形聲. 氵(水)+包〔音〕

[泡沫 포말] 물거품.

[水泡 수포] ㉠ 물거품. ㉡ 헛된 결과.

5 ⑧【波】 [一]물결 파[平]歌 [二]방죽 피[平]支 | bō bì

丶 冫 氵 氵 汃 汇 沪 波

[日] ハ〔なみ〕·ヒ〔そってゆく〕

[英] wave, bank

[字解] [一] ① **물결 파**(浪也). ¶ 波濤(파도). ② **움직일 파**(動也). [二] **방죽 피**(陂也).

[字源] 形聲. 氵(水)+皮〔音〕

[波及 파급] (여파나 영향 등이) 다른 데에 미침.

[波濤 파도] ㉠ 큰 물결. ㉡ 힘찬 기세로 일어나는 어떤 사회적 운동이나 현상의 비유.

[波動 파동] 물결의 움직임.

[波紋 파문] ㉠ 물결의 무늬. ㉡ 어떤 일로 말미암아 다른 데에 문제를 일으키는 영향.

[秋波 추파] ㉠ 가을철의 잔잔하고 맑은 물결. ㉡ 사모의 정을 나타내는 은근한 눈빛.

5 ⑧【泣】 [一]울 읍 [入]緝 [二]원활치않을 립[入]緝 | qì lì

丶 冫 氵 氵 氵 汁 泣 泣

[日] キュウ〔なく〕·リュウ〔しぶる〕

[英] weep

[字解] [一] **울 읍**(哭也). [二] **원활치않을 립**.

[字源] 形聲. 氵(水)+立〔音〕

[泣諫 읍간] 울면서 간함.

[泣血 읍혈] 피눈물 나게 슬피 욺.

[感泣 감읍] 감격하여 욺.

5/8 【泥】 진흙니 ㊂齊 | ní

丶冫氵沪沪泥泥泥

㊐ デイ〔どろ〕 ㊤ mud

字解 진흙 니, 수렁 니(水和土).

字源 形聲. 氵(水)+尼〔音〕

[泥土 이토] 진흙.

[泥田鬪狗 이전투구] ㉠ 진흙에서 싸우는 개라는 뜻으로, 강인한 성격의 사람을 뜻한 말. ㉡ 명분이 서지 않는 일도 몰골사납게 싸움을 이르는 말.

5/8 【注】 물댈주 ㊤遇 | zhù

丶冫氵沪沪汴注注

㊐ チュウ〔そそぐ〕
㊤ irrigate

字解 ① 물댈 주(灌也). ¶ 注入(주입). ② 뜻둘 주(意所屬). ¶ 注視(주시). ③ 주낼 주(釋經典). ¶ 注解(주해).

字源 形聲. 氵(水)+主〔音〕

[注視 주시] 눈독 들여 봄.

[注入 주입] ㉠ 흘러들어가게 쏟아서 넣음. ㉡ (어떤 사상·내용을) 남의 의식에 영향이 미치도록 가르쳐 넣어 줌.

[注解 주해] 서적의 본문(本文)의 해설. 주석(注釋).

[傾注 경주] 기울여 쏟음.

5/8 【泫】 이슬빛날현 ㊤銑 | xuàn

㊐ ゲン〔つゆひかる〕

字解 ① 이슬빛날 현(露垂貌). ② 눈물흘릴 현(流涕貌). ¶ 泫然(현연).

字源 形聲. 氵(水)+玄〔音〕

[泫然 현연] 눈물이 줄줄 흘러내리는 모양.

5/8 【泙】 물소리평 ㊤庚 | pēng

㊐ ヘイ〔みずのいきおいのさかんなさま〕
㊤ murmurs of stream

字解 물소리 평.

字源 形聲. 氵(水)+平〔音〕

5/8 【泮】 ■반수반 ㊤翰 ■나누일판 ㊤翰 | pàn

㊐ ハン〔はんすい・わかれる〕

字解 ■ 반수 반(諸侯學宮). ■ 나누일 판.

字源 形聲. 氵(水)+半〔音〕

[泮宮 반궁] ㉠ 주대(周代)에 제후의 도읍에 설립한 대학(大學). ㉡ 성균관(成均館)과 문묘(文廟)의 통칭.

5/8 【泯】 멸할민 ㊤軫 | mǐn

㊐ ビン・ミン〔ほろびる〕 ㊤ ruin

字解 멸할 민(滅也), 다할 민(盡也).

字源 形聲. 氵(水)+民〔音〕

[泯亂 민란] 질서나 도덕 따위가 쇠퇴하여 어지러움.

5/8 【泱】 ■깊을앙 ㊤陽 ■구름일영 ㊤庚 | yāng / yīng

㊐ オウ〔ふかい〕・イエ〔しらくものさま〕
㊤ deep, clouds rise

字解 ■ ① 깊을 앙(水深廣). ② 물소리우렁찰 앙(水聲宏大). ■ 구름일 영(瀁也).

字源 形聲. 氵(水)+央〔音〕

5/8 【泳】 무자맥질할영 ㊤敬 | yǒng

㊁ エイ〔およぐ〕 ㊤ dive in water

字解 **무자맥질할 영**(潛行水中).

字源 形聲. 氵(水)+永〔音〕

[泳法 영법] 헤엄치는 법.

[水泳 수영] 헤엄.

[游泳 유영] 물속에서 헤엄치며 놂.

4획

5
⑨【泉】샘 천 | quán
　　　㊥先

丿 宀 白 白 白 户 身 泉 泉

㊁ セン〔いずみ〕 ㊤ spring

字解 ① **샘 천**(水源). ¶ 溫泉(온천).
② **돈 천**(錢也). ¶ 泉布(천포).

字源 象形. 암석 사이에서 맑은 물이 흘러나오는 모양.

[泉路 천로] 저승으로 가는 길.

[泉石 천석] 샘과 돌. 전(轉)하여, 산수의 경치. 수석(水石).

[泉源 천원] 샘물의 근원. 물이 흐르는 근원. 수원(水源).

[泉布 천포] 돈. 화폐.

[溫泉 온천] 더운물이 솟아 나오는 샘.

[黃泉 황천] 저승. 명부.

5
⑩【泰】클 태 | tài
　　　㊥泰

二 三 夫 夫 未 泰 泰 泰

㊁ タイ〔おおきい〕 ㊤ great

字解 ① **클 태**(大也). ¶ 泰山(태산). ② **편안할 태**(安也). ¶ 泰平(태평). ③ **산이름 태**(山名). ¶ 泰山(태산).

字源 會意. 水와 廾(양손)와 大의 합자. 양손으로 물을 떠내는 일로 매끈매끈함의 뜻. 또,「大(대)」의 전음이 음을 나타냄.

[泰斗 태두] ㉠ 태산과 북두성(北斗星). ㉡ 그 방면에서 썩 권위가 있는 사람.

[泰山峻嶺 태산준령] 큰 산과 험한 재.

[泰然 태연] 흔들리지 않고 굳건한 모양.

[泰平 태평] 몸이나 마음이 편안함.

6
⑨【洄】물거슬러올라갈 회 | huí
　　　㊥灰

㊁ カイ〔さかのぼる〕

字解 **물거슬러올라갈 회**(逆流). ¶ 洄洄(소회).

字源 形聲. 氵(水)+回〔音〕

6
⑨【洊】이를 천 | jiàn
　　　㊤霰

㊁ セン〔いたる〕 ㊤ reach

字解 ① **이를 천**(至也). ② **연거푸 천**(再至).

字源 會意. 氵(水)+存

[洊歲 천세] 연거푸 드는 흉년.

6
⑨【洋】큰바다 양 | yáng
　　　㊥상㊥陽

丶 冫 氵 氵 氵 洋 洋 洋 洋

㊁ ヨウ〔おおうみ〕 ㊤ ocean

字解 ① **큰바다 양**(大海). ¶ 大洋(대양). ② **서양 양**(西洋). ¶ 洋服(양복). ③ **넓을 양**(廣也). ¶ 洋洋(양양). ④ **넘칠 양**(水盛貌). ¶ 洋洋(양양).

字源 形聲. 氵(水)+羊〔音〕

[洋琴 양금] ㉠ 속악기의 이름. ㉡ 피아노.

[洋食 양식] 서양 요리.

[洋洋 양양] ㉠ 물이 세차게 흐르는 모양. ㉡ 한없이 넓은 모양. 끝이 보이지 않는 모양. ㉢ 광대한 모양.

[西洋 서양] 동양에서 유럽과 아메리카 주를 이르는 말.

[遠洋 원양] 육지에서 멀리 떨어진 바다.

6
⑨【洧】물이름 유 | wěi
　　　㊤紙

㊁ イ〔かわのな〕

字解 **물이름 유**(하남성 동봉현에서 발원하여 동으로 흐르는 강).

字源 形聲. 氵(水)+有〔音〕

6 ⑨【洌】 맑을 렬 [入]屑 | liè

[日] レツ〔きよい〕 [英] clear

[字解] ① 맑을 렬(淸也). ② 찰 렬(寒也).

[字源] 氵(水)+列〔音〕

[注意] 冽(冫部 6획)은 딴 글자.

6 ⑨【洎】 [一]윤택할 계[本]기 [去]寘 [二]미칠 기 [去]寘 | jì

[日] キ〔うるおう・およぶ〕

[英] abundant, reach

[字解] [一] 윤택할 계(潤也). [二] 미칠 기(及也).

[字源] 形聲. 氵(水)+自〔音〕

6 ⑨【洑】 [一]돌아흐를 복[入]屋 [二]《韓》보 보 | fú

[日] フク〔めぐりながれる〕

[英] meander

[字解] [一] 돌아흐를 복, 스며흐를 복(洄流). ¶ 洑流(복류). [二] 《韓》 보 보(蓄水漑田).

[字源] 形聲. 氵(水)+伏〔音〕

[洑流 복류] 물결이 빙빙 돌며 흐름. 또, 숨어서 흐름.

[洑稅 보세] 봇물의 사용료.

6 ⑨【洒】 [一]뿌릴 쇄[上]蟹 [二]씻을 세[上]薺 [三]엄숙할 선[上]銑 [四]험할 최[上]賄 | sǎ xǐ sěn cuǐ

[日] サイ・セイ〔あらう〕・セン〔うやうやしい〕・サイ〔けわしい〕

[英] sprinkle, wash, grave, rough

[字解] [一] 뿌릴 쇄(汛也). [二] 씻을 세(洗也). [三] 엄숙할 선(肅恭貌). [四] 험할 최(高峻也).

[字源] 形聲. 氵(水)+西〔音〕

[洒然 선연] 놀라는 모양.

6 ⑨【洗】 [一]씻을 세[上]薺 [二]깨끗할 선[上]銑 | xǐ xiǎn

丶 冫 氵 氵 汁 泩 洗 洗

[日] セイ〔あらいきよめる〕・セン〔あらう〕

[英] wash, clear

[字解] [一] 씻을 세(滌也). ¶ 洗濯(세탁). ¶ 洗禮(세례). [二] 깨끗할 선(潔也).

[字源] 形聲. 氵(水)+先〔音〕

[洗鍊 세련] ㉠ 씻고 불림. 전하여, 손질하여 완성함. ㉡ 사상·시문(詩文) 등을 다듬음. ㉢ 수양에 의하여 인격이 원만하고 고상하게 됨.

[洗手 세수] 낯을 씻음. 세면(洗面).

[洗濯 세탁] 빨래.

6 ⑨【洙】 물이름 수[平]虞 | zhū

[日] シュ〔きよい〕

[字解] 물이름 수(泰山水名洙泗).

[字源] 形聲. 氵(水)+朱〔音〕

[洙泗學 수사학] 공자(孔子)의 가르침. 곧, 유학(儒學). 수수(洙水)와 사수(泗水)는 공자의 고향인 중국 산동성(山東省) 추(鄒) 지방을 흐르는 강 이름.

6 ⑨【洚】 [一]큰물 홍[平]東 [二]내릴 강[去]絳 | hóng jiàng

[日] コウ〔おおみず〕

[英] heavy flood, fall

[字解] [一] 큰물 홍(洪水). [二] 내릴 강.

[字源] 形聲. 氵(水)+夅〔音〕

6 ⑨【洛】 물이름 락[入]藥 | luò

丶 冫 氵 汐 洛 洛 洛 洛

[日] ラク〔かわのな〕

[字解] 물이름 락(水名).

字源 形聲. 氵(水)+各〔音〕

[京洛 경락] 서울.

6/9 【洞】
■골 동
㊡送
㉠꿰뚫을 통
㊍동㊡送

dòng　洞

丶 氵 氵 汩 洞 洞 洞 洞

㊤ ドウ〔ほら・とおる〕　㊀ valley, through

字解 ■ ① 골 동, 구렁 동(幽壑). ¶ 洞窟(동굴). ② 깊을 동(深也). ¶ 洞房(동방). ③ 〔韓〕 마을 동. ¶ 洞里(동리). ㉠ 꿰뚫을 통(貫也). ¶ 洞察(통찰).

字源 形聲. 氵(水)+同〔音〕

[洞窟 동굴] 굴. 동혈(洞穴).
[洞里 동리] 〔韓〕 마을. 동네. 부락.
[洞房 동방] ㉠ 깊숙한 데 있는 방. ㉡ 부인의 방. ㉢ 침방.
[洞察 통찰] 온통 밝히어 살핌.

6/9 【洟】
■콧물 이㊡支
㉠눈물 체㊡霽

yí
tì

㊤ イ〔はなじる〕・テイ〔なみだ〕　㊀ snivel, tears

字解 ■ 콧물 이(鼻液). ㉠ 눈물 체(淚也).

字源 形聲. 氵(水)+夷〔音〕

[洟洟 체이] 눈물과 콧물.

6/9 【津】
나루 진
㊍眞

jīn　津

㊤ シン〔つ〕　㊀ ferry

字解 ① 나루 진(水渡處). ¶ 津軍(진군). ② 침 진, 진액 진(液也). ¶ 津液(진액). ③ 넘칠 진(溢也). ¶ 津津(진진).

字源 形聲. 氵(水)+聿〔音〕

[津液 진액] ㉠ 생물의 몸 안에서 생겨나는 액체. ㉡ 진타(津唾).
[津津 진진] ㉠ 푸지고 풍성함. ㉡ 흥미·재미·맛 따위가 깊고 흐뭇함.

6/9 【洩】
■샐 설㊤屑
㉠훨훨날
예㊡霽

xiè
yì

津

㊤ セツ〔もれる〕・エイ〔とびかける〕　㊀ leak, flying with flaps of wings

字解 ■ 샐 설(漏水). ¶ 漏洩(누설). ㉠ 훨훨날 예(飛翔貌).

字源 形聲. 氵(水)+曳〔音〕

[漏洩 누설] 액체가 샘. 또는 새게 함.

6/9 【洪】
큰물 홍
㊍東

hóng　洪

丶 氵 氵 汁 洪 洪 洪 洪

㊤ コウ〔おおみず〕　㊀ flood

字解 ① 큰물 홍(漆水). ¶ 洪水(홍수). ② 클 홍(大也). ¶ 洪量(홍량).

字源 形聲. 氵(水)+共〔音〕

[洪業 홍업] 큰 사업. 또, 제왕의 사업.
[洪恩 홍은] 큰 은혜.

6/9 【洫】
봇도랑
혁㊤職

xù　洫

㊤ キョク〔みぞ〕　㊀ ditch

字解 ① 봇도랑 혁(田畔溝也). ¶ 溝洫(구혁). ② 빌 혁(虛也).

字源 會意. 氵(水)+血

[溝洫 구혁] 길가나 논밭 사이에 있는 도랑.

6/9 【洮】
물이름 조㊤豪

táo　洮

㊤ トウ〔あらう〕

字解 ① 물이름 조(隴西水名). ② 씻을 조(洗手). ③ 빨 조(洗濯也).

字源 形聲. 氵(水)+兆〔音〕

[洮汰 조태] ㉠ 씻음. 씻어 없앰. ㉡ 윤택하게 함.

6/9 【洲】
섬 주
㊍尤

zhōu　洲

丶 氵 氵 汃 汎 洲 洲 洲 洲

[日] シュウ〔す〕 [英] island

[字解] ① **섬 주**(島也). ¶ 三角洲(삼각주). ② **뭍 주**(陸地). ¶ 六大洲(육대주).

[字源] 會意. 水(氵)+州

[洲渚 주저] 파도가 밀려 닿는 곳. 물가.

[沙洲 사주] 바람·파도·조류에 밀린 잔돌이나 모래가 해안이나 하구에 쌓이어 이루어진 모래톱.

6 ⑨ 【洵】 [一]진실로 순 [平]眞 [二]멀 현 [去]霰 xún xuàn

[日] ジュン〔まことに〕·ケン〔とおい〕 [英] truly, far

[字解] [一] ① **진실로 순**(信也). ¶ 洵美且都(순미차도). ② **소리없이 울 순**(無聲出涕). [二] **멀 현**(遠也). ¶ 于嗟洵兮(우차순혜).

[字源] 形聲. 氵(水)+旬〔音〕

6 ⑨ 【洶】 용솟음할 흉 [上]腫 xiōng

[日] キョウ〔わく〕 [英] gush

[字解] **용솟음할 흉**(涌也). ¶ 洶湧(흉용).

[字源] 形聲. 氵(水)+匈〔音〕

[洶湧 흉용] ㉠ 용솟음쳐 흐르는 물결이 세찬 모양. ㉡ 술렁술렁하여 들끓는 기세가 높음.

6 ⑨ 【洸】 [一]성낼 광 [平]陽 [二]깊을 황 [去]漾 guāng huàng

[日] コウ〔いかる·ふかい〕 [英] get angry, deep

[字解] [一] ① **성낼 광**(怒貌). ② **용감할 광**(武勇). ¶ 洸洸(광광). [二] **깊을 황**(水深廣貌). ¶ 洸洋(황양).

[字源] 形聲. 氵(水)+光〔音〕

[洸洋 황양] ㉠ 물이 깊고 넓은 모양. ㉡ 이론이나 학설이 심원하여 헤아려 알기 어려운 일.

6 ⑨ 【洹】 [一]물이름 원 [平]元 [二]세차게흐를 환 [去]寒 yuán huán

[日] エン〔かわのな〕·カン〔みずのながれるさま〕

[字解] [一] ① **물이름 원**(上黨水名). ② **세차게흐를 원**(流也). [二] **세차게흐를 환**.

[字源] 形聲. 氵(水)+亘〔音〕

6 ⑨ 【活】 [一]살 활 [入]曷 [二]물콸콸흐를 괄 [入]曷 huó guō

丶 氵 氵 氵 汘 汘 活 活

[日] カツ〔いきる·ながれるさま〕 [英] live

[字解] [一] ① **살 활**(生也). ¶ 活力(활력). ② **생기있을 활**(盛動). ¶ 活氣(활기). ③ **응용할 활**. ¶ 活用(활용). [二] **물콸콸흐를 괄**(水流聲). ¶ 活活(괄괄).

[字源] 形聲. 氵(水)+舌〔音〕

[活活 괄괄] 물이 세차게 흐르는 소리.

[活氣 활기] 활발한 생기.

[活力 활력] 살아 움직이는 힘.

[活路 활로] 살아날 길.

[活潑 활발] 생기가 있음.

[復活 부활] 되살아남.

[快活 쾌활] 성격이 명랑하고 활발함.

6 ⑨ 【洼】 웅덩이 와 [平]麻 wā

[日] ワ〔くぼみ〕 [英] puddle

[字解] **웅덩이 와**(洿也).

[字源] 形聲. 氵(水)+圭〔音〕

6 ⑨ 【洽】 [一]젖을 흡 [本]협 [入]洽 [二]강이름 합 [入]合 qià

4 획

[日] コウ〔あまねし·かわのな〕 [英] wet

[字解] [一] ① 젖을 흡(霑濡). ¶ 洽汗(흡한). ② 화할 흡(和也). ¶ 洽足(흡족). ③ 두루 흡(周徧). ¶ 洽覽(흡람). [二] 강이름 합.

[字源] 形聲. 氵(水)+合〔音〕

[洽覽 흡람] 두루 봄. 여러 가지 사실을 많이 봄.

[洽足 흡족] 아쉽거나 모자람이 없이 아주 넉넉함.

[洽汗 흡한] 땀에 흠뻑 젖음.

6 ⑨ 【派】 갈래 파 [本]패[去]卦 pài

丶 氵 氵 汀 沠 派 派 派

[日] ハ〔わかれる〕 [英] branch

[字解] ① 갈래 파(分流). ¶ 派閥(파벌). ② 보낼 파(遣也). ¶ 派遣(파견).

[字源] 會意. 𠂢(永의 반대의 모양)과 水의 합자. 본류에서 나누어진 지류의 뜻.

[派遣 파견] 일정한 임무를 주어 사람을 보냄.

[派閥 파벌] ㉠ 개별적인 이해관계를 따라 따로따로 갈라진 사람들의 집단. ㉡ 종파(宗派).

[派兵 파병] 군대를 파견함.

[黨派 당파] 당의 파벌.

[特派 특파] 특별히 파견함.

6 ⑨ 【洿】 [一]웅덩이 오 [平]虞 [二]더러울 호 [上]麌 wū

[日] オ·コ〔みずたまり·けがれ〕 [英] puddle, dirty

[字解] [一] 웅덩이 오(窊下地水). ¶ 洿池(오지). [二] 더러울 호(穢也).

[字源] 形聲. 氵(水)+夸〔音〕

[洿池 오지] 낮은 땅에 물이 괸 곳. 웅덩이.

6 ⑨ 【流】 흐를 류 [平]尤 liú

氵 氵 汁 汁 浐 浐 流 流

[日] リュウ〔ながれる〕 [英] flow

[字解] ① 흐를 류(水行). ¶ 流水(유수). ② 구할 류(求也). ③ 내릴 류(下也). ④ 내칠 류(放也). ⑤ 펼 류(布也). ¶ 流布(유포). ⑥ 달아날 류(走也). ⑦ 귀양보낼 류(刑罰之一, 放也). ⑧ 갈래 류(派也). ¶ 分流(분류). ⑨ 품위 류(等級, 品位). ¶ 上流(상류).

[字源] 會意. 水와 㐬(아기가 태어나는 모양)의 합자. 순조롭게 흘러나옴의 뜻.

[參考] 流(水部 7획)의 본자.

[流動 유동] 흘러 움직임.

[流産 유산] 태아(胎兒)가 달이 차기 전에 죽어 나옴.

[流域 유역] 강가의 지역.

[流暢 유창] 말·문장 등이 물 흐르듯 거침없는 모양.

[流血 유혈] ㉠ 피를 흘림. 또, 피가 흐름. ㉡ 흐르는 피.

[激流 격류] 거세게 흐르는 물.

[放流 방류] 가두었던 물을 터서 흘려 보냄.

6 ⑨ 【涓】 涓(연)(水部 7획)의 略字

6 ⑨ 【洴】 洴(병)(水部 8획)의 俗字

6 ⑨ 【浅】 淺(천)(水部 8획)의 略字

6 ⑨ 【浄】 淨(정)(水部 8획)의 略字

6 ⑨ 【海】 海(해)(水部 7획)의 俗字

7 ⑩ 【浙】 물이름 절[入]屑 zhè

[日] セツ〔かわのな〕

[字解] 물이름 절(錢塘水名).

[字源] 形聲. 氵(水)+折〔音〕

注意 淅(水部 8획)은 딴 글자.

[浙江 절강] 중국의 절강성을 관류(貫流)하는 강.

---

7 【浚】 칠 준
10 土순⑮震 | jùn 浚

日 シュン〔さらう〕 英 dredge

字解 ① 칠 준(抒也). ¶ 浚渫(준설). ② 깊을 준(深也). ¶ 浚急(준급).

字源 形聲. 氵(水)+夋〔音〕

[浚急 준급] 깊고도 물살이 빠른 흐름.

[浚渫 준설] 못·개울·강 따위의 메워진 것을 파냄.

[浚井 준정] 우물을 치고 깊게 함.

---

7 【涑】 ▬ 헹굴 수
10 ⑭尤 | sōu
▬ 물이름 속 | sù 涑
⑨屋

日 ソウ〔すすぐ〕·ソク〔かわのな〕
英 rinse out

字解 ① 헹굴 수. ② 물이름 속.

字源 形聲. 氵(水)+束〔音〕

---

7 【涏】 ▬ 물찰 정
10 ⑮迴 | tǐng
▬ 아름다울 | diàn
전⑨霰

日 テイ〔ながれがつめたい〕·テイ〔うつくしい〕
英 water cold, pretty

字解 ▬ 물찰 정. ▬ 아름다울 전.

---

7 【涍】 강이름
10 효⑭肴 | xiào

日 コウ〔かわのな〕

字解 강이름 효.

---

7 【浡】 우쩍 일어
10 날 발⑧月 | bó 浡

日 ボツ〔おこる〕 英 rise

字解 우쩍일어날 발(興起貌).

字源 形聲. 氵(水)+孛〔音〕

參考 勃(力部 7획)과 동자.

[浡然 발연] 우쩍 일어나는 모양. 발연(勃然).

---

7 【浣】 씻을 완
10 ⑭환⑪부 | huàn
⑨翰 | 浣

日 カン〔あらう〕 英 wash

字解 ① 씻을 완(滌也). ¶ 浣衣(완의). ② 열흘 완(十日). ¶ 上浣(상완).

字源 形聲. 氵(水)+完〔音〕

[浣愁 완위] 울적한 마음이 사라지고 상쾌하여짐.

[浣衣 완의] 옷을 빨래함.

[上浣 상완] 초하루부터 열흘까지의 동안.

---

7 【涇】 통할 경
10 ⑭青 | jīng 泾 涇

日 ケイ〔とおる〕 英 get through

字解 ① 통할 경(通也). ¶ 涇流(경류). ② 물이름 경(安定水名). ¶ 涇渭(경위).

字源 形聲. 氵(水)+巠〔音〕

[涇流 경류] 강이 흘러 통함. 흐름.

---

7 【消】 사라질
10 소⑭蕭 | xiāo 消

氵 氵' 氵' 氵肖 氵肖 消 消 消

日 ショウ〔きえる〕 英 extinguish

字解 ① 사라질 소(滅也). ¶ 消火(소화). ② 물러날 소(退也). ¶ 消極的(소극적). ③ 다할 소(盡也). ④ 쇠하여줄어들 소(衰也). ¶ 消長(소장).

字源 形聲. 氵(水)+肖〔音〕

[消却 소각] ㉠ 꺼 물리침. 사라지게 함. ㉡ 써 없앰. 소비함.

[消燈 소등] 등불을 끔.

[消耗 소모] 써서 없어짐. 또, 써서 줄게 함.

4획

[消遙 소요] 이리저리 거닐어 다님.
[消火 소화] 불을 끔.
[消化 소화] ㉠ 먹은 음식을 삭여서 내림. ㉡ 사물이 소멸하여 변화함. ㉢ 배운 지식·기술, 얻은 경험 등을 완전히 익혀 자기의 것으로 만듦.
[抹消 말소] 지워서 없앰.

7 ⑩【浥】 ━젖을 읍 ⑧� | yì | 浥
 ━흐를 압 ⑧洽 | yà

�日 ユウ〔うるおう〕・オウ〔ながれくだる〕
㊥ moist, flow

字解 ━ 젖을 읍(潤濕). ━ 흐를 압(水流下貌).
字源 形聲. 氵(水)+邑〔音〕

[浥塵 읍진] 겨우 먼지를 추길 정도로 적게 오는 비.

7 ⑩【浦】 개 포 ⑧寰 | pǔ | 浦
 氵 氵 氵 汩 汩 洞 浦 浦
�日 ホ〔うら〕 ㊥ seacoast
字解 개 포(瀕也).
字源 形聲. 氵(水)+甫〔音〕

[浦口 포구] 배가 드나드는 개의 어귀.

7 ⑩【浩】 넓을 호 ⑧皓 | hào | 陪
 氵 氵 氵 汩 沣 沣 浩 浩
�日 コウ〔ひろい〕 ㊥ wide
字解 ① 넓을 호(廣大). ¶ 浩然(호연). ② 넉넉할 호(饒也).
字源 形聲. 氵(水)+告〔音〕
參考 澔(水部 12획)는 동자.

[浩大 호대] 넓고 큼.
[浩然 호연] ㉠ 물이 그침 없이 흐르는 모양. ㉡ 넓고 큼. ¶ 浩然之氣(호연지기).
[浩飮 호음] 술을 대단히 많이 마심. 호음(豪飮).

[浩蕩 호탕] ㉠ 물이 넓어서 끝이 없는 모양. ㉡ 뜻이 분방(奔放)한 모양.

7 ⑩【浩】 浩(호)(前條)와 同字

7 ⑩【浪】 물결 랑 ⑧漾 | làng | 浪
 氵 氵 沪 浔 沪 浪 浪 浪
�日 ロウ〔なみ〕 ㊥ wave
字解 ① 물결 랑(波也). ¶ 風浪(풍랑). ② 방랑할 랑(放也). ¶ 浪人(낭인). ③ 함부로 랑. ¶ 浪費(낭비). ④ 터무니없을 랑(不精要), 허망할 랑. ¶ 浪說(낭설).
字源 形聲. 氵(水)+良〔音〕

[浪費 낭비] 재물을 함부로 씀.
[浪說 낭설] 터무니없는 소문.
[放浪 방랑] 정처 없이 떠돌아다님.

7 ⑩【浬】 해리 리 ⑧支 | lǐ | 浬
�日 リ〔かいり〕 ㊥ knot
字解 해리 리(海之里數).
字源 會意. 水와 里의 합자. 해상의 이정(里程)의 뜻.

7 ⑩【浮】 뜰 부 ⑧尤 | fú(fóu) | 浮
 氵 氵 氵 浮 浮 浮 浮 浮
�日 フ〔うかぶ〕 ㊥ float
字解 ① 뜰 부(汛也). ¶ 浮力(부력). ② 넘칠 부(溢也). ③ 가벼울 부(輕也). ¶ 浮薄(부박). ④ 부낭 부(瓠也).
字源 形聲. 氵(水)+孚〔音〕

[浮橋 부교] 배와 배를 잇대어 잡아매고 널빤지를 그 위에 깐 다리. 배다리.
[浮力 부력] 기체나 액체 안에 들어 있는 물체가 그 표면에 작용하는 압력에 의하여 위쪽으로 뜨게 되는 힘.
[浮薄 부박] 마음이 들뜨고 경박함.

7/10 【浴】 목욕 욕 | 入沃 | yù

氵 氵 氵 氵 浐 浴 浴 浴

ⓙ ヨク〔あびる〕 ⓔ bath

字解 목욕 욕, 목욕할 욕(灑身).

字源 形聲. 氵(水)+谷〔音〕

[浴客 욕객] ㉠ 목욕하는 사람. ㉡ 목욕하러 오는 손.

[浴槽 욕조] 목욕통.

[沐浴 목욕] 머리를 감으며 몸을 씻는 일.

[海水浴 해수욕] 바닷물에서 헤엄을 치거나 노는 일.

7/10 【海】 바다 해 | 上賄 | hǎi

氵 氵 氵 浐 汇 海 海 海

ⓙ カイ〔うみ〕 ⓔ sea

字解 바다 해(滄溟百川朝宗). ¶ 海流(해류).

字源 形聲. 氵(水)+每〔音〕

參考 海(水部 6획)는 속자.

[海難 해난] 항해 중 만나는 재난.

[海東 해동] 한국의 별칭. 발해(渤海)의 동쪽에 있는 나라라는 뜻임.

[海恕 해서] 넓은 마음으로 용서함.

[海水浴 해수욕] 바닷물에 목욕하는 일.

[公海 공해] 각국이 공통으로 사용할 수 있는 바다.

[臨海 임해] 바다에 가까이 있음.

7/10 【浸】 잠글 침 | 去沁 | jìn

氵 氵 氵 沪 沪 浔 浔 浸

ⓙ シン〔ひたす〕 ⓔ soak

字解 ① 잠글 침(漬也), 젖을 침(潤也). ② 잠길 침(沈也). ¶ 浸水(침수). ③ 번질 침(漸也). ¶ 浸透(침투).

字源 形聲. 氵(水)+侵〈省〉〔音〕

[浸水 침수] 물에 잠김.

[浸透 침투] 스미어 젖어서 속속들이 들어감.

7/10 【浹】 ━ 두루 미칠 협 | 入葉 ┃ jiā / ━ 물 넘칠 협 | 入洽 | xiá

ⓙ ショウ〔あまねし〕 ⓔ overflow

字解 ━ ① 두루 미칠 협(徧也). ¶ 浹和(협화). ② 젖을 협. ¶ 浹浹(협협). ③ 돌 협(匝也). ¶ 浹旬(협순). ━ 물 넘칠 협.

字源 形聲. 氵(水)+夾〔音〕

[浹旬 협순] 십간(十干)의 갑(甲)부터 계(癸)에 이르는 날짜. 열흘 동안.

[浹寓 협우] 온 천하(天下).

[浹浹 협협] 젖은 모양.

7/10 【沖】 깊을 충 | 東 | chōng

ⓙ チュウ〔ふかい〕 ⓔ deep

字解 깊을 충(水深廣貌).

字源 形聲. 氵(水)+仲〔音〕

7/10 【浼】 ━ 더럽힐 매 | 上賄 / ━ 편히 흐를 면 | 上銑 | měi / miǎn

ⓙ バイ〔けがす〕・ベン〔たいらかにながれる〕

ⓔ soil, widely flow

字解 ━ 더럽힐 매(汚也). ━ 편히 흐를 면(水平流貌).

字源 形聲. 氵(水)+免〔音〕

7/10 【浿】 물이름 패 | 去泰 | pèi

ⓙ ハイ〔かわのな〕

字解 물이름 패(大同江名).

字源 形聲. 氵(水)+貝〔音〕

[浿水 패수] ㉠ 옛날 낙랑(樂浪)의 서울과 국경에 있던 강 이름. ㉡ 대동강의 옛 이름. 패강(浿江).

7/10 【涂】 길 도 | 虞 | tú

ⓙ ト〔みち〕 ⓔ road, way

字解 ① 길 도(途也). ② 물이름

도(益州水名).
字源 形聲. 氵(水)+余〔音〕

7
10 【涅】개흙 녈㊙날
㊵屑
ⓗ ネ・デツ〔くろつち〕 ㊀ black soil
字解 ① 개흙 녈(水中黑土). ② 검은물들일 녈(染黑).
字源 形聲. 氵(水)+土+日〔音〕

[涅槃 열반] 범어 nirvāna의 음역.
㊀ 안락적멸(安樂寂滅) 또는 불생불멸(不生不滅)의 뜻. 도를 완전히 이루고 모든 번뇌와 고통이 없어진다는 경지(境地). ㊁ 죽음. 입적(入寂).

7
10 【涉】건널 섭
㊵葉
氵 氵 汁 沙 浐 渉 渉 涉
ⓗ ショウ〔わたる〕 ㊀ go across
字解 ① 건널 섭(渡水). ¶涉水(섭수). ② 거칠 섭, 겪을 섭(經也). ¶涉獵(섭렵). ③ 관계할 섭. ¶交涉(교섭).
字源 會意. 水와 步의 합자. 물을 건넘의 뜻.
注意 涉은 잘못 쓴 글자.

[涉獵 섭렵] ㊀ 여러 가지 책을 많이 읽음. ㊁ 여러 가지 물건을 구하려고 널리 돌아다님.
[涉外 섭외] 외부, 특히 외국과 연락하며 교섭함.

7
10 【涌】湧(용)(水部 9획)과 同字

7
10 【涎】침 연㊧선㊥先
ⓗ エン〔よだれ〕 ㊀ saliva
字解 ① 침 연(口液). ¶涎沫(연말). ② 연할 연(相連). ③ 연해흐를 연(水流貌). ¶垂涎(수연).
字源 會意. 水와 延(길게 하는 뜻)의 합자. 침의 뜻.

[涎沫 연말] 침과 거품.

7
10 【涓】가릴 연 | juān
㊵先
ⓗ ケン〔えらぶ〕 ㊀ select
字解 ① 가릴 연(擇也). ¶涓吉(연길). ② 작은흐름 연(小流). ¶涓流(연류).
字源 形聲. 氵(水)+肙〔音〕
參考 涓(水部 6획)은 속자.

[涓吉 연길] 좋은 날을 가림. 택일(擇日).
[涓涓 연연] 흐름이 가는 모양.

7
10 【涔】괸물 잠 | cén
㊥侵
ⓗ シン〔たまりみず〕
字解 ① 괸물 잠(牛馬跡中水). ¶蹄涔(제잠). ② 못 잠(魚池). ③ 눈물흐를 잠(涙下貌). ④ 비죽죽올 잠(雨多貌).
字源 形聲. 氵(水)+岑〔音〕

[涔雲 잠운] 우기(雨氣)가 있는 구름.

7
10 【涕】눈물 체㊤薺 | tì
ⓗ テイ〔なみだ〕 ㊀ tears
字解 ① 눈물 체(涙也). ¶涕泣(체읍). ② 울 체(泣也). ¶涕涙(체루).
字源 形聲. 氵(水)+弟〔音〕

[涕涙 체루] 울어서 흐르는 눈물.

7
10 【涖】임할 리㊤寘 | lì
ⓗ リ〔のぞむ〕 ㊀ face
字解 ① 임할 리(臨也). ② 물소리 리(水聲). ¶涖涖(이리).
字源 會意. 氵(水)+位

[涖政 이정] 정사(政事)를 봄.

7
10 【涘】물가 사㊤紙 | sì
ⓗ シ〔みぎわ〕 ㊀ waterside
字解 물가 사(水涯).
字源 形聲. 氵(水)+矣〔音〕

7 ⑩ 【浟】 [一]흐를 유[平]尤 [二]바랄 적[入]錫 | yóu dí

[日] コウ〔ながれる〕・テキ〔りをほっする〕 [英] flow, desire

[字解] [一] **흐를 유**(水流貌). [二] **바랄 적**(欲利之貌也).

[字源] 形聲. 氵(水)+攸〔音〕

7 ⑩ 【浜】 [一]선거 병[平]庚 [二]물가 빈[平]眞 | bāng bīn

[日] ホウ〔ふねをいれるみぞ〕・ヒン〔はま〕 [英] dock, waterside

[字解] [一] **선거 병**(船溝). [二] **물가 빈.**

[字源] 形聲. 氵(水)+兵〔音〕

[參考] 濱(水部 14획)의 속자.

7 ⑩ 【㳅】 流(류)(水部 6획)의 俗字

8 ⑫ 【淼】 아득할 묘[上]篠 | miǎo

[日] ビョウ〔ひろい〕 [英] remote

[字解] **아득할 묘**(大水茫也).

[字源] 會意. 水를 셋 겹쳐 널찍한 물을 나타냄.

8 ⑪ 【涺】 물이름 권[去]霰 | juàn

[日] ケン〔かわのな〕

[字解] ① **물이름 권.** ② **물모양 권.**

[字源] 形聲. 氵(水)+卷〔音〕

8 ⑪ 【淞】 물이름 송[平]冬 | sōng

[日] ショウ〔かわのな〕

[字解] **물이름 송.**

[字源] 形聲. 氵(水)+松〔音〕

8 ⑪ 【淵】 淵(연)(水部 9획)의 俗字

8 ⑪ 【涪】 거품 부[平]尤[平]虞 | póu fú

[日] フ〔あわ〕 [英] bubble

[字解] ① **거품 부**(水泡). ② **물이름 부**(廣漢水名).

[字源] 形聲. 氵(水)+咅(杏)〔音〕

8 ⑪ 【涫】 끓을 관[去]翰 | guàn

[日] カン〔わく〕 [英] boil

[字解] **끓을 관**(沸也).

[字源] 形聲. 氵(水)+官〔音〕

8 ⑪ 【涬】 클 행[上]迥 | xìng

[日] ケイ・ギョウ〔おおきい〕 [英] big

[字解] ① **클 행**(大也). ② **당길 행**(引也).

[字源] 形聲. 氵(水)+幸〔音〕

8 ⑪ 【涯】 물가 애[平]佳 | yá

冫 氵 汀 汇 沂 浐 浐 涯

[日] ガイ〔みぎわ〕 [英] waterside

[字解] ① **물가 애**(水畔). ¶ 水涯(수애). ② **끝 애.** ¶ 天涯(천애). ¶ 涯限(애한).

[字源] 會意. 厓+水

[涯分 애분] 분수(分數).
[涯限 애한] 끝. 한(限). 한계.
[水涯 수애] 물가.
[天涯 천애] ㉠ 하늘 끝. ㉡ 아득히 멀리 떨어진 낯선 곳.

8 ⑪ 【液】 [一]진 액[入]陌 [二]담글 석[入]陌 | yè shì

[日] エキ〔しる〕・セキ〔ひたす〕 [英] resin, soak

[字解] [一] **진 액, 즙 액**(汁也). [二] **담글 석.**

[字源] 形聲. 氵(水)+夜〔音〕

[液狀 액상] 액체 상태.

4획

[液體 액체] 일정한 부피는 있으나, 일정한 모양이 없이 유동(流動)하는 물질.

[液化 액화] 기체 또는 고체가 액체로 변함.

[溶液 용액] 어떤 물질에 다른 물질이 녹아 섞인 액체.

[血液 혈액] 피.

---

8 ⑪ 【涵】 적실함 ⊕覃 hán

㊌ カン〔ひたす〕 ㊤ wet

[字解] ① 적실 함(濡也). ② 잠길 함(沈也).

[字源] 形聲. 氵(水)+函〔音〕

[涵養 함양] ㉠ 자연적으로 차차 길러 냄. ㉡ 은혜를 베풂. ㉢ 차차 학문·견식을 몸에 배도록 양성함. ¶ 涵養薰陶(함양훈도).

[涵蓄 함축] 넣어 쌓아 둠.

---

8 ⑪ 【涸】 ━마를 학 ⑧藥 hé ━마를 후 ㊡遇 hào

㊌ カク·コ〔かれる〕 ㊤ dry

[字解] ━ 마를 학(水渴). ━ 마를 후.

[字源] 形聲. 氵(水)+固〔音〕

[涸渴 학갈] ㉠ 강 또는 못의 물이 말라서 없음. ㉡ 없어짐. 고갈(枯渴).

---

8 ⑪ 【涼】 서늘할 량⊕陽 liáng

丶 氵 氵 氵 泸 沪 涼 涼 涼

㊌ リョウ〔すずしい〕 ㊤ cool

[字解] ① 서늘할 량(微冷). ¶ 涼風(양풍). ② 얇을 량(薄也). ¶ 涼德(양덕). ③ 쓸쓸할 량. ¶ 荒涼(황량).

[字源] 形聲. 氵(水)+京〔音〕

[參考] 凉(冫部 8획)은 속자.

[涼氣 양기] 서늘한 기운.

[涼德 양덕] 덕이 적음. 박덕(薄德).

[涼秋 양추] 서늘한 가을.

[涼風 양풍] ㉠ 서늘한 바람. ㉡ 북풍. ㉢ 서남풍.

[淸涼 청량] 맑고 서늘함.

[荒涼 황량] 황폐하고 쓸쓸함.

---

8 ⑪ 【淀】 얕은물 정⊕銑 ㊤霰 diàn

㊎ テン〔よど〕 ㊤ shoal

[字解] 얕은물 정(如淵而淺).

[字源] 會意. 氵(水)+定〔音〕

---

8 ⑪ 【淄】 검은빛 치⊕支 zī

㊎ シ〔くろ〕 ㊤ black

[字解] ① 검은빛 치(黑也). ② 물 이름 치(水名).

[字源] 形聲. 氵(水)+甾〔音〕

---

8 ⑪ 【淅】 일 석 ⑧錫 xī

㊎ セキ〔よなぐ〕 ㊤ wash rice

[字解] ① 일 석. ¶ 淅米(석미). ② 비바람소리 석(雨聲). ¶ 淅淅(석석). ③ 쓸쓸할 석. ¶ 淅然(석연).

[字源] 形聲. 氵(水)+析〔音〕

[注意] 淛(水部 7획)은 딴 글자.

[淅米 석미] 인 쌀. 깨끗이 씻은 쌀.

[淅淅 석석] 쓸쓸한 비바람 소리.

[淅然 석연] 쓸쓸한 모양.

---

8 ⑪ 【淆】 어지러울 효⊕肴 xiáo

㊎ コウ〔にごる〕 ㊤ disturbed

[字解] 어지러울 효(亂也), 흐릴 효(水濁).

[字源] 形聲. 氵(水)+肴〔音〕

[淆亂 효란] 뒤섞여 혼란함.

[淆紊 효문] 뒤섞여 문란함.

[混淆 혼효] 여러 가지 것이 뒤섞임. 또, 뒤섞음.

8 ⑪ 〖淇〗 물이름 기[平]支 qí

[日] キ〔かわのな〕

[字解] **물이름 기**(河內水名).

[字源] 形聲. 氵(水)+其〔音〕

8 ⑪ 〖淈〗 흐릴 굴 [入]月 gǔ

[日] コツ〔にごる〕 [英] muddy

[字解] ① **흐릴 굴**(濁也). ② **다할 굴**(盡也).

[字源] 形聲. 氵(水)+屈〔音〕

[淈淈 굴굴] ㉠ 막힌 물이 통하여 흐르는 모양. ㉡ 국내(國內)가 소란한 모양.

8 ⑪ 〖淋〗 물방울 떨어질 림[平]侵 lín

[日] リン〔そそぐ〕 [英] drip

[字解] ① **물방울떨어질 림**(水下也). ¶ 淋漓(임리). ② **뿌릴 림**. ③ **임질 림**(淋疾).

[字源] 形聲. 氵(水)+林〔音〕

[淋漓 임리] 물이나 피가 흠뻑 젖어 뚝뚝 떨어지거나 흥건함.

[淋疾 임질] 성병의 한 가지.

8 ⑪ 〖淌〗 큰물결 창[去]漾 chàng

[日] ショウ〔おおなみ〕 [英] surge

[字解] **큰물결 창**(大波).

[字源] 形聲. 氵(水)+尙〔音〕

8 ⑪ 【淑】 맑을 숙 [入]屋 shū

氵 氵 氵 汁 沫 沫 泐 淑

[日] シュク〔しとやか〕 [英] pure

[字解] ① **맑을 숙**(淸也). ¶ 淑淸(숙청). ② **착할 숙, 얌전할 숙**(善也). ¶ 貞淑(정숙). ③ **사모할 숙**. ¶ 私淑(사숙).

[字源] 形聲. 氵(水)+叔〔音〕

[淑女 숙녀] 교양과 덕행이 갖추어져 있는 여자.

[淑德 숙덕] 숙녀의 덕행.

[淑媛 숙원] ㉠ 정숙한 여자. ㉡ 여관(女官)의 일컬음.

[淑淸 숙청] 성품·언행이 맑고 깨끗함.

[賢淑 현숙] 여자의 마음이 어질고 정숙함.

8 ⑪ 〖淖〗 [一]진흙 뇨 [去]效 [二]얌전할 작[入]藥 nào chuò

[日] ドウ〔どろ〕・シャク〔しなやか〕 [英] mud, modest

[字解] [一] **진흙 뇨**(泥也). ¶ 淖濘(요녕). [二] **얌전할 작**.

[字源] 形聲. (水)+卓〔音〕

[淖濘 요녕] 진창. 수렁.

[淖溺 요닉] 녹음. 용해(溶解)함.

[淖糜 요미] 묽은 죽.

8 ⑪ 〖淘〗 일 도 [平]豪 táo

[日] トウ〔よなぐ〕 [英] clean out

[字解] **일 도**(淅米).

[字源] 形聲. 氵(水)+匋〔音〕

[淘金 도금] 사금을 일어 가려냄.

[淘汰 도태] ㉠ 물로 일어서 못쓸 것을 가려 냄. ㉡ 많은 것 가운데 불필요한 부분을 가려내어 버림. ㉢ 깨끗이 씻음.

8 ⑪ 〖淙〗 물소리 종[平]冬 cóng

[日] ソウ〔みずのおと〕 [英] sound of flowing water

[字解] **물소리 종**(水聲).

[字源] 形聲. 氵(水)+宗〔音〕

[淙淙 종종] ㉠ 물이 흘러가는 모양. 또, 그 소리. ㉡ 음악 소리.

8 ⑪ 〖淚〗 눈물 루 [上]寘 泪 lèi

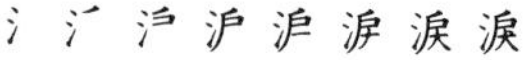

氵 氵 氵 氵 沪 淚 淚 淚

[日] ルイ〔なみだ〕 [英] tears

[字解] ① **눈물 루**(肝液). ② **울 루**(泣也).

[字源] 形聲. 氵(水)+戾〔音〕

[淚珠 누주] 눈물방울. 눈물.
[淚汗 누한] 눈물과 땀.
[淚痕 누흔] 눈물의 흔적.
[落淚 낙루] 눈물을 흘림.
[催淚 최루] 눈물이 나오게 함.

8 ⑪ 【淝】 물이름 비[平]微 | féi

[日] ビ〔かわのな〕

[字解] **물이름 비**(九江水名).

[字源] 形聲. 氵(水)+肥〔音〕

8 ⑪ 【淠】 [一]물이름 비 [去]寘 [二]움직일 패 [去]泰 | pì pèi

[日] ヒ〔かわのな〕・ハイ〔うごく〕
[英] move

[字解] [一] ① **물이름 비**(汝南水名). ② **더부룩할 비**(茂貌). ③ **배떠나갈 비**(舟行貌). [二] **움직일 패**(動也).

[字源] 形聲. 氵(水)+畀〔音〕

[淠淠 비비] 무성한 모양.

8 ⑪ 【淡】 [一]엷을 담 [上]感 [二]질펀히흐를 염[上]琰 | dàn yàn

氵 氵 氵 氵 氵 氵 淡 淡

[日] タン〔あわい〕・エン〔みずのみちるさま〕
[英] thin, slovenly flow

[字解] [一] ① **엷을 담**(濃之對). ¶ 濃淡(농담). ② **싱거울 담**(薄味). ¶ 淡味(담미). ③ **담박할 담**. ¶ 淡泊(담박). ④ **민물 담**. ¶ 淡水(담수). [二] **질펀히흐를 염**.

[字源] 形聲. 氵(水)+炎〔音〕

[淡淡 담담] 욕심이 없고 마음이 깨끗한 모양.
[淡泊 담박] ㉠ 욕심이 없이 조촐함. ㉡ 음식 맛이 느끼하지 않고 산뜻함.
[淡水 담수] 염분이 없는 물. 민물.
[淡雅 담아] 담백하고 우아함.
[冷淡 냉담] 동정심이 없고 쌀쌀함.
[濃淡 농담] 짙음과 엷음.
[雅淡 아담] 고상하고 깔끔함.

8 ⑪ 【淤】 진흙 어 [去]御 | yū

[日] オ〔どろ〕 [英] mud

[字解] ① **진흙 어**(泥也). ② **먹기 싫을 어**(飫也).

[字源] 形聲. 氵(水)+於〔音〕

[淤泥 어니] 진흙. 진흙탕.

8 ⑪ 【淢】 [一]빨리흐를 역 [入]職 [二]도랑 혁[入]職 | yù xù

[日] ヨク〔はやいながれ〕・キョク〔みぞ〕
[英] ditch

[字解] [一] **빨리흐를 역**(疾流). [二] **도랑 혁, 해자 혁**(城溝).

[字源] 形聲. 氵(水)+或〔音〕

8 ⑪ 【淥】 거를 록 [入]屋[入]沃 | 渌 lù

[日] ロク〔こす〕 [英] filter

[字解] ① **거를 록**(漉也). ② **맑을 록**(水清).

[字源] 形聲. 氵(水)+彔〔音〕

8 ⑪ 【淨】 깨끗할 정[去]敬 | 净 jìng

氵 氵 氵 氵 氵 浄 浄 淨

[日] ジョウ〔きよい〕 [英] clean

[字解] **깨끗할 정, 깨끗이할 정**(潔也無垢).

[字源] 形聲. 氵(水)+爭〔音〕

[參考] 浄(水部 6획)은 약자.

[淨潔 정결] 정하고 깨끗함.

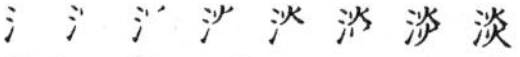

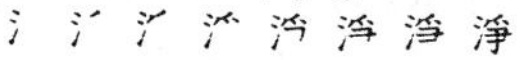

[淨水 정수] 물을 맑게 함.

[淨化 정화] ㉠ 깨끗하게 함. ㉡ 악(惡)과 죄(罪)를 제거한 깨끗한 상태로 함.

[自淨 자정] 저절로 깨끗이 됨.

[清淨 청정] 맑고 깨끗함.

8
⑪ 【淪】 빠질 륜 ㊀眞　沦　**lún**

㈐ リン〔しずむ〕 ⑳ sink

字解 빠질 륜(沒也). ¶ 淪落(윤락). ❷ 沈淪(침륜). ❸ 잔물결 륜(小波). ¶ 淪漣(윤련).

字源 形聲. 氵(水)+侖〔音〕

[淪落 윤락] ㉠ 영락하여 다른 고장으로 떠돌아다님. ㉡ 여자가 타락해서 몸을 파는 처지에 빠짐. ¶ 淪落女性(윤락 여성).

8
⑪ 【淫】 음탕할 음 ㊀侵　淫　**yín**

氵氵氵氵氵氵浑浑淫

㈐ イン〔みだら〕 ⑳ lewd

字解 ① 음탕할 음(奸也). ¶ 淫行(음행). ② 어지러울 음(亂也). ③ 방탕할 음(放也).

字源 形聲. 氵(水)+㸒〔音〕

[淫溺 음닉] 과도하게 탐닉함.

[淫亂 음란] 음탕하고 난잡함.

[淫蕩 음탕] 주색(酒色) 따위의 향락에 빠져 몸가짐이 좋지 못함.

[姦淫 간음] 부부 아닌 남녀가 성적 관계를 맺음.

8
⑪ 【淬】 ▆담글 쉬 ㊁쵀 ㊂隊　cuì
▆흐를 줄 ㊄質　zú　淬

㈐ サイ〔にらぐ〕・シュツ〔ながれる〕
⑳ soak, flow

字解 ▆ ① 담글 쉬(燒劍入水). 淬礪(쉬려). ② 물들 쉬(染也). ▆ 흐를 줄.

字源 形聲. 氵(水)+卒〔音〕

[淬勵 쉬려] 일에 부지런히 정진함.

[淬礪 쉬려] ㉠ 달군 쇠를 물속에 담그어 단단히 하여, 칼 따위 연장을 날이 서게 함. ㉡ 힘씀.

8
⑪ 【淮】 물이름 회 ㊀佳　**huái**　淮

㈐ カイ〔かわのな〕

字解 물이름 회(揚州水名).

字源 形聲. 氵(水)+佳〔音〕

注意 淮(氵부 8획)은 딴 글자.

8
⑪ 【深】 깊을 심 ㊀侵　**shēn**　深

氵氵氵氵氵氵氵深深

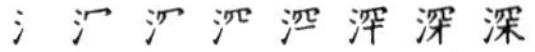

㈐ シン〔ふかい〕 ⑳ deep

字解 ① 깊을 심, 깊게할 심(淺之對). ¶ 深淺(심천). ② 깊이 심. ¶ 深思熟考(심사숙고).

字源 形聲. 氵(水)+�〔音〕

[深耕 심경] 깊이 갊.

[深大 심대] 깊고 큼.

[深綠 심록] ㉠ 짙은 초록빛. ㉡ 짙은 초록색의 나뭇잎.

[深夜 심야] 한밤중. 깊은 밤.

[深淵 심연] 깊은 못.

[深奧 심오] (이론・견해 등이) 깊고 오묘함.

[水深 수심] 물의 깊이.

[夜深 야심] 밤이 깊음.

8
⑪ 【淳】 순박할 순 ㊀眞　**chún**　淳

㈐ ジュン〔すなお〕 ⑳ simple

字解 순박할 순(質樸).

字源 形聲. 氵(水)+享〔音〕

參考 純(糸部 4획)과 동자.

[淳朴 순박] 꾸밈이나 거짓이 없이 순진함.

[淳粹 순수] 깨끗하고 순수(純粹)함.

[淳淳 순순] 흘러 되돌아가는 모양.

[淳厚 순후] 순박하고 인정이 두터움.

8 ⑪ 【混】 一 섞을 혼 ㊤阮 二 오랑캐이름 곤 ㊥元 hùn kūn

氵 氵 汩 浔 浔 淣 浞 混

㊐ コン〔まじる・せいじゅうのな〕 ㊢ mix

字解 **一 섞을 혼, 섞일 혼**(雜也). **二 오랑캐이름 곤.**

字源 形聲. 氵(水)+昆〔音〕

[混亂 혼란] 섞여 어지러움. 어지럽고 질서가 없음.
[混成 혼성] 섞여 이루어짐. 또, 섞어 만듦.
[混食 혼식] 밥에 잡곡을 섞어 넣어 먹음.
[混浴 혼욕] 남녀가 한데 섞여 목욕함.
[混用 혼용] 섞어 씀.
[混戰 혼전] 서로 뒤섞여 싸움.

8 ⑪ 【清】 맑을 청 ㊥庚 qīng

氵 氵 汁 浐 浐 清 清 清

㊐ セイ〔きよい〕 ㊢ clear

字解 ① **맑을 청**(去濁遠穢澄也). ② **깨끗할 청**(淨也). ¶ 清濁(청탁). ③ **끝맺을 청.** ¶ 清算(청산). ④ **나라이름 청**(國名).

字源 形聲. 氵(水)+青〔音〕

參考 淸(水部 8획)과 동자.

[清潔 청결] 깨끗하여 더러움이 없음.
[清曲 청곡] 청아(淸雅)한 가곡.
[清談 청담] 속되지 아니한 이야기.
[清涼 청량] 맑고 시원함.
[清麗 청려] 맑고 고움.
[清廉 청렴] 마음이 청백하고 재물을 탐내지 않음. ¶ 清廉潔白(청렴결백).
[清吏 청리] 청렴한 관리.
[清明 청명] ㉠ 깨끗하고 밝은 마음. ㉡ 24절기의 하나.
[清白吏 청백리] 청렴결백한 관리.
[清澄 청징] 맑음. 흐리지 아니함.
[肅清 숙청] 조직 내의 반대자들을 없앰.

8 ⑪ 【洴】 표백할 병 ㊥青 洴 píng

㊐ ヘイ〔さらす〕 ㊢ bleach

字解 **표백할 병**(漂濯). ¶ 洴澼(병벽).

字源 形聲. 氵(水)+幷〔音〕

參考 汫(水部 8획)은 본자.

8 ⑪ 【淹】 담글 엄 ㊥鹽 yān

㊐ エン〔ひたす〕 ㊢ soak

字解 ① **담글 엄**(漬也). ¶ 淹沒(엄몰). ② **머무를 엄**(留久). ¶ 淹泊(엄박).

字源 形聲. 氵(水)+奄〔音〕

[淹留 엄류] ㉠ 오래 머무름. ㉡ 지체하여 잘 진전하지 아니함.
[淹沒 엄몰] 가라앉음. 침몰(沈沒).
[淹泊 엄박] 오래 머묾.
[淹漬 엄지] 물에 잠기게 함.

8 ⑪ 【淺】 얕을 천 ㊤銑 浅 qiǎn

氵 氵 汴 泋 浅 浅 淺 淺

㊐ セン〔あさい〕 ㊢ shallow

字解 ① **얕을 천**(水不深). ¶ 深淺(심천). ¶ 淺學(천학). ② **엷을 천.** ¶ 淺綠(천록).

字源 形聲. 氵(水)+戔〔音〕

參考 浅(水部 6획)은 약자.

[淺見 천견] ㉠ 얕은 생각. 천박한 소견. ㉡ 자기 소견의 겸칭.
[淺慮 천려] 얕은 생각.
[淺薄 천박] 생각이나 학문이 얕음.
[淺學 천학] ㉠ 얕은 학문. 학식이 얕음. ㉡ 자기 학식(學識)에 대한 겸칭. ¶ 淺學菲材(천학비재).
[卑淺 비천] 지위·신분이 낮고 천함.
[深淺 심천] 깊고 얕음.

4 획

4
획

8 ⑪ 【添】 더할 첨 ⊕鹽 tiān 添

氵 氵 氵 沃 添 添 添 添

㉠ テン〔そえる〕 ㊍ add

字解 더할 첨, 덧붙일 첨(益也加付).

字源 形聲. 氵(水)+忝〔音〕

[添加 첨가] 더함. 더하여 붙임.

[添附 첨부] 첨가하여 붙임.

[添削 첨삭] 문자를 보태거나 뺌.

[添盞 첨잔] 따라 놓은 술잔에 술을 더 따름.

[別添 별첨] 따로 덧붙임.

8 ⑪ 【淒】 쓸쓸할 처 ⊕齊 qī 淒

㉠ セイ〔さむい〕 ㊍ solitary

字解 ① 쓸쓸할 처(寒涼). ¶ 淒涼(처량). ② 찰 처, 서늘할 처(寒風). ¶ 淒風(처풍).

字源 形聲. 氵(水)+妻〔音〕

參考 凄(冫部 8획)는 동자.

注意 悽(心部 8획)는 딴 글자.

[淒涼 처량] ㉠ 서글프고 구슬픔. ㉡ 마음이 구슬퍼질 정도로 쓸쓸함.

[淒切 처절] 몹시 처량함.

8 ⑪ 【淏】 맑을 호 ⊕皓 hào 淏

㉠ コ〔きよい〕 ㊍ clear

字解 맑을 호(淸也).

字源 形聲. 氵(水)+昊〔音〕

8 ⑪ 【済】 濟(제)(水部 14획)의 略字

8 ⑪ 【港】 港(항)(水部 9획)의 俗字

8 ⑪ 【渗】 滲(삼)(水部 11획)의 略字

8 ⑪ 【渋】 澁(삽)(水部 12획)의 略字

8 ⑪ 【渊】 淵(연)(水部 9획)의 俗字

8 ⑪ 【渁】 淵(연)(水部 9획)과 同字

8 ⑪ 【清】 淸(청)(水部 8획)과 同字

9 ⑫ 【湾】 灣(만)(水部 22획)의 俗字

9 ⑫ 【湄】 물가 미 ⊕支 méi 湄

㉠ ビ・ミ〔みぎわ〕 ㊍ waterside

字解 물가 미.

字源 形聲. 氵(水)+眉〔音〕

9 ⑫ 【深】 (韓) 사람 이름 보

字解 (韓) 사람이름 보.

9 ⑫ 【渶】 물맑은 영 ⊕庚 yīng

㉠ エイ〔かおのな〕 ㊍ clear

字解 ① 물맑은 영. ② 강이름 영.

9 ⑫ 【溨】 맑을 재 ⊕灰 zāi 溨

㉠ サイ〔かわのな〕 ㊍ clear

字解 ① 맑을 재. ② 강이름 재.

9 ⑫ 【湞】 강이름 정 ⊕庚 zhēn (zhēng) 湞

㉠ トウ〔かわのな〕

字解 강이름 정. 광둥성 난슝현에서 발원하는 강.

9 ⑫ 【飡】 ▉밥 손 ⊕元 sūn ▉먹을 찬 cān

㉠ ソン〔めし〕・サン〔くらう〕 ㊍ boiled rice, eat

字解 ▉밥 손. ▉먹을 찬.

9/12 【渙】 흩어질 환去翰 | huàn

日 カン〔ちる〕 옝 scattered

字解 흩어질 환(流散), 풀릴 환(散釋). ¶ 渙散(환산).

字源 形聲. 氵(水)+奐〔音〕

[渙散 환산] 흩어짐.

[渙然 환연] 의심스럽던 것이 깨끗이 풀리는 모양. ¶ 渙然氷釋(환연빙석).

[渙乎 환호] 찬란한 모양.

9/12 【淵】 못 연平先 | yuān

日 エン〔ふち〕 옝 pond

字解 ① 못 연(池也). ¶ 深淵(심연). ② 깊을 연(深也). ¶ 淵遠(연원).

字源 會意. 水와 㕚의 합자. 또, 「㕚(연)」이 음을 나타냄.

參考 渊(水部 8획)은 동자. 渊(水部 8획)은 속자.

[淵慮 연려] 깊은 생각. 심려(深慮).

[淵妙 연묘] 심원하고 오묘함.

[淵源 연원] 사물의 근본.

[淵旨 연지] 깊은 뜻.

[深淵 심연] 깊은 연못.

9/12 【渚】 물가 저上語 | zhǔ

日 ショ〔なぎさ〕 옝 waterside

字解 물가 저(水涯).

字源 形聲. 氵(水)+者〔音〕

[渚鷗 저구] 물가에 있는 갈매기.

[渚畔 저반] 저안(渚岸).

[渚岸 저안] 물가.

[渚涯 저애] 저안(渚岸).

[渚煙 저연] 물가에 낀 안개.

9/12 【減】 덜 감上豏 | jiǎn

氵 氵 氵 沪 沪 減 減 減

日 ゲン〔へる〕 옝 subtract

字解 덜 감(損也), 감할 감(引去).

字源 形聲. 氵(水)+咸〔音〕

參考 减(冫部 9획)은 속자.

[減價 감가] ㉠ 값을 내림. ㉡ 가치가 떨어짐.

[減軍 감군] 군대의 수효를 줄임.

[減稅 감세] 조세를 감함.

[減少 감소] 줄어 적어짐. 또, 줄여서 적게 함.

[減收 감수] 수확 또는 수입이 줆.

[減員 감원] 인원을 줄임.

[減刑 감형] 형벌을 감함.

[輕減 경감] 덜어서 가볍게 함.

[削減 삭감] 깎아서 줄임.

9/12 【渝】 변할 투平虞유平虞 | yú

日 ユ〔かわる・かえる〕 옝 change

字解 ① 변할 투(變也). ② 땅이름 투(蜀州名).

字源 形聲. 氵(水)+兪〔音〕

[渝溢 투일] 넘침. 넘쳐 흐름.

[渝替 투체] 변함. 또, 변경함.

9/12 【渟】 괼 정平青 | tíng

日 テイ〔とどまる〕 옝 collect

字解 ① 괼 정(水止). ¶ 渟水(정수). ② 머무를 정(停也). ¶ 渟泊(정박).

字源 形聲. 氵(水)+亭〔音〕

[渟泊 정박] 닻을 내리고 머묾.

[渟水 정수] 괸 물.

[渟蓄 정축] 물이 괴어 쌓인다는 뜻으로, 학문이 깊고 넓음을 이름.

9/12 【渠】 도랑 거平魚 | qú

日 キョ〔みぞ〕 옝 ditch

字解 ① 도랑 거(溝也). ¶ 渠水(거수). ② 클 거(大也). ¶ 渠大(거대). ③ 우두머리 거. ¶ 渠帥(거수). ④ 그 거. ¶ 渠輩(거배).

字源 形聲. 水를 바탕으로 「榘(구)」

의 생략형의 전음이 음을 나타냄.

[渠大 거대] 큼.
[渠輩 거배] 그 사람들.
[渠水 거수] 땅을 파서 통하게 한 수로(水路).
[渠帥 거수] 악당의 우두머리. 괴수(魁首).
[船渠 선거] 배의 건조·수리·하역을 하기 위한 설비. 독(dock).
[暗渠 암거] 배수를 위해 땅속으로 낸 도랑.

9 ⑫ 〖渡〗 건널 도 [去]遇 | dù

氵 氵亠 氵广 氵广 氵产 氵产 渡 渡

[日] ト〔わたる〕 [英] traverse

[字解] ① **건널 도**(濟也). ¶ 渡江(도강). ② **나루 도**(津也).

[字源] 形聲. 氵(水)+度〔音〕

[渡江 도강] 강물을 건넘.
[渡來 도래] ㉠ 물을 건너 옴. ㉡ 외국에서 배를 타고 옴.
[渡船 도선] 나룻배.
[渡航 도항] 배로 바다를 건넘.
[賣渡 매도] 팔아넘김.
[引渡 인도] 사람·물건이나 권리 따위를 넘겨줌.

9 ⑫ 〖渣〗 찌끼 사 [本]차[平]麻 | zhā

[日] サ〔かす〕 [英] dregs

[字解] **찌끼 사**(滓也).

[字源] 形聲. 氵(水)+査〔音〕

[渣滓 사재] 찌끼. 침전물.
[殘渣 잔사] 남은 찌꺼기. 잔재(殘滓).

9 ⑫ 〖渤〗 바다이름 발 [入]月 | bó

[日] ボツ〔うみのな〕

[字解] **바다이름 발**(海洋名). ¶ 渤海(발해).

[字源] 形聲. 氵(水)+勃〔音〕

9 ⑫ 〖渥〗 두터울 악 [入]覺 | wò

[日] アク〔あつい〕 [英] hearty

[字解] **두터울 악**(篤厚).

[字源] 形聲. 氵(水)+屋〔音〕

[渥味 악미] 짙은 맛.
[渥飾 악식] 대단히 아름다운 장식.
[渥恩 악은] 두터운 은혜.
[渥洽 악흡] 두터운 은덕.
[優渥 우악] 은혜가 넓고 두터움.

9 ⑫ 〖渦〗 소용돌이 와 [平]歌 | 涡 wō

[日] カ〔うずまき〕 [英] whirlpool

[字解] **소용돌이 와**(水回).

[字源] 形聲. 氵(水)+咼〔音〕

[渦紋 와문] 소용돌이 꼴의 무늬.
[渦旋 와선] 소용돌이침.
[渦中 와중] ㉠ 소용돌이치며 흘러가는 물결 가운데. ㉡ 분란(紛亂)한 사건의 가운데.

9 ⑫ 〖渨〗 [一]빠질 외[平]灰 [二]흐릴 위[去]尾 | wēi wěi

[日] ワイ〔しずむ〕·ワイ〔けがれる〕
[英] sink, muddy

[字解] [一] ① **빠질 외**(沒也). ② **물결일 외**(水波涌起貌). [二] **흐릴 위**(穢也).

[字源] 形聲. 氵(水)+畏〔音〕

[渨灅 외뢰] 파도가 이는 모양.

9 ⑫ 〖渫〗 [一]칠 설 [入]屑 [二]통철할 접 [入]葉 | xiè dié

[日] セツ〔さらう〕·チョウ〔とおる〕
[英] dredge, mastery

[字解] [一] ① **칠 설**(除去也). ② **업신여길 설**(狎也). [二] **통철할 접**. 통효(通曉)함.

[字源] 形聲. 氵(水)+枼〔音〕

[渫慢 설만] 깔봄. 멸시함.
[浚渫 준설] 물속 바닥을 파내서 깊게 함.

9/12 〔測〕 잴 측 | 測 入職 測 | cè

氵氵沪沪沪沪沪測

㊐ ソク〔はかる〕 ㊤ measure

字解 ① 잴 측. ¶ 測量(측량). ② 헤아릴 측(度也). ¶ 推測(추측).

字源 形聲. 氵(水)+則〔音〕

[測定 측정] ㉠ 측량하여 정함. ㉡ 기계 같은 것으로 잼.
[測地 측지] 토지의 광협·고저 등을 잼.
[測候 측후] 천문(天文)·기상(氣象)을 관측함.
[計測 계측] 물건의 길이·넓이·시간 따위를 재거나 계산함.
[臆測 억측] 근거 없이 제멋대로 짐작함.

9/12 〔渭〕 물이름 위 | 渭 ㊤未 | wèi

㊐ イ〔かわのな〕

字解 물이름 위(隴西水名).

字源 形聲. 氵(水)+胃〔音〕

9/12 〔渰〕 구름일 엄 | 渰 ㊤琰 | yǎn

㊐ エン〔おまぐものさま〕
㊤ clouds rise

字解 구름일 엄(雲起貌).

字源 形聲. 氵(水)+弇〔音〕

9/12 〔游〕 ━헤엄칠 유㊤尤 | yóu | ━깃발류 ㊤尤 | liú

㊐ ユウ〔およぐ〕 ㊤ swim, flag

字解 ━ 헤엄칠 유, 뜰 유(浮行). ¶ 游泳(유영). ¶ 놀 유(玩弄適情). ¶ 游民(유민). ¶ 游玩(유완). ━ 깃발 류. 旒(方部 9획)와 同字.

字源 形聲. 氵(水)+斿〔音〕

[游禽 유금] ㉠ 이리저리 날아다니는 새. ㉡ 물새.
[游弋 유익] ㉠ 재미로 사냥을 함. ㉡ 함선(艦船)이 해상(海上)을 떠돌며 경계함.
[交游 교유] 서로 친하게 사귐.
[外游 외유] 공부나 유람을 목적으로 외국에 여행함.

9/12 〔渲〕 바림 선 | 渲 ㊤霰 | xuàn

㊐ セン〔くまどり〕 ㊤ shading

字解 바림 선(擦以水墨再三而淋之).

字源 形聲. 氵(水)+宣〔音〕

[渲染 선염] 색칠할 때 한쪽을 진하게 하고 다른 쪽으로 갈수록 차츰 엷게 하는 일. 바림.

9/12 〔渴〕 목마를 갈 | 渴 ㊤曷 ㊤葛 | kě

氵氵沪沪渇渇渇渇

㊐ カツ〔かわく〕 ㊤ thirsty

字解 목마를 갈(欲飮).

字源 形聲. 氵(水)+曷〔音〕

[渴求 갈구] 대단히 애써 구함.
[渴望 갈망] 목마른 사람이 물을 찾듯이 간절히 바람. 열망(熱望).
[渴水 갈수] 가뭄으로 물이 마름.
[渴症 갈증] 목이 말라 물이 먹고 싶은 느낌.
[枯渴 고갈] ㉠ 물이 말라 없어짐. ㉡ 물품·지원 등이 다하여 없어짐.
[飢渴 기갈] 배가 고프고 목이 마름.

9/12 〔渺〕 아득할 묘 | 渺 ㊤篠 | miǎo

㊐ ビョウ〔はるか〕 ㊤ dim

字解 아득할 묘(水長貌).

字源 會意. 水와 眇의 합자. 수면이 끝없이 넓음의 뜻.

[渺茫 묘망] 넓고 멀어서 까마득함.
[渺然 묘연] ㉠ 그윽하고 멀어서 눈에 아물아물함. ㉡ 알 길이 없이 까

마득함. 묘연(杳然).

9 ⑫ **〖渾〗** [一]흐릴 혼[平]元 [二]흐를 곤[上]阮 浑 hún gǔn

[日] コン〔にごる·ゆたかにながれる〕
[英] muddy, flow

[字解] [一] ① **흐릴 혼**(濁也). ¶ 渾濁(혼탁). ② **모두 혼**(悉也). ¶ 渾身(혼신). ③ **한데섞일 혼**(雜也). ¶ 渾沌(혼돈). ④ **세찰 혼**. ¶ 雄渾(웅혼). [二] **흐를 곤**.

[字源] 形聲. 氵(水)+軍〔音〕

[渾大 혼대] 둥글고 큼.
[渾沌 혼돈] ㉠ 하늘과 땅이 아직 갈라지지 않은 상태. ㉡ 사물의 구별이 확실하지 않은 상태. 혼돈(混沌).
[渾身 혼신] 온몸.
[渾然 혼연] ㉠ 둥글어 모가 없는 모양. ㉡ 구별이나 차별이 없는 모양.
[渾濁 혼탁] 흐림.
[雄渾 웅혼] ㉠ 웅장하고 큼. ㉡ 시문 따위가 웅장하고 세련됨.

9 ⑫ **〖湃〗** 물결소리 배 [去]卦 pài

[日] ハイ〔なみうつ〕
[英] sound of the waves

[字解] **물결소리 배**(水聲).

[字源] 形聲. 氵(水)+拜〔音〕

[澎湃 팽배] ㉠ 물결이 맞부딪쳐 솟구침. ㉡ 사물이 맹렬한 기세로 일어남.

9 ⑫ **〖湊〗** 모일 주 [去]宥 còu

[日] ソウ〔あつまる〕 [英] gather

[字解] **모일 주**(水會).

[字源] 形聲. 氵(水)+奏〔音〕

[參考] 輳(車部 9획)와 同字.

[湊泊 주박] 배나 사물이 모임.
[輻湊 폭주] 바퀴통에 바퀴살이 모임. 사물이 한곳으로 많이 몰려 듦.

9 ⑫ **〖湍〗** [一]여울 단 [平]寒 [二]물이름 전 [平]先 tuān zhuān

[日] タン〔はやせ〕·セン〔かわのな〕
[英] torrent

[字解] [一] **여울 단**(急瀨也). [二] **물이름 전.**

[字源] 形聲. 氵(水)+耑〔音〕

[湍湍 단단] 소용돌이치는 모양.
[湍瀨 단뢰] 여울.
[湍水 단수] 소용돌이치며 급하게 흐르는 물.
[急湍 급단] 물살이 아주 빠른 여울.

9 ⑫ **〖湎〗** 빠질 면 [上]銑 miǎn

[日] ベン·メン〔おぼれる〕
[英] be immersed

[字解] ① **빠질 면**(溺也). ② **변천할 면**(流移). ¶ 湎湎(면면).

[字源] 形聲. 氵(水)+面〔音〕

9 ⑫ **〖湔〗** 씻을 전 [平]先 jiān

[日] セン〔あらう〕 [英] wash

[字解] **씻을 전**(洗也). ¶ 湔洗(전세).

[字源] 形聲. 氵(水)+前〔音〕

9 ⑫ **【湖】** 호수 호 [平]虞 hú

氵 氵 汁 沽 沽 湖 湖 湖

[日] コ〔みずうみ〕 [英] lake

[字解] **호수 호**(大陂).

[字源] 形聲. 氵(水)+胡〔音〕

[湖畔 호반] 호숫가.
[湖沼 호소] 호수와 늪.
[湖心 호심] 호수의 중심.
[江湖 강호] ㉠ 강과 호수. ㉡ 시골.

9 ⑫ **〖湘〗** 물이름 상[平]陽 xiāng

[日] ショウ〔かわのな〕

4획

[字解] ① **물이름 상**(零陵水名). ¶ 湘水(상수). ② **산이름 상**. ③ **삶을 상**.

[字源] 形聲. 氵(水)+相〔音〕

[湘娥 상아] ㉠ 상령(相靈). 순임금의 두 비 아황(娥皇)과 여영(女英)의 넋을 이름. ㉡ 미인.

9 ⑫ 【湛】 [一]괼 잠[上]賺 [二]잠길 침[平]侵 [三]즐길 담[平]覃 [四]장마 음[平]侵 zhàn chén dān

[日] タン〔みちあふれる〕·チン〔しずむ〕·タン〔たのしむ〕·イン〔ながあめ〕

[英] collect, sink, enjoy, rainy season

[字解] [一] ① **괼 잠**(水不流也). ¶ 湛湛(담담). ② **깊을 잠**(深也). ¶ 湛恩(담은). [二] ① **잠길 침**(沒也). ¶ 湛溺(침닉). ② **담글 침**(浸也). [三] **즐길 담**. [四] **장마 음**.

[字源] 形聲. 氵(水)+甚〔音〕

[湛水 담수] 괸 물.
[湛碧 잠벽] 물이 깊어 푸른 모양.
[湛溺 침닉] 물에 잠기어 빠짐.
[湛恩 침은] 깊은 은혜.

9 ⑫ 【湜】 맑을 식 [入]職 shí

[日] ショク〔すむ〕 [英] clear

[字解] **맑을 식**(水清).

[字源] 形聲. 氵(水)+是〔音〕

[湜湜 식식] 물이 맑아 속까지 환히 보이는 모양.

9 ⑫ 【湟】 해자 황 [平]陽 huáng

[日] コウ〔ほり〕 [英] moat

[字解] ① **해자**(垓字) **황**. ② **빨리 흐를 황**(水波漂疾貌). ③ **물이름 황**(金城水名).

[字源] 形聲. 氵(水)+皇〔音〕

9 ⑫ 【湢】 목욕간 벽[入]職 bì

[日] ヒョク〔ゆどの〕 [英] bath

[字解] ① **목욕간 벽**(浴室). ② **물솟을 벽**(水涌貌).

[字源] 形聲. 氵(水)+畐〔音〕

9 ⑫ 【湣】 [一]시호이름 민 [上]軫 [二]정하여지지않을 혼 [平]元 mǐn hūn

[日] ビン〔おくりな〕·コン〔さだまらない〕

[字解] [一] **시호이름 민**(謚也). [二] **정하여지지않을 혼**(未定也).

[字源] 形聲. 氵(水)+昏〔音〕

9 ⑫ 【湧】 솟아날 용[上]腫 yǒng

[日] ヨウ〔わく〕 [英] spring

[字解] **솟아날 용**(騰也水溢).

[字源] 形聲. 氵(水)+勇〔音〕

[參考] 涌(水部 7획)은 동자.

[湧沫 용말] 솟아오르는 거품.
[湧泉 용천] ㉠ 물이 솟아나오는 샘. ㉡ 연달아 나오는 좋은 생각을 비유하여 이르는 말.
[湧出 용출] 액체가 솟아나옴.

9 ⑫ 【湫】 [一]못 추 [平]尤 [二]낮을 초[上]篠 qiū jiǎo

[日] シュウ〔すずしい〕·ショウ〔ひくい〕

[英] pond, low and moist

[字解] [一] ① **못 추**, **웅덩이 추**(池也). ② **서늘할 추**(涼貌). ¶ 湫湫(추추). [二] **낮을 초**(隘下).

[字源] 形聲. 氵(水)+秋〔音〕

[湫湫 추추] 슬픔에 젖어 쓸쓸해하는 모양.

9 ⑫ 【湮】 빠질 인[平]眞 yīn

4 획

① イン〔しずむ〕・エン〔むすぼれる〕
⊛ sink, be clogged

字解 ① 빠질 인(沒也). ② 막힐 인(塞也).

字源 形聲. 氵(水)+垔〔音〕

[湮滅 인멸] 오래되어 자취가 없어짐. 흔적도 없이 없어짐.

9/12 【湯】
- ■끓일 탕 ⊕陽
- ■물세차게 흐를 상 ⊕陽
- ■해돋이 양 ⊕陽

tāng
shāng
yáng

汤

氵氵沪沪沪沪湯湯

① トウ〔ゆ〕・ショウ〔ながれるさま〕・ヨウ〔ひがでる〕
⊛ boil, sunrise

字解 ■ 끓일 탕, 끓인물 탕(熱水). ■ 물세차게흐를 상. ■ 해돋이 양.

字源 形聲. 氵(水)+昜〔音〕

[湯罐 탕관] 국을 끓이거나 약을 달이는 작은 그릇.
[湯沐 탕목] 더운 물로 몸을 씻음.
[湯飯 탕반] 더운 장국에 만 밥. 장국밥.
[湯藥 탕약] 달여서 먹는 약.
[湯劑 탕제] 달여 먹는 약. 탕약.
[湯池 탕지] '끓는 물의 못'이라는 뜻에서, 견고한 성(城)의 해자(垓字)를 이르는 말. ¶ 金城湯池(금성탕지).
[熱湯 열탕] 뜨겁게 끓인 물이나 국.

9/12 【湲】
- ■흐를 원 ⊕先
- ■흐를 완 ⊕刪

yuán

湲

① エン・カン〔ながれる〕 ⊛ flow

字解 ■ 흐를 원(水流). ¶ 潺湲(잔원). ■ 흐를 완(水流).

字源 形聲. 氵(水)+爰〔音〕

9/12 【湳】 물이름 남 ⊕感

nǎn

湳

① ナン〔かわのな〕

字解 물이름 남(西河水名).

字源 形聲. 氵(水)+南〔音〕

9/12 【港】
- ■강구 항 ⊕講
- ■통할 홍 ⊕送

gǎng
hòng

港

氵氵氵沪沪洪洪洪港

① コウ〔みなと・ひらきつずる〕
⊛ harbor, pass

字解 ■ 항구 항. ¶ 港口(항구). ■ 통할 홍.

字源 形聲. 氵(水)+巷〔音〕

參考 港(水部 8획)은 속자.

[港口 항구] 선박이 드나드는 곳.
[港灣 항만] 해안의 만곡(彎曲)한 곳에 방파제·부두·잔교(棧橋)·창고·기중기 등의 시설을 한 수역.
[密港 밀항] 법을 어기고 몰래 해외로 항해함.
[入港 입항] 배가 항구로 들어옴.

9/12 【温】 溫(온)(水部 10획)과 同字

9/12 【湾】 灣(만)(水部 22획)의 略字

9/12 【満】 滿(만)(水部 11획)의 略字

9/12 【湿】 濕(습)(水部 14획)의 略字

9/12 【滋】 滋(자)(水部 10획)의 略字

10/13 【滚】 滾(곤)(水部 11획)의 本字

10/13 【溥】
- ■넓을 부 ⊕虞 보 ⊕虞
- ■펼 부 ⊕虞

pǔ
fū

溥

① ホ〔ひろい〕・フ〔しく〕

㊟ vast, spread

字解 ➊ ① 넓을 부. ② 두루미칠 부. ➋ 펼 부.

字源 形聲. 氵(水)+專〔音〕.

10
⑬ 【澱】 물소리
은㊟文
㊤吻 | yīn

㊐ イン〔かわのな〕
㊟ murmur of stream

字解 ① 물소리 은. ② 물이름 은.

字源 形聲. 氵(水)+殷〔音〕.

10
⑬ 【溱】 물이름
진㊟眞 | zhēn

㊐ シン〔いたる・おおい〕

字解 ① 물이름 진. ② 이름 진. ③ 많을 진. ④ 성할 진.

字源 形聲. 氵(水)+秦〔音〕.

10
⑭ 【滎】 물이름
형㊟青 | xíng
ying

㊐ ケイ〔かわのな〕

字解 물이름 형(河南水名).

字源 形聲. 水+熒〔省〕〔音〕.

10
⑮ 【滕】 물오를 등
㊟蒸 | téng

㊐ トウ〔あがる〕 ㊟ spout

字解 ① 물오를 등(水超涌). ② 나라이름 등(魯附庸國名).

字源 形聲. 水를 바탕으로 「朕(짐)」의 전음이 음을 나타냄.

[滕王閣 등왕각] 강서성(江西省) 남창부(南昌府) 신건현(新建縣)에 있는 누각. 당고조(唐高祖)의 아들 원영(元嬰)이 세웠음.

10
⑬ 【溫】 따뜻할
온㊟元 | wēn

氵 氻 沪 沪 沪 沪 渭 渭 溫

㊐ オン〔あたたかい〕 ㊟ warm

字解 ① 따뜻할 온(暖也). ¶ 三寒四溫(삼한사온). ② 부드러울 온(柔

也). ¶ 溫順(온순). ③ 익힐 온(習也). ¶ 溫故知新(온고지신).

字源 形聲. 氵(水)+昷〔音〕.

參考 温(水部 9획)과 동자.

[溫故知新 온고지신] 옛것을 익히고, 그것으로 미루어 새것을 앎.

[溫帶 온대] 열대와 한대의 중간에 있는 기후가 온난한 지역.

[溫冷 온랭] 따뜻함과 참.

[溫良 온량] 온화하고 선량함.

[溫順 온순] 성질이 부드럽고 순함.

[溫柔 온유] 온후하고 유순함.

[溫情 온정] 따뜻한 마음.

[溫存 온존] ㉠ 친절히 위문함. ㉡ 소중히 보관함.

[高溫 고온] 높은 온도.

[體溫 체온] 몸의 온도.

10
⑬ 【源】 근원 원
㊟元 | yuán

氵 氵 沪 沪 沪 沪 源 源 源

㊐ ゲン〔みなもと〕 ㊟ source

字解 근원 원(水泉). ¶ 本源(본원).

字源 會意. 水(물)와 原(근원)의 합자. 原이 들판의 뜻으로 쓰이게 되었기 때문에 다시 氵(水)를 더한 글자.

[源究 원구] 근원을 규명함.

[源流 원류] 수원(水源)의 흐름.

[源泉 원천] ㉠ 물이 솟아나는 근원. ㉡ 어떤 사물의 생기거나 나는 근원.

[源統 원통] 근원. 본원(本源).

[本源 본원] 사물의 근본.

[語源 어원] 말이 생겨난 근원.

10
⑬ 【準】 ➊법도
준㊤軫
➋콧마
루 절
㊏屑 | zhūn
zhuó

氵 氵 沪 沪 淮 淮 淮 準 準

㊐ ジュン〔みずもり〕・セツ〔はなばしら〕
㊟ rule, high-bridged nose

字解 ➊ ① 법도 준(法規), 표준 준

(平法也). ¶ 準則(준칙). ② **평평할 준**(平也), 고를 준(均也). ¶ 平準(평준). ③ **비길 준, 준할 준**(准也). ¶ 準據(준거). ¶ 隆準(융준). ▣ **콧마루 절**(鼻頭).

字源 形聲. 氵(水)+隼〔音〕

参考 准(冫部 10획)은 속자.

[準據 준거] 일정한 기준에 의거함.
[準規 준규] 표준으로 삼아서 따라야 할 규칙. 준칙.
[準備 준비] 필요한 것을 미리 마련하여 갖춤.
[準由 준유] 본받음. 표준으로 삼아 따름. 준거.
[準則 준칙] 표준으로 삼아서 따라야 할 규칙.
[準行 준행] 준거하여 행함.
[平準 평준] 사물을 균일하게 조정하는 일.
[標準 표준] 사물의 정도를 정하는 목표.

10
⑬【溘】 **갑자기 합**合 kè
㈃コウ〔たちまち〕 ㊤ suddenly
字解 갑자기 합(奄忽).
字源 形聲. 氵(水)+盍〔音〕

[溘死 합사] 갑자기 죽는다는 뜻으로, 사람이 죽음을 이르는 말.
[溘然 합연] 갑자기. 별안간. 돌연.

10
⑬【溜】 **물방울 류**㈔有 liù
㈃リュウ〔したたる〕 ㊤ drip
字解 ① 물방울 류, 물방울떨어질 류(檐水流下). ¶ 溜槽(유조). ② 김서릴 류. ¶ 蒸溜(증류).
字源 形聲. 氵(水)+留〔音〕

[溜水 유수] ㉠ 떨어지는 물방울. ㉡ 괸물.
[溜槽 유조] 빗물을 받는 큰 통.

10
⑬【溝】 **도랑 구**㈔尤 gōu
㈃コウ〔みぞ〕 ㊤ ditch
字解 ① 도랑 구(水瀆). ¶ 排水溝(배수구). ② 해자 구(濠也). ¶ 溝池(구지).
字源 形聲. 氵(水)+冓〔音〕

[溝渠 구거] 도랑. 통수로(通水路).
[溝壑 구학] 도랑과 골짜기.
[排水溝 배수구] 물을 빼는 도랑.

10
⑬【溟】 **바다 명**㈃青 míng
㈃メイ〔うみ〕 ㊤ sea
字解 ① 바다 명(海也). ¶ 溟洲(명주). ② 어두울 명(濛也). ¶ 溟濛(명몽).
字源 會意. 水와 冥(어둠)의 합자. 또,「冥(명)」은 음을 나타냄.

[溟濛 명몽] 보슬비가 내려 날씨가 침침함.
[溟洲 명주] 큰 바다 가운데 있는 섬.

10
⑬【溢】 **넘칠 일**㈔質 yì
㈃イツ〔あふれる〕 ㊤ overflow
字解 넘칠 일. ¶ 溢流(일류).
字源 形聲. 氵(水)+益〔音〕

[溢利 일리] 너무 지나친 이익.
[溢越 일월] 넘침.
[溢血 일혈] 신체 조직 사이에서 일어나는 출혈(出血).
[充溢 충일] 가득 차서 넘침.

10
⑬【溪】 **시내 계**㈃齊 xī(qī)
氵氵汅汁泙淫溪溪
㈃ケイ〔たにがわ〕 ㊤ brook
字解 시내 계(谷間流水).
字源 形聲. 氵(水)+奚〔音〕
参考 谿(谷部 10획)와 同字.

[溪谷 계곡] 개울이 흐르는 골짜기.
[溪流 계류] 산골짜기에서 흐르는 물.
[溪雨 계우] 산골짜기에 내리는 비.
[碧溪 벽계] 물빛이 푸른 시내.

10 ⑬ 【溯】 遡(소)(辵部 10획)와 同字

10 ⑬ 【溲】 오줌 수 [平]尤 sōu

[日] シュウ〔ゆばり〕 [英] urine

[字解] **오줌 수**(溺也).

[字源] 形聲. 氵(水)+叟〔音〕

[溲器 수기] 요강.
[溲便 수변] 오줌. 소변.

10 ⑬ 【溶】 녹을 용 [平]冬 róng

[日] ヨウ〔とける〕 [英] melt

[字解] ① **녹을 용**(消解). ¶ 溶液(용액). ② **질펀히흐를 용**(安流). ¶ 溶溶(용용).

[字源] 形聲. 氵(水)+容〔音〕

[溶媒 용매] 물질을 녹여 용액으로 만드는 물질. 물·수은·주정 따위.
[溶液 용액] 한 물질이 다른 물질에 녹아서 고르게 퍼져 이루어진 액체.
[溶解 용해] 물질이 녹거나 물질을 녹임.

10 ⑬ 【溷】 흐릴 혼 [去]願 hùn

[日] コン〔みだれる〕 [英] turbid

[字解] ① **흐릴 혼**(濁也). ② **어지러울 혼**(亂也). ¶ 溷濁(혼탁). ③ **울 혼**(畜舍). ④ **뒷간 혼**(廁也). ¶ 溷廁(혼측).

[字源] 形聲. 氵(水)+圂〔音〕

[溷淆 혼효] ㉠ 흐림. 혼탁함. ㉡ 어지러움. 혼란함.

10 ⑬ 【溺】 [一] 빠질 닉 [入]錫 [二] 오줌 뇨 [去]嘯 nì niào

[日] デキ〔おぼれる〕·ジョウ〔ゆばり〕 [英] drown, urine

[字解] [一] **빠질 닉**(沒也). ¶ 溺死(익사). [二] **오줌 뇨**(溲也小便). ¶ 溺器(요기).

[字源] 形聲. 氵(水)+弱〔音〕

[溺器 요기] 오줌을 누는 그릇. 요강.
[溺死 익사] 물에 빠져 죽음.
[溺愛 익애] 사랑에 빠짐. 지나치게 사랑함.
[耽溺 탐닉] 어떤 일을 몹시 즐겨서 거기에 빠짐.

10 ⑬ 【滂】 죽죽퍼부을 방 [平]陽 pāng

[日] ボウ〔あめのさかんにふるさま〕 [英] pour

[字解] **죽죽퍼부을 방**(沛也大雨).

[字源] 形聲. 氵(水)+旁〔音〕

[滂湃 방배] 수세(水勢)가 세찬 모양.
[滂沱 방타] ㉠ 비가 좍좍 쏟아짐. ㉡ 눈물이 뚝뚝 떨어짐.

10 ⑬ 【滄】 찰 창 [平]陽 沧 cāng

氵 氵 氵 氵 氵 氵 滄 滄

[日] ソウ〔さむい〕 [英] cold

[字解] ① **찰 창, 싸늘할 창**(寒也). ¶ 滄熱(창열). ② **큰바다 창**(大海). ¶ 滄海(창해).

[字源] 形聲. 氵(水)+倉〔音〕

[滄茫 창망] 물이 푸르고 아득하게 넓은 모양.
[滄溟 창명] ㉠ 창해. ㉡ 사방의 바다.
[滄熱 창열] 추움과 더움. 한서(寒暑).
[滄波 창파] 바다의 푸른 물결.
[滄海 창해] ㉠ 큰 바다. 대해. ㉡ 신선이 산다는 곳.

10 ⑬ 【滅】 멸망할 멸 [入]屑 灭 miè

氵 氵 氵 氵 氵 氵 滅 滅

[日] メツ〔ほろびる〕 [英] ruin

[字解] ① **멸망할 멸**(亡也). ② **죽을 멸**(沒也). ¶ 入滅(입멸). ③ **불꺼질 멸**(火熄). ¶ 明滅(명멸). ④ **다할 멸**(盡也), **없어질 멸**(不見也). ¶ 消滅(소멸).

[字源] 形聲. 氵(水)+威〔音〕

[滅裂 멸렬] 망해 없어짐.

[滅門 멸문] ㉠ 한 집안이 모두 살육을 당함. ㉡ 멸문일(滅門日)의 약칭.

[滅門日 멸문일] 음양도(陰陽道)에서 대흉일(大凶日). 한 달에 닷새 있다 함.

[滅種 멸종] 씨가 없어짐.

[壞滅 괴멸] 파괴되어 멸망함.

[撲滅 박멸] 모조리 잡아 없앰.

10 [13] 〖滉〗 깊을 황 [上]養 | huàng

[日] コウ〔ひろい〕 [英] deep

[字解] **깊을 황**(水深廣).

[字源] 形聲. 氵(水)+晃〔音〕

10 [13] 〖滋〗 불을 자 [平]支 | zī

[日] ジ〔ます〕 [英] inerease

[字解] ① **불을 자**(潤殖). ② **우거질 자**(蕃也). ¶ 滋蔓(자만). ③ **맛 자**(味旨). ¶ 滋養(자양). ④ **적실 자**(浸也). ¶ 滋雨(자우). ⑤ **더욱 자**(益也). ¶ 滋甚(자심).

[字源] 形聲. 氵(水)+茲(音)

[參考] 滋(水部 9획)는 약자.

[滋蔓 자만] ㉠ 풀이 성하여 점점 늘어남. ㉡ 권세가 점점 생김.

[滋甚 자심] 더욱 심함. 매우 심함.

[滋養 자양] 몸에 영양이 됨.

[滋雨 자우] 생물에게 혜택을 주는 비.

[滋潤 자윤] 축축이 젖음. 또, 축축이 적심. 전하여, 윤택함. 윤택하게 함.

10 [13] 〖滑〗 [一]반드러울 활 [入]黠 [二]어지러울 골 [入]月 | 滑 huá gǔ

[日] カツ〔なのらか〕·コツ〔みだれる〕 [英] slippery, disturbed

[字解] [一] ① **반드러울 활**(澤也). ¶ 滑走(활주). ② **교활할 활**(猾也). ¶ 狡滑(교활). [二] **어지러울 골**(亂也). ¶ 滑稽(골계).

[字源] 形聲. 氵(水)+骨〔音〕

[滑稽 골계] ㉠ 재치가 있어 말이 유창함. ㉡ 남을 웃기려고 일부러 우습게 하는 말이나 짓. 익살.

[滑降 활강] 미끄러져 내려옴.

[滑車 활차] 도르래.

[狡滑 교활] 간사하고 꾀가 많음.

[圓滑 원활] 일이 거침없이 잘되어 나감.

10 [13] 〖滓〗 찌끼 재 [本]자 [上]紙 | zǐ

[日] サイ〔かす〕 [英] dregs

[字解] **찌끼 재**(渣也).

[字源] 形聲. 氵(水)+宰〔音〕

[滓濁 재탁] 찌끼와 혼탁한 것.

[殘滓 잔재] ㉠ 남은 찌꺼기. ㉡ 지난 날의 낡은 의식이나 생활 방식.

10 [13] 〖滔〗 창일할 도 [平]豪 | tāo

[日] トウ〔はびこる〕 [英] overflow

[字解] ① **창일할 도**(漫也). ¶ 滔天(도천). ② **물세차게흐르는모양 도**(流貌). ¶ 滔滔(도도). ③ **넓을 도**(廣也).

[字源] 形聲. 氵(水)+舀〔音〕

[滔滔 도도] ㉠ 넓은 자리를 잡고 흐르는 물이 막힘이 없고 세찬 모양. ㉡ 기세 있게 나오는 말이 길면서 거침없는 모양.

[滔天 도천] 홍수가 하늘에 닿을 만큼 흘러 넘침.

11 [14] 〖滾〗 물흐를 곤 [上]阮 | gǔn

[日] コン〔さかんにながれる〕 [英] flow

[字解] ① **물흐를 곤**. ② **물끓을 곤**.

[字源] 形聲. 氵(水)+袞〔音〕

[參考] 滾(곤)(水部 10획)의 俗字.

[滾湯 곤탕] 물이 끓음.

11 ⑭ **〖漌〗** 맑을 근 [上]吻 | jǐn

[日] キン〔きよい〕 [英] clear

[字解] **① 맑을 근. ② 담글 근.**

[字源] 形聲. 氵(水)+堇〔音〕

11 ⑮ **〖潁〗** 물이름 영[上]梗 | 颍 yǐng

[日] エイ〔かわのな〕

[字解] **물이름 영**(陽城水名).

[字源] 形聲. 水+頃〔音〕

11 ⑭ **〖漳〗** 강이름 장[平]陽 | zhāng

[日] ショウ〔かわのな〕

[字解] **강이름 장**(산시성에서 발원하는 강).

[字源] 形聲. 氵(水)+章〔音〕

11 ⑮ **〖漿〗** 미음 장 [平]陽 | 浆 jiāng

[日] ショウ〔しる〕 [英] water gruel

[字解] **① 미음 장**(水米汁也). **② 즙 장**(液汁). ¶ 漿果(장과).

[字源] 形聲. 氵(水)+將〔音〕

[注意] 槳(木部 11획)은 딴 글자.

[漿果 장과] 다육과(多肉果)의 한 가지. 감·포도처럼 살에 물이 많은 열매.

11 ⑮ **〖漦〗** 거품 시 [平]支 | chí

[日] シ〔あわ〕 [英] froth

[字解] **거품 시**(涎沫).

[字源] 形聲. 水+犛〔音〕

11 ⑭ **〖滌〗** 씻을 척 [入]錫 | 涤 dí

[日] テキ〔あらう〕 [英] wash

[字解] **① 씻을 척**(洗也). ¶ 洗滌(세척). **② 닦을 척**(除也).

[字源] 形聲. 氵(水)+條〔音〕

[滌洗 척세] 깨끗이 씻음. 세척(洗滌).

[滌濯 척탁] 빪. 씻음.

[滌蕩 척탕] 더러운 것을 씻어 버림.

11 ⑭ **〖滫〗** 뜨물 수 [上]有 | xiǔ xiū

[日] シュウ〔しろみず〕

[英] water washed rice

[字解] **① 뜨물 수**(淅米汁). **② 오줌 수**(溺也).

[字源] 形聲. 氵(水)+脩〔音〕

11 ⑭ **〖滬〗** 물이름 호[上]麌 | hù

[日] コ〔かわのな〕

[字解] **물이름 호**(江名玄滬).

[字源] 形聲. 氵(水)+扈〔音〕

11 ⑭ **〖滯〗** 막힐 체 [去]霽 | 滞 zhì

[日] タイ〔とどこおる〕 [英] be choked

[字解] **① 막힐 체**(淹也). **② 쌓일 체**(積也). ¶ 停滯(정체). **③ 머무를 체**(留也). ¶ 滯在(체재).

[字源] 形聲. 氵(水)+帶〔音〕

[滯納 체납] 납세(納稅)를 지체함.

[滯留 체류] 머물러 있음. 타향(他鄕)에 가서 오래 있음.

11 ⑭ **〖滲〗** 밸 삼[去]沁 | 渗 shèn

[日] シン〔しみる〕 [英] soak

[字解] **① 밸 삼.** ¶ 滲透(삼투). **② 샐 삼**(漏也). ¶ 滲涸(삼학).

[字源] 形聲. 氵(水)+參〔音〕

[滲透 삼투] 스며들어감. 뱀.

11 ⑭ **〖滴〗** 물방울 적[入]錫 | dī

氵 汁 泣 浐 渧 渧 滴 滴

[日] テキ〔したたり〕 [英] drop

字解 물방울 적(水點). ¶ 餘滴(여적).

字源 形聲. 氵(水)+商〔音〕

[滴露 적로] 방울지어 떨어지는 이슬.

[硯滴 연적] 벼룻물을 담는 그릇.

11
⑭ 【滴】 세차게 흐를 상 | shāng   滳

⊕陽

⊜ ショウ〔ながれゆくさま〕

字解 세차게흐를 상(流蕩貌).

字源 形聲. 氵(水)+商〔音〕

11
⑭ 【滷】 짠땅 로 | 卤   lū

⊕麌

⊜ ロ〔しおつち〕 ⊛ salt land

字解 짠땅 로(苦地).

字源 形聲. 氵(水)+鹵〔音〕

11
⑭ 【滸】 물가 호 | 浒   hǔ   浒

⊕麌

⊜ コ〔ほとり〕 ⊛ waterside

字解 물가 호(水涯).

字源 形聲. 氵(水)+許〔音〕

11
⑭ 【滺】 흐를 유 | yóu   滺

⊕尤

⊜ ユウ〔ながれる〕 ⊛ flow

字解 흐를 유(水流貌).

字源 形聲. 氵(水)+悠〔音〕

11
⑭ 【滿】 찰 만 | 满   mǎn   滿

⊕早

氵 氵⁻ 氵⁻ 氵‍ 湍 滿 滿 滿

⊜ マン〔みちる〕 ⊛ full

字解 ① 찰 만(充也). ¶ 滿員(만원). ② 풍족할 만(足也). ¶ 滿足(만족). ③ 땅이름 만(地名). ¶ 滿洲(만주).

字源 形聲. 氵(水)+㒼〔音〕

[滿腔 만강] 온몸. 만신(滿身).

[滿期 만기] 정해진 기한이 참.

[滿載 만재] ㉠ 하나 가득 실음. ㉡ 기사(記事)를 온 지면(紙面)에 실음.

[滿足 만족] 마음에 흡족함.

[充滿 충만] 가득 참.

[豐滿 풍만] ㉠ 풍족하여 가득함. ㉡ 살집이 넉넉함.

11
⑭ 【漁】 고기잡을 어 | 渔   yú   漁

⊕魚

氵 氵⁻ 氵⁻ 渔 渔 渔 漁 漁

⊜ ギョ〔すなどる〕 ⊛ fishing

字解 고기잡을 어(捕魚). ¶ 漁撈(어로).

字源 形聲. 氵(水)+魚〔音〕

[漁撈 어로] 고기잡이.

[漁父 어부] 고기잡이를 업으로 하는 사람.

[漁夫之利 어부지리] 쌍방이 다투는 틈을 타서 제삼자가 애쓰지 않고 가로챈 이득.

[出漁 출어] 고기를 잡으러 배를 타고 나감.

11
⑭ 【漂】
━ 떠다닐 표 | 蕭   piāo   漂
◗ 빨래할 표 去 嘯   piào

氵 氵⁻ 氵⁻ 潯 漂 漂 漂 漂

⊜ ヒョウ〔ただよう・あらう〕
⊛ float, wash

字解 ━ ① 떠다닐 표(浮也). ¶ 漂流(표류). ② 높고먼모양 표(高遠貌). ¶ 漂然(표연). ◗ 빨래할 표(水中洗絮). ¶ 漂母(표모).

字源 形聲. 氵(水)+票〔音〕

[漂女 표녀] 빨래를 하는 여자.

[漂流 표류] ㉠ 물에 떠서 흘러감. ㉡ 물 위에 둥둥 떠내려 감. 정처 없이 떠돌아다님.

[漂白 표백] ㉠ 빨아서 하얗게 함. 바래서 하얗게 함. ㉡ 화학 약품을 써서 탈색(脫色)하여 희게 함.

[浮漂 부표] 물 위에 떠서 이리저리 떠돌아다님.

4
획

4
획

11 ⑭〖漆〗

■옻칠 칠
㈁質
■전심할 철
㈆屑

qī

ㆍ ㆍ ㆍ ㆍ 沐 沐 漆 漆

㈐ シツ〔うるし〕・セツ〔せんしん〕
㊀ lacquer, the whole heart

字解 ■ ① 옻칠 칠(髹物木汁). ¶
漆器(칠기). ② 검을 칠(黑也). ¶
漆板(칠판). ■ 전심할 철.

字源 形聲. 氵(水)+桼〔音〕

[漆器 칠기] 옻칠을 하여 아름답게 만든 기물(器物).
[漆夜 칠야] 캄캄한 밤.
[漆板 칠판] 분필로 글씨를 쓰는, 대체로 검은 칠을 한 널판.

11 ⑭〖漉〗

거를 록
㈆屋

lù

㈐ ロク〔こす〕 ㊀ strain

字解 거를 록(濾也). ¶ 滲漉(삼록).

字源 形聲. 氵(水)+鹿〔音〕

[漉酒 녹주] 술을 거름.

11 ⑭〖漏〗

샐 루㊀宥

lóu

氵 氵 沪 沪 沪 涓 漏 漏

㈐ ロウ〔もる〕 ㊀ leak

字解 ① 샐 루(泄也). ¶ 漏泄(누설). ② 물시계 루(壺水知時).

字源 形聲. 氵(水)+屚〔音〕

[漏刻 누각] 물시계.
[漏落 누락] 적바림에서 빠짐.
[脫漏 탈루] 빠져서 샘.

11 ⑭〖漑〗

■물댈
개㈃隊
■이미
기㈆未

gài
jì

㈐ ガイ〔そそぐ〕・キ〔すでに〕
㊀ irrigate, already

字解 ■ 물댈 개(灌也). ■ 이미 기.

字源 形聲. 氵(水)+旣〔音〕

[漑灌 개관] 물을 댐. 관개(灌漑).

11 ⑭〖漓〗

스밀 리
㊀支

lí

㈐ リ〔しみる〕 ㊀ soak

字解 스밀 리(水滲入地).

字源 形聲. 氵(水)+离〔音〕

11 ⑭〖演〗

흐를 연
㊀銑

yǎn

氵 氵 沪 沪 泸 泸 淽 演

㈐ エン〔のべる〕 ㊀ flow

字解 ① 흐를 연(長流). ② 윤택할 연(潤也). ③ 펼 연(遠也, 廣也, 長也). ¶ 廣演(광연).

字源 形聲. 氵(水)+寅〔音〕

[演技 연기] 배우가 무대 위에서 연출(演出)하여 보이는 말이나 동작.
[演繹 연역] ㉠ 뜻을 캐어 부연(敷衍)하여 설명함. ㉡ 보편적인 원리를 전제(前提)로 특수한 명제(命題)를 이끌어 내는 추리(推理).
[演奏 연주] 음악을 아룀. 주악.
[講演 강연] 대중 앞에서 연설함.
[出演 출연] 연극・영화・텔레비전 등에 나가서 연기함.

11 ⑭〖漕〗

배저을
조㊀號

zào

㈐ ソウ〔こぐ〕 ㊀ row

字解 ① 배저을 조(航船). ② 배로 실어나를 조(水運).

字源 形聲. 氵(水)+曹〔音〕

[漕船 조선] ㉠ 물건을 운반하는 배. ㉡ 배로 운반함.
[漕艇 조정] 운동 또는 오락으로서 보트를 지음.

11 ⑭〖漙〗

이슬많
을 단
㊀寒

tuán

㈐ タン〔つゆのおおいさま〕

字解 이슬많을 단(露多貌).

字源 形聲. 氵(水)+專〔音〕

11 ④ 【漚】 ■담글구⊕우 ■거품구⊕우⊕尤 漚 òu ōu 泡

⽇ オウ〔ひたす・あわ〕 ⽶ steep, bubble

字解 ■ 담글 구(漬也). ■ 거품 구(水泡).

字源 形聲. 氵(水)+區〔音〕

11 ④ 【漠】 사막 막 ⑧藥 mò 漠

氵 氵 氵⁻ 氵⁻ 汈 淇 淇 漠

⽇ バク〔すなはら〕 ⽶ desert

字解 ① 사막 막. ¶ 砂漠(사막). ② 넓을 막(廣大). ¶ 廣漠(광막).

字源 形聲. 氵(水)+莫〔音〕

[漠漠 막막] ㉠ 아주 넓어 끝이 없는 모양. ㉡ 펴 늘어놓은 모양.

[漠然 막연] ㉠ 아득함. ㉡ 똑똑지 않고 어렴풋함.

[索漠 삭막] 황폐하여 쓸쓸함.

11 ④ 【漢】 물이름 한 ⊕翰 hàn 汉 漢

氵 氵⁻ 氵⁻ 氵⁻ 汈 淇 淇 漢 漢

⽇ カン〔かわのな〕

字解 ① 물이름 한(嶓冢水名). ¶ 漢水(한수). ② 왕조이름 한(國名). ③ 종족이름 한. ¶ 漢族(한족). ④ 은하수 한(天河). ¶ 銀漢(은한). ⑤ 사나이 한, 놈 한(男子賤稱). ¶ 惡漢(악한).

字源 形聲. 氵(水)+莫〔音〕

[漢方 한방] 중국에서 전해 온 의술.

[漢醫 한의] 한방(漢方)의 의원(醫員). 한방의.

[漢籍 한적] ㉠ 한대(漢代)의 서적. ㉡ 《韓》중국의 서적. 한문(漢文)의 서적.

[惡漢 악한] 몹시 악독한 사나이.

[銀漢 은한] 은하수.

11 ④ 【漣】 잔물결 련 ⊕先 lián 涟 漣

⽇ レン〔さざなみ〕 ⽶ ripple

字解 ① 잔물결 련(水紋). ¶ 漣漪(연의). ② 눈물흘릴 련(涕流). ¶ 漣然(연연).

字源 形聲. 氵(水)+連〔音〕

[漣然 연연] 눈물 흘리는 모양.

[漣漪 연의] 잔물결.

11 ④ 【漩】 소용돌이칠 선 ⊕先 xuán 漩

⽇ セン〔うずまく〕 ⽶ whirlpool

字解 소용돌이칠 선(水之回旋).

字源 形聲. 氵(水)+旋〔音〕

11 ④ 【漪】 잔물결 의 ⊕支 yī 漪

⽇ イ〔さざなみ〕 ⽶ ripple

字解 잔물결 의(水波文).

字源 形聲. 氵(水)+猗〔音〕

[漪瀾 의란] 잔잔한 물결과 큰 물결.

11 ④ 【漫】 질펀할 만 ⊕諫 màn 漫

氵 氵⁻ 氵⁻ 氵⁻ 浔 渭 湯 漫

⽇ マン〔ひろい・みだり〕 ⽶ flood

字解 ① 질펀할 만(長遠貌). ¶ 漫漫(만만). ② 흩어질 만(分散之形). ¶ 散漫(산만). ③ 방종할 만(放也). ¶ 放漫(방만). ④ 물넓을 만(水廣大貌).

字源 形聲. 氵(水)+曼〔音〕

[漫錄 만록] 붓이 돌아가는 대로 쓴 글. 만필(漫筆).

[漫遊 만유] 마음이 내키는 대로 각처를 구경하며 돌아다님.

[放漫 방만] 하는 일 따위가 야무지지 못하고 엉성함.

4획

[散漫 산만] 흩어져 통일성이 없음.

4 획

11⑭〔漬〕담글 지 ㊊寘 zì 漬 漬

㊐シ〔ひたす〕 ㊍ soak

字解 ① 담글 지, 적실 지(浸潤). ¶ 漬浸(지침). ② 물들일 지(染也). ¶ 漬墨(지묵).

字源 形聲. 氵(水)+責〔音〕

[漬墨 지묵] 때가 묻어 검어짐. 더럽혀 거멓게 함.

[漬浸 지침] 물에 담금. 또, 물에 잠김.

11⑭〔澎〕물결치는소리 붕 ㊊蒸 pēng 澎 澎

㊐ホウ〔みずのおと〕

字解 물결치는소리 붕(水激聲).

字源 形聲. 氵(水)+崩〔音〕

11⑭〔漱〕양치질할 수 ㊌宥 ㊌尤 shù 漱

㊐ソウ〔すすぐ〕 ㊍ gargle

字解 ① 양치질할 수(盪口). ¶ 漱口(수구). ② 빨 수(滌也).

字源 會意. 水와 欶(빨아들임)의 합자. 또 「欶(수)」가 음을 나타냄.

[漱口 수구] 양치질함.

[漱石枕流 수석침류] 흐르는 물로 양치질하고 돌을 베개로 삼는다고 하여야 할 것을, 돌로 양치질하고 흐르는 물을 베개로 삼는다고 잘못 말하고서 억지로 옳다고 그럴듯이 꾸며낸 고사(故事)로서, 승벽(勝癖)이 몹시 셈을 비유하는 말.

[漱澣 수한] 빨래함. 씻음.

11⑭〔漲〕찰 창 ㊌漾 zhǎng zhàng 漲 漲

㊐チョウ〔みなぎる〕 ㊍ fill

字解 ① 찰 창(水盛貌). ② 불을 창(水滿). ¶ 漲溢(창일).

字源 會意. 水와 張의 합자. 또, 「張(장)」의 전음이 음을 나타냄.

[漲溢 창일] 물이 불어 벌창하여 넘침.

11⑭〔潊〕개 서 ㊌語 xù 潊

㊐ジョ〔うら〕 ㊍ tidewater inlet

字解 개 서(浦也).

字源 形聲. 氵(水)+敘〔音〕

11⑭〔窪〕窪(와)(穴部 9획)의 同字

11⑭〔漸〕차차 점 ㊌琰 높을 참 ㊌咸 jiàn chàn 漸 漸

氵 氵 氵 氵 氵 氵 漸 漸 漸

㊐ゼン〔ようやく〕・サン〔たかい〕 ㊍ gradually, high

字解 ■ ① 차차 점(稍也). ¶ 漸次(점차). ② 흐를 점(流也). ③ 번질 점, 젖을 점(濕也). ¶ 漸染(점염). ④ 나아갈 점(進也). ¶ 漸進(점진). ⑤ 괘이름 점. ■ 높을 참(高地).

字源 形聲. 氵(水)+斬〔音〕

[漸加 점가] 차차로 증가함.

[漸漬 점지] 점점 물이 뱀. 전(轉)하여, 점점 감화(感化)됨.

[漸進 점진] 차차 나아감. 점차로 진보함.

[漸次 점차] 점점. 차차. 차츰차츰.

11⑭〔漻〕■깊을 료 ㊊蕭 ■변할 력 ㊥錫 liáo lì 漻

㊐リョウ〔きよくふかい〕・レキ〔へんかのさま〕 ㊍ deep, change

字解 ■ 깊을 료(淸深). ■ 변할 력(變化貌).

字源 形聲. 氵(水)+翏〔音〕

11 ⑭ 【漼】 깊을 최 ㊤賄 | cuǐ

㊐ サイ〔ふかい〕 ㊄ deep

字解 ① 깊을 최(深也). ② 고울 최(鮮明).

字源 形聲. 氵(水)+崔〔音〕

11 ⑭ 【漾】 출렁거릴 양 ㊀漾 | yàng

㊐ ヨウ〔ただよう〕 ㊄ wave

字解 출렁거릴 양(水動搖貌).

字源 形聲. 氵(水)+羕〔音〕

[漾漾 양양] ㉠ 물결이 출렁거리는 모양. ㉡ 물 위에 둥둥 뜨는 모양.

12 ⑮ 【潾】 돌샘 린 ㊀震 | lín

㊐ リン〔いわしみず〕

㊄ rock spring

字解 돌샘 린. 석간수 린.

字源 形聲. 氵(水)+粦〔音〕

12 ⑮ 【潣】 물편히흐를 민 ㊤軫 | mǐn

㊐ ビン〔すいりゅうのたいらかなさま〕

㊄ murmur

字解 물편히흐를 민.

字源 形聲. 氵(水)+閔〔音〕

12 ⑮ 【潽】 물이름 보 ㊤麌 | pū

㊐ ホ〔かわのな〕

字解 물이름 보.

字源 形聲. 氵(水)+普〔音〕

12 ⑮ 【潗】 샘솟을 집 ㊤緝 | jí

㊐ シュウ〔わく〕 ㊄ spring up

字解 샘솟을 집.

字源 形聲. 氵(水)+集〔音〕

12 ⑮ 【潗】 潗(집)(前條)과 同字

12 ⑮ 【澕】 깊을 화 ㊥歌 | hé

㊐ カ〔ふかい〕 ㊄ deep

字解 깊을 화.

字源 形聲. 氵(水)+華〔音〕

12 ⑮ 【潏】 一 샘솟을 휼 ㊇屑 二 사주 술 ㊇質 | jué shù

㊐ ケツ〔わきでる〕・シュツ〔す〕

㊄ fountain, sandbank

字解 一 샘솟을 휼(泉涌). 二 사주 술(水中沙洲).

字源 形聲. 氵(水)+矞〔音〕

12 ⑮ 【潑】 뿌릴 발 ㊇曷 | 泼 pō

㊐ ハツ〔そそぐ〕 ㊄ sprinkle

字解 ① 뿌릴 발(散水). ¶ 潑寒(발한). ② 사나울 발. ¶ 潑皮(발피). ③ 활발할 발. ¶ 潑潑(발발).

字源 形聲. 氵(水)+發〔音〕

[潑剌 발랄] ㉠ 물고기가 활발하게 뛰는 모양. ㉡ 전(轉)하여, 힘차게 약동(躍動)하는 모양.

[潑水 발수] 물을 뿌림.

12 ⑮ 【潔】 깨끗할 결 ㊇屑 | 洁 jié

氵 氵 汁 泂 汈 洯 潔 潔

㊐ ケツ〔いさぎよい〕 ㊄ clean

字解 깨끗할 결(淸也, 淨也).

字源 形聲. 氵(水)+絜〔音〕

[潔白 결백] ㉠ 깨끗하고 흼. ㉡ 마음이 깨끗하고 사욕(邪欲)이 없음.

[簡潔 간결] 간단하고 깔끔함.

[淨潔 정결] 맑고 깨끗함.

12 ⑮ 【潘】 一 뜨물 번 ㊥元 二 소용돌이 반 ㊥寒 | fān pān

㊐ ハン〔しろみず・うずまき〕

4획

[英] water washed rice, whirpool

[字解] [一] 뜨물 번(淅米水). [二] 소용돌이 반(水之盤旋).

[字源] 形聲. 氵(水)+番〔音〕

12 ⑮ 【潙】 [一]물이름 규[平]支 [二]물이름 위[平]支 | 沩 guī wéi

[日] キ・イ〔かわのな〕

[字解] [一] 물이름 규(河東水名). [二] 물이름 위(益陽水名).

[字源] 形聲. 氵(水)+爲〔音〕

12 ⑮ 【潛】 잠길 잠 [平]鹽 | 潜 qián

氵 氵 氵 氵 氵 潛 潛 潛

[日] セン〔ひそむ〕 [英] sink

[字解] ① 잠길 잠(沈也). ② 자맥질할 잠. ¶ 潛水(잠수). ③ 감출 잠, 숨길 잠(藏也). ¶ 潛跡(잠적).

[字源] 形聲. 氵(水)+朁〔音〕

[參考] 潜(水部 12획)은 속자.

[潛伏 잠복] ㉠ 몰래 숨어 있음. ㉡ 감염(感染)되었으나, 증세가 겉으로 나타나지 않음.

[潛入 잠입] 몰래 숨어 들어감.

[潛在 잠재] 속에 숨어 있음.

[沈潛 침잠] 깊이 가라앉아 잠김.

12 ⑮ 【潜】 潛(잠)(前條)의 俗字

12 ⑮ 【潝】 물빨리흐르는소리 흡[入]緝 | xì

[日] キュウ〔はやくながれる〕

[字解] 물빨리흐르는소리 흡(水流疾貌).

[字源] 形聲. 氵(水)+翕〔音〕

12 ⑮ 【潟】 개펄 석 [入]陌 | xì

[日] セキ〔かた〕 [英] tideland

[字解] 개펄 석(鹹土鹵地).

[字源] 形聲. 氵(水)+舃〔音〕

12 ⑮ 【澙】 潟(석)(前條)의 本字

12 ⑮ 【潢】 못 황 [平]陽 | huáng

[日] コウ〔いけ〕 [英] pond

[字解] 못 황(積水池).

[字源] 形聲. 氵(水)+黃〔音〕

[潢池 황지] ㉠ 물이 괴어 있는 못. ㉡ 좁은 토지의 비유.

12 ⑮ 【澗】 산골물 간[去]諫 | 涧 jiàn

[日] カン〔たにみず〕

[字解] 산골물 간(山夾水).

[字源] 形聲. 氵(水)+間〔音〕

[參考] 澗(水部 12획)은 본자. 磵(石部 12획)은 동자.

[澗畔 간반] 산골을 흐르는 물가.

12 ⑮ 【澗】 澗(간)(前條)의 本字

12 ⑮ 【潤】 윤택할 윤[去]震 | 润 rùn

氵 氵 氵 氵 氵 潤 潤 潤

[日] ジュン〔うるおう〕 [英] abundant

[字解] ① 윤택할 윤, 윤 윤(澤也). ¶ 潤澤(윤택). ② 이득 윤(滋也). ¶ 利潤(이윤). ③ 젖을 윤, 적실 윤. ¶ 浸潤(침윤).

[字源] 形聲. 氵(水)+閏〔音〕

[潤氣 윤기] 윤택한 기운.

[潤色 윤색] ㉠ 광택을 내고 색칠을 함. ㉡ 글이나 말을 좋게 꾸밈.

[潤滑 윤활] 윤이 나고 반질반질함. 또, 기름기가 있어 매끄러움.

[浸潤 침윤] ㉠ 물기가 차차 젖어듦. ㉡ 무엇이 차차 번져 나감.

12
⑮ 【潦】 큰비 료 ㊤皓 ㅣ lǎo 潦

⑪ ロウ〔おおあめ〕　㋐ downpour

字解 ① 큰비 료(雨大貌). ② 장마 료(霖雨). ③ 길바닥물 료(路上流水). ¶ 潦水(요수).

字源 形聲. 氵(水)+寮〔音〕

[潦水 요수] ㉠ 땅에 괸 빗물. ㉡ 큰물. 대수(大水).

[潦侵 요침] 큰비로 침수함.

12
⑮ 【潀】 ■흘러들어갈 총 ㊤東　zhōng
■흘러늘어갈 종 ㊤冬　cóng 潀

⑪ ソウ〔あつまる〕

字解 ■흘러들어갈 총(水會). ■흘러들어갈 종(水會).

字源 會意. 水와 衆의 합자. 또, 「衆(중)」의 전음을 음을 나타냄.

12
⑮ 【潭】 ■못 담 ㊤覃　tán
■물가 심 ㊤侵　xún 潭

氵 浐 浐 浐 潭 潭 潭 潭

⑪ タン〔ふかい〕・シン〔みぎわ〕　㋐ pond, waterside

字解 ■ ① 못 담(淵也). ¶ 潭石(담석). ② 깊을 담(深也). ¶ 潭根(담근). ■ 물가 심(岸也).

字源 形聲. 氵(水)+覃〔音〕

[潭水 담수] ㉠ 못물. ㉡ 깊은 물.

[潭淵 담연] 깊은 못.

12
⑮ 【潮】 조수 조 ㊤蕭　cháo 潮

氵 浐 浐 浐 湘 湘 潮 潮

⑪ チョウ〔うしお〕　㋐ tide

字解 조수 조, 밀물 조(地之血脈随氣進退).

字源 形聲. 氵(水)+朝〔音〕

[潮流 조류] ㉠ 조수(潮水)로 인한

바닷물의 흐름. ㉡ 시세(時勢)의 취향(趨向).

[潮害 조해] 간석지(干潟地) 등에 조수가 들어서 입는 피해.

[潮紅 조홍] 얼굴이 붉어짐.

[滿潮 만조] 밀물로 해면이 가장 높아진 상태.

[思潮 사조] 사상의 흐름.

12
⑮ 【潯】 물가 심 ㊤侵　xùn 潯

⑪ ジン〔ふち〕　㋐ waterside

字解 ① 물가 심(水涯). ② 물이름 심(九江別稱).

字源 形聲. 氵(水)+尋〔音〕

12
⑮ 【潰】 무너질 궤 ㊣隊　kuì 潰

⑪ カイ〔つぶれる〕　㋐ collapse

字解 ① 무너질 궤(壞也). ¶ 潰滅(궤멸). ② 흩어질 궤(散也). ¶ 潰散(궤산). ③ 문드러질 궤. ¶ 潰爛(궤란).

字源 形聲. 氵(水)+貴〔音〕

[潰瘍 궤양] 헐어서 짓무른 헌 데.

[潰走 궤주] 패하여 흩어져 달아남.

12
⑮ 【潸】 눈물흐를 산 ㊤刪 ㊤潸　shān 潸

⑪ サン〔なみだがながれる〕　㋐ weep

字解 눈물흐를 산(涕淚流貌).

字源 形聲. 氵(水)+散〈省〉〔音〕

[潸然 산연] 눈물을 줄줄 흘리는 모양.

12
⑮ 【潛】 潸(산) (前條)과 同字

12
⑮ 【潺】 졸졸흐를 잔 ㊤刪　chán 潺

⑪ セン〔ながれる〕　㋐ flow

字解 졸졸흐를 잔(水流貌).

[字源] 形聲. 氵(水)+孱〔音〕

[潺流 잔류] 졸졸 흐르는 물.

12 ⑮ 【潼】 물이름 동[平]東 | tóng

[日] トウ〔かわのな〕

[字解] **물이름 동**(廣漢水名).

[字源] 形聲. 氵(水)+童〔音〕

12 ⑮ 【澂】 澄(징)(水部 12획)과 同字

12 ⑮ 【澁】 떫을 삽 [入]緝 | 涩 sè

[日] ジュウ〔しぶい〕 [英] rough

[字解] ① **떫을 삽**(酸苦). ¶ 澁苦(삽고). ② **껄끄러울 삽**(不滑). ¶ 難澁(난삽).

[字源] 形聲. 氵(水)+歮〔音〕

[參考] 渋(水部 8획)은 약자.

[澁味 삽미] 떫은 맛.

[澁滯 삽체] 일이 막혀 잘되어 나가지 아니함.

12 ⑮ 【澄】 맑을 징 [平]蒸 | chéng

[日] チョウ〔すむ〕 [英] clear

[字解] **맑을 징**(淸也).

[字源] 形聲. 氵(水)+登〔音〕

[參考] 澂(水部 12획)은 동자.

[澄高 징고] 높고 맑음. 또, 기품(氣品)이 깨끗하고 고상(高尙)함.

[澄水 징수] 맑은 물.

12 ⑮ 【澆】 물줄 요 [本]교[平]蕭 | 浇 jiāo

[日] ギョウ〔そそぐ〕 [英] irrigate

[字解] ① **물줄 요**(灌也). ¶ 澆灌(요관). ② **엷을 요**(薄也). ¶ 澆淺(요천).

[字源] 形聲. 氵(水)+堯〔音〕

[澆漑 요개] 물을 댐.

[澆季 요계] ㉠ 풍속이 경박(輕薄)해진 말세(末世). ㉡ 세상이 어지러워지려고 할 때.

[澆薄 요박] 경박(輕薄)함. 인정(人情)이 박함.

12 ⑮ 【澇】 큰물결 로[平]豪 | 涝 lào

[日] ロウ〔おおなみ〕 [英] surge

[字解] **큰물결 로**(大波).

[字源] 形聲. 氵(水)+勞〔音〕

12 ⑮ 【澌】 다할 시 [平]支 | sī

[日] シ〔つきる〕 [英] discharge

[字解] **다할 시**(盡也). ¶ 澌盡(시진).

[字源] 形聲. 氵(水)+斯〔音〕

[澌盡 시진] 물이 마르듯이 없어짐.

12 ⑮ 【潞】 강이름 로[去]遇 | lù

[日] ロ〔かわのな〕

[字解] ① **강이름 로**. ② **고을이름 로**.

[字源] 形聲. 氵(水)+路〔音〕

12 ⑮ 【澍】 적실 주 [去]遇 | shù

[日] ジュ〔うるおす〕 [英] moisten

[字解] **적실 주**(霑濡).

[字源] 形聲. 氵(水)+尌〔音〕

12 ⑮ 【澎】 물부딪는소리 팽[平]庚 | péng

[日] ホウ〔さかん〕

[字解] **물부딪는소리 팽**(水激勢).

[字源] 形聲. 氵(水)+彭〔音〕

12 ⑮ 【澐】 큰물결 운[平]文 | 沄 yún

[日] ウン〔おおなみ〕 [英] surge

[字解] 큰물결 운(大波).
[字源] 形聲. 氵(水)+雲〔音〕

12 ⑮ 【濆】 濆(분)(水部 13획)의 俗字

12 ⑮ 【澈】 물맑을 철[入]屑 | chè

[日] テツ〔きよい〕 [英] clear
[字解] 물맑을 철(水澄).
[字源] 形聲. 氵(水)+徹〈省〉〔音〕

12 ⑮ 【澔】 浩(호)(水部 7획)의 同字

13 ⑯ 【澾】 미끄러울 달[入]曷 | 汏 tà

[日] タツ〔なめらか〕 [英] slippery
[字解] 미끄러울 달. 반드러울 달.

13 ⑯ 【澧】 강이름 례[上]薺 | lǐ

[日] レイ〔かわのな〕
[字解] 강이름 례. 단술 례.
[字源] 形聲. 氵(水)+豊〔音〕

13 ⑯ 【潚】 [一]빠를 축 [入]屋 [二]물이름 소 [平]蕭 | sù xiāo

[日] シュク〔はやい〕 [英] fast
[字解] [一] 빠를 축. [二] 물이름 소.
[字源] 形聲. 氵(水)+肅〔音〕

13 ⑯ 【澡】 씻을 조[上]皓 | zǎo

[日] ソウ〔あらう〕 [英] wash
[字解] ① 씻을 조(洗也). ② 깨끗이 할 조(修潔).
[字源] 形聲. 氵(水)+喿〔音〕

[澡雪 조설] 씻음. 깨끗하게 함.
[澡室 조실] 욕실. 목욕탕.

13 ⑯ 【澣】 빨 한 [本]환[上]旱 | huàn

[日] カン〔すすぐ〕 [英] wash
[字解] ① 빨 한(濯衣垢). ¶ 澣沐(한목). ② 열흘 한(旬也).
[字源] 形聲. 氵(水)+幹〔音〕

[澣滌 한척] 빪. 씻음.

13 ⑯ 【澤】 [一]늪 택 [入]陌 [二]풀릴 석 [入]陌 | 泽 zé shì

氵 氵 泙 泙 泙 澤 澤 澤

[日] タク〔さわ〕·セキ〔とく, とける〕 [英] pond, get solved
[字解] [一] ① 늪 택(水之鐘聚陂也). ¶ 沼澤(소택). ② 윤 택(光潤). ¶ 光澤(광택). ③ 은혜 택, 덕택 택(德也). ¶ 惠澤(혜택). [二] 풀릴 석.
[字源] 形聲. 氵(水)+睪〔音〕

[澤畔 택반] 못가.
[沼澤 소택] 못. 늪.
[恩澤 은택] 은혜로운 덕택.

13 ⑯ 【澨】 물가 서[去]霽 | shì

[日] セイ〔みぎわ〕 [英] waterside
[字解] 물가 서(水厓人所止).
[字源] 形聲. 氵(水)+筮〔音〕

13 ⑯ 【澮】 봇도랑 회 [本]괴[去]泰 | 浍 kuài

[日] カイ〔みぞ〕 [英] ditch
[字解] ① 봇도랑 회(井溝). ② 물이름 회(水名). ¶ 澮水(회수).
[字源] 形聲. 氵(水)+會〔音〕

13 ⑯ 【澱】 찌끼 전[去]霰 | 淀 diàn

[日] デン〔かす〕 [英] dregs
[字解] ① 찌끼 전(滓也). ¶ 沈澱(침전). ② 괼 전(淀也).
[字源] 形聲. 氵(水)+殿〔音〕

〔澱粉 전분〕 식물의 종자나 근경(根莖)이나 괴근(塊根) 같은 데 들어 있는 탄수화물. 녹말.

〔澱淤 어전〕 찌끼. 침전물.

〔沈澱 침전〕 액체 속의 물체가 가라앉음. 또, 그 물질.

13/16 【澳】 ━깊을 오 ㉡號 | 澳 ào
━후미 욱 ㈏屋 | yū

㊐ オウ・イク〔ふかい・くま〕
㊏ deep, bend

字解 ━ 깊을 오(深也). ━ 후미 욱(水隈).

字源 形聲. 氵(水)+奧〔音〕

13/16 【澶】 ━땅이름 전㉠先 | chán
━방종할 단㈏翰 | dàn

㊐ タン・セン〔ほしいまま〕
㊏ dissolute

字解 ━ 땅이름 전(衛地名). ¶ 澶淵(전연). ━ 방종할 단(縱也).

字源 形聲. 氵(水)+亶〔音〕

13/16 【澹】 ━싱거울 담㉠感 | dàn
━넉넉할 섬㈏豔 | shàn

㊐ タン〔うすい〕・セン〔たす〕
㊏ flat, enough

字解 ━ ① 싱거울 담(薄味). ¶ 澹味(담미). ② 담박할 담(恬靜). ¶ 澹泊(담박). ━ 넉넉할 섬(足也).

字源 形聲. 氵(水)+詹〔音〕

〔澹澹 담담〕 ㉠ 담박(淡泊)한 모양. ㉡ 물이 출렁거리는 모양. ㉢ 마음이 움직이지 않은 모양.

〔澹泊 담박〕 마음에 욕심이 없고 깨끗함. 담백(淡白).

13/16 【澼】 표백할 벽㈏錫 | pì

㊐ ヘキ〔さらす〕 ㊏ bleach

字解 표백할 벽(漂絮).

字源 形聲. 氵(水)+辟〔音〕

13/16 【激】 과격할 격㈏錫 | jī

氵 沪 沪 泸 湾 潡 潡 激

㊐ ゲキ〔はげしい〕 ㊏ extreme

字解 ① 과격할 격(言論過直). ¶ 激論(격론). ② 심할 격(甚也). ¶ 激甚(격심). ③ 부딪칠 격(水礙邪疾波). ¶ 激浪(격랑). ④ 격할 격. ¶ 激憤(격분).

字源 形聲. 氵(水)+敫〔音〕

〔激動 격동〕 ㉠ 급격하게 움직임. ㉡ 대단히 감동함.

〔激勵 격려〕 마음이나 기운을 북돋우어 힘쓰도록 함. ¶ 激勵辭(격려사).

〔激流 격류〕 대단히 세차게 흐르는 물.

〔激昂 격앙〕 감정이나 기운이 거세게 일어나 높아짐. 몹시 흥분함.

〔激增 격증〕 급격하게 늚. 또, 급격한 증가.

〔過激 과격〕 지나치게 격렬함.

〔急激 급격〕 급하고 격렬함.

13/16 【燦】 맑을 찬㉠翰 | càn

㊐ サン〔きよい〕 ㊏ clear

字解 ① 맑을 찬. ② 물출렁거리질 찬.

字源 形聲. 氵(水)+粲〔音〕

13/16 【濁】 흐릴 탁㈏覺 | zhuó

氵 沪 沪 澤 渭 濁 濁 濁

㊐ ダク〔にごる〕 ㊏ muddy

字解 ① 흐릴 탁(水不淸). ¶ 濁流(탁류). ② 더러울 탁(汚也). ¶ 濁汗(탁한).

字源 形聲. 氵(水)+蜀〔音〕

〔濁流 탁류〕 ㉠ 흐르는 흙탕물. ㉡

불량한 무리. 결백하지 않은 사람들.
[濁世 탁세] 풍교(風敎)가 문란(紊亂)한 세상. 어지러운 세상.
[鈍濁 둔탁] 소리가 굵고 거칠어 뚜렷하지 않음.
[混濁 혼탁] 맑지 아니하고 흐림.

13 ⑯ 【濂】 엷을 렴 [平]鹽 | liàn

[日] レン〔うすい〕 [英] thin

[字解] ① 엷을 렴(輕薄貌). ② 시내 이름 렴(道州溪名).

[字源] 形聲. 氵(水)+廉〔音〕

13 ⑯ 【濃】 짙을 농 [平]冬 | 浓 nóng

[日] ノウ〔こい〕 [英] deep

[字解] ① 짙을 농(淡之對). ¶ 濃淡(농담). ② 깊을 농. ¶ 濃霧(농무). ③ 이슬많을 농(露多貌). ¶ 濃露(농로).

[字源] 形聲. 氵(水)+農〔音〕

[濃度 농도] 용액(溶液)의 농담(濃淡)의 정도.
[濃霧 농무] 짙은 안개.
[濃厚 농후] ㉠ 빛깔이 짙음. ㉡ 액체가 진함. ㉢ 가능성이 다분히 있음.

13 ⑯ 【濅】 차츰차츰 침 [去]沁 | jìn

[日] シン〔だんだん〕 [英] gradually

[字解] 차츰차츰 침(漸也).

13 ⑯ 【濈】 화목할 즙 [入]緝 | jí

[日] シュウ〔やわらぐ〕 [英] harmonius

[字解] ① 화목할 즙(和也). ② 빠를 즙(疾貌). ¶ 濈然(즙연).

[字源] 形聲. 氵(水)+戢〔音〕

[濈然 즙연] 빠른 모양.
[濈濈 즙즙] 화목한 모양. 싸우지 않는 모양.

13 ⑯ 【濊】 [一]더러울 예 [去]隊 [二]그물치는 소리 활 [入]曷 | wèi huò

[日] クイ〔ふかい, けがれる〕·カツ〔あみをうちこむおと〕

[英] dirty

[字解] [一] ① 더러울 예. ¶ 汚濊(오예). ② 종족이름 예. ¶ 濊貊(예맥). ③ 흐릴 예(濁也). [二] 그물치는소리 활.

[字源] 形聲. 氵(水)+歲〔音〕

13 ⑯ 【濆】 [一]물솟을 분 [平]文 [上]吻 [二]뿜을 분 [平]元 | 𬇙 fèn pén

[日] フン〔わく〕·ホソ〔はく〕

[英] qushing spring, spout

[字解] [一] 물솟을 분(涌也). ¶ 濆泉(분천). [二] 뿜을 분. ¶ 濆水(분수).

[字源] 形聲. 氵(水)+賁〔音〕

[參考] 濆(분)(水部 12획)은 俗字.

[濆水 분수] 내뿜는 물.
[濆泉 분천] 물이 솟아오르는 샘.

14 ⑰ 【濴】 소용돌이칠 영 [平]青 | 溁 yíng

[日] エイ〔みずのおと〕 [英] whirlpool

[字解] 소용돌이칠 영.

[字源] 形聲. 氵(水)+榮〔音〕

14 ⑰ 【濔】 [一]치런치런할 니 [上]薺 [二]연하여 평평할 미 [上]紙 | 沵 nǐ mǐ

[日] デイ〔みちる〕·ビ〔たいらにつらなる〕

[英] long

字解 ━ 치런치런할 니(水滿). ▆
연하여평평할 미(廣也).
字源 形聲. 氵(水)+爾〔音〕

---

14 ⑰〔濕〕축축할 습八緝 | 湿 | 濕
氵 沪 沪 沪 湿 湿 湿 湿
⊖ シツ〔しめる〕 ⊛ wet
字解 축축할 습(雩潤).
字源 會意. 氵(水)+㬎
參考 湿(水部 9획)은 略字.

[濕氣 습기] 축축한 기운.
[濕地 습지] 습기가 있는 땅.

---

14 ⑰〔濘〕진창녕 去敬 | 泞 | 泞
ning
⊖ ネイ〔ぬかるみ〕 ⊛ mud
字解 진창녕 (淖也).
字源 形聲. 氵(水)+寧〔音〕

---

14 ⑰〔濛〕가랑비올 몽平東 | 濛
méng
⊖ モウ〔こさめ〕 ⊛ drizzle
字解 ① 가랑비올 몽(微雨). ¶ 濛
雨(몽우). ② 흐릿할 몽. ¶ 濛漠
(몽막).
字源 形聲. 氵(水)+蒙〔音〕

[濛昧 몽매] ㉠ 안개 따위가 자욱하
여서 어두운 모양. ㉡ 사리에 어둡고
어리석음. ¶ 無知濛昧(무지몽매).

---

14 ⑰〔濟〕 ━건널
제去霽
━많을
제上薺 | 济 | 濟
jì
jǐ
氵 氵 氵 浐 浐 浐 溶 溶 濟
⊖ サイ〔わたる〕・セイ〔のおおい
さま〕
⊛ cross, many
字解 ━ ① 건널 제(渡也). ¶ 濟
度(제도). ② 구제할 제(救也). ¶
濟民(제민). ③ 이룰 제(事遂). ¶
濟美(제미). ━ 많을 제. ¶ 濟濟
多士(제제다사).

字源 形聲. 氵(水)+齊〔音〕
參考 済(水部 8획)는 略字.

[濟度 제도] ㉠ 물을 건넘. 또, 물을
건네 줌. ㉡ 중생(衆生)의 번뇌(煩
惱)를 벗기고, 고해(苦海)에서 건져
극락으로 인도하여 줌. ¶ 濟度衆生
(제도중생).
[濟世 제세] 세상의 폐해를 없애고
사람을 고난에서 건져 줌. ¶ 濟世衆
生(제세중생).
[濟濟多士 제제다사] 수많은 훌륭한
인재.
[決濟 결제] 금전상의 거래 관계를 청
산함.
[救濟 구제] 구원하여 건져 줌.

---

14 ⑰〔濠〕해자호 平豪 | 濠
háo
⊖ ゴウ〔ほり〕 ⊛ moat
字解 ① 해자 호(城下池). ¶ 外濠
(외호). ② 호주 호. ¶ 濠洲(호
주).
字源 形聲. 氵(水)+豪〔音〕

[濠橋 호교] 해자에 놓은 다리.

---

14 ⑰〔濡〕적실유 平虞 | 濡
rú
⊖ ジュ〔うるおう〕 ⊛ moisten
字解 ① 적실 유(漬也). ② 젖을
유(霑也). ¶ 濡濕(유습). ③ 윤기
흐를 유(鮮澤). ¶ 濡滑(유활). ④
머무를 유, 지체할 유(滯也). ¶ 濡
滯(유체).
字源 形聲. 氵(水)+需〔音〕

[濡滯 유체] 머무름. 지체함.
[濡筆 유필] 붓을 적심.
[濡滑 유활] 매끄럽고 윤기 흐름.

---

14 ⑰〔濤〕물결도 平豪 | 涛
tāo
⊖ トウ〔なみ〕 ⊛ billow
字解 물결 도(大波).
字源 形聲. 氵(水)+壽〔音〕

[濤瀾 도란] 큰 물결. 파도.

---

14 ⑰ 〖濩〗 **一**삶을 확 ㊅藥 **二**퍼질 호 ㊈遇 | huò hù

㊐ カク〔にる〕・コ〔しきひろめる〕 ㊎ boil, spread

字解 **一** **삶을 확**(煮也). **二** **퍼질 호**(流散).

字源 形聲. 氵(水)+蒦〔音〕

14 ⑰ 〖濫〗 **一**넘칠 람 ㊈勘 **二**샘 함 ㊇豏 | 滥 làn jiàn

氵 氵 氵 氵 滵 濫 濫 濫

㊐ ラン〔あふれる〕・カン〔いずみ〕 ㊎ overflow, spring

字解 **一** ① **넘칠 람**(溢也), **범람 람**(氾也). ¶ 氾濫(범람). ② **함부로 람**. ¶ 濫伐(남벌). **二** **샘 함**.

字源 形聲. 氵(水)+監〔音〕

[濫發 남발] ㉠ 함부로 발행함. ㉡ 총을 함부로 쏨. ㉢ 말을 함부로 함.

[濫用 남용] 함부로 씀.

[濫獲 남획] 금수(禽獸)·어류(魚類)를 함부로 포획(捕獲)함.

[氾濫 범람] 물이 넘쳐 흐름.

[猥濫 외람] 하는 짓이 분수에 넘침.

14 ⑰ 〖濬〗 깊을 준 ㊈震 | 浚 jùn

㊐ シュン〔ふかい〕 ㊎ deep

字解 ① **깊을 준**(幽深). ¶ 濬池(준지). ② **칠 준**(深通川). ¶ 濬繕(준선).

字源 會意. 고자(古字)는 睿, 歺=殘(손상함)과 谷의 합자. 강을 깊게 함의 뜻.

[濬水 준수] 깊은 물.

[濬川 준천] 내를 파서 쳐 냄. 개천을 침.

14 ⑰ 〖濮〗 물이름 복 ㊅屋 | pú

㊐ ボク〔かわのな〕

字解 **물이름 복**(黃河之支流).

字源 形聲. 氵(水)+僕〔音〕

14 ⑰ 〖濯〗 빨 탁 ㊅覺 | zhuó

氵 氵 氵 氵 泘 泘 泘 濯

㊐ タク〔あらう〕 ㊎ wash

字解 **빨 탁, 씻을 탁**(澣也).

字源 形聲. 氵(水)+翟〔音〕

[濯足 탁족] ㉠ 발을 씻음. ㉡ 세속(世俗)을 떠남. 세속을 초월(超越)함.

[洗濯 세탁] 빨래.

14 ⑰ 〖濱〗 물가 빈 ㊉眞 | 滨 bīn

㊐ ヒン〔はま〕 ㊎ beach

字解 ① **물가 빈**(水際). ¶ 濱海(빈해). ② **임박할 빈**. ¶ 濱死(빈사).

字源 形聲. 氵(水)+賓〔音〕

[濱死 빈사] 거의 죽게 됨. 죽음에 임박함. 빈사(瀕死).

[濱涯 빈애] 물가. 수애(水涯).

14 ⑰ 〖澀〗 澁(삽)(水部 12획)의 同字

14 ⑰ 〖濶〗 闊(활)(門部 9획)의 俗字

15 ⑱ 〖瀥〗 물넓을 효 ㊇篠 | xiào

㊐ キョウ〔はるかにひろがっているさま〕 ㊎ vast

字解 **물넓을 효**.

15 ⑱ 〖濺〗 뿌릴 천 ㊉先 ㊈霰 | 溅 jiàn

㊐ セン〔そそぐ〕 ㊎ sprinkle

字解 ① **뿌릴 천**(灑也). ② **빨리 흐를 천**(疾流貌).

字源 形聲. 氵(水)+賤〔音〕

[濺沫 천말] 튀어 흩어지는 물방울.

15 ⑱ 【濾】 거를 려 (去)御 | 滤 lǜ

(日) リョ〔こす〕 (英) filter

[字解] **거를 려**(灑水去滓).

[字源] 形聲. 氵(水)+慮〔音〕

[濾過 여과] 액체(液體) 따위를 걸러서 받아 냄. ¶ 濾過器(여과기).

15 ⑱ 【瀁】 [一]물이름 양(去)漾 [二]넓을 양(上)養 | yàng yǎng

(日) ヨウ〔かわのな〕 (英) vast

[字解] [一] **물이름 양**(水名漾水). [二] **넓을 양**(水無限). ¶ 瀁瀁(양양).

[字源] 形聲. 氵(水)+養〔音〕

15 ⑱ 【瀅】 맑을 형 (本)영(去)徑 | 滢 yíng

(日) ケイ〔すむ〕 (英) clear

[字解] **맑을 형**(水澄). ¶ 汀瀅(정형).

[字源] 形聲. 氵(水)+瑩〔音〕

15 ⑱ 【瀆】 [一]더럽힐 독(入)屋 [二]구멍 두(去)宥 | 渎 dú dòu

(日) トク〔けがす〕·トウ〔あな〕
(英) defile, hollow

[字解] [一] ① **더럽힐 독**. ¶ 瀆職(독직). ② **도랑 독**(溝也). ¶ 瀆溝(독구). [二] **구멍 두**.

[字源] 形聲. 氵(水)+賣〔音〕

[瀆溝 독구] 도랑. 개천.
[瀆職 독직] 직책을 더럽힘. 특히 공무원이 직권을 남용하여 비행을 저지름.

15 ⑱ 【瀉】 [一]쏟을 사(上)馬 [二]게울 사(去)禡 | 泻 xiè

(日) シャ〔そそぐ·はく〕
(英) pour, vomit

[字解] [一] **쏟을 사**(傾也). ¶ 瀉下(사하). [二] ① **게울 사**(吐也). ② **설사할 사**(泄也). ¶ 泄瀉(설사).

[字源] 形聲. 氵(水)+寫〔音〕

[瀉出 사출] 쏟아 냄. 흘러나옴.

15 ⑱ 【瀋】 즙 심 (去)沁 | 沈 shěn

(日) シン〔しる〕 (英) juice

[字解] ① **즙 심**(汁也). ② **물이름 심**(水名瀋水).

[字源] 形聲. 氵(水)+審〔音〕

15 ⑱ 【瀏】 맑을 류 (平)尤 | 浏 liú

(日) リュウ〔きよい〕 (英) clear

[字解] ① **맑을 류**(水清貌). ② **빠를 류**. ¶ 瀏瀏(유류).

[字源] 形聲. 氵(水)+劉〔音〕

[瀏喨 유량] 맑고 밝은 모양. 청명(淸明)한 모양. 명랑한 모양.

15 ⑱ 【瀑】 [一]폭포 폭(入)屋 [二]소나기 포(去)號 [三]물결일 팍(入)覺 | bào pù bó

(日) ホウ〔にわかあめ〕·ボク〔たき〕·バク〔なみのわき〕
(英) fall, shower, sea gets up

[字解] [一] **폭포 폭**(飛泉). ¶ 瀑布(폭포). [二] ① **소나기 포**(疾雨). ¶ 瀑雨(포우). ② **거품 포**(水泡). ¶ 瀑沫(포말). [三] **물결일 팍**.

[字源] 形聲. 氵(水)+暴〔音〕

[瀑沫 포말] 물거품. 포말(泡沫).
[瀑雨 포우] 소나기.
[瀑布 폭포] 높은 절벽에서 쏟아져 떨어지는 물.

15 ⑱ 【瀇】 깊을 왕 (上)養 | wǎng

(日) コウ〔ふかい〕 (英) deep

[字解] **깊을 왕**. ¶ 瀇洋(왕양).

4 획

[字源] 形聲. 氵(水)+廣〔音〕

16 ⑲ 【瀕】 물가 빈 [上]眞 | 濒 bīn(pín)
[日] ヒン〔はま〕 [英] beach
[字解] ① 물가 빈(水涯). ¶ 瀕海(빈해). ② 임박할 빈(迫也). ¶ 瀕死(빈사).
[字源] 會意. 涉+頁
[瀕死 빈사] 거의 죽게 됨.
[瀕海 빈해] 바닷가.

16 ⑲ 【瀜】 깊을 융 [平]東 | róng
[日] ユウ〔ふかい〕 [英] deep
[字解] 깊을 융(水深廣貌).
[字源] 形聲. 氵(水)+融〔音〕

16 ⑲ 【瀘】 강이름 로[平]虞 | 泸 lú
[日] ロ〔かわのな〕 [英] beach
[字解] 강이름 로.
[字源] 形聲. 氵(水)+盧〔音〕

16 ⑲ 【瀞】 맑을 정 [去]敬 | jìng
[日] セイ・ショウ〔きよい〕 [英] clear
[字解] 맑을 정, 깨끗할 정.
[字源] 形聲. 氵(水)+靜〔音〕

16 ⑲ 【瀚】 넓을 한 [去]翰 | hàn
[日] カン〔ひろい〕 [英] wide
[字解] ① 넓을 한(廣大貌). ② 사막 이름 한. ¶ 瀚海(한해).
[字源] 形聲. 氵(水)+翰〔音〕
[瀚瀚 한한] 넓고 큰 모양.
[瀚海 한해] 고비 사막.

16 ⑲ 【瀛】 바다 영 [平]庚 | yíng
[日] エイ〔うみ〕 [英] ocean
[字解] 바다 영(大海).
[字源] 形聲. 氵(水)+嬴〔音〕
[瀛海 영해] 큰 바다.

16 ⑲ 【瀝】 물방울 떨어질 력[入]錫 | 沥 lì
[日] レキ〔したたり〕
[英] waterdrop drip
[字解] ① 물방울떨어질 력(水滴下). ¶ 瀝液(역액). ② 찌끼 력(飮酒將盡餘). ¶ 瀝青(역청).
[字源] 形聲. 氵(水)+歷〔音〕
[瀝滴 역적] 물방울이 뚝뚝 떨어짐. 또, 그 물방울.

16 ⑲ 【瀣】 이슬기운 해 [去]卦 | xiè
[日] カイ〔つゆのけ〕
[字解] 이슬기운 해(露氣).
[字源] 形聲. 氵(水)+韰〔音〕

16 ⑲ 【瀦】 웅덩이 저[平]魚 | 潴 zhū
[日] チョ〔みずたまり〕 [英] pool
[字解] 웅덩이 저(水所停也).
[字源] 形聲. 氵(水)+豬〔音〕
[瀦水 저수] 물이 괴어 있는 곳.

16 ⑲ 【瀧】 [一]비올 롱[平]東 [二]여울 랑[平]江 [三]땅이름 상[平]江 | 泷 lóng lòng shuāng
[日] ロウ〔あめふる・はやせ〕・ソウ〔ちめい〕
[英] rain, shoal
[字解] [一] 비올 롱. ¶ 瀧瀧(농롱). [二] 여울 랑. ¶ 瀧船(낭선). [三] 땅이름 상.
[字源] 形聲. 氵(水)+龍〔音〕
[參考] 滝(水部 10획)은 약자.
[瀧船 낭선] 여울을 거슬러 오르는 배.

[瀧瀧 농롱] ㉠ 비가 부슬부슬 오는 모양. ㉡ 물이 흐르는 소리.

16 ⑲ 【瀨】 여울 뢰 [去]泰 | 瀨 lài

[日] ライ〔せ〕 [英] rapids

[字解] **여울 뢰**(水流沙上也, 灘也).

[字源] 形聲. 氵(水)+賴〔音〕

17 ⑳ 【瀟】 물이름 소[去]蕭 | 潇 xiāo

[日] ショウ〔かわのな〕

[字解] ① **물이름 소**(水名瀟湘). ② **맑을 소**(水清深). ¶ 瀟洒(소쇄). ③ **비바람칠 소**(風雨聲).

[字源] 形聲. 氵(水)+蕭〔音〕

[瀟湘斑竹 소상반죽] 중국 소수(瀟水)와 상수(湘水)가 합류된 지방에서 나는 아롱진 무늬의 대.

[瀟洒 소쇄] ㉠ 산뜻하고 깨끗함. ㉡ 맑고 시원스러워 속된 세상에서 떠난 느낌이 있음. 소쇄(瀟灑).

17 ⑳ 【瀯】 물소리 영[平]庚 | 溁 yíng

[日] エイ〔みずのおと〕

[字解] ① **물소리 영**. ② **흐를 영**.

[字源] 形聲. 氵(水)+營〔音〕

17 ⑳ 【瀷】 물이름 익[入]職 | yì

[日] ヨク〔かわのな〕

[字解] **물이름 익**.

[字源] 形聲. 氵(水)+翼〔音〕

17 ⑳ 【瀰】 치런치런 할 미[上]紙 | 弥 mí

[日] ビ〔みちる〕・ビ〔ひろい〕 [英] overflowing

[字解] **치런치런할 미**(水滿也).

[字源] 形聲. 氵(水)+彌〔音〕

[瀰漫 미만] 널리 가득 참. 사방에 꽉 퍼져서 그들먹함.

17 ⑳ 【瀲】 뜰 렴 [上]琰 | 潋 liàn

[日] レン〔うかぶ〕 [英] float

[字解] ① **뜰 렴**(泛也, 水波上及也). ② **넘칠 렴**(水溢貌).

[字源] 形聲. 氵(水)+斂〔音〕

17 ⑳ 【瀾】 물결 란 [平]寒[去]翰 | 澜 lán

[日] ラン〔なみ〕 [英] surge

[字解] **물결 란**(大波).

[字源] 形聲. 氵(水)+闌〔音〕

[狂瀾 광란] 미친 듯이 이는 사나운 물결.

[波瀾 파란] ㉠ 작은 물결과 큰 물결. ㉡ 어수선한 사건·사고의 실마리의 비유.

18 ㉑ 【灌】 물댈 관 [去]翰 | guàn

[日] カン〔そそぐ〕 [英] irrigate

[字解] ① **물댈 관**(漑也). ¶ 灌漑(관개). ② **따를 관**(注也). ③ **더부룩이날 관**(木叢生). ¶ 灌木(관목).

[字源] 形聲. 氵(水)+雚〔音〕

[灌漑 관개] 논밭을 경작하는 데 필요한 물을 끌어 댐.

[灌木 관목] 떨기나무. 키가 낮고 줄기는 가늘고 뿌리에서 총생(叢生)함.

19 ㉒ 【灑】 뿌릴 쇄 [上]蟹 | 洒 sǎ

[日] サイ〔そそぐ〕 [英] sprinkle

[字解] ① **뿌릴 쇄**(汛也). ¶ 灑掃(쇄소). ② **깨끗할 쇄**(無塵垢貌). ¶ 灑落(쇄락).

[字源] 會意. 氵(水)+麗

[參考] 洒(水部 6획)와 같은 글자.

[灑落 쇄락] ㉠ 기분이 상쾌하고 시원함. ㉡ 가볍게 떨어짐.

[灑掃 쇄소] 물을 뿌리고 비로 쓰는 일.

[灑沃 쇄옥] 물을 뿌림.

19 ㉒ 【灘】 [一]여울 탄 [平]寒[上]旱 [二]젖었다 마를 한 [上]旱 | 滩 tān hàn

[日] タン・ダン〔せ〕・カン〔ぬれてかわく〕

[英] rapids

[字解] [一] **여울 탄**(瀨也). [二] **젖었다 마를 한.**

[字源] 形聲. 氵(水)+難〔音〕

[灘聲 탄성] 여울물이 흐르는 소리.

19 ㉒ 【灕】 흐를 리 [平]支 | lí

[日] リ〔しみいる〕 [英] flow

[字解] **흐를 리**(流也).

[字源] 形聲. 氵(水)+離〔音〕

19 ㉒ 【瀹】 물펄펄 끓을 약 [入]熱 | yào

[日] ヤク〔なみがうごく〕

[字解] **물펄펄끓을 약**(熱貌).

[字源] 形聲. 氵(水)+藥〔音〕

21 ㉔ 【灝】 아득할 호[上]皓 | 灏 hào

[日] コウ〔ひろい〕 [英] vast

[字解] **아득할 호**(水勢遠貌).

[字源] 形聲. 氵(水)+顥〔音〕

[灝氣 호기] 천상(天上)의 맑은 기.

[灝灝 호호] 넓고 큰 모양.

22 ㉕ 【灣】 물굽이 만 [本]완[平]刪 | 湾 wān

[日] ワン〔いりえ〕 [英] bay

[字解] **물굽이 만**(水曲).

[字源] 形聲. 氵(水)+彎〔音〕

[參考] 湾(水部 9획)은 略字.

[灣曲 만곡] 활처럼 휘어져 굽음.

[港灣 항만] 해안이 굽어 들어가 항구 설치에 알맞은 곳.

24 ㉗ 【灨】 [一]물이름 감[上]感 [二]물이름 공[去]送 | gàn

[日] カン・コウ〔かわのな〕

[字解] [一] **물이름 감**(水名豫章). [二] **물이름 공**(水名豫章).

[字源] 形聲. 氵(水)+贛〔音〕

28 ㉛ 【灩】 출렁거릴 염[去]豔 [上]琰 | 滟 yàn

[日] エン〔ただよう〕 [英] wave

[字解] **출렁거릴 염**(波動貌).

[字源] 形聲. 氵(水)+豔〔音〕

[灩灩 염염] ㉠ 물이 넘치는 모양. 물이 가득한 모양. ㉡ 달빛이 물에 비치어 아름답게 빛나는 모양.

火(灬)〔4 획〕 部
(불화부)

0 ④ 【火】 불 화 [上]哿 | huǒ

丶 丷 少 火

[日] カ〔ひ〕 [英] fire

[字解] ① **불 화**(物燒而生光熱). ¶ 火炎(화염). ② **급할 화**(急也). ¶ 火急(화급).

[字源] 象形. 불이 타고 있는 모양을 본뜸.

[參考] '火'가 각(脚), 곧 받침이 될 때는 '灬'의 모양으로 바뀜.

[火急 화급] 대단히 급함.

[火炎 화염] 불꽃.

[火刑 화형] 불로 태워 죽이는 형벌. 분형(焚刑).

[放火 방화] 불을 놓음.

[鎭火 진화] 불을 끔.

2 ⑥ 【灯】 燈(등)(火部 12획)의 略字·簡體字

4획

² ⑥ 【灰】 재 회 ㊛灰 | huī

一 ナ ナ ナ 灰 灰

⑪ カイ〔はい〕 ⑱ ash

字解 재 회(燒餘燼). ¶ 灰色(회색).

字源 會意. ナ=又(손)와 火와의 합자. 손에 들 수 있는 불의 뜻.

[灰壁 회벽] 석회로 바른 벽.
[灰色 회색] 잿빛.
[洋灰 양회] 시멘트.

4획

³ ⑦ 【灵】 靈(령)(雨部 16획)의 俗字

³ ⑦ 【灯】 횃불 홍 ㊛東 | hōng

⑪ コウ〔かがりび〕 ⑱ torch

字解 횃불 홍.

³ ⑦ 【灼】 사를 작 ㊈藥 | zhuó

⑪ シャク〔やく〕 ⑱ burn

字解 ① 사를 작(燒也). ¶ 灼熱(작열). ② 밝을 작(明也). ¶ 灼灼(작작).

字源 形聲. 火+勺〔音〕

[灼熱 작열] ㉠ 불에 새빨갛게 닮. ㉡ 몹시 뜨거움을 형용하는 말.
[灼灼 작작] ㉠ 눈부시게 빛나는 모양. ㉡ 꽃이 화려하게 핀 모양.

³ ⑦ 【灸】 뜸 구 ㊤有 ㊥宥 | jiǔ

⑪ キュウ〔やいと〕 ⑱ moxibustion

字解 뜸 구(灼體療病). ¶ 鍼灸(침구).

字源 形聲. 火+久〔音〕

[灸甘草 구감초] 약제로 쓰이는 구운 감초.
[鍼灸 침구] 침질과 뜸질.

³ ⑦ 【災】 재앙 재 ㊛灰 | zāi

ヽ ⺌ ⺍ ⺌ ⺍ 災 災

⑪ サイ〔わざわい〕 ⑱ calamity

字解 재앙 재(天火). ¶ 災禍(재화).

字源 形聲. 「巛(천)」의 전음이 음을 나타냄.

[災難 재난] 뜻밖에 일어나는 불행한 일.
[災殃 재앙] 천변지이(天變地異)로 말미암은 불행한 일.

⁴ ⑧ 【炆】 따뜻할 문 ㊛文 | wén

⑪ あたたか ⑱ warm

字解 따뜻할 문. 따스할 문.

字源 形聲. 火+文〔音〕

⁴ ⑧ 【炘】 구울 흔 ㊛文 | xīn

⑪ キン〔あつい〕 ⑱ roast

字解 ① 구울 흔. ② 화끈거릴 흔.

字源 形聲. 火+斤〔音〕

⁴ ⑧ 【炎】 ━탈 염 ㊤鹽 ━아름다울 담 ㊥覃 | yán, tán

ヽ ヽ 火 火 炎 炎 炎 炎

⑪ エン・タン〔もえる・うつくしく さかん〕 ⑱ burn, beautiful

字解 ━① 탈 염(火光上也). ¶ 炎上(염상). ② 더울 염(熱也). ¶ 炎天(염천). ━아름다울 담(美盛貌).

字源 會意. 火를 둘 겹쳐 불빛이 오르는 모양을 나타냄.

[炎上 염상] 불꽃을 뿜으며 타오름.
[炎症 염증] 붉게 붓고 아픈 증세.
[炎天 염천] ㉠ 몹시 더운 여름철. ㉡ 남쪽 하늘.

⁴ ⑧ 【炊】 불땔 취 ㊛支 | chuī

⑪ スイ〔かしぐ〕 ⑱ burn wood

字解 불땔 취(爨也).

[字源] 形聲. 火+欠〔音〕
[炊事 취사] 부엌일. ¶ 炊事場(취사장).

4 ⑧ 【炒】 볶을 초 [平]巧 chǎo
[日] ショウ〔いる〕 [英] parch
[字解] 볶을 초(熬也).
[字源] 形聲. 火+少〔音〕
[炒麪 초면] 기름에 볶은 밀국수.

4 ⑧ 【炕】 마를 항 [本]강[去]漾 kàng
[日] コウ〔あぶる〕 [英] dry
[字解] ① 마를 항(乾也). ② 구울 항(炙也).
[字源] 形聲. 火+亢〔音〕

4 ⑧ 【炉】 爐(로)(火部 16획)의 俗字

4 ⑧ 【炅】 [一]빛날 경 [平]梗 [二]연기날 영 [上]梗 [三]연기날 계 [去]霽 jiǒng guì
[日] ケイ〔ひかる〕・イエ・ケイ〔けむりのでるさま〕
[英] bright, smoke
[字解] [一] 빛날 경(光也). [二] 연기날 영. [三] 연기날 계.
[字源] 會意. 日+火

4 ⑧ 【炙】 [一]구울 자[去]禡 [二]구울 적[去]陌 zhì
[日] シャ・セキ〔あぶる〕 [英] roast
[字解] [一] 구울 자(燒肉也). [二] 구울 적(炙肉也).
[字源] 會意. 夕=肉와 火의 합자. 고기를 굽다의 뜻.
[炙鐵 적철] 석쇠.
[膾炙 회자] ㉠ 회와 구운 고기. ㉡ 널리 사람의 입에 오르내림.

5 ⑨ 【炤】 [一]밝을 소[平]蕭 [二]비출 조[上]篠 zhāo zhào
[日] ショウ〔あきらか・てらす〕
[英] bright, shine on
[字解] [一] 밝을 소(明也). [二] 비출 조(光也).
[字源] 形聲. 火+召〔音〕
[炤炤 소소] 밝은 모양.

5 ⑨ 【炡】 불번쩍거릴 정[平]庚 zhēng
[日] セイ〔かがやく〕 [英] flash
[字解] 불번쩍거릴 정.

5 ⑨ 【炫】 빛날 현 [去]霰 xuàn
[日] ゲン〔かがやく〕 [英] bright
[字解] 빛날 현(燦爛也).
[字源] 形聲. 火+玄〔音〕
[炫惑 현혹] 정신이 혼미하여 어지러움.

5 ⑨ 【炬】 홰 거 [上]語 jù
[日] キョ〔たいまつ〕 [英] torch
[字解] 홰 거(束葦爲燎). ¶ 炬火(거화).
[字源] 形聲. 火+巨〔音〕
[炬火 거화] 횃불. 송명(松明).

5 ⑨ 【炯】 [一]밝을 형 [上]迥 [二]무더울 경 [上]梗 jiǒng
[日] ケイ〔あきらか〕
[英] bright, sultry
[字解] [一] 밝을 형(光也). [二] 무더울 경.
[字源] 形聲. 火+冋〔音〕

4획

[炯眼 형안] 날카로운 눈매. 사물에 대한 관찰력이 뛰어난 눈.

5/9 **〔炮〕** 통째로 구울 포 ㊥看 | páo | 炮

㊐ ホウ〔あぶる〕 ㊤ bake
字解 통째로구울 포(裹物燒).
字源 形聲. 火+包〔音〕
参考 炰(火部 5획)와 동자.

[炮煮 포자] 굽는 것과 삶는 것.

5/9 **〔炳〕** 밝을 병 ㊤梗 | bǐng | 炳

㊐ ヘイ〔あきらか〕 ㊤ bright
字解 밝을 병(明也).
字源 形聲. 火+丙〔音〕

[炳然 병연] 빛이 비쳐 밝은 모양.

5/9 **〔炷〕** 심지 주 ㊠遇 | zhù | 炷

㊐ シュ〔とうしん〕 ㊤ candlewick
字解 심지 주(燈心).
字源 形聲. 火+主〔音〕

[炷香 주향] 향(香)을 피움.

5/9 **〔炸〕** 터질 작 ㊠禡 | zhà | 炸

㊐ サク〔ばくはつする〕 ㊤ burst
字解 터질 작(火藥暴裂也).
字源 形聲. 火+乍〔音〕

[炸裂 작렬] 폭발물이 터져서 산산이 흩어짐.
[炸發 작발] 화약이 폭발함.

5/9 **〔炭〕** 숯 탄 ㊤翰 | tàn | 炭

丨 屵 屵 厈 炭 炭 炭
㊐ タン〔すみ〕 ㊤ charcoal
字解 ① 숯 탄(燒木未灰). ¶ 木炭(목탄). ② 석탄 탄(石炭). ¶ 炭鑛(탄광).
字源 會意. 屵+火

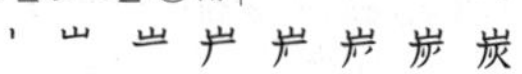

[炭鑛 탄광] 석탄을 파내는 광산.
[炭素 탄소] 비금속성 화학 원소의 하나. 석탄·목탄 등에 많이 들어 있음.
[薪炭 신탄] 땔나무와 숯.

5/9 **〔炰〕** 炮(포)(火部 5획)와 同字

5/9 **〔点〕** 點(점)(黑部 8획)의 略字

5/9 **〔為〕** 爲(위)(爪部 8획)의 略字

6/10 **〔烓〕** ━화덕 계 ㊥유㊤齊 ━밝을 계 ㊤霽 | wēi guì | 烓

㊐ エイ〔おきかまど〕·ケイ〔あかるい〕 ㊤ stove, bright
字解 ━ 화덕 계. 가지고 다니는 작은 화로. ━ 밝을 계. 환할 계.
字源 形聲. 火+圭〔音〕

6/10 **〔烌〕** 恢(회)(心部 6획)와 同字

6/10 **〔烘〕** 땔 홍 ㊥東 | hōng | 烘

㊐ コウ〔たく〕 ㊤ burn wood
字解 땔 홍(燎也).
字源 形聲. 火+共〔音〕

6/10 **〔烙〕** 지질 락 ㊅藥 | luò (lào) | 烙

㊐ ラク〔やく〕 ㊤ brand
字解 지질 락(灼也).
字源 形聲. 火+各〔音〕

[烙印 낙인] ㉠ 불에 달구어 찍는 쇠도장. 화인(火印). ㉡ 씻기 어려운 불명예스러운 이름을 비유하여 이르는 말.
[烙刑 낙형] 달군질하는 형벌.

6 ⑩ 〖烜〗 一마를 훤 ㊤阮 二불 훼㊤紙 xuǎn huǐ

㊐ カン〔かわく〕・キ〔ひ〕
英 dry, fire

字解 一 마를 훤(乾也), 말릴 훤. 二 불 훼.

字源 形聲. 火+亘〔音〕

6 ⑩ 〖烟〗 煙(연)(火部 9획)과 同字

6 ⑩ 〖烕〗 一멸할 혈 (入)屑 二꺼질 멸 (入)屑 miè

㊐ ケツ〔ほろびる〕・ベツ〔きえる〕
英 ruin, go out

字解 一 멸할 혈(滅也). 二 꺼질 멸.

字源 會意. 火와 戌(자름)의 합자. 불씨를 잘라 없앰의 뜻.

參考 滅(水部 10획)과 동자.

6 ⑩ 【烈】 세찰 렬 (入)屑 liè

一 ア 歹 歹 歹 列 烈 烈

㊐ レツ〔はげしい〕 英 fierce

字解 ① 세찰 렬(猛也). ¶ 猛烈(맹렬). ② 굳셀 렬(剛正日烈). ¶ 烈士(열사). ③ 사업 렬(業也). ¶ 遺烈(유열). ④ 아름다울 렬(美也). ¶ 烈祖(열조).

字源 形聲. 灬(火)+列〔音〕

[烈光 열광] 빛. 환한 빛.
[烈氣 열기] 맹렬한 기(氣).
[烈士 열사] 조국과 민족을 위하여 충성을 다하며 장렬하게 싸운 사람.
[烈祖 열조] ㉠ 공훈이 큰 조상. ㉡ 미덕이 있는 조상.
[烈火 열화] 맹렬한 불. 전하여, 맹렬한 태도의 비유.
[先烈 선열] 의를 위해 목숨을 바친 열사.
[忠烈 충렬] 충성스럽고 절의가 있음.

6 ⑩ 〖烋〗 一기세대단할 효 (平)肴 二다행할 휴(平)尤 xiāo xiū

㊐ コウ〔きづよい〕・キュウ〔めでたい〕
英 fortunate

字解 一 기세대단할 효(氣健貌). 二 ① 다행할 휴. ② 경사로울 휴.

字源 形聲. 灬(火)+休〔音〕

6 ⑩ 【烏】 까마귀 오(平)虞 乌 wū

丿 亻 户 户 白 乌 烏 烏

㊐ ウ〔からす〕 英 crow

字解 ① 까마귀 오(孝鳥). ¶ 烏鵲(오작). ② 검을 오(黑色). ¶ 烏竹(오죽). ③ 어찌 오(何也). ¶ 烏有(오유). ④ 아 오(歎辭). ¶ 烏呼(오호).

字源 象形. 새의 모양을 본뜸. 몸이 검어서 눈을 알아보기 어려운 데서, 鳥에서 획 하나를 뺀 것임.

[烏飛梨落 오비이락] 까마귀 날자 배 떨어진다는 말로서, 일이 공교롭게 같이 일어나 남의 의심을 받게 됨을 이르는 말.
[烏鵲 오작] 까마귀와 까치. ¶ 烏鵲橋(오작교).
[烏合之衆 오합지중] 까마귀 떼란 뜻으로, 임시로 조직 없이 모여든 무리.
[烏呼 오호] 슬퍼서 탄식하는 소리.

6 ⑩ 〖烝〗 김오를 증(平)蒸 zhēng

㊐ ジョウ〔むす〕 英 steam

字解 ① 김오를 증(熏也). ② 찔 증(炊也). ③ 많을 증(衆也).

字源 形聲. 灬(火)+丞〔音〕

[烝民 증민] 온 백성.

7 ⑪ 〖焌〗 一구울 준 (去)震 二불꺼질 출 (入)質 jùn qū

㊐ シュン〔やく〕・シュツ〔きえる〕

4획

[英] burn, go out

[字解] [一] 구울 준. [二] 불꺼질 출.

[字源] 形聲. 火+夋〔音〕

7 ⑪ 【烽】 봉화 봉 [平]冬 | fēng

[日] ホウ〔のろし〕 [英] beacon

[字解] **봉화 봉**(煙火警邊).

[字源] 形聲. 火+夆〔音〕

[烽臺 봉대] 봉화를 올리는 높은 대. 봉화대. 봉루(烽樓).

7 ⑪ 【烱】 炯(경)(火部 5획)의 俗字

7 ⑪ 【烹】 삶을 팽 [平]庚 | pēng

[日] ホウ〔にる〕 [英] boil

[字解] **삶을 팽**(煮也).

[字源] 會意. 灬(火)+亨

[烹茶 팽다] 차를 달임.

7 ⑪ 【焄】 냄새 훈 [平]文 | xūn

[日] クン〔におい〕 [英] perfume

[字解] ① **냄새 훈**(香臭). ② **김오를 훈**(熏也).

[字源] 形聲. 灬(火)+君〔音〕

7 ⑪ 【焉】 어찌 언 [平]先 | yān

焉 焉 焉

[日] エン〔いずくんぞ〕 [英] how

[字解] ① **어찌 언**(何也). ¶ 焉敢(언감). ② **어조사 언**(語助辭). ¶ 終焉(종언).

[字源] 象形. 본디 새의 이름. 鳥部에 속해야 할 글자. 그 음을 빌려 의문사·조사로 쓰임.

[焉敢 언감] 어찌 감히. 감히 하지 못함을 뜻함.

[終焉 종언] ㉠ 마지막. 최후. ㉡ 하던 일이 끝남.

8 ⑫ 【焱】 불꽃 염 [上]琰 | yàn

[日] エン〔ほのお〕 [英] flame

[字解] **불꽃 염, 탈 염**(火焰).

[字源] 會意. 火를 셋 겹쳐서 불이 타오르는 모양을 나타냄.

[參考] 炎(火部 4획)과 同字.

[焱橐 염탁] 풀무.

8 ⑫ 【焙】 쬘 배 [平]隊 | bèi

[日] ホウ〔あぶる〕

[英] put over the fire

[字解] **쬘 배**(火乾).

[字源] 形聲. 火+咅〔音〕

[焙茶 배다] 찻잎을 불에 말림. 또, 그 찻잎.

8 ⑫ 【焜】 빛날 혼 [平]阮 | kūn

[日] コン〔かがやく〕 [英] shine

[字解] **빛날 혼**(火光).

[字源] 形聲. 火+昆〔音〕

8 ⑫ 【焞】 [一]성할 퇴 [平]灰 [二]어스름할 돈 [平]元 [三]밝을 순 [平]眞 | tuī tūn

[日] タイ〔さかん〕·トン〔うすぐらい〕·シュン〔あきらか〕

[英] dense, dusky, bright

[字解] [一] **성할 퇴**(盛貌). ¶ 焞焞(퇴퇴). [二] **어스름할 돈**. [三] **밝을 순**.

[字源] 形聲. 火+享〔音〕

8 ⑫ 【焠】 담금질 쉬 [去]隊 | cuì

[日] サイ〔にらぐ〕 [英] quench

[字解] ① **담금질 쉬**(刀納水以堅刃). ② **태울 쉬**(灼也).

[字源] 形聲. 火+卒〔音〕

8 ⑫ **[焮]** 태울 흔 | xìn
去問

� キン〔やく〕 ㉺ burn

字解 태울 흔(炙也).

字源 形聲. 火+欣〔音〕

---

8 ⑫ **[焯]** 밝을 작 | zhuó
入藥

� シャク〔あきらか〕 ㉺ bright

字解 밝을 작, 빛날 작(爍貌). ¶
光焯(광작).

字源 形聲. 火+卓(音)

參考 灼(火部 3획)과 동자.

---

8 ⑫ **[焰]** 불꽃 염 | yàn
去豔

� エン〔ほのお〕 ㉺ flame

字解 불꽃 염(火光).

字源 形聲. 火+臽(音)

參考 燄(火部 12획)과 동자.

[氣焰 기염] 불꽃처럼 대단한 기세.

[火焰 화염] 불꽃.

---

8 ⑫ **[焚]** 불사를 분 | fén
分文

� フン〔やく〕 ㉺ burn

字解 불사를 분(燒也).

字源 會意. 火(불)와 林(나무)의 합자. 나무를 태워 사냥함의 뜻.

[焚書坑儒 분서갱유] 진시황(秦始皇)이 학자들의 정치 비평을 금하기 위하여 민간의 의약·복서(卜筮)·종수(種樹) 이외의 서적을 모아 불살라 버리고 선비들을 구덩이에 묻어 죽인 일.

[焚香 분향] 향료를 불에 피움. 향을 불에 태움.

---

8 ⑫ **[無]** 없을 무 | wó
平虞 | wú

� ム·ブ〔ない〕 ㉺ nothing

字解 없을 무(有之對).

字源 會意. 大와 林과 卌(사십)의 합자. 나무가 무성함의 뜻. 「없음」의 뜻은 음의 차용.

[無窮 무궁] 시간이나 공간의 한이 없음. ¶ 無窮花(무궁화). 無窮無盡(무궁무진).

[無念 무념] 무아(無我)의 경지에 이르러 아무 생각이 없음. ¶ 無念無想(무념무상).

[無聊 무료] ㉠ 탐탁하게 어울리는 맛이 없음. ㉡ 열적은 생각이 생김. ㉢ 심심함.

[無顏 무안] 볼 낯이 없음. 면목이 없음. 면구스러움.

[無虎洞中狸作虎 무호동중이작호] 호랑이 없는 곳에서 너구리가 호랑이 노릇을 함. 곧, 못난 사람만이 있는 곳에서 잘난 체하는 못난 사람의 비유.

[有無 유무] 있음과 없음.

[虛無 허무] ㉠ 아무것도 없고 텅 빔. ㉡ 한심하거나 어이없음.

---

8 ⑫ **[焦]** 그슬릴 초 | jiāo
平蕭

� ショウ〔こげる〕 ㉺ scorch

字解 ① 그슬릴 초(火所傷也). ¶ 焦土(초토). ② 탈 초(憔也, 火燒黑). ¶ 焦燥(초조).

字源 形聲. 본디 雥이고 생략하여 焦로 씀. 「雥(잡)」의 생략형의 전음이 음을 나타냄.

[焦燥 초조] 애를 태워서 마음을 줌.

[焦土 초토] 불에 타고 그을린 땅. ¶ 焦土作戰(초토 작전).

---

8 ⑫ **[然]** 그럴 연 | rán
平先

ノ クタ タ ダ 妖 外 妖 然 然

� ゼン〔もえる·しかし〕
㉺ so, such

字解 ① 그럴 연(言如是). ② 그러면 연. ¶ 然則(연즉). ③ 사를 연(燒也). ④ 그러나 연(詞之轉也). ¶ 然而(연이).

4
획

字義 會意. 犬+肉+火

[然否 연부] 그러함과 그렇지 않음.
[然而 연이] 그러나.
[然則 연즉] 그러즉, 그러면.
[然後 연후] 그러한 뒤.
[泰然 태연] 기색이 아무렇지도 않은 듯이 예사로움.
[必然 필연] 꼭. 반드시. 틀림없이.

8
⑫ 【燒】 燒(소)(火部 12획)의 略字

9
⑬ 【煐】 빛날영 ㉠庚 | yīng | 煐
㊐ エイ〔じんめい〕 ㊟ shine
字解 ① 빛날 영. ② 사람이름 영.

9
⑬ 【煢】 근심할 경㉠庚 | qióng | 煢
㊐ ケイ〔うれえる〕 ㊟ worry
字解 ① 근심할 경(憂也). ② 외로울 경(獨也). ¶ 煢獨(경독).
字源 形聲. 卂+營〈省〉〔音〕

[煢獨 경독] 외로워서 의지할 곳이 없음. 또, 그런 사람.

9
⑬ 【煆】 데울 하 ㉠禡 | xià | 煆
㊐ カ〔やく〕 ㊟ warm
字解 데울 하(熱也).
字源 形聲. 火+叚〔音〕

9
⑬ 【輝】
￭빛 휘㉠微
￭지질 훈㉠文
￭햇무리 운㉠問
| huī
xūn
yùn | 輝 輝
㊐ キ〔かがやく〕・クン〔ふすべる〕・ウン〔ひがさ〕
㊟ shine, roast, halo
字解 ￭ 빛 휘(光也). ￭ 지질 훈. ￭ 햇무리 운.
字源 形聲. 火+軍〔音〕

[輝煌 휘황] 빛이 찬란한 모양.

9
⑬ 【煉】 달굴련 ㉠霰 | liàn | 炼 煉
㊐ レン〔ねる〕 ㊟ refine
字解 달굴 련, 이길 련(鍊冶金).
字源 形聲. 火+柬〔音〕

[煉獄 연옥] 죽은 사람이 천국에 들어가기 전에 불로 단련하여 그 죄를 깨끗하게 한다는 곳. 천당과 지옥 사이에 있다고 함.
[煉瓦 연와] 구운 벽돌.
[煉乳 연유] 달여서 진하게 졸인 우유.

9
⑬ 【煌】 빛날황 ㉠陽 | huáng | 煌
㊐ コウ〔かがやく〕 ㊟ glitter
字解 빛날 황(輝也).
字源 形聲. 火+皇〔音〕

[煌煌 황황] 번쩍번쩍 빛나는 모양. 휘황하게 빛나는 모양. ¶ 煌煌燦燦(황황찬찬).

9
⑬ 【煒】
￭빨갈 위㉠尾
￭빛날 휘㉠微
| wěi
huī | 炜 煒
㊐ イ〔あきらか〕・キ〔ひかる〕
㊟ light, shine
字解 ￭ 빨갈 위(盛赤). ￭ 빛날 휘(光也).
字源 形聲. 火+韋〔音〕

[煒煌 위황] 환하게 빛남.

9
⑬ 【煖】
￭따뜻할 난㉠阮
￭따뜻할 훤㉠元
| nuǎn
xuān | 煖
㊐ ダン・ケン〔あたたか〕 ㊟ warm
字解 ￭ 따뜻할 난(溫也). ￭ 따뜻할 훤.
字源 形聲. 火+爰〔音〕

[煖氣 난기] 더운 기운. 따뜻한 기운.
[煖爐 난로] 불을 피워 방 안을 따뜻하게 하는 장치.

9 ⑬ 【煊】 따뜻할 훤 ⑦元 | xuān

日 ケン〔あたたか〕　英 warm

字解 따뜻할 훤.

9 ⑬ 【煙】 연기 연 ⑦先 | yān

丶 广 火 灯 炉 炉 炯 煙

日 エン〔けむり〕　英 smoke

字解 ① 연기 연(火鬱氣). ¶ 煙幕(연막). ② 그을음 연(煤也). ③ 담배 연. ¶ 煙草(연초).

字解 形聲. 火+垔〔音〕

參考 烟(火部 6획)은 동자.

[煙草 연초] 담배.

[煙霞 연하] ㉠ 보얗게 피어오르는 연기와 놀. ㉡ 고요한 자연의 경치.

9 ⑬ 【煜】 빛날 욱 ⑧屋 | yù

日 イク〔かがやく〕　英 shine

字解 빛날 욱(耀也).

字解 形聲. 火+昱〔音〕

[煜煜 욱욱] 빛나서 환함.

9 ⑬ 【煤】 그을음 매 ⑦灰 | méi

日 バイ〔すす〕　英 soot

字解 ① 그을음 매(煙塵也). ¶ 煤煙(매연). ② 석탄 매(石炭). ¶ 煤炭(매탄).

字解 形聲. 火+某〔音〕

[煤煙 매연] ㉠ 그을음이 섞인 검은 연기. ㉡ 연기에 섞여 나오는 검은 가루. 또, 그 가루가 엉겨 붙은 그을음. 철매.

[煤炭 매탄] 석탄.

9 ⑬ 【煥】 빛날 환 ⑧翰 | huàn

日 カン〔あきらか〕　英 shine

字解 빛날 환(明也). ¶ 煥爛(환란).

字解 形聲. 火+奐〔音〕

[煥然 환연] 환히 빛나는 모양.

9 ⑬ 【煨】 묻은불 외 ⑦灰 | wēi

日 ワイ〔うずみび〕

字解 묻은불 외(火中熱物).

字解 形聲. 火+畏〔音〕

[煨煤 외매] 그을음.

[煨炭 외탄] 꺼지지 않게 재 속에 묻은 숯불.

9 ⑬ 【煩】 번거로울 번 ⑦元 | fán

丶 丶 火 灯 炉 炉 煩 煩

日 ハン〔わずらわしい〕　英 troublesome

字解 번거로울 번(不簡).

字解 會意. 頁(머리)과 火(열)의 합자. 열이 있어서 두통이 남의 뜻.

[煩惱 번뇌] 마음이 시달려서 괴로움.

[煩悶 번민] 번거롭고 답답하여 괴로워함.

[煩雜 번잡] 번거롭고 복잡함.

9 ⑬ 【煬】 쬘 양 ⑤漾 | yáng

日 ヨウ〔あぶる〕　英 bask

字解 ① 쬘 양(曝也). ② 녹일 양(鑠也).

字解 形聲. 火+昜〔音〕

9 ⑬ 【煮】 煮(자)(火部 9획)와 同字

9 ⑬ 【煎】 달일 전 ⑦先 | jiān

日 セン〔にる〕　英 decoct

字解 ① 달일 전, 졸일 전(熬也). ¶ 煎茶(전다). ② 마음졸일 전(胸焦). ¶ 煎悶(전민).

字解 形聲. 灬(火)+前〔音〕

[煎茶 전다] 차를 달임. 팽다(烹茶).

[煎悶 전민] ㉠ 몹시 걱정함. ㉡ 가슴을 태우며 몹시 민망히 여김.

[煎餅 전병] 번철(燔鐵)에 지진 넓적하고 둥근 떡. 부꾸미.

[花煎 화전] ㉠ 꽃전. ㉡ 진달래 따위 꽃잎을 붙여 부친 부꾸미.

9
⑬ **[煮]** 삶을 자 ㊀語 zhǔ | 煮 촁

㊐ シャ〔にる〕 ㊌ boil

字解 삶을 자(烹也).

字源 形聲. 灬(火)+者〔音〕.

參考 鬻(火部 9획)는 동자.

[煮沸 자비] 부글부글 끓음.
[煮醬 자장] 장조림.

9
⑬ **[熙]** 빛날 희 ㊀支 xī | 熙 巸

㇕ ㇕ ㇕ ㇕ 巸 熙

㊐ キ〔ひかる〕 ㊌ bright

字解 ① 빛날 희(光也). ¶ 熙朝(희조). ② 화락할 희(和也). ¶ 熙熙(희희). ③ 넓을 희(廣也). ④ 기뻐할 희(喜也). ¶ 熙笑(희소).

字源 形聲. 灬+巸〔音〕.

[熙隆 희륭] 넓고 성(盛)함.
[熙笑 희소] 기뻐하여 웃음.
[熙朝 희조] 잘 다스려진 시대. 성세(盛世).
[熙熙 희희] 화목한 모양.

9
⑬ **[煦]** 따뜻하게할 후 ㊁遇 xù | 煦

㊐ ク〔あたためる〕 ㊌ warm

字解 따뜻하게할 후(熱也).

字源 會意. 昫(햇빛이 따뜻함)와 火의 합자. 또, 「昫(구)」의 전음이 음을 나타내고, 불로 따뜻하게 함의 뜻.

[煦育 후육] 온정을 베풀어 기름.
[煦煦 후후] 온정을 베푸는 모양.

9
⑬ **[照]** 비출 조 ㊁嘯 zhào | 照

丨 ㇆ 日 日 日 昭 昭 照

㊐ ショウ〔てる〕 ㊌ shine

字解 ① 비출 조, 비칠 조(明所燭). ¶ 照明(조명). ② 빛 조(光發).

字源 會意. 昭(햇빛이 밝음)와 火의 합자. 불빛이 밝음을 나타냄. 또, 「昭(소)」의 전음이 음을 나타냄.

[照明 조명] ㉠ 밝게 비침. 또, 밝게 비춤. ㉡ 무대 효과나 촬영 효과를 높이기 위하여 광선을 쏨. 또, 그 광선. ¶ 照明裝置(조명 장치).

[落照 낙조] 저녁해.
[參照 참조] 참고로 맞대어 봄.

9
⑬ **[煞]** 殺(살)(殳部 7획)의 俗字

10
⑭ **[煊]** 노랄 운 ㊀文 yún | 煊

㊐ ウン〔きいろ〕 ㊌ yellow

字解 노랄 운. 빛이 노란 모양.

字源 形聲. 灬(火)+員〔音〕.

10
⑭ **[煌]** ▇화광이글거릴 황 ㊁養 huǎng ▇환히비칠 엽 ㊧葉 yè | 煌 煠

칠 엽

㊐ コウ〔ひのひかりのさかんなさま〕・ヨウ〔あきらか〕

字解 ▇ 화광이글거릴 황. ▇ 환히비칠 엽.

字源 形聲. 火+晃〔音〕.

10
⑭ **[熙]** 熙(희)(火部 9획)의 俗字

10
⑭ **[熒]** 등불 형 ㊀青 yíng | 熒 熒

㊐ ケイ〔ともしび〕 ㊌ lamp

字解 ① 등불 형(燈燭). ② 비칠 형, 빛날 형(光輝). ③ 아찔할 형(眩亂).

[字源] 形聲. 焱+冂〔音〕

[熒光 형광] 반딧불.
[熒燭 형촉] 반짝거리는 작은 촛불.
[熒惑 형혹] ㉠ 화성(火星)의 별명. ㉡ 사람의 마음을 미혹하게 함.
[熒火 형화] 반딧불.

10 ⑭ 【煽】 부채질할 선[去]霰 | shàn

[日] セン〔あおる〕 [英] fan

[字解] **부채질할 선**(使火熾).

[字源] 會意. 火와 扇(부채질)과의 합자. 또, 「扇(선)」이 음을 나타내며 불을 부채질함의 뜻.

[煽動 선동] ㉠ 어떤 행동에 나서도록 남을 부추김. ㉡ 군중의 감정을 부추기고 부채질하여 일을 일으키게 하고 그 속으로 몰아넣음.
[煽情 선정] 정욕(情慾)을 북돋우어 일으킴.

10 ⑭ 【熄】 꺼질 식 [入]職 | xī

[日] ソク〔きえる〕 [英] die out

[字解] **꺼질 식**(滅火).

[字源] 形聲. 火+息〔音〕

[熄滅 식멸] ㉠ 망해 버림. ㉡ 그침.
[終熄 종식] 한때 매우 성하던 일이 끝나거나 없어짐.

10 ⑭ 【熅】 숯불 온 [平]文 | 煴 yūn

[日] ウン〔うずみび〕
[英] charcoal fire

[字解] ① **숯불 온**(炭火). ② **따뜻할 온**(煗也).

[字源] 形聲. 火+𥁕〔音〕

10 ⑭ 【熇】 [一]뜨거울 혹[入]沃 [二]불길 효[平]蕭 | hè xiāo

[日] コク〔あつし〕・キョウ〔ほのお〕 [英] hot, blaze

[字解] [一] ① **뜨거울 혹**(熱也). ② **불꽃일어날 혹**(炎熾). [二] **불길 효.**

[字源] 形聲. 火+高〔音〕

10 ⑭ 【熔】 鎔(용)(金部 10획)의 俗字

10 ⑭ 【熊】 곰 웅 [平]東 | xióng

[日] ユウ〔くま〕 [英] bear

[字解] **곰 웅**(似豕冬蟄).

[字源] 形聲. 能+黑〈省〉+肱〈省〉〔音〕

[熊膽 웅담] 곰의 쓸개.

10 ⑭ 【熏】 연기낄 훈[平]文 | xūn

[日] クン〔くすぶる〕 [英] smoke up

[字解] ① **연기낄 훈**(煙氣). ② **탈 훈, 태울 훈**(灼也). ③ **움직일 훈**(感動也). ④ **취할 훈**(醉也).

[字源] 會意. 屮(위로 올라가는 모양)와 黑의 합자. 검은 연기가 올라감의 뜻.

[熏夕 훈석] 저녁때.
[熏煮 훈자] ㉠ 지지고 삶음. ㉡ 날씨가 몹시 더움.
[熏灼 훈작] 불이 탐. 세력이 왕성함.
[熏天 훈천] 하늘을 감동시킴. ¶ 衆口熏天(중구훈천).

11 ⑮ 【熛】 불똥 표 [去]蕭 | biāo

[日] ヒョウ〔ひのこ〕 [英] sparks

[字解] ① **불똥 표**(飛火). ② **붉을 표**(赤也).

[字源] 形聲. 火+票〔音〕

[熛起 표기] 불똥이 튀는 것처럼 빨리 일어남.

11 ⑮ 【熠】 고울 습 [入]緝 | yì

[日] シュウ〔あざやか〕 [英] bright

[字解] ① **고울 습**(鮮明). ② **빛날**

4 획

습, 빛낼 습(盛光).
字源 形聲. 火+習〔音〕

11
⑮ 【熯】 ━사를 선上銑 rǎn
　　 ━말릴 한去翰 hàn

熯

⊕ ゼン〔もやす〕・カン〔かわかす〕
英 burn, dry
字解 ━ 사를 선(燒也). ━ 말릴
한(乾也).
字源 形聲. 火+莫〔音〕

11
⑮ 【熢】 烽(봉)(火部 7획)과 同字

11
⑮ 【熲】 빛경上逈 jiǒng

熲

⊕ ケイ〔ひかり〕 英 shine
字解 빛 경(火光).
字源 形聲. 火+頃〔音〕

11
⑮ 【熨】 ━다리미 위去未 wèi
　　 ━다릴 울入物 yùn

熨

⊕ イ〔おさえあたためる〕・ウツ〔ひのし〕
英 iron
字解 ━ 다리미 위(火斗). ━ 다릴
울(持火展繪).
字源 會意. 본디 尉가 「다리미」의
뜻이지만, 관명(官名)으로 쓰이게
되었기 때문에 火를 더하여 다리미
의 뜻으로 쓰이게 된 글자.

[熨斗 울두] 다리미.

11
⑮ 【熭】 말릴 위去霽 wèi

熭

⊕ エイ〔ほす〕 英 dry
字解 말릴 위(曝乾).
字源 形聲. 火+彗〔音〕

11
⑮ 【熟】 익을 숙入屋 shú

熟

一 亯 亯 享 孰 孰 孰 熟

⊕ ジュク〔にる・みのる〕 英 ripe
字解 ① 익을 숙(深煮), 무를 숙. ¶
熟卵(숙란). ② 익힐 숙(精審). ¶
熟考(숙고).
字源 形聲. 灬(火)+孰〔音〕
[熟考 숙고] 충분히 생각함. ¶ 深思
熟考(심사숙고).
[熟達 숙달] 익숙하고 통달함.
[熟卵 숙란] 삶아서 익힌 달걀.
[熟練 숙련] 능숙하도록 익힘. ¶ 熟
練工(숙련공).
[熟面 숙면] 익히 잘 아는 사람.
[熟眠 숙면] 잠이 깊이 듦. 또, 그 잠.
[能熟 능숙] 능란하고 익숙함.
[半熟 반숙] 반쯤만 익힘.

11
⑮ 【熬】 볶을 오⊕豪 áo

熬

⊕ ゴウ〔いる〕 英 parch
字解 ① 볶을 오(乾煎). ② 근심하
는소리 오(愁苦聲).
字源 形聲. 灬(火)+敖〔音〕

11
⑮ 【熱】 열 열 热屑 rè

热　　熱

十 土 夫 圥 刲 刲 執 執 熱

⊕ ネツ〔あつい〕 英 hot
字解 ① 열 열(溫也). ¶ 熱氣(열기).
② 더위 열(暑也). ③ 몸달 열(躁急
也).
字源 形聲. 灬(火)+執〔音〕
[熱官 열관] 일이 매우 바쁜 동시에
세력이 있는 관직.
[熱氣 열기] ㉠ 뜨거운 기운. ㉡ 체
온.
[熱烈 열렬] 관심이나 느끼는 정도
가 더할 나위 없이 강함. 열렬(烈烈)

12
⑯ 【熺】 熹(희)(火部 12획)와 同字

12
⑯ 【燄】 焰(염)(火部 8획)과 同字

12/16 【熸】 꺼질 잠 ⑧점⑧鹽 jiān

⽇ セン〔きえる〕　⑳ go out

字解 ① 꺼질 잠(火滅). ② 세력 없어질 잠(滅也).

字源 形聲. 火+朁〔音〕

12/16 【熾】 성할 치 ⑧寘 chì

⽇ シ〔さかん〕　⑳ furious

字解 성할 치(火盛也).

字源 形聲. 火+戠〔音〕

[熾烈 치열] 세력이 불길같이 맹렬함.

[熾熱 치열] 열이 매우 높음. 매우 뜨거움.

12/16 【燀】 ■불땔 천 ⑧銑 chǎn ■따뜻할 단 ⑧旱 dǎn

⽇ セン〔かしぐ〕・タン〔あたたか〕　⑳ make a fire, warm

字解 ■ 불땔 천(炊也). ■ 따뜻할 단(厚熅也).

字源 形聲. 火+單〔音〕

12/16 【燁】 빛날 엽 ⑧葉 yè

⽇ ヨウ〔かがやく〕　⑳ shine

字解 빛날 엽(煇貌).

字源 形聲. 火+曄〈省〉〔音〕

[燁然 엽연] 빛나는 모양.

12/16 【燃】 탈 연 ⑧先 rán

⽇ ネン〔もえる〕　⑳ burn

字解 탈 연(燒也).

字源 會意. 然(개고기를 불에 구움)이 '타다'의 원자(原字)이지만, '그렇지만'의 뜻으로 쓰이게 되어 다시 火를 더한 글자.

[燃料 연료] 열을 이용하려고 때는 숯·석탄·나무 등의 총칭. 땔감.

[燃燒 연소] ㉠ 불탐. ㉡ 물질이 산화(酸化)할 때 열과 빛을 내는 현상.

12/16 【燈】 등잔 등 ⑧蒸 dēng

⽇ トウ〔ともしび〕　⑳ lamp

字解 등잔 등(錠中置燭).

字源 形聲. 火+登〔音〕

參考 灯(火部 2획)은 속자.

[燈盞 등잔] 등불을 켜는 그릇. 사기·쇠붙이 등으로 만듦.

[燈下不明 등하불명] 등잔 밑이 어둡다는 뜻으로, '가까이 있는 것이나, 가까이에서 일어난 일을 먼 데 일보다 잘 모를 수 있다'는 말.

[燈火可親 등화가친] 가을이 들어서 늘 맑으면 밤에 등불을 가까이 하여 글 읽기에 좋음을 이르는 말.

[走馬燈 주마등] ㉠ 돌아가는 대로 그림이 따라 돌아 보이는 등. ㉡ 사물이 덧없이 빨리 변함의 비유.

12/16 【燉】 불이글이글할 돈 ⑧元 dùn

⽇ トン〔さかん〕　⑳ burning

字解 불이글이글할 돈(火盛貌).

字源 形聲. 火+敦〔音〕

12/16 【燋】 ■그슬릴 초 ⑧蕭 jiāo ■불안켠 초 착 ⑧覺 zhuó

⽇ ショウ〔こげる〕・サク〔ひをつけないたいまつ〕　⑳ smoke

字解 ■ ① 그슬릴 초(焦也). ② 횃불 초(炬火). ■ 불안켠초 착.

字源 形聲. 火+焦〔音〕

12/16 【燎】 불놓을 료 ⑧嘯 liáo

⽇ リョウ〔にわび〕　⑳ set fire

4획

字解 ① **불놓을 료**(放火). ② 燎原(요원). ② **화톳불 료**(火在門內). ¶燎火(요화).

字源 形聲. 火+寮〔音〕.

[燎亂 요란] ㉠ 불이 붙어서 어지러움. ㉡ 불타듯이 찬란함.

[燎原 요원] 들을 불태움. 또, 불이 일어난 벌판. 기세가 성하게 일어남을 비유하는 말.

[燎火 요화] 화톳불.

12/⑯ 【燐】 도깨비불 린㉠震 ㉡眞 | lìn

㉰ リン〔おにび〕 ㉫ elffire

字解 ① **도깨비불 린**(鬼火). ¶燐火(인화). ② **인 린**(元素之一). ¶燐酸(인산).

字源 形聲. 火+粦〔音〕.

[燐火 인화] 어두운 밤에 묘지나 늪 또는 축축한 땅에서 인의 작용으로 번쩍이는 푸른 불빛. 도깨비불.

12/⑯ 【燒】 불사를 소㉠蕭 | 燒 shāo

丷火灶炸燒燒燒燒

㉰ ショウ〔やく〕 ㉫ burn

字解 **불사를 소**(燔也).

字源 形聲. 火+堯〔音〕.

參考 烧(火部 8획)는 略字.

[燒却 소각] 불에 태워 없애 버림.

[燒失 소실] 불에 타 없어짐.

[燒酒 소주] 쌀이나 잡곡으로 술을 빚어서, 그 술을 증류한 무색투명한 술.

12/⑯ 【燔】 사를 번 ㉠元 | fán

㉰ ハン〔やく〕 ㉫ burn

字解 **사를 번**(燒也).

字源 形聲. 火+番〔音〕.

[燔鐵 번철] 지짐질할 때 쓰는 솥뚜 껑을 젖힌 것처럼 생긴 무쇠 그릇.

12/⑯ 【燖】 ㉠삶을 심㉠侵 ㉡삶을 섬㉡鹽 | xún qián

㉰ ジン・セン〔にる〕 ㉫ boil

字解 ㉠ ① **삶을 심**(火熟物). ② **데울 심**(沈肉於湯). ㉡ **삶을 섬**(沈肉於湯也).

字源 形聲. 火+尋〔音〕.

12/⑯ 【熹】 밝을 희㉠支 | xī

㉰ キ〔かすかなさま〕 ㉫ bright

字解 ① **밝을 희**(明也). ② **성할 희**(熾也).

字源 形聲. 灬(火)+喜〔音〕.

[熹微 희미] 햇빛이 흐릿함.

12/⑯ 【燕】 제비 연㉠先 | yàn

一廿廿廿甘甘菇菇燕燕燕

㉰ エン〔つばめ〕 ㉫ swallow

字解 ① **제비 연**(玄鳥). ② **잔치 연**, 잔치할 연(宴也). ¶燕遊(연유). ③ **편안할 연**, 편안히 연(安也). ¶燕居(연거). ④ **연나라 연**(召公所封, 國名).

字源 象形. 제비의 모양을 본뜸.

[燕京 연경] 연(燕)나라의 서울. 지금의 북평(北平)・북경(北京).

[燕息 연식] 편안히 쉼. 연휴(燕休).

[燕雀 연작] 제비와 참새. 곧, 작은 새. '도량이 좁고 작은 인물'을 비유하는 말. 소인(小人).

13/⑰ 【營】 ㉠경영할 영㉠庚 ㉡변명할 형㉡青 | yíng cuō

丷丷丷丷炒炒燃營營營

㉰ エイ〔いとなむ〕・ケイ〔いいとく〕 ㉫ manage, defend

字解 ㉠ ① **경영할 영**(治也). 經營(경영). ② **지을 영**(造也). 營造(영조). ㉡ **변명할 형**.

字源 形聲. 宮+熒〈省〉〔音〕

[營繕 영선] 건물 따위를 수리함. ¶
營繕費(영선비).

[營爲 영위] 일을 함. 일을 꾸려 나
감.

[經營 경영] 기업·사업을 관리하고
운영함.

13
⑰ [燮] 화할 섭
㣺葉   xiè   燮

日 ショウ〔やわらぐ〕 英 harmonious

字解 화할 섭(和也).

字源 會意. 횃불을 들고 비치고 있
는 모양을 나타냄.

參考 속(俗)에 불꽃 섭으로 훈(訓)
함.

[燮和 섭화] 조화시켜 알맞게 함.

13
⑰ [燠] ━따뜻할
욱㣺屋
━위로할
오㣺遇   yù
ào   燠

日 イク〔あたたかい〕·ユウ〔くつう
をなぐさめる〕
英 hot, console

字解 ━ 따뜻할 욱(煖也). ━ 위로
할 오(痛念之聲).

字源 形聲. 火+奧〔音〕

13
⑰ [燥] 마를 조
㣺號
㞢皓   zào   燥

' 火 灯 灯 炉 炉 熠 熠 燥

日 ソウ〔かわく〕 英 dry

字解 마를 조(火乾).

字源 形聲. 火+喿〔音〕

[燥渴 조갈] 목이 마름. ¶ 燥渴症
(조갈증).

[乾燥 건조] 말라서 습기가 없음.

[焦燥 초조] 애를 태워서 마음을 졸
임.

13
⑰ [燦] 빛날 찬
㞢翰   càn   燦

日 サン〔あきらか〕 英 brilliant

字解 빛날 찬(火明).

字源 形聲. 火+粲〔音〕

[燦爛 찬란] ㉠ 빛이 번쩍번쩍하는
모양. ㉡ 눈부시게 아름다운 모양.
화려하게 고운 모양.

13
⑰ [燧] 봉화 수
㞢寘   suì   燧

日 スイ〔のろし·ひうちいし〕
英 signal fire

字解 ① 봉화 수(烽火). ¶ 燧火(수
화). ② 부싯돌 수(鑽火也).

字源 形聲. 火+遂〔音〕

[燧石 수석] 부싯돌.

[燧火 수화] ㉠ 난리를 알리는 불.
봉화(烽火). ㉡ 부싯돌을 쳐서 낸
불.

[烽燧 봉수] 봉화.

13
⑰ [燬] 불 훼
㞢紙   huǐ   燬

日 キ〔やく〕 英 fire

字解 불 훼, 탈 훼(烈火).

字源 形聲. 火+毁〔音〕

13
⑰ [燭] 촛불 촉
㣺沃   zhú   燭

' 火 灯 灯 炉 炤 焗 燭 燭

日 ショク〔ともしび〕 英 candle

字解 ① 촛불 촉(蠟炬), 등불 촉(燈
燭). ¶ 燭淚(촉루). ② 비출 촉(照
也).

字源 形聲. 火+蜀〔音〕

[燭光 촉광] ㉠ 등불이나 촛불의 빛.
㉡ 광도(光度)의 단위.

[燭淚 촉루] 초가 탈 때 녹아내리는
기름. 촉농(燭膿).

[洞燭 통촉] 사정 따위를 밝게 살핌.

14
⑱ [燼] 탄나머
지신
㞢震   jìn   燼

日 ジン〔もえのこり〕

[字解] ① 탄나머지 신(火餘也). ② 나머지 신(餘也).

[字源] 形聲. 火+盡〔音〕

[燼滅 신멸] 불타서 없어짐.
[餘燼 여신] 타다 남은 불.
[灰燼 회신] 재와 불탄 끄트러기.

14 ⑱ 〖燿〗 [一]비칠 요 [去]嘯 [二]녹일 삭 [入]藥 yào (yuè) shuò

[日] ヨウ〔てらす〕・シャク〔とかす〕

[字解] [一] 비칠 요(照也). [二] 녹일 삭.

[字源] 形聲. 火+翟〔音〕

[光燿 광요] 환하게 빛남. 또 그 빛.

14 ⑱ 〖爀〗 불빛 혁 [入]陌 hè

[日] カク〔ひのいろ〕 [英] light

[字解] 불빛 혁(火色).

[字源] 形聲. 火+赫〔音〕

14 ⑱ 〖燻〗 불길치밀 훈 [平]文 xūn

[日] クン〔ふすぶる〕

[字解] ① 불길치밀 훈. ② 연기낄 훈. ③ 숨막힐 훈.

[字源] 形聲. 火+熏〔音〕

14 ⑱ 〖燹〗 들불 선 [上]銑 xiǎn

[日] セン〔のび〕

[字解] ① 들불 선(野火). ② 병화 선(兵火).

[字源] 形聲. 火+豩〔音〕

14 ⑱ 〖燾〗 비출 도 [去]號 焘 dào

[日] トウ〔てらす〕 [英] shine on

[字解] ① 비출 도(照也). ② 덮을 도(普覆).

[字源] 形聲. 火+壽〔音〕

15 ⑲ 〖爆〗 [一]터질 폭 [本]포[去]效 [二]지질 박 [入]覺 bào bó

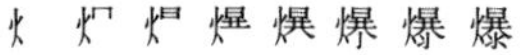

[日] バク〔はじける〕・ハク〔やく〕

[英] explode, sear

[字解] [一] 터질 폭(火裂). [二] 지질 박.

[字源] 形聲. 火+暴〔音〕

[爆發 폭발] ㉠ 불이 일어나면서 갑작스럽게 터짐. ㉡ 일이 별안간 벌어짐.
[爆死 폭사] 폭탄이 터져서 죽음.

15 ⑲ 〖爍〗 빛날 삭 [入]藥 烁 shuò

[日] シャク〔きらめく〕 [英] shine

[字解] ① 빛날 삭(灼光貌). ② 녹일 삭(鑠也).

[字源] 形聲. 火+樂〔音〕

15 ⑲ 〖爇〗 사를 설 [本]열[入]屑 ruò (rè)

[日] ゼツ〔もやす〕 [英] burn

[字解] 사를 설(燒也).

[字源] 形聲. 灬(火)+蓺〔音〕

16 ⑳ 〖爔〗 불 희 [平]支 xī

[日] キ〔ひ、にっこう〕 [英] fire

[字解] ① 불 희. ② 햇빛 희.

16 ⑳ 〖爐〗 화로 로 [本]虞 炉 lú

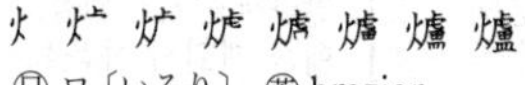

[日] ロ〔いろり〕 [英] brazier

[字解] 화로 로(火所居也).

[字源] 形聲. 火+盧〔音〕

[爐邊 노변] 난롯가. 화롯가.

4 획

[火爐 화로] 숯불을 담아 놓는 그릇.

16
⑳【爗】빛날 엽 yè

㊀ ヨウ〔かがやく〕 ㉫ shine

字解 빛날 엽(閃光).

字源 會意. 曄에 火를 합한 글자.

17
㉑【爍】■빛날 약 yuè
　　■빛날 삭 shuò

㊀ ヤク・シャク〔ひかり〕 ㉫ shine

字解 ■빛 약(光也). ■빛 삭.

字源 形聲. 火+龠〔音〕

17
㉑【爛】빛날 란 làn

火 灯 炉 炉 烱 烱 燗 燗 爛 爛

㊀ ラン〔ひかる〕 ㉫ bright

字解 ① 빛날 란(光明也). ¶ 燦爛
(찬란). ¶ 爛漫(난만). ② 문드러
질 란(腐敗). ¶ 腐爛(부란).

字源 形聲. 火+闌〔音〕

[爛漫 난만] ㉠ 꽃이 만발하여 화려
함. ㉡ 화려한 광채가 넘쳐 흐름.
[爛熟 난숙] ㉠ 무르녹게 익음. ㉡
더할 수 없이 충분히 발달함. ㉢ 사
물을 잘 체득하여 모든 일에 숙달함.

18
㉒【爝】■횃불 작 jué
　　■횃불 조 jiào

㊀ シャク・ショウ〔かがりび〕
㉫ torchlight

字解 ■ ① 횃불 작(炬火). ② 비
칠 작(照也). ■ 횃불 조(炬火).

字源 形聲. 火+爵〔音〕

25
㉙【爨】불땔 찬 cuàn

㊀ サン〔たく〕 ㉫ make a fire

字解 ① 불땔 찬(炊也). ¶ 爨婦(찬
부). ② 부뚜막 찬(竈也). ¶ 爨室
(찬실).

字源 會意. 양손(臼)으로 시루(甑)
를 잡고, 또 양손(廾)으로 땔나무
(林)를 집어서 불(火)을 아궁이(冂)
에 넣는다는 뜻.

[爨婦 찬부] 식모.
[爨室 찬실] 부엌.

爪(爫) 〔4 획〕 部
(손톱조부)

0
④【爪】손톱 조 zhǎo
　　　㊂巧

丿 厂 爪 爪

㊀ ソウ〔つめ〕 ㉫ nail

字解 ① 손톱 조(手足甲). ¶ 爪甲
(조갑). ② 할퀼 조(搔也). ¶ 爪痕
(조흔).

字源 象形. 손바닥을 아래로 하여
물건을 집어 올리려는 형상을 본뜬
글자.

參考 글자 머리로 올 때의 자체(字
體)는 「爫」가 됨.

[爪甲 조갑] 손톱. 발톱. 지갑(指甲)
[爪痕 조흔] 손톱으로 할퀸 흔적.

4
⑧【爭】다툴 쟁 zhēng
　　　㊤庚

丿 ⺈ ⺈ ㇴ ㇴ ㇴ 爭 爭

㊀ ソウ〔あらそう〕 ㉫ quarrel

字解 ① 다툴 쟁(競也). ¶ 爭取(쟁
취). ② 간할 쟁(諍也). ¶ 爭臣(쟁
신).

字源 會意. 爪(손톱)와 又(손)와 丨
(막대기)의 합자. 한 개의 막대기를
양쪽에서 서로 빼앗으려고 다투고
있는 형상. 따라서, 「다툼」의 뜻.

[爭臣 쟁신] 임금의 잘못에 대하여
바른말로 간하는 신하.
[爭議 쟁의] 서로 다른 의견을 주장

(主張)하여 다툼.

[爭奪 쟁탈] 서로 다투어 빼앗음.

[競爭 경쟁] 서로 이기려고 다툼.

[抗爭 항쟁] 말이나 글로 다툼.

4 ⑧ 【爬】 긁을 파 [平]麻 | pá

[日] ハ〔かく〕 [英] scratch

[字解] ① 긁을 파(搔也). ¶ 爬痒(파양). ② 잡을 파(把也).

[字源] 形聲. 爪+巴〔音〕

[爬痒 파양] 가려운 데를 긁음.

5 ⑨ 【爰】 이에 원 [平]元 | yuán

[日] エン〔ここに〕 [英] hereupon

[字解] ① 이에 원, 이리하여 원(於也). ② 바꿀 원(換也). ¶ 爰居(원거). ③ 느즈러질 원(緩也). ¶ 爰爰(원원).

[字源] 會意. 爫(두 손)과 于의 합자.

[爰居 원거] ㉠ 해조 이름. 크기가 말만하고 봉황새 비슷하다는 상상의 새. ㉡ 이사함.

[爰爰 원원] 느즈러진 모양.

8 ⑫ 【爲】 [一]할 위 [平]支 [二]위할 위 [去]寘 | 为 wéi wèi

[日] イ〔なす・ために〕 [英] do, for

[字解] [一] ① 할 위(行也). ¶ 爲政(위정). ② 행위 위(動作). ¶ 行爲(행위). ③ 만들 위, 지을 위(著也, 造也). ④ 생각할 위(思也). [二] ① 위할 위(助也). ¶ 爲己(위기). ② 될 위, 당할 위(被也). ¶ 爲其將所殺(위기장소살). ③ 하여금 위(使也). ¶ 爲我心惻(위아심측).

[字源] 象形. 어미원숭이의 모양. 상부는 손톱, 하부는 몸뚱이.

[參考] 為(火部 5획)는 약자.

[爲我 위아] 자기 이익만을 꾀함.

[爲人 위인] 사람됨.

[爲政 위정] 정치를 함. ¶ 爲政當局(위정 당국).

[爲主 위주] ㉠ 주로 함. 주장으로 삼음. ㉡ 주인이 됨.

[營爲 영위] 일을 함. 일을 꾸려 나감.

[行爲 행위] 사람이 의지를 가지고 하는 짓.

14 ⑱ 【爵】 벼슬 작 [入]藥 | 爵 jué

[日] シャク〔さかずき〕 [英] peerage

[字解] ① 벼슬 작, 작위 작(位也). ¶ 爵位(작위). ② 술잔 작(凡酒器總名, 飮器受一升). ¶ 獻爵(헌작). ③ 참새 작(雀也).

[字源] 象形. 새 형상을 한 술잔을 손에 들고 있는 모양.

[爵羅 작라] 새를 잡는 그물.

父 〔4 획〕 部 (아비부부)

0 ④ 【父】 [一]아비 부 [上]麌 [二]자 보 [上]麌 | fù fǔ

[日] フ〔ちち・あざな〕 [英] father

[字解] [一] ① 아비 부, 아버지 부(家長率敎者). ¶ 父系(부계). ② 늙으신네 부(老叟之稱). ¶ 父老(부로). [二] 자 보(甫也, 男子之美稱). ¶ 尙父(상보).

[字源] 象形. 오른손에 한 개의 막대기를 든 모양. 일가(一家)를 다스리는 지배권을 나타냄.

[父系 부계] 아버지의 계통.

[父老 부로] 늙으신네. 나이 많은 사람에 대한 존칭.

[父傳子傳 부전자전] 대대로 아버지

4 획

가 아들에게 전함. 부전자승(父傳子承).

[父祖 부조] ㉠ 아버지와 할아버지. ㉡ 조상. 선조.

[父親 부친] 아버지.

[尙父 상보] 임금이 특별한 대우로 신하에게 내리던 칭호.

---

9 ⑬ 【爺】아비 야 ㊞麻 yé 爷 爺
㊐ヤ〔ちち〕 ⊛ father
字解 ① 아비 야, 아버지 야(耶也).
② 늙으신네 야(老人尊稱).
字源 形聲. 父+耶[音]

[老爺 노야] 늙은 남자. 노옹.
[好好爺 호호야] 인품이 썩 좋은 늙은이.

爻 〔4획〕 部
(점괘효부)

---

0 ④ 【爻】육효 효 ㊞肴 yáo 爻
㊐コウ〔まじわる〕
字解 ① 육효 효. ¶ 六爻(육효).
② 사귈 효(交也).
字源 象形. 점치는 데 사용하는 점대가 겹쳐 섞인 모양.

[卦爻 괘효] 역괘(易卦)의 여섯 개의 획.
[六爻 육효] 점괘의 여섯 가지 획수.

---

5 ⑨ 【爼】 俎(조)(人部 7획)의 訛字

---

7 ⑪ 【爽】시원할 상 ㊞養 shuǎng 爽
㊐ソウ〔さわやか〕 ⊛ fresh
字解 ① 시원할 상(淸快). ¶ 爽快(상쾌). ② 밝을 상(明也). ¶ 昧爽(매상). ③ 굳셀 상(壯健). ¶ 豪爽(호상).
字源 會意. 㸚(명백)과 大의 합자. 명백함의 뜻.

[爽涼 상량] 기후가 서늘함.
[爽然 상연] 상쾌한 모양.
[爽快 상쾌] 마음이 시원하고 거뜬함.
[豪爽 호상] 호탕하고 의지가 굳셈.

---

10 ⑭ 【爾】너 이 ㊤紙 ěr 尔 爾
㊐ジ・ニ〔なんじ〕 ⊛ you
字解 ① 너 이(汝也). ¶ 爾汝(이여). ② 그 이(其也). ¶ 爾時(이시). ③ 어조사 이(語助辭). ¶ 徒爾(도이).
字源 會意. 㸚(격자가 환한 모양)과 冂(창틀)의 합자.

[爾來 이래] ㉠ 그 후. 그때부터 지금까지. ㉡ 요사이.
[爾時 이시] 그때.
[爾餘 이여] 그 나머지. 그 밖.
[爾汝交 이여교] 서로 자네라고 부를 수 있을 만한 정도의 극히 친한 사이.

爿 〔4획〕 部
(장수장변부)

---

0 ④ 【爿】조각 장 ㊞陽 pán 爿
㊐ショウ・ゾウ〔きぎれ〕 ⊛ splinter
字解 조각 장(判木左半).
字源 象形. 나무의 왼쪽의 반을 본뜸.

---

4 ⑧ 【牀】평상 상 ㊞陽 chuáng 牀
㊐ショウ〔とこ〕 ⊛ flat couch
字解 평상 상(臥榻).
字源 會意. 爿에 木을 더한 글자. 또,「爿(장)」의 전음이 음을 나타냄.

[參考] 床(广部 4획)은 속자.

[牀几 상궤] 침상과 안석.

[平牀 평상] 나무로 만든 침상의 한 가지.

---

⁶_⑩ **【牂】** 암양 장 | zāng
上陽

日 ショウ〔めひつじ〕 英 ewe

[字解] ① 암양 장(牝羊). ¶ 牂羊(장양). ② 성할 장(盛貌). ¶ 牂牂(장장).

[字源] 形聲. 爿+爿〔音〕.

---

¹³_⑰ **【牆】** 담장 장 | qiáng
上陽

丨丬丬丬丬丬牁牁牁牆

日 ショウ〔かき〕 英 fence

[字解] 담 장(垣蔽).

[字源] 形聲. 嗇+爿〔音〕.

[參考] 墻(土部 13획)은 속자.

[牆垣 장원] 담. 담장. 토장(土牆).

```
片 〔4 획〕 部
(조각편부)
```

⁰_④ **【片】** 조각 편 | piàn
去霰

丿丿丿丿片

日 ヘン〔かた〕 英 splinter

[字解] ① 조각 편(折開木右牛). ¶ 片片(편편). ② 쪽 편, 한쪽 편(二物事中一也). ¶ 片道(편도). ③ 화판 편(瓣也). ¶ 萬片(만편). ④ 성편(姓也).

[字源] 象形. 木의 오른쪽 절반을 그려서 조각이란 뜻을 나타냄.

[片道 편도] 가거나 오거나 할 때의 한쪽 길. ¶ 片道料金(편도 요금).

[片鱗 편린] ㉠ 한 조각의 비늘. ㉡ 극히 작은 부분.

[片言 편언] 한 마디의 말. 짤막한 말.

[片志 편지] 조그만 뜻. 촌지(寸志).

[片片 편편] ㉠ 조각조각. ¶ 片片金(편편금). ㉡ 가볍게 나는 모양.

[破片 파편] 깨어져 부서진 조각.

---

⁴_⑧ **【版】** 널 판 | bǎn
上潸

丿丿丿片片片版版

日 ハン〔いた・はんぎ〕 英 block

[字解] ① 널 판(板也). ② 담틀 판(築墻). ③ 판목 판(印刷板). ¶ 版本(판본). ④ 홀 판(笏也).

[字源] 形聲. 片+反〔音〕.

[版權 판권] 출판물을 인쇄・출판하는 권리.

[版圖 판도] 한 국가의 통치 아래에 있는 영토.

[版型 판형] 책의 크기.

[出版 출판] 서적・그림 등을 인쇄하여 세상에 내놓음.

---

⁵_⑨ **【牉】** 반 반 | pàn
去翰

日 ハン〔なかば〕 英 half

[字解] 반 반(牛也). ¶ 牉合(반합).

[字源] 形聲. 片+牛〔音〕.

---

⁸_⑫ **【牋】** 종이 전 | jiān
上先

日 セン〔かみ〕 英 paper

[字解] ① 종이 전(紙也). ② 편지 전(書翰). ③ 상소 전(表也). ¶ 牋奏(전주).

[字源] 形聲. 片+戔〔音〕.

[參考] 箋(竹部 8획)은 동자.

[牋疏 전소] 임금에게 자기 의견을 알리는 글. 진소(陳疏). 상소(上疏).

---

⁸_⑫ **【牌】** 패 패 | pái
上佳

日 ハイ〔ふだ〕 英 plate

[字解] ① 패 패. ¶ 門牌(문패). ② 간판 패. ¶ 牌子(패자). ③ 방패 패(楯也).

字源 形聲. 片+卑〔音〕
[牌刀 패도] 방패와 칼.
[牌牓 패방] 간판(看板).
[位牌 위패] 신위(神位)의 이름을 적은 나무 패.

9 ⑬ 〔牒〕 서찰 첩 ⑧葉 dié

日 チョウ〔ふだ〕 ⑧ letter

字解 ① 서찰 첩(札也, 簡也). ¶
請牒(청첩). ② 문서 첩(公文). ¶
通牒(통첩). ③ 계보 첩(譜也). ¶
家牒(가첩). ④ 장부 첩(書編). ⑤
명부 첩(名簿). ¶ 簿牒(부첩).

字源 形聲. 片+枼〔音〕
注意 諜(言部 9획)은 딴 글자.

[牒報 첩보] 상부에 서면으로 보고함.
[請牒 청첩] 경사가 있을 때 남을 초청하는 글.

10 ⑭ 〔牓〕 패 방 ⑧養 bǎng

日 ボウ〔かけふだ〕 ⑧ tablet

字解 ① 패 방(榜也). ¶ 榜示(방시). ② 방붙일 방(牌也). ¶ 牓札(방찰).

字源 形聲. 片+旁〔音〕
參考 榜(木部 10획)과 동자.

[牓示 방시] 방문을 붙여 널리 보임. 게시(揭示).

10 ⑭ 〔牔〕 박공 박 ⑧藥 bó

日 ハク〔のきいた〕 ⑧ gable

字解 박공 박(屋端版).
字源 形聲. 片+尃〔音〕

[牔栱 박공] 마루머리나 합각머리에 ∧자 모양으로 붙인 두꺼운 널.

11 ⑮ 〔牖〕 들창 유 ⑧有 yǒu

日 ユウ〔まど〕 ⑧ window

字解 ① 들창 유(壁窓). ② 깨우칠

유(誘也). ¶ 牖迷(유미).

字源 會意. 片과 戶와 甫의 합자.
또, 「甫(보)」의 전음이 음을 나타냄.

[牖迷 유미] 어리석은 사람을 일깨워줌.
[窓牖 창유] 벽을 뚫어 낸 창문.

11 ⑮ 〔牎〕 지게 창 ⑧江 chuāng

日 ソウ〔まど〕 ⑧ window

字解 지게 창, 창 창(戶也).
字源 形聲. 片+悤〔音〕
參考 窓(穴部 7획)과 동자.

15 ⑲ 〔牘〕 서찰 독 ⑧屋 dú

日 トク〔きふだ〕 ⑧ letter

字解 ① 서찰 독. ¶ 簡牘(간독).
② 서판 독(書版). ③ 문서 독(公案). ¶ 案牘(안독).

字源 形聲. 片+賣〔音〕

[簡牘 간독] 편지. 편지틀.

牙 〔4 획〕 部
(어금니아부)

0 ④ 〔牙〕 어금니 아 ⑨麻 yá

一 匚 牙 牙

日 ガ〔きば〕 ⑧ molar

字解 ① 어금니 아(牡齒). ¶ 牙齒(아치). ② 대장기 아(大將旗). ¶ 牙城(아성). ③ 깨물 아(嚙也).

字源 象形. 어금니를 아래위로 물고 있는 모양을 본뜬 글자.

[牙城 아성] 주장(主將)이 있는 내성(內城). 본거(本據).
[牙錢 아전] 수수료. 구전(口錢).
[牙齒 아치] 어금니와 이.
[象牙 상아] 코끼리의 어금니.

〔齒牙 치아〕 '이'의 점잖은 말.

8/12 〔掌〕 버틸 탱 | chèng
㊀庚

㊐ トウ〔ささえる〕 ㊤ stay

字解 ① 버틸 탱(支也). ② 버팀목 탱(支柱).

字源 形聲. 牙+尙〔音〕

參考 樘(木部 12획)과 동자.

4획

牛(牛) 〔4획〕 部
(소우부)

0/4 〔牛〕 소 우 | niú
㊤尤

丿 一 二 牛

㊐ ギュウ〔うし〕 ㊤ ox

字解 ① 소 우(家畜之一). ¶ 牛乳(우유). ② 별이름 우(星名). ¶ 牽牛(견우).

字源 象形. 소의 뿔과 머리를 뒤에서 본 모양을 본뜬 글자.

[牛痘 우두] 천연두를 예방하기 위하여 소에서 뽑은 면역 물질.

[牛毛麟角 우모인각] 배우는 사람은 쇠털같이 많으나 성공하는 사람은 기린의 뿔같이 아주 드묾.

[牛步 우보] 소걸음. 느린 걸음.

[牛耳讀經 우이독경] 쇠귀에 경 읽기. 아무리 가르치고 일러 주어도 알아듣지 못하여 효과가 없음을 이르는 말.

[耕牛 경우] 논밭을 경작하는 데 부리는 일소.

2/6 〔牝〕 암컷 빈 | pìn
㊤軫

㊐ ヒン〔めす〕 ㊤ female

字解 ① 암컷 빈(獸之雌). ¶ 牝鷄(빈계). ② 골짜기 빈(谿谷).

字源 形聲. 牛(牛)+匕〔音〕

[牝牡 빈모] 암컷과 수컷. 암수. 자웅(雌雄).

[牝牛 빈우] 암소.

2/6 〔牟〕 보리 모 | móu
㊍무㊤尤 | mào
㊍투구 무
㊎有

㊐ ボウ〔むぎ・かぶと〕 ㊤ barley, helmet

字解 一 ① 보리 모(麥也). ¶ 牟麥(모맥). ② 탐낼 모(貪也). ¶ 牟利(모리). ③ 소울 모(牛鳴). ¶ 牟然(모연). 二 투구 무.

字源 會意. 牛+厶

[牟利 모리] 도덕과 의리는 생각하지 아니하고 재리(財利)만을 꾀함. 모리(謀利).

[牟麥 모맥] 밀보리.

3/7 〔牡〕 수컷 모 | mǔ
㊍무㊤有

㊐ ボ〔おす〕 ㊤ male

字解 ① 수컷 모(雄獸). ¶ 牝牡(빈모). ② 모란 모. ¶ 牡丹(모란).

字源 形聲. 「土(토)」의 전음이 음을 나타냄. 일설(一說), 會意. 牛와 士(수컷의 성기)의 합자.

[牡丹 모란] 작약과에 속하는 낙엽관목. 목단(牧丹).

[牡瓦 모와] 수키와. 엎어 이는 기와.

[牡牛 모우] 수소. 황소.

[牡痔 모치] 수치질.

3/7 〔牣〕 찰 인 | rèn
㊎震

㊐ ジン〔みちる〕 ㊤ full

字解 ① 찰 인(滿也). ¶ 充牣(충인). ② 질길 인(韌也).

字源 形聲. 牛(牛)+刃〔音〕

3/7 〔牢〕 우리 뢰 | láo
㊍로㊤豪

㊐ ロウ〔おり〕 ㊤ cage

字解 ① 우리 뢰(養獸圈). ¶ 牲牢

(생뢰). ② 감옥 뢰. ¶ 牢獄(뇌
옥). ③ 굳을 뢰(堅固). ¶ 牢固(뇌
고).

字源 會意. 宀와 牛의 합자. 소를
넣어 두는 건물의 뜻, 전하여, 죄인
을 가두어 두는 곳의 뜻.

[牢固 뇌고] 튼튼하고 굳음.
[牢獄 뇌옥] 죄인을 가두어 두는 곳.
감옥(監獄).

4 8 【牧】칠 목 │ mù │ 牧
人屋

丿 一 牛 牛 牜 牧 牧 牧

日 ボク〔まき〕 英 shepherd

字解 ① 칠 목, 기를 목(畜養). ¶
牧畜(목축). ② 다스릴 목, 이끌 목
(治也). ¶ 牧師(목사). ③ 벼슬 이
름 목. ¶ 牧使(목사).

字源 會意. 牛(牛)+攵(攴).

[牧歌 목가] 목동(牧童)들이 부르는
노래.
[牧民 목민] 백성을 다스림. ¶ 牧民
心書(목민심서).
[牧畜 목축] 가축을 치는 일. ¶ 遊
牧(유목).

4 8 【物】만물 물 │ wù │ 物
人物

丿 一 牛 牛 牜 物 物 物

日 ブツ〔もの〕 英 matter

字解 ① 만물 물, 물건 물. ¶ 萬物
(만물). ② 일 물(事也). ¶ 物情
(물정). ③ 헤아릴 물(相度). ¶ 物
理(물리).

字源 形聲. 牛(牛)+勿〔音〕.

[物價 물가] 물건의 값.
[物色 물색] 어떤 표준에 따라 사람
이나 물건을 찾아 고름.
[物議 물의] 여러 사람의 논의나 세
상의 평판.
[物情 물정] ㉠ 사물의 정상이나 성
질. ㉡ 세상의 형편이나 인심.
[物質 물질] ㉠ 인간의 의식 밖에 독
립적으로 존재하는 객관적 실재. ㉡

물체를 구성하는 본바탕.
[萬物 만물] 세상의 온갖 물건.
[事物 사물] 일이나 물건.

5 9 【牲】희생 생 │ shēng │ 牲
田庚

日 セイ〔いけにえ〕 英 sacrifice

字解 희생 생. ¶ 犧牲(희생).
字源 形聲. 牛(牛)+生〔音〕

[牲犢 생독] 희생으로 쓰는 송아지.
野牲(야생).

5 9 【牴】부딪칠 저 │ dǐ │ 牴
田薺

日 テイ〔ふれる〕 英 run into

字解 부딪칠 저(觸也). ¶ 牴觸(저
촉).
字源 形聲. 牛(牛)+氐〔音〕
參考 抵(手部 5획)와 통용.

[牴牾 저오] 서로 어긋남.
[牴觸 저촉] ㉠ 서로 모순됨. ㉡ 법
규에 닥뜨려 걸려 듦. 저촉(抵觸).

6 10 【牸】암컷 자 │ zì │ 牸
田寘

日 シ〔めうし〕 英 female

字解 암컷 자.
字源 形聲. 牛(牛)+字〔音〕

6 10 【牷】희생 전 │ quán │ 牷
田先

日 セン〔いけにえ〕 英 sacrifice

字解 희생 전(犧牲).
字源 形聲. 牛(牛)+全〔音〕

6 10 【特】유다를 특 │ tè │ 特
人職

丿 一 牛 牛 牜 牜 特 特 特

日 トク〔ひとり〕 英 special

字解 ① 유다를 특(挺立). ¶ 特別
(특별). ② 홀로 특(獨也). ¶ 獨特
(독특). ③ 수소 특(牡牛). ④ 짝 특
(匹也).

[字源] 形聲. 牜(牛)+寺〔音〕

[特別 특별] ㉠ 보통과 다름. ㉡ 보통보다 훨씬 뛰어남.

[特色 특색] 보통 것보다 다른 점.

[特有 특유] 그것만이 홀로 가지고 있음.

[特異 특이] 특별히 다름.

[獨特 독특] 특별하게 다름.

[英特 영특] 특별히 뛰어남.

7 ⑪ 【牿】 외양간 곡[入]沃 | gù

[日] コク〔おり〕 [英] cowshed

[字解] **외양간 곡**(牛馬牢). ¶ 舍牿(사곡).

[字源] 形聲. 牜(牛)+告〔音〕

7 ⑪ 【牽】 끌 견 [平]先 | 牵 qiān

[日] ケン〔ひく〕 [英] draw

[字解] ① **끌 견, 끌어당길 견**(引也). ¶ 牽引(견인). ② **이을 견**. ¶ 牽連(견련).

[字源] 形聲. 冂(쇠고삐줄)과 牛를 바탕으로 「玄(현)」의 전음이 음을 나타냄.

[牽強附會 견강부회] 가당치 않은 말을 억지로 끌어 붙여 조건에 맞도록 함.

[牽連 견련] ㉠ 서로 켕기어 관련시킴. ㉡ 서로 얽혀 관련됨.

[牽牛 견우] ㉠ 독수리자리의 수성(首星)의 속칭. ㉡ 이십팔수(二十八宿) 중의 우수(牛宿).

[牽引 견인] 끌어당김. ¶ 牽引力(견인력).

7 ⑪ 【犁】 犂(리)(牛部 8획)와 同字

8 ⑫ 【犇】 달아날 분[平]元 | bēn

[日] ホン〔はしる〕 [英] run away

[字解] ① **달아날 분**. ¶ 犇潰(분궤). ② **소놀랄 분**(牛驚).

[字源] 會意. 牛(소) 세 개를 합쳐서 소가 놀라서 달아남을 나타냄.

[參考] 奔(大部 5획)과 같은 글자.

[犇散 분산] 달아나 흩어짐.

8 ⑫ 【犂】 [一]얼룩소 리[平]支 [二]쟁기 려 [平]齊 [三]떨 류 [平]尤 | lí lí liú

[日] リ〔まだらうし〕・レイ〔からすき〕・リュウ〔おののく〕

[英] brindle, plow, shiver

[字解] [一] **얼룩소 리**(駁牛). ¶ 犂牛(이우). [二] ① **쟁기 려**(耕田具). ② **밭갈 려**(耕也). [三] **떨 류**(栗然也). ¶ 犂然(유연).

[字源] 形聲. 牜(牛)+𥝢〔音〕

[參考] 犁(牛部 7획)와 같은 글자.

[犂牛 이우] 얼룩소.

8 ⑫ 【犆】 [一]수소 특[入]職 [二]가선 직[入]職 | tè zhí

[日] トク〔ひとり〕・チョク〔へり〕

[英] bull

[字解] [一] ① **수소 특**(特也). ② **하나 특**(一也). [二] **가선 직**(緣也).

[字源] 形聲. 牜(牛)+直〔音〕

8 ⑫ 【犉】 입술검은소 순 [平]眞 | rún

[日] ジュン〔くちびるのくろいうし〕

[字解] **입술검은소 순**(黃牛黑脣).

[字源] 形聲. 「享(향)」의 전음이 음을 나타냄.

8 ⑫ 【犅】 붉은수소 강 [平]陽 | gāng

[日] エウ〔あかおうし〕

[字解] **붉은수소 강**(赤色牛).

[字源] 形聲. 牛(牛)+岡〔音〕

8 ⑫ 【犀】 무소 서 [平]齊 | xī

[日] サイ〔さい〕 [英] rhinoceros

[字解] **무소 서**(南徼外牛似豕角在鼻).

[字源] 形聲. 牛를 바탕으로 하여 「尾(미)」의 전음이 음을 나타냄.

[犀角 서각] ㉠ 무소의 뿔. ㉡ 이마가 융기(隆起)한 귀상(貴相).

[犀甲 서갑] 무소의 가죽으로 만든 튼튼한 갑옷.

[犀牛 서우] 열대 지방의 습지에 사는 초식 동물. 뿔이 하나 또는 둘 있음. 무소. 코뿔소.

9 ⑬ 【犍】 불깐소 건 [平]元 | jiān

[日] ケン〔きんきりうし〕 [英] ox

[字解] **불깐소 건**(犗牛).

[字源] 形聲. 牛(牛)+建〔音〕

9 ⑬ 【犎】 들소이름 봉 [平]冬 | fēng

[日] ホウ〔こぶうし〕 [英] bison

[字解] **들소이름 봉**(野牛形如橐駝).

[字源] 形聲. 牛(牛)+封〔音〕

10 ⑭ 【犒】 호궤할 호 [去]號 | kào

[日] コウ〔ねぎらう〕 [英] entertain

[字解] **호궤할 호**(勞也, 餉也).

[字源] 形聲. 牛(牛)+高〔音〕

[犒勞 호로] 음식을 주어 수고를 위로함.

10 ⑭ 【犗】 불깐소 개 [去]卦 | jiè

[日] カイ〔きんきりうし〕 [英] bullock

[字解] **불깐소 개**(騬牛).

[字源] 形聲. 牛(牛)+害〔音〕

10 ⑭ 【犖】 얼룩소 락 [入]覺 | 荦 luò

[日] ラク〔まだらうし〕 [英] brindle

[字解] ① **얼룩소 락**(駁牛). ② **뛰어날 락**(超絕). ¶ 卓犖(탁락).

[字源] 形聲. 牛(牛)+勞〈省〉〔音〕

[卓犖 탁락] 남보다 훨씬 뛰어남.

11 ⑮ 【犛】 [一]검정소 리 [平]支 [二]검정소 모 [平]肴 | lí máo

[日] リ・ボウ〔からうし〕

[字解] [一] **검정소 리**(黑牛). [二] **검정소 모**(黑牛).

[字源] 形聲. 牛(牛)+𠩺〔音〕

13 ⑰ 【犧】 犧(희)(牛部 16획)의 略字

15 ⑲ 【犢】 송아지 독 [入]屋 | 犊 dú

[日] トク〔こうし〕 [英] calf

[字解] **송아지 독**(牛子).

[字源] 形聲. 牛(牛)+賣〔音〕

[犢牛 독우] 송아지.

15 ⑲ 【犦】 들소이름 박 [入]覺 | bó

[日] バク〔のうし〕 [英] bison

[字解] **들소이름 박**(野牛中一, 犎也).

[字源] 形聲. 牛(牛)+暴〔音〕

16 ⑳ 【犧】 희생 희 [平]支 | 牺 xī

[日] ギ〔いけにえ〕 [英] sacrifice

[字解] **희생 희**(宗廟之牲).

[字源] 形聲. 牛(牛)+羲〔音〕

[參考] 犧(牛部 13획)는 약자.

[犧牲 희생] ㉠ 제물로 쓰는 산 짐승. ㉡ 어떤 사물·사람을 위해서 자기 목숨을 돌보지 아니함.

16/20 【犨】내밀 주 ⊕尤 | chōu 犨

⊕ シュウ〔でる〕 英 project

字解 내밀 주(出也). ¶ 犨於前(주어전).

字源 形聲. 牛+雔〔音〕

犬(犭) 〔4획〕 部

(개견부)

4
획

0/④ 【犬】개 견 ⊕銑 | quǎn 犬

一 ナ 大 犬

⊕ ケン〔いぬ〕 英 dog

字解 개 견(狗也). ¶ 犬馬(견마).

字源 象形. 개의 옆모양을 본뜬 글자.

參考 '犭'은 변으로 쓰일 때의 자체(字體).

[犬馬之勞 견마지로] ㉠ 임금이나 나라에 바치는 충성. ㉡ 자기의 노력을 겸손하게 일컫는 말.

[犬猿之間 견원지간] 개와 원숭이의 사이처럼 대단히 나쁜 관계.

[猛犬 맹견] 사나운 개.

[忠犬 충견] 주인에게 충실한 개.

2/⑤ 【犯】범할 범 ⊕赚 | fàn 犯

' 犭 犭 犭 犯

⊕ ハン〔おかす〕 英 commit

字解 ① 범할 범(干也). ② 범인 범(罪人). ¶ 共犯(공범).

字源 形聲. 犭(犬)+巳〔音〕

[犯戒 범계] 계율을 범(犯)함.

[犯法 범법] 법을 범함. 법에 어그러지는 짓을 함.

[犯則 범칙] 법칙·규칙을 어김.

[輕犯 경범] 가벼운 죄.

[防犯 방범] 범죄를 막음.

3/⑥ 【犴】㊀들개 안 ⊕寒 | hān ㊁옥 안 ㊸翰 | àn 犴

⊕ カン〔のらいぬ・ごく〕 英 stray dog, prison

字解 ㊀ 들개 안(北地野犬). ㊁ 옥 안(獄也). ¶ 狴犴(폐안).

字源 形聲. 犭(犬)+干〔音〕

3/⑦ 【状】狀(장)(次條)의 俗字

4/⑧ 【狀】㊀문서 장 ㊸漾 ㊁형상 상 ㊸漾 | zhuàng 狀

丨 丬 丬 丬 壮 壮 狀 狀

⊕ ジョウ〔かたち・かきつけ〕 英 letter, shape

字解 ㊀ 문서 장(牒也), 편지 장(札也). ¶ 書狀(서장). ㊁ 형상 상(形也). ¶ 狀態(상태).

字源 形聲. 犭(犬)+爿〔音〕

參考 狀(犬部 3획)의 본자.

[狀態 상태] 사물이나 현상이 처해 있는 형편이나 모양.

[狀況 상황] 일이 되어 가는 형편이나 모양.

[狀啓 장계] 감사(監司)나 또는 왕명을 받고 지방에 파견된 관원이 서면으로 왕에게 보고함. 또, 그 보고.

[狀元 장원] 과거(科擧)에 수석(首席)으로 급제함. 또, 그 사람.

[令狀 영장] 법원·관청이 발부하는 명령서.

[異狀 이상] 보통과는 다른 상태.

4/⑦ 【独】돼지새끼 돈 ⊕元 | tún 独

⊕ トン〔ぶたのこ〕 英 pig

字解 돼지새끼 돈.

4/⑦ 【狁】오랑캐이름 윤 ⊕軫 | yǔn 狁

⊕ イン〔えびす〕

字解 오랑캐이름 윤(匈奴別號). ¶

玁狁(험윤).

[字源] 形聲. 犭(犬)+允〔音〕

4
⑦ 〖狂〗 미칠 광 [平]陽 | kuáng

[日] キョウ〔くるう〕 [英] mad

[字解] ① **미칠 광**(精神錯亂). ¶ 狂症(광증). ② **사나울 광**(暴也). ¶ 狂風(광풍). ③ **경망할 광**(躁妄). ¶ 疎狂(소광).

[字源] 形聲. 犭(犬)+㞷(音)

[狂犬 광견] 미친개. 미친 듯이 사납게 날뛰는 개. ¶ 狂犬病(광견병).

[狂氣 광기] ㉠ 미친 증세. ㉡ 사소한 일에 화내고 소리 지르는 사람의 기질.

[狂風 광풍] 휘몰아치는 사나운 바람.

[熱狂 열광] 흥분해 미친 듯이 날뜀.

4
⑦ 〖狃〗 익을 뉴 [上]有 | niǔ

[日] ジュウ〔なれる〕 [英] familiar

[字解] ① **익을 뉴**(慣也). ¶ 狃恩(유은). ② **익힐 뉴**(習也). ¶ 狃習(유습).

[字源] 形聲. 犭(犬)+丑〔音〕

[狃習 유습] 익숙함.

[狃恩 유은] 늘 은혜를 입어서 그 은혜를 아무렇지 않게 생각함.

4
⑦ 〖狄〗 오랑캐 적 [入]錫 | dí

[日] テキ〔えびす〕 [英] savage

[字解] ① **오랑캐 적**. ¶ 北狄(북적). 夷狄(이적). ② **악공 적**(樂吏狄人).

[字源] 形聲. 犭(犬)+亦〈省〉〔音〕

[北狄 북적] 고대 중국에서, 북쪽 지역에 사는 족속들을 멸시하여 일컫던 말.

4
⑦ 〖狆〗 오랑캐 이름 충 [平]東 | zhòng

[日] チュウ〔えびす・ちん〕

[字解] **오랑캐이름 충**(貴州雲南地方蠻族名).

[字源] 形聲. 犭(犬)+中〔音〕

5
⑧ 〖狌〗 살쾡이 성 [平]庚 | xīng shēng

[日] セイ〔やまねこ〕 [英] wildcat

[字解] ① **살쾡이 성**(野貓). ② **성성이 성**(獸名).

[字源] 形聲. 犭(犬)+生〔音〕

5
⑧ 〖狎〗 친압할 압 [入]洽 | xiá

[日] コウ〔なれる〕 [英] familiar

[字解] ① **친압할 압**(親近). ¶ 親狎(친압). ② **익을 압**(習熟). ¶ 狎習(압습). ③ **업신여길 압**(輕也). ¶ 狎敵(압적).

[字源] 形聲. 犭(犬)+甲〔音〕

[狎徒 압도] 무람없이 구는 사람.

[狎侮 압모] 업신여김. 경멸함.

[狎習 압습] 익숙함.

[親狎 친압] 버릇없이 너무 지나치게 친함.

5
⑧ 〖狐〗 여우 호 [平]虞 | hú

[日] コ〔きつね〕 [英] fox

[字解] **여우 호**(野獸之名).

[字源] 形聲. 犭(犬)+瓜〔音〕

[狐假虎威 호가호위] 여우가 호랑이의 위세를 빌려 다른 짐승을 위협한다는 뜻으로, 남의 권세를 빌려 위세를 부림을 이름.

[狐疑 호의] 깊이 의심함을 이름.

5
⑧ 〖狗〗 개 구 [上]有 | gǒu

ノ 犭 犭 犭 犭 犳 狗 狗 狗

[日] ク〔いぬ〕 [英] dog

[字解] ① **개 구**(犬也). ② **강아지 구**(未成毫犬).

4획

[字源] 形聲. 犭(犬)+句〔音〕

[狗盜 구도] 개처럼 몰래 들어가 훔치는 도둑. 좀도둑.

[狗尾續貂 구미속초] 담비의 꼬리가 모자라서 개의 꼬리로 잇는다는 뜻으로, 관작을 함부로 많이 주거나, 훌륭한 것 뒤에 보잘것없는 것이 잇따름의 비유.

[走狗 주구] ㉠ 사냥 때 부리는 개. ㉡ 남의 앞잡이.

5 ⑧ 【狙】 긴팔원숭이 저[平]魚 | jū

[日] ソ〔ねらう〕 [英] gibbon

[字解] ① **긴팔원숭이 저**(猿也). ¶ 狙公(저공). ② **노릴 저, 엿볼 저**(伺也). ¶ 狙擊(저격).

[字源] 形聲. 犭(犬)+且〔音〕

[狙擊 저격] 겨냥하여 쏨.

[狙公 저공] 원숭이를 부리는 사람.

[狙詐 저사] 기회를 타서 속임.

5 ⑧ 【狚】 [一]원숭이 단[去]翰 [二]오랑캐이름 달[入]曷 | dàn dá

[日] タン〔さる〕 [英] monkey

[字解] [一] **원숭이 단**(猿也). ¶ 猵狚(편단). [二] **오랑캐이름 달**(猿也).

[字源] 形聲. 犭(犬)+旦〔音〕

6 ⑨ 【狠】 [一]개싸우는소리 한[平]刪 [二]어길 흔[上]阮 | yán hěn

[日] コン〔いぬのたたかうこえ·もとる〕 [英] violate

[字解] [一] **개싸우는소리 한**(犬鬪聲). [二] **어길 흔, 패려궂을 흔**(很戾也).

[字源] 形聲. 犭(犬)+艮〔音〕

[注意] 狼(犭部 7획)은 딴 글자.

[狠戾 한려] 성질이 매우 사납고 고약함.

6 ⑨ 【狡】 간교할 교[上]巧 | jiǎo

[日] コウ〔ずるい〕 [英] sly

[字解] **간교할 교**(猾也).

[字源] 形聲. 犭(犬)+交〔音〕

[狡猾 교활] 간사한 꾀가 많음.

6 ⑨ 【狩】 사냥할 수[去]宥 | shòu

[日] シュ〔かり〕 [英] hunt

[字解] ① **사냥할 수, 사냥 수**(獵也). ¶ 狩獵(수렵). ② **순행 수**(巡也). ¶ 巡狩(순수).

[字源] 形聲. 犭(犬)+守〔音〕

[狩獵 수렵] 사냥.

6 ⑨ 【狢】 오소리 학[入]藥 | hé

[日] カク〔むじな〕 [英] badger

[字解] **오소리 학**(貉也).

[字源] 形聲. 犭(犬)+各〔音〕

6 ⑨ 【狪】 오랑캐이름 동[平]東 | tóng

[日] トウ〔えびす〕

[字解] **오랑캐이름 동**(蠻族名).

[字源] 形聲. 犭(犬)+同〔音〕

6 ⑨ 【狫】 오랑캐이름 로[上]皓 | lǎo

[日] ロウ〔えびす〕

[字解] **오랑캐이름 로**(獠也).

[字源] 形聲. 犭(犬)+老〔音〕

6 ⑨ 【独】 獨(독)(犭部 13획)의 略字

7 ⑩ 【狴】 들개 폐[平]齊 | bì

[日] ヘイ〔のいぬ〕 [英] wild dog

[字解] ① **들개 폐**(野犬). ② **옥 폐**(牢獄). ¶ 狴犴(폐안).

[字源] 形聲. 犭(犬)+坒〔音〕

7 ⑩ 〚狶〛 [一]돼지 희 [平]支 [二]황제이름 시[上]紙 | xī shǐ

[日] キ〔ぶた〕・シ〔たいこのていおうのな〕

[英] pig

[字解] [一] 돼지 희, 멧돼지 희(豬也). [二] 황제이름 시.

[字源] 形聲. 犭(犬)+希〔音〕

7 ⑩ 〚狷〛 성급할 견[上]銑 | juàn

[日] ケン〔きみじか〕 [英] hasty

[字解] ① 성급할 견. ¶ 狷急(견급). ② 견개할 견(有所不爲). ¶ 狷介(견개).

[字源] 形聲. 犭(犬)+肙〔音〕

[狷介 견개] 고집이 세어 남과 화합하지 않음.

[狷急 견급] 성급함.

7 ⑩ 〚狹〛 좁을 협 [入]洽 | 狭 xiá

[日] キョウ〔せまい〕 [英] narrow

[字解] 좁을 협(隘也). ¶ 廣狹(광협).

[字源] 形聲. 犭(犬)+夾〔音〕

[參考] 陜(阜部 7획)은 본자.

[狹量 협량] 도량이 좁음. 도량이 작음.

[狹小 협소] 좁고 작음.

[狹義 협의] 좁은 범위의 뜻.

[偏狹 편협] 도량이나 생각하는 것이 좁고 치우침.

7 ⑩ 〚狸〛 너구리 리[平]支 | lí

[日] リ〔たぬき〕 [英] raccoon

[字解] 너구리 리. ¶ 狐狸(호리).

[字源] 形聲. 犭(犬)+里〔音〕

[參考] 貍(豸部 7획)는 동자.

[海狸 해리] 비버(beaver).

7 ⑩ 〚狺〛 으르렁거릴 은 [平]文 | yín

[日] ギン〔かみあうこえ〕 [英] growl

[字解] 으르렁거릴 은(犬爭吠聲). ¶ 狺狺(은은).

[字源] 形聲. 犭(犬)+言〔音〕

7 ⑩ 〚狻〛 사자 산 [平]寒 | suān

[日] サン〔しし〕 [英] lion

[字解] 사자 산(獅子).

[字源] 形聲. 犭(犬)+夋〔音〕

[狻猊 산예] ㉠ 사자. ㉡ 사자의 탈을 쓰고 춤을 추는 가면극.

7 ⑩ 〚狼〛 이리 랑 [平]陽 | láng

[日] ロウ〔おおかみ〕 [英] wolf

[字解] ① 이리 랑(獸名). ¶ 虎狼(호랑). ② 허둥지둥할 랑. ¶ 狼狽(낭패). ③ 어지러울 랑. ¶ 狼藉(낭자).

[字源] 形聲. 犭(犬)+良〔音〕

[注意] 狠(犬部 6획)은 딴 글자.

[狼藉 낭자] ㉠ 여기저기 흩어져 어지러운 모양. ㉡ 나쁜 소문이 자자한 모양.

[豺狼 시랑] 승냥이와 이리.

7 ⑩ 〚狽〛 이리 패 [去]泰 | 狈 bèi

[日] バイ〔おおかみ〕 [英] wolf

[字解] ① 이리 패(獸名). ② 허둥지둥할 패. ¶ 狼狽(낭패).

[字源] 形聲. 犭(犬)+貝〔音〕

[狼狽 낭패] 일이 실패로 돌아가 매우 딱하게 됨.

8 ⑫ 〚猋〛 회오리바람 표 [平]蕭 | biāo

[日] ヒョウ〔つむじかぜ〕

[英] whirlwind

4 획

字解 회오리바람 표(回風從下上).
字源 會意. 犬 셋이 겹쳐 개가 뛰는 모양을 나타냄.

8
⑪ 【猊】 사자 예 ⊕齊 | ní 𤟭

⽇ ゲイ〔しし〕 ⚅ lion
字解 사자 예(獅子). ¶ 狻猊(산예).
字源 形聲. 犭(犬)+兒〔音〕
[猊下 예하] 고승(高僧)에 대한 경칭.

8
⑪ 【猓】 긴꼬리 원숭이 과⊕哿 | guǒ 猓

⽇ カ〔おながざる〕
字解 긴꼬리원숭이 과(獸名).
字源 形聲. 犭(犬)+果〔音〕

8
⑪ 【猖】 미칠 창 ⊕陽 | chāng 猖

⽇ ショウ〔くるう〕 ⚅ rage
字解 미칠 창(駭也). ¶ 猖狂(창광). 猖獗(창궐).
字源 形聲. 犭(犬)+昌〔音〕
[猖獗 창궐] 못된 병이나 세력이 자꾸 퍼져서 걷잡을 수 없이 설침.

8
⑪ 【猗】 ▄아름다 울 의⊕支 yī ▄부드러 울 아⊕哿 yǐ 猗

⽇ イ〔うつくしい〕·ア〔しなやか〕 ⚅ beautiful, soft
字解 ▄① 아름다울 의(美也). ② 아 의(歎辭). ¶ 猗嗟(의차). ③ 불깐개 의(犗犬也). ▄ 부드러울 아(柔順). ¶ 猗儺(아나).
字源 形聲. 犭(犬)+奇〔音〕
[猗靡 아미] ㉠ 서로 따르는 모양. ㉡ 바람에 쏠리거나 나부끼는 모양. ㉢ 여자의 가냘프고 아름다운 모양.
[猗嗟 의차] 탄미(歎美)하는 소리. 아아.

8
⑪ 【猘】 미친 개 제 ⊕霽 | zhì 猘

⽇ セイ〔きちがいいぬ〕 ⚅ mad dog
字解 미친개 제(狂犬).
字源 形聲. 犭(犬)+制〔音〕

8
⑪ 【猙】 사나울 쟁⊕庚 | zhēng 猙

⽇ ソウ〔あらあらしい〕 ⚅ fierce
字解 ① 사나울 쟁(惡也). ¶ 猙獰(쟁녕). ② 짐승이름 쟁(獸名, 似狐有翼).
字源 形聲. 犭(犬)+爭〔音〕
[猙獰 쟁녕] 사나움. 사나운 모양.

8
⑪ 【猛】 사나울 맹⊕梗 | měng 猛

丿 犭 犭 犭 犴 猛 猛 猛
⽇ モウ〔たけし〕 ⚅ fierce
字解 ① 사나울 맹(惡也). ¶ 猛獸(맹수). ② 날랠 맹(勇也). ¶ 猛將(맹장). ③ 엄할 맹(嚴也). ¶ 寬猛(관맹).
字源 形聲. 犭(犬)+孟〔音〕
[猛攻 맹공] 맹렬히 공격함.
[猛烈 맹렬] 기세가 몹시 사납고 세참.
[猛威 맹위] 맹렬한 위세.
[猛虎 맹호] 사나운 범.
[勇猛 용맹] 용감하고 사나움.

8
⑪ 【猜】 시새울 시⊕灰 | cāi 猜

⽇ サイ〔ねたむ〕 ⚅ jealous
字解 ① 시새울 시. ¶ 猜忌(시기). ② 의심할 시(疑也). ¶ 猜疑(시의). 猜阻(시조).
字源 會意. 犭(犬)+青〔音〕
[猜忌 시기] 샘하여 미워함.
[猜疑 시의] 남을 시기하고 의심함.

8
⑪ 【猝】 갑작스러 울 졸⊕月 | cù 猝

[日] ソツ〔にわか〕 [英] suddenly

[字解] **갑작스러울 졸**(忽然).

[字源] 形聲. 犭(犬)+卒〔音〕

[猝富 졸부] 벼락부자.
[猝地 졸지] 뜻밖에 갑작스러운 판국.
[倉猝 창졸] 갑자기. 느닷없이.

8 ⑪ 【猟】 獵(렵)(犬部 15획)의 略字

9 ⑬ 【猷】 꾀 유 [平]尤 | yóu

[日] ユウ〔はかる〕 [英] trick

[字解] ① **꾀 유**(謀也). ② **그릴 유**(圖也). ③ **길 유**(道也).

[字源] 形聲. 犬+酋〔音〕

[猷念 유념] 궁리함.

9 ⑬ 【献】 獻(헌)(犬部 15획)의 略字

9 ⑫ 【猢】 원숭이 호 [平]虞 | hú

[日] コ〔さる〕 [英] monkey

[字解] **원숭이 호**(獸名, 似猿).

[字源] 形聲. 犭(犬)+胡〔音〕

9 ⑫ 【猥】 외람될 외 [上]賄 | wěi

[日] ワイ〔みだりに〕
[英] presumptuous

[字解] ① **외람될 외**. ¶ 猥濫(외람). ② **더러울 외**(鄙也). ③ **성할 외**(盛也).

[字源] 形聲. 犭(犬)+畏〔音〕

[猥濫 외람] 분수에 넘쳐 죄송함.
[猥褻 외설] ㉠ 육욕상(肉慾上)의 행위에 관한 추잡하고 예의 없는 일. ㉡ 색정(色情)을 유발하거나 나타내려고 하는 추한 행위.

9 ⑫ 【猨】 猿(원)(犬部 10획)과 同字

9 ⑫ 【猩】 성성이 성 [平]庚 | xīng

[日] ショウ〔しょう・じょう〕
[英] orangutan

[字解] **성성이 성**(獸名).

[字源] 形聲. 犭(犬)+星〔音〕

[猩猩 성성] ㉠ 중국에서 상상(想像)의 짐승 이름. ㉡ 유인원(類人猿)의 한 가지. 오랑우탄.

9 ⑫ 【猱】 원숭이 노 [平]豪 | náo

[日] ドウ〔てながざる〕 [英] monkey

[字解] **원숭이 노**(猴也, 善升木).

[字源] 形聲. 犭(犬)+柔〔音〕

9 ⑫ 【猲】 개 갈 [入]曷 | xiē

[日] カツ〔いぬ〕 [英] dog

[字解] ① **개 갈**(短喙犬也). ② **으를 갈**(恐逼).

[字源] 形聲. 犭(犬)+曷〔音〕

9 ⑫ 【猴】 원숭이 후 [平]尤 | hóu

[日] コウ〔さる〕 [英] monkey

[字解] **원숭이 후**(猱也).

[字源] 形聲. 犭(犬)+侯〔音〕

9 ⑫ 【猵】 수달 편 [本]변 [平]先 | biān

[日] ヘン〔かわうそ〕 [英] otter

[字解] **수달 편**(獺屬似猿). ¶ 猵狙(편저).

[字源] 形聲. 犭(犬)+扁〔音〕

9 ⑫ 【猶】 [一] 원숭이 유 [平]尤 [二] 움직일 요 [平]蕭 | 犹 yóu yáo

犭 犭 犭 犭 犹 狁 猶 猶

[日] ユウ〔さる〕・ヨウ〔うごく〕

4 획

[英] monkey, move

[字解] [一] ① 원숭이 유(玃屬). ② 오히려 유(尙也). ③ 같을 유(同一). [二] 움직일 요(動也).

[字源] 形聲. 犭(犬)+酋〔音〕

[猶父猶子 유부유자] 아버지 같고 자식 같다는 뜻으로, 아저씨와 조카.

[猶不足 유부족] 오히려 모자람.

[猶豫 유예] 망설여 결행하지 않음. 시일을 늦춤.

[猶太教 유태교] 모세의 율법을 교지(教旨)로 하는 일신교(一神教).

9 ⑫ 〖猪〗 돼지 저 [平]魚 | zhū 

[日] チョ〔いのしし〕 [英] pig

[字解] 돼지 저(豕也).

[字源] 形聲. 犭(犬)+者〔音〕

[參考] 豬(豕部 9획)와 동자.

[猪突 저돌] 멧돼지처럼 앞뒤를 헤아리지 않고 앞으로만 돌진함.

9 ⑫ 〖猫〗 고양이 묘 [平]蕭 | māo 

[日] ビョウ〔ねこ〕 [英] cat

[字解] 고양이 묘(捕鼠獸).

[字源] 形聲. 犭(犬)+苗〔音〕

[參考] 貓(豸部 9획)는 동자.

[猫睛 묘정] 고양이의 눈동자란 뜻으로, 때에 따라서 변함을 일컫는 말.

9 ⑫ 〖猤〗 날랠 계 [去]霽 | jì

[日] キ〔いさましい〕 [英] quick

[字解] 날랠 계(壯勇貌). ¶ 獷猤(광계).

[字源] 形聲. 犭(犬)+癸〔音〕

10 ⑭ 〖獄〗 옥 옥 [入]沃 | 狱 yù 

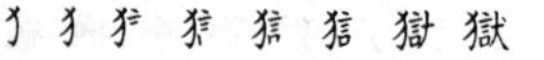

[日] ゴク〔ひとや〕 [英] prison

[字解] ① 옥 옥(囚牢). ¶ 獄舍(옥사). ② 송사 옥(訟事). ¶ 獄事(옥사).

[字源] 會意. 두 마리의 개(犭과 犬)와 言의 합자. 두 마리의 개가 서로 짖어댐의 뜻. 원고와 피고가 언쟁함의 뜻을 나타냄.

[獄苦 옥고] 옥살이하는 고생.

[獄死 옥사] 옥에 갇혀 죽음.

[獄事 옥사] 반역·살인 등의 중대한 범죄를 다스리는 일. 또, 그 사건.

[投獄 투옥] 옥에 가둠. 교도소에 수감함.

10 ⑭ 〖獃〗 어리석을 애 [平]灰 | dāi, ái 

[日] ガイ〔おろか〕 [英] foolish

[字解] 어리석을 애(癡也). ¶ 獃癡(애치).

[字源] 形聲. 犬+豈〔音〕

10 ⑬ 〖猺〗 오랑캐이름 요 [平]蕭 | yáo 

[日] ヨウ〔えびす〕

[字解] 오랑캐이름 요(蠻種名).

[字源] 形聲. 犭(犬)+䍃〔音〕

10 ⑬ 〖猻〗 원숭이 손 [平]元 | sūn 

[日] ソン〔さる〕 [英] monkey

[字解] 원숭이 손(猴也). ¶ 猢猻(호손).

[字源] 形聲. 犭(犬)+孫〔音〕

10 ⑬ 〖猾〗 교활할 활 [入]黠 | 猾 huá 

[日] カツ〔わるがしこい〕 [英] sly

[字解] ① 교활할 활(狡也). ¶ 猾吏(활리). ② 어지러울 활, 어지럽힐 활(亂也, 擾也).

[字源] 形聲. 犭(犬)+骨〔音〕

[猾吏 활리] 교활한 관리.

[猾賊 활적] 교활하여 남을 해침. 또,

그 사람.

[狡猾 교활] 간사하고 음흉함.

10 ⑬ **〖猿〗** 원숭이 원 [平] 元 | yuán

[日] エン〔さる〕 [英] monkey

[字解] **원숭이 원**(猴屬).

[字源] 形聲. 犭(犬)+袁〔音〕

[參考] 猨(犬部 9획)과 동자.

[猿臂 원비] 원숭이처럼 팔이 길고 힘이 있음을 가리키는 말.

10 ⑬ **〖獀〗** 가을사냥 수 [平] 尤 | sōu

[日] ソウ〔かり〕

[字解] **가을사냥 수**(秋獵). ¶ 獀狩(수수).

[字源] 形聲. 犭(犬)+叟〔音〕

10 ⑬ **〖獅〗** 사자 사 [平] 支 | 狮 shī

[日] シ〔しし〕 [英] lion

[字解] **사자 사**(猛獸). ¶ 獅子(사자).

[字源] 形聲. 犭(犬)+師〔音〕.

[獅子吼 사자후] ㉠ 크게 부르짖어 열변을 토함. ㉡ 질투심이 강한 여자가 남편에게 암팡스럽게 발악함. ㉢ 악마를 설복시키는 부처님의 설법(說法).

11 ⑮ **〖獒〗** 개 오 [平] 豪 | áo

[日] ゴウ〔いぬ〕 [英] dog

[字解] **개 오**(猛犬).

[字源] 形聲. 犬+敖〔音〕

11 ⑭ **〖獟〗** [一] 교활할 료 [平] 肴 [二] 교활할 교 [平] 肴 | liáo xiāo

[日] コウ・キョウ〔わるがしこい〕 [英] sly

[字解] [一] **교활할 료**(獪也). [二] **교활할 교**(獪也).

[字源] 形聲. 犭(犬)+翏〔音〕

11 ⑭ **〖獐〗** 노루 장 [平] 陽 | zhāng

[日] ショウ〔のろ〕 [英] roe deer

[字解] **노루 장**(鹿屬).

[字源] 形聲. 犭(犬)+章〔音〕

[參考] 麞(鹿部 11획)과 동자.

[獐角 장각] 노루의 굳은 뿔.

11 ⑭ **〖獏〗** [一] 짐승이름 모 [平] 虞 [二] 맹수이름 맥 [入] 陌 | mú mò

[日] ボ・モ〔けもののな〕・ベク〔もうじゅうのな〕

[字解] [一] **짐승이름 모**(獸名). [二] **맹수이름 맥**(貘也).

[字源] 形聲. 犭(犬)+莫〔音〕

[獏貊 모요] ㉠ 종족 이름. 중국 호남(湖南)·운남(雲南) 지방에 삶. ㉡ 개의 일종.

12 ⑮ **〖獗〗** 날뛸 궐 [入] 月 | jué

[日] ケツ〔たけりくるう〕 [英] rage

[字解] **날뛸 궐**(賊勢猖獗).

[字源] 形聲. 犭(犬)+厥〔音〕

[猖獗 창궐] 못된 병이나 세력 따위가 걷잡을 수 없이 퍼짐.

12 ⑮ **〖獝〗** 놀랄 휼 [入] 質 | xù

[日] キツ〔おどろく〕 [英] surprising

[字解] ① **놀랄 휼**(驚遽貌). ② **미칠 휼**(狂也).

[字源] 形聲. 犭(犬)+矞〔音〕

12 ⑮ **〖獠〗** [一] 밤사냥 료 [平] 蕭 [二] 오랑캐 이름 로 [上] 晧 | liáo lǎo

4 획

㊐ リョウ〔よかり〕・ロウ〔ばんぞくのな〕

字解 **一 밤사냥 료**(夜獵). **二 오랑캐이름 로.**

字源 形聲. 犭(犬)+尞〔音〕

[獠獵 요렵] 사냥.

12 ⑮ 【獤】《韓》돈피 돈

字解 《韓》**돈피 돈.** ¶ 獤皮(돈피).

[獤皮 돈피] 담비의 모피(毛皮). 초피(貂皮).

12 ⑯ 【獸】 獸(수)(犬部 15획)의 略字

13 ⑯ 【獨】 홀로 독 ㊅屋 | 独 dú

犭 犭 犭 犭 犭 犸 獨 獨

㊐ ドク〔ひとり〕 ㊎ alone

字解 **홀로 독**(單也), **외로울 독**(孤也). ¶ 孤獨(고독).

字源 形聲. 犭(犬)+蜀〔音〕

參考 独(犬部 6획)은 약자.

[獨斷 독단] ㉠ 남과 의논하지 않고 자기 의견대로 결단함. ㉡ 주관적 편견으로 판단함.

[獨占 독점] 혼자 차지함.

[獨創 독창] 혼자의 힘으로 처음으로 생각해 내거나 만들어 냄.

[獨特 독특] 특별히 다름.

[孤獨 고독] ㉠쓸쓸하고 외로움. ㉡ 고아 또는 자식이 없는 늙은이.

13 ⑯ 【獧】 성급할 견㊤銑 | juàn

㊐ ケン〔たんき〕 ㊎ hasty

字解 **성급할 견**(狷急也).

字源 形聲. 犭(犬)+睘〔音〕

13 ⑯ 【獪】 교활할 회㊍쾌 ㊇泰 | 狯 kuài

㊐ カイ〔ずるい〕 ㊎ cunning

字解 **교활할 회**(狡也). ¶ 獪猾(회활).

字源 形聲. 犭(犬)+會〔音〕

[獪猾 회활] 간교하고 교활함.

[老獪 노회] 노련하고 교활함.

13 ⑯ 【獫】 一오랑캐이름 험㊤琰 二개 렴 ㊇豔 | xiǎn liǎn

㊐ レン〔いぬ〕 ㊎ dog

字解 **一 오랑캐이름 험**(匈奴別名). ¶ 獫狁(험윤). **二 개 렴**(長喙犬).

字源 形聲. 犭(犬)+僉〔音〕

13 ⑯ 【獬】 해태 해 ㊤銑 | xiè

㊐ カイ〔かいち〕 ㊎ unicorn-lion

字解 **해태 해**(神獸). ¶ 獬豸(해치).

字源 形聲. 犭(犬)+解〔音〕

[獬豸 해치] 부정한 사람을 보면 뿔로 받는다는 신수(神獸). 해태.

13 ⑯ 【獩】 민족이름 예㊇隊 | huì

㊐ ワイ〔みんぞくのな〕

字解 **민족이름 예**(東夷). ¶ 獩貊(예맥).

字源 形聲. 犭(犬)+歲〔音〕

[獩貊 예맥] 고대에 남만주(南滿洲) 및 한반도(韓半島) 북부에 살던 민족(民族).

14 ⑰ 【獮】 가을사냥 선 ㊤銑 | xiān

㊐ セン〔あきがり〕

字解 **가을사냥 선**(秋獵). ¶ 獮田(선전).

字源 形聲. 篆文은 犭(犬)+爾〔音〕

14 ⑰ 【獯】 오랑캐이름 훈㊄文 | xūn

ㄴ クン〔えびす〕

字解 오랑캐이름 훈(匈奴).

字源 形聲. 犭(犬)+熏〔音〕

[獯鬻 훈육] 중국 하(夏)나라 시대에 있던 북방 종족. 진(秦)·한(漢)·전국시대의 흉노(匈奴)에 해당함.

---

14 ⑰ 【獰】 모질녕 ㊀庚 ning 狞 狞

ㄴ ドウ〔わるい〕 英 ruthless

字解 모질 녕, 사나울 녕(猛惡).

字源 形聲. 犭(犬)+寧〔音〕

[獰惡 영악] 사납고 악독함.

---

14 ⑰ 【獲】 ■얻을 획 ㊀陌 / ■실심할 확 ㊀藥 huò 获 獲

犭 犷 犷 犷 狆 狆 猫 獲

ㄴ カク〔える·こころざしをうしなう〕 英 get, disappiontment

字解 ① 얻을 획(得也). ¶ 獲得(획득). ② 종 획(婢也). ¶ 臧獲(장획). ■ 실심할 확(失志). ¶ 限獲(운확).

字源 形聲. 犭(犬)+蒦〔音〕

[獲得 획득] 얻어 가짐.
[漁獲 어획] 수산물을 잡거나 채취함.
[捕獲 포획] ㉠ 적병을 사로잡음. ㉡ 짐승이나 물고기를 잡음.

---

15 ⑲ 【獸】 짐승수 ㊀宥 shòu 獸

ㅁ ㅁㅁ ㅁㅁ ㅁㅁ 單 單 獸 獸

ㄴ ジュウ〔けもの〕 英 beast

字解 짐승 수(動物總稱).

字源 會意. 嘼(가축)와 犬의 합자. 또 「嘼(휴)」의 전음이 음을 나타냄.

参考 獣(犬部 12획)는 약자.

[獸心 수심] 짐승같이 사납고 모진 마음. ¶ 人面獸心(인면수심).
[獸慾 수욕] 짐승과 같은 음란한 욕심.

[禽獸 금수] 날짐승과 길짐승.
[鳥獸 조수] 새와 짐승.

---

15 ⑱ 【獵】 사냥할 렵 ㊂葉 liè 猎 獵

ㄴ リョウ〔かり〕 英 hunt

字解 사냥할 렵, 사냥 렵(捷取禽獸).

字源 形聲. 犭(犬)+巤〔音〕

[獵官運動 엽관 운동] 관직을 얻으려고 벌이는 운동.
[獵奇 엽기] 기이한 사물을 즐겨서 쫓아다님.
[密獵 밀렵] 금하는 것을 어기고 몰래 사냥함.

---

15 ⑱ 【獶】 원숭이 노 ㊂巧 náo nǎo

ㄴ ドウ〔さる〕 英 monkey

字解 ① 원숭이 노(猱也). ② 놀랄 노(犬驚貌). ③ 희롱할 노(戲也). ¶ 獶雜(노잡).

字源 形聲. 犭(犬)+憂〔音〕

---

15 ⑱ 【獷】 ■모질 광 ㊤梗 / ■(韓) 족제비 광 guǎng 犷 獷

ㄴ コウ〔あらいいたち〕 英 fierce, weasel

字解 ■ 모질 광, 사나울 광(暴惡). ■ (韓) 족제비 광(鼠狼).

字源 形聲. 犭(犬)+廣〔音〕

[獷悍 광한] 모질고 독살스러움.

---

16 ⑳ 【獻】 ■드릴 헌 ㊤願 / ■술통 사 ㊀歌 xiàn suō 献 獻

广 卢 庐 虙 虘 虘 鬳 獻 獻

ㄴ ケン〔たてまつる〕·サ〔さかだる〕 英 dedicate, wine barrel

字解 ■ ① 드릴 헌(進也). ¶ 獻金(헌금). ② 어진이 헌(賢也). ¶

文獻(문헌). ■술통 사.
字源 形聲. 篆文은 鬳+犬〔音〕
參考 献(犬部 9획)은 약자.
[獻身 헌신] 몸을 바쳐 있는 힘을 다함.

16
(19)
【獺】 수달 달 | 獺 | tǎ
⊛달

㋑ ダツ〔かわうそ〕 ⊛ otter
字解 수달 달(水狗). ¶ 獱獺(빈달).
字源 形聲. 犭(犬)+賴〔音〕

[獺祭 달제] ㋀ 수달이 자기가 얻은 물고기를 많이 늘어놓는 일. ㋁ 시문(詩文)을 지을 때 많은 참고 서적을 늘어놓음.

17
(20)
【獼】 원숭이 미 | 獼 | mí
⊛支

㋑ ビ〔さる〕 ⊛ monkey
字解 원숭이 미(猿屬). ¶ 獼猴(미후).
字源 形聲. 犭(犬)+彌〔音〕

[獼猴 미후] 원숭이의 한 가지. 목후(沐猴).

19
(22)
【玀】 오랑캐
이름 라 | luó
⊛歌

㋑ ラ〔えびす〕
字解 오랑캐이름 라(蠻人). ¶ 猓玀(과라).
字源 形聲. 犭(犬)+羅〔音〕

20
(23)
【玃】 ■원숭
이 확
⊛藥
■칠 격
⊛陌 | jué

㋑ カク〔おおざる〕・ケキ〔てでうつ〕
⊛ monkey, beat
字解 ■ 원숭이 확(大母猴). ■ 칠격(擊也). ¶ 玃笞(격태).
字源 形聲. 犭(犬)+矍〔音〕

玄(玄) 〔5획〕 **部**
(검을현부)

0
(5)
【玄】 검을 현 | xuán | 玄
⊛先

丶 亠 亠 玄 玄

㋑ ゲン〔くろい〕 ⊛ black
字解 ① 검을 현(黑也). ¶ 玄黄(현황). ② 오묘할 현(理之妙), 깊을 현(幽深). ¶ 玄妙(현묘). ③ 현손현(曾孫之子). ¶ 玄孫(현손).
字源 會意. 幺와 亠의 합자로 「어두움・깊음・검음」의 뜻.

[玄妙 현묘] 심오하고 오묘함.

5
(10)
【玆】 ■검을 자
⊛支
■검을 현
⊛先 | zī xuán | 玆

丶 亠 亠 玄 玄亠 玄玄 玆 玆

㋑ シ・ケン〔くろい〕 ⊛ black
字解 ■ ① 검을 자(黑也). ② 흐릴 자(濁也). ■ 검을 현(黑也).
字源 形聲. 「玄(현)」이 음을 나타냄.

6
(11)
【率】 ■거느
릴 솔
⊛質
■율 률
⊛質 | shuài lǜ | 率

亠 亠 玄 玄 玆 玆 率 率

㋑ シュツ〔ひきいる〕・リツ〔わりあい〕
⊛ lead, rate
字解 ■ ① 거느릴 솔(領也). ¶ 引率(인솔). ② 앞장설 솔. ¶ 率先(솔선). ③ 소탈할 솔. ¶ 率直(솔직). ④ 경솔할 솔(輕遽貌). ¶ 輕率(경솔). ⑤ 대략 솔, 대강 솔(大略). ¶ 大率(대솔). ■ 율 률, 비례 률(比率).
字源 象形. 조망(鳥網)의 모양. 중

앙은 새를 잡는 그물의 눈, 상하의 十은 대의 뜻. 「거느림의」뜻은 음의 차용.

[率眷 솔권] 집안에 거느리고 있는 식구를 데려감.

[率先 솔선] 남보다 앞서 함. 앞장섬. ¶ 率先垂範(솔선수범).

[率直 솔직] 거짓이나 꾸밈이 없이 바르고 곧음. 소탈하고 곧음.

[輕率 경솔] 언행이 조심성이 없이 가벼움.

[眞率 진솔] 진실하고 솔직함.

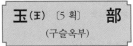

玉(王)〔5 획〕部

(구슬옥부)

⁰₍₅₎【玉】옥 옥/⑦沃　yù

一 二 干 王 玉

㊊ ギョク〔たま〕　㊤ gem

字解 ① 옥 옥(石之美者). ¶ 玉石(옥석). 玉顔(옥안). ② 사랑할 옥(愛也). ③ 이룰 옥(成也).

字源 象形. 세 개의 구슬을 끈으로 꿴 모양. 옛날에는 王으로 썼지만 임금 왕과 구별하기 위하여 점을 더한 글자.

[玉稿 옥고] 남의 원고(原稿)의 경칭(敬稱).

[玉帶 옥대] 옥으로 장식한 띠.

[玉樓 옥루] ㉠ 훌륭한 누각. ㉡ 하늘의 옥황상제가 있다는 백옥루(白玉樓).

[玉石 옥석] ㉠ 옥과 돌. ㉡ 좋은 것과 나쁜 것.

[玉篇 옥편] ㉠ 양(梁)나라 고야왕(顧野王)이 엮은 한자 자전(字典). ㉡ 한자 자전의 범칭.

[寶玉 보옥] 보석.

⁰₍₄₎【王】임금 왕/㊀陽/왕노릇할 왕/㊀漾　wáng wàng

一 二 干 王

㊊ オウ〔きみ・きみとなる〕　㊤ king

字解 ■ ① 임금 왕(君也). ¶ 王冠(왕관). ② 으뜸 왕(元也). ¶ 王座(왕좌). ③ 클 왕(大也). ¶ 王大人(왕대인). ■ 왕노릇할 왕(五霸身臨天下). ¶ 王道(왕도).

字源 象形. 斧(무기)를 세로로 한 모양. 이것을 사용하여 천하를 정복함의 뜻에서 전하여, 「군주의 뜻」이 됨.

[王道 왕도] ㉠ 임금으로서 지켜야 할 도리. ㉡ 인덕(仁德)으로 천하를 다스리는 정도(政道).

[王室 왕실] ㉠ 왕의 집안. ㉡ 국가.

[王座 왕좌] ㉠ 임금이 앉는 자리. 왕위(王位). ㉡ 으뜸가는 자리.

[國王 국왕] 나라의 임금.

---

²₍₆₎【玎】옥소리 정/㊤青/옥소리 쟁/㊤庚　dīng

㊊ テイ・トウ〔たわのおと〕　㊤ ding

字解 ■ 옥소리 정. ■ 옥소리 쟁.

字源 形聲. 𤣩(玉)+丁〔音〕

---

³₍₇₎【玘】패옥 기/㊤紙　qǐ

㊊ キ〔わびたま〕

㊤ ornamental jade

字解 ① 패옥 기. ② 노리개 기.

字源 形聲. 𤣩(玉)+己〔音〕

---

³₍₈₎【宝】寶(보)(宀部 17획)의 俗字

---

³₍₇₎【玗】옥돌 우/㊀虞　yú

㊊ ウ〔ひせき〕　㊤ gemstone

字解 ① 옥돌 우(石似玉). ② 우기 나무 우(樹名). ¶ 玗琪(우기).

字源 形聲. 𤣩(玉)+于(亏)〔音〕

3 ⑦ 【玕】 옥돌 간 [平]寒 gān

[日] カン〔ろうかん〕 [英] gemstone

[字解] **옥돌 간.**

[字源] 形聲. 王+干〔音〕

3 ⑦ 【玖】 옥돌 구 [上]有 jiǔ

[日] キュウ・ク〔くろいろのびせき〕 [英] gemstone

[字解] ① **옥돌 구, 검은옥돌 구**(黑石次玉). ② **아홉 구**(九也).

[字源] 形聲. 王(玉)+久〔音〕

[玖璇 구선] 옥의 이름.

4 ⑧ 【玟】 [一]옥돌 민 [平]眞 [二]옥무늬 문 [平]文 mín wén

[日] ビン・ミン〔たまににたいし〕 [英] gemstone

[字解] [一] **옥돌 민**(石種次玉). ¶ 瓀玟(연민). [二] **옥무늬 문.**

[字源] 形聲. 王(玉)+文〔音〕

[參考] 珉(玉部 5획)은 동자.

[玟坏釉 민배유] 자기(瓷器) 겉에 발라서 빛깔이 나고 물이 스며들지 않게 하는 유리 성질의 가루.

4 ⑧ 【玧】 [一]귀막이 옥 윤 [上]軫 [二]붉은옥 문 [平]元 yūn mén

[日] イン〔みみだま〕・オン〔あかいろのたま〕

[字解] [一] **귀막이옥 윤.** [二] **붉은옥 문.**

4 ⑧ 【玠】 홀 개 [去]卦 jiè

[日] カイ〔たま〕 [英] baton

[字解] **홀 개, 큰서옥 개**(大圭).

[字源] 形聲. 王(玉)+介〔音〕

4 ⑧ 【玭】 옥 빈 [平]眞 pín

[日] ヒン〔たまのいし〕 [英] gem

[字解] **옥 빈**(회수(淮水)에서 난다는 일종의 옥).

[字源] 形聲. 王(玉)+比〔音〕

4 ⑧ 【玦】 패옥 결 [入]屑 jué

[日] ケツ〔ゆがけ〕

[英] ornamental jade

[字解] ① **패옥 결**(玉佩半環). ② **깍지 결**(弓環).

[字源] 形聲. 王(玉)+夬〔音〕

4 ⑧ 【玩】 장난할 완 [去]翰 wán

[日] ガン〔もてあそぶ〕 [英] play

[字解] ① **장난할 완, 희롱할 완**(弄也). ¶ 玩具(완구). ② **즐길 완.** ¶ 賞玩(상완).

[字源] 形聲. 王(玉)+元〔音〕

[參考] 翫(羽部 9획)은 동자.

[玩具 완구] 장난감.
[玩賞 완상] 즐기며 감상함.
[愛玩 애완] 동물이나 물품 따위를 사랑하여 가까이 두고 다루며 즐김.

4 ⑧ 【玫】 매괴 매 [平]灰 méi

[日] マイ〔たま〕

[字解] **매괴 매**(赤色美玉).

[字源] 形聲. 王(玉)+枚〈省〉〔音〕

[玫瑰 매괴] 중국에서 나는 붉고 아름다운 돌.

5 ⑨ 【珐】 琺(법)(玉部 8획)의 俗字

5 ⑨ 【玿】 아름다운 옥 소 [平]蕭 sháo

[日] ショウ〔うつくしいたま〕

[字解] **아름다운옥 소.**

字源 形聲. 王(玉)+召〔音〕

5 ⑨【玹】현옥 현 ⊕先 xuán

⊕ケン・ゲン〔たまにつぐいし〕

字解 ① 현옥(玹玉) 현. ② 옥빛 현.

字源 形聲. 王(玉)+玄〔音〕

5 ⑨【玲】금옥소리 령 령⊕青 líng

⊕レイ〔たまのおと〕

字解 ① 옥소리 령(金玉聲). ② 고울 령, 투명할 령(鮮明).

字源 形聲. 王(玉)+令〔音〕

[玲瓏 영롱] ㉠ 눈부시게 찬란함. ㉡ 옥이나 쇠붙이가 울리는 소리.

5 ⑨【玷】이지러질 점 ⊕琰 ⊕豔 diàn

⊕テン〔かく〕 ⊛ wane

字解 ① 이지러질 점(缺也). ② 옥 티 점(玉病).

字源 形聲. 王(玉)+占〔音〕

5 ⑨【玻】유리 파 ⊕歌 bō

⊕ハ〔ガラス〕 ⊛ glass

字解 유리 파(寶石玻璨).

字源 形聲. 王(玉)+皮〔音〕

[玻璃 파리] ㉠ 유리. ㉡ 수정.

5 ⑨【珀】호박 박 ⊕陌 pò

⊕ハク〔こはく〕 ⊛ amber

字解 호박 박(茯苓所化). ¶ 琥珀(호박).

字源 形聲. 王(玉)+白〔音〕

5 ⑨【珂】백마노 가⊕歌 kē

⊕カ〔しろめのう〕

字解 백마노 가(白瑪瑠).

字源 形聲. 王(玉)+可〔音〕

5 ⑨【珊】산호 산 ⊕寒 shān

⊕サン〔さんご〕 ⊛ coral

字解 산호 산. ¶ 珊瑚(산호).

字源 形聲. 王(玉)+删〈省〉〔音〕

[珊瑚 산호] 산호충의 석회질이 모여 나뭇가지 모양을 이룬 것. 빛이 고움.

5 ⑨【珌】칼집장식 필 필⊕質 bì

⊕ヒツ〔はいとうのこじりにあるかざり〕

字解 칼집장식 필(刀鞘下飾).

字源 形聲. 王(玉)+必〔音〕

5 ⑨【珍】보배 진 진⊕眞 zhēn

一 二 千 王 王 珍 珍 珍 珍

⊕チン〔めずらしい〕 ⊛ precious

字解 보배 진(寶也), 보배로울 진, 진귀히여길 진(珍貴).

字源 形聲. 王(玉)+㐱〔音〕

[珍貴 진귀] 보배롭고 귀중함.
[珍奇 진기] 희귀하고 기이(奇異)함.
[珍羞 진수] 진귀한 음식. ¶ 珍羞盛饌(진수성찬).

5 ⑨【珏】쌍옥 각 ⊕覺 jué

⊕カク〔いっついのたま〕
⊛ a pair of gem

字解 쌍옥 각(雙玉).

字源 會意. 王과 玉을 겹쳐 한 쌍의 옥의 뜻을 나타냄.

5 ⑨【玳】대모 대 ⊕隊 dài

⊕タン〔たいまい〕 ⊛ hawksbill

[字解] **대모 대**(玳瑁, 龜屬).

[字源] 形聲. 王(玉)+代〔音〕

[參考] 瑇(玉部 9획)의 속자. 일설에는, 동자.

[玳瑁 대모] 열대 지방에 사는 바다거북의 한 가지. 등껍데기는 공예품·장식품 등에 씀. 대모갑(玳瑁甲).

5 ⑨ **〖珉〗** 玟(민)(玉部 4획)과 同字

6 ⑩ **〖珤〗** 寶(보)(宀部 17획)의 古字

6 ⑩ **〖珙〗** 옥 공 [上]腫 [平]冬 gǒng 

[日] キョウ〔おおたま〕 [英] gem

[字解] ① **옥 공**(玉名). ② **큰구슬 공**(大璧).

[字源] 形聲. 王(玉)+代〔音〕

6 ⑩ **〖珗〗** 옥돌 선 [平]先 xiān

[日] セン〔たまにつぐいし〕

[英] gemstone

[字解] **옥돌 선.**

6 ⑩ **〖珦〗** 향옥 향 [平]漾 xiàng

[日] キョウ〔たまのな〕

[字解] **향옥**(珦玉) **향.**

[字源] 形聲. 王(玉)+向〔音〕

6 ⑩ **〖珞〗** 구슬목걸이 락 [入]藥 luò 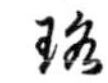

[日] ラク〔たまをつないでつくったくびかざり〕

[英] necklace

[字解] **구슬목걸이 락**(頸飾).

[字源] 形聲. 王(玉)+各〔音〕

[瑛珞 영락] 목·팔 등에 두르는, 구슬을 꿴 장식품.

6 ⑩ **〖珠〗** 구슬 주 [平]虞 zhū 

[日] シュ〔たま〕 [英] pearl

[字解] ① **구슬 주**(凡物之圓者). ¶ 珠玉(주옥). ② **진주 주**(蜂中陰精). ¶ 眞珠(진주).

[字源] 形聲. 王(玉)+朱〔音〕

[珠簾 주렴] 구슬을 꿰어 만든 발.

[珠玉 주옥] ㉠ 구슬과 옥. ㉡ 아름다운 용자(容姿)의 비유. ㉢ 귀중한 사물의 비유.

6 ⑩ **〖琉〗** 귀고리옥 충 [平]東 chōng

[日] シュウ〔みみだま〕

[字解] **귀고리옥 충.**

6 ⑩ **〖珝〗** 후옥 후 [上]麌 xū

[日] ク〔たまのな〕

[字解] **후옥**(珝玉) **후.** 옥의 이름.

[字源] 形聲. 王(玉)+羽〔音〕

6 ⑩ **〖珣〗** 옥이름 순 [平]眞 xún 

[日] シュン〔たまのな〕

[字解] **옥이름 순**(玉名).

[字源] 形聲. 王(玉)+旬〔音〕

6 ⑩ **〖珥〗** 귀고리 이 [上]紙 [去]寘 ěr 

[日] ジ〔みみかざり〕 [英] earring

[字解] **귀고리 이**(耳璫). ¶ 冠珥(관이).

[字源] 形聲. 王(玉)+耳〔音〕

[珥璫 이당] 귀고리.

6 ⑩ **〖珧〗** 대합조개 요 [平]蕭 yáo 

[日] ヨウ〔たいらぎ〕 [英] large clam

[字解] ① **대합조개 요.** ¶ 珧琿(요

필). ② 옥 요(玉名).

字源 形聲. 王(玉)+兆〔音〕

6
(10) 【珩】 패옥 형
⊕庚 | héng 珩

⽇ コウ〔おびだま〕
英 ornamental jade

字解 ① 패옥 형(佩上玉). ② 갓끈
형. ¶ 珩紞(형담).
字源 形聲. 王(玉)+行〔音〕

6
(10) 【班】 나눌 반
⊕刪 | bān 班

一 王 王 玘 矿 玙 班 班
⽇ ハン〔まだら〕 英 divide

字解 ① 나눌 반(分也). ¶ 班長(반
장). ② 이별할 반(別也). ¶ 班馬
(반마). ③ 돌아갈 반, 돌아올 반
(還也). ¶ 班師(반사). ④ 줄 반,
벌려설 반(列也). ¶ 班常(반상).
⑤ 얼룩 반(斑也). ¶ 班白(반백).

字源 形聲. 두 개의 구슬과 分(나
눔)의 생략형으로 이루어짐. 「分
(분)」의 전음이 음을 나타냄.

注意 斑(文部 8획)은 딴 글자.

[班給 반급] 나누어 줌.
[班白 반백] 흑백이 반씩 섞인 머리
털.
[班師 반사] 군사를 거느리고 돌아
옴. 회군(回軍).
[班常 반상] 양반과 상사람.
[班村 반촌] 양반이 많이 사는 동네.
[分班 분반] 몇 반으로 나눔.

6
(10) 【珖】 옥피리 광
⊕陽 | guāng 珖

⽇ コウ〔たまのな〕

字解 ① 옥피리 광(琯也). ② 옥
이름 광(玉名).
字源 形聲. 王(玉)+光〔音〕

6
(10) 【珢】 옥돌 은
⊕眞 | yín 珢

⽇ ギン〔たまにたびせき〕

英 gemstone

字解 옥돌 은(石之似玉者).

字源 形聲. 王(玉)+艮〔音〕

6
(10) 【珮】 佩(패)(人部 6획)와 同字

6
(10) 【珫】 琉(류)(玉部 7획)의 本字

6
(10) 【珪】 圭(규)(土部 3획)의 古子

7
(11) 【珹】 옥이름
성⊕庚 | chéng

⽇ セイ〔たまのな〕

字解 ① 옥이름 성. ② 구슬 성.
字源 形聲. 王(玉)+成〔音〕

7
(11) 【珸】 옥돌 오
⊕虞 | wú

⽇ ゴ〔たまのな〕 英 gemstone
字解 옥돌 오.
字源 形聲. 王(玉)+吾〔音〕

7
(11) 【琓】 (韓) 옥돌 완

字解 (韓) ① 옥돌 완. ② 나라이
름 완.

7
(11) 【珽】 옥이름
정⊕迥 | tǐng 珽

⽇ テイ〔たまのな〕

字解 ① 옥이름 정(玉名). ② 옥홀
정(笏也).
字源 形聲. 王(玉)+廷〔音〕

7
(11) 【現】 나타날
현⊕霰 | xiàn 現

一 王 玑 玑 玗 珇 珇 現
⽇ ゲン〔あらわれる〕 英 appear
字解 ① 나타날 현(顯也). ¶ 出現
(출현). ② 지금 현(今也). ¶ 現在

(현재).

字源 形聲. 王(玉)+見〔音〕

[現狀 현상] 현재의 상태.

[現地 현지] 어떤 일이 일어난 바로 그곳.

[現行 현행] 현재 행함. 또는 행하고 있음.

[具現 구현] 구체적으로 나타남.

[出現 출현] 나타남.

[表現 표현] 의사나 감정 등을 드러내어 나타냄.

7 ⑪【球】옥 구 ㊎尤 qiú

㊐ キュウ〔たま〕 ㊍ round gem

字解 ① 옥 구(玉也), 아름다운옥 구(美玉). ¶ 球琳(구림). ② 둥글 구(圓也). ¶ 球狀(구상).

字源 形聲. 王(玉)+求〔音〕

[球根 구근] 식물의 뿌리. 수선(水仙)의 둥근 뿌리 따위.

[球技 구기] ㉠ 공을 가지고 하는 운동 경기. ㉡ 공을 다루는 기술.

[眼球 안구] 눈알. 눈망울.

7 ⑪【珵】패옥 정 ㊎庚 chéng

㊐ テイ〔おびだまのぶぶん〕 ㊍ ornamental jade

字解 ① 패옥 정. ② 아름다운옥 정.

字源 形聲. 王(玉)+呈〔音〕

7 ⑪【琅】옥돌 랑 ㊎陽 láng

㊐ ロウ〔たま〕 ㊍ gemstone

字解 ① 옥돌 랑. ¶ 琅玕(낭간). ② 금옥소리 랑(金玉聲). ③ 문고리 랑(銅環).

字源 形聲. 王(玉)+良〔音〕

參考 瑯(玉部 10획)은 속자.

[琅琅 낭랑] 금옥이 서로 부딪쳐 울리는 소리.

7 ⑪【理】다스릴 리 ㊎紙 lǐ

一 ＝ 王 王 理 理 理 理 理

㊐ リ〔おさめる〕 ㊍ regulate

字解 ① 다스릴 리(治也). ¶ 理事(이사). ② 도리 리, 이치 리(道也). ¶ 倫理(윤리). ③ 깨달을 리. ¶ 理解(이해). ④ 나뭇결 리. ¶ 木理(목리).

字源 形聲. 王(玉)+里〔音〕

[理念 이념] 이성(理性)에 의하여 얻어지는 최고의 개념으로, 온 경험을 통제하는 주체.

[理法 이법] 사물의 이치와 법칙.

[理事 이사] 일정한 기구나 단체를 대표하여 그 사무를 집행하는 직위의 하나. 또는 그 직위에 있는 사람. ¶ 理事會(이사회).

[理致 이치] 사물에 대한 정당한 합리성.

[道理 도리] 사람이 지켜야 할 바른 길.

[調理 조리] ㉠ 몸을 보살피고 병을 다스림. ㉡ 음식물을 만듦.

7 ⑪【琇】옥돌 수 ㊎宥 xiù

㊐ シュウ〔うつくしい〕 ㊍ gemstone

字解 ① 옥돌 수(石次玉). ② 빛날 수. ¶ 琇瑩(수영).

字源 形聲. 王(玉)+秀〔音〕

7 ⑪【琉】유리 류 ㊎尤 liú

㊐ リュウ〔るり〕 ㊍ glass

字解 유리 류(西域采石). ¶ 琉璃(유리).

字源 形聲. 王(玉)+流(省)〔音〕

參考 琉(玉部 6획)는 본자. 瑠(玉部 10획)는 동자.

[琉璃 유리] 석영·탄산소다·석회암 등을 녹여 섞어서 굳힌 물질. 단단하고 깨지기 쉬우며 투명함.

7 ⑪ 【琁】 璇(선)(玉部 11획)과 同字

8 ⑫ 【琡】 숙옥 숙 | chù
（入）屋

日 シュク〔たまのな〕

字解 ① 숙옥 숙 (옥의 이름). ② 홀 숙.

字源 形聲. 王(玉)+叔〔音〕

8 ⑫ 【琬】 홀 완 | wǎn
（上）阮

日 エン〔けい〕　英 baton

字解 ① 홀 완. ② 옥 완.

字源 形聲. 王(玉)+宛〔音〕

8 ⑫ 【琟】 ■옥돌 유 | wéi
（④）支
■새이름 옥 | yù
（入）沃

日 イ・ユイ〔たまににたいし〕・キョク〔とりのな〕　英 gemstone

字解 ■ 옥돌 유. ■ 새이름 옥.

字源 形聲. 王(玉)+隹〔音〕

8 ⑫ 【琸】 사람이름 탁 | zhuó
（入）覺

日 タク〔じんめい〕

字解 사람이름 탁.

8 ⑫ 【琴】 거문고 금 | qín
（④）侵

一 𡗗 𤣥 玨 珡 珡 琴 琴

日 キン〔こと〕

字解 거문고 금(七絃樂).

字源 象形. 거문고의 두부(頭部)의 실패의 모양을 본뜸.

[琴書 금서] 거문고와 책.

[琴聲 금성] 거문고 소리.

[琴瑟 금슬] ㉠ 거문고와 비파. ㉡ 부부 사이의 정. ¶ 琴瑟之樂(금슬

지락).

8 ⑫ 【琵】 비파 비 | pí
（④）支

日 ヒ〔びわ〕

字解 비파 비(樂器名). ¶ 琵琶(비파).

字源 形聲. 珡〈省〉+比〔音〕

[琵琶 비파] 현악기의 한 가지. 줄은 넷이며 퉁겨서 연주함.

8 ⑫ 【琶】 비파 파 | pá
（④）麻

日 ハ〔びわ〕

字解 비파 파(樂器名). ¶ 琵琶(비파).

字源 形聲. 珡〈省〉+巴〔音〕

8 ⑫ 【琚】 패옥 거 | jū
（④）魚

日 キョ〔おびだま〕　英 ornamental jade

字解 패옥 거(佩玉). ¶ 瓊琚(경거).

字源 形聲. 王(玉)+居〔音〕

8 ⑫ 【琛】 보배 침 | chēn
（④）侵

日 チン〔たから〕　英 treasure

字解 보배 침(寶也).

字源 形聲. 王(玉)+深〈省〉〔音〕

[琛縭 침리] 옥(玉)으로 장식한 띠.

[琛賮 침신] 공물(貢物)로 바치는 보물.

8 ⑫ 【琢】 쫄 탁 | zhuó
（入）覺

一 𡗗 𤣥 玛 珗 珗 珡 琢

日 タク〔みがく〕　英 chisel

字解 ① 쫄 탁(啄也). ② 옥다듬을 탁(治玉). ¶ 彫琢(조탁).

字源 形聲. 王(玉)+豖〔音〕

[琢磨 탁마] ㉠ 옥이나 돌을 쪼고 갊.

ⓛ 학문이나 덕행을 닦음. ¶切磋琢
磨(절차탁마).

8 ⑫ **[琤]** 옥소리
쟁㊀庚 chēng 琤
ⓗ ソウ〔たまのおと〕
字解 옥소리 쟁(玉聲).
字源 形聲. 王(玉)+爭〔音〕.

[琤琤 쟁쟁] ㉠ 맑은 시냇물의 소리
의 형용. ⓛ 지나간 소리가 잊히지
않고 귀에 울리는 듯함의 형용.

8 ⑫ **[琠]** ━전옥 전
㊀銑
━귀막이옥
전㊤霰 tiǎn
tiàn 琠
ⓗ テン〔たま〕・テン〔みみだま〕
字解 ━ 전옥 전, 구슬이름 전.
━ 귀막이옥 전.
字源 形聲. 王(玉)+典〔音〕

8 ⑫ **[琥]** 호박 호
㊤麌 hǔ 琥
ⓗ コ〔こはく〕 ⓔ amber
字解 호박 호(瑞玉名).
字源 形聲. 王(玉)+虎〔音〕

[琥珀 호박] 지질 시대의 수지(樹脂)
가 땅속에서 수소·산소·탄소 따위와
화합하여 돌처럼 된 광물. 빛은 황
색·갈색·암갈색 등이 있는데, 장식
용으로 쓰임.

8 ⑫ **[琦]** 옥기
㊤支 qí 琦
ⓗ キ〔たまのな〕 ⓔ gem
字解 ① 옥 기(玉名). ② 기이할 기
(奇異). ¶ 琦行(기행).
字源 形聲. 王(玉)+奇〔音〕

8 ⑫ **[琨]** 옥돌 곤
㊤元 kūn 琨
ⓗ コン〔うつくしいいし〕
ⓔ gemstone

字解 옥돌 곤(石次玉). ¶ 琨玉秋
霜(곤옥추상).
字源 形聲. 王(玉)+昆〔音〕.

8 ⑫ **[琪]** 옥기
㊤支 qí 琪
ⓗ キ〔たま〕 ⓔ jade
字解 옥 기(玉屬).
字源 形聲. 王(玉)+其〔音〕.

[琪花瑤草 기화요초] 옥같이 아름
답고 고운 꽃과 풀.

8 ⑫ **[琫]** 칼집장
식 봉
㊤董 běng 琫
ⓗ ホウ〔さやかざり〕
字解 칼집장식 봉(刀鞘裝飾).
字源 形聲. 王(玉)+奉〔音〕.

8 ⑫ **[琮]** 서옥이
름 종
㊤冬 cóng 琮
ⓗ ソウ〔しるしだま〕
字解 서옥이름 종(瑞玉).
字源 形聲. 王(玉)+宗〔音〕.

8 ⑫ **[琯]** 옥피리 관
㊤旱 guǎn 琯
ⓗ カン〔ふえ〕 ⓔ stone tube
字解 옥피리 관(以玉爲管).
字源 形聲. 王(玉)+官〔音〕.

8 ⑫ **[琰]** 홀 염
㊤琰 yǎn 琰
ⓗ エン〔たま〕 ⓔ baton
字解 ① 홀 염(圭也). ② 옥 염(美
玉名).
字源 形聲. 王(玉)+炎〔音〕.

8 ⑫ **[琱]** 아로새길
조㊀蕭 diāo 琱
ⓗ チョウ〔きざむ〕 ⓔ trim off

字解 ① 아로새길 조(刻鏤也). ② 그릴 조(畫也).

字源 形聲. ⺩(玉)+周〔音〕

---

8 ⑫ **[琲]** 구슬꿰미 배㊤賄 ㊦隊 | bèi

日 ハイ〔つらぬく〕

字解 구슬꿰미 배(珠五百枚). ¶珠琲(주배).

字源 形聲. ⺩(玉)+非〔音〕

---

8 ⑫ **[琳]** 옥 림㊧侵 | lín

日 リン〔たま〕 英 gem

字解 옥 림(美玉).

字源 形聲. ⺩(玉)+林〔音〕

[琳宮 임궁] 절. 사찰(寺刹).
[琳宇 임우] ㉠ 아름다운 구슬로 장식한 집. ㉡ 절. 사찰(寺刹).

---

8 ⑫ **[琺]** 법랑 법㊦洽 | fà

日 ホウ〔ほうろう〕 英 enamel

字解 법랑 법. ¶琺瑯(법랑).

字源 形聲. ⺩(玉)+法〔音〕

[琺瑯 법랑] 광물을 원료로 하여 만든 유약. 에나멜. ¶琺瑯鐵器(법랑철기).

---

9 ⑬ **[猩]** 옥빛 성㊧青 | xīng

日 セイ〔たまのひかり〕

字解 옥빛 성.

字源 形聲. ⺩(玉)+星〔音〕

---

9 ⑬ **[瑌]** 옥돌 연㊧先 | ruǎn

日 セン〔たま〕 英 gemstone

字解 옥돌 연.

---

9 ⑬ **[瑃]** 춘옥 춘㊧眞 | chūn

日 チュン〔たま〕

字解 춘옥(瑃玉) 춘.

字源 形聲. ⺩(玉)+春〔音〕

---

9 ⑬ **[瑇]** 대모 대㊦隊 | dài

日 タイ〔たいまい〕 英 hawksbill

字解 대모 대. ¶瑇瑁(대모).

字源 形聲. ⺩(玉)+毒〔音〕

參考 玳(玉部 5획)와 동자.

---

9 ⑬ **[瑟]** 큰거문고 슬㊥質 | sè

日 シツ〔おおごと〕

字解 큰거문고 슬(樂器名). ¶瑟琴(슬금).

字源 形聲. 珡〔省〕+必〔音〕

[琴瑟 ㉠금실 ㉡금슬] ㉠ 부부 사이의 정. ㉡ 거문고와 비파.

---

9 ⑬ **[瑁]** ■대모 모㊤號 ■대모 매㊦隊 | mào / mèi

日 ボウ・マイ〔たいまい〕 英 hawksbill

字解 ■ 대모 모(龜屬). ¶瑇瑁(대모). ■ 대모 매(龜屬).

字源 形聲. ⺩(玉)+冒〔音〕

[玳瑁 대모] 바다거북.

---

9 ⑬ **[瑀]** 패옥 우㊤麌 | yú

日 ウ〔おびだま〕 英 ornamental jade

字解 패옥 우(佩玉). ¶琚瑀(거우).

字源 形聲. ⺩(玉)+禹〔音〕

---

9 ⑬ **[瑄]** 도리옥 선㊧先 | xuān

日 セン〔たま〕 英 big jade

字解 도리옥 선(璧大六寸).

5 획

[字源] 形聲. 王(玉)+宣〔音〕

9 ⑬ 【瑋】 옥 위 [上]尾 | 玮 wěi

[日] イ〔めずらしい〕 [英] gem

[字解] ① **옥 위**(玉名). ② **진기할 위**(珍奇也). ¶ 瑋寶(위보).

[字源] 形聲. 王(玉)+韋〔音〕

9 ⑬ 【瑅】 제당옥 제[平]齊 | tí

[日] ライ〔たま〕

[字解] **제당옥**(堤塘玉) **제**. 옥의 이름.

9 ⑬ 【琿】 아름다운 옥 혼[平]元 | 珲 hún

[日] コン〔たま〕

[字解] **아름다운옥 혼.**

[字源] 形聲. 王(玉)+軍〔音〕

9 ⑬ 【瑝】 옥소리 황[平]陽 | huáng

[日] コウ〔たまのうちあうおと〕

[字解] **옥소리 황.**

[字源] 形聲. 王(玉)+皇〔音〕

9 ⑬ 【瑑】 새길 전 [去]霰 | zhuàn

[日] テン〔かざる〕 [英] engrave

[字解] ① **새길 전**(彫玉爲文). ② **돋을새김 전**(圭璧面浮彫也).

[字源] 形聲. 王(玉)+彖〔音〕

9 ⑬ 【瑕】 티 하 [平]麻 | xiá

[日] カ〔きず〕 [英] blemish

[字解] ① **티 하**(瘕也), **옥의티 하**(玷缺). ¶ 瑕玷(하점). ② **허물 하, 흠 하**(過也). ¶ 瑕疵(하자). ③ **멀 하**(遠也).

[字源] 形聲. 王(玉)+叚〔音〕

[瑕瑜 하유] 결점과 장점.
[瑕疵 하자] 흠. 결점.

9 ⑬ 【瑗】 옥 원 [去]霰 | yuàn

[日] エン〔たま〕 [英] jade

[字解] **옥 원**(大孔璧).

[字源] 形聲. 王(玉)+爰〔音〕

9 ⑬ 【瑙】 마노 노 [上]晧 | nǎo

[日] ノウ〔めのう〕 [英] agate

[字解] **마노 노**(寶石名).

[字源] 形聲. 王(玉)+㐫〔音〕

[參考] 碯(石部 9획)와 동자.

[瑪瑙 마노] 석영·단백석·옥수의 혼합물.

9 ⑬ 【瑚】 산호 호 [平]虞 | hú

[日] コ〔さんご〕 [英] coral

[字解] ① **산호 호.** ¶ 珊瑚(산호). ② **호련 호**(宗廟祭器). ¶ 瑚璉(호련).

[字源] 形聲. 王(玉)+胡〔音〕

[瑚璉 호련] 은대(殷代)에 종묘에서, 서직(黍稷)을 담던 제기(祭器). 전하여, 우수한 인물의 비유.

9 ⑬ 【瑛】 옥빛 영 [平]庚 | yīng

[日] エイ〔すいしょう〕 [英] luster

[字解] **옥빛 영**(玉光). ¶ 瑛琚(영거).

[字源] 形聲. 王(玉)+英〔音〕

9 ⑬ 【瑜】 아름다운 유[平]虞 | yú

[日] ユ〔たまのひかり〕 [英] pretty jade

[字解] ① **아름다운 유**(美玉). ¶ 瑾瑜(근유). ② **옥빛 유**(玉光).

[字源] 形聲. 王(玉)+兪〔音〕

9 ⑬ 【瑞】 상서 서 ㊥寘 | ruì

㊐ ズイ〔めでたい〕
㊕ auspicious

字解 ① **상서 서**(祥也). ¶ 瑞兆(서조). ② **홀 서**(信玉). ¶ 符瑞(부서).

字源 形聲. 王(玉)+耑〔音〕

[瑞光 서광] 상서로운 빛.
[瑞氣 서기] 상서로운 기운.
[瑞兆 서조] 상서로운 조짐.
[祥瑞 상서] 기쁜 일에 있을 징조.

10 ⑭ 【瑭】 옥이름 당㊥陽 | táng

㊐ トウ〔たま〕 ㊕ gem

字解 **옥이름 당.**

字源 形聲. 王(玉)+唐〔音〕

10 ⑭ 【瑥】 사람이름 온㊥元 | wēn

㊐ オン〔じんめい〕

字解 **사람이름 온.**

10 ⑮ 【瑩】 一옥돌 영 ㊥庚 二의혹할 형㊤徑 | 莹 yíng yīng

㊐ エイ〔たまににたいし・あきらか〕
㊕ gemstone, doubt

字解 一 ① **옥돌 영**(美石也). ¶ 琇瑩(수영). ② **맑을 영, 밝을 영**(鮮明). ¶ 瑩鏡(영경). 二 ① **의혹할 형**(疑惑也). ② **옥빛조촐할 형**(玉色光潔).

字源 形聲. 王(玉)+熒〈省〉〔音〕

注意 塋(土部 10획)은 딴 글자.

[瑩潔 영결] 윤이 나고 깨끗함.
[瑩鏡 영경] 흐리지 않고 맑은 거울.

10 ⑭ 【瑠】 琉(류)(玉部 7획)와 同字

10 ⑭ 【瑣】 잘 쇄 ㊤哿 | 琐 suǒ

㊐ サ〔こまかい〕 ㊕ petty

字解 **잘 쇄, 가늘 쇄**(細小). ¶ 煩瑣(번쇄).

字源 形聲. 王(玉)+貨〔音〕

[瑣細 쇄세] 매우 작음. 자질구레함.

10 ⑭ 【瑤】 옥돌 요 ㊥蕭 | 瑶 yáo

㊐ ヨウ〔たま〕 ㊕ gemstone

字解 **옥돌 요, 아름다운옥 요**(美玉). ¶ 瑤瓊(요경).

字源 形聲. 王(玉)+䍃〔音〕

[瑤臺 요대] ㉠ 아름다운 전각(殿閣). ㉡ 달의 딴 이름. ㉢ 신선이 사는 전각(殿閣).

10 ⑭ 【瑨】 아름다운 돌 진㊦震 | jìn

㊐ シン〔うつくしいいし〕

字解 **아름다운돌 진.**

字源 形聲. 王(玉)+晉〔音〕

10 ⑭ 【瑨】 瑨(진)(前條)의 俗字

10 ⑭ 【瑪】 마노 마 ㊤馬 | 玛 mǎ

㊐ メ〔めのう〕 ㊕ agate

字解 **마노 마**(石之次玉).

字源 形聲. 王(玉)+馬〔音〕

參考 碼(石部 10획)와 동자.

[瑪瑙 마노] 옥돌의 한 가지. 윤이 나고 빛이 고와 미술품을 만듦.

10 ⑭ 【瑯】 琅(랑)(玉部 7획)의 俗字

10 ⑭ 【瑰】 구슬 괴 ㊥灰 | guī

㊐ カイ〔たま〕 ㊕ gem

字解 ① **구슬 괴**(美珠). ¶ 玫瑰(매괴). ② **진기할 괴**(奇也). ¶ 瑰奇(괴기).

[字源] 形聲. 王(玉)+鬼〔音〕

[瑰奇 괴기] 진기하고 뛰어남.
[瑰姿 괴자] 뛰어난 용모·풍채.

10 ⑭ **〖瑳〗** 고울 **차** [上]哿 | 瑳 cuō

[日] サ〔あざやか〕 [英] pretty

[字解] ① **고울 차**(鮮白). ② **웃을 차**(巧笑貌).

[字源] 形聲. 王(玉)+差〔音〕

10 ⑭ **〖瑱〗** [一]귀막이 옥 진[去]震 [二]귀막이 옥 전[去]霰 | zhèn tiàn

[日] チン・テン〔みみだま〕

[字解] [一] ① **귀막이옥 진**(以玉充耳). ② **옥 진**(玉名). [二] ① **귀막이옥 전**(以玉充耳). ② **옥 전**(玉名).

[字源] 形聲. 王(玉)+眞〔音〕

10 ⑭ **〖瑴〗** 쌍옥 각 [入]覺 | jué

[日] カク〔いっついのたま〕

[字解] **쌍옥 각**(珏也).

[字源] 形聲. 王(玉)+㱿〔音〕

10 ⑭ **〖瑢〗** 패옥소리 용[平]冬 | róng

[日] ヨウ〔たまのおと〕

[字解] **패옥소리 용**. ¶ 瑽瑢(종용).

[字源] 形聲. 王(玉)+容〔音〕

11 ⑮ **〖璂〗** 피변옥 기[平]支 | qí

[日] キ〔かざりだま〕 [英] gem

[字解] **피변옥 기**. 피변(皮弁)의 솔기를 장식하는 옥.

11 ⑮ **〖瑾〗** 옥 근 [上]吻 | jǐn

[日] キン〔たま〕 [英] gem

[字解] **옥 근**(美玉). ¶ 瑾瑜(근유).

[字源] 形聲. 王(玉)+堇〔音〕

[瑾瑜 근유] 아름다운 옥.

11 ⑮ **〖璀〗** 빛날 최 [上]賄 | cuǐ

[日] サイ〔たまのひかり〕 [英] glitter

[字解] **빛날 최**(玉光). ¶ 璀璨(최찬).

[字源] 形聲. 王(玉)+崔〔音〕

[璀錯 최착] 많고 성(盛)한 모양.
[璀璨 최찬] 옥이 빛나는 모양.

11 ⑮ **〖璃〗** 유리 리 [平]支 | lí

[日] リ〔るり〕 [英] glass

[字解] **유리 리**. ¶ 琉璃(유리).

[字源] 形聲. 王(玉)+离〔音〕

[玻璃 파리] ㉠ 유리. ㉡ 수정.

11 ⑮ **〖璆〗** 옥 구 [平]尤 | qiú

[日] キュウ〔たま〕 [英] gem

[字解] ① **옥 구, 옥경쇠 구**(玉磬). ② **옥소리 구**(玉聲). ¶ 璆然(구연).

[字源] 形聲. 王(玉)+翏〔音〕

[璆琳 구림] 아름다운 옥.

11 ⑮ **〖璇〗** 옥 선 [平]先 | xuán

[日] セン〔たま〕 [英] gem

[字解] **옥 선**(美玉).

[字源] 形聲. 王(玉)+旋〔音〕

[璇瑰 선괴] 아름다운 옥돌.

11 ⑮ **〖瑽〗** 패옥소리 종[本]총[平]冬 | 𪻐 cōng

[日] ショウ〔おびだま〕

[字解] **패옥소리 종**(佩玉聲). ¶ 瑽瑢(종용).

[字源] 形聲. 王(玉)+從〔音〕

11 ⑮ **〖璉〗** 호련 련 [上]銑 | 琏 liǎn

5획

囲 レン〔れいまのな〕
字解 호려 련(宗廟祭器). ¶ 瑚璉(호련).
字源 形聲. 王(玉)+連〔音〕

11
⑮ **[瑶]** 붉은옥
문⑪元 | mén | 瑶

囲 マン〔あかたま〕 英 red jade
字解 붉은옥 문(玉赤色).
字源 形聲. 王(玉)+𦱽〔音〕

11
⑮ **[璋]** 홀 장
⑪陽 | zhāng | 璋

囲 ショウ〔しるしだま〕 英 baton
字解 홀 장(半圭). ¶ 璋珪(장규).
字源 形聲. 王(玉)+章〔音〕
[弄璋 농장] 아들을 낳는 일.

12
⑯ **[璑]** 삼채옥
무⑪虞 | wú | 璑

囲 ブ・ム〔さんさいのたま〕
字解 삼채옥 무.
字源 形聲. 王(玉)+無〔音〕

12
⑯ **[璡]** 옥돌 진
⑪眞 | jīn | 璡

囲 シン〔たまににたいし〕
英 gemstone
字解 옥돌 진.
字源 形聲. 王(玉)+進〔音〕

12
⑯ **[璜]** 패옥 황
⑪陽 | huáng | 璜

囲 コウ〔おびだま〕
英 ornamental jade
字解 패옥 황(半璧). ¶ 璜珩(황형).
字源 形聲. 王(玉)+黃〔音〕

12
⑯ **[璞]** 옥돌 박
⑧覺 | pú | 璞

囲 ボク〔あらたま〕 英 gemstone
字解 ① 옥돌 박(玉之未琢者). ¶

玉璞(옥박). ② 소박할 박, 진실할 박(眞實).
字源 形聲. 王(玉)+菐〔音〕
[璞玉渾金 박옥혼금] ㉠ 아직 조탁(彫琢)하지 않은 옥과 제련하지 않은 쇳덩어리. ㉡ 사람이 순박하고 꾸밈이 없는 모양의 비유.

12
⑯ **[璟]** 옥빛 경
⑪梗 | jīng | 璟

囲 エイ〔たまのひかり〕
字解 ① 옥빛 경(玉光彩). ② 사람이름 경(人名).
字源 形聲. 王(玉)+景〔音〕

12
⑯ **[璠]** 옥 번
⑪元 | fán | 璠

囲 ハン・ヘン〔たま〕 英 gem
字解 옥 번(魯寶玉). ¶ 璵璠(여번).
字源 形聲. 王(玉)+番〔音〕

12
⑯ **[璣]** 구슬 기
⑪微 | jī | 璣

囲 キ〔たま〕 英 pearl
字解 ① 구슬 기(珠不圓). ¶ 珠璣(주기). ② 선기 기(渾天儀). ¶ 璿璣(선기).
字源 形聲. 王(玉)+幾〔音〕
[璣衡 기형] 선기옥형(璿璣玉衡)의 준말. 천체의 운행과 그 위치를 관측하는 데에 쓰이는 기계. 혼천의(渾天儀).

12
⑯ **[璘]** 옥빛 린
⑪眞 | lín | 璘

囲 リン〔たまのひかり〕
字解 옥빛 린(玉光彩).
字源 形聲. 王(玉)+粦〔音〕

13
⑰ **[璥]** 경옥 경
⑪敬 | jǐng | 璥

囲 ケイ〔たまのな〕 英 jade
字解 경옥 경(옥의 이름).

5
획

字源 形聲. 王(玉)+敬〔音〕

13
⑰ 【瓍】패옥 수 ㊈寘 suì

㊀ スイ〔おびだま〕
㊅ ornamental jade

字解 패옥 수(허리띠에 차는 옥).

字源 形聲. 王(玉)+遂〔音〕

13
⑰ 【瑟】아름다운 옥 슬 ㊈質 sè

㊀ シツ〔たまのうつくしくあざやか なたま〕

字解 ① 아름다운옥 슬. ② 푸른 구슬 슬.

字源 形聲. 王(玉)+瑟〔音〕

5
획

13
⑰ 【璪】면류관드림 옥 조 ㊈晧 zǎo

㊀ ソウ〔べんのたれかさり〕

字解 면류관드림옥 조. 옥을 색실 에 꿴 면류관의 장식.

字源 形聲. 王(玉)+桌〔音〕

13
⑰ 【璧】둥근옥 벽 ㊈陌 bì

㊀ ヘキ〔たま〕 ㊅ ring jade

字解 둥근옥 벽(瑞玉, 圓器).

字源 形聲. 王(玉)+辟〔音〕

注意 壁(土部 13획)은 딴 글자.

[璧侑 벽유] 옥으로 만든 잔.
[完璧 완벽] 결점이 없이 완전함.

13
⑰ 【璨】옥 찬 ㊈翰 càn

㊀ サン〔ひかる〕 ㊅ jade

字解 ① 옥 찬(美玉). ② 구슬주렁 주렁달릴 찬(珠垂貌). ③ 빛날 찬 (玉光也).

字源 形聲. 王(玉)+粲〔音〕

13
⑰ 【璫】귀고리 당 ㊊陽 dāng

㊀ トウ〔みみだま〕 ㊅ earring

字解 ① 귀고리 당(華飾耳珠). ¶ 耳璫(이당). ② 방울 당(鈴鐸). ¶ 琅璫(낭당).

字源 形聲. 王(玉)+當〔音〕

13
⑰ 【環】고리 환 环 ㊇删 huán

王 尹 严 玡 玡 環 環 環

㊀ カン〔たまき〕 ㊅ ring

字解 ① 고리 환(圓成無端). ¶ 耳環 (이환). ② 두를 환(繞也). ¶ 環坐 (환좌). ③ 옥 환(瑞玉也). ¶ 佩環 (패환).

字源 形聲. 王(玉)+睘〔音〕

[環境 환경] ㉠ 주위의 사물. ㉡ 거 주하는 주위의 외계. ¶ 環境整理(환 경 정리).

[環狀 환상] 고리처럼 둥글게 생긴 현상.

[環視 환시] ㉠ 많은 사람이 주목함. ㉡ 사방을 두루 둘러봄.

[指環 지환] 가락지.

14
⑱ 【璹】옥이름 수 ㊊有 shú / 옥이름 도 ㊋號 dào / 옥그릇 숙 ㊇屋 shú

㊀ シュウ〔たまのな〕・トウ〔たまの な〕・シュク〔たまのうつわ〕

字解 ▤ 옥이름 수. ▤ 옥이름 도. ▤ 옥그릇 숙.

字源 形聲. 王(玉)+壽〔音〕

14
⑲ 【璽】옥새 새 ㊈사㊈紙 xǐ

㊀ ジ〔はんこ〕 ㊅ Royal seal

字解 옥새 새(王者印), 인장 새(印 也). ¶ 御璽(어새).

字源 形聲. 王(玉)+爾〔音〕

參考 壐(玉部 5획)는 속자. 본음 사.

[玉璽 옥새] 임금의 도장. 국새(國

璽). 어새(御璽).

14 ⑱ 【璸】 옥무늬어룽어룽할 빈㊥先 | pián

㊐ ヒン〔たまのあや〕

字解 **옥무늬어룽어룽할 빈.**

14 ⑱ 【璵】 옥 여 ㊥魚 | 玙 yú

㊐ ヨ〔たま〕 ㊎ gem

字解 **옥 여**(寶玉). ¶ 璵璠(여번).

字源 形聲. 王(玉)+與〔音〕

14 ⑱ 【璿】 옥 선 ㊥先 | xuán

㊐ セン〔たま〕 ㊎ gem

字解 **옥 선**(美玉名).

字源 形聲. 王(玉)+睿〔音〕

注意 濬(水部 14획)은 딴 글자.

15 ⑲ 【璾】 사람이름 질㊇質 | zhì

㊐ ミツ〔じんめい〕

字解 **사람이름 질.**

15 ⑲ 【瓊】 옥 경 ㊥庚 | 琼 qióng

㊐ ケイ〔だま〕 ㊎ gem

字解 **옥 경**(美玉名), **붉은옥 경**(赤玉).

字源 形聲. 王(玉)+敻〔音〕

[瓊筵 경연] 옥같이 아름다운 자리라는 뜻으로, 아름다운 연회석을 이르는 말.

[瓊玉 경옥] 아름다운 옥.

16 ⑳ 【瓏】 환할 롱 ㊥東 | 珑 lóng

㊐ ロウ〔たまのおと〕 ㊎ clear

字解 ① **환할 롱**(明貌). ¶ 玲瓏(영롱). ② **옥소리 롱**(玉聲). ¶ 瓏瓏(농롱).

字源 形聲. 王(玉)+龍〔音〕

17 ㉑ 【瓔】 옥돌 영 ㊥庚 | 璎 yīng

㊐ エイ〔たまににたいし〕

㊎ gemstone

字解 ① **옥돌 영**(美石似玉). ¶ 瓔琅(영랑). ② **구슬목걸이 영**(頸飾). ¶ 瓔珞(영락).

字源 形聲. 王(玉)+嬰〔音〕

[瓔珞 영락] ㉠ 구슬을 꿰어 만든 목걸이. ㉡ 불상(佛像)의 신변(身邊)에 늘어뜨린 옥의 장식물.

[瓔琅 영랑] 옥과 비슷한 일종의 돌.

17 ㉑ 【瓓】 옥무늬 란㊤翰 | 斓 làn

㊐ ラン〔たまのあや〕

字解 **옥무늬 란**(玉采).

字源 形聲. 王(玉)+闌〔音〕

18 ㉒ 【瓘】 옥 관 ㊤翰 | guàn

㊐ カン〔たま〕 ㊎ gem

字解 **옥 관**(玉也).

字源 形聲. 王(玉)+雚〔音〕

19 ㉓ 【瓚】 술그릇 찬㊤翰 | 瓒 zàn

㊐ サン〔わいまのな〕

字解 ① **술그릇 찬**(宗廟祭器). ② **큰 홀 찬**(大圭).

字源 形聲. 王(玉)+贊〔音〕

瓜 〔5 획〕 部
(오이과부)

0 ⑤ 【瓜】 오이 과 ㊥麻 | guā

5 획

ノ 厂 瓜 瓜 瓜

日 カ〔うり〕 英 cucumber

字解 오이 과(蔓生蓏).

字源 象形. 오이 덩굴에 열매가 달려 있는 모양.

注意 爪(部首)는 딴 글자.

[瓜年 과년] ㉠ 여자가 혼기에 이른 나이. ㉡ 벼슬의 임기가 찬 해.

[瓜田不納履 과전불납리] 오이밭에서는 신이 벗어져도 엎드려 신을 다시 신지 아니함. 곧, 혐의 받을 일은 애초부터 하지 않음을 이름.

5획

5
⑩【皰】 ━오이 박 ㈜覺 bó
━박 포 ㉠看 báo

日 ハク〔ひさご〕・ホウ〔ひさご〕
英 cucumber, gourd

字解 ━오이 박(小瓜). ━박 포(瓝也).

字源 形聲. 瓜+包〔音〕

6
⑪【瓠】 박 호 ㈜虞 hù
㊀遇

日 コ〔ひさご〕 英 gourd

字解 ① 박 호(匏也). ¶ 瓠瓜(호과). ② 표주박 호(瓢也). ③ 병 호, 항아리 호(壺也). ¶ 瓠壺(호호).

字源 形聲. 瓜+夸〔音〕

[瓠犀 호서] ㉠ 박의 속과 씨. ㉡ 박속같이 희고 아름다운 미인의 이를 가리키는 말.

11
⑯【瓢】 바가지 표 ㈜蕭 piáo

日 ヒョウ〔ふくべ〕 英 gourd

字解 바가지 표(容器).

字源 形聲. 瓜+票〔音〕

[瓢簞 표단] 바가지와 대오리로 만든 밥그릇.

14
⑲【瓣】 외씨 판 ㈜諫 bàn

日 ベン〔はなびら〕

字解 ① 외씨 판(瓜中實). ② 꽃잎 판(花片). ¶ 花瓣(화판). ③ 과일 조각 판(片也).

字源 形聲. 瓜+辡〔音〕

注意 辨(辛部 9획), 辦(辛部 9획), 辯(辛部 14획)은 딴 글자.

瓦 〔5 획〕 部
(기와와부)

0
⑤【瓦】 기와 와 ㉡馬 wǎ

一 厂 瓦 瓦 瓦

日 ガ〔かわら〕 英 tile

字解 ① 기와 와(燒土蓋屋). ¶ 瓦葺(와즙). ② 질그릇 와(陶器總名). ¶ 瓦器(와기). ③ 실패 와(紡塼). ¶ 弄瓦(농와).

字源 象形. 기와가 겹쳐 있는 모양을 본뜬 글자.

[瓦器 와기] 진흙으로 만들어 잿물을 올리지 않고 구운 그릇. 토기(土器).

[瓦礫 와력] 기와와 조약돌. 전하여, 쓸모없는 물건.

[瓦解 와해] 사물이 헤어져 흩어짐. ¶ 土崩瓦解(토붕와해).

[弄瓦 농와] 딸을 낳은 경사.

3
⑧【瓩】 킬로그 qiānwǎ
램 천

日 キログラム 英 kilogram

字解 미터법의 무게의 단위인 킬로그램의 약기(略記).

字源 會意. 瓦+千

參考 瓩(儿部 8획)과 동자.

4
⑨【瓮】 항아리 wèng
옹 ㊀送

日 オウ〔もたい〕 英 jar

[字解] 항아리 옹(罌也).
[字源] 形聲. 瓦+公〔音〕

5 ⑩ 〖瓴〗 동이 령 [平]青 | líng
[日] レイ〔かめ〕 [英] jar
[字解] ① 동이 령(似罌有耳). ② 암키와 령(牝瓦仰蓋者).
[字源] 形聲. 瓦+令〔音〕

6 ⑪ 〖瓷〗 오지그릇 자 [平]支 | cí
[日] ジ〔いしやき〕 [英] porcelain
[字解] 오지그릇 자(瓦器).
[字源] 形聲. 瓦+次〔音〕
[瓷器 자기] 사기그릇. 자기(磁器).
[青瓷 청자] 푸른 빛깔의 자기.

6 ⑪ 〖瓶〗 병 병 [平]青 | 甁 píng
[日] ビン〔かめ〕 [英] bottle
[字解] ① 병 병, 단지 병(酒水等所入器). ¶ 花瓶(화병). ② 두레박 병(汲水器).
[字源] 形聲. 瓦+并〔音〕
[參考] 缾(缶部 6획)은 동자.

8 ⑬ 〖瓿〗 단지 부 [上]有 | bù
[日] ホウ〔かめ〕 [英] jar
[字解] 단지 부(小瓷).
[字源] 形聲. 瓦+咅〔音〕

9 ⑭ 〖甄〗 [一]질그릇구울 견 [平]先 [二]질그릇장인 진 [平]眞 | jiān zhēn
[日] ケン・シン〔すえもの〕
[英] earthen ware
[字解] [一] ① 질그릇구울 견(陶也). ¶ 甄工(견공). ② 살필 견(察也). ¶ 甄拔(견발). ③ 가르칠 견(教化). ¶ 甄陶(견도). [二] 질그릇장인 진(陶工).
[字源] 形聲. 瓦+垔〔音〕
[甄陶 견도] ㉠ 도기를 만듦. ㉡ 임금이 백성을 가르치어 인도함.
[甄別 견별] 명백하게 구분함.

11 ⑯ 〖甌〗 사발 구 [平]尤 | 瓯 ōu
[日] オウ〔かめ〕 [英] bowl
[字解] 사발 구(瓮也). ¶ 酒甌(주구).
[字源] 形聲. 瓦+區〔音〕
[金甌 금구] 쇠나 금으로 만든 사람이나 단지.

11 ⑯ 〖甎〗 벽돌 전 [平]先 | zhuān
[日] セン〔れんが〕 [英] brick
[字解] 벽돌 전(煉瓦).
[字源] 形聲. 瓦+專〔音〕
[甎全 전전] 헛되이 세상에 살아남는 일.

11 ⑯ 〖甍〗 용마루 맹 [平]庚 | méng
[日] ボウ〔いらか〕 [英] ridge
[字解] ① 용마루 맹(屋棟所以承瓦). ② 수키와 맹. ¶ 朱甍(주맹).
[字源] 形聲. 瓦+夢〈省〉〔音〕
[甍棟 맹동] 용마루와 마룻대.

12 ⑰ 〖甑〗 시루 증 [去]徑 | zèng
[日] ソウ〔こしき〕 [英] steamer
[字解] 시루 증(甗也).
[字源] 形聲. 瓦+曾〔音〕
[甑餠 증병] 시루떡.

13 ⑱ 〖甓〗 벽돌 벽 [入]錫 | pì
[日] ヘキ〔れんが〕 [英] brick
[字解] 벽돌 벽(甎也). ¶ 瓦甓(와벽).

字源 形聲. 瓦+辟〔音〕

¹³_⑱【甕】항아리 | 옹去迭 | wèng

甕 (전서)

㊊ オウ〔かめ〕 ㊁ jar

字解 항아리 옹(罌也). ¶ 甕天(옹천).

字源 形聲. 瓦+雍〔音〕

[甕器 옹기] 흙으로 초벌 구운 위에 오짓물을 입혀 구운 그릇. 오지그릇.

[甕頭 옹두] 처음 익은 술.

¹⁶_㉑【甗】시루 언 | 上銑 | yǎn

甗 (전서)

㊊ ゲン〔こしき〕 ㊁ steamer

字解 시루 언(無底甑).

字源 形聲. 「鬳(권)」의 전음이 음을 나타냄.

甘 〔5획〕部
(달감부)

⁰_⑤【甘】달 감 | ㊀覃 | gān

甘 (갑골문)

一 十 卄 甘 甘

㊊ カン〔あまい〕 ㊁ sweet

字解 ① 달 감(五味之一). ¶ 甘味(감미). ② 맛날 감(美味). ¶ 甘美(감미).

字源 指事. 입속에 무엇을 물고 있는 모양.

[甘酸 감산] ㉠ 단맛과 신맛. ㉡ 즐거움과 괴로움. 고락(苦樂). 감고(甘苦).

[甘受 감수] 달게 받음. 쾌히 받음.

[甘言利說 감언이설] 남의 비위에 들도록 꾸미거나 또는 이로운 조건을 내걸어 꾀는 말.

[甘雨 감우] 때에 알맞은 좋은 비. 단비.

[甘藷 감저] 고구마. 감서(甘薯).

---

⁴_⑨【甚】심할 심 | ㊀沁上寢 | shèn

甚 (전서)

一 卄 廿 甘 其 其 甚 甚

㊊ ジン〔はなはだ〕 ㊁ extreme

字解 심할 심(劇也), 더욱 심(尤也). ¶ 深甚(심심).

字源 會意. 甘과 匹(남녀의 화합)의 합자. 굉장히 즐거움의 뜻.

[甚大 심대] 몹시 큼. 대단히 큼.

[甚深 심심] 매우 깊음.

[甚至於 심지어] 심하면, 심하게는.

[極甚 극심] 아주 심함.

---

⁶_⑪【甜】달 첨 | ㊀鹽 | tián

甜 (전서)

㊊ テン〔あまい〕 ㊁ sweet

字解 ① 달 첨(甘也). ¶ 甜菜(첨채). ② 곤히잘 첨(熟睡). ¶ 黑甜(흑첨).

字源 會意. 甘과 舌의 합자. 또, 「甘(감)」의 전음이 음을 나타냄.

[甜瓜 첨과] 참외.

[甜菜 첨채] 사탕무.

---

⁶_⑪【甛】甜(첨)(前條)과 同字

⁸_⑬【嘗】嘗(상)(口部 11획)과 同字

生 〔5획〕部
(날생부)

⁰_⑤【生】날 생 | ㊀庚 | shēng

生 (갑골문)

丿 ﾉ 二 牛 生

㊊ セイ・ショウ〔うまれる〕 ㊁ be born

字解 ① 날 생(出也). ¶ 生日(생일). 發生(발생). ② 살 생(死之對). ¶ 生存(생존). ③ 삶 생, 자랄 생(成長). ¶ 生活(생활). 生長(생장). ④ 설 생(未熟). ¶ 生疎(생소). ⑤

날것 생(未烹). ¶ 生鮮(생선). ⑥
일어날 생(起也). ¶ 發生(발생).
⑦ **백성 생**(民也). ¶ 蒼生(창생).
⑧ **어조사 생**(語助辭).

字源 象形. 초목이 싹터서 땅위에
나온 모양을 본뜬 글자.

[生氣 생기] 활발하고 싱싱한 기운.
활기(活氣).
[生色 생색] ㉠ 활기가 있는 안색. ㉡ 얼굴에 나타남. 안색에 나타남. ㉢ 《韓》낯이 나도록 하는 일.
[生疎 생소] ㉠ 친하지 못함. ㉡ 서투름.
[生辰 생신] 생일의 공대말.
[生涯 생애] 살아 있는 동안. 일생 동안. 종생(終生).
[生長 생장] 자라남.
[生存 생존] 살아 있음. ¶ 生存競爭(생존경쟁).
[生活 생활] ㉠ 살아서 활동함. ㉡ 생계(生計). 살림.

6
⑪ **【產】** 낳을산 | 产
上潸 chǎn

丶 亠 产 产 产 產 產 產

㈰ サン〔うむ〕 ㈎ bear, offspring

字解 ① **낳을 산**(生也). ¶ 產婦(산부). ② **날 산**. ¶ 產地(산지). 產物(산물).

字源 形聲. 「彦(언)」의 생략형의 전음이 음을 나타냄.

[產故 산고] 《韓》아기를 낳는 일.
[產室 산실] 아기를 해산하는 방.
[產出 산출] ㉠ 산물이 나옴. ㉡ 생산하여 냄.
[財產 재산] 재화와 자산의 총칭.

7
⑫ **【甥】** 생질생 | shēng
㊌庚

㈰ セイ〔おい〕 ㈎ nephew

字解 ① **생질 생**(姉妹之子). ¶ 甥姪(생질). ② **사위 생**(女婿). ¶ 外甥(외생). ③ **외손자 생**(外孫).

字源 形聲. 男+生〔音〕.

[甥姪 생질] 누이의 아들.

外甥 외생 편지에서 사위가 장인·장모에 대해 쓰는 자칭(自稱).

7
⑫ **【甦】** 穌(소)(禾部 11획)의 俗字

用 〔5 획〕 **部**
(쓸용부)

0
⑤ **【用】** 쓸용 | yòng
㊎宋

丿 𠃊 月 月 用

㈰ ヨウ〔もちいる〕 ㈎ use

字解 ① **쓸 용**(可施行). ¶ 使用(사용). ② **쓰일 용, 부릴 용**(使也). ¶ 利用(이용). ③ **써 용**(以也).

字源 會意. 卜(점)과 中의 합자. 옛날에는 일을 결정하는 데는 반드시 점을 쳐서 맞으면 실시하였기 때문에 전(轉)하여 씀의 뜻.

[用途 용도] 쓰이는 곳. 쓰이는 길.
[用例 용례] ㉠ 전부터 써 오는 전례나 실례. ㉡ 용법(用法)의 보기.
[用務 용무] 볼일. 필요한 임무.
[登用 등용] 인재를 뽑아서 씀.
[重用 중용] 중요한 지위에 임용함.
[採用 채용] 사람을 뽑아 씀.

1
⑥ **【甪】** 사람이름 | lù
록㊋屋

㈰ ロク〔じんめい〕

字解 **사람이름 록**(姓也, 四皓之一). ¶ 甪里先生(녹리 선생).

字源 象形. 동물(動物)의 뿔의 모양을 본뜬 글자.

2
⑦ **【甫】** 클보 | fǔ
上麌

㈰ フ・ホ〔ますらお〕 ㈎ great

字解 ① **클 보**(大也). ¶ 甫田(보전). ② **비로소 보**(始也). ③ **씨 보**(男子美稱). ¶ 尼甫(이보).

字源 會意. 用과 父의 합자. 또 「父(부)」의 전음이 음을 나타냄.

²⁷【甬】길 용 ㊤腫 | yǒng 甬

㊈ ヨウ〔みち〕 ㊤ way

字解 ① 길 용(巷道). ② 휘 용, 섬 용(量名, 斛也).

字源 形聲.「用(용)」이 음을 나타냄.

⁷⑫【甯】寧(영)(宀部 11획)과 同字

¹⁰⑮【舖】鋪(포)(金部 7획)의 俗字

田 〔5 획〕 部

(밭전부)

⁰⑤【田】밭 전 ㊤先 | tián 🄯

㊈ デン〔た〕 ㊤ field

字解 ① 밭 전(穀植耕地). ¶ 田地(전지). ② 사냥할 전(畋也). ¶ 田獵(전렵).

字源 象形. 경작지의 주위의 경계와 속에 있는 논두렁길을 본뜸.

[田畓 전답] 논과 밭. 전지(田地).
[田獵 전렵] 사냥. 또는 사냥함.
[田園 전원] ㊀ 논밭과 동산. ㊁ 시골.
[油田 유전] 석유가 나는 곳.

⁰⑤【甲】갑옷 갑 ㊉洽 | jiǎ 甲

㊈ コウ〔きのえ〕 ㊤ armor

字解 ① 갑옷 갑(介胄). ¶ 甲胄(갑주). ② 첫째천간 갑(十干之首). ¶

還甲(환갑). ③ 딱지 갑, 껍질 갑(魚蟲介殼). ¶ 甲殼(갑각). ④ 첫째 갑, 첫째갑 갑(第一). ¶ 甲富(갑부). ⑤ 아무 갑(某也). ¶ 甲論乙駁(갑론을박).

字源 象形. 초목의 열매가 머리에 붙은 껍데기를 뚫고 지표(地表)에 나온 모양.

[甲論乙駁 갑론을박] 서로 논박함.
[甲富 갑부] 첫째가는 부자.
[甲胄 갑주] 갑옷과 투구.
[甲板 갑판] 큰 배나 군함의 위에 나무나 철판으로 깐 평평하고 넓은 바닥.
[鐵甲 철갑] 쇠로 만든 갑옷.
[還甲 환갑] 만 60세를 일컫는 말.

⁰⑤【申】납 신 ㊉眞 | shēn 申

丨 冂 月 日 申

㊈ シン〔もうす〕 ㊤ monkey

字解 ① 납 신(猿也). ② 아홉째 지지 신(地支之第九位). ¶ 申方(신방). ③ 펼 신(伸也). ④ 말할 신, 아뢸 신(上書). ¶ 申奏(신주).

字源 象形. 번개의 모양을 본뜸.

參考 電(雨部 5획)의 원자(原字).

[申告 신고] 사유를 관청·상사(上司) 따위에 보고함.
[申方 신방] 이십사방위(二十四方位)의 열일곱째. 곧, 서남서(西南西).
[申請 신청] ㊀ 신고하여 청구함. ㊁ 개인이 국가나 공공 단체에 대하여, 어떤 사항을 청구하기 위하여 그 의사를 표시하는 일.
[內申 내신] ㊀ 남모르게 비밀히 보고함. ㊁ 상급 학교 진학 때 지원자의 출신 학교에서 학업 성적·품행 등을 적어 보내는 일. 또는 그 성적.
[上申 상신] 상부 기관이나 윗사람에게 의견 따위를 여쭘.

⁰⑤【由】말미암을 유 ㊉尤 | yóu 由

丨 冂 月 由 由

日 ユウ〔よる〕　英 cause

字解 ① 말미암을 유(因也). ¶ 由來(유래). ② 까닭 유(因也). ¶ 事由(사유). ③ 부터 유(從也, 自此). ¶ 由奢入儉(유사입검). ④ 지날 유(經也). ¶ 經由(경유).

字源 象形. 초목의 열매가 늘어져 있는 모양.

[由來 유래] 사물의 내력.
[由緒 유서] ㉠ 사물이 유래한 단서. ㉡ 전하여 오는 까닭과 내력.
[經由 경유] 거쳐 지나감.
[緣由 연유] ㉠ 일의 까닭. ㉡ 일이 거기서 비롯됨.

2/7 【男】 사내 남 ㊤覃 ㊥覃 nán

丨 冂 冂 田 田 甼 男

日 ダン〔おとこ〕　英 man, male

字解 ① 사내 남(丈夫). ¶ 男女(남녀). ② 아들 남(子對父母曰男). ¶ 男婚(남혼). ③ 작위이름 남(爵名). ¶ 男爵(남작).

字源 會意. 田과 力의 합자. 논밭에서 일을 하는 사람의 뜻.

[男系 남계] 남자 쪽의 혈통.
[男尊女卑 남존여비] 남자를 높고 귀하게 보고 여자를 천시하는 견해에서 나온 말.
[男婚 남혼] 아들의 혼인.
[得男 득남] 아들을 낳음.

2/7 【町】 밭두둑 정 ㊤迥 ㊥青 tǐng

日 チョウ〔まち〕　英 ridge

字解 ① 밭두둑 정(田畔埒). ¶ 町畦(정휴). ② 정보 정, 지적 정(距離地積單位).

字源 形聲. 田+丁〔音〕

[町步 정보] 넓이가 한 정(町)으로 끝이 나고 단수(端數)가 없을 때의 일컬음.
[町畦 정휴] ㉠ 밭두둑, 또는 그 경계(境界). ㉡ 사물(事物)의 구분.

2/7 【旬】 ■경기 전 ㊤霰 ㊥先 ■사냥할 전 diàn / tián

日 デン〔でんぷく・かる〕　英 imperial domain, hunt

字解 ■ ① 경기 전(畿內區域). ¶ 甸服(전복). ② 성밖 전(郊外). ■ 사냥할 전(取禽獸也).

字源 形聲. 勹+田〔音〕

3/8 【畀】 줄 비 ㊤寘 bì

日 ヒ〔あたえる〕　英 give

字解 줄 비(付與, 賜也).

字源 形聲. 丌+甶〔音〕

3/8 【甽】 畎(견)(田部 4획)의 古字

3/8 【画】 畫(화)(田部 7획)의 略字

4/9 【畇】 ■밭일굴 균 ㊤眞 ■밭일굴 윤 ㊥眞 yún

日 キン・イン〔たつくる〕　英 cultivate the soil

字解 ■ 밭일굴 균. ■ 밭일굴 윤.

字源 形聲. 田+勻〔音〕

4/9 【界】 지경 계 ㊤卦 jiè

口 田 田 尹 尹 界 界 界

日 カイ〔さかい〕　英 boundary

字解 ① 지경 계(境也). ¶ 境界(경계). ② 한계 계(分畫限也). ¶ 限界(한계). ③ 둘레 계(範圍). ¶ 學界(학계).

字源 形聲. 田+介〔音〕

[界面 계면] 경계를 이르는 면.
[界標 계표] 경계표.
[限界 한계] ㉠ 땅의 경계. ㉡ 사물의 정하여 놓은 범위.

5획

⁴/₉ 【畏】 두려워할 │ wèi
외去未

ㄱ ㄲ ㄸ 田 甲 畏 畏 畏

日 イ〔おそれる〕 英 fear

字解 ① 두려워할 외(懼也, 怯也).
¶ 畏敬(외경). ② 꺼릴 외(忌也).
¶ 畏忌(외기).

字源 會意. 田(도깨비의 목)과 虎의
생략형의 합자. 무서운 것의 뜻.

[畏敬 외경] 어려워하고 공경함.
[畏友 외우] 가장 아껴 존경하는 친
구.
[畏怖 외포] 두려워함.
[敬畏 경외] 공경하고 어려워함.

⁴/₉ 【畋】 사냥할 │ tián
전先
去霰

日 テン〔たつくる〕 英 hunt

字解 ① 사냥할 전(獵也). ¶ 畋漁
(전어). ② 밭갈 전(平田). ¶ 畋食
(전식).

字源 形聲. 攵(攴)+田〔音〕

[畋食 전식] 밭을 갈아 생활을 영위
함.
[畋漁 전어] 사냥과 낚시.

⁴/₉ 【畎】 밭도랑 │ quǎn
견上銑

日 ケン〔みぞ〕 英 small drain

字解 밭도랑 견(田中溝).

字源 形聲. 田+犬〔音〕

[畎畝 견묘] ㉠ 밭의 도랑과 이랑. ㉡
도시에서 떨어진 땅. 시골. 농촌(農
村).

⁴/₉ 【畓】 (韓) 논 답

ㅣ ㄱ ㅈ 水 水 杏 杏 畓

英 rice field

字解 《韓》 논 답(水田). ¶ 田畓(전
답).

字源 會意. 水+田〔音〕

[畓穀 답곡] 논에서 나는 곡식. 벼.

[沃畓 옥답] 기름진 논.
[田畓 전답] 밭과 논.

⁵/₁₀ 【畟】 보습날카로울 │ cè
측職

日 ショク〔するどいすき〕

字解 ① 보습날카로울 측(良耕).
¶ 畟畟(측측). ② 주사위 측(骰子).
¶ 瓊畟(경측).

字源 會意. 田과 儿(사람)과 夊(나
아감)의 합자. 농부가 밭을 일구어
나아간다는 뜻.

⁵/₁₀ 【畔】 두둑 반 │ pàn
去翰

日 ハン〔あぜ〕 英 ridge

字解 ① 두둑 반(田界). ¶ 畦畔(휴
반). ② 물가 반(水涯). ¶ 湖畔(호
반).

字源 形聲. 田+半〔音〕

[畔路 반로] 밭 사이의 소로.
[湖畔 호반] 호수의 가.

⁵/₁₀ 【畛】 두둑진 │ zhěn
上軫平眞

日 シン〔あぜ〕 英 levee

字解 ① 두둑 진(田畔也). ¶ 畛域
(진역). ② 지경 진(界也). ¶ 畛畦
(진휴).

字源 形聲. 田+㐱〔音〕

⁵/₁₀ 【畝】 이랑묘 │ mǔ
去무上有

日 ホ〔うね〕 英 ridge

字解 ① 이랑 묘(秦二百四十步爲
畝). ② 두둑 묘(田壟). ¶ 畎畝(견
묘).

字源 會意. 田과 十(경계)의 합자.
또, 「久(구)」의 전음이 음을 나타
냄.

⁵/₁₀ 【留】 머무를 │ liú
류平尤

[日] リュウ〔とどまる〕 [英] stay

[字解] **머무를 류**(止也, 滯也). ¶ 繫留(계류).

[字源] 形聲. 田+丣〔音〕

[參考] 畱(田部 7획)는 본자(本字).

[留念 유념] 마음에 기억하여 둠. 유의(留意).

[留保 유보] 멈추어 두고 보존함. 보류(保留).

[留宿 유숙] 남의 집에 머물러 묵음.

[留意 유의] 마음에 둠.

[保留 보류] 미루어 둠.

[抑留 억류] 강제로 붙잡아 둠.

5 ⑩ 〖畚〗 삼태기 분 [上]阮 | běn

[日] ホン〔ふご〕 [英] carrier's basket

[字解] **삼태기 분**(盛土器).

[字源] 形聲. 田+弁〔音〕

[畚鍤 분삽] 삼태기와 가래. 토목공사(土木工事)의 뜻으로 쓰임.

5 ⑩ 〖畜〗 [一]가축 축 [本]추 [入]屋 [二]기를 휵 [入]屋 | chù, xù

[日] チク〔たくわえる・かう〕
[英] domestic animal, raise

[字解] [一] ① **가축 축**. ¶ 畜産(축산). ② **쌓을 축**(積也, 蓄也). ¶ 畜積(축적). ③ **기를 축**(養也). ¶ 畜牛(축우). [二] **기를 휵**.

[字源] 會意. 田과 玆(무성함)의 합자. 밭의 수확물을 쌓아 저장함의 뜻. 훗날 가축의 뜻으로 쓰이고 저장의 뜻에는 蓄의 글자가 생김.

[畜舍 축사] 가축을 기르는 건물.

[畜産 축산] ㉠ 집에서 기르는 짐승. ㉡ 가축을 길러 이익을 얻는 산업. 또는 그에 의한 생산의 총칭.

[畜牛 축우] 집에서 기르는 소.

[家畜 가축] 집에서 기르는 짐승.

[牧畜 목축] 가축을 기르는 일.

6 ⑪ 〖畢〗 마칠 필 [入]質 | 毕 bì

[日] ヒツ〔おわる〕 [英] finish

[字解] ① **마칠 필**(竟也), **다 필**. ¶ 畢生(필생). ② **다할 필**(盡也). ¶ 畢力(필력).

[字源] 象形. 자루가 긴 작은 그물의 모양. 「모든」의 뜻은 가차(假借).

[畢竟 필경] 마침내. 결국.

[畢生 필생] 목숨이 끊어질 때까지. 일평생. 평생(平生).

[未畢 미필] 아직 마치지 못함.

6 ⑪ 【異】 다를 이 [去]寘 | 异 yì

[日] イ〔ことなる〕 [英] different

[字解] ① **다를 이**(不同). ¶ 異同(이동). ② **괴이할 이**(怪也). ¶ 奇異(기이).

[字源] 會意. 畀(수여함)와 廾(양손)의 합자. 양손으로 물건을 나누어 줌의 뜻. 전하여, 「다름」의 뜻이 됨.

[參考] 異(田部 7획)는 본자.

[異口同聲 이구동성] 여러 사람의 말이 한결같음.

[異性 이성] ㉠ 남녀·자웅의 성(性)이 다름. ㉡ 남성이 여성을, 여성이 남성을 이르는 말.

[異議 이의] 남의 의견에 찬성하지 않는 다른 의견.

[異彩 이채] ㉠ 다른 빛깔. ㉡ 특별한 광채.

[奇異 기이] 기괴하고 이상함.

[特異 특이] 보통과 아주 다름.

6 ⑪ 〖畧〗 略(략)(田部 6획)과 同字

6 ⑪ 〖畤〗 제터 치 [上]紙 | zhì

5 획

㉲ ジ〔まつりのにわ〕 ㊤ altar
字解 제터 치(祭地神所依止).
字源 形聲. 田+寺〔音〕

6
⑪ 【略】 간략할 | lüè
  락㊅藥

ㄱ 口 日 田 田' 畎 畋 略 略

㉲ リャク〔はぶく〕 ㊤ brief
字解 ① 간략할 략, 생략할 략(簡也). ¶ 略式(약식). ② 다스릴 략(理也). ¶ 經略(경략). ③ 꾀 략(謀也). ¶ 計略(계략). ④ 노략질할 략(行取). ¶ 侵略(침략).
字源 形聲. 田+各〔音〕
參考 畧(田部 6획)과 동자.

[略圖 약도] 간단하게 줄여 대충 그린 그림.
[略歷 약력] 간략하게 적은 이력.
[略式 약식] 정식 순서를 일부 생략하는 방식. 손쉬운 방식.
[略取 약취] 약탈하여 가짐.
[計略 계략] 수단과 꾀.
[省略 생략] 덜어서 빼거나 줄임.

6
⑪ 【畦】 두둑 휴 | qí
  ㊥齊

㉲ ケイ〔うね〕 ㊤ ridge
字解 두둑 휴(畝也). ¶ 畦町(휴정).
字源 形聲. 田+圭〔音〕

[畦道 휴도] 두둑길. 밭 사이의 길.
[畦畔 휴반] 밭두둑.

6
⑪ 【畱】 ━빠질 례 | lì
  ㊥霽
  二(韓)논배
  미 렬

㉲ レイ〔おちいる〕 ㊤ fall in
字解 ━ 빠질 례. 빠짐, 빠져 듦. 二 (韓) 논배미 렬(區畓).
字源 形聲. 田+列〔音〕

7
⑫ 【異】 異(이)(田部 6획)의 本字

7
⑫ 【畳】 疊(첩)(田部 17획)의 略字

7
⑫ 【畯】 농부 준 | jùn
  ㊤震

㉲ シュン〔のうふ〕 ㊤ farmer
字解 ① 농부 준(農夫). ② 권농관 준(田官). ¶ 田畯(전준).
字源 形聲. 田+夋〔音〕

[田畯 전준] 농사를 권하는 일을 맡은 벼슬아치. 권농관(勸農官).

7
⑫ 【畵】 ━가를 | 画
  획㊅陌 畫
  二그림 | huà
  화㊤卦

フ ㄱ ㅋ 丰 串 聿 書 書 書 畫

㉲ カク〔かぎる〕·ガ〔え, えがく〕 ㊤ divide, picture
字解 ━ ① 가를 획(劃也). ¶ 畫一(획일). ② 꾀 획, 꾀할 획(計策). ¶ 畫策(획책). ③ 획할 획(書也). ¶ 畫數(획수). 二 ① 그림 화(形像繪). ¶ 圖畫(도화). ② 그릴 화(形也, 繪也).
字源 會意. 画(사방으로 구획한 밭)와 筆(붓)의 합자. 붓으로 밭의 경계를 그음의 뜻.
參考 畵(田部 8획)은 속자. 画(田部 3획)은 약자.

[畵廊 화랑] 회화(繪畫)를 진열하여 놓은 곳. 그림을 그려 아름답게 꾸민 복도.
[畵龍點睛 화룡점정] 사물의 안목이 되는 곳 또는 약간의 어구(語句)나 사물을 첨가하여 전체가 활기를 띠는 일, 또는 일을 완전히 성취함을 이름.
[畵順 획순] 글자의 획을 긋는 순서.
[畵一 획일] ㉠ 사물이 똑같이 고른 것. ㉡ 한결같이 변함이 없음.
[畵策 획책] 계책을 세움. 또, 일을 꾸밈.
[油畵 유화] 기름에 갠 물감으로 그린 서양식 그림.
[區畵 구획] 경계를 갈라 정함. 또는

그 정한 구역.

7 ⑫ 【番】 [一]번 번 [平]元 [二]땅이름 반 [平]寒 [三]날랠 파 [平]歌 | fān pān bō

[日] バン〔かず〕・ハン〔けんめい〕・ハ〔ゆうきのあるさま〕
[英] number, quick

[字解] [一] **번 번, 회수 번**(數也). ¶ 番號(번호). [二] **땅이름 반**(地名). [三] **날랠 파**(勇也).

[字源] 象形. 짐승의 발자국의 모양. 釆는 발가락, 田은 발바닥의 모양. 「번갈아·순번」의 뜻은 음의 차용.

[番號 번호] 차례를 표시하는 숫자와 부호.
[順番 순번] 차례로 오는 번. 또는 그 순서.
[輪番 윤번] ㉠ 차례로 번을 듦. ㉡ 돌아가는 차례.

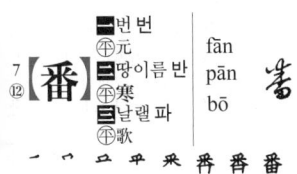

7 ⑫ 〖畬〗 [一]새밭 여 [平]魚 [二]따비밭 사 [平]麻 | yú shē

[日] ヨ〔あらた〕・シャ〔やきた〕
[英] reclaimed land

[字解] [一] **새밭 여**(三歲治田). [二] **따비밭 사, 화전 사**(火種田).

[字源] 形聲. 田+余〔音〕

7 ⑫ 〖畱〗 留(류)(田部 5획)의 本字

8 ⑬ 〖畺〗 지경 강 [平]陽 | jiāng

[日] キョウ〔さかい, はて〕
[英] border

[字解] **지경 강.**

[字源] 指事. 田과 田 사이에 구획을 나타내는 三을 그려서, '경계'의 뜻을 나타냄.

8 ⑬ 〖畷〗 두둑길 철 [入]屑 | zhuó

[日] テツ〔なわて〕

[字解] **두둑길 철**(田間道).

[字源] 形聲. 田+叕〔音〕

8 ⑬ 〖畸〗 뙈기밭 기 [平]支 | jī

[日] キ〔かたわ〕 [英] patch

[字解] ① **뙈기밭 기**(殘田). ② **기이할 기**(奇異). ¶ 畸人(기인). ③ **병신 기.** ¶ 畸形(기형).

[字源] 形聲. 田+奇〔音〕

[畸人 기인] ㉠ 성질이나 행동이 보통 사람과 다른 사람. 기인(奇人). ㉡ 병신. 불구자(不具者).
[畸形 기형] 정상이 아닌 기이한 형태. 기형(畸型).

8 ⑬ 〖畹〗 스무이랑 원 [上]阮 | wǎn

[日] エン〔はたけ〕

[字解] ① **스무이랑 원**(田二十畝). ② **밭 원**(田畓).

[字源] 形聲. 田+宛〔音〕

8 ⑬ 〖畵〗 畫(화)(田部 7획)의 俗字

8 ⑬ 【當】 [一]마땅할 당 [平]陽 [二]저당 당 [去]漾 | 当 dāng dàng

[日] トウ〔あたる・その〕
[英] suitable, mortgage

[字解] [一] ① **마땅할 당**(理合如是). ¶ 當然(당연). ② **당할 당**(値也). ¶ 當事(당사). [二] ① **저당 당**(抵也). ¶ 典當(전당). ② **이 당, 그 당.** ¶ 當時(당시).

5획

字源 形聲. 田+尙〔音〕

參考 当(小3획)은 약자.

[當年 당년] ㉠ 올해. 금년(今年). ㉡ 그 해. 그 사건이 있었던 해.

[當到 당도] 어떤 곳이나 일에 닿아서 이름.

[當爲 당위] 마땅히 행하여야 될 일을 뜻하는 말.

[當籤 당첨] 제비뽑기에 뽑힘.

[當該 당해] ㉠ 그 게(係). 그 담당. ㉡ 그것. 그 사람.

[應當 응당] 마땅히. 당연히.

9
(14) 【畻】 두둑 승 ⊕蒸 chéng 畻

⊜ ショウ〔うね〕 ⊛ ridge

字解 두둑 승(畦也).

字源 形聲. 「朕(짐)」의 전음이 음을 나타냄.

9
(14) 【畽】 마당 탄 ⊕旱 tuǎn 畽

⊜ タン〔あきち〕 ⊛ yard

字解 마당 탄(舍傍空地).

字源 會意. 田+重

10
(15) 【畿】 경기 기 ⊕微 jī 畿

畿 畿 畿 畿 畿 畿 畿 畿

⊜ キ〔きない〕 ⊛ Royal domains

字解 경기 기(夫子千里地), 기내 기. ¶ 畿內(기내).

字源 形聲. 田+幾〈省〉〔音〕

[畿內 기내] 왕성(王城)을 중심으로 하여 사방 5백리 이내의 임금이 직할하던 땅.

14
(19) 【疆】 지경 강 ⊕陽 jiāng 疆

⊜ キョウ〔さかい〕 ⊛ border

字解 ① 지경 강(境界). ¶ 疆域(강역). ② 지경정할 강(畫其大界). ③ 끝 강(限也, 窮也). ¶ 萬壽無疆

(만수무강).

字源 形聲. 土+彊〔音〕.

注意 彊(弓部13획)은 딴 글자.

[疆界 강계] 경계(境界), 국경(國境).

[疆內 강내] 나라의 경계의 안.

[疆域 강역] 강토(疆土)의 구역. 국경(國境).

[疆土 강토] 그 나라 국경 안에 있는 땅. 영토(領土).

14
(19) 【疇】 두둑 주 ⊕尤 chóu ridge 疇

⊜ チュウ〔うね〕 ⊛ ridge

字解 ① 두둑 주(畝也). ② 삼밭 주(麻田), 밭 주(耕地). ¶ 田疇(전주). ③ 무리 주(類也). ¶ 範疇(범주). ④ 지난번 주, 접때 주(曩也). ¶ 疇昔(주석).

字源 形聲. 田+壽〔音〕

[疇輩 주배] 같은 무리. 동배(同輩).

[疇昔 주석] ㉠ 저번. 전일(前日). 주일(疇日). ㉡ 지난밤.

15
(20) 【甓】 쪼갤 벽 ⊗職 pī split 甓

⊜ ヒョク〔さきひらく〕 ⊛ split

字解 ① 쪼갤 벽(磔牲也). ② 가를 벽(判也).

字源 形聲. 「畐(복)」의 전음이 음을 나타냄.

17
(22) 【疊】 겹쳐질 첩 ⊕葉 dié be piled up 疊

⊜ ジョウ〔たたまる〕 ⊛ be piled up

字解 ① 겹쳐질 첩(重也). ¶ 重疊(중첩). ② 겹칠 첩, 포갤 첩(累也).

字源 會意. 고자(古字)는 疉. 옛날에는 재판관이 판결하는 데 3일간 평의하여 결정하였기 때문에 晶과 宜를 합하였음.

[疊疊 첩첩] 쌓여 겹치는 모양. ¶ 疊疊山中(첩첩산중).

[重疊 중첩] 거듭 겹쳐지거나 포개어 짐.

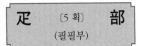

疋 〔5 획〕 部
(필필부)

0
⑤ **〔疋〕**
　■필 필
　八質
　■발 소
　④魚
pī
shū

〔ヒツ〔ひき〕・ショ〔あし〕
⑧ roll of cloth, foot

字解 ■ ① 필 필(匹也). ¶ 馬疋 (마필). ② 피륙 필. ¶ 布疋(포필). ■ 발 소(足也).

字解 象形. 무릎 아래의 모양을 본뜸.

[疋練 필련] ㉠ 한 필의 마전한 비단. ㉡ 무지개 같은 것이 길게 뻗친 모양. 또, 흰 말이 잇달아 가는 모양.

[疋木 필목] ㉠ 목으로 짠 무명의 총칭. ㉡ 필로 된 무명·광목·당목 따위.

7
⑫ **〔疏〕**
　■트일 소
　④魚
　■상소할 소
　④御
shū
shù

ㄱ ㄱ ㄹ 正 疋 产 疏 疏

〔ソ〔うとい・ときあかし〕
⑧ be cut, memorialize the King

字解 ■ ① 트일 소, 틀 소(通也). ¶ 疏通(소통). ② 나눌 소(分也). ¶ 疏(멀 소(遠也). ③ 친할 소(親疏). ④ 드물 소(稀也), 성길 소. ¶ 疏密 (소밀). ■ 상소할 소(條陳). ¶ 上疏(상소).

字解 形聲. 㐬+疋〔音〕

[疏待 소대] 소홀(疏忽)히 대접함.

[疏食 소사] 변변하지 못한 음식. 육미붙이가 없는 음식.

[疏外 소외] 따돌림. 소원(疏遠).

[疏通 소통] ㉠ 막히지 아니하고 서로 통함. ㉡ 뜻이 서로 통함. ㉢ 속이 트임. 도리와 조리에 밝음.

[上疏 상소] 임금에게 올리는 글.

7
⑫ **〔疎〕** 疏(소)(疋部 7획)의 俗字

參考 관습상 疏의 ■ ①의 뜻은 이 자(字)를 쓰지 아니함.

9
⑭ **〔疑〕**
　■의심할
　의④支
yí

ㄴ ㄴ 匕 뒤 뜌 뜌 疑 疑

〔ギ〔うたがう〕 ⑧ doubt

字解 의심할 의(惑也). ¶ 疑懼(의구).

字源 會意. 子와 止와 匕(순조롭지 않음의 뜻)의 합자. 아이들의 걸음걸이가 위태위태한 모양.「矢(시)」의 전음이 음을 나타내며 의심의 뜻은 음의 차용.

[疑懼 의구] 의심하여 두려워함.

[疑問 의문] 의심스러운 일.

[疑心 의심] ㉠ 마음에 미심쩍게 여기는 생각. ㉡ 믿지 못하는 모양.

[嫌疑 혐의] ㉠ 꺼려 싫어함. ㉡ 범죄를 저지른 사실이 있으리라는 의심.

5
획

11
⑯ **〔躓〕**
　■엎드러
　질 치
　④實
　■꼭지 체
　④霽
zhì
dì

〔チ〔つまずく〕・テイ〔へた〕

字解 ■ 엎드러질 치(頓也). ■ 꼭지 체(帶也).

字源 會意. 叀(쇠코뚜레)와 冂(고삐 줄)과 足의 합자. 발이 나아가지 않음의 뜻.

疒 〔5 획〕 部
(병질안부)

0
⑤ **〔疒〕**
　■병들어누
　울 녁
　八陌
nè

〔ダク〔やむ〕

字解 병들어누울 녁(疾也).

字源 象形. 병으로 쇠약한 사람이 무엇에 의지하여 누워 있는 모양.

2
⑦ 【疔】 정 정 ⑰青 │ dīng │ *疒*

⑪ チョウ〔かさ〕 ⑱ boil

字解 정 정(毒瘡). ¶ 疔瘡(정창). 疔毒(정독).

字源 形聲. 疒+丁〔音〕

[疔瘡 정창] 대개 얼굴 부분에 나는 악성 부스럼.

2
⑦ 【疕】 두창 비 ⑭紙 │ bǐ │ *疕*

⑪ ヒ〔かさ〕

字解 두창 비(頭瘡). ¶ 疕瘍(비양).

字源 形聲. 疒+匕〔音〕

3
⑧ 【疙】 쥐부스럼 흘 ⑤物 │ gē │ *疙*

⑪ ギツ〔かさ〕

字解 쥐부스럼 흘(頭上瘡突起).

字源 形聲. 疒+乞〔音〕

3
⑧ 【疚】 오래앓을 구 ⑮宥 │ jiù │ *疚*

⑪ キュウ〔やむ〕

字解 ① 오래앓을 구(久病). ② 꺼림할 구(憂懼). ¶ 疚心(구심). ③ 상 구(喪也). ¶ 在疚(재구).

字源 形聲. 「久(구)」가 음을 나타냄.

[疚心 구심] 마음을 괴롭힘. 걱정함.

3
⑧ 【疝】 산증 산 ⑪諫 │ shàn │ *疝*

⑪ セン〔せんき〕 ⑱ lumbago

字解 산증 산(腹痛也). ¶ 疝氣(산기).

字源 形聲. 疒+山〔音〕

[疝症 산증] 아랫배와 불알에 탈이 생기어 붓고 아픈 병. 산기(疝氣).

[疝痛 산통] 내장에 여러 질환에 따르는 격심한 발작성의 간헐적 복통.

4
⑨ 【疢】 열병 진 ⑤震 │ chèn │ *疢*

⑪ チン〔やまい〕 ⑱ fever.

字解 ① 열병 진(熱病). ② 감질 진(美嗜爲病).

字源 會意. 疒+火

4
⑨ 【疣】 혹 우 ⑰尤 │ yóu │ *疣*

⑪ ユウ〔いぼ〕 ⑱ lump

字解 혹 우(結病也). ¶ 贅疣(췌우).

字源 形聲. 疒+尤〔音〕

[疣目 우목] 무사마귀.

[疣贅 우췌] 사마귀와 혹. 곧, 쓸데없는 물건. 췌우(贅疣).

4
⑨ 【疥】 ■옴 개 ■卦
■학질 해 ⑭개卦 │ jiè │ *疥*

⑪ カイ〔ひぜん・おこり〕
⑱ itch, ague

字解 ■ 옴 개(痒疾). ■ 학질 해.

字源 形聲. 疒+介〔音〕

[疥癬 개선] 옴. 개선충(疥癬蟲)의 기생으로 생기는 전염성 피부병.

4
⑨ 【疫】 돌림병 역 ⑤陌 │ yì │ *疫*

一广广疒疒疒疫疫

⑪ エキ〔えやみ〕 ⑱ epidemic

字解 돌림병 역(癘疾也).

字源 形聲. 疒+〈省〉役〔音〕

[疫痢 역리] 급성 전염병. 설사병의 총칭.

[疫疾 역질] 천연두(天然痘)를 한방(漢方)에서 일컫는 말.

[防疫 방역] 전염병의 발생·침입·전염 등을 소독·예방 주사 등의 방법으로 미리 막음.

5
10 **[疱]** 마마 포
㊀效 pào

㊐ ホウ〔もがさ〕 ㊤ smallpox

字解 마마 포(痘疹), 부르틀 포(腫病).

字源 形聲. 疒+包〔音〕

5
10 **[疲]** 고달플
피㊤支 pí

亠广疒疒疒疒疒疲疲

㊐ ヒ〔つかれる〕 ㊤ tired

字解 ① 고달플 피(乏也), 지칠 피. ¶ 疲倦(피권). ② 느른할 피(倦也). ¶ 疲勞(피로).

字源 形聲. 疒+皮〔音〕

[疲困 피곤] 몸이 지쳐 고달픔.
[疲勞 피로] 몸이나 정신이 지침. 느른함. 또, 그러한 상태.
[疲弊 피폐] 낡고 형세가 약해짐.

5
10 **[疳]** 감질 감
㊤覃 gān

㊐ カン〔ひかん〕 ㊤ scab

字解 감질 감(小兒病). ¶ 脾疳(비감).

字源 形聲. 疒+甘〔音〕

[疳疾 감질] ㊀ 젖을 먹이는 조절을 잘못하여서 위를 해치는 어린아이의 병. ㊁ 먹고 싶거나 갖고 싶어 애타는 마음.

5
10 **[痾]** 병 아
㊤歌 ē

㊐ ア〔やまい〕 ㊤ sickness

字解 병 아(病也).

字源 形聲. 疒+可〔音〕

5
10 **[疵]** 흉 자
㊤支 cī

㊐ シ〔きず〕 ㊤ scar

字解 ① 흉 자, 흠집 자(瘢痕). ¶ 瑕疵(하자). ② 흉볼 자(毀也).

字源 形聲. 疒+此〔音〕

[疵國 자국] 정사(政事)가 어지럽고 풍기가 문란한 나라.
[疵厲 자려] ㊀ 병. 병듦. ㊁ 재앙.
[疵病 자병] 흠. 결점.
[疵瑕 자하] 허물. 과실. 흠. 흠.
[瑕疵 하자] 흠. 결점.

5
10 **[疸]** 달병 달
㊀단㊤翰 dǎn

㊐ タン〔おうだん〕 ㊤ jaundice

字解 달병 달(黄病).

字源 形聲. 疒+旦〔音〕

注意 疸(疒部 5획)는 딴 글자.

[黃疸 황달] 주로, 간의 이상으로 인한 부차 증상으로 쓸개즙의 색소가 혈액에 옮겨서 생기는 병.

5
10 **[疹]** 홍역 진
㊤軫 zhěn

㊐ シン〔はしか〕 ㊤ measles

字解 홍역 진(皮外小起也).

字源 形聲. 疒+㐱〔音〕

[疹恙 진양] 홍역(紅疫).
[濕疹 습진] 살갗에 생기는 염증. 가렵고 수포나 고름이 생김.

5
10 **[疼]** 아플 동
㊤冬 téng

㊐ トウ〔うずく〕 ㊤ ache

字解 아플 동(痛也). ¶ 疼腫(동종).

字源 形聲. 疒+冬〔音〕

[疼腫 동종] 붓고 아픔.
[疼痛 동통] 몸이 쑤시고 아픔.

5
10 **[疽]** 악창 저
㊤魚 jū

㊐ ソ〔はれもの〕 ㊤ ulcer

字解 악창 저, 종기 저(久癰也). ¶ 癰疽(옹저).

字源 形聲. 疒+且〔音〕

注意 疽(疒部 5획)는 딴 글자.

[疽腫 저종] 악성의 종기.

5
10 **【疾】** 병 질
人質 | jí

一广广疒疒疒疒疾疾

日 シツ〔やまい〕 英 disease

字解 ① 병 질(病也). ¶ 疾患(질환). ② 괴로워할 질, 근심 질(患也). ¶ 疾苦(질고). ③ 미워할 질, 꺼릴 질(憎嫌也). ¶ 疾視(질시). ④ 빠를 질(速也).

字源 會意. 疒과 矢의 합자. 급병(急病)의 뜻.

[疾病 질병] 신체의 온갖 기능의 장애. 질환(疾患).
[疾視 질시] 밉게 봄.
[疾走 질주] 빨리 달림.
[疾風 질풍] 강하고 빠르게 부는 바람.
[痼疾 고질] 오래되어 고치기 어려운 병.
[惡疾 악질] 고치기 힘든 병.

5
10 **【痱】** 땀띠 비
禹未 | fèi

日 ヒ〔あせも〕 英 heat rash

字解 땀띠 비(熱生小瘡).

字源 形聲. 疒+弗〔音〕

5
10 **【痀】** 곱사등이
구禹虞 | jū

日 ク〔せむし〕 英 humpback

字解 곱사등이 구(曲背).

字源 形聲. 疒+句〔音〕

[痀僂 구루] 곱사등이. 꼽추.

5
10 **【痂】** 딱지 가
禹麻 | jiā

日 カ〔かさぶた〕 英 scab

字解 딱지 가(乾瘍).

字源 形聲. 疒+加〔音〕

5
10 **【病】** 병 병
去敬 | bing

一广广疒疒疒病病病

日 ビョウ〔やまい〕 英 disease

字解 ① 병 병, 앓을 병(疾也). ¶ 病床(병상). ② 근심 병(憂也). ¶ 病心(병심). ③ 괴로워할 병(苦也).

字源 形聲. 疒+丙〔音〕

[病苦 병고] 병으로 인한 고통.
[病魔 병마] ㉠ 병을 앓게 하는 악마. ㉡ 병이 들어서 앓는 마장(魔障).
[病弊 병폐] 병통과 폐단.
[病患 병환] 어른의 병의 경칭.

5
10 **【痃】** 현벽 현
禹先 | xuán
xián

日 ケン・ゲン〔けんぺき〕

字解 ① 현벽 현(筋突起疼痛). ② 가래톳 현. ¶ 橫痃(횡현).

字源 形聲. 疒+玄〔音〕

5
10 **【症】** 증세 증
去敬 | zhèng

一广广疒疒疒疒症症

日 ショウ〔びょうきのちょうこう〕 英 symptoms

字解 증세 증(病之徵驗). ¶ 症候(증후).

字源 形聲. 疒+正〔音〕

[症勢 증세] 병으로 앓는 여러 가지 모양. 증상(症狀).
[痛症 통증] 아픈 증세.

6
11 **【痊】** 나을 전
禹先 | quán

日 セン〔いやす〕 英 recover

字解 나을 전(病除).

字源 形聲. 疒+全〔音〕

6
11 **【痍】** 상처 이
禹支 | yí

日 イ〔きず〕 英 wound

字解 상처 이, 상처입을 이(傷也). ¶ 瘡痍(창이).

字源 形聲. 疒+夷〔音〕

[傷痍 상이] 몸에 입은 상처.

6 ⑪【痒】
一 가려울 양
上 養
二 병 양 ⑭陽

yǎng

痒

日 ヨウ〔かゆい・やむ〕 쭁 itch, disease

字解 一 가려울 양(癢也). ¶ 搔痒
(소양). 二 병 양(病也).

字源 形聲. 疒+羊〔音〕

[痛痒 통양] 아프고 가려움.

6 ⑪【痔】
치질 치
上 紙

zhì

痔

日 チ・ジ〔しきがさ〕 쭁 piles

字解 치질 치(後病也).

字源 形聲. 疒+寺〔音〕

[痔漏 치루] 치루(痔瘻).

[痔瘻 치루] 항문 근처에 구멍이 생
기고 고름이 나는 치질.

[痔疾 치질] 항문(肛門)의 안과 밖에
나는 병의 총칭.

6 ⑪【痕】
흉 흔

hén

痕

日 コン〔あと〕 쭁 scar

字解 ① 흉 흔(瘢也). ② 자취 흔
(凡物之跡). ¶ 痕迹(흔적).

字源 形聲. 疒+艮〔音〕

[痕跡 흔적] 남은 자취. 뒤에 남은 자
국.

[血痕 혈흔] 핏자국.

7 ⑫【痗】
병 매
上 隊

mèi

痗

日 バイ〔やむ〕 쭁 disease

字解 병 매(病也).

字源 形聲. 疒+每〔音〕

7 ⑫【痘】
마마 두
上 宥

dòu

痘

日 トウ〔もがさ〕 쭁 smallpox

字解 마마 두(胎毒, 疱也).

字源 形聲. 疒+豆〔音〕

[痘瘡 두창] 천연두(天然痘). 두병

(痘病).

[水痘 수두] 작은 마마.

7 ⑫【痙】
경련할 경
上 梗

jìng

痙

日 ケイ〔ひきつる〕 쭁 convulsion

字解 경련할 경(彊急).

字源 形聲. 疒+巠〔音〕

[痙攣 경련] 근육이 의사에 반(反)
여 발작적으로 수축하는 현상.

7 ⑫【痛】
아플 통
去 送

tòng

痛

亠 广 疒 疒 疒 病 痛 痛

日 ツウ〔いたむ〕 쭁 pain

字解 ① 아플 통(疼也). ¶ 痛症(통
증). ② 슬퍼할 통. ¶ 痛憤(통분).
③ 상할 통(傷也). ¶ 痛心(통심).
④ 심할 통, 몹시 통(甚也). ¶ 痛
快(통쾌).

字源 形聲. 疒+甬〔音〕

[痛痒 통양] ㉠ 아픔과 가려움. ㉡
자신에게 직접 관계되는 이해관계를
비유하는 말.

[痛切 통절] 뼈에 사무치게 절실함.

[痛症 통증] 아픈 증세.

[痛快 통쾌] 마음이 아주 시원함. 마
음이 매우 상쾌함.

[痛歎 통탄] 몹시 탄식함. 매우 한탄
하여 슬퍼함.

[悲痛 비통] 몹시 슬퍼서 마음이 아
픔.

7 ⑫【痞】
뱃속결릴 비
上 紙

pī

痞

日 ヒ〔つかえ〕 쭁 indigestion

字解 뱃속결릴 비(腹內結痛). ¶
痞壞(비괴).

字源 形聲. 「否(비)」가 음을 나타
냄.

[痞滿 비만] 가슴과 배가 부르고 속
이 답답하여 숨이 가빠지는 병.

7 ⑫【痡】
앓을 부
本 포 上 虞

pū

痡

5
획

日 ホ〔やむ〕 英 be sick
字解 ① 앓을 부(病也). ② 비척거릴 부(疲不能行).
字源 形聲. 疒+甫〔音〕

7
⑫【痢】설사 리 | lì
去寘
日 リ〔りびょう〕 英 dysentery
字解 설사 리(腹病瀉疾).
字源 形聲. 疒+利〔音〕
[痢疾 이질] 곱똥이 나오고 뒤가 잦은 전염병. 이점(痢漸).

7
⑫【痣】사마귀 지 去寘 | zhì
日 シ〔ほくろ〕 英 mole
字解 사마귀 지(黑子, 贅也).
字源 形聲. 疒+志〔音〕

7
⑫【痤】부스럼 좌 平歌 | cuó
日 ザ〔できもの〕 英 boil
字解 부스럼 좌(小腫).
字源 形聲. 疒+坐〔音〕

8
⑬【痯】앓을 관 上旱 | guǎn
日 カン〔やむ〕 英 be sick
字解 앓을 관, 고달플 관(疲貌).
字源 形聲. 疒+官〔音〕

8
⑬【痰】가래 담 平覃 | tán
日 タン〔たん〕 英 phlegm
字解 가래 담(病液). ¶ 痰咳(담해).
字源 形聲. 疒+炎〔音〕
[痰結 담결] 가래가 뭉쳐 목구멍에 붙어서 뱉을 수도 삼킬 수도 없는 병.
[血痰 혈담] 피가 섞여 나오는 가래.

8
⑬【痲】홍역 마 平麻 | má
日 マ〔しびれる〕 英 measles
字解 ① 홍역 마(風熱病). ¶ 痲疹(마진). ② 저릴 마, 마비될 마(體失感覺). ¶ 痲痺(마비).
字源 形聲. 疒+麻〈省〉〔音〕
注意 痳(疒部 8획)은 딴 글자.
[痲痺 마비] ㉠ 신경·심줄이 그 기능을 잃는 병. ㉡ 사물의 기능이 정지되거나 소멸되는 일.
[痲醉 마취] 독물이나 약물로 인해 생물체의 일부 또는 전체가 감각을 잃고, 자극에 반응할 수 없게 된 상태.

8
⑬【痳】임질 림 平侵 | lín
日 リン〔りんびょう〕 英 gonorrhea
字解 임질 림(尿道病).
字源 形聲. 疒+林〔音〕
參考 淋(水部 8획)은 동자.
注意 痲(疒部 8획)는 딴 글자.

8
⑬【痺】저릴 비 去寘 | bì
日 ヒ〔しびれる〕 英 be numbed
字解 저릴 비, 마비될 비(手足不仁). ¶ 痲痺(마비).
字源 形聲. 疒+卑〔音〕

8
⑬【痹】痺(비)(前條)의 本字

8
⑬【瘖】병 민 平眞 | mín
日 ビン〔やむ〕 英 disease
字解 병 민, 앓을 민(病也).
字源 形聲. 疒+昏〔音〕

8
⑬【痼】고질 고 去遇 | gù
日 コ〔やまい〕 英 inverterate disease
字解 고질 고(久病). 오래 낫지 않

는 병. ¶ 痼癖(고벽).
[字源] 形聲. 疒+固〔音〕

[痼疾 고질] ㉠ 오래도록 낫지 않아 고치기 어려운 병. 불치병. 숙질(宿疾). ㉡ 오래된 나쁜 습관. 고벽(痼癖).

8 ⑬ 〖痾〗 숙병 아 [平]歌 | ē
[日] ア〔ながやみ〕
[字解] **숙병 아**(病貌言寖深).
[字源] 形聲. 疒+阿〔音〕

8 ⑬ 〖痿〗 바람맞을 위 [平]支 | wěi
[日] イ〔なえる〕 [英] have a stroke
[字解] **바람맞을 위**(痺也). ¶ 痿痺(위비).
[字源] 形聲. 疒+委〔音〕

8 ⑬ 〖瘀〗 어혈 어 [去]御 | yū
[日] オ〔やまい〕 [英] get a bruise
[字解] **어혈 어**(血壅病).
[字源] 形聲. 疒+於〔音〕

[瘀血 어혈] 타박상 등으로 혈액 순환이 잘 되지 못하여 피부 밑에 멍이 들어 피가 맺혀 있는 것. 또, 그런 병.

8 ⑬ 〖瘁〗 병들 췌 [本]취[去]寘 | cuì
[日] スイ〔やむ〕 [英] fall ill
[字解] ① **병들 췌**(病也). ② **파리할 췌**(勞也). ¶ 憔瘁(초췌).
[字源] 形聲. 疒+卒〔音〕

[瘁瘁 췌췌] 오래 앓는 모양.

8 ⑬ 〖瘂〗 啞(아)(口部 8획)와 同字

8 ⑬ 〖痴〗 癡(치)(疒部 14획)의 俗字

9 ⑭ 〖瘇〗 수중다리 종 [上]腫 | zhǒng
[日] ショウ〔あしがはれる〕
[英] dropsical legs
[字解] **수중다리 종**(脛氣足腫).
[字源] 形聲. 疒+重〔音〕

9 ⑭ 〖瘉〗 癒(유)(疒部 13획)의 俗字

9 ⑭ 〖瘋〗 두통 풍 [平]東 | fēng
[日] フウ〔ずつう〕 [英] headache
[字解] ① **두통 풍**(頭痛病). ② **광증 풍**. ¶ 瘋癲(풍전).
[字源] 形聲. 疒+風〔音〕

9 ⑭ 〖瘍〗 두창 양 [平]陽 | 疡 yáng
[日] ヨウ〔てききの〕
[字解] ① **두창 양**(頭瘡). ② **부스럼 양**. ¶ 潰瘍(궤양).
[字源] 形聲. 疒+昜〔音〕

[瘍醫 양의] 주대(周代)에 외과의(外科醫)에 해당하는 일을 맡은 벼슬.

9 ⑭ 〖瘏〗 앓을 도 [平]虞 | tú
[日] ト〔やむ〕 [英] be ill with
[字解] **앓을 도**(病也).
[字源] 形聲. 疒+者〔音〕

9 ⑭ 〖瘐〗 병들 유 [平]虞 | yǔ
[日] ユ〔やむ〕 [英] be sick
[字解] **병들 유**(病也). ¶ 瘐死(유사).
[字源] 形聲. 疒+臾〔音〕
[注意] 瘦(疒部 10획)는 딴 글자.

[瘐死 유사] 옥중에서 병사함.

9 ⑭ 〖瘕〗 기생충병 하[上]馬 | jiǎ

5 획

㊐ カ〔はらのやまい〕
㊤ helminthiasis

字解 ① 기생충병 하(人腹中短蟲). ¶ 瘕疾(하질). ② 부녀병 하(女病也).

字源 形聲. 疒+叚〔音〕

9
⑭ **【瘖】** 벙어리 음㊤侵 | yīn 瘖

㊐ イン〔おし〕 ㊤ dumb

字解 벙어리 음(不能言). ¶ 瘖聾(음롱).

字源 形聲. 疒+音〔音〕

[瘖啞 음아] 벙어리.

9
⑭ **【瘧】** 학질 학㊤藥 | nüè 瘧

㊐ ギャク〔おこり〕 ㊤ ague

字解 학질 학(寒熱休作病). ¶ 瘧疾(학질).

字源 形聲. 疒+虐〔音〕

[瘧疾 학질] 일정한 시간이 되면 주기적으로 오한이 나고 발열하는 병. 말라리아.

10
⑮ **【瘞】** 묻을 예 瘞 | yì
㊤霽 | 瘗

㊐ エイ〔うずめる〕 ㊤ bury

字解 ① 묻을 예(埋也). ¶ 收瘞(수예). ② 무덤 예(墓所).

字源 形聲. 土+疾〔音〕

10
⑮ **【瘙】** 종기 소 瘙 | sào
㊤號

㊐ ソウ〔かさ〕 ㊤ tumor

字解 종기 소. 부스럼 소.

字源 形聲. 疒+蚤〔音〕

10
⑮ **【瘟】** 염병 온 瘟 | wēn
㊤元

㊐ オン〔えやみ〕 ㊤ pestilence

字解 염병 온(疫也).

字源 形聲. 疒+昷〔音〕

10
⑮ **【瘠】** 파리할 척㊤陌 | jí 瘠

㊐ セキ〔やせる〕 ㊤ lean

字解 ① 파리할 척(瘦也). ¶ 瘠軀(척구). ② 메마를 척. ¶ 瘠土(척토).

字源 形聲. 疒+脊〔音〕

[瘠馬 척마] 수척한 말.
[瘠土 척토] 메마른 땅. 박토(薄土).

10
⑮ **【瘡】** 부스럼 창㊤陽 | chuāng 瘡

㊐ ソウ〔かさ〕 ㊤ tumor

字解 ① 부스럼 창(瘍也). ¶ 凍瘡(동창). ② 상처 창(痍也). ¶ 瘡痍(창이).

字源 形聲. 疒+倉〔音〕

[瘡腫 창종] 종기. 부스럼.

10
⑮ **【瘢】** 흉 반㊤寒 | bān 瘢

㊐ ハン〔きずあと〕 ㊤ scar

字解 ① 흉 반(痍也, 痕也). ② 자국 반. ¶ 索瘢(색반).

字源 形聲. 疒+般〔音〕

10
⑮ **【瘣】** 병들 외㊤賄 | huì 瘣

㊐ カイ〔やむ〕 ㊤ be sick

字解 ① 병들 외(病也). ② 혹 외(木瘤腫也).

字源 形聲. 疒+鬼〔音〕

10
⑮ **【瘤】** 혹 류㊤有 | liú 瘤
㊤尤

㊐ リュウ〔こぶ〕 ㊤ tumor

字解 혹 류(疣也).

字源 形聲. 疒+留〔音〕

10
⑮ **【瘥】** ▪나을 채㊤卦 | chài 瘥
▪병 차㊸歌 | cuó

㊐ サ〔いえる〕・サ〔やまい〕
㊇ get well, disease

字解 **一 나을 채**(疾愈). ¶ 痓瘥(전차). **二 병 차**(小疫).

字源 形聲. 疒+差〔音〕

10 ⑮ 【瘦】 파리할 수 ㊄宥 shòu

㊐ ソウ〔やせる〕 ㊇ lean

字解 **파리할 수**(瘠也, 臞也). ¶ 瘦身(수신).

字源 形聲. 疒+叟〔音〕

注意 瘐(疒部 9획)는 딴 글자.

[瘦瘠 수척] 여윔. 파리함.

10 ⑮ 【瘨】 앓을 전 ㊉先 diān

㊐ テン〔やむ〕 ㊇ be sick

字解 **① 앓을 전**(病也). **② 미칠 전**(狂也).

字源 形聲. 疒+眞〔音〕

11 ⑯ 【瘭】 생인손 표 ㊉蕭 biāo

㊐ ヒョウ〔ゆびさきのうみただれるやまい〕
㊇ whitlow

字解 **생인손 표**(疽也). ¶ 瘭疽(표저).

字源 形聲. 疒+票〔音〕

11 ⑯ 【瘰】 연주창 라 ㊤智 luǒ

㊐ ラ・ルイ〔るいれき〕 ㊇ scrofula

字解 **연주창 라**(結病). ¶ 瘰癧(나력).

字源 形聲. 疒+累〔音〕

11 ⑯ 【瘳】 나을 추 ㊉尤 chōu

㊐ リョウ〔なおる〕 ㊇ get well

字解 **① 나을 추**(病愈). **② 줄 추**(損也).

字源 形聲. 疒+翏(音)

11 ⑯ 【瘴】 장기 장 ㊄漾 zhàng

㊐ ショウ〔しょうき〕 ㊇ miasma

字解 **장기 장**(癘也). ¶ 瘴毒(장독).

字源 形聲. 疒+章〔音〕

[瘴氣 장기] 축축하고 더운 땅에서 일어나는 독기(毒氣). 장독(瘴毒).

11 ⑯ 【瘻】 一 부스럼 루 ㊄宥 二 곱사등이 루 ㊉虞 瘘 lòu

㊐ ロウ〔るいれき〕・ル〔せむし〕
㊇ tumor, hunchback

字解 **一 부스럼 루**(瘡也). **二 곱사등이 루.** ¶ 痀瘻(구루).

字源 形聲. 疒+婁(音)

11 ⑯ 【瘼】 병들 막 ㊅藥 mò

㊐ バク〔やむ〕 ㊇ get sick

字解 **병들 막**(病也).

字源 形聲. 疒+莫〔音〕

12 ⑰ 【療】 고칠 료 ㊄嘯 疗 liáo

㊐ リョウ〔いやす〕 ㊇ cure

字解 **고칠 료, 병나을 료**(醫治止病). ¶ 療養(요양).

字源 形聲. 疒+尞〔音〕

[療飢 요기] 음식을 먹어 시장기를 면함.
[療養 요양] 병을 치료하여 조섭함.
[療護 요호] 간호함. 간병(看病)함.
[治療 치료] 병이나 상처를 다스려 낫게 함.

12 ⑰ 【癃】 파리할 륭 ㊉東 lóng

㊐ リュウ〔つかれる〕
㊇ emaciated

5획

[字解] ① **파리할 륭**(罷病). ¶ 癃病(융병). ② **늙을 륭**(老也). ¶ 癃老(융로). ③ **꼽추 륭.** ¶ 癃疾(융질).

[字源] 形聲. 疒+隆〔音〕

[癃病 융병] 노인들의 몸이 수척하여지는 병.

12 ⑰ **【癆】** 노점 로 [去]號 | lào

[日] ロウ〔いたみ〕 [英] phthisis

[字解] ① **노점 로**(積勞瘦削). 폐결핵. ¶ 癆漸(노점). ② **중독 로**(中毒).

[字源] 形聲. 疒+勞〔音〕

12 ⑰ **【癇】** 경풍 간 [本]한[平]刪 | 痫 xián

[日] カン〔ひきつけ〕 [英] fits

[字解] ① **경풍 간**(小兒病). ¶ 癇病(간병). ② **간질 간, 지랄병 간.** ¶ 癇疾(간질).

[字源] 形聲. 疒+間〔音〕

[癇病 간병] 어린아이가 경련을 일으키는 병. 경풍(驚風).

12 ⑰ **【癎】** 癇(간)(前條)의 本字

12 ⑰ **【癈】** 폐질 폐 [去]隊 | fèi

[日] ハイ〔かたわ〕 [英] incurable

[字解] **폐질 폐**(痼疾). ¶ 癈人(폐인). 癈疾(폐질).

[字源] 形聲. 疒+發〔音〕

[癈人 폐인] 불구자.

[癈疾 폐질] ㉠ 불치의 병. ㉡ 불구자.

12 ⑰ **【癉】** [一]고달플 다[去]箇 [二]병들 단[去]翰 | duǒ dàn

[日] タ〔つかれる〕・タン〔やむ〕 [英] very tired, get sick

[字解] [一] **고달플 다**(勞也). [二] **병들 단**(得病).

[字源] 形聲. 疒+單〔音〕

12 ⑰ **【癌】** 암 암 [平]咸 | ái

[日] ガン〔がん〕 [英] cancer

[字解] **암 암**(內腔生腫). ¶ 肺癌(폐암).

[字源] 形聲. 疒+嵒〔音〕

[癌腫 암종] 체내에 생기는, 굳은 덩어리가 지는 악성(惡性) 종기.

[胃癌 위암] 위에 발생하는 암종.

13 ⑱ **【癒】** 나을 유 [上]麌 | yù

[日] ユ〔いえる〕 [英] get well

[字解] **나을 유**(病差). ¶ 治癒(치유).

[字源] 形聲. 疒+愈〔音〕

[參考] 瘉(疒部 9획)는 동자.

[癒合 유합] 상처가 나아서 아묾. 찢어진 피부나 근육이 나아서 맞붙음.

[治癒 치유] 치료로 병이 나음.

[快癒 쾌유] 병이 완전히 나음.

13 ⑱ **【癕】** 癰(옹)(疒部 18획)과 同字

13 ⑱ **【癖】** 버릇 벽 [入]陌 | pǐ

[日] ヘキ〔くせ〕 [英] habit

[字解] ① **버릇 벽.** ¶ 惡癖(악벽). ② **적취 벽**(腹病, 積聚). ¶ 癖痼(벽고).

[字源] 形聲. 疒+辟〔音〕

[癖痼 벽고] 오랫동안 낫지 않는 병. 고질(痼疾).

[盜癖 도벽] 물건을 훔치는 버릇.

13 ⑱ **【癘】** [一]염병 려[去]霽 [二]문둥병 라 [本]뢰[去]泰 | lì lì

5 획

🔵 レイ〔えやみ〕・ライ〔かったい〕
🔶 pestilence, leprosy

字解 ━ 염병 려(疫病). ¶ 癘氣
(여기). ━ 문둥병 라(癩也). ¶ 癘
病(나병).

字源 形聲. 疒+厲〈省〉〔音〕

[癘鬼 여귀] ㉠ 돌림병을 유행시키는
귀신. ㉡ 제사를 못 받는 귀신.
[癘疫 여역] 전염병. 열병.

---

13 / 18 [癜] 어루러기
전㊀霰 | diàn 瓟

🔵 テン〔なまず〕🔶 vitiligo

字解 어루러기 전(斑片). ¶ 癜風
(전풍).

字源 形聲. 疒+殿〔音〕

---

14 / 19 [癡] 어리석을
치㊀支 | chī 癡

🔵 チ〔おろか〕🔶 foolish

字解 어리석을 치(心神不慧).

字源 形聲. 疒+疑〔音〕

[癡呆 치매] 지능·의지·기억 따위 정
신적인 능력이 상실된 상태.
[癡情 치정] 남녀의 사랑에 휘둘린
정. ¶ 癡情殺人(치정 살인).
[癡漢 치한] ㉠ 어리석은 놈. ㉡ 부
녀자에게 장난을 걸고 희롱하는 사
내.

---

15 / 20 [癤] 부스럼
절㊀屑 | jiē 疖

🔵 セツ〔ねぶと〕🔶 tumor

字解 부스럼 절.

字源 形聲. 疒+節〔音〕

---

15 / 20 [癢] 가려울
양㊀養 | yǎng 痒

🔵 ヨウ〔かゆい〕🔶 itchy

字解 가려울 양(搔病). ¶ 癢痛(양
통).

字源 形聲. 疒+養〔音〕

参考 痒(疒部 6획)은 동자.

---

16 / 21 [癧] 연주창
력㊀錫 | lì 癧

🔵 レキ〔るいれき〕🔶 scrofula

字解 연주창 력(筋節病). ¶ 瘰癧
(나력).

字源 形聲. 疒+歷〔音〕

---

16 / 21 [癨] 곽란
곽㊀藥 | huò 癨

🔵 カク〔かくらん〕
🔶 intestinal convulsion

字解 곽란 곽. ¶ 癨亂(곽란).

字源 形聲. 疒+霍〔音〕

[癨亂 곽란] 음식이 체하여 토하고
설사를 하는 급성 위장병.

---

16 / 21 [癩] 문둥병 라
㊀賄㊁泰 | lài 癩

🔵 ライ〔かったい〕🔶 leprosy

字解 문둥병 라(惡疾).

字源 形聲. 疒+賴〔音〕

[癩病 나병] 문둥병. 나병(癩病).

---

17 / 22 [癬] 옴 선
㊀銑 | xuǎn 癬

🔵 セン〔たむし〕🔶 itch

字解 옴 선(乾瘍). ¶ 疥癬(개선).

字源 形聲. 疒+鮮〔音〕

[癬瘡 선창] 버짐.
[白癬 백선] 쇠버짐.

---

17 / 22 [癭] 혹 영
㊀梗 | yǐng 癭

🔵 エイ〔こぶ〕🔶 lump

字解 혹 영(頸瘤).

字源 形聲. 疒+嬰〔音〕

[癭腫 영종] 혹.

---

18 / 23 [癯] 야윌 구
㊀虞 | qú 癯

🔵 ク〔やせる〕🔶 get thin

字解 야윌 구(瘠也).

字源 形聲. 疒+瞿〔音〕

18 ㉓ 【癰】 등창 옹 │ **痈** 雍
㉔冬 yōng

日 ヨウ〔はれもの〕 愛 carbuncle

字解 등창 옹, 헌데 옹(惡瘡, 疽也).

字源 形聲. 疒＋雝〔音〕

參考 癕(疒部 13획)은 동자.

[癰疽 옹저] ㉠ 악성의 종기. ㉡ 부스럼을 치료하는 의사.

19 ㉔ 【癲】 미칠 전 │ **癫** 顛
㉔先 diān

日 テン〔くるう〕 愛 mad

字解 ① 미칠 전(狂病). ¶ 癲狂(전광). ② 지랄 전. ¶ 癲癇(전간).

字源 形聲. 疒＋顚〔音〕

[癲癇 전간] 간질(癎疾). 지랄병.
[癲狂 전광] ㉠ 정신 이상으로 실없이 잘 웃는 미친 병. ㉡ 미친 증세.
[癲狗 전구] 미친개.

癶 〔5 획〕 部
(필발밑부)

0 ⑤ 【癶】 걸을 발 │ bō
癶屬

日 ハツ〔ゆく〕 愛 walk

字解 걸을 발(足足漸行).

字源 象形. 사람이 양다리를 꼬면서 제자리걸음하는 모양을 나타냄.

4 ⑨ 【癸】 열째천간 계 ㉮규 │ guǐ
㉡紙

ㄱ ㄱ ㄱ ㄧ 癶 癶 쬿 癸

日 キ〔みずのと〕

字解 ① 열째천간 계(十干之終). ¶ 癸酉(계유). ② 경도 계(婦人經水). ¶ 天癸(천계).

字源 象形. 선단이 세 갈래로 갈라진 창의 모양. 戣의 원자(原字).

【癸方 계방】 24방위의 하나. 동쪽에서 북쪽에 가까운 방위.

4 ⑨ 【発】 發(발)(癶部 7획)의 略字

7 ⑫ 【登】 오를 등 │ dēng
㉱蒸

ㄱ ㄱ ㄱ 癶 癶 爻 癶 菜 登 登

日 トウ〔のぼる〕 愛 climb

字解 ① 오를 등(升也). ¶ 登山(등산). ② 나아갈 등(進也). ¶ 登校(등교). ③ 올릴 등. ¶ 登記(등기). ④ 익을 등(熟也). ¶ 登豊(등풍). ⑤ 이룰 등(成也). ¶ 登仙(등선).

字源 形聲. 癶＋豆〔音〕

[登校 등교] 학교에 출석함.
[登錄 등록] 문서나 장부에 올림.
[登攀 등반] 높은 곳에 기어오름.
[登用 등용] 인재를 뽑아 씀.

7 ⑫ 【發】 쏠 발 │ **发** 發
㉮月 fā

ㄱ ㄱ ㄱ 癶 癶 癶 發 發 發

日 ハツ〔はなつ〕 愛 shoot

字解 ① 쏠 발(射也). ¶ 發砲(발포). ② 일어날 발(起也). ¶發生(발생). ③ 떠날 발(出行). ¶ 先發(선발). ④ 필 발. ¶ 滿發(만발). ⑤ 나타날 발, 드러날 발. 發覺(발각). ⑥ 드러낼 발(見也). ¶ 發表(발표). ⑦ 밝힐 발. ¶ 啓發(계발). ⑧ 들출 발. ¶ 摘發(적발). ⑨ 열발(開也).

字源 形聲. 弓＋癹〔音〕

參考 発(癶部 4획)은 약자.

[發覺 발각] 숨겨던 일이 드러남.
[發刊 발간] 출판물을 간행함.
[發掘 발굴] 땅속에 묻힌 물건을 파냄.
[發端 발단] ㉠ 일의 첫머리가 시작됨. ㉡ 일의 첫머리를 시작함.
[發達 발달] 사물이 피어나서 더욱 완전한 형태에 이름.

[發送 발송] 물건이나 편지·서류 같
은 것을 부침.

[發作 발작] 어떠한 병이나 증세가
때때로 갑자기 일어남.

[開發 개발] 개척하여 발전시킴.

[啓發 계발] 슬기와 재능, 사상 따위
를 널리 일깨워줌.

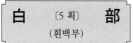

白　〔5 획〕　部
（흰백부）

⁰₍₅₎【白】흰 백
㉠陌　bái　　白

ㆍ 丿 丿 白 白

㊐ ハク〔しろい〕 ㊤ white

字解 ① 흰 백, 힐 백(西方色也).
¶ 白髮(백발). ② 깨끗할 백(潔
也). ¶ 潔白(결백). ③ 밝을 백(明
也). ¶ 明白(명백). ④ 아뢸 백(告
也). ¶ 告白(고백). ⑤ 빌 백(空
也), 아무것도없을 백(無也). ¶ 餘
白(여백).

字源 指事. 일광(日光)이 위를 향하
여 비침의 뜻.

[白眉 백미] 여럿 가운데서 가장 뛰
어난 사람이나 물건.

[白髮 백발] ㉠ 하얗게 센 머리.
白髮星星(백발성성). ㉡ 노인.

[白書 백서] ㉠ 정부가 발표하는 공
식적인 실정 보고서. ㉡ 일반적인
실정 보고서.

[白眼視 백안시] 나쁘게 여기거나
냉대(冷待)하는 눈으로 봄.

[白衣 백의] ㉠ 흰옷. ㉡ 벼슬자리
에 있지 아니하는 평민. ¶白衣從軍
(백의종군).

[白丁 백정] ㉠ 소·돼지·개 따위를
잡는 일을 업으로 삼는 사람. ㉡ 고
리 백장. 백장.

[白晝 백주] 대낮.

[潔白 결백] ㉠ 깨끗하고 흼. ㉡ 지
조를 더럽힘이 없이 깨끗함.

[明白 명백] 아주 분명함.

---

¹₍₆₎【百】일백 백
㉠陌　bǎi　　百

一 丆 丆 丆 百 百 百

㊐ ヒャク〔もも〕 ㊤ hundred

字解 ① 일백 백(十之十倍). ¶ 百
歲(백세). ② 많을 백. ¶ 百官(백
관).

字源 形聲. 「白(백)」이 음을 나타
냄.

[百穀 백곡] 여러 가지 곡식.

[百年偕老 백년해로] 의좋은 부부
가 함께 늙음.

[百方 백방] ㉠ 갖은 방법. ㉡ 사방
의 모든 나라.

[百姓 백성] 일반 국민. 서민. 평민.

[百世 백세] 오랜 세대.

[百尺竿頭 백척간두] 막다른 위험
에 빠짐.

[凡百 범백] ㉠ 여러 가지의 사물.
㉡ 상례에 벗어나지 않는 언행.

²₍₇₎【皁】하인 조
㉡皓　zào　　皁

㊐ ソウ〔しもべ〕 ㊤ servant

字解 ① 하인 조, 종 조(賤隷). ¶
皁隷(조예). ② 검을 조(黑色). ¶
皁白(조백).

字源 象形. 도토리 열매의 모양을
본뜸.

[皁隷 조예] 하인. 종.

²₍₇₎【皃】貌(모)(豸部 7획)와 同字

³₍₈₎【的】과녁 적
㉠錫　dì, de　　的

ㆍ 丿 自 自 自 自 的 的

㊐ テキ〔まと〕 ㊤ target

字解 ① 과녁 적(射板). ¶ 的中(적
중). ② 밝을 적(明也). ¶ 的然(적
연). ③ 적실할 적(實也). ¶ 的確
(적확). ④ 의 적(形容助辭). ¶ 知
的(지적).

字源 形聲. 「勺(작)」의 전음이 음
을 나타냄.

[的實 적실] 틀림이 없음. 꼭 그러함.
[的中 적중] ㉠ 화살이 과녁에 맞음. 명중. ㉡ 잘 맞음.
[公的 공적] 공공에 관계 있는 (것).
[標的 표적] 목표가 되는 물건.

---

⁴⁄₉【皇】 임금 황 | huáng ㉻陽

丿 白 白 白 自 卓 皇 皇

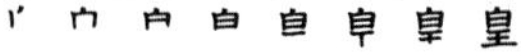

㉰ コウ〔きみ〕 ㉱ emperor

字解 ① 임금(君也). ¶ 皇帝(황제). ② 클 황(大也). ¶ 皇天(황천).

字源 會意. 自(시작)와 王의 합자. 최고(最古)의 왕의 뜻.

[皇考 황고] ㉠ 돌아간 아버지의 경칭. 제사 때 씀. ㉡ 증조(曾祖).
[皇帝 황제] ㉠ 천자(天子). ㉡ 삼황오제(三皇五帝)의 약칭.

---

⁴⁄₉【皆】 다 개 | jiē ㉻佳

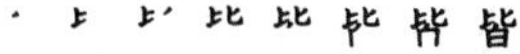

丿 上 比 比 毕 皆 皆

㉰ カイ〔みな〕 ㉱ all

字解 다 개(俱也). ¶ 悉皆(실개).

字源 會意. 比(사람이 나란히 줄섬)와 白(말함)의 합자. 많은 사람이 입을 모아 찬성하는 뜻.

[皆勤 개근] 휴일 외에는 하루도 빠짐없이 출석 또는 출근함.
[皆無 개무] 전혀 없음.
[擧皆 거개] 거의 모두. 대부분.

---

⁵⁄₁₀【皋】 부르는 소리 고 | gāo ㉻豪

㉰ コウ〔よぶこえ〕

字解 ① 부르는소리 고(呼也). ② 느릴 고(緩也). ③ 늪 고(澤也). ④ 높을 고(高也).

字源 形聲. 白+本〔音〕.

參考 皐(白部 6획)는 속자.

[皋復 고복] 죽은 사람의 혼을 돌아오라고 부르는 의식(儀式). 초혼(招魂).

[皋月 고월] 음력 5월의 딴 이름.

---

⁶⁄₁₁【皇】 皐(고)(前條)의 俗字

---

⁶⁄₁₁【皎】 흴 교 | jiāo ㉻篠

㉰ キョウ〔しろい〕 ㉱ white

字解 ① 흴 교(白也), 깨끗할 교(潔也). ¶ 皎皎(교교). ② 밝을 교(明也). ¶ 皎月(교월).

字源 形聲. 白+交〔音〕.

[皎皎 교교] ㉠ 희고 깨끗한 모양. ㉡ 빛나고 밝은 모양.
[皎月 교월] 희고 밝게 비치는 달.

---

⁷⁄₁₂【皓】 흴 호 | hào ㉻皓

㉰ コウ〔しろい〕 ㉱ white

字解 ① 흴 호(白也), 깨끗할 호(潔也). ¶ 皓齒(호치). ② 빛날 호(光也), 밝을 호(明也). ¶ 皓月(호월).

字源 形聲. 白+告〔音〕.

[皓月 호월] 썩 맑고 밝은 달.
[皓齒 호치] 하얀 이. 미인의 아름다운 이. ¶ 丹脣皓齒(단순호치).
[皓皓 호호] ㉠ 희고 깨끗한 모양. ¶ 皓皓白髮(호호백발). ㉡ 환히 비추는 모양. 밝은 모양. ㉢ 공허(空虛)하고 넓은 모양.

---

⁸⁄₁₃【晳】 흴 석 | xī ㉻錫

㉰ セキ〔しろい〕 ㉱ white

字解 흴 석(人色白也). ¶ 白晳(백석).

字源 形聲. 白+析〔音〕.

[晳幘 석책] 이가 희고 고름.

---

¹⁰⁄₁₅【皛】 나타날 효 | xiǎo ㉻篠

㉰ キョウ〔あらわれる〕 ㉱ appear

字解 ① 나타날 효(顯也). 환히 드

러남. ② 흴 효(白也).

字源 會意. 白을 셋 겹쳐 희고 명백함의 뜻.

10
⑮ 【皑】 흴 애
㉣灰 ǎi

囸 ガイ〔しろい〕 愧 white

字解 흴 애(霜雪之白也).

字源 形聲. 白+豈〔音〕

[皑皑 애애] 서리나 눈의 흰 모양.
[皑然 애연] ㉠맑고 흰 모양. ㉡결백(潔白)한 모양.

10
⑮ 【皜】 ━흴 호
㉠皓 hào
━흴 고
㉡皓 hào

囸 コウ〔しろい〕 愧 white

字解 ━ 흴 호(白貌). ━ 흴 고(白貌).

字源 形聲. 白+高〔音〕

[皜身 고신] 흰몸.
[皜皜 호호·고고] 흰 모양.

10
⑮ 【皞】 흴 호
㉠皓 hào

囸 コウ〔しろい〕 愧 white

字解 ① 흴 호(白也). ② 밝을 호(明也).

字源 形聲. 白+皋〔音〕

參考 皞(白部 11획)는 동자.

[皞天 호천] 하늘.
[皞皞 호호] 마음이 너그럽고 차분한 모양.

11
⑯ 【皠】 흴 최
㉡賄 cuì

囸 サイ〔しろい〕 愧 white

字解 흴 최(白也). ¶ 皠霜(최상).

字源 形聲. 白+崔〔音〕

11
⑯ 【皡】 皡(호)(白部 10획)의 同字

12
⑰ 【皤】 흴 파
㉠歌 pó

囸 ハ〔しろい〕 愧 white

字解 ① 흴 파(白也), 머리털흴 파(頭白). ¶ 皤然(파연). ② 불룩할 파, 배불룩할 파(大腹). ¶ 皤腹(파복).

字源 形聲. 白+番〔音〕

[皤然 파연] 흰 모양.
[皤皤 파파] ㉠머리털의 흰 모양. ㉡풍족한 모양.

13
⑱ 【皦】 흴 교
㉡篠 jiǎo

囸 キョウ〔しろい〕 愧 white

字解 ① 흴 교(玉石之白). ② 밝을 교(明也). ¶ 皦如(교여).

字源 形聲. 白+敫〔音〕

[皦日 교일] 구름이 끼지 아니한 밝은 해. 백일(白日).

18
㉓ 【皭】 흴 작
㈡藥 jiào

囸 シャク〔しろい〕 愧 white

字解 ① 흴 작(白也). ② 맑을 작(淨貌).

字源 形聲. 白+爵〔音〕

皮 〔5 획〕 部
(가죽피부)

0
⑤ 【皮】 가죽 피
㉣支 pí

丿 厂 广 皮 皮

囸 ヒ〔かわ〕 愧 leather

字解 ① 가죽 피(剝獸取革). ② 껍질 피, 거죽 피(體表).

字源 會意. 又(손)으로 가죽을 벗기는 것을 나타내어, 벗긴 가죽을 뜻함.

參考 '皮'는 벗긴 채의 털이 있는

가죽. '革'은 털을 뽑은 가죽, '韋'는
무두질한 가죽.

[皮骨 피골] 살가죽과 뼈. ¶ 皮骨相
接(피골상접).

[皮封 피봉] 〔韓〕편지를 봉투에 넣고
다시 써서 봉한 종이. 겉봉.

[皮相的 피상적] 진상을 추구하지
않고 표면만을 취급하는 모양.

[皮革 피혁] 날가죽과 무두질한 가
죽의 총칭.

[脫皮 탈피] ㉠ 파충류·곤충 등이
낡은 허물을 벗음. ㉡ 낡은 사고방
식에서 벗어나 진보함.

5
획

5
⑩ 【皰】 여드름
포㉠效 | pào

㊐ ホウ〔にきび〕 ㊟ pimple

字解 여드름 포(面瘡也).

字源 形聲. 皮+包〔音〕

7
⑫ 【皴】 주름 준
㉠眞 | cūn

㊐ シュン〔ひび〕 ㊟ wrinkles

字解 ① 주름 준(皮細起也). ¶ 皴
皴(준준). ② 틈 준(面瘡也). ¶ 皴
裂(준열). ③ 준법 준. ¶ 皴法(준
법).

字源 形聲. 皮+夋〔音〕

[皴法 준법] 산악·암석 등의 굴곡·중
첩 및 의복의 주름 등을 그리는 법.

9
⑭ 【皸】 틈 군
㉠文 | jūn

㊐ クン〔ひび・あかぎれ〕
㊟ wrinkles

字解 틈 군(皴也).

字源 形聲. 皮+軍〔音〕

9
⑭ 【皷】 鼓(고)(部首)의 俗字

10
⑮ 【皺】 ■ 주름 추
㉠宥
■ 밤송이
추㉠尤 | zhòu zhòu

㊐ シュウ〔しわ・いが〕
㊟ wrinkles, chestnut bur

字解 ■ 주름 추, 주름잡힐 추(蹙
摺). ■ 밤송이 추(栗蓬也).

字源 形聲. 皮+芻〔音〕

[皺紋 추문] 주름살 같은 무늬.

11
⑯ 【皻】 여드름
사㉠麻 | zhā

㊐ サ〔にきび〕 ㊟ pimple

字解 ① 여드름 사(面瘡也). ② 비
사증 사(鼻上皰). ¶ 酒皻鼻(주사
비).

字源 形聲. 皮+虘〔音〕

皿 〔5 획〕 部
(그릇명부)

0
⑤ 【皿】 그릇 명
㊤梗 | mǐn (mǐng)

㊐ ベイ〔さら〕 ㊟ dish

字解 그릇 명(食器盤盂之屬).

字源 象形. 그릇을 본뜬 글자. 위는
음식을 담는 부분, 가운데는 다리,
밑은 그릇의 바닥을 나타냄.

[器皿 기명] 그릇.

3
⑧ 【盂】 사발 우
㊤虞 | yú

㊐ ウ〔はち〕 ㊟ bowl

字解 사발 우(飯器).

字源 形聲. 皿+于〔音〕

注意 盂(子部 5획)는 딴 글자.

[盂蘭盆 우란분] 하안거(夏安居)의
끝 날인 음력 칠월 보름날에 행하는
불사(佛事)로, 조상의 명복(冥福)을
빌며 그 받는 고통을 구제한다고 함.

4
⑨ 【盃】 杯(배)(木部 3획)의 俗字

4 ⑨ 【盆】 동이 분 [平]元 | pén

[日] ボン〔はち〕 [英] basin

[字解] **동이 분**(瓦器, 盎也).

[字源] 形聲. 皿+分〔音〕

[盆地 분지] 산이나 대지(臺地)로 둘러싸인 평지.

[花盆 화분] 꽃을 심어 가꾸는 분.

4 ⑨ 【盈】 찰 영 [平]庚 | yíng

[日] エイ〔みちる〕 [英] full

[字解] **찰 영, 가득할 영**(充滿). ¶ 盈虛(영허).

[字源] 會意. 皿+乃+又

[盈月 영월] 보름달. 만월(滿月).

5 ⑩ 【益】 더할 익 [入]陌 | 益 yì

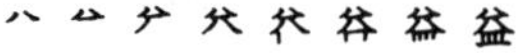

[日] エキ〔ます〕 [英] more

[字解] ① **더할 익**(增加). ¶ 增益(증익). ② **이로울 익, 이익 익.** ¶ 無益(무익). ③ **더욱 익.** ¶ 愈益(유익).

[字源] 會意. 水와 皿의 합자. 그릇 위로 물이 넘치고 있는 모양. 넘침의 뜻에서 더함의 뜻이 됨.

[益甚 익심] 갈수록 더욱 심함.

[益鳥 익조] 식용·장식·완상·해충 구제 등 사람에게 직접·간접으로 유익한 새.

[益蟲 익충] 사람에게 유익한 곤충. 누에·꿀벌 따위.

[收益 수익] 이익을 거둠. 또는 그 이익.

[利益 이익] 물질적으로나 정신적으로 보탬이 되는 것.

5 ⑩ 【盌】 주발 완 [平]旱 | wǎn

[日] ワン〔はち〕 [英] bowl

[字解] **주발 완**(小盂也). ¶ 銀盌(은완).

[字源] 形聲. 皿+夗〔音〕

[參考] 椀(木部 8획)은 동자.

5 ⑩ 【盍】 모일 합 [入]合 | hé

[日] コウ〔なんぞ〕 [英] gather

[字解] ① **모일 합**(合也). ② **어찌 아니할 합**(何不之義).

[字源] 會意. 大(뚜껑)와 一(내용물)과 皿(용기)의 합자. 뚜껑이 있는 용기의 뜻. 전하여, 덮음의 뜻이 됨. 어찌 아니의 뜻은 가차.

[盍簪 합잠] 친구들이 회합하는 일.

5 ⑩ 【盎】 동이 앙 [去]漾 | àng

[日] オウ〔はち〕 [英] pot

[字解] ① **동이 앙**(瓦器, 盆也). ¶ 盎中(앙중). ② **넘칠 앙**(豐厚盈溢). ¶ 盎然(앙연).

[字源] 形聲. 皿+央(音)

[盎盎 앙앙] ㉠ 화락(和樂)한 모양. ㉡ 자꾸 넘치는 모양.

[盎然 앙연] 많이 넘쳐흐르는 모양.

[盎中 앙중] 동이 안.

6 ⑪ 【盒】 합 합 [入]合 | hé

[日] コウ〔うつわ〕

[英] brass bowl with a lid

[字解] **합 합**(有蓋食器). ¶ 饌盒(찬합).

[字源] 形聲. 皿+合〔音〕

[香盒 향합] 향을 담는 합.

6 ⑪ 【盔】 바리 회 [平]灰 | kuī

[日] カイ〔はち〕 [英] bowl

[字解] **바리 회**(盂器也), **주발 회**(鉢也).

[字源] 形聲. 皿+灰(音)

6 ⑪ 【盖】 蓋(개)(艸部 10획)의 俗字·簡體字

5 획

7 【盛】 ⑫
一성할
성㉾敬 shèng
성㊂庚 chéng

厂 厂 成 成 成 盛 盛

�日 セイ〔さかん・わん〕
㊍ thriving, put in

字解 ■ 성할 성(繁昌), 많을 성(多也), 무성할 성(茂也). ¶旺盛(왕성). ■ 담을 성(容受). ¶盛水不漏(성수불루).

字源 形聲. 皿+成〔音〕

[盛勢 성세] 강성한 세력.
[盛衰 성쇠] 성함과 쇠함.
[盛水不漏 성수불루] 물을 담아도 새지 않을 만큼 사물이 잘 짜이어 틈이 없음.
[盛裝 성장] 훌륭하게 옷을 차림. 또, 화려한 옷차림.
[盛況 성황] 성대한 상황. ¶盛況裡(성황리).
[茂盛 무성] 초목이 우거짐.
[繁盛 번성] 한창 잘되어 성함.
[旺盛 왕성] 한창 성함.

7 【盜】 ⑫
도둑 도
도㊂號 dào
훔칠 도

冫 冫 汋 汋 浐 盗 盗 盗

�日 トウ〔ぬすむ〕 ㊍ thief

字解 도둑 도, 훔칠 도(竊也). ¶盗用(도용).

字源 會意. 次(침)와 皿의 합자. 그릇 속에 있는 음식을 보고 침을 흘리고 훔쳐 먹음의 뜻. 전하여, 「훔침」의 뜻.

[盜難 도난] 《韓》도둑 맞는 재난.
[盜伐 도벌] 남의 산의 나무를 몰래 벰.
[盜聽 도청] ㉠몰래 엿들음. ㉡금지하는 것을 몰래 들음.
[盜汗 도한] 몸이 쇠약하여 잘 때 나는 식은땀.
[強盜 강도] 폭행·협박 등으로 남의 재물을 빼앗는 도둑.
[竊盜 절도] 남의 재물을 훔침.

8 【漉】 ⑬
거를 록
㊇屋

㊎ ロク〔こす〕 ㊍ filter

字解 ① 거를 록(瀝也). ② 궤 록(橫匣小者).

字源 形聲. 皿+彔〔音〕

8 【盞】 ⑬
잔 잔
㊀潸 zhǎn

㊎ サン〔さかずき〕 ㊍ wine cup

字解 잔 잔(杯也). ¶酒盞(주잔). ¶盂盞(배잔).

字源 形聲. 皿+戔〔音〕

[盞臺 잔대] 잔을 받치는 그릇.
[燈盞 등잔] 기름을 담아 등불을 켜는 그릇.

8 【盟】 ⑬
맹세할 맹
㊈明㊂庚 méng

㊎ メイ〔ちかう〕 ㊍ swear

字解 맹세할 맹, 맹세 맹(誓約). ¶盟約(맹약).

字源 形聲. 皿+明〔音〕

[盟邦 맹방] ㉠동맹국. ㉡목적을 같이하여 서로 친선을 도모하는 나라.
[盟主 맹주] 맹약(盟約)을 맺은 자의 우두머리. 서약서의 첫 번에 서명하며 위약자에게 제재를 가함.

9 【盡】 ⑭
다할 진
㊀軫 jìn

一 彐 聿 聿 聿 肃 盡 盡 盡

㊎ ジン〔つきる〕 ㊍ be exhausted

字解 다할 진(竭也, 悉也). ¶盡力(진력).

字源 會意. 聿(불이 다함)과 皿의 합자. 그릇 속이 비었음의 뜻.

[盡力 진력] ㉠힘이 닿는 데까지 다함. ㉡있는 힘을 다함.
[盡人事而待天命 진인사이대천명] 인력(人力)으로 미칠 때까지 다하고 나서 결과는 운명에 맡김. 수인사대천명(修人事待天命).

[極盡 극진] 더할 수 없이 지극함.
[賣盡 매진] 모조리 팔림.

9
⑭ 〔監〕 ㊀咸 볼 감 / ㊀咸 비추어볼 감 / ㊀陷 볼 감, 거울삼을 감 監 jiān

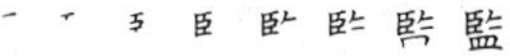

一 臣 臣 臣丶 臣攵 監

㊉ カン〔みはる・かがみ〕
㊍ see, oversee

字解 ㊀ ① 볼 감(視也). ② 살필 감(察也). ¶ 監修(감수). ③ 옥 감(獄也). ¶ 監房(감방). ㊁ ① 비추어볼 감, 거울삼을 감(鑑也). ¶ 監戒(감계). ② 감찰할 감. ¶ 監司(감사).

字源 會意. 皿과 臥의 합자. 물을 가득 담은 쟁반에 고개를 숙이고 있는, 즉 수경(水鏡)으로 얼굴을 보고 있는 모양.

[監戒 감계] 본받게 하여 경계함.
[監督 감독] 감시하여 단속함. 또, 그런 일을 하는 사람.
[監司 감사] 조선 왕조 때 관찰사의 딴 이름. 지금의 도지사에 해당함.
[監查 감사] 감독하고 검사함.
[監修 감수] 서적을 편찬하는 일을 감독함.
[收監 수감] 감방에 가둠.
[出監 출감] 감옥을 나옴.

10
⑮ 〔盤〕 소반 반 ㊀寒 盤 pán

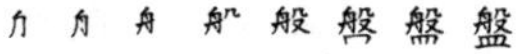

丿 刀 凡 舟 舟 般 般 般 盤

㊉ バン〔さら〕 ㊍ tray

字解 ① 소반 반, 쟁반 반(盛物器). ¶ 小盤(소반). ② 받침 반, 바탕 반. ¶ 基盤(기반). ③ 서릴 반(蟠也). ¶ 盤龍(반룡). ④ 굽을 반(屈曲), 돌 반. ¶ 盤舞(반무). ⑤ 넓고 큰모양 반(廣大). ¶ 盤桓(반환). ⑥ 큰돌 반(磐也). ¶ 盤石(반석).

字源 形聲. 皿+般〔音〕

參考 槃(木部 10획)은 동자. 柈(木部 5획)은 속자.

[盤據 반거] 땅을 굳게 차지하고 의거함. 단단하게 근거지로 함.
[盤舞 반무] 빙빙 돌면서 춤을 춤. 또, 그 춤.
[盤石 반석] ㊀ 너럭바위. ㊁ 일 또는 사물이 매우 견고한 것을 비유하여 이르는 말. 반석지안(盤石之安).
[盤旋 반선] ㊀ 길·강 등이 꾸불꾸불 빙빙 돎. ㊁ 빙빙 돎. 또는 돌아다님.
[基盤 기반] 기초가 될 만한 바탕. 기본이 되는 토대.
[小盤 소반] 작은 쟁반.

11
⑯ 〔盥〕 대야 관 ㊀翰 guàn

㊉ カン〔たらい〕 ㊍ basin

字解 ① 대야 관. ¶ 盥盤(관반). ② 씻을 관(澡手). ¶ 盥手(관수).

字源 會意. 水와 臼(양손)와 皿의 합자. 皿(대야)에 물을 부어 손을 씻고 있는 모양.

[盥洗 관세] 손발을 씻음.
[盥漱 관수] 손을 씻고 양치질을 함.

11
⑯ 〔盧〕 목로 로 ㊀虞 lú

㊉ ロ〔めしびつ〕 ㊍ saloon

字解 ① 목로 로(賣酒區). ② 검을 로(黑也). ¶ 盧矢(노시). ③ 밥그릇 로(飯器).

字源 形聲. 「虍(로)」가 음을 나타냄.

[盧弓盧矢 노궁노시] 까만 칠을 한 활과 화살.

12
⑰ 〔盪〕 씻을 탕 ㊀養 / ㊁漾 dàng

㊉ トウ〔あらう〕 ㊍ wash

字解 ① 씻을 탕(滌也). ¶ 盪滌(탕척). ② 움직일 탕(動也), 흔들릴 탕. ¶ 盪舟(탕주).

字源 形聲. 皿+湯〔탕〕

[盪擊 탕격] 물이 세차게 부딪침.
[盪口 탕구] 양치질함.
[盪滅 탕멸] 씻어 없앰.
[盪舟 탕주] 손으로 배를 움직여 옮김. 배를 육상(陸上)에서 움직여 옮김.
[盪滌 탕척] 더러운 것을 없애어 정하게 함.

13
⑱ 【鹽】 짠못 고
上麌 gǔ 鹽

日 コ〔しおいけ〕 愛 saltpan

字解 ① 짠못 고(鹽池). ② 무를 고(不堅固).

字源 形聲. 鹽〈省〉+古〔音〕.

[鹽惡 고악] 기명(器皿)이 단단하지 아니함.
[鹽鹽 고염] 소금.

15
⑳ 【盭】 어긋날 려
려去霽 lì 盭

日 レイ〔もとる〕 愛 go amiss

字解 ① 어긋날 려(違也). ② 돌아올 려(戾也).

字源 形聲. 「盩(려)」가 음을 나타냄.

目(皿) 〔5 획〕 部
(눈목부)

0
⑤ 【目】 눈목
入屋 mù 目

丨 冂 冂 月 目

日 モク〔め〕 愛 eye

字解 ① 눈 목(眼也). ¶ 目擊(목격). ② 눈여겨볼 목(注視). ¶ 注目(주목). ③ 조목 목(箇條). ¶ 條目(조목). ④ 이름 목, 제목 목(題目(제목). ⑤ 요점 목(要也). ¶ 要目(요목). ⑥ 우두머리 목(首魁). ¶ 頭目(두목).

字源 象形. 눈을 본뜬 글자.

[目擊 목격] 자기의 눈으로 직접 봄. 목도(目睹).
[目不忍見 목불인견] 눈으로 차마 볼 수 없음.
[目的 목적] 일을 이룩하려는 목표. 도달하려는 목적.
[目前 목전] 눈앞.
[目汁 목즙] 눈물.
[目標 목표] ㉠ 행동을 통하여 이루려는 대상으로 삼는 것. ㉡ 목적 삼는 곳.
[目下 목하] 바로 지금.
[頭目 두목] 우두머리.
[眼目 안목] 사물을 보고 분별하는 견실.

3
⑧ 【盱】 부릅뜰 우
우虞 xū 盱

日 ク〔みはる〕 愛 make glare

字解 ① 부릅뜰 우(張目貌). ② 기뻐할 우(喜悅貌). ¶ 睢盱(유우). ③ 근심할 우(憂也).

字源 形聲. 目+于〔音〕.

3
⑧ 【直】 곧을 직入職
값 치去寘 zhí / zhí 直

一 十 亠 古 市 首 直 直

日 チョク〔なおす〕・チ〔あたい〕
愛 straight, price

字解 ■ ① 곧을 직(不曲), 바를 직(正也). ¶ 曲直(곡직). ② 바로 직(卽也). ¶ 直接(직접). ③ 번 직(侍也). ¶ 當直(당직). ■ 값 치(値也). ¶ 直千金(치천금).

字源 會意. 十과 目과 乚(감춤)의 합자. 열 개의 눈으로 보면, 아무리 감추려해도 감출 수 없음의 뜻.

[直感 직감] 설명이나 증명을 거치지 않고, 곧 사물의 진상을 마음으로 느껴 앎.
[直言 직언] 자기가 믿는 대로 기탄없이 말함. 곧이곧대로 말함.
[直接 직접] 중간에 다른 것을 거치

지 않고 바로.

[直通 직통] ㉠ 두 지점 간에 장애가 없이 바로 통함. ㉡ 열차·버스 등이 중도에 다른 곳에 들르지 않고 곧장 감. ¶ 直通電話(직통 전화).

[直轄 직할] 직접 관할함. 직접 지배함.

[愚直 우직] 어리석고 고지식함.

[正直 정직] 마음이 바르고 곧음.

³⁸ 【盲】 먼눈 맹 ㊤庚 | máng | 盲

丶 亠 亡 宀 盲 盲 盲 盲

㊔ モウ〔めくら〕 ㊤ blind

字解 ① 먼눈 맹, 장님 맹(目無瞳). ¶ 盲人(맹인). ② 무지할 맹(蒙昧). ¶ 盲從(맹종). ③ 어두울 맹(暗也). ¶ 晦盲(회맹).

字源 形聲. 目+亡〔音〕

注意 肓(肉部 3획)은 딴 글자.

[盲目 맹목] ㉠ 먼눈. ㉡ 사리에 어두운 눈. ¶ 盲目的(맹목적).

[盲點 맹점] ㉠ 시신경이 미치지 않는 부분. ㉡ 미처 알아차리지 못한 결점.

[盲從 맹종] 옳고 그름을 가리지 않고 덮어놓고 남을 따름.

[文盲 문맹] 무식하여 글에 어두움.

[色盲 색맹] 색채를 분간할 시력이 아주 없거나 불완전한 상태.

⁴⁹ 【盻】 흘길 혜 ㊦霽 | xì | 盻

㊔ ケイ〔にらむ〕 ㊤ look askance

字解 흘길 혜(恨視貌).

字源 形聲. 目+兮〔音〕

注意 盼(目部 4획)은 딴 글자.

[盻恨 혜한] 원망함. 원망하여 봄.

⁴⁹ 【盼】 예쁠 반 ㊦諫 | pàn | 盼

㊔ ヘン〔め〕 ㊤ pretty

字解 ① 예쁠 반(美目). ¶ 美盼(미반). ② 곁눈질할 반(流視貌).

字源 形聲. 目+分〔音〕

注意 盻(目部 4획)는 딴 글자.

[盼望 반망] 바람. 희망함. 하고자 함.

[美盼 미반] 예쁜 눈. 아름다운 눈짓.

⁴⁹ 【眄】 곁눈질할 면 ㊤銑 ㊦霰 | miàn | 眄

㊔ ベン〔よこめ〕 ㊤ squint

字解 곁눈질할 면(斜視). ¶ 眄視 (면시).

字源 形聲. 目+丏〔音〕

[左顧右眄 좌고우면] 이쪽저쪽을 돌아본다는 뜻으로, 앞뒤를 재고 망설임의 일컬음.

⁴⁹ 【眇】 애꾸눈 묘 ㊤篠 | miǎo | 眇

㊔ ビョウ〔すがめ〕 ㊤ one-eyed

字解 ① 애꾸눈 묘(偏盲). ¶ 眇目 (묘목). ② 작을 묘(微也). ¶ 眇福 (묘복). ③ 멀 묘(遠也). ¶ 眇然 (묘연). ④ 정미할 묘(精微).

字源 會意. 目과 少의 합자. 눈이 작음의 뜻.

[眇目 묘목] 애꾸눈이.

[眇福 묘복] 복이 적음. 불행함.

[眇然 묘연] ㉠ 아득한 모양. ㉡ 작은 모양.

⁴⁹ 【眈】 노려볼 탐 ㊤覃 | dān | 眈

㊔ タン〔にらむ〕 ㊤ glare at

字解 노려볼 탐(視貌).

字源 形聲. 目+尤〔音〕

注意 耽(耳部 4획)은 딴 글자.

[虎視眈眈 호시탐탐] 범이 먹이를 노리어 눈을 부릅뜨고 노려본다는 뜻으로, 기회를 노리고 가만히 정세를 관망함.

⁴⁹ 【眊】 흐릴 모 ㊦號 | mào | 眊

ⓗ ボウ〔くらい〕 ⓔ dim-sighted

字解 흐릴 모(目少精).

字源 形聲. 目+毛〔音〕

[眊眊 모모] 어두운 모양.
[眊眩 모현] 눈이 어두어짐.

---

⁴⑨【昒】 ■새벽 매 ⑮隊　mèi
　　　■어두울 물 ⑧物　wù

ⓗ バイ〔よあけ〕・ブツ〔くらい〕
ⓔ dawn, dark

字解 ■ 새벽 매. ¶ 昒昕(매흔). ■ 어두울 물. ¶ 荒昒(황물).

字源 形聲. 目+勿〔音〕

---

⁴⑨【相】 ■서로 상 ⑮陽　xiāng
　　　■볼 상 ⑧漾　xiàng

一 十 才 木 机 机 相 相 相

ⓗ ショウ・ソウ〔あい・みる〕
ⓔ mutual, see

字解 ■ 서로 상(共也). ¶ 相互(상호). ■ ① 볼 상(視也). ¶ 觀相(관상). ② 도울 상(助也). ¶ 輔相(보상). ③ 모습 상, 모양 상. ¶ 眞相(진상). ④ 정승 상(官也). ¶ 宰相(재상).

字源 會意. 木과 目의 합자. 나무에 올라 보면 잘 보임의 뜻.

[相剋 상극] ㉠ 오행설(五行說)에서, 쇠는 나무를, 나무는 흙을, 흙은 물을, 물은 불을, 불은 쇠를 이김을 이름. ㉡ 둘 사이에 마음이 서로 화합하지 못하고 항상 충돌함.

[相扶相助 상부상조] 서로서로 도움.

[相思 상사] 서로 생각함. 서로 그리위함. ¶ 相思病(상사병).

[相議 상의] 서로 논함.

[相互 상호] 피차간. 서로.

[觀相 관상] 사람의 얼굴 등을 보고, 성질이나 운명 따위를 판단함.

[樣相 양상] 생김새. 모양. 모습.

---

⁴⑨【盾】 ■방패 순 ⑮軫　shǔn
　　　■사람이름 돈 ⑧阮　dùn

一 厂 厂 厂 盾 盾 盾 盾

ⓗ ジュン〔たて〕・トン〔じんめい〕
ⓔ shield

字解 ■ 방패 순(干也). ■ 사람이름 돈.

字源 象形. 방패로 눈을 가리고 있는 모양. 전하여, 방패의 뜻.

[矛盾 모순] 말이나 행동의 앞뒤가 서로 맞지 아니함.

---

⁴⑨【省】 ■살필 성 ⑮梗　xīng
　　　■덜 생 ⑮梗　shěng

丿 小 小 少 少 省 省 省 省

ⓗ セイ〔かえりみる〕・ショウ〔はぶく〕
ⓔ watch, lighten

字解 ■ ① 살필 성(察也). 볼 성(視也). ¶ 反省(반성). ② 관청 성. ¶ 門下省(문하성). ③ 성 성(地方行政區劃名). ¶ 山西省(산서성). ■ 덜 생(簡少). 생략할 생. ¶ 省略(생략).

字源 會意. 少(미소함)과 目의 합자. 미소한 것을 눈으로 봄의 뜻.

[省略 생략] 글이나 말 또는 일정한 절차에서 일부분을 빼거나 줄임.

[省墓 성묘] 조상(祖上)의 산소를 찾아가며 살피어 돌봄.

[省察 성찰] ㉠ 살펴봄. ㉡ 자기의 언행을 반성하여 봄.

[歸省 귀성] 객지에서 부모를 뵈러 고향에 돌아옴.

[反省 반성] 자기의 잘못을 깨닫기 위하여 스스로를 돌이켜 생각함.

---

⁴⑨【眉】 ■눈썹 미 ⑮支　méi

㇇ ㇀ ㇅ ㇆ ㇆ 届 眉 眉 眉

⽇ ビ・ミ〔まゆ〕 ⽶ eyebrows

字解 ① 눈썹 미(目上毛). ¶ 眉間
(미간). ② 가 미(側邊).

字源 象形. 눈썹을 본뜬 글자.

[眉間 미간] 두 눈썹 사이.

[眉目秀麗 미목수려] 얼굴이 빼어
나게 아름다움.

[白眉 백미] 여럿 중에 가장 뛰어난
사람이나 물건.

[焦眉 초미] 눈썹에 불이 붙은 것같
이 매우 위험함의 비유.

---

4 / 9 【看】 볼 간 kān
④寒 kàn

丿 二 乡 禾 看 看 看

⽇ カン〔みる〕 ⽶ see, watch

字解 ① 볼 간(視也). ¶ 看板(간
판). ② 지킬 간. ¶ 看守(간수).

字源 會意. 手와 目의 합자. 이마에
손을 대고 멀리 바라봄의 뜻.

[看過 간과] ㉠ 대충 보아 넘기다가
빠뜨림. ㉡ 깊이 유의하지 않고 예
사로 내버려 둠.

[看做 간주] 그렇다고 침. 그런 양으
로 여김.

[看破 간파] 보아서 속 내용을 알아
차림.

[看護 간호] 병상자, 늙은이나 어린
애를 보살피어 돌봄. ¶ 看護師(간
호사).

---

4 / 9 【県】 縣(현)(糸部 10획)의 略字

---

5 / 10 【眕】 진중할 진 zhěn
④軫

⽇ シン〔こらえる〕 ⽶ reserved

字解 진중할 진(重厚).

字源 形聲. 目+㐱[音]

---

5 / 10 【眙】 ━눈여겨
볼 치 ④寘 chì
━땅이름
이④支 yí

⽇ チ〔みつめる〕・イ〔ちめい〕
⽶ look at carefully

字解 ━ ① 눈여겨볼 치(直視). ②
부릅떠볼 치(舉目貌). ━ 땅이름
이(楚州縣名).

字源 形聲. 目+台[音]

---

5 / 10 【眛】 흐릴 매 mèi
④隊 miè

⽇ マイ〔くらい〕 ⽶ dim

字解 흐릴 매(目不明).

字源 形聲. 目+未[音]

[蒙眛 몽매] 어리석고 사리에 어두움.

[愚眛 우매] 어리석고 사리에 어두움.

---

5 / 10 【眠】 잘 면 mián
④先

丨 𝃅 目 目 目ヿ 目ヿ 眠 眠 眠

⽇ ミン〔ねむる〕 ⽶ sleep

字解 잘 면(寐也), 쉴 면. ¶ 眠睡
(면수).

字源 形聲. 目+民[音]

[眠食 면식] 잠자는 일과 먹는 일.

[冬眠 동면] 겨울잠.

[催眠 최면] 잠이 오게 함.

---

5 / 10 【眩】 아찔할 현 xuàn
④霰

⽇ ケン・ゲン〔くらむ〕 ⽶ dizzy

字解 아찔할 현. ¶ 暝眩(명현).

字源 形聲. 目+玄[音]

[眩惑 현혹] 어지러워져 홀림. 어지
럽게 하여 홀리게 함.

[眩暈 현훈] 정신이 어뜩어뜩하여
어지러움.

---

5 / 10 【眞】 참 진 真 zhēn
④眞

一 匕 𠂉 𣆕 𣆕 𣆕 直 眞

⽇ シン〔まこと〕 ⽶ true

字解 ① 참 진(僞之反). 眞相(진
상). ② 참으로 진(實也). ¶ 眞心
(진심). ③ 사진 진, 초상 진(肖像).

¶ 寫眞(사진).

[字源] 會意. 사람 인(匕＝人)에 머리 수(県＝首)를 합친 글자.

[參考] 真(目部 5획)은 속자.

[眞假 진가] 진짜와 가짜.
[眞價 진가] 참된 값어치.
[眞相 진상] 사물의 참된 모습. 실제의 형편.
[眞髓 진수] 사물의 중심 부분에서도 가장 중요한 부분.
[眞摯 진지] 아주 진실함.
[眞紅 진홍] 새빨간 빛.
[寫眞 사진] 카메라로 물체의 형상을 찍는 일. 또, 그렇게 찍은 형상.
[純眞 순진] 마음이 꾸밈이 없고 참됨.

5 ⑩ 【眚】 흐릴 생 [上]梗 | shěng

[日] セイ〔あやまち〕 [英] dim

[字解] ① 흐릴 생(目病生翳). ② 재앙 생(災沴). ③ 잘못 생(過誤).

[字源] 形聲. 目＋生〔音〕

5 ⑩ 【眥】 [一]흘길 자 [平]佳 [二]눈초리 제 [去]霽 | zì

[日] サイ〔にらむ〕・セイ〔まぶち〕
[英] look askance, dreadful look

[字解] [一] 흘길 자(恨視). ¶ 眥睚(자애). [二] 눈초리 제(目厓). ¶ 裂眥(열제).

[字源] 形聲. 目＋此〔音〕

[眥睚 자애] 눈을 부라림. 노려봄.

5 ⑩ 【真】 眞(진)(目部 5획)의 俗字

6 ⑪ 【眴】 [一]눈깜짝할 순 [去]震 [二]눈짓할 현 [去]霰 | shùn xiàn

[日] シュン〔またたく〕・ケン〔めくばせする〕
[英] keep blinking, wink at

[字解] [一] 눈깜짝할 순(瞬). [二] ① 눈짓할 현(以目使人). ② 아찔할 현(眩也).

[字源] 形聲. 目＋旬〔音〕

[眴轉 현전] 확실히 보이지 않음.
[眴眴 현현] ㉠ 유순한 모양. ㉡ 눈이 움직여 잘 보이지 않는 모양.

6 ⑪ 【眶】 눈자위 광 [平]陽 | kuàng

[日] キョウ〔まぶた〕
[英] rim of the eye

[字解] 눈자위 광(目厓).

[字源] 形聲. 目＋匡〔音〕

6 ⑪ 【眸】 눈동자 모 [本]무 [平]尤 | móu

[日] ボウ〔ひとみ〕 [英] pupil

[字解] 눈동자 모(目瞳). ¶ 眸子(모자).

[字源] 形聲. 目＋牟〔音〕

[眸子 모자] 눈동자.

6 ⑪ 【眹】 눈동자 진 [上]軫 | zhèn

[日] チン〔ひとみ〕 [英] pupil

[字解] ① 눈동자 진(目精瞳子). ② 조짐 진(兆也).

[字源] 形聲. 目＋关〔音〕

6 ⑪ 【眺】 바라볼 조 [去]嘯 | tiào

[日] チョウ〔ながめる〕 [英] look

[字解] 바라볼 조(望遠). ¶ 眺覽(조람).

[字源] 形聲. 目＋兆〔音〕

[眺望 조망] ㉠ 먼 데를 바라봄. ㉡ 멀리 바라보이는 풍경.

6 ⑪ 【眼】 눈 안 [上]濟 | yǎn

眼의 자형 변화: 丨 刂 刂ㄱ 刂ㄱ 刂ㄱ 眖 眼 眼

⊕ ガン〔まなこ・め〕 ⊛ eye

字解 ① 눈 안(目也). ¶ 眼鏡(안경). ② 고동 안. ¶ 主眼(주안).

字源 形聲. 目+艮〔音〕

[眼目 안목] ㉠ 눈. 눈매. ㉡ 주안(主眼). 요점. ㉢ 사물을 보아서 분별하는 견식(見識).

[眼識 안식] 좋고 나쁜 것을 분별하는 식견. 감정하는 견식.

[眼下無人 안하무인] 「눈 아래 보이는 사람이 없다」는 뜻으로 교만하여 남을 업신여김을 이르는 말. 방약무인(傍若無人).

[主眼 주안] 중요한 목표. 요점.

[着眼 착안] 어느 점에 눈을 돌림.

6
⑪【眷】돌아볼
권⊕霰 │ juàn　眷

⊕ ケン〔かえりみる〕 ⊛ look back

字解 ① 돌아볼 권(回視), 돌볼 권(顧念). ② 겨레붙이 권. ¶ 眷屬(권속).

字源 形聲. 目+尖〔音〕

注意 拳(手部 6획)은 딴 글자.

[眷顧 권고] 돌봐 줌. ¶ 眷顧之恩(권고지은).

[眷屬 권속] ㉠ 친척. 친족. ㉡ 한 집안의 식구. ㉢ 아내의 낮춤말.

7
⑫【睍】불거진눈
현⊕銑 │ xiàn

⊕ ケン〔めのでているさま〕 ⊛ goggle eyes

字解 ① 불거진눈 현. ② 흘끗볼 현. ③ 고울 현.

字源 形聲. 目+見〔音〕

7
⑫【睆】멀리볼
환⊕潸 │ huàn　睆

⊕ カン〔みのる〕

字解 ① 멀리볼 환(遠視). ② 고울 환(光鮮貌).

字源 形聲. 目+完〔音〕

7
⑫【睇】흘끗볼
제⊕霽 │ dì　睇

⊕ テイ〔みる〕 ⊛ glance

字解 흘끗볼 제(小視). ¶ 睇眄(제면).

字源 形聲. 目+弟〔音〕

[睇眄 제면] 곁눈질함. 슬쩍 봄.

7
⑫【睎】바라볼
희⊕微 │ xī　睎

⊕ キ〔したう〕 ⊛ look at

字解 ① 바라볼 희(眄望也). ② 사모할 희(慕也).

字源 形聲. 目+希〔音〕

7
⑫【着】붙을 착
入藥 │ zháo

着의 자형 변화: ⺷ ⺷ 着 着 着 着 着 着

⊕ チャク〔つく〕 ⊛ attach

字解 ① 붙을 착(附也). ¶ 附着(부착). ② 입을 착(被服), 쓸 착, 신을 착. ¶ 着衣(착의). ③ 다다를 착. ¶ 到着(도착). ④ 손댈 착.

字源 形聲. 본자는 著이며, 「者(자)」의 전음이 음을 나타냄.

[着工 착공] 공사를 시작함.

[着服 착복] ㉠ 옷을 입음. ㉡ 남의 금품을 부당하게 자기 것으로 함.

[着想 착상] 일의 실마리가 될 만한 생각.

[着手 착수] 일을 시작함.

[着實 착실] 들뜨지 아니하고 거짓이 없이 진실함.

[到着 도착] 목적한 곳에 다다름.

[執着 집착] 어떤 것에만 마음이 쏠려 잊지 못하고 매달림.

[沈着 침착] 행동이 들뜨지 않고 차분함.

8
⑬【睚】눈초리
애⊕佳 │ yá　睚

⊕ ガイ〔まなじり〕 ⊛ suspicious eyes

字解 ① 눈초리 애(目際). ② 흘길

애(恨視). ¶ 睚眥(애자).

字源 會意. 目＋厓〔音〕

[睚眥 애자] 눈을 부라림. 노려봄. 자애(眥睚).

---

8 ⑬ 【睛】 눈알 정 ⑭庚 | jīng 睛

囲 セイ〔ひとみ〕 奧 eyeball

字解 눈알 정(目瞳子). ¶ 眼睛(안정).

字源 形聲. 目＋靑〔音〕

注意 晴(日部 8획)은 딴 글자.

[眼睛 안정] 눈동자.

[畫龍點睛 화룡점정] 용을 그릴 때 마지막에 눈만을 그려 완성시킨다는 뜻에서, 가장 긴한 부분을 완성시킴.

---

8 ⑬ 【睜】 노리고볼 정 ⑭梗 | jīng 睜

囲 セイ〔みはる〕 奧 glare

字解 노리고볼 정, 눈치떠볼 정(不悅視). ¶ 睜睜(명정).

字源 形聲. 目＋爭〔音〕

---

8 ⑬ 【晬】 함치르르할 수 ⑭眞 | suì 晬

囲 スイ〔つやのあるさま〕 奧 sleek

字解 함치르르할 수(潤澤貌).

字源 形聲. 目＋卒〔音〕

---

8 ⑬ 【睡】 졸 수 ⑭眞 | shuì 睡

⺆ 目 目⺁ 目⻖ 睡 睡 睡 睡

囲 スイ〔ねむる〕 奧 doze

字解 졸 수(坐寐也), 잘 수(眠也). ¶ 假睡(가수).

字源 形聲. 目＋垂〔音〕

[睡眠 수면] ㉠ 잠. ㉡ 잠을 잠.

[午睡 오수] 낮잠.

[昏睡 혼수] ㉠ 정신없이 잠이 듦. ㉡ 의식이 없어지고 인사불성(人事不省)이 됨.

---

8 ⑬ 【睢】 ■물이름 수 ⑭支 ■부릅떠볼 휴 ⑭支 | suī huī 睢

囲 スイ〔かわのな〕・キ〔みはる〕 奧 make glare

字解 ■ 물이름 수(浚儀水名). ■ ① 부릅떠볼 휴(瞋視). ¶ 睢盱(휴우). ② 성내어볼 휴(怒視).

字源 形聲. 目＋隹〔音〕

---

8 ⑬ 【睥】 흘겨볼 비 ⑭霽 | pì 睥

囲 ヘイ〔にらむ〕 奧 glance at

字解 흘겨볼 비(傍視貌).

字源 形聲. 目＋卑〔音〕

[睥睨 비예] 눈을 흘겨봄.

---

8 ⑬ 【睦】 화목할 목 ⑭屋 | mù 睦

⺆ 目 目 目⺁ 睦 睦 睦 睦

囲 ボク〔むつぶ〕 奧 be in harmony

字解 화목할 목(和也), 친할 목(親也). ¶ 睦親(목친).

字源 形聲. 目＋坴〔音〕

參考 穆(禾部 11획)은 동자.

[睦友 목우] 형제가 화목함.

[睦族 목족] 동족끼리 화목하게 지냄. 또, 화목한 친족.

[睦親 목친] 서로 친하여 화목함. 또 근친(近親).

[親睦 친목] 서로 친하여 화목함.

[和睦 화목] 뜻이 맞고 정다움.

---

8 ⑬ 【睨】 곁눈질할 예 ⑭霽 | nì 睨

囲 ゲイ〔にらむ〕 奧 look aside

字解 곁눈질할 예(斜視). ¶ 睥睨(비예).

字源 形聲. 目＋兒〔音〕

---

8 ⑬ 【睫】 속눈썹 첩 ⑭葉 | jié 睫

日 ショウ〔まつげ〕　英 eyelashes

字解 속눈썹 첩(目旁毛). ¶ 睫毛
(첩모).

字源 形聲. 目+疌〔音〕

[睫毛 첩모] 속눈썹.
[目睫 목첩] ㉠ 눈과 속눈썹. ㉡ 아주 가까운 때나 곳을 이르는 말.

8
⑬ 【督】감독할
독入沃　dū

丶 十 尗 叔 叔 督 督 督

日 トク〔ただす〕　英 supervise

字解 ① 감독할 독(董也). ② 監督
(감독). ② 거느릴 독(率也). ¶ 督
軍(독군). ③ 재촉할 독(催趣). ¶
督促(독촉).

字源 形聲. 目+叔〔音〕

[督勵 독려] 감독하여 격려함.
[督戰 독전] 전투를 감시·독려함.
[督察 독찰] 감찰(監察)함.
[督促 독촉] 재촉함.
[監督 감독] 보살펴 단속함. 또, 그 사람.

9
⑭ 【睹】볼 도
上麌　dǔ

睹

日 ト〔みる〕　英 look

字解 볼 도(見也). ¶ 睹聞(도문).

字源 形聲. 目+者〔音〕

參考 覩(見部 9획)와 동자.

[目睹 목도] 눈으로 직접 봄.

9
⑭ 【睽】어그러
질 규　kuí

日 キ・ケイ〔そむく〕　英 violate

字解 ① 어그러질 규(乖也). ¶ 睽
合(규합). ② 부릅뜰 규(張目貌).
¶ 睽睢(규휴).

字源 形聲. 目+癸〔音〕

[睽睽 규규] 눈을 부릅뜨는 모양.
[睽合 규합] 떨어짐과 합함. 만남과 헤어짐. 이합(離合).

9
⑭ 【睿】슬기로
울 예　ruì

日 エイ〔さとい〕　英 wise

字解 ① 슬기로울 예(智也). ¶ 睿
智(예지). ② 밝을 예(深明). ② 통
할 예(通也).

字源 會意. 叡(깊은 골짜기)의 생략
형과 目의 합자. 깊이 통하여 명백
한 뜻.

參考 叡(又部 14획)와 동자.

[睿敏 예민] 임금의 천성이 영명(英明)함.
[睿智 예지] ㉠ 마음이 밝고 생각이
뛰어나게 지혜로움. ㉡ 인식을 얻기
위한 활동 전부.

9
⑭ 【瞀】■야맹 목入屋
■흐릴 무上宥　mào

日 ボウ〔とりめ〕・ボウ〔くらい〕
英 night blindness, dim

字解 ■ 야맹 목(夜盲). ■ ① 흐
릴 무(目不明貌). ② 어지러울 무
(亂也).

字源 形聲. 目+敄〔音〕

9
⑭ 【睾】불알 고
平豪　gāo

日 コウ〔きんたま〕　英 testicles

字解 ① 불알 고(陰丸). ¶ 睾丸(고
환). ② 넓을 고(廣大貌). ¶ 睾睾
(고고).

字源 形聲. 본디 글자는 皋. 뒤에
睾으로 변하여 못의 뜻을 나타내다
가 「睪(역)」과 구별하기 위하여 머
리에 한 획을 더한 글자.

[睾睾 고고] 넓고 큰 모양.
[睾丸 고환] 불알. 남자 생식기의 하나.

10
⑮ 【瞋】부릅뜰
진上眞　chēn

日 シン〔めをみはる〕　英 glare

5
획

字解 ① 부릅뜰 진(怒而張目). ② 성낼 진(怒也). ¶ 瞋恚(진에).
字源 形聲. 目+眞〔音〕
[瞋怒 진노] 눈을 부릅뜨고 성을 냄.

10 ⑮【瞍】소경 수 ㊤有 sǒu 瞍
㊊ ソウ〔めくら〕 ㊤ blind
字解 소경 수(無目之稱).
字源 形聲. 目+叟〔音〕

10 ⑮【瞎】애꾸눈 할㊋點 xiā 瞎
㊊ カツ〔かため〕 ㊤ one-eye
字解 ① 애꾸눈 할(一目盲). ② 소경 할(目盲).
字源 形聲. 目+害〔音〕

10 ⑮【瞑】
■눈감을 명㊥青
■잘 면㊤先
■아찔할 면㊤霰
míng
mián
miàn
瞑
㊊ メイ〔めをつぶる〕・べん・メン〔ねむる・めまい〕 ㊤ shut eyes, sleep, dizzy
字解 ■ ① 눈감을 명(翕目). ¶ 瞑想(명상). ② 어두울 명(目不明). ¶ 瞑瞑(명명). ■ 잘 면(寐也). ■ 아찔할 면(劇也). ¶ 瞑眩(면현).
字源 形聲. 目+冥〔音〕
[瞑眩 면현] 현기증이 남.
[瞑瞑 명명] 눈이 잘 보이지 않는 모양. 보아도 분명하지 않은 모양.
[瞑想 명상] 눈을 감고 고요히 깊은 생각에 잠김.

10 ⑮【瞏】볼 경 ㊤庚 qióng 瞏
㊊ ケイ〔おどろきみる〕 ㊤ see
字解 ① 볼 경(驚視). ② 외로울 경. ¶ 瞏瞏(경경).
字源 形聲. 目+袁〔音〕

11 ⑯【瞞】
■속일 만㊤寒
■부끄러워할 문㊤元
mán
mén
瞞
㊊ バン〔だます〕・モン〔はじるさま〕 ㊤ deceive, be coy
字解 ■ ① 속일 만(謾也). ② 흐릴 만. ¶ 瞞然(만연). ■ 부끄러워할 문(慚也). ¶ 瞞然(문연).
字源 形聲. 目+兩〔音〕
[瞞着 만착] 사람의 눈을 속여 넘김.
[瞞然 문연] 부끄러워하는 모양.
[欺瞞 기만] 남을 속임.

11 ⑯【瞠】똑바로볼 당㊤庚 chēng 瞠
㊊ ドウ〔みはる〕 ㊤ gaze
字解 똑바로볼 당(直視).
字源 形聲. 目+堂〔音〕
[瞠目 당목] 놀라거나 기가 차서 눈을 휘둥그렇게 뜨고 바라봄. 당시(瞠視).

11 ⑯【瞖】흐릴 예 ㊤霽 yì
㊊ エイ〔かすむ〕 ㊤ dull
字解 흐릴 예(眼疾目障). ¶ 瞖膜(예막).
字源 形聲. 目+殹〔音〕

11 ⑯【瞢】
■어두울 몽㊥東
■먼눈 맹㊤庚
méng
máng
瞢
㊊ ボウ〔くらい〕・ボウ・ミョウ〔めくら〕 ㊤ obscure, blind
字解 ■ 어두울 몽(目不明). ¶ 瞢瞢(몽몽). ■ 먼눈 맹, 장님 맹(目無牟者).
字源 會意. 苜(눈이 바르지 못함)와 旬(눈을 감박거림)의 합자. 눈이 부

시어 깜박거림의 뜻.

[瞢然 몽연] 어두운 모양. 분명하지 않은 모양. 몽몽(瞢瞢).

12
(17) **[瞯]** ━엿볼 간
㊀諫
━결눈질
할 한㊁删
jiàn
xiàn

㊐ カン〔うかがう・なかしめ〕
㊍ peep, look aside

字解 ━ 엿볼 간. ━ 결눈질할 한.

字源 形聲. 目+閒〔音〕

12
(17) **[瞬]** 눈깜작
거릴 순
㊀震
shùn

目丿 目⺊ 目⺊ 目⺊ 瞬 瞬 瞬 瞬

㊐ シュン〔またたく〕 ㊍ wink

字解 눈깜짝거릴 순(目自動). ¶ 瞬時(순시).

字源 形聲. 目+舜〔音〕

[瞬間 순간] 눈 깜짝할 사이.

[瞬息間 순식간] 순식(瞬息). 잠간 새.

[一瞬 일순] 아주 짧은 동안. 삽시.

12
(17) **[瞭]** 맑을 료
㊀篠
liǎo

㊐ リョウ〔あきらか〕
㊍ clear-sighted

字解 ① 맑을 료, 눈밝을 료(目明也). ② 밝을 료. 明瞭(명료). ③ 아득할 료(杳也). ¶ 瞭望(요망).

字源 形聲. 目+尞〔音〕

[瞭望 요망] 높다란 곳에서 적정(敵情)을 살피어 바라봄.

[瞭然 요연] 똑똑하고 분명함. ¶ 一目瞭然(일목요연).

[明瞭 명료] 분명하고 똑똑함.

12
(17) **[瞰]** 볼 감
㊀勘
kàn

㊐ カン〔みる〕
㊍ look down

볼 감(視也), 내려다볼 감, 굽어볼 감(俯視). ¶ 瞰望(감망).

字源 形聲. 目+敢〔音〕

[俯瞰 부감] 높은 곳에서 아래를 내려다봄.

[鳥瞰圖 조감도] 높은 곳에서 내려다본 것처럼 그린 그림.

12
(17) **[瞳]** 눈동자
동㊀東
tóng

㊐ トウ・ドウ〔ひとみ〕 ㊍ pupil

字解 눈동자 동(目珠子). ¶ 瞳孔(동공).

字源 形聲. 目+童〔音〕

[瞳子 동자] 눈동자. 동공(瞳孔).

12
(17) **[瞥]** 언뜻볼
별㊀屑
piē

㊐ ベツ〔みる〕 ㊍ glance at

字解 언뜻볼 별(暫見). ¶ 瞥見(별견).

字源 形聲. 目+敝〔音〕

[瞥見 별견] 얼른 슬쩍 봄.

[瞥眼間 별안간] 《韓》갑자기. 난데없이.

[一瞥 일별] 한번 홀끗 봄.

13
(18) **[瞿]** 놀랄 구
㊀遇
jù

㊐ ク〔みる〕 ㊍ alarmed

字解 놀랄 구(驚視貌). ¶ 瞿視(구시).

字源 會意. 朋+隹

[瞿然 구연] ㉠ 놀라고 괴이하게 여기는 모양. ㉡ 무서워하고 놀라는 모양. ㉢ 기뻐하는 모양. ㉣ 분주한 모양. ㉤ 비탄(悲嘆)에 잠기는 모양.

13
(18) **[瞻]** 볼 첨
㊀鹽
zhān

㊐ セン〔みる〕 ㊍ look up

字解 볼 첨, 쳐다볼 첨(仰視). ¶ 瞻望(첨망).

字源 形聲. 目+詹〔音〕

5
획

[注意] 膽(肉部 13획)·贍(貝部 13획)은 딴 글자.

[瞻敬 첨경] 우러러봄. 존경함.
[瞻顧 첨고] 뒤를 돌아다봄.
[瞻望 첨망] 바라봄. 멀리서 우러러봄.

13 ⑱ 【瞼】 눈꺼풀 검[上]琰 | 睑 jiǎn

[日] ケン〔まぶた〕 [英] eyelid

[字解] **눈꺼풀 검**(眼弦).

[字源] 形聲. 目+僉〔音〕

[眼瞼 안검] 눈꺼풀.

13 ⑱ 【曖】 가릴 애[去]泰 | ài

[日] アイ〔くらい〕 [英] hide

[字解] **가릴 애**(隱也).

[字源] 形聲. 目+愛〔音〕

13 ⑱ 【瞽】 소경 고[上]麌 | gǔ

[日] コ〔めくら〕 [英] blind

[字解] **소경 고**(盲也). ¶ 瞽者(고자).

[字源] 形聲. 目+鼓〔音〕

[瞽女 고녀] 여자 소경. 여자 장님.

14 ⑲ 【矉】 찌푸릴 빈[平]眞 | pín

[日] ヒン〔しかめる〕 [英] frown

[字解] **찌푸릴 빈. 찌그릴 빈.**

[字源] 形聲. 目+賓(音)

14 ⑲ 【矇】 먼눈 몽[平]東 | mēng

[日] モウ〔めしい〕 [英] bat-blind

[字解] **먼눈 몽, 소경 몽**(有瞳未見). ¶ 矇瞽(몽고).

[字源] 形聲. 目+蒙〔音〕

[矇瞽 몽고] 소경.
[矇昧 몽매] 어리석고 어두움. ¶ 無知矇昧(무지몽매).

15 ⑳ 【矍】 두리번거릴 확[本]곽[入]藥 | jué

[日] カク〔おどろきみる〕
[英] stare about

[字解] ① **두리번거릴 확**(左右顧). ¶ 矍視(확시). ② **날쌜 확**(輕使貌). ¶ 矍鑠(확삭).

[字源] 形聲. 又+瞿〔音〕

[矍鑠 확삭] 늙어서도 기력이 정정함.

19 ㉔ 【矗】 곧을 촉[入]屋 | 矗 chù

[日] チョク〔そびえる〕 [英] straight

[字解] ① **곧을 촉**(直也). ② **우뚝 솟을 촉**(聳上貌).

[字源] 會意. 直이 세 개 겹쳐서 똑바름을 나타냄.

[矗立 촉립] 똑바로 섬. 솟아 있음.

21 ㉖ 【矚】 볼 촉[入]沃 | zhǔ

[日] ショク〔みる〕 [英] see

[字解] **볼 촉**(注視).

[字源] 形聲. 目+屬〔音〕

矛 〔5 획〕 部
(창모부)

0 ⑤ 【矛】 창 모[本]무[平]尤 | máo

ㄱ マ ヱ 予 矛

[日] ボウ〔ほこ〕 [英] spear

[字解] **창 모**(鉤兵, 兵器長柄頭刃).

[字源] 象形. 장식이 달린 긴 창을 본뜬 글자.

[矛戈 모과] 창. 전하여, 병기(兵器).
[矛戟 모극] ㉠ 창. ㉡ 병기(兵器).
[矛盾 모순] ㉠ 창과 방패. ㉡ 앞뒤가 서로 어긋나 맞지 않음.

⁴/⁹ 【矜】 긍⑪蒸 / 근⑪眞

■창자루
긍⑪蒸
jīn

■창자루
근⑪眞
qín

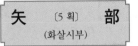

㊐ キョウ・キン〔ほこのえ〕 ㊌ shaft

字解 ■① 창자루 긍(戟鋋柄). ② 불쌍히여길 긍(憐也). ¶ 矜恤(긍흌). ③ 자랑할 긍(自賢). ¶ 矜持(긍지). ■ 창자루 근(戟之把).

字源 形聲. 본자(本字)는 矜.「令(령)」의 전음이 음을 나타냄.

[矜持 긍지] 믿는 바가 있어서 스스로 자랑하는 마음.

[矜恤 긍휼] 불쌍히 여김. 가엾게 여김.

矢 〔5획〕 部
(화살시부)

⁰/⁵ 【矢】 살 시⑪紙 shǐ

ノ 𠂉 느 午 矢

㊐ シ〔や〕 ㊌ arrow

字解 ① 살 시(箭也). ¶ 矢鏃(시촉). ② 맹세할 시(誓也). ¶ 矢言(시언).

字源 象形. 화살촉과 깃의 모양을 본뜬 글자.

[矢石 시석] ㋀ 화살과 쇠뇌로 쏘는 돌. ㋁ 전쟁.

[矢心 시심] 마음속으로 맹세함.

[弓矢 궁시] 활과 화살.

---

²/⁷ 【矣】 어조사 의⑪紙 yǐ

𠂉 𠫔 矢 矢 矣

㊐ イ〔じょし〕

字解 어조사 의(語助辭).

字源 形聲.「厶=㠯(의)」가 음을 나타냄.

[萬事休矣 만사휴의] 더 손쓸 수단도 없고 모든 것에 끝장났다는 뜻.

---

³/⁸ 【知】 알 지⑪支 zhī

ノ 𠂉 느 午 矢 知 知 知

㊐ チ〔しる〕 ㊌ know

字解 ① 알 지(識也), 알릴 지. ¶ 知得(지득). ② 깨달을 지(覺也). ¶ 知言(지언). ③ 맡을 지(主也). ¶ 知事(지사).

字源 會意. 口와 矢의 합자. 사람의 말을 듣고 화살처럼 거침없이 깨달음의 뜻.

[知覺 지각] ㋀ 알아서 깨달음. 또, 그 능력. ㋁ 외계의 대상 등을 의식하는 작용 및 이에서 얻어지는 표상(表象).

[知己 지기] 자기의 마음이나 참된 가치를 알아주는 사람.

[知悉 지실] 모든 사정을 자세히 앎.

[諒知 양지] 살펴서 앎.

[認知 인지] 인정하여 앎.

---

⁴/⁹ 【矧】 신⑪軫 shěn

하물며
신⑪軫
shěn

㊐ シン〔いわんや〕 ㊌ still more

字解 ① 하물며 신(況也). ② 이촉 신(齒本). ¶ 矧笑(신소).

字源 形聲. 矢+引〔音〕.

---

⁵/¹⁰ 【矩】 구⑪麌 jǔ

곱자
구⑪麌
jǔ

㊐ ク〔さしがね〕 ㊌ carpenter's square

字解 ① 곱자 구(正方器). ¶ 矩繩(구승). ② 법 구(法也). ¶ 矩度(구도).

字源 會意. 巨가 곱자의 모양. 夫(어른)가 곱자를 들고 있는 뜻. 夫가 잘못되어 矢로 쓰였음.

[矩度 구도] ㋀ 법도. ㋁ 기거동작(起居動作)의 규율 법칙.

[矩尺 구척] ㄱ자 모양으로 90도의 각도로 만든 자. 곱자. 곡척(曲尺).

[矩形 구형] 직사각형. 기하학에서 각각의 각(角)이 직각을 이루는 사변형(四邊形). 네모꼴.

7 ⑫ 【短】 짧을 단 ㊤旱 | duǎn

㊐ タン〔みじかい〕 ㊖ short

字解 ① **짧을 단, 모자랄 단**(不長促也). ¶ 短期(단기). ② **허물 단**(缺點). ¶ 短點(단점).

字源 形聲. 矢+豆〔音〕

[短見 단견] 천한 소견. 천견(淺見).
[短軀 단구] 키가 작은 몸. 작은 몸집.
[短點 단점] 낮고 모자라는 점. 결점.
[短縮 단축] 짧게 줄임.
[長短 장단] 길고 짧음.

8 ⑬ 【矮】 난쟁이 왜 ㊤蟹 | ǎi

㊐ ワイ〔みじかい〕 ㊖ dwarf

字解 **난쟁이 왜**(短人), **키작을 왜**(矬也).

字源 形聲. 矢+委〔音〕

[矮軀 왜구] 키가 작은 체구(體軀).
[矮小 왜소] 몸집이 작음.

12 ⑰ 【矯】 바로잡을 교 ㊤篠 | 矫 jiǎo

㊐ キョウ〔ためる〕 ㊖ reform

字解 ① **바로잡을 교**(直也, 正也). ¶ 矯正(교정) ② **속일 교**(詐也). ¶ 矯詐(교사). ③ **굳셀 교**(勇貌). ¶ 矯矯(교교).

字源 形聲. 矢+喬〔音〕

[矯矯 교교] ㉠ 날래고 사나운 모양. ㉡ 높이 뛰어난 모양.
[矯詐 교사] 속임. 또, 기만.
[矯僞 교위] 속임. 교사(矯詐).
[矯正 교정] 틀어지거나 굽은 것을 바로잡음. 광정(匡正).

12 ⑰ 【矰】 주살 증 ㊥蒸 | zēng

㊐ ソウ〔いぐるみ〕 ㊖ arrow

字解 **주살 증**(弋矢). 활의 오늬에 줄을 매어 쏘는 화살.

字源 形聲. 矢+曾〔音〕

[矰矢 증시] 주살.

14 ⑲ 【矱】 자 확 ㊇藥 | huò

㊐ ワク〔のり〕 ㊖ standard

字解 ① **자 확**(尺度). ② **법도 확**. ¶ 矩矱(구확).

字源 形聲. 矢+蒦〔音〕

石 〔5 획〕 部
(돌석부)

0 ⑤ 【石】 돌 석 ㊇陌 | shí

㊐ セキ〔いし〕 ㊖ stone

字解 ① **돌 석**(山骨). ¶ 石碑(석비). ② **섬 석**(量名, 十斗). ¶ 萬石(만석).

字源 象形. 厂은 언덕을, 口는 돌 모양을 각각 본뜬 글자.

[石炭 석탄] 고대(古代)에 식물이 땅 속에 묻혀서 탄화(炭化)된 흑색의 돌. 연료로 씀.
[石火 석화] 돌을 쳐서 나는 불. 몹시 빠른 것의 비유. ¶ 電光石火(전광석화).
[壽石 수석] 관상용의 자연석.
[採石 채석] 돌산이나 바위에서 석재를 떠냄.

1 ⑥ 【乭】 《韓》 돌 돌

字解 《韓》 **돌 돌**(石也, 人名也).

2 ⑦ 【矴】 닻 정 ㊦徑 | dìng

㊐ テイ〔いかり〕 ㊖ anchor

字解 **닻 정**(錘舟石).

字源 形聲. 石+丁〔音〕

3 ⑧ 【矼】 [一]징검다리 강[平]江 [二]성실할 공[去]送 | gāng kòng

[日] コウ〔とびいし・かたい〕
[英] stepping stones, sincere
[字解] **[一] 징검다리 강. 돌다리 강. [二] 성실할 공.**

3 ⑧ 【矻】 부지런할 골[本]굴 [入]月 | kū

[日] コツ〔よくはたらく〕 [英] diligent
[字解] **① 부지런할 골. ② 조심할 골. ③ 피곤할 골.**
[字源] 石+乞〔音〕

[矻矻 골골] ㉠ 부지런한 모양. ㉡ 조심하는 모양. ㉢ 피곤한 모양.

4 ⑨ 【砂】 모래 사 [平]麻 | shā

[日] シャ・サ〔すな〕 [英] sand
[字解] **① 모래 사**(沙也). ¶ 砂金(사금). **② 약이름 사**(藥名). ¶ 辰砂(진사).
[字源] 會意. 石+少〔音〕

[砂礫 사력] 모래와 자갈. 사력(沙礫).
[砂防 사방] 산이나 강가 등에 바위가 무너지거나 흙·모래 따위가 밀려 내리는 것을 막는 일.
[砂糖 사탕] ㉠ 설탕. ㉡ 설탕을 끓여서 만든 비교적 간단한 과자.
[土砂 토사] 흙과 모래.

4 ⑨ 【砌】 섬돌 체 [去]霽 | qì

[日] セイ〔みぎり〕 [英] stone steps
[字解] **섬돌 체**(階甃也).
[字源] 形聲. 石+切〔音〕

4 ⑨ 【砒】 비소 비 [平]齊 | pī

[日] ヘイ〔ひそ〕 [英] arsenic
[字解] **비소 비**(毒石). ¶ 砒霜(비상).
[字源] 形聲. 石+比〔音〕

[砒霜 비상] 비석을 태워 승화시켜 얻은 결정체의 독약. 신석(信石).

4 ⑨ 【砇】 옥돌 민 [平]文 | mín

[日] ビン〔たまにつぐうつくしいいし〕
[英] gemstone
[字解] **옥돌 민.**

4 ⑨ 【砕】 碎(쇄)(石部 8획)의 略字

4 ⑨ 【研】 [一]갈 연 [平]先 [二]벼루 연 [去]霰 | yán yàn

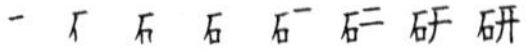

[日] ケン〔みがく・すずり〕
[英] polish, inkstone
[字解] **[一] ① 갈 연**(磨也). ¶ 研磨(연마). **② 연구할 연**(窮究). ¶ 研究(연구). **[二] 벼루 연**(硯也). ¶ 研匣(연갑).
[字源] 形聲. 石+开〔音〕
[參考] 硏(石部 6획)은 본자.

[研磨 연마] ㉠ 갈고 닦음. ㉡ 노력을 거듭하여 정신이나 기술을 닦음.
[研修 연수] 학업을 연구하여 닦음.

5 ⑩ 【砬】 돌소리 립[入]緝 | lì

[日] リュウ〔いしのくずれるおと〕
[字解] **돌소리 립**(돌이 무너지는 소리).

5 ⑩ 【砠】 돌산 저 [平]魚 | jū

[日] ショ〔いしやま〕
[英] rocky mountain
[字解] **돌산 저**(石山戴土).
[字源] 形聲. 石+且〔音〕

5 획

【砢】 돌쌓일 가
⊕라 ⊕哿 | luǒ
㊐ ラ・カ 〔いしがつみかさなる〕
字解 돌쌓일 가(衆小石貌).
字源 形聲. 石＋可〔音〕

【砥】 숫돌 지
⊕紙 | dǐ
㊐ シ〔といし〕 ㊍ whetstone
字解 ① 숫돌 지(磨石). ¶ 砥石(지석). ② 갈 지, 닦을 지(磨也, 礪也). ¶ 砥礪(지려).
字源 形聲. 石＋氐〔音〕
[砥礪 지려] ㋑ 갈고 닦음. 연마(鍊磨). ㋒ 숫돌.

【砧】 다듬잇돌 침
⊕侵 | zhēn
㊐ チン〔きぬた〕 ㊍ fulling block
字解 다듬잇돌 침(擣衣石). 砧杵(침저).
字源 形聲. 石＋占〔音〕
注意 站(立部 5획)은 딴 글자.
[砧聲 침성] 다듬이질하는 소리.
[砧杵 침저] 다듬잇돌과 방망이.

【砭】 돌침 폄
⊕鹽 | biān
㊐ ヘン〔いしばり〕
字解 돌침 폄(石鍼), 침놓을 폄(以石刺病也). ¶ 針砭(침폄).
字源 形聲. 石＋乏〔音〕
[砭灸 폄구] 병을 치료하기 위하여 돌침 놓는 일과 뜸질하는 일.

【砰】 돌구르는 소리 팽
⊕평⊕庚 | pēng
㊐ ホウ〔いしのおと〕
字解 ① 돌구르는소리 팽(石落聲). ② 여울물소리 팽(水石聲).
字源 形聲. 石＋平〔音〕
[砰然 팽연] 돌이 떨어지는 소리.

【砲】 돌쇠뇌
포⊕效 | pào
㊐ ホウ〔おおづつ〕 ㊍ cannon
字解 ① 돌쇠뇌 포(以機發石). ② 대포 포. ¶ 銃砲(총포).
字源 形聲. 石＋包〔音〕
[砲擊 포격] 대포에 의한 공격.
[砲臺 포대] 적탄을 막고 아군의 대포 사격을 쉽게 하려고 만든 축조물. 포루(砲壘).
[砲火 포화] 대포나 총을 쏠 때 나오는 불. 전쟁을 이르는 말.
[發砲 발포] 총이나 대포를 쏨.
[艦砲 함포] 군함에 장치한 포.

【破】 깨뜨릴
파⊕箇 | pò
ㄱ ㄷ ㄷ ㄷ ㅂ ㅃ ㅃ 破
㊐ ハ〔やぶる〕 ㊍ break
字解 ① 깨뜨릴 파, 깨어질 파(裂也, 劈也). ¶ 破壞(파괴). ② 다할 파(盡也). ¶ 走破(주파). ③ 가를 파, 갈라질 파(割也). ¶ 破竹(파죽).
字源 形聲. 石＋皮〔音〕
[破鏡 파경] ㋑ 부부의 이별을 이름. ㋒ 이지러진 달. 둥글지 않은 달.
[破壞 파괴] 때려 부수거나 헐어 버림.
[破顔 파안] 얼굴빛을 부드럽게 하여 웃음. ¶ 破顔大笑(파안대소).
[破竹之勢 파죽지세] 대나무를 쪼개는 기세란 말로, 대적(大賊)을 거침없이 물리치고 쳐들어가는 당당한 기세를 말함.
[破綻 파탄] ㋑ 찢어지고 터짐. ㋒ 사업에 큰 지장이 생겨 실패로 돌아감.
[看破 간파] 꿰뚫어보아 알아챔.
[走破 주파] 예정된 거리를 쉬지 않고 끝까지 달림.

【砦】 울 채
⊕卦 | zhài
㊐ サイ〔とりで〕 ㊍ stockade

字解 ① 울 채, 목책 채(籬落). ¶ 鹿砦(녹채). ② 진칠 채, 진터 채(壘也). ¶ 砦栅(채책).

字源 形聲. 石+此〔音〕.

[城砦 성채] 성고 요새.

5
10 **【砮】** 독살촉 nǔ
노⊕囊 nú

⨂ ド〔いしのやじり〕

字解 돌살촉 노(石可爲矢鏃).

字源 形聲. 石+奴〔音〕.

6
11 **【硃】** 주사 주 朱
⨂虞 zhū

⨂ シュ〔しんしゃ〕 ⨂ cinnabar

字解 주사 주, 단사 주(丹砂).

字源 形聲. 石+朱〔音〕.

[硃砂 주사] 짙은 홍색의 광택이 있는 광물. 단사(丹砂).

6
11 **【硅】** ▄규소 규
⊕齊
⊕깨뜨릴 괵 guī
⊕陌

⨂ ケイ〔けいそ〕・かく〔こわす〕
⨂ silicon, break

字解 ▄ 규소 규(砂也). ¶ 硅素(규소). ▄ 깨뜨릴 괵.

字源 形聲. 石+圭〔音〕.

[硅酸 규산] 규소・산소・물 따위의 화합물. 천연으로는 수정・석영 따위이며, 유리와 자기를 만드는 데 씀.

6
11 **【研】** 研(연)(石部 4획)의 本字

7
12 **【硜】** 돌소리
갱⊕庚 kēng

⨂ コウ〔いしのおと〕

字解 ① 돌소리 갱(石聲). ② 주변 없을 갱(小人貌).

字源 形聲. 石+巠〔音〕.

7
12 **【硝】** 초석 초
⊕소⊕蕭 xiāo

⨂ ショウ〔しょうせき〕
⨂ potassium nitrate

字解 초석 초(藥石). ¶ 硝石(초석).

字源 形聲. 石+肖〔音〕.

[硝煙 초연] 화약의 폭발에 의하여 생기는 연기.

[硝子 초자] 유리(琉璃). ¶ 板硝子(판초자).

7
12 **【硨】** ▄옥돌 차
⊕麻
▄옥돌 거 chē
⊕魚 jū

⨂ シャ〔しゃこ〕 ⨂ gemstone

字解 ▄ 옥돌 차(石似玉). ¶ 硨磲(차거). ▄ 옥돌 거.

字源 形聲. 石+車〔音〕.

[硨磲 차거] 보석과 같은 아름다운 돌의 한 가지. 인도에서 산출됨.

5
획

7
12 **【硬】** 단단할
경⊕敬 yìng

厂 石 石 石 矿 硒 硬 硬

⨂ コウ〔かたい〕 ⨂ hard

字解 ① 단단할 경(堅牢). ¶ 硬直(경직). ② 강할 경, 억셀 경(强也). ¶ 强硬(강경).

字源 形聲. 石+更〔音〕.

[硬化 경화] ㉠ 굳어져 단단하게 됨. ¶ 動脈硬化症(동맥 경화증). ㉡ 의견이나 태도가 강경하여짐. ㉢ 금속을 급랭(急冷) 등의 처리로 경도를 높임.

[硬貨 경화] ㉠ 금속으로 주조된 화폐. ㉡ 모든 통화와 항시 바꿀 수 있는 화폐. 달러 따위.

[强硬 강경] 굳세게 버티어 굽히지 않음.

[生硬 생경] ㉠ 세상 물정에 어두워 완고함. ㉡ 시문 등의 표현이 세련되지 못하고 어설픔.

7
12 **【确】** 자갈땅
각⊕覺 què

[日] カク〔いしのおおいやせち〕 [英] stony

[字解] **자갈땅 각**(石地).

[字源] 形聲. 石+角〔音〕

7 ⑫ 〖硯〗 벼루 연 [去]霰 | 砚 yàn

一 丆 石 石 石 矴 砠 硯

[日] ケン〔すずり〕 [英] inkstone

[字解] **벼루 연**(研墨石). ¶ 筆硯(필연).

[字源] 形聲. 石+見〔音〕

[參考] 研(石部 4획)과 동자.

5획

[硯石 연석] 벼룻돌.

[硯滴 연적] 벼룻물을 담아 두는 그릇.

[硯池 연지] 벼루 앞쪽의 오목한 부분. 연해(硯海).

7 ⑫ 〖硫〗 유황 류 [平]尤 | liú

[日] リュウ〔いおう〕 [英] sulphur

[字解] **유황 류**(藥石).

[字源] 形聲. 石+㐬〔音〕

[硫安 유안] 황산암모늄. ¶ 硫安肥料(유안 비료).

[硫黃 유황] 비금속 원소로서, 황색·무취의 파삭파삭한 결정체. 화약·성냥 등의 원료로 쓰임. 석유황(石硫黃).

8 ⑬ 〖碗〗 盌(완)(皿部 5획)의 俗字

8 ⑬ 〖硼〗 [一]《韓》붕사 붕 [平]蒸 [二]돌소리 평 [平]庚 | péng pēng

[日] ホウ〔ほうしや・いしのおと〕 [英] borax

[字解] [一] 《韓》**붕사 붕**(藥石). ¶ 硼砂(붕사). [二] **돌소리 평**. ¶ 硼磕(평개).

[字源] 形聲. 石+朋〔音〕

[硼砂 붕사] 붕소의 화합물. 백색의 견고한 결정체. 의약품으로 쓰임.

[硼素 붕소] 비금속 원소의 하나.

8 ⑬ 〖碇〗 닻 정 [去]徑 | dìng

[日] テイ〔いかり〕 [英] anchor

[字解] **닻 정**(錘舟石).

[字源] 形聲. 石+定〔音〕

[碇泊 정박] 배가 닻을 내리고 머묾.

8 ⑬ 〖碌〗 [一]자갈땅 록 [入]屋 [二]푸른빛 록 [入]沃 | lù

[日] ロク〔あお〕 [英] stony, blue

[字解] [一] **자갈땅 록**(石地不平). ¶ 碌磢(녹족). [二] ① **푸른빛 록**(石青色). ¶ 碌青(녹청). ② **용렬할 록**(庸貌). ¶ 碌碌(녹록).

[字源] 形聲. 石+彔〔音〕

[碌青 녹청] 구리에 생기는 녹색의 녹. 녹청(綠青).

8 ⑬ 〖碎〗 부술 쇄 [去]隊 | suì

[日] サイ〔くだく〕 [英] crush

[字解] ① **부술 쇄, 부서질 쇄**(細破). ¶ 紛碎(분쇄). ② **잘 쇄**(靡密). ¶ 煩碎(번쇄).

[字源] 形聲. 石+卒〔音〕

[碎金 쇄금] 아름다운 시(詩)나 문장을 가리키는 말.

[碎身 쇄신] 죽을 힘을 다하여 애씀. ¶ 粉骨碎身(분골쇄신).

8 ⑬ 〖碑〗 비 비 [平]支 | bēi

丆 石 石 矿 矿 砷 碑 碑

[日] ヒ〔いしぶみ〕 [英] monument

[字解] **비 비**(刻石記功德).

[字源] 形聲. 石+卑〔音〕

[碑銘 비명] 비(碑)에 새긴 명(銘).

[碑石 비석] 사적(事蹟)을 기념하기

위하여 글을 새겨서 세운 돌. 빗돌.

[記念碑 기념비] 어떠한 일을 기념하기 위하여 세운 비.

---

8 ⑬ 【碓】 방아 대 ㊊隊 | duì

㊐ タイ〔ふみうす〕 ㊤ mortar

字解 방아 대, 디딜방아 대(春具), 물방아 대(水車).

字源 形聲. 石+隹〔音〕

[碓聲 대성] 방아를 찧는 소리.

---

8 ⑬ 【得】 礙(애)(石部 14획)의 俗字

---

8 ⑬ 【碁】 棋(기)(木部 8획)와 同字

---

9 ⑭ 【碣】 비 갈 ㊊月 | jié

㊐ ケツ〔いしぶみ〕 ㊤ monument

字解 비 갈(碑也), 둥근비석 갈. ¶ 碑碣(비갈).

字源 形聲. 石+曷〔音〕

[碑碣 비갈] 비(碑)와 갈(碣). 네모진 비석과 머리 부분이 둥근 비석.

---

9 ⑭ 【碩】 클 석 ㊊陌 | shuò

㊐ セキ〔おおきい〕 ㊤ great

字解 ① 클 석(大也). ② 충실할 석(充實).

字源 形聲. 石+頁〔音〕

[碩士 석사] ㉠ 덕이 높은 선비. ㉡ 대학원 과정을 마치고 논문이 통과된 이에게 수여되는 학위.

[碩學 석학] 학식이 많은 큰 학자.

---

9 ⑭ 【碯】 瑙(노)(玉部 9획)와 同字

---

9 ⑭ 【碧】 푸를 벽 ㊊陌 | bì

丁 王 玎 珀 珀 碧 碧 碧

㊐ ヘキ〔みどり・あお〕 ㊤ blue

字解 ① 푸를 벽(深靑色). ¶ 碧眼(벽안). ② 푸른옥 벽(靑美石). ¶ 碧玉(벽옥).

字源 形聲. 王(玉)+石+白〔音〕

[碧空 벽공] 푸른 하늘. 벽천(碧天).

[碧眼 벽안] 눈의 검은자위가 푸른 눈. 서양 사람을 일컬음. ¶ 碧眼紫髥(벽안자염).

[碧海 벽해] 푸른 바다. ¶ 桑田碧海(상전벽해).

---

9 ⑭ 【磁】 磁(자)(石部 10획)의 俗字

---

10 ⑮ 【磎】 谿(계)(谷部 10획)와 同字

---

10 ⑮ 【磏】 숫돌 렴 ㊀鹽 | lián

㊐ レン〔あらと〕 ㊤ whetstone

字解 ① 숫돌 렴(碑也). ② 애쓸 렴.

字源 形聲. 石+兼〔音〕

---

10 ⑮ 【磊】 돌쌓일 뢰 ㊊賄 | lěi

㊐ ライ〔おおくのいしのさま〕 ㊤ pile of stones

字解 ① 돌쌓일 뢰. ¶ 磊塊(뇌괴). ② 뜻클 뢰. ¶ 磊落(뇌락).

字源 會意. 「石(석)」을 셋 겹쳐, 많은 돌이 여기저기 있음의 뜻을 나타냄.

[磊落 뇌락] 성미가 너그럽고 선선하여 자질구레한 일에 거리끼지 않는 모양.

---

10 ⑮ 【確】 확실할 확 ㊂각㊌覺 | què

丁 石 矿 矿 矿 碓 碓 確

㊐ カク〔たしか〕 ㊤ certain

字解 ① 확실할 확(堅實). ¶ 正確(정확). ② 단단할 확(堅也). ¶ 確

乎(확호).

[字源] 形聲. 石+霍〔音〕

[確固 확고] 확실하고 단단함. ¶ 確固不動(확고부동).

[確立 확립] 굳게 세움.

[確信 확신] 확실히 믿음.

[確認 확인] 확실하게 인정함. 또, 그러한 인정.

[明確 명확] 분명하고 확실함.

[正確 정확] 바르고 확실함.

10
⑮ 【碻】 確(확)(前條)과 同字

10
⑮ 【碼】 마노 마 ⊕馬 │ mǎ 碢

⊕ バ・メ〔ヤード〕 ⊛ agate

[字解] ① 마노 마(瑪也). ② 야드 마(英國度名).

[字源] 形聲. 石+馬〔音〕

[碼碯 마노] 석영(石英)·단백석(蛋白石)·옥수(玉髓)의 혼합물. 마노(瑪瑙).

10
⑮ 【碾】 매 년⊕霰 │ niǎn 碾

⊕ テン〔うす〕 ⊛ millstone

[字解] 매 년, 연자방아 년(轢物器). ¶ 石碾(석년).

[字源] 形聲. 石+展〔音〕

[碾車 연거] 씨아. 목화의 씨를 빼는 기구. 교거(攪車).

[藥碾 약연] 약재를 갈아서 가루로 만드는 기구(단단한 나무나 돌 또는 쇠로 만듦).

10
⑮ 【磁】 지남석 자⊕支 │ cí 磁

⊕ ジ〔じしゃく〕 ⊛ magnet

[字解] ① 지남석 자, 자석 자(石名, 可以引鐵). ¶ 磁針(자침). ② 사기그릇 자(瓷也). ¶ 陶磁器(도자기).

[字源] 形聲. 石+玆〔音〕

[參考] 磁(石部 9획)는 속자.

[磁器 자기] 사기그릇. 자기(瓷器).

[磁針 자침] 수평 방향으로 자유로이 회전할 수 있도록 중앙부를 괴어 놓은 자석. 자장(磁場)의 방향을 재는 데 씀. 지남침(指南針).

10
⑮ 【磅】 돌떨어지는소리 방 ⊕陽 │ páng 磅

⊕ ホウ・ポンド〔いしのおちるおと〕

[字解] ① 돌떨어지는소리 방(隕石聲). ¶ 砰磅(평방). ② 파운드의 약기(略記). (英國貨幣單位名, 衡名).

[字源] 形聲. 石+旁〔音〕

10
⑮ 【磈】 돌 외 ⊕賄 │ wěi 磈

⊕ カイ〔いし〕 ⊛ stone

[字解] 돌 외(衆石貌), 돌모양 외(石貌).

[字源] 形聲. 石+鬼〔音〕

[磈磊 외뢰] 돌이 많이 쌓여 있는 모양. 울퉁불퉁한 모양.

[磈硊 외위] 돌의 모양. 또, 위태로운 모양.

10
⑮ 【磋】 갈 차⊕歌 ⊕箇 │ cuō 磋

⊕ サ〔みがく〕 ⊛ polish

[字解] 갈 차(磨也). ¶ 切磋琢磨(절차탁마).

[字源] 形聲. 石+差〔音〕

10
⑮ 【磑】 맷돌 애 ⊕隊 │ wéi 磑

⊕ ガイ〔うす〕 ⊛ quern

[字解] 맷돌 애(磨也). ¶ 碾磑(연애).

[字源] 形聲. 石+豈〔音〕

[磑磨 애마] 맷돌로 갊.

10
⑮ 【磔】 찢을 책 ⊕陌 │ zhé 磔

[日] タク〔さく〕 [英] tear

[字解] ① **찢을 책, 능지할 책**(裂也, 副也). ② **육시할 책**(裂體副肉死刑).

[字源] 形聲. 石+桀〔音〕

[磔刑 책형] 기둥에 결박하여 세우고 창으로 찔러 죽이는 형벌. 책살(磔殺).

10 ⑮ 〖磐〗 너럭바위 반 [平]寒 | pán 

[日] バン〔いわ〕
[英] broad and flat rock

[字解] ① **너럭바위 반, 반석 반**(大石). ¶ 磐石(반석). ② **넓을 반**(廣大貌). ¶ 磐礴(반박).

[字源] 形聲. 石+般〔音〕

[磐石 반석] ㉠ 너럭바위. ㉡ 일이나 사물이 매우 견고한 것을 비유하여 이르는 말.

11 ⑯ 〖磚〗 벽돌 전 [平]先 | zhuān 

[日] セン〔かわら〕 [英] brick

[字解] **벽돌 전**(燒墼甓也).

[字源] 形聲. 石+專〔音〕

11 ⑯ 〖磧〗 자갈밭 적 [入]陌 | 碛 qì 

[日] セキ〔かわら〕 [英] gravel

[字解] **자갈밭 적**(水渚有石). ¶ 石磧(석적).

[字源] 形聲. 石+責〔音〕

[磧礫 적력] 물가에 있는 작은 돌.

11 ⑯ 〖磨〗 [一]갈 마 [平]歌 [二]맷돌 마 [去]箇 | mó mò 

一 广 床 麻 麻 麽 磨 磨

[日] マ〔みがく・ひきうす〕
[英] polish, millstone

[字解] [一] ① **갈 마**(治石). ¶ 練磨(연마). ② **닳을 마**. ¶ 磨滅(마멸). [二] **맷돌 마**(石磑). ¶ 磨石(마석).

[字源] 形聲. 石+麻〔音〕

[磨礪 마려] ㉠ 쇠붙이나 돌 등을 문질러 갊. ㉡ 수양에 힘씀.

[磨滅 마멸] 갈리어서 닳아 없어짐.

[磨崖 마애] 석벽에 글자나 그림을 그림.

[磨擦 마찰] ㉠ 두 물건이 서로 닿아서 갈리거나 비벼짐. ㉡ 의견이나 뜻이 서로 맞지 아니하여 충돌하는 일.

[研磨 연마] 여러 번 갈고 닦음.

11 ⑯ 〖磬〗 경쇠 경 [去]徑 | qìng 

[日] ケイ〔がっき〕

[字解] **경쇠 경, 경석 경**(樂器). ¶ 玉磬(옥경).

[字源] 會意. 石과 声(거는 끈)과 殳(침)의 합자.

[風磬 풍경] 처마 끝에 다는 경쇠.

12 ⑰ 〖磯〗 물가 기 [平]微 | 矶 jī 

[日] キ〔いそ〕 [英] waterside

[字解] ① **물가 기**(水中磧). ¶ 石磯(석기). ② **부딪칠 기**(水激石).

[字源] 形聲. 石+幾〔音〕

12 ⑰ 〖磲〗 옥돌 거 [平]魚 | qú 

[日] キョ〔しやこ〕 [英] gemstone

[字解] ① **옥돌 거**(美石似玉). ¶ 硨磲(차거). ② **조개 거**(大蛤).

[字源] 形聲. 石+渠〔音〕

[硨磲 차거] ㉠ 아름다운 돌의 한가지. ㉡ 조개의 일종.

12 ⑰ 〖磴〗 섬돌 등 [去]徑 | dèng 

[日] トウ〔いしだん〕 [英] stone steps

[字解] ① **섬돌 등**(石階). ¶ 磴棧(등잔). ② **돌다리 등**(石橋).

[字源] 形聲. 石+登〔音〕

[磴道 등도] 돌이 많은 비탈길.

12 ⑰ 【磷】 [一]닳을 린 [去]震 [二]번쩍번쩍할 린[平]眞 lìn lín

[日] リン〔うすらぐながれる〕
[英] wear out, glitter

[字解] [一] 닳을 린(薄也). [二] ① 번쩍번쩍할 린(寶玉符采映輝之貌). ¶ 磷磷(인린). ② 흐를 린(水在厓石間).

[字源] 形聲. 石+粦〔音〕

12 ⑰ 【磻】 [一]물이름 반[俗]번 [平]寒 [二]돌살촉 파[平]歌 pán bō

[日] ハン・バン〔たにがわのな〕 ハ〔やじり〕

[字解] [一] 물이름 반. [二] 돌살촉 파.

[字源] 形聲. 石+番〔音〕

※俗에 '번'으로 읽는 경우가 있음. 예 碌磻洞.

[磻溪 반계] 위수(渭水)로 흘러들어가는 섬서성(陝西省)에 있는 강.

12 ⑰ 【磽】 메마를 교[平]肴 qiāo

[日] コウ〔かたい〕 [英] dried up

[字解] 메마를 교(礫地). ¶ 磽确(교각).

[字源] 形聲. 石+堯〔音〕

[磽瘠 교척] 돌이 많은 메마른 땅.

12 ⑰ 【礁】 숨은바윗돌 초 [平]蕭 jiāo

[日] ショウ〔かくれいわ〕 [英] reef

[字解] 숨은바윗돌 초(水中石). ¶ 暗礁(암초).

[字源] 形聲. 石+焦〔音〕

[礁石 초석] 물속에 잠기어 수면에 나타나지 않는 돌.

[暗礁 암초] ㉠ 물속에 잠기어 보이지 않는 바위. ㉡ 뜻밖에 부닥치는 어려움.

12 ⑰ 【磺】 [一]유황 황 [平]陽 [二]광석 광 [上]梗 huáng kuàng

[日] コウ〔いおう・あらがね〕
[英] sulphur, ore

[字解] [一] 유황 황(藥石). ¶ 硫磺(유황). [二] 광석 광(銅鐵樸石也).

[字源] 形聲. 石+黃〔音〕

12 ⑰ 【磵】 澗(간)(水部 11획)과 同字

13 ⑱ 【礉】 각박할 핵[入]陌 hé

[日] カク〔きびしい〕 [英] severe

[字解] 각박할 핵(刻也). ¶ 慘礉(참핵).

[字源] 形聲. 石+敫(音)

13 ⑱ 【礎】 주춧돌 초[上]語 础 chǔ

[日] ソ〔いしずえ〕
[英] foundation stone

[字解] 주춧돌 초(柱下石礩). ¶ 礎材(초재).

[字源] 形聲. 石+楚〔音〕

[礎石 초석] 주춧돌.

[礎材 초재] 주추에 쓰이는 목재나 석재(石材).

[基礎 기초] ㉠ 사물의 밑바탕. ㉡ 건축물의 토대.

[定礎 정초] 주춧돌을 놓음.

14 ⑲ 【礙】 막을 애[去]隊 ài

[日] ガイ〔さまたげる〕 [英] hinder

[字解] ① 막을 애(距也). ¶ 礙手(애수). ② 거리낄 애(阻也). ③ 방해할 애(妨也). ¶ 障礙(장애).

[字源] 形聲. 石+疑〔音〕

[礙人耳目 애인이목] 다른 사람의 이

목을 거리낌.
[礙竄 애찬] 막아 들어오지 못하게 함.
[礙滯 애체] 막혀 쌓임.
[障礙 장애] 막아서 거치적거림.

15 ⑳ 【礦】 쇳돌 광 [上]梗 | kuàng

[日] コウ〔あらがね〕 [英] ore

[字解] **쇳돌 광**(金銀銅鐵樸).

[字源] 形聲. 石+廣〔音〕

[參考] 鑛(金部 15획)과 동자.

15 ⑳ 【礧】 [一]바위 뢰 [上]賄 [二]돌내리굴릴 뢰[去]隊 | lěi lèi

[日] ライ〔おおきいいし・いしをころがしおとす〕
[英] rock

[字解] [一] **바위 뢰**(巨石). [二] **돌내리굴릴 뢰**(推石自高而下).

[字源] 形聲. 石+畾〔音〕

[礧礧 뇌뢰] 돌이 많은 모양. 돌이 쌓인 모양.
[礧石 뇌석] 굴러 떨어지는 돌.

15 ⑳ 【礩】 주춧돌 질[入]質 | zhì

[日] シツ〔いしずえ〕
[英] foundation stone

[字解] **주춧돌 질**(柱下石). ¶ 柱礩(주질).

[字源] 形聲. 石+質〔音〕

15 ⑳ 【礪】 숫돌 려 [去]霽 | 砺 lì

[日] レイ〔とぐ〕 [英] whetstone

[字解] ① **숫돌 려**(砥石). ¶ 礪石(여석). ② **갈 려**(磨也). ¶ 礪行(여행).

[字源] 形聲. 石+厲〔音〕

[礪石 여석] 숫돌.
[礪砥 여지] ㉠ 숫돌. ㉡ 갈고 닦음.
[礪行 여행] 행실을 닦음.

15 ⑳ 【礫】 자갈 력 [入]錫 | 砾 lì

[日] レキ〔こいし〕 [英] pebbles

[字解] **자갈 력**(小石). ¶ 砂礫(사력).

[字源] 形聲. 石+樂〔音〕

[礫石 역석] 조약돌. 자갈.

15 ⑳ 【礨】 구멍 뢰 [上]賄 | lěi

[日] ライ〔あな〕 [英] hole

[字解] **구멍 뢰**(小穴). ¶ 礨空(뇌공).

[字源] 形聲. 石+畾〔音〕

15 ⑳ 【礬】 명반 반 [本]번[本]元 | 矾 fán

[日] ハン〔みょうばん〕 [英] alum

[字解] **명반 반**(藥石). ¶ 礬石(반석). 明礬(명반).

[字源] 形聲. 石+樊〔音〕

[明礬 명반] 백반(白礬)
[白礬 백반] 황산 알루미늄과 알칼리 금속이나 암모니아 따위 황산염으로 이루어진 복염(複塩).

16 ㉑ 【礱】 갈 롱[平]東 [去]送 | 砻 lóng

[日] ロウ〔とぐ〕 [英] grind

[字解] ① **갈 롱**(磨也). ¶ 礱斷(농단). ② **맷돌 롱**(磑也). ¶ 礱磨(농마).

[字源] 形聲. 石+龍〔音〕

[礱厲 농려] 갈고 닦음.
[礱磨 농마] ㉠ 맷돌. ㉡ 갊.

17 ㉒ 【礴】 섞을 박 [入]藥 | bó

[日] ハク〔みちる〕 [英] mixed

[字解] ① **섞을 박**(混同也). ¶ 磅礴(방박). ② **찰 박**(充塞).

[字源] 形聲. 石+薄〔音〕

示(礻)〔5 획〕 部
(보일시부)

0 ⑤【示】 [一]보일 시 [去]寘 [二]땅귀신 기[平]支 | shì qí

一 二 亍 亓 示

[日] シ·ジ〔しめす〕·キ〔くにつかみ〕
[英] exhibit, earthly deities

[字解] [一] ① **보일 시**(視也). ¶ 示範(시범). ② **가르칠 시**(教也), **지시할 시**(指也). ¶ 指示(지시). [二] **땅귀신 기**(地祇).

[字源] 象形. 신을 제사 지내는 대(臺)의 모양. 전하여, 「신」의 뜻. 또, 희생을 바치는 곳의 뜻에서 「보임」의 뜻이 됨.

[參考] 示가 변(邊)으로 올 때 약하여 '礻'로 씀.

[示達 시달] 상부에서 하부로 명령·통지 등을 문서로 전달함.
[示範 시범] 모범을 보임.
[示唆 시사] 미리 암시하여 알려 줌.
[示威 시위] 위력(威力)이나 기세를 드러내어 보임.
[啓示 계시] ㉠ 가르치어 보임. ㉡ 신이 진리를 영감으로 알려 줌.
[暗示 암시] 넌지시 깨우쳐 줌.

1 ⑥【礼】 禮(례)(示部 13획)의 古字

1 ⑤【礼】 禮(례)(示部 13획)의 略字

3 ⑧【社】 땅귀신 사[上]馬 | 社 shè

一 二 亍 亓 示 示 社 社

[日] シャ〔やしろ〕
[英] earthly deities

[字解] ① **땅귀신 사**(主土神). ¶ 社稷(사직). ② **단체 사**(團體). ¶ 社會(사회). ③ **사일 사**(時令). ¶ 社日(사일). ④ **제사 지낼 사**(祭也).

[字源] 會意. 示와 土의 합자. 토지신의 뜻.

[社交 사교] 교제. 사회생활에 있어서의 교제. ¶ 社交界(사교계).
[社日 사일] 입춘 후 다섯 번째 무일(戊日)을 춘사일(春社日), 입추 후 다섯 번째 무일을 추사일(秋社日)이라 하여, 지신(地神)에게 제사 지내어 풍년을 비는 날.
[社稷 사직] ㉠ 토지신과 곡신(穀神). ㉡ 국가.
[會社 회사] 상행위나 그 밖의 영리를 추구할 목적으로 설립된 사단 법인.

3 ⑧【礿】 제사 약 [入]藥 | yuè

[日] ヤク〔まつり〕

[字解] **제사 약**(春祭名). ¶ 礿禘(약체).

[字源] 形聲. 示+勺〔音〕

3 ⑧【祀】 제사지낼 사[上]紙 | 祀 sì

一 二 亍 亓 示 示 祀 祀

[日] シ〔まつる〕 [英] sacrifice

[字解] **제사지낼 사**(祭也). ¶ 祀典(사전).

[字源] 形聲. 示+巳〔音〕

[祀事 사사] 제사에 관한 사항.
[祀天 사천] 하늘에 제사를 지냄.
[祭祀 제사] 신령이나 죽은 사람의 넋에게 음식을 바쳐 정성을 나타냄. 또, 그 의식.

3 ⑧【祁】 성할 기 [平]支 | 祁 qí

[日] キ〔おおい〕 [英] prosperous

[字解] ① **성할 기**(盛也). ② **클 기**(大也). ③ **많을 기**(衆多). ¶ 祁祁(기기).

[字源] 形聲. 阝(邑)+示〔音〕

[祁寒 기한] 매서운 추위. 혹한(酷寒).

4/9 [祅] 재앙 요 ⊕蕭 祅 yāo

㊐ ヨウ〔わざわい〕 ⊛ calamity

字解 재앙 요(災也).

字源 形聲. 示+芺〔音〕

[祅變 요변] 재앙.

4/9 [祇] ㅡ땅귀 신 기 ⊕支 ㅡ다만 지⊕支 祇 qí

㊐ キ·ギ〔ただ·まさに〕 ⊛ earthly deities, only

字解 ㅡ ① 땅귀신 기(地神). ¶ 地祇(지기). ② 편안할 기(安也). ③ 클 기(大也). ¶ 祇悔(기회). ㅡ 다만 지(但也), 마침 지. ¶ 祇應(지응).

字源 形聲. 示+氏〔音〕

注意 祇(示部 5획)는 딴 글자.

[祇悔 기회] 큰 후회(後悔).

[地祇 지기] 토지를 맡은 신.

4/9 [祈] 빌 기 ⊕微 祈 qí

二 亍 亓 示 示 示 祈

㊐ キ〔いのる〕 ⊛ pray

字解 ① 빌 기(求福禱). ¶ 祈願(기원). ② 고할 기(告也).

字源 形聲. 示+斤〔音〕

[祈求 기구] ㉠ 신명에게 빎. 기도(祈禱). ㉡ 간절히 바람.

[祈雨 기우] 비오기를 빎. ¶ 祈雨祭(기우제).

[祈願 기원] 신불(神佛)에게 빎.

4/9 [祉] 복 지 ⊕紙 祉 zhǐ

㊐ シ〔さいわい〕 ⊛ good fortune

字解 복 지(福也).

字源 形聲. 示+止〔音〕

[祉福 지복] 행복, 복지(福祉).

[福祉 복지] 행복한 삶. 행복하게 살 수 있는 사회 환경.

5/10 [祏] 돌감실 석 ㅅ陌 祏 shí

㊐ セキ〔いしびつ〕

字解 돌감실 석(藏主石室). ¶ 宗祏(종석).

字源 形聲. 示+石〔音〕

5/10 [祐] 도울 우 ⊕宥 祐 yòu

㊐ ユウ〔たすける〕 ⊛ aid

字解 도울 우(助也).

字源 形聲. 示+右〔音〕

參考 佑(人部 5획)와 동자.

注意 祐(示部 5획)는 딴 글자.

[祐助 우조] 신조(神助).

5/10 [祓] 떨 불 ㅅ物 祓 fú

㊐ フツ〔はらう〕 ⊛ exorcise

字解 떨 불(祭名除災求福). ¶ 祓讓(불양).

字源 形聲. 示+友〔音〕

[祓讓 불양] 귀신에게 빌어 액을 막음.

[祓除 불제] 상서롭지 못한 것을 물리쳐 버림.

5/10 [祔] 합장할 부 ⊕遇 祔 fù

㊐ フ〔あわせまつる〕 ⊛ burying together

字解 ① 합장할 부(合葬). ¶ 祔右(부우). ② 합사할 부(祭名). ¶ 祔祭(부제).

字源 會意. 示와 付(맞춤)의 합자. 또, 「付(부)」가 음을 나타냄.

[祔右 부우] 합장(合葬)할 때 아내를 남편의 오른편에 묻는 일.

5
⑩ 【祕】숨길비 │ 祕 祕
　　去寘 mì, bì

二 亓 示 礻 礽 秘 祕 祕

日 ヒ〔かくす〕 英 hide

字解 ① 숨길 비(隱也). ¶ 祕訣(비결). ② 비밀 비(密也). ¶ 祕密(비밀). ③ 신비할 비(神妙). ¶ 神祕(신비).

字源 形聲. 示+必〔音〕

[祕訣 비결] 숨겨 두고 혼자만이 쓰는 썩 좋은 방법.

[祕密 비밀] 숨겨서 남에게 공개하지 아니하는 일.

[祕方 비방] 세상에 알려지지 않은 약방문. ¶ 世傳祕方(세전비방).

[極祕 극비] 절대로 알려서는 안 될 비밀.

[神祕 신비] 보통의 이론과 인식을 초월한 일.

5
⑩ 【祖】할아비 │ 祖 祖
　　조上麌 zǔ

二 亓 示 礻 和 和 祖 祖

日 ソ〔そふ〕 英 grandfather

字解 ① 할아비 조(父之父, 大父). ¶ 祖父(조부). ② 선조 조, 조상 조(先祖). ¶ 始祖(시조). ③ 근본 조(本也), 시조 조(開祖). 元祖(원조). ④ 길제사지낼 조(道神祭). ¶ 祖道(조도).

字源 形聲. 示+且〔音〕

[祖考 조고] 돌아가신 할아버지.

[祖上 조상] 돌아가신 어버이 위로 대대의 어른. 선조(先祖).

[祖業 조업] 조상 때부터 전하여 오는 가업(家業).

[祖行 조항] 할아버지와 같은 항렬.

[始祖 시조] 한 겨레의 처음이 되는 조상.

[元祖 원조] ㉠ 첫 대의 조상. ㉡ 어떤 일을 처음 시작한 사람.

5
⑩ 【祇】공경할 │ 祇 祇
　　지上支 zhī

日 シ〔つつしむ〕 英 respect

字解 ① 공경할 지(敬也). ② 삼갈 지(謹也). ¶ 肅祇(숙지).

字源 形聲. 示+氏〔音〕

注意 祇(示部 4획)는 딴 글자.

[祇敬 지경] 공경하고 삼감.

[祇畏 지외] 삼가 두려워함.

5
⑩ 【祚】복조 │ 祚 祚
　　去遇 zuò

日 ソ〔さいわい〕 英 good fortune

字解 ① 복 조(福也). ¶ 福祚(복조). ② 자리 조, 지위 조(位也). ¶ 登祚(등조).

字源 形聲. 示+乍〔音〕

[祚胤 조윤] 자손(子孫). 복된 사자(嗣子)의 뜻.

[登祚 등조] 임금의 자리에 오름.

5
⑩ 【祛】떨거 │ 祛 祛
　　帝魚 qū

日 キョ〔はらう〕 英 disperse

字解 ① 떨 거(禳郤也). ② 셀 거(彊健). ¶ 祛祛(거거).

字源 形聲. 示+去〔音〕

5
⑩ 【祜】복호 │ 祜 祜
　　上麌 hù

日 コ〔さいわい〕 英 good fortune

字解 복 호(福也).

字源 形聲. 示+古〔音〕

注意 祐(示部 5획)는 딴 글자.

[祜休 호휴] 신에게서 받는 행복.

5
⑩ 【祝】빌축 │ 祝 祝
　　入屋 zhù

二 亓 示 礻 礽 祀 祀 祝

日 シュク〔いわう〕 英 celebrate

字解 ① 빌 축(願也). ¶ 祝願(축원). ② 축문 축(祭主贊詞願也). ¶ 祝文(축문). ③ 끊을 축(斷也). ¶ 祝髮(축발).

字源 會意. 示와 儿(사람)과 口의 합자. 신을 섬기며 축문을 외는 사

람의 뜻.

[祝文 축문] 제사 때 신명에게 고하는 글.

[祝髮 축발] 머리를 깎음. 중이 됨.

[祝福 축복] 앞길의 행복을 빎.

[祝願 축원] ㉠ 신불에게 자기의 뜻을 아뢰고, 그것을 성취시켜 주기를 바라는 일. ㉡ 축원하는 뜻을 적은 글.

[祝儀 축의] 축하하는 의식. 축전(祝典).

[慶祝 경축] 경사를 축하함.

[奉祝 봉축] 삼가 축하함.

5 ⑩ **【神】** 귀신 신 [平]眞 | 神 shén

[日] シン〔かみ〕 [英] ghost

[字解] ① **귀신 신, 신령 신**(引出萬物者). ¶ 神靈(신령). ② **신선 신**(聖者). ¶ 神仙(신선). ③ **영묘할 신**(靈也). ¶ 神通(신통).

[字源] 形聲. 示+申〔音〕

[神祕 신비] ㉠ 비밀에 부쳐 남에게 알리지 않음. ㉡ 이론(理論)이나 인식을 초월한 일.

[神仙 신선] 선도(仙道)를 닦아서 도통하여 장생불사하는 사람.

[神聖 신성] 거룩하고 존엄함. ¶ 神聖不可侵(신성불가침).

[神通 신통] ㉠ 이상하고도 묘함. ㉡ 모든 일에 신기하게 통달함.

[鬼神 귀신] ㉠ 죽은 사람의 넋. ㉡ 미신에서, 사람에게 화복을 준다는 존재.

[入神 입신] ㉠ 기술이나 기예가 영묘한 경지에 이름. ㉡ 바둑에서, 9단을 이르는 말.

5 ⑩ **【祠】** 제사지낼 사 [平]支 | 祠 cí

[日] シ〔ほこら〕

[字解] ① **제사지낼 사**(祭也). ¶ 祠祀(사사). ② **사당 사**(廟也). ¶ 祠堂(사당).

[字源] 形聲. 示+司〔音〕

[祠壇 사단] 제사를 지내기 위하여 만들어 놓은 단. 제단(祭壇).

[祠堂 사당] 신주(神主)를 모셔 두는 집. 가묘(家廟). 사우(祠宇).

[神祠 신사] 신령을 모신 사당.

5 ⑩ **【祟】** 빌미 수 [去]寘 | suì

[日] スイ〔たたる〕 [英] curse

[字解] **빌미 수**(神禍).

[字源] 形聲. 示+出〔音〕

[注意] 崇(山部 8획)은 딴 글자.

6 ⑪ **【祥】** 상서로울 상 [平]陽 | 祥 xiáng

[日] ショウ〔さいわい〕 [英] auspicious

[字解] ① **상서로울 상**(吉也), **복 상**(福也). ¶ 祥雲(상운). ② **조짐 상**(吉凶之兆). ¶ 吉祥(길상). ③ **제사 상**(祭名也). ¶ 大祥(대상).

[字源] 形聲. 示+羊〔音〕

[祥瑞 상서] 경사롭고 길한 일이 일어날 징조. 길조(吉兆).

[祥雲 상운] 상서로운 구름. 서운(瑞雲).

[吉祥 길상] 운수가 좋을 조짐. 경사가 날 조짐.

6 ⑪ **【祧】** 천묘 조 [平]蕭 | 祧 tiāo

[日] チョウ〔たまや〕

[字解] **천묘 조**(遷遠祖廟).

[字源] 形聲. 示+兆〔音〕

[祧遷 조천] 종묘(宗廟)의 위패(位牌)를 영녕전(永寧殿)으로 모시던 일.

6 ⑪ **【祫】** 합사 협 [入]洽 | 祫 xiá

[日] コウ〔まつり〕

[英] enshrine together

[字解] **합사 협**(合祭先祖). ¶ 祫祭

5획

(협제).

字源 會意. 示+合

---

6 【票】 쪽지 표 piào
⑪ ㊤蕭 票

一 戸 亜 西 亜 亜 票 票 票

㊐ ヒョウ〔ふだ〕 ㊤ bill, ticket

字解 ① 쪽지 표, 표 표. ¶ 傳票
(전표). 投票(투표). ② 불똥 표(火飛). ③ 훌쩍날릴 표(輕擧貌). ¶ 票然(표연).

字源 會意. 覀(오름의 뜻)의 생략형과 火의 합자. 불꽃이 튐의 뜻. 熛의 원자(原字).

[票決 표결] 투표로 가부(可否)를 결정함.

[票然 표연] 가볍게 날리는 모양.

[開票 개표] 투표의 결과를 조사함.

[賣票 매표] 표를 삼.

---

6 【祭】 제사 제 jì
⑪ ㊦霽 祭

ク タ 夕 妖 妙 纱 祭

㊐ サイ〔まつる〕 ㊤ sacrifice

字解 제사 제(祀也). ¶ 祭禮(제례).

字源 會意. 又(손)과 夕(고기)과 示의 합자. 손에 고기를 들고 신에게 바침의 뜻.

[祭物 제물] ㉠ 제사에 쓰이는 음식. 제수(祭需). ㉡ 어떠한 것 때문에 희생됨을 비유하는 말.

[祭祀 제사] 신령에게 음식을 바치어 정성을 표하는 예절. 향사(享祀).

[冠婚喪祭 관혼상제] 관례·혼례·상례·제례의 총칭.

---

7 【禔】 햇무리 침 jīn
⑫ ㊤侵 禔

㊐ シン〔ひのかさ〕
㊤ halo of the sun

字解 ① 햇무리 침(日旁雲氣). ② 요기 침(妖氣). ¶ 禔祲(침려). ③ 성하게할 침(盛也).

---

8 【祺】 길할 기 qí
⑬ ㊤支 祺

㊐ キ〔さいわい〕 ㊤ auspicious

字解 ① 길할 기(吉也), 상서로울 기(祥也). ¶ 祺祥(기상). ② 편안할 기(安泰). ¶ 祺然(기연).

字源 形聲. 示+其〔音〕

[祺祥 기상] 행복. 상서로움.

[祺然 기연] 마음이 편안한 모양.

---

8 【祼】 강신제지낼 관 guàn
⑬ ㊤翰 裸

㊐ カン〔まつる〕

字解 강신제지낼 관(灌祭). ¶ 祼地(관지).

字源 形聲. 示+果〔音〕

---

8 【祿】 복록 록 lù
⑬ ㊦屋 祿

ニ 亍 禾 矛 祁 祁 禄 禄

㊐ ロク〔さいわい〕
㊤ good fortune

字解 ① 복 록(福也). ¶ 天祿(천록). ② 녹 록(俸給). ¶ 俸祿(봉록).

字源 形聲. 示+彔〔音〕

[祿俸 녹봉] 옛날, 나라에서 벼슬아치에게 주던 곡식·돈 따위의 총칭.

[國祿 국록] 나라에서 주는 녹봉.

---

8 【禁】 금할 금 jìn
⑬ ㊤沁 禁

十 木 村 林 林 埜 埜 禁 禁

㊐ キン〔とめる〕 ㊤ forbid

字解 ① 금할 금, 금지할 금(制止). ¶ 禁止(금지). ② 대궐 금(天子所居). ¶ 禁中(금중). ③ 옥 금(獄也). ¶ 監禁(감금).

字源 形聲. 示+林〔音〕

[禁斷 금단] 금하여 못하게 함.

[禁慾 금욕] 욕망, 특히 육체적·세속적인 욕망을 억제함.

[禁中 금중] 궁궐 안. 궁중(宮中).

[軟禁 연금] 신체의 자유는 속박하지 않으나 외출이나 외부와의 연락을 제한하는 일.

8
⑬ 【禀】 禀(品)(禾部 8획)의 俗字

9
⑭ 【禑】 ━복 오 ⊕虞
　　zhēn 禑
　　wú
　　㊀グ·ゴ〔さいわい〕
　　㊥ good fortune
字解 ━ 복 오. ━ 복 우.

9
⑭ 【禊】 계제사 계 ⊕혜⊕霽
　　xì 禊
　　㊀ケイ〔みそぎ〕　㊥ exorcism
字解 계제사 계(除惡祭名). ¶秋禊(추계).
字源 形聲. 示+契〔音〕.

[禊祠 계사] 목욕재계하여 제를 지냄. 또, 그 제사.

9
⑭ 【禋】 ━제사지낼 인⊕眞
　　yīn
　　━천제제　yān 禋
　　사할 연 ⊕先
　　㊀イン〔まつる〕·エン〔てんていをまつる〕
字解 ━ 제사지낼 인(精意以享). ━ 천제(天帝)제사할 연.
字源 形聲. 示+垔〔音〕.

9
⑭ 【禍】 재화 화 ⊕哿
　　huò 禍
二 禾 和 和 和 禍 禍 禍
　　㊀カ〔わざわい〕　㊥ calamity
字解 재화 화(災也), 재앙 화(殃也).
字源 形聲. 示+咼〔音〕.

[禍根 화근] 재앙의 근본.

[禍福 화복] 재화(災禍)와 복록(福祿).

[禍從口生 화종구생] 재앙은 입을 잘못 놀리는 데서 생김.

[災禍 재화] 재앙.

[轉禍爲福 전화위복] 화가 바뀌어 오히려 복이 됨.

9
⑭ 【禎】 상서 정 ⊕庚
　　zhēn 禎
　　㊀テイ〔さいわい〕　㊥ auspicious
字解 상서 정(祥也).
字源 形聲. 示+貞〔音〕.

[禎祥 정상] 좋은 징조. 경사로운 징조. 상정(祥禎).

9
⑭ 【福】 복 복 ⊕屋
　　fú 福
二 亻 亻 亻 祠 祠 福 福
　　㊀フク〔さいわい〕　㊥ blessing
字解 ① 복 복(禧也), 상서로울 복(祥也). ¶幸福(행복). ② 음복할 복(飮祀胙肉). ¶飮福(음복).
字源 會意. 示와 畐(물건이 충분히 갖추어짐의 뜻)의 합자. 하늘로부터 받는 행복의 뜻. 또, 「畐(복)」은 음을 나타냄.

[福堂 복당] 복이 있는 집. 전하여, 감옥의 이칭(異稱).

[福祿 복록] 복과 녹(祿).

[福音 복음] ㉠ 기쁜 소식. ㉡ 축복을 받을 수 있다는 예수의 가르침을 이름.

[福祉 복지] 행복과 이익.

[冥福 명복] 죽은 뒤 저승에서 받는 행복.

9
⑭ 【禔】 복 지 ⊕支
　　tí 禔
　　㊀シ〔さいわい〕　㊥ blessing
字解 ① 복 지(福也). ② 다만 지(但也).
字源 形聲. 示+是〔音〕.

[禔福 지복] 행복. 복지(福祉).

9 ⑭ 〔禘〕 큰제사체 ㊛禘 禘 di 禘

㊐ テイ〔おおまつり〕

字解 큰제사 체(王者大祭). ¶ 大禘(대체).

字源 形聲. 示+帝

[禘礿 체약] 봄 제사와 여름 제사.

10 ⑮ 〔禎〕 복받을진 ㊛眞 禎 zhēn 禎

㊐ シン〔さいわいをうける〕

㊍ be blessed

字解 복받을 진.

字源 形聲. 示+眞〔音〕

10 ⑮ 〔禡〕 마제마 ㊛禡 禡 mà 禡

㊐ バ〔まつりのな〕

字解 마제 마(師祭也, 爲兵禱).

字源 形聲. 示+馬〔音〕

11 ⑯ 〔禦〕 막을어 ㊒語 御 yù 禦

㊐ ギョ〔ふせぐ〕 ㊍ defend

字解 ① 막을 어(扞也, 拒也). ¶ 防禦(방어). ② 멈출 어(止也).

字源 形聲. 示+御〔音〕

[禦侮 어모] ㊀ 외모(外侮)를 막음. 적의 내습을 막음. ㊁ 무신(武臣).

[禦寒 어한] 추위를 막음.

[防禦 방어] 상대편의 공격을 막음.

12 ⑰ 〔禧〕 복희 ㊛支 禧 xǐ 禧

㊐ キ〔さいわい〕 ㊍ blessing

字解 복 희(福也), 길할 희(吉也). ¶ 福禧(복희).

字源 形聲. 示+喜〔音〕

[禧年 희년] 천주교에서, 50년마다 돌아오는 복스러운 해. 노예도 놓아 주고 빚도 탕감(蕩減)하여 준다고 함.

12 ⑰ 〔禨〕 ■상서기 ㊀微 ■술기 ㊌未 机 jī 禨

㊐ キ〔きざし・ゆあみしてさけをのむ〕

㊍ good omen, rice wine

字解 ■ ① 상서 기(祥也). ② 빌미 기(祟也). ¶ 禨祥(기상). ■ 술기(沐而飲酒).

字源 形聲. 示+幾〔音〕

12 ⑰ 〔禪〕 ■선위할선 ㊛霰 ■선선 ㊌先 禅 shàn 禅 chàn 禪

千 示 礻 禪 禪 禪 禪 禪

㊐ ゼン〔ゆずる・しずか〕

㊍ abdicate, dhyana

字解 ■ 선위할 선(傳位). ¶ 禪位(선위). ■ 선 선(坐禪). ¶ 參禪(참선).

字源 形聲. 示+單〔音〕

[禪位 선위] 임금이 자리를 물려줌.

[坐禪 좌선] 고요히 앉아서 참선함.

12 ⑰ 〔襌〕 담제담 ㊒感 襌 dàn 襌

㊐ タン〔まつり〕

字解 담제 담, 담사 담(除服祭也).

字源 形聲. 示+覃〔音〕

[襌祭 담제] 대상(大祥)을 지낸 다음 달에 지내는 제사. 담사(禪祀).

13 ⑱ 〔禮〕 예례 ㊒薺 礼 lǐ 禮

千 示 礻 禮 禮 禮 禮 禮

㊐ レイ〔さほう〕 ㊍ etiquette

字解 ① 예 례(節文仁義). ¶ 禮度(예도). ② 절 례, 인사 례(敬禮). ¶ 禮拜(예배). ③ 예물 례(進物). ¶ 禮物(예물).

字源 會意. 示(시)와 豊(제물을 제기에 담은 모양)의 합자.

[禮度 예도] 예의와 법도. 예절.

[禮文 예문] ㉠ 한 나라의 제도 문물(文物). ㉡ 예법의 명문(明文).

[禮物 예물] ㉠ 사례의 뜻으로 주는 물건. ㉡ 혼인 때 시부모가 새 며느리에게 주는 물건. ㉢ 결혼식에서 신랑 신부가 주고받는 물건.

[禮遇 예우] 예를 갖추어 대우함.

[禮砲 예포] 군대에서 경의를 표하기 위하여 쏘는 공포(空砲).

[缺禮 결례] 예의범절에 벗어남.

[謝禮 사례] 고마운 뜻을 나타내는 인사.

---

14 ⑲ 【禰】 아버지사
당 녜㊧薺
祢
nǐ
福

㊐ デイ・ネ〔ちちのたまや〕
⑳ ancestral shrine
字解 아버지사당 녜(親廟).
字源 形聲. 示＋爾〔音〕
[禰祖 예조] 아버지와 조상을 모신 사당.

---

14 ⑲ 【禱】 빌 도
㊧晧
祷
dǎo
禱

㊐ トウ〔いのる〕 ⑳ pray
字解 빌 도(祈神求福). ¶ 禱祀(도사).
字源 形聲. 示＋壽〔音〕
[祈禱 기도] 신명에게 빎. 또, 그 의식.
[默禱 묵도] 마음속으로 기도함. 묵념.

---

17 ㉒ 【禳】 물리칠
양㊦陽
禳
ráng
禳

㊐ ジョウ〔はらう〕 ⑳ exorcise
字解 물리칠 양(祀除厲殃也). ¶ 禳禱(양도).
字源 形聲. 示＋襄〔音〕
[禳禱 양도] 신에게 제사하여 재앙을 없애고 행복을 비는 일.
[禳災 양재] 신령에게 빌어서 재앙을 없앰.

内 〔5 획〕 部
(짐승발자국유부)

---

0 ⑤ 【内】 자귀 유
㊤有
róu
内

㊐ ジュウ〔あしあと〕
字解 자귀 유(獸足踩地).
字源 形聲. ム(짐승의 발자국)를 바탕으로 「九(구)」의 전음이 음을 나타냄.

---

4 ⑨ 【禹】 하우씨
우㊤麌
yú
禹

㊐ ウ〔じんめい、むし〕
字解 ① 하우씨 우(夏王號). ② 성우(姓也).
字源 象形. 虫과 内를 합친 모양. 네 발을 가진 벌레의 모습을 본뜸.
[禹域 우역] 중국의 딴 이름. 우왕(禹王)이 홍수를 다스려 구주(九州)의 경계를 정해 놓은 데서 온 말.

---

4 ⑨ 【禺】 ■긴꼬리
원숭이 우㊦遇
■처음 우
㊦虞
■허수아비
우㊤有
yù
yú
yú
禺

㊐ グ〔おながざる・はじめ・かかし〕
⑳ beginning, scarecrow
字解 ■긴꼬리원숭이 우(似獼猴). ■① 처음 우(事端初見也). ② 가름 우(猶裁也). ¶ 十禺(십우). ■허수아비 우(偶也).
字源 象形. 머리가 큰 원숭이의 모양을 본뜸.

---

6 ⑪ 【离】 魑(리)(鬼部 11획)와 同字

---

8 ⑬ 【禽】 날짐승
금㊦侵
qín
禽

禽

㉠ キン〔とり〕 ⓔ birds

字解 ① 날짐승 금(鳥也). ¶ 禽獸(금수). ② 사로잡을 금(擒也). ¶ 禽獲(금획).

字源 形聲. 内는 네발, 凶은 머리를 각각 본떴으며, 「今(금)」은 음을 나타냄. 처음에는 짐승 전부를 뜻했으나, 뒤에 날짐승에만 쓰이게 되었음.

[禽獸 금수] 날짐승과 길짐승. 곧, 모든 짐승.

[家禽 가금] 집에서 기르는 날짐승. 곧, 닭·오리 따위.

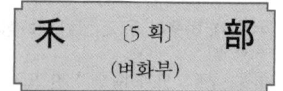

禾 〔5 획〕 **部**
(벼화부)

⁰₅【禾】 벼 화 ㉠歌 hé

字解 벼 화(嘉穀), 곡식 화(穀類總名).

字源 象形. 木은 줄기, ノ은 이삭이 드리워진 모양을 본뜬 글자.

[禾穗 화수] 벼이삭.
[嘉禾 가화] 열매가 많이 붙은 벼.

²₇【禿】 대머리 독㉧屋 tū

㉠ トク〔はげる〕 ⓔ baldhead

字解 ① 대머리 독. ¶ 禿頭(독두). ② 대머리질 독(無髮). ¶ 禿筆(독필). ③ 민둥민둥할 독. ¶ 禿山(독산).

字源 會意. 禾+儿

[禿頭 독두] 대머리.
[禿筆 독필] ㉠ 끝이 모지라진 붓. ㉡ 자작(自作)한 시문(詩文)의 겸칭(謙稱).

²₇【秀】 빼어날 수㊤宥 xiù

㉠ シュウ〔ひいでる〕 ⓔ surpass

字解 ① 빼어날 수(榮茂). ¶ 秀拔(수발). ② 이삭 수, 벼팰 수(禾吐華). ¶ 秀穎(수영).

字源 會意. 禾+乃

[秀麗 수려] 산수의 경치가 뛰어나고 아름다움.

[秀穎 수영] ㉠ 벼·수수 따위의 이삭이 무성한 모양. ㉡ 재능이 뛰어나고 훌륭함.

[秀才 수재] ㉠ 학문·재능이 뛰어난 사람. 준재(俊才). ㉡ 미혼 남자의 높임말. ㉢ 과거 시험의 과목 이름.

[優秀 우수] 여럿 가운데 뛰어나고 빼어남.

[俊秀 준수] 재주와 슬기, 풍채가 아주 빼어남.

²₇【私】 사사 사 ㊤支 sī

㉠ シ〔わたくし〕 ⓔ private

字解 ① 사사 사, 사사로이할 사(不公). ¶ 公私(공사). 私利(사리). ② 간통할 사(姦通). ¶ 私通(사통). ③ 오줌눌 사(溺也).

字源 形聲. 禾+厶〔音〕

[私憾 사감] 사사로운 이해관계로 품은 원한.

[私見 사견] ㉠ 자기 혼자의 의견. ㉡ 자기의 생각에 대한 겸칭.

[私淑 사숙] 직접 가르침을 받지는 아니하나, 스스로 그 사람의 덕을 사모하고 본받아서 도(道)나 학문을 닦음.

[私心 사심] ㉠ 자기 혼자의 생각. ㉡ 자기만의 이익을 꾀하는 마음.

[公私 공사] 공적인 일과 사적인 일.

³₈【秆】 稈(간)(禾部 7획)과 同字

³ ⁸ 【季】 年(년)(干部 3획)의 本字

³ ⁸ 【秉】 잡을 병 ㊤梗 bǐng 秉

㊐ ヘイ〔とる〕 ㊥ grasp

字解 잡을 병(把也).

字源 會意. 禾와 ⺕의 합자. 벼를 손으로 잡고 있음을 나타냄.

[秉權 병권] 정권을 잡음.
[秉燭 병촉] 촛불을 밝힘.

⁴ ⁹ 【秋】 가을 추 ㊤尤 qiū 秋

一千禾禾禾禾秋秋

㊐ シュウ〔あき〕 ㊥ autumn

字解 ① 가을 추(金行之時白藏節). ¶ 秋收(추수). 세월 추(歲月). ② 때 추(時也), ¶ 千秋(천추).

字源 會意. 禾+火+龜. 뒤에 龜를 생략하여 「秋」가 됨.

[秋霜 추상] ㉠ 가을의 찬 서리. ㉡ 서슬이 퍼런 위엄이나 엄한 형벌의 비유.

[秋收 추수] 가을에 익은 곡식을 거둬들이는 일. 가을걷이.

[秋波 추파] ㉠ 가을철의 잔잔하고 아름다운 물결. ㉡ 은근한 정을 나타내는 눈짓. 윙크.

[秋毫 추호] ㉠ 가을철에 가늘어진 짐승의 털. ㉡ 썩 세미(細微)함의 비유.

[晩秋 만추] 늦가을.
[千秋 천추] 썩 오랜 세월. 먼 미래.

⁴ ⁹ 【科】 품등 과 ㊤歌 kē 科

一千禾禾禾禾科科

㊐ カ〔しな〕 ㊥ grade

字解 ① 품등 과(品也). ¶ 科品(과품). ② 조목 과(條也). ¶ 科目(과목). ③ 법 과(法也). ¶ 金科玉條(금과옥조). ④ 죄 과(課也). ¶ 罪科(죄과). ⑤ 과거 과. ¶ 登科(등과).

字源 會意. 禾(곡물)와 斗(말)의 합자. 곡물을 말로 되어서 알맞게 하는 데서 법도의 뜻이 됨.

[科擧 과거] 중국 및 우리나라에서 행하여진 관리 등용 시험. 문과(文科)·무과(武科)·잡과(雜科) 등이 있음.

[科料 과료] 형벌의 하나. 경범죄에 과하는 재산형.

[科目 과목] ㉠ 학문의 구분. ㉡ 분류한 조목. ㉢ 교과를 세분하여 계통을 세운 영역. 교과목. ㉣ 과거(科擧).

⁴ ⁹ 【秒】 一까끄라기 묘 ㊤篠 二초 초 ㊤篠 miǎo 秒

㊐ ビョウ〔のぎ·じかんのたんい〕 ㊥ awn, second

字解 一 ① 까끄라기 묘(禾芒). ② 세미할 묘(微妙). ¶ 秒忽(묘홀). 二 초 초. ¶ 秒針(초침).

字源 形聲. 禾+少〔音〕

[秒忽 묘홀] 썩 작은 것을 일컫는 말. 묘(秒)는 까끄라기, 홀(忽)은 거미줄.

[秒速 초속] 1초 동안의 속도.
[分秒 분초] 분과 초. 매우 짧은 시간.

⁴ ⁹ 【秔】 메벼 갱 ㊤庚 jīng 秔

㊐ コウ〔うるち〕

字解 메벼 갱(稻不黏).

字源 形聲. 禾+亢〔音〕

參考 粳(禾部 7획)은 동자. 粳(米部 7획)은 속자.

[秔稻 갱도] 메벼. 갱화(秔禾).
[秔米 갱미] 멥쌀.

⁴ ⁹ 【秕】 쭉정이 비 ㊤紙 bǐ 秕

㊐ ヒ〔しいな〕 ㊥ chaff

字解 ① 쭉정이 비(穀不成實). ¶ 秕糠(비강). ② 더럽힐 비(穢也).

¶ 秕政(비정).

字源 形聲. 禾+比〔音〕

[秕糠 비강] ㉠ 쭉정이와 겨. ㉡ 쓸
모없는 찌꺼기.

[秕政 비정] 국민을 괴롭히고 나라
를 그르치는 정치. 악정(惡政).

5/10 【秖】 섬 석 | shí | ㈇陌

㈰ セキ〔おもさのな〕

字解 ① 섬 석. ② 돌 석.

字源 形聲. 禾+石〔音〕

5/10 【租】 구실 조 | zū | ㊀虞

二 千 禾 禾 和 和 租 租

㈰ ソ〔みつぎ〕 ㊤ tribute

字解 ① **구실 조**(田賦), 조세 조(稅
也). ¶ 租稅(조세). ② 빌 조, 세들
조(賃借). ¶ 租借(조차). ③ 쌀들
조(積也).

字源 形聲. 禾+且〔音〕

[租稅 조세] 국가 또는 지방 자치 단
체가 필요한 경비를 쓰기 위하여 국
민에게서 거두어들이는 돈. 세금.

[租借 조차] ㉠ 세를 내고 빌림. ㉡
다른 나라의 영토의 일부를 그 나라
의 승낙을 얻어 일정한 기간 통치하
는 일.

5/10 【秣】 말먹이
말 | mò | ㈇曷

㈰ マツ〔まぐさ〕 ㊤ fodder

字解 ① **말먹이 말**(食馬穀). ¶ 糧
秣(양말). ② 먹일 말(飼也).

字源 形聲. 禾+末〔音〕

[秣藁 말고] 말먹이로 쓰는 짚.

[秣粟 말속] 말먹이, 곧, 겉곡식 따
위. 또는 겉곡식을 말먹이로 함.

5/10 【秤】 저울 칭 | chèng | ㊤徑

㈰ ショウ〔はかり〕 ㊤ balance

字解 **저울 칭**(衡也). ¶ 天秤(천

칭).

字源 形聲. 禾+平〔音〕

注意 枰(木部 5획)은 딴 글자.

[秤錘 칭추] 저울추.

5/10 【秧】 모 앙 | yāng | ㊤陽

㈰ オウ〔なえ〕 ㊤ young rice plant

字解 모 앙(禾苗). ¶ 移秧(이앙).

字源 形聲. 禾+央〔音〕

[秧苗 앙묘] 벼모.

[秧田 앙전] 못자리.

[移秧 이앙] 모내기. 모심기.

5/10 【秩】 차례 질 | zhì | ㈇質

二 千 禾 禾 禾 秆 秩 秩

㈰ チツ〔ついで〕 ㊤ order

字解 ① **차례 질**(序也). ¶ 秩序(질
서). ② 녹 질(祿稟). ¶ 秩米(질
미). ③ 벼슬 질(官職). ¶ 秩敍(질
서).

字源 形聲. 禾+失〔音〕

[秩祿 질록] 녹봉(祿俸).

[秩序 질서] 사물의 조리나 그 순서.

[秩敍 질서] 관직의 차례.

[秩秩 질질] ㉠ 생각이 깊은 모양.
㉡ 청명한 모양. 맑은 모양. ㉢ 흘러
가는 모양. ㉣ 정숙하고 근신하는
모양. ㉤ 질서가 정연한 모양.

5/10 【秫】 차조 출 | shú | ㈇質

㈰ ジュツ〔もちあわ〕
㊤ glutinous millet

字解 차조 출(黏粟).

字源 形聲. 禾+朮〔音〕

5/10 【秬】 검은기
장 거 | jù | ㊤語

㈰ キョ〔くろきび〕

字解 검은기장 거(黑黍). 알이 검은

기장. ¶ 黑秬(흑거).

字源 形聲. 禾+巨〔音〕

5
⑩ 【秭】 만억 자
⊥紙   zǐ   秭

日 シ〔かずのな〕

字解 만억 자(數名, 萬億).

字源 形聲. 禾+𠂤〔音〕

5
⑩ 【秘】 祕(비)(示部 5획)의 俗字

5
⑩ 【称】 稱(칭)(禾部 9획)의 俗字·簡體字

5
⑩ 【秦】 진나라
진⊕眞   qín   㸋

日 シン〔くにのな〕

字解 진나라 진(伯翳所封國名).

字源 會意. 禾와 舂(석양(夕陽)이 넘어가려 함)의 생략형 𡗗의 합자.

[秦始皇 진시황] 진나라의 황제로, 육국(六國)을 멸(滅)하여 천하를 통일하고 만리장성을 쌓았음.

6
⑪ 【秸】 ━짚 갈
⊼黠
━ 뻐꾸기
길⊼質   jiē
jí   秸

日 ━ カツ〔わら〕· キツ〔かっこう〕
英 straw, cuckoo

字解 ━ 짚 갈(禾藁). ━ 뻐꾸기 길.

字源 形聲. 禾+吉〔音〕

6
⑪ 【移】 옮길 이
⊕支   yí   移

二 千 千 禾 禾 移 移 移

日 イ〔うつる〕 英 remove

字解 ① 옮길 이(遷也). ¶ 移徙(이사). ② 변할 이(變也). ¶ 變移(변이). ③ 모낼 이(禾相倚遷). ¶ 移秧(이앙).

字源 形聲. 禾+多〔音〕

[移動 이동] 옮겨 움직임. 자리를 변동함.

[移徙 이사] 집을 옮김.

[移秧 이앙] 모내기.

[移轉 이전] 장소나 주소를 옮김.

7
⑫ 【稀】 드물 희
⊕微   xī   稀

二 千 千 禾 秆 秋 秳 稀 稀

日 キ〔まれ〕 英 rare

字解 드물 희(疏也). ¶ 人生七十古來稀(인생칠십고래희).

字源 形聲. 禾+希〔音〕

參考 希(巾部 4획)와 동자.

[稀貴 희귀] 드물어서 매우 진귀함.

[稀罕 희한] 매우 드묾.

[古稀 고희] 70살의 일컬음.

7
⑫ 【稂】 강아지풀
랑⊕陽   láng   稂

日 ロウ〔いぬあわ〕 英 foxtail

字解 강아지풀 랑(草名, 似莠害苗).

字源 形聲. 禾+良〔音〕

[稂莠 낭유] ㉠ 강아지풀. ㉡ 해초(害草). 또는 해로운 사물.

7
⑫ 【稅】 ━구실 세
⊕霽
━풀 탈
⊼曷   shuì
tuō   稅

二 千 千 禾 禾 秆 稅 稅

日 ゼイ〔みつぎ〕 英 tax, untie

字解 ━ ① 구실 세(賦也). ② 세금 세(租也). ¶ 稅金(세금). ③ 놓을 세(舍也). ¶ 稅駕(세가). ━ 풀 탈(脫也). ¶ 稅冕(탈면).

字源 形聲. 禾+兌〔音〕

[稅駕 세가] ㉠ 수레에 맨 말을 끌러 놓아 쉬게 하는 일. ㉡ 나그네가 쉬는 것을 이름.

[稅關 세관] 수출입품의 검사·단속·관세 징수 등에 관한 사무를 맡아보는 기관.

[稅吏 세리] 세금을 받는 관리. 세무 관리.

[稅冕 탈면] 관(冠)을 벗음.

7 ⑫ 〖稈〗 짚 간 [上]旱 | gǎn

[日] カン〔わら〕 [英] straw

[字解] **짚 간**(禾莖也).

[字源] 形聲. 禾+旱〔音〕

7 ⑫ 〖稊〗 돌피 제 [平]齊 | tí

[日] テイ〔いぬびえ〕 [英] wild millet

[字解] **돌피 제**(稊英也). ¶ 稊秕(제비).

[字源] 形聲. 禾+弟〔音〕

7 ⑫ 〖程〗 법 정 [平]庚 | chéng

二 千 禾 禾 和 积 稈 程

[日] テイ〔ほど〕 [英] law

[字解] ① **법 정**(式也). ¶ 規程(규정). ② **한도 정**(限也). ¶ 程度(정도). ③ **길 정**(道也). ¶ 路程(노정).

[字源] 形聲. 禾+呈〔音〕

[程度 정도] ㉠ 알맞은 한도. ㉡ 얼마의 분량. ㉢ 고저·강약의 한도. ㉣ 다른 것과 비교해서 우열의 어떠함.

[程式 정식] ㉠ 일정한 법식(法式). 격식(格式). ㉡ 표준이 되는 방식.

[程朱學 정주학] 중국 송나라 때의 정호(程顥)·정이(程頤)및 주희(朱熹) 계통의 유학. 성리학(性理學).

[路程 노정] 여행의 경로나 일정.

[日程 일정] 그날에 할 일.

7 ⑫ 〖稌〗 찰벼 도 [平]虞 | tú

[日] ト〔もちいね〕 [英] glutinous rice

[字解] **찰벼 도**(稬稻也).

[字源] 形聲. 禾+余〔音〕

7 ⑫ 〖稍〗 점점 초 [本]소[去]效 | shāo

[日] ショウ〔やや〕 [英] gradually

[字解] ① **점점 초**(漸也). ¶ 稍稍(조조). ② **적을 초**(少也). ③ **작을 초**(小也). ¶ 稍解文字(초해문자). ④ **녹 초**(廩食). ¶ 稍食(초식).

[字源] 形聲. 禾+肖〔音〕

[注意] 梢(木部 7획)는 딴 글자.

[稍蠶食之 초잠식지] 차츰차츰 침략하여 먹어 들어감.

[稍稍 초초] ㉠ 조금씩. 차차. ㉡ 약간. 잠시.

[稍解文字 초해문자] 겨우 문자를 풀어 볼 정도.

7 ⑫ 〖稉〗 秔(갱)(禾部 4획)의 俗字

8 ⑬ 〖稢〗 서직무성할 욱 [入]屋 | yù

[日] イク〔しょしょくのさかんなさま〕

[字解] **서직(黍稷)무성할 욱**.

8 ⑬ 〖稔〗 여물 임 [俗]념[上]寢 | rěn

[日] ジン〔みのる〕 [英] ripen

[字解] ① **여물 임, 곡식익을 임**(穀熟). ¶ 稔熟(임숙). ② **해 임**(年也, 期也). ③ **쌓일 임**(積久). ¶ 稔惡(임악).

[字源] 會意. 禾+念

[稔熟 임숙] 곡식이 잘 여묾.

[稔惡 임악] 쌓이고 쌓인 나쁜 일.

8 ⑬ 〖稗〗 피 패 [去]卦 | bài

[日] ハイ〔ひえ〕 [英] Decan grass

[字解] ① **피 패**(似禾而實細). ¶ 稗飯(패반). ② **잘 패**(細也), 작을 패(小也). ¶ 稗史(패사).

[字源] 形聲. 禾+卑〔音〕

[稗飯 패반] 피밥.

[稗史 패사] 소설과 같은 체로 쓴 역사(歷史).

5
획

8 ⑬ 【稙】 올벼 직 ㆆ職 稙 zhī

🇯🇵 チョク〔やまきのいね〕

字解 올벼 직(早種禾). ¶ 稙禾(직화).

字源 形聲. 禾+直〔音〕

注意 植(木部 8획)은 딴 글자.

8 ⑬ 【稚】 어릴 치 ㆆ寘 稚 zhī

二 千 禾 禾 利 秒 秒 稚

🇯🇵 チ〔おさない〕 🇬🇧 young

字解 어릴 치(幼稺, 小也).

字源 會意. 禾+隹.

參考 稺(禾部 12획)는 동자.

[稚魚 치어] 물고기의 새끼.
[稚拙 치졸] 유치하고 졸렬함.
[幼稚 유치] ㉠ 나이가 어림. ㉡ 지식·기술 등의 수준이 낮음.

8 ⑬ 【稜】 모 릉 ㆆ蒸 稜 léng

🇯🇵 リョウ〔かど〕 🇬🇧 corner

字解 ① 모 릉(廉角). ¶ 稜線(능선). ② 서슬 릉(神靈之威). ¶ 稜威(능위).

字源 形聲. 禾+夌〔音〕

[稜線 능선] 산등을 따라 죽 이어진 봉우리의 선.
[稜威 능위] 존엄스러운 위세(威勢). 위광(威光).

8 ⑬ 【稞】 쌀보리 과 ㆆ歌 稞 kē

🇯🇵 カ〔はだかむぎ〕 🇬🇧 rye

字解 쌀보리 과(裸麥).

字源 形聲. 禾+果〔音〕

8 ⑬ 【稠】 빽빽할 조 ㆆ주 ㆆ尤 稠 chóu

🇯🇵 チュウ〔おおい〕 🇬🇧 dense

字解 ① 빽빽할 조(密也), 많을 조 (多也). ¶ 稠密(조밀). ② 진할 조, 농후할 조(濃也).

字源 形聲. 禾+周〔音〕

[稠密 조밀] 촘촘하고 빽빽함.

8 ⑬ 【稤】 ㆍ(韓) 창고 수 ㆍ(韓) 궁소 임숙 稤

🇯🇵 みやづかい

字解 《韓》 ㆍ 창고 수. ㆍ 궁소임숙. ¶ 稤宮(숙궁).

[稤宮 숙궁] 각 궁(宮)의 사무를 맡아 보는 사람.

8 ⑬ 【稟】 ㆍ녹미 름 ㆆ寢 ㆍ받을 품 ㆆ寢 稟 lǐn bǐng

🇯🇵 リン〔こめぐら〕・ヒン〔うける〕

字解 ㆍ 녹미 름(賜穀). ¶ 稟給(늠급). ㆍ ① 받을 품(受命). ② 사뢸 품(白事). ¶ 稟告(품고). ③ 바탕 품(天賦性質). ¶ 天稟(천품).

字源 會意. 亩+禾

參考 禀(示部 8획)은 속자.

[稟給 늠급] 관청에서 받는 봉급(俸給).
[稟議 품의] 웃어른 또는 상사(上司)에게 글이나 말로 여쭈어 의논함.
[氣稟 기품] 타고난 기질과 성품.
[性稟 성품] 성정(性情).

9 ⑭ 【種】 ㆍ씨 종 ㆆ腫 ㆍ심을 종 ㆆ宋 种 種 zhǒng zhòng

二 千 禾 秆 秆 稍 種 種

🇯🇵 シュ〔たね・うえる〕 🇬🇧 seed, grow

字解 ㆍ ① 씨 종(穀子也). ¶ 種子(종자). ② 종족 종. ¶ 種族(종족). ③ 종류 종(類也). ¶ 品種(품종). ㆍ 심을 종(植也). ¶ 播種(파종).

字源 形聲. 禾+重〔音〕

[種豆得豆 종두득두] 콩 심은 데 콩이 남. 곧, 원인에 따라 결과가 나온다는 말.

[種類 종류] 일정한 질적 특징에 따라 나누어지는 부류.

[種苗 종묘] ㉠ 식물의 모를 심어서 기름. ㉡ 묘목이 될 씨를 뿌림.

[播種 파종] 곡식의 씨앗을 뿌림.

9 ⑭ 〖稰〗 一 거둘 서 (平)魚 二 고사쌀 서 (上)語 | xū xǔ

(日) ショ〔かる・せんまい〕 (英) reap

字解 一 거둘 서(熟穫). ¶ 稰穛(서착). 二 고사쌀 서(祭神米).

字源 形聲. 禾+〔音〕

9 ⑭ 〖稱〗 一 일컬을 칭 (平)蒸 二 헤아릴 칭 (去)徑 | 称 chēng

二 千 禾 禾 禾 稍 稍 稱

(日) ショウ〔となえる〕

(英) call, consider

字解 一 ① 일컬을 칭, 부를 칭, 말할 칭(言也). ¶ 稱號(칭호). ② 저울질할 칭(銓也). ¶ 稱量(칭량). ③ 칭찬할 칭(揚也). ¶ 稱讚(칭찬). ④ 맞을 칭, 알맞을 칭(副也). ¶ 稱職(칭직). 二 헤아릴 칭(量也, 度也).

字源 形聲. 禾+爯〔音〕

參考 称(禾部 5획)은 속자.

[稱量 칭량] ㉠ 저울로 닮. ㉡ 사정이나 형편을 헤아림.

[稱職 칭직] 재능이 직무에 알맞음. 또, 그 직무.

[稱讚 칭찬] 잘한다고 추어 줌. 좋은 점을 말하여 기림.

[稱呼 칭호] 부르는 이름.

[稱號 칭호] 어떠한 뜻으로 일컫는 이름. 명칭(名稱).

[假稱 가칭] 임시 또는 거짓으로 일컬음. 또는 그 이름.

9 ⑭ 〖稧〗 一 볏짚 혈 (入)屑 二 벼 계 (去)霽 | qiè xì

(日) ケツ〔わら〕・ケイ〔たうえ〕

(英) rice straw, rice

字解 一 볏짚 혈(禾稈). 二 벼 계(秧稻).

字源 形聲. 禾+契〔音〕

10 ⑮ 〖稶〗 稢(욱)(禾部 8획)의 本字

10 ⑮ 〖稷〗 一 기장 직 (入)職 二 기울 측 (入)職 | jì zè

(日) ショク〔きび・ひがかたむく〕

(英) millet, lean

字解 一 ① 기장 직(黍屬). ② 곡신 직. ¶ 社稷(사직). 二 기울 측.

字源 形聲. 禾+畟〔音〕

[稷神 직신] 곡식을 맡은 신.

[黍稷 서직] 찰기장과 메기장.

10 ⑮ 〖稹〗 고울 진 (平)軫 | 稹 zhěn

(日) シン〔こまかい〕 (英) elaborate

字解 ① 고울 진(緻密). ¶ 稹理(진리). ② 모일 진(聚物). ¶ 稹薄(진박).

字源 形聲. 禾+眞〔音〕

10 ⑮ 〖稻〗 벼 도 (上)皓 | 稻 dào

二 千 禾 禾 禾 秤 稻 稻

(日) トウ〔いね〕 (英) rice plants

字解 벼 도(水田種秔).

字源 形聲. 禾+舀〔音〕

[稻熱病 도열병] 벼에 생기는 병의 한 가지.

[稻作 도작] 벼농사.

[陸稻 육도] 밭벼.

5 획

[立稻先買 입도선매] 아직 논에서 자라고 있는 벼를 미리 돈을 받고 팖.

10 【稼】 심을 가 ㉿禡 | jià
⑮
㈎ カ〔うえる〕 ㉝ plant

字解 심을 가(種穀). ¶ 稼穡(가색).

字源 形聲. 禾+家〔音〕

[稼動 가동] 사람이나 기계가 움직여 일함.

[稼穡 가색] ㉠ 농작물을 심는 일과 거두어들이는 일. ㉡ 농사.

10 【稽】 상고할 계㉿齊 | jī
⑮ qī

㈎ ケイ〔かんがえる〕 ㉝ think over

字解 ① 상고할 계(考也). ② 헤아릴 계(計也). ③ 이를 계(至也). ¶ 稽古(계고). ③ 이를 계(至也). ¶ 稽天(계천). ④ 조아릴 계(下首). ¶ 稽首(계수).

字源 形聲. 禾(나무의 꼭대기가 굽어서 위로 뻗지 못하는 모양)와 尤(다름)를 바탕으로 「旨(지)」의 전음이 음을 나타냄.

[稽古 계고] 지난 일을 상고함.

[稽留 계류] ㉠ 머무름. 체류(滯留). ㉡ 머물게 함.

[滑稽 골계] 익살.

10 【稿】 볏짚 고 ㉿皓 | gǎo
⑮

二 千 禾 禾 秆 秆 稿 稿

㈎ コウ〔わら〕 ㉝ straw

字解 ① 볏짚 고(禾稈). ¶ 稿人(고인). ② 원고 고(文草). ¶ 原稿(원고).

字源 形聲. 禾+高〔音〕

參考 稾(禾部 10획)는 동자.

[稿本 고본] 원고를 맨 책.

[草稿 초고] 시문의 초벌 원고.

10 【穀】 곡식 곡 ㉿屋 | gǔ
⑮

十 圭 吉 声 幸 穀 穀 穀

㈎ コク〔こくもつ〕 ㉝ grain

字解 ① 곡식 곡(禾稼總名). ¶ 五穀(오곡). ② 좋을 곡, 길할 곡(吉也). ¶ 穀日(곡일).

字源 形聲. 禾+殼〔音〕

參考 糓(米部 10획)은 속자.

[穀物 곡물] 사람이 주식으로 하는 곡식. 쌀·보리·조·콩 따위의 총칭.

[穀日 곡일] 즐거운 날. 경사스러운 날. 길일(吉日). 곡단(穀旦).

[糧穀 양곡] 양식으로 쓰는 곡식.

[五穀百果 오곡백과] 온갖 곡식과 과실.

10 【槀】 稿(고)(禾部 10획)와 同字
⑮

11 【穆】 온화할 목 ㉿屋 | mù
⑯

㈎ ボク〔やわらぐ〕 ㉝ harmony

字解 ① 온화할 목(和也). ¶ 穆淸(목청). ② 아름다울 목(美也). ¶ 穆穆(목목). ③ 화목할 목(睦也). ¶ 和穆(화목). ④ 공경할 목(敬也). ¶ 穆然(목연).

字源 形聲. 禾+㣄〔音〕

[穆穆 목목] ㉠ 언어나 모습이 아름답고 훌륭한 모양. ㉡ 온화한 모양.

[穆然 목연] ㉠ 온화하고 공경하는 모양. ㉡ 조용히 생각하는 모양.

11 【積】 ■쌓을 적 ㉿陌 | jī
⑯ ■저축할 자㉿眞 | zī

二 千 禾 利 秆 秆 秆 稍 稍 積

㈎ セキ〔つむ〕・シ〔たくわえ〕
㉝ heap up, save

字解 ■ ① 쌓을 적(重也, 累也). ¶ 積立(적립). ② 적 적(乘成之數). ¶ 乘積(승적). ■ 저축할 자, 저축 자(儲也). ¶ 委積(위자).

字源 形聲. 禾+責〔音〕

[積極 적극] 사물에 대하여 그것을

긍정하고 최대한으로 활동함.

[積立 적립] 모아서 쌓아 둠. ¶ 積立金(적립금).

[積善 적선] 착한 일을 많이 함.

[積憂 적우] 오래 쌓인 근심. 쌓이고 쌓인 우수(憂愁).

[積阻 적조] 오랫동안 소식이 막힘.

[積弊 적폐] 오랫동안 쌓인 폐단.

[累積 누적] 포개져 쌓임.

[山積 산적] 산더미같이 쌓임.

11 ⑯ 【穌】 소생할 소 [平]虞 | 稣 sū

[日] ソ〔よみがえる〕 [英] revive

[字解] ① **소생할 소**(死而復生). ② **쉴 소**(息也).

[字源] 形聲. 禾+魚〔音〕

[參考] 蘇(艸部 16획)와 동자.

11 ⑯ 【穎】 이삭 영 [上]梗 | 颖 yǐng

[日] エイ〔ほさき〕 [英] ear of grain

[字解] ① **이삭 영**(穗也). ¶ 穎果(영과). ② **빼어날 영**(才能拔類). ③ **끝 영**(錐芒).

[字源] 形聲. 禾+頃〔音〕

[穎悟 영오] 남보다 뛰어나게 총명함.

[穎脫 영탈] 재능이 뛰어나게 우수함.

12 ⑰ 【穉】 稚(치)(禾部 8획)와 同字

12 ⑰ 【穗】 이삭 수 [平]寘 | suì

[日] スイ〔ほ〕 [英] ear of grain

[字解] **이삭 수**(禾成秀). ¶ 禾穗(화수). ¶ 麥穗(맥수).

[字源] 形聲. 禾+惠〔音〕

[落穗 낙수] ㉠ 추수 후 땅에 떨어진 이삭. ㉡ 일을 치르고 난 뒷이야기.

13 ⑱ 【穟】 이삭 수 [去]寘 | suì

[日] スイ〔いなほ〕 [英] ear of grain

[字解] ① **이삭 수**. ¶ 稻穟(도수). ② **고갱이나올 수**(禾苗好美).

[字源] 形聲. 禾+遂〔音〕

13 ⑱ 【穠】 많을 농 [平]冬 | nóng

[日] ジョウ〔さかん〕 [英] luxuriant

[字解] **많을 농**(華木綢多貌). ¶ 穠綠(농록).

[字源] 形聲. 禾+農〔音〕

[穠桃 농도] 꽃이 많이 핀 복숭아나무.

[穠李 농리] 꽃이 많이 핀 오얏나무.

13 ⑱ 【穡】 거둘 색 [入]職 | sè

[日] ショク〔とりいれる〕 [英] harvest

[字解] ① **거둘 색**(斂也). ¶ 稼穡(가색). ② **아낄 색**(吝惜). ③ **농사 색**(耕作). ¶ 農穡(농색).

[字源] 形聲. 禾+嗇〔音〕

[稼穡 가색] 곡식 농사.

13 ⑱ 【穢】 더러울 예 [去]隊 | 秽 huì

[日] アイ・エ〔けがす〕 [英] dirty

[字解] ① **더러울 예**(汚也). ¶ 汚穢(오예). ② **거칠 예**(荒也). ¶ 蕪穢(무예).

[字源] 形聲. 禾+歲〔音〕

[穢土 예토] (불교에서) 더러운 국토. 곧, 이 세상.

[汚穢 오예] 지저분하고 더러움.

[荒穢 황예] 몹시 거칢.

14 ⑲ 【穦】 향기 빈 [平]眞 | pīn

[日] ヒン〔かおり〕 [英] fragrance

[字解] **향기 빈**.

[字源] 形聲. 禾+賓〔音〕

14 ⑲ 【穩】 안온할 온 [上]阮 | wěn

5획

回 オン〔おだやか〕 英 calm

字解 안온할 온(安也). ¶ 穩和(온화).

字源 會意. 禾+㥯〔音〕

注意 隱(阜部 14획)은 딴 글자.

[穩健 온건] 온당하고 건실함.
[穩當 온당] 사리에 어그러지지 않고 알맞음.
[安穩 안온] 조용하고 편안함.
[平穩 평온] 고요하고 안온함.

14
19 【穫】 벨 확
回 カク〔かる〕 英 harvest
字解 벨 확(刈穀). ¶ 刈穫(예확).
字源 形聲. 禾+蒦〔音〕
注意 獲(犬部 14획)은 딴 글자.

[收穫 수확] 곡식을 거두어들임.
[秋穫 추확] 가을걷이.

17
22 【穰】 풍성할
양 ⊕陽 ráng
回 ジョウ〔ゆたか〕 英 plenty
字解 ① 풍성할 양, 풍년들 양(豐盛). ¶ 穰歲(양세). 穰穰(양양). ② 짚 양(禾莖).
字源 形聲. 禾+襄〔音〕

[穰歲 양세] 곡식이 잘 결실한 해. 풍년(豐年).
[穰穰 양양] ㉠ 곡물이 잘 결실한 모양. ㉡ 풍족한 모양.

穴 〔5 획〕 部
(구멍혈부)

0
5 【穴】 구멍 혈
⊕屑 xué
回 ケツ〔あな〕 英 hole
字解 ① 구멍 혈, 굴 혈(窟也). ¶

洞穴(동혈). ② 움 혈(土室). ¶ 穴居(혈거).

字源 象形. 혈거 생활의 주거를 본뜬 모양.

注意 穴(宀部 2획)은 딴 글자.

[穴居 혈거] 자연 또는 인공으로 된 동굴 속에서 삶. 선사 시대 원시인들의 주거(住居).
[穴見 혈견] 좁은 소견. 관견(管見).
[洞穴 동혈] 동굴.
[墓穴 묘혈] 무덤 구멍.

2
7 【究】 궁구할
구 ⊕有 jiū
回 キュウ〔きわめる〕
英 grope about
字解 ① 궁구할 구(窮也). ¶ 考究(고구). ¶ 究明(구명). ② 다할 구(極也). ¶ 究竟(구경).
字源 形聲. 穴+九〔音〕

5
획

[究竟 구경] ㉠ 맨 마지막. 궁극(窮極). ㉡ 사리(事理)의 마지막. ㉢ 마침내. 필경(畢竟).
[究極 구극] ㉠ 극도에 달함. ㉡ 마지막. 끝. 결말. 구경(究竟). 궁극(窮極).
[究明 구명] 궁구(窮究)하여 밝힘.
[講究 강구] 좋은 방법을 연구함.
[探究 탐구] 더듬어 깊이 연구함.

3
8 【穸】 광중 석
⊕陌 xī
回 セキ〔つかあな〕 英 grave pit
字解 광중 석, 뫼구덩이 석(墓穴). ¶ 窀穸(둔석).
字源 形聲. 穴+夕〔音〕

3
8 【穹】 하늘 궁
⊕東 qióng
回 キュウ〔そら〕 英 sky
字解 ① 하늘 궁(天也). ¶ 穹蒼(궁창). ② 활꼴 궁, 궁형 궁(弓形). ¶ 穹隆(궁륭).

字源 形聲. 穴+弓〔音〕

[穹嵌 궁감] 험준(險峻)한 곳.

[穹隆 궁륭] ㉠ 활이나 무지개같이 높고 길게 굽은 형상. 활꼴. 궁형(弓形). ㉡ 활꼴로 굽음. ㉢ 하늘.

[穹蒼 궁창] 하늘. 창궁(蒼穹). 창천(蒼天). 궁천(穹天).

³ 【空】 빌 공 ⑧ ㊱東 kōng

丶 宀 宀 宂 宂 空 空 空

㈰ クウ〔そら〕 ⑳ empty

字解 ① 빌 공(虛也). ¶ 空虛(공허). ② 하늘 공(天也). ¶ 天空(천공). ③ 헛될 공, 쓸데없을 공. ¶ 空想(공상). 空費(공비). ④ 클 공(大也).

字源 形聲. 穴+工〔音〕

[空間 공간] ㉠ 집의 쓰지 않고 비워 둔 간. ㉡ 하늘과 땅 사이. ㉢ 상하·전후·좌우로 무한하게 퍼져 있는 빈 곳.

[空想 공상] ㉠ 이루어질 수 없는 헛된 생각. ㉡ 외계에 상응(相應)하는 객관적 사실이 없는 생각.

[空手來空手去 공수래공수거] 빈손으로 왔다가 빈손으로 간다는 뜻으로, 사람이 세상에 태어났다가 허무하게 죽는다는 말.

[空日 공일] 일을 하지 않고 쉬는 날. 곧, 일요일.

[空虛 공허] 속이 텅 빔. ¶ 空虛感(공허감).

[架空 가공] 상상으로 지어낸 일.

[蒼空 창공] 푸른 하늘.

⁴ 【穽】 함정 정 ⑨ ㊱敬 jǐng

㈰ セイ〔おとしあな〕 ⑳ pitfall

字解 함정 정(穿地陷獸坑). ¶ 穽陷(정함).

字源 形聲. 穴+井〔音〕

[陷穽 함정] ㉠ 짐승을 잡고자 파 놓은 구덩이. 허방다리. ㉡ 남을 어려움에 빠뜨리는 계략.

⁴ 【穿】 뚫을 천 ㊱先 chuān ⑨ 꿰뚫을 천 chuàn ㊲霰

㈰ セン〔うがつ・つらぬく〕 ⑳ bore, pierce

字解 ■ 뚫을 천(鑽也), 팔 천(鑿也). ¶ 穿孔(천공). ■ 꿰뚫을 천(貫也). ¶ 貫穿(관천).

字源 會意. 穴과 牙의 合字. 엄니로 구멍을 뚫음의 뜻.

[穿孔 천공] ㉠ 구멍을 뚫음. ㉡ 돈의 구멍.

[貫穿 관천] 꿴. 꿰뚫음.

⁴ 【窀】 광중둔 ⑨ ㊱眞 zhūn

㈰ チュン〔つかあな〕 ⑳ grave pit

字解 광중 둔, 뫼구덩이 둔(墓穴). ¶ 窀穸(둔석).

字源 形聲. 穴+屯〔音〕

[窀穸 둔석] ㉠ 광중(壙中)에 관(棺)을 내리는 일. ㉡ 무덤의 구덩이. 묘혈(墓穴).

⁴ 【突】 부딪칠 돌 ⑨ ㊲月 tū

丶 宀 宀 宀 宂 空 突 突

㈰ トツ〔つく〕 ⑳ collide with

字解 ① 부딪칠 돌. ¶ 衝突(충돌). ② 갑자기 돌(猝也). ¶ 突然(돌연). ③ 내밀 돌, 우뚝할 돌(出貌). ¶ 突起(돌기). ④ 굴뚝 돌(埃也). ¶ 煙突(연돌).

字源 會意. 穴(구멍)과 犬(개)의 합자. 개가 구멍에서 갑자기 뛰어나옴을 뜻함.

[突起 돌기] ㉠ 오뚝하게 내밀거나 도드라짐. 또, 그렇게 된 것. ㉡ 높이 솟아 일어남.

[突發 돌발] 일이 뜻밖에 일어남.

[突變 돌변] 갑작스럽게 달라짐. 또, 그러한 변화.

[突然 돌연] 별안간. 갑작스럽게. ¶ 突然變異(돌연변이).

[突出 돌출] ㉠ 쑥 내밀거나 불거짐. ㉡ 갑작스럽게 쑥 나오거나 나감. ㉢ 닮은 데가 없이 특별하게 생김.

[激突 격돌] 격렬하게 부딪침.

[衝突 충돌] 서로 맞부딪침.

4 ⑨ 【窃】 竊(절)(穴部 17획)의 俗字

5 ⑩ 【窄】 좁을 착 [本]책[入]陌 | zhǎi

[日] サク〔せまい〕 [英] narrow

[字解] **좁을 착**(狹也, 隘也). ¶ 窄小(착소).

[字源] 形聲. 穴+乍〔音〕

[窄迫 착박] 답답하도록 몹시 좁음.

[狹窄 협착] 공간이 매우 좁음.

5 ⑩ 【窅】 [一]움펑눈 요[上]巧 [二]어리둥절할 면[平]先 | yǎo mián

[日] ヨウ〔くぼんだめ〕・べん〔なげきうらむさま〕

[英] hollow eyes, dazed

[字解] [一] ① **움펑눈 요**(深目). ② **으슥할 요, 멀 요**(深遠). ¶ 窅眇(요묘). [二] **어리둥절할 면**. ¶ 窅然(면연).

[字源] 會意. 穴과 目의 合字. 움푹 들어간 눈의 뜻.

5 ⑩ 【窆】 하관할 폄[去]豔 | biǎn

[日] ヘン〔ほうむる〕 [英] bury

[字解] **하관할 폄**(葬下棺). ¶ 埋窆(매폄).

[字源] 形聲. 穴+乏〔音〕

5 ⑩ 【窈】 그윽할 요[上]篠 | yǎo

[日] ヨウ〔かすか〕 [英] profound

[字解] ① **그윽할 요**(深遠之貌). ¶ 窈冥(요명). ② **얌전할 요**(善心). ¶ 窈窕(요조).

[字源] 形聲. 穴+幼〔音〕

[窈窕 요조] ㉠ 여자의 마음이나 용모가 정숙하고 아름다운 모양. ¶ 窈窕淑女(요조숙녀). ㉡ 그윽함. 또, 그러한 곳.

5 ⑩ 【窊】 우묵할 와[平]麻 | wā

[日] ア〔くぼむ〕 [英] depressed

[字解] **우묵할 와**(窪也). ¶ 窊隆(와륭).

[字源] 形聲. 穴+瓜〔音〕

6 ⑪ 【窒】 [一]막을 질[入]質 [二]종묘문 절[入]屑 | zhì dié

[日] チツ〔ふさぐ〕・テツ〔びょうぜんのもん〕

[英] stop up

[字解] [一] ① **막을 질, 막힐 질**(塞也). ¶ 窒息(질식). ② **질소 질**. ¶ 窒素(질소). [二] **종묘문 절**.

[字源] 形聲. 穴+至〔音〕

[窒素 질소] 원소(元素)의 하나. 공기를 구성하는 기체.

[窒息 질식] 숨이 막힘.

6 ⑪ 【窓】 창 창[平]江 | chuāng

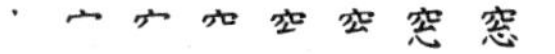

[日] ソウ〔まど〕 [英] window

[字解] **창 창**(戶也, 通孔). ¶ 窓門(창문).

[字源] 形聲. 穴+悤〔音〕

[參考] 窗(穴部 7획)은 본자. 窻(穴部 9획)은 동자.

[窓口 창구] ㉠ 창이 된 곳. ㉡ 창을 통해 사람과 응대하고 돈의 출납 등 사무를 보는 곳. ¶ 民願窓口(민원창구).

[客窓 객창] 나그네가 묵는 방.

5 획

[同窓 동창] 같은 학교에서 공부한 사이.

6
⑪ 【窕】 ▬아리따 울 조⊕蕭 ▬으늑할 조⊕篠 | tiǎo 窕

⊕ チョウ〔うつくしい・おくゆかしい〕
⊛ charming, secluded

字解 ▬ 아리따울 조. ¶ 窈窕(요조). ▬ 으늑할 조, 깊숙할 조(深也).

字源 形聲. 穴+兆〔音〕

7
⑫ 【窖】 움 교 ⊕效 | jiào 窖

⊕ コウ〔あなぐら〕 ⊛ pit

字解 ① 움 교(地藏). ② 깊은마음 교(深心也).

字源 形聲. 穴+告〔音〕

7
⑫ 【窘】 군색할 군⊕軫 | jiǒng 窘

⊕ キン〔くるしむ〕 ⊛ indigent

字解 ① 군색할 군(困迫). ¶ 窘塞(군색). ② 괴로워할 군, 고생할 군(困也). ¶ 窘迫(군박).

字源 形聲. 穴+君〔音〕

[窘急 군급] 다급하여 고생함.
[窘塞 군색] ㉠ 살기가 구차함. ㉡ 일이 뜻대로 되지 않아 어려워 보임.

7
⑫ 【窗】 窓(창)(穴部 6획)의 本字

8
⑬ 【窟】 굴 굴 ⊕月 | kū 窟

⊕ クツ〔あな〕 ⊛ cave

字解 ① 굴 굴(孔穴). ¶ 洞窟(동굴). ② 움 굴(土室).

字源 形聲. 穴+屈〔音〕

[窟穴 굴혈] ㉠ 땅이나 바위에 깊숙이 파인 큰 굴. ㉡ 도둑이나 악한 무리들이 자리 잡고 사는 곳.

8
⑬ 【窠】 구멍 과 ⊕歌 | kē 窠

⊕ カ〔あな〕 ⊛ hole

字解 ① 구멍 과(穴也). ② 보금자리 과(巢也). ¶ 蜂窠(봉과).

字源 形聲. 穴+果〔音〕

[窠臼 과구] 새의 둥우리.

8
⑬ 【窣】 느릿느 릿걸을 솔⊕月 | sū 窣

⊕ ソツ〔ゆるやかにゆく〕 ⊛ walk slowly

字解 ① 느릿느릿걸을 솔(行緩貌). ¶ 勃窣(발솔). ② 갑작스러울 솔(卒也).

字源 形聲. 穴+卒〔音〕

9
⑭ 【窩】 굴 와 ⊕歌 | wō 窩

⊕ ワ・カ〔あなぐら〕 ⊛ cave

字解 ① 굴 와(穴也). ② 움 와(穴居). ③ 집 와(別莊).

字源 形聲. 穴+咼〔音〕

[窩窟 와굴] 나쁜 짓을 하는 무리들이 자리 잡고 사는 곳. 소굴(巢窟).

9
⑭ 【窪】 구덩이 와⊕麻 | wā 窪

⊕ ワ〔くぼみ〕 ⊛ hollow

字解 ① 구덩이 와(窊也). ② 깊을 와(深也).

字源 形聲. 水+窐〔音〕

9
⑭ 【窬】 ▬유⊕虞 ▬협문 두⊕尤 | yú dōu 窬

⊕ ユ・トウ〔くぐりど〕 ⊛ small door

字解 ━ 협문 유(穿木戶也). ━ 협문 두(穿木戶也).

字源 形聲. 穴+兪〔音〕

10
⑮ 【窯】窰(요)(穴部 10획)와 同字

10
⑮ 【窮】다할 궁
㊀東　qióng

丶 宀 宀 宀 窜 窑 窮 窮

㊀ キュウ〔きわめる〕　� finish

字解 ① 다할 궁(極也), 마칠 궁(竟也). ¶ 無窮(무궁). ② 궁구할 궁(究也). ¶ 窮理(궁리).

字源 形聲. 穴+躬〔音〕

[窮究 궁구] 속속들이 깊이 연구함.
[窮理 궁리] ㉠ 사리를 깊이 연구함. ㉡ 좋은 도리를 발견하려고 곰곰 생각함.
[窮餘之策 궁여지책] 막다른 골목에서 그 국면을 타개하려고 생각 못하여 내는 계책. 궁여일책(窮餘一策).
[窮乏 궁핍] 빈궁함. 가난함. 또, 그 사람.
[困窮 곤궁] 가난함. 살림이 구차함.
[追窮 추궁] 끝까지 캐어 물음.

10
⑮ 【窯】가마 요
㊀蕭　yáo

㊀ ヨウ〔かま〕　� kiln

字解 ① 가마 요(燒瓦竈). ② 오지그릇 요(陶器). ¶ 窯器(요기).

字源 形聲. 穴+羔〔音〕

[窯業 요업] 질그릇·사기그릇 따위를 만드는 직업.

11
⑯ 【窶】가난할 구㊀麌
좁은땅 루㊀尤　jù / lóu

㊀ ク〔まずしい〕·ロウ〔ちいさいおか〕
� poor

字解 ━ 가난할 구(貧也). ━ 좁은

땅 루. ¶ 甌窶(구루).

字源 形聲. 穴+婁〔音〕

11
⑯ 【窺】엿볼 규
㊀支　kuī

㊀ キ〔うかがう〕　� peep

字解 엿볼 규(小視). ¶ 窺探(규탐).

字源 形聲. 穴+規〔音〕

[窺見 규견] 엿봄. 규시(窺視).
[窺知 규지] 엿보아 앎.

11
⑯ 【窻】窗(창)(穴部 7획)의 俗字

12
⑰ 【窾】빌 관㊀旱
빌 과㊀歌　kuǎn

㊀ カン·カ〔むなしい〕　� empty

字解 ━ 빌 관(空也). ¶ 窾言(관언). ━ 빌 과.

字源 形聲. 穴+款〔音〕

12
⑰ 【窿】활꼴 륭
㊀東　lóng

㊀ リュウ〔ゆみなり〕　� arch

字解 활꼴 륭(弓形).

字源 形聲. 穴+隆〔音〕

13
⑱ 【竄】달아날 찬㊀쫓
찬㊁翰　cuàn / chuān

㊀ ザン〔のがれる〕　� run away

字解 ① 달아날 찬(逃也). ¶ 逃竄(도찬). ② 숨을 찬(隱也), 숨길 찬(匿也). ¶ 竄匿(찬닉). ③ 내칠 찬(驅逐). ¶ 竄配(찬배). ④ 고칠 찬. ¶ 竄改(찬개).

字源 會意. 穴과 鼠의 합자. 쥐가 구멍으로 달아남을 뜻함.

[竄逃 찬도] 도망침. 찬분(竄奔).
[竄配 찬배] 배소(配所)를 정하여 죄인을 귀양 보냄.
[竄定 찬정] 고침. 시문(詩文) 따위

에서 잘못된 곳을 바로잡음.

13 ⑱ 【竅】 구멍 규 [本]교[去]嘯 | 窍 qiào

[日] キョウ〔あな〕 [英] hole

[字解] ① **구멍 규**(穴也). ② **구멍 뚫을 규.** ¶ 孔竅(공규).

[字源] 形聲. 穴+敫〔音〕

[七竅 칠규] 사람의 얼굴에 있는 귀·눈·코·입의 일곱 구멍.

14 ⑲ 【竆】 窮(궁)(穴部 10획)의 本字

5 획

15 ⑳ 【竇】 구멍 두 [去]宥 | 窦 dòu

[日] トウ〔あな〕 [英] hole

[字解] ① **구멍 두**(穴也). ② **규문 두**(壁戸).

[字源] 形聲. 穴+賣〔音〕

16 ㉑ 【竈】 부엌 조 [去]號 | 灶 zào

[日] ソウ〔かまど〕 [英] kitchen

[字解] ① **부엌 조**(爨炊竈). ¶ 竈突(조돌). ② **부엌귀신 조.** ¶ 竈神(조신).

[字源] 形聲. 穴+黿〔音〕

[竈突 조돌] 굴뚝. 연돌(煙突).
[竈神 조신] 부엌을 맡은 신(神).
[竈丁 조정] 소금을 굽는 사람.

17 ㉒ 【竊】 도둑 절 [入]屑 | 窃 qiè

[日] セツ〔ぬすむ〕 [英] thief

[字解] ① **도둑 절, 도둑질할 절**(盜也). ¶ 竊盜(절도). ② **몰래 절**(私也). ¶ 竊聽(절청).

[字源] 會意. 穴과 米와 禼(벌레)의 합자. 움에 있는 쌀을 벌레가 몰래 훔쳐 먹음의 뜻. 「廿(입)」의 전음이 음을 나타냄. 훔침의 뜻에서 「몰래」의 뜻이 됨.

[參考] 窃(穴部 4획)은 속자.

[竊盜 절도] 남의 물건을 몰래 훔친 또, 그런 사람. 좀도둑.
[竊聽 절청] 남의 비밀을 몰래 엿들음. 도청(盜聽).

立 〔5 획〕 部 (설립부)

0 ⑤ 【立】 설 립 [入]緝 | lì

丶 亠 亣 亣 立

[日] リツ〔たつ〕 [英] stand

[字解] ① **설 립**(住也). ¶ 直立(직립). ② **세울 립**(建也). ¶ 設立(설립). ③ **바로 립, 곧 립**(速也). ¶ 立卽(입즉). ④ **미터법에서 리터의 약기**(佛國基本量名).

[字源] 象形. 사람이 대지(大地) 위에 서 있는 모습을 본뜬 글자.

[立脚 입각] 근거를 두어 그 처지에 섬.
[立件 입건] 혐의 사실을 인정하고 사건을 성립시킴.
[立身 입신] ㉠ 사람으로서의 덕을 갖춤. ㉡ 출세함.
[立案 입안] 안을 세움.
[立證 입증] 증거를 세움.
[立地 입지] ㉠ 지세·지질·기후 등의 자연적 조건이 생물의 생육·농공업 경영 등에 적용되는 일. ¶ 立地條件(입지 조건). ㉡ 당장. 즉시.
[獨立 독립] 남에게 의지하지 않고 따로 섬.
[存立 존립] 생존하여 자립함.

4 ⑨ 【竗】 妙(묘)(女部 4획)와 同字

5 ⑩ 【竜】 龍(룡)(部首)의 古字

5 ⑩ 【站】 역마을 참[去]陷 | zhàn

（日）タン〔えき〕　（英）post town

字解 역마을 참(驛也). ¶ 驛站(역참).

字源 形聲. 立＋占〔音〕

兵站 병참　군대에서, 군수품의 보급과 관리 등을 맡아보는 병과.

5
10 【竝】아우를 병上迥 bing 並

'　丷　亠　亣　立　並　並　並

（日）ヘイ〔ならぶ〕　（英）put together

字解 ① 아우를 병(併也). ② 나란할 병. ¶ 竝立(병립).

字源 會意. 두 사람이 땅 위에 나란히 서 있음을 나타냄.

[竝發 병발] 한꺼번에 두 가지 이상의 일이 일어남. ¶ 竝發症(병발증).
[竝設 병설] 함께 베풀어 둠.
[竝行 병행] ㉠ 나란히 감. ㉡ 아울러 행함.

5
10 【竚】佇(저)(人部 5획)와 同字

6
11 【竟】끝날 경 ㊤敬 jìng 竟

'　丷　亠　亣　立　咅　音　音　竟

（日）キョウ〔おわる〕　（英）finish

字解 ① 끝날 경(終也). ¶ 竟局(경국). ② 마침내 경. ¶ 畢竟(필경). ③ 다할 경(窮也, 極也). ¶ 竟案(경안).

字源 會意. 音과 儿(웅크린 사람)의 합자. 악곡의 마지막의 뜻.

[竟夜 경야] 밤새도록. 달야(達夜).
[畢竟 필경] 마침내.

6
11 【章】문채 장 ㊤陽 zhāng 章

'　丷　亠　亣　立　咅　音　章　章

（日）ショウ〔あや〕　（英）sheen

字解 ① 문채 장(文彩). ② 글 장 (文也). ¶ 文章(문장). ③ 장 장

（一段落）. ¶ 樂章(악장). ④ 밝을 장, 밝힐 장(明也). ⑤ 장정 장(條也). ¶ 章程(장정). ⑥ 나타날 장, 나타낼 장(表也). ¶ 勳章(훈장). ⑦ 인장 장. ¶ 印章 (인장).

字源 會意. 音과 十의 합자. 음악의 일단락의 뜻.

[章句 장구] 글의 장과 구. 또, 문장.
[章理 장리] 밝은 이치.
[章程 장정] 규칙. 법률.
[文章 문장] 생각이나 느낌을 글자로 기록하여 나타낸 것.
[印章 인장] 도장.

7
12 【童】아이 동 ㊤東 tóng 童

'　亠　立　产　音　音　童　童

（日）ドウ〔わらべ〕　（英）child

字解 ① 아이 동(幼也). ¶ 童心(동심). ② 민둥민둥할 동(山無草木), 대머리질 동. ¶ 童然(동연). ③ 어리석을 동(無知). ¶ 頑童(완동).

字源 形聲. 辛(문신의 바늘)을 바탕으로 「重(중)」의 생략형의 전음이 음을 나타냄.

[童蒙 동몽] 아이.
[童心 동심] ㉠ 어린이의 마음. ㉡ 어린이와 같이 순진한 마음.
[童然 동연] ㉠ 머리가 나지 않아서 벗어진 모양. ㉡ 산 따위에 나무가 없는 모양.
[童貞 동정] 이성(異性)과 전연 성적 접촉을 하지 않은 일. 또, 그 사람.
[童昏 동혼] 어리석어 사리에 어두움.
[神童 신동] 재주와 슬기가 남달리 썩 뛰어난 아이.
[兒童 아동] 어린아이. 어린이.

7
12 【竣】마칠 준 ㊤眞 jùn
끝날 전 ㊤先 quān 竣

（日）シュン・セン〔おわる〕　（英）finish

字解 ■ 마칠 준, 끝낼 준(事畢).

¶ 竣工(준공). ☰ 끝날 전. 고칠
전.

字源 形聲. 立+夋〔音〕

[竣工 준공] 공사(工事)를 끝냄. 낙
성(落成). 준성(竣成).

7
⑫ 【竦】 공경할
송上腫 | sŏng 諫

㊐ ショウ〔つつしむ〕 ㊤ respect

字解 ① 공경할 송(敬也). ¶ 竦慕
(송모). ② 두려워할 송(懼也). ¶
竦然(송연).

字源 形聲. 立+束〔音〕

[竦懼 송구] 마음에 두렵고 거북함.
송구(悚懼).

[竦慕 송모] 공경하고 사모함.

7
⑫ 【竢】 俟(사)(人部 7획)의 古字

8
⑬ 【竫】 가릴정
上梗 | jing 竫

㊐ ジョウ〔えらぶ〕 ㊤ choose

字解 ① 가릴 정(擇也). ② 善竫言
(선정언). ② 조용할 정(靜也). ③
머무를 정(停安).

字源 形聲. 立+爭〔音〕

8
⑬ 【竪】 豎(수)(豆部 8획)의 俗字

9
⑭ 【竭】 다할갈
入月 | jié 竭

㊐ ケツ〔つきる〕 ㊤ finish

字解 ① 다할 갈(盡也). ¶ 竭誠(갈
성). ② 고갈할 갈(涸也).

字源 形聲. 立+曷〔音〕

[竭力 갈력] 모든 힘을 다함.

[竭盡 갈진] 다하여 없어짐.

9
⑭ 【端】 바를단
㊀寒 | duān 端

㊐ タン〔はし〕 ㊤ right

字解 ① 바를 단(正也). ¶ 端正(단
정). ② 실마리 단(緒也). ¶ 端緒
(단서). ③ 끝 단(末也). ¶ 末端
(말단). ④ 근본 단(本源也).

字源 形聲. 立+耑〔音〕

[端雅 단아] 단정하고 아담함.

[端的 단적] ㉠ 간단하고 분명한 모
양. ㉡ 명백하고 솔직한 모양.

[端正 단정] 얌전하고 바름.

[極端 극단] ㉠ 맨 끄트머리. ㉡ 극
도에 달한 막다른 지경.

[末端 말단] 맨 끝.

15
⑳ 【競】 다툴경
㊤敬 | jing 竞 竸

㇀ 立 产 咅 竟 竞 竸 競

㊐ キョウ〔きそう〕 ㊤ quarrel

字解 다툴 경, 겨룰 경. ¶ 競爭(경
쟁).

字源 會意. 誩과 从(두 사람)의 합
자. 두 사람이 심하게 말다툼함의
뜻.

[競技 경기] ㉠ 기술의 낫고 못함을
서로 겨룸. ㉡ 운동 경기의 약칭.

[競賣 경매] 살 사람들이 값을 다투
어 부르게 하여, 제일 많이 부른 사람
에게 팖.

[競爭 경쟁] 서로 겨루어 다툼. ¶
競爭入札(경쟁 입찰).

竹 〔6 획〕 部

(대죽・대죽머리부)

0
⑥ 【竹】 대죽
入屋 | zhú 竹

ノ ト 午 竹 竹 竹

㊐ チク〔たけ〕 ㊤ bamboo

字解 ① 대 죽. ¶ 松竹(송죽). 竹器
(죽기). ② 피리 죽(笛也). ¶ 絲竹
(사죽).

字源 象形. 대나무의 모양을 본뜬
글자.

[竹林七賢 죽림칠현] 진(晉)나라 초기에 노장허무(老莊虛無)의 학문을 숭상하여 죽림에 놀면서 청담(淸談)을 하고 지내던 일곱 선비.
[竹馬故友 죽마고우] 어릴 때부터의 친한 벗.
[竹夫人 죽부인] 대오리로 길고 둥글게 만든 제구. 여름밤에 이것을 끼고 자면서 서늘한 기운을 얻음.
[竹杖 죽장] 대로 만든 지팡이. ¶ 竹杖芒鞋(죽장망혜).
[松竹 송죽] 소나무와 대나무. 절개가 굳음의 비유.
[烏竹 오죽] 자흑색의 대나무.

2 ⑧ 【竺】 [一]대나무 축[入]屋 [二]나라이름 축[入]沃 | zhú

[日] ジク〔たけ〕 [英] bamboo, India
[字解] **[一] 대나무 축. [二] 나라이름 축**(西域國名). ¶ 天竺(천축).
[字源] 形聲. 二+竹〔音〕
[竺經 축경] 불경(佛經).
[竺國 축국] 인도의 옛 일컬음. 천축(天竺).

3 ⑨ 【竽】 피리 우 [平]虞 | yú

[日] ウ〔ふえ〕 [英] flute, pipe
[字解] **피리 우**(三十六簧也).
[字源] 形聲. 竹+亏(于)〔音〕
[注意] 竿(竹部 3획)은 딴 글자.
[竽瑟 우슬] 피리와 거문고.

3 ⑨ 【竿】 장대 간 [平]寒 | gān

[日] カン〔さお〕 [英] pole
[字解] **장대 간**(竹梃). ¶ 竿頭(간두).
[字源] 形聲. 立+干〔音〕
[注意] 竽(竹部 3획)는 딴 글자.
[竿頭 간두] ㉠ 대 막대기의 끝. ¶ 竿頭之勢(간두지세). ㉡ '百尺竿頭(백척간두)'의 준말.
[竿摩車 간마차] 꾸밈새가 천자(天子)의 수레와 비슷한 수레.
[釣竿 조간] 낚싯대.

4 ⑩ 【笄】 筓(계)(竹部 6획)의 俗字

4 ⑩ 【笆】 [一]가시대 파[去]禡 [二]대바자 파[平]麻 | bā bā

[日] ハ〔いばらだけ・たけがき〕
[英] bamboo fence
[字解] **[一] 가시대 파**(竹有刺). **[二] 대바자 파, 대울타리 파**(有刺竹籬). ¶ 笆籬(파리).
[字源] 形聲. 竹+巴〔音〕
[笆籬 파리] 대울타리.

4 ⑩ 【笈】 책상자 급[入]緝 | jí

[日] キュウ〔おい〕 [英] book box
[字解] **책상자 급**(書箱). ¶ 負笈(부급).
[字源] 形聲. 竹+及〔音〕
[書笈 서급] 등에 지고 다니도록 만든 책 상자.

4 ⑩ 【笊】 조리 조[去]效 | zhào

[日] ソウ〔ざる〕 [英] strainer
[字解] **조리 조**(竹器). ¶ 笊籬(조리).
[字源] 形聲. 竹+爪〔音〕

4 ⑩ 【笋】 筍(순)(竹部 6획)과 同字

4 ⑩ 【笏】 홀 홀[入]月 | hù

[日] コツ〔しゃく〕 [英] baton
[字解] **홀 홀**(手板). ¶ 笏板(홀판).
[字源] 形聲. 竹+勿〔音〕

4 ⑩ 【笑】 웃을 소 ㊤嘯 | xiào

丿 ノ メ ベ メ メ 竺 竺 竺 笑

�japane ショウ〔わらう〕 ㊥ laugh

字解 웃을 소(喜而解顔啓齒也).

字源 形聲. 竹+夭〔音〕

[笑納 소납] 보잘것없는 것이니 웃고 받아 달라는 겸사의 말(편지에 씀).

[談笑 담소] 웃으면서 이야기함.

[嘲笑 조소] 조롱하여 비웃는 웃음.

5 ⑪ 【笙】 생황 생 ㊤庚 | shēng

㊡ ショウ〔ふえ〕
㊥ reed instrument

字解 생황 생(樂器名, 女媧所作).
¶ 笙鼓(생고).

字源 形聲. 竹+生〔音〕

[笙簧 생황] 아악(雅樂)에 쓰이는 관악기(管樂器)의 한 가지. 생황(笙篁).

5 ⑪ 【笛】 피리 적 ㊤錫 | dí

丿 ノ ベ メ ベ 竺 竺 笛 笛

㊡ テキ〔ふえ〕 ㊥ flute

字解 피리 적, 저 적(樂管七孔籥).
¶ 玉笛(옥적).

字源 形聲. 竹+由〔音〕

[笛聲 적성] 피리를 부는 소리.

[警笛 경적] 주의의 촉구·경계를 위하여 울리는 장치. 또, 그 소리.

[汽笛 기적] 기차·기선 등의 소리를 내는 신호. 또, 그 소리.

5 ⑪ 【笞】 볼기칠 태 ㊤치㊤支 | chī

㊡ チ〔むちうつ〕 ㊥ flog

字解 볼기칠 태(捶擊), 매질할 태, 태형 태(五刑之一). ¶ 笞撻(태달).

字源 形聲. 竹+台〔音〕

[笞杖 태장] ㊀ 태형(笞刑). ㊁ 태형과 장형(杖刑).

[笞刑 태형] 매로 볼기를 치는 형벌.

5 ⑪ 【笠】 삿갓 립 ㊤緝 | lì

㊡ リュウ〔かさ〕 ㊥ bamboo hat

字解 삿갓 립(簦無柄). ¶ 草笠(초립).

字源 形聲. 竹+立〔音〕

[笠纓 입영] 갓끈.

[笠子 입자] 삿갓.

[簑笠 사립] 도롱이와 삿갓.

5 ⑪ 【笥】 상자 사 ㊤寘 | sì

㊡ シ・ス〔はこ〕 ㊥ box

字解 상자 사(竹方器衣篋). ¶ 衣笥(의사).

字源 形聲. 竹+司〔音〕

5 ⑪ 【符】 부신 부 ㊤虞 | fú

丿 ノ ベ メ ベ 竺 符 符 符

㊡ フ〔わりふ〕 ㊥ tally

字解 ① 부신 부. ¶ 符信(부신). ② 증거 부(驗也, 證也). ③ 들어맞을 부(合也). ¶ 符合(부합). ④ 미래기 부(未來記). ¶ 符讖(부참). ⑤ 부적 부. ¶ 護符(호부). ⑥ 상서 부(祥瑞).

字源 形聲. 竹+付〔音〕

[符信 부신] 나뭇조각이나 두꺼운 종잇조각에 글자를 쓰고 증인(證印)을 찍은 뒤에 두 조각으로 쪼개어, 한 조각은 상대자에게 주고 다른 한 조각은 자기가 보관하였다가, 뒷날에 서로 맞추어 증거로 삼는 물건.

[符籍 부적] 악귀나 잡신을 쫓고 재앙을 물리치기 위하여 야릇한 붉은 글씨로 그리어 붙이는 종이.

[符讖 부참] 뒷날에 일어날 일을 미리 적어 놓은 글. 부서(符書).

[符合 부합] 꼭 들어맞음.

[符號 부호] 어떤 뜻을 나타내는 기호.

5 ⑪ 【笨】 거칠 분 ㊤阮 | bèn

㊐ ホン〔あらい〕 ㊋ rough

字解 **거칠 분**(不精). ¶ 笨拙(분졸).

字源 形聲. 竹+本〔音〕

[笨拙 분졸] 거칠고 졸렬함.
[笨車 분차] 거칠게 만든 수레.

5 ⑪ 【第】 차례 제 ㊀霽 | dì

㊐ ダイ・テイ〔ついで〕 ㊋ order

字解 ① **차례 제**(次也). ¶ 次第(차제). ② **집 제**(宅也). ¶ 鄕第(향제). ③ **과거 제**. ¶ 及第(급제). ④ **다만 제**(但也).

字源 形聲. 竹과 弟〔音〕(사물을 정리함에는 순서가 있음의 뜻)의 합자.

[第館 제관] 저택. 제사(第舍).
[第三者 제삼자] 직접으로 관계하지 않는 남. 당사자 이외의 사람.
[及第 급제] 과거에 합격함.

5 ⑪ 〖笮〗 ■좁을 착 ㊇陌 ■짤 자 ㊀禡 ■자자 작 ㊇藥 | zé zhà zuó

㊐ サク〔せまい〕・サ〔しぼる〕・サク〔いれずみ〕

㊋ narrow, squeeze

字解 ■ **좁을 착**(窄也, 狹也). ¶ 狹笮(협착). ■ **짤 자**(迫也). ■ **자자 작**(五刑之一).

字源 形聲. 竹+乍〔音〕

5 ⑪ 〖笳〗 호드기 가㊥麻 | jiā

㊐ カ〔ふえ〕 ㊋ reed pipe

字解 **호드기 가, 풀잎피리 가**. ¶ 胡笳(호가).

字源 形聲. 竹+加〔音〕

注意 茄(艸部 5획)는 딴 글자.

5 ⑪ 〖笴〗 화살대 가㊤哿 | gě

㊐ カ〔やがら〕 ㊋ arrow shaft

字解 **화살대 가**(箭幹). ¶ 矢笴(시가).

字源 形聲. 竹+可〔音〕

6 ⑫ 【筆】 붓 필 ㊇質 | 笔 bǐ

㊐ ヒツ〔ふで〕 ㊋ writing brush

字解 ① **붓 필**(書具之屬, 一名不律). ¶ 筆法(필법). ② **글 필**. ¶ 絕筆(절필).

字源 會意. 손에 붓을 쥔 모양에 竹을 더하여 대나무로 만든 붓의 뜻.

[筆舌 필설] 붓과 혀. 곧, 글로 씀과 말로 말함을 이르는 말.
[筆蹟 필적] 손수 쓴 글씨나 그린 그림의 형적. 수적(手蹟).
[達筆 달필] ㉠ 잘 쓴 글씨. ㉡ 글씨를 잘 쓰는 사람.
[執筆 집필] 붓을 잡고 시가·작품 등의 글을 씀.

6 ⑫ 〖筇〗 대이름 공㊥冬 | qióng

㊐ キョウ〔たけ〕 ㊋ bamboo

字解 **대이름 공**(蜀竹可爲杖).

字源 形聲. 竹+邛〔音〕

6 ⑫ 【等】 무리 등 ㊤迥 | děng

㊐ トウ〔ひとしい〕 ㊋ crowd

字解 ① **무리 등**(類也, 輩也). ¶ 吾等(오등). ② **가지런할 등**(齊也), **같을 등**(同也). ¶ 等溫(등온). ③ **등급 등**(級也). ¶ 等級(등급). ④ **기다릴 등**(待也). ¶ 等待(등대).

字源 會意. 竹(죽간)과 寺(관청)의 합자. 종이가 없었던 옛날, 죽간에 쓴 서류를 관리가 가지런히 정리한 데서 같게 함의 뜻이 됨.

[等級 등급] 계급. 높낮이의 차례.
[等待 등대] 대기함. 기다림.

6획

[等差 등차] 등급의 차이.

[等閒視 등한시] 대수롭지 않게 보아 넘김.

[均等 균등] 차별 없이 고름.

[吾等 오등] 우리들.

6 ⑫ 【筋】 힘줄 근 ㊀文 jīn 筋
㊐ キン〔すじ〕 ㊍ muscle
字解 ① 힘줄 근(骨格肉力). ¶ 筋肉(근육). ② 힘 근, 기운 근(力也). ¶ 筋力(근력).
字源 會意. 竹과 力과 月(살)의 합자. 몸속의 힘줄의 뜻.

[筋骨 근골] ㉠ 힘줄과 뼈. ㉡ 몸. 힘. 체력. ㉢ 필법(筆法)을 이름.

[筋力 근력] ㉠ 근육의 힘. ㉡ 체력.

[筋肉 근육] 힘줄과 살. 신체.

[鐵筋 철근] 콘크리트 속에 엮어 넣는 가늘고 긴 철봉.

6 ⑫ 【筌】 통발 전 ㊀先 quán 筌
㊐ セン〔うえ〕 ㊍ fish trap
字解 통발 전(取魚竹器). ¶ 漁筌(어전).
字源 形聲. 竹+全〔音〕.

[筌蹄 전제] ㉠ 고기를 잡는 통발과 토끼를 잡는 덫. ㉡ 목적을 이루기 위한 방편. ㉢ 인도. 안내.

6 ⑫ 【筍】 죽순 순 ㊤軫 sǔn 筍
㊐ ジュン〔たけのこ〕 ㊍ banboo shoot
字解 죽순 순, 대싹 순(竹萌).
字源 形聲. 竹+旬〔音〕.

[筍蕨 순궐] 죽순과 고사리.

[筍輿 순여] 대나무를 엮어 만든 가마.

[竹筍 죽순] 대나무의 어리고 연한 싹.

6 ⑫ 【筏】 떼 벌 ㊣月 fá 筏
㊐ バツ〔いかだ〕 ㊍ raft
字解 떼 벌(桴也, 編木渡水). ¶ 舟筏(주벌).
字源 形聲. 竹+伐〔音〕.

[筏夫 벌부] 뗏목을 물에 띄워 타고 가는 사공(沙工).

6 ⑫ 【筐】 광주리 광 ㊤陽 kuāng 筐
㊐ キョウ〔かご〕 ㊍ round basket
字解 광주리 광(筐屬). ¶ 筐筥(광거).
字源 形聲. 竹+匡〔音〕.

[筐筥 광사] 대오리로 만든 바구니.

6 ⑫ 【筑】 악기이름 축 ㊣屋 zhú 筑
㊐ チク〔がっき〕
字解 악기이름 축(樂器似箏).
字源 形聲. 巩+竹〔音〕.

6 ⑫ 【筒】 통 통 ㊤東 tǒng, tóng 筒
㊐ トウ〔つつ〕 ㊍ pipe
字解 통 통, 대통 통(竹管). ¶ 水筒(수통).
字源 形聲. 竹+同〔音〕.

[煙筒 연통] 양철 따위로 둥글게 만든 굴뚝.

[筆筒 필통] 붓이나 필기구 따위를 꽂아 두는 통.

6 ⑫ 【答】 대답할 답 ㊣合 dá, dā 答
ノ ク ク ㅘ ㅘ 쏘 쏘 答 答
㊐ トウ〔こたえる〕 ㊍ answer
字解 ① 대답할 답, 대답 답(對也). ¶ 回答(회답). ② 갚을 답(報也). ¶ 報答(보답).
字源 形聲. 竹+合〔音〕.

[答禮 답례] 남에게 받은 예(禮)를 도로 갚는 일.

[答辯 답변] 대답하여 말함. 또는 대답하는 말.

[報答 보답] 입은 혜택이나 은혜를 갚음.

[回答 회답] 물음이나 편지에 대답함.

6 ⑫【策】 꾀 책 人陌 cè 策

丶 ㇏ 𥫗 𥫗 笁 笁 筘 第 策

日 サク〔むち〕 英 plan

字解 ① 꾀 책, 계책 책(謀也). ¶ 計策(계책). ② 대쪽 책, 책 책(簡冊). ¶ 策命(책명). ③ 채찍 책(馬箠), 채찍질할 책. ¶ 策勵(책려). ④ 지팡이 책(杖也). ¶ 杖策(장책).

字源 形聲. 竹+朿〔音〕

[策略 책략] 꾀. 계략. 책모(策謀).

[策勵 책려] 채찍질하여 격려함.

[策命 책명] 임금이 신하에게 명령하는 글발.

[策問 책문] 과거(科擧)에서 시무(時務)의 문제를 내어 시문(試問)하는 일. 또, 그 문체(文體). 책시(策試).

[策定 책정] 계책을 세워서 결정함.

[計策 계책] 계획과 꾀.

[妙策 묘책] 교묘하고 절묘한 계책.

6 ⑫【筓】 비녀 계 𨳯齊 jī 筓

日 ケイ〔こうがい〕 英 ornamental hairpin

字解 비녀 계(女子安髮, 簪也).

字源 形聲. 竹+幵〔音〕

參考 笄(竹部 4획)의 본자.

[筓年 계년] 시집갈 나이. 곧, 여자가 처음으로 비녀를 꽂는 해. 15세를 일컬음.

7 ⑬【筠】 대 균 𨳯眞 yún 筠

日 イン〔たけ〕 英 bamboo

字解 ① 대 균(竹也). ¶ 筠箭(균전). ② 껍질 균(竹皮).

字源 形聲. 竹+均〔音〕

7 ⑬【筬】 바디 성 𨳯庚 chéng

日 セイ〔おさ〕 英 reed

字解 바디 성(베틀에 딸린 날을 고르는 제구).

字源 形聲. 竹+成〔音〕

7 ⑬【筽】 〔韓〕버들 고리 오

字解 〔韓〕① 버들고리 오. ② 조오.

7 ⑬【筥】 둥구미 거 𨳯語 jǔ / 밥통 려 lǚ 筥

日 キョ〔はこ〕・リョ〔めしびつ〕 英 boild-rice container

字解 ━ ① 둥구미 거(盛米圓器). ② 볏단 거(稻名). ¶ 四秉曰筥(사병왈거). ᆖ 밥통 려.

字源 形聲. 竹+呂〔音〕

7 ⑬【筧】 대홈통 견 𨳯銑 jiǎn 筧

日 ケン〔かけひ〕 英 bamboo ware

字解 대홈통 견(以竹通水).

字源 形聲. 竹+見〔音〕

[筧水 견수] 대 홈통으로 끌어오는 물.

7 ⑬【筮】 점 서 去霽 shì 筮

日 ゼイ〔うらない〕 英 fortunetelling

字解 ① 점 서, 점칠 서. ¶ 卜筮(복서). ② 점대 서. ¶ 筮竹(서죽).

字源 會意. 竹과 巫의 합자. 점치는데 쓰는 대나무의 뜻.

[筮卜 서복] 산가지로 점치는 일과 귀갑(龜甲)을 불태워서 점치는 일.

7/⑬ 〔筲〕 ■대그릇 소 ⑪肴 ■대그릇 삭 ⑧覺 shāo

⑪ ソウ・サク〔ふご〕 ⑱ bamboo ware

字解 ■ ① 대그릇 소(竹器容斗二 升). ② 밥통 소(飯器). ■ ① 대그 릇 삭. ② 밥통 삭.

字源 形聲. 竹+肖〔音〕

7/⑬ 〔筵〕 자리 연 ⑪先 yán

⑪ エン〔むしろ〕 ⑱ bamboo mat

字解 자리 연(竹席). ¶ 筵席(연 석). 講筵(강연).

字源 形聲. 竹+延〔音〕

[筵席 연석] ㉠ 대자리. ㉡ 주연을 베푸는 자리. 주석(酒席). ㉢ 임금과 신하가 모여 자문주답(諮問奏答)하 던 자리.

[經筵 경연] 임금 앞에서 경서를 강 의하던 자리.

7/⑬ 〔筴〕 ■꾀 책 ⑧陌 ■젓가락 협 ⑧葉 cè jiā

⑪ サク〔めとぎ〕・キョウ〔はし〕 ⑱ trick, chopsticks

字解 ■ 꾀 책(謀也). ■ 젓가락 협(筴也).

字源 會意. 竹과 夾(끼움)의 합자. 또, 「夾(협)」이 음을 나타냄.

7/⑬ 〔筷〕 젓가락 쾌 ⑯卦 kuài

⑪ カイ〔はし〕 ⑱ chopsticks

字解 젓가락 쾌(箸也).

字源 形聲. 竹+快〔音〕

[筷子 쾌자] 젓가락.

8/⑭ 〔箇〕 낱 개 ⑤簡 gè

⑳
゚゚゚ 竹 竹 竹 竹 箇 箇

⑪ コ・カ〔ものをかぞえることば〕 ⑱ piece

字解 낱 개, 개수 개(數也, 枚也).

字源 形聲. 竹+固〔音〕

參考 個(人部 8획)는 속자.

[箇箇 개개] 낱낱. 각각.

[箇中 개중] 여럿이 있는 그 가운데.

8/⑭ 〔箋〕 찌 전 ⑪先 jiān

⑪ セン〔ふだ〕 ⑱ tag

字解 ① 찌 전, 부전 전(表識書). ¶ 附箋(부전). ② 주낼 전(註也). ¶ 箋注(전주). ③ 글 전(書也), 문 서 전. ¶ 箋惠(전혜).

字源 形聲. 竹+戔〔音〕

[箋注 전주] 본문의 뜻을 풀이함. 또 는, 풀이한 것. 전주(箋註). 전석(箋 釋).

[附箋 부전] 서류에 덧붙이는 간단 한 쪽지.

8/⑭ 〔箏〕 쟁 쟁 ⑪庚 zhēng

⑪ ソウ〔こと〕

字解 쟁 쟁(瑟類).

字源 形聲. 竹+爭〔音〕

[箏曲 쟁곡] 거문고의 가락. 금곡(琴 曲).

8/⑭ 〔箕〕 키 기 ⑪支 jī

⑪ キ〔み〕 ⑱ winnow

字解 ① 키 기(揚米去糠具). ¶ 箕踞(기거). ② 쓰레받기 기. ¶ 箕帚(기추).

字源 會意. 키의 상형인 其에 竹을 더한 글자.

[箕踞 기거] 두 다리를 뻗고 앉음. 기 좌(箕坐).

[箕帚 기추] ㉠ 쓰레받기와 비. ㉡ 아내가 되어 남편을 섬김. ¶ 箕帚 妾(기추첩). ㉢ 청소.

8 ⑭【箔】발 박 ⑧藥 │ bó 箔

日 ハク〔すだれ〕 英 bamboo blind

字解 ① 발 박(簾也). ¶ 簾箔(염박). ② 잠박 박(蠶箔). ¶ 蠶箔(잠박). ③ 박 박(金屬薄版金). ¶ 金箔(금박).

字源 形聲. 竹+泊〔音〕

8 ⑭【算】┃셈할 산 ⑤旱 ┃산가지산 ⑤翰 │ suàn 算

ノ ⺮ ⺮ ⺮ 筲 笪 笪 算

日 サン〔かず・さんぎ〕 英 count

字解 ┃ 셈할 산(計數). ¶ 算出(산출). ┃ ① 산가지 산(籌也). ¶ 算筒(산통). ② 셈할 산. ¶ 算數(산수).

字源 會意. 竹과 具의 합자. 손에 물건, 즉 산가지를 가지고 셈을 함의 뜻.

[算定 산정] 셈하여 정함.
[算出 산출] 셈하여 냄. 계산하여 냄.
[暗算 암산] 머릿속으로 계산함.
[精算 정산] 자세하게 계산함.

8 ⑭【箙】전동 복 ⑧屋 │ fú 箙

日 フク〔えびら〕 英 quiver

字解 전동 복, 화살통 복(盛矢器).

字源 形聲. 竹+服〔音〕

8 ⑭【劄】찌를 차 ⑧洽 ⑧治 │ zhā 劄

日 サツ〔さす〕 英 pierce

字解 ① 찌를 차(刺也). ¶ 劄刺(차자). ② 차자 차(奏狀). ¶ 劄子(차자). ③ 적을 차(錄也).

字源 形聲. 刂(刀)+答〔音〕

[劄子 차자] ㉠ 간단한 서식으로 된 상소문. ㉡ 상관이 하급 관리에게 내리는 공문서.

[劄刺 차자] 먹물로 살 속에 글씨 또는 그림을 써 넣음. 입묵(入墨).

8 ⑭【箜】공후 공 ⑪東 │ kōng 箜

日 ク・コウ〔くご〕

字解 공후 공, 거문고 공(樂器瑟類). ¶ 箜篌(공후).

字源 形聲. 竹+空〔音〕

[箜篌 공후] 현악기(絃樂器)의 한 가지. 23줄의 수(豎)공후, 4~6줄의 와(臥)공후, 10여 줄의 봉수(鳳首)공후의 세 가지가 있음. ¶ 箜篌引(공후인).

8 ⑭【箝】재갈먹일 겸 ⑪鹽 │ qián 箝

日 カン〔くびかせ〕 英 gag

字解 ① 재갈먹일 겸(鉗也). ¶ 箝制(겸제). ② 함쇄 겸(項鎖).

字源 形聲. 竹+拑〔音〕

[箝制 겸제] 재갈 먹여 제재(制裁)한다는 뜻으로, 자유를 억누름을 이름.

8 ⑭【箠】채찍 추 ⑤紙 │ chuí 箠

日 スイ〔むち〕 英 whip

字解 ① 채찍 추(馬策). ¶ 鞭箠(편추). ② 볼기칠 추(笞刑). ¶ 箠令(추령).

字源 形聲. 竹+垂〔音〕

8 ⑭【管】관 관 ⑤旱 │ guǎn 管

ノ ⺮ ⺮ ⺮ 竺 竺 笹 管 管

日 カン〔くだ〕 英 pipe

字解 ① 관 관. ¶ 管絃樂(관현악). ② 맡을 관, 관리할 관(主當). ¶ 管轄(관할).

字源 形聲. 竹+官〔音〕

[管見 관견] 좁은 소견.
[管理 관리] ㉠ 일을 맡아 처리함.

6획

¶ 財産管理(재산 관리). ㉡ 물건의
보관·수리를 맡아 함. ¶ 管理人(관
리인).

[管鮑之交 관포지교] 관중(管仲)과
포숙(鮑叔)의 극친했던 고사(故事).
전하여, 극친한 교분을 이름.

[主管 주관] 책임지고 맡아봄.

8
⑭ 【箒】 帚(추)(巾部 5획)의 俗字

9
⑮ 【箭】 살전 │ jiàn ㊋霰

㈰ セン〔や〕 ㊤ arrow

字解 살 전(矢也). ¶ 弓箭(궁전).

字源 形聲. 竹+前〔音〕

[箭羽 전우] 화살에 꽂은 것.
[箭鏃 전촉] 화살촉.
[火箭 화전] 불화살.

9
⑮ 【箱】 상자 상 │ xiāng ㊤陽

㈰ ソウ〔はこ〕 ㊤ box

字解 상자 상(篋也). ¶ 箱子(상
자).

字源 形聲. 竹+相〔音〕

[箱籠 상롱] 상자. 또는 바구니.
[箱子 상자] 물건을 넣어 두기 위하
여 나무·대·종이 따위로 만든 손그
릇.

9
⑮ 【箵】 ㈔韓 사람
이름 식

字解 ㈔韓 사람이름 식.

9
⑮ 【箴】 바늘 잠 │ zhēn ㊤侵㊤㊤稜

㈰ シン〔はり〕 ㊤ needle

字解 ① 바늘 잠(補綴具), 돌침 잠
(石刺也). ¶ 箴石(잠석). ② 경계
할 잠(規戒). ¶ 箴言(잠언).

字源 形聲. 竹+咸〔音〕

[箴石 잠석] 돌침.
[箴言 잠언] 경계하는 말.

9
⑮ 【箶】 전동 호 │ hú ㊤處

㈰ コ〔やなぐい〕 ㊤ quiver

字解 전동 호(箭室也). ¶ 箶籙(호
록).

字源 形聲. 竹+胡〔音〕

9
⑮ 【箸】 젓가락 저 │ zhù ㊤御

㈰ チョ〔はし〕 ㊤ chopsticks

字解 젓가락 저(飯具). ¶ 匙箸(시
저).

字源 形聲. 竹+者〔音〕

注意 著(艸部 9획)는 딴 글자.

9
⑮ 【節】 마디 절 │ jié ㊤屑 节 𥬸

丶 丷 笳 笳 筲 筲 笳 笳 節 節

㈰ セツ〔ふし〕 ㊤ joint

字解 ① 마디 절, 토막 절. ¶ 關節
(관절). ② 예절 절. ¶ 禮節(예
절). ③ 절개 절(操也). ¶ 節槪(절
개). ④ 풍류가락 절. ¶ 樂節(악
절). ⑤ 절제할 절(檢制). ¶ 節約
(절약). ⑥ 때 절. ¶ 季節(계절).
⑦ 경절 절. ¶ 光復節(광복절).

字源 形聲. 竹+卽〔音〕

[節減 절감] 절약하여 줄임. 또, 적당
히 줄임.

[節槪 절개] 절의(節義)와 기개. 지
조(志操).

[節氣 절기] 한 해를 24로 가른 철의
표준점. 곧, 입춘·우수·경칩 따위.
절후(節候).

[節目 절목] ㉠ 초목의 마디와 눈.
㉡ 조목(條目).

[節約 절약] 아끼어 씀. 아끼어 군비
용이 나지 않게 씀. 검약(儉約).

[節制 절제] ㉠ 알맞게 조절함. ㉡
방종하지 않도록 자기의 욕망을 제
어함.

[節次 절차] 일의 순서나 방법.

[季節 계절] 일 년을 봄·여름·가을·
겨울의 넷으로 나누는 그 한 동안.

[禮節 예절] 예의와 절도.

9 ⑮ 【篁】 대숲 황 [平]陽 | huáng

[日] コウ〔たけやぶ〕
[英] bamboo thicket

[字解] ① **대숲 황**(竹田). ¶ 篁竹(황죽). ② **대이름 황**(一曰竹名).

[字源] 形聲. 竹+皇〔音〕

[篁竹 황죽] 숲을 이룬 대. 대숲.

9 ⑮ 【範】 법 범 [上]豏 | 范 fàn

⺈ ⺮ 笞 笴 笸 筀 範 範

[日] ハン〔のり〕 [英] law

[字解] ① **법 범**(法式), **본보기 범**(模也). ¶ 模範(모범). ② **한계 범**. ¶ 範圍(범위).

[字源] 形聲. 車(차)를 바탕으로 「笵(범)」의 생략형이 음을 나타냄.

[範圍 범위] ㉠ 틀에 박아 테두리를 만듦. ㉡ 일정한 한계.

[範疇 범주] ㉠ 분류(分類). ㉡ 사물의 개념을 분류할 때 그 이상 일반화할 수 없는 가장 보편적이고 기본적인 최고의 유개념(類槪念).

[模範 모범] 본받아 배울 만한 본보기.

[示範 시범] 모범을 보임.

9 ⑮ 【篆】 전자 전 [上]銑 | zhuàn

[日] テン〔しょたいのな〕
[英] seal character

[字解] **전자 전**(書也). ¶ 篆隷(전예).

[字源] 形聲. 竹+彖〔音〕

[篆刻 전각] ㉠ 전자(篆字)로 도장을 새김. ㉡ 꾸밈이 많고 실질이 없는 문장.

[篆輅 전로] 황후(皇后)가 타는 수레의 이름.

[篆字 전자] 전체(篆體)로 쓴 글자. 대전(大篆)과 소전이 있음.

9 ⑮ 【篇】 책 편 [平]先 | piān

⺈ ⺮ 笋 笋 笋 篇 篇 篇

[日] ヘン〔かきもの〕 [英] book, section

[字解] ① **책 편**(書册). ¶ 玉篇(옥편). ② **편 편**(編次). ¶ 前篇(전편). 篇什(편집).

[字源] 形聲. 竹+扁〔音〕

[篇次 편차] 책의 부류의 차례.

[篇翰 편한] 서적. 서책.

[長篇 장편] 내용이 복잡하고 긴 시가·소설·영화 등.

9 ⑮ 【篋】 상자 협 [入]葉 | 箧 qiè

[日] キョウ〔はこ〕 [英] bamboo box

[字解] **상자 협**(大曰箱狹而長曰篋). ¶ 箱篋(상협).

[字源] 形聲. 竹+匧〔音〕

[篋笥 협사] 상자. 행담. 협록(篋簏). 상협(箱篋).

9 ⑮ 【篌】 공후 후 [平]尤 | hóu

[日] グ・コウ〔くご〕

[字解] **공후 후**. ¶ 箜篌(공후).

[字源] 形聲. 竹+侯(音)

[箜篌 공후] 하프와 비슷한 동양의 옛 현악기.

10 ⑯ 【築】 다질 축 [入]屋 | 筑 zhù

⺈ ⺮ 笁 笁 筑 筑 筚 築

[日] チク〔きずく〕 [英] rammer

[字解] ① **다질 축**(擣也). ② **쌓을 축**(積重). ¶ 築臺(축대). ③ **지을 축**. ¶ 建築(건축).

[字源] 形聲. 竹+筑〔音〕

[築臺 축대] 높게 쌓아 올린 대.

[築造 축조] 쌓아 만듦.

[增築 증축] 집 따위를 더 늘려 지음.

10 ⑯ 【篙】 상앗대 고 [平]豪 | gāo

日 コウ〔さお〕 英 boat pole

字解 상앗대 고(進船竿).

字源 形聲. 竹+高〔音〕

[篙工 고공] 뱃사공. 고수(篙手). 고인(篙人). 고사(篙師).

[篙艪 고로] 상앗대와 노(櫓).

[篙人 고인] 뱃사공.

10
⑯ **【篚】** 대광주리 비比⑤尾 | fěi

日 ヒ〔はこ〕 英 round basket

字解 대광주리 비, 둥근광주리 비(竹器).

字源 形聲. 竹+匪〔音〕

[筐篚 광비] 모난 대광주리.

10
⑯ **【篝】** 배롱 구⑦尤 | gōu

日 コウ〔かがり〕

字解 ① 배롱 구, 불덮개 구(覆火籠). ¶ 衣篝(의구). ② 부담롱 구(負物篝). ③ 쇠농 구. ¶ 漁篝(어구).

字源 形聲. 竹+冓〔音〕

[篝燈 구등] 배롱(焙籠)으로 덮은 등불.

[篝火 구화] 쇠농에 피운 불. 사위(四圍)를 밝히기 위하여 피운 불.

10
⑯ **【篡】** 빼앗을 찬⑤諫 | cuàn

日 サン〔うばう〕 英 take

字解 빼앗을 찬(逆奪). ¶ 篡位(찬위).

字源 形聲. 厶+算〔音〕

[篡立 찬립] 신하가 임금의 자리를 빼앗아 임금이 됨. 찬위(篡位).

[篡奪 찬탈] 임금의 자리를 빼앗음.

10
⑯ **【篤】** 도타울 독⑧沃 | dǔ

~ ~~ 𥫗 𥫗 𥫗 竺 笁 筥 篤 篤

日 トク〔あつい〕 英 warm-hearted

字解 ① 도타울 독(厚也). ¶ 篤實(독실). ② 중할 독(疾甚). ¶ 危篤(위독).

字源 形聲. 馬+竹〔音〕

[篤農 독농] 열성스러운 농부나 농가. ¶ 篤農家(독농가).

[篤實 독실] 열성 있고 진실함.

[篤志 독지] ㉠ 뜻이 돈독함. ㉡ 인정이 두터운 마음씨. ¶ 篤志家(독지가).

[敦篤 돈독] 인정이 도타움.

[危篤 위독] 병세가 중하여 생명이 위태로움.

10
⑯ **【篦】** 빗치개 비比⑦齊 | bì

日 ヘイ〔かんざし〕 英 fishtrap

字解 ① 빗치개 비(小櫛也). ② 참빗 비(髪具密櫛). ¶ 竹篦(죽비).

字源 形聲. 竹+毘〔音〕

[篦頭 비두] 머리를 빗음.

10
⑯ **【篩】** 체 사⑦支 | 篩 shāi

日 シ〔ふるい〕 英 sieve

字解 ① 체 사. ¶ 篩斗(사두). ② 칠 사(去粗取細). ¶ 篩土(사토).

字源 形聲. 竹+師〔音〕

[篩管 사관] 식물체에서 양분의 통로가 되는 가는 구멍이 많은 관(管).

10
⑯ **【篪】** 저이름 지⑦支 | chí

日 チ〔よこぶえ〕

字解 저이름 지(橫吹笛). ¶ 壎篪(훈지).

字源 形聲. 竹+虒〔音〕

10
⑯ **【簑】** 蓑(사)(艸部 10획)의 俗字

11
⑰ **【篠】** 조릿대 소①篠 | xiǎo

[日] ジョウ〔ささ・しの〕
[英] thin bamboo

[字解] **조릿대 소.** ¶ 翠篠(취소).

[字源] 形聲. 竹+條〔音〕

11 ⑰ 【篳】 사립짝 필[入]質 | 筚 bì

[日] ヒツ〔まがき〕 [英] bamboo fence

[字解] ① **사립짝 필**(荊竹織門, 柴門). ¶ 篳門(필문). ② **악기이름 필.** ¶ 篳篥(필률).

[字源] 形聲. 竹+畢〔音〕

[篳路藍縷 필로남루] 대로 거칠게 만든 수레와 누더기 옷. 전하여, 만난(萬難)을 무릅쓰고 새로운 사업을 일으킴을 이름.

11 ⑰ 【篷】 뜸 봉 [平]東 | 篷 péng

[日] ホウ〔とま〕 [英] moxa cautery

[字解] ① **뜸 봉**(編竹覆舟車). ¶ 篷窓(봉창). ② **거룻배 봉**(小舟). ¶ 釣篷(조봉).

[字源] 形聲. 竹+逢〔音〕

[篷底 봉저] 배 안. 배 밑. 선저(船底).

[篷窓 봉창] 뜸을 씌운 배의 창.

11 ⑰ 【簀】 [一]마루 책 [入]陌 [二]술주자 채[去]卦 | 箦 zé zhài

[日] サク〔す〕・サイ〔さけこし〕
[英] bamboo mat

[字解] [一] ① **마루 책**(牀棧). ¶ 簀牀(책상). ② **삿자리 책**(簟也). ¶ 易簀(역책). ③ **쌓을 책**(積也). [二] **술주자 채.**

[字源] 形聲. 竹+責〔音〕

11 ⑰ 【簇】 [一]모일 족 [入]屋 [二]모일 주 [去]宥 [三]살촉 착 [入]覺 | cù còu chuò

[日] ソク〔むらがる〕・ソウ〔あつまる〕・サク〔やのね〕
[英] crowd, arrowhead

[字解] [一] ① **모일 족**(聚也). ¶ 簇出(족출). ② **떼 족.** ¶ 簇生(족생). [二] **모일 주.** [三] **살촉 착.**

[字源] 形聲. 竹+族〔音〕

[簇子 족자] ㉠ 글씨나 그림 등을 꾸며서 벽에 걸게 만든 축(軸). ㉡ 옛날, 대궐 잔치에서 춤추고 노래할 때 쓰던 제구의 한 가지.

[簇出 족출] 떼를 지어 연달아 나옴.

11 ⑰ 【簉】 버금자리 추 [去]宥 | zào, chǒu

[日] シュウ〔そえやく〕 [英] second

[字解] ① **버금자리 추**(倅也, 副也). ② **가지런히날 추**(齊飛).

[字源] 形聲. 竹+造〔音〕

11 ⑰ 【簋】 궤 궤 [上]紙 | guǐ

[日] キ〔さいき〕 [英] chest

[字解] **궤 궤**(盛黍稷器). ¶ 簠簋(보궤).

[字源] 會意. 竹과 皿과 皀(음식물)의 합자. 음식을 담는 그릇의 뜻.

[簋簠 궤보] ㉠ 차기장과 메기장을 담는 제기(祭器). ㉡ 예의. 예법. 보궤(簠簋).

12 ⑱ 【簞】 밥그릇 단[平]寒 | 箪 dān

[日] タン〔わりご〕 [英] lunch basket

[字解] ① **밥그릇 단**(小筐). ② **상자 단**(笥也).

[字源] 形聲. 竹+單〔音〕

[注意] 簟(竹部 12획)은 딴 글자.

[簞食 단사] 도시락 밥.

12 ⑱ 【簟】 대자리 점[上]琰 | diàn

[日] テン〔たけむしろ〕

영 bamboo mat

字解 대자리 점(竹席). ¶ 簟席(점석).

字源 形聲. 竹＋覃〔音〕

注意 簟(竹部 12획)은 딴 글자.

[簟牀 점상] 대로 엮은 살평상.

12
⑱ 【簠】 보보
上麌 fǔ

日 ホ〔さいき〕

字解 보 보(盛黍稷器). ¶ 簠簋(보궤).

字源 形聲. 竹＋皿＋甫〔音〕

[簠簋 보궤] 옛 중국의 제기(祭器) 이름. 보(簠)와 궤(簋). 제사 때 서직(黍稷)을 담는 그릇.

12
⑱ 【簡】 편지 간
上潸 簡 jiǎn

ノ � 竹 竹 竹 笛 笛 簡 簡 簡

日 カン〔ふだ〕 영 letter

字解 ① 편지 간(札也). ¶ 書簡(서간). ② 대쪽 간(記文竹牒), 문서 간(牒也). ¶ 簡札(간찰). ③ 간략할 간(略也). ¶ 簡略(간략). ④ 분별할 간(分別), 가릴 간(選也). ¶ 簡拔(간발). ⑤ 쉬울 간(易也). ¶ 簡易(간이).

字源 形聲. 竹＋閒〔音〕

[簡略 간략] 단출하고 복잡하지 아니함.

[簡素 간소] ㉠ 간략하고 수수함. ¶ 簡素化(간소화). ㉡ 대쪽과 비단. 옛날에 글을 쓸 때 종이 대신 쓰던 대쪽과 흰 명주.

[簡易 간이] ㉠ 간단하고 쉬움. ㉡ 성품이 까다롭지 아니함.

[簡策 간책] 책. 서간.

[書簡 서간] 편지.

12
⑱ 【簣】 죽롱 궤
去卦 簣 kuì

日 キ〔もっこ〕 영 carrier's basket

字解 죽롱 궤(盛土器). ¶ 簣籠(궤

롱).

字源 形聲. 竹＋貴〔音〕

12
⑱ 【簧】 혀 황
㊀陽 簧 huáng

日 コウ〔した〕 영 reed

字解 ① 혀 황(笙中金葉). ② 피리 황(笙也). ¶ 左執簧(좌집황).

字源 形聲. 竹＋黃〔音〕

[簧鼓 황고] 혀를 진동시켜 소리를 나게 함. 전(轉)하여, 망신(妄信)하여 세상을 현혹시킴을 이름.

[笙簧 생황] 아악에 쓰는 관악기의 하나.

12
⑱ 【簪】 비녀 잠
㊀覃 簪 zān

日 シン〔かんざし〕 영 ornamental hairpin

字解 비녀 잠(首笄). ¶ 冠簪(관잠).

字源 形聲. 竹＋朁〔音〕

[簪笏 잠홀] ㉠ 비녀와 홀(笏). ㉡ 예복. 또는 예복을 입은 벼슬아치.

[玉簪 옥잠] 옥으로 만든 비녀.

13
⑲ 【簫】 통소 소
㊀蕭 簫 xiāo

日 ショウ〔ふえ〕 영 bamboo flute

字解 통소 소(管樂器之一也).

字源 形聲. 竹＋肅〔音〕

[簫鼓 소고] 통소와 북.

[簫管 소관] 통소. 소적(簫笛).

[洞簫 통소] 대나무로 만든 취주 악기의 하나. 통소.

13
⑲ 【簳】 화살대 간
上旱 gān
去翰 gàn

日 カン〔やがら〕 영 arrow shaft

字解 ① 화살대 간(箭簳). ¶ 簳箭(전간). ② 율무 간(薏苡). ¶ 簳珠(간주).

字源 形聲. 竹＋幹〔音〕

13/19 【籙】 전동 록 ⑧屋 lù

㊐ ロク〔やづつ〕 ㊤ quiver

[字解] 전동 록(箭室). ¶ 胡籙(호록).

[字源] 形聲. 竹+祿〔音〕

13/19 【簷】 처마 첨 ㊥鹽 yán

㊐ エン〔のき〕 ㊤ eaves

[字解] 처마 첨, 기슭 첨(屋檐). ¶ 簷椽(첨연).

[字源] 形聲. 竹+詹〔音〕

[參考] 檐(木部 12획)은 同字.

[簷響 첨향] 처마 끝에서 떨어지는 빗방울 소리. 낙숫물 소리.

13/19 【簸】 까부를 파 ㊤哿 bǒ

㊐ ハ〔ひる〕 ㊤ winnow

[字解] 까부를 파(揚米去糠). ¶ 簸揚(파양).

[字源] 形聲. 箕+皮〔音〕

[簸弄 파롱] ㉠ 희롱하여 놀림. ㉡ 부추기어 문제를 일으키게 함.

[簸蕩 파탕] 키로 까불리듯이 뒤흔들림.

13/19 【簽】 이름둘 첨 ㊥鹽 qiān

㊐ セン〔かご〕 ㊤ sign

[字解] ① 이름둘 첨(押署). ¶ 簽名(첨명). ② 농 첨(籠也). ③ 찌 첨, 쪽지 첨(文字以爲表識).

[字源] 形聲. 竹+僉〔音〕

[簽記 첨기] 기록함.

[簽押 첨압] 서명 날인함.

[簽題 첨제] 제목을 씀.

13/19 【簾】 발 렴 ㊥鹽 lián

㊐ レン〔すだれ〕 ㊤ screen

[字解] 발 렴(箔也, 戶蔽). ¶ 簾帷 (염유).

[字源] 形聲. 竹+廉〔音〕

[珠簾 주렴] 구슬을 꿰어 만든 발.

13/19 【簿】 장부 부 ㊤麌 bù

㎑ ㅆ ㅆˊ ㅆˋ ㅆˊ ㅆˋ 簿

㊐ ボ〔ちょうめん〕 ㊤ bookkeeping

[字解] 장부 부(籍也). ¶ 簿册(부책).

[字源] 形聲. 竹+溥〔音〕

[簿記 부기] ㉠ 장부에 기입함. ㉡ 한 경제 주체에 딸린 재산의 변동을 기록·계산·정리하여 그 결과를 명확하게 하는 방법.

[簿牒 부첩] 관청의 장부와 문서. 부적(簿籍).

[名簿 명부] 이름·주소·직업 따위를 기록한 장부.

14/20 【籌】 산가지 주 ㊥尤 받들 도 chóu

㊐ チュウ〔かずとり〕·トウ〔いただく〕 ㊤ calculate, hold up

[字解] ■ ① 산가지 주(箅也). 籌算(주산). ② 꾀 주, 꾀할 주(謀也). ¶ 籌備(주비). ■ 받들 도.

[字源] 形聲. 竹+壽〔音〕

[籌備 주비] 계획하여 준비함. ¶ 籌備委員會(주비 위원회).

[籌算 주산] ㉠ 주판. ㉡ 주판으로 하는 셈.

14/20 【籃】 바구니 람 ㊥覃 lán

㊐ ラン〔かご〕 ㊤ bamboo basket

[字解] 바구니 람(編竹盛物之器). ¶ 魚籃(어람).

[字源] 形聲. 竹+監〔音〕

[注意] 藍(艸部 14획)은 딴 글자.

[籃輿 남여] 주로 산길에 쓰이는 뚜

껑이 없고 의자같이 생긴 가마. 대를 엮어서 만듦. 죽여(竹輿).

[搖籃 요람] ㉠ 유아를 눕혀서 재우는 채롱. ㉡ 사물이 발달하는 처음.

14
20 **【籍】** ■문서 적
㠯陌
ㅅ陌
㠯禡 **籍** jí
jiè

艹 竿 竿 竿 笋 笋 籍 籍 籍

�日 セキ〔ふみ〕·シャ〔ゆるす〕
㊤ document, gentle

字解 ■ ① 문서 적(簿書). ¶ 典籍(전적). 戶籍(호적). ② 올릴 적(謂疏錄之也). ■ 온화할 자.

字源 形聲. 竹+耤〔音〕.

注意 藉(艸部 14획)는 딴 글자.

[籍田 적전] 임금이 친히 밟고 가는 전지라는 뜻으로, 임금의 친경전(親耕田).

[國籍 국적] 국가의 구성원이 되는 자격.

[史籍 사적] 책.

15
21 **【籐】** 등 등
㠯蒸 **籐** téng

�日 トウ〔とう〕 ㊤ rattan

字解 등 등(熱地生植物).

字源 形聲. 竹+籐〔音〕.

15
21 **【籕】** 주문 주
㠯宥 **籕** zhòu

�日 チュウ〔じたいのな〕

字解 주문 주(大篆).

字源 形聲. 竹+擂〔音〕.

[籕文 주문] 한자 자체의 한 가지. 대전(大篆).

16
22 **【籙】** 비기 록
ㅅ沃 **籙** lù

�日 ロク〔しるす〕

字解 비기 록. ¶ 圖籙(도록).

字源 形聲. 竹+錄〔音〕.

[籙圖 녹도] 역사에 관한 서적.

16
22 **【籞】** 금지구
역어
㊤語 **籞** yù

�日 ギョ〔いけす〕

字解 금지구역 어(禁苑). ¶ 池籞(지어).

字源 形聲. 竹+禦〔音〕.

16
22 **【籟】** 퉁소 뢰
㊤泰 **籟** lài

㊙ ライ〔ふえ〕 ㊤ bamboo flute

字解 ① 퉁소 뢰(簫名三孔籟). ② 소리 뢰. ¶ 松籟(송뢰).

字源 形聲. 竹+賴〔音〕.

16
22 **【籠】** 농 롱
㊤東 **笼** lóng

㊙ ロウ〔かご〕 ㊤ wicker basket

字解 ① 농 롱, 채롱 롱(箱屬). 藥籠(약롱). ② 새장 롱(鳥檻). ③ 쌀 롱. 籠煙(농연). ④ 들어박힐 롱. ¶ 籠城(농성).

字源 形聲. 竹+龍〔音〕.

[籠絡 농락] 교묘한 꾀로 남을 제 마음대로 놀림.

[燈籠 등롱] 등불을 켜서 어두운 곳을 밝히는 기구

17
23 **【籤】** 제비 첨
㊤鹽 **签** qiān

㊙ セン〔くじ〕 ㊤ lottery

字解 ① 제비 첨. ¶ 抽籤(추첨). ② 찌 첨. ¶ 牙籤(아첨). ③ 꼬챙이 첨. ¶ 籤爪(첨조).

字源 形聲. 竹+籤〔音〕.

[當籤 당첨] 제비뽑기에 뽑힘.

17
23 **【籥】** 피리 약
ㅅ藥 **籥** yuè

㊙ ヤク〔ふえ〕 ㊤ flute

字解 ① 피리 약(樂器似笛). ¶ 管籥(관약). ② 열쇠 약(鑰也).

字源 形聲. 竹+龠〔音〕.

17 ㉓ 【籧】 대자리 거[平]魚 qú

[日] キョ〔たかむしろ〕
[英] bamboo mat

[字解] ① **대자리 거**(竹席). ¶ 籧篨(거저). ② **새가슴 거**. ¶ 籧篨(거저).

[字源] 形聲. 竹+遽〔音〕

19 ㉕ 【籩】 변변[平]先 笾 biān

[日] ヘン〔たかつき〕

[字解] **변 변**(祭祀燕享器).

[字源] 形聲. 竹+邊〔音〕

[籩豆 변두] 제사·향연 때 쓰는 식기 이름.

19 ㉕ 【籬】 울타리 리[入]支 篱 lí

[日] リ〔まがき〕 [英] fence

[字解] **울타리 리**. ¶ 藩籬(번리).

[字源] 形聲. 竹+離〔音〕

[籬垣 이원] 울타리. 이번(籬藩). 이장(籬牆).

26 ㉜ 【籲】 부를 유[去]遇 吁 xū yū yù

[日] ニ〔よぶ〕 [英] call out

[字解] **부를 유**(呼也). ¶ 籲天(유천).

[字源] 形聲. 竹+籲〔音〕

米 〔6 획〕 部 (쌀미부)

0 ⑥ 【米】 쌀 미[平]薺 mǐ

丶 丷 䒑 半 米 米

[日] ベイ·マイ〔こめ〕 [英] rice

[字解] ① **쌀 미**. ¶ 米穀(미곡). ② **미터 미**(佛國基本度名, 我度三尺三寸三分).

[字源] 象形. 禾(벼)의 생략형인 十을 중심으로 네 개의 점을 찍어 이삭 끝에 열매가 달려 있는 모양.

[米穀 미곡] ㉠ 쌀. ㉡ 쌀과 모든 곡식.

[米壽 미수] 여든여덟 살. 미년(米年). 미연(米宴).

[玄米 현미] 벼의 겹질만 벗기고 쓿지 않은 쌀.

3 ⑨ 【籹】 중배끼 여[上]語 nǚ

[日] ジョ〔おこし〕

[字解] **중배끼 여**(蜜餌郎環餅). ¶ 粔籹(거여).

[字源] 形聲. 米+女〔音〕

3 ⑨ 【粁】 킬로미터

[日] キロメートル [英] kilometer

[字解] 미터의 길이를 나타내는 단위. **킬로미터**의 약기(略記).

4 ⑩ 【粋】 粹(수)(米部 8획)의 俗字

4 ⑩ 【粃】 쭉정이 비[上]紙 bǐ

[日] ヒ〔しいな〕 [英] chaff

[字解] **쭉정이 비**(不成粟). ¶ 粃糠(비강).

[字源] 形聲. 米+比〔音〕

[參考] 秕(禾部 4획)는 同字.

[粃糠 비강] 쭉정이와 겨. 전하여, 아무 쓸모없는 찌끼를 이름.

4 ⑩ 【粉】 가루 분[上]吻 fěn

丷 半 米 米 米' 米^ 粉 粉

[日] フン〔こな〕 [英] powder

[字解] ① **가루 분**(物之碎末). 곡식의 분말. ¶ 粉末(분말). ② **분 분, 분 바를 분**. ¶ 粉匣(분갑). ③ **흴 분**.

¶ 粉壁(분벽).

[字源] 形聲. 米+分〔音〕

[注意] 紛(糸部 4획)은 딴 글자.

[粉末 분말] 가루.

[粉壁 분벽] 흰 칠을 한 벽. ¶ 粉壁紗窓(분벽사창).

[粉食 분식] 가루음식.

[粉飾 분식] ㉠ 몸치장. ㉡ 외관을 꾸밈. ¶ 粉飾豫算(분식 예산).

4
⑩ **〖粍〗** 밀리미터 **모** | máo

[日] ミリメートル [英] milimeter

[字解] **밀리미터 모.**

[字源] 形聲. 米+毛〔音〕

6
획

5
⑪ **〖粒〗** 낟알 **립** [入]緝 | lì

[日] リュウ〔つぶ〕 [英] grain

[字解] **낟알 립, 쌀낟알 립**(米顆粒食).

[字源] 形聲. 米+立〔音〕

[粒子 입자] 아주 작은 알갱이.

[米粒 미립] 쌀알.

[粟粒 속립] ㉠ 좁쌀의 낟알. ㉡ 극히 작은 물건.

5
⑪ **〖粔〗** 중배끼 **거**[上]語 | jù

[日] キョ〔おこし〕

[字解] **중배끼 거**(蜜餌).

[字源] 形聲. 米+巨〔音〕

[粔籹 거여] 중배끼.

5
⑪ **〖粕〗** 지게미 **박**[入]藥 | pò

[日] ハク〔かす〕 [英] lees

[字解] ① **지게미 박**(酒滓). ¶ 糟粕(조박). ② **깻묵 박.** ¶ 油粕(유박).

[字源] 形聲. 米+白〔音〕

[大豆粕 대두박] 콩깻묵.

[酒粕 주박] 지게미.

5
⑪ **〖粗〗** 거칠 **조** [本]**추**[上]虞 | cū

[日] ソ〔あらい〕 [英] coarse

[字解] ① **거칠 조**(物不精). ¶ 粗雜(조잡). ② **대강 조, 대략 조**(略也). ¶ 粗知(조지). ③ **클 조**(大也). ¶ 粗功(조공).

[字源] 形聲. 米+且〔音〕

[參考] 麤(鹿部 22획)는 동자.

[粗安 조안] 별 탈 없이 대체로 편안함.

[粗雜 조잡] 거칠고 어수선함.

5
⑪ **〖粘〗** 끈끈할 **점** [本]**념**[平]鹽 | nián

[日] ネン〔ねばる〕 [英] sticky

[字解] **끈끈할 점**(相着). ¶ 粘土(점토).

[字源] 形聲. 米+占〔音〕

[參考] 黏(黍部 5획)은 同字.

[粘液 점액] 끈끈한 액체.

[粘着 점착] 찰싹 달라붙음.

6
⑫ **〖粧〗** 단장할 **장**[平]陽 | zhuāng

丷 半 米 米' 米' 粁 粧

[日] ショウ〔よそおう〕 [英] decorate

[字解] **단장할 장**(粉飾). ¶ 化粧(화장).

[字源] 形聲. 粉의 생략형을 바탕으로 「庄(장)」이 음을 나타냄.

[粧飾 장식] 겉을 매만져 꾸밈. 또, 그 꾸밈새.

[丹粧 단장] 화장.

6
⑫ **〖粵〗** 어조사 **월**[入]月 | yuè

[日] エツ〔じょじ〕

[字解] ① **어조사 월**(于也, 於也, 發端辭). ② **나라이름 월**(越也). ③ **두터울 월**(厚也).

[字源] 會意. 宷(審의 고자(古字))과 亐(입김이 나는 모양)의 합자. 신중히 생각해서 말을 함의 뜻.

6
⑫【粥】━죽 죽
⑧屋 zhōu
⑧屋 ━팥 육
⑧屋 yù

粥

㊐ シュク〔かゆ〕・イク〔ひさぐ〕
㊤ gruel, sell

字解 ━ 죽 죽, 미음 죽(淖糜). ¶
粥飯(죽반). ━ 팔 육(賣也).

字源 會意. 弜+米

[粥米 육미] 쌀을 팖.

[粥飯 죽반] ㋠ 죽과 밥. ㋡ 죽을 먹음. ¶ 粥飯僧(죽반승).

6
⑫【粟】조 속
⑧沃 sù

粟

厂厂西西要要粟粟

㊐ ゾク〔あわ〕 ㊤ millet

字解 ① 조 속, 좁쌀 속(黍屬). 黍粟(서속). ② 벼 속. ¶ 粟豆(속두). ③ 오곡 속, 곡식 속(穀也). ¶ 粟帛(속백).

字源 會意. 鹵(열매)와 米의 합자. 이삭에서 타작한 낱알의 뜻.

注意 栗(木部 6획)은 딴 글자.

[粟米 속미] 벼. 좁쌀.
[粟芋 속우] 조와 토란.
[黍粟 서속] ㋠ 기장과 조. ㋡ 조.

6
⑫【粢】기장 자
㊥支 zī

粢

㊐ シ・セイ〔きび〕 ㊤ millet

字解 ① 기장 자(稷也). 明粢(명자). ② 젯밥 자(祭飯). ¶ 粢盛(자성).

字源 形聲. 米+次〔音〕

7
⑬【粮】糧(량)(米部 12획)과 同字

7
⑬【粳】秔(갱)(米部 4획)의 俗字

7
⑬【粱】조 량
㊥陽 liáng

粱

㊐ リョウ〔あわ〕 ㊤ millet

字解 ① 조 량(似粟而大). ¶ 粱饘(양전). ② 좋은곡식 량(朱米也). ¶ 粱米(양미).

字源 形聲. 米를 바탕으로 「梁(량)」의 생략형 㳄이 음을 나타냄.

[粱肉 양육] ㋠ 쌀밥과 고기반찬. ㋡ 사치스러운 음식.

[膏粱珍味 고량진미] 살찐 고기와 좋은 곡식으로 만든 맛있는 음식.

7
⑬【粲】정미 찬
㊤翰 càn

粲

㊐ サン〔しらげよね〕
㊤ polished rice

字解 ① 정미 찬(精米). ② 밝을 찬, 환할 찬(燦也, 明也, 鮮也). 粲爛(찬란). ③ 웃을 찬(笑貌). ¶ 粲然(찬연).

字源 形聲. 米+奴〔音〕

[粲爛 찬란] ㋠ 영롱하고 현란함. ㋡ 광채가 번쩍번쩍하고 환함.

[粲然 찬연] ㋠ 빛나는 모양. ㋡ 이를 드러내고 웃는 모양.

8
⑭【粹】순수할 수
㊤寘 cuì

粹

㊐ スイ〔まじりけがない〕㊤ pure

字解 ① 순수할 수(不雜). ¶ 純粹(순수). ② 정할 수(精也). ¶ 精粹(정수).

字源 形聲. 米+卒〔音〕

[粹美 수미] 맑고 아름다움. 순미(純美).

8
⑭【粺】정미 패
㊤卦 bài

粺

㊐ ハイ〔しらげよね〕
㊤ polished rice

字解 정미 패(精米).

字源 形聲. 米+卑〔音〕

8
⑭【精】쓿을 정
㊥庚 jīng

精

丷 半 米 籵 籵 精 精 精

㉺ セイ〔くわしい〕 ⑳ pound
字解 ① 찧을 정, 대낄 정(擇米).
¶ 精米(정미). ② 자세할 정(細
也). ¶ 精密(정밀). ③ 정신 정, 정
기 정(氣也). ¶ 精氣(정기). ④ 밝
을 정(明也). ¶ 精光(정광). ⑤ 정
성스러울 정(誠也). ¶ 精意(정의).
⑥ 신령 정(神靈), 妖精(요정).
⑦ 익숙할 정(熟也). ¶ 精熟(정
숙). ⑧ 깨끗할 정(潔也). ¶ 精潔
(정결). ⑨ 날랠 정, 날카로울 정
(銳也). ¶ 精兵(정병).
字源 形聲. 米+青〔音〕
[精巧 정교] 정밀하고 교묘함.
[精讀 정독] 자세히 읽음.
[精密 정밀] ㉠ 가늘고 촘촘함. ㉡
아주 잘고 자세함. 정세(精細)하고
치밀함.
[精兵 정병] 날래고 강한 군사.
[精進 정진] ㉠ 정력을 다하여 나아
감. ㉡ 몸을 깨끗이 하고 마음을 가
다듬음.
[精華 정화] ㉠ 깨끗하고 아주 순수
한 부분. ㉡ 뛰어나게 우수함. ㉢
광채. 빛.
[酒精 주정] 에탄올.

⑨
⑮ 【糊】 풀 호 ㉻虞 hú, hū, hù
㉺ コ〔のり〕 ⑳ paste
字解 ① 풀 호, 풀칠할 호(黏也).
¶ 糊口(호구). ② 모호할 호(模
貌). ¶ 模糊(모호).
字源 形聲. 米+胡〔音〕
[糊口 호구] 입에 풀칠을 함. 생계를
이어감. ¶ 糊口之策(호구지책).
[糊塗 호도] 건성으로 애매하게 덮
어 버림. 속임수의 조처를 함.
[模糊 모호] 명확하지 못하고 흐리
터분함.

⑨
⑮ 【糎】 센티미터 리
㉺ センチメートル ⑳ centimeter
字解 센티미터 리.

10
⑯ 【糒】 건량 비 ㉻寘 bèi
㉺ ビ・ハイ〔ほしいい〕
字解 건량 비(乾飯). ¶ 糗糒(구
비).
字源 形聲. 篆文은 米+葡〔音〕

10
⑯ 【糖】 엿당 ㉻陽 táng
丷 半 米 米 米 梓 梓 糖 糖
㉺ トウ〔あめ〕 ⑳ wheat-gluten
字解 ① 엿 당(飴也). ② 사탕 당.
¶ 製糖(제당).
字源 形聲. 米+唐〔音〕
[糖分 당분] 사탕질의 성분.
[糖化 당화] 전분(澱粉) 따위가 당류
(糖類)로 변화하는 일.
[製糖 제당] 설탕을 만듦.

10
⑯ 【糗】 볶은쌀 구 ㉻有 qiǔ
㉺ キュウ〔ほしいい〕
⑳ parched rice
字解 ① 볶은쌀 구(熬稌). ② 미숫
가루 구(乾飯屑).
字源 形聲. 米+臭〔音〕
[糗糒 구비] 말린 밥. 옛날에 군량으
로 썼음. 건반(乾飯).

10
⑯ 【糓】 穀(곡)(禾部 10획)의 俗字

11
⑰ 【糞】 똥 분 ㉻問 fèn
㉺ フン〔くそ〕 ⑳ excrements
字解 ① 똥 분(穢也). ¶ 糞尿(분
뇨). ② 더러울 분. ¶ 糞壤(분양).
③ 거름줄 분(培也). ¶ 糞田(분
전).
字源 會意. 廾(쓰레받기)를 들고
𦥑(양손)으로 釆(오물)을 버림의
뜻.
[糞尿 분뇨] 똥과 오줌. ¶ 人糞尿
(인분뇨).

[糞田 분전] 밭에 인분뇨 거름을 줌. 또, 거름을 준 밭.

[糞土 분토] ㉠ 똥과 흙. ㉡ 썩은 흙. 더러운 흙. ¶ 糞土之牆(분토지장).

11 ⑰ 【糙】 매조미쌀 조 [去] 號 | cāo

[日] ソウ〔あらごめ〕

[字解] **매조미쌀 조**(玄米).

[字源] 形聲. 米+造〔音〕

11 ⑰ 【糝】 국 삼 [上] 感 | 糁 sǎn sān

[日] サン〔ねばる〕 [英] soup

[字解] ① **국 삼**(以米和羹). ② **차질 삼, 끈끈할 삼**(黏也).

[字源] 形聲. 米+參〔音〕

11 ⑰ 【糟】 지게미 조 [平] 豪 | zāo

[日] ソウ〔かす〕 [英] dregs

[字解] **지게미 조, 재강 조**(酒滓). ¶ 糟粕(조박).

[字源] 形聲. 米+曹〔音〕

[糟糠 조강] 술재강과 쌀겨. 곧, 변변하지 않은 음식의 비유.

[糟糠之妻 조강지처] 구차하고 천할 때부터 생을 같이 해 온 아내.

11 ⑰ 【糠】 겨 강 [平] 陽 | kāng

[日] コウ〔ぬか〕 [英] chaff

[字解] ① **겨 강**(穀皮). ¶ 糟糠(조강). ② **자질할 강**(煩碎). ¶ 粃糠(비강).

[字源] 形聲. 米+康〔音〕

[糠粃 강비] 겨와 쭉정이. 전하여, 거친 식사.

[糟糠 조강] 지게미와 쌀겨. 곧, 가난한 사람이 먹는 변변치 못한 음식의 비유.

11 ⑰ 【糜】 죽 미 [平] 支 | mí

[日] ビ〔かゆ〕 [英] gruel

[字解] ① **죽 미**(饘也). ¶ 糜粥(미죽). ② **문드러질 미**(爛也). ¶ 糜爛(미란).

[字源] 形聲. 米+麻〔音〕

[糜爛 미란] ㉠ 썩어 문드러짐. ㉡ 피폐(疲弊)함. 또, 피폐하게 함.

[糜粥 미죽] 죽. 미음.

12 ⑱ 【糦】 [一] 주식 치 [去] 寘 [二] 주식 희 [平] 支 | chì

[日] シ〔さけさかな〕

[字解] [一] ① **주식 치**(酒食). ② **기장 치**(大祭黍稷). [二] **주식 희, 기장 희**.

[字源] 形聲. 米+喜〔音〕

12 ⑱ 【糧】 양식 량 [平] 陽 | 粮 liáng

丷 丬 米 米' 粎 粡 粮 糧

[日] リョウ〔かて〕 [英] food

[字解] **양식 량, 먹이 량**(穀食). ¶ 食糧(식량).

[字源] 形聲. 米+量〔音〕

[糧穀 양곡] 양식으로 사용하는 곡식.

[糧食 양식] ㉠ 식량. ㉡ 군량.

[絕糧 절량] 양식이 떨어짐.

14 ⑳ 【糯】 찰벼 나 [去] 箇 | nuò

[日] ダ〔もちごめ〕

[英] glutinous rice

[字解] **찰벼 나, 찹쌀 나**(稻之黏者).

[字源] 會意. 米+需

15 ㉑ 【糲】 매조미쌀 려 [去] 霽 | 粝 lì

[日] レイ〔くろごめ〕

[字解] **매조미쌀 려**(玄米). ¶ 糲飯(여반).

字源 形聲. 米+厲〔音〕

¹⁶
²²【糴】쌀살 적 籴 dí 糴
日 テキ〔かいよね〕 英 buy grain
字解 쌀살 적(買穀).
字源 會意. 入+糴
[糴價 적가] 사들이는 곡식 값.

¹⁷
²³【糵】누룩 얼 糵 niè 糵
日 ゲツ〔こうじ〕 英 yeast
字解 누룩 얼(酒媒). ¶ 麴糵(국
얼).
字源 形聲. 米+薛〔音〕

¹⁹
²⁵【糶】쌀팔 조 粜 tiào 糶
日 チョウ〔うりよね〕 英 sell grain
字解 쌀팔 조(賣米出穀).
字源 形聲. 出+糴〔音〕

糸 〔6획〕 部
(실사부)

⁰
⁶【糸】█실 멱 糸 mì 糸
█실 사 sī
日 ベキ・シ〔いと〕 英 thread
字解 █ ① 실 멱(細絲). ② 다섯
홀 멱(五忽也). █ 실 사(線絲也).
字源 象形. 고치에서 나온 생사(生
絲)를 꼰 실의 모양을 본뜸.
参考 絲(糸部 6획)는 █의 본자.

---

¹
⁷【系】이을 계 系 xì 系
日 ケイ〔ちすじ〕 英 connect

字解 ① 이을 계(繼也). ② 맬 계
(繫也). ③ 혈통 계
(血統). ¶ 系譜(계보).
字源 象形. 실을 손으로 거는 모양
을 본뜸.
[系連 계련] 서로 이어짐. 관련됨.
[系譜 계보] 혈연관계·사제 관계 등
의 계통을 도표로 나타낸 것.
[家系 가계] 한 집안의 계통.
[直系 직계] 계통을 직접 이어받음.
또는 그 사람.

---

²
⁸【糾】█꼴 규 纠 jiū 糾
█삿갓가
뜬할 교
日 キュウ〔ただす〕 英 twist
字解 █ ① 꼴 규(絢也). ¶ 糾繩
(규승). ② 모을 규(集也). ¶ 糾合
(규합). ③ 얽힐 규, 감길 규(繚戾).
¶ 糾結(규결). █ 삿갓가뜬할 교
(笠之輕擧也).
字源 形聲. 糸+丩〔音〕
[糾明 규명] 철저히 조사하여 그릇
된 사실을 밝힘. 규찰(糾察)
[糾彈 규탄] 죄를 적발하여 비난하
고 탄핵함. 규핵(糾劾).
[糾合 규합] 흩어진 사람을 한데 모
음.
[紛糾 분규] 뒤얽혀서 말썽이 많고
시끄러움.

---

³
⁹【紀】실마리 纪 jì 紀
기█紙
丶 幺 幺 糸 糸 紀 紀 紀
日 キ〔しるす〕 英 clue
字解 ① 실마리 기(緒也). ② 법
기, 도 기(法也). ¶ 紀綱(기강).
③ 적을 기(記也). ¶ 紀年(기년).
④ 해 기(歲也). ¶ 一紀(일기).
字源 形聲. 糸+己〔音〕
[紀綱 기강] ㉠ 가는 줄과 벼릿줄.
㉡ 나라를 다스리는 법도(法度). 국
가의 법.

[紀念 기념] 기념(記念).

[紀元 기원] ㉠ 나라를 세운 첫 해. ㉡ 연대를 세는 기초가 되는 해.

[紀律 기율] 사람의 행위의 표준이 될 만한 질서.

[紀行 기행] 여행에서 듣고 본 것을 기록한 글. ¶紀行文(기행문).

[世紀 세기] ㉠ 시대 또는 연대. ㉡ 서력에 100년을 단위로 하여 연대를 세는 말.

---

³ ⑨【紂】 껑거리끈 주 ㊤有 | 纣 | zhòu

� チュウ〔しりがい〕 � hip-strap strings

字解 ① 껑거리끈 주(馬䩦也). ¶紂棍(주곤). ② 주임금 주. ¶紂王(주왕).

字源 形聲. 糸+勹〈省〉〔音〕

[紂王 주왕] 잔인 포악하여 나라를 망친 은(殷)나라 최후의 임금.

---

³ ⑨【紃】 좇을 순 ㊤眞 | 绚 | xún

� シュン〔ひも〕 � follow

字解 ① 좇을 순(循也). ¶紃察(순찰). ② 끈 순(條也). ¶組紃(조순).

字源 形聲. 糸+川〔音〕

[紃察 순찰] 어떤 사물을 좇아 상세히 조사함.

---

³ ⑨【約】 대략 약 ㊤藥 | 约 | yuē

レ レ ㅅ ヰ 糸 糸 約 約

� ヤク〔むすぶ〕 � about

字解 ① 대략 약, 대개 약(大率). ¶約略(약략). ② 약속 약(言契), 기약할 약(期也), 맹세할 약(誓也). ¶約束(약속). ③ 간략할 약(簡也), 간추릴 약(要約). ¶要約(요약). ④ 검소할 약(儉也). ¶節約(절약). ⑤ 얽맬 약, 구속할 약. ¶制約(제약). ⑥ 맺을 약(結也). ¶約定(약정).

字源 形聲. 糸+勹〔音〕

[約款 약관] 법령·조약·계약에 정한 관항.

[約略 약략] 대개. 대략(大略).

[約分 약분] 분수의 분모와 분자를 공약수로 나누어 간단하게 하는 일.

[約言 약언] 간략하게 말함. 또, 그 말.

[約定 약정] 남과 일을 약속하여 작정함. 또, 그 작정.

[規約 규약] 조직체 안에서, 서로 협의하여 정함. 또는 그 규칙.

[節約 절약] 아껴 씀.

---

³ ⑨【紅】 붉을 홍 ㊤東 | 红 | hóng

レ レ ㅅ ヰ 糸 糸 紅 紅

� コウ〔くれない〕 � red

字解 ① 붉을 홍(南方色, 絳也). ¶紅蔘(홍삼). ② 연지 홍(顏料臙脂). ¶紅脂(홍지).

字源 形聲. 糸+工〔音〕

[紅顏 홍안] ㉠ 소년의 혈색 좋은 불그레한 얼굴. ㉡ 미인의 얼굴.

[紅一點 홍일점] ㉠ 여럿 중 오직 하나 이채를 띠는 것. ㉡ 많은 남자들 틈에 오직 하나뿐인 여자.

[紅潮 홍조] ㉠ 부끄럽거나 술기운으로 붉어진 얼굴. ㉡ 월경(月經)을 점잖게 이르는 말.

[粉紅 분홍] 엷게 붉은 고운 색.

---

³ ⑨【紆】 얽힐 우 ㊤虞 | 纡 | yū

� ウ〔まがる〕 � twine

字解 ① 얽힐 우(縈也). ¶紆縈(우요). ② 굽을 우(曲也). ¶紆鬱(우울). ③ 돌 우(回也).

字源 形聲. 糸+于〈亏〉〔音〕

[紆縈 우영] 얽힘.

[紆回 우회] 둘러서 감. 우회(迂廻).

---

³ ⑨【紇】 묶을 흘 ㊤月 | 纥 | gē, hé

[日] コツ〔つかねる〕 [英] bind

[字解] ① **묶을 흘**(束也). ② **인종 이름 흘.** ¶ 回紇(회흘).

[字源] 形聲. 糸+乞〔音〕

3 ⑨ 〖紈〗 흰비단 환[平]寒 | 纨 wán

[日] ガン〔しろぎぬ〕 [英] white silk

[字解] **흰비단 환**(白熟素).

[字源] 形聲. 糸+丸〔音〕

[紈袴 환고] 흰 비단으로 만든 바지. ¶ 紈袴子弟(환고자제).

[紈素 환소] 흰 비단. 소환(素紈).

4 ⑩ 〖紋〗 무늬 문[平]文 | 纹 wén

[日] モン〔あや〕 [英] pattern

[字解] **무늬 문**(織文). ¶ 織紋(직문).

[字源] 形聲. 糸+文〔音〕

[紋織 문직] ㉠ 무늬를 넣어 짬. ㉡ 무늬가 돋아나게 짠 옷감.

[紋彩 문채] ㉠ 아름다운 광채. ㉡ 무늬. 문채(文采).

[波紋 파문] ㉠ 수면에 이는 물결. ㉡ 물결 모양의 무늬.

4 ⑩ 〖納〗 들일 납[入]合 | 纳 nà

纟 纟 纟 糸 糸 紅 納 納

[日] ノウ〔おさめる〕 [英] receive

[字解] ① **들일 납**(入也), **받을 납**(受也). ¶ 出納(출납). ② **바칠 납**(獻也). ¶ 納稅(납세).

[字源] 形聲. 糸+內〔音〕

[納得 납득] ㉠ 이해함. 잘 앎. ㉡ 일의 내용을 잘 알아차림.

[納涼 납량] 더울 때 바람 같은 것을 쐬어 서늘함을 맛봄.

[納本 납본] 《韓》 발행한 출판물의 견본을 관계 관청에 제출함.

[未納 미납] 아직 내지 못함.

[完納 완납] 남김없이 완전히 납부함.

4 ⑩ 〖紐〗 맬 뉴[上]有 | 纽 niǔ

[日] チュウ〔ひも〕 [英] tie

[字解] ① **맬 뉴, 맺을 뉴**(結也, 束也). ② **끈 뉴**(糸也).

[字源] 形聲. 糸+丑〔音〕

[紐帶 유대] (끈이나 띠로 묶듯이) 서로를 결합하는 관계.

[結紐 결뉴] 서로 관계를 맺음.

4 ⑩ 〖紒〗 상투 계[去]卦 | jì

[日] カイ・ケツ〔ゆう〕 [英] topknot

[字解] ① **상투 계**(髻也). ② **상투 틀 계**(結髮).

[字源] 形聲. 糸+介〔音〕

4 ⑩ 〖紓〗 늘어질 서[平]魚 | 纾 shū

[日] ジョ〔ゆるい〕 [英] slack

[字解] ① **늘어질 서, 느슨할 서**(緩也). ② **풀 서**(解也). ¶ 紓禍(서화).

[字源] 形聲. 糸+予〔音〕

4 ⑩ 【純】 순수할 순[平]眞 | 纯 chún

纟 纟 纟 糸 糸 紅 紅 純

[日] ジュン〔いと〕 [英] pure

[字解] ① **순수할 순, 순전할 순**(醇也, 粹也). ¶ 純粹(순수). ② **천진할 순**(天眞). ¶ 淸純(청순). ③ **실 순**(絲也). ④ **오로지 순**(專也). ¶ 純全(순전). ⑤ **부드러울 순**(柔也). ¶ 純如(순여).

[字源] 形聲. 糸+屯〔音〕

[純潔 순결] ㉠ 아주 깨끗함. ㉡ 마음과 몸이 깨끗함. ¶ 純潔敎育(순결 교육).

[純朴 순박] 순진하고 솔직함.

[純正 순정] ㉠ 순수하고 올바름. ㉡ 미(美)나 이론을 주로 하고 응용 실리를 도외시함. ¶ 純正哲學(순정 철학).

[純情 순정] ㉠ 순진한 마음. ㉡ 참되고 깨끗한 애정.

[純眞 순진] 마음이 꾸밈없이 참됨.

[單純 단순] ㉠ 간단하여 복잡하지 않음. ㉡ 솔직하고 순진함.

[紙背 지배] ㉠ 종이의 뒤쪽. ㉡ 문장의 이면에 포함된 의의(意義).

[紙幣 지폐] 종이에 인쇄하여 만든 화폐. 지화(紙貨). 지전(紙錢).

[破紙 파지] 못 쓰게 된 종이.

---

4 / 10 【紕】 잘못 비   紕   〔行書〕
㉮支   pí

㈰ ヒ〔あやまる〕 ㈎ miskake

字解 ① 잘못 비, 잘못될 비(舛戾). ¶ 紕越(비월). ② 가선 비(邊飾).

字源 形聲. 糸+比〔音〕

---

4 / 10 【紗】 깁 사   纱   〔行書〕
㉮麻   shā

㈰ サ〔うすぎぬ〕 ㈎ thin silk

字解 깁 사(絹屬, 輕繒). ¶ 紗羅(사라). ¶ 紗窓(사창).

字源 形聲. 糸+少〔音〕

[紗帽 사모] 깁으로 만든 모자. 옛날에 임금이나 귀한 사람이 썼음. ¶ 紗帽冠帶(사모관대).

[甲紗 갑사] 품질이 좋은 사(辭).

---

4 / 10 【紘】 갓끈 굉   纮   〔行書〕
㉮횡
㉮庚   hóng

㈰ コウ〔ひろい〕 ㈎ hat string

字解 ① 갓끈 굉. ② 클 굉, 넓을 굉(宏也). ③ 끈 굉(冕飾組). ¶ 網紘(망굉). ④ 바 굉, 벼리 굉(網維也).

字源 形聲. 糸+厷〔音〕

---

4 / 10 【紙】 종이 지   纸   〔行書〕
㉮紙   zhǐ

ⸯ ⸯ ⸯ 糸 糸' 糸丨 紙 紙

㈰ シ〔かみ〕 ㈎ paper

字解 종이 지(楮皮所成). ¶ 紙物(지물).

字源 形聲. 糸+氏〔音〕

[紙匣 지갑] ㉠ 종이로 만든 갑. ㉡ 가죽·헝겊 등으로 만든 돈을 넣는 물건.

---

4 / 10 【級】 등급 급   级   〔行書〕
㉮緝   jí

⟋ ⸯ ⸯ 糸 糸' 糸及 級 級

㈰ キュウ〔しな〕 ㈎ class

字解 ① 등급 급, 차례 급, 층 급(等次). ¶ 等級(등급). ② 모가지 급(人首), 수급 급. ¶ 首級(수급).

字源 形聲. 糸+及〔音〕

[級差 급차] 등급(等級).

[留級 유급] 진급하지 못하고 그대로 남음. 낙제.

[進級 진급] 등급·계급·학년 등이 오름.

---

4 / 10 【紛】 어지러울 분   纷   〔行書〕
㉮文   fēn

⟋ ⸯ ⸯ 糸 糸' 糸' 紛 紛

㈰ フン〔まぎれる〕 ㈎ dizzy

字解 ① 어지러울 분(亂也). ¶ 紛亂(분란). ② 번잡할 분(雜也). ¶ 紛失(분실).

字源 形聲. 糸+分〔音〕

[紛糾 분규] 일이 뒤얽혀 말썽이 많고 시끄러움. 분란(紛亂). 분요(紛擾).

[紛爭 분쟁] 말썽을 일으켜 시끄럽게 다툼. ¶ 中東紛爭(중동 분쟁).

---

4 / 10 【紜】 어지러울 운   纭   〔行書〕
㉮文   yún

㈰ ウン〔みだれる〕 ㈎ dizzy

字解 어지러울 운, 엉클어질 운(物多亂雜).

字源 形聲. 糸+云〔音〕

[紜紜 운운] ㉠ 많아서 어지러운 모양. ㉡ 많고 성(盛)한 모양.

[紛紜 분운] ㉠ 이러니저러니 말이 많음. ㉡ 세상이 떠들썩해 어지러움.

4 ⑩ 〚紝〛 짤 임㊥侵 ㊦沁 | 纴 rèn

㊐ ジン〔おる〕 ㊕ weave

字解 **짤 임, 베짤 임**(織也).

字源 形聲. 糸+壬(音)

參考 紙(糸部 6획)과 동자.

[紝織 임직] 베를 짬과 동자.

4 ⑩ 〚紞〛 끈 담 ㊤感 | dǎn

㊐ タン〔ひも〕

字解 **끈 담**(冕兩旁絛).

字源 形聲. 糸+冘〔音〕

4 ⑩ 〚紡〛 자을 방 ㊤養 | 纺 fǎng

㊐ ボウ〔つむぐ〕 ㊕ spin

字解 **자을 방, 실뽑을 방**(績也). ¶ 紡絲(방사).

字源 形聲. 糸+方〔音〕

[紡績 방적] 실을 뽑는 일.
[紡織 방직] 실을 뽑는 것과 피륙을 짜는 일.

4 ⑩ 〚紊〛 어지러울 문 ㊦問 | wěn

㊐ ブン〔みだれる〕 ㊕ dizzy

字解 **어지러울 문, 얽힐 문**(亂也). ¶ 紊亂(문란).

字源 形聲. 糸+文(音)

[紊亂 문란] 도덕이나 질서·규칙 등이 어지러움. 또는 어지럽힘. ¶ 風紀紊亂(풍기문란).

4 ⑩ 【素】 흴 소 ㊦遇 | sù

一 十 丰 圭 圭 丰 圭 素

㊐ ソ〔しろ〕 ㊕ white

字解 ① **흴 소**(白也). ¶ 素服(소복). ② **생초 소**(生帛), **흰깁 소.** ¶ 素扇(소선). ③ **질박할 소**(物朴). ¶ 素朴(소박). ④ **바탕 소**(本也). ¶ 素質(소질). ⑤ **본디 소, 원래 소**(元來). ¶ 平素(평소). ⑥ **채식 소**(疏也). ¶ 素食(소식). ⑦ **무지 소, 무문 소**(無紋).

字源 會意. 垂와 糸의 합자. 고치에서 뽑은 생사가 한 줄씩 늘어져 있음의 뜻. 물들이지 않은 흰 실을 말함.

[素朴 소박] 꾸밈없이 그대로임.
[素服 소복] ㉠ 흰옷. ¶ 素服丹粧(소복단장). ㉡ 상복(喪服).
[素養 소양] ㉠ 평소의 교양. ㉡ 평소부터 수양하여 얻은 학력과 기능.
[素月 소월] 밝은 달. 흰 달빛. 교월(皎月).
[素因 소인] 가장 근본이 되는 원인.
[素地 소지] 밑바탕. 토대. 기초.
[簡素 간소] 간략하고 소박함.
[平素 평소] 보통 때. 평상시.

4 ⑩ 〚索〛 ▬ 노 삭 ㊅藥 ▬ 찾을 색 ㊅陌 | suǒ

一 十 亠 宀 宁 宊 索 索

㊐ サク〔なわ·もとめる〕

㊕ rope, seek

字解 ▬ ① **노 삭, 새끼 삭**(繩也). ¶ 大索(대삭). ② **헤어질 삭, 흩어질 삭**(散也). ¶ 索居(삭거). ③ **쓸쓸할 삭.** ¶ 索莫(삭막). ▬ **찾을 색**(求也), **더듬을 색**(搜也). ¶ 探索(탐색).

字源 會意. 宋(초목이 우거짐)와 糸의 합자. 잘 우거진 초목의 잎이나 줄기로 꼰 새끼의 뜻.

[索居 삭거] ㉠ 벗과 헤어져 있음. ㉡ 쓸쓸하게 홀로 있음.
[索道 삭도] 공중에 건너지른 강철줄에 운반차를 매달아 여객·화물·광석 따위를 나르는 설비. 가공삭도(架空索道).

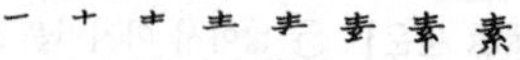

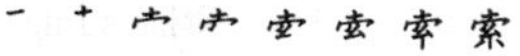

[索莫 삭막] ㉠ 잠깐 잊어버려 생각이 잘 안남. ㉡ 황폐하여 쓸쓸함. 삭막(索漠).

[索引 색인] ㉠ 찾아냄. ㉡ 책 속의 항목이나 낱말을 빨리 찾도록 만든 목록. 인덱스(index).

[索出 색출] 뒤지어 찾아냄.

[摸索 모색] 더듬어 찾음.

[思索 사색] 사물의 이치를 따져 깊이 생각함.

[細窮民 세궁민] 매우 가난한 사람.

[細密 세밀] 잘고 자세함.

[細心 세심] ㉠ 자세히 주의하는 마음. 조심. ㉡ 작은 국량.

[微細 미세] 분간하기 어려울 정도로 아주 작음.

[零細 영세] 규모가 작거나 빈약함.

5
⑪【絅】끌어쥘 경⊕青│혿웃옷 경⊕徑 绢 jiōng jiōng

ⓙ ケイ〔ひきしめる・ひとえもの〕 ⓔ unlined clothes

字解 ━ 끌어쥘 경. ═ 혿웃 경.

字源 形聲. 糸+冋〔音〕

5
⑪【紬】명주 주⊕尤 chōu 紬 紳

ⓙ チュウ〔つむぎ〕 ⓔ silk

字解 ① 명주 주(大絲紬). ¶ 明紬(명주). ② 모을 주, 철할 주(綴集). ③ 자을 주(紡也). ¶ 紬績(주적). ④ 뽑을 주, 뽑아낼 주(抽也). ¶ 紬繹(주역).

字源 形聲. 糸+由〔音〕

[紬緞 주단] 명주와 비단.

[紬繹 주역] 실마리를 뽑음. 단서를 찾아냄.

[紬績 주적] 실을 자음.

[明紬 명주] 명주실로 무늬없이 짠 피륙.

5
⑪【細】가늘 세⊕霽 xì 細 細

ㅣ ㅿ ㅿ 糸 糹 糸 紅 細 細 細

ⓙ サイ〔ほそい〕 ⓔ thin

字解 ① 가늘 세(微也). ¶ 細少(세소). ② 잘 세, 작을 세(小也). ¶ 細目(세목). ③ 세밀할 세(密也). ¶ 詳細(상세).

字源 形聲. 篆文은 糸+囟〔音〕

5
⑪【紱】인끈 불⊕物 fú 绂 弦

ⓙ フツ〔ひも〕 ⓔ seal-chain

字解 ① 인끈 불(印組). ¶ 紱冕(불면). ② 얽을 불(纏也).

字源 形聲. 糸+犮〔音〕

5
⑪【紲】━고삐 설⊕屑│═뛰어넘을 예⊕霽 绁 xiè yì 紲

ⓙ セツ〔きずな〕・エイ〔こえる〕 ⓔ reins, jump over

字解 ━ ① 고삐 설(馬韁). ② 맬 설(絏也). ═ 뛰어넘을 예.

字源 形聲. 糸+世〔音〕

5
⑪【紳】큰띠 신⊕眞 shēn 绅 紳

ⓙ シン〔おおおび〕 ⓔ girdle

字解 ① 큰띠 신(大帶). ¶ 紳笏(신홀). ② 벼슬아치 신. ¶ 縉紳(진신).

字源 形聲. 糸+申〔音〕

[紳士 신사] ㉠ 벼슬아치. ㉡ 교양이 있고, 예의 바른 사람.

[紳笏 신홀] 큰띠와 홀. 문관의 치장.

5
⑪【紵】모시풀 저⊕語 zhù 纻 紵

ⓙ チョ〔いちび〕 ⓔ ramie

字解 모시풀 저(麻屬).

字源 形聲. 糸+宁〔音〕

[紵麻 저마] 모시풀.

[紵衣 저의] 모시옷.

[紵布 저포] 모시.

5 ⑪【紸】댈 주 ㉿遇 zhù

㊊ シュ〔つける〕

字解 댈 주(注也). ¶ 紸纊(주광).

字源 形聲. 糸+主〔音〕

5 ⑪【紹】이을 소 紹 shào ㉿篠

㊊ ショウ〔つぐ〕 ㉱ join

字解 ① 이을 소(繼也), 계승할 소.
¶ 繼紹(계소). ② 소개할 소(媒介
也). ¶ 紹介(소개).

字源 形聲. 糸+召〔音〕

[紹介 소개] 모르는 사이를 알도록
관계를 맺어 줌. 두 사람 사이에 서서
일이 어울리게 함. ¶ 紹介狀(소개
장).

[紹述 소술] 선대(先代)의 일을 이어
받아 밝힘.

5 ⑪【紺】감색 감 ㉿勘 紺 gàn

㊊ コン〔こんいろ〕 ㉱ dark blue

字解 감색 감(青而含赤色).

字源 形聲. 糸+甘〔音〕

[紺宇 감우] ㉠ 귀인(貴人)의 집. ㉡
사찰(寺刹).

[紺青 감청] 짙고 산뜻한 남빛. 또는
그런 채색감.

5 ⑪【紼】┃상엿줄 불㉿物┃┃지스러기삼 비㉿未┃ 紼 fú fèi

㊊ フツ〔ひきづな〕・ヒ〔くずあさ〕

字解 ━① 상엿줄 불(引柩索). ② 엉킨솔 불(亂絲). ━ 지스러기삼
비.

字源 形聲. 糸+弗〔音〕

5 ⑪【紾】┃돌 진㉿軫┃┃거칠 긴㉿軫┃ 紾 zhěn jǐn

㊊ シン〔めぐる〕・キン〔あらい〕
㉱ turn, rough

字解 ━① 돌 진(轉也). ② 비틀
진(引捩). ━ 거칠 긴.

字源 形聲. 糸+㐱〔音〕

5 ⑪【紿】속일 태 ㊤賄 紿 dài

㊊ タイ〔あざむく〕 ㉱ deceive

字解 속일 태(欺誑). ¶ 欺紿(기
태).

字源 形聲. 糸+台〔音〕

5 ⑪【終】마칠 종 ㉿東 終 zhōng

㊊ シュウ〔おわる〕 ㉱ finish

字解 ① 마칠 종(竟也), 끝낼 종,
끝날 종. ¶ 終結(종결). ② 죽을
종(卒也). ¶ 終身(종신). ③ 끝 종
(末也), 마지막 종(窮極). ¶ 終末
(종말). ④ 마침내 종(竟也). ¶ 終
乃(종내).

字源 形聲. 糸+冬〔音〕

[終結 종결] 끝을 냄. 일을 마침. 또
는 끝. 종료(終了).

[終乃 종내] ㉠ 필경에. 마침내. ㉡
끝끝내.

[終始 종시] 나중과 처음. ¶ 終始一
貫(종시일관).

[終熄 종식] 그침. 끝남. 종지(終止).

[終身 종신] ㉠ 죽을 때까지. 한평생.
㉡ 부모 임종 때 옆에 모심.

[始終 시종] ㉠ 처음과 끝. ㉡ 처음
부터 끝까지.

5 ⑪【絃】줄 현 ㊤先 絃 xián

㊊ ゲン〔いと〕 ㉱ string

字解 ① 줄 현(八音之絲). ② 絕絃
(절현). ② 현악기 현. ¶ 絃樂器
(현악기). ③ 탈 현. ¶ 絃歌(현
가).

字源 形聲. 糸+玄〔音〕

參考 弦(弓部 5획)은 同字.

[絃樂器 현악기] 줄을 타거나 켜서 소리를 내는 악기. 거문고·가야금·기타·바이올린 따위.

[續絃 속현] 거문고와 비파의 끊어진 줄을 다시 잇는다는 뜻으로, 아내를 여읜 뒤 새 아내를 맞음.

5
⑪ 【組】 짤 조 上麌 | 組 zǔ | 纽

ㄣ ㄠ ㅎ 糸 糸 糸 組 組 組

㈰ ソ〔くむ〕 ㊜ make up

字解 ① 짤 조(織也). ¶ 組織(조직). ② 끈 조(綬屬). ¶ 組紐(조불).

字源 形聲. 糸+且〔音〕

[組閣 조각] 내각을 조직함.

[組紐 조불] 갓·도장 등에 매는 끈. 인끈.

[組成 조성] 조직하여 성립시킴.

5
⑪ 【絆】 줄 반 去翰 | 絆 bàn | 絆

㈰ ハン〔きずな〕 ㊜ bond

字解 ① 줄 반(馬縶). ¶ 羈絆(기반). ② 맬 반. ¶ 絆縛(반박).

字源 形聲. 糸+半〔音〕

[絆拘 반구] 매어 둠. 구속함.

[絆縛 반박] 잡아매고 묶음.

[絆創膏 반창고] 접착성 약제를 헝겊에 바른 고약의 한 가지.

5
⑪ 【経】 經(경)(糸部 7획)의 略字

5
⑪ 【統】 統(통)(糸部 6획)의 本字

5
⑪ 【紫】 자줏빛 자 上紙 | 紫 zǐ | 崇

ㅅ ㅏ ㅠ ㅠ 此 此 紫 紫 紫

㈰ シ〔むらさき〕 ㊜ purple

字解 자줏빛 자(帛靑赤色).

字源 形聲. 糸+此〔音〕

[紫色 자색] 자줏빛.

[紫陽花 자양화] 수국(水菊).

[紫煙 자연] ㉠ 자줏빛의 연기. ㉡ 담배 연기.

5
⑪ 【累】
ㅡ 여러 루 上紙
ㅡ 벌거벗을 라 上哿
| 累 lěi, léi / luǒ | 累

ㅣ ㅁ ㅠ ㅠ 田 甲 累 累

㈰ ルイ〔かさねる〕·ラ〔はだかにする〕 ㊜ several, undress

字解 ㅡ ① 여러 루(多貌). ¶ 累次(누차). ② 거듭할 루, 포갤 루(疊也). ¶ 累積(누적). ③ 폐끼칠 루, 더럽힐 루(玷也). ¶ 累名(누명). ④ 폐 루, 누 루. ¶ 家累(가루). ⑤ 연좌 루, 연루 루(緣也). ¶ 連累(연루). ㅡ 벌거벗을 라.

字源 形聲. 糸+田〔畾〕〔音〕

[累卵之危 누란지위] 아슬아슬한 위험.

[累名 누명] 더럽혀진 이름. 나쁜 평판. 누명(陋名). 오명(汚名).

[累積 누적] 포개어 쌓음. 쌓이고 쌓임.

[累次 누차] ㉠ 여러 번. ㉡ 여러 차례에 걸쳐. 누차(屢次).

[連累 연루] 남의 범죄에 관계됨.

5
⑪ 【紮】 묶을 찰 入黠 | zhā | 紮

㈰ サツ〔つかねる〕 ㊜ tie

字解 ① 묶을 찰(纏束). ② 머무를 찰(駐屯). ¶ 紮營(찰영).

字源 形聲. 糸+札〔音〕

6
⑫ 【絲】 실 사 ㊍支 | 丝 sī | 孫

ㅣ ㅕ ㅛ ㅕ ㅹ 糸 絲 絲 絲

㈰ シ〔いと〕 ㊜ thread

字解 ① 실 사. ¶ 綿絲(면사). ② 악기이름 사, 거문고 사(琴瑟). ¶ 絲竹(사죽).

[字源] 象形. 생사를 꼰 실의 모양.

[參考] 糸(部首)는 略字.

[絲管 사관] ㉠ 거문고와 퉁소. ㉡ 현악기와 관악기. 사죽(絲竹).

[絲笠 사립] 명주실로 싸개를 하여 만든 갓.

[絲竹 사죽] 악기를 통틀어서 이르는 말.「絲」는 거문고 따위의 악기.

[繭絲 견사] 고치에서 뽑은 실.

[鐵絲 철사] 쇠로 만든 가는 줄.

6 ⑫ **【結】** 맺을 결 [入]屑 | 结 jié

丿 幺 糸 糹 紎 紏 結 結

[日] ケツ〔むすび〕 [英] tie

[字解] ① **맺을 결**(締也). ¶ 結果(결과). ② **끝맺을 결, 마칠 결**(要終, 成也). ¶ 結論(결론). ③ **맺힐 결, 엉길 결.** ¶ 結氷(결빙).

[字源] 形聲. 糸+吉〔音〕

[結局 결국] ㉠ 일의 끝장. 일이 귀결되는 마당. ㉡ 장기나 바둑의 한 승부의 끝.

[結論 결론] ㉠ 끝맺는 말이나 글. ㉡ 삼단 논법의 결말의 명제.

[結草報恩 결초보은] 죽은 뒤에도 은혜를 갚음.

[結託 결탁] 마음을 합쳐 서로 의탁함. 합심하여 서로 도움.

[凝結 응결] 엉기어 맺힘.

[締結 체결] 계약이나 조약을 맺음.

6 ⑫ 〖絓〗 [一]걸릴 괘 [去]卦 [二]풀솜실 과[平]佳 | 絓 guà kuā

[日] カイ〔かかる・しけいと〕

[英] be caught

[字解] [一] **걸릴 괘**(礙也). [二] **풀솜실 과**(繭絲).

[字源] 形聲. 糸+圭〔音〕

6 ⑫ **【絕】** 끊을 절 [入]屑 | 绝 jué

丿 幺 糸 糹 絈 絕 絕 絕

[日] ゼツ〔たつ〕 [英] cut off

[字解] ① **끊을 절, 끊어질 절**(斷也). ¶ 斷絕(단절). ② **으뜸 절**(冠也), **뛰어날 절**(超也). ¶ 絕世(절세). ③ **절구 절.** ¶ 絕句(절구). ④ **아득할 절**(相距遼遠). ¶ 絕海(절해). ⑤ **지날 절**(過也). ¶ 絕流(절류).

[字源] 會意. 糸와 刀와 卩의 합자. 칼로 실을 자름의 뜻. 또,「卩(절)」이 음을 나타냄.

[絕句 절구] 5자 4귀, 또는 7자 4귀로 되어 있는 한시(漢詩)의 한 체. ¶ 五言絕句(오언절구).

[絕望 절망] 모든 희망이 아주 끊어짐.

[絕世 절세] ㉠ 세상에 다시없을 만큼 뛰어남. 절대(絕代). ¶ 絕世美人(절세미인). ㉡ 세상과 담을 쌓음.

[絕海 절해] ㉠ 육지에서 아주 먼 바다. ㉡ 바다를 횡단함.

[拒絕 거절] 받아들이지 않고 물리침.

[斷絕 단절] 관계나 교류를 끊음.

6 ⑫ 〖絪〗 [一]자리 인 [平]眞 [二]기운 인 [平]眞 | 细 yīn

[日] イン〔しとね〕 [英] seat, pep

[字解] [一] **자리 인.** [二] **기운 인.**

[字源] 形聲. 糸+因〔音〕

6 ⑫ 〖絖〗 솜 광 [去]漾 | 纩 kuàng

[日] コウ〔わた〕 [英] cotton

[字解] **솜 광**(細綿).

[字源] 形聲. 糸+光〔音〕

6 ⑫ 〖絞〗 [一]목맬 교 [上]巧 [二]초록빛 효[平]肴 | 绞 jiǎo jiǎo

[日] コウ〔しめる・もえぎいろ〕

[英] strangle, green

[字解] [一] **목맬 교, 목매어죽일 교**

6 획

(縊也). ¶ 絞首(교수). ■ 초록빛
효(蒼黃之色也).

字源 形聲. 糸+交〔音〕

[絞殺 교살] 목을 옭아매어 죽임. 교
수(絞首).

[絞布 교포] 염습한 뒤에 시체를 묶
는 삼베.

---

6 〔絡〕 이을 락
⑫ 入藥
luò
络　絡

′ 乡 糸 糸 糽 � 絡 絡

⊜ ラク〔からむ〕 ⊕ connect

字解 ① 이을 락, 연락할 락(聯也).
¶ 連絡(연락). ② 두를 락(繞也).
쌀 락(包括). ¶ 絡車(낙거). ③ 근
락(筋也). 맥 락(脈也). ¶ 脈絡(맥
락).

字源 形聲. 糸+各〔音〕

[絡車 낙거] 실을 감는 물레.

[絡絡 낙락] 죽 이은 모양.

[絡繹 낙역] 왕래가 끊기지 아니하
는 모양.

[經絡 경락] 침을 놓거나 뜸을 뜨는
자리.

[連絡 연락] ㉠ 서로 잇대어 줌. ㉡
통보함.

---

6 〔絢〕 무늬 현
⑫ 去霰
xuàn
绚

⊜ ケン〔あや〕 ⊕ pattern

字解 ① 무늬 현(文采). ¶ 絢文(현
문). ② 고울 현. ¶ 絢飾(현식).

字源 形聲. 糸+旬〔音〕

[絢爛 현란] ㉠ 번쩍번쩍 빛나 아름
다움. 눈부시게 빛남. ㉡ 문장·시가
따위의 글귀가 아름다움.

---

6 〔絣〕 ■ 명주 병
⑫ ⊕庚
■ 켕긴줄 팽
⊕梗
bēng
pēng
绷

⊜ ホウ〔きぬ・きびしくはったつな〕
⊕ silk

字解 ■ ① 명주 병(無文紬). ②

이을 병(續也). ■ 켕긴줄 팽.

字源 形聲. 糸+并〔音〕

---

6 〔給〕 넉넉할
⑫ 入緝
급
gěi
给

′ 乡 糸 糹 紒 給 給 給

⊜ キュウ〔たまう〕 ⊕ enough

字解 ① 넉넉할 급(贍也). ¶ 給足
(급족). ② 댈 급. ¶ 供給(공급).
③ 줄 급(供也). ¶ 給與(급여).

字源 形聲. 糸+合〔音〕

[給付 급부] ㉠ 재물을 공급 교부함.
㉡ 청구권의 목적인 의무자의 행위.
이행(履行).

[給食 급식] 식사를 제공함.

[給與 급여] 돈이나 물건을 줌.

[給足 급족] 생계가 넉넉함. 유족(裕
足).

[支給 지급] 돈·물품 등을 내어 줌.

---

6 〔絨〕 융융
⑫ ⊕東
róng
绒

⊜ ジュウ〔きおりもの〕
⊕ cotton flannel

字解 융 융(織物之厚而暖者).

字源 形聲. 糸+戎〔音〕

[絨緞 융단] 굵은 베실에 털을 박아
서 짠 피륙. 카펫(carpet). 융전(絨
氈).

---

6 〔絰〕 수질질
⑫ 入屑
dié
绖

⊜ テツ〔おび〕

字解 수질 질, 요질 질(喪服麻帶).
¶ 衰絰(최질).

字源 形聲. 糸+至〔音〕

[首絰 수질] 상제가 머리에 두르는
짚과 삼으로 만든 테.

[腰絰 요질] 상제가 허리에 두르는
띠.

---

6 〔絳〕 진홍강
⑫ ⊕絳
jiàng
绛

⊜ コウ〔あか〕 ⊕ scarlet

字解 진홍 강(大赤色). ¶ 絳帳(강장).

字源 形聲. 糸+夆〔音〕

[絳帳 강장] ㉠ 붉은 빛깔의 장막. ㉡ 스승의 자리. ㉢ 학자의 서재.

6
⑫ 【紝】 絍(임)(糸部 4획)과 同字

6
⑫ 【絏】 紲(설)(糸部 5획)과 同字

6
⑫ 【統】 거느릴 통㊇宋 | 统 tōng | 统

丶 ㄠ ㄠ ㄠ ㄠ ㄠ 紶 統 統

� トウ〔すべる〕 � command

字解 ① 거느릴 통(總也). ¶ 統率(통솔). ② 계통 통(系也). ③ 傳統(전통). 血統(혈통). ③ 합칠 통. ¶ 統合(통합). ④ 벼리 통(紀也). ¶ 國統(국통). ⑤ 실마리 통(緖也).

字源 形聲. 糸+充〔音〕

參考 綂(糸部 5획)은 본자.

[統率 통솔] 온통 몰아서 거느림. 통수(統帥).

[統制 통제] ㉠ 전체적인 목적을 달성하기 위하여 여러 부분을 한 원리로 제약하는 일. ㉡ 송(宋)대에 설치한 벼슬.

[統合 통합] 모두 합쳐서 하나로 모음. 통일하여 합침.

[正統 정통] 바른 계통.

[血統 혈통] 같은 핏줄을 타고난 겨레붙이의 계통.

6
⑫ 【絵】 繪(회)(糸部 13획)의 略字

6
⑫ 【絮】 솜 서㊇御 | 絮 xù | 紫

� ジョ〔わた〕 � cotton

字解 ① 솜 서, 헌솜 서(敝緜). ¶ 敗絮(패서). ② 버들개지 서(柳綿). ¶ 柳絮(유서). ③ 지루하게 얘기할

서(言語煩瑣).

字源 形聲. 糸+如〔音〕

[絮縷 서루] 솜과 실.

[絮語 서어] 너절하게 긴 말.

6
⑫ 【絜】 ▄ 잴 혈 ㋃屑
▄ 깨끗할 결 ㋃屑 | xié jié | 絜

� ケツ〔はかる・きよい〕 � measure, clear

字解 ▄ 잴 혈, 헤아릴 혈(度也). ¶ 絜矩(혈구). ▄ 깨끗할 결(淸也, 潔也). ¶ 絜粢(결자).

字源 形聲. 糸+㓞〔音〕

[絜粢 결자] 깨끗한 젯메쌀.

[絜矩之道 혈구지도] 나를 미루어 남을 헤아려 주며, 바른 길로 향하게 하는 도덕상의 도리. 「絜矩(혈구)」는 곡척으로 잰다는 뜻.

7
⑬ 【綌】 칡베 격 ㋃陌 | 綌 xì

� デキ〔くずめの〕

字解 칡베 격, 거친갈포 격.

字源 形聲. 糸+谷〔音〕

[綌衰 격최] 거친 갈포로 지은 상복.

7
⑬ 【絹】 명주 견㊉霰 | 绢 juàn | 绢

丶 ㄠ ㄠ ㄠ ㄠ 糸 紀 絹 絹 絹

� ケン〔きぬ〕 � silk

字解 명주 견(紬也). ¶ 絹本(견본). 絹布(견포).

字源 形聲. 糸+肙〔音〕

[絹本 견본] 서화에 쓰기 위한 깁바탕.

[絹絲 견사] 누에고치에서 뽑은 실. 명주실.

[本絹 본견] 명주실만으로 짠 비단.

7
⑬ 【絺】 칡베 치 ㋀支 | 绨 chī | 绨

� チ〔くずめの〕

字解 춡베 치(細葛布).
字源 形聲. 糸+希〔音〕.
[絺衣 치의] 가는 츩베로 만든 옷.

7
⑬【緷】■상복 문 ㈜問 ■갓 면㊤銑 | wèn miǎn | 絻
㈰ブン〔もふく〕・メン〔ひつきなわ〕
㊷ mourning dress
字解 ■상복 문(始發喪之服). ■갓 면.
字源 形聲. 糸+免〔音〕.

7
⑬【絿】급할 구 ㈜尤 | qiú | 絿
㈰キュウ〔きびしい〕 ㊷ urgent
字解 급할 구(急也).
字源 形聲. 糸+求〔音〕.

7
⑬【綃】생사 초 ㈜소㊤蕭 | xiāo | 绡
㈰ショウ〔きぬ〕 ㊷ raw silk
字解 생사 초(生絲綺屬). ¶ 生綃(생초).
字源 形聲. 糸+肖〔音〕.
[綃素 초소] 흰 비단.

7
⑬【綆】■두레박줄 경㊤梗 ■바퀴치우칠 병㊤梗 | gěng bǐng | 绠
㈰コウ〔つるべなわ〕・ヘイ〔くるまのわがかによる〕
㊷ well rope
字解 ■두레박줄 경(汲索). ■바퀴치우칠 병.
字源 形聲. 糸+更〔音〕.

7
⑬【綈】명주 제 ㈜齊 | tí | 绨
㈰テイ〔あつぎぬ〕 ㊷ silk
字解 명주 제(厚繪). ¶ 弋綈(익제).

字源 形聲. 糸+弟〔音〕.

7
⑬【綏】■편안할 수 ■기장식 유㈜支 ■드리울 타㊤哿 | suī | 绥
㈰スイ〔やすらか・はたのかざりげ〕・タ〔たれる〕
㊷ peaceful, hang down
字解 ■① 편안할 수(安也). ¶ 綏靖(수정). ② 끈 수(車中靶也). ■기장식 유. ■드리울 타.
字源 形聲. 糸+妥〔音〕.
[綏撫 수무] 어루만져 편안하게 함.
[綏定 수정] 나라를 편안하게 함.

7
⑬【經】날 경 ㈜青 | jīng | 经
ノ 幺 糸 紵 紒 經 經 經
㈰ケイ・キョウ〔たていと〕
㊷ warp
字解 ① 날 경(凡織縱絲曰經橫曰緯). ¶ 經度(경도). ② 지날 경(過也). ¶ 經過(경과). ③ 다스릴 경(治也). ¶ 經國濟世(경국제세). ④ 경서 경(書也). ¶ 四書三經(사서삼경). ⑤ 불경 경. ¶ 佛經(불경). ⑥ 경도 경(常也). ¶ 經水(경수).
字源 形聲. 糸+巠〔音〕.
[經略 경략] 천하를 경영・통치하며 사방을 공략함.
[經書 경서] 사서(四書)・오경(五經) 등 유교(儒敎)의 가르침을 쓴 서적. 경전(經典) 경적(經籍).
[經世 경세] 세상을 다스림.
[經營 경영] ㉠ 규모를 정하고 기초를 세워 일을 해 나감. ㉡ 계획을 세워 사업을 해 나감.
[經緯 경위] ㉠ 날과 씨. ㉡ 경선과 위선. 경도와 위도. ㉢ 사건의 전말. ㉣ 일이 되어 온 내력.
[經驗 경험] ㉠ 실지로 보고 듣고 겪

음. ㉡ 실지로 겪어 얻은 지식이나 기술.

[佛經 불경] 불교의 경전.

[五經 오경] 다섯 가지 경서. 곧, 시경·서경·주역·예기·춘추.

7 ⑬【綖】 ━ 면류관 연
덮개 연
先 ━ 실 선
霰
yán
xiàn

㊐ エン〔かんむりのおおい〕·セン〔いと〕

字解 ━ 면류관덮개 연(冕前後垂覆也). ━ 실 선.

字源 形聲. 糸+延〔音〕

7 ⑬【続】 續(속)(糸部 15획)의 略字

7 ⑬【継】 繼(계)(糸部 14획)의 略字

7 ⑬【絛】 끈 조
豪
道
tāo

㊐ ジョウ〔きなだ〕 ㊩ braid

字解 ① 끈 조(絹也). ¶ 錦絛(금조). ② 엮은실 조(編絲繩).

字源 形聲. 糸+攸〔音〕

[絛蟲 조충] 촌충(寸蟲).

8 ⑭【綜】 모을 종
宋
zōng

㊐ ソウ〔すべる〕 ㊩ gather

字解 ① 모을 종(總聚). ¶ 綜合(종합). ② 바디 종(機縷), 종사 종. ¶ 綜絲(종사).

字源 形聲. 糸+宗〔音〕

[綜練 종련] 충분히 익힘.

[綜絲 종사] 베틀의 날실을 끌어올리기 위하여 맨 실. 잉아.

[綜合 종합] ㉠ 개개의 것을 한데 모아 합함. 총합(總合). ¶ 綜合病院(종합 병원). ㉡ 개개의 개념·관념·판단을 한데 모아 새로운 개념·관념·판

판단을 이룩함.

8 ⑭【綠】 초록빛 록
沃 록
綠
lù
綠

幺 糸 糹 絼 紓 紓 絠 綠

㊐ リョク〔みどり〕 ㊩ green

字解 초록빛 록(青黃間色).

字源 形聲. 糸+彔〔音〕

注意 緣(糸部 9획)은 딴 글자.

[綠肥 녹비] 풋거름. 생풀이나 생나무 잎을 썩히지 않고 그대로 하는 거름.

[綠陰 녹음] 푸른 나뭇잎의 그늘.

[綠衣紅裳 녹의홍상] 연두저고리와 다홍치마. 곧, 젊은 여자의 곱게 단장한 복색.

[綠化 녹화] 나무를 많이 심고 잘 가꾸어 푸르게 만듦. ¶ 山林綠化(산림녹화).

8 ⑭【綢】 ━ 얽을 주
尤
chóu
綢
tāo
絢

━ 쌀 도
豪

㊐ チュウ〔まとう〕·トウ〔つつむ〕 ㊩ bind, wrap

字解 ━ ① 얽을 주(繆也), 얽힐 주(纏也), 동여맬 주(綑束也). ¶ 綢繆(주무). ② 빽빽할 주, 촘촘할 주(密也). ¶ 綢密(주밀). ③ 비단 주(紬也). ¶ 綢緞(주단). ━ 쌀 도.

字源 形聲. 糸+周〔音〕

[綢緞 주단] 품질이 썩 좋은 비단.

[綢繆 주무] ㉠ 얽힘. ㉡ 동여맴. ㉢ 애써 일을 경영함. 미리 주도하게 준비함.

[綢密 주밀] 빽빽함. 촘촘함.

[綢直 주직] 성질(性質)이 치밀하고 마음이 곧음.

8 ⑭【綣】 정다울 권
阮 권
綣
quǎn
綩

㊐ ケン〔ねんごろ〕 ㊩ intimate

字解 정다울 권(厚情). ¶ 綣繾(권견).

字源 形聲. 糸+卷[音]

[綣繾 권견] 간곡하게 정성을 다 들이는 모양. 견권(繾綣).

8
⑭ 【絭】 ━붉은비단 천 ㉯霰 qiàn 绛 結
㉯庚 고낼 쟁 zhēng

�日 センゆ〔あかねいろ〕・ソウゆ〔かがめる〕

字解 ━붉은비단 천(赤繒). ━고낼 쟁(結而又屈).

字源 形聲. 糸+靑[音]

8
⑭ 【綫】 線(선)(糸部 9획)과 同字

8
⑭ 【綬】 끈 수 ㉯有 绶 绶
shòu

�日 ジュ〔ひも〕 ㊎ seal-chain

字解 끈 수(所以承受印環). ¶ 解綬(해수).

字源 形聲. 糸+受[音]

[綸綬 윤수] 푸른 실로 꼰 인끈.

8
⑭ 【維】 바 유 ㉯支 维 维
wéi

㉡ 糸 糸' 糸' 糸' 絆 維 維

�日 イ〔つな〕 ㊎ rope

字解 ① 바 유(紘也). ¶ 四維(사유). ¶ 天柱地維(천주지유). ② 맬 유(連結也). ③ 오직 유(獨也).

字源 形聲. 糸+隹[音]

[維繫 유계] 맴. 잡아맴.

[維歲次 유세차] '이해의 차례는'의 뜻으로 제문(祭文)의 첫머리에 쓰이는 문투.

[維新 유신] 모든 것이 개혁되어 새롭게 됨. 묵은 제도를 아주 새롭게 고침.

[維舟 유주] ㉠ 배를 맴. ㉡ 제후(諸侯)가 타는 배.

[維持 유지] 지탱하여 감. 또는 버티어 감.

[纖維 섬유] ㉠ 생물체의 몸을 이루

는 가늘고 긴 실 같은 물질. ㉡ 실 모양의 고분자 물질.

8
⑭ 【綯】 새끼꼴 도 ㉯豪 绹 绹
táo

㉡ トウ〔なわなう〕

㊎ twist a rope

字解 새끼꼴 도(糾絞繩索).

字源 形聲. 糸+匋[音]

8
⑭ 【綰】 얽을 관 ㊤潸 绾 綰
wǎn

㉡ ワン〔つなぐ〕 ㊎ weave

字解 ① 얽을 관(繫也). ② 꿸 관(貫也).

字源 形聲. 糸+官[音]

8
⑭ 【綱】 벼리 강 ㉯陽 纲 綱
gāng

㇐ 纟 糸 糿 絅 綱 綱 綱

㉡ コウ〔つな〕 ㊎ basis

字解 ① 벼리 강(總網大繩). ¶ 綱常(강상). ¶ 紀綱(기강). ② 근본 강(總要). ¶ 綱領(강령). ③ 대강 강. ¶ 大綱(대강).

字源 形聲. 糸+岡[音]

[綱領 강령] ㉠ 일의 으뜸이 되는 큰 줄기. ㉡ 정당 등의 단체의 입장·목적·방침·규범 또는 운동의 순서 등을 요약해서 열거한 것.

[綱常 강상] 사람이 행하여야 할 도덕. 곧, 삼강(三綱)과 오상(五常).

[大綱 대강] 대체의 줄거리.

[要綱 요강] 중요한 골자.

8
⑭ 【網】 그물 망 ㊤養 网 網
wǎng

㉡ モウ〔あみ〕 ㊎ net

字解 그물 망(漁具), 그물질할 망. ¶ 魚網(어망).

字源 形聲. 糸+罔[音]

[參考] 罔(門部 6획)은 同字.

[注意] 綱(糸部 8획)은 딴 글자.

[網羅 망라] ㉠ 망(網)은 물고기 잡는 그물, 나(羅)는 새 잡는 그물. ㉡ 통틀어 얽음. ㉢ 널리 구하여 모조리 휘몰아 들임.
[網紗 망사] 그물코처럼 성기게 짠 깁.
[漁網 어망] 물고기를 잡는 그물.
[投網 투망] 그물을 던짐.

8 ⑭ 〖綴〗 이을 철 [入]屑 | 缀 zhuì

[日] テツ・テイ〔つづる・とじる〕
[英] connect

[字解] ① **이을 철**(聯也). ¶ 點綴(점철). ② **꿰맬 철, 맬 철**(合着, 結也). ¶ 補綴(보철).

[字源] 形聲. 糸+叕〔音〕

[綴字 철자] 자음과 모음을 맞추어서 한 글자를 만듦. 또, 그 글자. ¶ 綴字法(철자법).

8 ⑭ 〖綵〗 비단 채 [上]賄 | cǎi

[日] サイ〔あや〕 [英] silk

[字解] ① **비단 채**(繒也). ¶ 綵緞(채단). ② **채색 채**(彩色). ¶ 綵衣(채의).

[字源] 形聲. 糸+采〔音〕

[綵緞 채단] 온갖 비단의 총칭.
[綵籠 채롱] 아름다운 색으로 꾸민 종다래끼.

8 ⑭ 〖綸〗 [一]인끈 륜[平]眞 [二]두건 관[平]刪 | 纶 lún guān

[日] リン〔いとつり〕・カン〔あおいろのおびひも〕
[英] seal-chain

[字解] [一] ① **인끈 륜, 푸른인끈 륜**(青絲綬). ¶ 綸綬(윤수). ② **낚싯줄 륜**(釣繳). ¶ 垂綸(수륜). ③ **다스릴 륜**(治也). ¶ 經綸(경륜). [二] **두건 관.**

[字源] 形聲. 糸+侖〔音〕

[綸巾 윤건] 비단 두건. 은자(隱者)가 씀.
[綸綬 윤수] 푸른 실로 꼰 인끈.
[綸繩 윤승] 낚싯줄.
[綸言 윤언] 임금이 내리는 말씀. 윤지(綸旨).
[經綸 경륜] ㉠ 포부를 가지고 어떤 일을 조직적으로 계획함. ㉡ 천하를 다스림.

8 ⑭ 〖綺〗 비단 기 [上]紙 | 绮 qǐ

[日] キ〔あや〕 [英] silk

[字解] ① **비단 기, 깁 기, 무늬있는 비단 기**(文繒). ¶ 綺羅(기라). ② **무늬 기.** ¶ 綵綺(채기). ③ **고울 기, 아름다울 기**(美也). ¶ 綺語(기어).

[字源] 形聲. 糸+奇〔音〕

[綺羅 기라] ㉠ 무늬 있는 비단과 얇은 비단. ㉡ 곱고 아름다운 비단옷.
[綺羅星 기라성] 밤 하늘에 반짝이는 무수한 별.
[綺夢 기몽] 아름다운 꿈.
[綺語 기어] ㉠ 교묘하게 꾸며 대는 말. ㉡ 아름다운 말. 시문이나 소설 따위에서 묘하게 수식하여 표현한 말.

8 ⑭ 〖綻〗 솔기터질 탄 [去]諫 | 绽 zhàn

[日] タン〔ほころびる〕 [英] rip

[字解] **솔기터질 탄**(衣縫解). ¶ 綻裂(탄열).

[字源] 形聲. 糸+定〔音〕

[綻露 탄로] 비밀이 드러남. 비밀을 드러냄.

8 ⑭ 〖綽〗 너그러울 작[入]藥 | 绰 chuò

[日] シャク〔ゆるやか〕 [英] generous

[字解] ① **너그러울 작, 여유있을 작**(寬也). ¶ 綽綽(작작). ② **유순할 작, 얌전할 작**(靜淑). ¶ 綽約(작

6획

약). ③ **많을 작**(多也). ¶ 綽態(작태). ④ **더딜 작**(緩也).

[字源] 形聲. 糸+卓〔音〕

[綽約 작약] 몸이 가냘프고 맵시가 있는 모양. 유순하고 정숙한 모양.

[綽綽 작작] 언행이나 태도가 여유 있는 모양.

8 ⑭ **〖綾〗** 비단 릉 [平]蒸 | 绫 líng 

[日] リョウ〔あや〕 [英] silk

[字解] **비단 릉, 무늬있는비단 릉**(文繒). ¶ 綾綺(능기).

[字源] 形聲. 糸+夌〔音〕

[綾羅 능라] 두터운 비단과 얇은 비단. ¶ 綾羅錦繡(능라금수).

8 ⑭ **〖綿〗** 솜 면 [平]先 | 绵 mián 

′ 幺 糸 紒 絈 絈 綿 綿

[日] メン〔わた〕 [英] cotton

[字解] ① **솜 면**(纊也). ¶ 綿絲(면사). ② **잇닿을 면, 끊어지지 않을 면**(連也). ¶ 連綿(연면). ③ **잘 면**(細也). ¶ 綿密(면밀). ④ **감길 면, 얽힐 면**(纏也). ¶ 纏綿(전면).

[字源] 會意. 帛(견포)과 糸의 합자. 실이 가늘고 길게 늘어남의 뜻.

[參考] 緜(糸部 9획)은 本字.

[綿麗 면려] 섬세하고 고움.

[綿綿 면면] ㉠ 오래 계속하여 끊어지지 않는 모양. ㉡ 세밀한 모양. ㉢ 가는 모양.

[綿密 면밀] 자세하고도 빈틈이 없음.

[綿絲 면사] ㉠ 무명실. ㉡ 솜과 실.

[連綿 연면] 잇따라 이어짐.

8 ⑭ **〖緄〗** [一] 띠 곤 [上]阮 [二] 오랑캐이름 혼 [上]阮 | 绲 gǔn hùn 

[日] コン〔おび・せいじの・せいじゅうのな〕

[英] belt

[字解] [一] ① **띠 곤**(繡帶). ¶ 緄帶(곤대). ② **노끈 곤**(繩也). [二] **오랑캐이름 혼**.

[字源] 形聲. 糸+昆〔音〕

8 ⑭ **〖緇〗** 검을 치 [平]支 | 缁 zī 

[日] シ〔くろ〕 [英] black

[字解] ① **검을 치, 검은빛 치**(黑色). ¶ 緇布(치포). ② **중 치**(僧侶). ¶ 緇徒(치도).

[字源] 形聲. 糸+甾〔音〕

[緇素 치소] ㉠ 검은색과 흰색. ㉡ 승려와 속인(俗人).

[緇衣 치의] ㉠ 검은 옷. ㉡ 검정 물감을 들인 승려의 옷. ㉢ 승려.

8 ⑭ **〖緋〗** 붉을 비 [平]微 | 绯 fēi 

[日] ヒ〔あか〕 [英] red

[字解] ① **붉을 비**(帛赤色也). ¶ 緋緞(비단). ② **비단 비**(赤練).

[字源] 形聲. 糸+非〔音〕

8 ⑭ **〖緌〗** 갓끈 유 [平]支 | 緌 ruí 

[日] ズイ〔おいかけ〕 [英] string

[字解] **갓끈 유**(冠纓下垂).

[字源] 形聲. 糸+委〔音〕

8 ⑭ **〖綦〗** 초록빛 기 [平]支 | qí 

[日] キ〔もえぎ〕 [英] green

[字解] ① **초록빛 기**(綠色). ¶ 綦巾(기건). ② **들메끈 기**(履繫). ¶ 履綦(이기).

[字源] 形聲. 糸+其〔音〕

[綦巾 기건] 초록빛의 처녀 옷.

8 ⑭ **〖綮〗** [一] 힘줄붙은곳 경 [去]徑 [二] 창집 계 [去]霽 | 綮 qìng qǐ 

[日] ケイ〔きんにくのつはね・ほこのさや〕

[英] tendon

[字解] ➊ 힘줄붙은곳 경(筋肉結處). ¶ 肯綮(긍경). ➋ 창집 계(戟衣也).

[字源] 形聲. 糸+啓〈省〉〔音〕

8
⑭ 【緊】 급할 긴 ⊕軫 jǐn 緊

⼀ ⼄ 臣ʳ 臤 臤ᵗ 緊 緊 緊

㊐ キ〔かたい〕 ㊍ urgent

[字解] ① 급할 긴(急也). ¶ 緊急(긴급). ② 팽팽할 긴. ¶ 緊張(긴장). ③ 줄 긴, 줄일 긴(縮也). ¶ 緊縮(긴축). ④ 굳을 긴(堅也). ¶ 緊密(긴밀).

[字源] 形聲. 糸+臤〔音〕

[緊急 긴급] ㉠ 현악기의 줄이 팽팽함. ㉡ 요긴하고 급함. 절박해 있는 상태. ¶ 緊急命令(긴급 명령).
[緊密 긴밀] ㉠ 견고하고 빈틈이 없음. 또, 바싹 달라붙어 빈틈이 없음. ㉡ 엄밀하여 빈틈이 없음.
[緊要 긴요] 매우 필요함.
[緊縮 긴축] ㉠ 바싹 줄임. ㉡ 재정 상의 기초를 단단하게 하기 위하여 지출을 줄임. ¶ 緊縮財政(긴축 재정).
[要緊 요긴] 긴요.

8
⑭ 【総】 總(총)〔糸部 11획〕과 同字

9
⑮ 【緒】 ➊ 실마리 서 ⊕語 ➋ 나머지 사 ⊕麻 xù shē 绪

⼄ ⼄ 糸ʳ 紸 紵 紸 緒 緒

㊐ ショ〔いとぐち〕・シャ〔のこり〕 ㊍ clue, remainder

[字解] ➊ ① 실마리 서, 첫머리 서(發端). ¶ 緒論(서론). ② 나머지 서(殘餘). ¶ 緒餘(서여). ③ 일 서, 사업 서(事也, 業也). ¶ 基緒(기서). ④ 찾을 서(尋也). ¶ 緒正(서정). ⑤ 줄 서, 계통 서(統也). ¶ 緒冑(서주). ➋ 나머지 사.

[字源] 形聲. 糸+者〔音〕

[緒論 서론] 본론의 머리말이 되는 논설. 서론(序論). 서설(序說).
[緒業 서업] 시작한 일. 사업.
[緒餘 서여] 나머지. 잔여(殘餘).
[緒正 서정] 근본을 캐어 찾아서 바로잡음.
[端緒 단서] 일의 처음. 일의 실마리.
[由緒 유서] 전하여 오는 까닭과 내력.

9
⑮ 【緗】 담황색 상 ⊕陽 xiāng 緗

㊐ ショウ〔あさぎいろ〕 ㊍ citrine

[字解] 담황색 상(淺黃). ¶ 緗素(상소).

[字源] 形聲. 糸+相〔音〕

9
⑮ 【緘】 봉할 함 ⊛感⊕咸 jiān 緘

㊐ カン〔とじる〕 ㊍ close

[字解] ① 봉할 함(封也). ¶ 緘音(함음). ② 묶을 함(束也). ¶ 緘制(함제).

[字源] 形聲. 糸+咸〔音〕

[緘口 함구] 입을 다물고 말하지 않음. 함묵(緘默). ¶ 緘口不言(함구불언).

9
⑮ 【線】 줄 선 ⊗霰 xiàn 线

⼄ 糸 紸ʳ 紵 紸 綧 線

㊐ セン〔すじ〕 ㊍ line

[字解] ① 줄 선, 실 선(縷也). ¶ 電線(전선). 針線(침선). ② 선 선. ¶ 直線(직선).

[字源] 形聲. 糸+泉〔音〕

[線路 선로] ㉠ 가늘고 긴 길. ㉡ 기차·전차의 궤도(軌道).
[線縷 선루] 실.
[線審 선심] 축구·배구 등 경기에서, 선에 관한 규칙 위반을 살피는 보조 심판원.
[幹線 간선] 도로·철도·전신 등의

주요한 선. 본선.

9 ⑮【緝】 ■이을 즙 ㊉緝
■모을 집
㊗즙緝
緝 jī
jí

㊐ シュウ〔つぐ・あつめる〕
㊊ continue, gather

字解 ■ ① 이을 즙(繼績). ¶ 緝績(즙속). ② 자을 즙(績也). ¶ 緝績(즙적). ③ 잡을 즙(執也). ¶ 緝捕(즙포). ④ 화합할 즙(和也). ¶ 緝和(즙화). ■ 모을 집, 모일 집(集也). ¶ 緝綴(집철).
字源 形聲. 糸+咠〔音〕

[緝捕 즙포] 죄인을 잡아 가둠. 또, 그 사람.
[緝和 즙화] 화합(和合)함.
[緝綴 집철] 글을 모아서 엮음. 글을 지음.

9 ⑮【緞】 비단 단 ㊉翰
緞 duàn

㊐ タン・ドン〔どんす〕㊊ silk
字解 비단 단(厚繒). ¶ 紬緞(주단).
字源 形聲. 糸+段〔音〕

[緞子 단자] 광택 있고 두꺼운, 무늬 있는 수자(繻子) 조직의 비단.

9 ⑮【締】 맺을 체 ㊉霽
締 dì

㊐ テイ〔むすぶ〕㊊ tie
字解 맺을 체, 맺힐 체(結不解). ¶ 締約(체약).
字源 形聲. 糸+帝〔音〕

[締結 체결] ㉠ 얽어서 맺음. ㉡ 계약이나 조약을 맺음.
[締盟 체맹] 동맹을 맺음.

9 ⑮【緡】 ■낚싯줄 민㊉眞
■새우는소리 면㊉先
緡 mín
mián

㊐ ビン〔つりいと〕・メン〔ことりの

さま〕
㊊ fishline

字解 ■ ① 낚싯줄 민(釣緡). ¶ 緡綸(민륜). ② 돈꿰미 민(錢貫). ¶ 緡錢(민전). ■ 새우는소리 면(綿也). ¶ 緡蠻(면만).
字源 形聲. 篆文은 糸+昏〔音〕

[緡蠻 면만] 새가 우는 소리. ¶ 緡蠻黃鳥(면만황조).
[緡綸 민륜] 낚싯줄.
[緡錢 민전] 돈꿰미. 꿰미로 꿴 돈.

9 ⑮【緣】 ■연분 연㊉先
■가선 연㊉霰
緣 yuàn
yuán

纟糸紀紀緣緣緣緣
㊐ エン〔よる・ふち〕
㊊ affinity, edge

字解 ① 연분 연(因緣). ¶ 良緣(양연). ② 인할 연(因也). ¶ 緣由(연유). ■ ① 가선 연(衣純). ¶ 緣邊(연변). ② 두를 연(飾邊). ¶ 緣繞(연요).
字源 形聲. 糸+彖〔音〕

[緣木求魚 연목구어] 나무에 올라가 물고기를 구하듯, 도저히 불가능한 일을 하려 함을 비유한 말.
[緣邊 연변] 가. 변두리.
[緣分 연분] ㉠ 서로 걸리게 되는 인연. ㉡ 부부가 될 수 있는 인연. ¶ 天生緣分(천생연분).
[緣由 연유] 까닭. 사유. 유래.
[緣坐 연좌] 남의 범죄에 관련되어서 죄를 받음. 연좌(連坐).
[事緣 사연] 일의 앞뒤 사정과 까닭.
[血緣 혈연] 같은 핏줄로 연결된 인연.

9 ⑮【緦】 시마 시 ㊉支
緦 sì

㊐ シ〔ぬの〕
字解 시마 시(三月服). ¶ 緦麻(시마).
字源 形聲. 糸+思〔音〕

[總麻 시마] 석 달 동안 입는 상복(喪服).

9/15 【褓】 포대기 보⊥皓 bǎo

日 ホウ〔うぶぎ〕 英 baby wrapper

字解 포대기 보(小兒被). ¶ 襁褓(강보).

字源 形聲. 糸+保〔音〕

9/15 【編】 ■엮을 편⊕先 / ■땋을 변⊥銑 编 biān biān

幺 糸 糹 紵 紵 絹 絹 編

日 ヘン〔あむ〕・うすぎぬ 英 compile, braid

字解 ■ ① 엮을 편, 지을 편(錄也). ¶ 編修(편수). ② 얽을 편, 짤 편(織也), 맬 편(結也). ③ 책끈 편. ¶ 韋編三絶(위편삼절). ④ 책 편(篇也). ¶ 編錄(편록). ⑤ 편 편(篇也). ¶ 後編(후편). ■ 땋을 변(辮也). ¶ 編髮(변발).

字源 形聲. 糸+扁〔音〕

[編髮 변발] ㉠ 관례를 하기 전에 머리를 땋음. 또, 그 사람. ㉡ 청(淸)나라 사람이 땋던 머리 형태. 변발(辮髮).

[編成 편성] ㉠ 얽어서 만듦. ㉡ 모아서 조직함.

[編修 편수] 책을 엮거나 수정함.

[編制 편제] 낱낱의 것을 모아 통제(統制) 있는 단체로 조직함.

[編輯 편집] 여러 가지 재료를 수집하여 책·신문 등을 엮음. 편찬(編纂).

[改編 개편] 책 따위를 다시 고치어 편집함.

9/15 【緩】 느릴 완⊥부 缓 huǎn

幺 糸 紓 紵 絲 絵 緩 緩

日 カン〔ゆるい〕 英 slow

字解 ① 느릴 완, 느슨할 완(舒也).

¶ 緩慢(완만). ② 늦출 완(遲也). ¶ 緩和(완화). ③ 너그러울 완(寬也). ¶ 緩刑(완형). ④ 부드러울 완(柔也). ¶ 土緩(토완).

字源 形聲. 糸+爰〔音〕

[緩急 완급] ㉠ 느림과 급함. ㉡ 위급한 일. 돌발한 사변.

[緩慢 완만] ㉠ 행동이 느릿느릿함. ㉡ 활발하지 않음.

[緩和 완화] 늦춤. 늦추어짐.

[弛緩 이완] 풀리어 늦추어짐.

9/15 【緪】 동아줄 긍⊥蒸 gēng gèng

日 コウ〔おおなわ〕 英 rope

字解 ① 동아줄 긍(大索). ¶ 繫緪(계긍). ② 팽팽할 긍(急張絃).

字源 形聲. 糸+恆〔音〕

9/15 【緫】 푸를 총⊕董 zōng

日 ソウ〔あお〕 英 blue

字解 ① 푸를 총(帛青也). ¶ 朱緫(주총). ② 타래 총(絲數).

字源 形聲. 糸+怱〔音〕

9/15 【緬】 멀 면⊥銑 缅 miǎn

日 メン〔おもう〕 英 distant

字解 ① 멀 면, 아득할 면(遠也). ② 가는실 면(微絲). ¶ 緬羊(면양). ③ 생각할 면(思貌). ¶ 緬然(면연).

字源 形聲. 糸+面〔音〕

[緬禮 면례] 무덤을 옮겨서 다시 장사 지냄. 면봉(緬奉).

[緬想 면상] 멀리 생각을 미침. 면사(緬思).

[緬然 면연] ㉠ 아득한 모양. ㉡ 멀리 바라보는 모양. ㉢ 생각하는 모양.

9/15 【緯】 씨 위⊕未 纬 wěi

幺 糸 糸' 糸⁺ 緈 緯 緯 緯

[日] イ〔よこ〕 [英] woof

[字解] ① **씨 위, 씨줄 위**(橫絲). ¶ 緯經(위경). ② **짤 위**(織也). ③ **별 위**(星辰). ④ **묶을 위**(束也). ⑤ **참서 위.** ¶ 讖緯(참위).

[字源] 形聲. 糸+韋〔音〕

[緯度 위도] 적도(赤道)에서 남북으로 각각 평행하게 90도로 나누어 지구 표면을 측정하는 좌표.

[經緯 경위] ㉠ 피륙의 날과 씨. ㉡ 경선과 위선. ㉢ 경도와 위도. ㉣ 일이 되어 온 내력.

9 ⑮ 【練】 익힐 련 [去]霰 | 练 liàn

幺 糸 糸一 紅 絅 絧 紳 練

[日] レン〔ねる〕 [英] practice

[字解] ① **익힐 련**(凡技之求其熟). ¶ 練磨(연마). ② **연복 련**(小祥服). ¶ 練服(연복). ③ **가릴 련**(選也). ¶ 練日(연일). ④ **누일 련**(煮漚). ¶ 練絲(연사).

[字源] 形聲. 糸+柬〔音〕

[練磨 연마] 학문이나 기술을 거듭 노력하여 익힘. 연마(硏磨).

[練服 연복] 소상(小祥)이 지나고 나서부터 담제(禫祭) 전에 입는 상복.

[練絲 연사] 생실을 비누나 소다물에 담가서 희고 광택이 나게 한 실.

[練擇 연택] 고름. 가림.

[練布 연포] 누인 피륙.

[熟練 숙련] 숙달하게 익힘.

[訓練 훈련] ㉠ 가르치고 연습시켜 익히게 함. ㉡ 무예나 기술 등을 배워서 익힘.

9 ⑮ 〖緻〗 찬찬할 치[去]寘 | zhì

[日] チ〔こまか〕 [英] detailed

[字解] **찬찬할 치**(密也).

[字源] 形聲. 糸+致〔音〕

[緻密 치밀] ㉠ 자상하고 꼼꼼함. ㉡ 썩 곱고 빽빽함. ㉢ 피륙 같은 것이 배고 톡톡함. ㉣ 실수가 없음.

9 ⑮ 〖緶〗 《韓》 가선 선

[日] ふちどる [英] hem

[字解] 《韓》 **가선 선, 선두를 선**(衣緣).

[字源] 形聲. 糸+宣〔音〕

9 ⑮ 〖縄〗 繩(승)(糸部 13획)의 俗字

9 ⑮ 〖緜〗 綿(면)(糸部 8획)의 本字

10 ⑯ 〖縡〗 일 재 [去]隊 [上]賄 | zài

[日] サイ〔こと〕 [英] work

[字解] **일 재.** '事'와 뜻이 같음.

[字源] 形聲. 糸+宰〔音〕

10 ⑯ 〖縉〗 꽂을 진 [去]震 | 缙 jìn

[日] シン〔うすあか〕 [英] insert

[字解] ① **꽂을 진**(搢也). ¶ 縉紳(진신). ② **분홍빛 진**(淺絳也).

[字源] 形聲. 糸+晉〔音〕

[縉紳 진신] ㉠ 홀(笏)을 큰 띠 곧, 신(紳)에 꽂음. ㉡ 공경(公卿). 높은 벼슬아치.

10 ⑯ 〖縕〗 [一]주홍빛 온[平]文 [二]솜옷 온 [上]吻 | 缊 yūn

[日] オン〔あかいろ〕

[英] scarlet, paddled clothes

[字解] [一] ① **주홍빛 온**(赤黃色). ② **헌솜 온**(故絮). [二] ① **솜옷 온.** ¶ 縕袍(온포). ② **삼 온, 모시 온**(枲麻).

[字源] 形聲. 糸+昷(音)

[縕襏 온발] 솜을 둔 우장(雨裝)옷.

[縕巡 온순] 나란히 가는 모양.

6획

[縕袍 온포] 솜을 둔 옷.

10 ⑯ 【縊】 목맬 액 [本]의 [平]寘 | 缢 yì

[日] イ〔くびる〕 [英] hang

[字解] **목맬 액**(自經懸縄阨頸). ¶ 縊死(의사).

[字源] 形聲. 糸+益〔音〕

[縊死 액사] 목을 매어 죽음.
[縊殺 액살] 목을 매어 죽임.

10 ⑯ 【縋】 매달릴 추 [去]寘 | 缒 zhuì

[日] ツイ〔すがる〕 [英] hang

[字解] ① **매달릴 추**(縄懸). ② **줄 추**(索也).

[字源] 形聲. 糸+追〔音〕

10 ⑯ 【縑】 비단 겸 [平]鹽 | 缣 jiān

[日] ケン〔きぬ〕 [英] silk

[字解] **비단 겸**(并絲絹). ¶ 素縑(소겸).

[字源] 形聲. 糸+兼〔音〕

10 ⑯ 【縛】 묶을 박 [入]藥 | 缚 fù

[日] バク〔しばる〕 [英] bind

[字解] ① **묶을 박**(束也). ¶ 捕縛(포박). ② **얽을 박**(繫也).

[字源] 形聲. 糸+尃〔音〕

[注意] 搏(手部 10획)은 딴 글자.

[束縛 속박] 어떤 행위를 자유로이 하지 못하도록 얽매거나 제한함.

10 ⑯ 【縝】 고울 진 [上]軫 | 缜 zhěn

[日] シン〔こまか〕 [英] thick

[字解] ① **고울 진**. ② **찬찬할 진, 빽빽할 진**(密也). ¶ 縝密(진밀).

[字源] 形聲. 糸+眞〔音〕

10 ⑯ 【縞】 명주 호 [本]고[上]皓 | 缟 gǎo

[日] コウ〔ねりぎぬ〕 [英] white silk

[字解] ① **명주 호**(白繒, 素也). ¶ 縞裙(호군). ② **흴 호**(白色). ¶ 縞舃(호석).

[字源] 形聲. 糸+高〔音〕

[縞衣 호의] ㉠ 희고 깨끗한 비단옷. ㉡ 학(鶴)의 날개. ¶ 縞衣綦巾(호의기건).

10 ⑯ 【縟】 채색 욕 [入]沃 | 缛 rù

[日] ジョク〔かざり〕 [英] coloring

[字解] ① **채색 욕**(繁采飾). ¶ 縟麗(욕려). ② **번거로울 욕**. ¶ 縟禮(욕례).

[字源] 形聲. 糸+辱〔音〕

[縟麗 욕려] 정교하게 장식한 채색이 화려함.
[縟禮 욕례] 번거롭고 까다로운 예절. ¶ 繁文縟禮(번문욕례).

10 ⑯ 【縣】 [一]매달 현 [平]先 [二]고을 현 [去]霰 | 县 xiàn

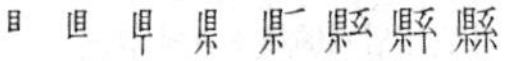

[日] ケン〔かかる〕 [英] hang up, county

[字解] [一] ① **매달 현**(繫也, 懸也). ¶ 縣鼓(현고). ② **떨어질 현**(遠也). ¶ 縣隔(현격). [二] **고을 현**(行政區域). ¶ 縣監(현감).

[字源] 會意. 목을 베어 나무에 거꾸로 매단 모양. 「懸」의 원자(原字).

[參考] 県(目部 4획)은 略字.

[縣監 현감] 조선 왕조 때의 작은 고을의 원. 종육품(從六品)임.

10 ⑯ 【縢】 끈 등 [平]蒸 | téng

[日] トウ〔ひも〕 [英] string

[字解] ① **끈 등**(繩也). ② **봉할 등**(緘也). ¶ 封縢(봉등). ③ **행전 등**

(纏脛). ¶ 行縢(행등).

[字源] 形聲. 糸+朕〔音〕

10 ⑯ 〖縈〗 얽힐 영 [平]庚 | 萦 yíng

[日] エイ〔めぐる〕 [英] wind round

[字解] ① 얽힐 영(繞也). ¶ 縈結(영결). ② 두를 영(旋也). ¶ 縈繞(영요). ③ 굽을 영(曲也).

[字源] 形聲. 糸+熒〈省〉〔音〕

11 ⑰ 〖縯〗 [一]길 연 [去]霰 [二]당길 인 [上]軫 | 𬙂 yǎn yǐn

[日] エン〔ながい〕・イン〔じんめい〕

[英] long, pull

[字解] [一] 길 연. [二] 당길 인.

[字源] 形聲. 糸+寅〔音〕

11 ⑰ 〖縫〗 꿰맬 봉 [平]冬 | 缝 féng

[日] ホウ〔ぬう〕 [英] sew

[字解] ① 꿰맬 봉(以鍼紩衣也). ¶ 縫製(봉제). ② 기울 봉(補合). ¶ 彌縫(미봉).

[字源] 形聲. 糸+逢〔音〕

[縫合 봉합] ㉠ 꿰매어 합침. ㉡ 외과 수술에서 절개한 자리를 꿰매어 붙임.

[裁縫 재봉] 옷감 따위를 말라서 바느질함. 또는 그 일.

11 ⑰ 〖縮〗 오그라들 축[本]숙[入]屋 | 缩 suō

幺 糸 糸 紵 紵 紵 縮 縮

[日] シュク〔ちぢむ〕 [英] shrink

[字解] ① 오그라들 축(贏之反). ② 줄 축. ¶ 短縮(단축). ③ 모자랄 축(不及).

[字源] 形聲. 糸+宿〔音〕

[縮小 축소] 줄여 작게 함. 또는 작아짐.

[縮尺 축척] 축도(縮圖)를 그릴 때 그 축소시킬 비례의 척도. 줄인자.

[減縮 감축] 덜어서 줄임.

[伸縮 신축] 늘어나고 줄어듦.

11 ⑰ 〖縱〗 [一]세로 종 [平]冬 [二]늘어질 종 [去]宋 | 纵 zòng zōng

幺 糸 糹 紒 紒 紒 紒 縱

[日] ジュウ・ショウ〔たて・ゆるむ〕

[英] vertical, droop

[字解] [一] 세로 종(橫之對). ¶ 縱書(종서). [二] ① 늘어질 종(緩也). ¶ 天綱縱(천강종). ② 놓을 종(放也), 놓아줄 종. ¶ 縱囚(종수). ③ 비록 종(雖也). ¶ 縱使(종사). ④ 방자할 종. ¶ 放縱(방종).

[字源] 形聲. 糸+從〔音〕

[縱貫 종관] ㉠ 세로 꿰뚫음. ㉡ 남북으로 통함.

[縱覽 종람] 마음대로 봄.

[縱使 종사] 가령. 설사.

[縱橫 종횡] ㉠ 가로와 세로. ㉡ 자유자재로 거침이 없음.

[操縱 조종] 마음대로 다루어 부림.

11 ⑰ 〖縲〗 [一]포승 루 [平]支 [二]밧줄 라 [平]歌 | 缧 léi

[日] ルイ〔とりなわ〕・ラ〔おおなわ〕

[英] rope

[字解] [一] 포승 루, 검은포승 루(黑索). ¶ 縲絏(누설). [二] 밧줄 라.

[字源] 形聲. 糸+累〔音〕

[縲絏 누설] ㉠ 포승(捕繩)으로 죄인을 묶음. ㉡ 잡혀 갇힌 몸.

11 ⑰ 〖縵〗 [一]명주 만 [去]翰 [二]늘어질 만 [去]諫 | 缦 màn

[日] マン〔むじのきぬ・ゆるい〕

[英] silk, droop

字解 ━ 명주 만(無紋縑). ━ 늘어질 만(緩也).

字源 形聲. 糸+曼〔音〕

---

11 / ⑰ **【縷】** 실루⊥麌 | 缕 lǚ | 縷

㊤ ル〔いと〕 ㊤ thread

字解 ① 실 루, 올 루(綫也). ¶一縷(일루). ② 자세할 루(詳細). ¶縷言(누언).

字源 形聲. 糸+婁〔音〕

[縷述 누술] 자세하게 자기 의견을 말함.

[一縷 일루] 한 오리의 실이라는 뜻으로, 극히 미약해서 겨우 유지되는 상태를 이르는 말.

---

11 / ⑰ **【縹】** 옥색 표⊥篠 | 縹 piāo, piǎo | 縹

㊤ ヒョウ〔はなだ〕 ㊤ light blue

字解 ① 옥색 표(靑白色). ¶縹綠(표록). ② 휘날릴 표(輕飛貌). ¶縹縹(표표).

字源 形聲. 糸+票〔音〕

[縹綠 표록] 옥색과 초록색.

[縹緲 표묘] ㉠ 어렴풋하여 뚜렷하지 않은 모양. ㉡ 넓고 끝없는 모양. 표표(縹縹).

---

11 / ⑰ **【總】** 거느릴 총⊥董 | 总 zǒng | 總

幺 糸 糹 糿 紛 紳 總 總

㊤ ソウ〔すべる〕 ㊤ control

字解 ① 거느릴 총(統也). ¶總理(총리). ② 모을 총(聚也), 합할 총(合也). ¶總計(총계). ③ 묶을 총, 맬 총(結也). ④ 졸각 총. ¶總角(총각). ⑤ 모두 총, 다 총(皆也). ¶總動員(총동원). ⑥ 술 총(流蘇). ¶朱總(주총).

字源 形聲. 糸+悤〔音〕

參考 総(糸部 8획)은 同字.

[總角 총각] ㉠ 아이들의 두발을 양쪽으로 갈라 뿔 모양으로 동여맨 머리. ㉡ 미혼의 남자.

[總括 총괄] ㉠ 통틀어 하나로 뭉침. ㉡ 요점을 모아서 한 개의 개념을 만듦.

[總量 총량] 전체의 양. 전량(全量).

[總務 총무] 전체의 사무. 또, 그 사무를 취급하는 사람.

[總意 총의] 전체의 의사.

---

11 / ⑰ **【績】** 자을 적⊅錫 | 绩 jī | 績

幺 糹 糸 紀 紝 績 績 績

㊤ セキ〔つむぐ〕 ㊤ spin thread

字解 ① 자을 적(緝也). ¶紡績(방적). ② 공 적(功也). ¶功績(공적).

字源 形聲. 糸+責〔音〕

[績效 적효] 공적(功績). 공훈. 적공(績功).

[實績 실적] 실제로 공적이나 업적.

[業績 업적] 이룩해 놓은 성과.

---

11 / ⑰ **【繃】** 묶을 붕⊕庚 | 绷 bēng | 繃

㊤ ホウ〔つかねる〕 ㊤ bind

字解 묶을 붕(束也), 감을 붕(卷也). ¶繃帶(붕대).

字源 形聲. 糸+崩〔音〕

[繃帶 붕대] 상처난 곳 또는 헌데에 약을 바르고 감아 두는 소독한 베.

---

11 / ⑰ **【繅】** ━ 켤 소⊕豪 / ━ 옥받침 조⊥皓 | 缫 sāo | 繅

㊤ ソウ〔くる・たまにしくしきがわ〕 ㊤ reel silk

字解 ━ 켤 소, 고치실뽑을 소(抽繭出絲). ¶繅絲(소사). ━ 옥받침 조(藉玉). ¶繅藉(조자).

字源 形聲. 糸+巢〔音〕

[繅絲 소사] 고치를 켜서 실을 뽑음.

[繅藉 조자] 옥 밑에 까는 물건. 옥받침.

11 ⑰ 【繆】 [一]얽을 무 [去]宥 [二]사당차례 목[入]屋 [三]목맬 규 [平]尤 [四]두를 료 [上]篠 | 缪 móu mù jiū liǎo

[日] ビュウ〔あやまる〕・ボク〔ふかくおもう〕・キュウ〔くびる〕・リョウ〔まとう〕

[英] bind, hang, surround

[字解] [一] **얽을 무**(纏綿). [二] **사당 차례 목**(穆也). [三] **목맬 규**(絞也). [四] **두를 료**(繚也).

[字源] 形聲. 糸+翏〔音〕

[繆說 무설] 그릇된 언설(言說).
[繆言 무언] 거짓말.
[繆繞 무요] 얽히고 설킴.

11 ⑰ 【繇】 역사 요 [平]蕭 | 繇 yáo

[日] ヨウ〔うた〕 [英] forced labor

[字解] ① **역사 요**(徭也, 役也). ¶ 繇役(요역). ② **노래 요**(謠也). ¶ 繇俗(요속).

[字源] 形聲. 糸+䍃〔音〕

[繇俗 요속] 가요와 풍속.
[繇役 요역] 부역. 또는 부역을 나감.

11 ⑰ 【縶】 맬 칩 [入]緝 | 絷 zhí

[日] チュウ〔つなぐ〕 [英] tie up

[字解] ① **맬 칩**(繫也). ¶ 繫縶(계칩). ② **잡을 칩**(拘執也). ¶ 拘縶(구칩).

[字源] 形聲. 糸+執〔音〕

11 ⑰ 【縻】 얽어맬 미[平]支 | 縻 mí

[日] ビ〔つなぐ〕 [英] tie up

[字解] ① **얽어맬 미**(繫也). ¶ 繫縻(계미). ② **끈 미**(牛轡也). ¶ 羈縻(기미).

[字源] 形聲. 糸+麻〔音〕

11 ⑰ 【繁】 성할 번 [平]元 | fán

[日] ハン〔さかん〕 [英] prosper

[字解] ① **성할 번**(盛也). ¶ 繁盛(번성). ② **많을 번**(多也). ¶ 繁多(번다). ③ **번거로울 번**(雜也). ¶ 繁雜(번잡). ④ **잦을 번**(數也). ¶ 頻繁(빈번).

[字源] 形聲. 攵(攴)+敏〔音〕

[繁多 번다] 번거로울 정도로 많음.
[繁文縟禮 번문욕례] 지나치게 형식적이어서 번거롭고 까다로운 규칙과 예절.
[繁盛 번성] 형세가 붇고 늘어나 잘 됨.
[繁殖 번식] 붇고 늚.
[繁榮 번영] 일이 성하게 잘 되어 영화로움.
[繁昌 번창] ㉠ 초목이 무성함. 번성(繁盛). ㉡ 번영하고 창성(昌盛)함.
[頻繁 빈번] 번거롭게 도수가 잦음.

11 ⑰ 【繄】 [一]이 예 [平]齊 [二]아 예 [去]霽 | yí

[日] エイ〔これ〕 [英] this

[字解] [一] **이 예**(是也). [二] **아 예**(歎聲).

[字源] 形聲. 糸+殹〔音〕

12 ⑱ 【繒】 비단 증 [平]蒸 | 缯 zēng

[日] ソウ〔きぬ〕 [英] silk

[字解] **비단 증**(帛總名). ¶ 繒帛(증백).

[字源] 形聲. 糸+曾〔音〕

[繒絮 증서] 비단과 솜.

12 ⑱ 【織】 [一]짤 직 [入]職 [二]기치 치 [去]寘 | 织 zhī zhì

6획

[日] ショク・シキ〔おる〕・シ〔きし〕
[英] weave, flag

[字解] [一] ① **짤 직**(作布帛). ¶ 織機(직기). ② **만들 직**. ¶ 組織(조직). [二] **기치 치**(旗也).

[字源] 形聲. 糸+戠〔音〕

[織物 직물] 온갖 피륙의 총칭.
[織造 직조] 피륙을 짜는 일. 길쌈.
[紡織 방직] 기계를 이용하여 실을 날아서 피륙을 짜는 일.

12 ⑱ 〖繕〗 기울 선 [去]霰 | 缮 shàn

[日] ゼン〔つくろう〕 [英] mend, repair

[字解] ① **기울 선**(補也). ¶ 修繕(수선). ② **다스릴 선**(治也). ¶ 征繕(정선).

[字源] 形聲. 糸+善〔音〕

[繕寫 선사] 잘못을 바로잡아 다시 고쳐서 베낌.
[修繕 수선] 낡거나 허름한 것을 고침.

12 ⑱ 〖繖〗 일산 산 [上]旱 | sǎn

[日] サン〔かさ〕 [英] parasol

[字解] **일산 산**(傘也). ¶ 錦繖(금산).

[字源] 形聲. 糸+散〔音〕

[繖蓋 산개] 비단으로 만든 일산.

12 ⑱ 〖繙〗 풀 번 [平]元 | 繙 fān

[日] ハン〔ひもとく〕 [英] translate

[字解] ① **풀 번**(繹也). ② **휘날릴 번**(風吹旗也).

[字源] 形聲. 糸+番〔音〕

[繙譯 번역] 한 나라 말로 쓴 것을 다른 나라 말로 고쳐 씀. 번역(飜譯).
[繙繹 번역] 책을 읽고 그 뜻을 캠.

12 ⑱ 〖繚〗 얽힐 료 [平]蕭[去]嘯 | 缭 liáo

[日] リョウ〔まとう〕
[英] twine round

[字解] ① **얽힐 료**(纏也). ② **두를 료**(繞也). ③ **다스릴 료**(理也).

[字源] 形聲. 糸+尞〔音〕

12 ⑱ 〖繞〗 두를 요 [上]篠 | 绕 rào

[日] ジョウ〔めぐる〕 [英] surround

[字解] ① **두를 요, 둘러쌀 요**(圍也). ¶ 圍繞(위요). ② **얽힐 요, 감길 요**(纏也). ¶ 相繞(상요).

[字源] 形聲. 糸+堯〔音〕

[圍繞 위요] 주위를 둘러쌈.

12 ⑱ 〖繢〗 그림 회 [去]隊 | 缋 huì huí

[日] カイ〔ぬい〕 [英] picture

[字解] **그림 회**(畫也), **수놓을 회**(繡也).

[字源] 形聲. 糸+貴〔音〕

13 ⑲ 〖繡〗 수 수 [去]宥 | 绣 xiù

[日] シュウ〔ぬいとり〕 [英] embroider

[字解] ① **수 수**(五采刺文). ¶ 繡衣(수의). ② **비단 수**. ¶ 錦繡(금수).

[字源] 形聲. 糸+肅〔音〕

[繡衣 수의] ㉠ 수를 놓은 의복. ¶ 繡衣夜行(수의야행). ㉡ 암행어사를 영화롭게 이르는 말.
[刺繡 자수] 수를 놓음. 또, 그 수.

13 ⑲ 〖繩〗 노 승 [平]蒸 | 绳 shéng

[日] ジョウ〔なわ〕 [英] rope

[字解] ① **노 승, 줄 승, 새끼 승**(索也). ¶ 繩索(승삭). ② **먹줄 승**. ¶ 繩矩(승구).

[字源] 形聲. 糸+蠅〈省〉〔音〕

[繩矩 승구] ㉠ 먹줄과 곡척(曲尺). ㉡ 모범. 규범.
[繩索 승삭] 밧줄.

[捕繩 포승] 죄인을 결박하는 줄.

13/⑲ **繪** 그림 회
⊕隊
绘
huì
絵

⊕ カイ〔え〕 ⊛ picture

字解 ① 그림 회(畫也). ② 그릴
회. ¶ 繪畫(회화).

字源 形聲. 糸+會〔音〕.

參考 絵(糸部 6획)는 略字.

注意 繒(糸部 12획)은 딴 글자.

[繪像 회상] 사람의 얼굴을 그림으로 그린 형상. 화상(畫像).

[繪塑 회소] 채색을 한 소상(塑像).

[繪畫 회화] 물건의 형상을 평면에 그려 낸 것. 온갖 그림을 가리키는 말.

13/⑲ **繰** 켤 소⊕豪
야청비단 조⊕晧
缲
sāo
繰

⊕ ソウ〔くる・こんいろのきぬ〕
⊛ spin

字解 ━ 켤 소(繰也). 繰繭(소견). ⼆ 야청비단 조. 감색 비단. 반물 비단

字源 形聲. 糸+喿〔音〕.

[繰繭 소견] 고치에서 실을 켬.

13/⑲ **繮** 고삐 강
⊕陽
缰
jiāng

⊕ キョウ〔たづな〕 ⊛ reins

字解 고삐 강(馬繼).

字源 形聲. 糸+畺〔音〕.

13/⑲ **繳** 주살 작⊕藥
⊛격⊛藥
얽힐 교⊕篠
缴
zhuó
jiǎo
繳

⊕ シャク〔いぐるみ〕・キョウ〔まつわる〕
⊛ entangled

字解 ━ ① 주살 작(弋箭). ¶ 繒繳(증작). ② 실 작(生絲也). ⼆ 얽힐 교(纏也).

字源 形聲. 糸+敫〔音〕.

[繳網 작망] ㉠ 주살과 그물. ㉡ 사냥하고 고기 잡는 일.

[繳繒 작증] 주살을 맨 줄과 주살.

13/⑲ **繹** 당길 역
⊕陌
풀 석⊕陌
绎
yì
shì
繹

⊕ エキ〔ひく〕・セキ〔とく〕
⊛ strain, solve

字解 ━ ① 당길 역(抽絲). ② 연달역(不絶也). ¶ 絡繹(낙역). ⼆ 풀 석(解也).

字源 形聲. 糸+睪〔音〕.

[繹騷 역소] 끊임없이 소란함. 계속해서 떠들썩함.

[演繹 연역] 일반적인 원리에서 논리의 절차를 밟아 특수 원리를 이끌어 냄.

13/⑲ **繭** 고치 견
⊕銑
茧
jiǎn
繭

⊕ ケン〔まゆ〕 ⊛ cocoon

字解 고치 견(蠶房). ¶ 繭絲(견사).

字源 會意. 虫과 糸의 합자. 茴는 분명치 않음.

[繭絲 견사] ㉠ 고치에서 뽑은 실. 명주실. ㉡ 고치에서 명주실을 뽑듯이 백성에게서 조세(租稅)를 가혹하게 거두어들이는 일.

13/⑲ **繫** 맬 계
⊕霽
系
jì
繫

⊕ ケイ〔つなぐ〕 ⊛ bind

字解 ① 맬 계(維也). ② 얽을 계(縛也). ③ 묶을 계. ¶ 繫留(계류).

字源 形聲. 糸+毄〔音〕.

[繫留 계류] ㉠ 붙잡아 묶음. 붙들어 머물게 함. ㉡ 선박이 정박함.

[繫屬 계속] ㉠ 매어 딸림. ㉡ 소송(訴訟)이 법원에서 심리되고 있는 상태.

[連繫 연계] 서로 밀접한 관련을 가짐.

14
⑳【繻】
━명주 수
㊤虞
━명주 유
㊤虞

繻 $\begin{smallmatrix}xū\\rú\end{smallmatrix}$　绣

㊐ シュ〔うすぎぬ〕　㊤ silk

字解 ━ ① 명주 수(細密羅). ②
명주 조각 수(符帛). ━ 명주 유.

字源 形聲. 糸+需〔音〕

14
⑳【繼】
이을 계
㊎霽

繼 jì　继

ノ 幺 糸 糹 繼 繼 繼 繼

㊐ ケイ〔つぐ〕　㊤ succeed

字解 이을 계(續也, 紹也). ¶ 繼續
(계속).

字源 形聲.「䌛(절)」의 전음이 음
을 나타냄.

參考 继(糸部 7획)는 略字.

[繼起 계기] 잇따라 일어남.
[繼母 계모] 아버지의 후취(後娶).
[繼續 계속] 뒤를 이어 나아감.
[繼承 계승] 뒤를 이어받음.
[引繼 인계] 일이나 물건을 넘겨 주
거나 이어받음.
[中繼 중계] 중간에서 이어줌.

14
⑳【繽】
성할 빈
㊤眞

繽 bīn　缤

㊐ ヒン〔みだれる〕　㊤ dense

字解 ① 성할 빈(盛貌). ¶ 繽紛(빈
분). ② 많을 빈(衆也). ③ 어지러
울 빈(亂也). ¶ 繽繽(빈빈).

字源 形聲. 糸+賓〔音〕

[繽紛 빈분] ㉠ 많고 성한 모양. ㉡
혼잡하여 어지러운 모양. ㉢ 어지러
이 흩어지는 모양.
[繽繽 빈빈] ㉠ 많은 모양. ㉡ 얽혀
서 어지러운 모양.

14
⑳【繾】
곡진할 견
㊤銑

繾 qiǎn　缱

㊐ ケン〔ねんごろ〕　㊤ cordial

字解 곡진할 견. ¶ 繾綣(견권).

字源 形聲. 糸+遣〔音〕

[繾綣 견권] 깊이 생각하는 정이 못
내 잊히지 않음.

14
⑳【纁】
분홍빛 훈
㊤文

纁 xūn　纁

㊐ クン〔うすあか〕　㊤ pink

字解 분홍빛 훈(淺絳色).

字源 形聲. 糸+熏〔音〕

14
⑳【辮】
땋을 변
㊤銑

辮 biàn　辫

㊐ ベン〔あむ〕　㊤ plait

字解 땋을 변, 엮을 변(交也).

字源 形聲. 糸+辡〔音〕

注意 辯(辛部 14획)・瓣(瓜部 14획)
은 딴 글자.

[辮髮 변발] 머리를 땋아 늘임. 또는
땋아 늘인 머리.

14
⑳【纂】
모을 찬
㊤旱

纂 zuǎn　纂

㊐ サン〔あつめる〕　㊤ collect

字解 ① 모을 찬(集也). ② 편찬할
찬. ¶ 編纂(편찬).

字源 形聲. 糸+算〔音〕

注意 篹(竹部 10획)은 딴 글자.

[纂修 찬수] 문서의 자료를 모아 정
리함.
[纂述 찬술] 자료를 모아 저술함.
[編纂 편찬] 여러 가지 자료를 모아
책의 내용을 꾸며 냄.

15
㉑【纈】
무늬 힐
㊤屑

纈 xié　缬

㊐ ケツ〔しぼり〕　㊤ variegated

字解 ① 무늬 힐(文繪). ② 맺을
힐(結也).

字源 形聲. 糸+頡〔音〕

15
㉑【纊】
솜 광
㊣漾

纊 kuàng　纩

㊐ コウ〔わた〕　㊤ cotton

字解 솜 광(細綿). ¶ 絮纊(서광).

[字源] 形聲. 糸+廣〔音〕

15 ㉑ 〖纆〗 노 묵 [入]職 | 纆 mò

[日] ボク・モク〔なわ〕 [英] string

[字解] **노 묵, 노끈 묵.**

[字源] 形聲. 糸+墨〔音〕

15 ㉑ 〖纉〗 纘(찬)(糸部 19획)의 俗字

15 ㉑ 【續】 이을 속 [入]沃 | 续 xù

糸 … 續

[日] ゾク〔つづく・つぐ〕 [英] continue

[字解] **이을 속**(繼也). ¶ 續出(속출).

[字源] 形聲. 糸+賣〔音〕

[參考] 続(糸部 7획)은 약자.

[續開 속개] 일단 멈추었던 회의를 다시 엶.

[續出 속출] 계속하여 나옴.

[繼續 계속] 끊이지 않고 죽 잇대어 나아감.

15 ㉑ 〖纏〗 얽을 전 [平]先 | 缠 chán

[日] テン〔まとう〕 [英] tangle

[字解] ① **얽을 전**(繞也), **얽힐 전.** ¶ 纏絡(전락). ② **감을 전, 감길 전**(約也). ¶ 纏繞(전요).

[字源] 形聲. 糸+廛〔音〕

[纏帶 전대] 돈이나 물건을 넣어 몸에 지니게 된 양쪽 끝이 터진 자루.

15 ㉑ 〖纎〗 纖(섬)(糸部 17획)의 俗字.

15 ㉑ 〖纇〗 마디 뢰 [去]隊 | 颣 lèi

[日] ライ〔ふし〕

[字解] ① **마디 뢰**(絲節). ② **흠 뢰**(疵也). ③ **어그러질 뢰**(戾也).

[字源] 形聲. 糸+頪〔音〕

15 ㉑ 〖纍〗 갇힐 루 [平]支 | 累 léi lěi lèi

[日] ルイ〔まつわる〕 [英] be shut up

[字解] ① **갇힐 루**(囚繫). ② **얽힐 루**(聯絡). ③ **고달플 루**(疲也). ¶ 纍纍(누루).

[字源] 形聲. 糸+畾〔音〕

17 ㉓ 〖纓〗 갓끈 영 [平]庚 | 缨 yīng

[日] エイ〔ひも〕 [英] hat string

[字解] **갓끈 영, 관끈 영**(冠系). ¶ 纓冠(영관).

[字源] 形聲. 糸+嬰〔音〕

[纓冠 영관] 갓끈을 맴. 곧, 관을 씀.

[珠纓 주영] 구슬을 꿴 갓 끈.

17 ㉓ 〖纖〗 가늘 섬 [平]鹽 | 纤 xiān

[日] セン〔ほそい〕 [英] thin

[字解] ① **가늘 섬**(細也). ¶ 纖細(섬세). ② **자세할 섬**(仔細). ③ **고운 비단 섬**(羅縠).

[字源] 形聲. 糸+韱〔音〕

[參考] 纎(糸部 15획)은 俗字.

[纖妙 섬묘] 가늘고 묘함.

[纖眉 섬미] 가는 눈썹. 미인의 아름다운 눈썹. 아미(蛾眉).

[纖纖玉手 섬섬옥수] 보드랍고 고운 여자의 손.

[纖細 섬세] 가냘프고 가늚.

[纖維 섬유] 생물체를 조직하는 가는 실 같은 물질.

17 ㉓ 〖纔〗 [一]겨우 재 [平]灰 [二]잿빛 삼 [平]咸 | 才 cái shān

[日] サイ〔わずか〕サン〔あかぐろいいろのきぬ〕

[英] barely, gray

6 획

[字解] [一] ① 겨우 재(僅也). ¶ 纔至(재지). ② 잠깐 재(暫也). ¶ 纔瞬(재순). [二] 잿빛 삼(微黑色帛雀頭色).

[字源] 形聲. 糸+毚〔音〕

18 〖纛〗 [一]기 도 [去]號 [二]기 독 [入]沃 | 纛 dào dú
㉔

[日] トウ・トク〔はたぼこ〕 [英] banner

[字解] [一] 기 도(羽葆幢大皇旗). [二] 기 독(羽葆幢大皇旗).

[字源] 形聲. 縣+毒〔音〕

19 〖纘〗 이을 찬 [上]旱 | 缵 zuǎn
㉕

[日] サン〔つぐ〕 [英] take over

[字解] ① 이을 찬(繼也). ¶ 纘繼(찬계). ② 모을 찬(綜集).

[字源] 形聲. 糸+贊〔音〕

[纘緖 찬서] 앞 사람의 사업을 이어 받음.

19 〖纚〗 [一]갓끈 리 [平]支 [二]머리싸개 사[上]紙 [三]떨어질 쇄 [上]蟹 | 纚 lí xǐ sǎ
㉕

[日] リ〔かんむりのたれひも〕・シ〔かみづつみ〕・サイ〔さであみ〕

[英] hat string, fall

[字解] [一] 갓끈 리(纓也). [二] ① 머리싸개 사(緇布韜髮). ② 잇달 사(連屬). [三] 떨어질 쇄.

[字源] 形聲. 糸+麗〔音〕

21 〖纜〗 닻줄 람 [去]勘 | 缆 lǎn
㉗

[日] ラン〔ともづな〕 [英] cable

[字解] 닻줄 람(組舟索).

[字源] 形聲. 糸+覽〔音〕

[解纜 해람] 출항. 출범.

缶 〔6 획〕 部
(장군부부)

0 〖缶〗 장군 부 [上]有 | fǒu
⑥

[日] フウ・フ〔ほとぎ〕 [英] jar

[字解] 장군 부, 양병 부(大腹而斂口, 盆也). ¶ 土缶(토부).

[字源] 象形. 배가 불룩하고 목이 좁은 아가리로 된 병의 모양을 본뜬 글자.

[缶器 부기] 배가 불룩하고 아가리가 좁게 된 나무나 오지로 만든 그릇.

3 〖缸〗 항아리 항 [平]江 | gāng
⑨

[日] コウ〔もたい〕 [英] jar

[字解] 항아리 항(長頸甖). ¶ 缸硯(항연).

[字源] 形聲. 缶+工〔音〕

[缸面酒 항면주] 처음으로 익은 술.
[缸花 항화] 등불.

4 〖䍃〗 [一]항아리 요 [二]항아리 유 [平]尤 | yáo
⑩

[日] ヨウ・ユウ〔もたい・かま〕 [英] jar

[字解] [一] 항아리 요. [二] 항아리 유.

[字源] 會意. 缶+肴〈省〉〔音〕

4 〖缺〗 이지러질 결[入]屑 | quē
⑩

[日] ケツ〔かく〕 [英] deficient

[字解] ① 이지러질 결(虧也). ¶ 缺月(결월). ② 깨어질 결(破也), 이 빠질 결. ¶ 缺壞(결괴). ③ 흠있을 결(毁也). ¶ 缺點(결점). ④ 모자랄 결(少也). ¶ 缺乏(결핍). ⑤ 빌 결(官職空位). ⑥ 궐할 결. ¶ 缺席(결석).

[字源] 形聲. 缶(독)와 夬(나뉨)의

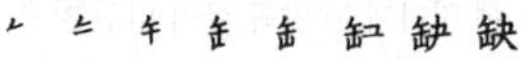

합자. 기물이 깨짐의 뜻. 또, 「夬(결)」이 음을 나타냄.

[缺損 결손] ㉠ 축나거나 손해가 남. ㉡ 계산상의 손실.

[缺食 결식] 끼니를 거름.

[缺如 결여] ㉠ 모자라는 모양. 궐여(闕如). ㉡ 만족하지 아니하는 모양. 결연(缺然).

[缺員 결원] 정한 인원에서 모자람. 또, 그 인원. 궐원(闕員).

[缺點 결점] 잘못 되거나 모자라는 점.

[缺乏 결핍] 모자람. 부족함.

[缺陷 결함] 흠이 있어 완전하지 못함.

[補缺 보결] 비어 모자라는 자리를 채움.

[欠缺 흠결] 일정한 수효에서 부족함이 생김.

5
⑪ 【瓸】 缶(부)(部首)와 同字

6
⑫ 【缿】 병어리 항 xiàng
⑧后⑪講 hòu
㊏ コウ〔ぜにがめ〕 ㊍ saving box
字解 ① 병어리 항(受錢器). ② 투서함 항. ¶ 投缿(투항).
字源 形聲. 缶+后〔音〕.

8
⑭ 【缾】 두레박 병⑪青 píng
㊏ ヘイ〔つるべ〕 ㊍ well bucket
字解 ① 두레박 병(汲水器). ② 병 병(瓶也).
字源 形聲. 缶+幷〔音〕.

11
⑰ 【罅】 틈 하⑪禡 xià
㊏ カ〔ひび〕 ㊍ crack
字解 ① 틈 하(孔隙). ② 갈라질 하, 금갈 하(裂也).
字源 形聲. 缶+虖〔音〕.

[罅隙 하극] 틈. 벌어진 틈.
[罅裂 하열] 갈라짐.

11
⑰ 【罄】 다할 경⑳徑 qìng
㊏ ケイ〔むなしい〕 ㊍ finish
字解 ① 다할 경(盡也). ② 빌 경(器中空). ③ 다 경(皆也).
字源 形聲. 缶+殸〔音〕.

12
⑱ 【罇】 준 준⑪元 zūn
㊏ ソン〔さかだる〕 ㊍ wine pot
字解 준 준(酒器). 술그릇.
字源 形聲. 缶+尊〔音〕.
參考 樽(木部 12획)과 同字.

14
⑳ 【罌】 항아리 앵⑪庚 yīng
㊏ エイ〔もたい〕 ㊍ jar
字解 항아리 앵(瓶總名).
字源 形聲. 缶+賏〔音〕.

[罌粟 앵속] 양귀비.

15
㉑ 【罍】 ⬛술그릇 뢰⑪灰 léi
⬛술그릇 루⑪支 léi
㊏ ライ・ルイ〔さかだる〕
字解 ⬛ 술그릇 뢰(酒器). ¶ 玉罍(옥뢰). ⬛ 술그릇 루, 대야 루.
字源 形聲. 缶+畾〔音〕.

18
㉔ 【罐】 두레박 관㊌翰 guàn
㊏ カン〔つるべ〕 ㊍ well bucket
字解 두레박 관(汲水器).
字源 形聲. 缶+雚〔音〕.

网(罒·皿·网)〔6획〕部
(그물망부)

0
⑥ 【网】 그물 망⑪養 wǎng

[日] モウ〔あみ〕 [英] net

[字解] **그물 망**(網也).

[字源] 象形. 冂은 그물의 틀, 㐅은 그물코를 본뜸.

[參考] 網(糸部 8획)의 古字.

3 ⑧ 【罔】 없을 망 [上]養 wǎng

丨 冂 冂 冂 罒 罒 罔 罔

[日] モウ〔あみ〕 [英] net

[字解] ① **없을 망**(無也). ¶ 罔極(망극). ② **그물 망**(網也). ¶ 罔罟(망고). ③ **속일 망**(誣也). ¶ 罔民(망민).

[字源] 形聲. 网+亡〔音〕

[注意] 岡(山部 5획)은 딴 글자.

6 획

[罔罟 망고] 그물.
[罔極 망극] ㉠ 어버이의 은혜가 그지없음. ㉡ 한없는 슬픔. 어버이나 임금의 상사(喪事)에 쓰는 말.
[罔民 망민] 백성을 속임.
[罔測 망측] 상리(常理)에 어그러져서 헤아릴 수 없음. ¶ 奇怪罔測(기괴망측).
[欺罔 기망] 남을 속임.

3 ⑦ 【罕】 드물 한 [上]旱 hǎn

[日] カン〔まれ〕 [英] rare

[字解] ① **드물 한**(希也). ② **그물 한**(鳥網). ¶ 罕見(한견).

[字源] 形聲. 网+干〔音〕

[罕見 한견] 간혹 봄. 드물게 봄.
[罕漫 한만] 분명하지 아니한 모양.
[稀罕 희한] 매우 드묾. 썩 진귀함.

4 ⑨ 【罘】 그물 부 [平]尤 fú

[日] フウ・フ〔うさぎあみ〕 [英] net

[字解] ① **그물 부**(兔罟). ¶ 罘罔(부망). ② **그물친창 부**. ¶ 罘罳(부시).

[字源] 形聲. 罒(网)+不〔音〕

5 ⑩ 【罛】 그물 고 [平]虞 gū

[日] コ〔うおあみ〕 [英] net

[字解] **그물 고**(魚罟最大網).

[字源] 形聲. 罒(网)+瓜〔音〕

5 ⑩ 【罟】 그물 고 [上]麌 gǔ

[日] コ〔あみ〕 [英] net

[字解] **그물 고**(網總名). ¶ 罟師(고사).

[字源] 形聲. 罒(网)+古〔音〕

[罟師 고사] 어부(漁夫).
[罟擭陷穽 고확함정] 그물과 함정.
[數罟 촉고] 코를 촘촘하게 만든 그물.

5 ⑩ 【罠】 그물 민 [平]眞 mín

[日] ビン〔あみ〕 [英] hare net

[字解] **그물 민**(麋網罟).

[字源] 形聲. 罒(网)+民〔音〕

7 ⑫ 【罦】 그물 부 [平]虞[平]尤 fú

[日] フ〔あみ〕 [英] net

[字解] **그물 부**(翻車大網).

[字源] 形聲. 罒(网)+孚〔音〕

8 ⑬ 【罨】 그물 엄 [上]琰 yǎn

[日] アン〔あみ〕 [英] net

[字解] ① **그물 엄**(網也). ② **덮을 엄**(奄也).

[字源] 形聲. 罒(网)+奄〔音〕

[罨法 엄법] 염증을 없애고 충혈(充血)을 풀기 위하여 찜질하거나 열을 식히는 방법.
[罨然 엄연] 덮인 것처럼 밝지 아니한 모양.
[罨畫 엄화] 색칠한 그림.

8 ⑬ 【罩】 가리 조 [去]效 zhào

⊕ トウ〔かご〕 ⊛ fish trap

字解 가리 조(捕魚器罾類).

字源 形聲. 罒(网)+卓〔音〕

8
⑬ 【罪】허물 죄 | zui
上賄

罪

一 冖 冖 罒 罒 罪 罪 罪 罪

⊕ ザイ〔つみ〕 ⊛ sin

字解 허물 죄, 죄 죄(罰惡). ¶ 罪
過(죄과).

字源 會意. 罒(网)+非

[罪過 죄과] 죄와 과실.
[罪狀 죄상] 죄를 저지른 정상.
[罪悚 죄송] 죄스러울 정도로 황송
함.
[罪囚 죄수] 옥에 갇힌 죄인.
[罪惡 죄악] 죄가 될 행위. 도덕이나
종교적 견지에서 비난을 받을 나쁜
행위.
[待罪 대죄] 죄인의 처벌을 기다림.
[犯罪 범죄] 죄를 범함. 또, 그 죄.

8
⑬ 【罫】━줄 괘 | gua
上蟹
━거리낄
화 去卦 | hua

罫

⊕ ケイ〔けい〕・カイ〔さまたげる〕
⊛ crossline, obstructive

字解 ━ 줄 괘. ¶ 方罫(방괘). ━
거리낄 화.

字源 形聲. 罒(网)+卦〔音〕

[罫線 괘선] 인쇄물에 있어서 괘로
선을 나타낸 줄.
[罫紙 괘지] 괘선을 친 용지. 인찰지
(印札紙). ¶ 兩面罫紙(양면괘지).

8
⑬ 【罭】그물 역 | yu
入職

罭

⊕ ヨク〔こあみ〕 ⊛ fishing net

字解 그물 역(魚網). ¶ 九罭之魚
(구역지어).

字源 形聲. 罒(网)+或〔音〕

8
⑬ 【置】둘 치 | zhi
去寘

置

一 冖 冖 罒 罒 罘 罘 署 置

⊕ チ〔おく〕 ⊛ place

字解 ① 둘 치(放也, 措也, 留也).
¶ 置重(치중). ② 베풀 치(設也).
¶ 設置(설치). ③ 버릴 치(棄也).
¶ 置却(치각).

字源 形聲. 罒(网)+直〔音〕

[置簿 치부] 금전·물품의 출납을 기
록함.
[置重 치중] 어떤 일에 중점을 둠. 중
요하게 여김.
[置換 치환] 바꾸어 놓음.
[放置 방치] 그대로 버려둠.

9
⑭ 【罰】벌줄 벌 | fa
入月

罰

一 冖 冖 罒 罒 罒 罒 罰 罰 罰

⊕ バツ〔ばち〕 ⊛ punish

字解 벌줄 벌, 벌 벌(刑也).

字源 會意. リ=刀(칼)와 詈(욕함)
의 합자. 소소한 죄는 칼을 손에 들
고 꾸짖음의 뜻.

[罰酒 벌주] 벌로 먹이는 술. 벌배(罰
杯).
[罰則 벌칙] 죄를 범한 자를 처벌하
는 규칙.
[處罰 처벌] 형벌에 처함.

9
⑭ 【署】마을 서 | shu
去御

署

一 冖 冖 罒 罒 罗 罗 署 署

⊕ ショ〔やくしょ〕 ⊛ office

字解 ① 마을 서(官舍). 관청. ¶
官署(관서). ② 나눌 서(分部), 부
서 서. ¶ 部署(부서). ③ 쓸 서(表
記). ¶ 署名(서명).

字源 形聲. 罒(网)+者〔音〕

注意 暑(日部 9획)는 딴 글자.

[署理 서리] 공석된 직무를 대리함.
또, 그 사람.
[署名 서명] 책임을 밝히기 위하여
직접 이름을 적어 넣음. 기명(記名).
¶ 署名捺印(서명 날인).
[官署 관서] 관청과 그 보조 기관의

6
획

총칭.
[部署 부서] 여럿으로 나뉘어 있는 사무의 부분.

9 ⑭ 【罳】 [一]그물친창 시(平)支 [二]그물친창 새(平)灰 sī 

(日) シ・サイ〔あみまど〕

[字解] [一] 그물친창 시(罘也). ¶ 罘罳(부시). [二] 그물친창 새.

[字源] 形聲. 罒(网)+思〔音〕

10 ⑮ 【罵】 꾸짖을 매(本)마 (去)禡 骂 mà 

(日) バ〔ののしる〕 (英) scold

[字解] 꾸짖을 매, 욕할 매, 욕 매(惡言, 詈也). ¶ 罵詈(매리).

[字源] 形聲. 罒(网)+馬〔音〕

[罵倒 매도] 몹시 꾸짖어 욕함.
[罵詈 매리] 욕설을 퍼부으며 몹시 꾸짖음.

10 ⑮ 【罷】 [一]파할 파 (去)禡 [二]고달플 피 (去)支 罢 bà pí 

(日) ハイ〔やむ〕・ヒ〔やめる〕
(英) cease, very tired

[字解] [一] ① 파할 파(休也). ② 그만둘 파(止也). ¶ 罷業(파업). ③ 내칠 파(廢黜). ¶ 罷免(파면). [二] 고달플 피(疲也, 勞也). ¶ 罷弊(파폐).

[字源] 會意. 罒(죄)와 能의 합자. 재능이 있는 자는 잡힌다 하더라도 사면됨. 즉, 죄를 용서받음의 뜻.

[罷免 파면] 직무나 직업을 그만두게 함.
[罷業 파업] ㉠ 일을 하지 않음. ㉡ 노동자가 노동 조건을 개선하기 위하여 단결하여 노동을 하지 않는 일.
[罷場 파장] ㉠ 과장(科場)이 파함. ㉡ 시장이 파함.
[罷職 파직] 관직에서 물러나게 함.
[革罷 혁파] 낡아서 못쓰게 된 것을 없앰.

11 ⑯ 【罹】 걸릴 리 (平)支 lí 

(日) リ〔かかる〕 (英) incur

[字解] ① 걸릴 리(被也). 휘말림. ¶ 罹患(이환). ② 근심할 리(憂也). ¶ 百罹(백리).

[字源] 會意. 罒(网)+隹+忄(心)

[罹災 이재] 재해(災害)를 입음.
[罹患 이환] 병에 걸림. 이병(罹病).

11 ⑯ 【罻】 [一]그물 위(去)未 [二]그물 울(入)物 wèi yù 

(日) ウツ・イ〔あみ〕 (英) net

[字解] [一] 그물 위(鳥網). ¶ 罻羅(위라). [二] 그물 울(鳥網).

[字源] 形聲. 罒(网)+尉〔音〕

12 ⑰ 【罽】 그물 계 (去)霽 jì 

(日) ケイ〔うおあみ〕 (英) fishing net

[字解] ① 그물 계(魚網). ② 담 계, 모직 계(毳布氍毹屬).

[字源] 形聲. 罒(网)+㓹〔音〕

12 ⑰ 【罾】 그물 증 (平)蒸 罾 zēng 

(日) ソウ〔よつであみ〕 (英) net

[字解] 그물 증(有機魚網).

[字源] 形聲. 罒(网)+曾〔音〕

12 ⑰ 【罿】 [一]그물 동 (平)東 [二]그물 충 (平)冬 tóng chōng 

(日) トウ・ショウ〔あみ〕 (英) net

[字解] [一] 그물 동(鳥網罬). [二] 그물 충(鳥網).

[字源] 形聲. 罒(网)+童〔音〕

6획

13
⑱ 【罥】 덪견 罥 juàn
⑤鉄

⑤ ケン〔わな〕 ⑧ trap

字解 덪견, 걸릴견(挂也).

字源 形聲. 罒(网)+絹〔音〕

14
⑲ 【羅】 늘어설 罗 luó
⑤歌

罒 罞 絽 絅 羄 羅 羅 羅

⑤ ラ〔ならぶ〕 ⑧ line up

字解 ① 늘어설라(列也). ¶ 羅列
(나열). ② 그물라(鳥罟), 그물칠
라. ③ 雀羅(작라). ③ 비단라, 깁
라(綺縠). ¶ 綺羅(기라).

字源 會意. 罒(그물)과 維(이음)의
합자. 그물로 잡음의 뜻.

[羅網 나망] ㉠ 새 그물. ㉡ 그물을
쳐서 잡음.

[羅紗 나사] 양복감으로 쓰이는 두
꺼운 모직물.

[羅列 나열] ㉠ 죽 벌여 놓음. ㉡ 죽
늘어 섬.

[綾羅 능라] 두꺼운 비단과 얇은 비
단.

[網羅 망라] 큰 그물과 작은 그물. 널
리 구하여 모두 받아들임의 뜻.

14
⑲ 【羆】 말곰비 黑 pí
⑤支

⑤ ヒ〔ひぐま〕
⑧ Manchurian bear

字解 말곰비(熊屬猛獸).

字源 會意. 罒(网)+熊

17
㉒ 【羈】 나그네기 jī
⑤支

⑤ キ〔たび〕 ⑧ traveller

字解 나그네기(旅寓, 寄也). ¶ 羈
寓(기우).

字源 形聲. 罒(网)+革+奇〔音〕

參考 羈(网部 17획)는 本字.

[羈愁 기수] 객지에서 느끼는 수심
(愁心).

[羈寓 기우] 타향살이. 객지 살림.

19
㉔ 【羈】 굴레기 羁 jī
⑤支

⑤ キ〔たづな〕 ⑧ bridle

字解 ① 굴레기(勒也). ¶ 羈絆(기
반). ② 맬기(係也). ¶ 不羈奔放
(불기분방). ③ 단속할기(檢也).
¶ 羈束(기속). ④ 타관살이할기
(羈也, 寄客). ¶ 羈客(기객).

字源 會意. 罒(그물)·革(가죽)·馬
(말)로 이루어져서, 가죽 끈으로 말
을 잡아맴의 뜻.

參考 羈(网部 19획)는 동자.

[羈客 기객] 나그네. 여객(旅客).

[羈縻 기미] ㉠ 굴레를 씌움. ㉡ 굴
레를 씌우듯이 자유를 속박함.

[羈絆 기반] ㉠ 굴레. ㉡ 매어 놓음.
또, 그러한 물건.

[羈束 기속] ㉠ 얽어매어 묶음. ㉡
속박함.

6
획

羊 〔6 획〕 部
(양양부)

0
⑥ 【羊】 양양 yáng
⑤陽

丶 丷 ⺶ 芉 芏 羊

⑤ ヨウ〔ひつじ〕 ⑧ sheep

字解 양양(耗畜). ¶ 羊毛(양모).

字源 象形. 양의 머리를 본뜬 글자.

[羊頭狗肉 양두구육] 양의 대가리를
내어 걸고는 개고기를 판다는 뜻. 겉
으로는 훌륭한 체하고, 실상은 음흉
한 짓을 함의 비유.

[羊腸 양장] ㉠ 양의 창자. ㉡ 구불
구불 구부러진 험준한 산길. ¶ 九折
羊腸(구절양장).

2
⑧ 【羌】 오랑캐강 ⑥향 qiāng
⑤陽

⑤ キョウ〔えびす〕

字解 오랑캐강(西戎名).

字源 會意. 羊과 儿(사람)의 합자. 양을 치는 사람의 뜻.

參考 羌(羊部 4획)은 속자.

[羌活 강활] 모양이 땅 두릅과 같고 줄기와 잎 사이의 마디가 심자색(深紫色)으로 된 약초(藥草). 강호리.

3⁹【美】 아름다울 미 | měi | 上紙

ゞ ゛ ゛ ゛ ゛ 兰 美 美

日 ビ〔うつくしい〕 英 beautiful

字解 ① 아름다울 미(嘉也). ¶ 美觀(미관). ② 맛날 미(甘也). ¶ 美食(미식). ③ 훌륭할 미, 좋을 미(善也). ¶ 美擧(미거). ④ 미국 미(美國). ¶ 美製(미제).

字源 會意. 羊(양)과 大(큼)의 합자. 크고 살찐 양이란 뜻에서 아름다움의 뜻이 됨.

[美觀 미관] 아름다운 볼품. 훌륭한 경치.

[美德 미덕] 아름다운 덕행(德行).

[美名 미명] ㉠ 좋은 이름. 좋은 평판. ㉡ 그럴듯한 명목.

[美妙 미묘] 아름답고 묘함.

[美食 미식] 맛난 음식. 훌륭한 요리.

[美人計 미인계] 미인을 미끼로 남을 꾀는 계략.

[美風 미풍] 아름다운 풍속. 미속(美俗). ¶ 美風良俗(미풍양속).

[甘美 감미] 달콤하여 맛이 좋음.

[讚美 찬미] 아름답고 훌륭한 것을 기리어 칭송함.

3⁹【羑】 권할 유 | yǒu | 上有

日 ユウ〔みちびく〕 英 ask

字解 권할 유, 인도할 유(導也).

字源 形聲. 羊+久〔音〕.

4¹⁰【羔】 양새끼 고 | gāo | 下豪

日 コウ〔こひつじ〕 英 lamb

字解 양새끼 고(小羊). ¶ 羔羊(고양).

양).

字源 會意. 羊+火

[羔裘 고구] 양새끼 가죽으로 만든 옷.

4¹⁰【羌】 羌(강)(羊部 2획)과 同字

4¹⁰【羖】 암양 고 | gǔ | 上麌

日 コ〔めひつじ〕 英 ewe

字解 암양 고(牝羊). ¶ 羖䍽(고력).

字源 形聲. 羊+殳〔音〕.

4¹⁰【胖】 ▤ 숫양 장 | zāng | ㊥陽 ▤ (韓)양 양

日 ソウ〔おひつじ〕 英 ram, tripe

字解 ▤ 숫양 장(羝羊). ▤ (韓) 양 양.

字源 形聲. 月+爿〔音〕.

參考 ▤는 臟(肉部 17획)의 俗字.

5¹¹【羞】 부끄러워 할 수 | xiū | ㊥尤

日 シュウ〔はじる〕 英 ashamed

字解 ① 부끄러워할 수(恥也). ¶ 羞恥(수치). ② 음식 수(有滋味者). ¶ 珍羞(진수).

字源 形聲. 羊+丑〔音〕.

[羞惡之心 수오지심] 사단(四端)의 하나. 불의(不義)를 부끄러워하고 불선(不善)을 미워하는 마음.

[羞恥 수치] 부끄러움. 수괴(羞愧).

5¹¹【羚】 영양 령 | líng | ㊥青

日 レイ〔かもしか〕 英 antelope

字解 영양 령, 큰뿔양 령(似羊面大角).

字源 形聲. 羊+令〔音〕.

[羚羊 영양] 염소와 비슷하며 큰 뿔

을 가진 동물.

5 **[羜]** 양새끼 저 ㊤語 | zhù 羜
⑪

🔘 チョ〔こひつじ〕 🔘 lamb

字解 양새끼 저(五月羔未成羊).

字源 形聲. 羊+宁〔音〕

---

5 **[羝]** 숫양 저 ㊤齊 | dī 羝
⑪

🔘 テイ〔おひつじ〕 🔘 ram

字解 숫양 저(牡羊).

字源 形聲. 羊+氐〔音〕

[羝乳 저유] 숫양이 새끼를 낳음. 있을 수 없는 일의 비유.

---

6 **[羛]** 땅이름 이 ㊤支 | yí 羛
⑫

🔘 イ〔けんめい〕

字解 땅이름 이.

字源 形聲. 羊+次〔音〕

---

7 **[羨]** ▄부러워 할 선 ㊤霰 | xiàn
⑬ ▄묘도 연 | yán 羨
㊤先

🔘 セン〔うらやむ〕・エン〔はかみち〕 🔘 envy

字解 ▄① 부러워할 선(貪慕). ¶ 羨望(선망). ② 나머지 선(餘也). ¶ 羨財(선재). ③ 넘칠 선(溢也). ¶ 羨溢(선일). ▄ 묘도(墓道) 연.

字源 形聲. 羊+次〔音〕

[羨望 선망] 부러워함.
[羨慕 선모] 부러워하고 사모(思慕)함.
[羨餘 선여] 나머지. 잉여(剩餘).
[羨溢 선일] 넘칠 정도로 많음.

---

7 **[義]** 옳을 의 | yì 義
⑬ ㊤寘

ㅛ ㅛ 羊 羊 羔 羔 義 義

🔘 ギ〔よし〕 🔘 righteous

字解 ① 옳을 의(由仁得宣), 바를 의(正也), 의리 의(人所可行道理). ¶ 正義(정의). ② 뜻 의(意味). ¶ 廣義(광의).

字源 會意. 羊(착할)과 我의 합자. 일설(一說)에 形聲. 羊을 바탕으로 「我(아)」의 전음이 음을 나타냄.

[義擧 의거] 정의를 위해 일으키는 일. 의(義)로운 거사.
[義理 의리] 바른 길. 사람으로서 지켜야 할 올바른 도리.
[義父 의부] 의붓아버지.
[義憤 의분] 정의를 위하여 일어나는 분노.
[義捐 의연] 자선이나 공익을 위해 기부함. ¶ 義捐金(의연금).
[義齒 의치] 만들어 박은 이.
[廣義 광의] 넓은 뜻.
[信義 신의] 믿음과 의리.

---

7 **[群]** 무리 군 ㊤文 | qún 群
⑬

ㄱ ㅋ 尹 君 君 君' 群 群 群

🔘 グン〔むれ〕 🔘 flock

字解 ① 무리 군(輩也), 떼 군(隊也). ¶ 拔群(발군). ② 떼질 군(聚也). ¶ 群而不黨(군이부당). ③ 많을 군(衆也). ¶ 群雄(군웅).

字源 形聲. 羊+君〔音〕

參考 羣(羊部 7획)은 本字.

注意 郡(邑部 7획)은 딴 글자.

[群像 군상] ㉠ 많은 사람들. ㉡ 주제(主題)를 다수의 인물로 구성한 조각이나 회화(繪畫).
[群衆 군중] 무리지어 모여 있는 많은 사람.

---

7 **[羣]** 群(군)(羊部 7획)의 本字
⑬

---

9 **[羭]** 검은암양 유 | yú 羭
⑮ ㊤虞

🔘 ユ〔くろひつじのめす〕

字解 ① 검은암양 유(黑牡羊). ② 아름다울 유(美也).

字源 形聲. 羊+兪〔音〕

9
⑮【羯】 오랑캐 갈〔入〕月 | jié

日 カツ〔えびす〕

字解 ① 오랑캐 갈(匈奴也). ¶ 羯鼓(갈고). ② 불깐양 갈(犗羊). ¶ 羯羊(갈양).

字源 形聲. 羊+曷〔音〕

[羯鼓 갈고] 만족(蠻族)이 사용하던 북의 한 가지. 대(臺) 위에 놓고 북채로 양면을 침.

[羯羊 갈양] 불알을 까서 거세(去勢)한 양.

10
⑯【羲】 사람이름 희⊕支 | xī

日 ギ〔ひとのな〕

字解 사람이름 희(姓名也). ¶ 伏羲(복희).

字源 形聲. 丂(兮)+義〔音〕

[羲皇 희황] 중국 신화에 나오는 성천자(聖天子). 복희씨(伏羲氏)의 존칭.

10
⑯【羲】 羲(희)(前條)와 同字

13
⑲【羹】 국 갱⊕庚 | gēng

日 コウ〔あつもの〕 英 soup

字解 국 갱(五味和肉, 肉臛). ¶ 肉羹(육갱).

字源 會意. 羔+美

[羹飪 갱임] 떡국.

13
⑲【羶】 노린내 전⑥先⊕先 | shān

日 セン〔なまぐさい〕 英 stench

字解 노린내 전, 노릴 전(羊臭). ¶ 腥羶(성전).

字源 形聲. 羊+亶〔音〕

[羶香 전향] ㉠ 노린내. ㉡ 노린내와 향기로운 냄새.

13
⑲【羸】 ■ 파리할 리⊕支 | léi
　　■ 현이름 련先 | lián

日 ルイ〔やせる〕・レン〔けんめい〕 英 lean

字解 ■ ① 파리할 리(瘦也). ¶ 老羸(노리). ② 고달플 리, 지칠 리(極也, 疲也). ¶ 羸兵(이병). ③ 약할 리(弱也). ¶ 羸弱(이약). ■ 현(縣)이름 련.

字源 形聲. 羊+嬴〔音〕

[羸弱 이약] 파리하고 약함. 연약함.

[老羸 노리] 늙어서 쇠약해짐. 또는 그런 사람.

羽 〔6 획〕 部
(깃우부)

0
⑥【羽】 깃우 羽
　　　　⊕麌 | yú

ㄱ ㄱ ㄱ 쿠 쿠 羽 羽

日 ウ〔はね〕 英 feather

字解 ① 깃 우, 날개 우(鳥翅). ¶ 羽毛(우모). ② 새 우(鳥屬). ¶ 羽鱗(우린). ③ 도울 우. ¶ 羽翼(우익). ④ 음이름 우(五音之一). ¶ 羽聲(우성).

字源 象形. 새의 날개를 본뜬 글자.

[羽鱗 우린] 새와 물고기. 조류와 어류.

[羽毛 우모] ㉠ 새의 깃. ㉡ 깃에 붙어 있는 새털. ㉢ 새의 깃과 짐승의 털.

[羽扇 우선] 새의 깃으로 만든 부채.

[羽聲 우성] 오음(五音=宮・商・角・徴・羽)의 하나.

[羽翼 우익] ㉠ 새의 날개. ㉡ 도와 받듦. 또, 그 사람.

3
⑨【羿】 사람이름 예去霽 | yì

日 ゲイ〔ひとのな〕

字解 사람이름 예(古射師名). ¶
後羿(후예).

字源 會意. 羽와 幵(평평함)의 합
자. 새가 날개를 벌리고 날아오름
의 뜻.

4
⑩ 【翅】 날개 시
　　　⊕寘 ｜ chì

⊖ シ〔つばさ〕 ⊛ wing

字解 ① 날개 시(鳥翼). ¶ 翅翼(시
익). ② 뿐 시(啻也). ¶ 奚翅食重
(해시식중).

字源 形聲. 羽+支〔音〕

[翅鞘 시초] 속날개와 배를 보호하
는 갑충의 딴딴한 겉날개.

4
⑩ 【翁】 늙은이 옹
　　　⊕東 ｜ wēng

ノ 八 公 公 公 翁 翁 翁

⊖ オウ〔おきな〕 ⊛ old man

字解 ① 늙은이 옹(老翁), 어르신네
옹(尊稱). ¶ 翁媼(옹온). ② 아비
옹(父也). ¶ 翁壻(옹서). ③ 목털
옹(鳥頸下毛).

字源 形聲. 羽+公〔音〕

[翁姑 옹고] 시아버지와 시어머니.
[翁壻 옹서] 장인과 사위. ¶ 翁壻間
(옹서간).
[翁媼 옹온] ㉠ 할아비와 할미. 늙은
남자와 늙은 여자. ㉡ 늙은 부모.

5
⑪ 【翌】 이튿날
　　　익⊕職 ｜ yì

字解 이튿날 익(明也). ¶ 翌日(익
일).

字源 會意. 羽+立

[翌年 익년] 그 다음 해.
[翌日 익일] 다음날. 이튿날.
[翌朝 익조] 그 이튿날 아침.

5
⑪ 【翏】 날료
　　　⊕嘯 ｜ liù

⊖ リョウ〔とぶ〕

字解 ① 날 료(高飛貌). ② 바람소
리 료(長風聲).

字源 會意. 羽와 彡(많음)의 합자.
날개의 힘으로 높이 낢의 뜻.

5
⑪ 【習】 익힐 습
　　　⊗緝 ｜ xi

ㄱ ㄱ 키 키 키 키 習 習 習

⊖ シュウ〔ならう〕 ⊛ practise

字解 ① 익힐 습, 배울 습(學也).
¶ 習得(습득). ② 익숙할 습(曉
也). ¶ 習熟(습숙). ③ 버릇 습.
¶ 習慣(습관).

字源 會意. 羽와 白의 합자. 새가
홰치면서 날갯죽지 밑의 흰털을 보
임의 뜻. 어떤 일을 습득하기 위해
서 몇 번씩 되풀이함의 뜻.

[習慣 습관] 버릇. 습벽(習癖).
[習得 습득] 배워 터득함.
[習性 습성] ㉠ 버릇이 되어 버린 성
질. 버릇. ㉡ 습관과 성질.
[豫習 예습] 미리 학습함.
[因習 인습] 이전부터 전해 내려오
는 습관.

5
⑪ 【翊】 도울 익
　　　⊗職 ｜ yì

⊖ ヨク〔たすける〕 ⊛ assist

字解 도울 익(輔也). ¶ 翊贊(익
찬).

字源 會意. 立+羽〔音〕

[參考] 翼(羽部 11획)과 同字.

[翊戴 익대] 군주(君主)로 받들어 도
움. ¶ 翊戴功臣(익대공신).
[翊成 익성] 도와주어 이루게 함.
[翊翊 익익] 삼가는 모양.
[翊贊 익찬] 군주의 정치를 도움.

5
⑪ 【翎】 깃 령
　　　⊕青 ｜ líng

⊖ レイ〔はね〕 ⊛ feather

字解 ① 깃 령(鳥羽). ② 살깃 령
(箭羽).

字源 形聲. 羽+令〔音〕

6 ⑫ 【翔】 날 상 [平]陽 xiáng

[日] ショウ〔かける〕 [英] soar

[字解] **날 상**(回飛). ¶ 飛翔(비상).

[字源] 形聲. 羽+羊〔音〕

[翔翱 상고] 빙빙 돌며 낢.
[翔泳 상영] 날아가는 새와 헤엄치는 물고기.

6 ⑫ 【翕】 모일 흡 [入]緝 xī

[日] キュウ〔あう〕 [英] gather

[字解] ① **모일 흡, 모을 흡**(聚也). ¶ 翕合(흡합). ② **합할 흡**(合也). ¶ 翕受(흡수).

[字源] 形聲. 羽+合〔音〕

[翕然 흡연] ㉠ 한곳으로 모여 드는 모양. ㉡ 일치하는 모양.
[翕合 흡합] 모음. 모임.

7 ⑬ 【翛】 [一]날개찢어질 소 [平]蕭 [二]빠를 유 [上]有 xiāo yóu

[日] ショウ〔はねのやぶれいたむさま〕・ユウ〔はやい〕 [英] fast

[字解] [一] **날개찢어질 소**(羽破). [二] **빠를 유**.

[字源] 形聲. 羽+攸〔音〕

8 ⑭ 【翟】 [一]꿩 적 [入]錫 [二]고을이름 책[入]陌 [三]꿩 탁 [入]覺 dí zhái

[日] テキ・タク〔きじ〕・タク〔けんめい〕 [英] pheasant

[字解] [一] **꿩 적**(山雉). [二] **고을이름 책**(縣名). [三] **꿩 탁**.

[字源] 會意. 羽+隹

8 ⑭ 【翠】 비취색 취[去]寘 cuì

[日] スイ〔みどり〕 [英] green

[字解] ① **비취색 취**. ¶ 翠色(취색). ② **물총새 취, 암물총새 취**(青羽雀). ¶ 翡翠(비취).

[字源] 形聲. 羽+卒〔音〕

[翠色 취색] 남색과 푸른색의 중간색. 비취빛. 창색(蒼色).

8 ⑭ 【翣】 운불삽 삽[平]洽 shà

[日] ソウ〔うちわ〕

[字解] ① **운불삽 삽**(棺飾如扇). ② **부채 삽**(扇也).

[字源] 形聲. 羽+妾〔音〕

8 ⑭ 【翡】 물총새 비[去]未 fěi

[日] ヒ〔かわせみ〕 [英] kingfisher

[字解] ① **물총새 비**(赤羽雀). ¶ 翡翠(비취). ② **비취옥 비**. ¶ 翡玉(비옥).

[字源] 形聲. 羽+非〔音〕

[翡玉 비옥] 붉은 점이 있는 비취옥.
[翡翠 비취] ㉠ 물총새. 쇠새. ㉡ 옥(玉)의 한 가지. 비취옥.

9 ⑮ 【翬】 훨훨날 휘[平]微 翚 huī

[日] キ〔とぶ〕 [英] fly

[字解] ① **훨훨날 휘**(大飛). ② **꿩 휘**(雉屬五采成章).

[字源] 形聲. 羽+軍〔音〕

[翬飛 휘비] 궁전(宮殿)의 으리으리하고 화려한 모양.

9 ⑮ 【翫】 장난할 완[去]翰 wán

[日] ガン〔もてあそぶ〕 [英] play with

[字解] ① **장난할 완**(弄也). ② **탐할 완, 아낄 완**(貪也).

[字源] 形聲. 習+元〔音〕

[參考] 玩(玉部 4획)은 同字.

[翫瀆 완독] 놀리고 더럽힘. 희롱하

고 모독함.

[翫弄 완롱] ㉠ 장난감으로 하여 만지작거림. ㉡ 놀림감으로 삼음. 완롱(玩弄).

[翫物 완물] 장난감. 완구(玩具).

9 ⑮ 〖翩〗 나부낄 편[平]先 | piān 

[日] ヘン〔はためく〕 [英] flitter

[字解] ① **나부낄 편.** ¶ 翩翻(편번). ② **훌쩍날 편**(輕擧貌). ¶ 翩翩(편편).

[字源] 形聲. 羽+扁〔音〕

[翩翻 편번] 펄럭펄럭 날리는 모양.

[翩翩 편편] ㉠ 새가 빨리 나는 모양. ㉡ 침착하지 못한 모양. ㉢ 왕래하는 모양. ㉣ 눈물이 방울져 뚝뚝 떨어지는 모양.

9 ⑮ 〖翦〗 剪(전)(刀部 9획)의 本字

10 ⑯ 〖翯〗 [一]함치르르할 혹 [二]함치르르할 학[入]沃 | hè 

[日] コク〔とりのしろくこえてつやのあるさま〕

[英] sleek

[字解] [一] **함치르르할 혹**(鳥羽肥澤貌). ¶ 翯翯(혹혹). [二] **함치르르할 학.**

[字源] 形聲. 羽+高〔音〕

[翯翯 혹혹] 새가 살지고 날개가 윤이 흐르는 모양.

10 ⑯ 〖翰〗 [一]붓 한[去]翰 [二]줄기 간[平]寒 | hàn 

[日] カン〔ふで・みき〕

[英] writing brush, trunk

[字解] [一] ① **붓 한**(筆也). ¶ 翰墨(한묵). ② **글 한, 편지 한**(書詞). ¶ 書翰(서한). ③ **날 한**(飛也). ¶ 翰飛(한비). [二] **줄기 간**(幹也).

[字源] 形聲. 羽+倝〔音〕

[翰林 한림] ㉠ 학자 또는 문인의 사회. ㉡ 조선 왕조 때 예문관(藝文館) 검열(檢閱)의 별칭.

[翰飛 한비] 하늘 높이 낢.

[翰鳥 한조] 높이 나는 새.

[公翰 공한] 공적인 편지.

[書翰 서한] 편지. 서간.

11 ⑰ 〖翼〗 날개 익[去]職 | yì 

[日] ヨク〔つばさ〕 [英] wing

[字解] ① **날개 익**(翅也). ¶ 羽翼(우익). ② **도울 익**(扶也, 戴奉), **호위할 익**(衛也). ¶ 輔翼(보익). ③ **이튿날 익**(翌也).

[字源] 形聲. 羽+異〔音〕

[翼戴 익대] 임금을 도와 추대함. 翼戴功臣(익대 공신).

[右翼 우익] ㉠ 오른쪽 날개. ㉡ 보수적 당파, 또는 그에 속한 사람.

11 ⑰ 〖翳〗 가릴 예[去]霽 | yì 

[日] エイ〔かげ〕 [英] shade

[字解] ① **가릴 예, 숨을 예**(隱也, 掩也, 蔽也). ¶ 翳翳(예예). ② **그늘 예**(蔭也). ¶ 翳桑(예상). ③ **말라 죽을 예.** ¶ 翳朽(예후).

[字源] 形聲. 羽+殹〔音〕

[翳翳 예예] ㉠ 환하지 아니한 모양. ㉡ 해질 녘의 어스레한 모양. ㉢ 숨겨져서 알기 어려운 모양.

[翳朽 예후] 나무가 저절로 죽어 썩어서 문드러짐.

12 ⑱ 〖翱〗 날 고[平]豪 | áo 

[日] コウ〔とぶ〕 [英] fly

[字解] **날 고**(飛也). ¶ 翱翔(고상).

[字源] 形聲. 羽+皐〔音〕

12 ⑱ 〖翹〗 뛰어날 교[平]蕭 | 翘 qiào 

ⓙ ギョウ〔ひいでる〕 ⓔ prominent

字解 ① 뛰어날 교(秀起貌). ¶ 翹才(교재). ② 우뚝할 교(高貌). 翹翹(교교). ③ 들 교(擧也). ¶ 翹首(교수). ④ 발돋움할 교(企也). ¶ 翹企(교기).

[翹企 교기] 발돋움하면서 기다림. 열망함. 교족(翹足).

[翹秀 교수] 재능이 남보다 뛰어나게 우수함. 교재(翹才).

12
18 【翻】 나부낄 번ⓔ元 fán

⿱... 翻 翻 翻

ⓙ ホン〔ひるがえる〕 ⓔ flutter

字解 ① 나부낄 번. 翻翻(번번). ② 날 번(飛也). ¶ 翻飛(번비) 뒤집을 번(反也). ¶ 翻意(번의). ④ 번역할 번. 翻譯(번역).

字源 形聲. 羽+番〔音〕

参考 飜(飛部 12획)은 동자.

[翻覆 번복] 뒤집음. 뒤엎음.

[翻譯 번역] 한 나라 말로 표현된 문장을 다른 나라 말로 옮김.

[翻意 번의] 가졌던 의사를 뒤집음.

12
18 【翻】 날 율ⓐ質 yù

ⓙ イツ〔とぶさま〕 ⓔ fly

字解 날 율(飛貌).

字源 形聲. 羽+矞〔音〕

13
19 【翾】 날 현ⓟ先 xuān

ⓙ ケン〔とぶ〕 ⓔ fly

字解 ① 날 현(小飛). ¶ 翾飛(현비). ② 경박할 현(輕薄).

字源 形聲. 羽+睘〔音〕

14
20 【耀】 빛날 요ⓤ嘯 yào

ⓙ ヨウ〔かがやく〕 ⓔ bright

字解 빛날 요(光也).

字源 形聲. 光+翟〔音〕

[耀德 요덕] 덕을 빛나게 함.

[光耀 광요] 광채.

老(耂) 〔6 획〕 部
(늙을로부)

0
6 【老】 늙을 로ⓤ皓 lǎo

一 十 土 耂 耂 老

ⓙ ロウ〔おいる〕 ⓔ old

字解 ① 늙을 로(年高). ¶ 老人(노인). ② 늙은이 로(老也). ¶ 老劤(노유). ③ 익숙할 로(熟練). ¶ 老練(노련). ④ 어른 로(尊稱). ¶ 元老(원로).

字源 象形. 머리카락이 길고 허리가 굽은 노인이 지팡이를 짚고 서있는 모양을 본뜸.

[老練 노련] 오랜 경험을 쌓아 능란함.

[老少同樂 노소동락] 늙은이와 젊은이가 나이를 가리지 않고 함께 즐김.

[老爺 노야] ㉠ 존귀한 사람. ㉡ 늙은 남자.

[老炎 노염] 늦더위.

[老獪 노회] 노련하고 교활함. 의뭉하고 능갈침.

[老朽 노후] 늙어서 소용없음. 또, 그사람.

[養老 양로] 노인을 받들어 모심.

2
6 【考】 상고할 고ⓤ皓 kǎo

一 十 土 耂 老 考

ⓙ コウ〔かんがえる〕 ⓔ think

字解 ① 상고할 고(稽也). ¶ 考察(고찰). ② 아버지 고(父死稱). ¶ 先考(선고). ③ 수할 고(老也). ¶ 考終命(고종명).

字源 形聲. 老의 생략형과 丂의 합

자. 늙은이의 뜻. 생각함의 뜻으로 쓰임은 가차.

[考終命 고종명] 늙도록 제 명대로 살다가 편안하게 죽음. 오복(五福)의 하나.

[考證 고증] 유물이나 문헌을 상고하여 증거를 삼아 설명함.

[考察 고찰] 상고하여 살펴봄.

[詳考 상고] 자세히 검토함.

[先考 선고] 돌아가신 아버지.

4 ⑩ 〖耄〗 늙은이 모[去]號 | mào

[日] ボウ・モウ〔おいぼれる〕 [英] old person

[字解] **늙은이 모**(九十歲老人). ¶耄期(모기).

[字源] 形聲. 老+毛〈省〉〔音〕

[耄老 모로] 늙어 빠진 노인.

4 ⑩ 〖耆〗 늙은이 기[平]支 | qí

[日] キ〔おいる〕 [英] old person

[字解] **늙은이 기, 늙을 기**(老也). ¶耆老(기로).

[字源] 形聲. 耂(老)+旨〔音〕

[耆年 기년] 예순 살이 넘은 나이.

5 ⑨ 〖耇〗 늙을 구[上]有 | gǒu

[日] コウ〔おいる〕 [英] old

[字解] **늙을 구, 늙은이 구**(老壽).

[字源] 形聲. 耂(老)+句〔音〕

[耇老 구로] 늙은이. 노인.

5 ⑨ 【者】 놈 자[上]馬 | zhě

一 十 土 耂 耂 者 者 者 者

[日] シャ〔もの〕 [英] person

[字解] ① **놈 자**(指人之辭), **사람 자**. ¶ 賢者(현자). ② **것 자**(指事之辭). ¶ 小者(소자). ③ **어조사 자**(語助辭). ¶ 何者(하자). 仁者人也(인자인야). ④ **이 자**(此也). ¶ 者箇(자개).

[字源] 形聲. 自의 생략형을 바탕으로 「黍(서)」의 전음이 음을 나타냄.

[近者 근자] 요즘. 근래.

[識者 식자] 식견이 있는 사람.

[筆者 필자] 글이나 글씨를 쓴 사람.

5 ⑪ 〖耉〗 耇(구)(老部 5획)와 同字

6 ⑫ 〖耋〗 늙은이 질 [本]절[入]屑 | dié

[日] テツ〔おいる〕 [英] old person

[字解] **늙은이 질**(八十歲老人). ¶ 耋艾(질애).

[字源] 形聲. 老+至〔音〕

[耋艾 질애] 늙은이와 젊은이. 일설에는 늙은이. 노인.

而 〔6 획〕 部
(말이을이부)

0 ⑥ 【而】 말이을 이[平]支 | ér

一 丆 丆 丙 而 而

[日] ジ〔しこうして〕 [英] and

[字解] ① **말이을 이, 또 이**(承上起下辭). ¶ 視而不見(시이불견). ② **너 이**(汝也). ③ **뿐 이**. ¶ 而已(이이). ④ **같을 이**(如也). ⑤ **어조사 이**(語助辭).

[字源] 象形. 턱수염의 모양. 어조사로 쓰임은 음의 차용.

[而今 이금] 이제 와서. 지금.

[而已 이이] …뿐임. …일 따름임. 또는 而已矣(이이의)로도 씀.

[而後 이후] 지금부터. 지금부터 다음으로.

[然而 연이] 그러나.

3 ⑨ 〖耎〗 연약할 연[上]銑 | ruǎn

〔耒鍤 뇌삽〕 쟁기.

日 ゼン〔よわい〕 英 tender

字解 연약할 연, 가냘플 연(罷弱).
¶ 恮耎(겁연).

字源 會意. 而+大〔音〕

3
⑨【耐】견딜 내 | nài 耐
　　上隊

一　丁　丙　而　而　耐　耐

日 タイ〔たえる〕 英 endure

字解 견딜 내, 참을 내(忍也).
耐忍(내인).

字源 形聲. 寸+而〔音〕

〔耐久 내구〕 오래 견딤. ¶ 耐久力
(내구력).

〔耐乏 내핍〕 가난함을 참고 견딤. ¶
耐乏生活(내핍 생활).

〔堪耐 감내〕 고통을 참고 견딤.

〔忍耐 인내〕 참고 견딤.

3
⑨【耑】■끝 단 | duān
　　上寒　　　 zhuān
　　■오로지 천
　　上先

日 タン〔はし〕・セン〔もっぱら〕
英 end, entirely

字解 ■ 끝 단(物端). ¶ 耑緒(단
서). ■ 오로지 천(專也).

字源 象形. 사물이 처음으로 생긴
모양. 위는 초록의 싹, 밑은 그 뿌리
의 모양.

耒　〔6획〕部

(쟁기 뢰 부)

0
⑥【耒】쟁기 뢰 | lěi 耒
　　上隊

日 ライ〔すき〕 英 plow

字解 쟁기 뢰(手耕曲木), 쟁기자루
뢰. ¶ 耒耨(뇌누).

字源 象形. 가래의 모양을 본뜸.

〔耒耜 뇌사〕 쟁기. 농기구(農器具)
의 하나. 耜는 쟁기 날. 耒는 그 자루.

0
⑥【耒】來(래)(人部 6획)의 略字

3
⑨【耔】북돋울 자 | zī 耔
　　上紙

日 シ〔つちかう〕 英 earth up

字解 북돋울 자(培苗本).

字源 形聲. 耒+子〔音〕

4
⑩【耕】갈 경 | gēng 耕
　　上庚

一　二　丰　丰　耒　耒　耕　耕

日 コウ〔たがやす〕 英 plow

字解 갈 경(犂田).

字源 會意. 耒와 井의 합자. 논을
갊의 뜻. 일설(一說)에 形聲.「井
(정)」의 전음이 음을 나타냄.

〔耕耘 경운〕 논밭을 갈고 김을 맴.
¶ 耕耘機(경운기).

〔耕作 경작〕 갈아서 농작물을 심음.
농사일을 함. ¶ 耕作地(경작지).

〔牛耕 우경〕 소를 부려 밭을 갊.

〔休耕 휴경〕 농사짓기를 쉼.

4
⑩【耗】덜릴 모 | hào 耗
　　上號

日 モウ〔いね・へる〕 英 diminish

字解 ① 덜릴 모, 덜 모, 감할 모
(減也). ¶ 消耗(소모). ② 어지러
울 모. ¶ 耗亂(모란).

字源 形聲. 耒+毛〔音〕

〔耗亂 모란〕 어지럽고 뒤숭숭하여
분명하지 않은 모양.

〔耗損 모손〕 줆. 덞. 모감(耗減).

〔耗盡 모진〕 모두 없어짐.

〔磨耗 마모〕 닳아서 없어짐.

〔消耗 소모〕 써서 없앰.

4
⑩【耘】김맬 운 | yún 耘
　　上文

日 ウン〔くさぎる〕 英 weed

字解 김맬 운(除苗間草).

[字源] 形聲. 耒+云〔音〕

[耘耘 운운] 성(盛)한 모양.
[耘耔 운자] 김매고 북돋움.
[耕耘 경운] 논밭을 갈고 김을 맴.

4 ⑩ 〖耙〗 써레 파 [去]禡 | bà, pá

[日] ハ〔まぐわ〕 [英] harrow

[字解] **써레 파**(犂屬起土田器).

[字源] 形聲. 耒+巴〔音〕

5 ⑪ 〖耜〗 보습 사 [上]紙 | sì

[日] シ〔すき〕 [英] plowshare

[字解] **보습 사**(耒端木, 耒之金). ¶ 耒耜(뇌사).

[字源] 形聲. 耒+㠯〔音〕

[耒耜 뇌사] 쟁기.

9 ⑮ 〖耦〗 짝 우 [上]有 | ǒu

[日] グウ〔つれあう〕 [英] pair

[字解] ① **짝 우**(偶也, 配也). ¶ 耦進(우진). ② **나란히갈 우**(兩人耕). ¶ 耦耕(우경). ③ **짝수 우**. ¶ 奇耦(기우).

[字源] 形聲. 耒+禺〔音〕

[耦耕 우경] 둘이 나란히 서서 갊.
[耦立 우립] 둘이 나란히 섬.
[耦語 우어] 마주 앉아 이야기함.

10 ⑯ 〖耨〗 괭이 누 [去]有 | nòu

[日] ドウ〔くわ〕 [英] hoe

[字解] ① **괭이 누**(耘田器). ② **김맬 누**(薅田).

[字源] 形聲. 耒+辱〔音〕

12 ⑱ 〖耭〗 밭갈 기 [平]微 | jī

[日] キ〔たがやす〕 [英] plow

[字解] **밭갈 기**.

15 ㉑ 〖耰〗 고무래 우 [平]尤 | yōu

[日] ユウ〔つちならし〕 [英] rake

[字解] ① **고무래 우**(布種摩田器). ② **곰방메 우**(破塊椎).

[字源] 形聲. 耒+憂〔音〕

耳 〔6 획〕 部 (귀이부)

0 ⑥ 【耳】 귀 이 [上]紙 | ěr

一 丅 F F 王 耳

[日] ジ〔みみ〕 [英] ear

[字解] ① **귀 이**(主聽者). ¶ 耳目(이목). ② **뿐 이**(而已). ③ **어조사 이**(語助辭, 矣也).

[字源] 象形. 귀를 본뜬 글자.

[耳目 이목] ㉠ 귀와 눈. ㉡ 남들의 주의.
[耳朶 이타] 귓불.

2 ⑧ 〖耵〗 귀지 정 [上]梗[平]青 | dǐng

[日] テイ〔みみくそ〕 [英] earwax

[字解] **귀지 정**(耳垢). ¶ 耵聹(정녕).

[字源] 形聲. 耳+丁〔音〕

3 ⑨ 〖耶〗 [一]그런가 야[平]麻 [二]간사할 사[平]麻 | yé xié

一 丅 F F 王 耳 耳⻏ 耶

[日] ヤ〔や・か〕・ツャ〔よこしま〕 [英] sly

[字解] [一] ① **그런가 야**(疑辭, 邪也). ② **아버지 야**. ¶ 耶孃(야양). [二] **간사할 사**.

[字源] 形聲. 본디 邪로, 「牙(아)」의 전음이 음을 나타내고, 牙를 耳로

6 획

쓰게 되었음.

[耶蘇教 야소교] 예수교.
[耶孃 야양] 아버지와 어머니.

---

⁴
⑩ **【耼】** 귓바퀴없을 담⊕覃 | dān | 𦔻

㊐ タン〔みみたぶがおおきくたれさがっている〕

字解 ① 귓바퀴없을 담(耳曼無輪). ② 사람이름 담(老子名).

字源 形聲. 耳+冄〔音〕

參考 聃(耳部 5획)은 속자.

---

⁴
⑩ **【耽】** 즐길 탐㊀ 담⊕覃 | dān | 𣈆

㊐ タン〔ふける〕 ㊀ enjoy

字解 ① 즐길 탐(樂也). ② 빠질 탐(過樂也). ¶ 耽溺(탐닉).

字源 形聲. 耳+冘〔音〕

[耽溺 탐닉] 어떤 일을 몹시 즐겨 거기에 빠짐. 주색 잡기에 빠짐.

[耽讀 탐독] 책을 즐겨 읽음. 어떤 책을 유달리 즐겨 읽음.

[耽羅 탐라] 제주도(濟州島)의 옛 이름.

[耽好 탐호] 대단히 좋아함.

---

⁴
⑩ **【耿】** 빛 경㊁梗 | gěng | 耿

㊐ コウ〔ひかり〕 ㊀ bright

字解 ① 빛 경(光也). ¶ 耿潔(경결). ② 굳을 경(介也). ¶ 耿節(경절). ③ 편안치않을 경(憂也). ¶ 耿耿(경경).

字源 形聲. 「炷(계)」의 생략형의 전음이 음을 나타냄.

[耿介 경개] ㉠ 지조가 굳어 변하지 아니하는 모양. ㉡ 덕이 빛나고 큰 모양.

[耿潔 경결] 밝고 깨끗함.

---

⁴
⑩ **【耻】** 恥(心部 6획)의 俗字

---

⁵
⑪ **【聆】** 들을 령⊕青 | líng | 𦕁

㊐ レイ〔きく〕 ㊀ hear

字解 ① 들을 령(以耳取聲聽). ② 깨달을 령(言迷解).

字源 形聲. 耳+令〔音〕

---

⁵
⑪ **【聊】** 애오라지 료⊕蕭 | liáo | 聊

㊐ リョウ〔いささか〕 ㊀ somewhat

字解 ① 애오라지 료(且也). ② 힘입을 료(賴也). ¶ 聊賴(요뢰). ③ 편안할 료(安也). ④ 즐길 료(樂也). ¶ 無聊(무료). ⑤ 어조사 료(語助辭).

字源 形聲. 耳+卯〔音〕

[聊賴 요뢰] 마음 놓고 의뢰함.
[聊爾 요이] 임시. 잠깐.
[無聊 무료] ㉠ 탐탁하게 어울리는 맛이 없음. ㉡ 조금 부끄러운 생각이 있음.

---

⁵
⑪ **【聃】** 耼(담)(耳部 4획)의 俗字

---

⁶
⑫ **【聒】** 떠들썩할 괄⋀曷 | guō | 聒

㊐ カツ〔やかましい〕 ㊀ noisy

字解 ① 떠들썩할 괄(聲擾讙語). ② 어리석을 괄(愚也). ③ 덤덤할 괄(無知貌). ¶ 聒聒(괄괄).

字源 形聲. 耳+舌(昏)〔音〕

---

⁶
⑫ **【联】** 聯(련)(耳部 11획)의 略字

---

⁷
⑬ **【聖】** 성인 성⊕敬 | 圣 | 雪

shèng

厂 丆 耳 耵 取 聖 聖 聖

㊐ セイ〔ひじり〕 ㊀ saint

字解 ① 성인 성(智德過人). ¶ 聖經(성경). ② 천자 성(天子尊稱). ¶ 聖恩(성은). ③ 거룩할 성. ¶

聖火(성화). ④ **뛰어날 성**(其道之長者). ¶ 詩聖(시성).

[字源] 形聲. 耳+口+壬〔音〕

[聖經 성경] ㉠ 성인(聖人)이 지은 책. ㉡ 종교상 신앙의 최고 법전이 되는 책.

[聖上 성상] 현재의 자기 나라 임금을 높여 부르는 말.

[聖域 성역] ㉠ 거룩한 지역. ㉡ 성인의 경지(境地).

[聖恩 성은] 임금이 베푸는 은혜.

[聖人 성인] 만세에 스승이 될 수 있을 정도로 지덕이 원만한 사람.

[聖賢 성현] ㉠ 성인(聖人)과 현인(賢人). ㉡ 청주(淸酒)와 탁주(濁酒).

[神聖 신성] 신과 같이 성스러움.

7 ⑬ 〖聘〗 부를 빙 [去]敬 pìn

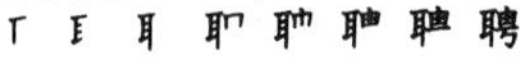

[日] ヘイ〔めとる〕 [英] invite

[字解] ① **부를 빙**(徵召). ¶ 招聘(초빙). ② **장가들 빙**(娶也). ¶ 聘母(빙모). ③ **찾을 빙**(訪也, 問也).

[字源] 形聲. 耳+甹〔音〕

[聘母 빙모] 아내의 친정 어머니. 장모(丈母).

[聘丈 빙장] 장인의 존칭. 악장(岳丈).

[招聘 초빙] 예를 갖추어서 남을 모셔들임.

8 ⑭ 〖聚〗 모을 취 [本]추[平]遇 jù

[日] シュ・シュウ〔あつまる〕

[英] assemble

[字解] ① **모을 취**(會也), **모일 취**. ¶ 聚散(취산). ② **마을 취, 촌락 취**(邑落居也). ¶ 聚落(취락). ③ **무리 취**(衆也). ¶ 聚議(취의).

[字源] 形聲. 乑+取〔音〕

[聚軍 취군] 군사나 인부를 불러 모음.

[聚落 취락] 마을. 부락.

[聚散 취산] 모이고 흩어짐. 또는 모음과 흩음.

8 ⑭ 〖聝〗 귀벨 괵 [入]陌 guó

[日] カク〔みみきる〕

[字解] **귀벨 괵**(斷耳).

[字源] 形聲. 耳+或〔音〕

8 ⑭ 〖聡〗 聰(총)(耳部 11획)의 俗字

8 ⑭ 【聞】 [一]들을 문 [平]文 [二]알려질 문[去]問 闻 wén wèn

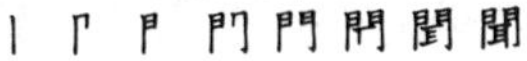

[日] ブン〔きく・きこえる〕

[英] hear, become known

[字解] [一] ① **들을 문**(耳受聲). ¶ 見聞(견문). ② **맡을 문**. ¶ 聞香(문향). ③ **들릴 문**(聲徹). ¶ 風聞(풍문). [二] **알려질 문, 이름 문**(名達). ¶ 聞望(문망).

[字源] 形聲. 耳+門〔音〕

[聞道 문도] ㉠ 도(道)를 들음. ㉡ 들으니. 들은 바에 의하면.

[聞望 문망] 이름이 널리 알려져 숭앙되는 일. 명예와 인망.

[聞香 문향] ㉠ 향내를 맡음. ㉡ 향내를 맡아 구별하는 유희(遊戲).

[見聞 견문] 보고 들음.

[風聞 풍문] 세상에 떠도는 소문

9 ⑮ 〖聦〗 聰(총)(耳部 11획)의 俗字

9 ⑮ 〖聨〗 聯(련)(耳部 11획)의 俗字

11 ⑰ 〖聯〗 연할 련 [平]先 联 lián

[日] レン〔つらなる〕 [英] connect

[字解] ① **연할 련**(相繼不絕). ¶ 聯合(연합). ② **연 련**. ¶ 聯句(연구).

[字源] 會意. 篆文은 耳+絲.

참고 聯(耳部 6획)은 약자. 聯(耳部 9획)은 속자.

[聯句 연구] 한시(漢詩)에서 짝을 맞춘 글귀.

[聯想 연상] 한 관념에 의하여 관계되는 다른 관념을 생각하게 되는 현상.

[關聯 관련] 서로 어떤 관계에 있음.

11 ⑰ 【聴】 聽(청)(耳部 16획)의 俗字

11 ⑰ 【聰】 밝을 총 聡 ^東 cōng

ㄱ ㅏ ㅓ ㅕ ㅕ ㅕ ㅕ 聰 聰

日 ソウ〔さとい〕 英 clever

字解 밝을 총(耳明通察). 총명할 총. ¶ 聰明(총명).

字源 形聲. 耳+悤〔音〕.

참고 聡(耳部 8획)은 속자.

[聰氣 총기] 총명한 기질. 기억력.

[聰明 총명] ㉠ 슬기롭고 도리에 밝음. ㉡ 눈과 귀가 예민함.

11 ⑰ 【聱】 듣지아니할 오 看 áo 聱

日 ゴウ〔きかない〕 英 fastidious

字解 ① 듣지아니할 오(不聽). ② 어려울 오(辭不平易).

字源 形聲. 耳+敖〔音〕.

[聱牙 오아] ㉠ 어귀·문구 따위가 까다로워 이해하기 어려움. ㉡ 남의 말을 듣지 아니함.

11 ⑰ 【聲】 소리 성 声 ^庚 shēng

十 士 吉 声 殸 殸 殸 聲

日 セイ·ショウ〔こえ〕 英 voice

字解 ① 소리 성(音也). 목소리 성. ¶ 聲量(성량). ② 풍류 성(樂也). 노래 성. ¶ 聲律(성률). ③ 명예 성(名也). ¶ 聲望(성망). ④ 펼 성. 밝힐 성(宣也). ¶ 聲明(성명). ⑤ 사성 성(平上去入). ¶ 平聲(평성).

字源 形聲. 耳+殸〔音〕.

참고 声(士部 4획)은 약자.

[聲價 성가] 명성. 좋은 평판.

[聲教 성교] 임금이 백성을 교화하는 덕. 덕화(德化).

[聲律 성률] 음악의 가락.

[聲望 성망] 명성(名聲)과 인망(人望).

[聲明 성명] 말하여 밝힘. 발설함.

[聲援 성원] 소리쳐서 사기(士氣)를 북돋우어 줌.

[名聲 명성] 좋은 평판.

[歡聲 환성] 기뻐 고함치는 소리.

11 ⑰ 【聳】 一솟을 용 ^宋 腫 二두려워 할 송 ^腫 耸 sǒng 聳

日 ショウ〔そびえる〕·ソウ〔おそれる〕 英 rise up, fear

字解 一 솟을 용(高也). ¶ 特聳(특용). 二 ① 두려워할 송(悚也). ¶ 莫不聳懼(막불송구). ② 권할 송(奬也). ③ 공경할 송(敬也). ¶ 聳其德(송기덕).

字源 形聲. 耳+從〔音〕.

[聳立 용립] 우뚝 솟음. 산 등이 높이 솟음.

[聳然 용연] 높이 솟은 모양.

[聳擢 용탁] 남보다 뛰어나게 빼어남.

12 ⑱ 【職】 구실 직 ^職 职 zhí 職

ㄱ ㅏ ㅓ ㅕ ㅕ 耶 睟 睟 職 職

日 ショク〔つかさどる〕 英 official duty

字解 ① 구실 직(執事). ¶ 職責(직책). ② 벼슬 직(品秩). ¶ 官職(관직). ③ 맡을 직(主也). ¶ 職官(직관). ④ 일 직, 사업 직(事也). ¶ 職業(직업).

字源 形聲. 耳+戠〔音〕.

[職權 직권] 직무상의 권한.

[職僚 직료] 관료. 관리.

[職分 직분] 마땅히 해야 할 본분.
[職業 직업] 생계를 세워 가기 위하여 하는 일.
[職任 직임] 직무상의 임무.
[職制 직제] 직무상에 관한 제도.
[求職 구직] 일자리를 구함.

¹⁴₂₀【聹】귀지 녕 │ 聍
녕㊈青 │ níng
㊐ ネイ〔みみくそ〕 ㊀ earwax
字解 귀지 녕(耳垢). ¶ 耵聹(정녕).
字源 形聲. 耳+寧〔音〕

¹⁶₂₂【聽】들을 청 │ 听
청㊈徑 │ tīng
㊆㊈青
丆 耳 耳 耵 聍 睰 聽 聽
㊐ チョウ〔きく・まわしもの, まんどころ〕
㊀ listen, village
字解 ■ ① 들을 청(聆也). ¶ 聽政(청정). ② 기다릴 청(待也). ③ 염탐 청(偵察). ■ 마을 청(治官處).
字源 形聲. 耳와 悳(德의 본자)의 합자. 또,「王(정)」의 전음이 음을 나타냄.

[聽訟 청송] 송사(訟事)를 심리함.
[聽從 청종] 시키는 대로 잘 순종함.
[聽衆 청중] 연설 등을 듣는 사람들.
[聽許 청허] 들어줌. 허락함.
[傾聽 경청] 귀를 기울이고 주의해 들음.

¹⁶₂₂【聾】귀먹을 롱 │ 聋
롱㊈東 │ lóng
㊐ ロウ〔つんぼ〕 ㊀ deaf
字解 ① 귀먹을 롱(耳籠無聞), 귀머거리 롱. ¶ 聾啞(농아). ② 캄캄할 롱(闇也).
字源 形聲. 耳+龍〔音〕

[聾盲 농맹] 귀머거리와 소경.
[聾啞 농아] 귀머거리와 벙어리.

聿 〔6획〕 部
(오직율부)

⁰₆【聿】붓 율 │ 聿
㊈質 │ yù
㊐ イツ〔ふで〕 ㊀ writing brush
字解 ① 붓 율(筆也). ② 마침내 율(遂也). ③ 이에 율(發語辭, 惟也). ¶ 聿新(율신). ④ 지을 율(述也). ⑤ 스스로 율(自也).
字源 指事. 붓을 손에 들고 있는 모양.

²₈【甫】肅(숙)(聿部 7획)의 俗字

⁵₁₁【肅】肅(숙)(聿部 7획)의 俗字

⁷₁₃【肄】익힐 이 │ yì
이㊈寘
㊐ イ〔ならう〕 ㊀ exercise
字解 ① 익힐 이(習也). ② 수고 이(勞也).
字源 形聲. 篆文은 矤+隶〔音〕

⁷₁₃【肆】방자할 사 │ sì
사㊈寘
㊐ シ〔ほしいまま〕 ㊀ reckless
字解 ① 방자할 사(放恣). ¶ 肆意(사의). ② 늘어놓을 사(展也). ¶ 肆陳(사진). ③ 가게 사(店也). ¶ 書肆(서사). ④ 늦출 사(緩也). ¶ 肆體(사체). ⑤ 넉 사(四也).
字源 形聲.「隶(대)」의 전음이 음을 나타냄.

[肆縱 사종] 방종함. 사방(肆放).
[肆陳 사진] 늘어놓음. 벌여 놓음.
[書肆 서사] 책가게.

⁷₁₃【肅】엄숙할 숙 │ 肅
숙㊈屋 │ sù

6획

6
획

⠀⠀⠀⠀⠀⠀=⠀聿⠀聿⠀肀⠀肅⠀肅⠀肅⠀肅

⨀ シュク〔つつしむ〕 ⨂ respectful

字解 ① 엄숙할 숙, 엄할 숙(嚴貌). ¶ 嚴肅(엄숙). ② 공경할 숙(敬也), 삼갈 숙. ¶ 自肅(자숙). ③ 경계할 숙(戒也). ¶ 肅戒(숙계). ④ 정제할 숙(整也). ¶ 肅黨(숙당). ⑤ 절할 숙. ¶ 肅拜(숙배).

字源 會意. 肀(손)와 巾과 淵(못)의 합자. 손에 수건을 들고 깊은 못 위에서 일을 함. 삼가고 조심하지 않으면 안됨의 뜻.

參考 肃(聿部 5획)은 속자.

[肅啓 숙계] 삼가 아뢴다는 뜻으로, 편지의 첫머리에 쓰는 말.

[肅拜 숙배] ㉠ 머리를 숙이고 손을 내려 절을 함. 또 그 절. ㉡ 경의를 표하여 편지 끝에 쓰는 말.

[肅然 숙연] 삼가고 두려워하는 모양.

[肅正 숙정] 엄격히 바로잡음. ¶ 官紀肅正(관기 숙정).

[肅淸 숙청] 엄중히 다스려 불순분자를 몰아냄.

[自肅 자숙] 스스로 삼감.

[靜肅 정숙] 조용하고 엄숙함.

8
⑭ 【肇】 비롯할 조 ⊥篠 | zhào

⨀ チョウ〔はじめる〕 ⨂ originate

字解 ① 비롯할 조, 시초 조(始也). ¶ 肇國(조국). ② 바로잡을 조(正也). ¶ 肇末(조말).

字源 會意. 「戶」와 「聿」의 합자인 열림의 뜻에 攵을 더한 글자. 따라서, 처음 시작함의 뜻.

[肇國 조국] 처음으로 나라를 세움.

[肇基 조기] 기초를 확립함. 토대를 잡음.

⠀⠀⠀⠀肉(月) 〔6획〕⠀部
⠀⠀⠀⠀⠀(고기육·육달월부)

0
⑥ 【肉】 고기 육 入屋 | ròu ⠀⠀⠀⠀⨂

⠀⠀丨⠀冂⠀冂⠀内⠀肉⠀肉

⨀ ニク〔にく〕 ⨂ meat

字解 ① 고기 육(皮裏骨外), 살 육. ¶ 肉味(육미). ② 몸 육. ¶ 肉刑(육형). ③ 혈연 육. ¶ 肉親(육친).

字源 象形. 베어 낸 한 점의 고기덩이를 본뜬 글자.

參考 한자 부수에서, '육달월' 글자 속의 '=' 는 양쪽에 붙고(月), '달월' 글자 속의 '=' 는 왼쪽만 붙음(月).

[肉味 육미] ㉠ 고기의 맛. ㉡ 짐승의 고기로 만든 음식.

[肉眼 육안] ㉠ 육신(肉身)에 갖추어진 안구(眼球). ㉡ 안경을 쓰지 않는 천생의 시력.

[肉體 육체] 사람의 몸.

[肉親 육친] 혈족의 관계가 있는 사람.

[果肉 과육] ㉠ 과일과 고기. ㉡ 과일의 살.

[血肉 혈육] ㉠ 피와 살. ㉡ 자기 소생의 자녀.

2
⑥ 【肋】 갈빗대 륵 入職 | lèi ⠀⠀⠀⨂

⨀ ロク〔あばら〕 ⨂ ribs

字解 갈빗대 륵(脅骨檢勒五臟). ¶ 肋骨(늑골).

字源 形聲. 月(肉)+力〔音〕

[肋骨 늑골] 가슴을 둘러싸고 폐와 심장을 보호하는 뼈.

2
⑥ 【肌】 살가죽 기 ⊕攴 | jī ⠀⠀⠀⨂

⨀ キ〔はだ〕 ⨂ skin

字解 살가죽 기(膚也). ¶ 肌色(기색). 玉肌(옥기). 肌理(기리).

字源 形聲. 月(肉)+几〔音〕

[肌理 기리] 살결.

[肌膚 기부] 살과 피부. 살. 살갗.

[肌色 기색] 피부의 빛. 살색.

³⁷ 【肘】팔꿈치 | zhŏu
주⑮有

㊟ チュウ〔ひじ〕 ㊤ elbow

字解 팔꿈치 주(臂節). ¶ 肘腋(주액).

字源 會意. 月(肉)과 寸(손목의 맥)의 합자.

[肘腋 주액] ㉠ 팔꿈치와 겨드랑이. ㉡ 아주 가까운 곳을 비유하여 이르는 말.

[肘腕 주완] 팔꿈치와 팔뚝.

³⁷ 【肚】배 두 | dù
⑮麌

㊟ ト〔はら〕 ㊤ belly

字解 ① 배 두(腹部). ¶ 肚裏(두리). ② 밥통 두(胃也).

字源 形聲. 月(肉)+土〔音〕

[肚裏 두리] 뱃속. 심중.

³⁷ 【肛】똥구멍 | gāng
항⑮江

㊟ コウ〔しりのあな〕 ㊤ anus

字解 똥구멍 항, 분문 항(大腸端). ¶ 肛門(항문). 脫肛(탈항).

字源 形聲. 月(肉)+工〔音〕

[肛門 항문] 똥구멍. 분문(糞門).

³⁷ 【肜】제사이 름 융 | róng
⑮東

㊟ ユウ〔まつり〕

字解 ① 제사이름 융(祭之明日又祭). ② 다스릴 융(治也).

字源 會意. 본디 彡로 썼음. 「되돌이함」의 뜻을 나타내는 지사 문자. 뒤에 이것에 제사의 뜻을 나타내기 위하여 肉(月)을 더한 글자. 다음날 반복하여 지내는 제사의 뜻.

³⁷ 【肝】간 간 | gān
⑮寒

㊟ カン〔きも〕 ㊤ liver

字解 ① 간(五臟之一). ¶ 肝油(간유). ② 마음 간, 충정 간(肝膽). ¶ 肝肺(간폐). ③ 요긴할 간. ¶ 肝要(간요).

字源 形聲. 月(肉)+干〔音〕

[肝膽 간담] ㉠ 간과 쓸개. ㉡ 마음. 충심(衷心). ¶ 肝膽相照(간담상조).

[肝銘 간명] 마음에 깊이 새겨 잊지 않음.

[肝要 간요] 썩 중요함. 썩 요긴함.

[肝腸 간장] 간장과 창자. 전하여, 마음.

³⁷ 【肓】명치 황 | huāng
⑮陽

㊟ コウ〔むなもと〕 ㊤ solar plexus

字解 명치 황(心下鬲上).

字源 形聲. 月(肉)+亡〔音〕

注意 肓(目部 3획)은 딴 글자.

[膏肓 고황] 심장과 횡격막 사이. 병이 그 속에 들어가면 낫기 어렵다는 부분.

³⁷ 【肖】㊤嘯 닮을 초 | xiào
㊤쇠할 소 | xiāo
⑮蕭

㊟ ショウ〔にる・おとろえる〕 ㊤ be like, weak

字解 ■ ① 닮을 초(類似). ¶ 肖似(초사). ② 작을 초(小也). ■ 쇠할 소(衰微).

字源 形聲. 月(肉)+小〔音〕

[肖似 초사] 닮음.

[肖像 초상] 사람의 얼굴이나 모양을 그림으로 그리거나 조각으로 새김.

[不肖 불초] 어버이의 덕망이나 유업을 이어받지 못함. 또는 그런 사람.

6획

4 ⑧ 【肥】 살찔 비 [平]微 féi

丿 刀 月 月 月乛 月⺆ 月卩 肥

[日] ヒ〔こえる〕 [英] fatten

[字解] ① **살찔 비**(多肉). ¶ 肥大(비대). ② **걸 비**. ¶ 肥沃(비옥). ③ **거름 비**. ¶ 肥料(비료).

[字源] 會意. 月(肝)과 卩((節)의 본자)의 합자. 알맞게 살이 찜의 뜻. 巴는 卩의 변형.

[肥大 비대] 살이 쪄서 몸이 크고 뚱뚱함.
[肥料 비료] 식물의 성장을 촉진하기 위하여 땅에 주는 영양 물질. 거름.
[肥沃 비옥] 땅이 기름짐.
[金肥 금비] 화학 비료.
[堆肥 퇴비] 구덩이를 파고 잡초·낙엽 따위를 넣어 썩힌 거름.

6 획

4 ⑧ 【股】 넓적다리 고[上]麌 gǔ

[日] コ〔もも〕 [英] thigh

[字解] ① **넓적다리 고**(脛本髀幹). ¶ 股肱(고굉). ② **고 고**(直角三角形之一邊). ¶ 句股弦(구고현).

[字源] 形聲. 月(肉)+鼓〈省〉〔音〕

[股間 고간] 두 넓적다리의 사이. 샅.
[股肱 고굉] ㉠ 다리와 팔. ㉠ 임금이 가장 믿는 중요한 신하(臣下). ¶ 股肱之臣(고굉지신).

4 ⑧ 【肢】 팔다리 지[平]支 zhī

[日] シ〔てあし〕 [英] limbs

[字解] **팔다리 지**(手足). ¶ 四肢(사지).

[字源] 形聲. 月(肉)+支〔音〕

[肢體 지체] 팔다리와 몸. 곧, 전신(全身). 신체.

4 ⑧ 【肸】 울려퍼질 힐[入]質 xī

[日] キツ〔ふるいおこる〕 [英] resound

[字解] ① **울려퍼질 힐**. ② **떨칠 힐**. ③ **웃을 힐**.

4 ⑧ 【肪】 비계 방[平]陽 fáng

[日] ボウ〔あぶら〕 [英] animal fat

[字解] **비계 방**(脂也). ¶ 脂肪(지방).

[字源] 形聲. 月(肉)+方〔音〕

4 ⑧ 【肫】 광대뼈 순[平]眞 zhūn

[日] シュン〔ほおぼね〕 [英] cheekbone

[字解] ① **광대뼈 순**(面顴). ② **정성스러울 순**(懇誠貌).

[字源] 形聲. 月(肉)+屯〔音〕

4 ⑧ 【肱】 팔뚝 굉[平]蒸 gōng

[日] コウ〔ひじ〕 [英] forearm

[字解] **팔뚝 굉**(肘下腕上). ¶ 曲肱而枕之(곡굉이침지).

[字源] 形聲. 月(肉)+厷(音)

[肱膂 굉려] 팔뚝과 등뼈. 전하여, 심복(心腹).

4 ⑧ 【肺】 허파 폐[去]隊 fèi

丿 刀 月 月 月一 月亠 肪 肺

[日] ハイ〔はいぞう〕 [英] lungs

[字解] ① **허파 폐**(金藏主魄). ¶ 肺臟(폐장). ② **마음 폐**(裏心). ¶ 肺腑(폐부).

[字源] 形聲. 月(肉)+市(巿)〔音〕

[肺炎 폐렴] 폐에 생기는 염증.
[肺腑 폐부] ㉠ 부아. 폐. ㉡ 마음의 깊은 속. ㉢ 일의 요긴한 점. 또는 급소.

4 ⑧ 【肩】 어깨 견[平]先 jiān

一 ㄱ ヨ 戶 戶 肩 肩 肩

㉥ ケン〔かた〕 ㉤ shoulder

字解 어깨 견(膊上).

字源 會意. 戶(견갑골의 상형)와 月(肉)의 합자.

[肩胛 견갑] 어깨뼈가 있는 곳. 견갑(肩甲).

[肩章 견장] 어깨에 붙여 관직의 종류와 계급을 밝히는 표장.

[比肩 비견] 어깨를 나란히 함.

4⁸ 【肯】 즐기어 할 긍 ㊤迥 kěn

丶 ㅗ ㅕ 止 ㄵ 肯 肯 肯

㉥ コウ〔うけがう〕 ㉤ enjoy

字解 ① 즐기어할 긍(可也). ¶ 肯定(긍정). ② 뼈에붙은살 긍(着骨肉). ¶ 肯綮(긍경).

字源 會意. 月(肉)+止.

[肯綮 긍경] 사물의 가장 긴요한 곳. 급소. '肯'은 뼈에 붙은 살. '綮'은 근육과 근육이 결합된 곳.

[肯定 긍정] ㉠ 그러하다고 인정 또는 승인함. ㉡ 사물의 일정한 관계를 승인함.

4⁸ 【肴】 안주 효 ㊤肴 yáo

㉥ コウ〔さかな〕 ㉤ side dish

字解 안주 효, 고기안주 효(俎實啖肉). ¶ 肴核(효핵).

字源 形聲. 月(肉)+爻〔音〕.

[肴核 효핵] ㉠ 어육(魚肉)과 과일. ㉡ 안주.

[酒肴 주효] 술과 안주.

4⁸ 【育】 기를 육 ㊤屋 yù

丶 ㅗ ㅊ 云 产 育 育 育

㉥ イク〔そだてる〕 ㉤ bring up

字解 기를 육(養也). ¶ 育兒(육아).

字源 會意. 云(子의 거꾸로 된 모양. 성질이 좋지 않은 아이의 뜻)와

月=肉(기르다의 뜻)의 합자. 성질이 좋지 않은 아이를 양육 선도함의 뜻.

[育成 육성] 길러서 키움. 길러 냄.

[育英 육영] 영재(英才)를 가르쳐 기름. 곧, 교육. ¶ 育英事業(육영사업).

[發育 발육] 자라남.

[養育 양육] 길러 자라게 함.

5¹¹ 【胔】 ㅡ썩은살 자 ㊦寘 zì
　　　　ㅡ야윌 척 jí
　　　　㊦陌

㉥ シ〔くさったにく〕・セキ〔やせる〕 ㉤ get thin

字解 ㅡ 썩은살 자(腐肉). ㅡ 야윌 척.

字源 形聲. 肉+此〔音〕.

5⁹ 【胆】 膽(담)(肉部 13획)의 俗字

5⁹ 【胎】 아이밸 태 ㊤灰 tāi

㉥ タイ〔はらむ〕 ㉤ pregnant

字解 ① 아이밸 태(婦孕三月). ¶ 胎夢(태몽). ② 태 태(在腹中未出). ¶ 胎兒(태아). ③ 처음 태, 시초 태(始也). ¶ 胎動(태동).

字源 形聲. 月(肉)+台〔音〕.

[胎氣 태기] 아이를 밴 낌새.

[胎動 태동] ㉠ 태아가 움직임. ㉡ 어떤 사물·현상이 생기려고 싹트기 시작함.

[胎夢 태몽] 잉태(孕胎)할 징조의 꿈.

5⁹ 【胖】 ㅡ희생 반 ㊤翰 pàn
　　　　ㅡ클 반 pàng, pán
　　　　㊤寒

㉥ ハン〔かたい・おおきい〕 ㉤ sacrifice, great

字解 ㅡ ① 희생 반(犧也). ② 안심 반(胸側薄肉). ㅡ 클 반(大也). ¶ 肥胖(비반).

字源 形聲. 月(肉)+半〔音〕.

[胖大 반대] 살이 많이 쪄서 몸집이 비대하고 큼.
[胖肆 반사] 방사(放肆)함.

5 ⑨ 〖胙〗 제육 조 ㊄遇 | zuò
㊐ ソ〔ひもろぎ〕
字解 ① **제육 조**(祭福肉). ② **복 조**(福也). ③ **갚을 조**(報也).
字源 形聲. 月(肉)+乍〔音〕

5 ⑨ 〖胚〗 아이밸 배㊥灰 | pēi
㊐ ハイ〔はらむ〕 ㊎ pregnant
字解 ① **아이밸 배**(婦孕一月). ¶ 胚胎(배태). ② **시초 배**(物之始). ¶ 胚胎(배태).
字源 形聲. 月(肉)+丕〔音〕

6 획

[胚子 배자] 알에서 발생하여 아직 외계에 나오지 않고, 표피 또는 모체 속에서 보호되고 있는 동물의 유생(幼生).
[胚胎 배태] ㉠ 아이나 새끼를 뱀. ㉡ 초기(初期). 사물의 시초. ㉢ 사물의 원인이 되는 빌미.

5 ⑨ 〖胛〗 어깨뼈 갑㊇洽 | jiǎ
㊐ コウ〔かいがらぼね〕
㊎ shoulder bone
字解 **어깨뼈 갑**(背上兩膊間). ¶ 肩胛(견갑).
字源 形聲. 月(肉)+甲〔音〕
[胛骨 갑골] 어깨뼈. 견갑골(肩胛骨).

5 ⑨ 〖胝〗 못박일 지㊥支 | zhī
㊐ チ〔たこ〕 ㊎ get a corn
字解 **못박일 지**(皮厚), **틀 지**. ¶ 胼胝(변지).
字源 形聲. 月(肉)+氐〔音〕

5 ⑨ 〖胞〗 태의 포 ㊥肴 | bāo
丿 刀 月 月' 肑 肑 肑 胞
㊐ ホウ〔えな〕 ㊎ amnion
字解 ① **태의 포**(胎衣). ¶ 胞宮(포궁). ② **배 포**. ¶ 同胞(동포). ③ **세포 포**. ¶ 胞子(포자).
字源 形聲. 包(포)는 태 안에 있는 아이. 月(肉)은 그것을 싸고 있는 막(膜)을 말함.
[胞宮 포궁] 아기집.
[胞子 포자] 식물이 생식하기 위하여 생기는 특별한 세포로서, 모체를 떠나 새로운 개체가 되는 힘을 가진 것.
[僑胞 교포] 외국에 살고 있는 동포.
[同胞 동포] ㉠ 동기(同氣). 형제자매. ㉡ 같은 겨레. 같은 민족.

5 ⑨ 〖脉〗 脈(맥)(肉部 6획)의 俗字

5 ⑨ 〖胡〗 오랑캐 호㊥虞 | hú
一 十 古 古 古 胡 胡 胡
㊐ コ〔えびす〕 ㊎ savage
字解 ① **오랑캐 호**(匈奴). ¶ 胡亂(호란). ② **어찌 호**(何也). ¶ 胡爲(호위). ③ **수할 호**(壽也). ¶ 胡耉(호구). ④ **멀 호**(遠也, 猶遐). ¶ 胡福(호복).
字源 形聲. 月(肉)+古〔音〕
[胡耉 호구] ㉠ 아흔 살의 일컬음. ㉡ 노인. 원로.
[胡亂 호란] ㉠ 뒤섞여서 어수선함. ㉡ 호인(胡人)들로 인한 병란(兵亂). ㉢ 병자호란(丙子胡亂).
[胡福 호복] 큰 행복.
[胡爲 호위] 왜. 어찌하여. 하고(何故).

5 ⑨ 〖胤〗 맏 윤 ㊄震 | yìn
㊐ イン〔たね〕 ㊎ eldest son
字解 ① **맏 윤**, **맏아들 윤**(長子也). ¶ 胤子(윤자). ② **자손 윤**(嗣也). ¶ 胤裔(윤예). ③ **이을 윤**(子孫相

繼, 繼也).

字源 會意. 月(肉)과 幺와 八의 합자.

[胤嗣 윤사] 자손. 후사(後嗣).

[胤玉 윤옥] 남의 아들을 높여 일컫는 말. 윤옥(允玉). 영윤(令胤).

5
⑨ 【胃】밥통 위 ㊀未 | wèi | 胃

丿 冂 冂 罒 罒 冃 胃 胃 胃

㊀ イ〔いぶくろ〕 ㊝ stomach

字解 밥통 위(穀腑). ¶ 胃臟(위장).

字源 會意. 위장 안에 음식이 들어 있는 모양에 月(肉)을 더한 글자.

注意 冑(門부 7획)는 딴 글자.

[胃癌 위암] 위에 생기는 암종(癌腫).

[胃腸 위장] 위와 창자.

[健胃 건위] 위를 튼튼하게 함.

[脾胃 비위] ㉠ 비장과 위경. ㉡ 음식의 맛이나 사물에 대해 좋고 나쁨을 분간하는 기분.

5
⑨ 【胄】자손 주 ㊀宥 | zhòu | 胄

㊀ チュウ〔よつぎ〕 ㊝ descendants

字解 ① 자손 주(裔也, 系也, 嗣也). ¶ 胄裔(주예). ② 맏아들 주(長子也). ¶ 胄孫(주손).

字源 形聲. 月(肉)+由〔音〕

注意 冑(門부 7획), 胄(肉부 5획)는 딴 글자.

[胄孫 주손] 맏손자.

[胄裔 주예] 핏줄. 혈통. 자손.

5
⑨ 【背】등 배 | bèi | 背
㊀隊 | bēi

丿 亅 匕 圠 北 背 背 背

㊀ ハイ〔せ〕 ㊝ back

字解 ① 등 배(脊也), 뒤 배(後也). ¶ 背景(배경). ② 등질 배(倍也). ¶ 背恩(배은), 背信(배신).

字源 形聲. 月(肉)+北〔音〕

[背景 배경] ㉠ 무대(舞臺) 뒤쪽 벽에 꾸민 경치. ㉡ 주위의 상태. ㉢ 뒤에서 돌보아 주는 세력.

[背叛 배반] 신의(信義)를 저버리고 돌아섬. 서로 용납되지 않음.

[背水陣 배수진] ㉠ 물을 등지고 치는 진법(陣法). 물러가지 못하고 싸우게만 됨. ㉡ 실패하면 망한다는 각오 아래 일의 성패를 겨루는 경우의 비유.

[背信 배신] 신의를 저버림.

5
⑨ 【胥】서로 서 ㊀魚 | xū | 胥

㊀ ショ〔みな〕 ㊝ mutually

字解 ① 서로 서(相也). ¶ 胥匡(서광). ② 다 서(皆也). ¶ 胥感(서척). ③ 아전 서(屬官). ¶ 胥吏(서리).

字源 形聲. 月(肉)+疋〔音〕

[胥匡 서광] 서로 광정(匡正)함.

[胥吏 서리] 하급 관리. 아전.

6
⑫ 【胾】고깃점 자 ㊀寘 | zì | 胾

㊀ シ〔きりみ〕

字解 고깃점 자(切肉大臠).

字源 形聲. 肉+𢦏(재)〔音〕

6
⑩ 【胯】사타구니 과 ㊀遇 | kuà | 胯

㊀ コ〔また〕 ㊝ crotch

字解 사타구니 과, 샅 과(兩股間).

字源 形聲. 月(肉)+夸〔音〕

6
⑩ 【胱】오줌통 광 ㊀陽 | guāng | 胱

㊀ コウ〔ゆばりぶくろ〕 ㊝ bladder

字解 오줌통 광(水腑). ¶ 膀胱(방광).

字源 形聲. 月(肉)+光〔音〕

6
⑩ 【胴】큰창자 동 ㊀董 | dòng | 胴

[日] ドウ〔だいちょう〕
[英] large intestine

[字解] ① **큰창자 동**(大腸). ② **구간 동**(軀幹). ¶ 胴體(동체).

[字源] 形聲. 月(肉)+同〔音〕

[胴體 동체] ㉠ 몸통. ㉡ 동부(胴部)의 몸.

6 ⑩ 【胸】 가슴 흉 [平]冬 | xiōng

⺆ 月 月' 肑 肑 肑 胸 胸

[日] キョウ〔むね〕 [英] breast

[字解] ① **가슴 흉**(膺也). ¶ 胸廓(흉곽). ② **마음 흉**(心情). ¶ 胸襟(흉금).

[字源] 會意. 月(肉)과 匈(가슴의 뜻의 원자(原字))의 합자. 또, 「凶(흉)」이 음을 나타냄.

[胸廓 흉곽] 흉추골(胸椎骨)·늑골(肋骨)·흉골(胸骨)로 이루어지는 가슴 부분의 몸통.
[胸襟 흉금] 가슴속. 심중.
[胸中 흉중] 가슴속. 가슴속의 생각.

6 ⑩ 〖胼〗 腁(변)(肉部 8획)의 俗字

6 ⑩ 〖脂〗 비계 지 [平]支 | zhī

[日] シ〔あぶら〕 [英] fat

[字解] ① **비계 지**(膏也). ¶ 脂肪(지방). ② **진 지**. ¶ 樹脂(수지). ③ **연지 지**. ¶ 臙脂(연지).

[字源] 形聲. 月(肉)+旨〔音〕

[脂肪 지방] 동물이나 식물에 들어 있으며 물에 풀어지지 않고, 불에 타는 성질을 가진 물질. 굳기름.
[脂粉 지분] ㉠ 연지(臙脂)와 백분(白粉). ㉡ 화장(化粧).

6 ⑩ 〖脆〗 무를 취 [去]霽 | cuì

[日] ゼイ〔もろい〕 [英] fragile

[字解] **무를 취**(小耎物易斷). ¶ 脆弱(취약).

[字源] 形聲. 月(肉)+危〔音〕

[脆薄 취박] ㉠ 연하고 얇음. ㉡ 경박함.
[脆弱 취약] 무르고 약함. 가냘픔. ¶ 脆弱地區(취약 지구).

6 ⑩ 〖脈〗 맥 맥 [入]陌 | mài

丿 ⺆ 月 月' 月⺁ 脈 脈 脈

[日] ミャク〔すぐ〕 [英] pulse

[字解] ① **맥 맥**(血絡), **혈관 맥**. ¶ 血脈(혈맥). ② **줄기 맥**. ¶ 山脈(산맥).

[字源] 會意. 고자(古字)는 衇. 血 또는 月(肉)과 𠂢(派의 본자)의 합자. 체내에 피가 흐르고 있는 줄기의 뜻.

[參考] 脉(肉部 5획)은 속자.

[脈絡 맥락] ㉠ 혈관. ㉡ 조리(條理).
[脈理 맥리] 연락하는 줄.
[脈搏 맥박] 염통이 오므라졌다 펴졌다 하는 데 따라 뛰는 맥.
[文脈 문맥] 문장의 줄거리.
[診脈 진맥] 맥을 짚어 병을 진찰함.

6 ⑩ 【能】 능할 능 [平]蒸 | néng

厶 ⺅ 台 自 自' 能 能 能

[日] ノウ〔あたう〕 [英] able

[字解] ① **능할 능**, **능히할 능**(勝任). ¶ 能率(능률). ② **재능 능**. ¶ 能力(능력).

[字源] 會意. 𠤎(짐승의 뜻)와 月(肉)과 厶(머리 모양)를 합친 글자.

[能力 능력] ㉠ 잘 감당할 힘. ㉡ 사권(私權)을 완전히 행사할 수 있는 자격.
[能率 능률] ㉠ 일정한 동안에 할 수 있는 일의 비율. ㉡ 완수한 일에 대하여 거기에 소요된 노력과 시간과, 그로써 얻은 효과와의 비율.

6 획

[能小能大 능소능대] 모든 일을 두루 잘함.

[技能 기능] 기술적인 능력이나 재능.

[才能 재능] 재주와 능력.

⁶₁₀【脅】 脅(협)(次條)과 同字

⁶₁₀【脅】 으를 협 〔入葉〕 | 胁 xié

一ナナ劦脅脅脅脅

⊜ キョウ〔おびやかす〕 ⊛ threaten

字解 ① 으를 협(威力恐人). ¶脅迫(협박). ② 겨드랑이 협(腋也). ¶脅痛(협통).

字源 形聲. 月(肉)+劦〔音〕

[脅迫 협박] ㉠ 으르고 다잡음. ㉡ 사람을 공포에 빠지게 할 목적으로 해롭게 할 뜻을 알림.

[脅威 협위] 으름. 위협.

[脅奪 협탈] 위협하여 빼앗음.

⁶₁₀【脊】 등성마루 척 〔入陌〕 jǐ ⊛ spine

字解 등성마루 척(地勢似背呂也).

字源 會意. 등뼈를 본뜬 夫와 月(肉)의 합자.

[脊椎 척추] 등마루를 이루는 뼈. ¶脊椎骨(척추골). 脊椎動物(척추동물).

⁷₁₁【脘】 ▬밥통 완 ⊕관⊕루 ▬뼈기름 환 ⊕元 wǎn

⊜ カン〔いのほじし〕 ⊛ stomach

字解 ▬ ① 밥통 완. ▬ 뼈기름 환.

字源 形聲. 月(肉)+完〔音〕

⁷₁₁【腦】 腦(뇌)(肉部 9획)의 俗字

⁷₁₁【脚】 다리 각 〔入藥〕 jiǎo

刀月月肒肽肤肤胠脚

⊜ キャク〔あし〕 ⊛ leg

字解 ① 다리 각, 종아리 각(脛也). ¶脚氣(각기). ② 발 각(足也). ¶橋脚(교각).

字源 形聲. 月(肉)+却〔音〕

[脚光 각광] ㉠ 무대 전면의 아래쪽에서 배우를 비쳐 주는 광선. ㉡ 사람이나 사물의 어떤 방면에서의 등장(登場)이 눈부실 만큼 찬란히 빛남.

[脚氣 각기] 비타민 B₁의 결핍으로 생기는 병으로, 다리가 마비되고 부음.

[脚註 각주] 본문 밑에 적은 주해.

[健脚 건각] 튼튼한 다리.

[失脚 실각] ㉠ 발을 헛디딤. ㉡ 권력·지위를 잃음.

⁷₁₁【脛】 정강이 경 ⊛형⊛徑 jìng

⊜ ケイ〔すね〕 ⊛ shinbone

字解 ① 정강이 경(膝下骨). ¶脛骨(경골). ② 곳곳할 경(直貌). ¶脛脛(경경).

字源 形聲. 月(肉)+巠〔音〕

[脛骨 경골] 정강이 안쪽에 있는 긴 뼈.

⁷₁₁【脫】 벗을 탈 〔入曷〕 tuō

刀月月肜肜脛脛脫

⊜ ダツ〔ぬぐ〕 ⊛ take off

字解 ① 벗을 탈(解也). ¶脫衣(탈의). ② 벗어날 탈(免也). ¶脫俗(탈속). ③ 빠질 탈(遺也). ¶脫落(탈락).

字源 形聲. 月(肉)+兌〔音〕

[脫臼 탈구] 뼈의 관절이 접질려서 어긋남.

[脫落 탈락] ㉠ 빠져 버림. ㉡ 같이 나가던 일에서 빠져서 떨어져 나감.

[脫線 탈선] ㉠ 기차·전차 등이 선

로를 벗어남. ㉡ 언행이 상규(常規)를 벗어나 빗나감. ㉢ 목적 이외의 딴 길로 빠짐.

[離脫 이탈] 떨어져 나감.

7 ⑪ 【脯】 포 포 ㊤麌 fǔ

[日] ホ〔ほじし〕 [英] dried meat

[字解] **포 포**(乾肉, 腊也). ¶ 脯醢(포해).

[字源] 形聲. 月(肉)+甫〔音〕

[脯醢 포해] ㉠ 포와 젓. ㉡ 참혹한 형벌(刑罰)을 이름.

7 ⑪ 【脩】 길 수 [平]尤 xiū

[日] シュウ〔ながい〕 [英] long

[字解] ① **길 수**(長也). ¶ 脩短(수단). ② **포 수**(脯也). ¶ 束脩(속수). ③ **닦을 수**(修也). ¶ 身脩(신수).

[字源] 形聲. 月(肉)+攸〔音〕

[脩短 수단] 긴 것과 짧은 것.

[脩睦 수목] 화목(和睦)함. 화목하도록 힘씀.

[脩竹 수죽] ㉠ 긴 대. ㉡ 죽림(竹林).

[脩脯 수포] 포(脯). 건육(乾肉).

7 ⑪ 【脣】 입술 순 [平]眞 chún

一 厂 戶 尸 尼 辰 脣 脣

[日] シン〔くちびる〕 [英] lip

[字解] **입술 순**(口耑, 齒垣).

[字源] 形聲. 月(肉)+辰〔音〕

[參考] 唇(口部 7획)은 딴 글자이나, 속(俗)에 혼용함.

[脣亡齒寒 순망치한] 입술이 없으면 이빨이 시리다는 뜻. 가까운 사이의 하나가 망하면 다른 한 편도 온전하기 어려움의 비유.

[脣齒 순치] ㉠ 입술과 이. ㉡ 서로 이해관계가 밀접한 것.

[脣齒輔車 순치보거] 순망치한(脣亡齒寒)과 보거상의(輔車相衣). 곧, 서로 없어서는 안 될 밀접(密接)한 관계.

8 ⑭ 【腐】 썩을 부 ㊤麌 fǔ

亠 广 广 府 府 腐 腐 腐

[日] フ〔くさる〕 [英] rotten

[字解] ① **썩을 부**(朽也). ¶ 腐敗(부패). ② **마음괴롭힐 부**. ¶ 腐心(부심). ③ **묵을 부, 낡을 부**. ¶ 陳腐(진부). ④ **불알발라내는형 부**(宮刑). ¶ 腐刑(부형).

[字源] 形聲. 肉+府〔音〕

[腐蝕 부식] ㉠ 썩어서 벌레가 먹음. ㉡ 썩어서 개먹어 들어감.

[腐心 부심] 마음을 괴롭힘. 몹시 마음을 씀.

[腐敗 부패] ㉠ 썩어서 못 쓰게 됨. ㉡ 타락함.

[防腐 방부] 썩지 못하게 막음.

[陳腐 진부] 케케묵고 낡음.

8 ⑫ 【脹】 부를 창 [去]漾 胀 zhàng

[日] チョウ〔ふくれる〕 [英] satiated

[字解] ① **부를 창**(腹滿). ¶ 脹滿(창만). ② **부을 창, 부풀 창**. ¶ 膨脹(팽창).

[字源] 形聲. 月(肉)+長〔音〕

[脹滿 창만] ㉠ 배가 부름. ㉡ 복부에 액체나 가스가 차서 배가 부른 병.

8 ⑫ 【腊】 포 석 [入]陌 xí

[日] ヤキ〔ほじし〕 [英] dried meat

[字解] **포 석**(乾肉). ¶ 脯腊(포석).

[字源] 形聲. 月(肉)+昔〔音〕

8 ⑫ 【胼】 못박일 변 [平]先 pián

[日] ヘン〔たこ〕 [英] get a corn

[字解] **못박일 변**(上皮堅也). ¶ 胼胝(변지).

[字源] 形聲. 月(肉)+幷〔音〕

8 ⑫ 【脾】 지라 비 | pí

㊥支

㊐ ヒ〔よこし〕　㊧ spleen

字解 지라 비(土藏, 五臟之一). ¶ 脾臟(비장).

字源 形聲. 月(肉)+卑〔音〕

[脾胃 비위] ㉠ 지라와 밥통. ㉡ 사물에 대하여 좋고 언짢음을 느끼는 기분. ㉢ 싫은 것을 잘 참아 내는 힘.

8 ⑫ 【腆】 두터울 전 | tiǎn

㊤銑

㊐ テン〔あつい〕　㊧ cordial

字解 ① 두터울 전(厚也). ¶ 不腆(부전). ② 많이차려놓을 전(設膳多).

字源 形聲. 月(肉)+典〔音〕

8 ⑫ 【腋】 겨드랑이 액 | yè

㊤陌

㊐ エキ〔わき〕　㊧ armpit

字解 겨드랑이 액(左右脅之間也). ¶ 腋臭(액취).

字源 形聲. 月(肉)+夜〔音〕

[腋氣 액기] 겨드랑에서 나는 냄새. 암내. 액취(腋臭).

[扶腋 부액] 곁부축.

8 ⑫ 【腑】 장부 부 | fǔ

㊤麌

㊐ フ〔はらわた〕　㊧ bowels

字解 장부 부(府也). ¶ 五臟六腑(오장육부).

字源 形聲. 月(肉)+府〔音〕

[肺腑 폐부] 허파.

8 ⑫ 【腓】 장딴지 비 | féi

㊤微

㊐ ヒ〔こむら〕　㊧ calf

字解 ① 장딴지 비(脛腨). ¶ 腓骨(비골). ② 앓을 비(病也). ③ 피할 비(避也).

字源 形聲. 月(肉)+非〔音〕

8 ⑫ 【腔】 빈속 강 | qiāng

㊥江

㊐ コウ〔から〕　㊧ hollow

字解 ① 빈속 강(內空). ¶ 口腔(구강). ② 가락 강(歌曲調). ¶ 腔調(강조).

字源 形聲. 月(肉)+空〔音〕

[腔調 강조] 음의 성률(聲律).

[口腔 구강] 입 안.

[滿腔 만강] 가슴속에 꽉 참.

8 ⑫ 【腕】 팔 완 | wàn

㊤翰

㊐ ワン〔うで〕　㊧ arm

字解 ① 팔 완. ¶ 上腕(상완). ② 팔목 완. ¶ 腕骨(완골). ③ 재주 완, 기량 완. ¶ 敏腕(민완).

字源 形聲. 月(肉)+宛〔音〕

[腕力 완력] 주먹심. 뚝심.

[腕章 완장] 팔에 두르는 표장(表章).

[手腕 수완] ㉠ 손회목. ㉡ 일을 꾸미고 치러 나가는 재간.

8 ⑫ 【腎】 콩팥 신 | shèn

㊤軫

㊐ ジン〔じんぞう〕　㊧ kidney

字解 ① 콩팥 신(水藏, 五臟之一). ¶ 腎臟(신장). ② 자지 신, 불알 신. ¶ 腎莖(신경).

字源 形聲. 月(肉)+臤〔音〕

[腎莖 신경] 자지.

[腎管 신관] 환형동물(環形動物)의 배설 기관. 체강(體腔)에 모여 있던 노폐물(老廢物)을 밖으로 배출함.

[腎候 신후] 귀(耳)의 이칭(異稱).

[海狗腎 해구신] 물개 수컷의 생식기. 강정제로 씀.

9 ⑬ 【腠】 살결 주 | còu

㊥宥

㊐ ソウ〔はだのきめ〕　㊧ skin

字解 살결 주(膚理也). ¶ 腠理(주리).

字源 形聲. 月(肉)+奏〔音〕

9 ⑬ 〖腥〗 비릴 성 [平]青 | xīng

[日] セイ〔なまぐさい〕 [英] fishy

[字解] ① **비릴 성, 누릴 성**(星見食豕也). ¶ 腥臭(성취). ② **날고기 성**(生肉). ¶ 腥魚(성어). ③ **더러울 성**(穢也). ¶ 腥聞(성문).

[字源] 形聲. 月(肉)+星〔音〕

[腥德 성덕] 더러운 덕. 추한 행위.
[腥臭 성취] 비린내. 누린내.

9 ⑬ 〖腦〗 머릿골 뇌[上]皓 | 脑 nǎo

丿 月 月⺍ 月⺍ 月⺍ 腦 腦 腦

[日] ノウ〔のうみそ〕 [英] brain

[字解] ① **머릿골 뇌**(頭髓). ¶ 腦漿(뇌장). ② **머리 뇌**(頭骨). ¶ 頭腦(두뇌).

[字源] 會意. 囟가 머리의 모양, 그것에 털이 난 것이 𡿺, 다시 月(肉)을 더한 것이 腦.

[腦裏 뇌리] 머릿속. 마음속. 뇌리(腦裡).
[腦髓 뇌수] 머릿골. 뇌.
[頭腦 두뇌] ㉠ 뇌. ㉡ 사물을 판단하는 슬기. 지식 수준이 높은 사람.

9 ⑬ 〖腫〗 부스럼 종[上]腫 | 肿 zhǒng

[日] ショウ〔はれる〕 [英] swell

[字解] ① **부스럼 종**(癰也). ¶ 腫瘍(종양). ② **부르틀 종**(膚肉浮滿). ¶ 浮腫(부종).

[字源] 形聲. 月(肉)+重〔音〕

[腫氣 종기] 부스럼. 종양(腫瘍).
[腫脹 종창] 염증이나 종양 따위로 부어오름.

9 ⑬ 〖腰〗 허리 요 [平]蕭 | 腰 yāo

月 月⼀ 月⼀ 月覀 月覀 腰 腰 腰

[日] ヨウ〔こし〕 [英] waist

[字解] **허리 요**(身體之中). ¶ 腰痛(요통). 腰帶(요대).

[字源] 形聲. 月(肉)+要〔音〕

[腰輿 요여] 앞뒤에 여러 사람이 각각 손으로 허리만큼 높이 들고 가는 가마.
[腰折 요절] ㉠ 허리가 꺾어짐. 늙어서 허리가 굽음. ㉡ 하도 우스워 허리가 부러질 듯함. 요절(腰絕).

9 ⑬ 〖腱〗 [一]힘줄밑동 건[去]願 [二]힘줄 근[平]文 | qián jiàn

[日] ケン〔すじがなる・すじのつけね〕 [英] vien

[字解] [一] **힘줄밑동 건**(筋之本). [二] **힘줄 근**.

[字源] 形聲. 月(肉)+建〔音〕

9 ⑬ 〖腴〗 살찔 유 [平]虞 [上]麌 | yú

[日] ユ〔こえる〕 [英] grow fat

[字解] ① **살찔 유**(腹下肥). ② **기름질 유**. ¶ 沃腴(옥유).

[字源] 形聲. 月(肉)+臾〔音〕

9 ⑬ 〖腸〗 창자 장 [平]陽 | 肠 cháng

丿 月 月⼌ 月日 月旦 月昜 腸 腸

[日] チョウ〔はらわた〕 [英] bowels

[字解] ① **창자 장**(水穀道). ¶ 胃腸(위장). ② **마음 장**(衷心). ¶ 熱腸(열장).

[字源] 形聲. 月(肉)+昜〔音〕

[參考] 膓(肉部 11획)은 속자.

[腸斷 장단] 몹시 슬퍼 창자가 끊어지는 듯함. 단장(斷腸).
[腸肚 장두] 배. 마음속. ¶ 腸肚相連(장두상련).
[斷腸 단장] 몹시 슬퍼 창자가 끊어지는 듯함. 애끊는 듯함.
[大腸 대장] 큰창자.

9 ⑬ 〖腹〗 배 복 [入]屋 | fù

6획

丿 月 月' 肝 肪 腹 腹 腹

[日] フク〔はら〕 [英] belly

[字解] ① **배 복**(五臟總括). ¶ 腹痛(복통). ② **마음 복**. ¶ 腹案(복안).

[字源] 形聲. 月(肉)+复〔音〕

[腹背 복배] ㉠ 배와 등. ㉡ 앞과 뒤. ㉢ 대단히 가까움. 극히 친함. ¶ 腹背受敵(복배수적).

[腹案 복안] 마음속에 품고 있는 생각.

[空腹 공복] 아침에 아무것도 먹지 않은 배.

[同腹 동복] 한 어머니가 난 동기.

9 ⑬ 〖腺〗 샘 선 [平]先 xiàn

[日] セン〔せん〕 [英] gland

[字解] **샘 선**(頸腋核).

[字源] 形聲. 月(肉)+泉〔音〕

[腺病質 선병질] ㉠ 흔히, 체격이 약하고 흉곽이 편평하며 빈혈질의 약한 체질. ㉡ 선병의 경향이 있는 체질.

[淚腺 누선] 눈물을 분비하는 기관.

9 ⑬ 〖腳〗 脚(각)(肉部 7획)의 本字

10 ⑭ 〖腿〗 넓적다리 퇴 [上]賄 腿 tuǐ

[日] タイ〔もも〕 [英] thigh

[字解] **넓적다리 퇴**(股也). ¶ 大腿(대퇴).

[字源] 形聲. 月(肉)+退〔音〕

[腿骨 퇴골] 넓적다리뼈.

[大腿 대퇴] 넓적다리.

10 ⑭ 〖膀〗 오줌통 방[平]陽 páng

[日] ボウ〔ぼうこう〕 [英] bladder

[字解] **오줌통 방**(水腑). ¶ 膀胱(방광).

[字源] 形聲. 月(肉)+旁〔音〕

[膀胱 방광] 오줌을 몸 안에서 한동안 모아 두는, 막으로 된 주머니 모양의 기관. 오줌통.

10 ⑭ 〖膈〗 흉격 격 [入]陌 gé

[日] カク〔しきり〕 [英] diaphragm

[字解] **흉격 격**(心脾間). ¶ 胸膈(흉격).

[字源] 形聲. 月(肉)+鬲〔音〕

[膈膜 격막] 흉강(胸腔)과 복강(腹腔)의 사이에 있는 막.

10 ⑭ 〖膊〗 포 박 [入]藥 bó

[日] ハク〔うで〕 [英] dried meat

[字解] ① **포 박**(脯也). ② **팔 박**. ¶ 上膊(상박). ③ **지경 박**(界埒).

[字源] 形聲. 月(肉)+尃〔音〕

10 ⑭ 〖膂〗 등골뼈 려[上]語 lǚ

[日] リョ〔せぼね〕 [英] backbone

[字解] ① **등골뼈 려**(脊骨). ¶ 膂力(여력). ② **힘 려**(筋力).

[字源] 形聲. 月(肉)+旅〔音〕

[膂力 여력] 등뼈의 힘. 체력. ¶ 膂力過人(여력과인).

10 ⑭ 〖膏〗 기름 고 [平]豪 gāo

[日] コウ〔あぶら〕 [英] fat

[字解] ① **기름 고**(脂也). ¶ 膏血(고혈). ② **기름질 고**(肥也). ¶ 膏稻(고도). ③ **염통밑 고**(居肓之上). ¶ 膏肓(고황). ④ **은혜 고**(恩惠). ¶ 膏澤(고택). ⑤ **고약 고**. ¶ 膏藥(고약).

[字源] 形聲. 月(肉)+高〔音〕

[膏澤 고택] 은혜. 은택.

[膏土 고토] 비옥한 토지. 기름진 땅.

[膏血 고혈] 사람의 기름과 피. 전하여, 피땀을 흘려 얻은 이익. 재산.

[膏肓 고황] ㉠ 심장과 횡격막의 사

6획

이. 이 곳에 병이 생기면 고치기 어려움. ⓛ 고치기 어려운 병이나 버릇을 이름. ¶ 病入膏肓(병입고황).

11
(15) **〔膕〕** 오금 곡 | guó
㉠陌

㊐ カク〔ひかがみ〕
㊟ crook of the knee

字解 오금 곡(膝後曲節).
字源 形聲. 月(肉)+國〔音〕

11
(15) **〔膛〕** 가슴 당 | táng
㊤陽

㊐ ドウ〔むね〕 ㊟ breast

字解 ① 가슴 당. ¶ 胸膛(흉당). ② 뚱뚱할 당(肥貌).
字源 形聲. 月(肉)+堂〔音〕

11
(15) **〔膜〕** ❶꺼풀 막㊤藥 | mó(mò)
❷무릎꿇을 모 ㊤虞 | mó

㊐ マク〔まく〕・モ〔ひざまずいてがむ〕
㊟ membrane, kneel down

字解 ❶ 꺼풀 막(肉間腠膜). ❷ 무릎꿇을 모. ¶ 膜拜(모배).
字源 形聲. 月(肉)+莫〔音〕

[膜拜 모배] 땅에 무릎을 꿇고 손을 들어 절함.
[肋膜 늑막] 흉곽의 내면과 폐의 표면을 싸고 있는 막.

11
(15) **〔膝〕** 무릎 슬 | xī
㊤質

㊐ シツ〔ひざ〕 ㊟ knee

字解 무릎 슬(脛骨節).
字源 形聲. 月(肉)+桼〔音〕

[膝下 슬하] 부모의 무릎 아래. 곧, 어버이의 곁. ¶ 父母膝下(부모슬하).

11
(15) **〔膠〕** 갗풀 교 胶 | jiāo
㊤肴

㊐ コウ〔にかわ〕 ㊟ glue

字解 ① 갗풀 교(昵也). ¶ 阿膠(아교). ② 굳을 교(固也). ¶ 膠固(교고). ③ 붙을 교(黏也). ¶ 膠着(교착).
字源 形聲. 月(肉)+翏〔音〕

[膠固 교고] ㉠ 아교로 붙인 것같이 굳음. 공고(鞏固). ⓛ 찰싹 붙음. ⓒ 융통성이 없음.
[膠着 교착] ㉠ 단단히 달라붙음. ⓛ 전선(戰線) 따위가 현상을 유지하여 조금도 변동이 없음.

11
(15) **〔膣〕** 보지 질 | zhì
㊤質

㊐ チツ〔ちつ〕 ㊟ vagina

字解 ① 보지 질(生殖口, 陰道). ② 새살날 질(肉生).
字源 形聲. 月(肉)+室〔音〕

11
(15) **〔膓〕** 腸(장)(肉部 9획)의 俗字

11
(15) **〔膚〕** 살갗 부 肤 | fū
㊤虞

广 户 庐 庐 庐 庐 膚 膚 膚

㊐ フ〔はだ〕 ㊟ skin

字解 ① 살갗 부(革外薄皮). ¶ 皮膚(피부). ② 얕을 부(不深). ¶ 膚淺(부천). ③ 아름다울 부(美也). ¶ 膚敏(부민).
字源 形聲. 月(肉)+盧〈省〉〔音〕

[膚敏 부민] 인물이 뛰어나고 재주가 있음.
[膚淺 부천] 생각이 얕음. 천박(淺薄).

12
(16) **〔膨〕** 부풀 팽 | péng
㊤敬

㊐ ボウ〔はれる〕 ㊟ swell

字解 부풀 팽(脹也). ¶ 膨脹(팽창).
字源 形聲. 月(肉)+彭〔音〕

[膨大 팽대] 불룩해서 큼.

[膨脹 팽창] ㉠ 부풀어서 띵띵하여 짐. ㉡ 발전하여 번져 퍼짐. ㉢ 通貨 膨脹(통화팽창). ㉢ 물체의 길이나 부피가 커짐.

[膨膨 팽팽] 한껏 부풀어 띵띵하게 됨.

12/16 **[膩]** 기름 니 膩
㊤濱 nì
ジ〔あぶら〕 寒 fat

字解 ① 기름 니(上肥). ¶ 膩染(이 염). ② 기름질 니(肥也). ¶ 肥膩 (비니). ③ 반드르르할 니(滑也). ¶ 膩理(이리). ④ 때 니(垢也). ¶ 垢膩(구니).

字源 形聲. 月(肉)+貳〔音〕

[膩理 이리] 살결이 곱고 반들반들 함.

[膩染 이염] 기름기가 낌. 기름이 뱀.

[膩滑 이활] 기름기가 끼어 반들반들함.

12/16 **[膵]** 췌장 췌 cuì
㊤紙
スイ〔すいぞう〕 寒 pancreas

字解 췌장 췌. 위 뒤쪽에 있는 췌액 을 분비하는 기관.

字源 形聲. 月(肉)+萃〔音〕

12/16 **[膰]** 제육 번 fán
㊥元 pán
ハン〔ひもろぎ〕

字解 제육 번(祭肉).

字源 形聲. 月(肉)+番〔音〕

12/16 **[膳]** 찬 선 shàn
㊤銑
ゼン〔ぜん〕 寒 savory food

字解 ① 찬 선(饍也, 具食美羞). ¶ 膳羞(선수). ② 먹을 선. 올릴 선 (食也). ¶ 膳禽(선금). ③ 선물 선. ¶ 膳物(선물).

字源 形聲. 月(肉)+善〔音〕

[膳物 선물] 선사하는 물건.
[膳服 선복] 음식과 의복.

12/16 **[膴]** ■법 무
㊥虞
■아름다울 wū
무㊤麌

字解 ■ ① 법 무(法也). ② 포 무 (脯也). ■ ① 아름다울 무(美也). ② 두터울 무(厚也).

字源 形聲. 月(肉)+無〔音〕

ブ・ム〔ほう・うつくしい〕
寒 law, beautiful

13/17 **[膽]** 쓸개 담 胆
㊤感 dǎn
タン〔きも〕 寒 gall

字解 ① 쓸개 담(肝之腑). ¶ 膽汁 (담즙). ② 담력 담(勇之甚). ¶ 大 膽(대담).

字源 形聲. 月(肉)+詹〔音〕

[膽大 담대] 담이 큼. 대담(大膽).

[膽大心小 담대심소] 담은 커서 무 슨 일이고 두려워하지 아니하며 마 음은 치밀하여서 무슨 일이고 소홀 히 하지 아니함.

13/17 **[膾]** 회칠 회 脍
㊤泰 kuài
カイ〔なます〕 寒 mincemeat

字解 회칠 회, 회 회(魚肉腥細切). ¶ 膾炙(회자).

字源 形聲. 月(肉)+會〔音〕

[膾炙 회자] ㉠ 회와 구운 고기. ㉡ 명성(名聲)이나 평판이 널리 사람의 입에 오르내림.

[肉膾 육회] 소의 살코기·간·처녑· 양 등을 잘게 썰어, 익히지 않고 양념 한 음식.

13/17 **[膿]** 고름 농 脓
㊥冬 nóng
ノウ〔うみ〕 寒 pus

字解 고름 농(腫血). ¶ 化膿(화 농).

字源 形聲. 月(肉)+農〔音〕

[膿汁 농즙] 고름.
[膿血 농혈] 피고름.

13 [臃]¹⁷

부스럼 옹⊕冬 | yōng
옹⊕腫 | yòng

㈰ ヨウ〔はれもの〕 ⓔ swell

字解 부스럼 옹, 종기 옹(腫也).

字源 形聲. 月(肉)+雍〔音〕

13 [臆]¹⁷

가슴 억⊅職 | yì

㈰ オク〔むね〕 ⓔ breast

字解 ① 가슴 억(胸也). ¶ 胸臆(흉억). ② 생각 억, 마음 억(意也). ¶ 臆測(억측).

字源 形聲. 月(肉)+意〔音〕

[臆說 억설] 확실한 근거 없이 주장하는 의론.

[臆測 억측] 자기 혼자의 생각으로 어림치고 생각함.

13 [臉]¹⁷

뺨 검⊕琰 | 脸
liǎn

㈰ ケン〔ほお〕 ⓔ cheek

字解 뺨 검(目下頰上也). ¶ 紅臉(홍검).

字源 形聲. 月(肉)+僉〔音〕

13 [臊]¹⁷

누릴 조⊕豪 | sāo

㈰ ソウ〔なまぐさい〕 ⓔ stenchy

字解 ① 누릴 조(犬豕膏臭). ② 기름 조(脂肪).

字源 形聲. 月(肉)+喿〔音〕

13 [膺]¹⁷

가슴 응⊕蒸 | yīng

㈰ ヨウ〔むね〕 ⓔ breast

字解 ① 가슴 응(胸也). ¶ 服膺(복응). ② 받을 응(受也). ¶ 膺受(응수). ③ 칠 응(擊也). ¶ 膺懲(응징).

字源 形聲. 月(肉)+雁〔音〕

[膺受 응수] 받음. 인수함.

[膺懲 응징] ㉠ 외적을 정벌함. ㉡ 잘못을 회개(悔改)하도록 경계함.

13 [臂]¹⁷

팔 비⊕寘 | bì

㈰ ヒ〔ひじ〕 ⓔ arm

字解 팔 비, 팔뚝 비(肱也).

字源 形聲. 月(肉)+辟〔音〕

[臂力 비력] 팔의 힘.

[臂使 비사] 팔이 손가락을 부리듯이 마음대로 부려먹음.

13 [臀]¹⁷

볼기 둔⊕元 | tún

㈰ トン・デン〔しり〕 ⓔ buttocks

字解 볼기 둔(尻也).

字源 形聲. 月(肉)+殿〔音〕

[臀部 둔부] 엉덩이. 볼기 언저리.

[臀圍 둔위] 엉덩이의 둘레. 히프.

14 [臍]¹⁸

배꼽 제⊕齊 | 脐
qí

㈰ セイ〔へそ〕 ⓔ navel

字解 배꼽 제(子初生所繫胞斷之爲臍). ¶ 臍帶(제대).

字源 形聲. 月(肉)+齊〔音〕

14 [臏]¹⁸

종지뼈 빈⊕軫 | 膑
bìn

㈰ ヒン〔ひざぼね〕 ⓔ kneecap

字解 ① 종지뼈 빈(膝蓋骨). ② 빈형 빈(削也).

字源 形聲. 月(肉)+賓〔音〕

15 [臘]¹⁹

납향 랍⊅合 | 腊
là

㈰ ロウ〔くれ〕

字解 ① 납향 랍(歲終合祭諸神). ¶ 臘(납일). ② 섣달 랍(陰曆十二月異名). ¶ 舊臘(구랍).

字源 形聲. 月(肉)+巤〔音〕

[臘月 납월] 섣달.

[臘日 납일] 납향(臘享)하는 날. 동지 뒤의 셋째 술일(戌日), 우리나라에서는 조선 왕조 태조(太祖) 이후에는 셋째 미일(未日)로 정함.

[臘享 납향] 납일에 한 해 농사와 그 밖의 일을 여러 신에게 고하는 제사.

16 ⑳ 【臙】 연지 연 [平]先 | 胭 yān

[日] エン〔べに〕 [英] rouge

[字解] **연지 연**(紅藍汁). ¶ 臙脂(연지).

[字源] 形聲. 月(肉)+燕〔音〕

[臙脂 연지] ㉠ 여자가 화장할 때 양쪽 빰에 찍는 붉은 안료(顔料). ㉡ 자색·적색을 섞은 채료(彩料).

16 ⑳ 【臚】 배 려 [平]魚 | lú

[日] ロ〔はら〕 [英] belly

[字解] ① **배 려**(腹也). ② **살갗 려**(膚也).

[字源] 形聲. 月(肉)+盧〔音〕

17 ㉑ 【臝】 벌거벗을 라 [上]哿 | luǒ

[日] ラ〔はだか〕 [英] denude

[字解] **벌거벗을 라**(赤體袒).

[字源] 形聲. 月(肉)+羸〔音〕

18 ㉒ 【臟】 오장 장 [去]漾 | 脏 zàng

[日] ゾウ〔はらわた〕 [英] viscera

[字解] **오장 장**(腑也). ¶ 五臟(오장).

[字源] 形聲. 月(肉)+藏〔音〕

[臟器 장기] 내장의 여러 기관.

[臟腑 장부] ㉠ 내장의 총칭. 오장과 육부(六腑). ㉡ 마음속. 흉중(胸中).

[五臟 오장] 간장·심장·비장·폐장·신장의 다섯 내장.

19 ㉕ 【臠】 저민고기 련 [上]銑 | 脔 luán

[日] レン〔きりにく〕 [英] sliced meat

[字解] ① **저민고기 련**(切肉). ② **파리할 련**(臞臞).

[字源] 形聲. 月(肉)+䜌〔音〕

19 ㉕ 【臡】 장조림 니 [平]齊 | ní

[日] デイ〔しおびき〕

[英] beef boiled in soy sauce

[字解] **장조림 니**(雜骨醬).

[字源] 形聲. 月(肉)+難〔音〕

臣 〔6 획〕 部
(신하신부)

0 ⑥ 【臣】 신하 신 [平]眞 | chén

一 丅 丂 五 丐 臣

[日] シン〔おみ〕 [英] subject

[字解] ① **신하 신**(事君之稱), **백성 신**(庶人). ¶ 臣子(신자). ② **신 신**(自卑下之稱). ¶ 小臣(소신).

[字源] 象形. 군주(君主) 앞에서 굴복한 모양을 본뜬 글자.

[臣妾 신첩] ㉠ 신하와 첩. ㉡ 여자가 임금에게 하는 스스로의 호칭.

[臣下 신하] 임금을 섬기는 벼슬아치. 신자(臣子).

[奸臣 간신] 간악한 신하.

[功臣 공신] 국가에 공로가 있는 신하.

2 ⑧ 【臥】 누울 와 [去]箇 | wò

一 丅 丂 五 丐 臣 臣丿 臥

[日] ガ〔ふす〕 [英] lie down

[字解] ① **누울 와**(偃也, 寢也). ¶ 橫臥(횡와). ② **쉴 와**(休息).

[字源] 會意. 人과 臣의 합자. 넓죽 엎드림의 뜻.

[臥具 와구] 침구(寢具).

[臥龍 와룡] ㉠ 엎드려 있는 용. ㉡ 야(野)에 숨어서 세상에 알려지지 않은 큰 인물.

6 획

[臥病 와병] 병으로 자리에 누움.

[臥薪嘗膽 와신상담] 섶에 눕고 쓸개를 맛본다는 뜻으로, 마음먹은 일을 이루려고 괴롭고 어려운 일을 참고 견딤.

---

⁸_⑭【臧】착할 장 ㊥陽 | zāng

㊐ゾウ〔よい〕 ㊤ good

字解 ① 착할 장, 좋을 장(善也). ¶ 臧否(장부). ② 숨을 장, 감출 장(藏也). ¶ 臧匿(장닉) ③ 뇌물 장(賊也). ¶ 臧賂(장뢰). ④ 종 장(奴婢賤稱). ¶ 臧獲(장획).

字源 形聲. 臣을 바탕으로 「戕(장)」이 음을 나타냄.

[臧匿 장닉] 감추어서 숨김.

[臧賂 장뢰] 뇌물.

[臧否 장부] ㉠ 선악(善惡). ㉡ 선인과 악인. ㉢ 선악을 판정함.

[臧獲 장획] 사내종과 계집종. 노비(奴婢).

---

¹¹_⑰【臨】임할 림 ㊥侵 | lín

㊐リン〔のぞむ〕 ㊤ confront

字解 ① 임할 림(莅也). ¶ 君臨(군림), 俯臨(부림). 臨席(임석). ② 볼 림(監也, 視也). ¶ 臨眺(임조). ③ 쓸 림, 그릴 림. ¶ 臨寫(임사).

字源 會意. 臥+品

[臨檢 임검] 현장에 가서 검사함.

[臨迫 임박] 시기가 닥쳐옴.

[臨時 임시] ㉠ 시기에 임함. ㉡ 정해진 때가 아닌 일시적인 기간. ¶ 臨時變通(임시변통).

[臨場 임장] 그곳에 감.

[臨戰 임전] 싸움터에 나감. ¶ 臨戰無退(임전무퇴).

[臨終 임종] ㉠ 죽음에 임함. ㉡ 부모가 돌아갈 때 그 자리에 같이 있음. 종신(終身).

[君臨 군림] 군주로서 그 나라를 거느려 다스림.

自 〔6획〕 部
(스스로자부)

⁰_⑥【自】스스로 자㊥寘 | zì

丶丿冂自自自

㊐ジ〔みずから〕 ㊤ spontaneously

字解 ① 스스로 자, 몸소 자(躬親). ¶ 自治(자치). ② 몸 자, 자기 자(己也). ¶ 自我(자아). ③ 저절로 자(無勉強). ¶ 自然(자연). ④ 부터 자(由也). ¶ 自是(자시). 自初至終(자초지종).

字源 象形. 코의 모양을 본뜬 글자. 코를 가리켜 자기를 나타내므로 자기의 뜻이 됨.

[自家撞着 자가당착] 자기 언행(言行)의 앞뒤가 일치하지 않아 모순됨.

[自古 자고] 예로부터.

[自肅 자숙] 몸소 삼감.

[自業自得 자업자득] 자기가 저지른 일의 과보(果報)를 자기가 받음. 자승자박(自繩自縛).

[自主 자주] 남의 보호나 간섭을 받지 않고 독립으로 행함.

[自初至終 자초지종] 처음부터 끝까지의 동안이나 일.

[自他 자타] 자기와 남.

[自畫自讚 자화자찬] ㉠ 자기가 그린 그림을 스스로 칭찬함. ㉡ 자기 일을 자기 스스로가 칭찬함.

[各自 각자] ㉠ 각각의 자신. ㉡ 제각기.

[獨自 독자] 저 혼자.

---

⁴_⑩【臬】법 얼 ㊏屑 | niè

㊐ゲツ〔くい〕 ㊤ law

字解 ① 법 얼(法也). ¶ 準臬(준얼). ② 한 얼(極也). ③ 과녁 얼(射的).

字源 形聲. 木+自〔音〕

4
⑩【臭】 ■냄새 취 ㊀추㊅宥 chòu
　　　　 ■맡을 후 후㊅宥 xiù

丿 丿 自 自 鳥 臭 臭 臭

�日 シュウ〔におい〕・キュウ〔かぐ〕
㊤ stink, smell

字解 ■ ① 냄새 취(氣通於鼻), 구린내 취. ¶ 惡臭(악취). ② 썩을 취(腐也, 敗也). ¶ 臭敗(취패). ③ 더러울 취, 더럽힐 취(穢也). ■ 맡을 후(嗅也).

字源 會意. 鼻를 나타낸 自와 犬의 합자. 개는 동물 중에서 가장 후각이 예민하기 때문임.

[臭氣 취기] 비위를 상하게 하는 좋지 못한 냄새.

[臭敗 취패] 썩음. 부패하여 무용지물이 됨. 취부(臭腐).

[體臭 체취] ㉠ 몸의 냄새. ㉡ 사람·작품 등에서 풍기는 특유한 느낌.

6
⑫【皐】 皋(고)(白部 5획)의 俗字

10
⑯【臲】 ■위태할 얼 ㉠얼㊅屑 niè

�日 ゲツ〔あやうい〕 ㊤ dangerous

字解 위태할 얼(不安貌).

字源 形聲. 危+臬〔音〕

┌─────────────┐
│ 至 〔6 획〕 部 │
│ (이를지부) │
└─────────────┘

0
⑥【至】 이를 지 ㊅寘 zhì

一 乙 互 否 至 至

�日 シ〔いたる〕 ㊤ reach

字解 ① 이를 지(到也). ¶ 至今(지금). ② 지극할 지(極也). ¶ 至極(지극). ③ 절기 지(節氣). ¶ 冬至(동지).

字源 象形. 새가 땅을 향하여 내려앉는 모양. 새가 땅에 이름의 뜻.

[至極 지극] 더없이 극진함.

[至今 지금] 지금까지. 지금에 와서.

[至急 지급] 매우 급함.

[至大 지대] 아주 큼.

[至上 지상] 더할 수 없이 가장 높음. ¶ 至上命令(지상 명령).

[至誠 지성] 매우 극진한 정성(精誠). ¶ 至誠感天(지성감천).

[至於此 지어차] 일이 이에 이름.

[還至 답지] 한군데로 몰려듦.

3
⑨【致】 致(치)(次條)의 本字

4
⑩【致】 이를 치 ㊅寘 zhì

一 工 互 互 至 至 致 致 致

�日 チ〔いたる〕 ㊤ reach

字解 ① 이를 치(至也). ¶ 致富(치부). ② 맡길 치(委也). ¶ 致身(치신). ③ 줄 치, 드릴 치(納也). ¶ 致賀(치하). ④ 부를 치. ¶ 招致(초치). ⑤ 보낼 치(送也). ¶ 送致(송치). ⑥ 그만둘 치. ¶ 致仕(치사). ⑦ 풍취 치(趣也). ¶ 風致(풍치). ⑧ 극진할 치(極也). ¶ 致精(치정).

字源 形聲. 至와 夂(걷다)의 합자.

參考 致(至部 3획)는 본자.

[致命 치명] ㉠ 목숨을 바쳐 전력을 다함. ㉡ 죽을 지경에 이름. ¶ 致命傷(치명상).

[致富 치부] 재물을 모아 부자가 됨.

[致仕 치사] 늙어 관직에서 물러남.

[致死 치사] 죽게 함. ¶ 過失致死(과실 치사).

[致謝 치사] 사례하는 뜻을 표함.

[致情 치정] ㉠ 정치(精緻)를 다함. ㉡ 마음을 순수하게 함.

[致賀 치하] ㉠ 남의 경사에 대하여 하례(賀禮)함. ㉡ 기쁘다는 뜻을 표함.

[景致 경치] 자연의 아름다운 모습.

[誘致 유치] 권하여 오게 함.

6
획

6획

8 ⑭ 【臺】 대 ⊕灰 台 tái

亖亖 亯亯 壴 真 薹 薹 薹 薹

日 ダイ〔うてな〕 英 height

字解 ① 대 대(築土觀四方而高者). ¶ 高臺(고대), 飯臺(반대). ② 마을 대(官廳). ③ 하인 대, 종 대(賤者之稱). ④ 어른 대. ¶ 老臺(노대), 尊臺(존대). ⑤ 사초 대(莎草).

字源 會意. 高의 생략형과 至의 합자. 사방을 바라보기 위한 높은 건물. 至는 사람이 머무르는 곳의 뜻. 따라서 널리 물건을 놓는 받침의 뜻.

參考 현재 「台(태)」를 이 자의 속자로 씀.

[臺閣 대각] ㉠ 조정(朝廷), 내각(內閣). ㉡ 조선시대 사헌부(司憲府)·사간원(司諫院)을 통틀어 일컫던 말. ㉢ 누각.

[臺榭 대사] 누각과 정자.

[臺帳 대장] ㉠ 토대가 되는 장부. ㉡ 상업상 모든 계산을 기록한 원부.

[土臺 토대] ㉠ 흙으로 쌓아올린 높은 대. ㉡ 온갖 사물이나 사업의 기본.

10 ⑯ 【臻】 이를진 ⊕眞 zhēn

日 シン〔いたる〕 英 reach

字解 ① 이를 진(至也, 及也). ② 모일 진(聚也).

字源 形聲. 至+秦〔音〕

臼(臼) 〔6 획〕 部
(절구구부)

0 ⑥ 【臼】 절구 구 ⊕有 jiù

日 キュウ〔うす〕 英 mortar

字解 절구 구(舂具也).

字源 象形. 확을 본뜬 글자. 안에 있는 점은 확 안에 든 쌀을 나타냄.

[臼杵 구저] 절구와 공이.

[臼齒 구치] 어금니.

2 ⑧ 【臾】 ═ 잠깐 유 ⊕虞 yú ═권할 용 yǒng

日 ユ〔しばらく〕·ヨウ〔すすめる〕 英 a minute, ask

字解 ═ 잠깐 유(不久). ¶ 須臾(수유). ═ 권할 용(勸也).

字源 會意. 臼(양 손)와 人의 합자. 사람을 양 손으로 누르는 모양.

注意 叟(又部 8획)는 딴 글자.

3 ⑨ 【舁】 ═마주들 여 ⊕魚 yú ═마주들 거 jǔ

日 ヨ·キョ〔かく〕 英 hold face to face

字解 ═ 마주들 여(共舉也). ¶ 舁夫(여부). ═ 마주들 거.

字源 會意. 臼와 廾의 합자. 네 개의 손으로 양쪽에서 「들어 올림」의 뜻.

5 ⑪ 【舂】 ═찧을 용 ⊛冬 chōng ═오랑캐이름 창 ⊕江 chuāng

日 ショウ〔うすづく〕·ソウ〔はちばんのひとつ〕 英 mill

字解 ═ 찧을 용(擣米築也). ═ 오랑캐이름 창(八蠻之類).

字源 會意. 杵(절구공이)를 양손에 들고 절구를 찧고 있음의 뜻.

[舂炊 용취] 절구질과 밥 짓는 일.

[舂簸 용파] 쌀을 찧어 키로 까붊.

6
⑫ 【舄】 [一]까치 작 [入]藥 [二]신 석 [入]陌 [三]큰모양 탁[入]藥 què xì tuō

[日] シャク〔かささぎ〕·セキ〔くつ〕·タク〔おおきなさま〕
[英] magpie, footgear, shoes

[字解] [一] **까치 작.** [二] ① **신 석**(履也). ¶ 革舄(혁석). ② **클 석**(大貌). ③ **빛날 석**(光也). ¶ 舄奕(석혁). [三] **큰모양 탁.**

[字源] 象形. 鵲의 원자(原字). 신의 뜻은 음의 차용(借用).

7
⑬ 【舅】 시아버지 구 [上]有 jiù

[日] キュウ〔おじ〕 [英] father-in-low

[字解] ① **시아버지 구**(夫之父). ¶ 舅姑(구고). ② **장인 구**(妻父). ¶ 外舅(외구). ③ **외숙 구, 외삼촌 구**(母之兄弟).

[字源] 形聲. 男+臼〔音〕

[舅姑 구고] ㉠ 시부모(媤父母). ㉡ 장인(丈人)과 장모(丈母).
[舅父 구부] 외숙(外叔). 구씨(舅氏).
[舅婦 구부] 시아버지와 며느리.

7
⑭ 【與】 [一]더불 여 [上]語 [二]참여할 여[去]御 与 yǔ yù

[日] ヨ〔ともに·くみする〕
[英] do togeter, take part in

[字解] [一] ① **더불 여**(共爲). ¶ 與民同樂(여민동락). ② **및 여**(及也). ¶ 仁與義(인여의). ③ **편들 여**(黨與). ¶ 與黨(여당). ④ **줄 여**(施予). ¶ 與信(여신). [二] **참여할 여.** ¶ 參與(참여).

[字源] 會意. 舁(두 사람이 마주보고 물건을 들어 올리는 모양)와 与(牙의 변형)의 합자. 또 「牙(아)」의 전음이 음을 나타냄.

[參考] 与(一部 3획)는 속자.

[與黨 여당] ㉠ 정부에 편드는 정당(政黨). ㉡ 짝이나 편이 되는 당파. 도당. 동지.
[與民同樂 여민동락] 임금이 백성과 더불어 즐김. 여민해락(與民偕樂).
[與否 여부] 그러함과 그렇지 아니함.
[與受 여수] 주고받음. 수수(授受).
[與信 여신] 금융 기관에서 고객에게 신용을 부여하는 일.
[與奪 여탈] 줌과 빼앗음.
[關與 관여] 관계하여 참여함.
[寄與 기여] 남에게 이바지함.

9
⑯ 【興】 [一]일 흥 [平]蒸 [二]흥겨울 흥 [去]徑 兴 xīng xìng

[日] コウ〔おこる·よろこぶ〕
[英] rise, delightful

[字解] [一] ① **일 흥, 일어날 흥**(起也). ¶ 興亡(흥망). 勃興(발흥). ② **성할 흥**(盛也). ③ **일으킬 흥**(擧也). ④ **시작할 흥.** ¶ 興業(흥업). [二] ① **흥겨울 흥**(悅也). ¶ 興行(흥행). ② **흥취 흥.** ¶ 興味(흥미).

[字源] 會意. 舁와 同의 합자. 두 사람이 공동으로 일을 행함의 뜻.

[興隆 흥륭] 흥하여 번성해짐.
[興亡 흥망] 일어남과 망함. 흥기(興起)와 멸망. ¶ 興亡盛衰(흥망성쇠).
[興奮 흥분] ㉠ 감정이 북받쳐 일어남. ㉡ 어떤 일에 감동되어 분기함.
[興業 흥업] 새로이 사업을 일으킴.
[興盡悲來 흥진비래] 즐거운 일이 다하면 슬픈 일이 옴. 곧, 흥망과 성쇠가 엇바뀜.
[興趣 흥취] 마음이 끌릴 만큼 좋은 멋이나 취미.
[興行 흥행] 관람료를 받고 연극·영화·서커스 등을 구경시키는 일.
[復興 부흥] 쇠잔하던 것이 되일어

남. 또는 일어나게 함.

[振興 진흥] 떨쳐 일어남.

---

¹²_⑱【舊】예 구㊤宥 | 旧 | 䧇
jiù

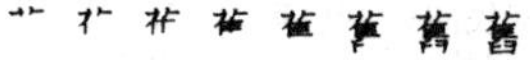

芢 芢 芢 葤 葍 葍 舊 舊

㊈ キュウ〔ふるい〕 ㊤ old

[字解] ① 예 구, 옛 구(對新之稱, 昔也). ¶ 舊態(구태). ② 오랠 구(久也). ¶ 舊交(구교). ③ 친구 구(交誼). ¶ 故舊(고구).

[字源] 形聲. 崔를 바탕으로 「臼(구)」가 음을 나타냄. 「오래되다」의 뜻은 음의 차용.

[舊慣 구관] 예전부터 내려오는 관례.

[舊臘 구랍] 지난해의 세모(歲暮).

[舊面 구면] 이전부터 알고 있는 사람.

[舊惡 구악] 기왕에 저지른 죄악.

[舊友 구우] 전부터 아는 친구. 사귄 지 오랜 친구.

[舊主 구주] 예전에 섬기던 임금 또는 주인.

[復舊 복구] 예전 상태대로 고침.

舌 〔6획〕 部

(혀설부)

⁰_⑥【舌】혀 설㊤屑 | shé | 舌

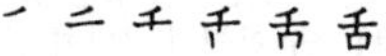

丿 二 千 千 舌 舌

㊈ ゼツ〔した〕 ㊤ tongue

[字解] ① 혀 설(在口所以言別味者). ¶ 舌音(설음). ② 말 설(言也). ¶ 辯舌(변설).

[字源] 會意. 干과 口의 합자. 입술을 통해 밖으로 나옴의 뜻. 「干(간)」의 전음이 음을 나타냄.

[舌鋒 설봉] 날카롭고 매서운 변설.

[舌音 설음] 혀를 움직여서 내는 자음. 'ㄴ·ㄷ·ㅌ'등.

[舌戰 설전] 말다툼. 말로 옳고 그름을 가리는 다툼.

[舌禍 설화] 말을 잘못하여 받는 재앙.

[口舌 구설] 시비하거나 헐뜯는 말.

[毒舌 독설] 악독하게 혀를 놀려 남을 해치는 말.

---

²_⑧【舍】￭집 사㊤禡 | shè | 넉
￭둘 석㊇陌 | shì

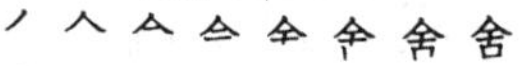

丿 人 ㅅ ㅅ ㅅ 合 全 舍 舍

㊈ シャ〔いえ〕・セキ〔おく〕 ㊤ house, put

[字解] ￭ ① 집 사(屋也). ¶ 屋舍(옥사). ② 폐할 사(廢也). ③ 놓을 사(釋舍). ④ 베풀 사(施也). ⑤ 쉴 사(止息). ￭ 둘 석(置也).

[字源] 會意. 지붕과 토대(土臺)를 그린 집의 모양. 따라서, 「쉼·놓음」의 뜻이 됨.

[舍監 사감] 기숙사(寄宿舍)에서 기숙생을 감독하는 사람.

[舍廊 사랑] 바깥주인이 거처하는 곳.

[舍利 사리] ㉠ 부처나 고승(高僧)의 유골. ㉡ 시체를 화장한 뒤에 나오는 구슬 모양의 것.

[舍伯 사백] 자기의 맏형.

[舍兄 사형] ㉠ 자기 형을 남에게 겸손히 일컫는 말. ㉡ 형이 아우에 대한 자칭.

[校舍 교사] 학교의 건물.

[驛舍 역사] 역으로 쓰는 건물.

---

⁴_⑩【舐】핥을 지 | shì | 舐
㊅紙 | 紙

㊈ シ〔なめる〕 ㊤ lick

[字解] 핥을 지(以舌取物). ¶ 舐糠(지강). 舐筆(지필).

[字源] 形聲. 舌+氏〔음〕

[舐犢之愛 지독지애] 자기의 자식을 깊이 사랑함. 어미소가 송아지를 핥는 데 비유하여 이르는 말.

6 ⑫ 【舒】 펼 서 ㊞魚 | shū 舒

㊌ ジョ〔のべる〕 ㊞ unfold

字解 ① 펼 서(伸也, 展也). ¶ 舒眉(서미). ② 느릴 서, 천천히 서(緩也, 徐也, 遲也). ¶ 舒嘯(서소). ③ 조용할 서(閑雅也). ¶ 舒遲(서지).

字源 形聲. 予＋舍〔音〕

[舒眉 서미] 찌푸린 눈썹을 폄. 근심을 풀어 없앰.

[舒遲 서지] 점잖고 조용한 모양.

[振舒 진서] 위세나 명성을 떨쳐서 폄.

9 ⑮ 【舖】 鋪(포)(金部 7획)의 俗字

10 ⑯ 【舘】 館(관)(食部 8획)의 俗字

舛 〔6 획〕 部
(어그러질천부)

0 ⑥ 【舛】 어그러질 천 ㊤銑 | chuǎn 舛

㊌ セン〔そむく〕 ㊞ contrary to

字解 ① 어그러질 천, 틀릴 천(相背). ¶ 乖舛(괴천). ② 어지러울 천(錯亂, 乖違). ¶ 舛錯(천착).

字源 會意. 왼쪽을 향한 발과 오른쪽을 향한 발로 이루어지며, 사람이 서로 등지는 뜻.

[舛駁 천박] 뒤범벅이 되어서 고르지 못함. 순수하지 아니함.

[舛誤 천오] 착오. 착오가 있음. 천와(舛訛).

6 ⑫ 【舜】 순임금 순 ㊤震 | shùn 舜

㊌ シュン〔むくげ〕

字解 ① 순임금 순(有虞氏號). ¶ 堯舜(요순). ② 무궁화 순(木槿).

¶ 舜英(순영).

字源 形聲. 㚇＋舛〔音〕

[舜英 순영] 무궁화꽃. 미인에 비유함. 순화(舜華).

[舜禹 순우] 중국 고대의 순임금과 우임금. 모두 성왕(聖王)임.

[舜日堯年 순일요년] 태평성세.

[堯舜 요순] 고대 중국의 요임금과 순임금을 아울러 이르는 말.

7 ⑬ 【舝】 비녀장 할 ㊤黠 | xiá 舝

㊌ カツ〔くさび〕 ㊞ linchpin

字解 ① 비녀장 할(車軸端鍵). ¶ 車舝(차할). ② 별이름 할(星名).

字源 形聲. 舛을 바탕으로 「巂(설)」의 생략형의 전음이 음을 나타냄.

8 ⑭ 【舞】 춤출 무 ㊤麌 | wǔ 舞

ノ ㇄ ⺀ 無 無 舞 舞 舞 舞

㊌ ブ〔まう〕 ㊞ dance

字解 ① 춤출 무, 춤 무(所以節音樂手舞足蹈). ¶ 舞踊(무용). ② 환롱할 무(弄也). ¶ 舞弄(무롱). ③ 북돋을 무, 불러일으킬 무. ¶ 鼓舞(고무).

字源 形聲. 사람이 장식이 붙은 소맷자락을 나풀거리며 춤추고 있는 모양. 無가 없음의 뜻의 전용자(專用字)가 되고 나서 無에 舛(양쪽발의 모양)을 더한 글자.

[舞曲 무곡] 춤을 출 때에 맞추어 추도록 연주하는 악곡. 춤곡.

[舞臺 무대] ㉠ 연극·춤·노래 등의 연기(演技)를 하는 곳. ¶ 舞臺裝置(무대 장치). ㉡ 마음껏 활동할 수 있게 된 판. ¶ 活動舞臺(활동무대).

[舞弄 무롱] ㉠ 자기 마음대로 법률의 조문을 해석하여 이를 남용함. ㉡ 남을 우롱함.

[舞踊 무용] 춤. 무도(舞蹈). 댄스.

[歌舞 가무] 노래와 춤.

舟 〔6 획〕 部
(배주부)

0 〔舟〕 배 주⊕尤 zhōu
丿 丿 丿 丹 舟 舟
⊕ シュウ〔ふね〕 ⑳ ship

字解 배 주(船也).

字源 象形. 통나무배의 모양을 본뜬 글자.

[舟車 주거] ㉠ 배와 수레. ㉡ 교통 기관.

[舟楫 주즙] ㉠ 배와 노. 전하여, 수운(水運). ㉡ 천자를 보좌하는 신하.

[吳越同舟 오월동주] 사이가 나쁜 사람끼리 같은 장소·처지에 함께 놓임.

2 〔舠〕 거룻배 도⊕豪 dāo
⊕ トウ〔こぶね〕 ⑳ lighter

字解 거룻배 도(小船).

字源 形聲. 舟+刀〔音〕.

3 〔舡〕 ▄배 강⊛ 항⊕江 ▄성 선⊕先 xiāng
⊕ コウ〔ふね〕·セン〔せい〕 ⑳ ship, surname

字解 ▄ 배 강(船也). ¶ 舡魚(강어). ▄ 성(姓) 선.

字源 形聲. 舟+工〔音〕.

4 〔航〕 건널 항⊕陽 háng
丿 丿 丿 丹 舟 舟 航 航
⊕ コウ〔ふね〕 ⑳ cross

字解 ① 건널 항(以船渡水). ¶ 航海(항해). ② 배 항(船也). ¶ 輕航(경항). ③ 날 항(飛行). ¶ 航空(항공).

字源 形聲. 舟+亢〔音〕.

[航空 항공] 비행기나 비행선으로 공중을 비행함.

[航路 항로] ㉠ 배가 다니는 길. ㉡ 비행기가 날아가는 길. 항공로(航空路).

[航海 항해] 배를 타고 바다를 건넘.

[出航 출항] 비행기나 배가 출발함.

[就航 취항] 배나 비행기가 항로에 오름.

4 〔舫〕 쌍배 방 ⊕養 ⊕漾 fǎng
⊕ ホウ〔もやいぶね〕 ⑳ catamaran

字解 ① 쌍배 방(竝兩船). 둘을 매어 나란히 가게 된 배. ¶ 舫船(방선). ② 배 방(船也). ¶ 畫舫(화방).

字源 形聲. 舟+方〔音〕.

[舫船 방선] 두 척을 매어서 나란히 가게 한 배.

[舫人 방인] 뱃사공.

4 〔般〕 ▄옮길 반⊕寒 ▄돌아올 반⊕删 bān
丿 丿 丿 丹 舟 舟 舟 舟 般
⊕ ハン〔はこぶ·かえる〕 ⑳ remove, come back

字解 ▄ ① 옮길 반, 나를 반(移也, 搬也). ② 돌 반, 돌릴 반(旋也). ¶ 般旋(반선). ▄ ① 돌아올 반(還也, 反也). ¶ 般師(반사). ② 일반 반. ¶ 全般(전반).

字源 會意. 舟와 殳(殳는 잘못)의 합자. 손으로 배를 움직여 돌림의 뜻.

[般樂 반락] 잘 놀면서 즐김. 반유(般遊). 반일(般逸).

[般師 반사] 군사를 돌이킴. 군사를 거느리고 돌아옴.

[般旋 반선] 돎. 돌림. 반선(般還).

[萬般 만반] 모든 일.

全般 전반] 통틀어 모두.

5
⑪ **【舲】** 배 령㊀青 líng

㊀ レイ〔やかたぶね〕 ㊟ lighter

字解 배 령(小舟有窓).

字源 形聲. 舟+令〔音〕

5
⑪ **【舳】** 고물 축㊅屋 zhú

㊀ チク〔とも〕

㊟ stern

字解 고물 축(船尾). ¶ 舳艫(축로).

字源 會意. 舟+由

[舳艫 축로] 배의 고물과 이물. 선미(船尾)와 선수(船首). ¶ 舳艫相衝(축로상함).

5
⑪ **【舴】** 배 책㊅陌 zé

㊀ サク〔こぶね〕 ㊟ boat

字解 배 책(小舟).

字源 形聲. 舟+乍〔音〕

5
⑪ **【舶】** 배 박㊅陌 bó

㊀ ハク〔おおぶね〕 ㊟ big ship

字解 배 박(海中大船). ¶ 船舶(선박).

字源 形聲. 舟+白〔音〕

[舶載 박재] 큰 배에 실음.

[舶趠風 박초풍] 5월에 부는 바람. 박초 바람.

5
⑪ **【舷】** 뱃전 현㊀先 xián

㊀ ゲン〔ふなばた〕 ㊟ gunwale

字解 뱃전 현(船邊). ¶ 舷窓(현창).

字源 形聲. 舟+玄〔音〕

[舷側 현측] 뱃전.

5
⑪ **【舸】** 배 가㊤智 gě

㊀ カ〔おおぶね〕 ㊟ barge

字解 배 가(大船). ¶ 舸艦(가함).

字源 形聲. 舟+可〔音〕

[舸艦 가함] 큰 군함. 거함(巨艦).

5
⑪ **【船】** 배 선㊀先 chuán

刀　月　月　肖　肖　舡　船　船　船

㊀ セン〔ふね〕 ㊟ ship

字解 배 선(舟也). ¶ 船員(선원).

字源 形聲. 舟+㕣〔音〕

[船橋 선교] ㉠ 배다리. ㉡ 배의 상갑판 중앙 전방에 있어, 항행 중 선장이 지휘하는 곳.

[船舶 선박] 배의 총칭.

[船艙 선창] ㉠ 배의 하부의 화물을 싣는 곳. ㉡ 물가에 다리처럼 만들어서 배가 싣는 곳.

[漁船 어선] 고기잡이배.

[造船 조선] 배를 건조함.

6
획

5
⑪ **【舵】** 柁(타)(木部 5획)와 同字

7
⑬ **【艇】** 거룻배 정㊀迥 tǐng

㊀ テイ〔こぶね〕 ㊟ boat

字解 거룻배 정, 작은배 정(小舟). ¶ 舟艇(주정).

字源 形聲. 舟+廷〔音〕

[艇身 정신] 보트(boat)의 전장(全長).

[艦艇 함정] 전함·잠수함·어뢰정·소해정 등의 총칭.

7
⑬ **【艀】** 작은배 부㊀尤 fú

㊀ フ〔こぶね〕 ㊟ small ship

字解 작은배 부. 거룻배 부.

字源 形聲. 舟+孚〔音〕

7
⑬ **【艅】** 배이름 여㊀魚 yú

㊀ ヨ〔ふねのな〕 ㊟ boat

字解 배이름 여.
字源 形聲. 舟+余〔音〕

10
⑯【艘】배 소⊕豪 │ sōu 舩

⽇ ソウ〔ふね〕 ⑳ ship
字解 배 소(船總名). ¶艘海(소해).
字源 形聲. 舟+叟〔音〕

10
⑯【艙】선창 창 ⊕陽 │ cāng 舱

⽇ ソウ〔ふなぐら〕 ⑳ wharf
字解 ① 선창 창. ¶船艙(선창).
② 갑판밑 창(甲板底).
字源 形聲. 舟+倉〔音〕

6
획

12
⑱【艟】싸움배 동⊕東 │ chōng 艟

⽇ ドウ〔いくさぶね〕 ⑳ warship
字解 싸움배 동(戰船). ¶艨艟(몽동). 艟舻(동로).
字源 形聲. 舟+童〔音〕

13
⑲【艤】차릴 의 ⊕紙 │ yǐ 舣

⽇ ギ〔よそおう〕 ⑳ equip
字解 차릴 의. ¶艤裝(의장).
字源 形聲. 舟+義〔音〕
[艤裝 의장] 배가 떠날 준비를 함. 의선(艤船).

14
⑳【艦】싸움배 함⊕豏 │ jiàn 舰

⽇ カン〔いくさぶね〕 ⑳ warship
字解 싸움배 함(戰船). ¶艦船(함선).
字源 形聲. 舟+監〔音〕
[艦隊 함대] 군함 두 척(隻) 이상으로 편성된 해군 부대. ¶艦隊司令官(함대 사령관).
[艦艇 함정] 전투력을 가진 온갖 배

의 총칭.

14
⑳【艨】싸움배 몽⊕東 │ méng 艨

⽇ モウ〔いくさぶね〕 ⑳ warship
字解 싸움배 몽. ¶艨艟(몽동).
字源 形聲. 舟+蒙〔音〕
[艨艟 몽동] 좁고 긴 병선(兵船).

16
㉒【艫】이물 로 ⊕虞 │ lú 舻

⽇ ロ〔へさき・とも〕 ⑳ prow
字解 ① 이물 로(船首). ¶舳艫(축로). ② 고물 로(船尾).
字源 形聲. 舟+盧〔音〕

艮 〔6 획〕 部
(머무를간부)

0
⑥【艮】간괘 간 │ gěn
⊕願 │ gèn 艮

⽇ コン〔とどまる〕
字解 ① 간괘 간(卦名). ② 머무를 간, 한정할 간. ¶艮止(간지).
字源 會意. 目과 匕의 합자. 匕(비수)로 찌르듯이 응시함의 뜻.
[艮卦 간괘] 팔괘(八卦)의 하나. 산을 상징하며, 정지하여 나아가지 않는 모양.
[艮方 간방] 24방위의 하나. 동북방.

1
⑦【良】어질 량 │ liáng
⊕陽 │ 良

丶 ㄱ ㄱ ㅋ ㅌ 户 良 良

⽇ リョウ〔よい〕 ⑳ good
字解 ① 어질 량, 착할 량(善也). ¶良心(양심). ② 좋을 량. ¶良好(양호). 優良(우량). ③ 잠깐 량(略也, 少久). ¶良久(양구). ④ 진실로 량(實也, 信也). ¶良有以也(양유이야).

[字源] 象形. 키나 체로 곡식을 가려 내는 모양를 본뜬 글자로, '좋다' 의 뜻을 나타냄.

[良久 양구] 한참 지남. 얼마 있다가.
[良識 양식] 건전한 판단력.
[良心 양심] ㉠ 사람으로서 마땅히 가져야 할 바르고 착한 마음. ㉡ 사물의 선악·정사(正邪)를 판단하고 명령하는 능력.
[良好 양호] 매우 좋음.
[改良 개량] 고쳐 좋게 함.
[善良 선량] 착하고 어짊.

11 (17) 〖艱〗 어려울 간[平]删 | 艰 jiān

[日] カン〔むずかしい〕 [英] hard

[字解] ① **어려울 간**(難也). ¶ 艱易(간이). ② **괴로울 간, 괴로워할 간**(苦也). ¶ 艱難(간난). ③ **당고 간**(當故). ¶ 內艱(내간).

[字源] 形聲. 堇+艮〔音〕

[艱難 간난] 괴롭고 고생스러움. 간고(艱苦).
[艱辛 간신] 힘들고 고생스러움. 신고(辛苦).
[艱易 간이] 어려움과 쉬움. 난이(難易).
[艱患 간환] 근심. 재앙.
[外艱 외간] 아버지의 상사(喪事). 또는 아버지가 없을 때의 할아버지의 상사.

色 〔6 획〕 部 (빛색부)

0 (6) 【色】 빛 색[入]職 | sè shǎi

丿 ⺈ 𠂊 ⺈ 𠃑 色

[日] ショク·シキ〔いろ〕 [英] color

[字解] ① **빛 색**(五色貌). ¶ 色彩(색채). ② **낯 색**(顔氣). ③ **색 색**(女色). ¶ 好色(호색). 色情(색정). ④ **낯변할 색**(怒也). ¶ 作色(작색). ⑤ **갈래 색**(種類). ¶ 各樣各色(각양각색).

[字源] 會意. ⺈(사람)과 卩(마디)의 합자. 사람의 안색(顔色)의 뜻.

[色魔 색마] 많은 여성을 유혹하여 정욕을 채우는 사람.
[色盲 색맹] 색각(色覺)에 이상이 생겨 색의 구별이 되지 않는 상태. 또, 그러한 증상의 사람.
[色相 색상] ㉠ 색조(色調). ㉡ 불교에서 육안으로 볼 수 있는 만물의 형상(形狀).
[色情 색정] 남녀간의 욕정(欲情). 색을 좋아하는 마음. 춘정(春情).
[色彩 색채] ㉠ 빛깔. ㉡ 빛깔과 문채. 채색(彩色).
[色態 색태] 여자의 아리따운 태도.
[名色 명색] 어떤 부류에 넣어 부르는 이름.
[特色 특색] 보통의 것과 다른 점.

5 (11) 〖艴〗 [一]발끈할 발[入]月 [二]발끈할 불[入]物 | bó fú

[日] フツ·ボツ〔けしきばむ〕
[英] be angry

[字解] [一] **발끈할 발**(愠怒色). ¶ 艴然(발연). [二] **발끈할 불**(愠怒色).

[字源] 形聲. 色+弗〔音〕

[艴然 발연] 발끈 성을 내는 모양.

13 (19) 〖艶〗 艷(염)(次條)의 俗字

18 (24) 〖艷〗 고울 염[去]豔 | 艳 yàn

[日] エン〔なまめかしい〕
[英] beautiful

[字解] ① **고울 염**(光彩). ¶ 艷美(염미). ② **예쁠 염, 탐스러울 염**(容色豊滿). ¶ 艷色(염색).

[字源] 會意. 豐과 色의 합자. 얼굴색

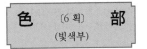

이 곱고 아름다움의 뜻.

참고 艷(色部 13획)은 속자.

[艶美 염미] 아름답고 고움. 염려(艶麗).

[艶色 염색] 아리따운 얼굴.

[妖艶 요염] 사람을 홀릴만큼 아름다움.

艸(艹) 〔6 획〕 部

(초두부)

---

0 [艸] 풀 초 cǎo 艹
6 上皓

⽇ ソウ〔くさ〕 ⽶ grass

字解 풀 초(百卉總名).

字源 象形. 풀이 나 있는 모양을 본뜸.

참고 草(艸部 6획)의 고자.

---

2 [芁] ⼀변방 구 qiú 芁
6 ㊤尤
    ⼆풀이름 교 jiāo
    교㊤有

⽇ キュウ〔はて〕・コウ〔はかりぐさ〕 ⽶ sides

字解 ⼀ 변방 구(遠荒). ¶ 芁野(구야). ⼆ 풀이름 교(藥名). ¶ 秦芁(진교).

字源 形聲. 艹(艸)+九〔音〕.

[芁野 구야] 서울에서 아주 멀리 떨어진 곳. 벽촌. 두메.

---

2 [艾] ⼀쑥 애 ài 艾
6 ㊤泰
    ⼆다스릴 예 yì
    예㊤霽

⽇ カイ〔よもぎ・かる〕 ⽶ mugwort, rule

字解 ⼀ ① 쑥 애(冰臺). ¶ 艾餅(애병). ② 약쑥 애(蕭草, 灸草). ¶ 艾葉(애엽). ③ 늙을 애, 늙은이 애(長也, 老也). ¶ 艾年(애년). ④

예쁠 애(美好). ¶ 小艾(소애). ⼆ ① 다스릴 예(治也). ¶ 艾安(예안). ② 벨 예(穫也).

字源 形聲. 艹(艸)+乂〔音〕.

[艾年 애년] 쉰 살. 머리털이 약쑥같이 희어진다는 데서 온 말.

[艾葉 애엽] 약쑥의 잎사귀.

[艾安 예안] 세상이 평화롭게 다스려짐.

---

3 [卉] ⼀성할 훼 huì 芔
9 ㊤未
    ⼆빠를 홀 hū
    홀㊤未

⽇ キ〔くさ・はやい〕 ⽶ dense, fast

字解 ⼀ 성할 훼(盛貌). ¶ 卉然(훼연). ⼆ 빠를 홀.

字源 會意. 艸(풀)의 생략형인 屮을 셋 겹쳐 초목이 무성함의 뜻을 나타냄.

---

3 [芃] 우거질 péng 芃
7 봉㊤東

⽇ ホウ〔しげる〕 ⽶ grow thick

字解 ① 우거질 봉(草盛貌). ¶ 芃芃(봉봉). ② 길 봉(尾長貌).

字源 形聲. 艹(艸)+凡〔音〕.

---

3 [芊] 우거질 qiān 芊
7 천㊤先

⽇ セン〔しげる〕 ⽶ grow thick

字解 ① 우거질 천(草盛貌). ¶ 芊芊(천천). ② 푸를 천(碧貌).

字源 形聲. 艹(艸)+千〔音〕.

---

3 [芋] ⼀토란 yù 芋
7 우㊤麌
    ⼆클 후 xū
    ㊤虞

⽇ ウ〔さといも〕・ク〔おおきい〕 ⽶ taro, big

字解 ⼀ 토란 우(土芝蹲鴟). ¶ 芋魁(우괴). 芋荄(우숙). ⼆ 클 후(訏也, 大也).

字源 形聲. ++(艸)+于〔音〕

[芋魁 우괴] 종자로 쓰는 토란. 우두(芋頭).

[芋菽 우숙] 토란과 콩.

3
(7) **[芍]** ■작약 작入藥
작入藥
■연밥
적入錫 | sháo | 芍

㊐ シャク〔しゃくやく〕・テキ〔はすのみ〕
㊐ peony

字解 ■ 작약 작, 함박꽃 작(藥名). ¶ 芍藥(작약). ■ 연밥 적.

字源 形聲. ++(艸)+勺〔音〕

[芍藥 작약] 미나리아재빗과의 다년생 풀. 뿌리는 약재로 쓰임.

3
(7) **[芎]** 궁궁이
궁㊀東 | xiōng | 芎

㊐ キュウ〔せんきゅう〕

字解 궁궁이 궁(香草名). ¶ 蘼芎(궁궁).

字源 形聲. ++(艸)+弓〔音〕

[芎藭 궁궁] 궁궁이. 미나릿과의 다년초. 어린잎은 식용, 뿌리는 한약의 강장 약재로 씀.

3
(7) **[芑]** 차조 기
㊀紙 | qǐ | 芑

㊐ キ〔もちあわ〕
㊐ glutinous millet

字解 ① 차조 기(白粱粟). ② 풀기(草也). ③ 시화 기(菜名似苦菜).

字源 形聲. ++(艸)+己〔音〕

3
(7) **[芒]** ■까끄라기 망㊀陽
■황홀할 황㊀陽 | máng
huāng | 芒

㊐ ボウ〔のぎ〕・コウ〔こうこつ〕
㊐ awn, enraptured

字解 ① 까끄라기 망, 가시 망(草端). ¶ 芒鋭(망예). ② 꼬리별 망(光星). ¶ 光芒(광망). ③ 편할

망, 큰모양 망(大貌). ¶ 芒芒(망망). ④ 피곤한모양 망(罷倦之貌). ¶ 芒然(망연). ⑤ 창날 망, 칼날 망(鋒刃). ¶ 芒刃(망인). ■ 황홀할 황.

字源 形聲. ++(艸)+亡〔音〕

[芒然 망연] ㊀ 넓고 멀어서 아득한 모양. ㊁ 피곤하여 싫증이 나는 모양. ㊂ 멀거나 있는 모양.

[芒刃 망인] 칼 끝. 칼 날.

[芒刺 망자] 가시, 까끄라기나 가시.

[芒種 망종] ㊀ 벼・보리같이 까끄라기가 있는 곡식. ㊁ 24절기의 하나. 양력 6월 5일경.

[芒鞋 망혜] 미투리. ¶ 竹杖芒鞋(죽장망혜).

4
(8) **[芼]** 풀우거질
모㊂號 | mào | 芼

㊐ モウ〔えらぶ〕　㊐ grow rank

字解 풀우거질 모.

字源 形聲. ++(艸)+毛〔音〕

4
(10) **[芻]** 꼴 추㊀虞 | chú | 芻

㊐ スウ〔まぐさ〕　㊐ fodder

字解 꼴 추(茭草). ¶ 生芻(생추).

字源 象形. 풀을 베어 묶은 단을 손에 들고 있는 모양을 본뜬 글자.

[芻蕘 추요] ㊀ 꼴꾼과 나무꾼. 천한 사람의 뜻. ㊁ 꼴과 푸나무. ㊂ 자기의 문장・작품의 겸칭(謙稱).

[反芻 반추] ㊀ 소나 양 등의 되새김질. ㊁ 되풀이하여 음미하고 생각함.

4
(8) **[芙]** 연꽃 부㊀虞 | fú | 芙

㊐ フ〔はす〕　㊐ lotus flower

字解 연꽃 부(蓮花). ¶ 芙蓉(부용).

字源 形聲. ++(艸)+夫〔音〕

[芙蓉 부용] ㊀ 연꽃. ¶ 芙蓉帳(부용장). ㊁ 목부용. 무궁화과에 속하는 낙엽 관목.

4 ⑧ 〖艿〗 움돋아난풀 잉 [去]徑 | rèng

[日] ショウ〔おかくさ〕 [英] sprout

[字解] ① **움돋아난풀 잉.** ② **베지 않은풀 잉.**

[字源] 形聲. 艹(艸)+仍〔音〕

4 ⑧ 〖芐〗 [一]지황 호 [上]麌 [二]지황 하 [去]禡 | hù xià

[日] コ・カ〔じおう〕

[字解] [一] **지황**(地黃) **호.** 지황은 약초의 하나. [二] **지황 하.**

6 획

4 ⑧ 〖芚〗 [一]싹나올 둔[平]元 [二]어리석을 둔[平]眞 | tún chūn

[日] トン〔はじめてしょうずる〕・チュン〔おろか〕

[英] sprout, foolish

[字解] [一] **싹나올 둔, 나무싹 둔**(木始生). [二] **어리석을 둔**(無智貌). ¶ 愚芚(우둔).

[字源] 形聲. 艹(艸)+屯〔音〕

4 ⑧ 〖芝〗 지초 지 [平]支 | zhī

[日] シ〔しば〕

[字解] **지초 지**(瑞草). ¶ 靈芝(영지).

[字源] 形聲. 艹(艸)+之〔音〕

[芝蘭 지란] ㉠ 영지(靈芝)와 난초(蘭草). 모두 향초(香草)임. ㉡ 선인(善人)·군자(君子)를 이르는 말. ¶ 芝蘭之交(지란지교).

4 ⑧ 〖芟〗 벨 삼 [平]咸 | shān

[日] サン〔かる〕 [英] mow

[字解] **벨 삼**(刈草). ¶ 芟正(삼정).

[字源] 會意. 艹(艸)+殳

[芟除 삼제] ㉠ 풀을 베어 없애 버림. ㉡ 무찔러 없앰.

4 ⑧ 〖芡〗 가시연 감 [本]검[上]琰 | qiàn

[日] ケン〔みずぶき〕

[字解] **가시연 감**(水草, 鷄頭). ¶ 芡仁(감인).

[字源] 形聲. 艹(艸)+欠〔音〕

[芡實 감실] 가시연밥의 한약명(漢藥名). 껍질을 벗긴 알맹이를 감인(芡仁)이라 하여 약재로 씀.

4 ⑧ 〖芣〗 질경이 부[平]尤 | fú

[日] フ〔おおばこ〕 [英] plantain

[字解] **질경이 부**(車前草). ¶ 芣苢(부이).

[字源] 形聲. 艹(艸)+不〔音〕

4 ⑧ 〖芥〗 겨자 개 [去]卦 | jiè, gài

[日] カイ〔からしな〕 [英] mustard

[字解] ① **겨자 개, 갓 개**(辛菜). ¶ 芥子(개자). ② **티끌 개.** ¶ 塵芥(진개).

[字源] 形聲. 「介(개)」가 음을 나타냄.

[芥視 개시] 먼지와 같이 가볍게 봄. 경시(輕視)함.

[芥子 개자] ㉠ 겨자. 겨자씨와 갓씨의 총칭. 조미료로 쓰임. ㉡ 매우 작은 것의 비유.

[芥塵 개진] 먼지와 쓰레기. 진개(塵芥).

[草芥 초개] 지푸라기. 곧, 하찮은 것의 비유.

4 ⑧ 〖苧〗 [一]매자기 저 [上]語 [二]상수리나무 서 [上]語 | zhù xù

[日] チョ〔かわつりぐさ〕・ショ〔くぬぎ〕

[英] oak tree

[字解] [一] **매자기 저**(草名). [二] **상수**

리나무 서(橡也, 栩也).
字源 形聲. ++(艸)+予〔音〕

4/8 **〔芨〕** 대암풀 급 ⋏ 緝 | jī 芨
日 キュウ〔しらん〕
字解 대암풀 급, 백급 급(萌藘).
¶白芨(백급).
字源 形聲. ++(艸)+及〔音〕

4/8 **〔芩〕** ■풀이름 금 ⊕ 侵 | qín / yín
■나물이름 음 ⊕ 侵
日 キン〔じはしり・くさのな〕
字解 ■풀이름 금(蔓草名). ■나물이름 음.
字源 形聲. ++(艸)+今〔音〕

4/8 **〔芬〕** 향내 분 ⊕ 文 | fēn 芬
日 フン〔かおり〕 英 perfume
字解 ① 향내 분(花草香氣). ¶ 芬芳(분방). ② 어지러울 분(紛也, 亂也). ¶ 芬芬(분분).
字源 形聲. ++(艸)+分〔音〕
[芬芳 분방] 좋은 냄새. 향기.
[芬芬 분분] ㉠ 향기가 높은 모양. ㉡ 어지러운 모양.

4/8 **〔芭〕** 파초 파 ⊕ 麻 | bā 芭
日 パ〔ばしょう〕 英 plantain
字解 파초 파(甘蕉). ¶ 芭蕉(파초).
字源 形聲. ++(艸)+巴〔音〕
[芭蕉 파초] 파초과의 다년초. 잎은 긴 타원형이고 황갈색의 꽃이 핌.

4/8 **〔芮〕** 물가 예 ⊕ 霽 | ruì 芮
日 ゼイ〔みぎわ〕 英 waterside
字解 ① 물가 예(水涯). ¶ 芮鞫

(예국). ② 나라이름 예(國名). ¶ 芮芮(예예). ③ 방패끈 예(繫楯綬). ④ 풀뾰족뾰족날 예(草生貌). ¶ 芮芮(예예).
字源 形聲. ++(艸)+內〔音〕
[芮芮 예예] ㉠ 풀의 싹이 나서 자라는 모양. ㉡ 나라 이름. 오랑캐의 일종.

4/8 **〔芯〕** 골풀 심 ⊕ 侵 | xīn 芯
日 シン〔い〕 英 rush
字解 골풀 심, 등심초 심(草名).
字源 形聲. ++(艸)+心〔音〕

4/8 **〔芰〕** 마름 기 ⊕ 寘 | jì 芰
日 キ〔ひし〕 英 water chestnut
字解 마름 기(水草名). ¶ 菱芰(능기).
字源 形聲. ++(艸)+支〔音〕

4/8 **〔花〕** 꽃 화 ⊕ 麻 | huā 花
丶 十 卄 艹 芢 芢 花 花
日 カ〔はな〕 英 flower
字解 ① 꽃 화(草木之葩). ¶ 花草(화초). ② 아름다울 화. ¶ 花燭(화촉). ③ 흐릴 화. ¶ 眼花(안화). ④ 써없앨 화(一切耗散). ¶ 花費(화비).
字源 形聲. ++(艸)+化〔音〕
[花無十日紅 화무십일홍] 열흘 붉은 꽃이 없다는 뜻으로, 한 번 성(盛)하면 반드시 쇠(衰)하여짐을 이름.
[花樹會 화수회] 동성(同姓)끼리 친목을 도모하기 위하여 이룬 모임이나 잔치.
[花信 화신] 꽃이 핌을 알리는 소식.
[花心 화심] ㉠ 꽃술. ㉡ 미인의 마음.
[花燭 화촉] ㉠ 빛깔 들인 밀초. ㉡ 혼인을 이르는 말. 화촉(華燭).
[花卉 화훼] 꽃이 피는 풀. 화초(花

草).

[開花 개화] 꽃이 핌.

[生花 생화] 살아 있는 화초에서 꺾은 꽃.

$^4_8$ 〔芳〕 꽃다울 | fāng
방㊀陽 |

艹 艹 芊 芳 芳

�日 ホウ〔かんばしい〕 ㊤ flowery

字解 ① 꽃다울 방(香也). ¶ 芳年(방년). ② 이름빛날 방(聲譽之美). ¶ 芳名(방명). ③ 향내 방. ¶ 芳香(방향).

字源 形聲. 艹(艸)+方〔音〕

[芳年 방년] 여자 이십 전후의 꽃다운 나이. 방령(芳齡).

[芳名 방명] 남의 이름의 존칭. ¶ 芳名錄(방명록).

[芳信 방신] ㉠ 화신(花信). ㉡ 남의 심방(尋訪)의 경칭(敬稱).

$^4_8$ 〔芷〕 어수리 | zhǐ
지㊀紙 |

�日 シ〔はなうど〕

字解 어수리 지(香草). ¶ 白芷(백지).

字源 形聲. 艹(艸)+止〔音〕

[芷蘭 지란] 구릿대와 난초. 모두 향초(香草)임.

$^4_8$ 〔芸〕 운향 운 | yún
㊀文 |

�日 ウン〔くさぎる〕

字解 ① 운향 운(香草). ¶ 芸香(운향). ② 김맬 운(除草). ¶ 芸夫(운부).

字源 形聲. 艹(艸)+云〔音〕

參考 藝(艸部 15획)의 약사로도 쓰임.

[芸夫 운부] 풀을 깎는 남자.

[芸芸 운운] ㉠ 성(盛)한 모양. 많은 모양. ㉡ 꽃이 노란 모양.

[芸香 운향] 향초(香草)의 하나로 책 속에 넣어서 좀먹는 것을 막음.

$^4_8$ 〔芹〕 미나리 | qín
근㊀文 |

�日 キン〔せり〕 ㊤ dropwort

字解 미나리 근(水菜, 楚葵). ¶ 芹菜(근채).

字源 形聲. 艹(艸)+斤〔音〕

[芹菹 근저] 미나리 김치.

[芹菜 근채] 미나리.

[芹獻 근헌] 선물을 보낼 때의 겸칭(謙稱). 헌근(獻芹).

$^4_8$ 〔芽〕 싹 아 | yá
㊀麻 |

� ガ〔め〕 ㊤ sprout

字解 ① 싹 아(萌也). ¶ 發芽(발아). ② 비롯할 아(始也). ¶ 萌芽(맹아).

字源 形聲. 艹(艸)+牙〔音〕

[芽椄 아접] 접목법의 한 가지. 눈을 따서 접붙임.

[麥芽 맥아] 보리에 물을 부어 싹을 내어 말린 것.

[發芽 발아] 싹이 틈.

$^4_8$ 〔芾〕 ■작을 비 | fèi
㊀未 ■우거질 불 | fú
㊈物 |

�日 ヒ・フツ〔ひざかけ〕 ㊤ small, grow thick

字解 ■ 작을 비(小也). ■ ① 우거질 불(草木盛也). ② 슬갑 불(韠也).

字源 形聲. 艹(艸)+市〔音〕

$^5_9$ 〔苽〕 줄 고 | qū
㊀虞 |

�日 ク, コ〔まこも〕

字解 ① 줄 고(볏과의 다년초). ② 산수국 고.

字源 形聲. 艹(艸)+瓜〔音〕

$^5_9$ 〔苑〕 동산 원 | yuàn
㊀阮 |

㈰ エン〔その〕 ㊛ garden

字解 ① 동산 원(囿也, 所以養禽獸). ¶ 苑囿(원유). ② 사물이모이는곳 원(淵叢). ¶ 藝苑(예원). ③ 문채 날 원(文貌).

字源 形聲. ⾋(艸)+夗〔音〕.

[苑囿 원유] 새와 짐승을 놓아 기르는 동산. 원유(園囿).

[苑池 원지] ㉠ 정원과 못. ㉡ 못이 있는 정원. 원지(園池).

[文苑 문원] 문학인들의 사회. 문학 계. 문단.

---

⁵⁹[茸] 성할 염 ㊤琰 rǎn 茸

㈰ ゼン〔さかえる〕 ㊛ flourish

字解 ① 성할 염(盛貌). ② 우거질 염(草盛貌). ¶ 茸茸(염염).

字源 形聲. ⾋(艸)+冉〔音〕.

---

⁵⁹[苓] 도꼬마 리 령 ㊥青 líng 苓

㈰ レイ〔おなもみ・たけ〕 ㊛ cocklebur

字解 ① 도꼬마리 령(卷耳草). ¶ 苓耳(영이). ② 버섯 령(菌類). ¶ 豬苓(저령).

字源 形聲. ⾋(艸)+令〔音〕.

---

⁵⁹[苔] 이끼 태 ㊥灰 tái 苔

㈰ タイ〔こけ〕 ㊛ moss

字解 이끼 태(蘚也). ¶ 蘚苔(선태).

字源 形聲. ⾋(艸)+台〔音〕.

[苔碑 태비] 이끼가 낀 비(碑).

[青苔 청태] ㉠ 푸른 이끼. ㉡ 갈파래. ㉢ 김.

---

⁵⁹[苕] ■완두 초㊥蕭 ■풀이름 소㊥蕭 tiáo 苕

㈰ チョウ〔えんどう〕 ㊛ pea

字解 ■ ① 완두 초(蔓草). ② 능 소화 초(草名). ¶ 陵苕(능초). ③ 우뚝할 초(高貌). ■ 풀이름 소.

字源 形聲. ⾋(艸)+召〔音〕.

---

⁵⁹[苗] 모 묘 ㊥蕭 miáo 苗

⼀ ⼗ ⼫ ⼬ 艹 芦 苗 苗

㈰ ビョウ〔なえ〕 ㊛ sprouts

字解 ① 모 묘(穀草初生), 모종 묘. ¶ 苗木(묘목). ② 핏줄 묘(胤也). ¶ 苗裔(묘예). ③ 백성 묘(衆也). ¶ 黎苗(여묘). ④ 오랑캐이름 묘. ¶ 苗族(묘족).

字源 會意. 艸(풀)와 田의 합자. 논에 나는 벼의 모. 전하여, 널리「모」의 뜻이 됨.

[苗木 묘목] 목본(木本) 식물의 모종. 이식하기 전의 어린 나무.

[苗裔 묘예] 먼 후대의 자손. 묘윤(苗胤).

[苗板 묘판] 못자리.

[苗圃 묘포] 묘목을 기르는 밭.

[種苗 종묘] 식물의 씨나 싹을 심어서 가꿈. 또는 그 모종이나 묘목.

---

⁵⁹[苛] 독할 가 ㊥歌 kē 苛

㈰ カ〔からい〕 ㊛ harsh

字解 ① 독할 가(嚴酷). ¶ 苛酷 (가혹). ② 까다로울 가(煩細). ¶ 苛細(가세).

字源 形聲. ⾋(艸)+可〔音〕.

[苛斂誅求 가렴주구] 조세(租稅) 따 위를 혹독하게 징수하며, 무리하게 재물을 빼앗음.

[苛細 가세] 성질이 까다롭고 잚.

[苛虐 가학] 가혹하게 학대함.

[苛酷 가혹] 매우 혹독함.

---

⁵⁹[苜] 거여목 목 ㊤屋 mù 苜

㈰ モク〔うまごやし〕 ㊛ medic

[字解] 거여목 목(草名). ¶ 苜蓿(목숙).

[字源] 形聲. 艹(艸)+目〔音〕

[苜蓿 목숙] 거여목. 마소의 사료로 씀.

5 ⑨ 【苞】 쌀 포 [平]肴 bāo

[日] ホウ〔つつむ〕 [英] bundle

[字解] ① 쌀 포(包也). ¶ 苞苴(포저). ② 밑 포, 근본 포(本也). ¶ 苞桑(포상). ③ 더부룩이날 포(叢生). ¶ 漸苞(점포).

[字源] 形聲. 艹(艸)+包〔音〕

[苞桑 포상] ㉠ 뽕나무 뿌리. ㉡ 근본이 견고함.

[苞苴 포저] ㉠ 선사하는 물건. ㉡ 뇌물.

[苞天 포천] 하늘을 싼다는 뜻으로, 기량(器量)이 큼을 이름.

5 ⑨ 【苟】 진실로 구[上]有 gǒu

丶 十 艹 艹 芍 芍 苟 苟

[日] コウ〔いやしくも〕 [英] truly

[字解] ① 진실로 구(誠也). ② 단지 구(但也). ③ 구차할 구. ¶ 苟且(구차).

[字源] 形聲. 艹(艸)+句〔音〕

[苟安 구안] 한때 겨우 편안함.

[苟且 구차] ㉠ 몹시 가난하고 군색함. ㉡ 군색스럽고 구구함. ¶ 苟且偸安(구차투안).

[苟偸 구투] 일시적인 안일을 취함.

5 ⑨ 【苡】 율무 이 [上]紙 yǐ

[日] イ〔おおばこ〕 [英] adlay

[字解] ① 율무 이. ¶ 薏苡(의이). ② 질경이 이(芣也).

[字源] 形聲. 艹(艸)+以〔音〕

5 ⑨ 【苣】 홰 거 [上]語 jù

[日] キョ〔ごま〕 [英] torch

[字解] ① 홰 거(炬也). ¶ 苣文(거문). ② 상추 거(菜名). ¶ 萵苣(와거). ③ 참깨 거(胡麻). ¶ 苣藤(거승).

[字源] 形聲. 艹(艸)+巨〔音〕

[苣文 거문] 홰 모양을 한 무늬.

[苣藤 거승] 호마(胡麻)의 별칭.

5 ⑨ 【若】 [一]같을 약[入]藥 [二]반야 야[上]馬 ruò rě

丶 十 艹 艹 芀 芅 若 若

[日] ジャク〔ごとし〕・ニャ〔はんにゃ〕 [英] like

[字解] [一] ① 같을 약(如也). ¶ 若此(약차). ② 너 약(汝也). ¶ 若曹(약조). ③ 만약 약(假說辭). ¶ 若或(약혹). ④ 어조사 약. ¶ 若何(약하). ⑤ 및 약(豫及辭). ¶ 子若孫(자약손). [二] ① 반야 야(梵語). ¶ 般若(반야). ② 난야 야, 절 야. ¶ 蘭若(난야).

[字源] 會意. 艹(풀)와 右(오른손)의 합자. 야채를 골라 취함의 뜻. 만약의 뜻으로 쓰임은 가차.

[若輩 약배] ㉠ 너희들. 자네들. 약조(若曹). ㉡ 젊은이.

[若此 약차] 이와 같이. 약시(若是). 여차(如此).

[若何 약하] 사정이 어떠함. 여하(如何).

[萬若 만약] 어쩌다가. 만일.

5 ⑨ 【苦】 괴로울 고[上]麌 kǔ

丶 十 艹 艹 芒 苹 苦 苦

[日] ク〔にがい・くるしい〕 [英] painful

[字解] ① 괴로울 고(困悴卒楚). ¶ 苦悶(고민). ② 쓸 고(焦氣之味). ¶ 苦味(고미).

[字源] 形聲. 艹(艸)+古〔音〕

[苦難 고난] 괴로움과 어려움.

6획

[苦悶 고민] 마음속으로 괴로워하고 애를 태움.

[苦盡甘來 고진감래] 고생 끝에 즐거움이 옴.

[苦楚 고초] 어려움과 괴로움.

[刻苦 각고] 몹시 애씀.

[勞苦 노고] 수고롭게 애씀.

5⑨ 【苧】 모시풀 저 ⊥語 zhù   苧

㊊ チョ〔からむし〕 ㊊ ramie

字解 모시풀 저. ¶ 苧麻(저마).

字源 形聲. ++(艸)+宁〔音〕.

[苧布 저포] 모시.

5⑨ 【苫】 거적 점 ㊊鹽 shān   苫

㊊ セン〔とま〕 ㊊ straw mat

字解 ① 거적 점(編藁). ¶ 苫席(점석). ② 덮을 점(蓋也). ¶ 苫覆(점복).

字源 形聲. ++(艸)+占〔音〕.

[苫塊 점괴] 거적자리와 흙덩이 베개. 곧, 상제가 거처하는 곳을 일컫는 말.

[苫覆 점복] 덮음. 지붕을 임.

5⑨ 【英】 꽃 영 ㊊庚 yīng   英

艹 艹 苎 苎 苎 苹 英 英

㊊ エイ〔ひいでる〕 ㊊ flower

字解 ① 꽃 영(華也). ¶ 華英(화영). ② 빼어날 영(智出萬人). ¶ 英才(영재). ③ 꽃다울 영, 아름다울 영(美也). ¶ 英華(영화). ④ 영국 영. ¶ 英語(영어).

字源 形聲. ++(艸)+央〔音〕.

[英傑 영걸] 뛰어난 인물. 영웅(英雄).

[英譽 영예] 빛나는 명예. 영예(榮譽).

[英才 영재] 뛰어난 재주. 또, 그런 재주를 가진 사람. 수재(秀才).

[英俊 영준] 영특하고 준수(俊秀)함.

[英特 영특] 영걸(英傑)스럽고 특별함.

[育英 육영] 인재를 가르쳐 기름.

[俊英 준영] 뛰어나고 빼어남. 또는 그런 사람.

5⑨ 【苴】 ■삼 저 ㊊魚 jū
풀 차 ㊊麻 chá
■두엄풀 자 zhā
⊥馬
㊃절인채소 zū
조 ㊊虞   苴

㊊ ショ〔あさ〕・サ〔かれくさ〕・サ〔つみこえ〕・ソ〔こも〕

㊊ hemp, compost

字解 ■ ① 삼 저(有子麻). ¶ 苴布(저포). ② 꾸러미 저(賂遺也). ¶ 苞苴(포저). ■ 물위에뜬풀 차. ■ 두엄풀 자. ㊃ 절인채소 조.

字源 形聲. ++(艸)+且〔音〕.

[苴布 저포] 삼으로 짠 거친 천.

5⑨ 【苹】 ■쑥 평 ㊊庚
■병거 ping
병 ㊊先   苹

㊊ ヘイ〔よもぎ〕・ビョウ〔いくさぐるま〕

㊊ wormwood

字解 ■ ① 쑥 평(藾蕭可食). ② 풀무성할 평. ¶ 苹苹(평평). ③ 돌 평(旋回). ¶ 苹縈(평영). ④ 사과 평. ¶ 苹果(평과). ■ 병거 병. ¶ 苹車(병거).

字源 形聲. ++(艸)+平〔音〕.

[苹車 병거] 주대(周代)의 전차(戰車). 적의 공격에 대하여 자기를 가리어 덮도록 되어 있음.

[苹果 평과] 사과.

[苹縈 평영] 도는 모양. 선회(旋回)하는 모양.

[苹苹 평평] 풀이 무성한 모양.

5⑨ 【苺】 딸기 매 ⊥賄 méi   苺

㉠ バイ〔いちご〕 ㊤ strawberry

字解 ■ 딸기 매(莓也).

字源 形聲. ++(艸)+母〔音〕

5⁹ 〔苻〕껍질 부
㊤處 fú

㉠ フ〔さや〕 ㊤ shell

字解 껍질 부(草之孚甲). ¶ 苻甲(부갑).

字源 形聲. ++(艸)+付〔音〕

5⁹ 〔苾〕■향내 필
㊦質 bì
■채소이름 별 bié

㉠ ヒツ〔かおり〕・ヘツ〔なのな〕
㊤ fragrance

字解 ■ 향내 필(馨也). ¶ 苾芬(필분). ■ 채소이름 별.

字源 形聲. ++(艸)+必〔音〕

5⁹ 〔茀〕■풀숲 불
㊦物 fú
■숨찬모양 발 bó
㊦月
■혜성 패 bèi
㊦隊

㉠ フツ〔しはる〕・ホツ〔いきのつまるさま〕・ハイ〔ほうきぼし〕
㊤ grass, comet

字解 ■ ① 풀숲 불, 덤불 불(草盛). ¶ 茀地(불지). ② 복 불(福也). ¶ 茀祿(불록). ③ 다스릴 불(治也). ④ 막힐 불(塞也). ¶ 道茀(도불). ■ 숨찬모양 발. ■ 혜성 패.

字源 形聲. ++(艸)+弗〔音〕

[茀祿 불록] 복. 행복. 복록.

5⁹ 〔苗〕■싹 절
㊤屑
■싹틀 촬 zhuó
㊤黠
■싹 줄
㊤屈㊤質

㉠ セツ・サツ〔めばえ〕 ㊤ sprout

字解 ■ 싹 절(草初生貌). ■ ① 싹틀 촬(草出貌). ② 자랄 촬(長也). ■ 싹 줄. 초목의 싹.

字源 形聲. ++(艸)+出〔音〕

[苗長 촬장] ㉠ 초목들이 나서 자람. ㉡ 짐승이 커서 살찜.

5⁹ 〔茂〕우거질 무
㊦宥 mào

艹 艹 艹 广 芹 茂 茂 茂

㉠ モ〔しげる〕 ㊤ grow thick

字解 ① 우거질 무(草盛也). ¶ 茂盛(무성). ② 힘쓸 무(勉也). ¶ 茂學(무학). ③ 빼어날 무. ¶ 茂才(무재).

字源 形聲. ++(艸)+戊〔音〕

[茂盛 무성] 풀이나 나무가 우거짐.

[茂才 무재] ㉠ 재능이 뛰어남. 또, 그 사람. 영재(英才). 수재(秀才). ㉡ 후한(後漢)의 관리 등용 과목 이름. 무재(茂材).

[茂行 무행] 선행(善行).

5⁹ 〔范〕벌 범
㊤豏 fàn

㉠ ハン〔はち〕 ㊤ bee

字解 ① 벌 범(蜂也). ② 법 범(範也).

字源 形聲. ++(艸)+氾〔音〕

5⁹ 〔茄〕가지 가
㊤歌 qié

㉠ カ〔なす〕 ㊤ eggplant

字解 가지 가(菜名).

字源 形聲. ++(艸)+加〔音〕

[茄子 가자] 가지. 열매를 식용함.

5⁹ 〔茅〕띠 모
㊤肴 máo

㉠ ボウ〔かや〕 ㊤ cogon

字解 띠 모(菅也). ¶ 茅屋(모옥).

字源 形聲. ++(艸)+矛〔音〕

[茅塞 모색] 마음이 사욕에 막힘.

[茅屋 모옥] ㉠ 띠로 지붕을 인 집. 모사(茅舍). ㉡ 자기 집의 겸칭(謙稱).

[草茅 초모] 잔디.

5 ⑨ 【茆】 [一]순채 묘 [上]巧 [二]띠 모 [平]肴 [三]갯버들 류[上]有 máo

[日] ボウ〔じゅんさい〕・ボウ〔かや〕・リュウ〔ねこやなぎ〕

[字解] [一] 순채 묘(鳧葵). ¶ 茆菹(묘저). [二] 띠 모(茅也). ¶ 茆檐(모첨). [三] 갯버들 류(柳也).

[字源] 形聲. 艹(艸)+卯〔音〕

[茆茨 모자] 띠. 띠로 인 지붕.

[茆菹 묘저] 순채(蓴菜)의 일종.

5 ⑨ 【茇】 [一]풀뿌리 발[入]曷 [二]흰색능소화 패 [去]泰 [三]댓줄 불 [入]物 bá pèi fèi

[日] バツ〔ね〕・ハイ〔のうぜんかづら〕・フツ〔たけづな〕

[字解] [一] ① 풀뿌리 발(草根). ② 초막 발(草舍). ③ 한둔할 발(露宿). [二] 흰색능소화 패. [三] 댓줄 불.

[字源] 形聲. 艹(艸)+犮〔音〕

5 ⑨ 【茉】 말리 말 [入]曷 mò

[日] マツ〔まり〕 [英] jasmin

[字解] 말리 말(花名). ¶ 茉莉(말리).

[字源] 形聲. 艹(艸)+末〔音〕

6 ⑩ 【茗】 차싹 명 [上]迴 míng

[日] メイ〔ちゃのき〕 [英] tea leaflet

[字解] ① 차싹 명(茶芽). ② 차 명(茶別名).

[字源] 形聲. 艹(艸)+名〔音〕

[茗宴 명연] 차를 끓이고 마시고 하는 모임.

[茗香 명향] 차의 향기.

6 ⑩ 【茘】 염교 려 [去]霽 lì

[日] レイ〔らっきょう〕 [英] shallot

[字解] 염교 려(香草). ¶ 茘挺(여정).

[字源] 形聲. 艹(艸)+劦(劦)〔音〕

[參考] 荔(艸部 6획)는 본자.

6 ⑩ 【茛】 미나리아재비 간[去]願 gèn

[日] ゴン〔きんぽうげ〕

[字解] 미나리아재비 간(草烏頭苗). ¶ 毛茛(모간).

[字源] 形聲. 艹(艸)+艮〔音〕

[注意] 莨(艸部 7획)은 딴 글자.

6 ⑩ 【茜】 꼭두서니 천[去]霰 qiàn

[日] セン〔あかね〕 [英] madder

[字解] 꼭두서니 천(茅蒐).

[字源] 形聲. 艹(艸)+西〔音〕

[茜色 천색] 꼭두서니의 뿌리에서 빼낸 물감으로, 자색(紫色)을 띤 적황색.

6 ⑩ 【茨】 남가새 자[平]支 cí

[日] シ〔いばら〕 [英] caltrop

[字解] ① 남가새 자(草名, 蒺藜). ② 일 자(以茅蓋屋). ③ 쌓을 자(積也). ④ 가시나무 자(莿也).

[字源] 形聲. 艹(艸)+次〔音〕

[茨棘 자극] ㉠ 남가새. 전하여, 곤란한 일. ㉡ 풀이 우거진 시골.

[茨草 자초] ㉠ 지붕에 이엉을 이는

6 획

일. ㉡ 남가새와 풀.

[茱萸 수유] 수유나무의 열매. 기름을 짜서 머릿기름으로 씀.

6/10 〔茭〕 ■꼴 교 ㊥看 ■먹는 풀뿌리 효㊤巧
jiāo / xiào

�日 コウ〔まぐさ・そうてんのしょくようとなるもの〕
㊤ fodder

字解 ■ ① 꼴 교(乾芻). ② 승검초 교(牛蘄). ■ 먹는풀뿌리 효.

字源 形聲. ++(艸)+交〔音〕

6/10 〔茫〕 ■아득할 망㊥陽 ■황망할 황㊤養
máng / huáng

丷 艹 艹 艹 芒 芒 茫 茫

�日 ボウ〔ひろくはてしない・あわただしい〕
㊤ remote, hurried

字解 ■ ① 아득할 망, 망망할 망(廣大貌). ¶ 茫茫(망망). ② 멍할 망(漠然). ¶ 茫然自失(망연자실). ■ 황망할 황.

字源 形聲. ++(艸)+汒〔音〕

[茫漠 망막] ㉠ 흐리멍덩하고 똑똑하지 못한 모양. ㉡ 넓고 먼 모양.

6/10 〔茯〕 복령복 ㊥屋
fú

�日 フク〔ふくれい〕 ㊤ fungus

字解 복령 복(藥名). ¶ 茯苓(복령).

字源 形聲. ++(艸)+伏〔音〕

[茯苓 복령] 소나무 뿌리에 기생하는 버섯. 수종(水腫)・임질(淋疾) 등에 약재로 씀.

6/10 〔茱〕 수유나무 수㊥虞
zhū

�日 シュ〔しゅゆ〕 ㊤ dogwood

字解 수유나무 수(藥名). ¶ 山茱萸(산수유).

字源 形聲. ++(艸)+朱〔音〕

6/10 〔茲〕 이 자 ㊥支
zī

�日 シ〔ここ〕 ㊤ this

字解 ① 이 자, 이에 자(此也). ② 자리 자(蓐席). ③ 더욱 자, 거듭 자(重也). ¶ 茲重(자중).

字源 形聲. ++(艸)+絲〈省〉〔音〕

6/10 〔茴〕 회향풀 회㊥灰
huí

�日 カイ・ウイ〔ういきょう〕
㊤ fennel

字解 회향풀 회(香草名, 防風葉也). ¶ 茴香(회향).

字源 形聲. ++(艸)+回〔音〕

6/10 〔茵〕 깔개 인 ㊥眞
yīn

�日 イン〔しとね〕 ㊤ cushion

字解 ① 깔개 인, 요 인(蓐也). ¶ 茵席(인석). ② 사철쑥 인(香草). ¶ 茵蔯(인진).

字源 形聲. ++(艸)+因〔音〕

[茵席 인석] 자리에 까는 방석.
[茵蔯 인진] ㉠ 사철쑥. ㉡ 사철쑥의 어린잎. 이뇨(利尿)・습열(濕熱)・황달 등에 약으로 씀.

6/10 〔茶〕 차 다㊧ 차㊥麻
chá

丷 艹 艹 艾 苁 苓 苓 茶

�日 チャ・サ〔ちゃのき〕 ㊤ tea

字解 차 다(茗也). ¶ 茶菓(다과).

字源 形聲. 고자(古字)인「余(여)」의 생략형의 전음이 음을 나타냄.

[茶菓 다과] 차와 과자. ¶ 茶菓店(다과점).
[茶禮 다례] 음력 매달 초하룻날과 보름날・명절날・조상 생일 등의 낮에 지내는 제사.

[茶房 다방] 커피·홍차 등의 음료를 파는 집. 찻집.

[茸] 6 ⑩ ■우거질 용 ⊕冬 ■밀 용 ⊕腫 | róng rǒng 茸

㊀ ジョウ〔しげる·ににげ〕
� luxuriant, push

字解 ■ ① 우거질 용(茂也). ¶ 茸茸(용용). ② 녹용 용 ¶ 鹿茸(녹용). ■ 밀 용(推也).

字源 會意. ++(艸)+耳

[茸茸 용용] 풀이 무성한 모양. 용무(茸茂).

[茸闥 용탑] 어리석고 둔함.

[鹿茸 녹용] 새로 돋은 사슴의 연한 뿔(보약으로 씀).

[茹] 6 ⑩ 먹을 여 ⊕魚 | rú 茹

㊀ ジョ〔くう〕 � eat

字解 ① 먹을 여(食也). ¶ 茹藿(여곽). ② 썩을 여(腐敗之義). ¶ 茹魚(여어). ③ 받을 여(受也). ④ 데삶을 여, 데칠 여(蒸爲茹). ⑤ 꼭두서니 여. ¶ 茹蘆(여려).

字源 形聲. ++(艸)+如〔音〕

[茹藿 여곽] 콩잎을 먹음. 좋은 반찬이 없는 조식(粗食)을 이르는 말.

[茹魚 여어] 썩은 물고기.

[茹菜 여채] 채소를 먹음.

[荀] 6 ⑩ 사람이름 순 ⊕眞 | xún 荀

㊀ ジュン〔くさのな〕

字解 ① 사람이름 순(晉之公族). ¶ 荀子(순자). ② 풀이름 순(草名).

字源 形聲. ++(艸)+旬〔音〕

注意 苟(艸部 5획)는 딴 글자.

[荃] 6 ⑩ 향초 전 ⊕先 | quán 荃

㊀ セン〔かおりぐさ〕
� fragrant grass

字解 향초 전, 향풀 전(香草).

字源 形聲. ++(艸)+全〔音〕

[荅] 6 ⑩ 팥 답 ⊕合 | dá 荅

㊀ トウ〔あずき〕 � red-bean

字解 ① 팥 답(小豆). ② 대답할 답(答也). ③ 당할 답(當也).

字源 形聲. ++(艸)+合〔音〕

[荊] 6 ⑩ 가시나무 형 ⊕庚 | jīng 荊

㊀ ケイ〔いばら〕 � thorny plant

字解 ① 가시나무 형. ¶ 荊棘(형극). ② 모형 형(楚木). ¶ 牡荊(모형). ③ 아내 형. ¶ 荊妻(형처).

字源 形聲. ++(艸)+刑〔音〕

[荊棘 형극] ㉠ 나무의 가시. ㉡ 고난의 길을 비유하여 이르는 말.

[荊妻 형처] 자기 아내를 낮추어 일컫는 말.

[荇] 6 ⑩ 노랑어리연꽃 행 ⊕梗 | xìng 荇

㊀ コウ〔あさざ〕

字解 노랑어리연꽃 행(接余水菜蘋類). ¶ 荇菜(행채).

字源 形聲. ++(艸)+行〔音〕

[草] 6 ⑩ 풀 초 ⊕皓 | cǎo 草

艹 艹 芍 芮 苜 莒 草

㊀ ソウ〔くさ〕 � grass

字解 ① 풀 초(百卉總名). ¶ 草木(초목). ② 거칠 초(粗也). ¶ 草率(초솔). ③ 초할 초(書體之一). ¶ 草書(초서). ④ 시작할 초(創物). ¶ 草創(초창).

字源 形聲. ++(艸)+早〔音〕

參考 艸(部首)는 古字.

[草芥 초개] 풀과 먼지. 곧, 아무 소

용이 없거나 하찮은 것을 비유한 말.

[草稿 초고] 초벌로 쓴 원고.

[草廬三顧 초려삼고] 촉한(蜀漢)의 유비(劉備)가 몸을 낮추어 제갈공명(諸葛孔明)의 집을 세 번 찾은 고사(故事). 삼고초려(三顧草廬).

[草率 초솔] 절실하거나 정밀하지 못한 모양. 거칠고 엉성함. 조략(粗略).

[草食 초식] ㉠ 어육(魚肉)을 먹지 않고 푸성귀만 먹음. ㉡ 채소(菜蔬)로 만든 음식(飮食).

[草野 초야] ㉠ 풀이 우거진 들판. ㉡ 시골. ㉢ 민간(民間). ㉣ 비천함.

[草創 초창] 비롯하여 시작함. 사업의 시초. ¶ 草創期(초창기).

[伐草 벌초] 무덤의 잡초를 베어서 깨끗이 함.

6 ⑩ 〖荓〗 荓(병)(艸部 8획)의 俗字

6 ⑩ 〖荏〗 들깨 임 [上]寢 rěn

[日] ジン・ニン〔えごま〕 [英] green perilla

[字解] ① 들깨 임(白蘇可油). ¶ 荏子(임자). ② 부드러울 임(柔也). ¶ 荏弱(임약). ③ 천연할 임. ¶ 荏苒(임염).

[字源] 形聲. 艹(艸)+任〔音〕

[荏弱 임약] 부드럽고 약함.

[荏苒 임염] 세월이 천연함. 시일을 자꾸 끎. 염임(苒荏).

[荏子 임자] 들깨. ¶ 黑荏子(흑임자).

6 ⑩ 〖荐〗 거듭할 천 [去]霰 jiàn

[日] セン〔しきりに〕 [英] repeat

[字解] 거듭할 천(再也, 仍也).

[字源] 形聲. 艹(艸)+存〔音〕

[荐問 천문] 자주 방문함.

[荐食 천식] 점차로 먹어 들어감. 잠식(蠶食).

6 ⑩ 〖荑〗 [一]띠싹 제 [平]齊 [二]벨 이 [平]支 tí yí

[日] テイ〔つばな〕・イ〔かる〕 [英] cut

[字解] [一] ① 띠싹 제(茅之初生也). ¶ 柔荑(유제). ② 돌피 제(稊也). ¶ 荑稗(제패). [二] 벨 이(芟刈). ¶ 芟荑(삼이).

[字源] 形聲. 艹(艸)+夷〔音〕

6 ⑩ 〖荒〗 거칠 황 [平]陽 huāng

丶 ᅳ 艹 艹 芒 芒 芦 芹 荒

[日] コウ〔あれる〕 [英] wild

[字解] ① 거칠 황(蕪也). ¶ 荒廢(황폐). ② 흉년들 황(凶年也). ¶ 荒年(황년). ③ 버릴 황, 폐할 황(廢也). ¶ 荒棄(황기).

[字源] 形聲. 艹(艸)+㠩〔音〕

[荒棄 황기] 폐기함. 버림.

[荒年 황년] 흉년(凶年). 황세(荒歲).

[荒蕪地 황무지] 손을 대지 않고 버려두어 거칠어진 땅.

[荒廢 황폐] 버려 두어 못쓰게 되고 거칢.

6 ⑩ 〖荘〗 莊(장)(艸部 7획)의 略字

7 ⑪ 〖莒〗 감자 거 [上]語 jǔ

[日] キョ [英] potato

[字解] 감자 거.

[字源] 形聲. 艹(艸)+呂〔音〕

7 ⑪ 〖荳〗 콩 두 [去]有 dòu

[日] トウ〔まめ〕 [英] bean

[字解] 콩 두.

[字源] 形聲. 艹(艸)+豆〔音〕

[荳餠 두병] 콩기름을 짜고 난 찌꺼기.

7 ⑪ 〖荷〗 [一]연 하 [平]歌 [二]멜 하 [上]哿 | hé hè

十 卄 艹 ⺿ 芢 芢 苛 荷

[日] カ〔はす・になう〕
[英] lotus, shoulder

[字解] [一] **연 하**(芙渠也). ¶ 荷花(하화). [二] ① **멜 하**(擔也), **질 하**(負也). ¶ 負荷(부하). ② **짐 하.** ¶ 擔荷(담하).

[字源] 形聲. 艹(艸)+何〔音〕

[荷役 하역] 짐을 내리고 싣는 일. ¶ 荷役作業(하역 작업).
[荷花 하화] 연꽃. 연화(蓮花).

7 ⑪ 〖荻〗 물억새 적[入]錫 | dí

[日] テキ〔おぎ〕 [英] common reed

[字解] **물억새 적**(蘆屬, 萑也). ¶ 荻花(적화).

[字源] 形聲. 艹(艸)+狄〔音〕

[荻花 적화] 물억새의 꽃.

7 ⑪ 〖荼〗 [一]씀바귀 도[平]虞 [二]옥이름 서[平]魚 [三]차 다[平]麻 [四]성 야[平]麻

[日] ト〔にがな〕・ショ〔たまのな〕・タ〔ちゃ〕・ヤ〔せい〕
[英] lettuce, tea, family name

[字解] [一] ① **씀바귀 도, 방가지똥 도**(苦菜). ¶ 荼蓼(도료). ② **물억새이삭 도, 띠 도**(茅也). ③ **해독 도**(惡物). ¶ 荼毒(도독). [二] **옥이름 서.** [三] **차 다.** [四] **성 야.**

[字源] 形聲. 艹(艸)+余〔音〕

[注意] 茶(艸部 6획)는 딴 글자

7 ⑪ 〖荽〗 고수풀 유[本]수 [平]支 | suī

[日] スイ〔こえんどう〕

[字解] **고수풀 유**(香草). ¶ 胡荽(호유).

[字源] 形聲. 艹(艸)+妥〔音〕

7 ⑪ 〖莅〗 임할 리[去]寘 | lì

[日] リ〔のぞむ〕

[字解] ① **임할 리, 닿을 리**(臨也). ¶ 臨莅(임리). ② **자리 리**(位也).

[字源] 會意. 艹(艸)+位

7 ⑪ 〖莉〗 말리 리[去]寘 | lì

[日] リ〔まり〕 [英] jasmine

[字解] **말리 리.** ¶ 茉莉(말리).

[字源] 會意. 艹(艸)+利

7 ⑪ 〖莊〗 엄할 장[平]陽 | 庄 zhuāng

十 卄 艹 艹 茾 茾 荘 莊

[日] ソウ〔おごそか〕 [英] solemn

[字解] ① **엄할 장**(嚴也). ¶ 莊重(장중). ② **바를 장, 단정할 장**(端也). ¶ 莊言(장언). ③ **별장 장.** ¶ 別莊(별장).

[字源] 形聲. 艹(艸)+壯〔音〕

[參考] 庄(广部 3획)은 속자. 荘(艸部 6획)은 略字.

[莊言 장언] 바른 말. 정언(正言).
[莊嚴 장엄] 씩씩하고 엄숙함.
[莊重 장중] 장엄하고 정중함.
[別莊 별장] 본집 외에, 경치 좋은 곳에 따로 마련한 집.
[山莊 산장] 산에 있는 별장.

7 ⑪ 〖莎〗 사초 사[平]歌 | suō

[日] サ〔はますげ〕 [英] nutgrass

[字解] **사초 사**(香附子, 藥草).

[字源] 形聲. 艹(艸)+沙〔音〕

[莎草 사초] ㉠ 뿌리를 향부자라 하여 약에 쓰는 다년초. ㉡ 잔디. ㉢ 오래되거나 허물어진 산소에 떼를

6획

입히어 잘 다듬는 일.

7 ⑪ 【莓】 딸기 매 [平]灰 | méi

[日] マイ〔いちご〕 [英] strawberry

[字解] ① **딸기 매**(木莓也). ② **이끼 매**(苔也). ¶ 莓苔(매태). ③ **걸찬 밭 매**(美田). ¶ 莓莓(매매).

[字源] 形聲. 艹(艸)+每〔音〕

[莓莓 매매] ㉠ 풀이 무성한 모양. ㉡ 논밭이 기름진 모양.
[莓苔 매태] 이끼.

7 ⑪ 【莖】 줄기 경 [本]형[本]庚 | 茎 jīng

[日] ケイ〔くき〕 [英] stalk

[字解] ① **줄기 경**(草幹). ¶ 根莖(근경). ② **버팀목 경**(枝柱).

[字源] 形聲. 艹(艸)+巠〔音〕

[莖葉 경엽] 줄기와 잎.
[根莖 근경] 뿌리와 줄기.
[地下莖 지하경] 땅속줄기.

7 ⑪ 【莘】 족두리풀 신[平]眞 | xīn

[日] シン〔おおい〕

[字解] ① **족두리풀 신**(藥名). ¶ 細莘(세신). ② **길 신**(長貌). ③ **많을 신**(衆多貌). ¶ 莘莘(신신).

[字源] 形聲. 艹(艸)+辛〔音〕

7 ⑪ 【莞】 [一]왕골 완[本]관 [平]寒 [二]웃을 완[本]환 [去]諫 | guān wǎn

[日] カン〔い・わらう〕

[英] a kind of sedge, laugh

[字解] [一] **왕골 완**(菅也, 草名苻蘺). ¶ 莞簟(완점). [二] **웃을 완, 빙그레웃는모양 완**(笑也). ¶ 莞爾(완이).

[字源] 形聲. 艹(艸)+完〔音〕

[莞簟 완점] 왕골자리와 대자리.

[莞爾 완이] 빙그레 웃는 모양. 완연(莞然). ¶ 莞爾而笑(완이이소).

7 ⑪ 【莠】 [一]가라지 유[上]有 [二]씀바귀 수[去]宥 | yǒu

[日] ユウ〔はぐさ〕・シュウ〔にかな〕

[英] foxtail, lettuce

[字解] [一] ① **가라지 유**(似稷而無實者). ¶ 粮莠(낭유). ② **추할 유**(醜也). [二] **씀바귀 수**.

[字源] 形聲. 艹(艸)+秀〔音〕

[莠言 유언] 추잡한 말. 고약한 말.

7 ⑪ 【莢】 꼬투리 협[本]겹 [入]葉 | 荚 jiá

[日] キョウ〔さや〕 [英] pod

[字解] **꼬투리 협**(豆角). ¶ 莢物(협물).

[字源] 形聲. 艹(艸)+夾〔音〕

[莢果 협과] 꼬투리에 맺히는 콩과(科) 식물의 열매. 콩·팥·쥐엄나무 열매 등.

7 ⑪ 【莧】 [一]비름 현 [去]霰 [二]빙그레웃을 완[上]潸 | 苋 xiàn wǎn

[日] ケン〔やまごぼう〕・カン〔にっこりわらうさま〕

[英] amaranthus, sweetly smile

[字解] [一] ① **비름 현**(草名). ② **자리공 현**(商陸草). [二] **빙그레웃을 완**.

[字源] 形聲. 艹(艸)+見〔音〕

7 ⑪ 【莨】 풀이름 랑[平]陽 | láng làng

[日] ロウ〔ちからぐさ〕

[字解] **풀이름 랑**(草名). ¶ 莨菪(낭탕). 藏莨(장랑).

[字源] 形聲. 艹(艸)+良〔音〕

[注意] 茛(艸部 6획)은 딴 글자.

6 획

7/11 〔苻〕
　■갈대청 부⊕虞
　■굶어죽을 표⊕篠
　fú
　piǎo

⊕ フ〔おにめぐき〕・ヒョウ〔うえじに〕
字解 ■갈대청 부(葭中白皮). ■굶어죽을 표(餓死). 餓苻(아표).
字源 形聲. ++(艸)+孚〔音〕

7/11 〔莪〕
　■쑥아⊕歌
　é

⊕ ガ〔つのよもぎ〕 ⊗ wormwood
字解 쑥 아(蒿屬). ¶ 莪蒿(아호).
字源 形聲. ++(艸)+我〔音〕

7/11 〔莫〕
　■없을 막
　■저물 모⊛藥
　㊀遇
　mò

丨 艹 芦 苩 苩 莫 莫 莫

⊕ バク〔ない〕・ボ〔くれる〕
⊗ not, grow dark
字解 ■① 없을 막(無也). ¶ 莫大(막대). ② 아득할 막, 클 막(大也). ¶ 廣莫(광막). ■저물 모(暮也, 且日冥). ¶ 莫夜(모야).
字源 會意. ++(초원)와 日의 합자. 초원에 해가 짐의 뜻. 暮의 원자(原字).

[莫強 막강] 매우 강함.
[莫大 막대] 더할 수 없이 큼. 말할 수 없이 많음.
[莫上莫下 막상막하] 우열(優劣)의 차가 없음. 난형난제(難兄難弟).
[莫逆之間 막역지간] 벗으로서 아주 허물없는 사이.

8/12 〔莽〕 莽(망)(艸部 8획)의 俗字

8/12 〔萇〕
　■양도장⊕陽
　cháng

⊕ チョウ〔いらくさ〕
字解 양도(羊挑) 장. 괭이밥과에 속하는 다년생 만초.

字源 形聲. ++(艸)+長〔音〕

8/12 〔菡〕
　■연꽃 함㊀感
　hàn

⊕ カン〔はすのはな、はすのつぼみ〕
⊗ lotus bud
字解 연꽃 함, 연꽃봉오리 함.
字源 形聲. ++(艸)+函〔音〕

8/12 〔莽〕
　■풀 망㊀養
　mǎng

⊕ ボウ〔くさ〕 ⊗ grass
字解 ① 풀 망(草也). ¶ 草莽(초망). ② 초목우거질 망(草深貌). ¶ 莽莽(망망). ③ 거칠 망(粗略). ¶ 鹵莽(노망). ④ 넓을 망. ¶ 莽莽(망망).
字源 會意. 茻와 犬의 합자. 풀숲 속에서 개가 토끼를 쫓음의 뜻.
參考 莽(艸部 8획)은 속자.
[莽莽 망망] ㉠ 풀이 우거진 모양. ㉡ 넓고 넓은 모양.

8/12 〔菀〕
　■우거질 완㊀阮
　■쌓일 울㊀物
　■쌓을 운
　㊀吻
　wǎn
　yù
　yùn

⊕ エン〔しげる〕・ウツ〔しげる〕・ウ〔つむ〕
⊗ grow thick, be piled up, pile up
字解 ■우거질 완(茂木). ■쌓일 울(鬱也). ¶ 菀結(울결). ■쌓을 운.
字源 形聲. ++(艸)+宛〔音〕

8/12 〔菁〕
　■순무 정㊀庚
　■우거질 정㊀青
　jīng
　jīng

⊕ セイ〔かぶ〕・セイ〔しげる〕
⊗ turnip, grow thick
字解 ■① 순무 정(菜名). ¶ 菁菹(정저). ② 화려할 정(華英). ¶

6획

菁華(정화). ▬ 우거질 청(茂貌).
¶ 菁菁(청청).

字源 形聲. ++(艸)+靑〔音〕

[菁華 정화] ㉠ 광채(光彩). ㉡ 깨끗
하고 아주 순수한 부분. 정화(精華).

[菁莪 청아] 많은 인재(人材)를 교육
함. 전하여, 많은 인재.

[菁菁 청청] 초목이 무성한 모양.

[蔓菁 만청] 순무.

---

8 ⑫ 〔菅〕
▬솔새 간
㊀删
▬땅이름 관
관㊀寒

jiān
guān

㊐ カン〔すが・ちめい〕

字解 ▬ 솔새 간(茅屬). ¶ 菅茅
(간모). ▬ 땅이름 관.

字源 形聲. ++(艸)+官〔音〕

注意 管(竹部 8획)은 딴 글자.

[菅茅 간모] 사초(莎草)의 한 가지.

---

8 ⑫ 〔菉〕
조개풀
록㊀沃

lù

㊐ リョク〔みどり〕

字解 ① 조개풀 록(藎草). ② 적을
록(綠也). ③ 푸를 록(綠也). ¶ 菉
竹(녹죽).

字源 形聲. ++(艸)+彔〔音〕

[菉竹 녹죽] 푸른 대.

---

8 ⑫ 〔菈〕
꺾을 랍
㊀合

lā

㊐ ロウ〔おる〕 ㊤ break off

字解 꺾을 랍(折也). ¶ 菈獵(납
랍).

字源 形聲. ++(艸)+拉〔音〕

---

8 ⑫ 〔菊〕
국화 국
㊀屋

jú

丶 艹 艹 荮 芍 芍 菊 菊

㊐ キク〔きく〕 ㊤ chrysanthemum

字解 국화 국. ¶ 菊花(국화). 黄
菊(황국).

字源 形聲. ++(艸)+匊〔音〕

[菊月 국월] 음력 9월의 별칭. 국추
(菊秋).

[除蟲菊 제충국] 국화과의 여러해살
이 풀. 늦봄에 흰 두상화가 피는데,
꽃은 우수한 살충제임.

---

8 ⑫ 〔菌〕
버섯 균
㊤軫

jūn, jùn

丶 艹 艹 节 荫 荫 菌 菌

㊐ キン〔きのこ〕 ㊤ mushroom

字解 ① 버섯 균(地蕈也). ¶ 菌傘
(균산). ② 곰팡이 균. 黴菌(미
균). ③ 균 균. ¶ 細菌(세균).

字源 形聲. ++(艸)+囷〔音〕

[菌傘 균산] 버섯의 갓. 우산 모양으
로 생겼으므로 그렇게 부름. 균개(菌
蓋).

[病菌 병균] 병의 원인이 되는 세균.

---

8 ⑫ 〔菑〕
▬묵정밭 치㊤支
▬쪼갤 치㊤寘
▬재앙 재㊀灰

zī
zì
zāi

㊐ シ〔あれた〕・サイ〔わざわい〕
㊤ fallow field, split, calamity

字解 ▬ ① 묵정밭 치, 따비밭 치
(不耕田). ¶ 菑畝(치묘). ② 일굴
치(耕其田). ▬ 쪼갤 치. ¶ 菑栗
(치율). ▬ 재앙 재(災也). ¶ 無菑
(무재).

字源 形聲. ++(艸)+田+巛〔音〕.

---

8 ⑫ 〔菓〕
실과 과
㊤哿

guǒ

㊐ カ〔このみ〕 ㊤ fruit

字解 ① 실과 과(果也, 木實). ¶
菓品(과품). ② 《韓》과자 과. ¶
菓子(과자).

字源 形聲. ++(艸)+果〔音〕.

參考 ①은 果(木部 4획)의 俗字.

[菓子 과자] 밀가루·쌀가루·설탕 따
위의 재료로 만들어 간식으로 먹는

식품.
[菓品 과품] 과일의 총칭.
[製菓 제과] 과자를 만듦.

8
⑫ 【菔】 무 복
⑧ 屋
⑧ 職 | fú | 菔

㊐ フク〔だいこん〕 ㊤ radish
字解 무 복(萊菔). ¶ 蘿菔(나복).
字源 形聲. ++(艸)+服〔音〕.
參考 蔔(艸部 11획)은 同字.

8
⑫ 【菖】 창포 창
㊤ 陽 | chāng | 菖

㊐ ショウ〔しょうぶ〕 ㊤ iris
字解 창포 창(似蒲). ¶ 菖蒲(창포).
字源 形聲. ++(艸)+昌〔音〕.
[菖蒲 창포] 늪이나 습한 땅에 나는 다년생 풀의 한 가지. 뿌리는 약으로 씀.

8
⑫ 【菘】 배추 숭
㊤ 東 | sōng | 菘

㊐ スウ〔とうな〕
㊤ Chinese cabbage
字解 배추 숭(江西菜名). ¶ 菘菜(숭채).
字源 形聲. ++(艸)+松〔音〕.

8
⑫ 【菜】 나물 채
㊤ 隊 | cài | 菜

艹 艹 艹 艹 艹 苹 苹 菜

㊐ サイ〔な〕 ㊤ vegetables
字解 나물 채(蔬也). ¶ 菜食(채식).
字源 形聲. ++(艸)+采〔音〕.
[菜根 채근] 채소의 뿌리. 전(轉)하여, 나물 반찬의 밥. 소사(蔬食). ¶ 菜根譚(채근담).
[菜毒 채독] 채소를 먹음으로써 위장을 해치는 독기.
[菜蔬 채소] 남새. 푸성귀.
[野菜 야채] ㉠ 들나물. ㉡ 채소.

8
⑫ 【菟】 ■ 새삼 토 ㊤ 遇
■ 고을이름 도 ㊤ 虞 | tù | 菟

㊐ ト〔ねなしかずら〕 ㊤ dodder
字解 ■ 새삼 토(藥名). ¶ 菟絲(토사). ■ 고을이름 도(朝鮮郡名). ¶ 玄菟(현도).
字源 形聲. ++(艸)+兔〔音〕.
[菟絲 토사] 새삼과의 일년생 기생만초(寄生蔓草). 잎이 없고 줄기는 가늘고 덩굴짐.

8
⑫ 【菠】 시금치 파
㊤ 歌 | bō | 菠

㊐ ハ〔ほうれんそう〕 ㊤ spinach
字解 시금치 파(菜名). ¶ 菠薐(파릉).
字源 形聲. ++(艸)+波〔音〕.
[菠薐 파릉] 시금치.

8
⑫ 【萍】 하여금 병
㊤ 青 | píng | 萍

㊐ ヘイ〔ひく〕 ㊤ letting
字解 ① 하여금 병(使也). ② 끌 병(曳引).
字源 形聲. ++(艸)+幷〔音〕.
參考 茾(艸部 8획)은 本字.

8
⑫ 【菩】 보살 보
㊤ 遇 | pú | 菩

㊐ ボ〔ぼだい〕 ㊤ Bodhisattva
字解 ① 보살 보(佛號). ¶ 菩薩(보살). ② 보리 보. ¶ 菩提(보리).
字源 形聲. ++(艸)+音〔音〕.
[菩提 보리] 범어(梵語)「Bodhi」의 음역(音譯). 불교의 진리를 깨달음. 또, 그러한 지혜.
[菩薩 보살] 범어「Bodhisattva」의 음역(音譯). ㉠ 위로 부처를 따르고, 아래로 중생을 제도하는 부처의 다음가는 성인. ¶ 觀世音菩薩(관세음보살). ㉡ 불교를 믿는 나이 든 여자

를 대접하여 이르는 말.

8 ⑫ 〖菪〗 미치광이 탕㊀漾 | dàng

㊐ トウ〔はしりどころ〕

字解 **미치광이 탕**(毒草). ¶ 莨菪(낭탕).

字源 形聲. 艹(艸)+宕〔音〕

8 ⑫ 〖菫〗 ㊀제비꽃 근㊤吻 ㊁바곳 근㊀震 | jǐn jìn

㊐ キン〔すみれ・とりかぶと〕
㊎ violet, monkshood

字解 ㊀ ① **제비꽃 근**(菜也). ¶ 菫荁(근환). ② **무궁화나무 근**(槿也). ㊁ **바곳 근**(烏頭, 藥名). ¶ 菫荼(근도).

字源 形聲. 艹(艸)+堇〔音〕

注意 堇(土部 8획)은 딴 글자.

[菫荼 근도] 오두(烏頭)와 씀바귀. 약재.

8 ⑫ 【華】 빛날 화㊥麻 | 华 huá

艹 卝 芇 芉 芔 芔 芔 華

㊐ カ・ゲ〔はな〕 ㊎ brilliant

字解 ① **빛날 화, 빛 화**(光氣). ¶ 華麗(화려). ② **꽃 화**(花也). ¶ 華實(화실). ③ **나라이름 화**. ¶ 中華(중화). ④ **흰머리 화**. ¶ 華髮(화발). ⑤ **번성할 화**(盛也). ¶ 榮華(영화).

字源 會意. 艹(풀)와 𠂹(늘어짐)의 합자. 꽃이 늘어져 있는 모양.

[華僑 화교] 외국에 사는 중국 사람.
[華麗 화려] 빛나고 고움. ¶ 華麗江山(화려 강산).
[華髮 화발] 하얗게 센 머리털. 백발(白髮).
[華奢 화사] 화려하고 고움.
[華實 화실] ㉠ 꽃과 열매. ㉡ 형식과 실질. 외관과 내용.
[華燭 화촉] ㉠ 빛깔을 들인 초. 호화로운 등화. ㉡ 혼례(婚禮). ¶ 華燭洞房(화촉동방).
[華翰 화한] ㉠ 남의 편지에 대한 경칭. ㉡ 좋은 붓.
[繁華 번화] 번성하고 화려함.
[豪華 호화] 사치스럽고 화려함.

8 ⑫ 〖菰〗 줄 고㊥虞 | gū

㊐ コ〔まこも〕 ㊎ water-oat

字解 **줄 고**(蔣也). ¶ 菰菜(고채).

字源 形聲. 艹(艸)+孤〔音〕

[菰米 고미] 줄풀의 열매. 식용함.

8 ⑫ 〖菱〗 마름 릉㊥蒸 | líng

㊐ リョウ〔ひし〕 ㊎ water chestnut

字解 **마름 릉**(芰也). ¶ 菱藻(능조).

字源 形聲. 艹(艸)+夌〔音〕

參考 蔆(艸部 11획)은 同字.

[菱形 능형] 네 변의 길이가 같고 대각선의 길이가 다른 사각형. 마름모.

8 ⑫ 〖菲〗 ㊀엷을 비㊤尾 ㊁향초 비㊥微 | fěi fēi

㊐ ヒ〔うすい・かんばしい〕
㊎ thin, fragrant grass

字解 ㊀ ① **엷을 비**(薄也). ¶ 菲才(비재). ② **둔할 비**. ¶ 菲菲(비비). ㊁ ① **향초 비**. ¶ 菲菲(비비). ② **우거질 비**(草茂貌). ¶ 芳菲(방비). ③ **채소이름 비**(菜名, 菲類).

字源 形聲. 艹(艸)+非〔音〕

[菲德 비덕] 덕이 박함. 또, 그런 사람.
[菲菲 비비] ㉠ 풀이 우거진 모양. ㉡ 꽃이 아름다운 모양. ㉢ 좋은 향기가 나는 모양. ㉣ 난잡한 모양.
[菲才 비재] ㉠ 변변치 못한 재주. ㉡ 자기의 재능을 낮추어 일컫는 말. ¶ 淺學菲才(천학비재).

6 획

8 ⑫ 【菴】 암자 암 [平]覃 | ān

[日] アン〔いおり〕 [英] hermitage

[字解] **암자 암**(草舍). ¶ 草菴(초암).

[字源] 形聲. 艹(艸)+奄〔音〕

[參考] 庵(广部 8획)과 同字.

[菴子 암자] ㉠ 큰 절에 딸린 작은 절. ㉡ 중이 임시로 거처하며 도를 닦는 집.

8 ⑫ 【菶】 우거질 봉 [上]董 | běng

[日] ホウ〔しげる〕 [英] grow thick

[字解] **우거질 봉**(草茂貌). ¶ 菶菶(봉봉).

[字源] 形聲. 艹(艸)+奉〔音〕

8 ⑫ 【菹】 [一]김치 저 [平]魚 [二]늪 자 [平]麻 | zū jù

[日] ソ〔つけもの〕・シャ〔さわ〕 [英] Kimchi, swamp

[字解] [一] ① **김치 저**(酢菜). ② **절일 저**(醢也). ¶ 瓜菹(과저). [二] **늪 자**(澤生草者).

[字源] 形聲. 艹(艸)+沮〔音〕

[菹醢 저해] ㉠ 김치와 육장(肉醬). 김치와 젓갈. ㉡ 죄인을 짓이겨 죽임. 살육(殺戮)함.

8 ⑫ 【菽】 콩 숙 [入]屋 | shū

[日] シュク〔まめ〕 [英] pulse

[字解] **콩 숙**(衆豆總名). ¶ 菽粟(숙속).

[字源] 形聲. 艹(艸)+叔〔音〕

[菽麥 숙맥] ㉠ 콩과 보리. ㉡ 콩인지 보리인지 분별하지 못한다는 뜻으로, 사물을 분별하지 못하는 어리석은 사람을 비유하는 말. ¶ 菽麥不辨(숙맥불변).

[菽水 숙수] 콩과 물. 곧, 변변하지 못한 음식물을 일컫는 말. ¶ 菽水之歡(숙수지환).

8 ⑫ 【萁】 콩대 기 [平]支 | qí

[日] キ〔まめがら〕 [英] beanstalk

[字解] **콩대 기**(豆莖). ¶ 萁豆(기두).

[字源] 形聲. 艹(艸)+其〔音〕

[萁稈 기간] 콩대.

8 ⑫ 【萃】 [一]모을 췌 [本]취 [去]寘 [二]스칠 채 [去]隊 | cuì cuì

[日] スイ〔あつめる〕・サイ〔すれる〕 [英] collect, go past by

[字解] [一] **모을 췌**(聚也), **모일 췌**. ¶ 拔萃(발췌). [二] **스칠 채**. ¶ 萃蔡(채채).

[字源] 形聲. 艹(艸)+卒〔音〕

[拔萃 발췌] 여럿 중에서 중요한 것을 뽑아 모음.

8 ⑫ 【萄】 포도 도 [平]豪 | táo

[日] トウ〔ぶどう〕 [英] grape

[字解] **포도 도, 머루 도**(蔓果). ¶ 葡萄(포도).

[字源] 形聲. 艹(艸)+匋〔音〕

8 ⑫ 【萆】 [一]도코로마 비 [平]支 [二]가릴 폐 [去]霽 | bēi bì

[日] ヒ〔おにどころ〕・ヘイ〔おおう〕 [英] hide

[字解] [一] **도코로마 비**(藥草). ¶ 萆薢(비해). [二] **가릴 폐**(蔽也).

[字源] 形聲. 艹(艸)+卑〔音〕

8 ⑫ 【萊】 명아주 래 [平]灰 [去]隊 | 莱 lái

6 획

圓 ライ〔あかざ〕 㺀 goosefoot

字解 ① 명아주 래(藜草). ② 밭 묵힐 래(田休不耕). ¶ 萊蕪(내무).

字源 形聲. ++(艸)+來〔音〕

[萊妻 내처] 주대(周代)의 효자인 노래자(老萊子)의 아내. 주대(周代)의 현부인.

8 ⑫ 〔萋〕 우거질 처 㥮齊 qī 萋

圓 セイ〔しげる〕 㺀 grow rank

字解 우거질 처(草盛貌).

字源 形聲. ++(艸)+妻〔音〕

[萋萋 처처] ㉠ 풀이 무성한 모양. ㉡ 구름이 뭉게뭉게 흘러가는 모양.

8 ⑫ 〔萌〕 싹 맹 㥮庚 méng 萌

圓 ボウ〔きざす〕 㺀 bud

字解 ① 싹 맹(草木芽). ¶ 萌芽(맹아). ② 싹틀 맹(萌始生). ¶ 萌動(맹동). ③ 비롯할 맹(始也). ¶ 萌動(맹동). ④ 백성 맹. ¶ 萌黎(맹려).

字源 形聲. ++(艸)+明〔音〕

[萌動 맹동] ㉠ 싹이 틈. ㉡ 시작함. 일어남.

[萌黎 맹려] 백성.

[萌芽 맹아] ㉠ 식물의 새싹. ㉡ 사물의 시초.

8 ⑫ 〔萍〕 개구리밥 평 㥮青 píng 萍

圓 ヒョウ〔うきくさ〕 㺀 great duckweed

字解 개구리밥 평(苹也). ¶ 萍蘋(평빈).

字源 形聲. 氵(水)+苹〔音〕

[萍泊 평박] 물위의 부평초(浮萍草)처럼 이리저리 유랑함. 평우(萍寓). 평범(萍泛).

8 ⑫ 〔萎〕 시들 위 wěi 萎

圓 イ〔なえる〕 㺀 wither

字解 ① 시들 위, 마를 위(枯也). ¶ 凋萎(조위). ② 쇠미할 위(衰也). ¶ 萎靡(위미).

字源 形聲. ++(艸)+委〔音〕

[萎靡 위미] 시들고 느른해짐. 활기가 없어짐. ¶ 萎靡不振(위미부진).

[萎縮 위축] ㉠ 마르거나 시들어서 쭈그러듦. ㉡ 어떤 힘에 눌려 졸아들고 기를 펴지 못함. ¶ 萎縮感(위축감).

9 ⑬ 〔萩〕 ▪쑥 추 㥮尤 ▪사람이름 초 㥮蕭 qiū

圓 シュウ〔よもぎ〕 㺀 wormwood

字解 ▪쑥 추. ▪사람이름 초.

字源 形聲. ++(艸)+秋〔音〕

9 ⑬ 〔萬〕 일만 만 㥮願 wàn 萬

艹 芇 芇 苗 莒 莒 萬 萬 萬 萬

圓 マン・バン〔よろず〕 㺀 ten thousand

字解 ① 일만 만(千之十倍). ¶ 萬歲(만세). ② 많을 만, 여럿 만(多數). ¶ 萬難(만난). ③ 만약 만(若也).

字源 象形. 독충인 전갈의 상형. 수(數)의 이름으로 쓰이는 것은 음의 차용.

參考 万(一部 2획)의 본자.

[萬感 만감] 복잡한 감정. 온갖 감회.

[萬頃 만경] ㉠ 일만 이랑. ㉡ 한없이 넓은 모양. ¶ 萬頃滄波(만경창파).

[萬不得已 만부득이] 하는 수 없이.

[萬事 만사] 모든 일. ¶ 萬事亨通(만사형통). 萬事休矣(만사휴의).

[萬壽無疆 만수무강] 한없이 목숨이 긺.

[巨萬 거만] 재산·금액이 막대함을 이르는 말.

9
⑬【萱】원추리
훤㊥元 | xuān 萱

㊐ ケン〔わすれぐさ〕 ㊤ day lily

字解 원추리 훤(忘憂草, 一名宜男草).

字源 形聲. ++(艸)+宣〔音〕

[萱堂 훤당] 옛날, 중국에서 어머니는 북당(北堂)에서 거처하였고, 그 뜰에 훤초(萱草)를 심었다는 데서, 남의 어머니의 존칭(尊稱).

9
⑬【萵】상추 와
㊥歌 | wō 萵

㊐ ワ〔ちしゃ〕 ㊤ lettuce

字解 상추 와, 부루 와(菜名). ¶萵苣(와거).

字源 形聲. ++(艸)+咼〔音〕

[萵苣 와거] 상추.

9
⑬【萹】마디풀
변㊥先 | biān 萹

㊐ ヘン〔にわやなぎ〕 ㊤ knotgrass

字解 마디풀 변. ¶萹蓄(변축).

字源 形聲. ++(艸)+扁〔音〕

9
⑬【萸】수유나무
유㊤虞 | yú 萸

㊐ ユ〔しゅゆ〕 ㊤ dogwood

字解 수유나무 유(藥草). ¶茱萸(수유).

字源 形聲. ++(艸)+臾〔音〕

9
⑬【萼】꽃받침
악㊥藥 | è 萼

㊐ ガク〔うてな〕 ㊤ calyx

字解 꽃받침 악(花跗). ¶素萼(소악).

字源 形聲. ++(艸)+咢〔音〕

[萼片 악편] 꽃받침의 조각.

9
⑬【落】떨어질
락㊥藥 | luò 落

艹 艹 艹 莎 莎 茨 茨 落 落

㊐ ラク〔おちる〕 ㊤ fall

字解 ① 떨어질 락(零也). ¶落第(낙제). ② 마을 락(聚也). ¶村落(촌락). ③ 비로소 락(始也). ¶落成(낙성). ④ 쓸쓸할 락. ¶落莫(낙막).

字源 形聲. ++(艸)+洛〔音〕

參考 「落」은 위에서 아래로, 「墜(추)」는 위에서 땅으로,「墮(타)」는 무너져서 떨어짐을 뜻함.

[落莫 낙막] 마음이 쓸쓸한 모양. 적막(寂寞).

[落榜 낙방] 시험에 낙제함.

[落成 낙성] 공사의 목적물이 완성됨.

[落第 낙제] ㉠ 시험에 떨어짐. ㉡ 성적이 나빠서 상급 학년으로 오르지 못함.

[落札 낙찰] 입찰에 뽑힘.

[落鄕 낙향] 서울 사람이 시골로 이사함.

[落後 낙후] 뒤떨어짐.

[斗落 두락] 마지기.

[零落 영락] 조금도 틀리지 않고 들어맞음.

9
⑬【葆】더부룩
이날 보
㊤皓 | bāo 葆

㊐ ホウ〔しげる〕 ㊤ tufty

字解 ① 더부룩이날 보(草盛). ¶蓬葆(봉보). ② 감출 보(韜藏). ¶葆光(보광). ③ 일산 보(蓋也). ¶羽葆(우보). ④ 보배 보(寶也).

字源 形聲. ++(艸)+保〔音〕

[葆大 보대] 숭고하고 큼.

9
⑬【葉】■잎 엽
■성 섭
㊤葉 | 叶 yè
shè 葉

艹 艹 苹 苹 苹 葉 葉 葉 葉

㊐ ヨウ〔は〕・ショウ〔ちめい〕 ㊤ leaf, family name

字解 ■ ① 잎 엽(花之對). ¶枝

葉(지엽). ② **대 엽, 세대 엽**(世代). ¶ 末葉(말엽). ③ **장 엽.** ¶ 一葉(일엽). [二] ① **성 섭**(姓也). ② **고을이름 섭**(南陽縣名).

[字源] 形聲. 艹(艸)+枼〔音〕

[葉書 엽서] 「우편엽서」의 약칭.
[葉錢 엽전] 둥글고 가운데에 구멍이 뚫린 옛날 돈.
[枝葉 지엽] ㉠ 가지와 잎. ㉡ 중요하지 않은 부분.
[初葉 초엽] 어떠한 시대의 초기.

9 ⑬ 【葍】 메복 [入]屋 | fú 

[日] フク〔ひるがお〕 [英] convolvulus

[字解] ① **메 복**(蔓草名). ② **무 복.** ¶ 蘿葍(나복).

[字源] 形聲. 艹(艸)+畐〔音〕

9 ⑬ 【葑】 [一]순무봉 [平]冬 [二]줄뿌리봉 [去]宋 | fēng fèng 

[日] ホウ〔かぶら・まこものね〕
[英] turnip

[字解] [一] **순무 봉**(蕪菁). [二] **줄뿌리 봉**(菰根). ¶ 葑菲(봉비).

[字源] 形聲. 艹(艸)+封〔音〕

9 ⑬ 【著】 [一]나타날저 [去]御 [二]붙을착 [入]藥 | zhù zhuó, zhāo 

一 十 艹 芏 苂 茅 著 著

[日] チョ〔あらわす〕・チャク〔つく〕
[英] manifest, stick

[字解] [一] ① **나타날 저, 뚜렷할 저**(明也, 章也). ¶ 著名(저명). ② **지을 저**(述也). ¶ 著述(저술). [二] ① **붙을 착.** ¶ 附著(부착). ② **입을 착, 쓸 착, 신을 착.** ¶ 著服(착복). ③ **다다를 착.** ¶ 到著(도착). ④ **손댈 착.** ¶ 著工(착공).

[字源] 形聲. 艹(艸)+者〔音〕

[參考] 着(羊部 6획)은 著의 속자이나, 현대에 와서는 著는 [一]의 뜻으로만 쓰이고, [二]의 뜻으로는 着만이 쓰이는 경향임.

[著名 저명] 이름이 세상에 높이 드러남. 유명함. ¶ 著名人士(저명인사).
[著書 저서] 책을 지음. 또, 그 책.
[顯著 현저] 뚜렷이 드러나 분명함.

9 ⑬ 【葚】 오디심 [去]沁 | shèn 

[日] シン〔くわのみ〕 [英] mulberry

[字解] **오디 심**(桑實). ¶ 桑葚(상심).

[字源] 形聲. 艹(艸)+甚〔音〕

9 ⑬ 【葛】 칡갈 [平]曷 | gé 

[日] カツ〔くず〕 [英] arrowroot

[字解] ① **칡 갈**(蔓生絺綌草). ¶ 葛根(갈근). ② **갈포 갈.** ¶ 葛裘(갈구).

[字源] 形聲. 艹(艸)+曷〔音〕

[葛根 갈근] 칡뿌리.
[葛藤 갈등] ㉠ 칡이나 등나무 덩굴이 얽히듯이, 일이 까다롭게 뒤얽히어 풀기 어려운 형편을 이르는 말. ㉡ 서로 사이가 좋지 못하고 다툼.
[葛布 갈포] 칡의 섬유로 짠 베.

9 ⑬ 【葡】 포도포 [平]虞 | pú 

[日] ブ〔ぶどう〕 [英] grape

[字解] **포도 포**(蔓果), **포도나무 포.** ¶ 葡萄(포도).

[字源] 形聲. 艹(艸)+匍〔音〕

[葡萄糖 포도당] 과일이나 봉밀(蜂蜜) 같은 것에 포함되어 있는 당분의 한 가지.

9 ⑬ 【董】 바로잡을동 [上]董 | dǒng 

�日 トウ〔ただす〕 ㊤ correct
字解 ① 바로잡을 동(正也, 督也).
¶ 董正(동정). ② 고물 동. ¶ 骨
董(골동). ③ 성 동(姓也).
字源 形聲. ++(艸)+重〔音〕
[董督 동독] 감시하며 독촉함.

9 ⑬ 〔葦〕 갈대 위 ㊤尾 ㊥微 wěi 葦

�日 イ〔あし〕 ㊤ reed
字解 갈대 위(大葭). ¶ 葦汀(위
정).
字源 形聲. ++(艸)+韋〔音〕
[葦席 위석] 갈대로 짠 자리.

9 ⑬ 〔葫〕 마늘 호 ㊤虞 hú 葫

�日 コ〔ひょうたん〕 ㊤ garlic
字解 ① 마늘 호(大蒜). ¶ 葫荽(호
유). ② 호리병박 호(瓜也). ¶ 葫
蘆(호로).
字源 形聲. ++(艸)+胡〔音〕
[葫蘆 호로] 호리병박. 호로(壺蘆).

9 ⑬ 〔葬〕 장사 장 ㊤漾 zàng 葬

艹 芗 芴 葬 茐 茐 茐 葬
�日 ソウ〔ほうむる〕 ㊤ funeral
字解 장사 장, 장사지낼 장(埋也).
¶ 埋葬(매장).
字源 會意.「茻」와 死의 합자. 상
하의 풀 사이에 시체를 놓은 모양.
[葬禮 장례] 장사지내는 의식.
[葬事 장사] 시체를 매장 또는 화장
하는 일.
[埋葬 매장] 시체나 유골을 땅에 묻
음.

9 ⑬ 〔葭〕 갈대 가 ㊤麻 jiā 葭

�日 カ〔あし〕 ㊤ reed
字解 갈대 가(蘆也). ¶ 蒹葭(겸

가).
字源 形聲. ++(艸)+叚〔音〕
[蒹葭 가위] 갈. 갈대.

9 ⑬ 〔葯〕 약 약 ㊤藥 yào 葯

�日 ヤク〔よろいぐさの〕 ㊤ anther
字解 ① 약 약. ¶ 葯胞(약포). ②
어수리잎 약(白芷葉).
字源 形聲. ++(艸)+約〔音〕
[葯胞 약포] 꽃밥. 수꽃술 끝에 붙어
서 꽃가루를 가지고 있는 주머니.

9 ⑬ 〔葱〕 ➊파 총 ㊤東 ➋짐수레 창 ㊥江 cōng chuāng 葱

�日 ソウ〔ねぎ・まど〕
㊤ leek, wagon
字解 ➊ ① 파 총(葷菜). ¶ 葱竹
之交(총죽지교). ② 푸를 총(靑也).
¶ 葱蘢(총롱). ➋ 짐수레 창(輜重
車).
字源 形聲. ++(艸)+忽〔音〕
[葱蘢 총롱] 시퍼렇게 무성한 모양.
[葱葱 총총] ㉠ 초목이 푸릇푸릇한
모양. ㉡ 기(氣)가 통달(通達)하는
모양.

9 ⑬ 〔葳〕 우거질 위 ㊤微 wēi 葳

㊐ イ〔しげる〕 ㊤ grow rank
字解 ① 우거질 위(草木盛貌). ②
둥굴레 위(草名). ¶ 葳蕤(위유).
字源 形聲. ++(艸)+威〔音〕

9 ⑬ 〔葵〕 해바라기 규 ㊤支 kuí 葵

㊐ キ〔ひまわり〕 ㊤ sunflower
字解 ① 해바라기 규(向日花). ¶
葵心(규심). ② 아욱 규(菜名). ¶
冬葵(동규). ③ 접시꽃 규. ¶ 蜀
葵花(촉규화). ④ 헤아릴 규(揆也).

字源 形聲. ++(艸)+癸〔音〕

[葵藿 규곽] 해바라기.

[葵心 규심] 해바라기 꽃이 햇빛을 향하여 기울어지듯이, 임금이나 어른의 덕을 우러러 사모하는 일. 규경(葵傾).

[葵花 규화] ㉠ 접시꽃. ㉡ 해바라기.

[錦葵 금규] 당아욱.

9
⑬ 【葷】훈채 훈 | 葷 훈채
㊤文
hūn

㊐ クン〔なまぐさ〕

字解 훈채 훈(臭菜). ¶ 五葷(오훈). 葷菜(훈채).

字源 形聲. ++(艸)+軍〔音〕

[葷菜 훈채] 파·마늘 따위와 같이 특히 냄새가 심한 채소.

9
⑬ 【葺】기울 즙 | 葺 기울
㊤緝
qì

㊐ シュウ〔つくろう〕 ㉐ repair

字解 ① 기울 즙(補治也). ② 일 즙(茨也). ¶ 葺繕(즙선). ¶ 葺茅(즙모).

字源 形聲. ++(艸)+耳〔音〕

[葺茅 즙모] 띠풀로 지붕을 임.

[葺繕 즙선] 수선. 낡거나 헌 것을 고침.

[瓦葺 와즙] 기와로 지붕을 임.

9
⑬ 【葶】두루미 냉이 정 | 葶
㊤靑
tíng

㊐ テイ〔いぬなずな〕
㉐ Chinese artichoke

字解 두루미냉이 정(藥草). ¶ 葶藶(정력).

字源 形聲. ++(艸)+亭〔音〕

10
⑭ 【蓀】창포 손 | 蓀 창포
㊤元
sūn

㊐ ソン〔かおりぐさ〕 ㉐ iris

字解 ① 창포 손. ② 향초 손.

字源 形聲. ++(艸)+孫〔音〕

10
⑭ 【蒐】모을 수 | 蒐
㊤尤
sōu

㊐ シュウ〔あつめる〕 ㉐ gather

字解 ① 모을 수(聚也). ¶ 蒐集(수집). ② 사냥 수, 봄사냥 수(春獵). ¶ 蒐田(수전). ③ 숨길 수(隱也).

字源 形聲. ++(艸)+鬼〔音〕

[蒐補 수보] 모아서 보충함.

[蒐集 수집] 여러 가지 재료를 찾아서 모음.

10
⑭ 【蒔】모종할 시 | 蒔
㊤寘
shi

㊐ シ〔うえる〕 ㉐ transplant

字解 모종할 시(更種植也). ¶ 蒔秋(시앙).

字源 形聲. ++(艸)+時〔音〕

[蒔植 시식] 채소 따위를 모종함.

10
⑭ 【蒙】어릴 몽 | 蒙
㊤東
méng

艹 艹 艹 艹 芯 芯 荸 荸 蒙 蒙

㊐ モウ〔こうむる〕 ㉐ young

字解 ① 어릴 몽(稚也). ¶ 童蒙(동몽). ② 어리석을 몽(愚昧). ¶ 蒙昧(몽매). ③ 입을 몽(被也). ④ 받을 몽(冒也). ¶ 蒙利(몽리). ⑤ 무릅쓸 몽(冒也). ¶ 蒙死(몽사). ⑥ 덮을 몽(覆也). ¶ 蒙塵(몽진). ⑦ 소나무겨우살이 몽(草名, 女蘿). ⑧ 몽고 몽(國名).

字源 形聲. ++(艸)+冡〔音〕

[蒙利 몽리] 이익을 얻음.

[蒙昧 몽매] 어리석음. 우매(愚昧).

[蒙塵 몽진] ㉠ 먼지를 뒤집어 씀. 욕을 봄. 수치를 당함. ㉡ 임금이 난리를 당하여 피난함.

[啓蒙 계몽] 무지한 사람을 깨우쳐 줌.

[童蒙 동몽] 어린아이. 미성년의 소년.

10
⑭ 【蒜】마늘 산 | 蒜
㊙선㊤翰
suàn

㊐ サン〔にんにく〕 ㉐ garlic

字解 마늘 산(葷菜胡荽). ¶ 生蒜
(생산).

字源 形聲. ⊹(艸)+祘〔音〕

[蒟] 구약나 물구 | jǔ
⑩⑭ ㊤麌

㊐ コン〔こんにゃく〕
㊍ devil's tongue

字解 구약나물 구. ¶ 蒟蒻(구약).

字源 形聲. ⊹(艸)+竘〔音〕

[蒟蒻 구약] 구약나물. 천남성과(天南星科)의 다년초.

[蒡] 우엉 방 | bàng
⑩⑭ ㊤養

㊐ ホウ〔ごぼう〕 ㊍ burdock

字解 우엉 방. ¶ 牛蒡(우방).

字源 形聲. ⊹(艸)+旁〔音〕

[蒨] 우거질 천 | qiàn
⑩⑭ ㊨霰

㊐ セン〔しげる〕 ㊍ grow rank

字解 ① 우거질 천(草盛貌). ¶ 蒨蒨(천천). ② 선명할 천(鮮明貌).

字源 形聲. ⊹(艸)+倩〔音〕

[蒯] 기름사 초괴 | kuǎi
⑩⑭ ㊤卦

㊐ カイ〔あぶらがや〕

字解 기름사초 괴(茅類). ¶ 菅蒯(간괴).

字源 會意. 刂(刀)+蒢

[蒲] 부들 포 | pú
⑩⑭ ㊥虞

㊐ ホ〔がま〕 ㊍ cattail

字解 ① 부들 포(水草可作席). ¶ 蒲席(포석). ② 창포 포(白菖). 菖蒲(창포).

字源 形聲. ⊹(艸)+浦〔音〕

[蒲輪 포륜] 덜거덕거리지 않게 하

기 위해 부들 잎으로 바퀴를 싼 수레. 노인용(老人用)임.

[蒲席 포석] 부들자리.

[蒸] 찔 증 | zhēng
⑩⑭ ㊤蒸

艹 芓 芓 莁 蒸 蒸 蒸

㊐ ジョウ〔むす〕 ㊍ steam

字解 ① 찔 증. ¶ 蒸發(증발). ② 많을 증(衆也). ¶ 蒸民(증민).

字源 形聲. ⊹(艸)+烝〔音〕

參考 烝(火部 6획)과 동자.

[蒸氣 증기] 수증기의 준말. 액체가 증발하여서 된 기체, 또는 고체가 승화(昇華)한 기체.

[蒸民 증민] 백성. 증서(蒸庶).

[蒸發 증발] 액체나 고체가 그 표면에서 기화(氣化)함. 또, 그 현상.

[汗蒸 한증] 불을 때서 뜨겁게 단 증막에 들어앉아 땀을 내는 일.

[蒹] 물억새 겸 | jiān
⑩⑭ ㊤鹽

㊐ ケン〔おぎ〕 ㊍ common reed

字解 물억새 겸(葦屬, 似蘆而細). ¶ 蒹葭(겸가).

字源 形聲. ⊹(艸)+兼〔音〕

[蒺] 남가새 질 | jí
⑩⑭ ㊤質

㊐ シツ〔はまびし〕

字解 ① 남가새 질(藥草名). ② 마름쇠 질(鐵蒺藜).

字源 形聲. ⊹(艸)+疾〔音〕

[蒺藜 질려] ㉠ 해변에 나는 약초의 하나. 남가새. ㉡ 마름쇠.

[蒻] 구약나 물약 | ruò
⑩⑭ ㊦藥

㊐ ジャク・ニャク〔こんにゃく〕 ㊍ devil's tongue

字解 ① 구약나물 약(荓名). ¶ 蒟蒻(구약). ② 부들풀 약, 부들속 약

6
획

(蒲心白者). ¶ 蒻席(약석).
字源 形聲. ++(艸)+弱〔音〕
[蒻席 약석] 부들풀로 만든 자리.

10획 【萆】 아주까리 피 비⊕齊 | bì | 蒻

㊐ ヒ〔とうごま〕 ㊤ castor bean
字解 아주까리 피, 피마자 피. ¶ 萆麻(피마).
字源 形聲. ++(艸)+皀〔音〕
[萆麻 피마] 피마자. 아주까리.

10획 【蒼】 푸를 창 ⊕陽 | cāng | 苍

艹 艹 芢 芩 荅 荅 荅 蒼

㊐ ソウ〔あおい〕 ㊤ blue
字解 ① 푸를 창(深靑色). ② 蒼空(창공). ② 우거질 창(盛貌). ¶ 蒼生(창생). ③ 허둥지둥할 창(悤遽貌). ¶ 蒼惶(창황).
字源 形聲. ++(艸)+倉〔音〕

[蒼空 창공] 푸른 하늘. 창천(蒼天).
[蒼白 창백] 푸른 기가 있고 해쓱함.
[蒼生 창생] 백성. 만민(萬民). 창맹(蒼氓). ¶ 億兆蒼生(억조창생).
[蒼然 창연] ㊀ 푸른 모양. ㊁ 날이 저물어 어둑어둑한 모양. ㊂ 물건이 오래되어서 옛 빛이 저절로 드러나 보이는 모양. ¶ 古色蒼然(고색창연).

10획 【蒿】 쑥 호 ⊕豪 | hāo | 蒿

㊐ コウ〔よもぎ〕 ㊤ mugwort
字解 쑥 호(蓬屬). ¶ 蓬蒿(봉호).
字源 形聲. ++(艸)+高〔音〕

[蒿廬 호려] 풀이 뒤덮인 농막.
[蒿矢 호시] 쑥대로 만든 화살. 마귀를 쫓는다고 함.

10획 【蓁】 우거질 진 ⊕眞 | zhēn | 蓁

㊐ シン〔しげる〕 ㊤ dense

字解 우거질 진(盛貌). ¶ 蓁蓁(진진).
字源 形聲. ++(艸)+秦〔音〕

10획 【蓂】 명협 명 ⊕靑 | míng | 蓂

㊐ メイ〔めいきょう〕
字解 명협 명(知時草). ¶ 蓂莢(명협).
字源 形聲. ++(艸)+冥〔音〕

[蓂莢 명협] 중국 요(堯)임금 때 났었다는 풀. 초하루부터 보름까지 하루에 한 잎씩 났다가, 열엿새째부터 그믐날까지 한 잎씩 떨어졌다 하여 달력풀 또는 책력풀이라 하였음.

10획 【蓄】 쌓을 축 ⊕屋 | xù | 蓄

艹 艹 茾 茾 芩 荅 荅 蓄

㊐ チク〔たくわえる〕 ㊤ store
字解 ① 쌓을 축, 쌓아둘 축(積也). ¶ 蓄財(축재). ② 둘 축, 데리고 있을 축. ¶ 蓄妾(축첩). ③ 감출 축(藏也). ¶ 蓄怨(축원).
字源 形聲. ++(艸)+畜〔音〕

[蓄怨 축원] ㊀ 쌓인 원한. ㊁ 원한을 품음.
[蓄財 축재] 돈이나 재물을 모아 쌓음. 또, 그 재물. ¶ 不正蓄財(부정 축재).
[蓄積 축적] 많이 모아서 쌓아 둠.
[蓄妾 축첩] 첩을 둠.
[備蓄 비축] 미리 모아 둠.
[貯蓄 저축] 아껴서 모아 둠.

10획 【蓆】 자리 석 ⊕陌 | xí | 蓆

㊐ セキ〔むしろ〕 ㊤ straw mat
字解 ① 자리 석(席也). ¶ 蓆薦(석천). ② 클 석(大也).
字源 形聲. ++(艸)+席〔音〕

10획 【蓉】 부용 용 ⊕冬 | róng | 蓉

⽇ ヨウ〔ふよう〕 ⑱ lotus
字解 ① 부용 용(蓮花). ② 나무연꽃 용(木蓮). ¶ 木芙蓉(목부용).
字源 形聲. �#(艸)+容〔音〕

10
⑭ 【蓊】 장다리
옹⑭東　wěng
⽇ オウ〔とう〕 ⑱ flowering stalk
字解 ① 장다리 옹(蓊也). ② 우거질 옹(草木盛貌).
字源 形聲. ⧾(艸)+翁〔音〕

10
⑭ 【蓋】 ━덮을
개㊈泰
┛어찌
아니할
합㊉合　gài
hé
艹 芊 莒 莒 莒 葢 葢 蓋

⽇ ガイ〔おおう・ふた〕・コウ〔なんぞ〕
⑱ cover
字解 ━ ① 덮을 개, 덮개 개(覆也). ¶ 蓋世(개세). ② 대개 개(大凡). ¶ 蓋然(개연). ③ 어찌 개. ¶ 蓋可忽乎哉(개가홀호재). ┛ 어찌아니할 합(何不之義).
字源 形聲. ⧾(艸)+盍〔音〕
參考 盖(皿部 6획)는 속자. 盍(皿部 5획)는 ━와 동자.

[蓋世 개세] 위력이나 기상이 세상을 덮을 만큼 뛰어남.
[蓋然 개연] 확실하지 못하나 그럴 것같이 추측됨.
[蓋瓦 개와] 기와.

10
⑭ 【蓍】 톱풀 시
시㊉支　shī
⽇ シ〔のこぎりそう〕 ⑱ milfoil
字解 ① 톱풀 시(筮草蓍屬). ¶ 蓍草(시초). ② 점대 시(筮也).
字源 形聲. ⧾(艸)+耆〔音〕

10
⑭ 【蓏】 풀열매
라㊉智　luǒ
⽇ ラ〔うり〕 ⑱ fruit
字解 ① 풀열매 라(草實). ¶ 果蓏(과라). ② 오이 라(胡瓜).
字源 會意. ⧾(艸)+瓜

10
⑭ 【蓐】 깔개 욕
욕㊈沃　rù
⽇ ジョク〔しとね〕 ⑱ mattress
字解 깔개 욕(薦也, 褥也). ¶ 茵蓐(인욕).
字源 形聲. ⧾(艸)+辱〔音〕

[蓐月 욕월] 산월(産月). 해산달.

10
⑭ 【蓑】 ━도롱이
사㊉歌
┛꽃늘
어질 쇠
㊉灰　suō
suī
⽇ サ〔みの〕・サイ〔たれる〕
⑱ straw raincoat
字解 ━ 도롱이 사(草衣備雨). ┛ 꽃늘어질 쇠(草木葉萎貌).
字源 形聲. ⧾(艸)+衰〔音〕
參考 簑(竹部 14획)는 속자.

[蓑笠 사립] 도롱이와 삿갓.
[蓑衣 사의] 도롱이.

10
⑭ 【蒴】 삭조삭
삭㊈覺　shuò
⽇ サク〔そくず〕
字解 ① 삭조 삭(草名). ¶ 蒴藋(삭조). ② 삭과 삭. ¶ 蒴果(삭과).
字源 形聲. ⧾(艸)+朔〔音〕

[蒴果 삭과] 열과(裂果)의 하나. 속이 여러 칸으로 나뉘고, 각 칸에 많은 씨가 든 열매. 나팔꽃·무궁화·양귀비 따위.

10
⑭ 【蓓】 꽃봉오
리 배
㊉賄　bèi
⽇ バイ・ベイ〔つぼみ〕 ⑱ bud
字解 꽃봉오리 배(始華). ¶ 蓓蕾(배뢰).
字源 形聲. ⧾(艸)+倍〔音〕

10획 ⑭〔蔬〕

蔬(소)(艸部 11획)의 本字

11획 ⑮〔篠〕

삼태기
조㊀嘯 | diào

㊐ ジョウ〔あじか〕
㊊ carrier's basket

字解 삼태기 조(竹器).
字源 形聲. ++(艸)+條〔音〕

11획 ⑮〔蓫〕

참소루
쟁이 축
㊇屋 | zhú

㊐ チク〔ぎしぎし〕

字解 참소루쟁이 축(羊蹄草).
字源 形聲. ++(艸)+逐〔音〕

11획 ⑮〔蓨〕

■참소루쟁
이 조㊀蕭
■나라이름
척㊇錫 | tiāo xiū
■기뻐할 수

㊐ チョウ〔ぎしぎし〕・チキ〔くにのな〕・シュウ〔よろこぶ〕
㊊ be glad

字解 ■ 참소루쟁이 조. ■ 나라이름 척. ■ ① 기뻐할 수. ② 수산 수.
字源 形聲. ++(艸)+脩〔音〕

11획 ⑮〔蔯〕

사철쑥
진㊀眞 | chén

㊐ チン〔かわらよもぎ〕

字解 사철쑥 진.
字源 形聲. ++(艸)+陳〔音〕

11획 ⑮〔蒽〕

葱(총)(艸部 9획)의 古字

11획 ⑮〔蓬〕

쑥 봉
㊀東 | péng

㊐ ホウ〔よもぎ〕 ㊊ mugwort

字解 ① 쑥 봉(蒿也, 禦亂草). ¶ 蓬廬(봉려). ② 더부룩할 봉(盛貌).

¶ 蓬勃(봉발). ③ 흐트러질 봉(亂也). ¶ 蓬頭亂髮(봉두난발). ④ 봉래 봉(神仙居所). ¶ 蓬萊(봉래).

字源 形聲. ++(艸)+逢〔音〕

[蓬頭亂髮 봉두난발] 쑥대강이같이 흐트러진 머리털.
[蓬宇 봉우] 쑥으로 인 집.
[蓬勃 봉발] ㉠ 구름이 뭉게뭉게 떠오르는 모양. ㉡ 바람이 이는 모양. ㉢ 기운이 왕성하게 일어나는 모양. ㉣ 빛이 밝게 비치는 모양.

11획 ⑮〔蓮〕

연 련
㊀先 | lián

艹 艹 芦 芇 苣 董 蓮 蓮

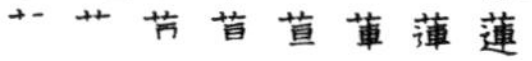

㊐ レン〔はす〕 ㊊ lotus

字解 ① 연 련(芙蓉). ¶ 蓮花(연화). ② 연밥 련(荷實).
字源 形聲. ++(艸)+連〔音〕

[蓮池 연지] 연(蓮)을 심은 못. 연당(蓮塘).
[蓮花 연화] 연꽃. 연화(蓮華).

11획 ⑮〔蓯〕

■우거
질 총
㊀董
■육종
용 종
㊀冬 | zǒng cōng

㊐ ソウ・ショウ〔しげる〕・ショウ〔きのこのな〕
㊊ grow rank

字解 ■ 우거질 총(草盛貌). ■ 육종용 종(藥名, 肉蓰蓉).
字源 形聲. ++(艸)+從〔音〕

11획 ⑮〔蓰〕

다섯곱
사㊀紙 | xǐ

㊐ シ〔ごばい〕 ㊊ fivefold

字解 다섯곱 사, 다섯곱할 사(物數五倍). ¶ 蓰蓰(사사).
字源 形聲. ++(艸)+徙〔音〕

[蓰蓰 사사] 번거로운 모양. 번쇄(煩瑣)한 모양.

11 ⑮ 〖蓴〗 순채 순 [平]眞 | chún

[日] ジュン〔じゅんさい〕
[英] watershield

[字解] **순채 순**(水葵).

[字源] 形聲. 艹(艸)+專〔音〕

[蓴菜 순채] 연못 등지에 자생하는 다년초의 한 가지. 줄기와 어린잎은 먹음.

11 ⑮ 〖蔻〗 육두구 구[去]宥 | kòu

[日] コウ〔にくずく〕

[字解] **육두구 구**(草實, 藥名). ¶ 荳蔻(두구).

[字源] 形聲. 艹(艸)+寇〔音〕

11 ⑮ 〖蓼〗 [一]여뀌 료[上]篠 [二]클 룩[入]屋 | liǎo lù

[日] リョウ〔たで〕·リク〔くさがながくおおきい〕
[英] smartweed, grow up

[字解] [一] **여뀌 료**(辛菜). ¶ 蓼花(요화). [二] **클 룩**(草長貌).

[字源] 形聲. 艹(艸)+翏〔音〕

[蓼花 요화] 여뀌의 꽃.
[蓼蓼 육륙] 풀이 길고 큰 모양.

11 ⑮ 〖蓽〗 풀이름 필[入]質 | 荜 bì

[日] ヒツ〔まがき〕

[字解] ① **풀이름 필**(草名, 羊蹄也). ② **사립짝 필**(柴門).

[字源] 形聲. 艹(艸)+畢〔音〕

[蓽門 필문] 사립문. 곧, 가난한 집을 이르는 말.

11 ⑮ 〖蓿〗 거여목 숙[入]屋 | xu

[日] シュク〔うまごやし〕 [英] medic

[字解] **거여목 숙**(藥名). ¶ 苜蓿(목숙).

[字源] 形聲. 艹(艸)+宿〔音〕

[苜蓿 목숙] 콩과의 이년초. 거여목.

11 ⑮ 〖蔆〗 菱(릉)(艸部 8획)과 同字

11 ⑮ 〖蔌〗 푸성귀 속[入]屋 | sù

[日] ソク〔あおもの〕
[英] green vegetables

[字解] ① **푸성귀 속**(菜蔬總稱). ② **나물 속**(菜也).

[字源] 形聲. 艹(艸)+欶〔音〕

11 ⑮ 〖蔑〗 업신여길 멸[入]屑 | miè

[日] ベツ〔さげすむ〕 [英] despise

[字解] ① **업신여길 멸**(輕易). ¶ 輕蔑(경멸). ② **없을 멸**(無也). ¶ 蔑以加矣(멸이가의). ③ **잘 멸**(微也). ¶ 蔑爾(멸이).

[字源] 形聲. 苜(눈이 바르지 않음)을 바탕으로 「伐(벌)」의 전음이 음을 나타냄.

[蔑視 멸시] 업신여김. 낮추봄. 경시(輕視). 모멸(侮蔑).
[蔑爾 멸이] ㉠ 작은 모양. ㉡ 멸시하는 모양. ㉢ 전연 없음.
[凌蔑 능멸] 업신여겨 깔봄.

11 ⑮ 〖蔓〗 덩굴 만[去]願 | wàn mán

[日] マン〔つる〕 [英] vine

[字解] ① **덩굴 만, 덩굴질 만**(葛屬, 延也). ¶ 蔓草(만초). ② **퍼질 만**. ¶ 蔓延(만연).

[字源] 形聲. 艹(艸)+曼〔音〕

[蔓延 만연] 널리 번지어 퍼짐. 만연(蔓衍).
[蔓草 만초] 덩굴이 뻗는 풀.

11 ⑮ 〖蔕〗 [一]꼭지 체[去]霽 [二]가시 대[去]卦 | dì dài

6 획

(日) タイ〔へた・とげ〕
(英) stem, thorn

字解 一 **꼭지 체**(果蓏綴實). ¶ 根蔕(근체). 二 **가시 대, 작은가시 대**(小刺). ¶ 蔕芥(대개).

字源 形聲. 艹(艸)+帶〔音〕

[蔕芥 대개] ㉠ 작은 가시와 티끌. ㉡ 사소한 지장(支障).

11 ⑮ **〖蔗〗** 사탕수수 자 (去)禡 | zhè

(日) ショ〔さとうきび〕 (英) sugar cane

字解 **사탕수수 자**(砂糖草). ¶ 甘蔗(감자).

字源 形聲. 艹(艸)+庶〔音〕

[蔗糖 자당] 사탕수수를 고아서 만든 사탕.

11 ⑮ **〖蔚〗** 一 우거질 위 (去)未 二 고을이름 울 (入)物 | wèi yù

(日) イ〔しげる〕・ウツ〔くさきのさかんなさま〕
(英) grow rank

字解 一 ① **우거질 위, 무성할 위**(草木盛貌). ② **무늬 위**(文密貌). 二 **고을이름 울**(州名).

字源 形聲. 艹(艸)+尉〔音〕

[蔚然 울연] 초목이 무성하게 우거진 모양. 옹울(蓊蔚).

[蔚興 울흥] 성하게 일어남.

11 ⑮ **〖蔞〗** 一 산쑥 루 (平)尤(平)虞 二 상여장식 류 (上)有 | 蒌 lóu liǔ

(日) ロウ〔やまよもぎ〕・ル〔よもぎ〕

字解 一 **산쑥 루**(似艾). ¶ 蔞蒿(누호). 二 **상여장식 류**.

字源 形聲. 艹(艸)+婁〔音〕

11 ⑮ **〖蔟〗** 一 태주 주 (去)宥 二 모을 족 (入)屋 | còu cù

(日) ソウ〔たいそう〕・ゾク〔あつめる〕

字解 一 ① **태주 주**. ¶ 太蔟(태주). ② **정월 주**(正月別稱). 二 **모을 족**(聚也).

字源 形聲. 艹(艸)+族〔音〕

11 ⑮ **〖蔡〗** 一 나라이름 채 (去)泰 二 내칠 살 (入)曷 | cài sà

(日) サイ〔くにのな〕・サツ〔はねつける〕
(英) throw away

字解 一 ① **나라이름 채**(國名). ② **거북 채**(龜也). 二 **내칠 살**(放也).

字源 形聲. 艹(艸)+祭〔音〕

11 ⑮ **〖蔣〗** 一 줄 장 (平)陽 二 나라이름 장 (上)養 | 蒋 jiǎng

(日) ショウ〔まこも・こくめい〕
(英) water-oat

字解 一 **줄 장**(菰也). ¶ 蔣茅(장모). 二 **나라이름 장**(國名).

字源 形聲. 艹(艸)+將〔音〕

[蔣茅 장모] 줄과 띠.

11 ⑮ **〖蔭〗** 그늘 음 (去)沁 | 荫 yìn, yīn

(日) イン〔かげ〕 (英) shade

字解 ① **그늘 음**(日景). ¶ 綠蔭(녹음). ② **가릴 음**(庇也).

字源 形聲. 艹(艸)+陰〔音〕

[蔭官 음관] ㉠ 과거(科擧)에 의하지 않고, 다만 부조(父祖)의 공으로 얻어 하는 벼슬. ㉡ 생원(生員)·진사(進仕)·유학(幼學)으로서 하는 벼슬의 통칭. 음직(蔭職).

[蔭映 음영] 덮어 감춤.

11 ⑮ **〖蔘〗** 一 인삼 삼 (平)侵 二 늘어질 삼 (平)覃 | shēn sān

㊐ シン〔にんじん〕・サン〔たれさがる〕
㊂ ginseng, hang down

字解 ■ ① 인삼 삼(神草). ¶山蔘(산삼). ② 우뚝할 삼(支竦擢皃). ■ 늘어질 삼(垂也).

字源 形聲. ++(艸)+參〔音〕

[蔘圃 삼포] 인삼을 재배하는 밭.

11
15 【蔬】 나물 소 ㊀魚 shū

艹 艹 艹 菋 葫 萜 萜 蔬

㊐ ソ〔あおもの〕 ㊂ vegetable

字解 나물 소, 푸성귀 소(草菜通名). ¶菜蔬(채소).

字源 形聲. ++(艸)+疏〔音〕

参考 蔬(艸部 10획)는 본자.

[蔬飯 소반] 변변하지 못한 음식. 소식(蔬食).

[蔬菜 소채] 푸성귀. 채소(菜蔬).

11
15 【蔔】 무 복 ㊅職 bo

㊐ フク〔だいこん〕 ㊂ radish

字解 무 복(蔔也). ¶蔔匏(복포).

字源 形聲. ++(艸)+匐〔音〕

参考 菔(艸部 8획)은 同字.

[蔔匏 복포] 무와 박. 곧, 변변하지 못한 음식을 일컫는 말.

11
15 【蔴】 麻(마)(部首)의 俗字

12
16 【蔽】 가릴 폐 ㊁霽 bi

艹 艹 艹 芦 茑 菥 菥 蔽 蔽

㊐ ヘイ〔おおう〕 ㊂ cover

字解 가릴 폐, 숨길 폐(掩也). ¶掩蔽(엄폐).

字源 形聲. ++(艸)+敝〔音〕

[蔽塞 폐색] 가리어 막음.

[蔽一言 폐일언] 한 마디 말로 휩싸서 말함. 일언이폐지(一言以蔽之).

12
16 【藜】 ■리㊀支 lí
　　　 ■려㊀齊 lí

㊐ リ・レイ〔はまびし〕

字解 ■ 남가새 리(旱草). ■ 남가새 려(旱草).

字源 形聲. ++(艸)+棃〔音〕

参考 藜(艸部 15획)와 동자.

12
16 【蕣】 무궁화나 무 순 ㊁震 shùn

㊐ シユン〔むくげ〕 ㊂ althea

字解 무궁화나무 순.

字源 形聲. ++(艸)+舜〔音〕

12
16 【蕓】 평지 운 ㊀文 yún

㊐ ウン〔あぶらな〕 ㊂ rape

字解 평지 운. 유채.

字源 形聲. ++(艸)+雲〔音〕

12
16 【蔿】 애기풀 위 ㊅紙 wěi

㊐ イ〔ひめはぎ〕 ㊂ milkwort

字解 ① 애기풀 위. ② 고을이름 위.

字源 形聲. ++(艸)+爲〔音〕

12
16 【蕁】 ■지모 담 ㊂覃
　　　 ■지모 심 qián
　　　 　　　 ㊀侵

㊐ タン〔はなすげ〕・ジン〔いらくさ〕

字解 ■ ① 지모 담(藥名, 知母). ② 쐐기풀 담. ¶蕁麻(담마). ■ 지모 심(知母), 쐐기풀 심. ¶蕁麻(심마).

字源 形聲. ++(艸)+尋〔音〕

12
16 【蕃】 우거질 번 ㊀元 fán

6
획

[日] バン〔ふえる·おおい〕 [英] dense

[字解] ① **우거질 번**(草茂). ¶ 蕃茂(번무). ② **불을 번**(滋也), **쉴 번**(息也). ¶ 蕃息(번식). ③ **오랑캐 번**(蠻也). ¶ 蕃人(번인). ④ **울타리 번**(藩也). ¶ 蕃國(번국).

[字源] 形聲. 艹(艸)+番〔音〕

[蕃國 번국] ㉠ 오랑캐 나라. ㉡ 왕실(王室)의 번병(藩屛)이 되는 나라. 곧, 제후(諸侯)의 나라.

[蕃茂 번무] 초목이 무성함. 번무(繁茂).

[蕃人 번인] 미개인. 야만인. 오랑캐.

12 ⑯ **〖蕆〗** 갖출 천 [上]銑 | chǎn

[日] テン〔そなえる〕 [英] ready

[字解] **갖출 천**(備也).

[字源] 形聲. 艹(艸)+戫(천)〔音〕

12 ⑯ **〖蕈〗** 버섯 심 [平]侵 [上]寑 | xùn

[日] ジン〔きのこ〕 [英] mushroom

[字解] **버섯 심**(菌也). ¶ 松蕈(송심).

[字源] 形聲. 艹(艸)+覃〔音〕

12 ⑯ **〖蕉〗** 파초 초 [平]蕭 | jiāo

[日] ショウ〔ばしょう〕 [英] plantain

[字解] ① **파초 초**(草名). ¶ 芭蕉(파초). ② **야윌 초**(憔也). ¶ 蕉萃(초췌).

[字源] 形聲. 艹(艸)+焦〔音〕

[蕉葉 초엽] ㉠ 파초의 잎. ㉡ 춤이 얕고 조그마한 술잔의 이름.

[蕉萃 초췌] 야윈 모양. 파리한 모양. 초췌(憔悴).

12 ⑯ **〖蕊〗** [一]꽃술 예 [上]紙 [二]모일 전 [上]銑 | ruǐ juǎn

[日] ズイ〔しべ〕·セン〔あつまる〕

[英] pistils and stamens, come together

[字解] [一] ① **꽃술 예**(花心鬚也). ¶ 雄蕊(웅예). ② **꽃 예**(花也). [二] **모일 전**(聚也).

[字源] 形聲. 艹(艸)+惢〔音〕

[雄蕊 웅예] 수꽃술.

[花蕊 화예] 꽃술.

12 ⑯ **〖蕎〗** 메밀 교 [平]蕭 | qiáo

[日] キョウ〔そば〕 [英] buckwheat

[字解] **메밀 교**(白花穀). ¶ 蕎麥(교맥).

[字源] 形聲. 艹(艸)+喬〔音〕

[蕎麥 교맥] 메밀.

12 ⑯ **〖蕕〗** 누린내풀 유 [平]尤 | yóu

[日] ユウ〔かりがねそう〕

[字解] **누린내풀 유**(臭草). ¶ 蕕薰(유훈).

[字源] 形聲. 艹(艸)+猶〔音〕

12 ⑯ **〖蕙〗** 혼초 혜 [去]霽 | huì

[日] ケイ〔かおりぐさ〕 [英] herbs

[字解] ① **훈초 혜**(香草蘭屬). ¶ 蕙蘭(혜란). ② **성품좋을 혜**(性情美). ¶ 蕙質(혜질).

[字源] 形聲. 艹(艸)+惠〔音〕

[蕙蘭 혜란] 향초(香草). 난초과에 속하는 다년생 풀.

[蕙質 혜질] 아름다운 성질. 미질(美質).

12 ⑯ **〖蕡〗** 열매많을 분 [平]文 | 蕡 fén

[日] フン〔しげる〕 [英] fruitful

[字解] **열매많을 분**(草木多實). ¶ 蕡實(분실).

[字源] 形聲. 艹(艸)+賁〔音〕

12 ⑯ 【蕤】 늘어질 유㊥支 | ruí

㊐ スイ〔たれさがる〕 ㊕ pendent

字解 ① **늘어질 유**(下也). ② **장식 유**(緌也). ¶ 冠蕤(관유).

字源 形聲. ⺾(艸)+甤〔音〕

12 ⑯ 【蕨】 고사리 궐㊇月 | jué

㊐ ケツ〔わらび〕 ㊕ bracken

字解 **고사리 궐**(菜名, 薇屬).

字源 形聲. ⺾(艸)+厥〔音〕

[蕨薇 궐미] 고사리와 고비.
[蕨手 궐수] 고사리의 어린 순.

12 ⑯ 【蕩】 방자할 탕㊤養 | 荡 dàng

㊐ トウ〔ほしいまま〕 ㊕ impudent

字解 ① **방자할 탕**(放也). ¶ 放蕩(방탕). ② **쓸 탕**. ¶ 掃蕩(소탕). ③ **움직일 탕, 흔들릴 탕**(搖也). ¶ 蕩搖(탕요). ④ **넓고클 탕**(廣遠). ¶ 浩蕩(호탕). ⑤ **평평할 탕**(平易).

字源 形聲. ⺾(艸)+湯〔音〕

[蕩兒 탕아] 주색에 빠진 사내. 난봉꾼.
[蕩搖 탕요] 움직임. 요동함.
[蕩逸 탕일] 방탕함. 탕일(蕩佚).
[蕩盡 탕진] 다 써서 흩어져 없어짐.
[蕩平 탕평] 적을 소탕하여 난(亂)을 평정함.
[掃蕩 소탕] 휩쓸어 없애 버림.
[浩蕩 호탕] 넓고 큰 모양.

12 ⑯ 【蕪】 거칠 무㊥虞 | 芜 wú

㊐ ブ〔かぶら〕 ㊕ harsh

字解 ① **거칠 무**(荒也), **황무지 무**. ¶ 荒蕪(황무). ② **번성할 무**(繁茂). ③ **순무 무**. ¶ 蕪菁(무청).

字源 形聲. ⺾(艸)+無〔音〕

[蕪菁 무청] 순무.
[荒蕪地 황무지] 내버려 두어 거칠어진 땅.

13 ⑰ 【蕷】 마 여㊋御 | 蓣 yù

㊐ ヨ〔やまいも〕 ㊕ yam

字解 **마 여**. ¶ 薯蕷(서여).

字源 形聲. ⺾(艸)+預〔音〕

13 ⑰ 【蕭】 쓸쓸할 소㊥蕭 | 萧 xiāo

㊐ ショウ〔よもぎ〕 ㊕ solitary

字解 ① **쓸쓸할 소**(寂寥貌). ¶ 蕭條(소조). 蕭瑟(소슬). ② **쑥 소**(蒿也). ¶ 蕭艾(소애).

字源 形聲. ⺾(艸)+肅〔音〕

[蕭艾 소애] ㉠ 쑥. ㉡ 천한 사람. 소인의 비유.
[蕭條 소조] 분위기가 쓸쓸함. 한적한 모양.

13 ⑰ 【蕺】 삼백초 즙㊇緝 | jí

㊐ シュウ〔どくだみ〕

字解 **삼백초 즙**(草名, 葉似蕎麥).

字源 形聲. ⺾(艸)+戢〔音〕

13 ⑰ 【蕾】 꽃봉오리 뢰㊤賄 | lěi

㊐ ライ〔つぼみ〕 ㊕ bud

字解 **꽃봉오리 뢰**(始華). ¶ 蓓蕾(배뢰).

字源 形聲. ⺾(艸)+雷〔音〕

13 ⑰ 【薀】 ㊀쌓일 온 ㊍운㊤吻 ㊁붕어마름 온㊥元 | yùn wēn

㊐ ウン〔つむ〕・ウン〔きんぎょも〕
㊕ be piled up, hornwort

字解 ㊀ **쌓일 온, 쌓을 온**(積也). ¶ 薀蓄(온축). ㊁ **붕어마름 온**(藻屬).

字源 形聲. ⺾(艸)+溫〔音〕

6획

[蘊蓄 온축] ㉠ 쌓아 저축함. ㉡ 오랜 연구로 학문을 많이 쌓음.

13 [薄]⑰ 얇을 박 báo, bó bò
㉠藥
＋ ＋ ＾ 浡 蒲 薄 薄 薄 薄
日 ハク〔うすい〕 英 thin
字解 ① 얇을 박(不厚). ¶ 薄氷(박빙). ② 적을 박(少也). ¶ 薄福(박복). ③ 야박할 박. ¶ 薄待(박대). ④ 메마를 박, 토박할 박(磽确). ¶ 薄土(박토). ⑤ 핍박할 박(迫也). ¶ 肉薄(육박). ⑥ 싱거울 박, 맛없을 박. ¶ 薄酒(박주). ⑦ 박하 박. ¶ 薄荷(박하). ⑧ 가벼이여길 박(輕也). ¶ 輕薄(경박).
字源 形聲. ＋(艸)+溥〔音〕

[薄待 박대] ㉠ 불친절한 대우. ㉡ 냉담한 대접. 박우(薄遇).
[薄暮 박모] 땅거미. 황혼.
[薄福 박복] 복이 적거나 없음. 팔자가 사나움.
[薄色 박색] 아주 못생긴 얼굴. 또, 그러한 사람. 흔히 여자에게 쓰임.
[薄情 박정] 인정이 적음. 동정심이 적음.
[薄酒 박주] 맛없는 술. 물 탄 술.
[薄志 박지] ㉠ 박약한 의지. ㉡ 약소한 사례(謝禮).
[野薄 야박] 야멸치고 인정이 없음.
[肉薄 육박] 바싹 가까이 다가감.

13 [薇]⑰ 고비 미 wēi
㉠微
日 ビ〔ぜんまい〕 英 osmund
字解 ① 고비 미(蕨也). ¶ 採薇(채미). ② 장미 미. ¶ 薔薇(장미). ③ 백일홍 미(花名). ¶ 紫薇(자미).
字源 形聲. ＋(艸)+微〔音〕

13 [薆]⑰ 우거질 애 ㉠隊 ài
日 アイ〔しげる〕 英 grow thick
字解 ① 우거질 애(草木盛貌). ¶

薆薱(애대). ② 가릴 애(隱也). ③ 향기로울 애. ¶ 晻薆(엄애).
字源 形聲. ＋(艸)+愛〔音〕

13 [薊]⑰ 엉겅퀴 계 ㉠霽 jì
日 ケイ〔あざみ〕 英 thistle
字解 ① 엉겅퀴 계(尤也). ② 땅이름 계(涿郡地名).
字源 形聲. ＋(艸)+劍〔音〕

13 [薌]⑰ 향내 향 ㉠陽 xiāng
日 キョウ〔におい〕 英 fragrance
字解 향내 향(香氣). ¶ 薌澤(향택).
字源 形聲. ＋(艸)+鄕〔音〕
[薌氣 향기] 향기(香氣).

13 [薏]⑰ ▬연밥 알 억 ㉠職 ▬율무 의 ㉠寘 yì
日 ヨク〔はすのなかみ〕・イ〔はとむぎ〕 英 lotus pip, adlay
字解 ▬ 연밥 억(蓮心). ▬ 율무 의(草珠). ¶ 薏苡(의이).
字源 形聲. ＋(艸)+意〔音〕
[薏苡 의이] 율무.

13 [薐]⑰ 시금치 릉 ㉠蒸 léng
日 ロウ〔ほうれんそう〕 英 spinach
字解 시금치 릉(菜名).
字源 形聲. ＋(艸)+稜〔音〕

13 [薑]⑰ 생강 강 ㉠陽 jiāng
日 キョウ〔しょうが〕 英 ginger
字解 생강 강. ¶ 生薑(생강).
字源 形聲. ＋(艸)+畺〔音〕
[薑桂之性 강계지성] 늙을수록 강

직(剛直)해지는 성품. 생강과 육계(肉桂)는 오래 둘수록 매워지기 때문에 일컫는 말.

13 ⑰ 〖薔〗 장미 장 [平]陽 | 蔷 qiáng

[日] ショウ〔ばら〕 [英] rose

[字解] **장미 장.** ¶ 薔薇(장미).

[字源] 形聲. 艹(艸)+嗇〔音〕

[薔薇 장미] 장미과의 낙엽 활엽 관목(灌木). 관상용(觀賞用).

13 ⑰ 〖薙〗 [一]깎을 치[去]霽 [二]깎을 체[上]紙 | zhì tì

[日] テイ・チ〔なぐ〕 [英] cut down

[字解] [一] **깎을 치**(刈草). ¶ 薙刀(치도). [二] **깎을 체.** ¶ 薙髮(체발).

[字源] 形聲. 艹(艸)+雉〔音〕

[薙髮 체발] 머리를 깎음. 체발(剃髮).

[薙刀 치도] 긴 자루가 달린 칼. 장도(長刀).

13 ⑰ 〖薛〗 나라이름 설[入]屑 | xuē

[日] セツ〔よもぎ〕

[字解] ① **나라이름 설**(國名). ② **쑥 설**(藾也).

[字源] 形聲. 艹(艸)+辥(설)〔音〕

13 ⑰ 〖薤〗 염교 해 [去]卦 | xiè

[日] カイ〔らっきょう〕 [英] shallot

[字解] **염교 해**(似韭葷菜, 一名鴻薈).

[字源] 形聲. 韭를 바탕으로 「歺(알)」의 전음이 음을 나타냄.

[薤露歌 해로가] 호리곡(蒿里曲)과 더불어 한대(漢代)의 만가(輓歌). 상여가 나갈 때 부르는 노래. 인생은 부추 잎의 이슬처럼 덧없음을 노래한 것.

13 ⑰ 〖薦〗 천거할 천[去]霰 | 荐 jiàn

艹 艹 芦 芦 萨 萨 薦 薦

[日] セン〔すすめる〕 [英] recommend

[字解] ① **천거할 천**(推薦). ¶ 薦擧(천거). ② **드릴 천**(進也). ¶ 薦新(천신). ③ **자리 천**(臥席也).

[字源] 會意. 艹(풀)와 廌(외뿔 양)의 합자. 외뿔 양이 먹는 풀의 뜻. 천거의 뜻으로 씀은 가차(假借).

[薦可 천가] 임금의 과실에 대하여 바른 말로 간(諫)함.

[薦擧 천거] 사람을 어떤 자리에 쓰도록 추천함.

[薦新 천신] 새로 나온 곡식이나 과실을 먼저 신에게 올리는 일.

[推薦 추천] 인재를 천거함.

13 ⑰ 〖薨〗 [一]홍서 훙[平]蒸 [二]많을 횡[平]庚 | hōng hōng

[日] コウ〔しぬ・おおい〕

[英] decease, numerous

[字解] [一] **훙서 훙**(公侯死也). ¶ 薨逝(훙서). [二] ① **많을 횡**(衆也). ¶ 薨薨(횡횡). ② **빠를 횡**(疾貌). ¶ 薨薨(횡횡).

[字源] 形聲. 死를 바탕으로 「夢(몽)」의 생략형의 전음이 음을 나타냄.

[薨薨 횡횡] ㉠ 득실득실 많은 모양. ㉡ 빠른 모양.

[薨逝 훙서] 귀인의 죽음을 높이어 이르는 말. 훙거(薨去).

13 ⑰ 〖薪〗 땔나무 신[平]眞 | xīn

[日] シン〔たきぎ〕 [英] firewood

[字解] **땔나무 신**(蕘也, 柴也). ¶ 薪木(신목).

[字源] 形聲. 艹(艸)+新〔音〕

[薪水 신수] ㉠ 땔나무와 물. ㉡ 나무를 하고 물을 길음. 곧, 밥을 짓는다는 뜻.

6 획

[薪炭 신탄] ㉠ 땔나무와 숯. 시탄(柴炭). ㉡ 일반적인 연료의 총칭.

14
⑱ 〔薩〕 보살 살
㊤曷
sà
㈰ サツ〔ぼさつ〕 ㊤ Buddhist saint
字解 보살 살(能普濟衆生也). ¶ 菩薩(보살).
字源 形聲. 艹(艸)+隆〔音〕

14
⑱ 〔薯〕 마 서
㊦御
shǔ
㈰ ショ〔やまいも〕 ㊤ yam
字解 ① 마 서(山芋). ¶ 薯蕷(서여). ② 고구마 서. ¶ 甘薯(감서).
字源 形聲. 艹(艸)+署〔音〕
參考 藷(艸部 16획)와 同字.

[薯蕷 서여] 맛과에 속하는 덩굴풀의 총칭. 마. 산우(山芋).

14
⑱ 〔薰〕 훈초 훈
㊥文
xūn
㈰ クン〔かおりぐさ〕 ㊤ fragrance
字解 ① 훈초 훈(香草似蘼蕪). ② 향내 훈(香氣). ③ 온화할 훈. ¶ 薰氣(훈기). ④ 훈자할 훈(感化). ¶ 薰陶(훈도). ⑤ 훈할 훈, 태울 훈(灼也). ¶ 薰藥(훈약).
字源 形聲. 艹(艸)+熏〔音〕

[薰氣 훈기] ㉠ 훈훈한 기운. ㉡ 세도 있는 사람의 세력을 비유하여 이르는 말.
[薰陶 훈도] 덕의(德義)로써 사람을 교화(敎化)함.
[薰藥 훈약] 불에 태워서 그 기운을 쐬어 병을 치료하는 약.
[薰風 훈풍] 첫여름에 부는 훈훈한 바람.
[餘薰 여훈] 향기로운 물건이 없어진 뒤에도 남아 있는 향기.
[香薰 향훈] 꽃다운 향기.

14
⑱ 〔薺〕 냉이 제
㊤薺
jì
㈰ セイ〔なずな〕
㊤ shepherd's purse
字解 냉이 제(甘菜).
字源 形聲. 艹(艸)+齊〔音〕

14
⑱ 〔藁〕 짚 고
㊤晧
gǎo
㈰ コウ〔わら〕 ㊤ straw
字解 ① 짚 고(禾稈). ¶ 藁工品(고공품). ② 마를 고(枯也, 乾也). ③ 초고 고(草稿). ¶ 原藁(원고).
字源 形聲. 艹(艸)+槀〔音〕
參考 稿(禾部 10획)는 同字.

[藁魚 고어] 말린 물고기.

14
⑱ 〔薷〕 아름다울 서
㊤語 xù
마 여
㊦御 yù
㈰ ショ〔うつくしい〕・ヨ〔やまいも〕
㊤ beautiful, yam
字解 ▆ 아름다울 서(美貌). ▆ 마 여(蕷也). ¶ 蕍薷(서여).
字源 形聲. 艹(艸)+與〔音〕

14
⑱ 〔藉〕 빌릴 자
㊤禡 jiè
와자할 적
㊦陌 jí
㈰ シャ〔かりる〕・セキ〔ふむ〕
㊤ lend
字解 ▆ ① 빌릴 자(借也). ¶ 憑藉(빙자). ② 자구(藉口). ③ 도울 자(助也). ④ 가령 자. ¶ 藉令(자령). ▆ ① 와자할 적. ¶ 藉藉(적적). ② 적전 적. ¶ 藉田(적전).
字源 形聲. 艹(艸)+耤〔音〕

[藉口 자구] 핑계함. 구실을 삼음.
[藉令 자령] 가령(假令).
[藉甚 자심] 평판이 높음. 명성이 대단함. 적심(籍甚).
[藉藉 자자] 여러 사람의 입에 오르내리어 떠들썩함.
[藉田 적전] 봉건 시대에 임금이 몸

소 갈던 밭. 적전(籍田)・적전(耤田).

[憑藉 빙자] ㉠ 남의 힘을 빌려서 의지함. ㉡ 말막음으로 내세워 핑계함.

---

14 ⑱ 【藍】 쪽람 ㊞覃 | 蓝 lán | 藍

⺾ ⺾ ⺾⺾ ⺾⺾ 蓝 蔽 藍 藍

㊌ ラン〔あい〕　㊞ indigo

字解 ① 쪽 람(染靑草). ② 藍實(남실). ② 남빛 람. ¶ 藍色(남색). ③ 누더기 람(襤也). ¶ 藍縷(남루). ④ 절 람(僧居). ¶ 伽藍(가람).

字源 形聲. ⺾(艸)+監〔音〕

[藍縷 남루] ㉠ 누더기. 해진 옷. ㉡ 옷이 해지고 때가 묻어 더러움.

[藍實 남실] 쪽의 씨. 약재로 씀.

---

14 ⑱ 【藎】 조개풀신 ㊎震 풀이름진 ㊌軫 | jìn | 藎

㊌ シン・ジン〔こぶなぐさ〕

字解 ■ ① 조개풀 신(染黃草). ② 나아갈 신(進也). ¶ 忠藎(충신). ③ 나머지 신(餘也). ■ 풀이름 진.

字源 形聲. ⺾(艸)+盡〔音〕

---

14 ⑱ 【藏】 감출장 ㊞陽 곳집장 ㊎漾 | cáng zàng | 藏

⺾ ⺾ ⺾ ⺾⺾ ⺾⺾ ⺾⺾ 藏 藏

㊌ ゾウ〔かくす・くら〕　㊞ hide, storage

字解 ■ 감출 장(隱也), 간직할 장(蓄也). ¶ 貯藏(저장). ■ 곳집 장, 광 장(物所蓄). ¶ 庫藏(고장).

字源 形聲. ⺾(艸)+臧〔音〕

[藏頭隱尾 장두은미] 머리를 감추고 꼬리를 숨긴다는 뜻으로, 전말(顚末)을 분명히 설명하지 아니함.

[藏書 장서] 책을 간직하여 둠. 또, 그 책. ¶ 藏書閣(장서각).

藏中 장중 광 속.

貯藏 저장 물건을 모아 간수함.

---

14 ⑱ 【藐】 작을묘 ㊌篠 멀막 ㊌覺 | miǎo mò | 藐

㊌ ビョウ〔ちいさい〕・バク〔はるか〕　㊞ small, far

字解 ■ ① 작을 묘(小也). ② 업신여길 묘(輕視貌). ¶ 藐視(묘시). ■ 멀 막(遠也). ¶ 藐藐(막막).

字源 形聲. ⺾(艸)+貌〔音〕

[藐藐 막막] ㉠ 넓고 아득한 모양. ㉡ 아름다운 모양.

[藐然 막연] ㉠ 아득한 모양. ㉡ 멀리 떨어져 있어서 미치지 못하는 모양.

[藐視 묘시] 넘봄. 깔봄.

---

14 ⑱ 【藁】 槀(고)(禾部 10획)와 同字

---

15 ⑲ 【藕】 연뿌리우 ㊎有 | ǒu | 藕

㊌ グウ〔はすのね〕　㊞ lotus root

字解 연뿌리 우(芙蓉根). ¶ 藕絲(우사).

字源 形聲. ⺾(艸)+耦〔音〕

[藕根 우근] 연뿌리.

---

15 ⑲ 【藜】 명아주려 ㊞齊 | lí | 藜

㊌ レイ〔あかざ〕　㊞ goosefoot

字解 명아주 려(蒿類, 莪菜). ¶ 藜藿(여곽).

字源 形聲. ⺾(艸)+黎〔音〕

[藜杖 여장] 명아주 줄기로 만든 지팡이.

---

15 ⑲ 【藝】 재주예 ㊞霽 | yì | 艺

⺾ ⺾ ⺾⺾ ⺾⺾ ⺾⺾ 藝 藝 藝

㊌ ゲイ〔わざ〕　㊞ talent

[字解] ① **재주 예**(才能). ¶ 技藝(기예). ② **법 예**(法也). ¶ 無藝(무예). ③ **심을 예**(種也). ¶ 園藝(원예).

[字源] 會意. 고자(古字)는 埶. 艹(풀)와 坴(대지)과 丮(손에 물건을 들고 있는 모양)의 합자. 손에 씨를 들고 땅에 뿌림의 뜻. 뒤에 云을 더하여 藝가 되고, 또 「云(운)」의 전음이 음을 나타냄.

[藝能 예능] ㉠ 예술과 기능. ㉡ 연극·가요·음악·무용·영화 따위의 총칭. ¶ 藝能界(예능계).

[藝術 예술] 독특한 표현 양식에 의하여 미를 창작하고 표현하는 활동. 문학·조각·회화·음악·연극·영화·건축 따위.

[文藝 문예] 학문과 예술.

6 획

15 ⑲ 【藟】 덩굴풀 류[上]紙 lěi

[日] ルイ〔かずら〕 [英] vine

[字解] **덩굴풀 류**(葛蔓藤屬).

[字源] 形聲. 艹(艸)+畾〔音〕

15 ⑲ 【藤】 등나무 등[平]蒸 téng

[日] トウ〔ふじ〕 [英] rattan

[字解] **등나무 등**(蔓生木藟).

[字源] 形聲. 艹(艸)+滕〔音〕

[藤架 등가] 네 기둥을 세우고 그 위에 등의 덩굴을 올리게 된 것.

15 ⑲ 【藥】 약 약[入]藥 药 yào

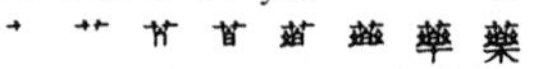

[日] ヤク〔くすり〕 [英] drug

[字解] **약 약**(金石草木劑皆曰藥). ¶ 藥石(약석). 服藥(복약).

[字源] 形聲. 艹(艸)+樂〔音〕

[藥果 약과] ㉠ 유밀과의 한 가지. 과줄. ㉡ 《韓》감당하기가 아주 쉬운 일.

[藥方 약방] 약의 처방법. 조제법(調劑法). 약방문(藥方文).

[藥石 약석] ㉠ 약과 침(鍼). 전하여, 병의 치료. ㉡ 경계가 되는 유익한 말.

[藥效 약효] 약의 효험(效驗).

[靈藥 영약] 신비스러운 약.

[投藥 투약] 병에 알맞은 약제를 지어 줌.

15 ⑲ 【藩】 울 번[平]元 fān

[日] ハン〔まがき〕 [英] fence

[字解] ① **울 번, 울타리 번**(籬也). ¶ 藩籬(번리). 藩屛(번병). ② **지킬 번**(守護).

[字源] 形聲. 艹(艸)+潘〔音〕

[藩籬 번리] 울타리.

[藩屛 번병] ㉠ 울. 울타리. ㉡ 수레의 덮개. ㉢ 제후(諸侯). ㉣ 왕실 또는 국가를 수호함.

15 ⑲ 【藪】 늪 수[上]有 薮 sǒu

[日] ソウ〔やぶ〕 [英] swamp

[字解] ① **늪 수**(大澤). ¶ 藪澤(수택). ② **수풀 수**. ¶ 林藪(임수).

[字源] 形聲. 艹(艸)+數〔音〕

15 ⑲ 【藭】 천궁이 궁[平]東 qióng

[日] キュウ〔せんきゅう〕

[英] angelica

[字解] ① **천궁이 궁**(藥草名, 川芎). ② **궁궁이 궁**(香草). ¶ 芎藭(궁궁).

[字源] 形聲. 艹(艸)+窮〔音〕

16 ⑳ 【蘂】 蕊(예)(艸部 12획)의 俗字

16 ⑳ 【藷】 [一]마 서[平]魚 [二]고구마 저[去]御 shǔ zhū

[日] ショ〔やまのいも〕・ショ〔さとうきび〕
[英] yam, sweet potato
[字解] [一] **마 서**(薯也). [二] **고구마 저**(番薯). ¶ 甘藷(감저).
[字源] 形聲. 艹(艸)+諸〔音〕

16 ⑳ 〖藹〗 온화할 애[去]泰 | 蔼 ǎi
[日] アイ〔しげる〕 [英] mild
[字解] ① **온화할 애**. ¶ 藹然(애연). ② **우거질 애**(草木叢雜貌).
[字源] 形聲. 艹(艸)+謁〔音〕
[藹藹 애애] ㉠ 많고 성한 모양. ㉡ 초목이 무성한 모양. ㉢ 좋은 향기가 나는 모양. ㉣ 달빛이 어둠침침한 모양.
[藹然 애연] ㉠ 성(盛)한 모양. ㉡ 성품이 온화한 모양.

16 ⑳ 〖藺〗 골풀 린 [去]震 | 蔺 lìn
[日] リン〔い〕 [英] rush
[字解] **골풀 린**(燈心草). ¶ 藺席(인석).
[字源] 形聲. 艹(艸)+閵〔音〕

16 ⑳ 〖藻〗 마름 조 [上]皓 | zǎo
[日] ソウ〔も〕 [英] watercaltrop
[字解] ① **마름 조**(水草也). ¶ 藻類(조류). ② **무늬 조, 꾸밈 조**(文采也). ¶ 詞藻(사조).
[字源] 形聲. 艹(艸)+澡〔音〕
[藻類 조류] 주로 물속에서 자라는 은화(隱花)식물인 수초의 통칭.
[藻思 조사] 글을 잘 짓는 재주.
[海藻 해조] 바다에서 나는 조류의 총칭.

16 ⑳ 〖藿〗 콩잎 곽 [入]藥 | huò
[日] カク〔まめ〕 [英] bean leaves
[字解] ① **콩잎 곽**(豆葉). ¶ 牛藿(우곽). ② **곽향 곽**(藥草). ¶ 藿香(곽향).
[字源] 形聲. 艹(艸)+霍〔音〕
[藿羹 곽갱] ㉠ 콩잎을 넣고 끓인 국. ㉡ 검소한 음식.

16 ⑳ 〖蘁〗 [一]거스를 오 [去]遇 [二]꽃받침 악[入]藥 | wù è
[日] ゴ〔さからう〕・ガク〔うてな〕
[英] disobey, calyx
[字解] [一] **거스를 오**(逆也). ¶ 蘁立(오립). [二] ① **꽃받침 악**(華跗). ② **놀랄 악**(愕也). ¶ 蘁夢(악몽).
[字源] 形聲. 艹(艸)+噩〔音〕

16 ⑳ 〖蘄〗 [一]재갈 기[平]支 [二]왜당귀 근 [平]文 | qí qín
[日] キ〔くつわ〕・キン〔とうき〕
[字解] [一] ① **재갈 기**(馬銜). ② **바랄 기**(祈也). [二] **왜당귀 근**(藥草名). ¶ 山蘄(산근).
[字源] 形聲. 艹(艸)+斳〔音〕

16 ⑳ 〖蘅〗 두형 형 [平]庚 | héng
[日] コウ〔かんあおい〕
[字解] **두형 형**(香草). ¶ 杜蘅(두형).
[字源] 形聲. 艹(艸)+衡〔音〕

16 ⑳ 〖蘆〗 갈대 로 [平]虞 | 芦 lú
[日] ロ〔あし〕 [英] reed
[字解] **갈대 로**(葦也). ¶ 蘆雪(노설).
[字源] 形聲. 艹(艸)+盧〔音〕
[蘆笛 노적] 갈댓잎을 말아서 만든 피리. 노관(蘆管).

6획

16 ⑳ 〔蘇〕 깨날 소 | 苏 | 蘇
(中)虞 sū

艹 艹 艾 芇 莿 蘇 蘇 蘇

(日) ソ〔よみがえる〕 (英) revive

字解 ① 깨날 소, 회생할 소(死而復生). ¶ 蘇生(소생). ② 차조기 소(草名). ¶ 蘇子(소자). ③ 술 소, 실드릴 소(垂飾). ¶ 流蘇(유소). ④ 소련 소(國名). ¶ 蘇聯(소련).

字源 形聲. 艹(艸)+穌〔音〕

[蘇生 소생] 다시 살아남. 소활(蘇活).

[蘇子 소자] 차조기의 씨. 담(痰)을 삭이는 약재로 씀.

16 ⑳ 〔蘊〕 쌓을 온 | 蘊 | 藴
(上)(去)〔問〕 yùn

(日) ウン〔つむ〕 (英) pile up

字解 ① 쌓을 온(積聚). ¶ 蘊蓄(온축). ② 속내 온(奧也). ¶ 蘊奧(온오).

字源 形聲. 艹(艸)+縕〔音〕

参考 蕰(艸部 13획)은 同字.

[蘊奧 온오] 학문이나 지식이 쌓이고 깊음.

[蘊蓄 온축] ㉠ 물건을 저장해 둠. ㉡ 오랜 연구로 학식을 많이 쌓음. 온축(蕰蓄).

16 ⑳ 〔蘋〕 개구리밥 빈 | 蘋
(中)〔真〕 píng

(日) ヒン〔うきくさ〕 (英) duckweed

字解 개구리밥 빈(浮萍草). ¶ 青蘋(청빈).

字源 形聲. 艹(艸)+頻〔音〕

[蘋果 빈과] 능금. 사과.

[蘋萍 빈평] 개구리밥.

[蘋花 빈화] 개구리밥의 꽃.

17 ⑳ 〔蘗〕 ■ 그루터기 얼 屑 | niè
■ 황경나무 벽 (入)陌 | bò

(日) ゲツ〔きりかぶ〕 (英) stump, Amur cork tree

字解 ■ ① 그루터기 얼(木餘也). ② 움 얼(始也). ③ 芽蘗(아얼). ■ 황경나무 벽.

字源 形聲. 艹(艸)+檗〔音〕

17 ⑳ 〔蘘〕 양하 양 | ráng
(中)陽

(日) ジョウ〔みょうが〕

字解 양하 양(草名). ¶ 蘘荷(양하).

字源 形聲. 艹(艸)+襄〔音〕

17 ⑳ 〔藹〕 우거질 예 | yì
(中)霽 (英) grow thick

(日) エイ〔しげる〕

字解 우거질 예(草盛貌). ¶ 藹藹(예예).

字源 形聲. 艹(艸)+翳〔音〕

17 ⑳ 〔蘚〕 이끼 선 | 蘚
(上)銑 xiǎn

(日) セン〔こけ〕 (英) moss

字解 이끼 선(苔也). ¶ 苔蘚(태선).

字源 形聲. 艹(艸)+鮮〔音〕

[蘚墻 선장] 이끼 낀 담.

[蘚苔 선태] 이끼.

17 ⑳ 〔蘞〕 거지덩굴 렴 | liàn
(中)鹽

(日) レン〔やぶからし〕

字解 거지덩굴 렴(蔓草).

字源 形聲. 艹(艸)+斂〔音〕

17 ⑳ 〔蘧〕 놀라며 기뻐할 거 | qú
(中)魚

(日) キョ〔なでしこ〕

字解 ① 놀라며 기뻐할 거(驚喜). ¶ 蘧然(거연). ② 패랭이꽃 거(瞿麥). ¶ 蘧麥(거맥).

字源 形聲. 艹(艸)+遽〔音〕

[藦然 거연] 놀라며 기뻐하는 모양.

¹⁷⑳〔蘩〕산흰쑥 번 プ元 fán 蘩

⑪ ハン〔はこべ〕

字解 산흰쑥 번(白蒿).

字源 形聲. 艹(艸)+繁〔音〕

¹⁷⑳〔蘭〕난초 란 ⑭寒 lán 兰 蘭

艹 艹 艹 艹 萨 萨 菛 蘭 蘭

⑪ ラン〔らん〕 ⑳ orchid

字解 난초 란(香草名).

字源 形聲. 艹(艸)+闌〔音〕

[蘭交 난교] 뜻이 맞아 서로 친밀한 사람들의 사귐.

[蘭菊 난국] 난초와 국화.

[蘭章 난장] 남의 편지의 경칭(敬稱).

¹⁹㉓〔蘿〕쑥 라 ⑭歌 luó 萝 蘿

⑪ ラ〔よもぎ〕 ⑳ mugwort

字解 ① 쑥 라(莪蒿). ② 무 라(菜名). ¶ 蘿蔔(나복).

字源 形聲. 艹(艸)+羅〔音〕

[蘿蔔 나복] 무.

[蘿窓 나창] 언저리에 담쟁이덩굴이 얽힌 창.

¹⁹㉓〔蘺〕천궁이 리 ⑭支 lí 蓠 蘺

⑪ リ〔せんきゅう〕 ⑳ angelica

字解 천궁이 리(芎藭苗). ¶ 江蘺(강리).

字源 形聲. 艹(艸)+離〔音〕

¹⁹㉓〔虀〕나물 제 ⑭齊 jī 虀

⑪ セイ〔あえもの〕 ⑳ vegetables

字解 나물 제. ¶ 虀鹽(제염).

字源 形聲. 艹(艸)+齏〔音〕

[虀鹽 제염] 채소 반찬.

虍 〔6 획〕 部

(범호밑부)

⁰⑥〔虍〕범의문채 호 ⑭虞 hū

⑪ コ〔とらかわのもよう〕

字解 범의문채 호(虎文).

字源 象形. 범의 머리 모양을 본뜸.

²⑧〔虎〕범 호 ⑤襄 hǔ 虎

ⅠⅠ卜广户乕席虎

⑪ コ〔とら〕 ⑳ tiger

字解 범 호(猛獸, 山獸之君). ¶ 猛虎(맹호).

字源 象形. 호랑이 모양을 본뜸.

[虎口 호구] ㉠ 범의 입. 매우 위험한 지경이나 경우. ㉡ 바둑에서, 상대편 바둑 석 점이 에워싸고 있는 그 속.

[虎視眈眈 호시탐탐] 날카로운 안광(眼光)으로 사방의 형세를 바라보며 기회를 노림의 뜻.

[虎穴 호혈] 범이 사는 굴. 가장 위험한 곳.

[虎患 호환] 범이 끼치는 해(害).

³⑨〔虐〕사나울 학 ⑤藥 nüè 虐

⑪ ギャク〔しいたげる〕 ⑳ cruel

字解 ① 사나울 학(苛酷). ¶ 虐政(학정). ② 혹독할 학(酷也, 苛也). ¶ 虐殺(학살). ③ 몹시굴 학(殘也). ¶ 虐待(학대).

字源 會意. 虎(호랑이)의 생략형 虍와 爪(손톱)의 합자. 손톱으로 사람을 해침의 뜻.

[虐待 학대] 가혹하게 부림.

[虐殺 학살] 참혹하게 무찔러 죽임.

[虐政 학정] 포악한 정치. 가정(苛政).

4
⑩ 【虔】 삼갈 건 [平]先 qián

[日] ケン〔つつしむ〕 [英] sincere

[字解] ① **삼갈 건**(恭敬). ¶ 敬虔(경건). ② **빼앗을 건**(強取).

[字源] 形聲. 虍+文〔音〕

[虔肅 건숙] 경건하고 엄숙함.

5
⑪ 【處】 [一]곳 처 [去]御 [二]머무를 처[上]語 chù chǔ

' ⺊ 广 卢 卢 虏 虔 處

[日] ショ〔ところ・おる〕
[英] place, stay

[字解] [一] **곳 처**(所也). ¶ 處處(처처). [二] ① **머무를 처**(居也). ¶ 處所(처소). ② **정할 처**(定也). ③ **처치할 처**(分別). ¶ 處刑(처형). 處置(처치).

[字源] 會意. 夂(걸음)와 几(걸상)와 虍의 합자. 걸어서 걸상이 있는 곳까지 가서 머무름의 뜻.

[參考] 処(几部 3획)는 略字.

[處決 처결] 결단하여 처분함.
[處理 처리] 일을 다스려 치러 감.
[處罰 처벌] 형벌에 처함.
[處世 처세] 이 세상에서 살아감.
[處所 처소] ㉠ 사람이 살거나 머물러 있는 곳. ㉡ 어떤 일이 벌어진 곳이나 물건이 있는 곳.
[到處 도처] 가는 곳. 여러 곳.
[傷處 상처] 다친 곳.

5
⑪ 【虗】 虛(허)(次條)의 俗字

6
⑫ 【虛】 빌 허 [平]魚 xū

' ⺊ 广 虍 虍 虚 虚 虛

[日] キョ〔むなしい〕 [英] empty

[字解] ① **빌 허, 헛될 허**(空也). ¶ 虛費(허비). ② **약할 허**(弱也). ¶ 虛弱(허약). ③ **하늘 허**(天空). ¶ 虛空(허공).

[字源] 形聲. 본자는 虛. 丘를 바탕으로 「虍(호)」의 전음이 음을 나타냄.

[虛禮 허례] 겉으로만 꾸민 예절. ¶ 虛禮虛飾(허례허식).
[虛無 허무] ㉠ 아무것도 없이 텅 빔. ㉡ 덧없음. 무상(無常).
[虛飾 허식] 실상(實狀) 없는 겉치레.
[虛實 허실] ㉠ 거짓과 참. ㉡ 한의(漢醫)에서 허증(虛症)과 실증(實症). ㉢ 공허와 충실(充實).
[虛心 허심] ㉠ 마음속에 아무 망상이 없음. ㉡ 공평무사한 마음. ¶ 虛心坦懷(허심탄회).
[虛弱 허약] 기력이 약함.
[虛榮 허영] ㉠ 필요 이상의 겉치레. ¶ 虛榮心(허영심). ㉡ 헛된 영화.
[虛點 허점] 허술한 구석. 불충분한 점.
[虛虛實實 허허실실] 허실(虛實)의 계책을 써서 싸움. 서로 재주와 꾀를 다하여 싸움.
[空虛 공허] ㉠ 속이 텅 빔. ㉡ 헛됨.

6
⑫ 【虜】 사로잡을 로 [平]虞 虏 lǔ

[日] リョ〔とりこ〕 [英] capture

[字解] ① **사로잡을 로**(擄也). ¶ 虜掠(노략). ② **포로 로**. ¶ 捕虜(포로). ③ **종 로**(奴隷). ④ **오랑캐 로**. ¶ 胡虜(호로).

[字源] 形聲. 毌(貫)과 力을 바탕으로 「虍(호)」의 전음이 음을 나타냄.

[虜掠 노략] 떼를 지어 사람을 사로잡고 재물을 약탈함.
[虜囚 노수] 포로(捕虜).
[虜獲 노획] 생포한 적병과 죽인 적병.

7
⑬ 【虞】 염려할 우 [平]虞 yú

[日] グ〔おもんばかる〕 [英] anxious

[字解] ① **염려할 우, 근심할 우**(慮也). ¶ 艱虞(간우). ② **즐길 우**(樂也). ¶ 驩虞(환우). ③ **편안할 우**(安也). ④ **우제 우**(葬後祭禮). ¶

虞祭(우제).
字源 形聲. 虍+吳〔音〕

[虞犯 우범] 성격·환경 등에 비추어 죄를 범하거나 법령에 저촉될 우려가 있음. ¶ 虞犯地帶(우범 지대).
[虞祭 우제] 부모의 장례를 마치고 돌아와서 지내는 제(祭). 초우(初虞)·재우(再虞)·삼우(三虞)의 총칭.

7
⑬ 【號】
一부르짖을 호
㊀豪
二부를
호㊁號

háo
hào

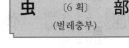

丶 口 口 号 号̄ 号̄ 号̄ 號

㊐ ゴウ〔さけぶ・よぶ〕 ㊤ shout, call
字解 一① 부르짖을 호(大呼). 叫號(규호). ② 울 호(大哭). ¶ 號哭(호곡). 二① 부를 호(召也). ¶ 號曰百萬(호왈백만). ② 호령할 호. ¶ 號令(호령). ③ 이름 호(稱). ¶ 名號(명호). ④ 표 호(表也). ¶ 記號(기호). ⑤ 차례 호. ¶ 第二號(제이호).
字源 形聲. 虎+号〔音〕
參考 号(口部 2획)는 略字.

[號哭 호곡] 목놓아 소리 내어 욺. 호읍(號泣).
[號令 호령] ㉠ 지휘하는 명령. ㉡ 큰 소리로 꾸짖음.
[號曰百萬 호왈백만] 말로는 백만을 일컬으나 실상은 얼마 안됨.
[號外 호외] 신문·잡지 따위의 임시로 발행하는 중요한 보도(報道).
[番號 번호] 차례를 나타내는 수.
[稱號 칭호] 어떠한 뜻으로 일컫는 이름.

9
⑮ 【虢】
손톱자
국 괵
㊁陌

guó

㊐ カク〔つめあと〕 ㊤ nail mark
字解 ① 손톱자국 괵(虎所攫畫明文也). ② 나라이름 괵(國名).
字源 形聲. 虍+寽〔音〕

11
⑰ 【虧】
이지러
질 휴㊀규
㊁支

kuī

㊐ キ〔かける〕 ㊤ wane
字解 이지러질 휴(缺也). ¶ 盈虧(영휴).
字源 形聲. 亐+虖〔音〕
[虧損 휴손] 모자람. 부족. 손실.
[虧月 휴월] 이지러진 달.

虫 〔6획〕 部
(벌레충부)

6
획

0
⑥ 【虫】
一벌레
훼㊀尾
二벌레
충㊁東

huǐ
chóng

6
획

㊐ キ・チュウ〔むし〕 ㊤ insect
字解 一 벌레 훼(鱗介類總名). 二 벌레 충.
字源 象形. 살무사가 몸을 서리고 있는 것을 본뜬 글자.
參考 원래 蟲(충)과는 딴 글자였으나 지금은 蟲(충)의 약자로 쓰이고 있음.

2
⑧ 【虯】
규룡 규
㊀尤

qiú

㊐ キュウ〔みずち〕
字解 규룡 규(龍子有角者). ¶ 蛛虯(주규).
字源 形聲. 虫+丩〔音〕

2
⑧ 【虱】
蝨(슬)(虫部 9획)과 同字

3
⑨ 【虸】
며루 자
㊀紙

zǐ

㊐ シ〔きりうじ〕
字解 며루 자(害稼蟲). ¶ 虸蚄(자방).
字源 形聲. 虫+子〔音〕

3
⑨ **[虹]** 무지개 | hóng 虹
홍⊕東

㊐ コウ〔にじ〕 ㊤ rainbow

字解 무지개 홍(蝀蝀). ¶ 虹橋(홍교).

字源 形聲. 虫+工〔音〕

[虹橋 홍교] 무지개 모양의 다리.

[虹蜺 홍예] 무지개. ¶ 虹蜺門(홍예문).

3
⑨ **[虺]**
━ 살무사 훼
⊕尾
━ 고달플
회⊕灰
huǐ
huǐ
虺

㊐ キ〔まむし〕・カイ〔やむ〕
㊤ pit viper, very tired

字解 ━ ① 살무사 훼(蝮蛇). ② 작은뱀 훼(小蛇). ━ 고달플 회. ¶ 虺隤(회퇴).

字源 形聲. 兀+虫〔音〕

4
⑩ **[蚄]** 며루 방 | fāng
⊕陽

㊐ ボウ〔きりうじ〕

字解 며루 방(害稼蟲). ¶ 蚄蚄(자방).

字源 形聲. 虫+方〔音〕

4
⑩ **[蚌]** 방합 방 | bàng
⊕講

㊐ ボウ〔どぶがい〕

字解 방합 방(蛤屬). ¶ 蚌蛤(방합).

字源 形聲. 虫+丰〔音〕

[蚌鷸之勢 방휼지세] 도요새가 방합을 먹으려고 껍질 속에 주둥이를 넣었다가, 방합이 껍질을 닫는 바람에 도리어 물려서 서로 다툰다는 뜻으로, 적대(敵對)하여 버티고 양보하지 않음을 나타내는 말. 곧, 어금버금한 형세. 휼방지세(鷸蚌之勢).

[蚌鷸之爭 방휼지쟁] 방휼지세로 다투는 일. 휼방지쟁(鷸蚌之爭).

4
⑩ **[蚍]** 왕개미 비 | pí
비⊕支

㊐ ヒ〔おおあり〕 ㊤ giant ant

字解 왕개미 비(蟻之大者). ¶ 蚍蜉(비부).

字源 形聲. 虫+比〔音〕

4
⑩ **[蚓]** 지렁이 인 | yǐn
인⊕軫

㊐ イン〔みみず〕 ㊤ earthworm

字解 지렁이 인(土龍). ¶ 蚯蚓(구인).

字源 形聲. 虫+引〔音〕

[蚯蚓 구인] 지렁이.

4
⑩ **[蚣]**
━ 지네 공
⊕東
━ 베짱이
송⊕冬
gōng
zhōng
蚣

㊐ コウ〔むかで〕・ショウ〔きりぎりす〕
㊤ centipede, grasshopper

字解 ━ 지네 공(蟲名). ¶ 蜈蚣(오공). ━ 베짱이 송.

字源 形聲. 虫+公〔音〕

4
⑩ **[蚪]** 올챙이 두 | dǒu
⊕有

㊐ ト〔おたまじゃくし〕 ㊤ tadpole

字解 올챙이 두(蟲名也). ¶ 蝌蚪(과두).

字源 形聲. 虫+斗〔音〕

4
⑩ **[蚊]** 모기 문 | wén
⊕文

㊐ ブン〔か〕 ㊤ mosquito

字解 모기 문(嚙人飛蟲也). ¶ 蚊帳(문장). 蚊蚋(문예).

字源 形聲. 虫+文〔音〕

[蚊帳 문장] 모기장.

4
⑩ **[蚤]** 벼룩 조 | zǎo
⊕皓

㊐ ソウ〔のみ〕 ㊤ flea

蚤 ① 벼룩 조(囓人跳蟲). ¶蚤
蝨(조슬). ② 일찍 조(早也). ¶蚤
起(조기). ③ 손톱 조(爪也). ¶蚤
甲(조갑).

字源 形聲. 虫+叉〔音〕

[蚤起 조기] 아침에 일찍 일어남. 조
기(早起).

[蚤牙之士 조아지사] 국가의 중임을
맡은 신하. 조아지사(爪牙之士).

4
10 **蚩** 어리석을 치⊕支 chī

⽇ シ〔あなどる〕 ⽊ foolish

字解 ① 어리석을 치(愚貌). ¶蚩
蚩(치치). ② 얕볼 치, 비웃을 치
(嗤也, 侮也). ¶蚩笑(치소).

字源 形聲. 虫+㞢〔音〕

[蚩笑 치소] 조롱(嘲弄)하여 웃음.
비웃음. 치소(嗤笑).

4
10 **蚕** 蠶(잠)(虫部 18획)의 俗字

5
11 **蚯** 지렁이 구⊕尤 qiū

⽇ キュウ〔みみず〕 ⽊ earthworm

字解 지렁이 구(土龍). ¶蚯蚓(구
인).

字源 形聲. 虫+丘〔音〕

[蚯蚓 구인] 지렁이.

5
11 **蛄** 땅강아지 고⊕虞 gū

⽇ コ〔けら〕 ⽊ mole cricket

字解 땅강아지 고(穴蟲). ¶螻
蛄(누고). ② 씽씽매미 고(蟬屬).
¶蟪蛄(혜고).

字源 形聲. 虫+古〔音〕

5
11 **蛆** 구더기 저⊕魚 qū

⽇ ショ・ソ〔うじ〕 ⽊ maggot

字解 구더기 저(蠅乳肉中蟲).

字源 形聲. 虫+且〔音〕

5
11 **蛇** 뱀 사⊕㱩 shé
구불구 불갈 이⊕支 yí

㇔㇐口中虫虫'虵蛇蛇

⽇ ジャ〔へび〕・イ〔うねりゆくさま〕
⽊ snake

字解 ■ 뱀 사(虫也, 龍無角者).
¶蛇足(사족). ■ 구불구불갈 이
(紆曲也). ¶委蛇(위이).

字源 形聲. 虫+它〔音〕

[蛇心 사심] 간악(奸惡)하고 질투(嫉
妬)가 심한 마음.

[蛇足 사족] 뱀의 발을 그린다는 뜻
으로, 쓸데없는 군더더기를 덧붙임
을 말함. 화사첨족(畫蛇添足).

[蛇行 사행] ㉠ 엉금엉금 기어감.
㉡ 뱀처럼 구불구불 감.

[毒蛇 독사] 독이 있는 뱀.

5
11 **蛉** 잠자리 령⊕青 líng

⽇ レイ〔とんぼ〕 ⽊ dragonfly

字解 ① 잠자리 령(青娘子). ¶蜻
蛉(청령). ② 뽕나무벌레 령(桑蟲).
¶螟蛉(명령).

字源 形聲. 虫+令〔音〕

5
11 **蛋** 새알 단⊕翰 dàn

⽇ タン〔たまご〕 ⽊ bird's egg

字解 새알 단(鳥卵). ¶蛋白(단
백).

字源 形聲. 蜑의 변한 글자. 「延
(연)」의 전음이 음을 나타냄.

[蛋白質 단백질] 동식물의 주성분의
하나. 탄소・수소・질소 및 황으로 이
루어지는 물질.

[蛋黃 단황] 알의 노른자위. 난황.

6
12 **蛔** 거위 회⊕灰 huí

⽇ カイ〔かいちゅう〕
⽊ roundworm

字解 거위 회(腹中蟲). ¶ 蛔蟲(회충).

字源 形聲. 虫+回〔音〕

[蛔蟲 회충] 거위.

6 ⑫ 【蛙】개구리 와㊟麻 | wā

㊐ ア〔かえる〕 ㊇ frog

字解 ① 개구리 와(蝦蟇). ¶ 井底蛙(정저와). ② 음란할 와(淫也). ¶ 蛙聲(와성).

字源 形聲. 虫+圭〔音〕

[蛙聲 와성] ㉠ 개구리 우는 소리. ㉡ 음란한 음악. ㉢ 시끄러운 소리.

6 ⑫ 【蛛】거미 주㊟虞 | zhū

㊐ チュ〔くも〕 ㊇ spider

字解 거미 주(網蟲). ¶ 蜘蛛(지주).

字源 形聲. 虫+朱〔音〕

[蛛網 주망] 거미줄.

6 ⑫ 【蛟】교룡 교㊟肴 | jiāo

㊐ コウ〔みずち〕 ㊇ dragon

字解 교룡 교(龍屬). ¶ 蛟龍(교룡).

字源 形聲. 虫+交〔音〕

[蛟龍 교룡] 상상의 동물인 용의 일종. 모양이 뱀과 같고 길이가 한 길이 넘으며, 네 개의 넓적한 발이 있다고 함.

6 ⑫ 【蛤】조개 합㊟合 | gé, há

㊐ コウ〔はまぐり〕 ㊇ clam

字解 ① 조개 합(蚌屬). ¶ 紅蛤(홍합). ② 대합조개 합(蜃也). ¶ 蜃蛤(신합).

字源 形聲. 虫+合〔音〕

[蛤蜊 합리] 바지락조개.
[蛤蟆 합마] 개구리.

[蛤蜆 합현] 대합조개와 바지락조개.

6 ⑫ 【蛭】거머리 질㊟質 | zhì

㊐ シツ〔ひる〕 ㊇ leech

字解 거머리 질(血食蟲, 一名馬蜞). ¶ 蛭蝚(질유).

字源 形聲. 虫+至〔音〕

[蛭蝚 질유] 거머리.

6 ⑫ 【蛮】蠻(만)(虫部 19획)의 略字

7 ⑬ 【蜋】蜋(랑)(虫部 10획)과 同字

7 ⑬ 【蛹】번데기 용㊤腫 | yǒng

㊐ ヨウ〔さなぎ〕 ㊇ pupa

字解 번데기 용(繭蟲). ¶ 蛹臥(용와).

字源 形聲. 虫+甬〔音〕

[蛹臥 용와] 고치 속에 번데기가 드러누워 있다는 뜻으로, 숨어 사는 선비를 비유하는 말.

7 ⑬ 【蛾】나방 아㊟歌 | é

㊐ ガ〔が〕 ㊇ moth

字解 ① 나방 아(蠶蛹所化). ¶ 蛾羅(아라). ② 눈썹 아. ¶ 蛾眉(아미).

字源 形聲. 虫+我〔音〕

[蛾眉 아미] ㉠ 미인의 눈썹. 가늘고 길게 굽이진, 누에나방의 촉수(觸鬚)처럼 아름다운 눈썹. ㉡ 미인(美人).

7 ⑬ 【蜂】벌 봉㊟冬 | fēng

丿 口 中 虫 虫 虫 蚁 蜂

㊐ ホウ〔はち〕 ㊇ bee

字解 벌 봉(螫人飛蟲).

字源 形聲. 虫+夆〈省〉〔音〕

[參考] 蠭(虫部 17획)은 古字.

[蜂起 봉기] 벌떼같이 일어남. 병란(兵亂)이 일어나는 모양의 형용.

7 ⑬ 〖蜈〗 지네 오 [平]虞 | 蜈 wú

[日] ゴ〔むかで〕 [英] centipede

[字解] **지네 오**(毒蟲). ¶ 蜈蚣(오공).

[字源] 形聲. 虫+吳〔音〕

[蜈蚣 오공] 지네.

7 ⑬ 〖蜉〗 하루살이 부[平]尤 | fú

[日] フ〔おおあり〕 [英] dayfly

[字解] ① **하루살이 부**(渠略). ¶ 蜉蝣(부유). ② **왕개미 부**(大蟻). ¶ 蚍蜉(비부).

[字源] 形聲. 虫+孚〔音〕

[蜉蝣 부유] 하루살이. 전하여, 짧은 인생(人生).

7 ⑬ 〖蜒〗 그리마 연[平]先 | yán

[日] エン〔げじげじ〕

[英] house centipede

[字解] ① **그리마 연**(百足蟲). ¶ 蚰蜒(유연). ② **구불구불길 연**(龍貌). ¶ 蜿蜒(완연).

[字源] 形聲. 虫+延〔音〕

[蜒蜒 연연] 뱀 같은 것이 서린 모양. 또, 구불구불하며 긴 모양.

7 ⑬ 〖蜑〗 오랑캐 단[上]旱 | dàn

[日] タン〔えびす〕 [英] savage

[字解] **오랑캐 단**(南方夷). ¶ 蜑人(단인).

[字源] 形聲. 虫+延〔音〕

[蜑衣 단의] 어부가 입는 옷.

7 ⑬ 〖蜀〗 나라이름 촉 [入]沃 | shǔ

[日] ショク〔いもむし〕

[字解] ① **나라이름 촉**(國名). ¶ 蜀漢(촉한). ② **나비애벌레 촉**(葵中蠶).

[字源] 會意. 나비 애벌레의 상형(象形)과 虫의 합자.

[蜀雞 촉계] 몸통이 큰 닭.

[蜀魄 촉백] 두견새. 촉혼(蜀魂).

[蜀黍 촉서] 수수.

7 ⑬ 〖蜃〗 대합조개 신[上]軫 | shèn

[日] シン〔はまぐり〕 [英] large clam

[字解] ① **대합조개 신**(大蛤). ¶ 蜃蛤(신합). ② **이무기 신**(蛟之屬). ¶ 蜃氣樓(신기루).

[字源] 形聲. 虫+辰〔音〕

[注意] 唇(口部 7획)·脣(肉部 7획)은 딴 글자.

[蜃氣樓 신기루] ㉠ 바다 위나 사막에서 기온의 이상한 분포 때문에 광선이 굴절하여, 먼 데 있는 물체가 바다에서는 공중으로, 사막에서는 지평선 근처로 곧게, 또는 거꾸로 비쳐 보이는 현상. 옛날에 큰 교룡이 내뿜는 서기(瑞氣)로 나타난다고 상상한 데서 나온 말. ㉡ 공중에 누각을 짓는 것처럼 근거나 현실적으로 토대가 없는 헛된 공상이나 존재. 공중누각(空中樓閣).

8 ⑭ 〖蝀〗 무지개 동[平]東 | 蛛 dōng

[日] トウ〔にじ〕 [英] rainbow

[字解] **무지개 동**.

[字源] 形聲. 虫+東〔音〕

8 ⑭ 〖蜘〗 거미 지 [平]支 | zhī

[日] チ〔くも〕 [英] spider

[字解] **거미 지**(網蟲). ¶ 蜘蛛(지주).

[字源] 形聲. 虫+知〔音〕

[蜘蛛 지주] 거미.

8 ⑭ 【蜡】 [一]납제 사 [本]자[去]禡 [二]쉬 저 [去]御 zhà qù

[日] サ〔まつりのな〕・ショ〔うじ〕 [英] flyblows

[字解] [一] 납제 사(年終祭名). [二] 쉬 저(蠅蛆).

[字源] 形聲. 虫+昔〔音〕

8 ⑭ 【蜥】 도마뱀 석[入]錫 xī

[日] セキ〔とかげ〕 [英] lizard

[字解] 도마뱀 석(四足蛇). ¶ 蜥蜴(석척).

[字源] 形聲. 虫+析〔音〕

[蜥蜴 석척] 도마뱀. 천룡(泉龍).

8 ⑭ 【蜩】 쓰르라미 조[平]蕭 tiáo

[日] チョウ〔せみ〕 [英] cicada

[字解] 쓰르라미 조(蟬也). ¶ 螗蜩(당조).

[字源] 形聲. 虫+周〔音〕

[蜩蜋 조랑] 쓰르라미.
[蜩蟉 조료] 용이 머리를 움직이는 모양.

8 ⑭ 【蜮】 물여우 역[入]職 yù

[日] ヨク〔いさごむし〕

[字解] 물여우 역(含沙射人短狐).

[字源] 形聲. 虫+或〔音〕

8 ⑭ 【蜴】 도마뱀 척 [本]역[入]陌 yì

[日] エキ〔とかげ〕 [英] lizard

[字解] 도마뱀 척(蝎虎). ¶ 蜥蜴(석척).

[字源] 形聲. 虫+易〔音〕

8 ⑭ 【蜺】 霓(예)(雨部 8획)와 同字

8 ⑭ 【蜻】 [一]잠자리 청[平]青 [二]귀뚜라미 청[平]庚 qīng jīng

[日] セイ〔とんぼ・こおろぎ〕

[英] dragonfly, cricket

[字解] [一] 잠자리 청(胡離). ¶ 蜻蛉(청령). [二] 귀뚜라미 청(蟋蟀). ¶ 蜻蛚(청렬).

[字源] 形聲. 虫+青〔音〕

[蜻蛉 청령] 잠자리. 청정(蜻蜓).

8 ⑭ 【蜾】 나나니벌 과[上]哿 guǒ

[日] カ〔じがばち〕 [英] digger wasp

[字解] 나나니벌 과(細腰蜂). ¶ 蜾蠃(과라).

[字源] 形聲. 虫+果〔音〕

[蜾蠃 과라] 나나니벌과의 곤충. 허리가 가늘고 긺. 나나니벌.

8 ⑭ 【蜿】 [一]용의모양 원[平]元 [二]굼틀거릴 완[平]寒 wān wǎn

[日] エン〔うねりゆく〕・エン〔みみず〕

[字解] [一] ① 용의모양 원(龍貌). ¶ 蜿蜿(원원). [二] ① 굼틀거릴 완(龍動). ¶ 蟠蜿(반완). ② 어슬렁어슬렁걸을 완(虎行貌).

[字源] 形聲. 虫+宛〔音〕

8 ⑭ 【蜙】 베짱이 송[平]冬 sōng

[日] ショウ〔はたおり〕

[英] grasshopper

[字解] 베짱이 송(蝗類). ¶ 蜙蝑(송서).

[字源] 形聲. 虫+松〔音〕

[蜙蝑 송서] 베짱이. 종사(螽斯). 촉직(促織).

8 ⑭ 【蜚】 [一]바퀴 비 [去]未 [二]날 비[上]微 fēi

[日] ヒ〔あぶらむし・とぶ〕
[英] cookroach, fly

[字解] [一] 바퀴 비(臭惡之蟲). ¶ 蜚蠊(비렴). [二] 날 비(飛也). ¶ 蜚騰(비등).

[字源] 形聲. 虫+非〔音〕

[蜚蠊 비렴] 바퀴. 곤충의 한 가지. 몸은 갈색이고, 촉각은 몸의 길이보다 길.

[蜚語 비어] 터무니없이 떠도는 말. ¶ 流言蜚語(유언비어).

8 ⑭ **〚蜜〛** 꿀 밀 [入]質 | mì

' 宀 宓 宓 宓 密 蜜 蜜

[日] ミツ〔みつ〕 [英] honey

[字解] **꿀 밀**(蜂甘飴). ¶ 蜂蜜(봉밀).

[字源] 形聲. 虫+宓〔音〕

[注意] 密(宀部 8획)은 딴 글자.

[蜜語 밀어] 달콤한 말. 특히 남녀간의 정담(情談).

[蜜月 밀월] 신혼(新婚) 뒤의 즐거운 한 달 동안.

9 ⑮ **〚蝎〛** 蠍(갈)(虫部 13획)의 俗字

9 ⑮ **〚蝨〛** 이 슬 [入]質 | shī

[日] シツ〔しらみ〕 [英] louse

[字解] **이 슬**(齧人蟲). ¶ 蟣蝨(기슬).

[字源] 形聲. 䖵+卂〔音〕

[參考] 虱(虫部 2획)은 동자.

9 ⑮ **〚蝱〛** 등에 맹 [平]庚 | méng

[日] ボウ〔あぶ〕 [英] gadfly

[字解] **등에 맹**(齧人飛蟲).

[字源] 形聲. 䖵+亡〔音〕

9 ⑮ **〚蝌〛** 올챙이 과[上]歌 | kē

[日] カ〔おたまじゃくし〕 [英] tadpole

[字解] **올챙이 과**(蛙子). ¶ 蝌蚪(과두).

[字源] 形聲. 虫+科〔音〕

[蝌蚪 과두] 올챙이. ¶ 蝌蚪文字(과두 문자).

9 ⑮ **〚蝍〛** 지네 즉 [入]職 | jí

[日] ショク〔むかで〕 [英] centipede

[字解] **지네 즉**(蜈蚣). ¶ 蝍蛆(즉저).

[字源] 形聲. 虫+卽〔音〕

9 ⑮ **〚蝗〛** 누리 황 [平]陽 | huáng

[日] コウ〔いなご〕 [英] desert locust

[字解] **누리 황**(食苗蟲). ¶ 蝗蟲(황충).

[字源] 形聲. 虫+皇〔音〕

[蝗旱 황한] 누리의 피해와 가뭄.

9 ⑮ **〚蝙〛** 박쥐 편 [平]先 | biān

[日] ヘン〔こうもり〕 [英] bat

[字解] **박쥐 편**(仙鼠). ¶ 蝙蝠(편복).

[字源] 形聲. 虫+扁〔音〕

9 ⑮ **〚蝠〛** 박쥐 복 [入]屋 | fú

[日] フク〔こうもり〕 [英] bat

[字解] ① **박쥐 복**(飛鼠伏翼). ¶ 蝙蝠(편복). ② **살무사 복**(蝮也). ¶ 蝠蛇(복사).

[字源] 形聲. 虫+畐〔音〕

9 ⑮ **〚蝟〛** 고슴도치 위[去]未 | wèi

[日] イ〔はりねずみ〕 [英] hedgehog

[字解] **고슴도치 위**(似鼠毛歧而刺如栗房).

[字源] 形聲. 虫+胃〔音〕

9 ⑮ 【蝡】 蠕(연)(虫部 14획)과 同字

9 ⑮ 【蝣】 하루살이 유[平]尤 | yóu

[日] ユウ〔かげろう〕 [英] dayfly

[字解] **하루살이 유**(渠略). ¶ 蜉蝣(부유).

[字源] 形聲. 虫+斿〔音〕

9 ⑮ 【蝦】 두꺼비 하[入]麻 | 虾 há

[日] カ〔ひきがえる〕 [英] toad

[字解] ① **두꺼비 하**(蟾蠩). ¶ 蝦蟆(하마). ② **새우 하**(鰕也). ¶ 蝦蛄(하고).

[字源] 形聲. 虫+叚〔音〕

[蝦蛄 하고] 갯가재.

9 ⑮ 【蝮】 살무사 복[入]屋 | fù

[日] フク〔まむし〕 [英] pit viper

[字解] **살무사 복**(毒蛇). ¶ 蝮蛇(복사).

[字源] 形聲. 虫+复〔音〕

[蝮鷙 복지] 독사와 새매. 가혹(苛酷)함의 비유.

9 ⑮ 【蝴】 나비 호[平]虞 | hú

[日] コ〔ちょう〕 [英] butterfly

[字解] **나비 호**(野蛾). ¶ 蝴蝶(호접).

[字源] 形聲. 虫+胡〔音〕

[蝴蝶 호접] 나비.

9 ⑮ 【蝶】 나비 접[入]葉 | dié

[日] チョウ〔ちょう〕 [英] butterfly

[字解] **나비 접**(野蛾). ¶ 蝴蝶(호접).

[字源] 形聲. 虫+枼〔音〕

9 ⑮ 【蝸】 달팽이 와[本]과[平]麻 | 蜗 wō

[日] カ〔かたつむり〕 [英] snail

[字解] **달팽이 와**(陵螺). ¶ 蝸牛(와우).

[字源] 形聲. 虫+咼〔音〕

[蝸角之爭 와각지쟁] 작은 나라끼리의 싸움.

[蝸牛角上 와우각상] 극히 작은 경우(境遇).

9 ⑮ 【蝕】 좀먹을 식[入]職 | 蚀 shí

[日] ショク〔むしばむ〕
[英] be worm eaten

[字解] ① **좀먹을 식**. ¶ 腐蝕(부식). ② **벌레먹을 식**(蟲食). ¶ 侵蝕(침식). ③ **일식 식, 월식 식**(日月食). ¶ 日蝕(일식).

[字源] 形聲. 虫+人+食〔音〕

[日蝕 일식] 태양의 일부, 또는 전부가 달에 가리는 현상.

[侵蝕 침식] 조금씩 개먹어 들어감.

9 ⑮ 【蝥】 뿌리잘라먹는벌레 모[本]무[平]尤 | máo

[日] ボウ・ム〔ねきりむし〕

[字解] ① **뿌리잘라먹는벌레 모**(食穀毒蟲). ¶ 盤蝥(반모). ② **기이름 모**(旗名). ¶ 蝥弧(모호).

[字源] 形聲. 虫+敄〔音〕

10 ⑯ 【螂】 사마귀 랑[平]陽 | láng

[日] ロウ〔かまきり〕 [英] mantis

[字解] **사마귀 랑**(石蜋). ¶ 螳螂(당랑).

[字源] 形聲. 虫+郎〔音〕

10 ⑯ 【螟】 마디충 명[平]青 | míng

6 획

㊐ メイ〔ずいむし〕 ㊤ stem borer

字解 마디충 명(食苗害蟲). ¶ 螟蟲(명충).

字源 形聲. 虫+冥〔音〕

[螟蟲 명충] 식물의 줄기 속을 파먹는 곤충의 총칭. 마디충.

10
16 **【融】** 녹을 융 | róng | 东

㊐ ユウ〔とける〕 ㊤ melt

字解 ① 녹을 융(銷也). 融解(융해). ② 화할 융, 화합할 융(和也). ¶ 融和(융화). ③ 융통할 융, 통할 융(通也). ¶ 融資(융자).

字源 形聲. 鬲+蟲〈省〉〔音〕

[融資 융자] 자본을 융통함.

[融通 융통] ㉠ 거침없이 통함. ㉡ 금전이나 물품 등을 서로 돌려 씀. ㉢ 임기응변(臨機應變)으로 일을 처리함.

[融解 융해] ㉠ 녹음. ㉡ 고체에서 열을 가했을 때 액체로 되는 현상.

[融和 융화] 서로 어울려서 화목하게 됨.

[金融 금융] 돈의 융통.

10
16 **【螢】** 개똥벌레 형㊤靑 | 萤 | ying

㇐ 丷 ⺌ ⺌⺌ ⺍⺍ 炊 螢 螢 螢

㊐ ケイ〔ほたる〕 ㊤ firefly

字解 개똥벌레 형, 반딧불이 형. ¶ 螢光燈(형광등).

字源 形聲. 虫+熒〈省〉〔音〕

參考 熒(火部 10획)과 동자.

[螢雪 형설] 갖은 고생을 하여 수학한다는 말. 중국 진(晉)나라의 차윤(車胤)이 반딧불 빛으로 글을 읽었고, 손강(孫康)은 눈빛으로 글을 읽었다는 옛일에서 나온 말. ¶ 螢雪之功(형설지공).

11
17 **【蚣】** 누리 종㊤東 | zhōng | 螽

㊐ シュウ〔いなご〕

㊤ desert locust

字解 누리 종(蝗類). ¶ 阜螽(부종).

字源 形聲. 虫+終〈省〉〔音〕

[螽斯 종사] ㉠ 메뚜기. ㉡ 베짱이. ㉢ 여치.

11
17 **【螭】** 용 리 | chī | 螭

㊐ チ〔みずち〕 ㊤ dragon

字解 ① 용 리(似龍無角體小). ② 산신 리(魑也). ¶ 螭魅(이매).

字源 形聲. 虫+离〔音〕

11
17 **【螳】** 사마귀 당㊤陽 | táng | 螳

㊐ トウ〔かまきり〕 ㊤ mantis

字解 사마귀 당(有斧蟲). ¶ 螳螂(당랑).

字源 形聲. 虫+堂〔音〕

[螳螂 당랑] 버마재비. 사마귀.

11
17 **【螺】** 소라 라㊤歌 | luó | 螺

㊐ ラ〔にな〕 ㊤ turban shell

字解 ① 소라 라(蚌屬). ¶ 螺旋(나선). ② 고둥 라(貝名). ¶ 蝸螺(와라).

字源 形聲. 虫+累〔音〕

[螺絲 나사] ㉠ 나사못. ㉡ 소라처럼 비틀리게 고랑진 물건.

[螺旋 나선] 소라 껍데기의 선(線)의 모양.

[螺鈿 나전] 조개 껍데기의 진줏빛 나는 부분을 여러 가지 형상으로 조각내어, 박아 붙여 꾸미는 일. 또, 그 기물(器物). ¶ 螺鈿漆器(나전칠기).

11
17 **【螻】** 땅강아지 루㊤尤 | lóu | 螻

㊐ ロウ〔けら〕 ㊤ mole cricket

字解 ① 땅강아지 루(土蟲). ¶ 螻蛄(누고). ② 청개구리 루(蛙也). ¶ 螻蟈(누괵).

字源 形聲. 虫+婁〔音〕

---

11 ⑰ **【蟀】** 귀뚜라미 솔 ㈆質 | shuài
㊐ ソツ〔こうろぎ〕 ㊥ cricket
字解 귀뚜라미 솔(蟋也). ¶蟋蟀
(실솔).
字源 形聲. 虫+率〔音〕

---

11 ⑰ **【蟋】** 귀뚜라미 실 ㈆質 | xī
㊐ シツ〔こうろぎ〕 ㊥ cricket
字解 귀뚜라미 실(蟋也). ¶蟋蟀
(실솔).
字源 形聲. 虫+悉〔音〕

[蟋蟀 실솔] 귀뚜라미.

---

11 ⑰ **【蟆】** 두꺼비 마 ㊢歌 | má
㊐ バ・マ〔ひきがえる〕 ㊥ toad
字解 두꺼비 마(蟆類). ¶蝦蟆(하
마).
字源 形聲. 虫+莫〔音〕

---

11 ⑰ **【螫】** 쏠 석 ㈆陌 | shì
zhē
㊐ ヤキ〔さす〕 ㊥ sting
字解 쏠 석(蟲行刺毒).
字源 形聲. 虫+赦〔音〕

---

11 ⑰ **【蟄】** 숨을 칩 ㈆緝 | zhé
㊐ チツ〔ひそむ〕 ㊥ hide
字解 ①숨을 칩(潛藏). 蟄伏(칩
복). 蟄居(칩거). ②모일 칩(和集).
¶蟄蟄(칩칩).
字源 形聲. 虫+執〔音〕

[蟄居 칩거] 나가서 활동하는 일 없
이 집 속에 죽치고 있음.
[廢蟄 폐칩] 외출을 전폐하고 집 안
에 박혀 있음.

---

12 ⑱ **【蟲】** 벌레 충 ㊤東 | chóng
虫
丶 口 中 虫 虫 虫 蟲 蟲
㊐ チュウ〔むし〕 ㊥ insect
字解 벌레 충(毛羽鱗介類總名).
字源 會意. 虫을 셋 겹쳐 벌레의 총
칭으로 함.

[蟲災 충재] 해충(害蟲)으로 인하여
생기는 농작물의 피해. 충해(蟲害).
[蟲齒 충치] 벌레 먹은 이.
[幼蟲 유충] 새끼벌레. 애벌레.
[害蟲 해충] 해가 되는 벌레.

---

12 ⑱ **【蟒】** ━이무기 망 ㊤養 | mǎng
┛누리 맹 ㊤梗 | měng
㊐ ボウ〔おろち・いなご〕
㊥ python, desert locust
字解 ━ 이무기 망(大蛇). ¶蟒王
蛇(망왕사). ┛누리 맹.
字源 形聲. 虫+莽〔音〕

---

12 ⑱ **【蟠】** 서릴 반 ㊤寒 | pán
㊐ ハン〔わだかまる〕 ㊥ coil
字解 서릴 반(屈也, 曲也). ¶蟠龍
(반룡).
字源 形聲. 虫+〔音〕

[蟠踞 반거] ㉠ 서리어 있음. ㉡ 넓
은 땅을 차지하고 세력을 떨침.

---

12 ⑱ **【蟣】** 서캐기 ㊤尾 | jǐ
㊐ キ〔しらみのこ〕 ㊥ nit
字解 서캐 기(蝨子). ¶蟣蝨(기
슬).
字源 形聲. 虫+幾〔音〕

---

12 ⑱ **【蟪】** 씽씽매미 혜 ㊤霽 | huì
㊐ ケイ〔にいにいぜみ〕 ㊥ cicada
字解 씽씽매미 혜(蟬屬). ¶蟪蛄
(혜고).

[字源] 形聲. 虫+惠〔音〕

12 ⑱ 〖蟬〗 매미 선 [平]先 | 蝉 chán

[日] セン〔せみ〕 [英] cicada

[字解] ① **매미 선**(飮露蟲, 蜩也). ¶ 蟬脫(선탈). ② **이을 선**(續也). ¶ 蟬聯(선련).

[字源] 形聲. 虫+單〔音〕

12 ⑱ 〖蟯〗 요충 요 [平]蕭 | 蛲 náo

[日] ジョウ・ギョウ〔はらのむし〕 [英] threadworm

[字解] **요충 요**(腹中短蟲). ¶ 蟯蟲(요충).

[字源] 形聲. 虫+堯〔音〕

[蟯蟲 요충] 선충류(線蟲類) 요충과의 기생충.

13 ⑲ 〖蟶〗 긴맛 정 [平]庚 | chēng

[日] テイ〔まてがい〕 [英] razor shell

[字解] **긴맛 정**(蚌屬).

[字源] 形聲. 虫+聖〔音〕

13 ⑲ 〖蟻〗 개미 의 [上]紙 | 蚁 yǐ

[日] ギ〔あり〕 [英] ant

[字解] **개미 의**(蚍蜉).

[字源] 形聲. 虫+義〔音〕

[蟻動 의동] 개미같이 많이 모여 움직임.

[蟻穴 의혈] 개미굴. 의공(蟻孔). 작은 일을 비유하여 일컫기도 함.

13 ⑲ 〖蟾〗 두꺼비 섬 [平]鹽 | chán

[日] セン〔ひきがえる〕 [英] toad

[字解] ① **두꺼비 섬**(蛙屬). ¶ 蟾蠩(섬저). ② **달 섬**(月也). ¶ 蟾光(섬광).

[字源] 形聲. 虫+詹〔音〕

13 ⑲ 〖蠅〗 파리 승 [本]응 [平]蒸 | 蝇 yíng

[日] ヨウ〔はえ〕 [英] fly

[字解] **파리 승**(逐臭飛蟲). ¶ 蒼蠅(창승).

[字源] 形聲. 虫+黽〔音〕

[蠅利 승리] 파리 대가리만큼의 이익. 아주 적은 이익을 일컫는 말.

[蠅營 승영] 파리가 분주히 이리저리 날아다니듯이, 사소한 이익을 얻으려고 악착같이 일함.

13 ⑲ 〖蠍〗 전갈 갈 [本]헐 [入]屑 | xiē

[日] カツ〔さそり〕 [英] scorpion

[字解] **전갈 갈**(蠆類). ¶ 蛇蠍(사갈).

[字源] 形聲. 虫+歇〔音〕

13 ⑲ 〖蠊〗 땅풍뎅이 렴 [平]鹽 | lián

[日] レン〔こがねむし〕

[英] groundbeetle

[字解] **땅풍뎅이 렴**(石薑). ¶ 飛蠊(비렴).

[字源] 形聲. 虫+廉〔音〕

13 ⑲ 〖蟹〗 게 해 [上]蟹 | xiè

[日] カイ〔かに〕 [英] crab

[字解] **게 해**(介蟲旁行).

[字源] 形聲. 虫+解〔音〕

[蟹黃 해황] 게장.

13 ⑲ 〖蠁〗 번데기 향 [上]養 | xiǎng

[日] キョウ〔さなぎ〕 [英] pupa

[字解] ① **번데기 향**(蛹也). ② **성할 향**(盛也). ¶ 肸蠁(힐향).

[字源] 形聲. 虫+鄕〔音〕

13 ⑲ 〖蠆〗 전갈 채 [去]卦 | chài

⽇ タイ〔さそり〕 ⊛ scorpion

字解 전갈 채(全蠆).

字源 會意. 원래 萬은 전갈의 모양이었는데, 숫자의 万으로 쓰이게 되어, 거기에 虫을 더하여 이루어짐.

---

¹⁴ ²⁰ 【蠐】 굼벵이 제㊐齊 | qí

⽇ セイ〔じむし〕 ⊛ maggot

字解 굼벵이 제(地蠶). ¶ 蠐螬(제조).

字源 形聲. 虫+齊〔音〕

[蠐螬 제조] 매미의 유충. 땅속에서 서식함. 굼벵이.

---

¹⁴ ²⁰ 【蠑】 영원영㊤庚 | róng

⽇ エイ〔いもり〕 ⊛ salamander

字解 영원 영(守宮也). ¶ 蠑蚖(영원).

字源 形聲. 虫+榮〔音〕

---

¹⁴ ²⁰ 【蠕】 꿈틀거릴 연㊐先 | rú

⽇ ゼン〔うごめく〕 ⊛ wriggle

字解 꿈틀거릴 연(微動貌). ¶ 蠕動(연동).

字源 形聲. 虫+需〔音〕

[蠕動 연동] ㉠ 꿈틀꿈틀 움직임. 벌레가 꿈틀거림. ㉡ 조금 움직임.

---

¹⁴ ²⁰ 【蠖】 자벌레확㊦藥 | huò

⽇ カク〔しゃくとりむし〕 ⊛ measuring worm

字解 자벌레 확(屈伸蟲). ¶ 尺蠖(척확).

字源 形聲. 虫+蒦〔音〕

---

¹⁵ ²¹ 【蠡】
━좀먹을 려㊤薺
━옴 라㊤哿 | lǐ luǒ

⽇ レイ〔きくいむし〕・ラ〔ひぜんがさ〕 ⊛ be worm-eaten, itch

字解 ━ 좀먹을 려(蟲齧木中). ━ 옴 라(疥病).

字源 形聲. 蚰+彖〔音〕

---

¹⁵ ²¹ 【蠢】 꿈틀거릴 준㊤軫 | chǔn

⽇ シュン〔うごめく〕 ⊛ wriggle

字解 ① 꿈틀거릴 준(蟲動). ¶ 蠢動(준동). ② 어리석을 준(愚也). ¶ 蠢愚(준우).

字源 形聲. 蚰+春〔音〕

[蠢動 준동] ㉠ 벌레가 꿈틀거림. ㉡ 보잘것없는 사람들이 소동을 일으키거나 미미한 잔적(殘敵)들이 행동함.

[蠢愚 준우] 굼뜨고, 또 아주 어리석음.

---

¹⁵ ²¹ 【蠟】 밀랍㊦合 | là

⽇ ロウ〔みつろう〕 ⊛ wax

字解 ① 밀 랍(蜜滓). ¶ 蠟書(납서). ② 밀초 랍(燭也). ¶ 蠟燭(납촉).

字源 形聲. 虫+巤〔音〕

[蠟書 납서] 비밀의 누설과 습기를 막기 위하여 밀랍으로 봉한 서류.

[蠟紙 납지] 밀을 먹인 종이.

[蠟燭 납촉] ㉠ 밀로 만든 초. 밀초, 황촉(黃燭). ㉡ 초.

---

¹⁵ ²¹ 【蠣】 굴조개 려㊥霽 | lì

⽇ レイ〔かき〕 ⊛ oyster

字解 굴조개 려. ¶ 蠣蛤(여합).

字源 形聲. 虫+厲〔音〕

[蠣房 여방] 굴의 껍질. 여각(蠣殼).

[蠣粉 여분] 굴껍데기를 빻은 가루.

---

¹⁶ ²² 【蠧】 蠹(두)(虫部 18획)의 俗字

17 ⠨⠴ **【蠱】** 뱃속벌레 고 ㊤襄 蠱 gǔ 蠱

㊐ コ〔はらのむし〕

字解 ① 뱃속벌레 고(腹蟲). ② 미혹하게할 고(亂也). ¶ 蠱惑(고혹). ③ 고괘 고(卦名).

字源 會意. 蟲과 皿과의 합자. 그릇 안에 있는 벌레를 본뜸.

[蠱毒 고독] 두꺼비나 지네 같은 벌레의 독. 또, 그 독으로 생긴 병.

[蠱惑 고혹] 미혹함. 미혹하게 함.

17 ⠨⠴ **【蠭】** 蜂(봉)(虫部 7획)과 同字

17 ⠨⠴ **【蠲】** 조촐할 견 ㊤先 蠲 juān 蠲

㊐ ケン〔いさぎよい〕 ㊎ neat

字解 ① 조촐할 견(潔也). ② 밝을 견, 밝힐 견(明也). ③ 덜 견(除也).

字源 會意. 蜀+益.

[蠲苛 견가] 까다로운 법령(法令)·정령(政令) 따위를 없애 버림.

[蠲潔 견결] 깨끗함. 연결(涓潔).

18 ⠨⠲ **【蠹】** 좀 두 ㊡遇 蠹 dù 蠹

㊐ ト〔きくいむし〕 ㊎ clothes moth

字解 좀 두(木中蟲也). ¶ 蠹害(두해).

字源 形聲. 虫+橐(音)

[蠹書 두서] ㉠ 좀이 먹은 책. ㉡ 좀 먹지 않게 하기 위하여 책을 볕에 쬠.

[蠹害 두해] ㉠ 좀이 책 따위를 갉아 먹는 해. ㉡ 해독(害毒)을 끼침.

18 ⠨⠲ **【蠶】** 누에 잠 ㊤覃 蠶 cán 蠶

㊐ サン〔かいこ〕 ㊎ silkworm

字解 누에 잠(食桑葉吐絲蟲).

字源 形聲. 蚰+朁(音)

[蠶食 잠식] ㉠ 누에가 뽕잎을 먹는 것처럼 남의 것을 차츰차츰 먹어 들어가거나 침략하는 것. ㉡ 정부가 조세를 과중히 거둬들임을 일컬음.

[養蠶 양잠] 누에를 기름.

19 ⠨⠴ **【蠻】** 오랑캐 만 ㊤刪 蠻 mán 蠻

㊐ バン〔えびす〕 ㊎ savage

字解 오랑캐 만(南夷).

字源 形聲. 虫+䜌〈省〉〔音〕

[蠻勇 만용] 사리를 분간하지 않고 함부로 날뛰는 용기.

[野蠻 야만] 문화 수준이 낮고 미개한 상태. 또는 그런 종족.

血 〔6 획〕部
(피혈부)

6 획

0 ⠰ **【血】** 피 혈 ㊆屑 血 xuè, xiě 血

丿 亻 白 白 血 血

㊐ ケツ〔ち〕 ㊎ blood

字解 피 혈(高等動物體內紅色之液汁).

字源 指事. 皿(그릇) 위에 -을 그려 피가 들어 있음을 나타냄.

[血管 혈관] 혈액을 순환시키는 관.

[血壓 혈압] 혈관 안의 혈액이 혈관에 주는 압력.

[血緣 혈연] 같은 핏줄에 의하여 연결된 인연.

[鳥足之血 조족지혈] 새발의 피. 곧, 극히 적은 분량의 비유.

4 ⠂⠴ **【衄】** 코피 뉵 ㊆屋 衄 nù 衄

㊐ ジク〔はなぢ〕 ㊎ nosebleed

字解 ① 코피 뉵(鼻血). ② 질 뉵, 꺾일 뉵(敗北).

¶ 行書(행서). ⑤ 오행 행. ¶ 五行(오행). □ ❶ 항렬 항(等輩). ❷ 줄 항(列也). ¶ 行列(항렬).

字源 象形. 사방으로 통하는 십자로의 모양. 사람이 보행하는 곳이기 때문에 「갈」의 뜻이 됨.

6 ⑫ 【衆】 무리 중 众 乑
去送 zhòng

丿 血 血 血 血 血 牵 象 衆

⊕ シュウ〔もろもろ〕 ⊛ crowd

字解 ① 무리 중(衆人). ② 公衆(공중). ② 많을 중(多也). ¶ 衆口(중구).

字源 會意. 目과 乑(많은 사람)의 합자. 많은 사람이 응시함의 뜻.

[衆寡 중과] 많음과 적음. ¶ 衆寡不敵(중과부적).

[衆口 중구] 많은 사람의 입에서 나온 말. 뭇사람의 평판 또는 비난. ¶ 衆口難防(중구난방).

[衆評 중평] 여러 사람의 비평(批評). 뭇사람의 비평.

[公衆 공중] 사회의 여러 사람.

[聽衆 청중] 강연·설교 등을 듣는 군중.

6 ⑫ 【衉】 토할 객 入陌 kè 衉

⊕ カク〔はく〕 ⊛ vomit

字解 토할 객(喀血).

字源 形聲. 血+各〔音〕

[行列 항렬] ㉠ 항렬. ㉡ 행렬.

[行伍 항오] 군대를 편성한 행렬.

[行路 행로] ㉠ 길. ㉡ 세상을 살아나가는 길. ¶ 人生行路(인생행로).

[行書 행서] 글씨체의 한 가지. 약간 흘려 쓴 글씨.

[行實 행실] 행동에 드러나는 품행.

[行裝 행장] 여행할 때 쓰이는 모든 기구. 행구(行具).

[實行 실행] 실지로 행함.

[洋行 양행] 주로, 외국과 무역 거래를 하는 서양식 상점.

行 〔6 획〕 部
(다닐행부)

0 ⑥ 【行】 一 다닐 행 ㆐庚 xíng
二 항렬 항 ㆐漾 háng

丿 彳 彳 行 行 行

⊕ コウ〔いく・ならび〕 ⊛ go about, degree of kin relationship

字解 一 ① 다닐 행, 걸을 행(步也). ¶ 行路(행로). ② 행실 행(身之所行). ③ 길갈 행, 여행 행. ¶ 行裝(행장). ④ 행서 행(書體之一).

3 ⑨ 【衍】 上 퍼질 연 上銑 yǎn 衍

⊕ エン〔あふれる〕 ⊛ spread

字解 ① 퍼질 연(曼也). 蔓衍(만연). ② 넓힐 연(廣也). ¶ 衍義(연의). ③ 넘칠 연(水溢).

字源 會意. 氵(물)과 行의 합자. 물이 흘러감의 뜻. 퍼짐의 뜻은 음의 차용.

[衍文 연문] 잘못하여 글 가운데 긴 쓸데없는 글자나 글귀.

[衍衍 연연] 물이 흘러가는 모양.

[衍義 연의] 뜻을 넓혀서 설명함. 또, 넓힌 뜻.

[敷衍 부연] 알기 쉽게 설명을 자세히 덧붙여 늘어놓음.

3 ⑨ 【衎】 一 즐길 간 去翰 kàn 衎
二 곧을 간 上旱 kǎn

⊕ カン〔よろこぶ・たのしむ〕 ⊛ enjoy, straight

字解 一 즐길 간(樂也). 二 곧을 간(尤直).

字源 形聲. 行+干〔音〕

5 ⑪ 【衒】 자랑할 현 [去]霰 | xuàn

[日] ゲン〔てらう〕 [英] be proud

[字解] **자랑할 현**(自矜自諜).

[字源] 形聲. 行+玄〔音〕

[衒耀 현요] 자기 재주나 학문을 자랑하여 보임.

[衒學 현학] 스스로 자기 학문을 자랑함. 학자인 체함.

5 ⑪ 【術】 길 술 [入]質 | 术 shù

[日] ジュツ〔すべ〕 [英] path

[字解] ① **길 술**(邑中道). ② **꾀 술**(技也). ¶ 術策(술책). 權謀術數(권모술수). ③ **업 술**(業也). ¶ 藝術(예술). 學術(학술).

[字源] 形聲. 行+朮〔音〕

[術策 술책] 무슨 일을 도모하려는 꾀나 방법.

[技術 기술] 어떤 일을 솜씨 있게 해내는 재간.

6 ⑫ 【街】 거리 가 [平]佳 | jiē

[日] ガイ〔まち〕 [英] street

[字解] **거리 가**(四通道).

[字源] 形聲. 行+圭(音)

[街頭 가두] 길가. 길거리.

[街路 가로] 도시의 넓은 길.

[街巷 가항] 거리. 가(街)는 넓고 곧은 거리, 항(巷)은 좁고 굽은 거리.

[市街 시가] ㉠ 도시의 큰 길거리. ㉡ 인가나 상가가 많이 늘어서 번창한 곳.

7 ⑬ 【衙】 마을 아 [平]麻 | yá

[日] ガ〔やくしょ〕
[英] government office

[字解] **마을 아, 관청 아**(官府).

[字源] 形聲. 行+吾〔音〕

[衙前 아전] 《韓》 지방 관청에 딸린 낮은 벼슬아치.

[官衙 관아] 벼슬아치들이 모여 나랏일을 보던 곳.

9 ⑮ 【衝】 찌를 충 [平]冬 | 冲 chōng

[日] ショウ〔つく〕 [英] pierce

[字解] ① **찌를 충, 뚫을 충, 부딪칠 충**(突也). ¶ 衝突(충돌). ② **목 충, 요긴한곳 충**(要也). ¶ 要衝(요충).

[字源] 形聲. 行+重〔音〕

[衝擊 충격] ㉠ 서로 맞부딪쳐서 몹시 침. ㉡ 마음에 격동(激動)을 느낌.

[衝突 충돌] ㉠ 서로 마주 부딪침. ㉡ 의견이나 이해관계의 대립으로 서로 맞서서 싸움.

[衝火 충화] 일부러 불을 놓음.

[緩衝 완충] 둘 사이의 불화·충돌을 완화시킴.

9 ⑮ 【衛】 막을 위 [去]霽 | 卫 wèi

[日] エイ〔まもる〕 [英] prevent

[字解] **막을 위, 지킬 위**(護也). ¶ 防衛(방위). 護衛(호위).

[字源] 形聲. 韋(圍)와 行의 합자로, 주위를 돌아다니면서 지킴의 뜻.

[參考] 衞(行部 10획)는 본자.

[衛生 위생] 건강의 보전과 증진을 꾀하고 질병의 예방 치료에 힘쓰는 일.

[衛戍 위수] 군대가 오래 그 지역에 주둔하여 지킴.

10 ⑯ 【衞】 衛(위)(行部 9획)의 本字

10 ⑯ 【衡】 [一]저울 형 [平]庚 [二]가로 횡 [平]庚 | héng

6 획

�日 コウ〔よこぎ・よこ〕
㉞ balance, across

字解 ➊ 저울 형, 저울대 형(秤也). ➊ 度量衡(도량형). ➋ 말가운데 형(斗中央). ➌ 平衡(평형). ➌ 가로나무 형(車轅). ➍ 벼슬이름 형(官名). ¶ 阿衡(아형). ➍ 가로 횡.

字源 形聲. 角과 大와 行의 합자. 쇠뿔에 붙들어매어, 닿는 것을 방지하는 가로나무의 뜻. 전하여, 천칭(天秤)의 가로대. 「형평(衡平)」의 뜻.

[衡均 형균] 공평함.
[衡宇 형우] 누추한 집.
[均衡 균형] 어느 한쪽으로 치우침이 없이 쪽 고름.

18획 ㉔【衢】 네거리 구
㉞處 qú

�日 ク〔ちまた〕 ㉞ crossroad

字解 네거리 구(四達街通). 거리 구.
字源 形聲. 行+瞿〔音〕
[衢巷 구항] 길거리.
[街衢 가구] ㉠ 길거리. ㉡ 시정(市井).

衣(衤) 〔6 획〕 部
(옷의부)

0획 ㉖【衣】 ➊옷 의
㉞微 yī
➋입을 의
㉞未 yì

丶 亠 ナ ゼ 衣 衣

�日 イ〔ころも・きる〕
㉞ clothes, put on

字解 ➊ ➊옷 의(人所以庇寒暑). ¶ 衣類(의류). ➋ 윗옷 의. ¶ 衣裳(의상). ➋ 입을 의(服也). ¶ 衣食(의식).

字源 象形. 옷을 입고 깃을 여민 모양을 본뜬 글자.

[衣類 의류] 몸에 입는 옷의 총칭.
[衣裳 의상] 저고리와 치마. 상의와 하의. 의복(衣服).
[衣食 의식] ㉠ 의복과 음식. ㉡ 입는 일과 먹는 일. 전하여, 생활(生活). ¶ 衣食住(의식주).

3획 ㉘【衫】 적삼삼
㉞咸 shān

�日 サン〔はだぎ〕
字解 적삼 삼(小襦), 옷 삼(衣之通稱).
字源 形聲. 衤(衣)+彡〔音〕
[衫子 삼자] 여자 옷. 저고리와 치마의 구별이 없이 이어진 것. 반의(半衣).

3획 ㉘【表】 겉 표
㉛篠 biǎo

一 十 卄 主 声 老 耒 耒 表

�日 ヒョウ〔おもて〕 ㉞ surface

字解 ① 겉 표, 바깥 표(外也). ¶ 表面(표면). ② 나타낼 표(明也). ¶ 表現(표현). ③ 표 표(識也). ¶ 表札(표찰). ④ 뛰어날 표(出衆也). ¶ 表表(표표).

字源 會意. 衣와 毛의 합자. 모피털이 있는 쪽을 겉으로 하여 입는 뜻. 또는 속에 모피를 입고, 그 겉에 얇은 겉옷을 입음의 뜻.

[表裏 표리] ㉠ 겉과 속. 표면과 내심(內心). ¶表裏不同(표리부동). ㉡ 앞과 뒤.
[表面 표면] 바깥 면. 겉모양.
[表現 표현] ㉠ 표면에 나타내 보임. ㉡ 내면적(內面的)·정신적·주체적인 것의 외면적·감성적(感性的) 형상화(形象化), 곧 예술가가 자기의 감정·사상을 예술로 나타내는 따위.
[圖表 도표] 그림으로 나타내는 표.
[師表 사표] 학식·덕행이 높아 남의 모범이 될 만한 사람.

4획 ㉙【衲】 기울 납
㉞合 nà

㊠ ノウ〔ぬう〕 ㊤ patch

字解 ① 기울 납(補也). ② 중 납(僧侶). ¶ 衲子(납자).

字源 形聲. 衤(衣)+內〔音〕

[衲衣 납의] 빛이 검은 중의 옷. 장삼(長衫).

[衲子 납자] ㉠ 납의(衲衣)를 걸치고 다니는 중. 특히 선승(禪僧)을 뜻함. ㉡ 중의 겸칭(謙稱). 납승(衲僧).

4
9 【衽】옷섶 임 | rèn | ㊤袵

㊠ ジン〔おくみ〕 ㊤ lapel

字解 ① 옷섶 임(衣襟). ② 요 임(臥席).

字源 形聲. 衤(衣)+壬〔音〕

[衽席 임석] ㉠ 요. 자리. ㉡ 잠을 자도록 마련된 방. 침실(寢室).

4
9 【衿】옷깃 금 | jīn | ㊤㑴

㊠ キン〔えり〕 ㊤ lapel

字解 옷깃 금(衣領).

字源 形聲. 衤(衣)+今〔音〕

參考 襟(衣部 13획)과 통용.

[衿喉 금후] 옷깃과 목구멍. 지세(地勢)가 적의 편에 불리하고, 자기편에는 요긴한 곳. 요해지(要害地).

4
9 【袂】소매 몌 | mèi | ㊤霽

㊠ ベイ〔そで〕 ㊤ sleeve

字解 소매 몌(袖也).

字源 形聲. 衤(衣)+夬〔音〕

注意 訣(言部 4획)은 딴 글자.

[袂別 몌별] 소매를 나눔. 섭섭하게 작별함. 분메(分袂).

4
10 【袞】곤룡포 곤 | gǔn | ㊤阮

㊠ コン〔てんしのころも〕 ㊤ Royal robe

字解 곤룡포 곤(卷龍衣也).

字源 形聲. 衤(衣)+公〔音〕

[袞龍 곤룡] 천자(天子)의 제복(制服). 전하여, 천자.

4
10 【衰】■쇠할 쇠 | shuāi | ㊤支
　　　　■상옷 최 | cuī | ㊤灰

㊠ スイ〔おとろえる〕・サイ〔もふくのな〕 ㊤ decay, mourning dress

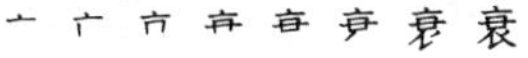

一 亠 亠 亠 声 亨 亨 亨 衰

字解 ■쇠할 쇠(殘微), 약할 쇠(弱也). ¶ 衰亡(쇠망). ■상옷 최(喪服). ¶ 衰服(최복).

字源 象形. 풀로 만든 도롱이의 모양. 쇠하다는 뜻은 음의 차용임.

[衰亡 쇠망] 쇠퇴(衰退)하여 멸망함.
[衰弱 쇠약] 몸이 약함.
[衰退 쇠퇴] 쇠하여 전보다 못하여 감.
[衰廢 쇠폐] 쇠하여 못 쓰게 됨.
[衰服 최복] 부모・조부모상 때 입는 상복(喪服).
[盛衰 성쇠] 성함과 쇠퇴함.

4
10 【衷】정성 충 | zhōng | ㊤東

㊠ チュウ〔はだぎ・まこと〕 ㊤ sincerity

字解 정성 충(誠也).

字源 形聲. 衣+中〔音〕

[衷心 충심] 속에서 진정으로 우러나오는 마음.
[衷情 충정] 마음속에서 우러나오는 참된 정.
[苦衷 고충] 괴로운 마음.

4
10 【袁】옷길 원 | yuán | ㊤元

㊠ エン〔ころものながい〕 ㊤ clothes is long

字解 옷길 원(衣長貌).

字源 形聲. 止(발)를 바탕으로 「哀(애)」의 전음이 음을 나타냄.

4 ⑩ 【衾】 이불 금 [平]侵 qīn

[日] キン〔ふとん〕 [英] coverlet

[字解] **이불 금**(被也, 寢具).

[字源] 形聲. 衣+今〔音〕

[衾褥 금욕] 이불과 요. 이부자리.

[衾枕 금침] 이부자리와 베개. 침구(寢具). ¶ 鴛鴦衾枕(원앙금침).

5 ⑪ 【袞】 袞(곤)(衣部 4획)의 俗字

5 ⑩ 【袍】 두루마기 포 [平]豪 páo

[日] ホウ〔わたいれ〕 [英] overclothes

[字解] ① **두루마기 포**(長襦). ② **도포 포**(平常禮服). ¶ 道袍(도포).

[字源] 形聲. 衤(衣)+包〔音〕

[袍笏 포홀] 도포와 홀. 곧, 조복(朝服).

[青袍 청포] 빛깔이 푸른 도포.

5 ⑩ 【袒】 웃통벗을 단 [上]旱 tǎn

[日] タン〔かたぬぐ〕 [英] coat off

[字解] **웃통벗을 단**(偏脫衣). ¶ 袒裼(단석).

[字源] 形聲. 衤(衣)+旦〔音〕

[袒肩 단견] 한쪽 어깨를 내놓음. 한쪽 소매를 벗음.

5 ⑩ 【袖】 소매 수 [去]宥 xiù

[日] シュウ〔そで〕 [英] sleeve

[字解] **소매 수**(衣袂).

[字源] 形聲. 衤(衣)+由〔音〕

[袖手 수수] 손을 옷소매 속에 넣음. 팔짱을 낌. ¶ 袖手傍觀(수수방관).

[袖珍 수진] 소매 속에 넣어 가지고 다니는 자그마한 책.

[領袖 영수] ㉠ 옷깃과 소매. ㉡ 어떤 단체의 우두머리.

5 ⑩ 【袗】 홑옷 진 [上]軫 zhěn

[日] シン〔ひとえ〕 [英] unlined clothes

[字解] ① **홑옷 진**(單衣). ② **수놓은 옷 진**(畫衣). ¶ 袗衣(진의).

[字源] 形聲. 衤(衣)+㐱〔音〕

[袗衣 진의] 수놓은 옷.

5 ⑩ 【袢】 속옷 번 [平]元 pàn

[日] ハン〔はだぎ〕 [英] underwear

[字解] **속옷 번**(近身衣也).

[字源] 形聲. 衤(衣)+半〔音〕

[袢延 번연] 몸에 달라붙지 않고 큼직하고 여유 있는 옷.

5 ⑩ 【袪】 소매 거 [平]魚 qū

[日] キョ〔たもと〕 [英] sleeve

[字解] **소매 거**(衣袂).

[字源] 形聲. 衤(衣)+去〔音〕

5 ⑩ 【被】 [一]이불 피 [上]紙 bèi [二]미칠 피 [去]寘 pī

[日] ヒ〔ふとん・こうむる〕

[英] coverlet, reach

[字解] [一] ① **이불 피**(寢衣). ¶ 被衿(피금). ② **덮을 피**(覆也). [二] **미칠 피**(及也).

[字源] 形聲. 衤(衣)+皮〔音〕

[被衾 피금] 이부자리.

[被拉 피랍] 납치를 당함.

[被髮 피발] ㉠ 머리털을 풀어 헤침. ㉡ 부모가 돌아갔을 때 머리를 풀어 헤치는 일.

[被服 피복] 옷.

[被襲 피습] 습격을 당함.

[被害 피해] 위해(危害)·손해(損害)를 입음. 또, 그 위해. 손해.

5 ⑩ 【袟】 칼전대 질 [入]質 zhì

⊕ チツ〔かたなぶくろ〕
字解 칼전대 질(劍衣).
字源 形聲. ネ(衣)+失〔音〕

5 【袤】 길이 무 │ mào
⑪   ㊜有

⊕ ボウ〔ながさ〕
字解 길이 무(延亙南北).
字源 形聲. 衣+矛〔音〕

5 【袈】 가사 가 │ jiā
⑪   ㊜麻

⊕ カ・ケ〔けさ〕 ㊤ surplice
字解 가사 가(僧衣). ¶ 袈裟(가사).
字源 形聲. 衣+加〔音〕

[袈裟 가사] 중이 입는 법의(法衣).

5 【袋】 자루 대 │ dài
⑪   ㊜隊

⊕ タイ〔ふくろ〕 ㊤ sack
字解 자루 대, 전대 대, 부대 대 (囊也). ¶ 布袋(포대).
字源 形聲. 衣+代〔音〕

[麻袋 마대] 거친 삼실로 짠 자루.
[布袋 포대] 포목으로 만든 자루.

6 【袱】 보 복 │ fú
⑪   ㊤屋

⊕ フク〔ふくさ〕 ㊤ wrapper
字解 보 복, 보자기 복(帊也). ¶ 包袱(포복).
字源 形聲. ネ(衣)+伏〔音〕

[袱紙 복지] 첩약(貼藥)을 싸는 종이.

6 【袴】 ■바지 고 │ kù
⑪   ㊜遇
      ■사타구 │ kuà
      니 과㊜麻

⊕ コ〔ももひき・まだ〕 ㊤ trousers, groin
字解 ■바지 고(脛衣). ■사타구

니 과(兩脚間).
字解 形聲. ネ(衣)+夸〔音〕

[袴衣 고의] 남자의 여름 홑바지.
[袴下 과하] 사타구니 밑.

6 【袷】 ■겹옷 겹 │ jiá
⑪   ㊤洽
      ■옷깃 겹 │ jié
      ㊤葉

⊕ コウ〔あわせ〕・キョウ〔えり〕 ㊤ lined clothes
字解 ■겹옷 겹(合衣). ■옷깃 겹(曲領).
字源 會意. 衣와 合의 합자. 옷을 합침. 곧, 겹옷을 뜻함.

[袷衣 겹의] 겹옷.

6 【茵】 요 인 │ yīn
⑪   ㊜眞

⊕ イン〔しとね〕 ㊤ mattress
字解 요 인(茵也).
字源 形聲. ネ(衣)+因〔音〕

[茵褥 인욕] 요. 자리.

6 【袵】 袵(임)(衣部 10획)과 同字
⑪

6 【裁】 마를 재 │ cái
⑫   ㊜灰

十 土 耂 耂 圭 裁 裁 裁

⊕ サイ〔たつ〕 ㊤ cut off
字解 ① 마를 재(製衣也). ¶ 裁斷(재단). ② 결단할 재(判決), 헤아릴 재(度也). ¶ 裁決(재결). 裁量(재량).
字源 形聲. 衣+弐〔音〕

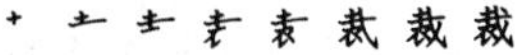

[裁斷 재단] 옷감 따위를 본에 맞추어 마름.
[裁量 재량] 짐작하여 헤아림. ¶ 自由裁量(자유재량).
[裁縫 재봉] 옷감을 마르고 꿰매어 옷을 만드는 일. 바느질.
[仲裁 중재] 다툼질의 사이에 끼어 들어 화해를 붙임.

6
획

6
⑫【裂】찢을 렬
⑧屑 liè

ブ ⑦ ⑦ ⑦ 列 列 裂 裂 裂

㊐ レツ〔さく〕 ㊤ tear

字解 찢을 렬, 찢어질 렬, 터질 렬
(破也). ¶ 龜裂(균열).

字源 會意. 렬이 찢음의 뜻. 뒤에 衣
를 더하여 裂이 됨. 또,「列(렬)」이
음을 나타냄.

[裂傷 열상] 피부에 입은 찢어진 상
처.

[裂眥 열자] 찢어진 눈초리. 대단히
성냈을 때의 흘겨보는 눈초리.

[分裂 분열] 나뉘어 찢어짐.

[破裂 파열] 깨어지거나 갈라져 터짐.

7
⑬【裔】후예 예
㊤霽 yì

㊐ エイ〔もすそ〕 ㊤ descendant

字解 ① 후예 예(後嗣). ② 자락
예(衣裾).

字源 會意. 衣+冏

[裔胄 예주] 대(代)수가 먼 자손.

[後裔 후예] 대수가 먼 후손.

7
⑫【裕】넉넉할
유㊤遇 yù

ブ ⑦ ⑦ ⑦ ⑦ 衤 衤 裕 裕

㊐ ユウ〔ゆたか〕 ㊤ enough

字解 ① 넉넉할 유(饒也). ¶ 裕福
(유복). ② 너그러울 유(寬也). ¶
裕寬(유관).

字源 形聲. 衤(衣)+谷〔音〕

[裕寬 유관] 너그러움.

[裕福 유복] 살림이 넉넉함.

[餘裕 여유] 살림이 넉넉하고 남음
이 있음.

7
⑫【裙】치마 군
㊥文 qún

㊐ クン〔もすそ〕 ㊤ skirt

字解 치마 군(下裳).

字源 形聲. 衤(衣)+君〔音〕

[裙帶 군대] ㉠ 치마와 허리띠. ㉡
치마끈.

7
⑫【補】기울 보
㊤霽 bǔ

ブ ⑦ ⑦ 衤 衤 衤 衦 祻 補 補

㊐ ホ〔おぎなう〕 ㊤ repair

字解 ① 기울 보(綴也). ¶ 補綴(보
철). 補充(보충). ② 도울 보(助也).
¶ 補藥(보약).

字源 形聲. 衤(衣)+甫〔音〕

[補給 보급] 물품을 뒷바라지로 대
어줌.

[補藥 보약] 몸을 보하는 약.

[補職 보직] 공무원에게 어떤 직무
의 담당을 명함. 또, 그 직(職).

[補充 보충] 모자람을 보태어 채움.

[轉補 전보] 다른 관직에 보임됨.

7
⑫【裡】裏(리)(次條)와 同字

7
⑬【裏】속 리
㊤紙 lǐ

一 丆 肀 自 审 审 审 裏 裏

㊐ リ〔うら〕 ㊤ inside

字解 ① 속 리(表之對). ② 안 리
(衣內).

字源 形聲. 衣+里〔音〕

參考 裡(衣部 7획)와 同字.

[裏面 이면] ㉠ 속. 안. 내면. ㉡ 사
물의 표면에 나타나지 않은 부분. ¶
裏面史(이면사).

7
⑬【裒】모을 부
㊥尤 póu

㊐ ホウ〔あつめる〕 ㊤ gather

字解 ① 모을 부, 모일 부(聚也).
¶ 裒集(부집). ② 줄 부, 덜 부(減
也).

字源 會意. 衣와 臼(양손바닥을 합
장하는 모양)의 합자. 양손으로 옷
을 모음의 뜻. 따라서 널리 모음의
뜻.

7 ⑬【褭】 간드러질 뇨 [上]篠 | 袅 niǎo

[日] ジョウ〔たおやか〕 [英] delicate

[字解] **간드러질 뇨**(嫋也).

[字源] 形聲. 衣+鳥〈省〉〔音〕

7 ⑬【裘】 갖옷 구 [平]尤 | qiú

[日] キュウ〔かわごろも〕
[英] fur clothes

[字解] **갖옷 구**(皮衣). ¶ 狐裘(호구)

[字源] 形聲. 衣+求〔音〕

[裘葛 구갈] ㉠ 갖옷과 베옷. 겨울옷과 여름옷. ㉡ 전하여, 1년의 뜻으로 쓰임.

7 ⑬【裝】 꾸밀 장 [平]陽 | 装 zhuāng

丨 丩 爿 壯 壯 裝 裝 裝

[日] ソウ〔よそおう〕 [英] decorate

[字解] ① **꾸밀 장**, **치장할 장**(飾也). ¶ 裝飾(장식). ② **행장 장**(行李也). ¶ 袗衣(진의).

[字源] 形聲. 衣+壯〔音〕

[裝備 장비] ㉠ 부속품·비품(備品) 따위를 장치함. 또, 그 물품. ㉡ 군대나 함정(艦艇) 따위의 무장.

[裝飾 장식] ㉠ 치장함. ㉡ 꾸밈새. ㉢ 그릇·가구 따위에 꾸밈새로 박는 쇠붙이.

[裝置 장치] ㉠ 차리어 둠. ㉡ 만들어 둠. ㉢ 기계의 설비(設備).

7 ⑬【裟】 가사 사 [平]麻 | shā

[日] サ〔けさ〕 [英] surplice

[字解] **가사 사**(佛衣也).

[字源] 形聲. 衣+沙〔音〕

[袈裟 가사] 중이 입는 법의.

8 ⑬【裨】 도울 비 [平]支 | bì

[日] ヒ〔たすける〕 [英] aid

[字解] ① **도울 비**(補也). ② **더할 비**(益也). ③ **작을 비**(小也).

[字源] 形聲. 衤(衣)+卑〔音〕

[裨益 비익] ㉠ 보태어 도움. ㉡ 유익함.

8 ⑬【裱】 장황 표 [去]嘯 [上]篠 | biǎo

[日] ヒョウ〔ひれ〕 [英] mounting

[字解] ① **장황 표**(表具). ¶ 裱褙(표배). ② **목도리 표**(領巾).

[字源] 形聲. 衤(衣)+表〔音〕

[裱褙 표배] 책이나 서화첩(書畫帖)을 꾸미어 만드는 일. 장황(裝潢).

8 ⑬【裲】 배자 량 [上]養 | liǎng

[日] リョウ〔そでなし〕
[英] women's waistcoat

[字解] **배자 량**. ¶ 裲襠(양당).

[字源] 會意. 衣와 兩(가슴과 등)의 합자. 또, 「兩(량)」이 음을 나타냄.

[裲襠 양당] 저고리 위에 덧입는, 소매가 없는 옷. 배자(褙子).

8 ⑬【裸】 벌거숭이 라 [上]哿 | luǒ

[日] ラ〔はだか〕 [英] naked body

[字解] **벌거숭이 라**(赤體無衣). ¶ 赤裸裸(적나라).

[字源] 形聲. 衤(衣)+果〔音〕

[裸麥 나맥] 쌀보리.
[裸體 나체] 벌거숭이.
[全裸 전라] 발가벗음. 알몸뚱이.

8 ⑬【裾】 자락 거 [平]魚 | jū

[日] キョ〔すそ〕 [英] skirt

[字解] **자락 거**(衣後襟也).

[字源] 形聲. 衤(衣)+居〔音〕

[輕裾 경거] 가벼운 옷자락.

6
획

8 ⑬ 【褂】 웃옷 괘 ㊤卦 guà 褂

㊐ カイ〔うわぎ〕
㊎ upper garment
字解 웃옷 괘(淸代之禮服). ¶ 馬褂(마괘), 外褂(외괘).
字源 形聲. 衤(衣)+卦〔音〕

8 ⑭ 【裹】 쌀 과 ㊤哿 guǒ 裹

㊐ カ〔つつむ〕
㊎ wrap
字解 쌀 과(包也).
字源 形聲. 衣+果〔音〕

[裹糧 과량] ㉠ 양식을 쌈. ㉡ 먼 길을 떠날 때 양식을 싸 가지고 감.

8 ⑭ 【裳】 아랫도리 옷 상 ㊤陽 cháng 裳

⺌⺌⺌⺌尚尚尚尚尚裳裳

㊐ ショウ〔もすそ〕 ㊎ skirt
字解 아랫도리옷 상(下衣裙也).
字源 形聲. 衣+尚〔音〕

[衣裳 의상] ㉠ 겉에 입는 옷. ㉡ 양저고리 와 치마.

8 ⑭ 【製】 지을 제 ㊤霽 zhì 制 製

⺊⺊制制制製製製

㊐ セイ〔つくる〕 ㊎ make
字解 지을 제(造也), 만들 제. ¶ 製造(제조), 御製(어제).
字源 形聲. 본디 마름질한다는 뜻의 制에 다시 衣를 더한 글자. 「制(제)」가 음을 나타냄.

[製圖 제도] 도면·도안을 그려 만듦.
[製鍊 제련] 광석(鑛石)에서 금속을 빼내어 정제함. ¶製鍊所(제련소).
[製法 제법] 물건을 제작하는 방법.
[製作 제작] 물건을 만듦. 제조(製造). ㉡ 글을 지음.
[手製 수제] 손으로 만듦.
[特製 특제] 특별히 만듦. 또는 그 제품.

8 ⑭ 【裴】 裵(배)(次條)의 俗字

8 ⑭ 【裵】 ■성 배 ㊤灰 péi / ■나라이름 비 ㊤微 féi 裵

㊐ ハイ〔ながいころも〕
㊎ family name
字解 ■ ① 성 배(姓也). ② 옷치렁치렁할 배(衣長貌). ③ 서성거릴 배(徘徊). ■ 나라이름 비.
字源 形聲. 衣+非〔音〕
參考 裴(衣部 8획)는 俗字.

9 ⑭ 【褘】 ■폐슬 휘 ㊤微 huī / ■옷다울 위 ㊤微 yī 褘

㊐ キ〔ひさかけ〕・イ〔うつくしい〕
㊎ beautiful
字解 ■ 폐슬 위(무릎 위에 들이는 헝겊). ■ 아름다울 위.
字源 形聲. 衤(衣)+韋〔音〕

9 ⑭ 【複】 겹칠 복 ㊤屋 fù 复 複

⻌⻌⻌衤衤衤衤複複

㊐ フク〔かさねる〕 ㊎ double
字解 겹칠 복(重也).
字源 形聲. 衤(衣)+复〔音〕

[複利 복리] 이자에 다시 이자가 붙는 셈. 복변(複邊).
[複雜 복잡] 일이나 물건의 갈피가 뒤섞여 어수선함.
[重複 중복] 거듭함. 겹침.

9 ⑭ 【褊】 ■좁을 편 ㊤銑 biǎn / ■휘날릴 변 ㊤先 piān 褊

㊐ ヘン〔せまい・ころものひるがえるさま〕
㊎ narrow, flap
字解 ■ 좁을 편(狹也). ■ 휘날릴 변.

[字源] 形聲. 衤(衣)+扁〔音〕

[褊陋 편루] 편협하고 고루함.

[褊狹 편협] ㉠ 땅 같은 것이 좁음. ㉡ 마음이 좁고 치우침. 도량(度量)이 좁음.

9
⑭ 【褌】 잠방이 곤 ㊀元 kūn 褌

㈰ ユン〔ふんどし〕
㊠ unlined shorts

[字解] 잠방이 곤(褌也).

[字源] 形聲. 衤(衣)+軍〔音〕

[褌衣 곤의] 잠방이.

9
⑭ 【褐】 베옷 갈 ㉦曷 hè 褐

㈰ カツ〔けおり〕
㊠ hempen clothes

[字解] ① 베옷 갈(麤布). ② 털옷 갈(毛布). ③ 천인 갈(寒賤之人). ¶ 褐夫(갈부). ④ 다색 갈(黃黑色).

[字源] 形聲. 衤(衣)+曷〔音〕

[褐夫 갈부] 너절한 옷을 입은 천한 사람.

[褐色 갈색] 거무스름한 주황빛.

9
⑭ 【褚】 솜옷 저 ㉦語 zhǔ 褚

㈰ チョ〔わたいれ〕
㊠ padded clothes

[字解] 솜옷 저(綿絮裝衣).

[字源] 形聲. 衤(衣)+者〔音〕

9
⑭ 【褓】 포대기 보 ㊀皓 bǎo 褓

㈰ ホ〔むつき〕
㊠ wadded baby wrapper

[字解] 포대기 보(小兒被). ¶ 襁褓(강보).

[字源] 形聲. 衤(衣)+保〔音〕

[褓子 보자] 보자기.

[襁褓 강보] 포대기.

9
⑭ 【褙】 배자 배 ㉦隊 bèi 褙

㈰ ハイ〔はだぎ〕
㊠ women's waistcoat

[字解] ① 배자 배. ¶ 褙子(배자). ② 속옷 배(襦也). ③ 배접할 배. ¶ 褙接(배접).

[字源] 形聲. 衤(衣)+背〔音〕

[褙子 배자] ㉠ 여자가 입는 겉옷의 하나. ㉡ (韓) 마고자 모양으로 되고 소매가 없는 덧저고리.

9
⑮ 【褒】 기릴 포 ㊀豪 bāo 褒

㈰ ホウ〔ほめる〕 ㊠ praise

[字解] 기릴 포, 칭찬할 포(揚美也). ¶ 褒美(포미).

[字源] 形聲. 衣+保〔音〕

[褒賞 포상] 칭찬하여 상을 줌.

[褒貶 포폄] ㉠ 칭찬함과 나무람. ㉡ 시비·선악을 판단하여 결정함.

10
⑮ 【褥】 요 욕 ㈇沃 rù 褥

㈰ ジョク〔しとね〕 ㊠ mattress

[字解] 요 욕(藉也). ¶ 裀褥(인욕).

[字源] 形聲. 衤(衣)+辱〔音〕

10
⑮ 【褪】 바랠 퇴 ㉦願 tuì 褪

㈰ タイ〔あせる〕 ㊠ fade

[字解] ① 바랠 퇴(色減也). ¶ 褪色(퇴색). ② 옷벗을 퇴(卸衣).

[字源] 會意. 衣와 退의 합자. 옷을 벗음의 뜻.

10
⑮ 【褫】 ▇옷벗 길 치 ㊀紙 chǐ ▇벗을 치 ㉦寘 chì 褫

㈰ チ〔ぬぐ·はげる〕 ㊠ strip off, strip

[字解] ▇옷벗길 치(奪衣也). ¶ 褫奪(치탈). ▇벗을 치(脫衣也).

[字源] 形聲. 衤(衣)+褫〔音〕

[褫奪 치탈] ㉠ 옷 따위를 벗겨 빼앗음. ㉡ 벼슬을 빼앗음.

10 ⑯ 〖褰〗 바지 건 [平]先 | qiān

[日] ケン〔かかげる〕 [英] trousers

[字解] ① **바지 건**(袴也). ② **걷을 건**(扱衣).

[字源] 形聲. 衣+寒〈省〉〔音〕

11 ⑯ 〖褶〗 [一]덧옷 첩 [入]葉 [二]사마치 습 [入]緝 | xí zhě

[日] シュウ〔あわせ〕・シュウ〔うまのりばかま〕

[英] coat

[字解] [一] **덧옷 첩**(襲也). [二] ① **사마치 습**(騎服). ② **주름 습**(襞也).

[字源] 形聲. 「習(습)」이 음을 나타냄.

[褶曲 습곡] 지각(地殼)을 이루고 있는 지층들이, 지각 운동의 힘의 영향을 받아 파도 모양으로 주름이 진 것.

11 ⑯ 〖褸〗 헌누더기 루 [上]麌 | 褛 lǚ

[日] ル〔つづれ〕 [英] rags

[字解] **헌누더기 루**(衣敝也).

[字源] 形聲. 衤(衣)+婁〔音〕

[襤褸 남루] 누더기.

11 ⑯ 〖襁〗 포대기 강 [上]養 | qiǎng

[日] キョウ〔むつき〕

[英] swaddling clothes

[字解] **포대기 강, 띠 강**(負兒衣也).

[字源] 形聲. 衤(衣)+強〔音〕

[襁褓 강보] 포대기.

11 ⑰ 〖褻〗 더러울 설 [入]屑 | 亵 xiè

[日] セツ〔けがれる〕 [英] dirty

[字解] ① **더러울 설, 더럽힐 설**(猥也). ¶ 猥褻(외설). ② **속옷 설**(裏衣). ¶ 褻衣(설의).

[字源] 形聲. 衤(衣)+埶〔音〕

[褻狎 설압] 버릇없이 굶.

[褻衣 설의] ㉠ 속옷. ㉡ 관복이나 공복이 아닌 보통의 옷. 사복(私服).

[褻戲 설희] 외설스러운 장난.

[猥褻 외설] 성욕을 자극할 목적으로 하는, 추잡하고 예의 없는 일.

11 ⑰ 〖襄〗 오를 양 [平]陽 | xiāng

[日] ジョウ〔あがる・たすける〕

[英] go up

[字解] ① **오를 양**(上也). ② **이룰 양**(成也). ③ **도울 양**(贊也).

[字源] 形聲. 「𠵇(양)」이 음을 나타냄.

[襄禮 양례] 장사 지내는 예절. 장의(葬儀).

12 ⑰ 〖襌〗 홑옷 단 [平]寒 | 禅 dān

[日] タン〔ひとえ〕 [英] unlined clothes

[字解] **홑옷 단**(單衣無裏).

[字源] 形聲. 衤(衣)+單〔音〕

[襌衣 단의] 홑옷.

13 ⑱ 〖襖〗 웃옷 오 [上]皓 | 袄 ǎo

[日] オウ〔うわぎ〕 [英] coat

[字解] **웃옷 오**(袍屬).

[字源] 形聲. 衤(衣)+奧〔音〕

13 ⑱ 〖襚〗 수의 수 [去]寘 | suì

[日] スイ〔きょうかたびら〕

[英] grave clothes

[字解] **수의 수**(贈死衣).

[字源] 形聲. 衤(衣)+遂〔音〕

[襚衣 수의] 염할 때 시체에 입히는 옷.

6획

13
⑱ **[襜]** 행주치마 첨 ㊀鹽 | chān

㊐ セン〔まえかけ〕 ㊫ apron

字解 행주치마 첨(蔽前衣).

字源 形聲. 衤(衣)+詹〔音〕

13
⑱ **[襟]** 깃 금 ㊀侵 | jīn

㊐ キン〔えり〕 ㊫ lapel

字解 ① 깃 금(交衽). ¶ 襟帶(금대). ② 가슴 금, 마음 금(胸也). ¶ 襟度(금도).

字源 形聲. 衤(衣)+禁〔音〕

[襟帶 금대] ㉠ 옷깃과 띠. ㉡ 산천이 꼬불꼬불 돌아 요해(要害)를 이루고 있음을 비유하는 말.

[襟度 금도] 남을 용납할 만한 도량.

[胸襟 흉금] 가슴속의 생각.

13
⑱ **[襠]** 배자 당 ㊀陽 | dāng

㊐ トウ〔うちかけ〕
㊫ women's waistcoat

字解 ① 배자 당(衣名). ¶ 褚襠(양당). ② 잠방이 당(袴屬). ¶ 褌襠(곤당).

字源 會意. 衣와 當(댕)의 합자. 대는 옷의 뜻.

13
⑲ **[襞]** 주름 벽 ㊁陌 | bì

㊐ ヘキ〔ひだ〕 ㊫ wrinkles

字解 ① 주름 벽. ¶ 襞積(벽적). ② 접을 벽(疊衣).

字源 形聲. 衣+辟〔音〕

14
⑲ **[襤]** 헌누더기 람 ㊁覃 | lán

㊐ ラン〔つづれ〕 ㊫ ragged

字解 헌누더기 람(敝衣).

字源 形聲. 衤(衣)+監〔音〕

[襤褸 남루] ㉠ 누더기. ㉡ 때 묻고 해어져서 볼썽사납게 더러움.

14
⑲ **[襦]** 속옷 유 ㊖虞 | rú

㊐ ジュ〔はだぎ〕 ㊫ underwear

字解 속옷 유(短衣, 近身衣). ¶ 襦袴(유고).

字源 形聲. 衤(衣)+需〔音〕

[襦袴 유고] 속옷과 바지.

15
⑳ **[襪]** 버선 말 ㊅月 | wà

㊐ バツ〔たび〕 ㊫ socks

字解 버선 말(足衣).

字源 形聲. 衤(衣)+蔑〔音〕

[洋襪 양말] 맨발에 신는 실이나 섬유로 짠것.

15
⑳ **[襮]** 깃 박 ㊅藥 | bó

㊐ ハク〔えり〕 ㊫ coat lapels

字解 깃 박(黼領).

字源 形聲. 衤(衣)+暴〔音〕

16
㉑ **[襯]** 속옷 츤 ㊉震 | chèn

㊐ シン〔はだぎ〕 ㊫ underwear

字解 ① 속옷 츤(近身衣). ② 가까이할 츤(接近). ③ 베풀 츤(施與).

字源 形聲. 衤(衣)+親〔音〕

[襯衣 츤의] 속옷. 땀받이.

16
㉒ **[襲]** 엄습할 습 ㊆緝 | xí

亠 音 产 龍 龍 龍 龍 襲

㊐ シュウ〔おそう〕 ㊫ attack

字解 ① 엄습할 습(掩其不備曰襲). ¶ 襲擊(습격). ② 물려받을 습(也, 受也). ¶ 世襲(세습). ③ 껴입을 습(重衣). ¶ 襲衣(습의). ④ 벌습. ¶ 一襲(일습).

字源 形聲. 衣+龖〔音〕

[襲擊 습격] 갑자기 적을 엄습하여 침.

[襲衣 습의] ㉠ 장례 때 시체에 입히

는 옷. ㉡ 옷을 껴입음. 덧입음.
[因襲 인습] 옛 관습을 따름.
[被襲 피습] 습격을 당함.

襾 〔6 획〕 部
(덮을아부)

0 ⑥ 【襾】 덮을 아 [去]禡 | yà
[日] ア〔おおう〕 [英] cover
[字解] **덮을 아**(覆也).
[字源] 會意. 一과 凵과 冂의 합자. 아래위로 덮어 쌌음의 뜻.

0 ⑥ 【西】 서녘 서 [平]齊 | xī
一 丆 丙 丙 两 西
[日] セイ〔にし〕 [英] west
[字解] **서녘 서**(日入方).
[字源] 象形. 둥지 위에 새가 쉬고 있는 모양. 새가 둥지에 돌아올 때쯤은 해가 서쪽에 저물 때이므로 서쪽의 뜻을 나타냄.
[西歐 서구] 서부 유럽의 여러 나라.
[西風 서풍] ㉠ 서쪽에서 불어오는 바람. ㉡ 가을바람. 오행설(五行說)에서 가을은 서쪽에 해당함.
[東西 동서] 동쪽과 서쪽.

3 ⑨ 【要】 구할 요 [平]蕭 | yāo yào
一 丆 丙 两 覀 覀 要 要
[日] ヨウ〔もとめる〕 [英] seek
[字解] ① **구할 요**(求也). ¶ 要求(요구). 要請(요청). ② **기다릴 요**(待也). ¶ 要擊(요격). ③ **으를 요**(劫也). ④ **언약할 요**(約也). ¶ 要約(요약). ⑤ **규찰할 요**(糾察). ⑥ **반드시 요**(必也). ¶ 要須(요수). ⑦ **허리 요**(腰也).
[字源] 象形. 양손으로 허리를 꼭 누르고 있는 모양. 「腰(요)」의 원자(原字).
[要綱 요강] 요약된 중요한 사항.
[要求 요구] 구함. 달라고 함.
[要緊 요긴] 꼭 필요함.
[要約 요약] ㉠ 말이나 문장의 요점을 잡아 추림. ㉡ 약속함. 언약함.
[要人 요인] 중요한 자리에 있는 사람.
[要點 요점] 중요한 점.
[重要 중요] 귀중하고 종요로움.
[必要 필요] 꼭 요구됨. 꼭 쓰임.

6 ⑫ 【覃】 [一]깊을 담 [平]覃 [二]날설 염 [平]鹽 | tán yǎn
[日] タン〔およぶ〕・エン〔するどい〕
[英] deep and wide, keen
[字解] [一] ① **깊을 담, 깊고넓을 담**(深廣). ¶ 覃思(담사). ② **벋을 담**(延也), **미칠 담**(及也). ¶ 覃恩(담은). [二] **날설 염**.
[字源] 會意. 짠맛을 나타내는 鹵와 삶는다는 뜻의 亯과의 합자. 짠맛이 나는 삶은 음식의 뜻.
[覃思 담사] 깊이 생각함.
[覃恩 담은] ㉠ 은혜를 널리 베풂. ㉡ 임금이 베푸는 은혜.

12 ⑱ 【覆】 [一]엎어질 복 [入]屋 [二]덮을 부 [去]宥 | fù
[日] フク〔くつがえす〕・フウ〔おおう〕
[英] overturn, cover
[字解] [一] ① **엎어질 복, 넘어질 복**(倒也). ¶ 顚覆(전복). ② **배반할 복**(反也). ③ **되풀이할 복**(重也). [二] ① **덮을 부**(蓋也). ② **퍼질 부**(布也).
[字源] 形聲. 襾+復〔音〕
[覆蓋 복개] ㉠ 뚜껑. ㉡ 덮음. ¶ 覆蓋工事(복개 공사).
[覆面 복면] 얼굴을 보이지 않게 가림. ¶ 覆面強盜(복면강도).

[反覆 반복] 언행을 이랬다저랬다 하여 자꾸 고침.

[飜覆 번복] 이리저리 뒤쳐서 고침. 뒤집음.

13 ⑲ 【覈】 [一]핵실할 핵 [入]陌 [二]보리싸라기 흘 [入]屑 | hé

[日] カク〔しらべる〕·ケツ〔かたむぎ〕 [英] verify, broken barley

[字解] [一] ① **핵실할 핵**(考事得實). ¶ 考覈(고핵). ② **씨 핵**(果中實). [二] **보리싸라기 흘**(麧也).

[字源] 形聲. 襾+敫〔音〕

13 ⑲ 【覇】 霸(패)(雨部 13획)의 俗字

17 ㉓ 【覉】 羇(기)(网部 17획)의 本字

19 ㉕ 【覊】 羈(기)(网部 19획)와 同字

見 〔7 획〕 部 (볼견부)

0 ⑦ 【見】 [一]볼 견 [去]霰 [二]뵐 현 [去]霰 | 见 jiàn xiàn

丨 冂 冃 月 目 貝 見

[日] ケン〔みる〕 [英] see, humbly see

[字解] [一] ① **볼 견, 보일 견**(視也). ¶ 見聞(견문). ② **견해 견**. ¶ 識見(식견). [二] ① **뵐 현**. ¶ 謁見(알현). ② **나타날 현**(顯也), **드러날 현**(露也). ¶ 露見(노현).

[字源] 象形. 사람이 눈을 움직이고 있는 모양을 본뜸.

[見聞 견문] 보고 들음. 또, 그 지식.

[見蚊拔劍 견문발검] 시시한 일에 성을 냄을 가리키는 말. 아주 작은 일에 만용(蠻勇)을 부림.

[見解 견해] 자기 의견으로 본 해석. ¶ 見解差(견해차).

[意見 의견] 마음속에 느낀 생각.

[卓見 탁견] 뛰어난 의견이나 견해.

4 ⑪ 【規】 법 규 [平]支 | 规 guī

二 扌 夫 刔 刔 担 規 規

[日] キ〔ぶんまわし〕 [英] rule

[字解] ① **법 규**(法也). ¶ 規定(규정). ② **그림쇠 규**(正圓器). ¶ 矩規(구규). ③ **꾀 규**(謀也).

[字源] 會意. 夫(훌륭한 사람)와 見과의 합자. 훌륭한 사람의 견식은 올바르다는 뜻에서 정확하게 원을 그리는 컴퍼스의 뜻이 됨.

[規戒 규계] 바르게 경계함.

[規模 규모] ㉠ 컴퍼스와 본. ㉡ 본보기가 될 만한 제도. ㉢ 물건의 크기 또는 구조. ¶ 大規模(대규모). ㉣ 일정한 예산의 한도.

[規定 규정] ㉠ 규칙을 정함. ㉡ 작정한 규칙.

[例規 예규] 관례와 규칙. 관례로 되어 있는 규칙.

4 ⑪ 【覓】 구할 멱 [入]錫 | 觅 mì

[日] ベキ〔もとめる〕 [英] search for

[字解] **구할 멱**(求也). ¶ 覓得(멱득).

[字源] 會意. 爪와 見과의 합자. 물건을 손에 넣으려고 눈을 가늘게 뜨고 봄의 뜻.

[參考] 覔(見部 4획)은 속자.

[覓句 멱구] 훌륭한 시를 지으려고 애써 좋은 글귀를 찾음.

4 ⑪ 【覔】 覓(멱)(前條)의 俗字

5 ⑫ 【視】 볼 시 [去]寘 | 视 shì

ニ 亍 亓 礻 礻冂 礻目 礻月 視

[日] シ〔みる〕 [英] look at

[字解] ① **볼 시**(瞻也). ¶ 熟視(숙시). ② **견줄 시**(比也).

[字源] 形聲. 見+示〔音〕

[視覺 시각] 보는 감각 작용. 시감(視感).

[視力 시력] 물체의 형태를 분간하는 눈의 능력.

[視線 시선] 눈길이 가는 방향.

[視察 시찰] 돌아다니며 실지 사정을 살펴봄.

[凝視 응시] 한곳을 눈여겨봄.

5 ⑫ 【覗】 엿볼 사 [平]支 | 觇 sì

[日] シ〔うかがう〕 [英] peep

[字解] **엿볼 사**(伺也, 窺覗).

[字源] 形聲. 見+司〔音〕

5 ⑫ 【覘】 엿볼 점[本]첨 [平]鹽[去]豔 | 觇 chān

[日] テン〔うかがう〕 [英] spy on

[字解] **엿볼 점**(窺視). ¶ 覘望(점망).

[字源] 形聲. 見+占〔音〕

[覘視 점시] 엿봄. 규시(窺視).

6 ⑬ 【覜】 뵐 조 [去]嘯 | tiào

[日] チョウ〔みる〕 [英] audience

[字解] ① **뵐 조**(視也). ② **조회 조**(諸侯三年大相聘曰覜).

[字源] 形聲. 見+兆〔音〕

7 ⑭ 【覡】 박수 격 [入]錫 | 觋 xí

[日] ゲキ〔かんなぎ〕 [英] male shaman

[字解] **박수 격**(男巫). ¶ 男覡女巫(남격여무).

[字源] 會意. 巫+見

[巫覡 무격] 여자 무당과 남자 무당.

9 ⑯ 【覩】 睹(도)(目部 9획)와 同字

9 ⑯ 【親】 친할 친 [平]眞[去]震 | 亲 qīn

亠 立 辛 亲 亲冂 亲目 亲月 親

[日] シン〔したしい・おや〕

[英] intimate

[字解] ① **친할 친, 가까울 친**(近也). ¶ 親密(친밀). ② **어버이 친**(父母). ¶ 兩親(양친). ③ **몸소 친, 친히 친**(躬也). ¶ 親書(친서). ④ **친척 친**(九族). ¶ 親戚(친척).

[字源] 形聲. 見+亲〔音〕

[親近 친근] 정분이 친하고 가까움.

[親喪 친상] 부모의 상사(喪事).

[親書 친서] ㉠ 친히 글씨를 씀. ㉡ 몸소 보내 준 서신. ㉢ 국가 원수의 편지.

[親狎 친압] 아무 흉허물 없이 너무 지나칠 정도로 친함.

[親知 친지] 친하게 아는 사람. 친우(親友).

[親戚 친척] ㉠ 친족과 외척. ㉡ 성이 다른 가까운 척분(戚分). 곧, 고종(姑從)·외종(外從)·이종(姨從) 등.

[親筆 친필] 손수 쓴 글씨. 친서(親書).

[兩親 양친] 아버지와 어머니.

[切親 절친] 매우 친근함.

9 ⑯ 【覧】 覽(람)(見部 14획)의 俗字

10 ⑰ 【覬】 넘겨다볼 기[去]寘 | 觊 jì

[日] キ〔のぞむ〕 [英] covet

[字解] **넘겨다볼 기**(望也). ¶ 覬覦(기유).

[字源] 形聲. 見+豈〔音〕

10 ⑰ 【覯】 만날 구 [去]宥 | 觏 gòu

[日] コウ〔あう〕 [英] meet

[字解] ① **만날 구**(遇見). ② **이룰**

7 획

구(成也).

字源 形聲. 見+冓〔音〕

¹¹₁₈【覌】 觀(관)(見部 18획)의 俗字

¹¹₁₈【覷】 엿볼 저　去御平魚　qù

㈰ ショ〔うかがう〕　㊫ spy on

字解 엿볼 저(伺視).

字源 形聲. 見+虘〔音〕

參考 狙(犬部 5획)와 통용.

¹¹₁₈【覲】 뵐 근　去震　jìn

㈰ キン〔まみえる〕　㊫ humbly see

字解 뵐 근(見謁).¶朝覲(조근).

字源 形聲. 見+堇〔音〕

[覲親 근친] ㉠ 시집간 딸이 친정으로 와서 친정 어버이를 뵘. ㉡ 출가(出家)한 승려가 속가(俗家)의 어버이를 뵘.

¹²₁₉【覵】 ▪엿볼 간 去諫 jiàn　▪엿볼 한 平删 xián

㈰ カン〔うかがう〕　㊫ spy on

字解 ▪엿볼 간(覘視). ▪엿볼 한(覘視).

字源 形聲. 見과 閒(틈새)과의 합자. 틈새로 엿봄의 뜻. 또, 「閒(간)」이 음을 나타냄.

¹²₁₉【覽】 瞥(별)(目部 12획)과 同字

¹³₂₀【覺】 ▪깨달을 각 入覺 jué　▪깰 교 去效 jiào

㇐ ㇐ ㇐ ㇐ ㇐ ㇐ 與 覺 覺

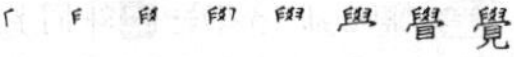

㈰ カク〔さとる〕・コウ〔さめる〕

㊫ realize, awake

字解 ▪① 깨달을 각(寤也).¶覺悟(각오). ② 깨우칠 각(曉也). ③ 곧을 각(直也). ▪깰 교(夢醒).

字源 形聲. 學의 생략형과 見과의 합자자. 보고 배워 사물의 도리를 깨달음의 뜻. 「學(학)」의 전음이 음을 나타냄.

[覺醒 각성] ㉠ 깨어남. ㉡ 잘못을 깨달아 정신을 차림.

[發覺 발각] 숨겼던 일이 드러남.

[先覺 선각] 남보다 앞서서 도나 사물을 깨달음.

¹⁴₂₁【覽】 볼 람 上感 lǎn

㇐ ㇐ ㇐ ㇐ ㇐ ㇐ 覽 覽

㈰ ラン〔みる〕　㊫ look at

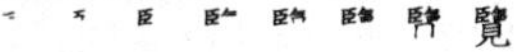

字解 볼 람(視也).¶博覽(박람).

字源 形聲. 見과 監(헤아림)의 합자. 또, 「監」의 전음이 음을 나타냄.

¹⁵₂₂【覿】 볼 적 入錫 dí

㈰ テキ〔みる〕　㊫ see

字解 볼 적(見也).

字源 形聲. 見+賣(육)〔音〕

¹⁸₂₅【觀】 ▪볼 관 平寒 去翰 guān　▪생각 관 去翰 guàn

艹 丱 萱 萑 雚 雚 觀 觀

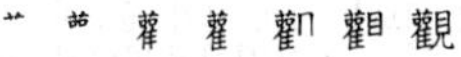

㈰ カン〔みる・あらわす〕

㊫ look, thinking

字解 ▪볼 관(視也).¶觀察(관찰). ▪① 생각 관, 관점 관, 견해 관.¶觀念(관념). 主觀(주관). ② 모양 관(容貌).¶美觀(미관). ③ 보일 관(示也).¶觀兵(관병).

字源 形聲. 見+雚〔音〕

[觀光 관광] 다른 나라나 다른 지방의 문화·풍경·상황들을 구경함.¶觀光客誘致(관광객 유치).

⁷
획

[觀兵 관병] ㉠ 군대의 위세(威勢)를 보임. ㉡ 군사를 벌여 세우고 사열(查閱)함. 열병(閱兵). ¶ 觀兵式(관병식).

[觀點 관점] 사물을 관찰할 때 그 사람이 보는 처지. 견지(見地).

[觀察 관찰] ㉠ 사물을 잘 살펴봄. ㉡ 사물의 현상에 대하여 일정한 목적을 정하고 자연 상태 그대로를 자세히 살펴봄.

[達觀 달관] 사물의 진실을 꿰뚫어 보는 뛰어난 관찰.

角 〔7 획〕 部
(뿔각부)

7 획

0 ⑦ **【角】** 뿔 각 [入]覺 | 角 jiǎo, jué

′ 〃 ⺈ 角 角 角 角

[日] カク〔つの〕 [英] horn

[字解] ① **뿔 각**(獸頭上骨外出也). ¶ 角弓(각궁). ② **쌍상투 각**(結髮), **총각 각**. ¶ 總角(총각). ③ **다툴 각**(競也), **견줄 각**(比也). ¶ 角逐(각축). ④ **모 각, 모날 각**(隅也). ¶ 角帽(각모). ⑤ **각 각, 각도 각**. ¶ 角度(각도).

[字源] 象形. 뿔을 본뜬 글자.

[角弓 각궁] 쇠뿔이나 양뿔 같은 것으로 꾸민 활.

[角度 각도] 각의 크기. 곧, 한 점에서 나간 두 직선 사이의 벌어진 정도.

[角帽 각모] ㉠ 모난 모자. ㉡ 대학생의 사각모자.

[角逐 각축] 서로 이기려고 다툼. 서로 다투며 쫓아다님. 재능을 겨룸.

[頭角 두각] ㉠ 짐승의 머리에 난 뿔. ㉡ 뛰어난 학식이나 재능 등을 비유적으로 이르는 말.

5 ⑫ **〖觚〗** 술잔 고 [平]虞 | 觚 gū

[日] コ〔さかずき〕 [英] wine cup

[字解] ① **술잔 고**(酒爵). ¶ 觚不觚(고불고). ② **모 고**(方也). ③ **대쪽 고**(竹簡). ¶ 觚牘(고독).

[字源] 形聲. 角+瓜〔音〕

[觚牘 고독] ㉠ 글자를 쓰는 대쪽. ㉡ 책. 간책(簡策).

[觚不觚 고불고] 옛날에 모가 난 술잔이었던 고(觚)가 후세에 모나지 않은 술잔으로 변했다는 데서, 이름만 있고 실속이 없음을 이름.

5 ⑫ **〖觜〗** [一]별이름 자[平]支 [二]바다거북 주[平]支 [三]부리 취[上]紙 | zī zuǐ

[日] スイ〔とるき〕・シ〔うみがめ・くちばし〕

[英] large turtle, beak

[字解] [一] **별이름 자**(西方宿名). [二] **바다거북 주**(大龜). [三] **부리 취**(喙也).

[字源] 形聲. 角+此〔音〕

6 ⑬ **〖触〗** 觸(촉)(角部 13획)의 俗字

6 ⑬ **【解】** [一]풀 해 [上]蟹 [二]게으를 해[去]卦 | jiě jiè

〃 ⺈ 角 角 角⁷ 角⁷ 解 解

[日] カイ〔とく・おこたる〕

[英] untie, idle

[字解] [一] ① **풀 해**(釋也). ¶ 解網(해망). ② **가를 해**(判也). ¶ 解剖(해부). ③ **흩을 해, 흩어질 해**(物自散). ¶ 解散(해산). ④ **벗을 해**(脫也). ¶ 解履(해리). [二] **게으를 해**(倦也).

[字源] 會意. 牛와 角과 刀의 합자. 소의 뿔을 칼로 떼어냄의 뜻.

[參考] 懈(心部 13획)는 [二]와 同字.

[解得 해득] 깨달아 앎. ¶ 文字解得

(문자 해득).

[解放 해방] ㉠ 가두거나 얽매어 둔
것을 풀어 놓음. ㉡ 속박(束縛)에서
풀려나 자유로운 몸이 됨.

[解剖 해부] ㉠ 생물의 몸을 갈라 내
부를 조사함. ㉡ 사물의 조리를 분
석하여 연구함.

[解産 해산] 아이를 낳음. 몸을 품.
분만(分娩).

[解釋 해석] 알기 쉽게 풀이함.

[解由 해유] 재직 중에 책임을 완수
했다는 증명서.

[解弛 해이] 풀리어 느즈러짐.

[解怠 해태] 게으름. 해태(懈怠).

[難解 난해] 풀기가 어려움.

[瓦解 와해] 무너져 흩어짐.

7
⑭ 【觫】 곱송그릴
　　　속⊕屋 | 觫 | 觫
　　　sù

㈰ ソク〔おそれる〕　㊐ fear

字解 곱송그릴 속(懼貌).

字源 形聲. 角+束〔音〕

[觳觫 곡속] 죽음을 두려워하는 모
양.

8
⑮ 【觭】 천지각
　　　기⊕支 | 觭 | 觭
　　　jī

㈰ キ〔かたむく〕

字解 ① 천지각 기(兩角俯仰). ②
짝 기(隻也). ¶ 觭偶(기우).

字源 形聲. 角+奇〔音〕

10
⑰ 【觳】 ■뿔잔 곡
　　　　 ⊕혹⊕屋 | hú
　　　　 ■견줄 각 | què
　　　　 ⊕覺

㈰ コク〔さかずき〕・カク〔くらべる〕
㊐ horn chalice, compare

字解 ■ ① 뿔잔 곡(角酒爵). ②
말 곡(器名). ③ 곱송그릴 곡(懼
貌). ■ 견줄 각(校也).

字源 形聲. 角+殼〔音〕

[觳觫 곡속] 죽음을 두려워하는 모
양.

11
⑱ 【觴】 잔 상
　　　　 ⊕陽 | 觴 | shāng

㈰ ショウ〔さかずき〕　㊐ goblet

字解 ① 잔 상(酒巵總名). ② 잔
낼 상(酒爵也).

字源 形聲. 角+煬〈省〉〔音〕

[觴詠 상영] 술을 마시며 시가를 읊
음.

[濫觴 남상] 술잔을 띄움. 사물의 근
원을 이름.

13
⑳ 【觸】 닿을 촉
　　　　 ⊕沃 | 觸 | chù

ク 角 角 角 觸 觸 觸

㈰ ショク〔ふれる〕　㊐ touch

字解 ① 닿을 촉(接也). ¶ 觸感
(촉감). ② 범할 촉(犯也). ¶ 抵觸
(저촉).

字源 形聲. 角+蜀〔音〕

[觸角 촉각] 대부분의 절지(節肢) 동
물의 머리에 붙어 있는 감각기. 더듬
이.

[觸覺 촉각] 피부에 다른 물건이 닿
을 때 느끼는 감각. 촉감(觸感).

[感觸 감촉] 피부에 닿아 일어나는
느낌.

18
㉕ 【觿】 뿔송곳
　　　　 휴⊕齊 | xī

㈰ ケイ〔くじり〕

字解 뿔송곳 휴(角錐所以解結).

字源 形聲. 角+巂〔音〕

言 〔7 획〕 部
(말씀언부)

0
⑦ 【言】 ■말씀
　　　　 언⊕元 | yán
　　　　 ■화기
　　　　 애애할 | yín
　　　　 은⊕眞

一 二 三 亖 亖 言 言

7
획

ⓗ ゲン〔いう〕・キン〔やわらぎつつしむ〕
ⓔ words

字解 ■ 말씀 언, 말 언, 말할 언(語也). ¶ 多言(다언). ■ 화기애애할 은(和敬貌).

字源 會意. 辛(신)+口

[言及 언급] 하는 말이 그것에까지 미침. 어떤 문제에 대하여 말함.

[言論 언론] 말이나 글로 자기의 생각을 발표하는 일. 또, 그 의론.

[言語道斷 언어도단] ㉠ 불교에서, 말로는 표현할 도리가 없음. 말로 표현할 수 없는 심오한 진리. ㉡ 너무 어이가 없어 말로 나타낼 수 없음.

[言猶在耳 언유재이] 먼저 들은 말이 아직도 귀에 쟁쟁하여 잊혀지지 아니함.

[言下 언하] 말하는 바로 그 자리.

[甘言 감언] 달콤한 말. 남의 마음에 들도록 듣기 좋게 하는 말.

2
⑨ 【訂】 바로잡을 정㉻徑 | 订 dìng　訂

` 亠 亍 言 言 言 訂

ⓗ テイ〔ただす〕 ⓔ straighten

字解 바로잡을 정(正定). ¶ 校訂(교정).

字源 形聲. 言+丁〔音〕

[訂正 정정] 잘못을 고쳐서 바로잡음. 글씨나 말 따위의 틀린 곳을 바르게 고침.

[訂定 정정] 잘되고 잘못됨을 의논하여 정함.

[訂證 정증] 바로잡아 밝힘.

[改訂 개정] 고쳐서 바로잡음.

[修訂 수정] 줄이나 글자 등의 잘못을 고침.

2
⑨ 【訃】 부고 부㉻遇 | 讣 fù　讣

ⓗ フ〔つげる〕 ⓔ obituary

字解 부고 부, 부고낼 부(告喪).

字源 形聲. 言+卜〔音〕

[訃告 부고] 사람이 죽은 것을 알리는 통지. 부음(訃音). 고부(告訃). 부문(訃聞).

2
⑨ 【計】 셈 계 ㉻霽 | 计 jì　計

` 亠 亍 言 言 言 計

ⓗ ケイ〔はかる〕 ⓔ count

字解 ① 셈 계, 계산 계(數也). ¶ 計量(계량). ② 꾀 계(謀策). ¶ 計略(계략).

字源 會意. 言과 十의 합자. 十은 수의 끝을 뜻한다.

[計略 계략] 계책(計策)과 모략. 꾀.

[計量 계량] 분량을 계산함.

[計算 계산] 수량을 헤아림. 셈함.

[計劃 계획] 꾀하여 미리 작정함.

[生計 생계] 살아갈 방도.

[合計 합계] 모두 합한 전체의 수.

2
⑨ 【訇】 ■큰소리 굉㉻庚
　　　　 ■속일 균㉻震 | hōng
jùn 訇

ⓗ コウ〔おおきいこえ〕・キン〔あざむく〕
ⓔ loud voice, deceive

字解 ■ 큰소리 굉(大聲). ■ 속일 균.

字源 形聲. 言+勹〈省〉〔音〕

3
⑩ 【訊】 물을 신 ㉻震 | 讯 xùn　訊

ⓗ ジン〔とう・ただす〕 ⓔ ask

字解 물을 신(問也). ¶ 訊問(신문).

字源 形聲. 言+卂〔音〕

[訊鞫 신국] 죄상을 문초함. 국문(鞫問)함.

[訊問 신문] ㉠ 물어서 캠. ㉡ 죄를 물음.

3
⑩ 【訌】 어지러울 홍㉻東
　　　　　　㉻送 | hòng　訌

[日] コウ〔みだれる〕 [英] discord

[字解] **어지러울 홍**(亂也).

[字源] 形聲. 言+工〔音〕

[內訌 내홍] 내부에서 저희끼리 일으키는 분쟁.

3 ⑩ **〖討〗** 칠 토 [上]皓 | 讨 tǎo

ˉ 亠 亠 言 言 言 訁 討 討

[日] トウ〔うつ〕 [英] attack

[字解] ① **칠 토**(征也). ¶ 討伐(토벌). ② **찾을 토**(尋也), **더듬을 토**(探也). ¶ 討論(토론). 探討(탐토). ③ **구할 토**(求也). ¶ 討索(토색). ④ **다스릴 토**(治也). ¶ 討罪(토죄).

[字源] 會意. 言과 寸(법도)와의 합자. 법에 의하여 어지러움을 바르게 다스림의 뜻. 일설에는 「肘(주)」의 생략형의 전음이 음을 나타낸다고도 함.

[討論 토론] ㉠ 정당한 이치를 궁구함. ㉡ 어떠한 논제(論題)를 둘러싸고 여러 사람이 각각 의견을 말하며 논의함.

[討伐 토벌] 군대를 보내어 침. ¶ 討伐作戰(토벌 작전).

[討索 토색] 금품을 억지로 달라고 함.

[討議 토의] 어떤 사물에 대하여 각각 의견을 내어 검토하고 협의하는 일.

[檢討 검토] 사실이나 내용을 분석해 가면서 따짐.

3 ⑩ **〖訏〗** [一]클 우 [本]후[上]麌 [二]시끄러울 호 [平]虞 | 讦 xū hū

[日] ク〔おおきい〕・コ〔さけぶ〕

[英] big, noisy

[字解] [一] **클 우**(大也). [二] **시끄러울 호**(張口鳴也).

[字源] 形聲. 言+于〔音〕

3 ⑩ **〖訑〗** [一]으쓱거릴 이 [平]支 [二]속일 타 [平]歌 [三]방탕할 탄 [去]諫 | 訑 yí tuó dàn

[日] イ〔とくいなさま〕・タ〔いつわる〕・タン〔ほしいまま〕

[英] swagger, deceive, dissipated

[字解] [一] **으쓱거릴 이**(淺意自得). [二] **속일 타**(欺也). [三] **방탕할 탄**(放也). ¶ 慢訑(만이).

[字源] 形聲. 言+也〔音〕

3 ⑩ **〖訓〗** 가르칠 훈 [去]問 | 训 xùn

ˉ 亠 亠 言 言 訁 訓 訓

[日] クン〔おしえる〕 [英] instruct

[字解] ① **가르칠 훈**(誨也). ¶ 訓示(훈시). ② **새김 훈, 훈 훈**(註解). ¶ 訓詁(훈고). 訓釋(훈석).

[字源] 形聲. 言+川〔音〕

[訓戒 훈계] 타일러 경계함.

[訓練 훈련] 일정한 목표 또는 기준에 이르기 위해 실천하는 실제적 활동.

[訓放 훈방] 훈계하여 방면함.

[訓釋 훈석] 한문 글자의 뜻을 해석함.

[訓示 훈시] ㉠ 가르쳐 보임. ㉡ 상관이 집무상(執務上)의 주의 사항을 부하 직원에게 일러 보임.

[教訓 교훈] 가르치고 깨우쳐 줌. 또는 그 가르침.

3 ⑩ **〖訕〗** 헐뜯을 산[去]諫 [平]刪 | 讪 shàn

[日] セン〔そしる〕 [英] slander

[字解] **헐뜯을 산**(誹謗).

[字源] 形聲. 言+山〔音〕

3 ⑩ **〖訖〗** [一]마칠 글[入]物 [二]이를 흘[入]物 | 讫 qì xì

7 획

🗇 キツ〔おわる〕・キツ〔いたる〕
🇺🇸 finish, reach

字解 ➊ 마칠 글(終也). ➋ 이를 흘(至也).

字源 形聲. 篆文은 言+气〔音〕

3
10 【託】 부탁할
탁入藥 | 託 *託*
tuō

🗇 タク〔よる〕 🇺🇸 entrust

字解 ① 부탁할 탁(憑依寄也), 의지할 탁, 맡길 탁(信任). ¶ 付託(부탁). ② 핑계할 탁(稱託). ¶ 託病(탁병).

字源 形聲. 言+乇〔音〕

[託病 탁병] 병을 핑계함.
[託諷 탁풍] 풍자함.
[委託 위탁] 남에게 맡겨 부탁함.
[請託 청탁] 청하여 부탁함.

3
10 【記】 적을 기
田寘 | 記 *記*
ji

一 二 言 言 言 訂 記

🗇 キ〔しるす〕 🇺🇸 record

字解 ① 적을 기(疏也, 銘也). ¶ 記錄(기록). ② 기억할 기(記憶). ¶ 暗記(암기).

字源 形聲. 言+己〔音〕

[記念 기념] 오래도록 기억하여 잊지 않음. 기념(紀念).
[記錄 기록] ㉠ 적음. ㉡ 어떠한 일을 적은 서류. ㉢ 운동 경기 따위의 성적.
[記事 기사] ㉠ 사실 그대로를 적음. ㉡ 신문·잡지 등에 기록된 사실.
[記誦 기송] 기억하여 외어 읽음.
[記憶 기억] 잊지 않고 외어 둠.
[記入 기입] 적어 넣음.
[記者 기자] 신문·잡지 등의 기사를 쓰거나 편집하는 사람.
[速記 속기] 빠르게 기록함.
[暗記 암기] 외워 잊지 않음.

4
11 【訛】 거짓 와
田歌 | 訛 *訛*
é

🗇 カ〔あやまり〕 🇺🇸 untruth

字解 거짓 와(僞也), 그릇될 와(謬也). ¶ 訛字(와자). 欺訛(기와). 轉訛(전와).

字源 形聲. 言+化〔音〕

[訛音 와음] 그릇 전하여진 글자의 음.
[訛字 와자] 잘못된 글자.
[訛傳 와전] 말을 그릇 전함. 그릇된 전문(傳聞).

4
11 【訝】 맞을 아
田禡 | 訝 *訝*
yà

🗇 カ〔いぶかる〕 🇺🇸 receive

字解 ① 맞을 아(迎也). ¶ 訝賓(아빈). ② 의아할 아(疑怪). ¶ 疑訝(의아).

字源 形聲. 言+牙〔音〕

[訝賓 아빈] 왕명(王命)으로 손을 맞이하여 위로함.
[疑訝 의아] 의심스럽고 괴이쩍음.

4
11 【訞】 요사할
요田蕭 | 訞 *訞*
yāo

🗇 ヨウ〔わざわい〕 🇺🇸 capricious

字解 ① 요사할 요(與妖同). ② 재앙 요(災也).

字源 形聲. 言+夭〔音〕

[訞怪 요괴] 요사스럽고 괴상함.
[訞言 요언] 요사스러운 말.

4
11 【訟】 송사할
송田宋 | 訟 *訟*
sòng

一 二 言 言 言 訟 訟 訟

🗇 ショウ〔うったえる〕 🇺🇸 litigate

字解 송사할 송(爭辯).

字源 形聲. 言+公〔音〕

[訟事 송사] ㉠ 백성끼리의 분쟁(紛爭)을 관청에 호소하여 그 판결을 구하는 일. ㉡ 재판을 걺.
[訟言 송언] 공언(公言)함.
[訴訟 소송] 법률상의 판결을 법원에 요구하는 일. 또, 그 절차.

4 ⑪ 【訢】
━기뻐할 흔
㉥文
━찔 희
㉥支

近 $xīn$ 訴 $xī$　诉

㉥ キン〔よろこぶ〕・キ〔むす〕
㊞ delighted, steam

字解 ━ 기뻐할 흔(喜也). ━ 찔
희(蒸也).

字源 形聲. 言+斤〔音〕

4 ⑪ 【訣】
헤어질
결㉦屑

决 $jué$　诀

㉥ ケツ〔わかれる〕　㊞ part from

字解 ① 헤어질 결(別也). ¶ 訣別
(결별). ② 비결 결(方術要法).
訣要(결요).

字源 形聲. 言+決〈省〉〔音〕

[訣別 결별] 기약 없는 작별. 이별.

[祕訣 비결] 숨겨 두고 혼자만 쓰는
좋은 방법.

4 ⑪ 【訥】
말더듬을
눌㉦月

讷 $nè$　讷

㉥ トツ〔どもる〕　㊞ stammer

字解 말더듬을 눌(言難謇訥). ¶
訥辯(눌변).

字源 形聲. 言+內〔音〕

[訥口 눌구] 말을 더듬음. 또, 말더듬
이.

[訥辯 눌변] 더듬는 말. 더듬거리는
말씨. 구변(口辯)이 없는 것.

[訥言 눌언] 말더듬이. 더듬거리는
말.

4 ⑪ 【訪】
찾을 방
㉦漾

访 $fǎng$　访

㉥ ホウ〔おとずれる〕　㊞ visit

字解 ① 찾을 방(尋也). ¶ 訪問(방
문). ② 물을 방(問也). ¶ 訪議(방
의).

字源 形聲. 言+方〔音〕

[訪問 방문] 남을 찾아봄. ¶ 家庭訪
間(가정 방문).

[訪議 방의] 널리 묻고 의논함.

[來訪 내방] 손님이 찾아옴.

[巡訪 순방] 차례로 방문함.

4 ⑪ 【設】
베풀설
㉦屑

设 $shè$　设

一　亠　言　言　言　言　訳　設　設

㉥ セツ〔もうける〕　㊞ display

字解 ① 베풀 설(陳也), 세울 설.
¶ 設問(설문). 設立(설립). ② 설
령 설(假借辭). ¶ 設令(설령).

字源 會意. 言(말로 지시함)과 殳
(시킴)의 합자. 지시하여 물건을 늘
어놓게 함의 뜻.

[設計 설계] ㉠ 계획을 세움. ㉡ 무
엇을 만들려고 할 때, 거기에 필요한
여러 가지를 세움.

[設令 설령] ㉠ 그렇다 치더라도.
㉡ 가령. 설혹(設或). 설사(設使).

[設立 설립] 만들어 세움.

[設問 설문] 문제를 내어 물어봄. 또,
그 문제. 앙케트.

[設備 설비] 베풀어서 갖춤.

[附設 부설] 어떤 데에 부속시켜 설
치함.

[增設 증설] 설비를 늘림.

4 ⑪ 【許】
━허락할
허㊤語
━이영차
호㊤麌

许 $xǔ$ 許 $hǔ$　许

一　亠　言　言　言　言　訪　許　許

㉥ キョ〔ゆるす〕・コ〔かけごえ〕
㊞ allow, Yo-heave-ho!

字解 ━ ① 허락할 허(約與之). ¶
許可(허가). ② 바랄 허(期也). ③
나아갈 허(進也). ④ 나라이름 허
(國名). ━ 이영차 호. ¶ 邪許(사
━).

字源 形聲. 言+午〔音〕

[許可 허가] ㉠ 들어 줌. ㉡ 법령에
의한 어떤 행위의 일반적인 제한 또
는 금지를 특정한 경우에 해제하고,

적법(適法)하게 이것을 할 수 있게 하도록 하는 행정 행위.
[許多 허다] 몹시 많음. 수두룩함.
[許諾 허락] 청하고 바라는 바를 들어줌.
[許容 허용] 허락하여 용납함.
[許許 호호] 여러 사람이 같이 일할 때 신명 나게 부르는 소리. 이영차.

4 ⑪ 〚訳〛 譯(역)(言部 13획)의 俗字

5 ⑫ 〚訴〛 하소연할 소[去]遇 | 诉 sù

亠 亖 言 言 訂 訢 訴 訴

[日] ソ〔うったえる〕 [英] appeal

[字解] ① 하소연할 소(告也). ¶ 訴請(소청). ② 송사 소(訟也). ¶ 訴訟(소송).

[字源] 形聲. 言+斥(㡿)〔音〕

[訴訟 소송] 법률상의 판결을 법원에 요구하는 절차. 송사(訟事).
[訴願 소원] 원통한 일을 관청에 호소하는 일.
[勝訴 승소] 소송에서 이김.

5 ⑫ 〚訶〛 꾸짖을 가 [本]하[平]歌 | 诃 hē

[日] カ〔しかる〕 [英] scold

[字解] 꾸짖을 가(大言而怒責). ¶ 訶詰(가힐).

[字源] 形聲. 言+可〔音〕

[訶詰 가힐] 꾸짖음.

5 ⑫ 〚診〛 볼 진 [上]軫 [去]震 | 诊 zhěn

[日] シン〔みる〕 [英] see

[字解] ① 볼 진(視也). ¶ 診察(진찰). ② 점칠 진. ¶ 診夢(진몽).

[字源] 形聲. 言+㐱〔音〕.

[診斷 진단] 의사가 환자를 진찰하여 병상(病狀)을 판단함. ¶ 診斷書(진단서).
[診察 진찰] 의사가 환자의 병의 원인과 증상을 살펴봄.
[檢診 검진] 건강 상태와 질병의 유무를 검사하고 진찰하는 일.

5 ⑫ 〚註〛 주낼 주 [去]遇 | 注 zhù

[日] チュウ〔ときあかし〕

[英] annotate

[字解] 주낼 주, 글뜻 주(解也, 訓釋). ¶ 註解(주해).

[字源] 形聲. 言+主〔音〕

[參考] 注(水部 5획)와 통용함.

[註釋 주석] 낱말이나 문장의 뜻을 알기 쉽게 풀이함. 또, 그 글.
[註解 주해] 본문의 뜻을 알기 쉽게 풀이함. 또, 그 글.
[脚註 각주] 본문 아래쪽에 따로 단 풀이.

5 ⑫ 〚証〛 [一]간할 정[去]敬 [二]증거 증[去]徑 | 证 zhèng zhèng

[日] セイ〔いさめる〕・ショウ〔あかし〕

[英] advise

[字解] [一] 간할 정(諫也). [二] 증거 증(驗也).

[字源] 形聲. 言+正〔音〕

[參考] [二]는 속(俗)에 證(言部 12획)의 약자로 쓰임.

5 ⑫ 〚詁〛 훈고 고 [上]麌 | 诂 gǔ

[日] コ〔よみ〕 [英] exposition

[字解] 훈고 고(通古今言明其故, 故言也).

[字源] 形聲. 言+古〔音〕

[詁訓 고훈] 고서(古書)의 자구(字句)를 해석하는 일.
[訓詁 훈고] ㉠ 자구의 해석. ㉡ 경서의 고증·해명·주석 등의 통칭.

5 ⑫ 〚詆〛 꾸짖을 저[上]薺 | 诋 dǐ

㉠ テイ〔そしる〕　㉂ scold

字解 ① 꾸짖을 저(訶也). ¶ 痛詆 (통저). ② 흉볼 저(訾也).

字源 形聲. 言+氐〔音〕

5
⑫ 【詎】어찌 거 ㉺御 jù 诅

㉠ キョ〔なんぞ〕　㉂ why

字解 ① 어찌 거(豈也). ② 몇 거. ¶ 詎幾(거기).

字源 形聲. 言+巨〔音〕

5
⑫ 【詐】속일 사 ㉺禡 zhà 诈

㉠ サ〔いつわる〕　㉂ deceive

字解 속일 사(欺也). ¶ 詐取(사취).

字源 形聲. 言+乍〔音〕

[詐欺 사기] ㉠ 거짓말로 남을 속이는 것. ㉡ 고의로 사실을 속여 남에게 손해를 입히거나 부당한 이익을 얻는 행위. ¶ 詐欺罪(사기죄).

[詐稱 사칭] 성명·직명 등을 속여 일컬음. ¶ 官名詐稱(관명 사칭).

5
⑫ 【詒】━속일 태㉠賄　dài
━줄 이　yí
㉺支

㉠ タイ〔あざむく〕・イ〔おくる〕　㉂ deceive, give

字解 ━속일 태(欺也). ━줄 이(贈言遺也).

字源 形聲. 言+台〔音〕

5
⑫ 【詔】━조서 조㉺嘯　zhào
━소개 소㉺蕭　zhāo

㉠ ショウ〔つげる〕　㉂ royal edict, inform

字解 ━ ① 조서 조(上命, 昭也). ② 가르칠 조(敎也). ━소개 소(道也). 紹(糸部 5획)와 통용.

字源 形聲. 言+召〔音〕

[詔書 조서] 임금의 명령을 쓴 문서. 조칙(詔勅).

5
⑫ 【評】품평평 ㉺庚 píng 评

一二言言評評評

㉠ ヒョウ〔しなさだめ〕　㉂ estimate

字解 품평 평(品論).

字源 形聲. 言과 平과의 합자. 선악(善惡)을 공평하게 논함의 뜻. 또, 「平(평)」이 음을 나타냄.

[評價 평가] ㉠ 물건값을 정함. 평정(評定)한 가격. ㉡ 선악·미추(美醜) 따위를 평론하여 그 가치를 정함. 또, 평정한 가치. ㉢ 학습의 효과·발달 등을 측정함. ¶ 評價表(평가표).

[評論 평론] ㉠ 사물의 가치·선악을 비평하여 논함. ㉡ 문학 작품을 분석하고 그 가치·영향 따위를 비평하고 논하는 문학의 한 형태. 또, 그런 작품. ¶ 評論家(평론가).

[評林 평림] 비평을 모아서 실은 책.

[品評 품평] 품질을 평가하는 일.

[酷評 혹평] 가혹하게 평함. 또, 그런 비평.

5
⑫ 【詖】치우칠 피 ㉺寘 bì 诐

㉠ ヒ〔かたよる〕　㉂ one-sided

字解 ① 치우칠 피(偏也). ¶ 詖辭 (피사). ② 교활할 피(佞也).

字源 形聲. 言+皮〔音〕

[詖辭 피사] 한쪽으로 치우쳐 올바르지 못한 말.

[詖行 피행] 비뚤어진 행동.

5
⑫ 【詗】염탐할 형 ㉠逈 xiòng 诇

㉠ ケイ〔うかがう〕　㉂ spy upon

字解 염탐할 형(刺探).

字源 形聲. 言+同〔音〕

5/12 【詛】 저주할 저
㊤조㊦御 zǔ 诅 詛

㊐ ソ〔のろう〕 ㊧ curse

字解 저주할 저(請神加殃謂之詛).

字源 形聲. 言+且〔音〕

[詛呪 저주] 남이 못되기를 빌고 바람.

5/12 【詞】 말 사
㊥支 cí 词 詞

一 亍 亍 亍 亍 訂 訂 詞

㊐ シ〔ことば〕 ㊧ word

字解 ① 말 사(言也). ¶ 品詞(품사), 祝詞(축사). ② 고할 사(告也). ¶ 詞訟(사송). ③ 문체이름 사(文也). ¶ 詞曲(사곡).

字源 形聲. 言+司〔音〕

[詞林 사림] ㉠ 시문(詩文)을 모은 책. ㉡ 시인·문객들의 세계.
[詞賦 사부] 운자(韻字)를 달아 지은 한문 시(詩)의 총칭.
[歌詞 가사] 노랫말.

5/12 【詠】 읊을 영
㊤敬 yǒng 咏 詠

一 亍 亍 亍 訂 訃 詠 詠

㊐ エイ〔うたう〕 ㊧ recite

字解 읊을 영, 노래할 영(歌也長言). ¶ 吟詠(음영), 朗詠(낭영).

字源 形聲. 言과 永의 합자. 말을 길게 뽑아 노래함의 뜻. 또, 永(영)이 음을 나타냄.

[詠歌 영가] 시가(詩歌)를 읊음. 또, 그 시가.
[詠歎 영탄] ㉠ 소리를 길게 내어 깊은 정회(情懷)를 읊음. ㉡ 감동하여 찬탄함.

5/12 【訾】 헐뜯을
자㊤紙 zǐ 訾

㊐ シ〔そしる〕 ㊧ slander

字解 ① 헐뜯을 자(毀也). ¶ 訾毁(자훼). ② 헤아릴 자(量也).

字源 形聲. 言+此〔音〕.

[訾毁 자훼] 비방함.

5/12 【詈】 꾸짖을 리
㊤靑眞 lì 詈

㊐ リ〔ののしる〕 ㊧ scold

字解 꾸짖을 리(罵也).

字源 會意. 「罒(그물)」과 言의 합자. 꾸짖음의 뜻.

6/13 【詬】 ■꾸짖을 후
㊤宥 ■꾸짖을 구 gòu
㊤有

㊐ コウ〔ののしる〕 ㊧ scold

字解 ■ 꾸짖을 후. ■ 꾸짖을 구.

字源 形聲. 言+后〔音〕

6/13 【詵】 ■많을 선
㊤霰 ■많을 신 shēn
㊤眞 诜

㊐ セン·シン〔おおい〕 ㊧ many

字解 ■ 많을 선. ■ 많을 신.

字源 形聲. 言+先〔音〕

6/13 【譽】 譽(예)(言部 14획)의 俗字

6/13 【詡】 자랑할 후
㊤麌 诩 詡

㊐ ク〔ほこる〕 ㊧ boast

字解 ① 자랑할 후(大言). ② 두루 미칠 후(偏也, 普也). ③ 날랠 후(敏而有勇).

字源 形聲. 言+羽〔音〕

6/13 【詢】 물을 순
㊤眞 xún 询 詢

㊐ ジュン〔とう〕 ㊧ ask

[字解] **물을 순**(咨也). ¶ 詢咨(순자).

[字源] 形聲. 言+旬〔音〕

[詢計 순계] 계책(計策)을 물음. 싸움의 계략(計略)을 묻고 의논함.

[詢問 순문] 임금이 신하에게 물음.

[諮詢 자순] 윗사람이 아랫사람에게 묻고 의논함.

6 [13] **〖詣〗** 이를 예 [去]霽 | 诣 yì

[日] ケイ〔もうでる・いたる〕 [英] reach

[字解] **이를 예**(至也).

[字源] 形聲. 言+旨〔音〕

[詣闕 예궐] 대궐에 들어감.

[造詣 조예] 학문·기예 따위가 높은 지경에 이른 정도.

6 [13] **【試】** 시험할 시[去]寘 | 试 shì

[日] シ〔こころみる〕 [英] test

[字解] ① **시험할 시**(驗也). ¶ 試射(시사). 試驗(시험). ② **쓸 시**(用也). ③ **비교할 시**(較也).

[字源] 形聲. 言+式〔音〕

[試掘 시굴] 시험삼아 파 봄.

[試金石 시금석] ㉠ 금의 품질을 시험하는 돌. ㉡ 가치·능력·역량 등을 시험해 보는 기회나 사물.

[試圖 시도] 시험적으로 해봄.

[試鍊 시련] ㉠ 시험하고 단련함. ㉡ 신앙이나 결심을 시험해보는 일.

[試驗 시험] ㉠ 문제를 내어 그 답을 구하거나, 실지로 시켜 보아서 그 성적을 판정(判定)함. ㉡ 사물의 성질·능력 따위를 실지로 따져서 알아봄.

[入試 입시] 입학을 위하여 치르는 시험.

6 [13] **【詩】** 시 시 [平]支 | 诗 shī

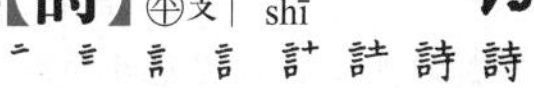

[日] シ〔からうた〕 [英] poetry

[字解] **시 시**(言志也). ¶ 唐詩(당시). 近體詩(근체시).

[字源] 形聲. 言+寺〔音〕

[詩歌 시가] ㉠ 시와 노래. ㉡ 가사(歌辭)를 포함한 시문학의 총칭.

[詩想 시상] ㉠ 시작(詩作)의 근본이 되는 착상(着想). ㉡ 시에 나타난 사상·감정(感情). ㉢ 시를 이루는 이미지.

[詩仙 시선] 시의 천재. 이태백(李太白)을 시선이라 이르고, 두보(杜甫)를 시성(詩聖)이라고 이름.

[詠詩 영시] 시를 읊음.

[漢詩 한시] 한문으로 지은 시.

6 [13] **〖詭〗** 책할 궤 [上]紙 | 诡 guǐ

[日] キ〔いつわる〕 [英] reprove

[字解] ① **책할 궤**(責也). ② **속일 궤**(詐也). ③ **괴이할 궤**(怪也, 恑也).

[字源] 形聲. 言+危〔音〕

[詭計 궤계] 남을 속이는 꾀.

[詭辯 궤변] ㉠ 교묘하게 사람을 미혹하는 말. ㉡ 도리에 맞는 것을 그르다 하고, 그른 일을 도리에 맞는다 하여 사람을 미혹하는 변론. 도리에 맞지 않은 변론. ㉢ 하나의 전제(前提)에 대하여 그릇된 결론을 이끌어 내는 논법.

6 [13] **〖詮〗** 설명할 전[平]先 | 诠 quán

[日] セン〔そなわる〕 [英] explain

[字解] ① **설명할 전**(評論事理). ¶ 詮釋(전석). ② **갖출 전**(具也).

[字源] 形聲. 言+全〔音〕

[詮釋 전석] 설명하여 밝힘. 또, 그 말.

[詮議 전의] ㉠ 분명히 밝히기 위하여 사리를 따져 논의함. ㉡ 지은 죄 또는 죄인을 조사함.

[詮衡 전형] 인물 등을 시험하여 뽑음. 전형(銓衡)의 속용(俗用).

7 획

6 ⑬ 【詰】 꾸짖을 힐[入]質 | 诘 jié

[日] キツ〔なじる〕 [英] scold

[字解] ① **꾸짖을 힐**(責也). ¶ 詰責(힐책). ② **새벽 힐**(明旦). ¶ 詰朝(힐조).

[字源] 形聲. 言+吉〔音〕

[詰難 힐난] 잘못을 따져 비난함.
[詰朝 힐조] ㉠ 이른 아침. 힐단(詰旦). ㉡ 이튿날의 이른 아침. 명조(明朝).

6 ⑬ 【話】 이야기 화[去]卦 [去]禡 | 话 huà

[日] ワ〔はなし〕 [英] talk

[字解] **이야기 화**(言也).

[字源] 形聲. 篆文은 言+𠯑〔音〕

[話頭 화두] 말의 첫머리. 이야기의 실마리.
[話術 화술] 말의 재주. 말하는 기교.
[話題 화제] ㉠ 이야깃거리. 이야기. ㉡ 이야기의 제목.
[對話 대화] 마주 대하여 이야기함.
[逸話 일화] 세상에 널리 알려지지 않은 이야기. 에피소드.

6 ⑬ 【該】 갖출 해 [本]개[平]灰 | 该 gāi

[日] ガイ〔その〕 [英] prepare

[字解] ① **갖출 해**(備也). ¶ 該敏(해민). ② **그 해**(其也). ¶ 該當(해당).

[字源] 形聲. 言+亥〔音〕

[該當 해당] ㉠ 무엇에 관계되는 바로 그것. ¶ 該當條目(해당 조목). ㉡ (어떤 사물에) 바로 들어맞음.
[該敏 해민] 널리 갖추어져 영리함.
[該博 해박] ㉠ 학문과 지식이 넓음. ㉡ 사물에 관하여 널리 통함.
[該悉 해실] 광범위하게 다 앎.
[該地 해지] 그곳. 그 땅.
[當該 당해] 명사 앞에 쓰여 꼭 그 사물에 관련됨을 표시하는 말.

6 ⑬ 【詳】 [一]자세할 상[平]陽 [二]거짓 양[平]陽 | 详 xiáng yáng

[日] ショウ〔つまびらか〕・ヨウ〔いつわる〕

[英] detailed, lie

[字解] [一] **자세할 상, 상세할 상**(審也). ¶ 詳細(상세). [二] **거짓 양**(詐也).

[字源] 形聲. 言+羊〔音〕

[詳細 상세] 자상(仔詳)하고 세밀함.
[詳述 상술] 자세하게 진술함.
[未詳 미상] ㉠ 상세하지 않음. ㉡ 알려지지 않음.

6 ⑬ 【詼】 농지거리할 회[平]灰 | 诙 huī

[日] カイ〔おどける〕 [英] joke

[字解] **농지거리할 회**(嘲也, 譏戲). ¶ 詼嘲(회조).

[字源] 形聲. 言+灰〔音〕

[詼笑 회소] 실없이 조롱하여 웃음. 기롱하여 웃음. 비웃음.
[詼謔 회학] 농담함. 희롱으로 말함.

6 ⑬ 【誂】 꾈 조[上]篠 | 诳 tiǎo diào

[日] チョウ〔さそう〕 [英] tempt

[字解] ① **꾈 조**(相呼誘). ② **희롱할 조**(戲弄).

[字源] 形聲. 言+兆〔音〕

6 ⑬ 【誄】 제문 뢰[上]紙 | 诔 lěi

[日] ルイ〔しのびごと〕 [英] threnody

[字解] **제문 뢰**(哀死而述其行).

[字源] 形聲. 「耒(래)」의 전음이 음을 나타내고, 거듭함의 뜻의 어원(語源)에서 왔음. 생전의 사적(事

7 획

跡)을 거듭하여 말하는 말.

[誄歌 뇌가] 죽은 사람의 생전의 공적을 찬양하고 슬픔의 뜻을 나타내는 노래. 만가(輓歌).

6 ⑬ 〖誅〗 벨 주 [平]虞 | 诛 zhū

[日] チュウ〔ころす〕 [英] behead

[字解] ① **벨 주**(戮也). ¶ 誅戮(주륙). ② **책할 주**(責也). ¶ 誅責(주책).

[字源] 形聲. 言+朱〔音〕

[誅求 주구] 관청에서 백성의 재물을 강제로 빼앗아감. ¶ 苛斂誅求(가렴주구).

[誅戮 주륙] 죄로 인해 죽임. 주살(誅殺).

[誅責 주책] 준엄하게 책망함.

[天誅 천주] ㉠ 천벌. ㉡ 하늘을 대신하여 주벌(誅罰)함.

6 ⑬ 〖誇〗 자랑할 과 [平]麻 | 夸 kuā

[日] コ〔ほこる〕 [英] pride

[字解] **자랑할 과, 뽐낼 과**(大言也). ¶ 誇大(과대).

[字源] 形聲. 言+夸〔音〕

[誇大 과대] 사실 이상으로 지나치게 과장함.

[誇示 과시] 뽐내어 보임.

[誇張 과장] ㉠ 실제보다 지나치게 나타내어 보임. ㉡ 자랑하여 떠벌림.

6 ⑬ 〖詹〗 [一] 이를 첨 [平]鹽 [二] 넉넉할 담 [去]勘 | zhān dàn

[日] セン〔いたる〕・タン〔たりる〕 [英] reach, be enough

[字解] [一] ① **이를 첨**(至也). ② **볼 첨**(瞻也). [二] **넉넉할 담**(足也).

[字源] 會意. 户+八+言

7 ⑭ 〖誌〗 적을 지 [去]寘 | 志 zhì

[日] シ〔しるす〕 [英] record

[字解] ① **적을 지**(記也). ② **문체 이름 지**(史傳記事文).

[字源] 形聲. 言+志〔音〕

[參考] 識(言部 12획)과 통용함.

[誌面 지면] 잡지의 지면(紙面).

[日誌 일지] 날마다 직무상의 일을 적은 기록. 또는 그런 책.

7 ⑭ 【認】 알 인 [去]震 | 认 rèn

[日] ニン〔みとめる〕 [英] recognize

[字解] ① **알 인**(辨識). ¶ 認定(인정). ② **허가할 인**(許也). ¶ 認可(인가).

[字源] 形聲. 言+忍〔音〕

[認可 인가] 인정하여 허락함.

[認識 인식] 아는 작용. ¶ 認識不足(인식 부족).

[認定 인정] ㉠ 옳다고 믿고 정함. ㉡ 국가의 행정 기관이 어떤 일을 판단하여 마땅하다고 결정함.

[默認 묵인] 모르는 체하고 슬며시 승인함.

7 ⑭ 〖誑〗 속일 광 [去]漾 | 诳 kuáng

[日] キョウ〔たぶらかす〕 [英] deceive

[字解] **속일 광**(欺也).

[字源] 形聲. 言+狂〔音〕

[誑誘 광유] 속여 꾐.

[誑惑 광혹] 속여 호림.

7 ⑭ 〖誒〗 억지로할 희 [平]支 | 诶 xī

[日] キ〔ああ〕 [英] press upon

[字解] ① **억지로할 희**(猶強也). ② **아 희**(嘆聲).

[字源] 形聲. 言+矣〔音〕

7 ⑭【誕】날 탄 | 诞 | danˋ

日 タン〔うまれる〕 英 be born

字解 ① 날 탄. ¶ 誕辰(탄신). ② 속일 탄(欺也). ¶ 欺誕(기탄).

字源 形聲. 言+延〔音〕

[誕辰 탄신] 생일(生日). 탄생일(誕生日). 탄일(誕日).

[放誕 방탄] 지나치게 방자함.

[聖誕 성탄] 성인이나 임금의 탄생.

7 ⑭【誖】어지러울 패 | bèiˋ

日 ホツ〔まどう〕 英 confused

字解 ① 어지러울 패(亂也). ② 어그러질 패(乖也).

字源 形聲. 言+孛〔音〕

7 ⑭【誘】꾈 유 | 诱 | yòu

日 ユウ〔さそう〕 英 tempt

字解 ① 꾈 유(相勸, 導也). ¶ 誘致(유치). ② 가르칠 유(教也).

字源 形聲. 篆文은 본디 㕛으로 썼는데, 羊+ㅿ+久〔音〕

[誘拐 유괴] 남을 꾀어냄. 유인(誘引). ¶ 誘拐犯(유괴범).

[誘教 유교] 달래어 가르침.

[誘導 유도] 꾀어서 이끎. ¶ 誘導作戰(유도 작전).

[誘引 유인] 꾀어냄.

[誘致 유치] 꾀어서 데려옴. ¶ 觀光客誘致(관광객 유치).

[誘惑 유혹] ㉠ 남을 꾀어서 정신을 어지럽게 함. ㉡ 그릇된 길로 꾐.

[勸誘 권유] 어떤 일을 하도록 권함.

7 ⑭【誚】꾸짖을 초 | 诮 | qiàoˋ

日 ショウ〔せめる〕 英 scold

字解 꾸짖을 초(責也).

字源 形聲. 言+肖〔音〕

7 ⑭【語】말할 어 | 语 | yǔ

日 ゴ〔かたる〕 英 words

字解 ① 말할 어(言也). ¶ 笑語(소어). ② 알릴 어(告也).

字源 形聲. 言+吾〔音〕

[語感 어감] 말소리 또는 말투의 차이에 따라 말이 주는 느낌.

[語孟 어맹] 논어(論語)와 맹자(孟子).

[語不成說 어불성설] 말이 조금도 사리에 맞지 않음.

[語彙 어휘] ㉠ 많은 말을 유별(類別)하여 모아 놓은 발기. ㉡ 낱말의 수효.

[文語 문어] ㉠ 문자 언어. ㉡ 시가. 문장에 쓰이는 말.

[密語 밀어] 남이 못 알아듣게 넌지시 하는 말.

7 ⑭【誠】정성 성 | 诚 | chéng

日 セイ〔まこと〕 英 sincerity

字解 ① 정성 성(純一無偽). ② 참 성(眞實).

字源 形聲. 言+成〔音〕

[誠實 성실] 정성스럽고 참되어 거짓이 없음.

[誠中形外 성중형외] 심중에 생각하고 있는 것은 비록 숨기려고 하여도 겉으로 나타나는 법임.

[精誠 정성] 참되고 성실함.

[至誠 지성] 지극한 정성.

7 ⑭【誡】경계할 계 | 诫 | jièˋ

日 カイ〔いましめる〕 英 warn

字解 ① 경계할 계(警敕辭). ¶ 誡命(계명). 訓誡(훈계). ② 고할 계(告也).

字源 形聲. 言+戒〔音〕

[誡命 계명] 도덕상·종교상으로 반

드시 지킬 규정.

[訓誡 훈계] 타일러 경계함.

---

⑦ ⑭ 【誣】 꾸밀 무 ㊀虞 wū 诬

㈐ フ・ブ〔しいる〕 ㊤ deceive

字解 꾸밀 무(欺罔以無爲有). ¶ 誣告(무고).

字源 形聲. 言+巫〔音〕

[誣告 무고] 없는 죄를 있는 것처럼 꾸며서 관청에 고발함. ¶ 誣告罪(무고죄).

[誣訴 무소] 없는 일을 꾸며 소송을 제기함.

---

⑦ ⑭ 【誤】 그릇할 오 ㊁遇 wù 误

二 亖 言 言 訝 誤 誤 誤

㈐ ゴ〔あやまる〕 ㊤ mistake

字解 그릇할 오, 잘못할 오(謬也). ¶ 過誤(과오).

字源 形聲. 言+吳〔音〕

[誤謬 오류] 잘못. 그릇되어 이치에 어긋남.

[誤差 오차] 참 수치(數値)와 근사치와의 차이.

[誤解 오해] 뜻을 잘못 이해함.

[過誤 과오] 허물. 잘못.

---

⑦ ⑭ 【誥】 고할 고 ㊂號 gào 诰

㈐ コウ〔つげる〕 ㊤ inform

字解 고할 고(文言告曉). ¶ 誥示(고시).

字源 形聲. 言+告〔音〕

[誥誡 고계] 깨우쳐 주어 경계함.

---

⑦ ⑭ 【誦】 욀 송 ㊃宋 sòng 诵

二 言 言 言 訂 訥 誦 誦

㈐ ショウ〔となえる〕 ㊤ memorize

字解 욀 송, 읽을 송(讀也). ¶ 誦經(송경).

字源 形聲. 言+甬〔音〕

[誦讀 송독] ㉠ 외어 읽음. 암송(暗誦). ㉡ 소리를 내어 글을 읽음. 독송(讀誦).

[朗誦 낭송] 소리내어 읽음.

---

⑦ ⑭ 【誨】 가르칠 회 ㊄隊 huì 诲

㈐ カイ〔おしえる〕 ㊤ instruct

字解 가르칠 회(敎訓). ¶ 訓誨(훈회).

字源 形聲. 言+每〔音〕

[誨言 회언] 가르치는 말. 훈언(訓言).

[誨諭 회유] 일깨움.

[敎誨 교회] 잘 가르쳐 지난날의 잘못을 깨우치게 함.

---

⑦ ⑭ 【說】
❶말씀 설 ㈇屑
❷달랠 세 ㊅霽 shuō
❸기뻐할 열 ㈇屑 shuì
❹벗을 탈 ㈇曷 yuè tuō

二 言 言 言 訂 訥 說 說

㈐ セツ〔とく〕・セイ〔ときすすめる〕・エツ〔よろこぶ〕・タツ〔とく〕 ㊤ speak, soothe, be glad, pull off

字解 ❶말씀 설(辭也). ¶ 說話(설화). ❷달랠 세(誘也. 遊說(유세). ❸기뻐할 열(喜樂). ¶ 說喜(열희). ❹벗을 탈(脫也).

字源 形聲. 言+兌〔音〕

[說明 설명] 풀이하여 밝힘. 알기 쉽게 풀이함.

[說夢 설몽] 꿈 이야기를 함. 전하여, 언어가 분명치 않음의 비유.

[說服 설복] 알아듣도록 타일러 그리 믿게 함. 설득(說伏). 설득(說得).

[說話 설화] 신화・전설・민담(民譚) 등을 줄거리로 하여 이루어진 사실과는 좀 다른 이야기. ¶ 說話文學(설화 문학).

[說客 세객] 교묘한 말솜씨를 가지

고 유세를 일삼는 사람.

[說大人則藐之 세대인즉묘지] 존귀한 사람 앞에서 자기 의견을 말할 때 그의 권위에 눌리지 아니하기 위하여 그를 경시(輕視)함.

[遊說 유세] 자기 의견 또는 자기 소속 정당의 주장을 선전하며 돌아다님.

7 ⑭【読】 讀(독)(言部 15획)의 俗字

7 ⑭【誓】 맹세할 서⊛霽 shì

誓 (초서)

ⓙ セイ〔ちかい〕 ⓔ swear

字解 맹세할 서(約信戒也). ¶ 誓文(서문).

字源 形聲. 言+折〔音〕

[誓命 서명] 임금의 신하에 대한 맹세.

[誓約 서약] 맹세함. 약속함.

[盟誓 맹서] 굳게 약속하거나 다짐함.

[宣誓 선서] 성실할 것을 맹세함.

8 ⑮【誰】 누구 수⊛支 shéi

谁 (초서)

二 글 言 訂 誰 誰 誰 誰

ⓙ スイ〔だれ〕 ⓔ who

字解 ① 누구 수(孰也). ¶ 誰何(수하). ② 옛 수, 접때 수(昔也). ¶ 誰昔(수석).

字源 形聲. 言+隹〔音〕

[誰昔 수석] 옛날. 그 옛날. 종전.

[誰曰不可 수왈불가] 누가 옳지 않다고 말하랴. 곧, 옳지 않다고 말할 사람은 없다는 뜻.

[誰怨誰咎 수원수구] 누구를 원망하며 누구를 나무라겠느냐. 곧, 남을 원망하거나 꾸짖을 것이 없다는 뜻.

[誰何 수하] ㉠ 누구. ㉡ 누구냐고 묻는 말.

8 ⑮【課】 시험할 과⊛箇 kè

课 (초서)

ⓙ カ〔こころみる・わりあてる〕
ⓔ examine

字解 ① 시험할 과(試也). ¶ 試課(시과). ② 차례 과(第也).

字源 形聲. 言+果〔音〕

[課目 과목] ㉠ 할당된 항목. ㉡ 학과. ㉢ 사무의 구별.

[課稅 과세] 세금을 매김.

[課業 과업] ㉠ 배당된 일. ㉡ 학과.

[課題 과제] 부과된 문제.

[考課 고과] 근무 성적을 평가하여 우열을 정함.

[賦課 부과] 세금 및 책임·일 따위를 부담하게 함.

8 ⑮【誼】 옳을 의⊛寘 yì

谊 (초서)

ⓙ ギ〔よしみ〕 ⓔ right

字解 ① 옳을 의(人所宜). ¶ 誼士(의사). ② 의 의(親好). ¶ 友誼(우의).

字源 會意. 言과 宜(적당함)의 합자. 친근감을 나타내는 말의 뜻. 또, 「宜(의)」는 음을 나타냄.

[誼理 의리] 옳은 도리.

[情誼 정의] 사귀어 친해진 정분.

8 ⑮【誶】

꾸짖을 수⊛寘
고할 쇄⊛隊
물을 신⊛震

sùi
sùi
xùn

谇 (초서)

ⓙ スイ〔せめる〕・サイ〔つげる〕・シュン〔とう〕
ⓔ scold, inform, ask

字解 ■ ① 꾸짖을 수(責也). ② 간할 수(諫也). ■ 고할 쇄(告也). ■ 물을 신(訊也).

字源 形聲. 言+卒〔音〕

8 ⑮【誹】 헐뜯을 비⊛尾 fěi

诽 (초서)

ⓙ ヒ〔そしる〕 ⓔ slander

字解 헐뜯을 비(誹也).

字源 形聲. 言+非〔音〕.

[誹謗 비방] 남을 헐뜯어 말함. 욕함.

---

8 ⑮ 【調】 一고를 조 ㊋蕭　tiáo
　　　　调 diào
　　二아침 주 ㊑尤　zhōu

一ㄹㅡㄹㅡㅁ訓訓調調

㊒ チョウ〔しらべる・えらぶ〕
㊐ adjust, morning

字解 一① 고를 조(和也). ¶ 調和(조화). ② 맞을 조(適也). 二아침 주(朝也).

字源 形聲. 言+周〔音〕.

[調味 조미] 음식의 맛을 고르게 맞춤. ¶ 調味料(조미료).
[調査 조사] 실정을 살펴서 알아봄.
[調節 조절] 사물을 정도에 맞추어 잘 고르게 함.
[調和 조화] 이것저것이 서로 잘 어울림.
[曲調 곡조] 음악이나 가사의 가락.

---

8 ⑮ 【諂】 아첨할 첨 ㊑琰　chǎn

㊒ テン〔へつらう〕 ㊐ flatter

字解 아첨할 첨(佞言). ¶ 阿諂(아첨).

字源 形聲. 篆文은 言+臽〔音〕.

注意 諂(言部 10획)는 딴 글자.

[諂笑 첨소] 아양 떨며 웃음. 또, 그 웃음.
[諂譽 첨예] 아첨하여 칭찬함.

---

8 ⑮ 【諄】 도울 순 ㊑眞　zhūn

㊒ ジュン〔たすける〕 ㊐ help

字解 ① 도울 순(佐也). ② 지성스러울 순(誠懇貌).

字源 形聲. 言+享〔音〕.

[諄諄 순순] ㉠ 거듭 일러 친절히 가르치는 모양. ㉡ 성실하고 삼가는 모양.

---

8 ⑮ 【談】 이야기 담 ㊋覃　tán

一ㄹㅡㄹㅡㅁ言'談談談

㊒ ダン〔はなす〕 ㊐ talk

字解 이야기 담(言論). ¶ 淸談(청담).

字源 形聲. 言+炎〔音〕.

[談笑 담소] 이야기와 웃음. 웃으면서 이야기함.
[談言微中 담언미중] 남의 급소를 찔러 완곡하게 말함.
[談判 담판] 서로 의논하여 시비(是非)를 가리거나 사리(事理)를 판단함.
[談話 담화] ㉠ 어떤 일에 대한 의견이나 태도를 밝히는 말. ㉡ 서로 주고받는 이야기.
[面談 면담] 서로 만나 이야기함.
[會談 회담] 여럿이 모여 의논함.

---

8 ⑮ 【諉】 번거롭게 할 위 ㊑寘　wěi
　　　　㊑支　倭

㊒ イ〔まかす〕 ㊐ trouble

字解 ① 번거롭게할 위(累也). ② 맡길 위(委也).

字源 形聲. 言+委〔音〕.

---

8 ⑮ 【請】 청할 청 ㊑梗㊋青　qīng

一ㄹㅡㄹㅡㅁ言言請請請

㊒ セイ〔こう〕 ㊐ request

字解 ① 청할 청(乞也). ¶ 招請(초청). ② 물을 청(問也).

字源 形聲. 言+靑〔音〕.

[請暇 청가] 휴가를 청함.
[請求 청구] 무엇을 달라고, 또는 무엇을 해 달라고 요구함. ¶ 請求權(청구권).
[請願 청원] ㉠ 바라는 바를 들어주기를 청함. ㉡ 국민이 정부 기관이나 국회 등에 무엇을 청하여 바람.
[請牒 청첩] 경사에 손님을 청하는 글발.

[請託 청탁] 청원하여 부탁함.
[請婚 청혼] 혼인을 청함.
[要請 요청] 어떤 일을 해 달라고 청함.

8
⑮【諍】 ━ 간할 쟁 ⑪敬
    ━ 송사할 쟁 ⑲庚
zhèng
zhēng
诤 诤

⑪ ソウ〔いさめる・うったえる〕
⑳ expostulate, sue
字解 ━ 간할 쟁(救正諫也). ¶ 諍臣(쟁신). ━ ① 송사할 쟁(訟也). ¶ 諍訟(쟁송). ② 다툴 쟁(爭也). ¶ 紛諍(분쟁).
字源 形聲. 言+爭〔音〕
[諍訟 쟁송] 송사(訟事)를 일으켜 서로 다툼. 쟁소(諍訴).
[諍臣 쟁신] 임금의 잘못을 간(諫)하는 신하.

8
⑮【諏】 물을 추 ㊤虞
zōu
诹 询

⑪ ス〔とう〕 ⑳ consult
字解 물을 추(咨事). ¶ 諮諏(자추).
字源 形聲. 「取(취)」의 전음이 음을 나타냄. 서로 모여서 이야기함의 뜻.

8
⑮【諒】 믿을 량 ㊅漾
liàng
谅 谅

⑪ リョウ〔しんずる〕 ⑳ believe
字解 ① 믿을 량(信也). ② 살펴 알 량(知也). ¶ 諒察(양찰).
字源 形聲. 言+京〔音〕
[諒察 양찰] 헤아려 살핌.
[諒解 양해] 사정을 살펴서 너그럽게 이해함.

8
⑮【諓】 말잘할 전 ㊧銑
jiàn
诶 诶

⑪ セン〔へつらう〕 ⑳ fluency

字解 ① 말잘할 전(言善也). ② 얇을 전(淺薄貌). ③ 아첨할 전(諂言也).
字源 形聲. 言+戔〔音〕

8
⑮【論】 말할 론 ㊒元㊜ lùn
论 论
ㄴ ㅌ ㅌ ㅊ 論 論 論 論

⑪ ロン〔のべる〕 ⑳ discuss
字解 ① 말할 론(說也). ¶ 立論(입론). ② 논할 론(議也). ¶ 議論(의론). 考論(고론).
字源 形聲. 言+侖〔音〕
[論告 논고] 검찰관의 사실 및 법률의 적용에 관한 의견의 진술.
[論說 논설] 사물을 평론하고 설명하는 일. ¶ 論說委員(논설위원).
[論議 논의] ㉠ 서로 의견을 논술하여 토의함. ㉡ 의논.
[論評 논평] 논술하여 비평함.
[輿論 여론] 대중의 공통된 의견.
[持論 지론] 늘 주장하는 이론.

8
⑮【諗】 간할 심 ㊤寢
shěn
谂 谂

⑪ シン〔つげる〕 ⑳ expostulate
字解 ① 간할 심(諫也). ② 숨을 심(潛藏也).
字源 形聲. 言+心+今〔音〕

8
⑮【誾】 화기애애할 은 眞㊥
yín
訚 誾

⑪ ケン〔おだやか〕 ⑳ be peaceful
字解 화기애애할 은(和悅貌). ¶ 誾誾(은은).
字源 形聲. 言+門〔音〕

8
⑮【諐】 허물 건 ㊤先
qiān
愆 愆

⑪ ケン〔あやまち〕 ⑳ fault
字解 허물 건(過也).
字源 形聲. 言+侃〔音〕

9 [16] 【諝】 슬기로울 서[上]語 | 谞 xū

[日] ショ〔さよい〕 [英] wise

[字解] **슬기로울 서.**

[字源] 形聲. 言+胥〔音〕

9 [16] 【諪】 조정할 정 [平]青 | tíng

[日] テイ〔ととのう〕 [英] adjust

[字解] **조정할 정, 고를 정.**

9 [16] 【諛】 아첨할 유[平]虞 | 谀 yú

[日] ユ〔へつらう〕 [英] flatter

[字解] **아첨할 유**(諂也).

[字源] 形聲. 言+臾〔音〕

[諛言 유언] 아첨하는 말. 유사(諛辭).

[阿諛 아유] 아첨.

9 [16] 【諜】 염탐할 첩[上]葉 | 谍 dié

[日] チョウ〔さぐる〕 [英] spy

[字解] **염탐할 첩.** ¶ 諜報(첩보).

[字源] 形聲. 言+枼〔音〕

[諜報 첩보] 적의 형편을 정탐(偵探)하여 자기편에 알려 줌. ¶ 諜報隊(첩보대).

[諜者 첩자] 간첩(間諜). 간자(間者).

[防諜 방첩] 적의 첩보 활동을 막음.

9 [16] 【諞】 말잘할 편[平]先 [上]銑 | 谝 piǎn

[日] ヘン〔いう〕 [英] fluency

[字解] **말잘할 편**(巧言).

[字源] 形聲. 言+扁〔音〕

9 [16] 【諟】 이 시[上]紙 | 谌 shì

[日] シ〔この〕 [英] this

[字解] ① **이 시**(是也). ② **바를 시, 바로잡을 시**(正也, 理也).

[字源] 形聲. 言+是〔音〕

9 [16] 【諠】 잊을 훤 [平]元 | 谊 xuān

[日] ケン〔わすれる〕 [英] forget

[字解] ① **잊을 훤**(忘也). ② **떠들 훤**(譁也). ¶ 諠傳(훤전).

[字源] 形聲. 言+宣〔音〕

[諠己 훤기] 자기 자신을 잊음.

[諠擾 훤요] 시끄럽게 떠듦.

9 [16] 【謚】 시호 시 [去]寘 | shì

[日] シ〔おくりな〕

[英] posthumous title

[字解] **시호 시**(立號以易名). ¶ 美謚(미시).

[字源] 形聲. 言+益〔音〕

[謚號 시호] 고관이나 충신에게 생전의 행적을 사정(查定)하여, 죽은 뒤 임금이 내려 주는 칭호.

[贈謚 증시] 왕이 시호를 내려 줌.

9 [16] 【諢】 농 원 [去]願 | 诨 hùn

[日] コン〔たわむれ〕 [英] joke

[字解] **농 원**(弄言). ¶ 打諢(타원).

[字源] 形聲. 言+〔音〕

9 [16] 【諤】 곧은말할 악 [上]藥 | 谔 è

[日] ガク〔ちょくげんする〕

[英] speak plainly

[字解] **곧은말할 악**(直言). ¶ 謇諤(건악). 諤諤(악악).

[字源] 形聲. 言+咢〔音〕

9 [16] 【諦】 살필 체 [本]제 [去]霽 | 谛 dì

[日] テイ・タイ〔あきらめる〕

[英] examine

7 획

字解 살필 체(審也). ¶ 審諦(심체).

字源 形聲. 言+帝〔音〕

[諦念 체념] ㉠ 도리를 깨닫는 마음. ㉡ 될 대로 되라는 마음. 희망을 버리고 생각하지 않음.

[要諦 요체] ㉠ 중요한 점. ㉡ 중요한 깨달음.

9 ⑯ 【諧】 어울릴 해(平)佳 | 谐 xié

(日) カイ〔ととのえる〕 (英) harmonize

字解 **어울릴 해**(和也), **고를 해**(調也). 諧和(해화). 調諧(조해).

字源 形聲. 言+皆〔音〕

[諧語 해어] 희롱하는 말. 농담(弄談).

[諧謔 해학] 익살스럽고도 품위 있는 조롱. 회해(詼諧). 유머.

[諧和 해화] ㉠ 서로 화합함. ㉡ 음악의 곡조가 잘 어울림.

9 ⑯ 【諫】 간할 간 (去)諫 | 谏 jiàn

(日) カン〔いさめる〕 (英) expostulate

字解 **간할 간**(直言以悟人). ¶ 直諫(직간).

字源 形聲. 言+柬〔音〕

[諫爭 간쟁] 굳세게 간함. 간쟁(諫諍).

[忠諫 충간] 충성으로 간함.

9 ⑯ 【諭】 깨우칠 유(去)遇 | 谕 yù

(日) ユ〔さとす〕 (英) admonish

字解 ① **깨우칠 유**(曉也). ¶ 諭示(유시). ② **비유할 유**(譬也). ¶ 直諭法(직유법).

字源 形聲. 言+兪〔音〕

[諭示 유시] 타일러 훈계함. 또, 그 말이나 문서. 유고(諭告).

[教諭 교유] 가르치고 타이름.

9 ⑯ 【諮】 물을 자 (平)支 | 谘 zī

(日) シ〔たずねる〕 (英) consult about

字解 **물을 자**(問也). ¶ 諮問(자문). 諮詢(자순).

字源 形聲. 言+咨〔音〕

參考 咨(口部 6획)는 同字.

[諮問 자문] 일을 올바르게 다스리려고 전문가에게 의견을 물음. ¶ 諮問機關(자문 기관).

9 ⑯ 【諱】 꺼릴 휘 (去)未 | 讳 huì

(日) キ〔いむ〕 (英) shun

字解 ① **꺼릴 휘**(忌也). ¶ 諱日(휘일). 諱言(휘언). ② **숨길 휘**(隱也). ¶ 隱諱(은휘).

字源 形聲. 言+韋〔音〕

[諱日 휘일] 조상의 제삿날.

[諱字 휘자] 돌아가신 어른의 이름에 쓴 글자.

9 ⑯ 【諳】 욀 암 (平)覃 | 谙 ān

(日) アン〔そらんじる〕

(英) learn by heart

字解 ① **욀 암**(記憶). ¶ 諳記(암기). ② **알 암**(知也).

字源 形聲. 言+音〔音〕

[諳記 암기] 외어서 기억함.

[諳練 암련] 모든 사물에 정통함.

[諳誦 암송] 책을 보지 않고 외어 읽음.

9 ⑯ 【諶】 참 심 (平)侵 | 谌 chén

(日) シン・ジン〔まこと〕 (英) true

字解 **참 심**(信也, 誠也).

字源 形聲. 言+甚〔音〕

9 ⑯ 【諷】 욀 풍 (平)東 | 讽 fěng

(日) フウ〔さとす〕 (英) recite

字解 ① **욀 풍**(誦也). ¶ 諷詠(풍영). ② **변죽울릴 풍**(譬喩也). ¶ 諷刺(풍자).

字源 形聲. 言+風〔音〕

[諷詠 풍영] 시가(詩歌) 등을 외어 읊
조림.

[諷刺 풍자] 빗대고 비유하는 뜻으로,
사회·인물 등의 결함을 찔러 말함.
아이러니. ¶ 諷刺小說(풍자 소설).

9
⑯ **【諸】** 一모든
제⊕魚
二김치
저⊕魚
諸 诸 zhū
zhú

一 二 亖 言 計 誹 諸 諸 諸

⬰ ショ〔もろもろ・ひたしもの〕
⬯ all

字解 一 모든 제(衆也). ¶ 諸事
(제사). 二 김치 저(菹也).

字源 形聲. 言＋者〔音〕

[諸君 제군] 자네들.
[諸般 제반] 여러 가지.
[諸位 제위] 여러분.

9
⑯ **【諺】** 상말 언
⊕霰
諺 谚 yàn

⬰ ゲン〔ことわざ〕 ⬯ proverb

字解 상말 언(俗言俚語). ¶ 俗諺
(속언).

字源 形聲. 言＋彦〔音〕

[諺文 언문] '속된 글'이란 뜻으로 한
글을 낮추어 부르던 이름. 한글의 속
칭.
[諺解 언해] 한문을 한글로 풀이함.
또, 그 책.
[俚諺 이언] 항간에 퍼져 있는 속담.

9
⑯ **【諼】** 속일 훤
⊕元
諼 谖 xuān

⬰ ケン〔いつわる〕 ⬯ deceive

字解 ① 속일 훤(詐也). ② 잊을
훤(忘也).

字源 形聲. 言＋爰〔音〕

9
⑯ **【諾】** 대답할
낙入藥
諾 诺 nuò

一 二 亖 言 計 評 評 諾 諾 諾

⬰ ダク〔こたえる〕 ⬯ respond

字解 ① 대답할 낙(答也). ② 승낙
할 낙(許也).

字源 形聲. 言＋若〔音〕

[受諾 수락] 요구를 받아들여 승낙
함.
[許諾 허락] 청하고 바라는 것을 들
어줌.

9
⑯ **【謀】** 꾀할 모
⊕尤
謀 谋 móu

一 二 亖 言 計 謀 謀 謀 謀 謀

⬰ ボウ〔はかる〕 ⬯ plot

字解 꾀할 모(圖也). ¶ 謀議(모
의). 圖謀(도모).

字源 形聲. 言＋某〔音〕

[謀略 모략] 남을 해치려고 쓰는 꾀.
꾀와 방략(方略). ¶ 中傷謀略(중상
모략).
[謀陷 모함] 여러 가지 꾀를 써서 남
을 어려움에 빠뜨림.
[無謀 무모] 꾀와 수단이 없음.
[陰謀 음모] 좋지 못한 일을 몰래 꾸
밈.

9
⑯ **【謁】** 뵐 알
入屑
謁 谒 yè

一 二 亖 言 訂 記 訳 謁 謁

⬰ エツ〔まみえる〕
⬯ visit a superior

字解 ① 뵐 알(請見). ¶ 面謁(면
알). ② 아뢸 알(白也).

字源 形聲. 言＋曷〔音〕

[謁見 알현] 신분이 높은 사람을 만
나 뵙는 일. 현알(見謁).
[拜謁 배알] 높은 어른을 만나 뵘.

9
⑯ **【謂】** 이를 위
去未
謂 谓 wèi

一 二 亖 言 訂 評 評 謂 謂 謂

⬰ イ〔いう〕 ⬯ speak

字解 이를 위(與之言也).

字源 形聲. 言＋胃〔音〕

[所謂 소위] 이른바.

9
⑯ 【謔】 농할 학
入藥 | 謔
xuè

⊕ ギャク〔たわむれる〕 愛 joke

字解 농할 학(戱也). ¶ 調謔(조학). 諧謔(해학).

字源 形聲. 言+虐〔音〕

[謔笑 학소] 희롱하여 웃음.
[戱謔 희학] 실없는 말로 하는 농지거리.

10
⑰ 【謎】 수수께끼 미
上霽 | 謎 mèi
mí

⊕ メイ〔なぞ〕 愛 riddle

字解 수수께끼 미(隱語).

字源 形聲. 言+迷〔音〕

[謎語 미어] 수수께끼.
[謎題 미제] 풀 수 없는 문제.

10
⑰ 【謐】 조용할 밀
入質 | 謐 mì

⊕ ヒツ〔しずか〕 愛 silent

字解 조용할 밀(靜也). ¶ 靜謐(정밀).

字源 形聲. 言+必〔音〕

[謐然 밀연] 고요한 모양.
[靜謐 정밀] 고요하고 편안함.

10
⑰ 【謏】 꾸짖을 혜
上薺 | 謏 xǐ

⊕ ケイ〔はずかしめる〕 愛 scold

字解 ① 꾸짖을 혜, 욕보일 혜(恥辱). ¶ 謏訴(혜후). ② 바르지아니할 혜(不正貌).

字源 形聲. 言+奚〔音〕

10
⑰ 【謖】 일어날 속
入屋 | 謖 sù

⊕ ショク〔おきあがる〕 愛 rise

字解 일어날 속(起也).

字源 形聲. 言+叟〔音〕

10
⑰ 【謗】 헐뜯을 방
去漾 | 謗 bàng

⊕ ボウ〔そしる〕 愛 speak ill of

字解 헐뜯을 방(毁也). ¶ 讒謗(참방). 誹謗(비방).

字源 形聲. 言+旁〔音〕

[誹謗 비방] 남을 헐뜯고 욕함.
[毁謗 훼방] ㉠ 남을 헐어서 비방함. ㉡ 남의 일을 방해함.

10
⑰ 【謙】 ▀겸손할 겸 鹽
▀혐의 혐 鹽 | 謙 qiān
xián

` 言 言' 言'' 言''' 謙 謙 謙

⊕ ケン〔へりくだる・うたがい〕 愛 humble, suspicion

字解 ① 겸손할 겸(致恭不自慢). ② 사양할 겸(讓也). ▀혐의 혐.

字源 形聲. 言+兼〔音〕

[謙遜 겸손] 남을 높이고 자기를 낮춤.
[謙讓 겸양] 겸손한 태도로 사양함. ¶ 謙讓辭(겸양사).
[謙虛 겸허] 겸손하게 제 몸을 낮추어 교만한 기가 없음.

10
⑰ 【謚】 ▀웃을 익
入陌
▀시호 시 去寘 | 謚 yì
shì

⊕ エキ〔わらうさま〕・シ〔おくりな〕 愛 laugh, posthumous title

字解 ▀ 웃을 익(笑貌). ▀ 시호 시.

字源 形聲. 言+益〔音〕

參考 속(俗)에 謚(言部 9획)로 오용(誤用)함.

10
⑰ 【講】 ▀풀이할 강 上講
▀화해할 구 去宥 | 講 jiǎng
kòu

` 言 言' 言'' 講 講 講 講

⊕ コウ〔とく・なかなおりする〕 愛 explain, make peace

字解 ▀ ① 풀이할 강. ¶ 講義(강

의). ② 익힐 강(習也). ¶ 講學(강
학). ▣ 화해할 구(和解).

字源 形聲. 言+冓[音]

[講究 강구] 좋은 방법을 조사하여
궁리함.

[講誦 강송] 글을 익혀 소리 내어 욈.

[講習 강습] 학문·예술 등을 연구·
학습하는 일. 또, 그 지도를 하거나 받
는 일.

[講義 강의] 글이나 학설의 뜻을 설
명하여 가르침.

[講座 강좌] ㉠ 대학 교수로서 맡은
학과목. ㉡ 학문 강의의 장소.

[講和 강화] 싸우던 나라끼리 화평을
의논함. ¶ 講和條約(강화 조약).

[講話 강화] 학술상의 이야기.

[開講 개강] 강의나 강좌를 시작함.

[受講 수강] 강의를 받음.

---

10 ⑰ 【謝】 사례할 사 ㉯禡 | 谢 | xiè | 謝

二 言 訃 訃 訥 謝 謝 謝

㉰ シャ〔ことわる〕 ㊟ thank

字解 ① 사례할 사. ¶ 拜謝(배사).
謝恩(사은). ② 사양할 사(辭也).
③ 끊을 사(絕也). ¶ 謝絕(사절).

字源 形聲. 言+射[音]

[謝過 사과] 잘못에 대하여 용서를
빎.

[謝禮 사례] 고마운 뜻을 상대에게
나타냄. 또, 그 인사.

[謝恩 사은] 받은 은혜에 대해서 사
례함. ¶ 謝恩會(사은회).

[謝意 사의] ㉠ 감사하는 뜻. ㉡ 사
과하는 뜻.

[感謝 감사] 고마움을 나타내는 인
사.

[厚謝 후사] 후하게 사례함.

---

10 ⑰ 【謟】 의심할 도 ㉱豪 | 谄 | tāo | 謟

㉰ トウ〔うたがう〕 ㊟ doubt

字解 의심할 도(疑也).

字源 形聲. 言+舀[音]

注意 謟(言部 8획)은 딴 글자.

---

10 ⑰ 【謠】 노래 요 ㉯蕭 | 谣 | yáo | 謡

二 言 訂 訃 詻 詻 謠 謠

㉰ ヨウ〔うたう・うた〕 ㊟ song

字解 ① 노래 요(徒歌無章曲).
俗謠(속요). ② 소문 요(風說). ¶
謠言(요언). 謠傳(요전).

字源 形聲. 言+名[音]

[謠言 요언] 뜬소문. 유언(流言).

[歌謠 가요] 민요·동요·속요·유행
가 등의 총칭.

---

10 ⑰ 【謄】 베낄 등 ㉯蒸 | 誊 | téng | 謄

㉰ トウ〔うつす〕 ㊟ copy

字解 베낄 등(移寫).

字源 形聲. 言+朕[音]

[謄本 등본] 원본(原本)을 베껴 적은
글. ¶ 戶籍謄本(호적 등본).

[謄寫 등사] ㉠ 베껴 씀. ㉡ 등사판
(謄寫板)으로 박음.

---

10 ⑰ 【謇】 떠듬거
릴 건 ㉲銑 | jiǎn | 謇

㉰ ケン〔ただしくいう〕 ㊟ stammer

字解 ① 떠듬거릴 건(吃也). ② 곧
을 건(直言). ¶ 謇謇(건건).

字源 形聲. 言+寒[音]

---

11 ⑱ 【謨】 꾀 모 ㉳虞 | 谟 | mó | 謨

㉰ ボ〔はかりごと〕 ㊟ plan

字解 꾀 모, 꾀할 모(汎議將定其謀).
¶ 聖謨(성모).

字源 形聲. 言+莫[音]

[謨訓 모훈] 국가의 대계가 될 가르
침.

---

11 ⑱ 【謫】 꾸짖을
적 ㉴陌 | zhé | 謫

7
획

�日 タク〔とがめる〕 ㊈ scold
字解 ① 꾸짖을 적(譴責). ② 귀양갈 적. ¶ 流謫(유적). ③ 운기 적(雲氣, 變氣).
字源 形聲. 篆文은 言+啻〔音〕
[謫居 적거] 귀양살이를 함.
[謫所 적소] 죄인이 귀양 가서 있는 곳.
[貶謫 폄적] 벼슬을 깎아 내리고 멀리 귀양 보냄.

11 ⑱ 【謬】 그릇될 류㊉무 ㊈有 | 谬 miù 課
�日 ビュウ〔あやまる〕 ㊈ error
字解 ① 그릇될 류(誤也). ② 속일 류(欺也). ③ 어긋날 류(差也).
字源 形聲. 言+翏〔音〕
[謬見 유견] 잘못된 생각. 틀린 견해.
[誤謬 오류] ㉠ 그릇되어 이치에 어긋남. ㉡ 그릇된 견해나 의심.

11 ⑱ 【謳】 노래할 구㊉尤 | 讴 ōu 謳
㊈日 オウ〔うたう〕 ㊈ sing
字解 노래할 구(歌也).
字源 形聲. 言+區〔音〕
[謳歌 구가] 은덕을 기리어 노래함. 칭찬하여 노래함.

11 ⑱ 【謹】 삼갈 근㊉吻 | 谨 jǐn 謹
言 言 言 言 言 言 謹 謹
㊈日 キン〔つつしむ〕 ㊈ cautious
字解 ① 삼갈 근(愼也). ② 금할 근(嚴禁也).
字源 形聲. 言+堇〔音〕
[謹啓 근계] '삼가 아룁니다'의 뜻으로 편지 허두에 쓰는 말.
[謹愼 근신] 언행을 삼가서 조심함.
[謹聽 근청] 삼가 들음.
[謹賀 근하] 삼가 축하함. ¶ 謹賀新年(근하신년).

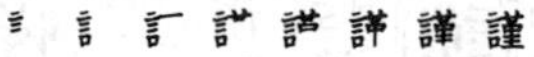

11 ⑱ 【謾】 속일 만㊉寒 속일 면㊉先 | 谩 mán màn 謾
㊈日 マン・ナン〔あざむく〕 ㊈ deceive
字解 ■ ① 속일 만(欺也). ¶ 謾語(만어). ② 게으를 만(慢緩也). ③ 업신여길 만(慢也). ■ 속일 면.
字源 形聲. 言+曼〔音〕

11 ⑱ 【謷】 헐뜯을 오㊉豪 거만할 오㊉號 | áo ào 謷
㊈日 ゴウ〔そしる・おごる〕 ㊈ defame, proud
字解 ■ 헐뜯을 오(衆口毁人之貌). ■ 거만할 오(倨也).
字源 形聲. 言+敖〔音〕

11 ⑱ 【謦】 기침 경㊉迥 | qǐng 謦
㊈日 ケイ〔せき〕 ㊈ harrumph
字解 기침 경(欬聲). ¶ 謦欬(경해).
字源 形聲. 言+殸〔音〕

12 ⑲ 【譌】 訛(와)(言部 4획)와 同字

12 ⑲ 【譁】 떠들썩할 화㊉麻 | 哗 huā 譁
㊈日 カ〔かまびすしい〕 ㊈ clamor
字解 떠들썩할 화(讙也). ¶ 喧譁(훤화).
字源 形聲. 言+華〔音〕
[譁笑 화소] 큰 소리를 내어 웃음.
[譁譟 화조] 지껄이고 떠듦.

12 ⑲ 【證】 증거 증㊉徑 | 证 zhèng 證
言 言 言 言 言 證 證

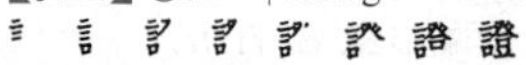

[日] ショウ〔あかし〕 [英] evidence

[字解] **증거 증, 증명할 증**(驗也, 候也). ¶ 明證(명증).

[字源] 形聲. 言+登〔音〕

[證據 증거] 사실을 증명할 만한 근거나 표적. ¶ 證據湮滅(증거 인멸).

[證憑 증빙] 증거로 되거나 증거로 삼음. 또, 그러한 근거. ¶ 證憑書類(증빙서류).

[證書 증서] 어떠한 사실을 증명하는 문서. 증거가 되는 문서.

[證左 증좌] 참고가 될 만한 증거. 증참(證參).

[考證 고증] 옛 문헌 등을 상고하여 증거를 가지고 밝힘.

12 ⑲ 【譎】 속일 휼 [本]결 [入]屑 | 谲 jué

[日] ケツ〔いつわる〕 [英] feign

[字解] **속일 휼**(詭也).

[字源] 形聲. 言+矞〔音〕

[譎計 휼계] 남을 속이는 꾀. 휼모(譎謀).

[譎詐 휼사] 남을 속이기 위하여 간사한 꾀를 부림.

12 ⑲ 【譏】 나무랄 기[平]微 | 讥 jī

[日] キ〔しらべる〕 [英] scold

[字解] ① **나무랄 기**(誹也). ¶ 譏謗(기방). ② **기찰할 기**(伺察). ¶ 譏察(기찰).

[字源] 形聲. 言+幾〔音〕

[譏謗 기방] 헐뜯음. 비방(誹謗).

[譏察 기찰] 살핌. 조사함.

12 ⑲ 【譖】 [一]하리놀 참[去]沁 [二]거짓 참 [本]점[去]豔 | 谮 zèn jiàn

[日] シン〔うったえる〕·セン〔いつわる〕

[英] slander, lie

[字解] [一] **하리놀 참**(讒也). [二] **거짓 참**(不信也).

[字源] 形聲. 言+朁〔音〕

[譖訴 참소] 터무니없는 사실로 남을 헐뜯어 윗사람에게 꾸미어 바치는 일.

12 ⑲ 【識】 [一]알 식 [入]職 [二]적을 지 [去]寘 [三]깃발 치 [去]寘 | 识 shí(shì) zhì zhì

[日] シキ〔しる〕·シ〔しるす·はたじるし〕

[英] recognize, write, flag

[字解] [一] ① **알 식**(知也, 認也). ¶ 博識(박식). ② **식견 식**. ¶ 識見(식견). [二] **적을 지**(記也). [三] **깃발 치**(幟也).

[字源] 形聲. 「戠(시)」의 전음이 음을 나타냄.

[識見 식견] 생각. 훌륭한 생각. 견식.

[識別 식별] 알아서 분별함.

[識字 식자] 글자를 아는 일. ¶ 識字憂患(식자우환).

[識者 식자] 학식·견식 또는 상식이 있는 사람.

[學識 학식] 학문과 식견.

[標識 표지] 어떤 사물을 표하기 위한 표시나 특징.

12 ⑲ 【譙】 꾸짖을 초[去]嘯 | 谯 qiào qiáo

[日] ヒョウ〔とがめる〕 [英] scold

[字解] **꾸짖을 초**(呵責).

[字源] 形聲. 言+焦〔音〕

12 ⑲ 【譚】 편안할 담[平]覃 | 谭 tán

[日] ダン〔はなし〕 [英] peaceful

[字解] ① **편안할 담**(安縱). ② **이야기 담**(談也).

[字源] 形聲. 言+覃〔音〕

[譚思 담사] 깊이 생각함.

7획

[譚詩 담시] ㉠ 발라드(ballad). ㉡ 자유로운 형식의 작은 서사시(敍事詩).

[奇譚 기담] 이상야릇하고 재미나는 이야기.

[民譚 민담] 민간에 전해 내려오는 이야기.

---

13 ⟨20⟩ 【譜】 족보 보 ㊤麌 | 谱 | pǔ | genealogy

言 言 訝 詳 譜 譜 譜 譜

㈰ フ〔けいず〕 ㋰ genealogy

字解 ① 족보 보(籍錄也). ② 악보 보(樂曲節). ¶ 音譜(음보). 樂譜(악보).

字源 形聲. 言+普〔音〕

[譜表 보표] 음악을 악보로 표시하기 위한 오선(五線)의 체계.

[年譜 연보] 한 사람의 평생 이력을 연대순으로 적은 기록.

---

13 ⟨20⟩ 【譟】 떠들 조 ㊤小 ㊤號 | 谋 | zào | clamor

㈰ ソウ〔さわぐ〕 ㋰ clamor

字解 떠들 조(聒也, 羣呼煩擾也). ¶ 喧譟(훤조).

字源 形聲. 言+喿〔音〕

---

13 ⟨20⟩ 【藹】 많을 애 ㊤泰 | 蔼 | ǎi | lots of

㈰ アイ〔おおい〕 ㋰ lots of

字解 많을 애(多貌). ¶ 藹藹(애애).

字源 形聲. 言+葛〔音〕

---

13 ⟨20⟩ 【譫】 헛소리 섬 ㊤琰 ㊤鹽 | 谵 | zhān | murmur

㈰ セン〔たわごと〕 ㋰ murmur

字解 헛소리 섬(多言也).

字源 形聲. 言+詹〔音〕

[譫語 섬어] 헛소리.

---

13 【譯】 통변할 역 入陌 | 译 | yi | interpret

㈰ ヤク〔やくす〕 ㋰ interpret

字解 ① 통변할 역(換易言語使用相解). ② 번역할 역(詁釋經義).

字源 形聲. 言+睪〔音〕

[譯詩 역시] 번역한 시.

[意譯 의역] 개개의 단어·구절에 너무 얽매이지 않고, 전체의 뜻을 살리는 번역.

---

13 ⟨20⟩ 【議】 의논할 의 ㊤寘 | 议 | yi | discuss

言 言 訝 詳 詳 議 議 議

㈰ ギ〔はかる〕 ㋰ discuss

字解 의논할 의(謀也). ¶ 諮議(자의). 謀議(모의).

字源 形聲. 言+義〔音〕

[議事 의사] 회의에서 의논해야 할 사항. ¶ 議事堂(의사당).

[議案 의안] 회의에서 심의할 원안.

[議題 의제] 회의에서 협의할 문제.

[物議 물의] 뭇사람의 서로 다른 비판이나 불평.

[稟議 품의] 웃어른·상사에게 글이나 말로 여쭈어 의논함.

---

13 ⟨20⟩ 【警】 경계할 경 ㊤梗 | jǐng | be cautious

艹 芍 荀 欪 敬 整 警 警

㈰ ケイ〔いましめる〕 ㋰ be cautious

字解 ① 경계할 경(戒也, 敕也). ¶ 警戒(경계). 嚴警(엄경). ② 깨달을 경, 깨우칠 경(寤也). ¶ 警世(경세).

字源 形聲. 言과 敬(삼감)과의 합자. 또, 「敬(경)」이 음을 나타냄.

[警戒 경계] ㉠ 잘못되는 일이 생기지 않도록 미리 마음을 가다듬어 조심함. ㉡ 타일러 주의시킴.

[警報 경보] 위험을 알리는 일정한 신호. ¶ 非常警報(비상경보).

[警世 경세] 세상 사람을 깨우침.

[軍警 군경] 군대와 경찰.

13 ⑳ 【譬】 비유할 비[去]寘 pì

[日] ヒ〔たとえる〕 [英] compare

[字解] ① **비유할 비**(喩也). ② **깨우칠 비, 깨달을 비**(曉也).

[字源] 形聲. 言+辟〔音〕

[譬喩 비유] 어떤 사물이나 관념에 그와 비슷한 것을 끌어대어 설명함.

14 ㉑ 【譴】 꾸짖을 견[去]霰 谴 qiǎn

[日] ケン〔せめる〕 [英] reprimand

[字解] **꾸짖을 견**(責也, 誚也).

[字源] 形聲. 言+遣〔音〕

[譴責 견책] ㉠ 잘못을 꾸짖고 나무람. ㉡ 공무원 징계(懲戒) 종류의 한 가지.

14 ㉑ 【護】 도울 호[去]遇 护 hù

[日] ゴ〔まもる〕 [英] rescue

[字解] ① **도울 호**(助也). ¶ 救護(구호). ② **지킬 호**(擁全). ¶ 護衛(호위). ③ **통솔할 호**(謂總領之也).

[字源] 形聲. 言+蒦〔音〕

[護國 호국] 나라를 지킴.
[護身 호신] 몸을 보호함. ¶ 護身術(호신술).
[守護 수호] 지키어 보호함.

14 ㉑ 【譹】 부르짖을 호[平]豪 譹 háo

[日] コウ〔さけぶ〕 [英] shout

[字解] 부르짖을 호(號也).

[字源] 形聲. 言+豪〔音〕

14 ㉑ 【譽】 명예 예[本]여[去]御[平]魚 誉 yù

[日] ヨ〔ほまれ〕 [英] honor

[字解] ① **명예 예**(令聞). ¶ 聲譽(성예). ② **기릴 예**(稱也, 聲美).

[字源] 形聲. 言+與〔音〕

[榮譽 영예] 빛나는 명예.

15 ㉒ 【譿】 슬기로울 혜[去]霽 譿 huì

[日] ケイ・エ〔さとい〕 [英] wise

[字解] ① **슬기로울 혜**. ② **총명할 혜**.

15 ㉒ 【讀】 [一]읽을 독[入]屋 [二]구두 두[去]宥 读 dú dòu

[日] トク〔よむ〕・トウ〔よみきり〕
[英] read, punctuation

[字解] [一] **읽을 독**(誦書). ¶ 朗讀(낭독). [二] **구두 두**. ¶ 句讀(구두).

[字源] 形聲. 言+賣〔音〕

[讀經 독경] 소리내어 경문(經文)을 읽음.
[讀書 독서] 책을 읽음. ¶ 讀書三昧(독서삼매).
[讀者 독자] 신문·책 등을 읽는 사람.
[讀破 독파] 끝까지 다 읽어 냄.
[購讀 구독] 신문 등을 사서 읽음.

15 ㉒ 【譾】 얕을 전[上]銑 jiǎn

[日] セン〔あさい〕 [英] shallow

[字解] **얕을 전**(淺也).

[字源] 形聲. 言+翦〔音〕

15 ㉒ 【讃】 讚(찬)(言部 19획)의 俗字

16 ㉓ 【讌】 잔치 연[去]霰 讌 yàn

[日] エン〔さかもり〕 [英] feast

字解 ① 잔치 연(會飮). ¶ 讌會(연회). ② 이야기할 연(合語也). ¶ 讌語(연어).

字源 形聲. 言+燕〔音〕

參考 醼(酉部 16획)·宴(宀部 7획)과 同字.

[讌語 연어] 어려워함이 없이 이야기함.

[讌會 연회] 여러 사람을 모아서 베푸는 잔치. 연회(宴會).

---

16 �3 【變】 변할 변 〔去〕霰 変 biàn

⺀ 訁 絲 絲 辯 辯 變 變 變

⽇ ヘン〔かわる〕 ⽶ change

字解 ① 변할 변(化也). ¶ 變遷(변천). ② 고칠 변(改也, 更也). ¶ 變節(변절). ③ 재앙 변(災異). ¶ 變死(변사). 天變地異(천변지이).

字源 形聲. 緣〔音〕+攴

參考 変(宀部 7획)은 略字.

[變故 변고] 재변(災變)이나 사고.

[變死 변사] 병 이외의 재변으로 죽음.

[變節 변절] 절개(節介)를 겪음.

[變化 변화] 사물의 형상·성질 같은 것이 달라짐. 또는 다르게 함. ¶ 變化無窮(변화무궁).

[逢變 봉변] 뜻밖에 화를 당함.

---

16 ㉓ 【讎】 원수 수 ㊧尤 讎 chóu

⽇ シュウ〔あだ〕 ⽶ enemy

字解 원수 수(仇也).

字源 形聲. 言+雔〔音〕

參考 讐(言部 16획)는 同字.

[讎仇 수구] 원수. 수적(讎敵).

[復讎 복수] 원수를 갚음.

---

16 ㉓ 【讐】 讎(수)(前條)와 同字

---

16 ㉓ 【讋】 두려워할 섭 zhé 〔入〕葉

⽇ ショウ〔おそれる〕 ⽶ fear

字解 두려워할 섭(懼也). ¶ 讋伏(섭복).

字源 形聲. 篆文은 言+龖〈省〉〔音〕

---

16 ㉓ 【讂】 거짓 위 ㊧霽 wèi

⽇ エイ〔いつわり〕 ⽶ lie

字解 ① 거짓 위(詐也). ② 잠꼬대 위(夢言不慧).

字源 形聲. 言+衛〔音〕

---

17 ㉔ 【讒】 헐뜯을 참 ㊤咸 ㊧陷 谗 chán

⽇ ザン〔そしる〕 ⽶ slander

字解 헐뜯을 참(譖也).

字源 形聲. 言+毚〔音〕

[讒訴 참소] 터무니없는 사실로 남을 헐뜯어 윗사람에게 일러바치는 일.

[讒毀 참훼] 고자질하고 헐뜯어 말함.

---

17 ㉔ 【讓】 겸손할 양 ㊧漾 让 ràng

言 言 訐 評 評 讓 讓 讓

⽇ ジョウ〔ゆずる〕 ⽶ humble

字解 겸손할 양(攘也). ¶ 謙讓(겸양).

字源 形聲. 言+襄〔音〕

[讓渡 양도] 권리나 이익 따위를 남에게 넘겨줌. 양여(讓與).

[讓步 양보] 어떤 것을 사양하여 남에게 미루어 줌.

[讓位 양위] 임금의 자리를 물려줌.

[謙讓 겸양] 겸손하게 사양함.

---

17 ㉔ 【讕】 헐뜯을 란 ㊤寒 ㊤旱 谰 lán

⽇ ラン〔しいる〕 ⽶ slander

字解 헐뜯을 란(詆譋也).

字源 形聲. 言+闌〔音〕

17
㉔ **[讖]** 참서 참 _{去沁} chèn 讖 纖

⽇ シン〔しるし〕 ⊛ prophecy

字解 참서 참, 조짐 참(未來記).

字源 形聲. 言+韱(섬)〔音〕

[讖書 참서] 참언을 모아 적은 책. 참기(讖記).

[讖言 참언] 앞일의 길흉(吉凶)에 대한 예언.

18
㉕ **[讙]** ■시끄러울 훤 _元 ■시끄러울 환 _寒 xuān huān 讙 譁

⽇ ケン・カン〔やかましい〕 ⊛ noisy

字解 ■시끄러울 훤(譁也). ■시끄러울 환(譁也).

字源 形聲. 言+雚(관)〔音〕

19
㉖ **[讚]** 기릴 찬 _{去翰} zàn 讚

言 言 言 言 言詳 言詳 言詳 讚

⽇ サン〔ほめる〕 ⊛ praise

字解 ① 기릴 찬(稱也). 讚揚(찬양). 禮讚(예찬). ② 도울 찬(佐也). ③ 문체이름 찬(文體名). ¶ 讚論(찬론).

字源 形聲. 言+贊〔音〕

參考 讃(言부 15획)은 俗字.

[讚美 찬미] 칭송하고 기림.
[讚賞 찬상] 칭찬하여 기림.
[讚頌 찬송] 덕을 기리고 찬양함. ¶ 讚頌歌(찬송가).
[讚揚 찬양] 칭찬하여 나타나게 함.
[禮讚 예찬] 존경하여 찬양함.

20
㉗ **[讜]** 곧은말 당 _{上養} dǎng 讜 譡

⽇ トウ〔ちょくげん〕 ⊛ advice

字解 곧은말 당(直言也). ¶ 忠讜(충당).

字源 形聲. 言+黨〔音〕

[讜論 당론] 사리에 바른 이론. 당의(讜議). 정론(正論).

[讜直 당직] 마음이 곧고 바름. 정직(正直).

20
㉗ **[讞]** ■평의할 언 _{上霰} ■평의할 얼 _{入屑} yàn 讞 讞

⽇ ゲン・ゲツ〔さばく〕

字解 ■평의할 언(評獄也). ■평의할 얼(評獄也).

字源 形聲. 言+獻〔音〕

22
㉙ **[讟]** 원망할 독 _{入屋} dú 讟 讟

⽇ トク・ドク〔そしる〕 ⊛ grudge

字解 원망할 독, 헐뜯을 독(痛怨而謗).

字源 形聲. 言+賣〔音〕

谷 〔7 획〕 **部**
(골곡부)

0
⑦ **[谷]** 골곡 _{入屋} gǔ 谷

八 夕 夕 父 谷 谷

⽇ コク〔たに〕 ⊛ valley

字解 골 곡(山間水道谿也).

字源 會意. 八(물이 절반쯤 보이는 모양)와 口(샘물이 나오는 구멍)와의 합자. 샘물이 솟아나와 산간(山間)을 흐르는 수로(水路)의 뜻.

[谷泉 곡천] 골짜기에서 흐르는 샘.
[溪谷 계곡] 물이 흐르는 골짜기.
[峽谷 협곡] 좁고 험한 골짜기.

10
⑰【谿】시내 계 ㊀齊 xī

㈜ケイ〔s にがわ〕 ⑳ brook

字解 시내 계(水注川澗).

字源 形聲. 谷+奚〔音〕

參考 溪(水部 10획)와 同字.

【谿谷 계곡】 산골짜기. 계곡(溪谷).
【谿流 계류】 산골짜기의 시내.
【谿川 계천】 시내.

10
⑰【豁】소통할 활 ㊀入谷 huò

㈜カツ〔ひろけたたに〕
⑳ have mutual understanding

字解 소통할 활(通谷).

字源 形聲. 谷+害〔音〕

【豁達 활달】 ㉠ 탁 트이고 시원스러움. ㉡ 도량이 넓음. ㉢ 활발하고 의젓함.

豆 〔7 획〕 **部**
(콩두부)

0
⑦【豆】콩 두 ㊀宥 dòu

一 厂 厅 斤 豆 豆 豆

㈜トウ〔まめ〕 ⑳ bean

字解 ① 콩 두(菽也). ¶ 豆太(두태). ② 제기 두(祭器). ¶ 籩豆(변두).

字源 象形. 고기를 담는 그릇의 모양. 콩의 뜻은 음의 차용임.

【豆豉 두시】 메주. 된장.
【豆太 두태】 《韓》팥과 콩.
【大豆 대두】 콩.

3
⑩【豇】광저기 강㊀江 jiāng

㈜コウ〔ささげ〕 ⑳ cowpea

字解 광저기 강(豆之一種).

字源 形聲. 豆+工〔音〕

3
⑩【豈】㊀尾 어찌 기 ㊁개가 개 ㊀賄 qǐ kǎi

⺊ 也 也 豆 豈 豈 豈 豈

㈜キ〔あに〕・カイ〔かちどき〕
⑳ how, paean

字解 ㊀ 어찌 기(焉也, 非然辭). ¶ 豈敢(기감). ㊁ 개가 개(勝戰樂).

字源 形聲. 豆(악기의 모양)를 바탕으로 하여 「散(미)」의 생략형의 전음이 음을 나타냄.

【豈敢 기감】 어찌 감히.
【豈不 기불】 어찌 않으랴.

4
⑪【豉】메주 시 ㊀寘 chǐ

㈜シ〔みそ〕 ⑳ soybean malt

字解 메주 시, 된장 시. ¶ 豆豉(두시).

字源 形聲. 豆+支〔音〕

【豉酒 시주】 된장을 넣은 술.

6
⑬【登】제기이름 등 ㊀蒸 dēng

㈜トウ〔たかつき〕

字解 제기이름 등(禮器瓦豆).

字源 會意. 又(손)와 夕(고기)와 豆(제기)의 합자. 고기를 담아 차리는 그릇의 뜻. 또, 「豆(두)」의 전음이 음을 나타냄.

6
⑬【豊】㊀禮(예)(示部 13획)의 古字 ㊁豊(풍)(豆部 11획)의 俗字

參考 속(俗)에 豊(풍)(豆部 11획)의 略字로 쓰임.

8
⑮【豌】완두 완 ㊀寒 wān

㈜エン〔えんどう〕 ⑳ pea

字解 완두 완(西胡豆名).

字源 形聲. 豆+宛〔音〕

7
획

8 ⑮ 【豎】 아이 수 ㊤麌 shù | 竪 | 𥪡

ⓙ ジュ〔たつ〕 ⓔ boy servant

字解 ① 아이 수(童僕未冠). ¶ 豎子(수자). ② 내시 수(內廷小臣). ③ 세울 수, 설 수(立也). ¶ 豎立(수립).

字源 形聲. 臥+豆[音]

參考 竪(立部 8획)는 俗字.

[豎立 수립] 똑바르게 세움.
[豎儒 수유] 썩은 선비.
[豎子 수자] ㉠ 더벅머리. ㉡ 무슨 일에 익숙하지 못한 사람. 미숙자(未熟者). ㉢ 남을 경멸하여 일컫는 말.

10 ⑰ 【豏】 콩반익을 함 ㊤豏 xiàn

ⓙ カン〔まめがなかばめばえる〕

字解 콩반익을 함(豆半熟).

字源 形聲. 豆+兼[音]

11 ⑱ 【豐】 성할 풍 ㊤東 fēng | 丰 | 𡴀

ⓙ ホウ〔ゆたか〕 ⓔ abundant

字解 ① 성할 풍(盛也). ¶ 豐盛(풍성). ② 풍년들 풍(大有年也). ¶ 凶豐(흉풍). ③ 잔대 풍(承尊器). ④ 넉넉할 풍. ¶ 豐饒(풍요).

字源 象形. 豆(그릇) 위에 음식을 많이 담아 올린 모양.

參考 豊(豆部 7획)은 속(俗)에 略字로 쓰임.

[豐年 풍년] 곡식이 잘 되고, 잘 여무는 일. 또, 그런 해. 영세(寧歲). 유년(有年).
[豐滿 풍만] ㉠ 물건이 풍족함. ㉡ 몸이 비대(肥大)함.
[豐富 풍부] 넉넉하고 많음. 풍족.
[豐盛 풍성] 넉넉하고 많음.
[豐饒 풍요] 풍성풍성하고 흐뭇함. 풍유(豐裕).
[大豐 대풍] 곡식이 썩 잘된 풍작.

21 ㉘ 【豔】

艶(염)(色部 18획)과 同字

豕 〔7 획〕 部

(돼지시부)

0 ⑦ 【豕】 돼지 시 ㊤紙 shǐ | 𧰨

ⓙ シ〔ぶた〕 ⓔ pig

字解 돼지 시(豚也).

字源 象形. 돼지의 머리, 네 다리와 꼬리의 모양을 본뜸.

[豕牢 시뢰] ㉠ 돼지우리. ㉡ 뒷간.

4 ⑪ 【豚】 돼지 돈 ㊤元 tún, 지척거릴 돈 ㊤阮 dùn

丿 刀 月 厂 肝 肝 肟 豚

ⓙ トン〔ぶた・あしひく〕 ⓔ pig, trudge

字解 돼지 돈(猪子). 지척거릴 돈(行曳踵).

字源 會意. 又(손)에 豕(돼지고기)를 들고 신에 바치는 뜻.

[豚兒 돈아] 자기 아들의 겸칭(謙稱).
[養豚 양돈] 돼지를 먹여 기름.

5 ⑫ 【象】 코끼리 상 ㊤養 xiàng | 𧰼

ㄟ ㄅ ㄅ ㄅ 多 乎 乎 象 象

ⓙ ショウ〔ぞう〕 ⓔ elephant

字解 ① 코끼리 상(南方大獸長鼻牙). ¶ 象牙(상아). ② 꼴 상(形也). ¶ 象徵(상징).

字源 象形. 코끼리의 모양으로 코와 귀의 특징을 나타냄.

[象牙 상아] 코끼리의 어금니.
[象徵 상징] 추상적인 정신 내용을 구체적인 사물로써 연상(聯想)하게 함.
[象形 상형] 사물의 형상을 본뜸. ¶

象形文字(상형 문자).
[萬象 만상] 온갖 사물.

6 ⑬ 【豢】 칠 환 ㉵諫 huàn

�日 ケン〔やしなう〕 ㊤ feed
字解 칠 환(畜養). ¶ 芻豢(추환).
字源 形聲. 豕+关〔音〕

7 ⑭ 【豨】 멧돼지 희 ㊤尾 ㉵微 xī

�日 キ〔いのこ〕 ㊤ wild boar
字解 멧돼지 희(大豕).
字源 形聲. 豕+希〔音〕

7 ⑭ 【豪】 뛰어날 호㊤豪 háo

一 亠 亠 亨 亨 寡 豪 豪

�日 ゴウ〔まさる〕 ㊤ excel
字解 ① 뛰어날 호(俊也). ¶ 文豪
(문호). ② 호협할 호(俠也). ③ 호
저 호. ¶ 豪豬(호저).
字源 形聲. 豕+高〔省〕〔音〕
[豪傑 호걸] 재주·슬기가 뛰어나고
도량이 넓고 기개(氣槪)가 있는 사
람.
[豪奢 호사] 지나치게 호화로이 사
치함. 또, 그러한 사치.
[豪爽 호상] 호탕하고 의지가 굳셈.
[豪雨 호우] 줄기차게 내리는 비.
[豪華 호화] 사치스럽고 화려함.
[文豪 문호] 매우 뛰어난 작가.

9 ⑯ 【豬】 猪(저)(犬部 9획)와 同字

9 ⑯ 【豫】 미리 예 ㊤御 yù

フ 予 产 产 产 矜 孲 豫

�日 ヨ〔あらかじめ〕 ㊤ beforehand
字解 ① 미리 예(早也, 先也). ¶
豫防(예방). ② 기뻐할 예(悅也).
¶ 豫附(예부). ③ 참여할 예(參

與). ④ 머뭇거릴 예. ¶ 猶豫(유
예).
字源 形聲. 象+予〔音〕
[豫感 예감] 어떤 일을 사전에 미리
느끼는 느낌.
[豫期 예기] 앞으로 올 일에 대하여
미리 기대함.
[豫防 예방] 무슨 일을 탈이 있기 전
에 미리 막음. ¶ 豫防注射(예방 주
사).
[豫測 예측] 앞으로 있을 일을 미리
추측함. ¶ 豫測不許(예측 불허).
[豫度 예탁] 예측(豫測).
[猶豫 유예] ㉠ 망설여 일을 결행하
지 않음. ㉡ 시일을 미루거나 늦춤.

10 ⑰ 【豳】 ┃나라 이름 빈 ㊤眞 bīn / ┃얼룩 반 ㊤删 bān

�日 ヒン〔くにのな〕・ハン〔またら〕
㊤ spot
字解 ┃ 나라이름 빈(周始封國).
┃ 얼룩 반.
字源 形聲. 山+豩〔音〕

12 ⑲ 【豶】 불깐돼지 분 ㊤文 fén

�日 フン〔きょせいしたぶた〕
㊤ castrated pig
字解 불깐돼지 분(去勢豕).
字源 形聲. 豕+賁〔音〕

豸 〔7 획〕 部

(갖은돼지시부)

0 ⑦ 【豸】 ┃벌레 치 ㊤紙 zhì / ┃해태 채 ㊤蟹 zhài

┃벌레 치 ㊤紙
┃해태 채 ㊤蟹

⊕ チ〔なかむし〕・タイ〔しんじゅうのな〕
⊛ worm, unicorn-lion

字解 ━ ① 벌레 치(無足蟲). ② 풀릴 치(解也). ━ 해태 태(神獸名).

字源 象形. 짐승이 잔등을 꾸부리고 막 덤벼들려는 모양을 본뜸.

[獬豸 해태] 시비·선악을 판단하여 안다는 상상의 동물. 사자와 비슷하나 머리 가운데 뿔이 하나 있다 함.

---

³ ⑩ 【豹】 표범 표 ⊛效 | bào | 豹

⊕ ヒョウ〔ひょう〕 ⊛ leopard

字解 표범 표(猛獸似虎圓文).

字源 會意. 豸+勺.

[豹變 표변] 마음이나 행동이 돌변함.

[豹皮 표피] 표범의 털가죽.

---

³ ⑩ 【豺】 승냥이 시⊛佳 | chái | 豺

⊕ サイ〔やまいぬ〕 ⊛ coyote

字解 승냥이 시(狼屬). ¶ 豺狼(시랑).

字源 形聲. 豸+才〔音〕.

[豺狼 시랑] ㉠ 승냥이와 이리. ㉡ 탐욕하고 무자비한 사람을 비유하는 말.

[豺虎 시호] ㉠ 승냥이와 범. ㉡ 사납고 악함을 비유하는 말.

---

⁵ ⑫ 【貁】 긴꼬리원숭이 유⊛宥 | yòu | 貁

⊕ ユウ〔おながざる〕

字解 긴꼬리원숭이 유(猿屬, 仰長尾).

字源 形聲. 豸+穴〔音〕.

---

⁵ ⑫ 【貂】 담비 초⊕蕭 | diāo | 貂

⊕ チョウ〔てん〕 ⊛ sable

字解 담비 초(鼠屬黃黑色).

字源 形聲. 豸+召〔音〕.

[貂裘 초구] 담비의 모피로 만든 갖옷.

[貂蟬 초선] 담비 꼬리와 매미 날개. 고관(高官)의 관(冠)의 장식으로 썼음, 전하여, 높은 조관(朝官).

[狗尾續貂 구미속초] 개 꼬리로 담비 꼬리를 잇는다는 뜻. 관작을 함부로 줌의 비유.

---

⁶ ⑬ 【㹯】 맹수이름 휴⊕尤 | xiū | 㹯

⊕ キュウ〔もうじゅうのな〕

字解 맹수이름 휴(猛獸名).

字源 形聲. 豸+体〔音〕.

---

⁶ ⑬ 【貆】 ━오소리 훤⊕元 ━오소리 환⊕寒 | huān / huán | 貆

⊕ ケン・カン〔むじな〕 ⊛ badger

字解 ━ 오소리 훤(貉屬). ━ 오소리 환(貉屬).

字源 形聲. 豸+亘〔音〕.

---

⁶ ⑬ 【貉】 ━오소리 학⊗藥 ━오랑캐 맥⊗陌 | hé(háo) / mò | 貉

⊕ カク〔むじな〕・バク〔えびす〕 ⊛ badger, savage

字解 ━ 오소리 학(似貍善睡斑毛狐). ━ 오랑캐 맥(東北夷).

字源 形聲. 豸+各〔音〕.

---

⁶ ⑬ 【貊】 오랑캐 맥⊗陌 | mò | 貊

⊕ バク〔しずか〕 ⊛ savage

字解 ① 오랑캐 맥(北方貉). ② 조용할 맥(靜也).

字源 形聲. 豸+百〔音〕.

[蠻貊 만맥] 고대 중국의 남쪽과 북쪽에 살던 종족 이름.

[獩貊 예맥] ㉠ 한족(韓族)의 조상이 되는 민족. ㉡ 고조선 때 있었던 부족 국가의 이름.

7
⑭ 【貌】모양 모 | mào
㊊效

丿 ﾉ ㇇ 豸 豸 豸 豹 豹 貌

㊐ ボウ〔かたち〕 ㊥ appearance
字解 모양 모(容儀).
字源 形聲. 豸+皃〔音〕.

[貌樣 모양] 됨됨이. 생김생김. 형상.
[美貌 미모] 아름다운 얼굴 모습.
[容貌 용모] 얼굴 모습.

7
⑭ 【貍】▄너구리
리㊊支
▄묻을 매
㊊佳
| lí
mái

㊐ リ〔たぬき〕・マイ〔うすめる〕
㊥ raccoon, bury
字解 ▄ 너구리 리(狐之類, 貍也).
▄ 묻을 매.
字源 形聲. 豸+里〔音〕.
參考 狸(犬部 7획)와 同字.

[貍奴 이노] 고양이의 딴 이름.
[狐貍 호리] ㉠ 여우와 삵괭이. ㉡ 도량이 좁고 간사한 사람의 비유.

9
⑯ 【貓】 猫(묘)(犬部 9획)와 同字

10
⑰ 【貔】맹수이
름 비 | pí
㊊支

㊐ ヒ〔もうじゅうのな〕
字解 맹수이름 비(猛獸名).
字源 形聲. 豸+毘〔音〕.

11
⑱ 【貘】맹수이
름 맥 | mò
⑧陌

㊐ バク〔もうじゅうのな〕
字解 맹수이름 맥(似熊食鐵).
字源 形聲. 豸+莫〔音〕.

13
⑳ 【獩】오랑캐
예㊊隊 | wèi

㊐ アイ〔えびす〕 ㊥ savage
字解 오랑캐 예. ¶ 獩貊(예맥).
字源 形聲. 豸+歲〔音〕.

18
㉕ 【玃】이리 환 | jué
㊊寒

㊐ カン〔まみ〕 ㊥ wolf
字解 ① 이리 환(牡狼). ② 오소리
환(野豕, 天狗).
字源 形聲. 豸+矍〔音〕.

貝 〔7 획〕 部
(조개패부)

0
⑦ 【貝】조개 패 | 贝
㊊泰 | bèi

丨 ⴼ 冂 冂 目 目 貝

㊐ バイ〔かい〕 ㊥ shell
字解 ① 조개 패(海介蟲). ¶ 貝殼
(패각). ② 돈 패(貨也). ¶ 貝物
(패물).
字源 象形. 자패(紫貝)의 형상을 본
뜸. 옛날에는 화폐로 썼음.

[貝殼 패각] 조가비. 조개껍질.
[貝物 패물] 산호・호박(琥珀)・수정・
대모(玳瑁) 따위로 만든 물건.

2
⑨ 【貞】곧을 정 | 贞
㊍庚 | zhēn

丶 ⴼ 冃 冃 卣 卣 貞 貞

㊐ テイ〔ただしい〕 ㊥ chaste
字解 곧을 정(正也).
字源 會意. 卜(점)과 貝(신에게 바
치는 제물)와의 합자. 점치며 물음
의 뜻. 곧음의 뜻은 음의 차용임.

[貞潔 정결] ㉠ 여자의 정조가 굳고
행실이 깨끗함. ㉡ 여자의 곧은 절
개.
[貞烈 정렬] 여자의 행실이나 지조

가 곧고 매움. ¶ 貞烈夫人(정렬 부인).
[貞淑 정숙] 여자의 행실이 곧고 마음씨가 맑음.
[貞操 정조] 여자의 깨끗한 절개.
[童貞 동정] 이성과의 성접촉이 아직 없이 지키고 있는 순결.

2 ⑨ 〖負〗 질부 ㊤有 | 负 fù

丿 ⺈ ⺈ ⺈ 𠂊 ⺈ 負 負

㊐ フ〔おう〕 ㊊ bear

字解 ① **질 부**(背荷物). ¶ 負擔(부담). ② **빚질 부**(受貸不償). ¶ 負債(부채). ③ **질 부, 패할 부**(敗也). ¶ 勝負(승부).

字源 會意. 人과 貝와의 합자. 사람이 많은 貝(재화)를 가지고 마음 든든하게 생각하고 있음의 뜻. 패함의 뜻은 음의 차용임.

[負笈 부급] 책을 짊어지고 간다는 뜻으로, 타향으로 공부하러 감을 일컬음.
[負擔 부담] ㉠ 짐을 짐. ㉡ 어떤 의무나 책임을 짐. 또는 걸머진 의무나 책임. ¶ 負擔金(부담금).
[負約 부약] 약속을 어김.
[負荷 부하] 짐을 짐. 또, 그 짐.
[勝負 승부] 이김과 짐.

2 ⑨ 〖負〗 負(부)(前條)의 俗字

2 ⑨ 〖貟〗 員(원)(口部 7획)의 俗字

3 ⑩ 【財】 재물 재 ㊥灰 | 财 cái

冂 月 目 貝 貝 貝一 財 財

㊐ ザイ〔たから〕 ㊊ wealth

字解 **재물 재**(貨也).

字源 形聲. 貝+才〔音〕

[財界 재계] 경제계.
[財團 재단] 어떤 목적을 달성하기 위하여 결합된 재산의 집단.
[財閥 재벌] 금융 및 경제계에서 큰 세력을 가진 자본가의 무리.
[財產 재산] 개인이나 기관이 소유하는 재물.
[家財 가재] 한 집의 재물이나 재산.
[蓄財 축재] 재물을 모음.

3 ⑩ 〖貤〗 겹칠 이 ㊦寘 | 贳 yì yí

㊐ イ〔かさなる〕 ㊊ add

字解 ① **겹칠 이**(重次第物也), **더할 이**(益也). ② **뻗을 이**(延也).

字源 形聲. 貝+也〔音〕

3 ⑩ 〖貢〗 바칠 공 ㊦送 | 贡 gòng

一 丅 工 贡 贡 貢 貢 貢

㊐ コウ〔みつぐ〕 ㊊ offer

字解 ① **바칠 공**(獻也). ¶ 朝貢(조공). ② **천거할 공**(薦也). ¶ 貢士(공사).

字源 形聲. 貝+工〔音〕

[貢物 공물] 조정에 바치는 물건.
[貢獻 공헌] ㉠ 공물을 바침. ㉡ 힘을 들여 이바지함.
[來貢 내공] 외국 또는 속국의 사신의 내조(來朝)하여 공물을 바침.

4 ⑪ 〖販〗 팔 판 ㊦願 | 贩 fàn

冂 月 目 貝 貝一 貶 貶 販

㊐ ハン〔うる〕 ㊊ sell

字解 **팔 판, 장사 판**(賤買貴賣者).

字源 形聲. 貝+反〔音〕

[販路 판로] 상품이 팔리는 방면이나 길.
[販賣 판매] 상품을 팖.
[市販 시판] 시장이나 시중에서 일반에게 판매함.

4 ⑪ 【貧】 가난할 빈 ㊥眞 | 贫 pín

丿 八 分 分 㓅 貧 貧 貧

7획

日 ヒン・ビン〔まずしい〕 英 poor

字解 ① 가난할 빈(乏也, 無財). 貧困(빈곤). ② 모자랄 빈. ¶ 貧血(빈혈).

字源 形聲. 貝+分〔音〕

[貧困 빈곤] ㉠ 가난하고 군색함. ㉡ 내용이 옹골차지 못하여 텅 빔.

[貧富 빈부] 빈궁(貧窮)과 부유(富裕). 가난한 사람과 부자. ¶ 貧富貴賤(빈부귀천).

[貧弱 빈약] ㉠ 가난하고 약함. ㉡ 보잘것없음.

[貧血 빈혈] 체내의 혈액이 모자람.

[淸貧 청빈] 청렴하고 가난함.

4/11 【貨】 재화 화 去簡 货 huò

ノイイ化化代件件件

日 カ〔たから〕 英 goods

字解 ① 재화 화, 화폐 화(財也). ¶ 銀貨(은화). ② 물건 화(物也). ¶ 貨物(화물).

字源 形聲. 貝+化〔音〕

[貨物 화물] ㉠ 화차(貨車) 따위로 옮기는 짐. ㉡ 물품.

[貨幣 화폐] 사회에 유통하여 교환의 매개, 지불의 수단, 가격의 표준, 축적의 목적물 등으로 쓰이는 물건. 돈. 통화.

[財貨 재화] 사돈과 값나가는 물건.

4/11 【貪】 탐할 탐 下覃 贪 tān

ノ人人今今今會會貪

日 タン・ドン〔むさぼる〕 英 covet

字解 탐할 탐(欲物愛財).

字源 形聲. 貝+今〔音〕

[貪官 탐관] 재물을 탐내는 관리. ¶ 貪官汚吏(탐관오리).

[貪慾 탐욕] 사물을 지나치게 탐내는 욕심.

4/11 【貫】 꿸 관 去翰 贯 guàn

ㄴ口口四毋冊冊冊貫

日 カン〔つらぬく〕 英 pierce

字解 ① 꿸 관, 꿰뚫을 관(穿也). ¶ 貫通(관통). ② 명적 관(名籍, 戶帳). ¶ 貫鄕(관향). ③ 관 관. ¶ 十貫(십관).

字源 會意. 毌가 본디 화폐인 조개를 끈으로 꿴 모양. 그것에 貝를 더한 글자.

[貫徹 관철] 어려운 일을 기어코 뚫고 나가 목적을 이룸. ¶ 初志貫徹(초지관철).

[貫通 관통] 꿰뚫어 통함.

[貫鄕 관향] 시조(始祖)가 난 땅. 관적(貫籍). 본(本). 본관(本貫).

4/11 【責】 꾸짖을 책 入陌 责 zé

一十十丰丰青青青責

日 セキ〔せめる〕 英 scold

字解 ① 꾸짖을 책(詰也), 나무랄 책(誅也). ¶ 責望(책망). ② 재촉할 책(迫取). ③ 구할 책(求也). ¶ 責善(책선). ④ 책임 책(責任). ¶ 重責(중책).

字源 形聲. 본디 貝+朿〔音〕

[責望 책망] 허물을 꾸짖음.

[責務 책무] 직책과 임무. 책임진 의무.

[責善 책선] 착한 일을 하도록 권함.

[責任 책임] ㉠ 도맡아서 하여야 할 임무. ㉡ 불법한 행위를 한 자에게 법률상의 불이익이나 제재가 가해지는 일.

[職責 직책] 맡은 일에 따른 책임.

[叱責 질책] 꾸짖어 나무람.

5/12 【貯】 쌓을 저 上語 贮 zhù

丨冂冂月月貝貯貯貯

日 チョ〔たくわえる〕 英 store up

字解 ① 쌓을 저(積也). ¶ 貯藏(저장). ② 둘 저(置也).

字源 形聲. 貝+宁〔音〕

[貯金 저금] 돈을 모아 둠. 또, 그 돈.
[貯水 저수] 물을 모아 둠. 또, 그 물.
¶ 貯水池(저수지).
[貯藏 저장] 쌓아서 간직하여 둠.
[貯蓄 저축] 절약하여 모아 둠.

---

⁵ ⑫ 【貶】 덜 폄 │ 貶 │ ㊤琰 │ biǎn

㊐ ヘン〔おとす〕 ㊤ subtract

字解 덜 폄(損也). ¶ 損貶(손폄).

字源 形聲. 貝+乏〔音〕

[貶降 폄강] 관직을 깎아 낮춤.
[褒貶 포폄] 칭찬함과 비방함. 시비
선악을 판단·결정함.

---

⁵ ⑫ 【貺】 줄 황 │ 貺 │ ㊤漾 │ kuàng

㊐ キョウ〔たまわる〕 ㊤ give

字解 줄 황(與也), 하사할 황(賜也).

字源 形聲. 貝+兄〔音〕

---

⁵ ⑫ 【貼】 붙일 첩 │ 貼 │ ㊤葉 │ tiē

㊐ チョウ〔はる〕 ㊤ paste

字解 ① 붙일 첩(依附). ¶ 貼付(첩
부). ② 전당잡힐 첩(以物爲質).

字源 形聲. 貝+占〔音〕

[貼付 첩부] 착 들러붙게 붙임.
[貼藥 첩약] 약방문에 따라 여러 가
지 약재(藥材)를 배합하여 싼 한방약.
[貼用 첩용] 붙여서 사용함.
[貼錢 첩전] 거스름돈.

---

⁵ ⑫ 【貽】 줄 이 │ 貽 │ ㊤支 │ yí

㊐ イ〔おくる〕 ㊤ give

字解 ① 줄 이(貺也). ② 끼칠 이
(遺也).

字源 形聲. 貝+台〔音〕

[貽謀 이모] 자손을 위하여 남긴 꾀.
[貽訓 이훈] 부조(父祖)가 자손을 위
해 남긴 교훈. 뒷사람에게 권하는 격
언.

---

⁵ ⑫ 【貳】 두 이 │ 貳 │ �去寘 │ èr

一 二 ヂ ヂ 亖 亖 貳 貳

㊐ ジ・ニ〔かさねる〕 ㊤ two

字解 ① 두 이, 둘 이(二也). ¶ 貳
心(이심). ② 거듭될 이(重也).

字源 會意. 옛 글자는 弐. 弋(말뚝)
이 두 개 있다는 뜻. 그것에 貝를 더
하여 화폐가 둘이라는 뜻. 따라서
둘의 뜻.

[貳車 이거] 여벌로 따르는 수레.
[貳相 이상] 삼정승 다음가는 벼슬.
곧, 좌우찬성(左右贊成)을 일컫던
말.
[貳心 이심] ㉠ 두 가지 마음. ㉡ 배
반하려는 마음. ㉢ 변하기 쉬운 마
음.

---

⁵ ⑫ 【貰】 세낼 세 │ 貰 │ ㊤霽 │ shì

㊐ セイ〔もらう〕 ㊤ hire

字解 ① 세낼 세(賒也). ② 놓아줄
세(赦也).

字源 形聲. 貝+世〔音〕

[貰家 세가] 셋집.
[貰貸 세대] 대차(貸借).
[貰冊 세책] 셋돈을 받고 빌려 주는
책.
[專貰 전세] 약정한 기간 그 사람에
게만 빌려 주고 타인의 사용을 금지
하는 일.

---

⁵ ⑫ 【貲】 재물 자 │ 貲 │ ㊤支 │ zī

㊐ シ〔たから〕 ㊤ property

字解 재물 자(財也, 貨也). ¶ 家貲
(가자).

字源 形聲. 貝+此〔音〕

[貲簿 자부] 금전 출납부.

---

⁵ ⑫ 【貴】 귀할 귀 │ 貴 │ ㊤未 │ guì

丨 冂 中 虫 虫 贵 青 貴 貴

㊐ キ〔とうとい〕 ㊤ noble

字解 귀할 귀, 귀히여길 귀(物不賤). ¶貴重(귀중). 貴體(귀체).

字源 會意. 篆文은 臾+貝.

[貴人 귀인] 사회적 지위가 높은 사람.

[貴重 귀중] 귀하고 소중함.

[貴賤 귀천] 존귀(尊貴)함과 비천(卑賤)함. 또는 귀인과 천인.

[貴體 귀체] 상대편의 몸의 높임말. 편지 따위에 쓰임.

[尊貴 존귀] 지위가 높고 귀함.

[品貴 품귀] 물건이 귀함.

---

5 ⑫【買】 살 매 ㊚蟹 买 mǎi 買

一口口四四四罒買

㊝ バイ〔かう〕 ㊤ buy

字解 살 매(市也).

字源 會意. 罒(그물)과 貝(재화)와의 합자. 그물로 재화를 덮음. 즉, 매점하여 이익을 얻음의 뜻.

[買上 매상] 상품을 사들임. ¶買上米(매상미).

[買收 매수] ㉠ 사들임. ㉡ 남의 마음을 사서 자기편으로 삼음.

[買票 매표] ㉠ 차표·입장권 따위를 사는 일. ㉡ 선거에서 표(票)를 사는 일.

[購買 구매] 물건을 사들임.

[賣買 매매] 물건을 팔고 사는 일.

---

5 ⑫【貸】 ㇐빌릴 대 ㊚隊 ㇐틀릴 특 ㊤職 貸 dài tè 貸

亻亻代代代伴貸貸貸

㊝ タイ〔かす〕・トク〔まちがう〕 ㊤ lend, be false

字解 ㇐ 빌릴 대(借施). ㇐ 틀릴 특(僭也).

字源 形聲. 貝+代〔音〕.

[貸付 대부] 이자(利子)와 기한을 정하고 돈이나 물건 따위를 빌려 줌. ¶金融貸付(금융 대부).

[貸與 대여] 빌려 줌.

[賃貸 임대] 삯을 받고 빌려 줌.

---

5 ⑫【費】 쓸 비 ㊤未 費 fèi 費

一弓弓弓弗弗弗費費

㊐ ヒ〔ついやす〕 ㊤ expend

字解 쓸 비(散財用耗損). ¶浪費(낭비).

字源 形聲. 貝+弗〔音〕.

[費用 비용] 드는 돈. 쓰이는 돈.

[虛費 허비] 헛되이 씀. 또는 그 비용.

---

5 ⑫【貿】 장사할 무 ㊤有 貿 mào 貿

丶乚乄丣丣罒罒貿貿

㊐ ボウ〔かう〕 ㊤ trade

字解 ① 장사할 무(財貨交易). 貿易(무역). ② 살 무(財貨交易). ¶貿穀(무곡).

字源 形聲. 貝+卯〔音〕.

[貿穀 무곡] 좋은 시세를 노리고 곡식을 많이 사들임.

[貿易風 무역풍] 위도 30도 이내의 곳에서 적도를 향하여 일년내내 거의 끊임없이 부는 바람.

---

5 ⑫【賀】 하례할 하 ㊤箇 賀 hè 賀

フカカ加加智智賀

㊐ ガ〔いわう〕 ㊤ congratulate

字解 하례할 하, 하례 하(稱慶朝賀). ¶年賀(연하).

字源 形聲. 貝+加〔音〕.

[賀客 하객] 축하하러 온 손님.

[慶賀 경하] 경사스러운 일을 축하함.

---

5 ⑫【賁】 ㇐꾸밀 비 ㊤寘 ㇐결낼 분 ㊤文 賁 bì fèn 賁

㊐ ヒ〔かざる〕・フン〔いきどおる〕

[英] adorn, flare up

[字解] [一] 꾸밀 비(飾也). [二] 결낼 분(憤怒也).

[字源] 會意. 貝+卉

6 ⑬ 〖賂〗 뇌물 뢰 [去]遇 | 赂 lù

[日] ロ〔まいない〕 [英] bribe

[字解] **뇌물 뢰**(以財與人也). ¶ 賄賂(회뢰).

[字源] 形聲. 貝+各〔音〕

[賂物 뇌물] 자기 목적을 이루기 위하여 권력 관계자에게 몰래 주는 재물.

[受賂 수뢰] 뇌물을 받음.

6 ⑬ 〖賄〗 뇌물 회 [上]賄 | 贿 huì

[日] ワイ〔まいない〕 [英] bribe

[字解] ① **뇌물 회**. ¶ 賄賂(회뢰). ② **재물 회**(財物總名).

[字源] 形聲. 貝+有〔音〕

[賄賂 회뢰] 사사 이익을 꾀하기 위하여 권력자에게 비밀히 주는 정당하지 못한 금품.

[收賄 수회] 뇌물을 받음.

[贈賄 증회] 뇌물을 줌.

6 ⑬ 〖賅〗 갖출 해 [平]灰 | 赅 gāi

[日] カイ〔そなえる〕 [英] possess

[字解] **갖출 해**(備也).

[字源] 形聲. 貝+亥〔音〕

6 ⑬ 〖賊〗 도둑 적 [入]職 | 贼 zéi

[日] ゾク〔ぬすびと〕 [英] thief

[字解] ① **도둑 적, 도둑질 적, 도둑질할 적**(盜也). ¶ 賊徒(적도). ② **해칠 적**(傷害也).

[字源] 形聲. 戈+則〔音〕

[賊徒 적도] 도둑의 무리. 적당(賊黨).

[賊反荷杖 적반하장] 도둑놈이 도리어 몽둥이를 듦. 곧, 잘못한 사람이 도리어 성을 내는 것을 비유하는 말.

[賊心 적심] 해치려는 마음. 모반하려는 마음.

[盜賊 도적] 도둑.

6 ⑬ 〖賎〗 賤(천)(貝部 8획)의 俗字

6 ⑬ 〖賃〗 품팔 임 [去]沁 | 赁 lìn

亻 亻 仁 任 侟 賃 賃 賃

[日] チン〔かりる〕 [英] be hired

[字解] ① **품팔 임**(傭也). ¶ 賃金(임금). ② **빌 임**(借也), **세낼 임**(以財雇物). ¶ 賃貸(임대).

[字源] 形聲. 貝+任〔音〕

[賃金 임금] ㉠ 삯전. ㉡ 노동자가 노동하여 받는 보수.

[賃貸 임대] 물품을 남에게 빌려 주고 그 손료(損料)를 받음.

[勞賃 노임] 노동에 대한 보수.

6 ⑬ 〖資〗 재물 자 [平]支 | 资 zī

冫 冫 次 次 斉 斉 資 資

[日] シ〔たから〕 [英] property

[字解] ① **재물 자**(財也), **자본 자**(財用). ¶ 資財(자재). ② **바탕 자**(材質). ¶ 資質(자질). ③ **쓸 자**(用也).

[字源] 形聲. 貝+次〔音〕

[資格 자격] ㉠ 신분과 지위. ㉡ 어떤 신분이나 지위를 얻는 데 필요한 조건.

[資金 자금] 밑천. 자본금(資本金).

[資力 자력] ㉠ 바탕이 되는 힘. ㉡ 밑천. 자본.

[資料 자료] 일의 바탕이 될 재료.

[資質 자질] 타고난 바탕과 성질.

[物資 물자] 경제나 생활의 바탕이 되는 물품이나 자재.

6 ⑬【賈】 ■살 고 ㊤麑 ■값 가 ㊤禡　賈 $gǔ$ $jiǎ$ 𧶧

⊕ コ〔かう〕・カ〔あたい〕
㊆ buy, price

字解 ■ ① 살 고(買也). ¶ 賈怨
(고원) ② 장사 고(坐賣). ■ 값
가(售値).

字源 形聲. 貝＋两〔音〕

[賈船 고선] 영업용의 선박. 화물선·
여객선 따위. 상고선(商賈船). 상선
(商船).

[賈怨 고원] 원망을 삼.

[商賈 상고] 장사하는 사람. 장수.

7 ⑭【賑】 ■넉넉할 진 ㊤軫 ■구휼할 진 ㊧震　賑 $zhèn$ 賑

⊕ シン〔にぎわう・ほどこす〕
㊆ enough, relieve

字解 ■ 넉넉할 진(贍給). ■ 구휼
할 진(擧救也). ¶ 賑給(진급).

字源 形聲. 貝＋辰〔音〕

[賑恤 진휼] 흉년에 곤궁한 백성을
구원(救援)하여 줌.

[殷賑 은진] ㉠ 매우 흥성흥성함. ㉡
매우 번창함.

7 ⑭【賒】 외상거래할 사 ㊤麻　賒 $shē$ 賒

⊕ シャ〔かけでかう〕
㊆ credit transact

字解 ① 외상거래할 사(貫買). ¶
賒買(사매). ② 멀 사(遠也). ¶
賒遙(사요). ③ 더딜 사(緩也). ④
호사할 사(奢也).

字源 形聲. 貝＋余〔音〕

7 ⑭【賕】 회뢰구 ㊦尤　賕 $qiú$ 賕

⊕ キュウ〔まいない〕 ㊆ bribe

字解 회뢰 구, 뇌물 구(以財物枉法

相謝也). ¶ 賕賂(구뢰).

字源 會意. 求(구함)와 貝(금전)와
의 합자. 또,「求(구)」가 음을 나타
냄.

7 ⑭【賓】 손빈 ㊤眞　宾 $bīn$ 賓

宀宀宀宀宷宷賓賓

⊕ ヒン〔まろうど〕 ㊆ guest

字解 ① 손 빈(客也). ¶ 來賓(내
빈). ② 인도할 빈(導也).

字源 形聲.「宀(면)」의 전음이 음
을 나타냄.

[賓客 빈객] ㉠ 손님. ㉡ 문하(門下)
의 식객(食客). ㉢ 옛날에 태자(太
子)를 보도(補導)하던 벼슬.

[貴賓 귀빈] 신분이 높은 손님.

[來賓 내빈] 초대를 받아 온 손님.

8 ⑮【賙】 진휼할 주 ㊤尤　賙 $zhōu$ 賙

⊕ シュウ〔めぐむ〕 ㊆ relieve

字解 진휼할 주(給也, 賑贍也).

字源 形聲. 貝＋周〔音〕

8 ⑮【賜】 줄사 ㊧寘　賜 $cì$ 賜

丨冂冂目貝貝賜賜賜

⊕ シ〔たまわる〕 ㊆ bestow

字解 줄 사(錫也上下).

字源 形聲. 貝＋易〔音〕

[賜藥 사약] 임금이 죽여야 할 신하
에게 마시고 죽으라고 독약을 내려
줌.

[恩賜 은사] 임금이 하사함. 또는 그
물건.

8 ⑮【賠】 물어줄 배 ㊤灰　賠 $péi$ 賠

⊕ バイ〔つぐなう〕 ㊆ compensate

字解 물어줄 배(補償).

字源 形聲. 貝＋音〔音〕

[賠償 배상] 남에게 끼친 손해에 대

하여 물어 줌.

8
⑮ **【賤】** 천할 천 | 賤 | 陟
去霰 | jiàn

刀 刂 目 貝 貝 貯 睁 賤 賤

㊐ セン〔いやしい〕 ⑱ mean

字解 천할 천(卑下不貴). ¶ 賤賤
(빈천).

字源 形聲. 貝+戔〔音〕

[賤價 천가] 아주 싼 값.
[賤待 천대] ㉠ 업신여겨 푸대접함.
㉡ 함부로 다룸.
[賤視 천시] 업신여겨 봄. 업신여김.
[賤役 천역] 천한 일.
[賤人 천인] 신분이 천한 사람. 천한
일에 종사하는 사람.
[卑賤 비천] 신분이 낮고 천함.

8
⑮ **【賦】** 구실 부 | 賦 | 斌
去遇 | fù

刀 目 貝 貝 貯 賦 賦 賦 賦

㊐ フ〔みつぎ〕 ⑱ levy

字解 ① 구실 부(稅也). ¶ 賦課(부
과). ② 줄 부(給與). ¶ 賦與(부
여). ③ 문채이름 부(詩之流). ¶
詩賦(시부).

字源 形聲. 貝+武〔音〕

[賦課 부과] 세금 따위를 구체적으
로 결정하여 매기는 일.
[賦納 부납] 받음. 받아들임.
[賦稅 부세] 세금을 부과함. 세금액
을 매겨서 거둠.
[賦與 부여] 나눠 줌. 별러 줌.
[賦役 부역] 국가나 공공 단체가 국
민에게 의무적으로 책임 지우는 노
역.
[割賦 할부] 여러 번 나누어 냄.

8
⑮ **【賚】** 줄 뢰 | 賚 | 賚
去隊 | lài

㊐ ライ〔たまわる〕 ⑱ bestow

字解 줄 뢰(賜也, 予也). ¶ 賚與
(뇌여).

字源 形聲. 貝+來〔音〕

8
⑮ **【賞】** 상줄 상 | 賞 | 賞
上養 | shǎng

丶 丷 丷 쓰 뿌 常 賞 賞 賞

㊐ ショウ〔ほめる〕 ⑱ reward

字解 ① 상줄 상(賜有功), 칭찬할
상, 상 상(稱美). ¶ 賞罰(상벌).
賞美(상미). ② 완상할 상(玩也).
¶ 鑑賞(감상). 賞玩(상완).

字源 形聲. 貝+尙〔音〕

[賞罰 상벌] 상과 벌.
[賞春 상춘] 봄 경치를 구경하여 즐
김. ¶ 賞春客(상춘객).
[玩賞 완상] 즐기며 감상함.

8
⑮ **【賡】** 이을 갱 | 賡 | 賡
平庚 | gēng

㊐ コウ〔つぐ〕 ⑱ connect

字解 이을 갱(續也). ¶ 賡韻(갱
운).

字源 形聲. 貝+庚〔音〕

8
⑮ **【賢】** 어질 현 | 賢 | 賢
平先 | xián

一 丂 臣 臤 臤 臤 腎 賢 賢

㊐ ケン〔かしこい〕 ⑱ virtuous

字解 어질 현(有德行). ¶ 賢哲(현
철).

字源 形聲. 貝+臤〔音〕

[賢明 현명] 어질고 영리하여 사리
에 밝음.
[賢淑 현숙] 여자의 마음이 어질고
깨끗함.
[賢愚 현우] ㉠ 현명함과 어리석음.
㉡ 현명한 사람과 어리석은 사람.
[賢人 현인] 어질고 총명하여 성인
(聖人)의 다음가는 사람.
[聖賢 성현] 성인과 현인.

8
⑮ **【賣】** 팔 매 | 卖 | 賣
去卦 | mài

十 士 士 声 声 売 賣 賣 賣

㊐ バイ〔うる〕 ⑱ sell

字解 팔 매(出貨鬻物).

字源 會意. 出과 買의 합자. 사들인 재화를 매출함의 뜻.

參考 売(土部 4획)는 略字.

[賣渡 매도] 팔아 넘김.
[賣買 매매] 물건을 팔고 사는 일.
[賣笑婦 매소부] 웃음을 파는 여자.
[賣盡 매진] 모조리 팔림.
[發賣 발매] 상품을 팔기 시작함.
[專賣 전매] 독점하여 팖.

8 ⑮ 【質】
一모양 질 入寘
二저당물 질 去寘
三폐백 지 去寘
zhí zhì zhì 質

丿 ｆ ｆ ｆ 斤 斦 斦 暂 質

⑪ シツ〔もの〕・チ〔しち〕・シ〔にえ〕 ⑱ shape, security, gifts

字解 一 ① 모양 질(形也). ¶ 物質(물질). 形質(형질). ② 바탕 질(主也, 樸也). ¶ 本質(본질). ③ 바를 질(正也). ④ 이룰 질(成也). 二 저당물 질(物相贅). ¶ 典質(전질). 三 폐백 지(禮物也, 贄也).

字源 會意. 所+貝

[質量 질량] ㉠ 물체 속에 포함되어 있는 물질의 분량. ㉡ 성질과 수량.
[質朴 질박] 꾸밈새 없이 순박함. 질박(質樸).
[質疑 질의] 의심을 물어서 밝힘.
[質責 질책] 책망하여 바로잡음.
[資質 자질] 타고난 성품이나 소질.
[體質 체질] 몸의 성질. 몸바탕.

8 ⑮ 【贊】 贊(찬)(貝部 12획)의 俗字

9 ⑯ 【贇】
부유할 운 上吻 yǔn
⑪ ウン〔とみ〕 ⑱ rich
字解 부유할 운.

9 ⑯ 【賰】
넉넉할 춘 上軫 chǔn

⑪ シュン〔とみ〕 ⑱ wealth
字解 넉넉할 춘. 재산이 많음.
字源 形聲. 貝+春〔音〕

9 ⑯ 【賭】
노름 도 上麌 賭 dǔ
⑪ ト〔かけ〕 ⑱ gamble
字解 노름 도(博奕取財).
字源 形聲. 貝+者〔音〕

[賭博 도박] 돈이나 재물을 걸고 하는 노름.
[賭地 도지] 일정한 도조(賭租)를 물고 빌려 쓰는 논밭이나 집터.

9 ⑯ 【賵】
보낼 봉 去送 賵 fèng
⑪ ボウ〔おくる〕 ⑱ send
字解 보낼 봉(贈死助喪車馬也).
字源 會意. 貝+冒

9 ⑯ 【賴】
의뢰할 뢰 去泰 賴 lài
厂 ㅌ 申 束 剌 賴 賴
⑪ ライ〔よる〕 ⑱ trust to
字解 의뢰할 뢰(恃也). ¶ 依賴(의뢰).
字源 形聲. 貝를 바탕으로 하여 「剌(랄)」의 전음이 음을 나타냄.

[信賴 신뢰] 믿고 의지함.
[依賴 의뢰] ㉠ 남에게 의지함. ㉡ 남에게 부탁함.

10 ⑰ 【賻】
부의 부 去遇 賻 fù
⑪ フ〔おくりもの〕 ⑱ contribute
字解 부의 부(以貨助喪). ¶ 贈賻(증부).
字源 形聲. 貝+尃〔音〕

[賻儀 부의] 초상(初喪)난 집에 부조(扶助)로 보내는 돈이나 물건.
[賻助 부조] 상가(喪家)에 물품을 보내어 도와줌.

10
⑰【購】 살 구 购
㊥宥 gòu
⽇ コウ〔あがなう〕 ⽶ buy
字解 살 구(以財有所求得).
字源 形聲. 貝+冓〔音〕
[購讀 구독] 서적·신문·잡지 따위를 사서 읽음. ¶ 購讀料(구독료).
[購買 구매] 물건을 삼.
[購問 구문] 상금(賞金)을 걸고 찾음.
[購入 구입] 물건을 사들임.

10
⑰【賸】 ■남을 잉 𧳙
㊥徑 yìng
■남을 싱 shèng
㊥徑
⽇ ヨウ·ショウ〔あまる〕 ⽶ remain
字解 ■남을 잉(餘也). ¶ 賸語(잉어). ■남을 싱(餘也).
字源 形聲. 貝+朕〔音〕

10
⑰【賾】 깊은이 치 색 賾
㊦陌 zé
⽇ サク〔おくぶかい〕 ⽶ profound
字解 깊은이치 색(幽深也). ¶ 探賾(탐색).
字源 形聲. 匝+責〔音〕

10
⑰【賽】 굿할 새 赛
㊥隊 sài
⽇ サイ〔れい·まつり〕 ⽶ exorcise
字解 ① 굿할 새(報祭). 賽神(새신). ② 주사위 새(骰子). ③ 내기할 새(相誇勝).
字源 形聲. 貝+塞〈省〉〔音〕

11
⑱【贄】 폐백 지 贽
㊥寘 zhì
⽇ シ〔にえ〕 ⽶ gifts
字解 폐백 지(帛也). ¶ 委贄(위지). 嘉贄(가지).
字源 會意. 貝(재물)와 執(취함)의 합자. 또, 「執(집)」의 전음이 음을

나타냄.

11
⑱【贅】 군더더 기 췌 赘
㊥霽 zhuì
⽇ ゼイ〔むだ·こぶ〕 ⽶ excrescence
字解 ① 군더더기 췌(餘剩). ② 혹 췌(瘤結也). ¶ 贅瘤(췌류).
字源 會意. 貝+敖
[贅壻 췌서] 데릴사위.
[贅言 췌언] 쓸데없는 너저분한 말. 췌사(贅辭). 췌론(贅論).

12
⑲【贈】 줄 증 赠
㊥徑 zèng
⼁ ⼁ ⼁ ⼁ ⼁ ⼁ ⼁ ⼁ ⼁ 贈
⽇ ゾウ·ソウ〔おくる〕 ⽶ present
字解 줄 증(送遺). ¶ 贈送(증송). ¶ 贈詩(증시).
字源 會意. 貝+曾
[贈與 증여] ㉠ 선사하여 줌. ㉡ 재산을 무상으로 타인에게 물려주는 행위.
[贈呈 증정] 남에게 물건을 줌.
[贈賄 증회] 뇌물을 줌. 증뢰(贈賂). ¶ 贈賄罪(증회죄).
[寄贈 기증] 물건을 선물로 보냄.

12
⑲【贇】 ■예쁠 윤 赟
㊤眞 yūn
■인명용 자 빈 bīn
㊥眞
⽇ イン〔うつくしいさま〕·ビン〔ひとのな〕 ⽶ pretty
字解 예쁠 윤. ■인명용자 빈.
字源 會意. 貝+斌

12
⑲【贊】 도울 찬 赞
㊥翰 zàn
⼁ ⼁ ⼁ ⼁ ⼁ ⼁ 赞 赞
⽇ サン〔ほめる〕 ⽶ approve
字解 ① 도울 찬(佐也). ¶ 贊助(찬

조). ② **기릴 찬**(頌也). ¶ 賞贊(상찬).

[字源] 形聲. 貝+兟(신)〔音〕

[參考] 賛(貝部 8획)은 俗字.

[贊美 찬미] 칭송함. 기림.
[贊否 찬부] 찬성함과 불찬성함. ¶ 贊否兩論(찬부 양론).
[贊成 찬성] 옳다고 동의함.
[贊助 찬조] ㉠ 도움. 보조(補助). ㉡ 뜻을 같이하여 도와줌.
[協贊 협찬] 힘을 합하여 도움.

12 ⑲ **【贗】** 거짓 안 [去]諫 | 贋 yàn

[日] ガン〔にせ〕 [英] untruth

[字解] **거짓 안**(僞物也).

[字源] 形聲. 貝+雁〔音〕

[贗本 안본] 가짜 서화(書畫).
[贗造 안조] 거짓으로 속여서 진짜처럼 만듦. 위조(僞造).

13 ⑳ **【贍】** 넉넉할 섬 [去]豔 | 赡 shàn

[日] セン〔たりる〕 [英] enough

[字解] ① **넉넉할 섬**(足也). ¶ 贍富(섬부). ② **진휼할 섬**(賙給). ¶ 贍賑(섬진).

[字源] 形聲. 貝+詹〔音〕

[注意] 瞻(目部 13획)·譫(言部 13획)은 딴 글자.

[贍富 섬부] 흡족하고 풍부함.
[贍賑 섬진] 물품을 주어서 도움.

13 ⑳ **【贏】** 남을 영 [平]庚 | 赢 yíng

[日] エイ〔あまる〕 [英] remain

[字解] ① **남을 영**(有餘). ¶ 贏財(영재). ② **펴질 영**(伸也). ¶ 贏縮轉化(영축전화).

[字源] 會意. 貝+羸(영)

[注意] 羸(羊部 13획)는 딴 글자.

[贏輸 영수] 이김과 짐. 승부(勝負).
[贏財 영재] 남은 재산. 남은 돈.

14 ㉑ **【贔】** 힘쓸 비 [去]寘 | bì

[日] ヒ〔ちからをだす〕 [英] put force

[字解] **힘쓸 비**(作力貌).

[字源] 會意. 貝를 셋 겹쳐 큰 거북의 뜻을 나타냄.

14 ㉑ **【贐】** 전별할 신 [去]震 | 赆 jìn

[日] ジン〔はなむけ〕 [英] farewell

[字解] **전별할 신**(以物送行者).

[字源] 形聲. 貝+盡〔音〕

14 ㉑ **【贓】** 장물 장 [平]陽 | 赃 zāng

[日] ゾウ〔ぬすんだもの〕 [英] plunder

[字解] ① **장물 장**. ¶ 贓品(장품). ② **뇌물받을 장**(吏受賂非理所得財). ¶ 贓吏(장리).

[字源] 會意. 貝와 臧(감춤)의 합자.

[贓物 장물] 뇌물·도둑질 따위의 부정한 수단으로 얻은 재물. 장품(贓品).
[贓罪 장죄] 뇌물을 받은 죄.

15 ㉒ **【贖】** 속바칠 속 [入]沃 | 赎 shú

[日] ショク・トク〔あがなう〕
[英] redeem

[字解] **속바칠 속**(納金免罪).

[字源] 形聲. 貝+賣〔音〕

[贖罪 속죄] ㉠ 저지른 죄나 과오(過誤)를 물질이나 노력, 그 밖의 방법으로 비겨 없애 버림. ㉡ 기독교에서, 예수가 인류를 대신하여 십자가(十字架)에 달려 죽음으로써 인류의 죄를 대속(代贖)하였다는 일.

15 ㉒ **【贗】** 거짓 안 [去]諫 | yàn

[日] ガン〔にせ〕 [英] sham

[字解] **거짓 안**(僞物也).

[字源] 形聲. 貝+鴈〔音〕

7획

17 24 **【贛】** ━ 줄 공 送
강이름 感

gòng
gàn

贛

日 コウ〔たまう〕・カン〔かわのな〕 英 give

字解 ━ 줄 공(賜也). ━ 강이름 감(水名).

字源 形聲. 貝+竷(감)〈省〉〔音〕

赤 〔7획〕 部
(붉을적부)

---

0 7 **【赤】** 붉을 적 陌

chì

赤

一 十 土 𠮷 赤 赤 赤

日 セキ〔あかい〕 英 red

字解 ① 붉을 적, 붉은빛 적(南方色). ¶ 赤衣(적의). ② 빌 적, 아무것도없을 적(空盡無物). ¶ 赤貧(적빈). ③ 벌거벗을 적(裸裎). ④ 벨 적(誅滅也).

字源 會意. 大와 火의 합자. 불이 크게 타고 있는 빛깔. 즉, 붉은 빛의 뜻임.

[赤裸裸 적나라] ㉠ 벌거벗은 몸. ㉡ 아무 숨김없이 본디 모습 그대로임.

[赤貧 적빈] 아주 가난하여 아무것도 없음.

[赤色 적색] ㉠ 붉은빛. ㉡ 공산주의를 상징하는 빛깔.

[赤字 적자] ㉠ 붉은 잉크로 쓴 교정(校正)의 글씨. ㉡ 수지 결산에서 지출이 수입보다 많은 일.

---

4 11 **【赦】** 놓아줄 사 禡

shè

赦

日 シャ〔ゆるす〕 英 set free

字解 놓아줄 사(釋罪).

字源 形聲. 攴(攵)+赤〔音〕

[赦免 사면] 지은 죄를 용서하여 벌

을 면제함. 또, 그 일.

[容赦 용사] 용서하여 놓아 줌.

---

5 12 **【赧】** 붉힐 난 潸

nǎn

赧

日 タン〔あからめる〕 英 blush

字解 붉힐 난, 무안할 난, 얼굴벌겋 난(面慙而赤也).

字源 形聲. 赤+反〔音〕

[赧愧 난괴] 부끄러워서 얼굴을 붉힘.

[赧赧 난난] 부끄러워서 얼굴을 붉히는 모양.

---

6 13 **【赩】** 새빨갈 혁 職

xì

赩

日 キョク〔あかい〕 英 deep red

字解 새빨갈 혁(大赤).

字源 形聲. 赤+色〔音〕

---

7 14 **【赫】** 붉을 혁 陌

hè

赫

日 カク〔かがやく〕 英 red

字解 ① 붉을 혁(火光貌), 빛날 혁(明也). ¶ 赫赫(혁혁). ② 대로할 혁(怒發). ¶ 赫怒(혁노).

字源 會意. 赤을 두 개 겹쳐서 불이 시뻘겋게 탐을 뜻함.

[赫怒 혁노] 버럭 성을 냄.

[赫赫 혁혁] 빛나는 모양.

---

9 16 **【赮】** 붉은빛 하 麻

xiá

赮

日 カ〔あか〕 英 red

字解 ① 붉은빛 하(赤色). ② 아침 놀 하(東方赤色也).

字源 形聲. 赤+叚〔音〕

---

9 16 **【赬】** 붉을 정 庚

chēng

赬

日 テイ〔あか〕 英 red

字解 붉을 정, 붉은빛 정(赤色).

字源 形聲. 赤+貞〔音〕

9/16 【赭】 붉은흙 자⊕馬 zhě 赭

㊊ シャ〔あかつち〕 ⊛ red earth

字解 ① 붉은흙 자(赤土). ② 붉은 빛 자(赤也).

字源 形聲. 赤+者〔音〕

[赭衣 자의] ㉠ 붉은색의 옷. ㉡ 죄수(罪囚)의 옷. 또는 죄인.

[赭土 자토] 산화철(酸化鐵)이 많이 섞인 붉은빛의 흙. 석간주(石間硃).

走 部 〔7 획〕
(달아날주부)

0/7 【走】 달릴주 ⊕有 zǒu 走

一 十 土 キ キ 走 走

㊊ ソウ〔はしる〕 ⊛ run

字解 달릴 주(疾趨), 달아날 주(奔也). ¶ 疾走(질주). 走筆(주필).

字源 會意. 사람이 손을 흔들며 달리고 있는 모양.

[走力 주력] 달리는 힘.

[走馬看山 주마간산] 말을 타고 달리면서 산수를 봄. 바쁘게 대충대충 보고 지남.

[走馬燈 주마등] 돌리는 대로 그림의 장면이 다르게 보이는 등.

[疾走 질주] 빨리 달림.

[敗走 패주] 패(敗)하여 달아남.

2/9 【赳】 헌걸찰규⊕有 jiū 赳

㊊ キュウ〔つよい〕 ⊛ elated

字解 ① 헌걸찰 규(武貌). ② 굳셀 규. ¶ 赳赳(규규).

字源 形聲. 走+丩〔音〕

2/9 【赴】 다다를 부⊕遇 fù 赴

一 十 土 キ キ 走 走 赴

㊊ フ〔おもむく〕 ⊛ get to

字解 ① 다다를 부(趨而至). ¶ 赴任(부임). ② 알릴 부(訃也).

字源 形聲. 走+卜〔音〕

[赴告 부고] 사람이 죽은 것을 알리는 통지. 부고(訃告).

[赴任 부임] 임명을 받아 새로운 임지(任地)로 감.

3/10 【起】 일어날 기⊕紙 qǐ 起

一 十 土 キ キ 走 走 起 起

㊊ キ〔おきる〕 ⊛ rise

字解 ① 일어날 기(興也), 일어설 기(立也). ¶ 起居(기거). 起因(기인). ② 일으킬 기(擧事). ¶ 起稿(기고). 起算(기산). 起草(기초).

字源 形聲. 走+己〔音〕

[起居 기거] ㉠ 일어섬과 앉아 있음. 곧, 일상생활. ㉡ 행동거지.

[起草 기초] 글의 초안을 잡음. 기안(起案).

[起枕 기침] 일어남. 기상함.

[惹起 야기] 일이나 사건 등을 일으킴.

[喚起 환기] 불러일으킴.

5/12 【趁】 쫓을진 ⊕震 chèn 趁

㊊ チン〔おう〕 ⊛ follow

字解 쫓을 진(逐也).

字源 形聲. 走+㐱〔音〕

5/12 【超】 뛰어넘을 초⊕蕭 chāo 超

一 十 土 キ キ 走 起 起 超

㊊ チョウ〔こえる〕 ⊛ leap over

字解 ① 뛰어넘을 초(越也躍過). ¶ 超過(초과). ② 뛰어날 초(卓也). ¶ 超凡(초범).

字源 形聲. 走+召〔音〕

[超過 초과] ㉠ 사물의 한도를 넘어섬. ㉡ 일정한 수를 넘음. 어떤 수량

이 다른 수량보다 더 많음.

[超人 초인] 능력 따위가 보통 사람보다 훨씬 뛰어남. 또, 그러한 사람.

[超脫 초탈] 성품이 고상하여 세상 일에 관여하지 아니함. 탈속(脫俗).

향으로 쏠리는 흥미.

[趣舍 취사] 나아감과 머무름.

[趣旨 취지] 목적이 되는 속뜻.

[情趣 정취] 정감을 불러일으키는 흥취.

[興趣 흥취] 즐거운 멋과 취미.

---

5 ⑫ 【越】 넘을 월 八月 | yuè | 䟠

土 圭 𧺆 走 赳 越 越 越

日 エツ〔こえる〕 英 overpass

字解 ① 넘을 월, 넘길 월(過度). ¶ 越牆(월장). ② 멀 월(遠也). ③ 떨어질 월(墜也). ④ 이에 월(於也). ⑤ 떨칠 월(發揚). ⑥ 월나라 월(南蠻總名).

字源 形聲. 走+戉〔音〕

[越權 월권] 자기 권한 밖의 일을 함.

[越冬 월동] 겨울을 넘김. 겨울을 남.

[越等 월등] ㉠ 뛰어남. ㉡ 훨씬.

[越便 월편] 건너편.

[超越 초월] 어떤 한계나 표준을 뛰어넘음.

[卓越 탁월] 남보다 훨씬 뛰어남.

---

7 ⑭ 【趙】 조나라 조 上篠 | zhào | 䞖

日 チョウ〔くにのな〕

字解 조나라 조(國名造父所封).

字源 形聲. 走+肖〔音〕

---

8 ⑮ 【趣】 달릴 취 㐬 去遇 재촉할 촉 入沃 | qù / cù | 趍

土 圭 走 赳 起 起 趣 趣

日 シュ〔おもむき〕・ショク〔うながす〕 英 run, urge

字解 ━ ① 달릴 취(趨也, 疾也). ② 뜻 취(指意). ③ 志趣(지취). ▆ 재촉할 촉(催也). ¶ 趣織(촉직).

字源 形聲. 走+取〔音〕

[趣裝 촉장] 길 떠날 준비를 급하게 서둘.

[趣味 취미] 마음에 끌려 일정한 방

---

10 ⑰ 【趨】 ━ 달릴 추 㐬 去虞 ▆ 재촉할 촉 入沃 | qū / cù | 䞰

日 スウ〔はしる〕・ショク〔うながす〕 英 run, urge

字解 ━ 달릴 추(捷步). ¶ 趨走(추주). 疾趨(질추). ▆ 재촉할 촉(催也).

字源 形聲. 走+芻〔音〕

[趨勢 추세] ㉠ 세상이 되어 가는 형편. ㉡ 세력 있는 사람에게 붙좇음.

[歸趨 귀추] 일이 되어 가는 형편.

足(𧾷) 〔7 획〕 部
(발족부)

---

0 ⑦ 【足】 ━ 발 족 入沃 ━ 지날 주 去遇 | zú / jù | 昰

丶 ㅁ ㅁ ㅁ 무 무 足 足

日 ソク〔あし〕 英 foot

字解 ━ ① 발 족(趾也). ¶ 手足(수족). ② 족할 족(滿也). ━ ① 지날 주(過也). ② 보탤 주(添物益也).

字源 象形. 무릎 밑의 발의 모양.

[足恭 주공] ㉠ 지나친 공경. ¶ 足恭非禮(주공비례). ㉡ 아첨.

[手足 수족] ㉠ 손발. ㉡ 손발처럼 마음대로 부리는 사람.

---

4 ⑪ 【趹】 ━ 빠를 결 八屑 ━ 밟을 궤 去霽 | jué / guì | 𧿪

[日] ケツ〔はやい〕・ケイ〔ふむ〕
[英] run, step on

[字解] [一] **빠를 결**(步疾). [二] **밟을 계**(踏也).

[字源] 形聲. 足+夬〔音〕

4 ⑪ 〖趺〗 책상다리할 부[平]虞 | fū

[日] フ〔あぐら〕 [英] cross-legged

[字解] **책상다리할 부**(佛坐).

[字源] 形聲. 足+夫〔音〕

[趺坐 부좌] 책상다리를 하고 앉음.

4 ⑪ 〖趾〗 발 지[上]紙 | zhǐ

[日] シ〔あし〕 [英] foot

[字解] ① **발 지**(足也). ¶ 足趾(족지). ② **터 지**(基也). ¶ 城趾(성지).

[字源] 會意. 「止(지)」가 발의 뜻인 데다 足을 더한 글자.

[趾骨 지골] 발가락의 뼈.
[遺趾 유지] 전에 건물 등이 있었거나 역사적 자취가 남아 있는 터.

4 ⑪ 〖跂〗 [一]육발 기[平]支 [二]힘쓸 지[平]支 | qí zhī

[日] キ〔むつゆび〕・シ〔しんりょくをもちいるさま〕
[英] six toes, endeavor

[字解] [一] **육발 기**(足多指). ¶ 足跂(족기). [二] **힘쓸 지**(踶也).

[字源] 形聲. 足+支〔音〕

5 ⑫ 〖跆〗 밟을 태[平]灰 | tái

[日] タイ〔ふむ〕 [英] tread

[字解] ① **밟을 태**. ② **노래할 태**.

[字源] 形聲. 足+台〔音〕

5 ⑫ 〖跋〗 밟을 발[入]曷 | 跋 bá

[日] バツ〔おくがき〕 [英] tread

[字解] ① **밟을 발**(踐也). ¶ 跋涉(발섭). ② **갈 발**(草行, 山行之名). ③ **발문 발**(簡編之後語也). ¶ 跋文(발문).

[字源] 形聲. 足+犮〔音〕

[跋文 발문] 책의 끝에 적는 글.
[跋涉 발섭] 산을 넘고 물을 건너서 여러 지방으로 돌아다님.
[跋扈 발호] ㉠ 제멋대로 날뜀. ㉡ 세차고 사나워서 손을 댈 수 없음.

5 ⑫ 〖跌〗 넘어질 질 [本]절[入]屑 | diē

[日] テツ〔つまずく〕 [英] fall down

[字解] ① **넘어질 질**(蹶也). ¶ 跌倒(질도). ② **달릴 질**(疾行). ③ **지나칠 질**(過度).

[字源] 形聲. 足+失〔音〕

[跌蕩 질탕] 놀음놀이 등이 지나쳐서 방탕에 가까움. 질탕(佚蕩).
[蹉跌 차질] ㉠ 발을 헛디디어 넘어짐. ㉡ 하던 일이 실패로 돌아감.

5 ⑫ 〖跎〗 헛디딜 타[平]歌 | tuó

[日] タ〔つまずく〕 [英] let slip

[字解] **헛디딜 타**(失足). ¶ 蹉跎(차타).

[字源] 形聲. 足+它〔音〕

5 ⑫ 〖跏〗 책상다리할 가[平]麻 | jiā

[日] カ〔あぐらをかく〕
[英] cross-legged

[字解] **책상다리할 가**(屈足坐也).

[字源] 形聲. 足+加〔音〕

[跏趺坐 가부좌] 책상다리를 하고 앉는 불가에서의 앉는 법의 한 가지.
[結跏 결가] 결가부좌의 준말.

5 ⑫ 〖跑〗 허비적거릴 포[平]肴 | páo, pǎo

目 ホウ〔あがく〕 英 paw
字解 허비적거릴 포(足搔地).
字源 形聲. 足+包〔音〕

5 ⑫【跖】 발바닥
척 陌 zhí 跖
目 キセ〔あしのうら〕 英 sole
字解 ① 발바닥 척(蹠也). ② 사람 이름 척(人名). ¶ 盜跖(도척).
字源 形聲. 足+石〔音〕

[盜跖 도척] 중국 춘추 시대의 큰 도둑. 몹시 악한 사람의 비유.

5 ⑫【跗】 발등 부 虞 fū 跗
目 フ〔あしのこう〕 英 instep
字解 발등 부(足背).
字源 形聲. 足+付〔音〕

5 ⑫【跛】 ■절뚝발이 파 上哿
■기우듬 히설 피 寘 bǒ / bì 跛
目 ハ〔ちんば〕・ヒ〔かたよる〕
英 lame, lean
字解 ■ 절뚝발이 파(蹇也). ■ 기우듬히설 피(仄立).
字源 形聲. 足+皮〔音〕

[跛蹇 파건] 절름발이.
[跛立 파립] 한 다리로만 섬.
[跛行 파행] 절뚝거리며 걸어감.

5 ⑫【距】 떨어질 거 上語 jù 距
卩 卩 卩 卩 距 距 距 距
目 キョ〔へだたる〕 英 distant
字解 ① 떨어질 거(彼此相隔). ¶ 距離(거리). ② 며느리발톱 거(鷄爪). ¶ 距爪(거조). ③ 막을 거(抗也). ¶ 距戰(거전). ④ 뛸 거(躍也).
字源 形聲. 足+巨〔音〕

[距今 거금] 지금으로부터 지나간 어

느 때까지의 상거(相距)를 나타내는 말. ¶ 距今十年(거금 십년).
[距離 거리] ㉠ 두 곳 사이의 떨어진 길이. ㉡ 두 점 사이의 간격의 길이.
[距戰 거전] 적을 막아서 싸움.
[距爪 거조] 며느리발톱.

6 ⑬【跟】 발꿈치 근 元 gēn 跟
目 コン〔かかと〕 英 heel
字解 ① 발꿈치 근(足踵). ② 뒤따를 근(隨也). ¶ 跟隨(근수).
字源 形聲. 足+艮〔音〕

6 ⑬【跡】 자취 적 入陌 jì 跡
卩 卩 卩 卩 距 跡 跡 跡
目 セキ〔あと〕 英 traces
字解 자취 적(步處前人所留). ¶ 鳥跡(조적), 筆跡(필적).
字源 形聲. 足+亦〔音〕

[跡捕 적포] 뒤를 밟아 쫓아가 잡음.
[人跡 인적] 사람의 발자취. 또는 사람의 왕래.

6 ⑬【跣】 맨발 선 上銑 xiǎn 跣
目 セン〔すあし〕 英 barefoot
字解 맨발 선(親足地也, 徒踐). ¶ 裸跣(나선).
字源 形聲. 足+先〔音〕

[跣行 선행] 발 벗고 걸음. 맨발로 걸음.

6 ⑬【跨】 ■넘을 과 禡
■걸터앉을 고 遇 kuà / kù 跨
目 か〔こえる〕・コ〔またがる〕
英 go over, sit astride
字解 ■ 넘을 과(越也). ¶ 跨年(과년). ■ 걸터앉을 고(騎也). ¶ 跨野馬(고야마).
字源 形聲. 足+夸〔音〕

7획

[跨據 고거] 양쪽에 걸쳐 점거함.

[跨年 과년] 연말에서 연초에 걸침. 해를 넘김.

[跨鶴 과학] ㉠ 학을 탐. ㉡ 신선이 됨.

6
⑬ 【跪】 꿇어앉을 궤 (上)紙 | guì | 跪

㊐ キ〔ひざまずく〕
㊥ kneel down

字解 꿇어앉을 궤(兩膝着地跪也).

字源 形聲. 足+危〔音〕.

[跪拜 궤배] 무릎을 꿇고 절함.

[跪坐 궤좌] 무릎을 꿇고 앉음.

6
⑬ 【跬】 반걸음 규 (上)紙 | kuǐ | 跬

㊐ キ〔ひとあし〕
㊥ half step

字解 반걸음 규(半步也).

字源 形聲. 足+圭〔音〕.

6
⑬ 【路】 길 로 (去)遇 | lù | 路

㌁ ㌁ ㌁ ㌁ ㌁ ㌁ 路 路

㊐ ロ〔みち〕 ㊥ road

字解 길 로(道也). ¶ 大路(대로). 要路(요로).

字源 形聲. 足+各〔音〕.

[路費 노비] 먼 길을 오가는 데 드는 비용. 여비(旅費).

[路線 노선] ㉠ 정해 놓고 통행하는 길. ㉡ 행동이나 견해의 방향.

[路程 노정] ㉠ 길의 이수(里數). ㉡ 여행의 경로.

[岐路 기로] 갈림길.

6
⑬ 【跳】 ㊀뛸 도 (木)蕭 ㊁달아날 도 (木)豪 | tiào / táo | 跳

㌁ ㌁ ㌁ ㌁ ㌁ ㌁ 跳 跳

㊐ チョウ〔おどる〕・トウ〔にげる〕
㊥ jump, run off

㊀ 뛸 도(躍也). ¶ 飛跳(비도). ㊁ 달아날 도(逃也).

字源 形聲. 足+兆〔音〕.

[跳梁 도량] ㉠ 거리낌없이 함부로 날뛰어 다님. ㉡ 악당이 발호(跋扈)함.

[跳躍 도약] 뛰어오름. 홀쩍 뜀.

[跳然 도연] 뛰는 모양.

6
⑬ 【跫】 발자국 소리 공 (上)冬 | qióng | 跫

㊐ キュウ〔あしおと〕 ㊥ footstep

字解 발자국소리 공(足音蹡聲).

字源 形聲. 足+巩〔音〕.

[跫跫 공공] 땅을 밟는 소리.

[跫音 공음] 사람의 발자국 소리.

7
⑭ 【跼】 구부릴 국 (入)沃 | jú | 跼

㊐ キョク〔せぐくまる〕 ㊥ stoop

字解 구부릴 국(曲也).

字源 形聲. 足+局〔音〕.

[跼頓 국돈] 걸려 넘어짐.

[跼斂 국렴] 몸을 오그리고 손을 거둠. 어찌할 줄 모르는 모양.

[跼蹐 국척] ㉠ 등을 웅그리고 발소리 나지 않게 걸음. ㉡ 몹시 두려워서 몸 둘 곳을 모름. 국천척지(跼天蹐地).

7
⑭ 【跽】 꿇어앉을 기 (上)紙 | jì | 跽

㊐ キ〔ひざまずく〕 ㊥ kneel down

字解 꿇어앉을 기(兩膝着地長跪).

字源 形聲. 足+忌〔音〕.

7
⑭ 【踆】 마칠 준 (上)眞 | qūn | 踆

㊐ シュン・ソン〔おわる〕 ㊥ finish

字解 마칠 준(止也).

字源 形聲. 足+夋〔音〕.

7 ⑭ 〖踉〗 [一]뛸 량 [去]漾 [二]허둥지둥할 량[平]陽 | liáng làng 

[日] リョウ〔おどる〕・ロウ〔あわててゆくさま〕

[英] jump, get all flustered

[字解] [一] ① 뛸 량(跳也). ② 비틀거릴 량(蹌也). [二] 허둥지둥할 량(踉也). ¶ 踉䟴(낭패).

[字源] 形聲. 足+良〔音〕

7 ⑭ 〖踊〗 뛸 용 [上]腫 | yǒng 

[日] ヨウ〔おどる〕 [英] jump

[字解] 뛸 용(跳也). ¶ 踊躍用兵(용약용병).

[字源] 形聲. 足+甬〔音〕

[踊躍 용약] 기쁘거나 좋아서 뜀.
[舞踊 무용] 춤.

8 ⑮ 〖踪〗 발자취 종[平]冬 | zōng

[日] ショウ・ソウ〔あしあと〕

[英] trace

[字解] 발자취 종. 蹤과 同字.

[字源] 形聲. 足+宗〔音〕

8 ⑮ 〖踏〗 밟을 답 [入]合 | tà 

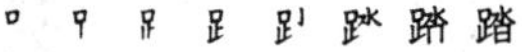

[日] トウ〔ふむ〕 [英] tread

[字解] 밟을 답(踐也).

[字源] 形聲. 足+沓〔音〕

[踏步 답보] 제자리에서 걸음. ¶ 踏步狀態(답보 상태).
[踏査 답사] 그곳에 실지로 가서 보고 자세히 조사함.
[踏襲 답습] 선인(先人)의 행적(行蹟)을 그대로 따라 행함.
[未踏 미답] 아직 아무도 밟지 않음.

8 ⑮ 〖踐〗 밟을 천 [去]霰 | 践 jiàn 

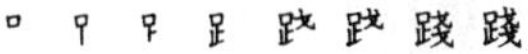

[日] セン〔ふむ〕 [英] tread

[字解] ① 밟을 천(蹋也, 履也). ¶ 蹂踐(유천). ② 차려놓을 천(陳列貌).

[字源] 形聲. 足+戔〔音〕

[踐踏 천답] 발로 짓밟음.
[踐祚 천조] 임금의 자리에 오름.
[實踐 실천] 실제로 이행함.

8 ⑮ 〖踑〗 다리뻗고앉을 기[上]紙 | jī qí 

[日] キ〔なげずわり〕

[字解] 다리뻗고앉을 기(長踞). ¶ 踑踞(기거).

[字源] 形聲. 足+其〔音〕

[踑踞 기거] 두 다리를 쭉 뻗고 기대어 앉음. 기거(箕踞).

8 ⑮ 〖踔〗 [一]달릴 초 [去]效 [二]멀 탁[本] 착[入]覺 | chuō chuò 

[日] トウ〔はしる〕・タク〔はるか〕

[英] run, distant

[字解] [一] ① 달릴 초(走也). ¶ 趫踔(교초). ② 넘을 초(踰也). [二] 멀 탁(遠騰貌也).

[字源] 形聲. 足+卓〔音〕

8 ⑮ 〖踖〗 밟을 적 [入]陌 | jí 

[日] セキ〔ふみこえる〕 [英] step on

[字解] ① 밟을 적(踐也). ② 삼갈 적(行敬謹). ¶ 踧踖(축적).

[字源] 形聲. 足+昔〔音〕

8 ⑮ 〖踝〗 복사뼈 과[上]馬 | huái 

[日] カ〔くるぶし〕 [英] anklebone

[字解] 복사뼈 과(足骨跟也). ¶ 膝踝(슬과).

[字源] 形聲. 足+果〔音〕

7 획

8 ⑮ 〖踞〗 웅크릴거 [去]御 | jù

[日] キョ〔うずくまる〕 [英] crouch

[字解] **웅크릴 거**(蹲也, 據物坐).

[字源] 形聲. 足+居〔音〕

[踞牀 거상] ㉠ 걸상에 걸어앉음. ㉡ 침상에 무릎을 세우고 앉음.

[踞坐 거좌] 걸어앉음.

8 ⑮ 〖踟〗 머뭇거릴 지 [平]支 | chí

[日] チ〔ためらう〕 [英] hesitate

[字解] **머뭇거릴 지**(不進也).

[字源] 形聲. 足+知〔音〕

[踟躕 지주] 머뭇거리며 망설임.

8 ⑮ 〖踣〗 [一]넘어질 복[入]職 [二]넘어질 부[去]宥 [平]尤 | bó

[日] ホク・ホウ〔たおれる〕

[英] fall down

[字解] [一] **넘어질 복**(僵也). [二] **넘어질 부**.

[字源] 形聲. 足+咅〔音〕

8 ⑮ 〖踦〗 [一]절름발이 기 [平]支 [二]의지할 의 [去]寘 | qī yǐ

[日] キ〔ちんば〕・イ〔よる〕

[英] lame person, rely on

[字解] [一] **절름발이 기**(跛也). [二] **의지할 의**(倚也).

[字源] 形聲. 足+奇〔音〕

[踦嶇 기구] 험준한 모양. 기구(崎嶇).

9 ⑯ 〖踰〗 [一]넘을 유[平]虞 [二]멀 요 [平]蕭 | yú yáo

[日] ユ〔こえる〕・ヨウ〔はるか〕

[英] over pass, distant

[字解] [一] **넘을 유**(越也). ¶ 踰嶺(유령). [二] **멀 요**.

[字源] 形聲. 足+兪〔音〕

[參考] 逾(辵部 9획)와 같이 통용됨.

[踰越 유월] ㉠ 본분을 넘음. 분에 지나침. ㉡ 한도를 넘음. ㉢ 법도를 넘음.

9 ⑯ 〖踵〗 발꿈치 종[上]腫 | zhǒng

[日] ショウ〔かかと〕 [英] heel

[字解] ① **발꿈치 종**(足跟). ¶ 接踵(접종). ② **이을 종**(繼也). ¶ 踵武(종무). ③ **이를 종**(至也). ¶ 踵門(종문). ④ **뒤밟을 종**(躡也). ¶ 追踵(추종).

[字源] 形聲. 足+重〔音〕

[踵武 종무] 뒤를 이음. 무(武)는 발자취.

[踵門 종문] 친히 그 집에 이름. 방문함.

[踵至 종지] 뒤를 밟아 곧 옴. 뒤를 따라 곧 옴.

[接踵 접종] ㉠ 남에게 바싹 대서서 따름. ㉡ 사물이 계속 뒤를 이어 일어남.

9 ⑯ 〖踶〗 [一]밟을 제[去]霽 [二]힘쓸 지[上]紙 | dì zhì

[日] テイ〔ふむ〕・チ〔しんりょくをもちいるさま〕

[英] tread, endeavor

[字解] [一] **밟을 제**(蹋也). [二] **힘쓸 지**(用心力貌). ¶ 踶跂(지기).

[字源] 形聲. 足+是〔音〕

9 ⑯ 〖踸〗 절룩거릴 침 [上]寢 | chěn

[日] チン〔びっこでいく〕 [英] hobble

[字解] **절룩거릴 침**(踔也).

[字源] 形聲. 足+甚〔音〕

9 ⑯ 〖蹀〗 밟을 접 [入]葉 | dié

[日] チョウ〔ふむ〕 [英] tread

[字解] **밟을 접**(履也, 蹈也).

[字源] 形聲. 足+枼〔音〕

9 ⑯ 〖蹂〗 밟을 유 [去]宥 | róu

[日] ジュウ〔ふむ〕 [英] tread

[字解] **밟을 유**(踐也, 履也). ¶ 蹂躪(유린).

[字源] 形聲. 足+柔〔音〕

[蹂躪 유린] ㉠ 짓밟음. ㉡ 폭력으로 남의 권리를 누름.

9 ⑯ 〖蹄〗 굽 제 [平]齊 | tí

[日] テイ〔ひずめ〕 [英] hoof

[字解] **굽 제**(獸足). ¶ 馬蹄(마제).

[字源] 形聲. 足+帝〔音〕

[蹄鐵 제철] 닳는 것을 막기 위하여 말굽 밑에 박아 끼우는 쇠로 만든 굽.

10 ⑰ 〖蹈〗 밟을 도 [去]號 | dǎo

[日] トウ〔ふむ〕 [英] tread

[字解] **밟을 도**(踐也). ¶ 舞蹈(무도).

[字源] 形聲. 足+舀〔音〕

[蹈襲 도습] 옛것을 좇아 그대로 함.
[蹈義 도의] 올바른 도의를 실지로 행함.
[舞蹈 무도] 춤을 춤.

10 ⑰ 〖蹉〗 넘어질 차 [平]歌 | cuō

[日] サ〔つまずく〕 [英] fall down

[字解] ① **넘어질 차**(跌也). ¶ 蹉跌(차질). ② **지날 차**(過也).

[字源] 形聲. 足+差〔音〕

[蹉跌 차질] ㉠ 거꾸러짐. 발을 헛디디어 넘어짐. ㉡ 실패함.
[蹉跎 차타] ㉠ 발을 헛디디어 넘어짐. ㉡ 시기를 잃음. 기대가 어긋남. ㉢ 불행히 뜻을 얻지 못함. 실패함.

10 ⑰ 〖蹊〗 좁은길 혜 [平]齊 | xī

[日] ケイ〔こみち〕 [英] shorter way

[字解] ① **좁은길 혜**(徯也). ② **지름길 혜**(徑路穿徑).

[字源] 形聲. 足+奚〔音〕

[蹊路 혜로] 지름길. 작은 길.

10 ⑰ 〖蹌〗 추창할 창 [平]陽 | qiāng

[日] ソウ〔はしる〕

[字解] ① **추창할 창**(趨也). ¶ 趨蹌(추창). ② **춤출 창**(舞貌). ¶ 蹌蹌(창창).

[字源] 形聲. 足+倉〔音〕

[蹌踉 창량] 비틀비틀하는 모양.

10 ⑰ 〖蹎〗 넘어질 전 [平]先 | diān

[日] テン〔つまずく〕 [英] fall down

[字解] **넘어질 전**(仆也).

[字源] 形聲. 足+眞〔音〕

[蹎跌 전질] 걸려 넘어짐. 거꾸러짐.

10 ⑰ 〖蹐〗 살살걸을 척 [入]陌 | jí

[日] セキ〔ぬきあし〕 [英] walk softly

[字解] **살살걸을 척**(小步累足).

[字源] 形聲. 足+脊〔音〕

[跼蹐 국척] 황송하여 몸을 굽힘.

10 ⑰ 〖蹇〗 절뚝발이 건 [上]銑 | jiǎn

[日] ケン〔あしなえ〕 [英] lame

[字解] ① **절뚝발이 건**(跛也). ¶ 蹇脚(건각). 跛蹇(파건). ② **교만할 건**(驕傲).

7 획

[字源] 形聲. 足+寒〈省〉〔音〕

[蹇脚 건각] 절름발이. 절뚝발이.
[蹇連 건련] 가는 길이 험하여 괴로워하는 모양.
[蹇士 건사] 충직한 선비.
[蹇吃 건흘] ㉠ 말을 더듬음. ㉡ 말이 잘 나오지 아니함.

11 ⑱ 〖蹜〗 종종걸음칠 축[本]숙[入]屋 sù

[日] シュク〔こまたにあゆむ〕
[英] step short

[字解] ① **종종걸음칠 축.** ② **오그라들 축.**

[字源] 形聲. 足+宿〔音〕

[蹜蹜 축축] 종종걸음침.

11 ⑱ 〖蹕〗 [一]벽제 필[入]質 [二]외발로 설 비[去]寘 bì

[日] ヒツ〔さきばらい〕・ヒ〔かたよる〕

[字解] [一] **벽제 필**(淸通止行警也). [二] **외발로설 비**(足偏任也).

[字源] 形聲. 足+畢〔音〕

11 ⑱ 〖蹟〗 자취 적[入]陌 迹 jì

[日] セキ〔あと〕 [英] trace

[字解] **자취 적**(跡也).

[字源] 形聲. 足+責〔音〕

[參考] 跡(足部 6획)과 迹(辵部 6획)은 同字.

[史蹟 사적] 역사적인 고적.
[行蹟 행적] 평생에 한 일.

11 ⑱ 〖蹠〗 밟을 척[入]陌 zhí

[日] セキ〔ふむ〕 [英] tread

[字解] ① **밟을 척**(履也). ② **발바닥 척**(足下). ¶ 蹠骨(척골).

[字源] 形聲. 足+庶〔音〕

11 ⑱ 〖蹤〗 자취 종[平]冬 zōng

[日] ショウ〔あと〕 [英] trace

[字解] ① **자취 종**(跡也). ② **좇을 종**(踪也).

[字源] 形聲. 足+從〔音〕

[蹤跡 종적] ㉠ 사람이 간 곳. ㉡ 뒤에 드러난 형적. ㉢ 발자국. 발자취. ㉣ 사람의 뒤를 몰래 좇음.

11 ⑱ 〖蹙〗 [一]닥칠 축[入]屋 [二]줄어들 척[入]錫 cù qī

[日] シュク〔しかめる〕・セキ〔ちぢこまるさま〕
[英] draw near, shrink

[字解] [一] ① **닥칠 축**(迫也). ② **찡그릴 축**(愁貌). ¶ 顰蹙(빈축). [二] **줄어들 척.**

[字源] 形聲. 足+戚〔音〕

[嚬蹙 빈축] ㉠ 눈살을 찌푸림. ㉡ 남을 비난하거나 미워함.

12 ⑲ 〖蹲〗 [一]쭈그릴 준[平]元 [二]춤출 준[平]眞 [三]모을 준[上]阮 dūn(cún) cún

[日] シュン〔うずくまる・まう〕
[英] crouch, dance, gather

[字解] [一] **쭈그릴 준**(踞也). [二] **춤출 준**(舞貌). ¶ 蹲蹲(준준). [三] **모을 준**(聚也).

[字源] 形聲. 足+尊〔音〕

12 ⑲ 〖蹴〗 찰 축[入]屋 cù

[日] ショウ〔ける〕 [英] kick

[字解] **찰 축.** ¶ 蹴爾(축이).

[字源] 形聲. 足+就〔音〕

[蹴球 축구] ㉠ 공을 참. 공차기. ㉡ 11명씩 두 패로 나누어 상대방 문안

7획

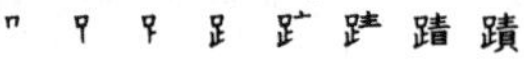

에 공을 차 넣음으로써 승부를 겨루
는 경기. 풋볼.

12
⑲ 【蹺】 ■들 교
⊕蕭
■짚신
각 藥
qiāo
jué

圓 キョウ〔あげる〕・キャク〔わらぐつ〕
愛 stand on tiptoe, strow sandals

字解 ■ 들 교(擧足). ■ ①짚신
각(草履). ② 교만할 각(驕貌).

字源 形聲. 足+喬〔音〕

12
⑲ 【蹼】 물갈퀴
복 ⊗屋
pǔ

圓 ボク〔みずかき〕 愛 web

字解 물갈퀴 복(鳧鴈足間相連著).

字源 形聲. 足+美〔音〕

12
⑲ 【蹶】 넘어질
궐 ⊗月
juě

圓 ケツ〔つまずく〕 愛 fall down

字解 ①넘어질 궐(僵也). ¶ 蹶蹟
(궐지). ② 뛸 궐(跳也).

字源 形聲. 足+厥〔音〕

[蹶起 궐기] ㉠ 벌떡 일어남. ㉡ 모
든 사람이 한결같이 어떤 뜻을 품고
힘차게 일어남.

[蹶然 궐연] 갑자기 벌떡 일어나는
모양.

12
⑲ 【蹞】 蹞(주)(足部 15획)의 俗字

12
⑲ 【蹩】 절름발이
별 ⊗屑
bié

圓 ヘツ〔あしなえ〕 愛 lame

字解 절름발이 별(跛也). ¶ 蹩躠
(별벽).

字源 形聲. 足+敝〔音〕

13
⑳ 【躁】 떠들
조 ⊕號
zào

圓 ソウ〔さわぐ〕 愛 noisy

字解 ①떠들 조(擾也). ② 성급할
조(急也).

字源 形聲. 足+喿〔音〕

[躁急 조급] 마음이 참을성 없이 급
함. 성급함.

13
⑳ 【躅】 ■머뭇거
릴 촉 ⊗沃
■자취 탁
⊗覺
zhú
zhuó

圓 チョク〔あしずり〕・タク〔あと〕
愛 hesitate, trace

字解 ■머뭇거릴 촉(蹢也). ¶ 蹢
躅(적촉). ■ 자취 탁(跡也). ¶ 牛
躅(우탁).

字源 形聲. 足+蜀〔音〕

13
⑳ 【躇】 머뭇거
릴 저
⊕魚
chú

圓 チョ〔ためらう〕 愛 hesitate

字解 머뭇거릴 저(住足也).

字源 形聲. 足+著〔音〕

[躇躇 주저] 머뭇거림. 망설임.

13
⑳ 【躄】 앉은뱅이
벽 ⊗陌
bì

圓 ヘキ〔いざり〕
愛 wheel-chair case

字解 앉은뱅이 벽(兩足不能行也).

字源 形聲. 足+辟〔音〕

14
㉑ 【躊】 머뭇거
릴 주
⊕尤
chóu

圓 チュウ〔ためらう〕 愛 hesitate

字解 머뭇거릴 주(進退貌, 猶豫).
¶ 躊佇(주저).

字源 形聲. 足+壽〔音〕

[躊躇 주저] 머뭇거림. 망설임.

14
㉑ 【躋】 오를 제
⊕齊⊗霽
jī

圓 セイ〔のぼる〕 愛 climb

7
획

[字解] **오를 제**(登也, 升也). ¶ 躋覽(제람).

[字源] 形聲. 足+齊〔音〕

14 ㉑ 〖躍〗 [一]뛸 약 [入]藥 [二]빨리 달릴 적 [入]錫 | 跃 yuè tì

[日] ヤク〔おどる〕·テキ〔はやくはね〕 [英] skip, hard run

[字解] [一] **뛸 약**(跳也). ¶ 喜躍(희약). [二] **빨리달릴 적**(迅也).

[字源] 形聲. 足+翟〔音〕

[躍動 약동] ㉠ 뛰어 움직임. ㉡ 생기 있고 활발하게 움직임.

[躍進 약진] 뛰어서 전진함. 힘차게 전진함.

[一躍 일약] 단번에 뛰어오르는 모양.

[活躍 활약] 힘차게 활동함. 기운차게 뛰어다님.

15 ㉒ 〖躐〗 밟을 렵 [入]葉 | liè

[日] リョウ〔こえる〕 [英] step

[字解] ① **밟을 렵**(踐也). ② **넘을 렵**(踰也). ¶ 躐等(엽등).

[字源] 形聲. 足+巤〔音〕

15 ㉒ 〖躑〗 머뭇거릴 척 [入]陌 | 踯 zhí

[日] テキ〔たちもとおる〕 [英] hesitate

[字解] **머뭇거릴 척**. ¶ 躑躅(척국).

[字源] 形聲. 足+鄭〔音〕

[躑躅 척촉] ㉠ 걸음을 머뭇거리는 모양. 제자리걸음을 하는 모양. ㉡ 철쭉.

15 ㉒ 〖躓〗 [一]넘어질 지 [去]寘 [二]넘어질 질 [入]質 | zhì zhí

[日] チ・シツ〔つまずく〕 [英] stumble

[字解] [一] **넘어질 지**(頓也). ¶ 顚躓(전지). [二] **넘어질 질**. ¶ 躓踣(질복).

[字源] 形聲. 足+質〔音〕

15 ㉒ 〖躔〗 밟을 전 [平]先 | chán

[日] テン〔ふむ〕 [英] tread

[字解] ① **밟을 전**(踐也). ② **궤도 전**(軌也). ¶ 躔度(전도).

[字源] 形聲. 足+廛〔音〕

15 ㉒ 〖躕〗 머뭇거릴 주 [平]虞 | chú

[日] チュウ〔ためらう〕 [英] hesitate

[字解] **머뭇거릴 주**(不進也).

[字源] 形聲. 足+廚〔音〕

[參考] 蹰(足部 12획)는 俗字.

[踟躕 지주] 머뭇거리며 망설임.

18 ㉕ 〖躡〗 밟을 섭 [本]녑 [入]葉 | niè

[日] ジョウ〔ふむ〕 [英] tread

[字解] ① **밟을 섭**(蹈也). ② **오를 섭**(登也). ③ **신을 섭**(着履).

[字源] 形聲. 足+聶〔音〕

19 ㉖ 〖躧〗 걸을 사 [上]紙 [平]支 | xǐ

[日] シ〔わらぐつ〕 [英] walk

[字解] ① **걸을 사**(徐行貌). ② **짚신 사**(草履也).

[字源] 形聲. 足+麗〔音〕

20 ㉗ 〖躩〗 뛸 각 [入]藥 | jué

[日] カク〔おどる〕 [英] jump

[字解] ① **뛸 각**(跳也). ② **빠를 각**(疾行也).

[字源] 形聲. 足+矍〔音〕

7 획

20 ㉗ 【躪】 짓밟을 린[去]震 | 躏 lìn

[日] リン〔にじる〕 [英] trample

[字解] **짓밟을 린**(踐也, 蹂也).

[字源] 形聲. 足+藺〔音〕

[蹂躪 유린] 남의 권리나 인격을 함부로 짓밟음.

身 〔7 획〕 部 (몸신부)

0 ⑦ 【身】 몸신 [平]眞 | shēn

丿 亻 ⺅ 门 自 身 身

[日] シン〔み〕 [英] body

[字解] ① **몸 신**(躬也, 總括百骸). ¶ 身體(신체). ② **애밸 신**(懷孕也).

[字源] 象形. 임신한 여자의 몸을 본떠 만든 글자로, '몸'의 뜻을 나타냄.

[身病 신병] 몸에 생긴 병.

[身分 신분] ㉠ 개인의 사회적인 지위와 계급. ㉡ 법률상의 일정한 지위·자격.

[身元 신원] 출생·신분·성행(性行) 따위의 일체. 곧, 일신상의 관계.

[身體 신체] ㉠ 사람의 몸. ¶ 身體髮膚(신체발부). ㉡ 갓 죽은 송장의 존칭.

[單身 단신] 혼자의 몸. 홑몸.

[肉身 육신] 사람의 몸.

[自身 자신] 자기. 제몸.

3 ⑩ 【躬】 몸궁 [平]東 | gōng

[日] キュウ〔からだ〕 [英] body

[字解] ① **몸 궁**(身也). ¶ 聖躬(성궁). ② **몸소 궁**(親也). ¶ 躬行(궁행).

[字源] 會意. 篆文은 呂+身

[躬行 궁행] 몸소 행함. 실천함. ¶ 實踐躬行(실천궁행).

11 ⑱ 【軀】 몸구 [平]虞 | 躯 qū

[日] ク〔み〕 [英] body

[字解] **몸 구**(四體). ¶ 體軀(체구).

[字源] 形聲. 身+區〔音〕

[軀幹 구간] ㉠ 몸의 뼈대. ㉡ 몸통.

[軀體 구체] 몸. 신체. 체구(體軀).

[體軀 체구] 몸뚱이. 몸집.

13 ⑳ 【軆】 體(체)(骨部 13획)의 俗字

車 〔7 획〕 部 (수레거부)

0 ⑦ 【車】 [一]수레 차[平]麻 [二]수레 거[平]魚 | 车 chē jū

一 ㄏ 戸 百 亘 亘 車

[日] シャ・キョ〔くるま〕 [英] cart

[字解] [一] ① **수레 차**(車名也). ¶ 下車(하차). ② **잇몸 차**(齒齦). [二] **수레 거**. ¶ 車馬(거마).

[字源] 象形. 수레의 모양을 본뜸.

[車馬 거마] 수레와 말. 수레에 맨 말. ¶ 車馬費(거마비).

[車輛 차량] ㉠ 수레의 총칭. ㉡ 연결된 기차의 한 칸.

[車輪 차륜] 수레바퀴.

[車螢孫雪 차형손설] 차윤(車胤)이 반딧불에 글을 읽고 손강(孫康)이 눈빛에 글을 읽은 고사(故事). 고학(苦學)의 뜻으로 쓰임.

[駐車 주차] 자동차를 세워 둠.

[齒車 치차] 톱니바퀴.

1 ⑧ 【軋】 삐걱거릴 알[入]黠 | 轧 yà

[日] アツ〔きしる〕 [英] crush

[字解] **삐걱거릴 알**(車輾).

[字源] 形聲. 車+乙〔音〕

[軋轢 알력] ㉠ 수레가 삐걱거림. 서로 스쳐 감. ㉡ 의견이 서로 충돌됨.
[軋芴 알물] 치밀(緻密)함.
[軋辭 알사] 상세한 언사(言辭).

2
⑨ 【軌】 바퀴자국 궤[上]紙 | 轨 guǐ

[日] キ〔わだち〕 [英] wheel track

[字解] ① **바퀴자국 궤.** ② **법 궤**(法也). ③ **좇을 궤**(循也).

[字源] 形聲. 車+九〔音〕

[軌範 궤범] 본보기. 법도.
[軌跡 궤적] ㉠ 수레바퀴가 지나간 자국. ㉡ 선인(先人)의 행적.
[狹軌 협궤] 1.435m의 표준 궤도보다 좁은 궤도.

2
⑨ 【軍】 군사 군[平]文 | 军 jūn

[日] グン〔いくさ〕 [英] military

[字解] ① **군사 군**(旅也). ¶ 水軍(수군). ② **진칠 군**(師所駐).

[字源] 會意. 冖＝勹(에워쌈)과 車(전차)의 합자. 전차를 주력으로 한 군단의 뜻. 따라서 군대·전쟁의 뜻.

[軍備 군비] ㉠ 국방상의 군사 설비. ㉡ 전쟁의 준비. ¶ 軍備縮小(군비 축소).
[軍士 군사] ㉠ 군인. ㉡ 계급이 낮은 부사관 이하의 군인. 사병(士兵). 군졸(軍卒). 병졸(兵卒).
[軍事 군사] 군대·군비·전쟁 등에 관한 일. 군무(軍務)에 관한 일. ¶ 軍事援助(군사 원조).
[軍樂 군악] 군대에서 쓰이는 음악. 군악대의 연주 또는 연주 악곡.
[援軍 원군] 도와주는 군대.
[從軍 종군] 부대를 따라 싸움터에 감.

3
⑩ 【軏】 끌채끝 월[入]月 | 軏 yuè

[日] ゲツ〔よこがみ〕

[字解] **끌채끝 월**(車轅端持衡木).

[字源] 形聲. 車+兀〔音〕

3
⑩ 【軒】 [一]처마 헌[平]元 [二]성 한[上]旱 | 轩 xuān

[日] ケン〔のき〕・カン〔せい〕
[英] eaves, family name

[字解] [一] ① **처마 헌**(檐宇之末). ¶ 軒頭(헌두). ② **초헌 헌**(大夫車). ¶ 軺軒(초헌). ③ **웃을 헌**(笑貌). ④ **크게저민고기 헌**(肉臠切). [二] **성 한.**

[字源] 形聲. 車+干〔音〕

[軒頭 헌두] 추녀 끝.
[軒燈 헌등] 처마 끝에 다는 등.
[軒昂 헌앙] ㉠ 높이 오름. ㉡ 의기(意氣)가 분발함. 의기가 당당함.
[軺軒 초헌] 종이품 이상의 벼슬아치가 타던 외바퀴 수레.

4
⑪ 【転】 轉(전)(車部 10획)의 略字

4
⑪ 【軛】 멍에 액[入]陌 | 轭 è

[日] ヤク〔くびき〕 [英] yoke

[字解] **멍에 액**(轅端橫木駕馬領者).

[字源] 形聲. 車+厄〔音〕

4
⑪ 【軟】 부드러울 연[上]銑 | 软 ruǎn

[日] ナン〔やわらか〕 [英] soft

[字解] ① **부드러울 연**(柔也). ¶ 柔軟(유연). ② **약할 연**(弱也).

[字源] 形聲. 본자는 輭. 본자의 「耎(연)」이 음을 나타냄.

[軟骨 연골] ㉠ 여린 뼈. 교질이 많고 탄력이 있음. ㉡ 어린 나이.
[軟水 연수] 광물질이 들어 있지 아니한 순수한 물.
[軟弱 연약] 연하고 약함. 몸과 마음

이 잔약함.

[軟體 연체] 연한 몸체. ¶ 軟體動物(연체동물).

[柔軟 유연] 부드럽고 연함.

5 ⑫ 〖軽〗 輕(경)(車部 7획)의 俗字

5 ⑫ 〖軨〗 사냥수레 령[平]青 | líng

[日] レイ〔かりぐるま〕

[字解] ① **사냥수레 령**(獵車). ② **굴대빗장가죽 령**(車轄頭靼也).

[字源] 形聲. 車+令〔音〕

5 ⑫ 〖軫〗 수레뒤턱나무 진[上]軫 | 轸 zhěn

[日] シン〔よこぎ〕

[字解] ① **수레뒤턱나무 진**(車後橫木). ② **굽을 진**(地形盤曲貌). ③ **마음아파할 진**(痛也).

[字源] 形聲. 車+㐱〔音〕

[軫念 진념] 임금이 아랫사람의 형편을 걱정함.

5 ⑫ 〖軷〗 길제사 발[入]曷 | bá

[日] ハツ・ハイ〔まつる〕

[字解] **길제사 발**(將出道祭).

[字源] 形聲. 車+犮(音)

5 ⑫ 〖軸〗 굴대 축[入]屋 | 轴 zhóu

[日] ジク〔よこがみ〕 [英] axle

[字解] **굴대 축**(車輪中心木).

[字源] 形聲. 車+由〔音〕

[主軸 주축] 주되는 축.

[車軸 차축] 수레바퀴의 굴대.

5 ⑫ 〖軹〗 굴대끝 지[上]紙 | 轵 zhǐ

[日] シ〔じくがしら〕

[字解] **굴대끝 지**(車軸耑).

[字源] 形聲. 車+只〔音〕

5 ⑫ 〖軺〗 수레 초[平]蕭 | 轺 yáo

[日] ショウ〔こぐるま〕 [英] cart

[字解] **수레 초**(小車遠望車).

[字源] 形聲. 車+召〔音〕

[軺軒 초헌] 종이품(從二品) 이상의 관리가 타던 수레. 헌초(軒軺).

5 ⑫ 〖軻〗 가기힘들 가[平]歌 | 轲 kē, kě

[日] カ〔すすみがたい〕

[字解] **가기힘들 가**(車行不平, 不遇也). ¶ 轗軻(감가).

[字源] 形聲. 車+可〔音〕

[轗軻 감가] 길이 험하여 수레가 잘 나아가지 못하는 모양. 때를 만나지 못하여 불행함.

5 ⑫ 〖軼〗 지날 일[入]質 | 轶 yì

[日] イツ〔すぎる〕 [英] pass ahead

[字解] **지날 일**(過也).

[字源] 形聲. 車+失〔音〕

[軼事 일사] 세상에 알려지지 않은 사실. 일사(逸事).

6 ⑬ 〖輧〗 軿(병)(車部 8획)의 俗字

6 ⑬ 〖軾〗 수레앞턱가로나무 식[入]職 | 轼 shì

[日] ショク〔くるまのぜんぶのよこぎ〕

[字解] **수레앞턱가로나무 식**(車前橫木可憑). ¶ 伏軾(복식).

[字源] 形聲. 車+式〔音〕

6 ⑬ 〖較〗 [一]차이 각[入]覺 [二]견줄 교[去]效 | 较 jué jiào

ㄱ ㄱ ㅌ ㅌ 車 軒 較 較

日 カク〔くるまのはこのりょうがわ
のよこぎ〕・コウ〔くらべる〕

英 compare

字解 ━ 차이(車耳) 각. ━ ① 견
줄 교(相不等也). ¶ 比較(비교).
② 대강 교(略也). ¶ 較略(교략).

字源 形聲. 車+交〔音〕

〔較略 교략〕 대략. 줄거리.

〔較然 교연〕 뚜렷이 드러난 모양.

---

6 〔輅〕
ㄱ━수레 로
㊀遇
㊀藥━수레 락
ㄷ맞이할
아㊀禡

lù

日 ロ・ラク〔みくるま〕か〔むかえる〕

英 carriage, carriage, receive

字解 ━ 수레 로(天子之車也, 廣車
也). ━ 수레 락. ¶ 軺輅(만락).
ㄷ 맞이할 아(奉迎).

字源 形聲. 車+各〔音〕

---

6 〔載〕
ㄱ━실을
재㊀隊
ㄷ━일 대
㊀隊

zài
dài

十 土 吉 吉 車 軒 載 載

日 サイ〔のせる〕・タイ〔いただく〕

英 load, carry on the head

字解 ━ ① 실을 재(乘也). ¶ 滿
載(만재). ② 가득할 재(滿也). ㄷ
일 대(戴也).

字源 形聲. 車+𢦏〔音〕

〔載錄 재록〕 기록하여 실음.

---

6 〔輂〕 수레 국
㊀沃

jú

日 キョク〔くるま〕 英 wagon

字解 수레 국(大車駕馬者也).

字源 形聲. 車+共〔音〕

---

7 〔輒〕 문득 첩
㊀葉

zhé

日 チョウ〔たやすい〕

英 suddenly

字解 문득 첩(忽然).

字源 形聲. 車+耴〔音〕

〔動輒見敗 동첩견패〕 걸핏하면 실패
를 당함.

---

7 〔輓〕
ㄱ끌 만
㊀願

wǎn

日 バン〔ひく〕 英 draw, pull

字解 ① 끌 만(引車). ¶ 輓歌(만
가). ② 만사 만(哀悼). ¶ 輓詞(만
사).

字源 形聲. 車+免〔音〕

〔輓歌 만가〕 ㉠ 상여를 메고 갈 때
부르는 노래. ㉡ 죽은 사람을 애도
하는 노래. 만가(挽歌).

〔輓近 만근〕 근래. 몇 해 전부터 지금
까지.

〔輓詞 만사〕 죽은 이를 슬퍼하여 지
은 글. 만사(挽詞).

---

7 〔輔〕 도울 보
㊀麌

fǔ

日 ホ〔たすける〕 英 help

字解 ① 도울 보(弼也, 助也). ¶
輔佐(보좌). ② 바퀴덧방나무 보
(兩傍夾車木).

字源 形聲. 車+甫〔音〕

〔輔佐 보좌〕 도움.

〔輔車 보차〕 광대뼈와 잇몸. 상호 부
조하는 사물의 비유.

〔輔弼 보필〕 정사(政事)를 도움. 임
금을 보좌함.

---

7 〔輕〕
ㄱ━가벼울
경㊀庚
ㄷ━가벼이
경㊀敬

qīng
qing

ㄱ ㄱ 車 車 軒 輕 輕 輕

日 ケイ〔かるい・かるがるしく〕

英 light

字解 ① 가벼울 경(不重). ¶
輕重(경중). ② 가벼이여길 경(侮
也). ¶ 輕侮(경모). ㄷ 가벼울 경.

¶ 輕率(경솔).

字源 形聲. 車+巠〔音〕

[輕蔑 경멸] 깔보고 업신여김.

[輕率 경솔] 언행이 진중하지 아니하고 가벼움.

[輕快 경쾌] ㉠ 가뜬하고 유쾌함. ㉡ 가볍고 빠름. 빠르면서 멋들어짐. ㉢ 병이 조금 나음.

8 ⑮ 【輞】 바퀴테 망㊤養 | 辋 wǎng

㊐ ボウ・モウ〔しゃりんのたが〕 ㊞ felloe

字解 바퀴 망.

字源 形聲. 車+罔〔音〕

8 ⑮ 【軿】 一수레 병㊥青 píng 一수레 변㊥先 pián

㊐ ヘイ・ヒョウ・ヘン〔おおいかけたくるま〕 ㊞ cart

字解 一 수레 병. 二 수레 변.

字源 形聲. 車+并〔音〕

8 ⑮ 【輗】 끌채끝 예㊥齊 ní

㊐ ゲイ〔ながえのはし〕

字解 끌채끝 예(轅端持衡者).

字源 形聲. 車+兒〔音〕

8 ⑮ 【輛】 수레 량㊤養 liàng

㊐ リョウ〔くるま〕 ㊞ cart

字解 수레 량(乘也).

字源 形聲. 車+兩〔音〕

[車輛 차량] 여러 가지 수레의 총칭.

8 ⑮ 【輜】 짐수레 치㊥支 zī

㊐ シ〔にぐるま〕 ㊞ wagon

字解 짐수레 치(載衣物車). ¶ 輜

車(치차).

字源 形聲. 車+甾〔音〕

[輜重 치중] ㉠ 군대에서 수송하는 군수품. ㉡ 수레나 말에 실은 짐.

8 ⑮ 【輟】 그칠 철㊏屑 chuò | 辍

㊐ テツ〔とどめる〕 ㊞ stop

字解 그칠 철(止也). ¶ 輟朝(철조).

字源 形聲. 車+叕〔音〕

8 ⑮ 【輪】 바퀴 륜㊤眞 lún | 轮

厂 戸 亘 車 軒 輪 輪 輪

㊐ リン〔わ〕 ㊞ wheel

字解 ① 바퀴 륜(車所以轉). ¶ 輪禍(윤화). ② 둘레 륜(外周). ¶ 輪廓(윤곽). ③ 돌 륜(廻旋也). ¶ 輪番(윤번).

字源 形聲. 車+侖〔音〕

[輪廓 윤곽] 대체의 테두리나 모양.

[輪番 윤번] ㉠ 돌아가며 차례로 번듦. ㉡ 돌아가는 차례. 윤차(輪次).

[輪禍 윤화] 수레바퀴에 의하여 입는 모든 피해. 교통사고.

[車輪 차륜] 수레바퀴.

8 ⑮ 【輝】 빛날 휘㊥微 huī | 辉

丿 丨 业 光 光 炉 煇 煇 輝

㊐ キ〔かがやく〕 ㊞ shine

字解 빛날 휘, 빛 휘(光也).

字源 形聲. 光+軍〔音〕

[輝煌 휘황] 광채가 눈부시게 빛남. ¶ 輝煌燦爛(휘황찬란).

[光輝 광휘] 아름답게 빛나는 빛.

8 ⑮ 【輦】 손수레 련㊤銑 niǎn

㊐ レン〔てぐるま〕 ㊞ handcart

字解 ① 손수레 련(輓車也). ② 연 련(人君之乘). ¶ 玉輦(옥련). ③

끌 연(駕人). ¶ 輦夫(연부).

字源 會意. 扶(사람이 나란히 감)와 車의 합자. 사람이 수레 앞에서 끎의 뜻.

[輦路 연로] 거동하는 길.

8 【輩】 무리 배 ㊧隊 bèi 輩 ^⑮

㊐ ハイ〔やから〕 ㊤ fellow

字解 ① 무리 배(類也). ¶ 同輩(동배). ② 견줄 배(比也).

字源 形聲. 車+非〔音〕

[輩出 배출] 인재가 연달아 많이 나옴.

[輩行 배행] ㉠ 선배·후배의 순서. ㉡ 나이가 서로 비슷한 친구. 연배(年輩). 연갑(年甲). 동배(同輩).

[年輩 연배] 나이가 서로 비슷한 사람.

9 【輹】 당토 복 ㊊屋 fú 輹 ^⑯

㊐ フク〔とこしばり〕 ㊤ hub

字解 당토 복(굴대의 중앙에 있어서 차체, 곧 차상(車箱)과 굴대를 연결하는 물건).

字源 形聲. 車+复〔音〕

9 【輮】 덧바퀴 유 ㊤有 róu 輮 ^⑯

㊐ ジュウ〔おわう〕 ㊤ felloe

字解 ① 덧바퀴 유(車輞). ② 짓밟을 유(踐也).

字源 形聲. 車+柔〔音〕

9 【輯】 모을 집 ㊤즙㊤緝 jí 輯 ^⑯

㊐ シュウ〔あつめる〕 ㊤ collect

字解 ① 모을 집(聚也). ¶ 編輯(편집). ② 화목할 집(和也, 睦也). 和輯(화집).

字源 形聲. 車+咠〔音〕

[輯錄 집록] 여러 가지를 모아 적음.

[編輯 편집] 여러 가지 자료를 모아서 신문이나 책을 엮음.

9 【輳】 모일 주 ㊤有 còu 輳 ^⑯

㊐ ソウ〔あつまる〕 ㊤ gather

字解 모일 주(競聚也).

字源 形聲. 車+奏〔音〕

[輻輳 폭주] 한곳에 많이 몰려듦을 이르는 말.

9 【輸】 보낼 수 ㊥虞 shū 輸 ^⑯

㊐ ユ〔おくる〕 ㊤ send

字解 ① 보낼 수(送也). ¶ 輸送(수송). ② 다할 수(盡也).

字源 形聲. 車+兪〔音〕

[輸送 수송] 기차·자동차·비행기·배 따위로 사람이나 물건을 실어 보냄.

[輸出 수출] ㉠ 실어서 내보냄. ㉡ 외국으로 재화를 팔아 실어 냄.

[空輸 공수] 공중으로 실어 나름.

9 【輻】 바퀴살 복㊥폭 ㊊屋 몰려들 부㊤有 fú 輻 ^⑯

㊐ フク〔や〕·フウ〔きそいあつまる〕 ㊤ spoke, crowd

字解 ■ ① 바퀴살 복(輪轑). ② 다투어모일 복(競聚也). ■ 몰려들 부.

字源 形聲. 車+畐〔音〕

[輻射 복사] 열이나 빛이 물체에서 사방으로 방사하는 현상.

[輻輳 폭주] 한곳에 많이 모여듦. 폭주병진(輻輳幷臻).

9 【輭】 軟(연)(車部 4획)의 本子 ^⑯

10 ⑰ 〔輿〕

차상 여 ⊕魚
가마 여 ⊕御

輿 yú
yú
yù

ㅣ ㅓ ㅓ ㅓ 申 申 衔 衔 衔 輿

⊜ ヨ〔こし・てこし〕
㊦ palankeen, wagon

字解 ━ ① 차상 여(車中人所載也),
車箱. ② 많을 여(衆也). ¶ 輿望
(여망). ③ 질 여(負荷). ━ 가마
여(舁車). ¶ 籃輿(남여).

字源 形聲. 車+舁〔音〕

[輿論 여론] 일반적으로 공통되는
공론(公論). 세론(世論).
[輿志 여지] 지리책. 여지지(輿地志).
[輿地 여지] 땅. 대지(大地). 전지구
(全地球).
[籃輿 남여] 덮개 없이 의자처럼 생
긴 작은 가마.

10 ⑰ 〔輾〕

돌 전 ⊕銑

輾 zhǎn

⊜ テン〔めぐる〕 ㊦ roll

字解 돌 전, 구를 전(轉也).

字源 形聲. 車+展〔音〕

[輾轉 전전] 누워서 이리저리 뒤척
임. ¶ 輾轉反側(전전반측).

10 ⑰ 〔轄〕

비녀장 할 ⊕黠

轄 xiá

⊜ カツ〔くさび〕 ㊦ linchpin

字解 비녀장 할(車軸鐵鍵). ¶ 統
轄(통할).

字源 形聲. 車+害〔音〕

[直轄 직할] 직접 맡아서 다스림.
[統轄 통할] 모두 거느려서 관할함.

10 ⑰ 〔轅〕

끌채 원 ⊕元

轅 yuán

⊜ エン〔ながえ〕 ㊦ thill

字解 끌채 원(車前駕馬木).

字源 形聲. 車+袁〔音〕

[轅門 원문] 군영(軍營)의 문. 군문
(軍門).

10 ⑰ 〔轂〕

바퀴통 곡 ⊕屋

轂 gǔ

⊜ コク〔こしき〕 ㊦ hub

字解 ① 바퀴통 곡(所輻湊也).
車轂(차곡). ② 밀 곡(薦人也).

字源 形聲. 車+殻〔音〕

11 ⑱ 〔轆〕

수레소리 록 ⊕屋

轆 lù

⊜ ロク〔ろくろ〕

字解 수레소리 록. ¶ 轆轆(녹록).

字源 形聲. 車+鹿〔音〕

[轆轤 녹로] ⊙ 고패. ⓛ 오지그릇
을 만들 때, 발로 돌려 모형과 균형
등을 잡는 기구. ⓒ 우산이나 양산
대의 중앙에 있으며, 그것을 펴고 오
므리는 데 쓰이는 물건.

11 ⑱ 〔轉〕

구를 전 ⊕銑

轉 转 zhuǎn
zhuàn

ㄱ 亘 車 軒 軒 輕 轉 轉 轉

⊜ テン〔ころぶ〕 ㊦ roll

字解 ① 구를 전(輾也, 旋也).
自轉(자전). ② 옮길 전(遷也).
轉嫁(전가).

字源 形聲. 車+專〔音〕

[轉嫁 전가] ⊙ 자기의 허물을 남에
게 덮어씌움. ⓛ 責任轉嫁(책임 전
가). ⓒ 다른 데로 다시 시집감. 재
가(再嫁).
[轉轉 전전] 이리저리 옮김. 이리저
리 굴러다님.
[轉禍爲福 전화위복] 언짢은 일이
계기가 되어 도리어 다른 좋은 일을
봄.

12 ⑲ 〔轍〕

바퀴자국 철 ⊕屑

轍 zhé(chè)

⊜ テツ〔わだち〕 ㊦ rut

字解 바퀴자국 철(車迹).

字源 形聲. 車+徹〈省〉〔音〕

[前轍 전철] 앞에 가는 수레바퀴 자
국의 뜻으로, 이전 사람의 그릇된 일
이나 행동의 자취.

7
획

¹²⑲【轎】가마 교 ㊤蕭 │ 轿 jiào 鵁

㊐ キョウ〔かご〕 ㊤ palanquin

字解 가마 교(小車也). ¶ 轎夫(교부).

字源 形聲. 車+喬〔音〕.

[轎軍 교군] 가마를 메어 주고 삯을 받는 사람. 교부(轎夫).

[轎子 교자] 종일품(從一品) 이상이 타던 가마.

¹³⑳【轗】가기힘 들 감 ㊤咸 │ 轗 kǎn 轗

㊐ カン〔くるまのゆきなやみ〕

字解 가기힘들 감(行車不平, 不遇).

字源 形聲. 車+感〔音〕.

[轗軻 감가] ㋇ 수레가 가는 길이 험하여 고생하는 모양. ㋖ 때를 만나지 못하여 불행함.

¹³⑳【轘】차열할 환 ㊤諫 ㊤刪 │ 轘 huàn huán 轘

㊐ カン〔くるまざき〕

字解 차열할 환(車裂人).

字源 形聲. 車+睘〔音〕.

¹⁴㉑【轝】가마 여 ㊤御 │ yù

㊐ ヨ〔こし〕 ㊤ sedan chair

字解 ① 가마 여. ② 수레 여.

字源 形聲. 車+與〔音〕.

¹⁴㉑【轟】울릴 굉 ㊤횡㊤庚 │ 轰 hōng 轟

㊐ ゴウ〔とどろく〕 ㊤ rumble

字解 울릴 굉(大砲雷鳴). ¶ 轟砲(굉포).

字源 會意. 「車」를 세 개 겹쳐 많은 차가 나아갈 때의 소리를 나타냄.

[轟音 굉음] 굉장하게 큰 소리.

[轟沈 굉침] 함선이 폭파되어 큰 소리를 내며 가라앉음. 또는 폭파하여 가라앉힘.

¹⁴㉑【轞】함거 함 ㊤賺 │ 轞 jiàn 轞

㊐ カン〔しゅうしゃ〕

㊤ police wagon

字解 함거 함(囚車).

字源 形聲. 車+監〔音〕.

[轞車 함거] 죄인을 태우는 수레.

[轞轞 함함] 수레가 가는 소리.

¹⁵㉒【轡】고삐 비 ㊤寘 │ 辔 pèi 轡

㊐ ヒ〔たづな〕 ㊤ reins

字解 고삐 비(馬韁靶也). ¶ 按轡(안비).

字源 會意. 絲와 㗊와의 합자. 수레와 말을 잇는 끈의 뜻.

[轡銜 비함] 고삐와 재갈. 비륵(轡勒).

¹⁵㉒【轢】치일 력 ㊤錫 │ 轹 lì 轢

㊐ レキ〔きしる〕 ㊤ run over

字解 치일 력(車陵踐也).

字源 形聲. 車+樂〔音〕.

[轢死 역사] 차에 치어 죽음.

[軋轢 알력] 수레바퀴가 삐걱거린다는 뜻으로, 의견이 서로 충돌이 됨.

¹⁶㉓【轤】고패 로 ㊤虞 │ 轳 lú 轤

㊐ ロ〔ろくろ〕 ㊤ pulley

字解 고패 로(吸水器). ¶ 轆轤(녹로).

字源 形聲. 車+盧〔音〕.

辛 〔7획〕 部

(매울신부)

₇
획

0 ⑦ 【辛】 매울 신 [平]眞 xīn

[日] シン〔からい〕 [英] hot

[字解] ① **매울 신**(金味, 艱苦悲酸). ¶ 辛苦(신고). ② **천간이름 신**(天干第八位). ¶ 辛方(신방).

[字源] 象形. 문신하는 바늘의 모양.

[辛苦 신고] ㉠ 매운 것과 쓴 것. ㉡ 고생스럽게 애를 씀. 또, 그 고통이나 고생. 신로(辛勞). 더욱 심할 때는 천신만고(千辛萬苦)라고 함.

[辛辣 신랄] ㉠ 맛이 몹시 매움. ㉡ 몹시 가혹하고 날카로움.

[辛方 신방] 24방위의 스무 째. 곧, 서북 북방.

[艱辛 간신] 힘들고 고생스러움.

5 ⑫ 〚辜〛 허물 고 [平]虞 gū

[日] コ〔つみ〕 [英] crime

[字解] **허물 고**(罪也). ¶ 無辜(무고).

[字源] 形聲. 辛+古〔音〕

6 ⑬ 〚辟〛 [一]임금 벽 [入]陌 bì / [二]피할 피 [去]寘 pì / [三]비유할 비 [去]寘 pì

[日] ヘキ〔きみ〕・ヒ〔さける〕・ヒ〔たとえる〕

[英] king, get away, compare

[字解] [一] ① **임금 벽**(君也). ¶ 辟王(벽왕). ② **임 벽**(妻祭夫稱). ③ **물리칠 벽**(除也, 屛也). ¶ 辟邪(벽사). [二] **피할 피**(避也). [三] **비유할 비**.

[字源] 會意. 尸(법)과 辛(죄)과 口(말)와의 합자. 법률에 의하여 죄의 경중을 선고함의 뜻.

[辟邪 벽사] 나쁜 귀신을 물리침.

[辟召 벽소] 벼슬을 주기 위하여 임금이 부름.

[辟王 벽왕] 임금. 군주(君主).

[辟忌 피기] 꺼려서 피함.

[辟世 피세] 세상 사람과 접촉하지 않고 숨어 삶. 피세(避世).

6 ⑬ 〚辞〛 辭(사)(辛部 12획)의 俗字

7 ⑭ 〚辣〛 매울 랄 [入]曷 là

[日] ラツ〔からい〕 [英] hot

[字解] **매울 랄**(味辛甚). ¶ 辣腕(날완).

[字源] 形聲. 辛+朿(刺)〔音〕

[辛辣 신랄] ㉠ 맛이 매우 쓰고 매움. ㉡ 수단이나 비평이 몹시 날카롭고 매서움.

9 ⑯ 〚辦〛 힘쓸 판 [去]諫 办 bàn

[日] ベン〔つとめる〕 [英] effort

[字解] ① **힘쓸 판**(致力也). ¶ 總辦(총판). ② **갖출 판**(具也). ¶ 辦備(판비).

[字源] 形聲. 力+辡〔音〕

[辦公 판공] 공무(公務)에 종사함. 공무를 처리함. ¶ 辦公費(판공비).

[辦備 판비] 마련하여 준비함.

[辦償 판상] ㉠ 빚을 갚음. ㉡ 손실(損失)을 물어줌. ㉢ 재물을 내어 지은 죄과를 갚음.

9 ⑯ 〚辨〛 [一]나눌 변 [上]銑 biàn / [二]갖출 판 [去]諫 bàn / [三]두루 편 [去]霰 piàn

[日] ベン〔わかつ〕・ハン〔そなえる〕・ヘン〔あまねし〕

[英] divide, prepare, all around

[字解] [一] ① **나눌 변**(區別). ② **분별할 변**(判也). ¶ 辨識(변식). [二] **갖출 판**(辦也). [三] **두루 편**(徧也).

[字源] 會意. 力+辡

7획

[辨明 변명] ㉠ 시비를 가려 밝힘. ㉡ 죄가 없음을 밝힘. 변명(辯明).
[辨別 변별] ㉠ 구별함. ㉡ 분별함.
[辨識 변식] 분별하여 앎.
[論辨 논변] ㉠ 사리의 옳고 그름을 밝혀 말함. 변론. ㉡ 의견을 논술함.

12 ⑲ 【辭】 말사 [平]支 | 辞 cí

[日] ジ〔ことば〕 [英] speech

[字解] ① **말 사**(言也). ¶ 辭書(사서). ② **사양할 사**(讓不受). ¶ 辭讓(사양).

[字源] 會意. 𤔲(다스림)와 辛(죄)의 합자. 죄인의 호소를 들어 정사(正邪)를 가려 다스림의 뜻. 말의 뜻으로 쓰임은 「詞(사)」의 차용임.

[參考] 辞(辛部 6획)는 속자.

[辭書 사서] 어떤 단어를 모아서 일정한 순서로 배열하여 찾기 쉽게 하고, 발음·뜻·용례·어원(語源) 등에 관하여 해설한 책. 사전(辭典).
[辭讓 사양] 받을 것을 겸사하여 받지 않거나, 자리를 남에게 내어 줌.
[辭緣 사연] 말이나 편지의 내용.
[固辭 고사] 굳이 사양함.
[祝辭 축사] 축하하는 뜻의 글·말.

14 ㉑ 【辯】 [一]말잘할 변[上]銑 [二]고를 평 [平]庚 [三]두루미칠 편[去]霰 | 辩 biàn píng biàn

[日] ベン〔たくみにものいう〕・ヘイ〔ひとしい〕・ヘン〔あまねし〕
[英] eloquent, even, all around

[字解] [一] ① **말잘할 변**(善言). ¶ 辯士(변사). ② **다툴 변**(論爭). ¶ 辯論(변론). [二] **고를 평**. [三] **두루미칠 편**.

[字源] 形聲. 言+辡〔音〕

[辯論 변론] 옳고 그름을 따짐.
[辯士 변사] 말을 잘 하는 사람.
[辯護 변호] 남의 이익을 위하여 변명하고 도와줌. ¶ 辯護士(변호사).
[訥辯 눌변] 서투른 말솜씨.
[達辯 달변] 말을 잘함. 또는 능숙한 말솜씨.

辰 〔7획〕 部
(별진부)

0 ⑦ 【辰】 [一]다섯째 지지 진 [本]신[平]眞 [二]일월성 신[平]眞 | chén chén

[日] シン〔たつ・ほし〕 [英] star

[字解] [一] ① **다섯째지지 진**(地支第五位). ② **별이름 진**(天樞北辰). [二] ① **일월성 신**(日月星也). ¶ 三辰(삼신). ② **날 신**(日也). ¶ 吉辰(길신).

[字源] 象形. 조개가 껍데기를 벌리고 발을 내놓은 모양을 본뜬 글자로, 음을 빌려 십이지의 다섯째 지지로 씀. 조가비가 옛날에 농구로 쓰였던 데서 부수로 농사에 관한 문자를 이룸.

[辰宿 진수] 온갖 별자리의 별들.
[辰時 진시] 하루를 12시로 나눈 다섯째 시. 곧, 오전 7시부터 9시까지.
[生辰 생신] 생일의 높임말.
[星辰 성신] 별.

3 ⑩ 【辱】 욕보일 욕[入]沃 | rǔ

[日] ジョク〔はずかしめる〕
[英] humiliate

[字解] ① **욕보일 욕**(恥也). ② **욕할 욕**(僇也). ¶ 辱說(욕설).

[字源] 會意. 辰(때)과 寸(법도)과의 합자. 옛날 경작의 시기를 어기면

처벌되었기 때문에 욕·욕됨의 뜻이
됨.

[辱說 욕설] 남을 욕하는 말.
[侮辱 모욕] 깔보고 욕보임.
[恥辱 치욕] 수치와 모욕.

---

6 **【農】** 농사농 | 农 | 畧
⑬ ㊞冬 nóng

口曲曲曲严严严農農農

㊐ ノウ〔たづくり〕 ㊤ farming
字解 농사 농(耕種關土植穀).
農耕(농경).
字源 會意. 밭 전(曲=田)에 별 진
(辰)을 합친 자로 辰은 농기구. '농
부', '농사' 의 뜻.
[農耕 농경] 논밭을 갊. ¶ 農耕期
(농경기).
[農産物 농산물] 농사를 지어 생산
한 곡식 따위.
[農場 농장] 농사 지을 땅과 여러 시
설을 갖춘 곳. 농원(農園).
[農閑 농한] 농사에 한가한 시기. 농
한기(農閑期).
[酪農 낙농] 소·양 등의 젖을 가공하
여 유제품을 만드는 농업.

辵(辶)〔7획〕 **部**
(갖은책받침 · 책받침부)

---

0 **【辵】** 쉬엄쉬엄 | chuò
⑦ 갈 착㊅藥

㊐ チャク〔はしる〕
字解 쉬엄쉬엄갈 착(乍行乍止).
字源 會意. 彳와 止의 합자. 감의
뜻.

---

2 **【辺】** 邊(변)(辵部 15획)의 略字
⑥

---

3 **【迂】** 멀우 | 迂 | 迂
⑦ ㊧오㊤虞 yū

㊐ ウ〔とおい〕 ㊤ far

字解 ① 멀 우(遠也). ¶ 迂路(우
로). ② 굽을 우(曲也). ¶ 迂曲(우
곡). 迂廻(우회).
字源 形聲. 辶(辵)+于〔音〕
[迂餘曲折 우여곡절] ㉠ 이리저리
굽음. ㉡ 사정이 뒤얽혀 착잡함.
[迂廻 우회] 곧바로 가지 않고 멀리
돌아감. ¶ 迂廻作戰(우회 작전).

---

3 **【迄】** 이를흘 | 迄 | 迄
⑦ ㊅質 qì

㊐ キツ〔いたる · まで〕 ㊤ reach
字解 ① 이를 흘(至也). ② 마침내
흘(竟也).
字源 形聲. 篆文은 辶(辵)+气〔音〕

---

3 **【迅】** 빠를신 | 迅 | 迅
⑦ ㊤震 xùn

㊐ ジン〔すみやか〕 ㊤ quick
字解 빠를 신(疾也). ¶ 迅急(신
급).
字源 形聲. 辶(辵)+卂〔音〕
[迅速 신속] 대단히 빠름. ¶ 迅速正
確(신속 정확).

---

3 **【迤】** 비스듬히 | 迤 | 迤
⑦ 갈 이㊅紙 yǐ
㊧支

㊐ イ〔ななめにゆく〕 ㊤ tilted
字解 ① 비스듬히갈 이(斜行). ②
연할 이(連接).
字源 形聲. 辶(辵)+也〔音〕

---

4 **【迎】** 맞이할 | 迎 | 迎
⑧ 영㊧庚 yíng

丶 亻 卬 卬 迎 迎 迎

㊐ ゲイ〔むかえる〕 ㊤ welcome
字解 맞이할 영(逆也,接也). ¶ 迎
春(영춘).
字源 形聲. 辶(辵)+卬〔音〕
[迎賓 영빈] 손님을 맞음. ¶ 迎賓館
(영빈관).
[迎接 영접] 손님을 맞아서 접대함.

[迎合 영합] 남의 마음에 들도록 힘씀.

[歡迎 환영] 기쁜 마음으로 맞음.

[返納 반납] 남에게서 꾼 것을 돌려줌.

[返信 반신] 회답하는 편지나 전보.

[返還 반환] 도로 돌려줌.

---

⁴₈【近】 ■가까울 근 ㉠吻 ■가까이할 근 ㉠問

近 jìn

㈰ キン〔ちかい・ちかづく〕 ㉻ near, approach

字解 ■ ① 가까울 근(不遠). ¶ 近世(근세). ② 근친 근. ¶ 近親(근친). ■ 가까이할 근(親也).

字源 形聲. 辶(辵)+斤〔音〕

[近來 근래] 요즈음.

[近墨者黑 근묵자흑] 먹을 가까이 하면 검어진다는 뜻에서, 악한 사람을 가까이 하면 그 버릇에 물들기 쉽다는 말. 근주자적(近朱者赤).

[近似 근사] 많이 닮음. 비슷함. ¶ 近似値(근사치).

[近視 근시] 먼 데 있는 것을 잘 보지 못하는 시력.

[近親 근친] 촌수가 가까운 일가. 흔히 8촌 이내를 일컬음. 근족(近族).

[附近 부근] 가까운 언저리.

[最近 최근] 지난 지 얼마 안 되는 날.

---

⁴₈【迓】 마중할 아 ㉠禡

迓 yà

㈰ ガ〔むかえる〕 ㉻ go out to meet

字解 마중할 아(迎也). ¶ 郊迓(교아).

字源 形聲. 辶(辵)+牙〔音〕

---

⁴₈【返】 돌아올 반 ㉠阮

返 fǎn

字解 돌아올 반(還也). ¶ 往返(왕반).

㈰ ヘン〔かえす〕 ㉻ return

字源 形聲. 辶(辵)+反〔音〕

---

⁴₈【迕】 만날 오 ㉠遇 ㉠麌

迕 wǔ

㈰ ゴ〔あう〕 ㉻ meet

字解 ① 만날 오(遇也). ② 거스를 오(逆也). ¶ 旁迕(방오).

字源 形聲. 辶(辵)+午〔音〕

---

⁵₉【迲】 (韓) 자래 겁

字解 (韓) 자래 겁(나뭇단을 세는 단위).

---

⁵₉【迢】 멀 초 ㉠蕭

迢 tiáo

㈰ チョウ〔とおい〕 ㉻ far

字解 ① 멀 초(遠也). ② 높을 초(高也).

字源 形聲. 辶(辵)+召〔音〕

---

⁵₉【迤】 ■연할 이 ㉠紙㉻支 ■갈 타 ㉠歌

迤 yǐ tuó

㈰ イ〔なかながとつづく〕・タ〔ななめにゆく〕 ㉻ connect, go

字解 ■ 연할 이(連接也). ■ 갈 타(行貌也). ¶ 透迤(투타).

字源 形聲. 篆文은 辶(辵)+也〔音〕

[迤迤 이이] ㉠ 잇닿은 모양. ㉡ 비스듬히 뻗은 모양.

---

⁵₉【迥】 멀 형 ㉠迥

迥 jiǒng

㈰ ケイ〔はるか〕 ㉻ remote

字解 멀 형(寥遠).

字源 形聲. 辶(辵)+同〔音〕

[迥遠 형원] 아주 멂.

[逈逈 형형] 거리가 먼 모양.

5 ⑨ 〖迦〗 부처이름가 [平]麻 [平]歌 | 迦 jiā

[日] カ〔しゃか〕 [英] Buddha

[字解] **부처이름 가**(佛號也).

[字源] 形聲. 辶(辵)+加〔音〕

[迦藍 가람] 불사(佛寺).
[迦維 가유] 석가여래의 출생지. 가비라유(迦毘羅維).
[釋迦 석가] 석가모니. 부처.

5 ⑨ 〖迨〗 미칠태 [上]賄 | 迨 dài

[日] タイ〔およぶ〕 [英] reach

[字解] **미칠 태**(及也).

[字源] 形聲. 辶(辵)+台〔音〕

[迨吉 태길] 좋은 시기를 잃지 말라는 뜻. 또는 결혼의 시기를 뜻함.

5 ⑨ 〖迪〗 나아갈적 [入]錫 | 迪 dí

[日] テキ〔すすむ〕 [英] advance

[字解] ① **나아갈 적**(進也). ② **이를 적**(至也).

[字源] 形聲. 辶(辵)+由〔音〕

5 ⑨ 〖迫〗 닥칠박 [入]陌 | 迫 pò

′ 亻 白 白 白 白 泊 迫

[日] ハク〔せまる〕 [英] approach

[字解] ① **닥칠 박**(催也). ¶ 急迫(급박). ② **핍박할 박**(逼也). ¶ 脅迫(협박).

[字源] 形聲. 辶(辵)+白〔音〕

[迫頭 박두] 절박하게 닥쳐옴.
[迫力 박력] 일을 밀고 나아가는 힘.
[迫切 박절] 인정 없고 야박함.
[迫害 박해] 못 견디게 굴어서 해롭게 함.
[脅迫 협박] 을러서 겁을 줌.

5 ⑨ 〖迭〗 [一]갈마들질[本]절 [入]屑 [二]범할일 [入]質 | 迭 dié yì

[日] テツ〔かわる〕·イツ〔おかす〕
[英] alternate, commit

[字解] [一] **갈마들 질**(更遞). [二] **범할 일**(佚也).

[字源] 形聲. 辶(辵)+失〔音〕

[更迭 경질] 어떤 직위의 사람을 물러나게 하고 딴 사람을 임용함.

5 ⑨ 〖述〗 말할술 [入]質 | 述 shù

一 十 才 木 朮 朮 沭 述

[日] ジュツ〔のべる〕 [英] state

[字解] ① **말할 술**. ¶ 陳述(진술). ② **지을 술**(譔也). ¶ 著述(저술).

[字源] 形聲. 辶(辵)+朮〔音〕

[述語 술어] 문장의 주성분의 하나. 동사·형용사 따위와 같이 그 주어의 동작이나 상태를 풀이하는 말.
[述懷 술회] 마음속에 서린 생각을 진술함. 또, 그 말.
[詳述 상술] 상세히 진술함.
[陳述 진술] 자세히 벌여 말함.

6 ⑩ 〖迴〗 돌회 [平]灰 | 回 huí

[日] カイ·エ〔めぐる〕 [英] return

[字解] **돌 회, 돌릴 회**(廻也).

[字源] 形聲. 辶(辵)+回〔音〕

6 ⑩ 〖迥〗 逈(형)(辵部 5획)의 俗字

6 ⑩ 〖迷〗 미혹할미 [平]齊 | 迷 mí

丷 䒑 半 米 米 米 洣 迷

[日] メイ〔まよう〕 [英] bewitch

[字解] **미혹할 미**(惑也). ¶ 迷信(미신). 迷路(미로).

[字源] 形聲. 辶(辵)+米〔音〕

[迷路 미로] ㉠ 갈피를 잡을 수 없게

7 획

된 길. ㉡ 귓속 깊은 부분. 내이(內耳).

[迷信 미신] 아무런 과학적 근거도 없는 것을, 아무 비판도 없이 종교적 신앙처럼 맹목으로 믿음을 이르는 말. ¶迷信打破(미신 타파).

[昏迷 혼미] ㉠ 정신이 헷갈리고 흐릿함. ㉡ 사리에 어둡고 미혹됨.

6/10 【迸】 솟아나 올 병 ㉠敬 / 迸 / bèng

� ホウ・ヘイ〔ちる〕 � spurt

字解 ① 솟아나올 병(涌也). ¶迸泉(병천). ② 흩어질 병, 달아날 병(散走也). ¶迸散(병산).

字源 形聲. 辶(辵)+并〔音〕

6/10 【迹】 자취 적 ㉠陌 / 迹 / ji

� セキ〔あと〕 � trace

字解 ① 자취 적(步處也, 凡有形可見者). ¶足迹(족적). ② 좇을 적(追後).

字源 形聲. 辶(辵)+亦〔音〕

6/10 【逎】 乃(내)(丿部 1획)의 同字

6/10 【追】 따를 추 ㉠支 / 갈 퇴 ㉠灰 / 追 / zhuī duī

� ツイ〔おう〕・タイ〔える〕 � pursue, polish

字解 ① 따를 추(隨也). ② 좇을 추(逐也). ¶追放(추방). ② 갈 퇴(治玉). ¶追琢(퇴탁).

字源 會意. 辶(辵)+自

[追加 추가] 뒤에 더 보탬.
[追擊 추격] 쫓아가며 냅다 침.
[追憶 추억] 지나간 일을 돌이켜 생각함. 또, 그 생각. 추상(追想).
[追跡 추적] 뒤를 밟아 쫓음.

6/10 【退】 물러날 퇴 ㉠隊 / 退 / tuì

ㄱ ㄱ ㄹ ㄹ ㄹ ㄹ 退 退 退

� タイ〔しりぞく〕 � retreat

字解 ① 물러날 퇴(去也). ¶退却(퇴각). ② 물리칠 퇴(却也).

字源 會意. 日과 彳과 夊의 합자. 태양이 천천히 서녘으로 지는 모양.

[退步 퇴보] ㉠ 뒤로 물러섬. ㉡ 본디보다 못하게 됨.
[退治 퇴치] 물리쳐서 없애 버림. ¶文盲退治(문맹 퇴치).
[辭退 사퇴] 사양하여 물러남.
[後退 후퇴] 뒤로 물러감.

6/10 【送】 보낼 송 ㉠送 / 送 / sòng

丶 丷 ㅅ ㅇ 뽀 뽀 送 送

� ソウ〔おくる〕 � send

字解 보낼 송(遣也).

字源 會意. 篆文은 辶(辵)+灷

[送舊 송구] 묵은 해를 보냄. ¶送舊迎新(송구영신).
[送金 송금] 돈을 부쳐 보냄.
[送別 송별] 헤어지거나 멀리 떠나는 사람을 보냄. ¶送別宴(송별연).
[輸送 수송] 사람이나 물건 따위를 실어 보냄.
[護送 호송] ㉠ 보호하여 보냄. ㉡ 감시하며 데려감.

6/10 【适】 빠를 괄 ㉠曷 / 适 / guā

� カツ〔はやい〕 � quick

字解 빠를 괄(疾也).

字源 形聲. 辶(辵)+舌(昏)〔音〕

6/10 【逃】 달아날 도 ㉠豪 / 逃 / táo

丿 丿 丬 犭 兆 兆 兆 逃 逃

� トウ〔にげる〕 � escape

字解 달아날 도(避也).

字源 形聲. 辶(辵)+兆〔音〕

[逃亡 도망] ㉠ 몰래 피하여 달아남. ¶ 逃亡兵(도망병). ㉡ 쫓겨 달아남.

[逃禪 도선] ㉠ 속세(俗世)를 피하여 참선함. ㉡ 선(禪)을 떠남. 곧, 계율을 어기는 일.

[逃走 도주] 도망쳐 달아남.

[逃避 도피] 도망하여 피함. ¶ 現實逃避(현실 도피).

6 ⑩ 【逅】 만날 후 [去]宥 | 逅 hòu 

[日] コウ〔あう〕 [英] meet

[字解] **만날 후**(不期而會曰邂逅).

[字源] 形聲. 辶(辵)+后〔音〕

6 ⑩ 【逆】 거스를 역[入]陌 | 逆 nì 

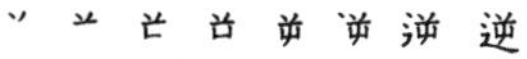

[日] ギャク〔さからう〕 [英] oppose

[字解] ① **거스를 역**(不順). ¶ 逆流(역류). ② **맞을 역**(迎也). ¶ 逆天命(역천명).

[字源] 形聲. 辶(辵)+屰〔音〕

[逆境 역경] 일이 뜻대로 안 되는 불행한 경우. 순조롭지 아니한 환경.

[逆旅 역려] 여관. '나그네를 맞이한다'는 뜻.

[逆心 역심] 반역을 꾀하는 마음.

[拒逆 거역] 윗사람의 뜻이나 명령을 어기어 거스름.

7 ⑪ 【迺】 遒(주)(辵部 9획)의 古字

7 ⑪ 【逋】 달아날 포[平]虞 | 逋 bū 

[日] ホ〔にげる〕 [英] flee

[字解] ① **달아날 포**(逃也). ¶ 逋逃(포도). ② **포탈할 포**(謂欠田租也). ¶ 逋脫(포탈).

[字源] 形聲. 辶(辵)+甫〔音〕

[逋逃 포도] 죄를 저지르고 도망감.

[逋脫 포탈] ㉠ 도망하여 빠져나감. ㉡ 조세(租稅)를 피하여 내지 않음.

7 ⑪ 【逌】 웃을 유 [平]尤 | 逌 yóu

[日] ユウ〔わらう〕 [英] beamingly

[字解] **웃을 유**(笑貌). ¶ 逌爾(유이).

[字源] 形聲. 辶(辵)+卣〔音〕

7 ⑪ 【逍】 거닐 소 [平]蕭 | 逍 xiāo 

[日] ショウ〔ぶらつく〕 [英] ramble

[字解] **거닐 소**(徉也). ¶ 逍遙(소요).

[字源] 形聲. 辶(辵)+肖〔音〕

[逍遙 소요] 산책 삼아 이리저리 자유롭게 거닒.

[逍風 소풍] ㉠ 갑갑함을 풀기 위하여 바람을 쐼. ㉡ 운동을 목적으로 먼 길을 걸음.

7 ⑪ 【透】 투명할 투 [去]宥 | 透 tòu 

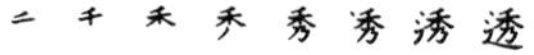

[日] トウ〔すきとおる〕

[英] transparent

[字解] **투명할 투.** ¶ 透明(투명).

[字源] 形聲. 辶(辵)+秀〔音〕

[透明 투명] 환히 트임. 환히 트여 속까지 뵘. ¶ 不透明(불투명).

[透視 투시] 바깥 것을 거쳐서 그 속의 것을 꿰뚫어봄.

[透徹 투철] 사리가 밝고 확실함.

7 ⑪ 【逐】 쫓을 축 [入]屋 | 逐 zhú 

[日] チク〔おう〕 [英] expel

[字解] **쫓을 축**(追也). ¶ 逐出(축출). 追逐(추축).

[字源] 會意. 辵과 豕(돼지)와의 합자. 짐승을 에워싸고 쫓음의 뜻.

[逐條 축조] 한 조목 한 조목 차례로 좇아 함. ¶ 逐條審議(축조심의).

[逐出 축출] 쫓아냄.

[角逐 각축] 서로 이기려고 맞서 다툼.

7 ⑪ **〖逑〗** 짝 구 [平]尤 | 逑 qiú

[日] キュウ〔あつめる〕 [英] pair

[字解] ① **짝 구**(匹也). ② **모을 구**(聚斂).

[字源] 形聲. 辶(辵)+求〔音〕

[好逑 호구] 좋은 짝. 어울리는 배필.

7 ⑪ **〖途〗** 길 도 [平]虞 | 途 tú

丿 𠆢 亼 亼 余 余 涂 途

[日] ト〔みち〕 [英] road

[字解] **길 도**(道也, 路也). ¶ 途上(도상).

[字源] 形聲. 辶(辵)+余〔音〕

[參考] 塗(土部 10획)와 동자.

[途中 도중] ㉠ 길을 가고 있는 동안. ¶ 途中下車(도중하차). ㉡ 일이 미처 끝나지 못한 사이. ¶ 進行途中(진행 도중).

[前途 전도] ㉠ 앞으로 나아갈 길. ㉡ 장래.

7 ⑪ **〖逕〗** 좁은길 경[去]徑 | 迳 jìng

[日] ケイ〔こみち〕 [英] path

[字解] ① **좁은길 경**(步道). ¶ 門逕(문경). ② **가까울 경**(近也).

[字源] 形聲. 辶(辵)+巠〔音〕

[逕庭 경정] 큰 차이. 소로는 좁고 뜰은 넓으므로 이름.

[石逕 석경] 돌이 많은 좁은 길.

7 ⑪ **〖逖〗** 멀 적 [入]錫 | 逖 tì

[日] テキ〔とおい〕 [英] distant

[字解] **멀 적**(遠也).

[字源] 形聲. 辶(辵)+狄〔音〕

7 ⑪ **〖逗〗** 머무를 두[去]宥 | 逗 dòu

[日] トウ・ズ〔とどまる〕 [英] stay

[字解] **머무를 두**(止也). ¶ 逗遛(두류).

[字源] 形聲. 辶(辵)+豆〔音〕

[逗遛 두류] ㉠ 한곳에 머물러서 떠나지 아니함. ㉡ 여행지에서 잠시 유숙함. 두류(逗留).

7 ⑪ **〖這〗** 이 저 [本]자 [上]馬 | 这 zhè

[日] シャ〔この〕 [英] this

[字解] **이 저**(此也). ¶ 這般(저반).

[字源] 形聲. 辶(辵)+言〔音〕

[這間 저간] 이즈음. 이마적.

[這番 저번] 요전의 그때. 거번(去番).

7 ⑪ **【通】** 통할 통 [平]東 | 通 tōng

マ 乛 ⺆ 甬 甬 甬 涌 通

[日] ツウ〔とおる〕 [英] pass through

[字解] ① **통할 통**(達也). ¶ 貫通(관통). ② **온통 통**(總也). ¶ 通國(통국). ③ **통 통**(文書數詞). ¶ 一通(일통). ④ **간음할 통**(姦也).

[字源] 形聲. 辶(辵)+甬〔音〕

[通過 통과] ㉠ 통하여 지나감. ㉡ 관청에 제출한 원서가 허가됨. ㉢ 의회 등에 제안한 의안이 가결됨.

[通勤 통근] 집에서 근무처에 근무하러 다님.

[通達 통달] 환히 앎.

[通知 통지] 기별하여 알림. 통기(通寄).

[通牒 통첩] 공식적 문서로 통지하는 글월.

[共通 공통] 여럿 사이에 두루 통용되거나 관계가 있음.

7 ⑪ **〖逝〗** 갈 서 [去]霽 | 逝 shì

[日] セイ〔ゆく〕 [英] pass away

[字解] ① **갈 서**(往也, 行也). ② 죽

을 서(死也).

字源 形聲. 辶(辵)+折〔音〕

[逝去 서거] 상대방을 높이어 그의 죽음을 정중하게 이르는 말. 장서(長逝).

[急逝 급서] 갑자기 죽음.

---

⑦⑪ 【逞】 쾌할 령
㊤梗
chěng

㊐ テイ〔つよい〕 ㊇ delightful

字解 쾌할 령(快也).

字源 形聲. 辶(辵)+呈〔音〕

---

⑦⑪ 【速】 빠를 속
㊅屋
sù

一 日 申 申 束 束 涑 速

㊐ ソク〔はやい〕 ㊇ quick

字解 빠를 속(疾也). ¶ 急速(급속).

字源 形聲. 辶(辵)+束〔音〕

[速斷 속단] ㉠ 빨리 결단을 내림. ㉡ 지레짐작으로 그릇 판단하거나 결정함.

[速成 속성] 빨리 이룸. 빨리 됨.

[速戰 속전] 빨리 싸움. ¶ 速戰速決(속전속결).

[快速 쾌속] 속도가 매우 빠름.

---

⑦⑪ 【造】 지을 조
㊤皓
zào

丿 匕 牛 牛 牛 告 告 造

㊐ ゾウ〔つくる〕 ㊇ make

字解 ① 지을 조(作也). ¶ 製造(제조). ② 처음 조(始也). ③ 이룰 조(成也).

字源 形聲. 辶(辵)+告〔音〕

[造林 조림] 나무를 심어 숲을 만듦.

[造詣 조예] 학문이나 기예(技藝) 등의 일정한 부분에 관하여 가지고 있는 지식의 정도.

[造作 조작] ㉠ 물건(物件)을 만듦. ㉡ 무슨 일을 꾸며냄.

[造次間 조차간] ㉠ 오래지 않은 동

안. ㉡ 아주 급한 때.

[改造 개조] 좋아지게 고쳐 만들거나 변화시킴.

[構造 구조] 전체를 이루는 부분들의 배치 관계나 체계.

---

⑦⑪ 【逡】 뒷걸음질칠 준
㊤眞
qūn

㊐ シュン〔しりぞく〕 ㊇ step backward

字解 뒷걸음질칠 준. ¶ 逡巡(준순).

字源 形聲. 辶(辵)+夋〔音〕

[逡巡 준순] ㉠ 뒷걸음질침. 후퇴함. ㉡ 망설이고 나아가지 아니함.

---

⑦⑪ 【逢】 만날 봉
㊥冬
féng

丿 夂 夂 夆 夆 夆 逢 逢

㊐ ホウ〔あう〕 ㊇ meet

字解 만날 봉(遇也). ¶ 逢遇(봉우).

字源 形聲. 辶(辵)+夆〔音〕

[逢着 봉착] 서로 닥뜨려 만남. ¶ 危機逢着(위기 봉착).

[相逢 상봉] 서로 만남.

---

⑦⑪ 【連】 이을 련
㊥先
lián

一 厂 目 直 車 車 連 連

㊐ レン〔つらなる〕 ㊇ connect

字解 이을 련(續也). ¶ 連續(연속).

字源 會意. 車와 辵의 합자. 수레가 잇달아 달림을 나타냄.

[連結 연결] 서로 이어서 맺음.

[連署 연서] 같은 문서에 여러 사람이 죽 잇달아 서명함.

[連席 연석] 여러 사람이 한곳에 늘어앉음. ¶ 連席會議(연석회의)

[連打 연타] 연속하여 때리거나 침.

[關連 관련] 서로 걸리어 얽힘. 서로 관계됨.

8 ⑫ 【逭】 달아날 환㊄翰 | 逭 huàn

㊐ カン〔のがれる〕 ㊖ run away

字解 **달아날 환**(逃也).

字源 形聲. 辶(辵)+官〔音〕

[逭免 환면] 전에 저지른 허물을 숨기어 가림.

8 ⑫ 【逮】 一 미칠 태㊄隊 二 쫓을 체㊤대 ㊄霽 | 逮 dài, dǎi dì

㊐ タイ〔おとぶ〕・テイ〔とらえる〕 ㊖ reach, pursue

字解 一 **미칠 태**(及也). 二 **쫓을 체**(追也), **잡을 체**(繫囚).

字源 形聲. 辶(辵)+隶〔音〕

[逮繫 체계] 체포하여 옥에 가둠.

[逮捕 체포] 죄를 범하였거나 그 혐의가 있는 사람을 잡음.

7 획

8 ⑫ 【週】 두를 주 ㊥尤 | 周 zhōu

㊐ シュウ〔めぐる〕 ㊖ everywhere

字解 ① **두를 주, 둘레 주**(周也, 匝也). ② **일주 주**(日, 月, 火, 水, 木, 金, 土 七曜日謂之一週).

字源 形聲. 辶(辵)+周〔音〕

[週刊 주간] 일주일을 단위로 한 번씩 발행하는 간행물.

[週期 주기] ㉠ 한 바퀴 도는 시기. ㉡ 일정한 시간마다 같은 현상이 꼭 같이 되풀이될 때, 그 일정한 시간을 이름.

[今週 금주] 이 주일. 이 주간.

[來週 내주] 이 다음 주.

8 ⑫ 【進】 나아갈 진㊄震 | 进 jìn

亻 𠂉 𠂇 隹 隹 隹 淮 進

㊐ シン〔すすむ〕 ㊖ advance

字解 ① **나아갈 진**(前也, 遂也). ¶ 進路(진로). ② **오를 진**(登也). ¶ 進級(진급). ③ **다가올 진**(近也). ④ **더할 진**(加也).

字源 會意. 辶(辵)+隹

[進級 진급] 등급·계급·학년 따위가 오름.

[進路 진로] 앞으로 나아갈 길.

[進步 진보] 발전하여 나아짐.

[進言 진언] 윗사람에게 자기의 의견을 들어 말함.

[進化 진화] 진보하여 차차 더 나은 것이 됨.

[昇進 승진] 직위가 오름.

[精進 정진] 정성을 다하여 노력함.

8 ⑫ 【逴】 멀 탁 ㊤착 ㊅覺 ㊅藥 | 逴 chuō

㊐ タク・チャク〔とおい〕 ㊖ distant

字解 **멀 탁**(遠也).

字源 形聲. 辶(辵)+卓〔音〕

[逴行 탁행] 몹시 먼 곳에 감.

8 ⑫ 【逵】 한길 규 ㊥支 | 逵 kuí

㊐ キ〔おおみち〕 ㊖ thoroughfare

字解 **한길 규**(九達道). ¶ 康逵(강규).

字源 會意. 辵과 坴(陸)과의 합자. 멀리까지 뻗어 있는 큰길의 뜻.

[逵路 규로] 아홉 방향으로 통하는 길.

8 ⑫ 【逶】 구불구불갈 위 ㊥支 | 逶 wēi

㊐ イ〔ななめにゆく〕

字解 **구불구불갈 위**(袤去貌). ¶ 逶迤(위이).

字源 形聲. 辶(辵)+委〔音〕

[逶迤 위이] ㉠ 비스듬히 가는 모양. ㉡ 구불구불 에워 두름.

8 ⑫ 【逸】 잃을 일 ㊅質 | 逸 yì

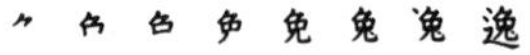

ㄥ ㄥ ㄱ ㄅ 免 免 免 逸

🗇 イツ〔うしなう〕 🇬🇧 lose

字解 ① 잃을 일(失也). ¶ 亡逸(망
일). ② 달릴 일, 달아날 일(奔也).
¶ 逸逃(일도). ③ 즐길 일(逸豫也,
樂也, 閒也, 不勞也). ¶ 安逸(안
일). ④ 뛰어날 일(優也). ¶ 逸品
(일품). ⑤ 숨을 일(隱也).

字源 會意. 辵과 兔(토끼)의 합자.
토끼가 재빠르게 도망침의 뜻.

[逸德 일덕] 잘못된 행동. 실덕(失
德).
[逸民 일민] 학문과 덕행이 있으면
서도 세상에 나서지 아니하고 민간
에 파묻혀 지내는 사람.
[逸走 일주] 달아나 딴 데로 달림.
[逸品 일품] 썩 뛰어나게 좋은 물건.
[逸話 일화] 아직 세상에 널리 알려
지지 아니한 이야기.
[安逸 안일] 편안하고 쉬움.
[隱逸 은일] 세상을 피하여 숨어 삶.

8 ⑫【迸】 逬(병)(辵部 6획)의 本字

9 ⑬【逼】 닥칠 핍
㊀벽
㊉職 bī 逼

🗇 ヒツ〔せまる〕 🇬🇧 approach

字解 닥칠 핍(迫也).
字源 形聲. 辵(辵)+畐〔音〕

[逼迫 핍박] ㉠ 형세가 매우 절박하
도록 바싹 닥쳐 옴. ㉡ 바싹 조이어
괴롭게 굶.
[逼扶 핍부] 가까이 가서 도움.
[逼塞 핍색] 꽉 막힘.
[逼眞 핍진] 실물(實物)과 흡사함.

9 ⑬【逾】 넘을 유
㊉虞 yú 逾

🗇 ユ〔こえる〕 🇬🇧 cross

字解 넘을 유(越也).
字源 形聲. 辵(辵)+兪〔音〕

[逾越 유월] 어떠한 한도를 넘음.

9 ⑬【逿】 질 탕
㊀漾
㊉陽 dàng táng 逿
찌를
당㊉陽

🗇 トウ〔たおれる・つく〕 🇬🇧 tumble down, attack

字解 ▉넘어질 탕(倒也). ▉찌를
당(觸也).
字源 形聲. 辵(辵)+易〔音〕

9 ⑬【遁】 달아날 둔
㊀돈㊉願
㊉阮 dùn 遁

🗇 トン〔にげる〕 🇬🇧 escape

字解 ① 달아날 둔(逃也). ¶ 遁辭
(둔사). ② 숨을 둔(隱也). ¶ 遁甲
(둔갑).
字源 形聲. 辵(辵)+盾〔音〕

[遁甲 둔갑] 귀신을 부리어 변신(變
身)하는 술법의 한 가지.
[遁辭 둔사] 관계나 책임을 회피하
려고 억지로 꾸미어 하는 말.

9 ⑬【遂】 이룰 수
㊉寘 suì 遂

八 ㅗ 丷 ㅛ 칳 㒸 㒸 遂

🗇 スイ〔とげる〕 🇬🇧 accomplish

字解 ① 이룰 수(成就). ¶ 功成名
遂(공성명수). ② 드디어 수(竟也).
③ 나아갈 수(進也).
字源 形聲. 辵(辵)+㒸〔音〕

[遂行 수행] 계획한 대로 해냄.
[完遂 완수] 모두 이루거나 다함.

9 ⑬【遄】 빠를 천
㊉先 chuán 遄

🗇 セン〔すみやか〕 🇬🇧 quick

字解 빠를 천(疾也, 速也).
字源 形聲. 辵(辵)+耑〔音〕

9 ⑬【遇】 만날 우
㊉遇 yù 遇

口 日 日 禺 禺 禺 遇 遇

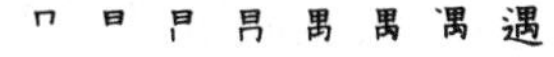

[日] グウ〔あう〕 [英] meet

[字解] ① **만날 우**(道路相逢). ¶ 遇害(우해). ② **대접할 우**(接也). ¶ 待遇(대우).

[字源] 形聲. 辶(辵)+禺〔音〕

[遇害 우해] 해를 만남. 살해를 당함.
[待遇 대우] 예의를 갖추어 대함.
[禮遇 예우] 예의를 다하여 대접함.

9 ⑬ **【遊】** 놀 유 [平]尤 | 遊 yóu 

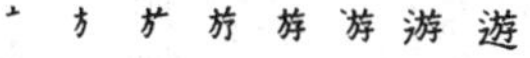

[日] ユウ〔あそぶ〕 [英] play

[字解] ① **놀 유**(遨也). ¶ 遊樂(유락). ② **여행 유**(旅也). ¶ 遊覽(유람). ③ **벗 유**(友也). ¶ 交遊(교유).

[字源] 形聲. 辶(辵)+斿〔音〕

[參考] 游(水部 9획)와 통용.

[遊覽 유람] 두루 돌아다니며 구경함.
[遊離 유리] 따로 떨어짐.
[遊興 유흥] 흥취 있게 놂.
[交遊 교유] 서로 사귀어 놀거나 왕래함.

9 ⑬ **【運】** 돌 운 [去]問 | 运 yùn 

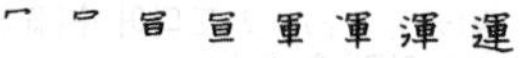

[日] ウン〔はこぶ〕 [英] turn round

[字解] ① **돌 운**(轉也). ¶ 運行(운행). ② **움직일 운**(動也). ¶ 運筆(운필). ③ **옮길 운**(徙也). ¶ 運輸(운수). ④ **운 운**(曆數, 定數). ¶ 運命(운명).

[字源] 形聲. 辶(辵)+軍〔音〕

[運動 운동] ㉠ 몸을 놀리어 움직임. ㉡ 여러 가지 경기. ¶ 運動神經(운동 신경). ㉢ 목적 달성을 위하여 힘씀.
[運命 운명] 인간을 둘러싼 선악·길흉·화복 등의 온갖 것이 초인간적인 힘에 의하여 이루어지고 지배된다고 믿어지는 그 섭리(攝理).
[運搬 운반] 사람이나 짐을 옮겨 나름.
[天運 천운] 하늘이 정한 운수.
[幸運 행운] 좋은 운수.

9 ⑬ **【遍】** 두루 편 [本]변 [平]霰 | 遍 biàn 

[日] ヘン〔あまねし〕 [英] everywhere

[字解] **두루 편**(周也).

[字源] 形聲. 辶(辵)+扁〔音〕

[參考] 徧(彳部 9획)과 동자.

[遍在 편재] 두루 퍼지어 있음.
[普遍 보편] ㉠ 모든 것에 두루 미침. ㉡ 모든 사물에 공통되는 성질.

9 ⑬ **【過】** 지날 과 [去]箇 [平]歌 | 过 guō guò 

[日] カ〔すぎる〕 [英] pass by

[字解] ① **지날 과**(越也). ¶ 過勞(과로). ② **예전 과**(過去). ¶ 過現未(과현미). ③ **잘못할 과**(誤失). ④ **허물 과**(罪愆). ¶ 過誤(과오).

[字源] 形聲. 辶(辵)+咼〔音〕

[過去 과거] ㉠ 지나간 때. 옛날. ㉡ 전세(前世).
[過渡 과도] 한 현상에서 다른 현상으로 넘어감. ¶ 過渡期(과도기).
[過勞 과로] 지나치게 일을 하여 고달픔. 지나치게 피로함.
[過失 과실] 잘못. 허물.
[改過遷善 개과천선] 지나간 허물을 고치고 착하게 됨.
[經過 경과] ㉠ 시간이 지나감. ㉡ 일이 되어 가는 과정이나 변천하는 과정.

9 ⑬ **【遏】** 막을 알 [入]曷 | 遏 è

[日] アツ〔とどめる〕 [英] prevent

[字解] **막을 알**(遮也).

[字源] 形聲. 辶(辵)+曷〔音〕

9 ⑬ 【遐】 멀 하 [平]麻 | 遐 xiá

[日] カ〔とおい〕 [英] distant

[字解] **멀 하**(遠也).

[字源] 形聲. 辶(辵)+叚〔音〕

[遐鄕 하향] 서울에서 멀리 떨어진 곳.

[昇遐 승하] 임금이 세상을 떠남.

9 ⑬ 【遑】 허둥지둥할 황 [平]陽 | 遑 huáng

[日] コウ〔いとま〕 [英] haste

[字解] ① **허둥지둥할 황**(急也). ¶ 遑急(황급). ② **한가할 황**(暇也). ¶ 未遑(미황).

[字源] 形聲. 辶(辵)+皇〔音〕

[遑急 황급] 허둥지둥하고 급함.

9 ⑬ 【遒】 닥칠 주 [平]尤 | 遒 qiú

[日] シュウ〔たけし〕 [英] approach

[字解] ① **닥칠 주**(迫也). ② **셀 주**(健也).

[字源] 形聲. 辶(辵)+酋〔音〕

[遒勁 주경] 글씨의 획이나 그림의 그림새가 힘참. 필력(筆力)이 힘참.

9 ⑬ 【道】 [一]길 도 [上]皓 [二]말할 도 [去]號 | 道 dào dǎo

[日] ドウ〔みち・いう〕 [英] way, talk

[字解] [一] ① **길 도**(路也). ¶ 道路(도로). ② **도 도**. ¶ 王道(왕도). ③ **순할 도**(順也). ④ **구역이름 도**(行政區域名). [二] ① **말할 도**(言也). ② **말미암을 도**(由也).

[字源] 會意. 辵과 首(사람의 뜻)의 합자. 사람이 가는 곳의 뜻.

[道界 도계] 도(道)의 경계.

[道教 도교] 노자(老子)·장자(莊子)의 사상을 기초로 하여, 후한(後漢) 때 장도릉(張道陵)이 개창(開創)한 종교.

[道德 도덕] 사람으로서 마땅히 지켜야 할 도리 및 그에 준한 행동.

[道路 도로] 사람이나 차가 다닐 수 있게 만든 길.

[道義 도의] 사람이 마땅히 행하여야 할 도덕상의 의리. 도덕과 의리.

[道破 도파] 끝까지 다 말함. 상대편의 이론을 깨뜨려 말함. 설파(說破).

[步道 보도] 사람이 걸어다니는 길.

[師道 사도] 스승으로서 마땅히 지켜야 할 도리.

9 ⑬ 【達】 통할 달 [入]曷 | 达 dá

[日] タツ〔とどく〕 [英] reach to

[字解] ① **통할 달**(通也). ¶ 通達(통달). ② **이를 달**(至也). ¶ 到達(도달). ③ **달할 달**(顯也). ¶ 榮達(영달). ④ **보낼 달**(配送). ¶ 配達(배달). ⑤ **방자할 달**(放恣). ¶ 挑達(조달). ⑥ **올릴 달**. ¶ 上達(상달).

[字源] 形聲. 篆文은 辶(辵)+羍〔音〕

[達成 달성] 목적한 바를 이룸.

[達人 달인] 널리 사물의 진리에 통달한 사람.

[達筆 달필] ㉠ 썩 잘 쓴 글씨. ㉡ 글이나 글씨를 썩 바르게 잘 쓰는 사람.

[通達 통달] 두루 통하여 훤히 앎.

9 ⑬ 【違】 어길 위 [平]微 | 违 wéi

[日] イ〔ちがう〕 [英] violate

[字解] ① **어길 위**(背也). ¶ 違約(위약). ② **다를 위**(異也). ¶ 相違(상위).

[字源] 形聲. 辶(辵)+韋〔音〕

[違反 위반] 법령·계약·약속 등을 어김.

[違法 위법] 법을 어김.

[非違 비위] 법에 어긋나는 일.

10
⑭ 【遙】 멀 요 ㉗蕭 | 遥
yáo

ㄱ ㄱ ㄮ 孚 孚 孚 夆 遙

� ヨウ〔はるか〕 ㉗ distant

字解 ① 멀 요(遠也). ¶ 遙遠(요원). ② 거닐 요(徜徉). ¶ 逍遙(소요).

字源 形聲. 辶(辵)+䍃〔音〕

[遙遠 요원] 멀고도 멂. ¶前途遙遠(전도요원).

[逍遙 소요] 산책 삼아 이리저리 자유롭게 거닒.

10
⑭ 【遛】 머무를 류 ㉗尤 | 遛
liú

㈶ リュウ〔とどまる〕 ㉗ stay

字解 머무를 류(止也). ¶ 逗遛(두류).

字源 形聲. 辶(辵)+留〔音〕

參考 遛(辵部 12획)는 本字.

10
⑭ 【遜】 겸손할 손 ㉗願 | 逊
xùn

㈶ ソン〔へりくだる〕 ㉗ humble

字解 ① 겸손할 손(謙恭). ¶ 謙遜(겸손). ② 달아날 손(遁也). ¶ 遜遁(손둔). ③ 못할 손. ¶ 遜色(손색). ④ 순할 손(順也).

字源 形聲. 辶(辵)+孫〔音〕

[遜遁 손둔] 물러남. 물러나서 피함.

[遜色 손색] 서로 견주어 보아서 못한 점. 다른 것보다 못한 모양.

[恭遜 공손] 예의 바르고 겸손함.

10
⑭ 【遝】 뒤섞일 답 ㉗合 | 遝
tá
dài

㈶ トウ〔こみあう〕 ㉗ be mixed

字解 뒤섞일 답(迨也), 모일 답(重累). ¶ 紛遝(분답). 雜遝(잡답).

字源 形聲. 辶(辵)+眔〔音〕

[遝至 답지] 한 군데로 몰려듦.

10
⑭ 【遞】 갈마들 체 ㉗霽 | 递
dì

㈶ テイ〔かわるがわる〕 ㉗ take turns

字解 ① 갈마들 체(更迭). ¶ 遞代(체대). ② 역말 체(驛也). ¶ 遞信(체신). 傳遞(전체).

字源 形聲. 辶(辵)+虒〔音〕

[遞減 체감] 등수를 따라서 차례로 감함.

[遞信 체신] 순차로 여러 곳을 거쳐서 소식이나 편지 따위를 전하는 일.

10
⑭ 【遠】 ▉멀 원 ㉗阮 ▉멀리할 원 ㉗願 | 远
yuǎn
yuàn

亠 吉 吉 幸 草 袁 遠 遠

㈶ エン〔とおい・とおざける〕 ㉗ far, keep away

字解 ▉① 멀 원(遙也). ¶ 遠景(원경). ② 심오할 원(高奥). ¶ 遠慮(원려). ▉멀리할 원(離也).

字源 形聲. 辶(辵)+袁〔音〕

[遠景 원경] 멀리 바라본 경치.

[遠慮 원려] 앞으로 올 일을 헤아리는 깊은 생각.

[遠意 원의] ㉠ 고인(古人)의 뜻. ㉡ 먼 데 있는 사람의 뜻. ㉢ 멀리 생각을 달림.

[遠因 원인] 간접의 원인.

[遠親不如近隣 원친불여근린] 먼데 있는 일가보다 이웃에 사는 남이 위급할 때 의지가 됨. '이웃사촌'과 비슷한 말.

[久遠 구원] ㉠ 아득히 멀고 오램. ㉡ 영원하고 무궁함.

[深遠 심원] 내용이 깊고 원대함.

10
⑭ 【遡】 거슬러 올라갈 소 ㉗遇 | 溯
sù

㈶ ソ〔さかのぼる〕 ㉗ go up

字解 거슬러올라갈 소(逆流).

字源 形聲. 辶(辵)+朔〔音〕

[遡及 소급] 지나간 일까지 거슬러 올라가서 미침.

---

10 ⑭ 【遣】 보낼 견 ㊤銑 qiǎn 遣

一 中 ㊥ ㅼ ㅼ 肯 肯 肯 造 遣

㊐ ケン〔つかわす〕 ㊤ send

字解 보낼 견(送也). ¶遣使(견사). 派遣(파견).

字源 形聲. 辶(辵)+曹〔音〕

[遣悶 견민] 소일(消日). 심심파적.

[遣憤 견분] 분노를 품.

[派遣 파견] 임무를 맡겨 사람을 보냄.

---

11 ⑮ 【遨】 놀 오 ㊇豪 áo 遨

㊐ ゴウ〔あそぶ〕 ㊤ play

字解 놀 오(遊也). ¶遨嬉(오희).

字源 形聲. 辶(辵)+敖〔音〕

[遨遊 오유] 재미있게 놂.

---

11 ⑮ 【適】 맞을 적 ㊇陌 shì 适

一 门 尙 商 商 商 滴 適

㊐ テキ〔かなう〕 ㊤ suit

字解 ① 맞을 적. ¶適當(적당). 自適(자적). ② 마침 적(偶也). ¶適然(적연). ③ 갈 적(往也). ¶適歸(적귀). ④ 시집갈 적(嫁也). ¶適人(적인).

字源 形聲. 篆文은 辶(辵)+商〔音〕

[適歸 적귀] 감. 가서 몸을 안정시킴.

[適當 적당] 알맞음. 마땅함.

[適人 적인] 여자가 남에게 출가(出嫁)를 함. 시집을 감.

[適材適所 적재적소] 적당한 인재를 적당한 자리에 씀.

---

11 ⑮ 【遬】 움츠릴 속 ㊇沃 ㊇屋 sù 遬

㊐ ソク〔ちぢむ〕 ㊤ cower

字解 ① 움츠릴 속. ¶齊遬(제속).

② 빠를 속(疾也).

字源 形聲. 辶(辵)+欶〔音〕

參考 ②는 速(辵部 7획)과 통용.

---

11 ⑮ 【遭】 만날 조 ㊤豪 zāo 遭

㊐ ソウ〔あう〕 ㊤ meet

字解 만날 조(逢也). ¶遭逢(조봉). 遭遇(조우). 遭難(조난).

字源 形聲. 辶(辵)+曹〔音〕

[遭難 조난] 재앙과 곤란을 당함. 재난(災難)을 만남.

---

11 ⑮ 【遮】 가릴 차 ㊤麻 zhē 遮

㊐ シャ〔さえぎる〕 ㊤ obstruct

字解 ① 가릴 차(蔽也). ¶遮蔽(차폐). ② 막을 차(攔也, 遏也).

字源 形聲. 辶(辵)+庶〔音〕

[遮斷 차단] 막아 끊음. 막아서 그치게 함. 차절(遮絶).

---

11 ⑮ 【遰】 ■떠날 체 ㊤霽 ■갈 서 ㊤霽 dì shì 遰

㊐ テイ〔さる〕・セイ〔ゆく〕 ㊤ leave, pass away

字解 ■ 떠날 체(去也). ■ 갈 서(逝也).

字源 形聲. 辶(辵)+帶〔音〕

---

11 ⑮ 【遷】 옮길 천 ㊤先 qiān 迁

ㅼ ㅼ ㅼ 覀 覀 覀 覀 遷 遷

㊐ セン〔うつる〕 ㊤ remove

字解 ① 옮길 천(移也, 徙也). ¶遷移(천이). 改過遷善(개과천선). ② 천도 천(國遷, 謂徙都改邑也)

字源 形聲. 辶(辵)+䙴〔音〕

[遷都 천도] 도읍을 옮김.

[遷謫 천적] 죄로 인해 벼슬을 떨어뜨리고 먼 곳으로 귀양 보냄.

〔左遷 좌천〕 낮은 관직이나 지위로 떨어지거나 외직으로 전근됨.

11 ⑮ 【遲】 遲(지)(辵部 12획)의 譌字

11 ⑮ 【逎】 遁(둔)(辵部 9획)의 同字

12 ⑯ 【遴】 어려워할 린 ㉲震 lìn, lín 遴

㊐ リン〔ゆきなやむ〕 ㊤ uneasy

字解 ① 어려워할 린(行難). ② 탐할 린(貪也).

字源 形聲. 辶(辵)+粦〔音〕

參考 ②는 各(口部 4획)과 통용.

7 획

12 ⑯ 【遲】 ㊀더딜 지㊥支 ㊁기다릴 지㊤寘 chí zhī 遲

尸 尸 尸 尸 屖 屖 屖 遲

㊐ チ〔おそい・おくれる〕 ㊤ slow, wait

字解 ㊀ 더딜 지(緩也). ¶ 遲刻(지각). ㊁ 기다릴 지(待也). ¶ 遲明(지명).

字源 金文은 會意. 辶(辵)+尸+辛〔音〕

參考 遟(辵部 11획)는 와자.

〔遲刻 지각〕 정해진 시각에 늦음.

〔遲明 지명〕 날이 밝기를 기다린다는 뜻으로, 날이 샐 무렵을 이름.

〔遲滯 지체〕 지정거려 늦어짐.

12 ⑯ 【遶】 두를 요 ㊤篠 rào 遶

㊐ ジョウ〔めぐる〕 ㊤ surround

字解 두를 요. 에워쌀 요.

字源 形聲. 辶(辵)+堯〔音〕

12 ⑯ 【遵】 좇을 준 ㊥眞 zūn 遵

㆑ 尚 尚 酋 尊 尊 遵

㊐ ジュン〔したがう〕 ㊤ follow

字解 좇을 준(循也). ¶ 遵奉(준봉). 遵守(준수).

字源 形聲. 辶(辵)+尊〔音〕

〔遵法 준법〕 법령을 좇음 또는 지킴.

〔遵守 준수〕 그대로 좇아 지킴.

12 ⑯ 【選】 ㊀가릴 선 ㊤銑 ㊁셀 산 ㊤旱 ㊂유순할 손 ㊤願 xuǎn suàn xùn 选 選

㇐ 巳 巳 巴 嬰 巽 巽 選

㊐ セン〔えらぶ〕・サン〔かぞえる〕・ソン〔したがう〕 ㊤ select, count, submissiveness

字解 ㊀ ① 가릴 선(擇也). ¶ 選擇(선택). ② 잠깐 선(須臾). ¶ 少選(소선). ㊁ 셀 산. ㊂ 유순할 손.

字源 形聲. 辶(辵)+巽〔音〕

〔選擧 선거〕 ㉠ 많은 사람 가운데서 적당한 사람을 대표로 뽑아 냄. ㉡ 선거권을 가진 사람이 특정한 지역 및 전국에 걸쳐 공직에 임할 사람을 투표로 뽑아서 정하는 일.

〔選手 선수〕 어떠한 기술에 뛰어나 여럿 가운데서 뽑힌 사람.

〔選擇 선택〕 골라서 뽑음.

〔改選 개선〕 의원이나 임원 등을 새로 선거함.

〔人選 인선〕 사람을 가려서 뽑음.

12 ⑯ 【遹】 좇을 휼 ㊋율入質 yù 遹

㊐ イツ〔したがう〕 ㊤ follow

字解 ① 좇을 휼(循也). ② 이에 휼(發語辭).

字源 形聲. 辶(辵)+矞〔音〕

12 ⑯ 【遺】 ㊀남을 유㊥支 ㊁따를 수㊥支 yí suí 遺

一 十 屮 屮 眚 貴 遺 遺

⑪ イ·ユイ〔のこす〕·スイ〔したがう〕

⑧ remain, follow

字解 ━ ① 남을 유(餘也). ¶ 子
遺(혈유). ② 끼칠 유(贈也). ¶ 遺
業(유업). ③ 버릴 유(棄也). ¶ 遺
棄(유기). ④ 잃을 유(失也). ¶ 遺
失(유실). ⑤ 잊을 유(忘也). ━ 따
를 수(隨也).

字源 形聲. 辶(辵)+貴〔音〕

[遺棄 유기] 내어 버림. ¶ 遺棄罪(유기죄).

[遺尿 유뇨] 오줌을 가리지 못하여 밤에 자면서 싸는 것.

[遺失 유실] 잃어버림.

[遺言 유언] 임종 때 가족이나 사회에 부탁하는 말.

[遺子 유자] 부모가 죽고 남은 아이.

12 ⑯ 【遼】 멀 료 辽 liáo

⑪ リョウ〔とおい〕 ⑧ distant

字解 ① 멀 료(遠也). ¶ 遼遠(요원). ② 강이름 료(川名). ¶ 遼河(요하). ③ 땅이름 료(契丹國名). ¶ 遼東(요동).

字源 形聲. 辶(辵)+寮〔音〕

[遼遠 요원] 멀고도 멂. ¶ 前途遼遠(전도요원).

[遼河 요하] 중국 만주 남부의 강 이름.

12 ⑯ 【遛】 遛(류)(辵部 10획)의 本字

13 ⑰ 【遽】 급히 거 遽 jù

⑪ キョ〔にわかに〕 ⑧ hastily

字解 ① 급히 거(急也). ¶ 急遽(급거). ② 두려워할 거(懼也). ¶ 遽然(거연). ③ 역말 거(驛馬). ¶ 遽人(거인).

字源 形聲. 辶(辵)+豦〔音〕

[遽然 거연] 두려워하여 놀라는 모양.

[遽人 거인] ⑦ 역참의 인부. 역졸(驛卒). ⑥ 명령을 전달하는 심부름꾼.

[急遽 급거] 갑자기. 썩 급하게.

13 ⑰ 【避】 피할 피 避 bì

ᄀ 阝 阝 辟 辟 辟 避 避

⑪ ヒ〔さける〕 ⑧ avoid

字解 피할 피(逃也). ¶ 避亂(피란). 逃避(도피).

字源 形聲. 辶(辵)+辟〔音〕

[避難 피난] 천재·지변 따위의 재난을 피하여 있는 곳을 옮김. ¶ 避難民(피난민).

[避暑 피서] 여름철에 서늘한 곳으로 자리를 옮겨 더위를 피함.

[忌避 기피] 꺼리어 피함.

13 ⑰ 【邀】 맞이할 요 邀 yāo

⑪ ヨウ〔むかえる〕 ⑧ meet

字解 맞이할 요(迎也). ¶ 邀擊(요격). 邀招(요초).

字源 形聲. 辶(辵)+敫〔音〕

[邀擊 요격] 도중에서 기다리고 있다가 적을 맞아 침. ¶ 邀擊戰(요격전).

[邀招 요초] 청하여 맞아들임.

13 ⑰ 【邁】 갈 매 迈 mài

⑪ マイ〔すぎる〕 ⑧ go

字解 ① 갈 매(遠行). ② 지날 매(過也). ¶ 英邁(영매). ③ 힘쓸 매(勵也). ¶ 邁進(매진).

字源 形聲. 辶(辵)+萬〔音〕

[邁進 매진] 힘써 나아감. 힘차게 나아감.

[高邁 고매] 품위·인격·학식 등이 높고 뛰어남.

13 ⑰ 【邂】 만날 해 xiè

⑪ カイ〔めぐりあう〕

7 획

英 meet by chance

字解 만날 해(不期而遇也).

字源 形聲. 辶(辵)+解〔音〕.

[邂逅 해후] 우연히 서로 만남.

13
⑰ 【還】 ䷀돌아 올 환⊕删
䷀돌 선
⊕先
huán
xuán

𠃊 𠃊 𠃌 𡇯 𡈼 𡈼 𡇯 還

日 カン〔かえる〕・セン〔めぐる〕
英 return, turn

字解 ䷀① 돌아올 환(返也). ¶ 還家(환가). ② 갚을 환(償也). ¶ 償還(상환). ䷀돌 선.

字源 形聲. 辶(辵)+𤯏〔音〕.

[還甲 환갑] 《韓》 나이 61세를 가리키는 말. 회갑(回甲).

[還給 환급] 도로 돌려 줌.

[還送 환송] 도로 돌려 보냄.

[生還 생환] 살아서 돌아옴.

13
⑰ 【邅】 머뭇거 릴 전
⊕先
zhān
zhàn

日 テン〔たちもとおる〕
英 hesitate

字解 머뭇거릴 전(難行貌).

字源 形聲. 辶(辵)+亶〔音〕.

[邅回 전회] 머뭇거리는 모양.

14
⑱ 【邃】 깊을 수
⊕寘
suí

日 スイ〔ふかい〕 英 deep

字解 깊을 수(深遠). ¶ 深邃(심수). 幽邃(유수).

字源 形聲. 宀+遂〔音〕.

[邃古 수고] 먼 옛날. 대고(太古).

14
⑱ 【邇】 가까울 이⊕紙
ěr

日 ジ・ニ〔ちかい〕 英 near

字解 가까울 이(近也). ¶ 遐邇(하이). 孔邇(공이). 密邇(밀이).

字源 形聲. 辶(辵)+爾〔音〕.

[邇言 이언] 비근하고 통속적인 말.

14
⑱ 【邈】 멀 막
入覺
miǎo

日 バク〔とおい〕 英 far off

字解 ① 멀 막, 아득할 막(遠也). ¶ 邈然(막연). ② 업신여길 막(輕視). ¶ 邈視(막시). ③ 근심할 막(悶也). ¶ 邈邈(막막).

字源 形聲. 篆文은 辶(辵)+貌〔音〕.

[邈邈 막막] ㉠ 먼 모양. ㉡ 근심하고 괴로워하는 모양.

[邈視 막시] 업신여겨 깔봄.

[邈然 막연] ㉠ 아득한 모양. ㉡ 똑똑하지 못하고 어렴풋한 모양.

15
⑲ 【邊】 가 변
⊕先
biān

𠆢 𠂤 𠂤 𠂤 𠂤 𦥑 𣍹 邊

日 ヘン〔ほとり〕 英 border

字解 ① 가 변(側也). ¶ 緣邊(연변). ② 변방 변(九州之外). ¶ 邊備(변비).

字源 形聲. 辶(辵)+𦥯〔音〕.

參考 边(辵部 2획)은 약자.

[邊境 변경] 나라의 경계가 되는 곳.

[邊利 변리] 변돈에서 느는 이자.

[邊防 변방] 변경(邊境)의 방비.

[邊備 변비] 국경의 방비.

[底邊 저변] 사물의 밑바닥을 이루는 부분.

19
㉓ 【邏】 돌 라
⊕智
⊕簡
luó

日 ラ〔めぐる〕 英 patrol

字解 돌 라(巡也). ¶ 偵邏(정라).

字源 形聲. 辶(辵)+羅〔音〕.

[邏卒 나졸] ㉠ 순라(巡邏)하는 병졸. ㉡ 순경의 구칭(舊稱).

[巡邏 순라] 조선 때, 도둑이나 화재 등을 경계하기 위하여 밤에 사람의 통행을 금하고 순찰하던 군졸.

邑(阝)〔7획〕部
(고을읍·우부방부)

0 〔邑〕 고을 읍 | yì
⑦ 入緝

丶口口吕吕吊邑

⊜ ユウ〔むら〕　ⓔ town

字解 ①고을 읍(四縣爲郡四井爲邑). ¶ 都邑(도읍). ② 근심할 읍(快也). ¶ 邑憐(읍련). ③ 영지 읍(京師也, 封土).

字源 會意. 口(나라)와 卩(절(節))의 합자. 국가에는 크고 작은 절도(節度)가 있음의 뜻.

[邑君] 읍군　여자의 봉호(封號).
[邑憐] 읍련　근심하고 아낌.
[邑里] 읍리　읍과 촌락.
[邑人] 읍인　읍에 사는 사람.
[邑村] 읍촌　읍에 속한 마을.

3 〔邕〕 막을 옹 | yōng
⑩ ⊕冬

⊜ ヨウ〔ふさぐ〕　ⓔ prevent

字解 ① 막을 옹(塞也). ② 화락할 옹(和也).

字源 會意. 巛(강)과 邑(마을)의 합자. 주위가 물로 둘러싸인 촌리(村里)의 뜻.

[邕睦] 옹목　화목함.

3 〔邙〕 산이름 망 | máng
⑥ ⊕陽

⊜ ボウ〔やまのな〕

字解 산이름 망(洛陽山名). ¶ 北邙山(북망산).

字源 形聲. 阝(邑)+亡〔音〕

[北邙山] 북망산　사람이 죽어서 가는 곳. 북망산천.

4 〔邨〕
⑦ 村(촌)(木部 3획)과 同字

4 〔邠〕 나라이름 빈 | bīn
⑦ ⊕眞

⊜ ヒン〔くにのな〕

字解 나라이름 빈(周太王國).

字源 形聲. 阝(邑)+分〔音〕

4 〔邢〕 나라이름 형 | xíng
⑦ ⊕靑

⊜ ケイ〔くにのな〕

字解 나라이름 형(周公子所封國).

字源 形聲. 阝(邑)+幵〔音〕

參考 邢(邑部 6획)은 本字.

4 〔那〕 ━어찌 나 ⊕歌 | nā, nuó ━어조사 내 ⊕箇 | nuò
⑦

フ ヲ ヲ 尹 尹 邦 那

⊜ ナ〔なんぞ·じょじ〕　ⓔ how

字解 ━ ① 어찌 나(何也). ② 편안할 나(安也). ③ 많을 나(多也). ━ 어조사 내(語助辭).

字源 形聲. 篆文은 阝(邑)+尹〔毛〕

[那邊] 나변　어느 곳. 어디.
[那時] 나시　어느 때.
[那何] 나하　어찌. 여하(如何).
[刹那] 찰나　지극히 짧은 시간.

4 〔邦〕 나라 방 | bāng
⑦ ⊕江

一 二 三 丰 邦 邦

⊜ ホウ〔くに〕　ⓔ nation

字解 나라 방(國也).

字源 形聲. 阝(邑)+丰〔音〕

[邦交] 방교　국교(國交).
[邦國] 방국　국가(國家).
[邦俗] 방속　나라의 풍속.
[邦憲] 방헌　국법(國法).
[友邦] 우방　가까이 사귀는 나라.
[合邦] 합방　둘 이상의 나라를 한 나라로 합침.

7
획

4 ⑦ 〖邪〗 [一]간사할 사 [平]麻 [二]그런가 야 [平]麻 [三]나머지 여 [平]魚 [四]느릴 서 [平]魚 | xié yé yú xú

一 ㄷ 于 牙 牙⻏ 邪

[日] ジャ〔よこしま〕・ヤ〔じょじ〕・ヨ〔あまり〕・ショ〔ゆるやか〕

[英] sly, remainder, slow

[字解] [一] ① 간사할 사(不正, 姦術). ¶ 邪道(사도). 邪佞(사녕). ② 사기 사(不祥). ¶ 邪氣(사기). [二] 그런가 야(語助疑辭). [三] 나머지 여. [四] 느릴 서.

[字源] 形聲. ⻏(邑)+牙〔音〕

[邪佞 사녕] 간사하고 아첨을 잘함. 또, 그 사람.

[邪惡 사악] 도리에 어긋나고 악독함.

[邪揄 야유] 남을 빈정거려 놀림.

5 ⑧ 〖邯〗 [一]조나라 서울 한 [平]寒 [二]사람이름 함 [平]覃 | hán hàn

[日] カン〔くにのな〕

[字解] [一] 조나라서울 한(趙都). ¶ 邯鄲(한단). [二] 사람이름 함(亦姓).

[字源] 形聲. ⻏(邑)+甘〔音〕

[邯鄲之夢 한단지몽] 사람의 일생에 부귀란 헛되고 덧없다라는 뜻. 노생(盧生)이란 사람이 한단(邯鄲)에서 도사 여옹(呂翁)의 베개를 베고 잠깐 낮잠을 자는 사이에, 부귀와 영화에 찬 한평생의 꿈을 꾸었다는 고사(故事)에서 온 말. 한단침(邯鄲枕).

5 ⑧ 〖邰〗 나라이름 태 [平]灰 | tái

[日] タイ〔くにのな〕

[字解] 나라이름 태(后稷所封).

[字源] 形聲. ⻏(邑)+台〔音〕

5 ⑧ 〖邱〗 언덕 구 [平]尤 | qiū

[日] キュウ〔おか〕 [英] hill

[字解] ① 언덕 구(丘也). ¶ 邱陵(구릉). ② 땅이름 구(地名).

[字源] 形聲. ⻏(邑)+丘(北)〔音〕

5 ⑧ 〖邳〗 땅이름 비 [平]支 | pī

[日] ヒ〔ちめい〕

[字解] 땅이름 비(泗州縣名). ¶ 下邳(하비).

[字源] 形聲. ⻏(邑)+丕〔音〕

5 ⑧ 〖邵〗 고을이름 소 [去]嘯 | shào

[日] ショウ〔まちのな〕

[字解] ① 고을이름 소(晉邑名). ② 성 소(姓也).

[字源] 形聲. ⻏(邑)+召〔音〕

5 ⑧ 〖邸〗 집 저 [上]薺 | dǐ

[日] テイ〔やしき〕 [英] house

[字解] ① 집 저(貴人之宅). ¶ 官邸(관저). ② 바탕 저(下柢也). ③ 병풍 저(屛也). ¶ 皇邸(황저).

[字源] 形聲. ⻏(邑)+氐〔音〕

[邸宅 저택] 구조가 큰 집.

6 ⑨ 〖郁〗 성할 욱 [入]屋 | yù

[日] イク〔さかん〕 [英] prosperous

[字解] 성할 욱(文盛貌).

[字源] 形聲. ⻏(邑)+有〔音〕

[郁郁 욱욱] 문물이 성하고 빛나는 모양.

6 ⑨ 〖郊〗 들 교 [平]肴 | jiāo

[日] コウ〔まちはずれ〕 [英] suburb

[字解] **들 교**, **시골 교**(邑外).

[字源] 形聲. 阝(邑)+交〔音〕

[郊外 교외] 도시 주위의 들.

[近郊 근교] 도시의 변두리에 있는 마을이나 산야.

6 ⑨ 〚邢〛 邢(형)(邑部 4획)의 本字

7 ⑩ 【郎】 사내 랑 [平]陽 | láng

ㅋ ㅋ ㅋ 良 良 良 郎 郎

[日] ロウ〔おとこ〕 [英] man

[字解] ① **사내 랑**(男子稱). ¶ 郎子(낭자). ② **낭군 랑**(婦稱夫). ¶ 郎君(낭군). ③ **벼슬이름 랑**(官名). ¶ 郎中(낭중).

[字源] 形聲. 阝(邑)+良〔音〕

[郎官 낭관] 옛 관청의 낮은 벼슬인 당하관(堂下官)의 총칭.

[郎君 낭군] ㉠ 젊은 아내가 자기의 남편을 사랑스럽게 일컫는 말. ㉡ 종이 주인의 아들을 존경하여 일컫던 말.

[郎子 낭자] 남의 아들을 부르는 경칭.

[新郎 신랑] 곧 결혼할 남자나 갓 결혼한 남자. 새서방.

7 ⑩ 【郡】 고을 군 [去]問 | jùn

ㄱ ㅋ ㅋ 尹 君 君 郡 郡

[日] グン〔こおり〕 [英] county

[字解] **고을 군**(地方行政區域之一).

[字源] 形聲. 阝(邑)+君〔音〕

[郡民 군민] 고을에 사는 사람들.

[郡守 군수] 한 군의 우두머리.

[郡廳 군청] 군의 행정 사무를 맡아 보는 관청. 또는 그 청사.

7 ⑩ 〚郢〛 초나라 서울 영 [去]敬 | yǐng

[日] エイ〔みやこのな〕

[字解] **초나라서울 영**(楚都).

[字源] 形聲. 阝(邑)+呈〔音〕

[郢書燕說 영서연설] 도리(道理)에 맞지 않는 일을 억지로 끌어 대어 도리에 닿도록 함. 영(郢)에 사는 사람의 글을 연(燕)나라 사람이 좋은 뜻으로 잘못 풀이하여, 연나라를 다스렸다는 고사(故事)에서 온 말.

7 ⑩ 〚郤〛 틈 극 [入]陌 | xì

[日] ゲキ〔すきま〕 [英] gap

[字解] **틈 극**(隙也).

[字源] 形聲. 阝(邑)+谷〔音〕

[參考] 隙(阜部 10획)과 통용.

8 ⑪ 【部】 거느릴 부 [上]麌 | bù

丶 亠 立 立 咅 咅 部 部

[日] ブ〔つかさ〕 [英] lead

[字解] ① **거느릴 부**(統也). ② **마을 부**(署也). ¶ 內務部(내무부). ③ **떼 부**(行伍). ¶ 部曲(부곡). ④ **분류 부**(分也). ¶ 部類(부류).

[字源] 形聲. 阝(邑)+咅〔音〕

[部隊 부대] ㉠ 한 단위의 군대. ㉡ 한 덩어리가 되어 행동하는 단체.

[部落 부락] 도시 이외에 여러 민가들이 모여 이룬 집단. 또, 그 집단을 이룬 곳.

[部門 부문] 갈라 놓은 부류. 몇 개로 갈라 놓은 그 하나하나.

[部署 부서] 일정한 조직에서, 사업 체계나 기구에 의하여 갈라진 부문.

[部首 부수] 한자(漢字)를 구별한 각 부류를 대표하는 글자.

[部下 부하] 남의 밑에 딸리어 그의 명령에 따라 움직이는 사람.

[細部 세부] 자세한 부분.

[外部 외부] 일정한 범위의 밖.

8 ⑪ 〚郭〛 밭재 곽 [入]藥 | guō

(郭 stroke order: 亠 亠 亠 亨 享 享阝 郭)

[日] カク〔くるわ〕 [英] outer wall

[字解] ① **밭재 곽**(外城). ¶ 城郭(성곽). ② **둘레 곽**(外圍). ¶ 輪郭(윤곽).

[字源] 形聲. 阝(邑)+享〔音〕

[外郭 외곽] ㉠ 성 밖으로 다시 둘러 쌓은 성. ㉡ 바깥 테두리.

[輪郭 윤곽] ㉠ 일이나 사건의 대체적인 줄거리. ㉡ 겉모양 외모. ㉢ 둘레의 선.

8 ⑪ **〖郯〗** 나라이름 담 [平]覃 | tán

[日] タン〔こくめい〕

[字解] **나라이름 담.**

[字源] 形聲. 阝(邑)+炎〔音〕

8 ⑪ **〖郰〗** 고을이름 추 [平]尤 | zōu

[日] スウ〔まちのな〕

[字解] **고을이름 추**(縣名魯下邑孔子之鄕).

[字源] 形聲. 阝(邑)+取〔音〕

8 ⑪ **〖郵〗** 우편 우 [平]尤 | 邮 yóu

(郵 stroke order)

[日] ユウ〔しゅくば〕 [英] mail

[字解] ① **우편 우**(行書者也). ¶ 郵政(우정). ② **역말 우**(驛也).

[字源] 會意. 邑과 垂(국경의 뜻)의 합자. 나라의 요소요소에 역참을 두어 인마(人馬)의 계승을 한 곳.

[郵館 우관] 역마을의 객사(客舍).

[郵吏 우리] 역리(驛吏).

[郵送 우송] 물건이나 편지를 우편으로 보냄.

[郵亭 우정] 우관(郵館).

[郵便 우편] 편지나 소포 따위를 운송하는 국영 사업.

[郵票 우표] 우편 요금을 내었다는 표시로 우편물에 붙이는 증표.

8 ⑪ **〖郷〗** 鄕(향)(邑部 10획)의 略字

9 ⑫ **【都】** 도읍 도 [平]虞 | dōu

(都 stroke order)

[日] ト〔みやこ〕 [英] capital

[字解] ① **도읍 도**(天子所居, 國城). ¶ 遷都(천도). ② **도시 도.** ¶ 都市(도시). ③ **모두 도**(總也). ¶ 都是(도시). ④ **거할 도**(居也). ⑤ **거느릴 도**(統也).

[字源] 形聲. 阝(邑)+者〔音〕

[都心 도심] 도시의 중심.

[都合 도합] 모두. 전부를 다 합한 셈.

[都會 도회] 사람이 많이 모여 사는 번잡한 곳. 도시(都市).

[遷都 천도] 도읍을 옮김.

9 ⑫ **〖鄂〗** 고을이름 악 [入]藥 | è

[日] ガク〔まちのな〕

[字解] ① **고을이름 악**(楚地名). ② **놀랄 악**(愕也).

[字源] 形聲. 阝(邑)+咢〔音〕

10 ⑬ **【鄕】** 시골 향 [平]陽 | 乡 xiāng

(鄕 stroke order)

[日] キョウ〔さと〕 [英] country

[字解] ① **시골 향**(外邑). ¶ 鄕村(향촌). ② **고향 향**(生地). ¶ 鄕愁(향수). ③ **곳 향.** ¶ 色鄕(색향). 水鄕(수향).

[字源] 會意. 사람이 마주 앉아 식사하고 있는 모양. 중앙이 식기에 담은 음식, 좌우 양쪽은 무릎을 꿇고 있는 사람의 모양. 饗의 원자. 향음주(鄕飮酒)의 예(禮)를 행하는 단위인 촌락의 뜻이 됨.

[參考] 郷(邑部 8획)은 약자.

[鄕飮酒 향음주] 주대(周代)에 향교의 우등생을 중앙 정부에 천거할 때

향대부(鄕大夫)가 주인이 되어 송별연을 베풀던 일.

[鄕土 향토] ㉠ 시골. ㉡ 고향.

[故鄕 고향] 자기가 태어나서 자란 곳.

[他鄕 타향] 제 고장이 아닌 다른 고장.

10 ⑬ 【鄒】 나라이름 추 [平]尤 | 邹 zóu

[日] スウ〔くにのな〕

[字解] **나라이름 추**(魯縣古邾婁國).

[字源] 形聲. 阝(邑)+芻〔音〕

[鄒魯之鄕 추로지향] 예절을 알고 학문이 왕성한 곳. 鄒에서 맹자가, 魯에서 공자가 출생한 곳이기 때문에 이르는 말.

11 ⑭ 【鄙】 더러울 비 [上]紙 | bǐ

[日] ヒ〔いなか〕 [英] dirty

[字解] ① **더러울 비**(陋也). ¶ 鄙劣(비열). ② **마을 비**(周制, 都之對五百家). ¶ 縣鄙(현비). ③ **두메 비**(邊邑也). ¶ 邊鄙(변비). ④ **천할 비**(卑賤).

[字源] 形聲. 阝(邑)+啚〔音〕

[鄙見 비견] 자기 의견의 낮춤말.

[鄙吝 비린] 인색함.

[鄙劣 비열] 성품과 행실이 더럽고 못남. 비열(卑劣).

11 ⑭ 【鄢】 땅이름 언 [上]阮 [去]願 | yān

[日] エン〔ちめい〕

[字解] **땅이름 언**(鄭地名). ¶ 鄢陵(언릉).

[字源] 形聲. 阝(邑)+焉〔音〕

12 ⑮ 【鄧】 나라이름 등 [去]徑 | 邓 dèng

[日] トウ〔くにのな〕

[字解] **나라이름 등**(曼姓之國).

[字源] 形聲. 阝(邑)+登〔音〕

12 ⑮ 【鄭】 정나라 정 [去]敬 | 郑 zhèng

[日] テイ〔くにのな〕

[字解] **정나라 정**(周叔友所封國).

[字源] 形聲. 阝(邑)+奠〔音〕

[鄭重 정중] ㉠ 점잖고 무게가 있음. ㉡ 친절하고 은근함.

12 ⑮ 【鄰】 隣(린)(子部 12획)의 本字

12 ⑮ 【鄲】 조나라 서울 단 [平]寒 | 郸 dān

[日] タン〔みやこのな〕

[字解] **조나라서울 단**(趙都). ¶ 邯鄲(한단).

[字源] 形聲. 阝(邑)+單〔音〕

13 ⑯ 【鄴】 위나라 서울 업 [入]葉 | 邺 yè

[日] ギョウ〔みやこのな〕

[字解] **위나라서울 업**(魏都).

[字源] 形聲. 阝(邑)+業〔音〕

酉 〔7 획〕 部 (닭유부)

0 ⑦ 【酉】 열째지지 유 [上]有 | yǒu

一 丆 万 丙 两 西 酉

[日] ユウ〔とり〕 [英] cock

[字解] ① **열째지지 유**(地支第十位). ② **익을 유**(萬物成熟).

[字源] 象形. 술을 빚는 단지의 모양을 본뜸. 酒의 원자(源字). 「닭」의

뜻으로 쓰임.

[酉時 유시] 하루를 12시로 나눈 10째 시간. 곧, 하오 5시부터 7시 사이.

2·9 【酊】 술취할 정<u>上</u>迴 | dǐng | 酊

🇯🇵 テイ〔よう〕 🇬🇧 get drunk

字解 술취할 정(醉貌). ¶ 酩酊(명정).

字源 形聲. 酉+丁〔音〕

[酩酊 명정] 정신을 차리지 못할 정도로 술에 취함.

[酒酊 주정] 술에 취해 정신 없이 말하거나 행동함.

2·9 【酋】 우두머리 추<u>上</u>尤 | qiú | 酋

🇯🇵 シュウ〔かしら〕 🇬🇧 chief

字解 ① 우두머리 추(魁首). ¶ 酋長(추장). ② 술 추(酒熟). ③ 끝날 추(終也).

字源 象形. 酉(술단지)를 바탕으로 하여, 八은 물이 위에 나온 모양. 추장의 뜻은 음의 차용.

[酋長 추장] ㉠ 미개인들의 우두머리. ㉡ 도둑들의 두목. 추령(酋領).

3·10 【酌】 따를 작<u>入</u>藥 | zhuó | 酌

一 丁 丆 丙 酉 酉 酌 酌

🇯🇵 シャク〔くむ〕 🇬🇧 pour

字解 ① 따를 작(斟也, 行觴). ¶ 獨酌(독작). ② 참작할 작(審擇). ¶ 斟酌(짐작). 參酌(참작).

字源 會意. 酉(술)와 勺(품)의 합자. 「勺(작)」은 음을 나타냄.

[酌交 작교] 술잔을 서로 주고받음.

[酌婦 작부] 잔치나 술집에서 손님에게 술을 따라 주는 일을 업으로 삼는 여자.

[斟酌 짐작] 어림쳐서 헤아림.

[參酌 참작] 참고해 알맞게 헤아림.

3·10 【配】 짝 배<u>去</u>隊 | pèi | 配

一 丁 丆 丙 酉 酉 酌 配

🇯🇵 ハイ〔くばる〕 🇬🇧 couple

字解 ① 짝 배(匹也). ¶ 配匹(배필). ② 짝지을 배(成夫婦也). ③ 귀양보낼 배(流刑隷). ¶ 配所(배소).

字源 會意. 酉+己

[配給 배급] 분배하여 공급함.

[配慮 배려] 이리저리 마음을 씀. 근심하고 걱정함.

[配偶 배우] 짝이 되는 아내나 남편. 부부. 배필.

[流配 유배] 죄인을 귀양 보냄.

3·10 【酎】 전국술 주<u>去</u>有 | zhòu | 酎

🇯🇵 チュウ〔こいさけ〕

字解 전국술 주(醇也).

字源 形聲. 酉+肘〈省〉〔音〕

3·10 【酏】 맑은술 이<u>上</u>支 | yí | 酏

🇯🇵 イ〔すみざけ〕 🇬🇧 refined rice wine

字解 맑은술 이(淸酒).

字源 形聲. 酉+也〔音〕

3·10 【酒】 술 주<u>上</u>有 | jiǔ | 酒

丶 冫 氵 沂 沂 酒 酒 酒

🇯🇵 シュ〔さけ〕 🇬🇧 wine

字解 술 주(米麴所釀). ¶ 濁酒(탁주).

字源 會意. 酉(술단지)와 水(액체)의 합자. 술의 뜻.

[酒客 주객] 술을 좋아하는 사람. 술꾼.

[酒量 주량] 술을 마시는 분량.

[酒豪 주호] 술을 잘 마시는 사람. 주량이 아주 큰 사람. 주선(酒仙).

[酒興 주흥] 술기운에서 나는 흥.

[勸酒 권주] 술을 권함.

[飯酒 반주] 끼니 때 밥에 곁들여서 한두 잔 마시는 술.

4 ⑪〔酔〕 醉(취)(酉部 8획)의 俗字

4 ⑪〔酖〕 ■ 즐길 탐⊕覃 ■ 짐새 짐沁 dān zhèn
　⊕ タン〔ふける〕・チン〔どくちょうの な〕
　⊛ enjoy
　字解 ■ 즐길 탐(嗜酒樂飮). ■ 짐새 짐(鴆酒).
　字源 形聲. 酉+尤〔音〕
　參考 ■는 鴆(鳥部 4획)과 통용.

[酖酖 탐탐] 즐기는 모양.

5 ⑫〔酢〕 ■ 잔돌릴 작藥 ■ 초 초遇 zuò cù
　⊕ サク・ソ〔むくいる〕
　⊛ pass a wine cup, vinegar
　字解 ■ 잔돌릴 작. ¶ 酬酢(수작). ■ 초 초(酸漿, 醶也).
　字源 形聲. 酉+乍〔音〕

[酢爵 작작] 손이 주인한테 돌리는 술잔.

5 ⑫〔酣〕 즐길 감⊕覃 hān
　⊕ カン〔たのしむ〕　⊛ enjoy
　字解 ① 즐길 감(樂酒不醉). ¶ 酣飮(감음). ② 한창 감(酒樂微洽). ¶ 酣春(감춘).
　字源 會意. 酉(술)와 甘(맛있음)의 합자. 甘(감)은 또 음을 나타냄.

[酣歌 감가] 주흥이 나서 노래함.
[酣媟 감설] 아주 버릇 없이 굶.
[酣飮 감음] 흥겹게 술을 마심.
[酣春 감춘] 한창 무르익은 봄.
[酣醉 감취] 몹시 술에 취함.

5 ⑫〔酤〕 ■ 단술 고⊕虞 ■ 살 고遇 gū
　⊕ コ〔ひとよざけ・さけをうる〕
　⊛ sweet drink, buy
　字解 ■ ① 단술 고(甘酒). ② 팔 고(賣酒). ■ 살 고(買酒).
　字源 形聲. 酉+古〔音〕

6 ⑬〔酩〕 술취할 명⊕迥 mǐng
　⊕ メイ〔よう〕　⊛ get drunk
　字解 ① 술취할 명(醉貌). ¶ 酩酊(명정). ② 단술 명(甘酒).
　字源 形聲. 酉+名〔音〕

[酩酊 명정] 몸을 가눌 수 없을 정도로 몹시 술에 취함.

6 ⑬〔酪〕 타락 락入藥 lào
　⊕ ラク〔ちちしる〕　⊛ milk
　字解 ① 타락 락(乳漿). ¶ 羊酪(양락). 乳酪(유락). ② 술 락(酒類也). ¶ 酪母(낙모). ③ 과즙 락. ¶ 杏酪(행락).
　字源 形聲. 酉+各〔音〕

[酪農 낙농] 소・염소 등의 젖을 짜서 이것을 원료로 버터・치즈・밀크 따위를 제조・가공하는 농업. ¶ 酪農家(낙농가).
[酪母 낙모] 술찌끼.

6 ⑬〔酬〕 잔돌릴 수⊕尤 chóu
　⊕ シュウ〔むくいる〕
　⊛ pass a wine cup
　字解 ① 잔돌릴 수(勸酒). ¶ 酬酢(수작). ② 갚을 수(報也). ¶ 報酬(보수).
　字源 形聲. 酉+州〔音〕

[酬酢 수작] ㉠ 주객(主客)이 서로 술을 권함. 술잔을 서로 주고받음. ㉡ 서로 말을 주고받음. ㉢ (韓) 남의 말이나 행동을 업신여겨서 이르

는 말.

[報酬 보수] ㉠ 고마움에 보답함. ㉡ 근로의 대가로 주는 금전이나 물품.

7 ⑭ 【酴】 술밑 도 [平]虞 tú

[日] ド〔さけのもと〕 [英] yeast

[字解] ① **술밑 도**(酒母). ② **막걸리 도**(麥酒不去滓飮也).

[字源] 形聲. 酉+余〔音〕

7 ⑭ 【酵】 술밑 효 [本]교[去]效 jiào

[日] コウ〔さけのもと〕 [英] yeast

[字解] ① **술밑 효**(酒母). ¶ 酵母(효모). ② **술괼 효**(以酒母起麪). ¶ 發酵(발효).

[字源] 形聲. 酉+孝〔音〕

[酵素 효소] 단백질로 된 화합물의 한 가지.

[醱酵 발효] 세균·효모 등의 작용으로 화학적 분해가 일어나는 현상.

7 ⑭ 【酷】 독할 혹 [本]곡[入]沃 kù

[日] コク〔むごい〕 [英] cruel

[字解] ① **독할 혹**(虐也). ¶ 殘酷(잔혹). ② **심할 혹**(甚也). ¶ 酷寒(혹한).

[字源] 形聲. 酉+告〔音〕

[酷毒 혹독] ㉠성질·행위 따위가 매우 나쁨. ㉡ 정도가 퍽 심함.

[酷寒 혹한] 몹시 심한 추위.

[冷酷 냉혹] 쌀쌀하고 혹독함.

7 ⑭ 【酸】 실 산 [平]寒 suān

丆 丙 丙 酉 酉㇓ 酢 酸 酸

[日] サン〔すっぱい〕 [英] acid

[字解] ① **실 산**(酢味). ¶ 酸性(산성). ② **슬플 산**(悲痛). ¶ 酸鼻(산비). ③ **산소 산**. ¶ 酸素(산소). ④ **고될 산**(致力所難).

[字源] 會意. 酉+夋

[酸鼻 산비] 콧마루가 찡함. 곧, 몹시 슬프고 애통함. 비참함. 참혹함.

[酸素 산소] 공기의 주성분인 원소(元素)의 이름.

[酸化 산화] 물질이 산소와 화합함. ¶ 酸化鐵(산화철).

[辛酸 신산] ㉠ 맛이 맵고 심. ㉡ 세상살이의 쓰라리고 고된 일.

7 ⑭ 【酹】 부을 뢰 [去]泰 lèi

[日] ライ〔そそぐ〕 [英] pour

[字解] **부을 뢰, 강신할 뢰**(餟祭酒沃地).

[字源] 形聲. 酉+寽〔音〕

7 ⑭ 【酺】 회음할 포[平]虞 pú

[日] ホ〔たのしむ〕 [英] drink together

[字解] ① **회음할 포**(會飮). ② **귀신 이름 포**(爲人物災害之神).

[字源] 形聲. 酉+甫〔音〕

8 ⑮ 【醁】 미주 록 [入]沃 lù

[日] リョク〔よいさけ〕

[字解] **미주 록**(美酒名). ¶ 醽醁(영록).

[字源] 形聲. 酉+彔〔音〕

8 ⑮ 【醇】 전국술 순[平]眞 chún

[日] ジュン〔こい〕

[字解] ① **전국술 순**(不澆酒). ② **순수할 순**(純粹). ¶ 醇美(순미). ③ **도타울 순**(厚也). ¶ 醇謹(순근).

[字源] 形聲. 酉+享〔音〕

[醇醴 순례] 전술과 단술.

[醇朴 순박] 인정미가 많고 꾸밈이 없음. 순박(淳朴).

[醇化 순화] ㉠ 잡스러운 것을 없애 버리고 계통 있고 순수한 것으로 만듦. 순화(純化). ㉡ 정성 어린 가르

7 획

침의 감화.

8
⑮ 【醉】 취할 취
㊇寘 zuì 酔

丁 丙 酉 酉 酑 酔 醉 醉

㊐ スイ〔よう〕 ㊎ drunk

字解 ① 취할 취(爲酒所酣). ¶ 醉興(취흥). ② 취하게할 취(心醉).

字源 形聲. 酉+卒〔音〕

[醉渴 취갈] 술에 취해 느끼는 갈증.
[醉客 취객] 술에 취한 사람.
[醉氣 취기] 술 취하여 얼근한 기운.
[醉談 취담] 취중에 하는 말.
[醉生夢死 취생몽사] 하는 일 없이 흐리멍덩하게 한평생을 보냄.
[醉眼 취안] 술 취한 눈.
[醉中 취중] 술이 취하였을 동안.
[陶醉 도취] ㉠ 술이 얼근히 취함. ㉡ 어떤 것에 마음이 끌려 취하다시피 됨.

8
⑮ 【醊】 ━부을 철
㊇屑
━부을 체
㊇霽
chuò
zhuì 醊

㊐ テツ・テイ〔そそぐ〕 ㊎ pour

字解 ━ 부을 철(祭酹). ━ 부을 체(祭酹).

字源 形聲. 酉+叕〔音〕

8
⑮ 【醋】 ━잔돌릴 작
㊇藥
━초 초
㊇遇
zuò
cù 醋

㊐ サク〔むくいる〕・ソ〔す〕 ㊎ pass a wine cup, vinegar

字解 ━ 잔돌릴 작(主客相酬). 酬醋(수작). ━ 초 초(酸漿).

字源 形聲. 酉+昔〔替〕〔音〕

參考 酢(酉部 5획)은 同字.

[醋酸 초산] 자극성의 냄새와 신맛을 가진 색이 없는 액체로서, 포화지방산에 속하는 유기산의 한 가지.
[食醋 식초] 먹는 초.

9
⑯ 【醍】 ━맑은술 제
㊇薺
━우락더껑이 제㊇齊
tǐ
tí 醍

㊐ テイ〔すみざけ・まじりけのない〕 ㊎ refined rice wine

字解 ① 맑은술 제(淸酒). ② 우락더껑이 제(酥之精液). ¶ 醍醐(제호).

字源 形聲. 酉+是〔音〕

9
⑯ 【醐】 우락더껑이 호㊇虞 hú 醐

㊐ ゴ〔だいご〕

字解 우락더껑이 호(酥之精液). ¶ 醍醐(제호).

字源 形聲. 酉+胡〔音〕

9
⑯ 【醒】 ━깰 성㊇靑
━깰 성㊇徑
xǐng 醒

㊐ セイ〔さめる〕 ㊎ sober up

字解 ① 깰 성(醉解). 醒酒湯(성주탕). ② 깨달을 성. ¶ 覺醒(각성).

字源 形聲. 酉+星〔音〕

[醒睡 성수] 잠에서 깸.
[醒酒湯 성주탕] 해장국.
[覺醒 각성] 깨달아 정신을 차림.

9
⑯ 【醓】 육장 담
㊇感 tǎn 醓

㊐ タン〔ししびしお〕 ㊎ pickled meat

字解 육장 담(肉醬).

字源 形聲. 酉+皿+尤〔音〕

9
⑯ 【醯】 醯(혜)(酉部 12획)의 俗字

10
⑰ 【醜】 추할 추
㊇有 chǒu 醜

丁 丙 酉 酌 酌 酘 醜 醜

㊐ シュウ〔みにくい〕 ㊎ ugly

字解 ① 추할 추(惡也). ¶ 醜行(추

행). ② 부끄러워할 추(恥也).

字源 形聲. 鬼＋酉[音]

[醜聞 추문] 추잡한 소문.
[醜雜 추잡] 말과 행실이 지저분하고 잡스러움.
[醜態 추태] 더럽고 지저분한 태도.
[美醜 미추] 아름다움과 추함.

10
⑰ 【醞】 빛을 온 ㊀問㊤吻 | yùn | 碍

㊐ ウン〔かもす〕 ㊎ brew

字解 ① 빛을 온(釀酒). ② 온자할 온(含蓄藉).

字源 形聲. 酉＋𥁕[音]

參考 ②는 溫(水部 10획)과 同字.

10
⑰ 【醢】 육장 해 ㊤賄 | hǎi | 碚

㊐ カイ〔ししびしお〕 ㊎ pickled meat

字解 육장 해(肉醬). ¶ 魚醢(어해).

字源 形聲. 酉＋㿟[音]

11
⑱ 【醨】 묽은술 리 ㊥支 | lí | 碃

㊐ リ〔うすさけ〕 ㊎ washy liquor

字解 묽은술 리. 심심한술 리.

字源 形聲. 酉＋离[音]

11
⑱ 【醪】 막걸리 료 ㊤豪 | láo | 磲

㊐ ロウ〔にごりざけ〕 ㊎ unstrained rice aine

字解 막걸리 료(濁酒). ¶ 濁醪(탁료). 醇醪(순료).

字源 形聲. 酉＋翏[音]

11
⑱ 【醯】 醯(혜)(酉部 12획)의 本字

11
⑱ 【醫】 의원 의 ㊤支 | yī | 医 胃

㐁 𠩺 𠩺 𡐆 殴 殹 𨢾 醫

㊐ イ〔いしゃ〕 ㊎ doctor

字解 의원 의(治病者). ¶ 名醫(명의).

字源 會意. 殹(나쁜 모양)와 酉(술)의 합자. 옛적에는 술을 사용하여 병을 고쳤음.

參考 医(匚部 5획)는 略字.

[醫療 의료] 병을 치료함.
[醫師 의사] 전문적 의료 기술과 일정한 자격을 가지고 병을 고치는 것을 업으로 삼는 사람.
[醫書 의서] 의학(醫學)에 관한 책.
[獸醫 수의] 가축의 병을 치료하는 의사.

11
⑱ 【醬】 장 장 ㊤漾 | jiàng | 鑒

㊐ ショウ〔みそ〕 ㊎ soy sauce

字解 장 장. ¶ 醬油(장유).

字源 形聲. 夕＝肉(살)과 酉(술)을 바탕으로 爿(장)이 음을 나타냄.

[醬油 장유] ㉠ 간장. ㉡ 간장과 참기름 등 식유(食油)의 총칭.
[醬滓 장재] 된장.

12
⑲ 【醮】 제사지낼 초 ㊤嘯 | jiào | 礁

㊐ ショウ〔つくす〕

字解 ① 제사지낼 초(祭也). ② 술따를 초(冠娶禮酌也).

字源 形聲. 酉＋焦[音]

[醮禮 초례] 혼인을 치르는 예식.
[醮祭 초제] 별에 지내는 제사.

12
⑲ 【醱】 빛을 발 ㊉曷 | pō | 碈

㊐ ハツ〔かもす〕 ㊎ brew

字解 빛을 발(重釀). ¶ 醱醅(발배).

字源 形聲. 酉＋發[音]

[醱酵 발효] 박테리아·효모 따위의 미생물 또는 그것들의 효소 작용으로 화학적 분해가 일어남. 또, 그 작용.

12
⑲ 【醯】 초 혜
⊕齊 xī

⊕ケイ〔す〕 ⑧ vinegar

字解 초 혜(酢味).

字源 會意. 鬻(죽)의 생략형과 酉
(술)와 皿(그릇)과의 합자.

[食醯 식혜] 엿기름 가루를 우린 물
을 지에밥에 부어서 식힌 음식.

13
⑳ 【醴】 단술 례
⊕齊 lǐ

⊕レイ〔あまざけ〕 ⑧ sweet drink

字解 ① 단술 례(一宿熟甘酒). ¶
醴酒(예주). ② 달 례. ¶ 醴泉(예
천).

字源 形聲. 酉+豊〔音〕

[醴酒 예주] 단술. 감주(甘酒).
[醴泉 예천] 단맛이 나는 물이 솟는
샘.

13
⑳ 【醵】
━추렴내
어마실 거
⊕御
━추렴내어
마실 각⊕藥
jù
jù

⊕キョ・キャク〔だしあう〕
⑧ collect money

字解 ━ 추렴내어마실 거(斂錢共
飲酒). ━ 추렴내어마실 각(斂錢共
飲酒).

字源 形聲. 酉+豦〔音〕

[醵出 갹출·거출] 한 가지 일을 목적
하여 돈이나 물건을 추렴하여 냄.

14
㉑ 【醺】 취할 훈
⊕文 xūn

⊕クン〔よう〕 ⑧ drunk

字解 ① 취할 훈(醉也). ② 술기운
훈(酒氣熏蒸).

字源 形聲. 酉+熏〔音〕

17
㉔ 【釀】 빚을 양
⊕漾 niàng

⊕ジョウ〔かもす〕 ⑧ brew

字解 빚을 양(醞造).¶ 釀造(양
조).

字源 形聲. 酉+襄〔音〕

[釀蜜 양밀] 꿀을 만듦.
[釀造 양조] 술·간장을 담가 만듦.

18
㉕ 【釁】 틈 흔
⊕震 xìn

⊕キン〔ちぬる〕 ⑧ gap

字解 ① 틈 흔(罅隙). ¶ 釁隙(흔
극). ② 허물 흔(罪累). ¶ 釁累(흔
루).

字源 會意. 釁(아궁이)의 생략형과
酉(술)와 分과의 합자. 희생의 피를
그릇에 발라 신에게 제사지냄의 뜻.
또, 「분(分)」의 전음이 음을 나타
냄.

[釁隙 흔극] ㉠ 틈. ㉡ 사람들의 사
이가 벌어져서 생기는 불화.

19
㉖ 【釃】
━거를 시
⊕紙
━거를 소
⊕魚
━맑은술
리⊕支
shì
shāi
lí

⊕シ〔したむ, こす〕・ショ・ソ〔し
たむ, こす〕・リ〔うすいさけ〕
⑧ strain, washy liquor

字解 ━ 거를 시. ━ 거를 소. ━
맑은술 리.

字源 會意. 酉+麗

采 〔7 획〕 部
(분별할채 부)

0
⑦ 【釆】 나눌 변
⊕諫 biàn

⊕ヘン〔わける〕 ⑧ divide

字解 나눌 변, 분별할 변(辨別).

字源 會意. 乎(짐승의 발톱)와 八
(나눔)의 합자. 짐승의 발톱이 갈라
져 있음의 뜻.

7
획

7 획

¹⁸ 【采】 ⊖캘 채 〔采〕／⊖賄 ／⊜물 채 ／⊜隊
cǎi
cài

⑤サイ〔とる〕 ⑧ pick, herbs

字解 ■ ① 캘 채(採也). ② 가릴 채(擇也). ¶ 采用(채용). ③ 채색 채(采色). ④ 일 채(事也). ⑤ 풍신 채(風采). ■ 나물 채(菜也).

字源 會意. 爪(가짐)와 木의 합자. 좋은 재목을 선택해서 씀의 뜻.

[采詩 채시] 민간 풍속을 살려서 정치하는 데 참고로 하기 위하여, 민간에 퍼져 있는 시가(詩歌)를 모으는 일.

[采地 채지] 경대부(卿大夫)에게 봉하여 주는 땅. 봉읍(封邑). 그 조세(租稅)를 받아 봉록으로 함.

[風采 풍채] 겉으로 드러나 보이는 인상. 사람의 겉모양.

⁴¹¹ 【釈】 釋(석)(采部 13획)의 俗字

⁵¹² 【釉】 ⊖윤 유 ／⊜宥
yòu
⑤ユウ〔つや〕 ⑧ glaze

字解 윤 유(光澤).

字源 形聲. 采＋由〔音〕

[釉藥 유약] 도자기를 만든 후 구울 때 표면에 덧씌워 광택과 무늬를 아름답게 하는 약품. 잿물.

¹³²⁰ 【釋】 ⊖풀 석 ／⊜陌
釋
shi

⑤シャク〔とく〕 ⑧ release

字解 ① 풀 석(解也, 散也). ¶ 釋義(석의). ② 용서할 석(放也). ¶ 釋放(석방). ③ 놓을 석(置也). ④ 버릴 석(捨也). ⑤ 일 석(漸米). ⑥ 쏠 석(發射). ⑦ 석가 석(釋迦牟尼). ¶ 釋門(석문).

字源 形聲. 采＋睪〔音〕

[釋門 석문] 불교. 불법. 승가(僧家).

[釋放 석방] 법에 의하여 구속되었던 것을 풀고 자유롭게 함.

[釋然 석연] ㉠ 마음이 환하게 풀림. ㉡ 미심쩍던 것이나 원한 등이 확 풀리고 마음이 환하게 밝아짐.

[釋典 석전] 불교의 경전. 불경.

[釋旨 석지] 불교의 교지(教旨).

[解釋 해석] 뜻을 풀어 설명함.

里 〔7 획〕 部
(마을리부)

⁰⑦ 【里】 마을 리 ／⊜紙
lǐ
⑤リ〔さと〕 ⑧ village

字解 ① 마을 리(村也). ¶ 鄉里(향리). ② 이 리(路程單位). ¶ 里數(이수).

字源 會意. 田과 土의 합자. 사람이 있는 곳.

[里數 이수] 거리를 리(里)의 단위로 센 수.

[里程 이정] 길의 이수. ¶ 里程表(이정표).

[里巷 이항] 마을의 거리. 洞里(동리)·邑里(읍리).

²⑨ 【重】 ⊖무거울 중 ／⊖宋 ／⊜거듭할 중 ／⊜冬 ／⊜아이 동 ／⊜冬
zhòng
chóng
tóng

⑤ジュウ・チョウ〔おもい・かさねる〕・トウ〔わらべ〕
⑧ heavy, repeat, child

字解 ■ ① 무거울 중(輕之對). ¶ 重荷(중하). ② 중할 중(不輕也). ¶ 重要(중요). ■ 거듭할 중(重複也, 疊也). ¶ 重複(중복). ■ 아이 동(童).

字源 形聲. 壬(사람이 지상에 서 있는 모습)을 바탕으로 「東(동)」이 음을 나타냄.

[重量 중량] 무게.

[重複 중복] 거듭함. 겹친 위에 또 겹침.

[重傷 중상] 심하게 다침. 심한 상처.

[重要 중요] 매우 귀중하고 중요로움.

[重厚 중후] 태도가 진중하고 심덕이 두터움.

[危重 위중] 병세가 무겁고 위태로움.

---

⁴ ⑪ 【野】 들 야 ㊤馬 yě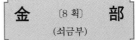

ㅂ ヤ〔の〕 ㊠ field

字解 ① 들 야(郊外). ¶野營(야영). ② 민간 야(百姓). ¶朝野(조야). ③ 질박할 야(質朴).

字源 形聲. 里+予〔音〕

[野談 야담] 역사에 없이 민간에 전해져 오는 이야기.

[野望 야망] 야심을 품은 욕망.

[野卑 야비] 속되고 천함. 성질이나 행동이 고상하지 못함.

[野性 야성] ㉠ 자연·본능 그대로의 성질. ㉡ 출세하기를 싫어하는 성질.

[野人 야인] ㉠ 순박한 사람. ㉡ 시골 사람. 천한 사람. ㉢ 재야(在野)의 사람. 벼슬하지 않은 사람.

[分野 분야] 여러 갈래로 나눈 각각의 범위.

[視野 시야] ㉠ 시력이 미치는 범위. ㉡ 지식이나 사려가 미치는 범위.

---

⁵ ⑫ 【量】 ㅡ양 량 ㊤漾 ㊤謨 ㅡ헤아릴 량 ㊤陽 liàng liáng

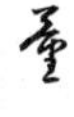

ㅂ リョウ〔ますめ·はかる〕

㊠ quantity, measure

字解 ㅡ ① 양 량(長短也, 多少也, 數也). ¶容量(용량). ② 되 량(龠·合·升·斗·斛也). ③ 기량 량, 국량 량(器局). ¶才量(재량). ㅡ 헤아릴 량(度也). ¶商量(상량).

字源 形聲. 重을 바탕으로 하여 「曏(향)」의 생략형의 전음이 음을 나타냄.

[量水器 양수기] 수도(水道) 등의 사용한 물의 분량을 측정하는 기계. 수량계(水量計).

[容量 용량] 용기 안에 들어갈 수 있는 분량.

[裁量 재량] 자기 생각대로 헤아려서 처리함.

---

¹¹ ⑱ 【釐】 다스릴 리 ㊤支 lí

ㅂ リ〔りん〕 ㊠ govern

字解 ① 다스릴 리(治也). ¶釐正(이정). ② 이 리(分之十分一).

字源 形聲. 𠩺+里〔音〕

[釐降 이강] 공주를 신하에게 시집보냄.

[釐婦 이부] 홀어미. 과부.

[釐正 이정] 다스려 바르게 함.

金 〔8 획〕 部
(쇠금부)

8획

⁰ ⑧ 【金】 ㅡ쇠 금 ㊧侵 ㅡ(韓) 성 김 jīn

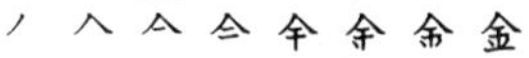

ノ 人 人 스 全 余 金 金

ㅂ キン〔かね〕

㊠ metal, family name

字解 ㅡ ① 쇠 금(鑛物總稱). ¶金石(금석). ② 금 금(黃金). ¶金銀(금은). ③ 금나라 금(國名). ㅡ (韓) 성 김(姓也).

字源 形聲. 土와 丷(두 개의 점은 광석의 뜻)을 바탕으로 하여, 「今(금)」이 음을 나타냄.

[金冠 금관] 금으로 만든 왕관.
[金髮 금발] 금빛 나는 머리털.
[金城湯池 금성탕지] 쇠로 쌓은 성과 끓는 물의 못. 수비가 견고한 성의 비유.
[金屬 금속] 쇠붙이.
[金額 금액] 금전의 액수. 돈의 수효.
[金言 금언] ㉠ 생활의 본보기로 삼을 만한 내용을 가진 짧은 말. ㉡ 부처의 입에서 나온 불멸의 법어(法語).
[代金 대금] 값.
[元金 원금] 밑천. 본전.
[資金 자금] 사업을 경영하는 데 쓰는 돈. 자본금.

2 ⑩ 【釗】 [一]볼 소[本] 조[平]蕭 [二]사람이름 교[平]肴 [三]《韓》쇠 쇠 | 钊 zhāo

[日] ショウ〔みる〕·キョウ〔じんめい〕 [英] see, metal

[字解] [一] 볼 소(見也). [二] 사람이름 교(周康王名). [三]《韓》쇠 쇠(鐵也, 人名). ¶ 乭釗(돌쇠).

[字源] 形聲. 金+刂(刀)

2 ⑩ 【釘】 못 정 [平]靑 | 钉 dīng

[日] テイ〔くぎ〕 [英] nail

[字解] 못 정(鐵尖).

[字源] 形聲. 金+丁〔音〕

[釘頭 정두] 못대가리.

2 ⑩ 【針】 [一]바늘 침 [平]侵 [二]바느질할 침[去]沁 | 针 zhēn

丿 人 亼 仐 今 金 金一 針

[日] シン〔はり·ぬう〕
[英] needle, sew

[字解] [一] ① 바늘 침(縫具). ¶ 針線(침선). ② 침 침(刺病). ¶ 針灸(침구). [二] 바느질할 침(縫也).

[字源] 形聲. 金+十〔音〕

[參考] [一]은 鍼(金部 9획)과 同字.

[針線 침선] 바늘과 실. 또는 바느질.
[針小棒大 침소봉대] 작은 일을 크게 허풍떨어 말함.
[方針 방침] ㉠ 앞으로 일을 할 방향과 계획. ㉡ 방위를 가리키는 자석의 바늘.

2 ⑩ 【釜】 가마솥 부[上]麌 | fǔ

[日] フ〔かま〕 [英] cauldron

[字解] 가마솥 부(無足鼎). ¶ 鍋釜(과부).

[字源] 形聲. 金+父〔音〕

[釜鼎器 부정기] 부엌에서 쓰는 그릇.

3 ⑪ 【釣】 낚시 조 [去]嘯 | 钓 diào

[日] チョウ〔つり〕 [英] fishing

[字解] 낚시 조(釣魚).

[字源] 形聲. 金+勺〔音〕

[釣竿 조간] 낚싯대.

3 ⑪ 【釤】 낫 삼 [去]陷 | 钐 shàn shān

[日] サン〔かま〕 [英] sickle

[字解] 낫 삼(大鎌).

[字源] 形聲. 金+彡〔音〕

3 ⑪ 【釪】 요령 우 [平]虞 | 釪 yú

[日] ウ〔いしづき〕 [英] handbell

[字解] ① 요령 우. ② 바리때 우.

[字源] 形聲. 金+于〔音〕

3 ⑪ 【釦】 금테두리할 구 [上]有 | kòu

[日] コウ〔ふくりんをとる〕

[字解] ① 금테두리할 구(金飾器口). ② 떠들 구(讙動).

字源 形聲. 金+口〔音〕

3
⑪ 【釧】 팔찌천 ❶霰　釧　chuàn

❸ セン〔うでわ〕　❿ bracelet

字解 팔찌 천〔臂環也〕. ¶ 玉釧(옥천).

字源 形聲. 金+川〔音〕

3
⑪ 【釵】 ■비녀채 ❷佳　钗　chāi
❷비녀차 ❷麻

❸ サイ・サ〔かんざし〕　❿ hairpin

字解 ■ 비녀 채〔婦人岐笄〕. ¶ 金釵(금차). ■ 비녀 차.

字源 形聲. 金+叉〔音〕

[釵梳 차소] 비녀와 빗.
[釵釧 차천] 비녀와 팔찌.

4
⑫ 【鈇】 도끼부 ❷虞　铁　fū

❸ フ〔おの〕　❿ axe

字解 도끼 부〔斧也〕.

字源 形聲. 金+夫〔音〕

[鈇鉞 부월] ㉠ 작은 도끼와 큰 도끼. 옛날에 천자가 대장이나 제후에게 생살권을 주는 표시로 손수 주던 것. ㉡ 나무로 만든 도끼로, 의장의 한 가지.

4
⑫ 【鈒】 창삽 ❽合　钑　sà

❸ ソウ〔ほこ〕　❿ spear

字解 ①창 삽. ②새길 삽.

字源 形聲. 金+及〔音〕

[鈒鏤 삽루] 누각(鏤刻).

4
⑫ 【鈗】 창윤 ❶軫　銃　yǔn

❸ イン〔ほこ〕　❿ spear

字解 창 윤.

字源 形聲. 金+允〔音〕

4
⑫ 【鈑】 금박판 ❶潸　钣　bǎn

❸ ハン〔いたがね〕　❿ gold foil

字解 금박 판.

字源 形聲. 金+反〔音〕

4
⑫ 【鈍】 우둔할 둔 ❷願　钝　dùn

ㅅ ㅗ ㅗ ㅌ 金 釒 釦 鈍

❸ ドン〔にぶい〕　❿ dull

字解 ①우둔할 둔〔魯也〕. ¶ 鈍才(둔재). ②무딜 둔〔不利〕. ¶ 利鈍(이둔).

字源 形聲. 金+屯〔音〕

[鈍感 둔감] 예민하지 못한 무딘 감각. 감각이 둔함.
[鈍器 둔기] 잘 들지 않는 연장.
[愚鈍 우둔] 어리석고 무딤.

4
⑫ 【鈐】 비녀장 검 ❷鹽　钤　qián

❸ ケン・ゲン〔じょう〕　❿ linchpin

字解 ①비녀장 검〔車轄〕. ②찍을 검. ¶ 鈐印(검인).

字源 形聲. 金+今〔音〕

4
⑫ 【鈔】 노략질할 초 ❷肴　钞　chāo

❸ ショウ〔さつ〕　❿ loot

字解 ①노략질할 초〔略也〕. ¶ 鈔略(초략). ②베낄 초〔謄寫〕. ¶ 拔鈔(발초).

字源 形聲. 金+少〔音〕

4
⑫ 【鈕】 꼭지 뉴 ❶有　钮　niǔ

❸ チュウ〔とって〕　❿ knob

字解 꼭지 뉴〔印鼻〕, 손잡이 뉴〔鏡鼻〕. ¶ 印鈕(인뉴).

字源 形聲. 金+丑〔音〕

4
⑫ 【鈞】 서른근 균 ❷眞　钧　jūn

8획

ⓑ キン〔ひとしい〕

字解 ① 서른근 균(三十斤). ② 녹로 균(陶具). ③ 고를 균(均也).

字源 形聲. 金+勻〔音〕

[鈞陶 균도] ㉠ 녹로(轆轤)를 돌려서 오지그릇을 만듦. ㉡ 인물을 양성함.

[鈞石 균석] 저울추.

---

5 ⑬ 【鉱】 鑛(광)(金部 15획)의 俗字

---

5 ⑬ 【鉑】 금박 박 | 铂
㊤藥 | bó

ⓑ ハク〔はく〕 ⑳ gold foil

字解 금박 박(얇은 금 조각).

---

5 ⑬ 【鉐】 놋쇠 석 | 铈
㊤陌 | shí

ⓑ セキ〔しんちゅう〕 ⑳ brass

字解 ① 놋쇠 석. ② 성 석.

字源 形聲. 金+石〔音〕

---

5 ⑬ 【鉥】 돗바늘 술 | 鉥
㊤質 | shù

ⓑ シュツ〔はり〕
⑳ matting needle

字解 ① 돗바늘 술. ② 인도할 술.

字源 形聲. 金+朮〔音〕

---

5 ⑬ 【鉍】 창자루 필 | 铋
㊤質 | bì

ⓑ ヒツ〔ほこのえ〕
⑳ shaft of a spear

字解 창자루 필.

字源 形聲. 金+必〔音〕

---

5 ⑬ 【鈴】 방울 령 | 铃
㊤青 | líng

ⓑ レイ〔すず〕 ⑳ bell

字解 방울 령(鐸也). ¶ 鈴鐸(영탁).

字源 形聲. 金+令〔音〕

[搖鈴 요령] 손에 쥐고 흔들어 소리를 내는 방울 모양의 작은 종.

---

5 ⑬ 【鈿】 비녀 전 | 钿
㊤先 | diàn
㊤霰

ⓑ テン〔かんざし〕 ⑳ hairpin

字解 ① 비녀 전(金鈿首飾). ¶ 金鈿(금전). ② 나전세공 전(寶飾器). ¶ 螺鈿(나전).

字源 形聲. 金+田〔音〕

[螺鈿 나전] 광채나는 자개 조각을 여러 모양으로 박아 넣거나 붙여서 장식한 공예품.

---

5 ⑬ 【鉀】 갑옷 갑 | 钾
㊤洽 | jiǎ

ⓑ コウ〔よろい〕 ⑳ armor

字解 갑옷 갑(鎧也).

字源 形聲. 金+甲〔音〕

---

5 ⑬ 【鉅】 클 거 | 钜
㊤語 | jù

ⓑ キョ〔おおいなり〕 ⑳ great

字解 ① 클 거(大也). ¶ 鉅萬(거만). ② 강할 거(大剛也). ¶ 鉅闕(거궐). ③ 갈고리 거(鉤也).

字源 形聲. 金+巨〔音〕

[鉅闕 거궐] 옛날 명검(名劍)의 이름.

[鉅萬 거만] 수(數)가 썩 많음.

---

5 ⑬ 【鉉】 솥귀고리 현 | 铉
㊤銑 | xuàn
| xuàn

ⓑ ゲン〔つる〕

字解 솥귀고리 현(所以貫鼎擧之). ¶ 鼎鉉(정현).

字源 形聲. 金+玄〔音〕

[鉉席 현석] 삼공(三公)의 자리.

---

5 ⑬ 【鉋】 대패 포 | 铇
㊤效 | bào

ⓑ ホウ〔かんな〕 ⑳ plane

字解 대패 포(鏟屬平木器).

字源 形聲. 金+包〔音〕

[鉋盤 포반] 대패 구실을 하는 목공 기구. 수동식과 자동식의 구별이 있음.

5
⑬ 【鉏】 호미 서 ㊄魚 | chú jù 鉏
㊄魚 | 鉏

㊐ ショ〔すき〕　㊎ weeding hoe

字解 ① 호미 서(治田器). ② 어긋 날 서(相距貌).

字源 形聲. 金+且〔音〕

[鉏鉤 서구] 호미와 갈고리.
[鉏鋙 서어] 서로 어긋남.
[鉏耘 서운] ㉠ 호미로 김맴. ㉡ 악인을 제거함.

5
⑬ 【鉗】 칼 겸 ㊄鹽 | qián 鉗
㊄鹽 | 鉗

㊐ ケン〔くびかせ〕　㊎ pillory

字解 ① 칼 겸(以鐵束頸也). ② 다물 겸(鉗口).

字源 形聲. 金+甘〔音〕

[鉗制 겸제] 남을 억눌러 자유를 구속하는 것.

5
⑬ 【鉛】 납 연 ㊄先 | qiān 鉛
㊄先 | 鉛

ᄼ ᄼ ᄼ ᄼ 金 釩 鉛 鉛

㊐ エン〔なまり〕　㊎ lead

字解 ① 납 연(錫類靑金). ¶ 鉛版 (연판). ② 분 연(白粉). ¶ 鉛華 (연화).

字源 形聲. 金+㕣〔音〕

[鉛粉 연분] 백분(白粉). 여자의 얼굴에 화장을 하는 데 바르는 흰 가루.
[鉛筆 연필] 흑연의 가루와 점토(粘土)를 섞어 구워서 심을 만들어 나무 축(軸)에 박은 필기 용구(用具).
[黑鉛 흑연] 탄소로만 이루어진 광물의 하나.

5
⑬ 【鉞】 도끼 월 ㊇月 | yuè 鉞
㊇月 | 鉞

㊐ エツ〔まさかり〕　㊎ axe

字解 도끼 월(大斧也). ¶ 鈇鉞(부월), 鉞下(월하).

字源 形聲. 金+戉〔音〕

5
⑬ 【鉢】 바리때 발 ㊄曷 | bō 鉢
㊄曷 | 鉢

㊐ ハツ〔はち〕　㊎ bowl

字解 바리때 발(盂屬食器). ¶ 托鉢(탁발).

字源 形聲. 金+宋〔音〕

[周鉢 주발] 놋쇠로 만든 밥그릇.

5
⑬ 【鉤】 갈고리 구 ㊄尤 | gōu 鉤
㊄尤 | 鉤

㊐ コウ〔かぎ〕　㊎ hook

字解 갈고리 구(懸物者). ¶ 鉤爪 (구조).

字源 形聲. 金+句〔音〕

[鉤用 구용] 채택하여 씀.
[鉤餌 구이] 낚시에 다는 미끼.
[鉤枝 구지] 굽은 나뭇가지.

5
⑬ 【鉦】 징 정 ㊄庚 | zhēng 鉦
㊄庚 | 鉦

㊐ ショウ〔どら〕　㊎ gong

字解 징 정(鉦也, 鐲也).

字源 形聲. 金+正〔音〕

[鉦鼓 정고] 징과 북. 행군할 때 징을 치면 휴전의 신호로 군대를 쉬게 하고, 북을 치면 진군의 신호로 군대를 움직였음. 전(轉)하여, 병사(兵事)의 뜻으로 쓰임.
[鉦鐸 정탁] 징과 요령(鐃鈴).

5
⑬ 【銃】 銃(총)(金部 6획)의 本字

5
⑬ 【鈺】 보배 옥 ㊇沃 | yù 鈺
㊇沃 | 鈺

㊐ ギョク〔たから〕　㊎ treasure

字解 ① 보배 옥(寶也). ② 쇠 옥 (堅金).

字源 形聲. 金+玉〔音〕

5 ⑬ 〖鉄〗 鐵(철)(金部 13획)의 略字

6 ⑭ 〖鉼〗 鉼(병)(金部 8획)의 俗字

6 ⑭ 〖鉸〗 가위 교 [上]巧[平]肴 | 铰 jiǎo

[日] コウ〔はさみ〕 [英] scissors

[字解] ① **가위 교**(交刃刀). ② **장식할 교**(裝飾).

[字源] 形聲. 金+交〔音〕

[鉸刀 교도] 가위.
[鉸鏈 교련] 경첩. 문짝을 문설주에 달 때 쓰는 돌쩌귀 같은 구실을 하는 장식.

6 ⑭ 〖鉷〗 쇠뇌고동 홍[平]東 | 鉷 hóng

[日] コウ〔いしゆみのやをはっしゃするきぶ〕

[字解] **쇠뇌고동 홍**. 쇠뇌의 살을 발사하는 부분.

[字源] 形聲. 金+共〔音〕

8획

6 ⑭ 【銀】 은 은 [平]眞 | 银 yín

[日] ギン〔しろがね〕 [英] silver

[字解] ① **은 은**(白色金屬). ¶ 銀塊(은괴). ② **은빛 은**(白色有光澤者). ¶ 銀鱗(은린). ③ **돈 은**(金錢). ¶ 路銀(노은).

[字源] 形聲. 金+艮(𥃩)〔音〕

[銀塊 은괴] 은덩이.
[銀鱗 은린] 은빛 나는 비늘. 물고기를 이르는 말. ¶ 銀鱗玉尺(은린옥척).
[銀婚式 은혼식] 서양에서 결혼 25주년을 축하하는 예식.
[銀貨 은화] 은전(銀錢).
[勞銀 노은] 노동에 대한 임금.
[純銀 순은] 불순물이 섞이지 않은 순수한 은.

6 ⑭ 〖銅〗 구리 동 [平]東 | 铜 tóng

[日] ドウ〔あかがね〕 [英] copper

[字解] **구리 동**(赤金). ¶ 青銅(청동).

[字源] 形聲. 金+同〔音〕

[銅像 동상] 구리로 만든 사람의 형상.
[銅錢 동전] 구리로 만든 돈. 동화(銅貨).
[銅版 동판] 구리 조각에 새긴 인쇄 원판.
[青銅 청동] 구리와 주석의 합금.

6 ⑭ 〖銍〗 낫 질 [入]質 | 铚 zhì

[日] チツ〔かま〕 [英] sickle

[字解] **낫 질**(刈禾短鎌).

[字源] 形聲. 金+至〔音〕

6 ⑭ 〖銑〗 끌 선 [上]銑 | 铣 xiǎn

[日] セン〔のみ〕 [英] chisel

[字解] ① **끌 선**(小鑿具也). ② **꾸밀 선**(飾弓以金). ③ **금 선**(金之澤者). ④ **무쇠 선**. ¶ 銑鐵(선철).

[字源] 形聲. 金+先〔音〕

[銑錢 선전] 무쇠로 만든 돈.
[銑鐵 선철] 무쇠.

6 ⑭ 〖銓〗 저울 전 [平]先 | 铨 quán

[日] セン〔はかる〕 [英] balance

[字解] ① **저울 전**(權衡). ② **가릴 전**(選也). ¶ 銓衡(전형).

[字源] 形聲. 金+全〔音〕

[銓衡 전형] ㉠ 저울. ㉡ 사람의 됨됨이나 재능을 시험하여 뽑음.

6 ⑭ 〖銖〗 중량이름 수 [平]虞 | 铢 zhū

[日] シュ〔めかたのな〕

字解 ①중량이름 수(百黍之重). ¶
分銖(분수). ②무딜 수(而無刃).

字源 形聲. 金＋朱〔音〕

[銖兩 수량] 얼마 안 되는 중량.

---

⑥
⑭ 【銘】 새길 명 铭
㊀青 / míng

^ ㅅ ㅜ ㅜ 金 釒 釔 釣 銘 銘

�日 メイ〔しるす〕 ㊥ engrave

字解 ①새길 명(刻以識事). ¶ 銘
心(명심). ②명 명(刻器). ¶ 碑銘
(비명).

字源 形聲. 金＋名〔音〕

[銘心 명심] 마음에 깊이 새겨 잊지
않음.

[座右銘 좌우명] 늘 가까이 두고, 반
성하는 재료로 삼는 좋은 말이나 글.

---

⑥
⑭ 【銙】 띠쇠 과 铐
㊤馬 / kuǎ

�日 カ〔かなぐ〕 ㊥ clasp

字解 띠쇠 과(帶鉤).

字源 形聲. 金＋夸〔音〕

---

⑥
⑭ 【銛】 날카로울 섬㊤鹽 銛
/ xiān

�日 セン〔するどい〕 ㊥ sharp

字解 날카로울 섬(利也).

字源 會意. 金＋舌

---

⑥
⑭ 【銕】 鐵(철)(金部 13획)의 古字

---

⑥
⑭ 【銃】 총 총 铳
㊤送 / chòng

^ ㅅ ㅜ ㅜ 金 釓 釠 釠 銃

�日 ジュウ〔てっぽう〕 ㊥ gun

字解 총 총(凡火器之小者).

字源 形聲. 金＋充〔音〕

參考 銃(金部 5획)은 本字.

[銃劍 총검] ㉠총과 칼. ㉡총 끝에
꽂는 칼.

[銃彈 총탄] 총알.

[拳銃 권총] 한 손으로 쏠 수 있는 짧
고 작은 총.

6
⑭ 【錢】 錢(전)(金部 8획)의 俗字

6
⑭ 【銜】 재갈 함
㊀咸 / xián

㊥ bit

字解 ①재갈 함(馬口勒). 衝勒
(함륵). ②물 함(凡口含物). ¶ 銜
枚(함매). ③직함 함(官階). ¶ 名
衝(명함).

字源 會意. 金과 行의 합자. 말의
입에 물려서 말을 몰아가게 하는 쇠
의 뜻.

參考 啣(口部 8획)은 同字.

[銜勒 함륵] 재갈. 말 입에 물리는 쇠
로 만든 물건.

[銜枚 함매] 하무를 물림. 옛날 행군
할 때 떠들지 못하도록 군사들의 입
에 하무를 물리던 일.

[名銜 명함] 성명·주소·직업·신분
등을 적은 쪽지.

[職銜 직함] 직책이나 직무의 이름.

7
⑮ 【鋥】 칼날세울 정
㊤敬 / dìng

�日 トウ・ショウ〔みがく、とぐ〕

字解 칼날세울 정.

字源 形聲. 金＋呈〔音〕

7
⑮ 【鋳】 鑄(주)(金部 14획)의 俗字

7
⑮ 【誌】 새길 지
㊤寘 / zhì

㊥ engrave

字解 새길 지.

字源 形聲. 金＋志〔音〕

7
⑮ 【銳】 날카로울
예㊤霽 / ruì

^ ㅅ ㅜ ㅜ 金 釒 釤 鈄 銳

[日] エイ〔するどい〕 [英] sharp

[字解] ① **날카로울 예**(凡物鐵利者). ¶ 尖銳(첨예). ② **날랠 예**(利也, 疾也). ¶ 精銳(정예).

[字源] 形聲. 金+兌〔音〕

【銳騎 예기】 군세고 날쌘 기병.
【銳利 예리】 날이 잘 듦. 끝이 날카로움.
【銳敏 예민】 감각·행동 등이 날카롭고 빠름.

7 ⑮ 【銶】 끌 구 [平]尤 | 銶 qiú 

[日] キュウ〔のみ〕 [英] chisel

[字解] **끌 구**(鑿屬也).

[字源] 形聲. 金+求〔音〕

7 ⑮ 【銷】 녹일 소 [平]蕭 | 销 xiāo 

[日] ショウ〔とく〕 [英] melt

[字解] ① **녹일 소**(鑠金), **녹을 소**(鎔也). ¶ 銷金(소금). ② **사라질 소**(消也). ¶ 魂銷(혼소).

[字源] 形聲. 金+肖〔音〕

【銷金 소금】 ㉠ 쇠를 녹임. 또는 녹인 쇠. ㉡ 인물화를 그릴 때 그 옷에다가 금으로 비단 무늬를 칠하는 일.
【銷憂 소우】 근심을 없앰.

7 ⑮ 【鋋】 [一]창 연 [平]先 [二]창 선 [平]先 | 铤 yán 

[日] エン・セン〔こぼこ〕 [英] spear

[字解] [一] **창 연**(小矛). [二] **창 선. 찌를 선**(刺也).

[字源] 形聲. 金+延〔音〕

7 ⑮ 【鋌】 광석 정 [上]迥 | 铤 dìng 

[日] テイ〔あらがね〕 [英] ore

[字解] ① **광석 정**(銅鐵璞也). ② **없어질 정**(盡也), **빌 정**(空也).

[字源] 形聲. 金+廷〔音〕

7 ⑮ 【鋏】 부젓가락 협[本]겹 [入]葉 | 铗 jiá 

[日] キョウ〔はさみ〕 [英] fire tongs

[字解] ① **부젓가락 협**(可以持冶器鑄鎔者). ② **칼 협**(劍也).

[字源] 形聲. 金+夾〔音〕

【鋏刀 협도】 ㉠ 작도와 비슷한, 약재를 써는 칼. ㉡ 가위.

7 ⑮ 【鋒】 칼끝 봉 [平]冬 | 锋 fēng 

[日] ホウ〔ほこさき〕 [英] edge

[字解] ① **칼끝 봉**. ¶ 筆鋒(필봉). ② **병기 봉**(兵器). ③ **봉망 봉**(刀劍芒).

[字源] 形聲. 金+夆〔音〕

【先鋒 선봉】 맨 앞에 서는 군대.
【銳鋒 예봉】 ㉠ 날카로운 창·칼의 끝. ㉡ 날카로운 논봉. ㉢ 정예한 선봉.

7 ⑮ 【鋤】 호미 서 [平]魚 | 锄 chú 

[日] ジョ〔すき・くわ〕
[英] weeding hoe

[字解] ① **호미 서**(田器去穢). ② **김맬 서**(除草). ¶ 鋤除(서제).

[字源] 形聲. 金+助〔音〕

【鋤除 서제】 ㉠ 김을 맴. ㉡ 악한 사람을 없앰.

7 ⑮ 【鋩】 봉망 망 [平]陽 | 铓 máng 

[日] ボウ〔きっさき〕 [英] edge

[字解] **봉망 망**(刀端). 창·칼 따위의 뾰족한 끝. ¶ 鋒鋩(봉망). 劍鋩(검망).

[字源] 形聲. 金+芒〔音〕

7 ⑮ 【鋪】 [一]펼 포 [平]虞 [二]가게 포[去]遇 | 铺 pū pù 

[日] ホ〔しく・みせ〕 [英] pave, shop

[字解] [一] ① **펼 포**(布也). ¶ 鋪裝

(포장). ② 문고리 포(門首銜環).
■ 가게 포(買肆). ¶ 店鋪(점포).
字源 形聲. 金+甫〔音〕
參考 舖(舌部 9획)는 속자.
[鋪道 포도] 포장한 도로.
[鋪裝 포장] 길에 돌·콘크리트·아스
팔트 등을 깔아 굳게 다지어 꾸밈.
[店鋪 점포] 가게. 상점.

⁷⁄₁₅【銹】 鏽(수)(金部 13획)와 同字

⁷⁄₁₅【鋈】 도금 옥 │ wù
㉠ 오ク〔めっき·いかけ〕 ㉺ gild
字源 도금 옥(銷金灌沃爲飾).
字源 形聲. 金+沃〔音〕

⁸⁄₁₆【錕】 적금 곤 │ 锟 │ kūn
㉠ コン ㉺ red iron
字解 적금 곤(붉은빛의 금속).
字源 形聲. 金+昆〔音〕

⁸⁄₁₆【錧】 비녀장 관 │ 馆 │ guǎn
㉠ カン〔くさび〕 ㉺ linchpin
字解 비녀장 관(수레의 큰대머리
에 끼우는 큰 못).
字源 形聲. 金+官〔音〕

⁸⁄₁₆【錤】 호미기 │ 錤 │ qí
㉠ キ〔すき〕 ㉺ weeding hoe
字解 호미 기.
字源 形聲. 金+其〔音〕

⁸⁄₁₆【錟】 ■창담 ■날카로울섬 ■서슬염 │ 锬 │ tán xiān yǎn
㉠ タン〔ほこ〕·セン〔するどい〕·エン〔するどい〕
㉺ spear, keen, burnished blade
字解 ■ 창 담. ■ 날카로울 섬. ■ 서슬 염.
字源 形聲. 金+炎〔音〕

⁸⁄₁₆【鉼】 금화 병 │ 饼 │ bǐng
㉠ ヘイ〔いたがね〕 ㉺ gold currency
字解 금화 병. 은화 병.
字源 形聲. 金+幷〔音〕

⁸⁄₁₆【鋸】 톱 거 │ 锯 │ jù
㉠ キョ〔のこぎり〕 ㉺ saw
字解 톱 거(鐵葉齟齬其齒以片解木石者). ¶ 鋸屑(거설).
字源 形聲. 金+居〔音〕
[鋸刀 거도] 톱의 하나. 자루가 한쪽에 달려 혼자 당기어 켜는 톱.
[鋸齒 거치] 톱니.

⁸⁄₁₆【鋼】 강철 강 │ 钢 │ gāng
ノ ト 与 全 全 釘 釘 鋼 鋼
㉠ コウ〔はがね〕 ㉺ steel
字解 강철 강(鍊鐵).
字源 形聲. 金+岡〔音〕
[鋼鐵 강철] 철과 탄소의 합금의 총칭. 철과 탄소만의 탄소강과, 니켈·망간·크롬 등을 첨가한 특수강이 있음.
[鋼筆 강필] ㉠ 제도용 기구의 하나. 오구(烏口). ㉡ 철필. 펜.
[製鋼 제강] 시우쇠를 불려서 강철을 만듦.

⁸⁄₁₆【錄】 적을 록 │ 录 │ lù
ノ ト 与 全 釕 釤 舒 錄
㉠ ロク〔しるす〕 ㉺ record

字解 ① 적을 록(記也). ¶ 등록(등록). ② 나타낼 록(表也). ③ 취할 록(取也). ¶ 녹용(녹용).

字源 形聲. 金+彔〔音〕

[錄音 녹음] 레코드나 테이프에 소리를 기록함.

[語錄 어록] 위인이나 유명인의 말들을 모은 기록. 또는 그 책.

8 16 【錐】 송곳 추㊥支 锥 zhuī

㊊ スイ〔きり〕 ㊤ awl

字解 송곳 추(銳也, 鍼也). ¶ 毛錐(모추).

字源 形聲. 金+隹〔音〕

[試錐 시추] 지질 조사나 광상 탐사를 위해 땅속에 구멍을 뚫음.

8 16 【錘】 ■중량이름 추㊥支 ■드리울 수㊥支 锤 chuí

㊊ スイ〔おもり・つるす〕 ㊤ weight, hang down

字解 ■ ① 중량이름 추(八銖也). ② 저울추 추(分銅也). ■ 드리울 수(懸垂).

字源 形聲. 金+垂〔音〕

[紡錘 방추] 물레의 가락.

[秤錘 칭추] 저울추.

8 16 【錙】 중량이름 치 锱 zī

㊊ シ〔おもさのたんい〕 ㊤ weight

字解 중량이름 치(六銖之重).

字源 形聲. 金+畄〔音〕

8 16 【錚】 쇳소리 쟁㊥庚 铮 zhēng

㊊ ソウ〔きんぞくのおと〕 ㊤ metallic sound

字解 ① 쇳소리 쟁(金聲也). ② 징쟁(鉦也).

[錚錚 쟁쟁] ㉠ 쇠가 울리는 소리. ㉡ 거문고 따위의 소리. ㉢ 인물이 뛰어남을 형용하는 말.

8 16 【錠】 제기이름 정㊥徑 锭 ding

㊊ ジョウ〔たかつき〕

字解 ① 제기이름 정(薦熟物器). ② (韓)정제 정. ¶ 錠劑(정제).

字源 形聲. 金+定〔音〕

[錠劑 정제] 가루약을 덩이로 뭉쳐 만든 약.

[糖衣錠 당의정] 먹기 좋게 단 물질을 입힌 정제나 한약.

8 16 【錡】 ■가마솥 기㊤紙 ■끌 의㊤紙 锜 qí yí

㊊ キ〔かま〕・ギ〔ゆみかけ〕 ㊤ cauldron, chisel

字解 ■ 가마솥 기(三足釜). ■ 끌의(나무를 파는 연장).

字源 形聲. 金+奇〔音〕

8 16 【錢】 돈 전㊥先 钱 qián

亼 幺 幺 鈛 钅 钅 錢 錢

㊊ セン〔ぜに〕 ㊤ money

字解 ① 돈 전(貨泉鑄幣). ¶ 銅錢(동전). ② 가래 전(銚也, 古田器). ③ (韓)전 전. ¶ 五十錢(오십전).

字源 形聲. 金+戔〔音〕

[錢穀 전곡] 돈과 곡식. 전하여, 재정(財政).

[錢主 전주] 사업의 밑천을 대어 주는 사람.

[本錢 본전] 밑천으로 들인 돈.

[紙錢 지전] 종이돈.

8 16 【錦】 비단 금㊤寢 锦 jīn

ㅅ ㅛ ㅎ 金 釓 釿 錦 錦

日 キン〔にしき〕 英 silk

字解 비단 금(襄色織文). ¶ 錦繡
(금수).

字源 形聲. 帛+金〔音〕.

[錦上添花 금상첨화] 비단 위에 꽃
을 더함. 곧, 좋은 일 위에 좋은 일이
더함의 비유.

[錦繡 금수] ㉠ 비단과 수. ㉡ 아름
다운 것의 비유. ¶ 錦繡江山(금수
강산).

[錦衣還鄕 금의환향] 출세하여 고
향에 돌아옴. 의금환향(衣錦還鄕).

[錦地 금지] 남을 높이는 뜻에서 그
사람이 사는 곳을 이르는 말.

8
⑯ 【錫】 주석 석
入錫
錫
xī
锡

日 シャク〔すず〕 英 tin

字解 ① 주석 석(銀鉛之間也). ¶
朱錫(주석). ② 지팡이 석. ¶ 錫
杖(석장). ③ 줄 석(賜也). ¶ 錫姓
(석성).

字源 形聲. 金+易〔音〕.

[錫姓 석성] 성(姓)을 내려 줌.
[錫杖 석장] 승려나 도사 등이 짚는
지팡이.

8
⑯ 【錮】 땜질할 고
去遇
錮
gù
锢

日 コ〔ふさぐ〕 英 tinker

字解 ① 땜질할 고(鑄塞也). ② 맬
고(重繫). ¶ 禁錮(금고). ③ 고질
고(久固之疾).

字源 形聲. 金+固〔音〕.

[錮疾 고질] 오래도록 낫지 않아 고
치기 어려운 병.

8
⑯ 【錯】 ■꾸밀 착
入藥
□둘 조
去遇
錯
cuò
错

ㅅ ㅛ ㅎ 金 釗 鉗 錯 錯

日 サク〔めっきする〕・ソ〔おく〕

英 adorn, put

字解 ■ 一 꾸밀 착(金塗). ② 줄
착(鑢也). ③ 숫돌 착(砥也). ④ 섞
일 착, 섞을 착(雜也). ■ 둘 조(置
也).

字源 形聲. 金+昔(䚞)〔音〕.

[錯辭 조사] 말의 용법. 시나 문장에
서 자구를 골라서 쓰는 일.

[錯覺 착각] 잘못 인식함.
[錯誤 착오] 인식과 대상, 또는 생각
과 사실이 일치하지 않는 일.

[錯雜 착잡] 뒤섞이어 복잡함.
[交錯 교착] 엇걸려서 뒤섞임.

8
⑯ 【錞】 ■악기이
름 순
上眞
□창고달
대
去隊
錞
chún
duì
𬭋

日 シュン〔がっきのな〕・タイ〔いしづき〕

字解 ■ 악기이름 순. □ 창고달
대.

字源 形聲. 金+亨〔音〕.

[錞釪 순우] 동이 모양의 금속 악기.

8
획

9
⑰ 【鍑】 솥 복
入屋
鍑
fù
𫓧

日 フク〔かま〕 英 iron pot

字解 솥 복(아가리가 큰 솥. 일설
에는 아가리가 오므라진 솥).

字源 形聲. 金+复〔音〕.

9
⑰ 【鍔】 칼날 악
入藥
鍔
è
锷

日 ガク〔は〕 英 edge

字解 ① 칼날 악. ② 가 악. 가장
자리.

字源 形聲. 金+咢〔音〕.

9
⑰ 【鍈】 방울소리
영
下庚
鍈
yīng

日 エイ〔すずのおと〕
英 tinkle of a bell

字解 방울소리 영.

字源 形聲. 金+英〔音〕.

9 ⑰【錨】 닻 묘 | 锚
㊀蕭 máo

㊐ ビョウ〔いかり〕 ㊍ anchor

字解 닻 묘(船上鐵貓). ¶ 拔錨(발묘).

字源 形聲. 金+苗〔音〕

[投錨 투묘] 닻을 내림. 배를 정박시킴.

9 ⑰【鍊】 불릴 련 | liàn
㊀霰

ㄷ 牟 金 釘 鈳 鈳 鍊 鍊

㊐ レン〔ねる〕 ㊍ temper

字解 불릴 련(精金). ¶ 鍛鍊(단련).

字源 形聲. 金+柬〔音〕

參考 煉(火部 9획)과 통용함.

[鍊金 연금] 쇠를 불림.

[鍊磨 연마] ㉠ 단련하고 갊. ㉡ 어떤 분야를 깊이 연구함. 연마(研磨).

[精鍊 정련] 잘 단련함.

9 ⑰【鍋】 노구솥 과 | 锅
㊀歌 ㊁簡 guō

㊐ カ〔なべ〕 ㊍ brass kettle

字解 노구솥 과, 냄비 과(釜屬溫器).

字源 形聲. 金+咼〔音〕

9 ⑰【鍍】 도금할 도 | 镀
㊀遇 dù

㊐ ト〔めっき〕 ㊍ plate

字解 도금할 도(以金飾物). ¶ 鍍銀(도은).

字源 形聲. 金+度〔音〕

[鍍金 도금] 금·은 등을 녹여서 물체의 거죽을 입힘.

9 ⑰【鍛】 쇠불릴 단 | 锻
㊀翰 duàn

㊐ タン〔きたえる〕 ㊍ temper

字解 쇠불릴 단(打鐵冶金). ¶ 鍛鍊(단련).

字源 形聲. 金+段〔音〕

[鍛鍊 단련] ㉠ 쇠붙이를 불림. ㉡ 몸과 마음을 닦아 기름.

9 ⑰【鍤】 가래 삽 | 锸
㊁洽 chá

㊐ ソウ〔すき〕 ㊍ spade

字解 가래 삽(鍫也).

字源 形聲. 金+臿〔音〕

9 ⑰【鍮】 놋쇠 유 | 鍮
㊀투㊁尤 tōu

㊐ チュウ〔しんちゅう〕 ㊍ brass

字解 놋쇠 유(石銅似金). ¶ 眞鍮(진유).

字源 形聲. 金+兪〔音〕

[鍮器 유기] 놋그릇.

9 ⑰【鍵】 열쇠 건 | 键
㊁阮 jiàn

㊐ ケン〔かぎ〕 ㊍ key

字解 열쇠 건(門牡也, 籥也). ¶ 管鍵(관건).

字源 形聲. 金+建〔音〕

[鍵盤 건반] 피아노·오르간 등의 앞줄에 있는 흑백의 작은 판(板).

[鍵閉 건폐] 열쇠와 자물쇠. 전하여, 문단속.

[關鍵 관건] ㉠ 빗장과 자물쇠. ㉡ 문제 해결에 꼭 있어야 하는 것.

9 ⑰【鍼】 침 침 | 针
㊀侵 zhēn

㊐ シン〔はり〕 ㊍ needle

字解 ① 침 침(刺病石鍼). ¶ 鍼術(침술). ② 바늘 침(縫具). ¶ 鍼線(침선).

字源 形聲. 金+咸〔音〕

參考 針(金部 2획)과 同字.

[鍼灸 침구] 침질과 뜸질.

[鍼線 침선] ㉠ 바늘과 실. ㉡ 바느질.

[鍼術 침술] 침을 놓아 병을 고치는

의술.

[鍼筒 침통] 침을 넣어 두는 통.

---

9 ⑰ **【鍾】** 술잔 종 钟 zhōng

日 ショウ〔つぼ・あつめる〕

英 goblet

字解 ① 술잔 종(酒器). ¶ 鍾鉢(종발). ② 모을 종(聚也). ¶ 鍾愛(종애). ③ 되이름 종(八斛). ¶ 書中自有千鍾祿(서중자유천종록). ④ 쇠북 종(鐘也).

字源 形聲. 金+重〔音〕

[鍾鉢 종발] 작은 보시기.

[鍾愛 종애] 사랑을 모은다는 뜻에서 매우 귀여워함.

---

9 ⑰ **【鍬】** 가래 초 锹 qiāo

日 シュウ〔すき〕

英 spade

字解 가래 초(鍤也).

字源 形聲. 金+秋〔音〕

---

10 ⑱ **【鎣】** 줄 형 그릇 영 鎣 yīng

日 エイ〔みがいてつやをだすきぐ〕

英 file, vessel

字解 ■ ① 줄 형. ② 꾸밀 형. ■ 그릇 영.

字源 形聲. 金+熒〈省〉〔音〕

---

10 ⑱ **【鎋】** 비녀장 할 锗 xiá

日 カツ〔くさび〕

英 linchpin

字解 비녀장 할(車軸頭鐵).

字源 形聲. 金+害〔音〕

---

10 ⑱ **【鎌】** 낫 겸 镰 lián

日 レン〔かま〕

英 sickle

字解 낫 겸(鉤鎌刈草).

---

10 ⑱ **【鎌】** 낫처럼 날카로움.

[鎌利 겸리] 낫처럼 날카로움.

---

10 ⑱ **【鎔】** 녹일 용 镕 róng

日 ヨウ〔いがた〕

英 melt

字解 ① 녹일 용(鑄也). ¶ 鎔解(용해). ② 거푸집 용(鑄型). ¶ 鎔鑛爐(용광로).

字源 形聲. 金+容〔音〕

参考 熔(火部 10획)의 俗字.

[鎔鑛爐 용광로] 쇠붙이나 광석을 녹이는 가마.

[鎔解 용해] 쇠붙이를 녹임. 또는 쇠붙이가 녹음.

---

10 ⑱ **【鎖】** 쇠사슬 쇄 锁 suǒ

亠 牟 釒 釒 釒 釒 釒 鎖

日 サ〔くさり〕

英 chain

字解 ① 쇠사슬 쇄(鐵也). ¶ 連鎖(연쇄). ② 자물쇠 쇄(鑰也). ¶ 鎖國(쇄국).

字源 形聲. 金+貨〔音〕

参考 鏁(金部 10획)는 俗字.

[鎖國 쇄국] 외국과의 통상·교통을 끊음.

[閉鎖 폐쇄] 닫아 걸음.

---

10 ⑱ **【鏁】** 鎖(쇄)(前條)의 俗字

---

10 ⑱ **【鎚】** 철추 추 옥다듬을 퇴 锤 chuí duī

日 ツイ〔かなづち〕・タイ〔みがく〕

英 hammer, polish

字解 ■ ① 철추 추(鐵鎚). 쇠몽둥이. ② 저울추 추(權也). ■ 옥다듬을 퇴(治玉).

字源 形聲. 金+追〔音〕

[鎚殺 추살] 쇠망치로 쳐 죽임.

[鐵鎚 철퇴] 쇠망치.

8획

---

10 ⑱【鎛】 종 박 囚藥 | 鎛 bó

- 囲 ハク〔すき〕 ㊡ bell
- 字解 ① 종 박(鐘也). ② 호미 박(鋤類).
- 字源 形聲. 金+專〔音〕

---

10 ⑱【鎧】 갑옷 개 | 铠 kǎi

- ㊤賄 ㊨泰
- 囲 ガイ〔よろい〕 ㊡ armor
- 字解 갑옷 개(甲也).
- 字源 形聲. 金+豈〔音〕
- [鎧甲 개갑] 갑옷.

---

10 ⑱【鎬】 냄비 호 | 镐 gǎo

- ㊤皓
- 囲 コウ〔なべ〕 ㊡ pan
- 字解 ① 냄비 호(溫器). ② 호경 호(武王所都). ¶ 鎬京(호경). ③ 빛날 호(耀也).
- 字源 形聲. 金+高〔音〕
- [鎬京 호경] 주(周)의 무왕(武王)이 도읍하여 동천(東遷)할 때까지의 왕도.

---

10 ⑱【鎭】 누를 진 | 镇 zhèn

- ㊨震
- ㇎ 釒 釒 鈤 鎮 鐘 鎮
- 囲 チン〔しずめる〕 ㊡ suppress
- 字解 ① 누를 진(壓也). ¶ 文鎭(문진). ② 진정할 진(安也). ¶ 鎮撫(진무). ③ 진영 진(戍也). ¶ 雄鎭(웅진).
- 字源 形聲. 金+眞〔音〕
- [鎭撫 진무] 민심을 진정시켜 안무(按撫)함.
- [鎭山 진산] 옛날에 온 나라를, 또는 서울과 각 고을을 각각 진호(鎭護)한다고 생각하던 산.
- [鎭壓 진압] 진압하여 조용하게 함.
- [鎭靜 진정] 떠들썩하거나 어지럽던 것이 가라앉음. 또는 가라앉게 함.
- [書鎭 서진] 책장이나 종이쪽이 바람에 날리지 않도록 누르는 물건.

---

10 ⑱【鎰】 중량이름 일 囚質 | 镒 yì

- 囲 イツ〔おもさ〕
- 字解 중량이름 일(量名二十四兩).
- 字源 形聲. 金+益〔音〕

---

11 ⑲【鏃】 살촉 촉 ㊤族 | 镞 zú

- ㊡屋
- 囲 ゾク〔やじり〕 ㊡ arrowhead
- 字解 살촉 촉(鏃也). ¶ 石鏃(석족).
- 字源 形聲. 金+族〔音〕
- [鏃矢 족시] 살촉이 있는 화살.

---

11 ⑲【鏋】 금 만 ㊤阮 | 镘 mǎn

- 囲 バン・マン〔こがね〕 ㊡ gold
- 字解 금 만. 황금 만.
- 字源 形聲. 金+萬〔音〕

---

11 ⑲【鏑】 살촉 적 囚錫 | 镝 dí

- 囲 テキ〔やじり〕 ㊡ arrowhead
- 字解 살촉 적(箭鏃).
- 字源 形聲. 金+商〔音〕

---

11 ⑲【鏗】 금석소리 갱 ㊤庚 | 铿 kēng

- 囲 コウ〔きんせきのおと〕
- 字解 ① 금석소리 갱(金石聲也). ② 칠 갱(撞也).
- 字源 會意. 金+堅
- [鏗鏘 갱장] 금석(金石) 또는 거문고 등의 소리.

---

11 ⑲【鏘】 울리는 소리 장 ㊤陽 | 锵 qiāng

- 囲 ソウ〔もののなるおと〕
- 字解 울리는소리 장(金玉聲也).
- 字源 形聲. 金+將〔音〕
- [鏘鏘 장장] 금석(金石)이나 방울 등

이 울리는 소리.

11
⑲【鏜】 종고소리
당⑥탕
⑥陽　táng　*鏜*

ⓙ トウ〔かねとつづみのおと〕
ⓔ sound of bell or drum
字解 종고소리 당(鐘鼓聲).
字源 形聲. 金+堂〔音〕.

11
⑲【鏝】 흙손만
⑥寒　màn　*鍚*

ⓙ マン〔こて〕　ⓔ trowel
字解 흙손 만(塗工之用具, 朽也). ¶
手鏝(수만).
字源 形聲. 金+曼〔音〕.

11
⑲【鏞】 종용
⑥冬　yōng　*鏞*

ⓙ ヨウ〔おおがね〕　ⓔ large bell
字解 종 용(大鐘). 큰 종.
字源 形聲. 金+庸〔音〕.

11
⑲【鏡】 거울경
④敬　jìng　*鏡*

亠　产　㑒　金　釕　鋅　鏡　鏡
ⓙ キョウ〔かがみ〕　ⓔ mirror
字解 ① 거울 경(鑑也, 所以察形).
¶ 銅鏡(동경). ② 살필 경(明察).
字源 形聲. 金+竟〔音〕.
[鏡鑑 경감] ㉠ 거울. ㉡ 본. 귀감.
[破鏡 파경] ㉠ 깨어진 거울. ㉡ 이
혼하는 일.

11
⑲【鏢】 칼집끝
장식 표
⑥蕭　biāo　*鏢*

ⓙ ヒョウ〔こじり〕
字解 칼집끝장식 표(刀削末銅也).
字源 形聲. 金+票〔音〕.

11
⑲【鏤】 새길루
⑥宥　lòu　*鏤*

ⓙ ロウ〔ちりばめる〕　ⓔ engrave

字解 ① 새길 루(刻也). ¶ 刻鏤(각
루). ② 강철 루(剛鐵).
字源 形聲. 金+婁〔音〕.
[鏤板 누판] 판목(板木)에 글자를 새
김.

11
⑲【鏖】 오살할
오⑥豪　áo　*鏖*

ⓙ オウ〔みなごろし〕　ⓔ annihilate
字解 ① 오살할 오(多殺). ② 시끄
러울 오(喧噪).
字源 形聲. 金+鏖〔省〕〔音〕.
[鏖殺 오살] 죄다 죽여 버림.

12
⑳【鐥】 ⓗ복자선 *鐥*
字解 ⓗ복자 선. 기름을 되는 작
은 그릇. 귀때가 달려 있음.

12
⑳【鏶】 쇳조각
집⊗緝　jí　*鏶*

ⓙ シュウ〔いたがね〕　ⓔ iron piece
字解 쇳조각 집.
字源 形聲. 金+集〔音〕.

12
⑳【鐄】 큰종횡
⑥庚　huáng　*鐄*

ⓙ コウ〔おおがね〕　ⓔ big bell
字解 ① 큰종 횡. ② 큰소리 횡.
字源 形聲. 金+黃〔音〕.

12
⑳【鐃】 징뇨
⑥看　náo　*鐃*

ⓙ ドウ・ニョウ〔どら〕　ⓔ gong
字解 징 뇨(小鉦似鈴無舌).
字源 形聲. 金+堯〔音〕.

12
⑳【鐘】 종종
⑥冬　zhōng　*鐘*

亠　金　釒　釕　鋅　鏜　鐘　鐘
ⓙ ショウ〔かね〕　ⓔ bell
字解 종 종(懸樂金音).

字源 形聲. 金+童〔音〕

參考 鍾(金部 9획)은 종(鐘)의 뜻으로는 통용(通用)함.

[鐘閣 종각] 커다란 종을 달아 놓은 누각(樓閣).

---

12 ⑳ 【鐙】 등자 등 ㊉徑 | 镫 dēng

㊐ トウ〔あぶみ〕 ㊍ stirrups

字解 등자 등(馬鞍足所踏).

字源 形聲. 金+登〔音〕

---

13 ㉑ 【鐺】 ■쇠사슬 당㊉陽　■솥 쟁㊉庚 | 铛 dāng / chèng

㊐ トウ〔しょうこのおと〕・ソウ〔かま〕 ㊍ chains, kettle

字解 ■ ① 쇠사슬 당. ② 종소리 당. ■솥 쟁. 노구솥 쟁.

字源 形聲. 金+當〔音〕

---

13 ㉑ 【鐫】 새길 전㊉先 | 镌 juān

㊐ セン〔える〕 ㊍ carve

字解 ① 새길 전(刻也). ¶ 彫鐫(조전). ② 물리칠 전(謫也). ¶ 鐫級(전급).

字源 形聲. 金+雋〔音〕

---

13 ㉑ 【鐵】 쇠 철㊉屑 | 铁 tiě

千 乡 𨧀 𨧀 鈝 鐽 鐵 鐵

㊐ テツ〔くろがね〕 ㊍ iron

字解 ① 쇠 철(黑金). ¶ 鐵窓(철창). ② 병장기 철(兵器). ¶ 寸鐵(촌철). ③ 흑색 철(驪也).

字源 形聲. 金+㦤〔音〕

參考 鉄(金部 5획)은 딴 글자인데, 속(俗)에 약자로 쓰임.

[鐵甲 철갑] 쇠로 만든 갑옷.
[鐵拳 철권] 쇠같이 굳은 주먹.
[鐵則 철칙] 변경할 수 없는 규칙.

[製鐵 제철] 철광석을 녹여 무쇠를 뽑음.

---

13 ㉑ 【鐶】 고리 환㊉刪 | 镮 huán

㊐ カン〔わ〕 ㊍ ring

字解 고리 환(圓郭有孔). ¶ 指鐶(지환).

字源 形聲. 金+睘〔音〕

---

13 ㉑ 【鐸】 방울 탁㊉藥 | 铎 duó

㊐ タク〔すず〕 ㊍ bell

字解 방울 탁(武則大鈴).

字源 形聲. 金+睪〔音〕

[木鐸 목탁] 독경이나 염불할 때 치는 물건.

---

13 ㉑ 【鏽】 녹 수㊉宥 | 锈 xiù

㊐ シュウ〔さび〕 ㊍ rust

字解 녹 수(鐵鏴也).

字源 形聲. 金+肅〔音〕

參考 銹(金部 7획)는 同字.

---

14 ㉒ 【鑂】 금빛바랠 훈㊉問 | xùn

㊐ クン〔すむ〕

字解 금빛바랠 훈.

字源 形聲. 金+熏〔音〕

---

14 ㉒ 【鑄】 부어만들 주㊉遇 ㊉宥 | 铸 zhù

㊐ チュウ〔いる〕 ㊍ cast

字解 부어만들 주(鎔金入範).

字源 會意. 金+壽

[鑄物 주물] 쇠붙이를 녹여서 거푸집에 부어 만든 물건.
[鑄造 주조] 쇠를 녹여 부어서 물건을 만듦.
[鑄貨 주화] 쇠붙이를 녹여서 돈을 만듦. 또, 그 돈.

8
획

14 ⑳ 【鑊】 가마솥 확 入藥 huò
鑊
日 カク〔かなえ〕 英 cauldron
字解 가마솥 확(釜屬鼎大而無足).
¶鼎鑊(정확).
字源 形聲. 金+蒦〔音〕

14 ⑳ 【鑑】 거울 감 去陷 jiàn
鉴
ノ 午 金 釒 釦 鈩 鉪 鉪 鑑
日 カン〔かがみ〕 英 mirror
字解 ①거울 감(鏡也). ②거울삼을 감(龜鑑(귀감). ③거울삼을 감(模範).
字源 形聲. 金+監〔音〕
参考 鑒(金部 14획)은 同字.
[鑑別 감별] 잘 살피어 분간해 냄. 감정(鑑定). 식별(識別).
[鑑賞 감상] 예술 작품의 가치를 음미하고 이해함.
[鑑識 감식] 감정하여 식별함.
[鑑定 감정] 사물의 선악·우열 등을 분별하여 작정(作定)함.
[龜鑑 귀감] 모범. 본보기

14 ⑳ 【鑒】 鑑(감)(前條)과 同字

15 ⑳ 【鑕】 모루 질 入質 zhì
锧
日 シツ〔かなとこ〕 英 anvil
字解 모루 질(鐵椹).
字源 形聲. 金+質〔音〕

15 ⑳ 【鑛】 쇳돌 광 上梗 kuàng
矿
午 金 釕 鉾 鉾 鑛 鑛 鑛
日 コウ〔あらがね〕 英 ore
字解 쇳돌 광(銅鐵樸石也).
字源 形聲. 金+廣〔音〕
参考 礦(石部 15획)은 同字.
[鑛脈 광맥] 광물의 줄기.
[鑛山 광산] 광물을 캐내는 곳.
[採鑛 채광] 광물을 캐냄.

15 ⑳ 【鑞】 땜납 랍 入合 là
镴
日 ロウ〔すず〕 英 solder
字解 땜납 랍(錫也).
字源 形聲. 金+巤〔音〕

15 ⑳ 【鑠】 녹일삭 入藥 shuò
铄
日 シャク〔とかす〕 英 melt
字解 ①녹일 삭(銷金也). ②아름다울 삭(美也). ¶鑠金(삭금). ③정할 삭(老則强). ¶矍鑠(확삭).
字源 形聲. 金+樂〔音〕
[鑠金 삭금] ㉠쇠를 녹임. 또는 녹은 쇠. ㉡아름다운 황금.
[鑠鑠 삭삭] 번쩍거리는 모양.

15 ⑳ 【鑢】 줄 려 去御 lǜ
锧
日 リョ〔やすり〕 英 file
字解 ①줄 려(所以磨錯銅鐵). ②다스릴 려(治也).
字源 形聲. 金+慮〔音〕
[鑢紙 여지] 거죽에 금강사나 유리 가루를 바른 종이. 쇠붙이 따위의 면을 닦는 데 씀.

15 ⑳ 【鑣】 재갈 표 下蕭 biāo
镳
日 ヒョウ〔くつわ〕 英 bit
字解 ①재갈 표(馬銜外鐵, 一名扇汗·排沫). ②성할 표(盛貌).
字源 形聲. 金+麃〔音〕

16 ⑳ 【鑪】 화로 로 下虞 lú
鲈
日 ロ〔いろり〕 英 brazier
字解 ①화로 로(火函). ②목로 로(酒床也).
字源 形聲. 金+盧〔音〕

17 ⑳ 【鑰】 자물쇠 약 入藥 yuè
钥

ⓙ ヤク〔じょう〕 ⓔ lock

字解 자물쇠 약(關下牡也). ¶ 管鑰(관약).

字源 形聲. 金+龠〔音〕

[鑰匙 약시] 열쇠와 자물쇠.

---

17 ⑤【鑱】침 참ⓟ咸 鑱 chán

ⓙ サン〔さす〕 ⓔ needle

字解 ① 침 참(石針也). ② 보습 참(犂鐵). ③ 찌를 참(刺也).

字源 形聲. 金+毚〔音〕

---

18 ⑥【鑷】못뽑이 섭ⓟ녑 ⑺葉 鑷 niè

ⓙ ジョウ〔くぎぬき〕 ⓔ nail puller

字解 못뽑이 섭, 족집게 섭(攝取髮也). ¶ 金鑷(금섭).

字源 形聲. 金+聶〔音〕

---

19 ⑦【鑼】징 라ⓟ歌 鑼 luó

ⓙ ラ〔どら〕 ⓔ gong

字解 징 라(軍樂, 築銅爲之形如盂). ¶ 銅鑼(동라).

字源 形聲. 金+羅〔音〕

---

19 ⑦【鑽】
　━끌 찬 ⓟ寒
　━송곳 찬 ⓟ翰
鑽 zuān zuàn

ⓙ サン〔のみ・うがつ〕
ⓔ chisel, drill

字解 ━ ① 끌 찬(鑿也所以穿木). ② 뚫을 찬(穿也). ━ 송곳 찬(穿物錐).

字源 形聲. 金+贊〔音〕

[鑽燧 찬수] 나무에 구멍을 뚫어 마찰하여 불을 일으키는 일.

[硏鑽 연찬] 갈고 뚫음. 연구함.

---

19 ⑦【鑾】방울 란 ⓟ寒 鑾 luán

ⓙ ラン〔すず〕 ⓔ bell

字解 방울 란(鈴也天子乘車四馬鑣八鑾鈴).

字源 形聲. 金+䜌〔音〕

[鑾鈴 난령] 천자(天子)의 수레에 단 방울.

---

20 ⑧【钁】괭이 곽 ⑺藥 钁 jué

ⓙ カク〔くわ〕 ⓔ hoe

字解 괭이 곽(大鉏).

字源 形聲. 金+矍〔音〕

---

20 ⑧【鑿】
　━끌 착 ⑺藥
　━구멍 조 ⓟ號
鑿 záo

ⓙ サク〔うがつ〕 ⓔ chisel, hole

字解 ━① 끌 착(鑿也所以穿木). ② 뚫을 착(穿也). ③ 대낄 착(精米). ━ 구멍 조(穿孔).

字源 形聲. 金+鑿〔音〕

[鑿岩機 착암기] 바위에 구멍을 뚫는 기계.

[穿鑿 천착] ㉠ 구멍을 뚫음. ㉡ 조그마한 데까지 깊이 파고듦.

長(镸) 〔8 획〕 部
(길장부)

---

0 ⑧【長】
　━길 장 ⓟ陽
　━맏 장 ⓟ養
　━길이 장 ⓟ漾
長 cháng zhǎng zhàng

丿 丨 丆 乕 토 토 토 長

ⓙ チョウ〔ながい・さき・あまり〕
ⓔ long, eldest, length

字解 ━ ① 길 장(短之對). ¶ 長尾(장미). ② 나을 장. ¶ 長點(장점). ━ ① 맏 장(孟也). ¶ 長子

(장자). ② 어른 장(成人). ③ 나아
갈 장(進也). ④ 자랄 장(生育). ¶
生長(생장).

長 ① 길이 장, 키 장.
¶ 身長(신장). ② 남을 장, 많을
장(多也). ¶ 冗長(용장).

字源 象形. 머리털이 긴 노인이 단
장을 짚고 서 있는 모양. 연장(年長)
의 노인의 뜻에서 단순히 길다의 뜻
이 됨.

[長距離 장거리] 먼거리.
[長劍 장검] 허리에 차게 만든 긴 칼.
[長久 장구] 길고 오램.
[長技 장기] 훌륭하게 뛰어난 기술.
[長短 장단] ㉠ 긴 것과 짧은 것.
장점과 단점. ㉡ 노래의 박자.
[長成 장성] ㉠ 자라남. ㉡ 어른이
됨.
[長孫 장손] 맏자손.
[長幼 장유] ㉠ 어른과 아이. ㉡ 손
위와 손아래. ¶ 長幼有序(장유유
서).
[長者 장자] ㉠ 윗사람. 어른. 덕망
이 높은 사람. ㉡ 큰 부자(높임말).
[家長 가장] 한 집안을 맡아 다스리
는 사람.
[生長 생장] 나서 자라거나 큼.
[身長 신장] 사람의 키.

門 〔8 획〕 **部**
(문문부)

⁰₍₈₎**【門】** 문 문⊕元
mén

丨 丨 冂 冂 冃 冃 門 門 門

㊐ モン〔かど〕 ㊤ gate

字解 ① 문 문(兩戶象形人所出入在
堂曰戶在域曰門). ¶ 門前(문전).
② 집 문(家也), 집안 문(家族一門).
③ 지체 문. ¶ 名門(명문).

字源 象形. 두 개의 문짝이 있는 문
의 모양.

[門閥 문벌] 가문의 대대로 내려오
는 지체.

[門人 문인] ㉠ 제자. ㉡ 남에게 얹
혀서 사는 사람.
[門牌 문패] 주소·성명을 적어 대문
에 다는 패.
[門下 문하] ㉠ 집안. ㉡ 스승의 집
에 들어가 가르침을 받음. 또, 그 사
람. ¶ 門下生(문하생).
[門戶 문호] ㉠ 집의 출입구. ㉡ 가
문.
[專門 전문] 한 가지 일만을 연구하
거나 맡음.

²₍₁₀₎**【閃】** 번득일
섬㊤琰
㊦豔
shǎn

㊐ セン〔ひらめく〕 ㊤ flash

字解 ① 번득일 섬(動貌). ¶ 閃閃
(섬섬). ② 엿볼 섬(闚頭門中視).

字源 會意. 門과 人과의 합자. 문
속에 있는 사람을 흘낏 봄의 뜻. 전
하여, 번득임의 뜻.

[閃光 섬광] 번쩍 빛나는 빛.
[閃閃 섬섬] ㉠ 빛나는 모양. ㉡ 번
득이는 모양.

³₍₁₁₎**【閈】** 이문 한
㊤翰
hàn

㊐ カン〔かき〕 ㊤ wall

字解 ① 이문 한(里門閈也). ② 담
한(垣也). ¶ 閈閎(한굉).

字源 形聲. 門+干〔音〕

³₍₁₁₎**【閉】** 닫을 폐
㊤霽
bì

丨 丨 冂 冂 冃 門 門 門 閉 閉

㊐ ヘイ〔とじる〕 ㊤ close

字解 ① 닫을 폐(闔門). ¶ 閉門(폐
문). ② 막을 폐(塞也). ¶ 閉塞(폐
색). ③ 감출 폐(藏也).

字源 會意. 문에 빗장을 하고, 또
자물쇠를 잠근 모양.

[閉門 폐문] 문을 닫음.
[閉鎖 폐쇄] ㉠ 문을 굳게 닫고 자물
쇠를 채움. ㉡ 기능을 정지시킴.
[閉蟄 폐칩] 벌레 따위가 땅속에 들

8
획

어가 겨울잠을 잠.
[閉會 폐회] 회의를 마침.
[密閉 밀폐] 꼭 닫음. 꼭 막음.

4 ⑫ 【開】 열 개 [平]灰 | 开 kāi

丨 𠃌 𠃍 門 門 閂 閈 開

[日] カイ〔ひらく〕 [英] open

[字解] ① 열 개(闢也, 啓也). ¶ 開放(개방). ② 필 개(發也). ¶ 開花(개화). ③ 풀 개(解也).

[字源] 會意. 門+开〔幵〕

[開墾 개간] 산이나 황무지 등을 일굼.
[開放 개방] ㉠ 활짝 열어 놓음. ㉡ 속박을 풀어서 자유를 줌.
[開業 개업] ㉠ 사업이나 영업을 시작함. ㉡ 영업을 하고 있음.
[開陳 개진] 내용이나 의견을 진술함.
[開拓 개척] ㉠ 거친 땅을 일굼. ㉡ 새로운 방면이나 나아갈 길을 엶.
[開化 개화] 인지(人智)가 열리어 문화가 발달함.
[開花 개화] 꽃이 핌.
[滿開 만개] 꽃이 활짝 핌.

4 ⑫ 〖閎〗 문 굉 [本]횡 [平]庚 | 闳 hóng

[日] コウ〔ひろい〕 [英] gate

[字解] ① 문 굉(門也). ② 빌 굉(虛郭貌).

[字源] 形聲. 門+厷〔音〕

4 ⑫ 〖閏〗 윤달 윤 [去]震 | 闰 rùn

丨 𠃌 𠃍 門 門 閂 閏 閏

[日] ジュン〔うるう〕 [英] leap month

[字解] 윤달 윤(氣盈朔虛積餘附月). ¶ 閏月(윤월).

[字源] 會意. 門와 王의 합자. 옛날 윤달에는 왕이 문안에 있는 습관이 있었음.

[閏年 윤년] 윤달이 드는 해.
[閏位 윤위] 정통이 아닌 왕위(王位).

4 ⑫ 【閑】 한가할 한 [平]刪 | 闲 xián

𠃌 𠃍 門 門 門 閈 閑 閑

[日] カン〔おりひま〕 [英] leisure

[字解] ① 한가할 한(平穩). ¶ 閑暇(한가). ② 마구간 한(馬廐). ③ 막을 한(防也). ④ 법 한(法也). ⑤ 익힐 한(習也).

[字源] 會意. 門과 木의 합자. 문안에 있는 횡목 칸막이의 뜻.

[參考] 閒(門部 4획)과 통용함.

[閑暇 한가] 할 일이 없이 조용함. 한가(閒暇).
[閑邪 한사] 사악한 마음이 못 일어나게 막음.
[閑寂 한적] 조용하고 쓸쓸함.
[等閑 등한] 마음에 두지 않거나 소홀함.

4 ⑫ 【間】 [一]사이 간 [平]刪 [二]나을 간 [去]諫 | 间 jiān jiàn

丨 𠃌 𠃍 門 門 門 問 間

[日] カン〔あいだ・なおる〕
[英] gap, get well

[字解] [一] ① 사이 간(隙也). ¶ 間隔(간격). ② 염탐꾼 간(諜也). ¶ 間諜(간첩). ③ 이간할 간(離間). [二] ① 나을 간(瘳也). ② 섞일 간(雜也). ¶ 間色(간색).

[字源] 會意. 閒의 月이 日로 변한 것. 주로 「사이」의 뜻으로 쓰임.

[參考] 閒(門部 4획)은 本字.

[間隔 간격] 물건과 물건과의 떨어진 사이나 거리.
[間色 간색] 두 가지 이상의 색이 섞여서 된 색.
[間諜 간첩] 스파이. 적국에 들어가 적의 기밀을 탐지하는 사람.
[近間 근간] 요사이.

4 ⑫【閒】[一]틈 한 [平]刪 [二]사이 간 [去]諫 | 间 jiān jiàn 

[日] カン〔ひま・あいだ〕 [英] gap, interval

[字解] [一] ① 틈 한(暇也). ② 한가할 한. ¶ 閒居(한거). [二] 사이 간(間也).

[字源] 會意. 門와 月의 합자. 문짝 사이로 월광이 새어 들어오고 있음의 뜻에서 틈·사이의 뜻이 됨.

4 ⑫【閔】[一]우환 민 [平]眞 [二]근심할 민 [上]軫 | 闵 mín mǐn 

[日] ビン〔うれえる・あわれむ〕 [英] worry, be anxious

[字解] [一] 우환 민(憂也). ¶ 閔凶(민흉). [二] ① 근심할 민(憂也). ② 가엽게여길 민(傷也).

[字源] 形聲. 門+文〔音〕

[閔然 민연] 가엾게 여기는 모양.

5 ⑬【閘】물문 갑 [入]合 | 闸 zhá 

[日] コウ〔ひのくち〕 [英] water gate

[字解] 물문 갑(通舟水門).

[字源] 形聲. 門+甲〔音〕

[閘門 갑문] 수문. 물문.

5 ⑬【閟】닫을 비 [去]寘 | 闷 bì 

[日] ヒ〔とじる〕 [英] close

[字解] ① 닫을 비, 닫힐 비(閉也). ¶ 永閟(영비). ② 깊을 비(幽深).

[字源] 形聲. 門+必〔音〕

6 ⑭【閣】누각 각 [入]藥 | 阁 gé 

丨 𠃌 𠁣 門 門 閁 閔 閣

[日] カク〔たかどの〕 [英] tower

[字解] ① 누각 각(樓也). ¶ 樓閣(누각). ② 잔교 각(棧道). ③ 찬장 각(食物庋).

[字源] 形聲. 門+各〔音〕

[閣道 각도] ㉠ 이층으로 된 복도. ㉡ 잔도(棧道).

[閣僚 각료] 내각을 구성하는 장관.

[閣議 각의] 내각의 회의.

[閣下 각하] ㉠ 누각의 아래. ㉡ 신분이 높은 사람을 높이어 이르는 말.

[樓閣 누각] 높은 다락집.

6 ⑭【閤】협문 합 [入]合 | 阁 gé 

[日] コウ〔くぐりど〕 [英] side door

[字解] 협문 합(內中小門). ¶ 宮閤(궁합).

[字源] 形聲. 門+合〔音〕

[閤門 합문] ㉠ 밖으로 보이지 않는 출입문. ㉡ 편전(便殿)의 앞문.

6 ⑭【閥】공로 벌 [入]月 | 阀 fá 

[日] バツ〔いえがら〕 [英] merits

[字解] ① 공로 벌(功績也). ¶ 功閥(공벌). ② 지체 벌(門地). ¶ 門閥(문벌). ③ 기둥 벌(柱也).

[字源] 形聲. 門+伐〔音〕

[閥族 벌족] 신분이 높은 가문의 일족.

[派閥 파벌] 이해 관계에 따라 갈라진 사람들의 집단.

6 ⑭【閨】협문 규 [平]齊 | 闺 guī 

丨 𠃌 𠁣 門 門 閂 閨 閨

[日] ケイ〔ねや〕 [英] side door

[字解] ① 협문 규(宮中小門). ¶ 閨閤(규합). ② 도장방 규(女子所居).

[字源] 形聲. 門+圭〔音〕

[閨房 규방] 부녀자가 거처하는 방. 도장방.

[閨秀 규수] ㉠ 남의 집 처녀를 점잖게 이르는 말. ㉡ 학문과 재주가 뛰어난 여자. ¶ 閨秀作家(규수 작가).

6
⑭ 〖閩〗 오랑캐 이름 민 ㊥眞 | 闽 mǐn

㊐ ミン〔えびすのな〕

字解 ① **오랑캐이름 민**(東南越, 蛇種也). ② **나라이름 민**(國號大閩).

字源 形聲. 蟲〈省〉+門〔音〕

6
⑭ 〖関〗 關(관)(門部 11획)의 俗字

7
⑮ 〖閫〗 문지방 곤㊤阮 | 阃 kǔn

㊐ コン〔しきい〕 ㊍ doorsill

字解 **문지방 곤**(門限). ¶ 閫外(곤외).

字源 形聲. 門+困〔音〕

[閫德 곤덕] 부녀자의 덕.

[閫外 곤외] ㉠ 문지방 바깥. 경계의 바깥. ㉡ 궁성 또는 도성(都城)의 바깥.

7
⑮ 〖閬〗 휑뎅그렁할 랑 ㊦漾 | 阆 làng láng

㊐ ロウ〔むなしい〕 ㊍ hollow

字解 **휑뎅그렁할 랑**(空虛也).

字源 形聲. 門+良〔音〕

7
⑮ 〖閭〗 마을 려 ㊥魚 | 闾 lǘ

㊐ リョ〔さと〕 ㊍ village

字解 ① **마을 려**(二十五家). ¶ 閭巷(여항). ② **이문 려**(里門).

字源 形聲. 門+呂〔音〕

[閭門 여문] 마을 입구의 문.

[閭閻 여염] 백성들의 살림집이 모여 있는 곳.

[閭巷 여항] 동네. 민간.

7
⑮ 〖閱〗 점고할 열㊇屑 | 阅 yuè

㊐ エツ〔けみする〕 ㊍ inspect

字解 ① **점고할 열**(簡軍馬也, 察也). ¶ 閱兵(열병). ② **읽을 열**(讀也). ¶ 閱書(열서). ③ **지낼 열, 겪을 열**(歷也). ¶ 閱月(열월).

字源 形聲. 門+兌〔音〕

[閱覽 열람] ㉠ 조사해 봄. ㉡ 책을 읽음.

[閱歷 열력] 겪어 온 이력(履歷).

[檢閱 검열] 검사하여 열람함.

8
⑯ 〖閹〗 고자 엄 ㊥鹽 | 阉 yān

㊐ エン〔きょせいしたおとこ〕

㊍ eunuch

字解 **고자 엄, 환관 엄**(男無勢精閉者). ¶ 閹人(엄인).

字源 形聲. 門+奄〔音〕

[閹然 엄연] 본심을 깊이 숨기는 모양.

[閹人 엄인] 옛날 궁형(宮刑)의 처벌을 받은 사람. 환관(宦官).

8
⑯ 〖閻〗 마을 염 ㊥鹽 | 阎 yán

㊐ エン〔さとのもん〕 ㊍ village

字解 ① **마을 염**(巷也). ② **마을 문 염**(里中門).

字源 形聲. 門+臽〔音〕

[閻魔 염마] 지옥의 왕으로 사람의 생전 죄를 판정(判定)하여 상벌(賞罰)을 준다함. 염라(閻羅).

8
⑯ 〖閼〗 ㊀ 막을 알 ㊇曷 ㊁ 한가할 어 ㊦御 ㊂ 흉노왕비 연 ㊥先 | 阏 è yù yān

㊐ アツ〔ふさぐ〕・ヨ〔ゆとりのあるさま〕・エン〔きょうどのおうのせいさい〕

㊍ block, leisured

字解 ㊀ **막을 알**(塞也). ㊁ **한가할 어**. ㊂ **흉노왕비 연**(單于嫡妻閼氏).

字源 形聲. 門+於〔音〕

[閼塞 알색] 막힘.

8획

8 【闇】 문지기 혼元 | 閽 hūn
⑯ ㊌ コン〔もんばん〕 ㊎ gate keeper
字解 ① 문지기 혼(守門者也). ¶ 閽人(혼인). ② 문 혼(宮門). ¶ 閽禁(혼금).
字源 形聲. 門+昏〔音〕
[閽人 혼인] 문지기. 수위.

8 【閾】 문지방 역㊎職 | 閾 yù
⑯ ㊌ ヨク〔しきい〕 ㊎ doorsill
字解 문지방 역(門下橫木內外之限).
字源 形聲. 門+或〔音〕

9 【闃】 고요할 격㊎陌 | 闃 qù
⑰ ㊌ ゲキ〔しずか〕 ㊎ quiet
字解 고요할 격(靜也).
字源 形聲. 門+昊〔音〕

9 【闋】 끝날 결㊎屑 | 闋 quē
⑰ ㊌ ケツ〔やむ, おわる〕 ㊎ close
字解 ① 끝날 결, 마칠 결. ② 쉴 결.
字源 形聲. 門+癸〔音〕
[闋制 결제] 삼년상을 마침.

9 【闇】 어두울 암㊌勘 | 暗 àn
⑰ ㊌ アン〔やみ〕 ㊎ dark
字解 어두울 암(冥也). ¶ 闇夜(암야).
字源 形聲. 門+音〔音〕
參考 暗(日部 9획)과 통용.
[闇鈍 암둔] 어리석고 둔함.
[闇昧 암매] ㉠ 사리에 어둡고 미련함. ㉡ 어둡고 환하지 아니함.

9 【闊】 넓을 활㊌괄㊌曷 | 阔 kuò
⑰ ㊌ カツ〔ひろい〕 ㊎ broad
字解 ① 넓을 활(廣也). ¶ 廣闊(광활). ② 멀 활(遠也). ③ 간략할 활(簡略). ④ 오활할 활(世事不通). ¶ 闊疏(활소).
字源 形聲. 門을 바탕으로 하여 「活(활)」이 음을 나타냄.
參考 濶(水部 14획)은 俗字.
[闊達 활달] 마음이 넓고, 작은 일에 개의하지 않음.
[迂闊 우활] 세상 사정에 어두움.

9 【闈】 문 위微 | 闱 wéi
⑰ ㊌ イ〔こもん〕 ㊎ side door
字解 문 위. 궁중의 작은 문.
字源 形聲. 門+韋〔音〕

9 【闉】 성문 인眞 | 闉 yīn
⑰ ㊌ イン〔ふたえもん〕 ㊎ castle gate
字解 성문 인(城內中門).
字源 形聲. 門+垔〔音〕

9 【闌】 막을 란寒 | 阑 lán
⑰ ㊌ ラン〔さえぎる〕 ㊎ cut off
字解 ① 막을 란(遮也). ② 난간 란(欄也). ¶ 闌干(난간). ③ 늦을 란(晚也). ¶ 闌暑(난서). ④ 드물 란(稀也).
字源 形聲. 門+柬〔音〕

9 【闍】 ■망대 도虞 | dū
⑰ ㊌ ■범어(梵語) | shé
사㊌麻
㊌ ト〔ものみだい〕・ジャ〔ぼんご〕 ㊎ watchtower, Sanskrit
字解 ■ 망대 도(城臺). 성문 도(城門也). ¶ 闍闍(인도). ■ 범어(梵語) 사. 「사」의 음의 음역(音譯)으로 쓰임. ¶ 闍利(사리).
字源 形聲. 門+者〔音〕
[闍利 사리] ㉠ 사범(師範)되는 승

려. ⓛ 승려의 칭호.

10
⑱【闐】 찰 전
㊀先 tián

㊐ テン〔みちる〕 ㊤ fill

字解 ① 찰 전(滿也). ② 오랑캐 이름 전(西域國名于闐).

字源 形聲. 門+眞〔音〕

10
⑱【闒】 ━다락문 답㊀合
━천할 탑㊁合 tà

㊐ トウ〔ものみやぐらのと・いやしい〕
㊤ humble

字解 ━ 다락문 답(樓上戶). ━ 천할 탑, 용렬할 탑(猥賤也).

字源 形聲. 門+㿘〔音〕

10
⑱【闔】 닫을 합㊀合 hé

㊐ コウ〔とびら〕 ㊤ shut

字解 ① 닫을 합(閉也). ¶ 闔門(합문). ② 문짝 합(門扉), 하늘문 합(天門). ¶ 閶闔(창합).

字源 形聲. 門+盍(盇)〔音〕

[闔境 합경] 지경 안 전부.
[闔門 합문] ㉠ 문을 닫음. ⓛ 집안 전체.

10
⑱【闕】 대궐 궐㊀月 què

㊐ ケツ〔ごてん〕 ㊤ palace

字解 ① 대궐 궐(禁宮). ¶ 闕內(궐내). ② 궐할 궐(缺也). ¶ 闕乏(궐핍). ③ 뚫을 궐(穿也).

字源 形聲. 門+欮〔音〕

[闕內 궐내] 대궐 안.
[闕席 궐석] 결석.
[補闕 보궐] ㉠ 빈자리를 채움. ⓛ 결점을 보충함.

10
⑱【闖】 엿볼 틈㊀沁 chuǎng
㊂寢

㊐ チン〔つきいる〕
㊤ steal a glance

字解 ① 엿볼 틈(窺覘). ② 쑥내밀 틈(出頭貌). ¶ 闖入(틈입).

字源 會意. 門과 馬의 합자. 馬(말)가 門을 뛰어나가는 모양.

11
⑲【闚】 엿볼 규㊀支 kuī

㊐ キ〔うかがう〕 ㊤ steal a glance

字解 엿볼 규(竊視).

字源 形聲. 門+規〔音〕

參考 窺(穴部 11획)와 同字.

11
⑲【關】 문빗장
관㊀刪 guān

厂 厂 門 門 門 閂 閂 關 關

㊐ カン〔せき〕 ㊤ door latch

字解 ① 문빗장 관(扃也門牡). ¶ 關鍵(관건). ② 잠글 관(閉也). ③ 관 관, 관문 관(界上之門). ¶ 關門(관문). ④ 기관 관(機械). ⑤ 관계할 관(係也).

字源 形聲. 門+𢇛〔音〕

[關鍵 관건] ㉠ 빗장과 자물쇠. ⓛ 사물의 중요한 곳.
[關係 관계] ㉠ 서로의 걸림. ⓛ 남녀 사이의 성교. ㉢ 어떠한 사물에 상관됨.
[關門 관문] ㉠ 문을 닫음. ⓛ 관(關)의 문. ㉢ 드나드는 중요한 문.
[關與 관여] 그 일에 관계함.
[難關 난관] ㉠ 지나가기 어려운 관문. ⓛ 뚫고 나가기 어려운 고비.
[聯關 연관] 이어짐. 연결됨.

12
⑳【闟】 ━창 흡㊀緝
━천할 탑㊁合 xì
tà

㊐ キュウ〔てほこ〕・トウ〔いやしい〕
㊤ spear, humble

字解 ━ 창 흡(鋋也). ━ 천할 탑, 용렬할 탑(愚劣).

字源 形聲. 門+翕〔音〕

12 ⑳ 【闡】 밝힐 천 [上]銑[平]先 | 阐 chǎn

[日] セン〔ひらく〕 [英] explain

[字解] ① **밝힐 천**(明也). ¶ 闡明(천명). ② **열 천**(開也).

[字源] 形聲. 門+單〔音〕

[闡明 천명] 생각을 드러내어 밝힘.
[闡揚 천양] 겉으로 뚜렷이 드러내어 널리 퍼지게 함.

13 ㉑ 【闢】 열 벽 [入]陌 | 辟 pì

[日] ビャク・ヘキ〔ひらく〕 [英] open

[字解] ① **열 벽**(開也). ¶ 開闢(개벽). ② **피할 벽**(避也). ¶ 闢邪(벽사).

[字源] 形聲. 門+辟〔音〕

[闢墾 벽간] 논밭을 일굼.
[開闢 개벽] 천지가 처음 열림.

13 ㉑ 【闥】 [一]뜰 달 [入]曷 [二]문빗장 건[上]阮 | tà

[日] タツ〔にわ〕・ケン〔ちいさいもん〕 [英] garden, door latch

[字解] [一] **뜰 달**(門內也). [二] **문빗장 건**(拒門木).

[字源] 形聲. 門+達〔音〕

阜(阝) 〔8 획〕 部
(언덕부 · 좌부방부)

0 ⑧ 【阜】 언덕 부 [上]有 | fù

[日] フ〔おか〕 [英] hill

[字解] ① **언덕 부**(土山無石者也). ¶ 阜垤(부질). ② **성할 부**(盛也). ¶ 阜蕃(부번).

[字源] 象形. 산(山)의 측면(側面) 단층(斷層)의 모양을 본뜸.

[阜蕃 부번] 가축 등을 번식시킴.
[阜垤 부질] 언덕.

3 ⑥ 【阡】 길 천 [平]先 [去]霰 | qiān

[日] セン〔みち〕 [英] path

[字解] **길 천**(田間道也). 남북으로 통하는 밭 사이의 길.

[字源] 形聲. 阝(自)+千(音)

[阡陌 천맥] 밭두길. 동서를 '陌', 남북을 '阡'이라고 일컬음. 일설(一說)에는 동서를 '阡', 남북을 '陌'.

4 ⑦ 【阱】 穽(정)(穴部 4획)과 同字

4 ⑦ 【阨】 [一]험할 애 [去]卦 [二]막힐 액 [入]陌 | ái è

[日] アイ〔けわしい〕・ヤク〔ふさがる〕 [英] rough, cut off

[字解] [一] **험할 애**(險也). [二] **막힐 액**(隘同限塞).

[字源] 形聲. 阝(自)+厄〔音〕

[阨窮 액궁] 운이 나빠 궁함.
[阨塞 액색] 통로(通路)가 막힘.

4 ⑦ 【阪】 비탈 판 [上]阮 | bǎn

[日] ハン〔さか〕 [英] slope

[字解] **비탈 판**(坡也).

[字源] 形聲. 阝(自)+反〔音〕

[參考] 坂(土部 4획)과 통용.

[阪上走丸 판상주환] 산비탈에서 공을 굴림. ㉠ 세(勢)에 편승하여 일을 하면 쉽게 할 수 있음의 비유. ㉡ 일이 자연의 힘에 따라 잘 진척됨의 비유.

4 ⑦ 【阬】 구덩이 갱[平]庚 | kēng

[日] コウ〔あな〕 [英] cavity

[字解] **구덩이 갱**(埳也).

[字源] 形聲. 阝(自)+亢〔音〕

8획

[參考] 坑(土部 4획)과 통용.
[阬穽 갱정] 함정.

4 ⑦ 【阮】 성 완 [本]원[上]阮 ruǎn

[日] ゲン〔ひとのな〕 [英] family name
[字解] **성 완**(姓也).
[字源] 形聲. 阝(自)+元〔音〕
[阮丈 완장] 상대자를 대접하는 뜻에서, 남의 '삼촌(三寸)'을 일컫는 말.

4 ⑦ 【阯】 터 지 [上]紙 zhǐ

[日] シ〔もと〕 [英] site
[字解] ① **터 지**(基也). ② **기슭 지**(山之基足).
[字源] 形聲. 阝(自)+止〔音〕

4 ⑦ 【防】 막을 방 [平]陽 fáng

[日] ボウ〔ふせぐ〕 [英] protect
[字解] ① **막을 방**(守禦). ¶ 防止(방지). ② **둑 방**(堤也). ¶ 堤防(제방).
[字源] 形聲. 阝(自)+方〔音〕
[防疫 방역] 전염병의 발생을 소독·예방 주사 등의 방법으로 미리 막음.
[防諜 방첩] 간첩의 활동을 막음.
[邊防 변방] 변경의 방비.

5 ⑧ 【阻】 험할 조 [上]語 zǔ

[日] ソ〔けわしい〕 [英] steep
[字解] ① **험할 조**(險也). ¶ 阻艱(조간). ② **막을 조**(止也). ¶ 阻止(조지).
[字源] 形聲. 阝(自)+且〔音〕
[阻艱 조간] 길이 험하여 고생됨.
[險阻 험조] 지세가 험난하고 막혀 있음.

5 ⑧ 【阼】 섬돌 조 [去]遇 zuò

[日] ソ〔きざはし〕 [英] stone steps
[字解] **섬돌 조**(東階主人接賓處).
[字源] 形聲. 阝(自)+乍〔音〕

5 ⑧ 【阿】 [一]언덕 아 [平]歌 [二]호칭 옥 [入]屋 ē wū

[日] ア〔おか〕·アク〔せっとうご〕
[英] hill, name
[字解] [一] ① **언덕 아**(大陵). ¶ 阿丘(아구). ② **아름다울 아**(美貌). ¶ 阿那(아나). ③ **물가 아**(水岸). ④ **대답하는소리 아**(謾應聲). [二] **호칭 옥**.
[字源] 形聲. 阝(自)+可〔音〕
[阿丘 아구] 한쪽이 높은 언덕.
[阿那 아나] ㉠ 아리따운 모양. ㉡ 유약(柔弱)한 모양.
[阿附 아부] 남의 비위를 맞추고 알랑거림.
[阿諂 아첨] 남의 환심을 사거나 잘 보이기 위하여 알랑거림.

5 ⑧ 【陂】 [一]방죽 피 [平]支 [二]기울어질 피 [去]寘 bēi pō

[日] ヒ〔つつみ〕·ハ〔さか〕
[英] bank, slope
[字解] [一] ① **방죽 피**(隄防). ¶ 陂塘(피당). ② **못 피**(池也). [二] **기울어질 피**(傾也). ¶ 陂曲(피곡).
[字源] 形聲. 阝(自)+皮〔音〕
[陂塘 피당] 둑. 방죽.
[陂池 피지] 못. 방죽.
[陂隤 피퇴] 무너짐. 퇴락함.

5 ⑧ 【附】 붙을 부 [去]遇 fù

[日] フ〔つく〕 [英] attach
[字解] **붙을 부**(着也).
[字源] 形聲. 阝(自)+付〔音〕

8획

[附加 부가] 덧붙임. 보탬.

[附屬 부속] 주된 일이나 물건에 딸
려서 붙음.

[附着 부착] 붙어서 떨어지지 않음.

[寄附 기부] 어떠한 일에 보조의 목
적으로 재물을 내어 줌.

[添附 첨부] 더 보태거나 덧붙임.

---

⁵⁸【陀】 비탈질
타⊕歌 │ tuó

㈰ ダ〔さか〕 ㉃ slope

字解 비탈질 타(不平之貌). ¶ 陂
陀(피타).

字源 形聲. 阝(自)+它〔音〕

[佛陀 불타] 부처.

---

⁵⁸【阸】 阨(애)(阜部 4획)와 同字

---

⁶⁹【陋】 추할 루
루㉠宥 │ lòu

㈰ ロウ〔いやしい〕 ㉃ obscene

字解 ① 추할 루(醜猥). ② 좁을
루(陋狹). ¶ 固陋(고루).

字源 形聲. 阝(自)+匧〔音〕

[陋名 누명] 억울하게 뒤집어쓴 불
명예. 오명(汚名).

[鄙陋 비루] 품위가 없고 천함.

---

⁶⁹【陌】 ■길 맥
㈧陌
■일백 백 │ mò

㈰ ハク〔みち〕・ヒャク〔ひゃく〕 ㉃ path, hundred

字解 ■ 길 맥(田間道). ¶ 阡陌
(천맥). ■ 일백 백(百也).

字源 形聲. 阝(自)+百〔音〕

參考 ■은 佰(人部 6획)과 통용.
■는 百(白部 1획)과 통용.

[阡陌 천맥] 밭두둑길이나 논두렁.

---

⁶⁹【降】 ■항복할
항㊀江
■내릴 강 │ xiáng
㊧絳 │ jiàng

ㅕ β β' ㉐ 阸 阸 降 降

㈰ コウ〔くだる・おりる〕 ㉃ surrender, fall

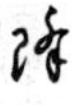

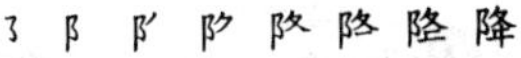

字解 ■ 항복할 항(服也). ¶ 降將
(항장). 降服(항복). ■ 내릴 강(下
也). ¶ 降福(강복).

字源 會意. 阜(=丘)와 夅(좌우의
다리가 밑을 향하고 있는 모양)과
의 합자. 높은 곳에서 내림의 뜻.

[降等 강등] 등급이나 계급이 내림.

[降雨 강우] 비가 내림. 또는 비.

[降服 항복] 전쟁에 패배(敗北)하여
적에게 굴복함.

---

⁶⁹【限】 한정 한
한㊤潸 │ xiàn

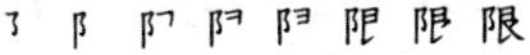

ㅕ β β' β'' β'' β'' 阸 阸 限

㈰ ゲン〔かぎる〕 ㉃ limit

字解 한정 한(度也). ¶ 無限度(무
한도).

字源 形聲. 阝(自)+艮(昆)〔音〕

[限界 한계] 한정. 사물의 정하여 놓
은 범위. 경계(境界).

[限度 한도] ㉠ 한정된 정도. ㉡ 일
정한 정도.

[限定 한정] 제한하여 정함.

[局限 국한] 범위를 일부분에 한정함.

[期限 기한] 정해 놓은 일정한 시간.
한계나 범위를 정함.

[制限 제한] 한계나 범위를 정함.

---

⁶⁹【陔】 층계 해
㊍개㊤灰 │ gāi

㈰ ガイ〔きざはし〕 ㉃ stairway

字解 층계 해(階次).

字源 形聲. 阝(自)+亥〔音〕

---

⁷⁰【陘】 비탈 형
형㊀青 │ xíng

㈰ ケイ〔さか〕 ㉃ slope

字解 ① 비탈 형(坂也). ② 지레목
형(連山中絕).

字源 形聲. 阝(自)+巠〔音〕

**8
획**

7/10 【陛】 섬돌 폐 | bì
㊧壽 ㊦寘

㊐ヘイ〔きざはし〕 ㊜ stone steps

字解 섬돌 폐(天子階).

字源 形聲. 阝(自)+坒〔音〕

[陛下 폐하] '천자(天子)'의 높임말. 섬돌 밑이라는 뜻. 직접 천자에게 상주(上奏)하지 않고 섬돌 아래에 있는 근신(近臣)을 통해 상주함에서 온 말.

7/10 【陜】 ▆狹(협)(犬部 7획)과 同字
▆㊦(韓) 합

注意 陝(阜部 7획)은 딴 글자.

7/10 【陝】 땅이름 섬 | shǎn
㊤琰

陝

㊐セン〔ちのな〕

字解 땅이름 섬(弘農縣名).

字源 形聲. 阝(自)+夾〔音〕

7/10 【陞】 오를 승 | shēng
㊥蒸

㊐ショウ〔のぼる〕 ㊜ ascend

字解 오를 승(登也, 躋也). ¶ 陞龍(승룡).

字源 形聲. 阝(自)+土+升〔音〕

[陞進 승진] 지위가 올라감. 승진(昇進).

7/10 【陟】 오를 척 | zhì
㊧職

㊐チョク〔のぼる〕 ㊜ ascend

字解 오를 척(登也). ¶ 陟降(척강).

字源 會意. 阝(阜=丘)와 步와의 합자. 언덕을 오름의 뜻.

[陟降 척강] ㉠ 오름과 내림. ㉡ 하늘에 올랐다가 땅에 내렸다 함.

[進陟 진척] 일이 진행되어 감.

7/10 【院】 집 원 | yuàn
㊦霰

ㄱ 阝 阝' 阝' 阝ウ 陀 陀 院

㊐イン〔やくしょ〕 ㊜ house

字解 ① 집 원(宅也, 館有垣者). ¶ 道院(도원). 書院(서원). ② 담 원(垣也). ③ 절 원(寺也). ④ 마을 원(官廨).

字源 形聲. 阝(自)+完〔音〕

[院內 원내] '院'자 붙은 각종 기관의 내부.

[院長 원장] 병원·학원 등의 '원(院)'의 우두머리.

[開院 개원] 학원·병원 등을 처음으로 엶.

7/10 【陣】 진칠 진 | zhèn
㊦震

陣

ㄱ 阝 阝 阝゛ 阿 陌 陌 陣 陣

㊐ジン〔つらねる〕 ㊜ encamp

字解 진칠 진(師旅列行). ¶ 背水陣(배수진).

字源 形聲. 陳이 정자인데, 후에 軍陣의 뜻일 경우에 한하여 陳을 고쳐 陣으로 썼음. 「阵(신)」의 전음이 음을 나타냄.

[陣頭 진두] 배치한 군의 선두. ¶ 陣頭指揮(진두지휘).

[陣營 진영] ㉠ 군대가 집결하고 있는 곳. ㉡ 정치적·사회적으로 구분되어 구성된 집단. ¶ 自由陣營(자유진영).

[陣地 진지] 진(陣)을 치고 있는 곳. 군대를 배치하고 있는 곳.

[陣痛 진통] ㉠ 어린애를 낳을 때 주기적으로 오는 아픈 증세. ㉡ 일이 성숙되어 갈 무렵의 경난(經難).

[背水陣 배수진] 강물을 등지고 치는 진법.

[布陣 포진] 진을 침.

7/10 【除】 덜 제 | chú
㊥魚

ㄱ 阝 阝 阝八 阶 阶 除 除

㊐ジョ〔のぞく〕 ㊜ subtract

字解 ① 덜 제(去也). ¶ 除名(제명). 除外(제외). ② 나눗셈 제(算法之一). ¶ 除法(제법). ③ 벼슬

줄 제(拜官). ¶ 除授(제수).

字源 形聲.「余(여)」의 전음이 음을 나타냄.

[除名 제명] 명부에서 이름을 지워 버림.

[除法 제법] 나눗셈.

[除授 제수] 임금이 추천의 절차를 밟지 않고, 임금이 직접 관원을 임명함.

[削除 삭제] 깎아 없애 버림.

7
⑩ 【陷】 陷(함)(阜部 8획)의 略字.

8
⑪ 【陪】도울 배 ㊀灰 péi 陪

㊐ バイ〔はべる〕 ㊀ assist

字解 ① 도울 배(助也). ¶ 陪審(배심). ② 더할 배(益也). ¶ 陪敦(배돈). ③ 배신 배(臣也, 家臣也). ¶ 陪臣(배신).

字源 形聲. 阝(阜)+音〔音〕.

[陪臣 배신] ㉠ 신하의 신하. 곧, 천자의 신하인 제후의 신하. ㉡ 제후의 대부(大夫)가 천자에 대하여 일컫는 자칭(自稱).

[陪審 배심] 재판장의 법률 적용에 국민의 건전한 상식적 판단으로 돕기 위하여, 국민 중에서 뽑힌 일정한 수의 법률 전문가가 아닌 사람들, 곧 배심원이 심리나 기소에 참가하는 일.

8
⑪ 【陬】구석 추 ㊀尤 zōu 陬

㊐ スウ〔すみ〕 ㊀ nook

字解 ① 구석 추(隅也). ¶ 邊陬(변추). ② 정월 추(正月名). ¶ 陬月(추월). ③ 땅이름 추(魯邑鄕名).

字源 形聲. 阝(阜)+取〔音〕.

[陬落 추락] 마을. 부락.

[邊陬 변추] 궁벽한 시골.

8
⑪ 【陰】그늘 음 阴 yīn 陰

⋾ ⻖ 阝 阝 阾 陰 陰 陰

㊐ イン〔かげ〕 ㊀ shade

字解 ① 그늘 음(闇也). ¶ 陰濕(음습). ② 음기 음(陽之對也). ¶ 陰氣(음기). ③ 흐릴 음(曇也). ¶ 陰散(음산). ④ 그림자 음(寸陰). ¶ 寸陰(촌음). ⑤ 몰래 음(祕密). ¶ 陰謀(음모). ⑥ 생식기 음(恥部). ¶ 陰莖(음경). ⑦ 어둠 음(闇也).

字源 形聲. 阝(阜)+侌〔音〕.

[陰氣 음기] 음의 기운. 소극적인 기운. 곧, 습기·추위·어둠·흐림 따위를 말함.

[陰謀 음모] 모르게 꾸미는 악한 계략. 남모르는 계략. 음계(陰計).

[陰鬱 음울] ㉠ 날씨가 흐리고 답답함. ㉡ 마음이 답답하고 맑지 못함.

[光陰 광음] 해와 달이라는 뜻으로, 시간이나 세월.

[夜陰 야음] 밤의 어둠. 또는 그때.

8
⑪ 【陲】변방 수 ㊀支 chuí 陲

㊐ スイ〔さかい〕 ㊀ frontier

字解 변방 수(疆也, 邊也).

字源 形聲. 阝(阜)+垂(垂)〔音〕.

8
⑪ 【陳】늘어놓을 진 陈 chén 陳

㊀眞

㊐ チン〔つらねる〕 ㊀ arrange

字解 ① 늘어놓을 진(列也). ¶ 陳列(진열). ② 묵을 진(故也). ¶ 陳腐(진부). ③ 말할 진(告也). ¶ 陳情(진정). ④ 나라이름 진(國名舜後所封).

字源 形聲. 나라 이름인 陳은 阝와 木을 바탕으로 하여 「申(신)」의 전음이 음을 나타냄. 늘어놓음의 뜻은 敶의 약자이며 攵을 바탕으로 「陳(진)」이 음을 나타냄. 후에 陣이 만들어져 전진(戰陣)의 뜻으로 전용됨.

[陳腐 진부] 케케묵음. 새롭지 못함.

낡고 썩음.
[陳謝 진사] ㉠ 이유를 말하고 사죄함. ㉡ 사례(謝禮)함.
[陳述 진술] 구두(口頭)로 말함. 구술(口述).
[陳列 진열] 물건 따위를 보이기 위해 죽 벌여 놓음. ¶ 陳列場(진열장).
[陳情 진정] 사정을 진술함. 사정을 아뢰어 부탁함. ¶ 陳情書(진정서).
[開陳 개진] 자기의 의견·생각 등을 말함.

8 ⑪ 【陴】 성가퀴 비 [平]支 | pí

㊐ ヒ〔ひめがき〕 [英] parapet
[字解] **성가퀴 비**(城上女牆).
[字源] 形聲. 阝(自)+卑〔音〕
[陴堞 비첩] 성가퀴.
[陴隍 비황] 성가퀴와 해자(垓字).

8 ⑪ 【陵】 언덕 릉 [平]蒸 | líng

㇋ 阝 阝+ 阝土 阝夫 陡 陵 陵
㊐ リョウ〔おか〕 [英] hill
[字解] ① **언덕 릉**(大阜也, 丘也). ¶ 丘陵(구릉). ② **능 릉**(天子冢). ¶ 陵寢(능침). ③ **넘을 릉**(越也). ¶ 陵越(능월). ④ **짓밟을 릉**(轢也). ¶ 陵蔑(능멸). ⑤ **능이할 릉**(陵夷也). ¶ 陵替(능체).
[字源] 形聲. 阝(自)+夌〔音〕
[陵蔑 능멸] 업신여겨 깔봄.
[陵越 능월] 침범하여 넘음.
[陵夷 능이] ㉠ 언덕이 차차 평평해짐. ㉡ 점점 쇠락함.
[陵寢 능침] 황제·황후·왕·왕비의 무덤.
[丘陵 구릉] 언덕. 또는 나직한 산.

8 ⑪ 【陶】 [一]질그릇 도[平]豪 [二]사람이름 요[平]蕭 | táo yáo

㇋ 阝 阝勹 阝勹 陶 陶 陶 陶
㊐ トウ〔すえもの〕·ヨウ〔じんめい〕 [英] earthenware
[字解] [一] ① **질그릇 도**(瓦器也). ¶ 陶器(도기). ② **기뻐할 도**(喜也). ③ **근심할 도**(憂也). [二] **사람이름 요**(舜臣皐陶).
[字源] 形聲. 阝(自)+匋〔音〕
[陶器 도기] 질그릇. 오지그릇.
[陶冶 도야] 도기를 굽고 쇠붙이를 녹임. 곧, 심신을 닦고 기름.
[陶醉 도취] ㉠ 기분 좋게 술에 취함. ㉡ 즐기거나 좋아하는 것에 마음이 쏠리어 취하다시피 됨.

8 ⑪ 【陷】 빠질 함 [去]陷 | xiàn

㇋ 阝 阝' 阝ク 阝ク 陷 陷 陷
㊐ カン〔おちいる〕 [英] sink
[字解] ① **빠질 함**(沒也地隤, 高下也). ¶ 陷沒(함몰). ② **함정 함**(坑也). ¶ 陷穽(함정).
[字源] 形聲. 阝(自)+臽〔音〕
[參考] 陥(阜部 7획)은 약자.
[陷落 함락] ㉠ 적의 성이나 요새를 공격하여 빼앗음. ㉡ 빠짐. 땅 같은 것이 움푹 꺼져 들어감.
[陷沒 함몰] ㉠ 지반(地盤)이 내려앉음. ㉡ 재난을 당하여 멸망함.
[陷穽 함정] ㉠ 짐승을 잡기 위해 파 놓은 구덩이. ㉡ 남을 해치기 위한 모략.
[缺陷 결함] 결점이나 흠.

8 ⑪ 【陸】 뭍 륙 [入]屋 | 陆 lù

㇋ 阝 阝+ 阝土 阝圥 陸 陸 陸
㊐ リク〔くが〕 [英] land
[字解] ① **뭍 륙**(高平地). ¶ 陸地(육지). ② **뛸 륙**(跳也).
[字源] 會意. 阝(阜=丘)와 坴(흙더미의 모양)의 합자. 높고 평탄한 토지의 뜻. 「坴(륙)」이 음을 나타냄.
[陸軍 육군] 육상의 전투 및 방어(防禦)를 맡는 군대.
[陸梁 육량] ㉠ 어지러이 달림. ㉡ 제멋대로 날뜀.

[陸陸 육륙] 평범한 모양. 녹록(碌碌).

[陸離 육리] ㉠ 빛이 서로 얽히어 눈부시게 빛나는 모양. ㉡ 뒤섞이는 모양. ㉢ 아름다운 모양.

[陸續 육속] 연달아 계속하는 모양. 계속하여 끊임없는 모양.

[上陸 상륙] 육지로 오름.

[離陸 이륙] 비행기 따위가 땅에서 떠오름.

8 ⑪ 【险】 險(험)(阜部 13획)의 略字

9 ⑫ 【陽】 양기 양 ㊥陽 阳 yáng
㉗ ヨウ〔ひ〕 ㉘ sunlight
ㇽ ㇽ ㇽ ㇽ ㇽ 陽 陽 陽

字解 ① 양기 양(陰之對也, 總是一氣分爲陰陽也). ② 해 양(日也). ¶ 夕陽(석양). ③ 양지 양(山南水北). ④ 맑을 양(淸也), 밝을 양(明也). ¶ 陽聲(양성). ⑤ 거짓 양(佯也). ¶ 陽狂(양광).

字源 形聲. ㇽ(阜)+昜〔音〕

[陽刻 양각] 돌을 새김. 선이나 글자의 획을 돋아나게 새긴 것.

[陽狂 양광] 미친 체함. 양광(佯狂).

[陽朔 양삭] 음력 시월 초하룻날.

[陽地 양지] ㉠ 볕이 바로 드는 곳. ㉡ 남쪽으로 향한 곳.

[太陽 태양] 해.

9 ⑫ 【隅】 모퉁이 우 ㊥虞 yú
㉗ グウ〔すみ〕 ㉘ corner

字解 ① 모퉁이 우(角也, 陬也). ¶ 隅曲(우곡). ② 귀 우(方也).

字源 形聲. ㇽ(阜)+禺〔音〕

[四隅 사우] 네 구석. 네 모퉁이.

9 ⑫ 【隆】 높일 륭 ㊥東 lóng
㉗ リュウ〔さかん〕 ㉘ respect
ㇽ ㇽ ㇽ 陉 陉 隆 降 隆

字解 ① 높일 륭(尊也). ② 성할 륭(盛也). ¶ 隆盛(융성). ③ 두터울 륭(豐厚). ¶ 隆寵(융총).

字源 形聲. 生을 바탕으로 하여 「降(강)」의 생략형의 전음이 음을 나타냄.

[隆起 융기] 불룩하게 두드러져 일어남. ¶ 隆起海岸(융기 해안).

[隆盛 융성] 기세가 성함. 번창(繁昌).

[隆崇 융숭] 극히 정성스러움.

[隆恩 융은] 큰 은혜.

[穹隆 궁륭] 가운데가 가장 높고 주위가 차차 낮아진 하늘 형상.

9 ⑫ 【隈】 굽이 외 ㊥灰 wēi
㉗ ワイ〔くま〕 ㉘ bend

字解 굽이 외(水曲也, 山曲也).

字源 形聲. ㇽ(阜)+畏〔音〕

[隈曲 외곡] 구석.

9 ⑫ 【隊】 ㊀대 대 ㊥隊　㊁떨어질 추 ㊥寘　㊂길 수 ㊥寘 duì zhuì suì
ㇽ ㇽ ㇽ 陉 阹 阹 隊 隊 隊
㉗ タイ〔くみ〕・ツイ〔おちる〕・スイ〔たにあいのけわしいみち〕
㉘ party, fall, way

字解 ㊀ 대 대(羣也, 部也). ¶ 探險隊(탐험대). ㊁ 떨어질 추(隕也). ㊂ 길 수(隧也).

字源 形聲. ㇽ(阜)+家〔音〕

[隊列 대열] 대를 지어 늘어선 행렬.

[隊伍 대오] 군대의 항오(行伍). 군대 행렬의 줄.

[編隊 편대] 대오나 대형을 갖춤.

9 ⑫ 【隋】 ㊀떨어질 타 ㊤智　㊁수나라 수 ㊥支 duò suí

8획

㊐ ダ〔おちる〕・ズイ〔くにのな〕 ㊀ fall

字解 [一] 떨어질 타(落也). [二] 수나라 수(國號楊堅受封).

字源 形聲. 月(肉)을 바탕으로 하여 「隓(휴)」의 생략형의 전음이 음을 나타냄.

[隋書 수서] 수나라의 역사를 적은 중국 이십사사(二十四史) 중의 하나.

[隋游 타유] 게으르고 놀기를 좋아함.

9 ⑫ 〖隍〗 해자 황 ㊥陽 | huáng

㊐ コウ〔からぼり〕 ㊀ moat

字解 해자 황(城下池無水).

字源 形聲. 阝(自)+皇〔音〕

[隍塹 황참] 마른 해자(垓字). 성(城) 밖에 만든 물이 없는 도랑.

9 ⑫ 〖階〗 섬돌 계 ㊍개㊥佳 | 阶 jiē

阝 阝 阝 阝 阝 阝 階 階

㊐ カイ〔きざはし〕 ㊀ stone steps

字解 ① 섬돌 계(陛也), 층계 계(登堂道). ¶ 階段(계단). ② 사닥다리 계(梯也). ¶ 階梯(계제). ③ 벼슬 차례 계(官階). ¶ 階級(계급).

字源 形聲. 阝(自)+皆〔音〕

[階級 계급] ㉠ 관위·신분 등의 상하(上下) 등급. ㉡ 재산·신분·권력 등을 같이하는 사회의 한 무리. ¶ 上流階級(상류 계급).

[階段 계단] ㉠ 층계. ㉡ 전하여, 순서. 단계.

[階梯 계제] ㉠ 사닥다리. ㉡ 순서. ㉢ 기회.

9 ⑫ 〖隄〗 堤(제)(土部 9획)와 同字

9 ⑫ 〖隁〗 堰(언)(土部 9획)과 同字

10 ⑬ 〖隔〗 막을 격 ㊇陌 | gé

阝 阝 阝 阝 阝 隔 隔 隔

㊐ カク〔へだたる〕 ㊀ block

字解 ① 막을 격(塞也, 障也). ¶ 杜隔(두격). ② 뜰 격(疎也, 縣也). ¶ 縣隔(현격).

字源 形聲. 阝(自)+鬲〔音〕

[隔年 격년] ㉠ 한 해를 거름. ㉡ 일년 이상이 지남. 한 해 이상 격함.

[隔遠 격원] 동떨어져서 멂.

[隔靴搔癢 격화소양] 신 신고 발바닥 긁음. 곧, 가려운 데에 손이 닿지 않는 것처럼 '마음에 차지 않아 안타까움'을 비유하는 말.

10 ⑬ 〖隔〗 隔(격)(阜部 10획)과 同字

10 ⑬ 〖隕〗 떨어질 운㊤軫 | 陨 yǔn

㊐ イン〔おちる〕 ㊀ fall

字解 ① 떨어질 운(墜也, 落也). ¶ 隕石(운석). ② 잃을 운(失也). ¶ 失隕(실운).

字源 形聲. 阝(自)+員〔音〕

[隕命 운명] 목숨을 잃음. 죽음.

[隕石 운석] 큰 별이 떨어지면서 타다가 땅 위에 떨어진 물체. 별똥.

10 ⑬ 〖隗〗 높을 외 ㊤賄㊥灰 | wěi

㊐ カイ〔たかい〕 ㊀ high

字解 높을 외(高也).

字源 形聲. 阝(自)+鬼〔音〕

10 ⑬ 〖隘〗 [一]좁을 애 ㊈卦 [二]막을 액 ㊇陌 | ài è

㊐ アイ〔せまい〕・ヤク〔へだてる〕 ㊀ narrow, forbid

字解 [一] ① 좁을 애(陜也). ¶ 隘狹(애협). ② 더러울 애(陋也). ③ 험할 애(險也). ¶ 險隘(험애). [二] 막을 액(阻塞).

字源 形聲. 阝(自)+益〔音〕

8 획

参考 阤(阜部 4획)와 통용.

[隘路 애로] ㉠ 산과 산 사이의 좁은 길. 좁고 험한 길. ㉡ 일을 할 때 그 성공을 방해하는 원인. 지장. 난점(難點).

[隘巷 애항] 좁고 답답한 동네.

10
⑬ 【隙】 틈 극
八陌

xì

隙

日 ゲキ〔すき〕 英 gap

字解 틈 극(壁際也, 空閒時也, 怨也). ¶ 空隙(공극).

字源 形聲. 阝(自)＋泉〔音〕

参考 隟(阜部 11획)은 俗字.

[隙地 극지] 빈터. 공지(空地).

[間隙 간극] 틈. 사이.

11
⑭ 【際】 가 제
去霽

jì

際

阝 阝 阝 阝 阝 阡 阡 陘 際

日 サイ〔きわ〕 英 bounds

字解 ① 가 제(邊也). ¶ 天際(천제). ② 때 제(機會). ¶ 此際(차제). ③ 사귈 제. ¶ 交際(교제). ④ 만날 제(逢也). ¶ 際太平之世(제태평지세).

字源 形聲. 阝(自)＋祭〔音〕

[際涯 제애] 끝. 한(限). 제한(際限).

[際會 제회] ㉠ 당하여 만남. 제우(際遇). ㉡ 임금과 신하 사이의 뜻이 잘 맞음.

[實際 실제] 실지의 경우나 형편.

[此際 차제] 이즈음. 이때.

11
⑭ 【障】 막힐 장
去漾

zhàng

障

阝 阝 阝 阝 阝 陪 障 障 障

日 ショウ〔さわる・ふさぐ〕
英 obstruct

字解 ① 막힐 장, 막을 장(隔也). ¶ 障壁(장벽). ② 장애 장. ¶ 故障(고장).

字源 形聲. 阝(自)＋章〔音〕

[障壁 장벽] ㉠ 서로 격한 벽. 칸막이로 된 벽. ㉡ 거리끼는 것. 장애물(障礙物).

[障害 장해] 거리껴서 해가 되게 함. 또, 그 물건.

[支障 지장] 일의 진행에 방해가 되는 장애.

11
⑭ 【隙】 隙(극)(阜部 10획)의 俗字

12
⑮ 【隤】 무너질 퇴
上灰

tuí

隤

日 タイ〔くずれる〕 英 fall

字解 ① 무너질 퇴(壞也, 下墜攦也). ¶ 隤舍(퇴사). ② 순할 퇴(順貌).

字源 形聲. 阝(自)＋貴〔音〕

[隤舍 퇴사] 무너진 집.

[隤然 퇴연] 마음씨가 좋은 모양. 유순한 모양.

[隤陷 퇴함] 구덩이 같은 곳에 미끄러져 빠짐.

12
⑮ 【隣】 이웃 린
上眞

lín

鄰 隣

阝 阝 阝 阝 阝 陜 陝 隣

日 リン〔となり〕 英 neighbor

字解 ① 이웃 린(近也). ② 이웃할 린(親也, 比也). ③ 보필 린(左右輔弼也).

字源 形聲. 阝(自)＋粦〔音〕

参考 鄰(邑部 12획)은 本字.

[隣近 인근] 거리상으로 가까운 이웃.

[善隣 선린] 이웃과 친근하게 지냄.

8
획

13
⑯ 【隧】 ■길 수
上眞
■떨어질 추
上眞

suì
zhuì

隧

日 スイ〔あなみち〕・ツイ〔おちる〕
英 road, fall

字解 ■ ① 길 수. 산이나 땅 밑을 뚫고 만든 길. ¶ 隧道(수도). ■ 떨어질 추(墜也).

字源 形聲. 阝(自)+遂〔音〕

[隧道 수도] ㉠ 땅 속을 파서 낸 길. 터널. ㉡ 무덤의 길. 관(棺)을 묻기 위하여 묘혈(墓穴)로 통한 길.

13획〔16〕【隨】따를 수 │ 随 │ 徒

㊀攴 suí

ㅓ 阝 阝¯ 阝⁺ 阝¯ 隋 隋 隨 隨

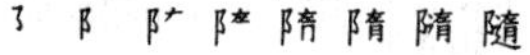

㊎ ズイ〔したがう〕 ㊫ follow
字解 따를 수(順也). ¶隨從(수종).
字源 形聲. 辵를 바탕으로 하여 「隋(타)」의 생략형의 전음이 음을 나타냄.

[隨伴 수반] 붙좇아서 따름.
[隨時 수시] 때때로. 그때그때. 때에 따라.
[隨行 수행] 윗사람 뒤를 따라감.

13획〔16〕【隩】오〔숨길〕 │ ào │ 壞

㊁號 ào
욱㊄屋 yù

㊎ オウ〔かくす〕・イク〔あたたか〕
㊫ hide, dwelling
字解 ❶ 숨길 오(藏也). ❷ ① 거처 욱(四方土可居也). ② 따뜻할 욱(燠也).
字源 形聲. 阝(自)+奧〔音〕.
參考 燠(火部 13획)과 통용.

13획〔16〕【險】험할 험 │ 险 │ 冷

㊤琰 xiǎn

ㅓ 阝 阝¯ 阝⁻ 阝⁻ 險 險 險

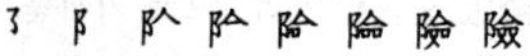

㊎ ケン〔けわしい〕 ㊫ steep
字解 ① 험할 험(危也). ¶險道(험도). ② 음흉할 험(心不正陰險). ¶內險而外仁(내험이외인).
字源 形聲. 阝(自)+僉〔音〕.

[險難 험난] 위태로움. 위험하고 어려움. 고생이 됨.
[險談 험담] 남을 헐뜯어서 하는 말.
[險路 험로] 험한 길. 나쁜 길.
[冒險 모험] 위험을 무릅씀.
[危險 위험] 위태로움.

14획〔17〕【隮】오를 제 │ jī │ 隮

㊉齊

㊎ セイ〔のぼる〕 ㊫ ascend
字解 ① 오를 제(登也). ② 무지개 제(虹也).
字源 形聲. 阝(自)+齊〔音〕.

14획〔17〕【隰】진펄 습 │ xí │ 湿

㊆緝

㊎ シツ〔さわ〕 ㊫ marsh
字解 진펄 습(阪下濕). 지세가 낮고 습한 땅. ¶下隰(하습).
字源 形聲. 阝(自)+㬎〔音〕.

14획〔17〕【隱】숨을 은 │ 隐 │ 隐

㊤吻 yǐn

ㅓ 阝 阝¯ 阝⁻ 阝⁺⁻ 阝⁺⁻ 隱 隱 隱

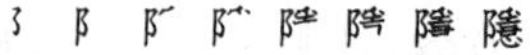

㊎ イン〔かくれる〕 ㊫ hide
字解 ① 숨을 은(藏也). ¶隱身(은신). ② 점칠 은(占也). ③ 가엾어 할 은(仁心惻隱).
字源 形聲. 阝(自)+㥯〔音〕.

[隱匿 은닉] 숨김. 감춤.
[隱士 은사] 세상을 피하여 조용히 살고 있는 선비. 은자(隱者).
[惻隱 측은] 가엾고 불쌍함.

15획〔18〕【隳】무너질 휴 │ huī │ 隳

㊤支

㊎ キ〔くずれる〕 ㊫ crumble
字解 무너질 휴, 무너뜨릴 휴(壞也).
字源 形聲. 隓가 정자(正字). 「㒹 (휴)」가 음을 나타냄.

[隳脞 휴좌] 일이 잘 마물러지지 않고, 번잡스러운 모양.
[隳惰 휴타] 게으름. 나태함.
[隳廢 휴폐] 무너지고 헒. 낡아 빠짐.

16획〔19〕【隴】언덕 롱 │ lǒng │ 隴

㊀腫

㊎ ロウ〔おか〕 ㊫ hill
字解 ① 언덕 롱(大坂). ¶隴上(농상). ② 밭두둑 롱. ¶隴畝(농무).

③ 땅이름 롱(天水縣名).

[字源] 形聲. 阝(自)+龍〔音〕

[隴畝 농무] ㉠ 밭. ㉡ 시골. ㉢ 백성.

[隴上 농상] ㉠ 언덕 위. ㉡ 밭 가운데 높은 곳.

[隴樹 농수] ㉠ 작은 언덕 위의 나무. ㉡ 묘지(墓地)의 나무.

[隴種 농종] 쇠퇴한 모양. 또, 부서져 허물어지는 모양.

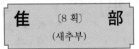

隶 〔8 획〕 部
(미칠이부)

0 ⑧ 〖隶〗 [一]미칠 이 [去]寘 [二]미칠 대 [去]隊 | yì dài

[日] イ・タイ〔およぶ〕 [英] reach

[字解] [一] **미칠 이**(及也). [二] **미칠 대**(及也).

[字源] 會意. 又(손)와 尾(꼬리)의 생략형과의 합자. 손으로 꼬리를 잡음의 뜻.

8 ⑯ 〖隸〗 종 례 [去]霽 | 隶 lì

[日] レイ〔しもべ〕 [英] slave

[字解] ① **종 례**(賤稱). ¶ 奴隸(노예). ② **붙을 례**(附屬也). ¶ 隸屬(예속). ③ **서체이름 례**(書名篆之捷者).

[字源] 形聲. 「柰=柰(내)」의 전음이 음을 나타냄.

[參考] 隷(隶部 9획)와 同字.

[隸書 예서] 한자 서체(書體)의 한 가지. 전서(篆書)의 획을 간략하게 고친 것.

[隸屬 예속] 지배 아래 있음.

[奴隸 노예] 종.

9 ⑰ 〖隷〗 隸(례)(隶部 8획)와 同字

隹 〔8 획〕 部
(새추부)

0 ⑧ 〖隹〗 [一]새 추 [平]支 [二]높을 최 [上]賄 | zhuī cuī

[日] スイ〔とり〕・サイ〔たかい〕

[英] bird, high

[字解] [一] **새 추**(鳥之短尾總名). [二] **높을 최**(高大也).

[字源] 象形. 꼬리 짧은 새의 모양을 본뜸. 꼬리가 긴 새는 鳥.

2 ⑩ 〖隻〗 외짝 척 [入]陌 | 只 zhī

[日] セキ〔ひとつ〕 [英] single

[字解] ① **외짝 척**(物單稱). ¶ 隻眼(척안). 隻字(척자). ② **척 척**(船車數詞). ¶ 一隻船(일척선).

[字源] 會意. 又(손)와 隹(새)와의 합자. 손에 잡은 새 한 마리의 뜻. 전하여, 하나의 뜻이 됨.

[隻手 척수] 한쪽 손. 한 손.

[隻言 척언] 한 마디 말. 간단한 말.

2 ⑩ 〖隼〗 송골매 준[本]순 [上]軫 | sūn

[日] ジュン〔はやぶさ〕 [英] hawk

[字解] **송골매 준**(鷂屬貪殘之鳥也).

[字源] 形聲. 「卂(신)」의 생략형의 전음이 음을 나타냄.

3 ⑪ 〖雀〗 참새 작 [入]藥 | què

[日] ジャク〔すずめ〕 [英] sparrow

[字解] **참새 작**(依人小鳥).

[字源] 會意. 小와 隹(새)와의 합자. 작은 새의 뜻.

[雀躍 작약] 참새가 날고 춤추듯이 깡충깡충 뛰면서 기뻐함.

8 획

【集】 모을 집 ⑧組 | jí

ノ イ 亻 什 ザ 隹 隹 隼 集

⊕ シュウ〔あつまる〕 ⑧ gather

字解 ① 모을 집, 모일 집(聚也, 會也). ¶ 群集(군집). 文集(문집). ② 이룰 집(成也).

字源 會意. 많은 새가 나무 위에 앉아 있는 형상. 새가 많이 모임의 뜻.

[集大成 집대성] 많은 훌륭한 것을 모아서 하나의 완전한 것으로 만들어 내는 일.

[集中 집중] 한곳에 모임. 또, 한곳에 모음.

[結集 결집] 한데 모여 뭉침.

【雅】 우아할 아 ⑧馬 | yǎ

一 二 牙 牙 邪 邪 邪 雅 雅

⊕ ガ〔みやびやか〕 ⑧ refined

字解 ① 우아할 아(儀也, 閒麗也). ¶ 雅致(아치). ② 바를 아(正也). ¶ 雅正(아정). ③ 평상 아(常也). ¶ 雅故(아고).

字源 形聲. 隹+牙〔音〕

[雅淡 아담] 말쑥하고 담담함.

[雅量 아량] 넓은 도량.

[雅樂 아악] ㉠ 옛날 중국에서 정식으로 쓰던 음악. ㉡ 한국의 고전 음악.

[雅兄 아형] 벗의 존칭.

[端雅 단아] 단정하고 아담함.

[優雅 우아] 품위 있고 아름다움.

【雄】 수컷 웅 ⑧東 | xióng

一 ナ 広 広 太 太 雄 雄

⊕ ユウ〔おす〕 ⑧ male

字解 ① 수컷 웅(羽屬之牡也). ¶ 雌雄(자웅). ② 굳셀 웅(勇也). ¶ 雄壯(웅장). ③ 뛰어날 웅(傑士). ¶ 英雄(영웅).

字源 形聲. 隹+厷〔音〕

[雄辯 웅변] ㉠ 조리가 있고, 거침없이 잘하는 말. ㉡ 말을 잘하는 일.

[雄壯 웅장] 으리으리하게 크고도 장함.

【雁】 기러기 안 ⑧諫 | yàn

一 厂 厅 厇 雁 雁 雁 雁

⊕ ガン〔かり〕 ⑧ wild goose

字解 기러기 안(鴈也). ¶ 雁飛(안비).

字源 形聲. 隹+人+厂〔音〕

参考 鴈(鳥部 4획)은 同字.

[雁行 안항] 남의 형제를 대접하여 이르는 말.

[雁行 안행] ㉠ 기러기가 줄지어 날아감. 또, 줄지어 날아가는 기러기. ㉡ 줄지어 날아가는 기러기처럼 조금씩 비껴 뒤처져 가는 일. ㉢ 앞장서서 감.

【雇】 ▬품살 고 ⑧遇 | gù
새이름 호 ⑧寘 | hù

⊕ コ〔やとう・ふなしうずら〕 ⑧ hire out

字解 ▬ 품살 고(傭也). ¶ 雇用(고용). ▬ 새이름 호(農桑候鳥也). ¶ 九雇(구호).

字源 形聲. 隹+戶〔音〕

[雇傭 고용] 품삯을 받고 남의 일을 함.

[解雇 해고] 고용자가 피고용자를 내보냄.

【雉】 꿩 치 ⑧紙 | zhì

⊕ チ〔きじ〕 ⑧ pheasant

字解 꿩 치(野鷄). ¶ 山雉(산치).

字源 形聲. 隹+矢〔音〕

[雉鷄 치계] 꿩과 닭.

【雊】 울 구 ⑧宥 | gòu

ⓗ コウ〔なく〕 ⓔ twitter
[字解] 울 구(雄雉鳴).
[字源] 形聲. 隹+句〔音〕

---

5 【雋】 ⓐ살찐고기
⑬ ⓐ기 전 ⓑ銑 | juàn
ⓑ영특할 jùn
준 ⓒ震

ⓗ セン〔こえたにく〕・シュン〔すぐれる〕
ⓔ get fat, wise

[字解] ⓐ살찐고기 전(鳥肥肉). ⓑ
영특할 준, 준걸 준(傑秀).
[字源] 會意. 隹(새)와 弓(활)을 옆으
로 한 모양과의 합자. 활로 새를 맞
추어 떨어뜨림의 뜻.
[參考] 儁(人部 12획)·俊(人部 7획)
은 同字.

[雋哲 준철] 뛰어나게 현명함.

---

5 【雌】 암컷 자
⑬ ⓐ支 | cí

ㅏ ㅑ ㅄ 此 雌 雌 雌 雌

ⓗ シ〔めす〕 ⓔ female
[字解] 암컷 자(牝也).
[字源] 形聲. 隹+此〔音〕

[雌伏 자복] ㉠ 굴복하여 좇음. ㉡
세상일에서 물러나 숨어 삶.
[雌雄 자웅] ㉠ 암컷과 수컷. ㉡ 우
열·승패 등을 뜻하는 말.
[雌花 자화] 암꽃.

---

5 【雎】 물수리
⑬ ⓐ魚 | jū

ⓗ ショ〔みさご〕 ⓔ osprey
[字解] 물수리 저(鴡鳩也).
[字源] 形聲. 隹+且〔音〕

---

5 【雍】 ⓐ화락할
⑬ 옹 ⓐ冬 | yōng
ⓑ학교 옹
ⓒ腫

ⓗ ヨウ〔やわらぐ〕
ⓔ harmonious, school
[字解] ⓐ화락할 옹(和也). ¶ 雍睦

(옹목). ⓑ학교 옹(學舍也). ¶ 辟
雍(벽옹).
[字源] 形聲. 본디 隹+邕〔音〕

[雍容 옹용] ㉠ 마음이 화락하고 조
용한 모양. ㉡ 온화한 얼굴.

---

6 【雒】 가리온
⑭ 락 ⓐ藥 | luò

ⓗ ラク〔かわらげ〕
[字解] 가리온 락(馬名, 駱也).
[字源] 形聲. 隹+各〔音〕

---

6 【雑】 雜(잡)(隹部 10획)의 俗字
⑭

---

8 【雕】 수리 조
⑯ ⓐ蕭 | diāo

ⓗ チョウ〔わし〕 ⓔ eagle
[字解] 수리 조(鵰也).
[字源] 形聲. 隹+周〔音〕

[雕琢 조탁] ㉠ 옥을 갈고 다듬음.
㉡ 시문(詩文) 등을 힘써 짓고 다듬
음.

---

9 【雖】 비록 수
⑰ ⓐ支 | suī

ㅁ ㅂ 吊 吊 虽 虽 蚚 蚟 雖

ⓗ スイ〔いえども〕 ⓔ even if
[字解] 비록 수(詞兩設也, 假令也).
[字源] 形聲. 虫+唯〔音〕

[雖然 수연] 그러하나.

---

10 【雙】 쌍 쌍
⑱ ⓐ江 | shuāng 双

ⓕ ㅑ 隹 隹 隹 雔 雙 雙

ⓗ ソウ〔ふたつ〕 ⓔ pair
[字解] 쌍 쌍(兩隻).
[字源] 會意. 雔(새 두 마리)와 又(손)
와의 합자. 한 쌍의 새를 손에 잡고
있음의 뜻. 전하여, 둘의 뜻이 됨.
[參考] 双(又部 2획)은 俗字.

[雙肩 쌍견] 두 어깨. 양 어깨.
[雙璧 쌍벽] ㉠ 두 개의 구슬. ㉡ 여

럿 가운데 우열이 없이 특히 뛰어난 둘.

[無雙 무쌍] 서로 견줄 만한 짝이 없음.

10
⑱【雘】 **一**진사 확
　　　㈤藥
　　　二붉을 호
　　　㈨遇
wò
hù
朕

㈰ ワク〔しんしゃ〕・コ〔あかい〕
㊦ cinnabar, red

[字解] **一** 진사 확(辰砂). **二** 붉을 호(善丹).

[字源] 形聲. 丹+蒦〔音〕

10
⑱【雛】 병아리
　　　추㊦虞
雏
chú
鷄

㈰ スウ・コ〔ひな〕 ㊦ chicken

[字解] ① 병아리 추(鳥子), 병아리 추(鷄子). ¶ 鳳雛(봉추). ② 아이 추(小兒). ¶ 雛僧(추승).

[字源] 形聲. 隹+芻〔音〕

[雛孫 추손] 어린 손자.

10
⑱【雜】 섞일 잡
　　　㈧合
杂
zá
桿

一 ㅗ 卒 李 쵀 쵀 쵀 雜

㈲ ザツ〔まじる〕 ㊦ mixed

[字解] ① 섞일 잡(參錯五彩相合). ¶ 混雜(혼잡). ② 어수선할 잡(亂也). ¶ 亂雜(난잡).

[字源] 形聲. 衣+集〔音〕

[雜技 잡기] 자질구레한 기예.
[雜念 잡념] ㉠ 주견이 없는 온갖 생각. ㉡ 수업(修業)을 방해하는 온갖 생각.
[雜費 잡비] 자질구레하게 쓰이는 돈.
[雜音 잡음] ㉠ 시끄럽고 불쾌한 느낌을 일으키는 소리. ㉡ 전신(電信)·라디오 등에서 들리는 청취(聽取)를 방해하는 소리.
[煩雜 번잡] 번거롭고 복잡함.
[錯雜 착잡] 뒤섞이어 어수선함.

10
⑱【雝】 화락할
　　　옹㊦冬
yōng
嬖

㈰ ヨウ〔やわらぐ〕 ㊦ harmony

[字解] ① 화락할 옹(和也). ¶ 雝雝(옹옹). ② 할미새 옹(鶺鴒也).

[字源] 形聲. 隹+邕〔音〕

10
⑱【雞】 鷄(계)(鳥部 10획)의 本字

10
⑱【雚】 **一**황새 관
　　　㈤翰㊦寒
　　　二박주가
　　　리 환㊦寒
guàn

㈰ カン〔こうのとり・がまいも〕
㊦ white stork, milkweed

[字解] **一** 황새 관. **二** 박주가리 환. 물가에 나는 풀의 이름.

[字源] 象形. 두 개의 도가머리와 두 눈이 강조된 물새의 상형으로, 황새의 뜻을 나타냄.

11
⑲【離】 떠날 리
　　　㊦支
离
lí
鷄

亠 ㅗ 卤 离 离 离 離 離

㈰ リ〔はなれる〕 ㊦ leave

[字解] ① 떠날 리(別也, 去也). ¶ 離別(이별). ② 흩어질 리(散也). ¶ 離散(이산). ③ 만날 리(遭遇). ¶ 離憂(이우).

[字源] 形聲. 隹+离〔音〕

[離別 이별] 서로 갈려서 떨어짐.
[分離 분리] 서로 나뉘어 떨어짐.

11
⑲【難】 **一**어려울
　　　난㊦寒
　　　二나무랄
　　　난㊦翰
　　　三우거질
　　　나㊦歌
nán
nàn
nuó
难
筹

一 廿 昔 莫 莫 蓳 難 難 難

㈰ ナン〔かたい・たしなめる〕・ナ〔しげる〕
㊦ difficult, scold, dense

[字解] **一** 어려울 난(不易也). **二** 나

무랄 난(責也). ¶ 非難(비난).
우거질 나(盛貌). 難然(난연).
字源 形聲. 隹+黃〔音〕

[難攻不落 난공불락] 공격하기 어려워서 좀처럼 함락되지 아니함.
[難關 난관] ㉠ 지나가기가 썩 어려운 관문. ㉡ 일을 해 나가기가 어려운 고비.
[難局 난국] 어려운 판국.
[難兄難弟 난형난제] 형이라 하기도 어렵고 아우라 하기도 어려움. 곧, 우열을 가리기 어려움.
[非難 비난] 남의 잘못이나 흠을 들추어 나무람.

雨 〔8 획〕 部
(비우부)

0 【雨】비우 | yǔ
⑧ 上麌 yù

一 厂 厅 币 币 雨 雨 雨

㉰ ウ〔あめ〕 ⊛ rain
字解 비 우(水從雲下也). ¶ 雨雪(우설).
字源 象形. 하늘에서 물방울이 떨어지고 있는 모양을 본뜸.

[雨露 우로] ㉠ 비와 이슬. ㉡ 임금이나 부모의 은혜를 비유하는 말.
[雨備 우비] 비 맞지 않게 하는 준비. 또, 그 제구.
[雨後竹筍 우후죽순] 비 온 뒤 죽순이 여기저기 돋아난다는 뜻으로, 어떤 일이 한때 많이 일어남의 비유.
[暴雨 폭우] 갑자기 많이 내리는 비.
[豪雨 호우] 줄기차게 내리퍼붓는 비.

3 【雩】기우제 | yú
⑪ 우㉱虞

㉰ ウ〔あまごい〕 ⊛ pray for rain
字解 기우제 우(祈雨祭也).
字源 形聲. 雨+亏〔音〕

[雩祭 우제] 가물 때 비 오기를 비는 제사. 기우제(祈雨祭).

3 【雪】눈설 | xuě
⑪ 入屑

一 厂 厅 币 币 雨 雨 雪 雪

㉰ セツ〔ゆき〕 ⊛ snow
字解 ① 눈 설(水下遇寒氣而凝). ¶ 雪景(설경). ② 씻을 설(洗也). ¶ 雪怨(설원).
字源 形聲. 篆文은 雨+彗〔音〕

[雪上加霜 설상가상] 눈 위에서 서리를 더함. 불행한 일이 연거푸 겹침을 비유하는 말.
[雪辱 설욕] 부끄러움을 씻음. 설치(雪恥).
[瑞雪 서설] 상서로운 눈.
[積雪 적설] 쌓인 눈.

4 【雰】안개 분 | fēn
⑫ ㉱支

㉰ フン〔きり〕 ⊛ fog
字解 ① 안개 분(霧也). ¶ 雰虹(분홍). ② 눈날릴 분(雪貌). ¶ 雰雰(분분).
字源 形聲. 雨+分〔音〕

[雰雰 분분] 눈이 오는 모양.
[雰圍氣 분위기] ㉠ 지구를 둘러싸고 있는 대기. ㉡ 그 사람 주위의 상태나 기분.

4 【雯】무늬 문 | wén
⑫ ㉱文

㉰ ブン・モン〔くものあや〕
字解 무늬 문.
字源 形聲. 雨+文〔音〕

4 【雲】구름 운 | yún
⑫ ㉱支

一 厂 币 币 雨 雨 雲 雲 雲

㉰ ウン〔くも〕 ⊛ cloud
字解 구름 운(山川氣也). ¶ 雲雨(운우).

8
획

[字源] 形聲. 구름의 모양을 본뜬 云에 雨를 더한 글자. 또, 「云(운)」은 음을 나타냄.

[雲集 운집] 구름같이 많이 모임.
[雲海 운해] 비행기나 높은 산 위에서 내려다볼 때의 바다와 같이 펼쳐진 구름.
[浮雲 부운] 뜬구름.
[青雲 청운] ㉠ 푸른 빛깔의 구름. ㉡ 높은 지위나 벼슬을 가리키는 말.

5 ⑬ 【零】 떨어질 령 [平]青 | líng

[日] レイ〔おちる〕 [英] drop

[字解] ① **떨어질 령**(落也, 墜也). ¶ 零落(영락). ② **비올 령**(雨餘落). ③ **영 령.** ¶ 零點(영점).

[字源] 形聲. 雨+令〔音〕

[零落 영락] ㉠ 초목이 시들어 떨어짐. ㉡ 세력이나 살림살이가 아주 보잘것없이 됨.
[零細 영세] 보잘것없이 적음.

5 ⑬ 【雷】 [一]천둥 뢰 [平]灰 [二]칠 뢰 [本]루[上]紙 | léi

[日] ライ〔かみなり〕・ルイ〔うつ〕
[英] thunder, attack

[字解] [一] **천둥 뢰**(陰陽薄震聲也). ¶ 雷雨(뇌우). [二] **칠 뢰**(擊鼓).

[字源] 形聲. 雷는 靁의 생략체로, 畾는 천둥이 연이어 치는 모양. 「畾(뢰)」가 음을 나타냄.

[雷同 뇌동] 옳고 그름의 분별도 없이 남의 말에 덩달아 찬성함. ¶ 附和雷同(부화뇌동).
[雷霆 뇌정] 우레. 천둥.
[落雷 낙뢰] 벼락이 떨어짐. 또는 그 벼락.

5 ⑬ 【雹】 누리 박 [入]覺 | báo

[日] ハク〔ひょう〕 [英] hail

[字解] **누리 박**(雨冰也). 우박.

[字源] 形聲. 雨+包〔音〕

[雹霰 박산] 누리. 우박(雨雹).

5 ⑬ 【電】 번개 전 [去]霰 | 电 diàn

[日] デン〔いなづま〕 [英] lightning

[字解] ① **번개 전**(陰陽激燿震雲). ¶ 雷電(뇌전). ② **전기 전.** ¶ 電熱(전열). 電力(전력).

[字源] 形聲. 번개를 본뜬 申에 雨를 더한 것. 「申(신)」의 전음이 음을 나타냄.

[電擊 전격] 번개처럼 갑자기 공격함. 정격(霆擊).
[電光石火 전광석화] 번갯불과 돌을 돌에 칠 때 나는 번쩍 빛나는 불꽃. 아주 빠른 동작의 비유.
[電文 전문] 전보의 문구.
[漏電 누전] 전류가 전선 밖으로 새어 나감.
[停電 정전] 전기 공급이 끊어짐.

6 ⑭ 【霱】 물소리 우[去]遇 | yù

[日] ウ〔みずのおと〕
[英] murmurs of stream

[字解] ① **물소리 우.** ② **오음**(五音) **우.**

[字源] 形聲. 雨+羽〔音〕

6 ⑭ 【需】 [一]구할 수 [平]虞 [二]연할 연 [上]銑 | xū

[日] ジュ〔もとめる〕・ゼン〔やわらか〕
[英] demand, soft

[字解] [一] ① **구할 수**(要求). ¶ 需用(수용). ② **기다릴 수**(待也). ③ **머뭇거릴 수**(遲疑貌). [二] **연할 연.**

[字源] 會意. 雨+而〔音〕

8획

[需事之賊 수사지적] 의심하고 주저하는 것은 일을 그르치는 도둑.

[需要 수요] ㉠ 필요해서 얻고자 함. ㉡ 구매력을 따라 시장에 나온 상품의 총량. 또는 사들이려는 희망.

[必需 필수] 반드시 필요함.

7 ⑮ 【霄】 하늘 소 [平]蕭 | xiāo

[日] ショウ〔そら〕 [英] sky

[字解] ① **하늘 소**(天上也). ¶ 霄壤(소양). ② **구름기 소**(日旁雲氣也).

[字源] 形聲. 雨+肖〔音〕

[霄壤之判 소양지판] 하늘과 땅과의 차이처럼 엄청난 차이.

7 ⑮ 【霅】 [一]비올 삽 [入]合 [二]천둥번개칠 잡 [入]洽 [三]빛날 합 [入]洽 | sà zhà xiá

[日] ソウ〔あめふる〕・トウ〔いなびかりのひらめくさま〕・コウ〔ひかりかがやくさま〕

[英] rain, shine

[字解] [一] **비올 삽**(雨也). [二] **천둥번개칠 잡**(震電). ¶ 霅霅(잡잡). [三] **빛날 합**(光明之貌也).

[字源] 形聲. 雨+譶(省)〔音〕

7 ⑮ 【霆】 천둥소리 정 [平]青 | tíng

[日] テイ〔かみなり〕 [英] thunderclap

[字解] ① **천둥소리 정**(疾雷). ② **번개 정**(陰陽相薄激光貌).

[字源] 形聲. 雨+廷〔音〕

[霆擊 정격] 번개처럼 갑자기 공격함. 전격(電擊).

7 ⑮ 【震】 천둥소리 진 [去]震 | zhèn

[日] シン〔ふるう〕 [英] thunderclap

[字解] ① **천둥소리 진**(雷也). ② **흔들릴 진**(動也). ¶ 地震(지진). ③ **떨 진**(懼也, 慄也). ¶ 震驚(진경).

[字源] 形聲. 雨+辰〔音〕

[震恐 진공] 떨며 두려워함.

[震天動地 진천동지] 하늘을 떨게 하고 땅을 움직임. 위엄이나 큰 소리가 천지를 뒤흔듦을 비유하는 말.

[地震 지진] 지각 내부의 변화로 땅이 진동하는 현상.

7 ⑮ 【霈】 비쏟아질 패 [去]泰 | péi

[日] ハイ〔おおあめがふる〕

[英] rain pours

[字解] **비쏟아질 패**(大雨也). ¶ 滂霈(방패).

[字源] 形聲. 雨+沛〔音〕

8 ⑯ 【霍】 빠를 곽 [本]확 [入]藥 | huò

[日] カク〔はやい〕 [英] quick

[字解] **빠를 곽**(疾也).

[字源] 會意. 본디 靃로 썼음. 雨와 雔와의 합자. 빗속을 새가 나란히 낢의 뜻.

[霍亂 곽란] 여름철에 급격한 토사를 일으키는 위장병.

8 ⑯ 【霎】 가랑비 삽 [入]洽 | shà

[日] ショウ〔しばし〕 [英] drizzle

[字解] ① **가랑비 삽**(小雨). ¶ 霎雨(삽우). ② **빗소리 삽**(雨聲). ③ **잠시 삽**(暫也). ¶ 霎時(삽시).

[字源] 形聲. 雨+妾〔音〕

[霎時 삽시] 잠깐 동안.

[霎雨 삽우] 가랑비. 이슬비.

8 ⑯ 【霏】 올 비 [平]微 | fēi

[日] ヒ〔ふる〕

[字解] ① **올 비**(雨雪霏貌). ② **안개 비**(霧也).

[字源] 形聲. 雨+非〔音〕

8 획

8 ⑯ 【霑】 젖을 점 [平]鹽 zhān

[日] テン〔うるおう〕 [英] wet

[字解] **젖을 점**(濕也, 濡也). ¶ 均霑(균점).

[字源] 形聲. 雨+沾〔音〕

[霑潤 점윤] 흐뭇하게 젖음.
[均霑 균점] 평등히 이익을 받음.

8 ⑯ 【霓】 무지개 예[平]齊 ní

[日] ゲイ〔にじ〕 [英] rainbow

[字解] **무지개 예**(雌虹也). ¶ 雲霓(운예).

[字源] 形聲. 雨+兒〔音〕

[參考] 蜺(虫部 8획)와 同字.

[霓裳 예상] 무지개처럼 아름다운 치마.
[虹霓 홍예] 무지개.

8 ⑯ 【霖】 장마 림 [平]侵 lín

[日] リン〔ながあめ〕 [英] long rain

[字解] **장마 림**(久雨不止也). ¶ 梅霖(매림).

[字源] 形聲. 雨+林〔音〕

[霖雨 임우] 장맛비. 음우(霪雨).

9 ⑰ 【霙】 [一]진눈깨비 영[平]庚 [二]흰구름 앙 [平]陽 yīng

[日] エイ〔みぞれ〕・ヨウ〔しらくも〕 [英] sleets, fleecy clouds

[字解] [一] **진눈깨비 영**(雨雪交降). [二] **흰구름 앙**.

[字源] 會意. 雨(하늘에서 내림)와 英(꽃)의 합자. 또, 「英(영)」이 음을 나타냄.

9 ⑰ 【霜】 서리 상 [平]陽[去]漾 shuāng

一 ニ 雨 雨 雫 雫 霜 霜

[日] ソウ〔しも〕 [英] frost

[字解] ① **서리 상**(露凝). ¶ 霜菊(상국). ② **해 상**(歷年). ¶ 星霜(성상).

[字源] 形聲. 雨+相〔音〕

[霜菊 상국] 서리가 내릴 때 피는 국화.
[星霜 성상] 세월.
[秋霜 추상] 가을의 찬서리. 서슬이 퍼런 위엄이나 엄한 형벌의 비유.

9 ⑰ 【霞】 놀 하 [平]麻 xiá

[日] カ〔かすみ〕 [英] red sky

[字解] **놀 하**(日旁彤雲). ¶ 夕霞(석하).

[字源] 形聲. 雨+叚〔音〕

[霞彩 하채] 노을의 아름다운 빛깔.

10 ⑱ 【霤】 낙숫물 류[去]宥 liù

[日] リュウ〔あまだれ〕 [英] eavesdrop

[字解] **낙숫물 류**(屋水流也).

[字源] 形聲. 雨+留〔音〕

11 ⑲ 【霧】 안개 무 [去]遇 雺 wù

一 ニ 雨 雨 雺 雺 霚 霧

[日] ム〔きり〕 [英] fog

[字解] **안개 무**(地氣發天不應而成). ¶ 雲霧(운무).

[字源] 形聲. 雨+務〔音〕

[霧散 무산] ㉠ 안개가 걷힘. ㉡ 안개가 걷히는 것처럼 흔적도 없이 흩어짐.
[濃霧 농무] 짙은 안개.

11 ⑲ 【霪】 장마 음 [平]侵 yín

[日] イン〔ながあめ〕 [英] long rain

[字解] **장마 음**(久雨). ¶ 霖霪(임음).

[字源] 形聲. 雨+淫〔音〕

[霪雨 음우] 장맛비. 임우(霖雨).

12 ⑳ 【霰】 싸라기눈 산[本]선 [去]霰 | xiàn

[日] サン〔あられ〕 [英] hail

[字解] **싸라기눈 산**(粒雪).

[字源] 形聲. 雨+散〔音〕

[霰彈 산탄] 발사하면 흩어지는 탄환.

12 ⑳ 【露】 이슬 로 [去]遇 | lù

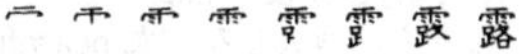

[日] ロ〔つゆ〕 [英] dew

[字解] ① **이슬 로.** ¶ 玉露(옥로). 草露(초로). ② **드러날 로, 나타날 로**(現也). ¶ 露顯(노현).

[字源] 形聲. 雨+路〔音〕

[露骨 노골] ㉠ 뼈를 드러냄. ㉡ 조금도 꾸미지 않고 있는 그대로 드러냄.

[露店 노점] 한데 벌여 놓은 가게.

[露出 노출] 밖으로 드러내거나 드러남.

[草露 초로] 풀에 맺힌 이슬.

[吐露 토로] 속마음을 죄다 드러내어 말함.

13 ㉑ 【霸】 두목 패[本]파 [去]禡 | bà

[日] ハ〔かしら〕 [英] chief

[字解] ① **두목 패**(伯也). ¶ 五霸(오패). ② **으뜸갈 패**(長也).

[字源] 形聲. 月+䨣〔音〕

[霸權 패권] 어떤 분야에서 으뜸의 자리를 차지하려는 권력.

[霸者 패자] ㉠ 제후(諸侯)의 우두머리. ㉡ 그 방면에서 가장 힘 있는 우두머리.

[制霸 제패] ㉠ 패권을 잡음. ㉡ 경기에서 우승함.

13 ㉑ 【霹】 벼락 벽 [入]錫 | pī

[日] ヘキ〔はためく〕 [英] thunderbolt

[字解] **벼락 벽**(迅雷也).

[字源] 形聲. 雨+辟〔音〕

[霹靂 벽력] 벼락.

14 ㉒ 【霽】 갤 제 [去]霽 | 霁 jì

[日] セイ〔はれる〕 [英] clear up

[字解] **갤 제**(雨止).

[字源] 形聲. 雨+齊〔音〕

[霽月 제월] 비가 갠 뒤의 달. ¶ 光風霽月(광풍제월).

14 ㉒ 【霾】 흙비올 매[平]佳 | mái

[日] バイ〔つちふる〕 [英] sandstorm

[字解] **흙비올 매**(土雨也).

[字源] 形聲. 雨+貍〔音〕

14 ㉒ 【靉】 구름낄 희[上]尾 [去]未 | xì

[日] キ〔くもる〕 [英] clonds hang

[字解] **구름낄 희**(雲貌), **흐릴 희**(不審貌). ¶ 靉靆(애희).

[字源] 形聲. 雲+氣〔音〕

16 ㉔ 【靂】 벼락 력 [入]錫 | 雳 lì

[日] レキ〔はたたき〕 [英] thunderbolt

[字解] **벼락 력**(迅雷也).

[字源] 形聲. 雨+歷〔音〕

[霹靂 벽력] ㉠ 벼락. ㉡ 천둥.

16 ㉔ 【靄】 놀 애[去]泰 [上]賄 | 霭 ǎi

[日] アイ〔もや〕 [英] red sky

[字解] **놀 애**(氛也). ¶ 朝靄(조애).

[字源] 形聲. 雨+謁〈省〉〔音〕

[靄靄 애애] ㉠ 이내가 자욱이 낀 모양. ㉡ 구름이나 안개가 끼어 있는 모양. ㉢ 화기가 가득 찬 모양. ¶ 和氣靄靄(화기애애).

8획

16획(24)【靈】신령 령│líng

⿱⿱ 雨雨 雷 霝 霝 霝 靈 靈

日 レイ〔かみ〕 美 divine spirit

字解 ① 신령 령(神也). ¶ 靈妙(영묘). ② 혼백 령(魂魄).

字源 形聲. 巫를 바탕으로 하여「霝(령)」이 음을 나타냄.

參考 灵(火部 3획)은 약자.

[靈感 영감] ㉠ 신불(神佛)의 신령스러운 감응(感應). ㉡ 심령(心靈)의 미묘한 작용으로 얻어지는 감정.

[靈魂 영혼] 넋. 마음.

[亡靈 망령] 죽은 이의 넋.

16획(24)【靆】구름낄 체㊀隊 ㊤賄│dài

日 タイ〔たなびく〕 美 clouds hang

字解 구름낄 체(雲盛貌).

字源 形聲. 雲+逮〔音〕

17획(25)【靉】구름낄 애㊀隊│ài

日 アイ〔たなびく〕 美 clouds hang

字解 구름낄 애(雲盛貌).

字源 形聲. 雲+愛〔音〕

靑 〔8획〕 部
(푸를청부)

0획(8)【靑】푸를 청㊥靑│qīng

一 十 キ 丰 青 青 青 青

日 セイ〔あおい〕 美 blue

字解 ① 푸를 청(東方之色). ¶ 靑春(청춘). ② 대껍질 청(竹皮).

字源 形聲. 丹+生〔音〕

[靑史 청사] 역사. 종이가 없던 옛날 대나무의 푸른 껍질을 불에 구워서 사물을 기록했으므로 靑자를 썼음.

[靑雲 청운] ㉠ 푸른 구름. ㉡ 높은 이상이나 벼슬.

[靑瓷 청자] 고려 때 만든 푸른 빛깔의 자기.

[靑春 청춘] 스무 살 안팎의 젊은이. 청년.

[群靑 군청] ㉠ 고운 광택이 나는 짙은 남청색의 광물성 물감. ㉡ 군청색.

5획(13)【靖】편안할 정㊤梗│jing

日 セイ〔やすんじる〕 美 peaceful

字解 편안할 정(安也).

字源 形聲. 立+靑〔音〕

[靖安 정안] 어지럽던 것을 편안하게 다스림.

6획(14)【靘】감색 정㊤徑│qīng

日 セイ〔あおぐろ〕 美 dark blue

字解 감색 정, 청흑색 정(靑黑色).

字源 形聲. 色+靑〔音〕

7획(15)【靚】단장할 정㊤敬 ㊤梗│jing

日 セイ〔かざる〕 美 adorn

字解 단장할 정(裝飾也).

字源 形聲. 見+靑〔音〕

8획(16)【靜】조용할 정㊤梗 ㊤敬│jing

十 ⺇ 青 青 靑 靜 靜 靜

日 セイ〔しずか〕 美 quiet

字解 조용할 정(動之對). ¶ 靜女(정녀).

字源 形聲. 爭+靑〔音〕

[靜觀 정관] 사물을 관찰하며, 그의 움직임을 조용히 지켜봄.

[靜脈 정맥] 피를 심장으로 보내는 혈관.

[靜謐 정밀] 고요하고 조용함.

[靜肅 정숙] 고요하고 엄숙함.
[靜寂 정적] 쓸쓸할 정도로 고요함.
[鎭靜 진정] 흥분·아픔을 가라앉힘.

8
⑯ 【靛】 청대 전 | dián
去霰

日 テン〔あい〕 英 indigo
字解 청대 전(藍染也). 쪽 물감.
字源 形聲. 青+定〔音〕.

非 〔8획〕 部
(아닐비부)

0
⑧ 【非】 아닐 비 | fēi
平微上尾

丿 ナ ォ ォ ォ 非 非 非

日 ヒ〔あらず〕 英 not
字解 ① 아닐 비(不是). ¶ 非凡(비
범). 非常(비상). ② 어긋날 비(違
也). ¶ 非行(비행). ③ 나무랄 비
(訾也). ¶ 非難(비난).
字源 象形. 날아가는 새의 깃이 좌
우로 서로 등지고 있는 모양. 전하
여, 다름의 뜻이 됨.

[非難 비난] 남의 잘못을 나무람.
[非凡 비범] 보통이 아님. 뛰어남.
[非違 비위] 법에 어긋남. 또, 그 일.
¶ 非違事實(비위 사실).
[非情 비정] 목석과 같이 감정이 없
음.
[非行 비행] 나쁜 짓.
[是非 시비] ㉠ 옳고 그름. ㉡ 옳고
그름을 따짐.
[似而非 사이비] 겉은 제법 비슷하
나 속은 다름.

7
⑮ 【靠】 기댈 고 | kào
去號

日 コウ〔よりかかる〕 英 depend
字解 기댈 고(依附也). ¶ 依靠(의
고).
字源 形聲. 非+告〔音〕.

11
⑲ 【靡】

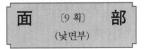

一 쓰러질
미 ㊤紙 멸할 미
日支 갈 마
㊦歌

mǐ
mí
mó

日 ビ・ミ〔なびく・めっする〕・バ・
マ〔とぐ〕
英 fall down, ruin, grind

字解 一 ① 쓰러질 미(偃也). ¶
風靡(풍미). ② 호사할 미(奢靡也).
¶ 奢靡(사미). 日 멸할 미(滅也).
日 갈 마(磨切也).
字源 形聲. 非+麻〔音〕.

[靡麗 미려] 화려하고 아름다움.
[風靡 풍미] 어떤 사조·현상 등이 널
리 사회를 휩쏢.

面 〔9획〕 部
(낯면부)

0
⑨ 【面】 낯 면 | miàn
去霰

一 丆 丙 而 而 面 面 面

日 メン〔おも〕 英 face
字解 ① 낯 면(顏也). ¶ 顏面(안
면). ② 면(表也, 外也). ¶ 外面
(외면). ③ 쪽 면(當四方之一也). ¶
方面(방면). 一面(일면). ④ 만날
면(見也). ¶ 面會(면회). ⑤ 면전
면(前也). ¶ 面責(면책).
字源 象形. 사람의 얼굴과 윤곽을
본뜸.

[面目 면목] ㉠ 얼굴. ㉡ 모양. ㉢
체면.
[面駁 면박] 마주 보고 공박함.
[面識 면식] 얼굴을 서로 앎.
[面長 면장] 면의 행정을 통할하고
집행하는 기관장.
[面從 면종] 보는 앞에서만 복종함.
¶ 面從腹背(면종복배).
[面奏 면주] 배알(拜謁)하고 상주(上
奏)함.
[對面 대면] 얼굴을 마주 보고 대함.

[方面 방면] 어떤 장소나 지역이 있는 방향.
[體面 체면] 남을 대하는 낯.

0 ⑧ 〖靣〗 面(면)(部首字)의 俗字

5 ⑭ 〖皰〗 면종 포 [去]效 | pào

[日] ホウ〔もがさ〕
[字解] **면종 포**(面瘡).
[字源] 形聲. 面+包〔音〕

7 ⑯ 〖靦〗 부끄러워할 전[上]銑 | tiǎn

[日] テン〔はじる〕 [英] ashamed
[字解] ① **부끄러워할 전**(慚貌然). ¶ 慙靦(참전). ② **볼 전**(面見). ¶ 靦然(전연).
[字源] 形聲. 面+見〔音〕

14 ㉓ 〖靨〗 보조개 엽[入]葉 | 靥 yè

[日] ヨウ〔えくぼ〕 [英] dimple
[字解] **보조개 엽**(頰輔). ¶ 嬌靨(교엽).
[字源] 形聲. 面+厭〔音〕
[靨笑 엽소] 보조개를 지으며 웃음.

9 획

革 〔9 획〕 部 (가죽혁부)

0 ⑨ 【革】 [一]가죽 혁 [本]격[入]陌 [二]중해질 극[入]職 | gé jí

一 廿 廿 廿 芇 苩 苜 革

[日] カク〔かわ〕・キョウ〔あらたまる〕
[英] hide, get worse
[字解] [一] ① **가죽 혁**(去毛生皮也). ¶ 革帶(혁대). ② **고칠 혁**(改也). ¶ 改革(개혁). [二] **중해질 극**.
[字源] 象形. 가죽을 손으로 벗기고 있는 모양. 전하여, 고침의 뜻이 됨.
[革帶 혁대] 가죽으로 만든 띠.
[革命 혁명] ㉠ 천명(天命)이 바뀌어 왕조(王朝)가 바뀜. ㉡ 피지배 계급이 지배 계급으로부터 정치권력을 빼앗아 사회 조직이 갑자기 바뀌는 일. ㉢ 어떤 상태가 급격하게 발전하여 바뀌는 일.
[革新 혁신] 개혁하여 새롭게 함.
[沿革 연혁] 사물이 변천해 온 내력.
[皮革 피혁] 날가죽과 무두질한 가죽의 총칭. 가죽.

3 ⑫ 〖靫〗 [一]전동 채[平]佳 [二]전동 차[平]麻 | chāi chā

[日] サイ・サ〔うつぼ〕 [英] quiver
[字解] [一] **전동 채**(箭室). [二] **전동 차**. ¶ 鞴靫(비차).
[字源] 會意. 叉(끼움)와 革(가죽)의 합자. 화살을 끼우는 가죽 자루의 뜻. 또, 「叉(차)」가 음을 나타냄.

3 ⑫ 〖靭〗 靷(인)(韋部 3획)과 同字

4 ⑬ 〖靳〗 가슴걸이 근 [去]問 | jìn

[日] キン〔むながい〕 [英] girth
[字解] ① **가슴걸이 근**(當膺也). ② **아낄 근**(吝也).
[字源] 形聲. 革+斤〔音〕

4 ⑬ 〖靴〗 신 화[平]麻 | xuē

[日] カ〔くつ〕 [英] shoes
[字解] **신 화**(鞮屬履也).
[字源] 形聲. 革+化〔音〕
[靴工 화공] 구두를 만드는 직공.

4 ⑬ 〖靶〗 고삐 파[去]禡 | bǎ

[日] ハ〔たづな〕 [英] reins

[字解] ① **고삐 파**(御人所把轡革). ② **과녁 파**(的也).

[字源] 形聲. 革+巴〔音〕

4 ⑬ 【靷】 가슴걸이 인 [去]震 [上]軫 yǐn

[日] イン〔ひきづな〕 [英] girth

[字解] **가슴걸이 인**(駕牛馬具在胷引車軸).

[字源] 形聲. 革+引〔音〕

[發靷 발인] 장례 때, 상여가 집에서 떠남.

5 ⑭ 【靺】 오랑캐이름 말 [入]曷 mò

[日] マツ〔えびすのな〕

[字解] **오랑캐이름 말**(蕃人). ¶ 靺鞨(말갈).

[字源] 形聲. 革+末〔音〕

[靺鞨 말갈] 만주 동북 지방에 있던 퉁구스족의 일족.

5 ⑭ 【靼】 오랑캐이름 단 [上]旱 dá

[日] タン〔えびすのな〕

[字解] **오랑캐이름 단**(靺鞨之後女眞別種). ¶ 韃靼(달단).

[字源] 形聲. 革+旦〔音〕

[韃靼 달단] 몽골족의 한 갈래인 타타르의 음역.

5 ⑭ 【鞅】 가슴걸이 앙 [上]養 yǎng

[日] オウ〔むながい〕 [英] girth

[字解] ① **가슴걸이 앙**(頸靼也). ② **원망할 앙**(懟也).

[字源] 形聲. 革+央〔音〕

6 ⑮ 【鞋】 신 혜 [平]佳 xié

[日] カイ〔くつ〕 [英] shoes

[字解] **신 혜**(革履). ¶ 草鞋(초혜).

[字源] 形聲. 革+圭〔音〕

[芒鞋 망혜] 삼이나 노 따위로 짚신처럼 삼은 신(흔히, 날이 여섯임). 미투리.

6 ⑮ 【鞍】 안장 안 [平]寒 ān

[日] アン〔くら〕 [英] saddle

[字解] **안장 안**(馬鞁具). ¶ 金鞍(금안).

[字源] 形聲. 革+安〔音〕

[鞍馬 안마] ㉠ 안장을 지운 말. ㉡ 말에 안장을 지움.

6 ⑮ 【鞏】 굳을 공 [上]腫 巩 gǒng

[日] キョウ〔かたい〕 [英] firm

[字解] **굳을 공**(固也).

[字源] 形聲. 革+巩〔音〕

[鞏固 공고] 굳고 튼튼함.

7 ⑯ 【鞘】 칼집 초 [本]소[平]肴 qiào

[日] ソウ〔さや〕 [英] scabbard

[字解] **칼집 초**(刀室).

[字源] 形聲. 革+肖〔音〕

[鞘狀 초상] 칼집 모양으로 생긴 형상.

8 ⑰ 【鞜】 가죽신 탑 [入]合 tà

[日] トウ〔かわぐつ〕 [英] shoes

[字解] **가죽신 탑**(革履).

[字源] 形聲. 革+沓〔音〕

8 ⑰ 【鞠】 기를 국 [入]屋 jū

[日] キク〔まり〕 [英] nourish

[字解] ① **기를 국**(養也). ¶ 鞠養(국

양). ② 굽힐 국(曲也). ¶ 鞠躬(국궁). ③ 공 국. ¶ 蹋鞠(답국). ④ 고할 국(告也). ⑤ 국문할 국(鞫也).

字源 形聲. 革+匊〔音〕

[鞠躬 국궁] ㉠ 존경하는 뜻으로 몸을 굽힘. ㉡ 정성껏 애를 씀.
[鞠問 국문] 죄인을 심문함. 국문(鞫問).
[鞠育 국육] 어린애를 기름.
[蹋鞠 축국] 지난날, 공을 발로 차던 놀이.

9
⑱ 【鞦】 그네 추
㊀尤 qiū

㊊ シュウ〔しりがい〕 ㊀ swing
字解 ① 그네 추(北方戱也, 秋千). ② 밀치 추(馬紂也).
字源 形聲. 革+秋〔音〕
[鞦韆 추천] 그네. 추천(秋千).

9
⑱ 【鞨】 오랑캐이름갈
㊀曷 hé

㊊ カツ〔えびすのな〕
字解 오랑캐이름갈(北狄別種).
字源 形聲. 革+曷〔音〕
[鞨鞨 말갈] 중국 동북 지방에 살던 퉁구스족의 일족.

9
⑱ 【鞠】 국문할 국
㊀屋 jū

㊊ キク〔きわめる〕 ㊀ interrogate
字解 국문할 국(窮理罪人). ¶ 鞠獄(국옥).
字源 會意. 革+勹+言
參考 鞠(革部 8획)과 同字.
[鞠問 국문] 죄인을 심문함.

9
⑱ 【鞬】 동개 건
㊀元 jiān

㊊ ケン〔ゆぶくろ〕 ㊀ quiver
字解 동개 건(盛弓矢器).
字源 形聲. 革+建〔音〕

9
⑱ 【鞭】 채찍 편
㊀先 biān

㊋ ベン〔むち〕 ㊀ whip
字解 채찍 편(馬箠).
字源 形聲. 革+便〔音〕
[鞭撻 편달] ㉠ 채찍질함. ㉡ 경계하고 격려함.
[敎鞭 교편] 교사가 학생을 가르칠 때 쓰는 회초리.

9
⑱ 【鞮】 가죽신 제
㊀齊 dī

㊊ テイ〔かわぐつ〕 ㊀ leather shoes
字解 가죽신 제(革履).
字源 形聲. 革+是〔音〕
[鞮鞻氏 제루씨] 중국 주대(周代)의 관명(官名). 사방(四方)의 음악을 맡음. 누(鞻)는 춤추는 사람이 신는 신.

9
⑱ 【鞢】 깍지 섭
㊀葉 xiè

㊊ ショウ〔ゆがけ〕 ㊀ archer's ring
字解 ① 깍지 섭. ¶ 鞢鞢(압섭). ② 말언치 섭(鞍具也).
字源 形聲. 革+葉〔音〕

13
㉒ 【韃】 오랑캐이름달
㊀曷 dá

㊊ タツ〔えびすのな〕
字解 오랑캐이름 달(北狄總名). ¶ 韃靼(달단).
字源 形聲. 革+達〔音〕
[韃靼 달단] 몽골족의 한 갈래인 타타르(tatar)족의 칭호.

15
㉔ 【韆】 그네 천
㊀先 qiān

㊊ セン〔ぶらんこ〕 ㊀ swing
字解 그네 천(繩戱).
字源 形聲. 革+遷〔音〕
[鞦韆 추천] 그네.

韋　〔9획〕部
（가죽위부）

0 【韋】가죽 위　韦
⑨　㊈微 ｜ wéi　韦
㊐ イ〔なめしがわ〕㊍ leather
字解 가죽 위(柔皮). ¶ 韋帶(위
대).
字源 形聲. 舛를 바탕으로 하여「口
(위)」가 음을 나타냄.

[韋編三絶 위편삼절] 책을 여러 번
뒤적여 읽는다는 뜻. 공자(孔子)가
주역(周易)을 애독하여, 가죽으로 맨
책 끈이 세 번이나 끊어졌다는 고사
가 있음.

3 【靭】질길 인　韧
⑫　㊈震 ｜ rèn　靭
㊐ ジン〔しなやか〕㊍ tough
字解 질길 인(堅柔難斷).
字源 形聲. 韋+刃〔音〕.
參考 靭(革部 3획)과 同字.

[靭帶 인대] 뼈마디의 뼈를 잇고 있
는 탄력 있는 힘줄.

5 【靺】가죽 매　靺
⑭　㊈隊 ｜ mèi　靺
㊐ バイ〔あかねぞめのかわ〕
㊍ leather
字解 가죽 매(茅蒐所染赤韋).
字源 形聲. 韋+末〔音〕.

5 【韍】슬갑 불　韍
⑭　㊈物 ｜ fú　韍
㊐ フツ〔ひざかけ〕㊍ kneepad
字解 ① 슬갑 불(蔽膝). ② 끈 불
(印組).
字源 篆文은 會意. 韋+犮

6 【鞈】■슬갑 겹　鞈
⑮　㊈治 ｜ 겹　鞈
■띠갑　gé
㊈合

㊐ コウ〔ひざかけ・おび〕
㊍ kneepad, leather belt
字解 ■ 슬갑 겹(추위를 막기 위해
무릎까지 내려오게 입는 옷). ■
띠갑, 가죽띠 갑.

7 【鞘】鞘(초)(革部 7획)와 同字
⑯

8 【韔】활집 장　韔
⑰　㊈漾 ｜ chàng　韔
㊐ チョウ〔ゆぶくろ〕㊍ bow case
字解 활집 장(弓衣也).
字源 形聲. 韋+長〔音〕.

8 【韓】나라이　韩
⑰　름 한　hán　韩
㊈寒

㊐ カン〔くにのな〕
字解 나라이름 한(朝鮮國名三韓).
字源 形聲. 韋+倝〔音〕.

十　市　直　卓　卓´　𩏠　韩　韓

[韓柳李杜 한유이두] 한유(韓愈)·유
종원(柳宗元)·이백(李白)·두보(杜
甫). 당(唐)나라 문학자. 한유는 문장
에 능했고, 이두는 시에 능했음.

[韓人 한인] 한국 사람.

9 【韘】깍지 섭　韘
⑱　㊈葉 ｜ shè　韘
㊐ ショウ〔ゆがけ〕㊍ archer's ring
字解 깍지 섭(射決).
字源 形聲. 韋+枼〔音〕.

9 【韙】옳을 위　韪
⑱　㊈尾 ｜ wěi　韪
㊐ イ〔よい〕㊍ right
字解 옳을 위(是也).
字源 形聲. 是+韋〔音〕.

10 【韜】감출 도　韬
⑲　㊈豪 ｜ tāo　韬
㊐ トウ〔ゆぶくろ〕㊍ hide

9
획

[字解] **감출 도**(藏也). ¶ 韜弓(도궁).

[字源] 形聲. 韋+舀〔音〕

[韜略 도략] 병법에 관한 책. 육도(六韜)와 삼략(三略)을 줄인 말.

[韜面 도면] 얼굴을 싸서 가림.

[韜晦 도회] ㉠ 종적을 감춤. ㉡ 재주·학식 등을 나타내지 않고 숨김.

10 ⑲【韝】 깍지 구 [平]尤 | 韝 gōu

[日] コウ〔ゆがけ〕 [英] archer's ring

[字解] ① **깍지 구**(射決). ② **팔찌 구**(臂衣).

[字源] 形聲. 韋+冓〔音〕

10 ⑲【韛】 풀무 배 [去]卦 | 韛 bài

[日] ハイ〔ふいご〕 [英] bellows

[字解] **풀무 배**(煒囊也).

[字源] 形聲. 韋+葡〔音〕

11 ⑳【韠】 슬갑 필 [入]質 | bì

[日] ヒツ〔ひざかけ〕 [英] kneepad

[字解] **슬갑 필**(蔽膝).

[字源] 形聲. 韋+畢〔音〕

15 ㉔【韤】 버선 말 [入]月 | 袜 wà

[日] ベツ〔たび〕 [英] socks

[字解] **버선 말**(足衣).

[字源] 形聲. 韋+蔑〔音〕

韭 〔9 획〕 部
(부추구부)

0 ⑨【韭】 부추 구 [上]有 | jiǔ

[日] キュウ〔にら〕 [英] leek

[字解] **부추 구**(草鐘乳華菜). ¶ 韭菹(구저).

[字源] 象形. 부추가 땅에 나 있는 모양.

10 ⑲【䪢】 나물 제 [平]齊 | jī

[日] セイ〔あえもの〕 [英] herb salad

[字解] ① **나물 제**(和醯醬細切菜蔬). ② **섞을 제**(和也). ③ **어지럽힐 제**(亂也).

[字源] 形聲. 韭+次(音)+朿〔音〕

音 〔9 획〕 部
(소리음부)

0 ⑨【音】 소리 음 [平]侵 | yīn

丶 亠 亠 亣 立 产 音 音

[日] オン〔おと〕 [英] sound

[字解] ① **소리 음**(聲也, 生於心有節於外謂音). ¶ 八音(팔음). ② **음 음**(訓之對文字讀聲). ¶ 音訓(음훈). ③ **소식 음**. ¶ 音信(음신).

[字源] 指事. 言의 口 속에 한 점을 더하여 소리에 가락이 있음을 나타냄.

[音曲 음곡] ㉠ 음악의 가락. ㉡ 음악.

[音信 음신] 소식. 편지.

[音樂 음악] 음을 미적으로 조화·결합하여 어떤 감정·정서를 나타내는 기술.

[音韻 음운] ㉠ 한자의 음과 그 운. ㉡ 말소리를 구성하는 목소리. 또, 그 소리의 단위.

[音癡 음치] 생리적 결함으로 바른 음(音)의 감상·인식·기억이 되지 않는 일. 또, 그런 사람.

[轟音 굉음] 요란하게 울리는 소리.

[福音 복음] 반가운 소식.

[騷音 소음] 시끄러운 소리.

9
획

5 ⑭ 〖韶〗 아름다울 소 [平]蕭 | sháo

㊐ ショウ〔うつくしい〕 [英] beautiful

[字解] ① **아름다울 소**(華美也). ¶ 韶光(소광). ② **풍류이름 소**(舜樂也).

[字源] 形聲. 音+召〔音〕

[韶光 소광] 봄의 화창한 경치.

10 ⑲ 〖韻〗 운 운 [去]問 | yùn

㊐ イン〔ひびき〕 [英] rhyme

[字解] ① **운 운**(聲音末尾同和也). ¶ 韻文(운문). ② **운치 운**(風度也). ¶ 韻致(운치).

[字源] 形聲. 音+員〔音〕

[韻文 운문] ㉠ 운자(韻字)를 달아서 지은 글. ㉡ 운율이 나타나게 쓴 글.

[韻致 운치] 고아한 풍격(風格)을 갖춘 멋.

13 ㉒ 〖響〗 울릴 향 ㊤養 | 响 xiǎng

㊐ キョウ〔ひびく〕 [英] echo

[字解] **울릴 향**(應聲也). ¶ 反響(반향).

[字源] 形聲. 音+鄕〔音〕

[響應 향응] 소리에 따라 곧 울림이 울리듯이, 그 사람의 주창(主唱)을 따라 곧 행동을 일으키는 일.

[反響 반향] ㉠ 울림. ㉡ 어떤 일에 대한 반응으로 나타나는 현상.

[影響 영향] 한 가지 사물로 말미암아 다른 사물에 미치는 결과.'

14 ㉓ 〖頀〗 풍류이름 호 [平]虞 | hù

㊐ ゴ〔おんがくのな〕

[字解] **풍류이름 호**(湯樂名).

[字源] 形聲. 音+蒦〔音〕

頁 〔9 획〕 部 (머리혈부)

0 ⑨ 〖頁〗 [一]머리 혈 [入]屑 [二]쪽 엽 [入]葉 | 页 xié yè

㊐ ケツ〔かしら〕・ヨウ〔ページ〕 [英] head, page

[字解] [一] **머리 혈**(頭也). [二] **쪽 엽**.

[字源] 會意. 百(목)와 儿(사람)의 합자. 머리의 뜻.

2 ⑪ 〖頂〗 정수리 정 ㊤迥 | 顶 dǐng

㊐ チョウ〔いただき〕 [英] fontanel

[字解] ① **정수리 정**(顚也). ¶ 頂門(정문). ② **꼭대기 정**(物之最上部). ¶ 山頂(산정).

[字源] 形聲. 頁+丁〔音〕

[頂門一針 정문일침] 정수리에 침을 놓듯이, 남의 약점을 똑바로 찔러 따끔하게 비판하거나 훈계하는 일.

[絶頂 절정] ㉠ 산의 맨꼭대기. ㉡ 사물의 진행이나 발전이 최고의 경지에 달한 상태. ㉢ 극·소설 등에서, 사건의 발전이 가장 긴장된 단계. 클라이맥스.

2 ⑪ 〖頃〗 [一]백이랑 경 ㊤梗 [二]반걸음 규 ㊤紙 | 顷 qǐng kuǐ

㊐ ケイ〔ころ〕・キ〔はんぽ〕 [英] half step

[字解] [一] ① **백이랑 경**(田百畝). ② **잠깐 경**(暫也). ¶ 食頃(식경). ③ **이마적 경**(近時). [二] **반걸음 규**(半步).

[字源] 會意. 匕(기울어짐)와 頁(머리)의 합자. 머리를 기울임의 뜻.

9 획

[頃刻 경각] 극히 짧은 시간. 눈 깜작할 사이.

[頃筐 경광] 아가리가 비뚤어진 광주리.

[頃者 경자] 요즈음. 요사이.

[頃田 경전] 백 이랑의 밭.

[頃步 규보] 반걸음. 규보(跬步).

³ 【項】 목덜미 항 ㊤講 項 項
⑫ xiàng

丆 丅 丆 項 項 項 項 項

㊐ コウ〔うなじ〕 ㊤ nape

字解 ① 목덜미 항(頭後頸也). ¶項鎖(항쇄). ② 항 항(簡條). ¶項目(항목). ③ 클 항(大也). ¶項領(항령).

字源 形聲. 頁+工〔音〕

[項領 항령] ㉠ 큰 목덜미. ㉡ 목. ㉢ 요해처(要害處).

[項目 항목] 조목.

[項鎖 항쇄] 목에 씌우는 칼.

[事項 사항] 일의 조목.

³ 【順】 순할 순 ㊦震 順 順
⑫ shùn

丿 丿 川 川 川 順 順 順 順

㊐ ジュン〔したがう〕 ㊤ docile

字解 ① 순할 순(不逆循理). ¶柔順(유순). ② 좇을 순(從也). ③ 차례 순(次第). ¶順次(순차).

字源 形聲. 頁+川〔音〕

[順從 순종] 고분고분 따름. 복종함.

[順坦 순탄] 길이 험하지 않고 평탄함.

[逆順 역순] 거꾸로 된 순서.

³ 【須】 모름지기 수 ㊤虞 須 須
⑫ xū

彡 彡 彡 須 須 須 須 須

㊐ シュ〔すべからく〕 ㊤ should

字解 ① 모름지기 수(必也). ② 수염 수(頤毛同鬚). ③ 기다릴 수(待也). ④ 잠깐 수(少時也). ⑤ 쓸 수(用也).

字源 會意. 頁(얼굴)과 彡(털의 모양)의 합자. 얼굴의 수염이 본뜻.

[須髮 수발] 수염과 머리털.

[須臾 수유] 잠깐. 아주 짧은 시간.

[須知 수지] 꼭 알아야 함.

[必須 필수] 꼭 필요함.

³ 【頤】 ㊀기를 이 頤 頤
⑫ ㊉支 ㊁(韓)탈날 탈 yí

㊐ イ〔やしなう・さわり〕

㊤ rear, get ill

字解 ㊀ 기를 이(養也). ㊁ (韓)탈날 탈(有故).

字源 形聲. 頁+臣〔音〕

[無頤 무탈] 탈이 없음. 무사함.

⁴ 【頊】 명할 욱 頊 頊
⑬ ㊏沃 xū

㊐ ギョク〔ぼんやりする〕

㊤ vacant

字解 명할 욱(自失之貌).

字源 形聲. 頁+玉〔音〕

[頊頊 욱욱] 멍하게 넋을 잃은 모양.

⁴ 【頌】 ㊀기릴 송 ㊤宋 頌 頌
⑬ ㊁얼굴 용 ㊤冬 sòng / róng

八 公 公 公 公 頌 頌 頌

㊐ ショウ〔ほめる〕・ヨウ〔かお〕

㊤ praise, face

字解 ㊀ ① 기릴 송(讚美也). ¶頌德(송덕). ② 점사 송(占兆也). ㊁ 얼굴 용(容也).

字源 形聲. 頁+公〔音〕

[頌德 송덕] 공적이나 인격을 기림.

[頌聲 송성] 공덕을 칭송하는 소리. 또, 태평을 노래하는 음악.

[頌祝 송축] 경사(慶事)를 축하함.

[稱頌 칭송] 칭찬하고 기림.

⁴ 【頎】 ㊀헌걸찰 頎 頎
⑬ 기 ㊤微 ㊁가없을 qí / kěn
간 ㊤阮

[日] キ〔たけがたかいさま〕・コン〔いたみなげくさま〕
[英] elated, pitiful
[字解] [一] **헌걸찰 기**(長貌). [二] **가엾을 간**(至惻隱貌).
[字源] 形聲. 頁+斤〔音〕

4 ⑬ 〖頏〗 내려갈 항[平]陽 | 颃 háng hàng
[日] コウ〔くだる〕 [英] descend
[字解] **내려갈 항**(飛而下). 새가 아래로 향하여 낢. ¶ 頡頏(힐항).
[字源] 形聲. 頁+亢〔音〕

4 ⑬ 〖預〗 미리 예[去]御 | 预 yù
[日] ヨ〔あずける〕 [英] beforehand
[字解] ① **미리 예**(先也). ¶ 預度(예탁). ② **참여할 예**(參與). ¶ 參預(참예). ③ 《韓》**맡길 예**. ¶ 預金(예금).
[字源] 形聲. 頁+予〔音〕
[預金 예금] 은행이나 우체국 같은 곳에 돈을 맡김. 또, 그 돈.
[預度 예탁] 미리 헤아림.
[參預 참예] 참여하여 관계함.

4 ⑬ 〖頑〗 완고할 완[平]刪 | 顽 wán
[日] ガン〔かたくな〕 [英] obstinate
[字解] ① **완고할 완**(固陋). ¶ 頑陋(완루). ② **탐할 완**(貪也).
[字源] 形聲. 頁+元〔音〕
[頑強 완강] ㉠ 완고하고 굳셈. 태도가 검질기고 굳셈. ㉡ 몸이 건강함.
[頑固 완고] ㉠ 고집이 셈. ㉡ 사리에 어둡고 융통성이 없음.
[頑悖 완패] 성질이 모질고 도리에 어긋나게 행동함.

4 ⑬ 〖頒〗 [一]나눌 반[平]刪 [二]머리클 분[平]支 | 颁 bān fén
[日] ハン〔わける〕・フン〔おおきいあたまのさま〕
[英] divide
[字解] [一] ① **나눌 반**(賜也). ¶ 頒賜(반사). 頒布(반포). ② **반쯤 셀 반**(頭半白). [二] **머리클 분**(魚大首貌).
[字源] 形聲. 頁+分〔音〕
[頒白 반백] 희끗희끗하게 센 머리털.
[頒賜 반사] 임금이 물건을 내려서 줌.
[頒布 반포] 세상에 널리 폄.

4 ⑬ 〖頓〗 [一]조아릴 돈[去]願 [二]둔할 둔[去]願 [三]흉노왕이름 돌[入]月 | 顿 dùn dùn dú
[日] トン〔ぬかずく・におい〕・トツ〔じんめい〕
[英] kowtow, dull
[字解] [一] ① **조아릴 돈**(下首至土也). ¶ 頓首(돈수). ② **머무를 돈**(止舍也). ¶ 頓舍(돈사). ③ **패할 돈**(敗也). ¶ 頓走(돈주). ④ **가지런히할 돈**(整也). ⑤ **갑자기 돈**(俄也). ¶ 頓死(돈사). [二] **둔할 둔**(鈍也). [三] **흉노왕이름 돌**. ¶ 冒頓(묵돌).
[字源] 形聲. 頁+屯〔音〕
[頓舍 돈사] 군대가 진을 치고 머무름.
[頓首 돈수] 머리가 땅에 닿도록 절을 함.
[頓絕 돈절] 딱 끊어짐.
[頓卒 돈졸] 형편이나 처지가 딱하고 고생스러움.
[查頓 사돈] 《韓》 혼인으로 맺어진 인척 관계.
[整頓 정돈] 가지런히 바로잡음.

5 ⑭ 〖⿰民頁〗 강할 민[平]眞 | ⿰民页 mín
[日] ビン〔つとい〕 [英] strong
[字解] **강할 민. 굳셀 민.**

5 ⑭ 〖頗〗 [一]치우칠 파 [平]歌 [二]자못 파 [上]哿 | 颇 pō pǒ

丿 厂 广 皮 皮 皮 頗 頗 頗

[日] ハ〔かたよる·すこぶる〕
[英] lean, very

[字解] [一] **치우칠 파**(偏也). ¶ 無偏無頗(무편무파). [二] **자못 파**(少也, 差多).

[字源] 形聲. 頁+皮〔音〕

[頗多 파다] 자못 많음.
[偏頗 편파] 한편으로 치우침.

5 ⑭ 【領】 옷깃 령 [上]梗 | 领 lǐng

人 今 令 令 令 領 領 領

[日] リョウ〔えり〕 [英] collar

[字解] ① **옷깃 령**(衣體爲端首也). ¶ 領袖(영수). ② **목 령**(項也). ③ **요소 령**. ¶ 綱領(강령). ④ **다스릴 령**(統理). ¶ 大統領(대통령). ⑤ **받을 령**(受也). ¶ 領收(영수). ⑥《韓》**영관 령**. ¶ 大領(대령). 中領(중령).

[字源] 形聲. 頁+令〔音〕

[領導 영도] 거느려 이끎. 앞장서서 지도함.
[領收 영수] 받아들임.
[領袖 영수] ㉠ 옷깃과 소매. ㉡ 단체의 우두머리.
[領土 영토] 국가의 통치권이 미치는 지역.
[領解 영해] 깨달음.
[領會 영회] 깨달음. 이해가 감.
[首領 수령] 한 당파나 무리의 우두머리.
[占領 점령] 남의 땅을 차지하여 제 것으로 함.

6 ⑮ 〖頜〗 턱 합 [本]갑 [入]合 | 颌 gé hé

[日] コウ〔おとがい〕 [英] jaw

[字解] **턱 합**(頤也).

[字源] 形聲. 頁+合〔音〕

6 ⑮ 〖頞〗 콧대 알 [入]曷 | 频 è

[日] アツ〔はなすじ〕 [英] nose ridge

[字解] **콧대 알**(鼻莖). ¶ 蹙頞(축알).

[字源] 形聲. 頁+安〔音〕

6 ⑮ 〖頡〗 [一]날아올라갈 힐 [本]혈 [入]屑 [二]겁략할 갈 [入]黠 | 颉 xié jiá

[日] ケツ〔とびあがる〕·キツ〔かすめとる〕
[英] soar up, plunder

[字解] [一] **날아올라갈 힐**(飛而上). [二] **겁략할 갈**(掠除).

[字源] 形聲. 頁+吉〔音〕

[頡頏 힐항] ㉠ 목의 힘이 셈. 남에게 굴하지 않는 일. ㉡ 새가 날아올랐다 내려왔다 함.

6 ⑮ 〖頫〗 [一]숙일 부 [平]虞 [二]뵐 조 [去]嘯 | 頫 fǔ tiào

[日] フ〔ふす〕·チョウ〔まみえる〕
[英] lower, humbly see

[字解] [一] **숙일 부, 굽힐 부**(低頭也). [二] **뵐 조, 볼 조**(視也).

[字源] 形聲. 頁+逃〈省〉〔音〕

6 ⑮ 〖頤〗 턱 이 [平]支 | 颐 yí

[日] イ〔おとがい〕 [英] jaw

[字解] ① **턱 이**(頷也). ¶ 頤使(이사). ② **기를 이**(養也). ¶ 頤養(이양).

[字源] 會意. 「𦣝(턱의 모양)」와 頁(얼굴)의 합자.

[頤使 이사] ㉠ 턱으로 가리키며 부림. ㉡ 사람을 자유로이 부림.

9획

7 ⑯ 【頭】 머리 두 [平]尤 | 头 tóu

ㅁ 豆 豆 豆 頭 頭 頭 頭

[日] トウ〔あたま〕 [英] head

[字解] ① **머리 두**(首也). ¶ 頭腦(두뇌). ② **우두머리 두**(首領). ¶ 頭領(두령). 頭目(두목). ③ **가두**. ¶ 店頭(점두). ④ **첫머리 두**(始初). ¶ 先頭(선두). ⑤ **마리 두**(人之數詞, 牛馬之數詞). ¶ 人頭稅(인두세).

[字源] 形聲. 頁+豆〔音〕

[頭角 두각] ㉠ 머리끝. 머리. ㉡ 뛰어난 재능.
[頭目 두목] 우두머리.
[頭數 두수] 소·말 등의 마리 수.
[竿頭 간두] 장대의 꼭대기.
[先頭 선두] 첫머리. 맨 앞.

7 ⑯ 〖頲〗 곧을 정 [上]迥 | tǐng

[日] テイ〔なおし〕 [英] straight

[字解] **곧을 정, 바를 정**(直也).

[字源] 形聲. 頁+廷〔音〕

7 ⑯ 〖頰〗 뺨 협 [本]겹 [入]葉 | 颊 jiá

[日] キョウ〔ほお〕 [英] cheek

[字解] **뺨 협**(面兩旁). ¶ 紅頰(홍협).

[字源] 形聲. 頁+夾〔音〕

[頰骨 협골] 광대뼈.

7 ⑯ 〖赬〗 붉을 정 [平]庚 | chēng

[日] テイ〔あかい〕 [英] red

[字解] **붉을 정**(赤也).

[字源] 形聲. 赬의 오자(誤字). 「貞(정)」이 음을 나타냄.

7 ⑯ 〖頷〗 [一]턱 함 [上]感 [二]끄덕일 암[上]感 | 颔 hàn

[日] カン〔したあご・うなずく〕
[英] jaw, nod

[字解] [一] **턱 함**(頤也). [二] **끄덕일 암**(點頭也).

[字源] 形聲. 頁+含〔音〕

[頷首 함수] 긍정하는 뜻으로 머리를 끄덕거림.

7 ⑯ 〖頸〗 목 경 [上]梗 [平]庚 | 颈 jǐng

[日] ケイ〔くび〕 [英] neck

[字解] **목 경**(項也). ¶ 長頸(장경).

[字源] 形聲. 頁+巠〔音〕

[頸骨 경골] 목뼈.

7 ⑯ 〖頹〗 무너질 퇴[平]灰 | 颓 tuí

[日] タイ〔くずれる〕 [英] collapse

[字解] ① **무너질 퇴**(崩壞). ¶ 頹落(퇴락). ② **좇을 퇴**(從也, 順也). ¶ 頹乎(퇴호). ③ **질풍 퇴**(暴風). ¶ 頹風(퇴풍).

[字源] 會意. 頁+禿

[頹落 퇴락] 무너져 떨어짐.
[頹廢 퇴폐] ㉠ 쇠해져 결딴남. ㉡ 도덕이나 기풍 따위가 무너져 불건전해짐. ¶ 頹廢風潮(퇴폐풍조).

7 ⑯ 〖頻〗 자주 빈 [平]眞 | 频 pín

ㅏ 止 步 步 頻 頻 頻 頻

[日] ヒン〔しきりに〕 [英] frequently

[字解] ① **자주 빈**(數也, 連也). ¶ 頻度(빈도). ② **찡그릴 빈**(顰也). ¶ 頻蹙(빈축). ③ **급할 빈**(急也).

[字源] 會意. 瀕의 속자. 涉(건넘)과 頁(얼굴)의 합자. 물을 건너려고 얼굴을 찡그림의 뜻.

[頻度 빈도] 잦은 도수.
[頻繁 빈번] 잦음.
[頻蹙 빈축] 얼굴을 찡그림.

8 ⑰ 〖頸〗 목위고울 정[去]敬 | jìng

9 획

㊁ セイ・ジョウ〔くびからうえのう
　つくしいさま〕
字解 ① 목위고울 정 ② 광대 정
字源 形聲. 頁+爭〔音〕

8
⑰ 【顆】 낟알 과 ㊤智 顆 kē

㊐ カ〔つぶ〕 ㊇ grain
字解 ① 낟알 과(凡圓物을 顆로 計). ②
흙덩이 과(土塊).
字源 形聲. 頁+果〔音〕
[顆粒 과립] ㉠ 둥글고 자질구레한
것을 이르는 말. ㉡ 마마나 홍역이
발반(發斑)하여 피부에 돋은 것.

9
⑱ 【題】 표제 제 ㊤齊 題 tí

㊐ 旦 㫔 足 是 是 題 題 題 題
㊐ ダイ〔みだし〕 ㊇ title
字解 ① 표제 제(標題). ¶ 詩題(시
제). ② 이마 제(額也). ③ 물음 제
(試問). ¶ 問題(문제). ④ 품평 제
(品評). ¶ 題評(제평).
字源 形聲. 頁+是〔音〕
[題言 제언] 책머리의 말. 머리말.
[題字 제자] 책머리나 비석·족자 같
은 데 쓴 글자. 제서(題書).
[題品 제품] 어느 사물을 문예적 표
현으로 그 가치를 평하는 일.
[問題 문제] 해답을 요하는 물음.
[主題 주제] ㉠ 담화·연구 등에서,
중심이 되는 제목 또는 문제. ㉡ 예
술 작품에서, 작가가 나타내려는 중
심 제재나 사상.

9
⑱ 【額】 이마 액 ㊤陌 額 é

㊐ 宀 亠 客 客 客 額 額 額
㊐ ガク〔ひたい〕 ㊇ forehead
字解 ① 이마 액(廣額). ¶ 廣額(광
액). 額骨(액골). ② 머릿수 액(分
量). ¶ 總額(총액). ③ 현판 액(扁
也). ¶ 額字(액자).
字源 形聲. 頁+客〔音〕

[額面 액면] 유가 증권(有價證券) 등
에 적힌 일정한 돈의 액수.

9
⑱ 【顎】 턱 악 ㊉藥 顎 è

㊐ ガク〔あご〕 ㊇ jaw
字解 턱 악(額骨上下). ¶ 上顎(상
악). 下顎(하악).
字源 形聲. 頁+咢〔音〕
[顎骨 악골] 턱을 이루는 뼈.

9
⑱ 【顔】 얼굴 안 ㊤刪 顔 yán

㊐ 亠 产 序 彦 彦 顔 顔 顔
㊐ ガン〔かお〕 ㊇ face
字解 얼굴 안(容也). ¶ 顔面(안
면).
字源 形聲. 頁+彦〔音〕
[顔料 안료] ㉠ 연지나 분 따위 화장
의 재료. ㉡ 그림물감. ㉢ 염색의
재료.
[顔面 안면] ㉠ 얼굴. ㉡ 서로 알 만
한 친분.
[無顔 무안] 부끄러워 볼낯이 없음.
[厚顔無恥 후안무치] 낯가죽이 두꺼
워 부끄러움이 없음.

9
⑱ 【顒】 엄숙할 옹 ㊤青 顒 yóng

㊐ ギョウ〔おごそか〕 ㊇ solemn
字解 ① 엄숙할 옹(嚴正之貌). ②
클 옹(大也).
字源 形聲. 頁+禺〔音〕

9
⑱ 【顓】 오로지 전 ㊤先 顓 zhuān

㊐ セン〔もっぱら〕 ㊇ only
字解 ① 오로지 전(獨專). ② 어리
석을 전(蒙也).
字源 形聲. 頁+耑〔音〕
[顓兵 전병] 병권(兵權)을 오로지함.

9
⑱ 【顕】 顯(현)(頁部 14획)의 俗字

10 ⑲ 【顗】 조용할 의[上]尾 | yǐ

[日] ギ〔しずか〕 [英] silent

[字解] ① **조용할 의**(靜也). ② **즐길 의**(樂也). ③ **근엄할 의**(謹莊貌).

[字源] 形聲. 頁+豈〔音〕

10 ⑲ 【願】 바랄 원 [平]願 | 愿 yuàn

厂 历 盾 戶 原 原 願 願

[日] ガン〔ねがう〕 [英] wish

[字解] ① **바랄 원**(顒望). ② **빌 원**(祈也). ¶ 祈願(기원).

[字源] 形聲. 頁+原〔音〕

[願望 원망] 원하고 바람.
[祈願 기원] 바라는 바가 이루어지기를 빎.
[歎願 탄원] 사정을 말하고 도와 주기를 간절히 바람.

10 ⑲ 【顙】 이마 상 [上]養 [平]陽 | 颡 sǎng

[日] ソウ〔ひたい〕 [英] forehead

[字解] **이마 상**(額也).

[字源] 形聲. 頁+桑〔音〕

[顙汗 상한] 이마의 땀.
[拜顙 배상] 이마가 땅에 닿도록 몸을 굽혀 절함.

10 ⑲ 【顜】 [一]밝을 강[上]講 [二]밝을 각[入]覺 | 顜 jiǎng jiào

[日] コウ・カク〔あきらか〕 [英] bright

[字解] [一] **밝을 강**(明也). [二] **밝을 각**(明也).

[字源] 形聲. 頁+冓〔音〕

10 ⑲ 【類】 무리 류 [去]寘 | 类 lèi

米 类 类 类 類 類 類 類

[日] ルイ〔たぐい〕 [英] class

[字解] ① **무리 류**(等也). 동아리. ¶ 類別(유별). ② **비슷할 류**(肖似也). ¶ 類似(유사). ③ **좋을 류**(善也). ④ **나눌 류**(分也).

[字源] 會意. 犬+米+頁

[類別 유별] 같은 종류끼리 나눔.
[類似 유사] 서로 비슷함.
[類聚 유취] 같은 종류끼리 모음.
[分類 분류] 종류별로 가름.
[種類 종류] 기준에 따라 나눈 갈래.

10 ⑲ 【顚】 머리 전 [平]先 | 颠 diān

[日] テン〔くつがえる〕 [英] top

[字解] ① **머리 전**(頭上也). ② **이마 전**(額也). ③ **밑 전**(本末). ¶ 顚末(전말). ④ **미칠 전**(心病). ¶ 顚狂(전광). ⑤ **넘어질 전**(倒也). ¶ 顚倒(전도). ⑥ **뒤집힐 전**(覆也). ¶ 顚覆(전복).

[字源] 形聲. 頁+眞〔音〕

[顚倒 전도] ㉠ 거꾸로 됨. ㉡ 넘어짐.
[顚落 전락] 굴러 떨어짐.
[顚覆 전복] 뒤집혀 엎어짐. 뒤집어 엎음.
[顚顚 전전] ㉠ 전일(專一)한 모양. ㉡ 근심하는 모양. ㉢ 어리석은 모양.
[顚跌 전질] ㉠ 거꾸러짐. ㉡ 실패함.

12 ㉑ 【顥】 클 호 [上]皓 | 颢 hào

[日] コウ〔しろくひかる〕 [英] big

[字解] ① **클 호**(大也). ② **흴 호**(白貌).

[字源] 會意. 頁+景

12 ㉑ 【顧】 돌아볼 고[去]遇 [上]麌 | 顾 gù

ヨ 戶 戶 雇 雇 雇 顧 顧

[日] コ〔かえりみる〕 [英] look after

[字解] ① **돌아볼 고**(回首旋視). ¶ 回顧(회고). ② **돌볼 고**(眷也). ¶

9 획

顧問(고문).

[字源] 形聲. 頁+雇〔音〕

[顧慮 고려] 앞일을 걱정함.

[顧問 고문] 의견을 물음. 또는 물음을 받는 사람.

[回顧 회고] 지나간 일을 돌이켜 생각함.

13 ㉒ 【顫】 떨릴 전 [上]銑 [平]先 | 颤 chàn zhàn

[日] セン〔ふるえる〕 [英] shiver

[字解] **떨릴 전**(四支寒掉).

[字源] 形聲. 頁+亶〔音〕

[顫動 전동] 몸을 떪.

14 ㉓ 【顬】 관자놀이 유 [平]虞 | 颥 rú

[日] ジュ〔こめかみ〕 [英] temples

[字解] **관자놀이 유**. ¶ 顳顬(섭유).

[字源] 形聲. 頁+需〔音〕

14 ㉓ 【顯】 나타날 현 [上]銑 | 显 xiǎn

日 㬎 㬎 㬎 㬎 顯 顯 顯

[日] ケン〔あらわれる〕 [英] appear

[字解] ① **나타날 현**(著也). ¶ 顯著(현저). ② **밝을 현**(明也).

[字源] 形聲. 金文은 㬎+見〔音〕

[顯考 현고] 신주(神主)에서나 축문에서 돌아간 아버지를 이름.

[顯達 현달] 벼슬과 명망이 높아져 세상에 드러남. 입신출세함.

[顯微 현미] 아주 작은 사물을 밝게 드러냄.

[顯著 현저] 뚜렷이 드러남.

15 ㉔ 【顰】 찡그릴 빈 [平]眞 | 颦 pín

[日] ヒン〔しかめる〕 [英] grimace

[字解] **찡그릴 빈**(眉蹙).

[字源] 形聲. 篆文은 卑+頻〔音〕

[參考] 嚬(口部 16획)은 同字. 頻(頁部 7획)과 통용.

[顰蹙 빈축] 얼굴을 찡그림. 불쾌한 표정을 함.

16 ㉕ 【顱】 두개골 로 [平]虞 | 颅 lú

[日] ロ〔ずがいこつ〕 [英] skull

[字解] ① **두개골 로**(頭骨也). ② **머리 로**(首也). ¶ 禿顱(독로).

[字源] 形聲. 頁+盧〔音〕

[顱骨 노골] 뒤통수의 한가운데 뼈.

18 ㉗ 【顳】 관자놀이 섭 [入]葉 | 颞 niè

[日] ショウ〔こめかみ〕 [英] temples

[字解] **관자놀이 섭**(顬也).

[字源] 形聲. 頁+聶〔音〕

18 ㉗ 【顴】 광대뼈 관[本]권 [平]先 | 颧 quán

[日] ケン〔ほおぼね〕 [英] cheekbone

[字解] **광대뼈 관**(頰骨).

[字源] 形聲. 頁+雚〔音〕

[顴骨 관골] 광대뼈.

風 〔9 획〕 部 (바람풍부)

0 ⑨ 【風】 바람 풍 [平]東 | 风 fēng

几 凡 凡 凬 凬 風 風 風

[日] フウ〔かぜ〕 [英] wind

[字解] ① **바람 풍**(大塊噓氣). ¶ 風雨(풍우). ② **가르침 풍**(敎也). ¶ 風敎(풍교). ③ **습속 풍**. ¶ 風俗(풍속). ④ **경치 풍**. ¶ 風景(풍경). ⑤ **모습 풍**(容姿). ¶ 風彩(풍채). ⑥ **위엄 풍**(威也). ⑦ **감기 풍**

(寒氣生也). ¶ 風邪(풍사).

字源 形聲. 虫을 바탕으로「凡(범)」의 전음이 음을 나타냄.

[風景 풍경] 경치.
[風教 풍교] 교육이나 정치의 힘으로 백성을 착하게 가르침.
[風貌 풍모] 풍채와 용모.
[風霜 풍상] ㉠ 바람과 서리. ㉡ 세월. ㉢ 세상에서 겪은 고난.
[風樹之歎 풍수지탄] 부모가 이미 돌아가서 효도를 다하지 못하는 한탄.
[風習 풍습] 풍속과 습관.
[家風 가풍] 한 집안에 전해 내려오는 풍습이나 범절.
[威風 위풍] 위엄 있는 풍채.
[中風 중풍] 대체로 뇌일혈로 인해, 전신·반신 또는 어떤 국부가 마비되는 병.

5 ⑭ 〖颱〗 태풍 태 ㊥灰 | 台 tái

㊐ タイ〔たいふう〕 ㊇ typhoon

字解 **태풍 태**(暴風也).

字源 形聲. 風+台〔音〕

[颱風 태풍] 남양 열대 지방에서 생겨 아시아 대륙 동북 방면으로 불어오는 아주 거센 바람.

5 ⑭ 〖颯〗 바람소리 삽 ㊂合 | 飒 sà

㊐ サツ〔かぜのおと〕
㊇ sound of wind

字解 **바람소리 삽**(風聲).

字源 形聲. 風+立〔音〕

[颯颯 삽삽] ㉠ 바람이 쌀쌀하게 부는 소리. ㉡ 비가 쏟아지는 소리.
[颯爽 삽상] 활발하고 기분이 좋은 모양.

8 ⑰ 〖颶〗 구풍 구 ㊦遇 | 飓 jù

㊐ グ〔つむじかぜ〕 ㊇ typhoon

字解 **구풍 구**(四方風, 海中大風).

字源 形聲. 風+具〔音〕

9 ⑱ 〖颺〗 날 양 ㊥陽 ㊤養 | 飏 yáng

㊐ ヨウ〔あがる〕 ㊇ soar

字解 **날 양**(風飛).

字源 形聲. 風+昜〔音〕

[颺言 양언] 소리를 높여 말함.

10 ⑲ 〖颻〗 날아오를 요 ㊥蕭 | 飖 yáo

㊐ ヨウ〔ふきのぼるかぜ〕
㊇ soar up

字解 **날아오를 요**(上行風也).

字源 形聲. 風+䍃〔音〕

11 ⑳ 〖飂〗 [一]높은 바람 류 ㊥尤 [二]높은 바람 료 ㊥蕭 | 飂 liú liáo

㊐ リュウ〔たかくふくかぜ〕

字解 [一] **높은바람 류**(高風). [二] **높은바람 료**(高風).

字源 形聲. 風+翏〔音〕

11 ⑳ 〖飄〗 회오리바람 표 ㊥蕭 | 飘 piāo

㊐ ヒョウ〔つむじかぜ〕
㊇ whirlwind

字解 ① **회오리바람 표**(旋風). ¶ 飄風(표풍). ② **나부낄 표**(風貌). ¶ 飄然(표연). ③ **방랑할 표**. ¶ 飄泊(표박).

字源 形聲. 風+票〔音〕

[飄然 표연] ㉠ 바람이 가볍게 나부끼는 모양. ㉡ 훌쩍 떠나가는 모양. ㉢ 정처 없이 떠돌아다니는 모양.

12 ㉑ 〖飇〗 飆(표)(次條)의 俗字

12/21 【飆】 폭풍 표 | 飙 | 飚
⊕蕭 biāo

�日 ヒョウ〔つむじかぜ〕 ㉺ gale

字解 폭풍 표(從下而上扶搖風)

字源 會意. 猋(빠름)와 風의 합자. 빠른 바람의 뜻. 또 「猋(표)」가 음을 나타냄.

飛 〔9 획〕 部
(날비부)

0/9 【飛】 날 비 | 飞 | 飞
⊕微 fēi

乛 乙 飞 飞 飞 飛 飛 飛

�日 セ〔とぶ〕 ㉺ fly

字解 ① 날 비(翔也). ¶ 飛來(비래). ② 높을 비(高也). ¶ 飛棟(비동).

字源 象形. 새가 날개를 펴고 있는 모양을 본뜸.

[飛閣 비각] ㉠ 높은 누각. ㉡ 높이 걸친 다리.

[飛報 비보] 급히 기별함.

[飛語 비어] 뜬소문. ¶ 流言飛語(유언비어).

[飛鳥盡而良弓藏 비조진이양궁장] 나는 새를 다 잡으면 좋은 활도 소용없어 방치하듯이, 신하도 소용이 있으면 쓰고 소용이 없으면 버림을 받는다는 말.

[飛行 비행] 공중으로 날아다님.

[雄飛 웅비] 기세 좋고 씩씩하게 활동함.

12/21 【飜】 날 번 | 飜
⊕元 fán

一 厂 亚 番 番 番 翻 飜 飜

�日 ホン〔ひるがえる〕 ㉺ fly

字解 ① 날 번(飛也). ② 나부낄 번(翻也).

字源 形聲. 飛+番〔音〕.

參考 翻(羽部 12획)과 同字.

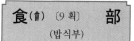

食(飠) 〔9 획〕 部
(밥식부)

0/9 【食】
■먹을 식⊕職
■밥 사⊕寘
■사람 이름 이⊕寘
shí
si
yì

㉢

ノ 入 入 今 今 仚 食 食 食

�日 ショク〔たべる〕・シ〔めし〕・イ〔じんめい〕 ㉺ eat, boiled rice

字解 ■ ① 먹을 식(茹也). ② 먹이 식(殽饌也). ¶ 糧食(양식). ③ 제사 식(祭也). ¶ 血食(혈식). ■ ① 밥 사(飯也). ② 먹일 사(以食與人飯也). ■ 사람이름 이(人名). ¶ 審食其(심이기).

字源 會意. 皀(밥알)과 스(모으다)의 합자. 밥알을 모으듯이 그릇에 수북이 담음의 뜻.

[食祿 식록] 녹봉(祿俸). 벼슬아치에게 주는 봉급.

[食福 식복] 먹을 복.

[食傷 식상] ㉠ 과식이나 나쁜 음식을 먹어서 일어나는 배앓이. ㉡ 음식에 물림. 싫증남.

[食言 식언] 약속한 대로 실행하지 않음. 거짓말을 함.

[食用 식용] 먹을 것으로 씀.

[食餌 식이] 음식물. ¶ 食餌療法(식이 요법).

[飮食 음식] 먹고 마시는 것.

[簞食 단사] 도시락에 담은 밥.

[飜倒 번도] 거꾸로 됨. 거꾸로 함.

[飜流 번류] 아래로 흐르던 물이 거슬러 흐름.

[飜翔 번상] 낢.

[飜焉 번언] 나는 모양.

[飜譯 번역] 한 나라의 말이나 글을 딴 나라의 말이나 글로 옮김.

2
⑪ **【飢】** 주릴 기 | 饥　jī

人 夂 夂 夕 夆 飣 飣 飢

日 キ〔うえる〕　英 starve

字解 ① 주릴 기(餓也). ¶ 飢渴(기
갈). ② 흉년들 기(五穀不成). ¶
飢饉(기근).

字源 形聲. 食(食)+几〔音〕

參考 饑(食部 12劃)와 同字.

[飢渴 기갈] 주림과 목마름.
[飢寒 기한] 배고픔과 추움.

2
⑪ **【飡】** 飧(손)(次條)의 俗字

3
⑫ **【飧】** 저녁밥 손 飱 | sūn

日 ソン〔ゆうめし〕　英 supper

字解 ① 저녁밥 손(夕食也). ¶ 飧
饗(손옹). ② 말 손(水澆飯).

字源 會意. 夕+食

[飧泄 손설] 음식이 먹은 그대로 다
나와 버리는 설사.

4
⑬ **【飩】** 만두 돈 饨 | tún

日 トン〔むしもち〕　英 dumpling

字解 만두 돈(饅頭).

字源 形聲. 食(食)+屯〔音〕

4
⑬ **【飪】** 익힐 임 饪 | rèn

日 ジン〔にる〕　英 boil

字解 익힐 임(熟也).

字源 形聲. 食(食)+壬〔音〕

4
⑬ **【飫】** 실컷먹을 어 饫 | yù

日 ヨ〔あきる〕　英 surfeited

字解 실컷먹을 어(飽也).

字源 形聲. 食(食)+夭〔音〕

[飫聞 어문] 듣기 싫도록 여러 번 들
음.

4
⑬ **【飭】** 삼갈 칙 饬 | chì

日 チョク〔いましめる〕　英 eschew

字解 ① 삼갈 칙(謹也). ¶ 飭正(칙
정). ② 갖출 칙(整備也). ③ 신칙
할 칙(戒也). ¶ 申飭(신칙).

字源 形聲. 人+力+食(食)〔音〕

[飭躬 칙궁] 스스로를 바르게 하고
삼감.

[飭正 칙정] 삼가고 바로잡음.

4
⑬ **【飲】** 마실 음 饮 | yǐn

人 夂 夂 夕 夆 飣 飭 飮 飮

日 イン〔のむ〕　英 drink

字解 ① 마실 음(咽水也). ¶ 飲酒
(음주). ② 마실것 음. 飲料(음
료). ③ 머금을 음. ¶ 飲恨(음한).

字源 形聲. 篆文은 酉+欠+今〔音〕

[飲料 음료] 마실 것.
[飲馬 음마] 말한테 물을 먹임.
[飲食 음식] 먹을 것과 마실 것.
[飲酒 음주] 술을 마심.
[過飲 과음] 술을 과하게 마심.
[試飲 시음] 술·음료수를 맛보기 위
해 시험삼아 마심.

4
⑬ **【飯】** 밥 반 饭 | fàn

人 夂 夆 食 食 飣 飯 飯 飯

日 ハン〔めし〕　英 boiled rice

字解 ① 밥 반(餐也炊飯穀). ¶ 飯囊
(반낭). ② 먹을 반(食也). ③ 기를
반(飼也). ¶ 飯牛(반우).

字源 形聲. 食(食)+反〔音〕

[飯囊 반낭] 밥주머니. 무능하여 부
질없이 사는 사람을 비웃어 이르는
말.

[飯牛 반우] 소를 기름.
[飯饌 반찬] 밥에 곁들여 먹는 여러
가지 음식.

4
⑬ **【飱】** 飧(손)(食部 3劃)의 俗字

5 ⑭ 〚飴〛 [一]엿 이 [平]支 [二]먹일 사[去]寘 | 饴 yí sì

[日] イ〔あめ〕・シ〔くらわす〕 [英] taffy, let eat

[字解] [一] 엿 이(芽米煎者也). [二] 먹일 사.

[字源] 形聲. 食(食)+台〔音〕

[飴糖 이당] 엿.

5 ⑭ 〚飼〛 기를 사 [去]寘 | 饲 sì

[日] シ〔かう〕 [英] feed

[字解] **기를 사, 칠 사**(畜禽獸).

[字源] 形聲. 食(食)+司〔音〕

[飼料 사료] 먹이.
[飼育 사육] 짐승을 기름.

5 ⑭ 〚飽〛 배부를 포[上]巧 | 饱 bǎo

ノ 𠆢 今 食 飣 飣 飽

[日] ホウ〔あきる〕 [英] surfeited

[字解] ① **배부를 포**(食充其腹). ¶ 飽食(포식). ② **만족할 포**(滿足十分).

[字源] 形聲. 食(食)+包〔音〕

[飽聞 포문] 싫도록 들음.
[飽食 포식] 배불리 먹음.
[飽和 포화] 채울 수 있는 최대한도에 달함.

5 ⑭ 〚飾〛 꾸밀 식 [入]職 | 饰 shì

ノ 𠆢 今 食 食 飣 飾 飾

[日] ショク〔かざる〕 [英] decorate

[字解] **꾸밀 식**(裝也). ¶ 飾言(식언).

[字源] 形聲. 巾+人+食(食)〔音〕

[假飾 가식] 거짓으로 꾸밈.
[虛飾 허식] 실속 없이 겉만 꾸밈.

6 ⑮ 〚餃〛 엿 교 [去]效 | 饺 jiǎo

[日] キョウ [英] taffy

[字解] ① **엿 교**. ② **경단 교**.

[字源] 形聲. 食(食)+交〔音〕

6 ⑮ 〚餅〛 떡 병 [上]梗 | 饼 bǐng

[日] ヘイ〔もち〕 [英] rice cake

[字解] **떡 병**(麵餈). ¶ 硬餅(경병).

[字源] 形聲. 食(食)+幷〔音〕

[參考] 餠(食部 8획)은 本字.

[畫中之餅 화중지병] 그림의 떡. 마음에 들어도 가질 수 없음의 비유.

6 ⑮ 〚餉〛 군량 향[本] 상[去]漾 | 饷 xiǎng

[日] ショウ〔おくる〕 [英] rations

[字解] ① **군량 향**(軍糧). ¶ 餉饋(향궤). ② **보낼 향**(遺也). ¶ 餉遺(향유).

[字源] 形聲. 食(食)+向〔音〕

[餉饋 향궤] 군량.
[餉遺 향유] 식량 따위를 보냄.

6 ⑮ 〚餌〛 먹이 이 [上]紙 [去]寘 | 饵 ěr

[日] ジ〔えさ〕 [英] food

[字解] ① **먹이 이**(餇料). ¶ 餌啗(이담). 好餌(호이). ② **먹을 이**(食也). ¶ 餌藥(이약).

[字源] 形聲. 食(食)+耳〔音〕

[餌藥 이약] 평소에 몸을 건강하게 하기 위하여 먹는 약.
[食餌 식이] ㉠ 먹이. ㉡ 조리한 음식물.

6 ⑮ 【養】 [一]기를 양[上]養 [二]봉양 양[去]漾 | 养 yǎng yàng

丷 䒑 羊 美 美 羕 養 養

[日] ヨウ〔やしなう・やしない〕

[英] nourish, support

[字解] [一] ① **기를 양**(育也). ¶ 養

育(양육). ② **다스릴 양**(治也). ¶ 養病(양병). ③ **가려울 양**(癢也). 二 ① **봉양 양**(下奉上也). ¶ 養老(양로). ② **숨길 양**(隱也). ¶ 養晦(양회).

字源 形聲. 食+羊〔音〕

[養老 양로] 노인을 봉양함. 노인을 위로하여 안락하게 지내게 함.
[養病 양병] 병을 다스림. 병을 치료함.
[養育 양육] 길러서 자라게 함.
[養子 양자] 양아들.
[扶養 부양] 혼자 살아갈 능력이 없는 사람의 생활을 돌봄.
[療養 요양] 병의 치료와 몸조리를 하는 일.

7 ⑯ 【餒】 주릴 뇌 ㊤賄 | 馁 něi

㊐ ダイ〔うえる〕 ㊍ hungry

字解 ① **주릴 뇌**(餓也). ② **썩어 문드러질 뇌**(腐爛).

字源 形聲. 飠(食)+妥〔音〕

[餒饉 뇌근] 주림. 굶주림.
[餒棄 뇌기] 굶주려 투신 자살함.
[餒而 뇌이] 굶주림.
[餒斃 뇌폐] 굶어서 쓰러져 죽음.

7 ⑯ 【餓】 주릴 아 ㊀箇 | 饿 è

𠆢 今 食 飠 飠 餓 餓 餓

㊐ ガ〔うえる〕 ㊍ hungry

字解 **주릴 아**(飢也). ¶ 凍餓(동아).

字源 形聲. 飠(食)+我〔音〕

[餓鬼 아귀] ㉠ 굶주린 귀신. ㉡ 염치없이 먹을 것만 탐내는 사람의 비유.
[餓死 아사] 굶어 죽음.
[飢餓 기아] 굶주림.

7 ⑯ 【餔】 一 저녁밥 포 ㊥虞 二 먹일 포 ㊀遇 | 𫗦 bū bù

㊐ ホ〔ゆうしょく・くらわす〕

㊍ supper, feed

字解 一 ① **저녁밥 포**(申時食也). ② **먹을 포**(食也). 二 **먹일 포**(與食也).

字源 形聲. 飠(食)+甫〔音〕

參考 一의 ②는 哺(口部 7획)와 同字.

7 ⑯ 【餘】 남을 여 ㊥魚 | 余 yú

𠆢 今 今 食 飠 飠 飠 餘 餘

㊐ ヨ〔あまる〕 ㊍ remain

字解 ① **남을 여**(賸也). ¶ 餘暇(여가). ② **나머지 여**(殘也). ¶ 殘餘(잔여).

字源 形聲. 飠(食)+余〔音〕

[餘暇 여가] 남은 시간.
[餘技 여기] 전문 이외의 재주.
[餘念 여념] 다른 생각.
[剩餘 잉여] 다 쓰고 난 나머지.
[殘餘 잔여] 남아 있는 것.

7 ⑯ 【餐】 一 먹을 찬 ㊥寒 二 저녁밥 손 ㊥元 | cān sūn

㊐ サン〔くらう〕·ソン〔ゆうしょく〕

㊍ eat, supper

字解 一 **먹을 찬**(食也). ¶ 佳餐(가찬). 二 **저녁밥 손**.

字源 形聲. 飠(食)+奴〔音〕

[晩餐 만찬] 손님을 초대하여 함께 먹는 저녁 식사.
[尸位素餐 시위소찬] 자리만 지키며 헛되이 먹음. 곧, 직책을 다하지 못하면서 한갓 자리만 차지하고 녹을 받는 일.

8 ⑰ 【餞】 전송할 전 ㊤銑 ㊀霰 | 饯 jiàn

㊐ セン〔はなむけ〕 ㊍ send of

字解 **전송할 전**(送行飮酒也).

字源 形聲. 飠(食)+戔〔音〕

9 획

[餞別 전별] 떠나는 사람을 전송함.
[餞送 전송] 작별하여 보냄.

8 ⑰ 〖館〗 객사 관 [去]翰 [上]旱 | 馆 guǎn

[日] カン〔やかた〕 [英] inn

[字解] ① 객사 관(客舍). ¶ 旅館(여관). ② 묵을 관, 묵힐 관. ¶ 館甥(관생).

[字源] 形聲. 飠(食)+官〔音〕

[館宇 관우] 객사(客舍).
[館員 관원] 관에서 일하고 있는 사람.
[公館 공관] ㉠ 공공의 건물. ㉡ 정부 고관의 공적 저택.
[別館 별관] 본관 외에 따로 지은 건물.

8 ⑰ 〖餅〗 餠(병)(食部 6획)의 本字

9 ⑱ 〖餬〗 죽 호 [平]虞 | hú

[日] コ〔かゆ〕 [英] porridge

[字解] ① 죽 호(饘也). ② 붙이어 살 호(寄食).

[字源] 形聲. 飠(食)+胡〔音〕

9 ⑱ 〖餱〗 건량 후 [平]尤 | hóu

[日] コウ〔ほしいい〕

[字解] 건량 후(乾食也). ¶ 餱糧(후량).

[字源] 形聲. 飠(食)+侯〔音〕

10 ⑲ 〖餺〗 떡 박 [入]藥 | 馎 bó

[日] ハク〔まちのるい〕 [英] rice cake

[字解] 떡 박(餠屬).

[字源] 形聲. 飠(食)+尃〔音〕

10 ⑲ 〖餻〗 떡 고 [平]豪 | gāo

[日] コウ〔こなもち〕 [英] rice cake

[字解] 떡 고(餠也).

[字源] 形聲. 飠(食)+羔〔音〕

10 ⑲ 〖餼〗 보낼 희 [去]未 | 饩 xì

[日] キ〔おくる〕 [英] send

[字解] ① 보낼 희(饋也, 遺也). ② 쌀 희(禾米也).

[字源] 形聲. 飠(食)+氣〔音〕

10 ⑲ 〖餽〗 보낼 궤 [去]寘 | 馈 kuì

[日] キ〔おくる〕 [英] send

[字解] 보낼 궤(餉也).

[字源] 形聲. 飠(食)+鬼〔音〕

[餽贐 궤진] 전별(餞別)로 예물(禮物)을 보냄.

11 ⑳ 〖饅〗 만두 만 [平]寒 | 馒 mán

[日] マン〔まんじゅう〕 [英] dumpling

[字解] 만두 만(餠也).

[字源] 形聲. 飠(食)+曼〔音〕

[饅頭 만두] 밀가루를 반죽하여 소를 넣고 만든 빵 같은 음식.

11 ⑳ 〖饉〗 흉년들 근 [去]震 | 馑 jǐn

[日] キン〔うえる〕 [英] famine

[字解] 흉년들 근(野菜凶作, 三穀不升). ¶ 饑饉(기근).

[字源] 形聲. 飠(食)+堇〔音〕

[饑饉 기근] 흉년이 듦.

12 ㉑ 〖饋〗 보낼 궤 [去]寘 | 馈 kuì

[日] キ〔おくる〕 [英] send

[字解] ① 보낼 궤(遺也). ② 권할 궤(進食也). ¶ 饋饌(궤찬).

[字源] 形聲. 飠(食)+貴〔音〕

[饋饌 궤찬] 어른에게 올리는 음식.

12 ⑳ 【饌】 반찬 찬
㊤潸　zhuàn

饌 / 饌

㊐ セン〔そなえる〕　㊍ side dishs

字解 ① 반찬 찬(具也, 陳也). ② 음식 찬(飯食也).

字源 形聲. 倉(食)+巽〔音〕

[饌盒 찬합] 반찬·술안주 따위를 담는, 여러 층으로 된 그릇.

[飯饌 반찬] 밥에 곁들여 먹는 여러 가지 음식.

[盛饌 성찬] 잘 차린 음식.

12 ⑳ 【饎】 주식 치
㊧寘　chì

饎 / 饎

㊐ シ〔さけさかな〕

字解 주식 치(酒食也).

字源 形聲. 倉(食)+喜〔音〕

12 ⑳ 【饑】 주릴 기
㊤微　jī

饥 / 饑

㊐ キ〔うえる〕　㊍ hungry

字解 주릴 기(餓也).

字源 形聲. 倉(食)+幾〔音〕

參考 飢(食部 2획)와 同字.

[饑渴 기갈] 주림과 목마름.

[饑饉 기근] 흉년.

12 ⑳ 【饒】 넉넉할 요
㊤蕭
㊦嘯　ráo

饶 / 饒

㊐ ジョウ〔ゆたか〕　㊍ plenty of

字解 넉넉할 요(豐也). ¶ 豐饒(풍요).

字源 形聲. 倉(食)+堯〔音〕

[饒富 요부] 살림이 넉넉함.

[饒舌 요설] 말이 많음. 잘 지껄임.

[豐饒 풍요] 매우 넉넉함.

12 ⑳ 【饍】 膳(선)(肉部 12획)과 同字

13 ⑳ 【饘】 죽 전㊤
先㊤銑　zhān

饘 / 饘

㊐ セン〔かゆ〕　㊍ gruel

字解 죽 전(厚粥也, 糜也).

字源 形聲. 倉(食)+亶〔音〕

13 ⑳ 【饔】 아침밥 옹㊤冬
㊦宋　yōng

饔

㊐ ヨウ〔あさめし〕　㊍ breakfast

字解 ① 아침밥 옹(朝食也). ② 익은음식 옹(熟食也).

字源 形聲. 倉(食)+雝〔音〕

[饔飧 옹손] 아침밥과 저녁밥.

[饔子 옹자] 요리사.

13 ⑳ 【饕】 탐할 도
㊤豪　tāo

饕

㊐ トウ〔むさぼる〕　㊍ covet

字解 탐할 도(貪財, 貪嗜飲食).

字源 形聲. 倉(食)+號〔音〕

13 ⑳ 【饗】 대접할 향
㊤養　xiǎng

饗 / 饗

㊐ キョウ〔もてなす〕　㊍ treat

字解 ① 대접할 향(大飲賓). ¶ 饗宴(향연). 饗應(향응). ② 흠향할 향(祭而神歆). ¶ 歆饗(흠향).

字源 形聲. 倉(食)+鄕〔音〕

[饗宴 향연] 주식을 베풀어서 대접하는 잔치.

[歆饗 흠향] 신이 제물을 받음.

14 ⑳ 【饜】 포식할 염㊤豔
㊦鹽　yàn

饜

㊐ エン〔あきる〕　㊍ surfeited

字解 포식할 염(飽也).

字源 形聲. 倉(食)+厭〔音〕. 또 「厭(염)」은 음을 나타냄.

首 部

〔9 획〕

(머리수부)

9
획

0 ⑨ **【首】** 一 머리 수 ㊤有 二 자백할 수 ㊦宥 shǒu

丷 䒑 䒑 䒑 首 首 首 首

㊐ シュ〔くび・しばくする〕 ㊥ head, confess

字解 一 ① **머리 수**(頭也). ¶ 頓首(돈수). ② **우두머리 수**(魁帥也). ¶ 元首(원수). 二 **자백할 수**(有罪自陳).

字源 象形. 두부(頭部)의 모양을 본뜸.

[首丘初心 수구초심] 고향 언덕 쪽으로 머리를 두는 마음. 고향을 그리워하는 마음을 이름.

[首肯 수긍] 머리를 끄덕임. 옳음을 인정함.

[首席 수석] ㉠ 맨 윗자리. ㉡ 여럿 가운데 가장 높은 자리나 그런 지위.

[首位 수위] 첫째가는 자리.

[自首 자수] 죄를 지은 사람이 자진해서 그 죄를 신고함.

9획

2 ⑪ **〖馗〗** 一 거리 규 ㊥支 二 거리 구 ㊥尤 kuí qiú

㊐ キ・キュウ〔みち〕 ㊥ road

字解 一 ① **거리 규**(九達道). ② **광대뼈 규**(面頰骨也). 二 ① **거리 구**(九達道). ② **광대뼈 구**(面頰骨也).

字源 形聲. 道〈省〉+九〔音〕

8 ⑰ **〖馘〗** 一 벨 괵 ㊅陌 二 낯 혁 ㊅錫 guó xù

㊐ カク〔みみきる〕・ケキ〔おもて〕 ㊥ cut, face

字解 一 **벨 괵**(割耳也). ¶ 馘首(괵수). 二 **낯 혁**.

字源 形聲. 首+或〔音〕

[馘耳 괵이] 귀를 벰.

香 〔9 획〕 部 (향기향부)

0 ⑨ **【香】** 향기 향 ㊥陽 xiāng

一 二 千 禾 禾 香 香 香

㊐ コウ〔かおり〕 ㊥ fragrance

字解 **향기 향**(氣芬芳). ¶ 芬香(분향).

字源 會意. 黍(기장)와 甘의 합자. 기장을 삶을 때의 향기로움의 뜻.

[香氣 향기] 꽃·향 등에서 나는 기분 좋은 냄새.

[香料 향료] ㉠ 향을 만드는 재료. ㉡ 향내를 내는 감.

[香臭 향취] 향 냄새.

[香盒 향합] 제사 때 쓰는 향을 담는 합.

[芳香 방향] 좋은 향기.

[焚香 분향] 향을 피움.

5 ⑭ **〖馝〗** 향기로울 필 ㊅質 bì

㊐ ヒツ〔かおり〕 ㊥ fragrant

字解 **향기로울 필**(馨香).

字源 形聲. 香+必〔音〕

9 ⑱ **〖馥〗** 향기 복 ㊅屋 fù

㊐ フク〔かおり〕 ㊥ fragrance

字解 **향기 복**(香氣也).

字源 形聲. 香+复〔音〕

[馥郁 복욱] 향기 높은 모양.

11 ⑳ **〖馨〗** 향내날 형 ㊥青 xīn

㊐ ケイ〔かおる〕 ㊥ fragrant

字解 **향내날 형**(香遠聞).

字源 形聲. 香+殸〔音〕

[馨香 형향] 향기로운 향기.

馬 〔10획〕 部
(말마부)

0 【馬】 말 마 ㊤馬 | 马 mǎ

丨 厂 厂 厍 丐 馬 馬 馬

㊐ バ〔うま〕 ㊌ horse

字解 ① 말 마(家畜名). ¶ 牛馬(우마). ② 산가지 마(投壺之勝算). ¶ 籌馬(주마).

字源 象形. 말의 모양(머리와 갈기와 꼬리와 네 다리)을 본뜸.

[馬脚 마각] ㉠ 말의 다리. ㉡ 숨긴 본성이나 진상.
[馬具 마구] 말을 타는 데 쓰는 기구.
[馬脾風 마비풍] 디프테리아.
[馬耳東風 마이동풍] 남의 말을 귀담아 듣지 않고 흘려버림을 비유하는 말.
[騎馬 기마] 말을 탐. 또는 그 말.
[駿馬 준마] 잘 달리는 좋은 말.

2 【馭】 부릴 어 ㊥御 | 驭 yù

㊐ ギョ〔あつかう〕 ㊌ handle

字解 부릴 어(使馬也). ¶ 統馭(통어).

字源 會意. 馬와 又(오른손)의 합자. 말의 고삐를 잡고 누름의 뜻.

[馭馬 어마] 말을 부림.

2 【馮】 ▤업신여길 빙 ㊥蒸 ▤성풀 풍 ㊤東 | 冯 píng féng

㊐ ヒョウ〔しのぐ〕・フウ〔せい〕 ㊌ despise, family name

字解 ▤① 업신여길 빙(陵也). ② 기댈 빙(依也). ③ 성낼 빙(怒也). ④ 도섭할 빙(徒涉). ▤ 성 풍(姓也).

字源 形聲. 馬+冫(冫)〔音〕

[馮陵 빙릉] 세력을 믿고 침범함. 빙릉(憑陵).
[馮虛 빙허] 하늘에 오름. 하늘에 뜸.

3 【駄】 실을 태 ㊤箇 | 驮 tuó

㊐ ダ〔つむ〕 ㊌ load

字解 실을 태(負荷以畜載物).

字源 形聲. 馬+大〔音〕

參考 馱(馬部 4획)는 俗字.

[駄價 태가] 짐을 실어다 준 삯.

3 【馳】 달릴 치 ㊥支 | 驰 chí

㊐ チ〔かける〕 ㊌ run quickly

字解 달릴 치(疾驅也). ¶ 馳走(치주).

字源 形聲. 馬+也〔音〕

[馳突 치돌] 힘차게 돌진함.

3 【馴】 ▤길들 순 ㊤眞 ▤가르칠 훈 ㊤問 | 驯 xún xùn

㊐ ジュン〔なれる〕・クン〔したがう〕 ㊌ tame, guide

字解 ▤① 길들 순(馬順也). ② 좇을 순(從也). ▤ 가르칠 훈(訓也).

字源 形聲. 馬+川〔音〕

[馴致 순치] ㉠ 짐승을 길들임. ㉡ 점점 어떠한 상태에 이르게 함.

4 【馹】 역말 일 ㊤質 | 驲 rì

㊐ ジツ〔つぎうま〕 ㊌ post horse

字解 역말 일(驛傳遞馬).

字源 形聲. 馬+日〔音〕

4 【駁】 얼룩얼룩 박 ㊤覺 | 驳 bó

㊐ バク〔まだら〕 ㊌ piebald

字解 ① 얼룩얼룩할 박(馬雜色). ② 논박할 박. ¶ 攻駁(공박).

字源 會意. 馬+爻
[駁馬 박마] 얼룩말.
[反駁 반박] 남의 의견이나 비난에 맞서 공격하여 말함.

4
⑭ 【駃】 ┌ 준마 결 ㈧屑
빠를 쾌 ㉚卦

駃 jué
kuài

㈰ ケツ〔はやいうま〕・カイ〔はやい〕
㊤ swift horse, fast
字解 ━ 준마 결(駿馬也). ═ 빠를 쾌(疾也).
字源 形聲. 馬+夬〔音〕

4
⑭ 【馺】 달릴 삽 ㈧合

馺 sà

㈰ ソウ〔かける〕 ㊤ run
字解 달릴 삽(馬馳也). ¶ 馺姿(삽사).
字源 形聲. 馬+及〔音〕

4
⑭ 【駆】 驅(구)(馬部 11획)의 俗字

4
⑭ 【駄】 駄(태)(馬部 3획)의 俗字

4
⑭ 【駅】 驛(역)(馬部 13획)의 略字

5
⑮ 【駈】 驅(구)(馬部 5획)의 俗字

5
⑮ 【駐】 머무를 주 ㉚遇

駐 zhù

㈰ チュウ〔とどまる〕 ㊤ stay
字解 머무를 주(滯在). ¶ 駐在(주재).
字源 形聲. 馬+主〔音〕
[駐屯 주둔] 군대가 한곳에 머무름.
[駐車 주차] 자동차 따위를 세워 둠.

5
⑮ 【駒】 망아지 구 ㈤虞

駒 jū

㈰ ク〔こま〕 ㊤ foal
字解 망아지 구(二歲馬).
字源 形聲. 馬+句〔音〕
[白駒 백구] 흰 망아지.

5
⑮ 【駘】 ┌ 둔마 태 ㈤灰

駘 tái

㈰ タイ〔はずす〕 ㊤ dull horse
字解 ① 둔마 태(駑馬). ② 벗을 태, 벗겨질 태(脫銜).
字源 形聲. 馬+台〔音〕

5
⑮ 【駔】 ┌ 준마 장 ㊤養
꼰끈 조 ㊥麌

駔 zǎng
zǔ

㈰ ソウ〔よいうま〕・ソ〔くみひも〕
㊤ fine horse, cord
字解 ━ 준마 장(壯馬也, 駿馬也). ═ 꼰끈 조(組也).
字源 形聲. 馬+且〔音〕

5
⑮ 【駙】 결말 부 ㊤遇

駙 fù

㈰ フ〔そえうま〕 ㊤ extra horse
字解 결말 부(副馬也).
字源 形聲. 馬+付〔音〕
[駙馬 부마] ㉠ 부거(副車)를 모는 말. ㉡ 임금의 사위.

5
⑮ 【駛】 달릴 사 ㊥寘㊤紙

駛 shǐ

㈰ シ〔はしる〕 ㊤ run
字解 ① 달릴 사(馬行疾). ② 빠를 사(疾也).
字源 形聲. 馬+史〔音〕

5
⑮ 【駟】 사마 사 ㊥寘

駟 sì

㈰ シ〔よんとうだてのばしゃのうま〕
㊤ coach-and-four
字解 사마 사(四馬一乘也).
字源 形聲. 馬+四〔音〕

[駟馬 사마] ㉠ 수레 한 채를 끄는 네 필의 말. ㉡ 네 필의 말이 끄는 수레.

5
⑮ **[駝]** 곱사등이 타⊕歌
駝
tuó

㈰ ダ〔らくだ〕 ⑱ hunchback

字解 ① 곱사등이 타(佝僂). ② 실을 타, 태울 타(凡以畜負物). ③ 약대 타. ¶ 駱駝(낙타).

字源 形聲. 馬+它〔音〕.

[駝鳥 타조] 사막 지방에 사는 새의 하나.

5
⑮ **[駑]** 둔할 노⊕虞
駑
nú

㈰ ド〔にぶい〕 ⑱ dull

字解 둔할 노(魯鈍).

字源 形聲. 馬+奴〔音〕.

[駑馬 노마] 둔한 말.

5
⑮ **[駕]** 탈것 가㊀禡⊕麻
駕
jià

㈰ ガ〔のりもの〕 ⑱ vehicle

字解 ① 탈것 가(車馬也). ② 탈 가(乘也). ③ 능가할 가(陵也).

字源 形聲. 馬+加〔音〕.

[駕士 가사] 임금의 수레를 모는 사람.

[陵駕 능가] 무엇에 비교하여 그보다 훨씬 뛰어남.

6
⑯ **[駢]** ━나란히할 변⊕先
━땅이름 병⊕靑
駢
pián

㈰ ヘン〔ならぶ〕・ヘイ〔ちめい〕 ⑱ be lined up

字解 ━ 나란히할 변(二馬並駕). ━ 땅이름 병(齊邑名).

字源 會意. 馬와 并(나란히 함)의 합자. 「并(병)」이 음을 나타냄.

參考 騈(馬部 8획)이 本字.

[駢比 변비] 나란히 잇닿음.

6
⑯ **[駬]** 말이름 이⊕紙
駬
ěr

㈰ ジ〔うまのな〕

字解 말이름 이(馬名). ¶ 騄駬(녹이).

字源 形聲. 馬+耳〔音〕.

6
⑯ **[駭]** 놀랄 해㊀蟹
駭
hài

㈰ ガイ〔おどろく〕 ⑱ be startled

字解 놀랄 해(驚也). ¶ 驚駭(경해).

字源 形聲. 馬+亥〔音〕.

[駭怪 해괴] 매우 이상야릇하고 괴상함.

6
⑯ **[駁]** 짐승이름 박㉠覺
bó

㈰ ハク〔ただす〕

字解 ① 짐승이름 박(獸名, 似馬能食虎豹). ② 논박할 박(論駁).

字源 形聲. 馬+交〔音〕.

參考 ②는 駁(馬部 4획)과 同字.

6
⑯ **[駱]** 약대 락㉠藥
駱
luò

㈰ ラク〔らくだ〕 ⑱ camel

字解 ① 약대 락. ¶ 駱駝(낙타). ② 가리온 락(白馬黑鬣). ¶ 駱馬(낙마).

字源 形聲. 馬+各〔音〕.

[駱駝 낙타] 등에 혹 모양의 육봉(肉峯)이 있는 동물.

7
⑰ **[騁]** 달릴 빙㊀칭⊕梗
騁
chěng

㈰ テイ〔はせる〕 ⑱ gallop

字解 ① 달릴 빙. ② 펼 빙.

字源 形聲. 馬+甹〔音〕.

[騁步 빙보] 달림.

7 ⑰ 【騂】 절따말 성(平)庚 | 骍 xīng

(日) セイ〔あかうま〕 (英) bay

字解 ① **절따말 성**. ② **붉을 성**.

字源 形聲. 馬+觲〈省〉〔音〕

7 ⑰ 【駻】 한마 한 (去)翰 | 骭 hàn

(日) カン〔あらうま〕

字解 **한마 한**(馬突也).

字源 形聲. 馬+旱〔音〕

[駻馬 한마] 사나운 말.

7 ⑰ 【駿】 준마 준 (去)震 | 骏 jùn

(日) シュン〔すぐれる〕

(英) fine horse

字解 ① **준마 준**(名馬). ¶ 駿馬(준마). ② **클 준**(大也). ③ **빠를 준**(疾速). ¶ 駿足(준족). ④ **높을 준**(高也).

字源 形聲. 馬+夋〔音〕

[駿馬 준마] 잘 달리는 좋은 말.

[駿才 준재] 뛰어난 재주. 또, 그 사람.

[駿足 준족] ㉠ 걸음이 대단히 빠름. ㉡ 준마(駿馬).

7 ⑰ 【騃】 ㊀어리석을 애(上)蟹 ㊁말달릴 사(上)紙 | 骙 ái

(日) ガイ〔おろか〕

(英) foolish, horse runs

字解 ㊀ **어리석을 애**(癡也, 無知之貌). ¶ 愚騃(우애). ㊁ **말달릴 사**.

字源 形聲. 馬+矣〔音〕

8 ⑱ 【騄】 말이름 록(入)沃 | 騄 lù

(日) リョク〔りょうばのな〕

字解 **말이름 록**(八駿之馬名). ¶ 騄駬(녹이).

字源 形聲. 馬+彔〔音〕

8 ⑱ 【騅】 오추마 추(平)支 | 骓 zhuī

(日) スイ〔あしげ〕 (英) piebald horse

字解 **오추마 추**(蒼白雜色馬).

字源 形聲. 馬+隹〔音〕

8 ⑱ 【騎】 ㊀말탈 기(平)支 ㊁기마 기(去)寘 | 骑 qí

(日) キ〔のる・のりうま〕

(英) ride a horse, horse riding

字解 ㊀ **말탈 기**(跨馬也). ¶ 騎射(기사). ㊁ ① **기마 기**(乘馬也). ② **기병 기, 기사 기**(馬軍也). ¶ 驍騎(효기).

字源 形聲. 馬+奇〔音〕

[騎馬 기마] 말을 탐. ¶ 騎馬兵(기마병).

[騎士 기사] ㉠ 말을 타는 무사(武士). ㉡ 중세기 유럽의 무사의 한 계급.

[騎手 기수] 경마 따위에서 말을 타고 달리는 선수.

8 ⑱ 【騏】 검푸른 말 기 (平)支 | 骐 qí

(日) キ〔しゅんば〕 (英) piebald

字解 ① **검푸른말 기**(馬青驪文如綦也). ② **준마 기**(駿馬).

字源 形聲. 馬+其〔音〕

8 ⑱ 【駢】 駢(변·병)(馬部 6획)의 本字

9 ⑲ 【騙】 속일 편 (去)霰 | 骗 piàn

(日) ヘン〔かたる〕 (英) cheat

字解 ① **속일 편**(欺也) ¶ 欺騙(기편). ② **뛰어오를 편**(躍上馬). ¶ 騙馬(편마).

字源 形聲. 馬+扁〔音〕

[騙馬 편마] 말 위에서 하는 재주놀

10 획

이. 곡마(曲馬).

[騙取 편취] 속여서 남의 재물을 빼앗음.

9 ⑲ **〖騣〗** 갈기 종 [平]東 | 骔 zōng

[日] ソウ〔たてがみ〕 [英] mane

[字解] **갈기 종**(馬鬣).

[字源] 形聲. 馬+㚇〔音〕

9 ⑲ **〖騖〗** 달릴 무 [去]遇 | 骛 wù

[日] フ・ム〔はしる〕 [英] run

[字解] ① **달릴 무**. ② **힘쓸 무**.

[字源] 形聲. 馬+敄〔音〕

10 ⑳ **〖騮〗** 절따말 류 [平]尤 | 骝 liú

[日] リュウ〔くりげ〕 [英] bay

[字解] **절따말 류**(赤馬黑毛尾也).

[字源] 形聲. 馬+留〔音〕

10 ⑳ **〖騶〗** 마부 추 [平]尤 | 驺 zōu

[日] スウ〔うまかい〕 [英] groom

[字解] ① **마부 추**(廐御也). ② **기수 추**(騎士也).

[字源] 會意. 芻(여물)와 馬의 합자. 말에 여물을 주는 사람의 뜻. 또, 「芻(추)」는 음을 나타냄.

10 ⑳ **〖騷〗** 떠들 소 [平]豪 | 骚 sāo

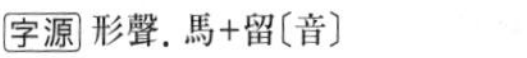

[日] ソウ〔さわぐ〕 [英] make a noise

[字解] ① **떠들 소**(擾也). ¶ 騷動(소동). ② **근심할 소**(愁也). ③ **급할 소**(急貌).

[字源] 形聲. 馬+蚤〔音〕

[騷動 소동] ㉠ 야단법석. ㉡ 사건이나 큰 변.

[騷音 소음] 시끄러운 소리.

10 ⑳ **〖騰〗** 오를 등 [平]蒸 | 腾 téng

[日] トウ〔のぼる〕 [英] ascend

[字解] **오를 등**(升也). ¶ 暴騰(폭등).

[字源] 形聲. 馬+朕〔音〕

[騰貴 등귀] 물건 값이 오름.

[騰落 등락] 값의 오름과 내림.

10 ⑳ **〖騫〗** 이지러질 건 [平]先 [去]願 | 骞 qiān

[日] ケン〔かける〕 [英] wane

[字解] ① **이지러질 건**(虧也). ¶ 騫汚(건오). ② **허물 건**(咎也).

[字源] 形聲. 馬+寒〈省〉〔音〕

[騫汚 건오] 이지러지고 더러움.

10 ⑳ **〖騭〗** 수말 즐 [入]質 | 骘 zhì

[日] シツ〔のぼる〕 [英] male horse

[字解] ① **수말 즐**(牡馬). ② **오를 즐**(升也).

[字源] 會意. 馬+陟

11 ㉑ **〖騾〗** 노새 라 [平]歌 | 骡 luó

[日] ラ〔らば〕 [英] mule

[字解] **노새 라**(驢父馬母交生也). ¶ 騾驢(나려).

[字源] 形聲. 馬+累〔音〕

11 ㉑ **〖驃〗** 황부루 표 [去]嘯 | 骠 biāo

[日] ヒョウ〔しらかげ〕 [英] skewbald

[字解] ① **황부루 표**(黃馬發白色). ② **빠를 표**(馬行疾貌). ¶ 驃騎(표기). ③ **굳셀 표, 날랠 표**(驍勇).

[字源] 形聲. 馬+票〔音〕

11 ㉑ **〖驂〗** 곁말 참 [平]覃 | 骖 cān

10획

㉠ サン〔そえうま〕 ⑧ spare horse

字解 결말 참(車衡外兩馬).

字源 會意. 參(셋)과 馬의 합자. 삼두 마차를 뜻하며, 또 「參(참)」이 음을 나타냄.

11
㉑ 【驄】 총이말
총㊦東
cōng
聰
㻛

ソウ〔あしげ〕 ⑧ bluish-gray hair horse

字解 총이말 총(馬青白雜毛也). ¶ 驄馬(총마).

字源 形聲. 馬+悤〔音〕.

11
㉑ 【驅】 몰 구
㊤虞
㊦遇
qū
驱
ﾖﾂ

「 ﾏ ﾏ 馬 馬 馬 馬ﾖ 驅 驅

ク〔かる〕 ⑧ drive

字解 ① 몰 구(驟也, 馬馳). ¶ 驅使(구사). ② 쫓아보낼 구(逐遣). ¶ 驅逐(구축).

字源 形聲. 馬+區〔音〕.

[驅步 구보] 달음박질.
[驅使 구사] ㉠ 사람이나 동물을 몰아서 부림. ㉡ 자유자재로 다루어서 씀.
[驅蟲 구충] 인체의 기생충을 몰아내어 없앰.

11
㉑ 【驁】 준마 오
㊤豪㊦號
ào
驁
ﾖﾜ

ゴウ〔おごる〕 ⑧ fine horse

字解 ① 준마 오(駿馬). ② 거만할 오(不遜).

字源 形聲. 馬+敖〔音〕.

11
㉑ 【驀】 넘을 맥
㊤陌
mò
蓦
ﾖﾂ

バク〔こえる〕 ⑧ leap over

字解 넘을 맥(超越).

字源 形聲. 馬+莫〔音〕.

[驀進 맥진] 좌우를 돌아보지 않고 힘차게 나아감.

12
㉒ 【驅】 다리흰
말 율
㊤質
yū
驱
瑀

㉠ イツ〔またのしろいうま〕

字解 다리흰말 율(驪馬白跨).

字源 形聲. 馬+矞〔音〕.

12
㉒ 【驊】 준마 화
㊤麻
huá
骅
ﾖﾟ

カ〔うまのな〕 ⑧ fine horse

字解 준마 화(駿馬名).

字源 形聲. 馬+華〔音〕.

12
㉒ 【驍】 날랠 효
㊦蕭
xiāo
骁
ﾖﾟ

ギョウ〔つよい〕 ⑧ quick

字解 날랠 효(勇捷).

字源 形聲. 馬+堯〔音〕.

[驍鋭 효예] 굳세고 날램.
[驍勇 효용] 날쌔고 용맹스러움.

12
㉒ 【驕】 교만할 교
교㊦蕭
jiāo
骄
ﾖﾟ

キョウ〔おごる〕 ⑧ proud

字解 교만할 교(自矜).

字源 形聲. 馬+喬〔音〕.

[驕氣 교기] 남을 업신여기고 저만잘난 체하는 마음. 교만한 태도.
[驕慢 교만] 뽐내며 방자함.

13
㉓ 【驗】 시험 험
㊦豔
yàn
验
验

ﾏ ﾏ 馬 馬 馬ﾖ 馬ﾖ 驗 驗 驗

ケン〔ためす〕 ⑧ examine

字解 ① 시험 험(考視也, 按也). ¶ 考驗(고험). ② 증험할 험(證也). ¶ 證驗(증험). ③ 보람 험(效也). ¶ 效驗(효험).

字源 形聲. 馬+僉〔音〕.

[體驗 체험] 직접 경험함.
[效驗 효험] 일의 좋은 보람.

13 〔驛〕 역말 역 ㉿陌 | 驿 yì

「ＦＦ馬馬馬馬馬驛驛驛

㊐ エキ〔しゅくば〕 ㊰ post horse

字解 ① 역말 역(遞馬). ¶ 宿驛(숙역), 驛馬(역마). ② 자랄 역(苗生貌). ¶ 驛驛(역역). ③ 정거장 역(汽車停車場).

字源 形聲. 馬+睪〔音〕

[驛馬 역마] 역참에 대기하고 있는 말.

[驛夫 역부] 역에서 잡일을 하는 일꾼.

[驛站 역참] 역마를 바꿔 타던 곳.

[驛遞 역체] 역참에서 공문(公文)을 전체(傳遞)하는 일.

[終着驛 종착역] 철도의 최종 도착역.

13 〔驚〕 놀랄 경 ㉿庚 | 惊 jīng

⺍ ⺍⺍ 苟 苟 敬 敬 敬 驚 驚

㊐ キョウ〔おどろく〕 ㊰ surprise

字解 놀랄 경(駭也). ¶ 驚駭(경해).

字源 形聲. 馬+敬〔音〕

[驚愕 경악] 몹시 놀람.

[驚異 경이] 놀랍고 이상함.

[驚歎 경탄] ㉠ 매우 감탄함. ㉡ 몹시 놀라 탄식함.

[驚風 경풍] 어린 아이들의 경련(痙攣)을 한의학에서 이르는 말. 경기(驚氣).

14 〔驟〕 달릴 취 ㉿宥 | 骤 zhòu

㊐ シュウ〔にわか〕 ㊰ run

字解 ① 달릴 취(奔也). ② 갑작스러울 취(突然).

字源 形聲. 馬+聚〔音〕

[驟雨 취우] 소나기.

16 〔驢〕 당나귀 려 ㉿魚 | 驴 lú

㊐ リョ〔ろば〕 ㊰ ass

字解 당나귀 려(似馬長耳以午及更初而鳴).

字源 形聲. 馬+盧〔音〕

[驢馬 여마] 당나귀.

17 〔驤〕 들 양 ㉿陽 | 骧 xiāng

㊐ ジョウ〔あげる〕

字解 ① 들 양(馬行迅疾首騰驤也). ② 달릴 양(馳也), 뛸 양(騰躍).

字源 形聲. 馬+襄〔音〕

17 〔驥〕 천리마 기 ㉿寘 | 骥 lì

㊐ キ〔よくかけるうま〕

㊰ swift horse

字解 천리마 기(名馬日行千里).

字源 形聲. 馬+冀〔音〕

[驥足 기족] 준마의 발. 전(轉)하여, 뛰어난 재능을 가진 사람의 비유.

18 〔驩〕 기뻐할 환 ㉿寒 | 骓 huān

㊐ カン〔よろこぶ〕 ㊰ pleased

字解 기뻐할 환(歡也). ¶ 交驩(교환).

字源 形聲. 馬+雚〔音〕

[驩合 환합] 기쁘게 화합함.

[交驩 교환] 서로 친하게 사귀며 즐거움을 나눔.

19 〔驪〕 ■ 가라말 려 ㉿齊 / ■ 가라말 리 ㉿支 | 骊 lí

㊐ レイ・リ〔くろうま〕

㊰ black horse

字解 ■ 가라말 려(深黑色馬). ■ 가라말 리(深黑色馬).

字源 形聲. 馬+麗〔音〕

[驪歌 여가] 송별의 노래.

[驪駒 여구] 가라말.

10 획

骨 〔10 획〕 部
(뼈골부)

0 ⑩【骨】 뼈 골 [入]月 | 骨 gǔ

丨 冂 冋 冎 冎 骨 骨 骨

[日] コツ〔ほね〕 [英] bone

[字解] **뼈 골**(肉之覈).

[字源] 會意. 冎(뼈)와 月(살)의 합자. 살이 붙은 뼈의 뜻.

[骨董 골동] 오래되고 희귀한 여러 가지 세간이나 미술품. 골동품(骨董品).

[骨肉 골육] ㉠ 뼈와 살. ㉡ 부모 형제. 육친(肉親). ¶ 骨肉相爭(골육상쟁).

[骨子 골자] 일이나 말의 골갱이.

[遺骨 유골] 죽은 사람의 뼈.

[鐵骨 철골] ㉠ 철재로 된 큰 건축물의 뼈대. ㉡ 굳세게 생긴 골격.

4 ⑭【骯】 살찔 항 [上]養 | 肮 āng

[日] コウ〔こえる〕 [英] gain weight

[字解] **살찔 항**(體胖). ¶ 骯髒(항장).

[字源] 形聲. 骨+亢〔音〕

4 ⑭【骰】 주사위 투[平]尤 | 骰 tóu

[日] トウ〔さい〕 [英] dice

[字解] **주사위 투**(博齒). ¶ 骰子(투자).

[字源] 形聲. 骨+殳〔音〕

5 ⑮【骶】 꽁무니 저[去]霽 [上]薺 | 骶 dǐ

[日] テイ〔しり〕 [英] buttocks

[字解] **꽁무니 저**(臀也). ¶ 尾骶骨(미저골).

[字源] 形聲. 骨+氐〔音〕

6 ⑯【骸】 뼈 해 [平]佳 | 骸 hái

[日] ガイ〔むくろ〕 [英] dry bones

[字解] **뼈 해**(骨也).

[字源] 形聲. 骨+亥〔音〕

[骸骨 해골] 죽은 사람의 살이 썩고 남은 뼈. 또, 그러한 머리뼈.

[遺骸 유해] 주검을 화장하고 남은 뼈.

6 ⑯【骼】 백골 격 [入]陌 | 骼 gé

[日] カク〔されぼね〕 [英] skeleton

[字解] **백골 격**(枯骨).

[字源] 形聲. 骨+各〔音〕

[骨骼 골격] 뼈대.

8 ⑱【骿】 통갈비 변[平]先 | 骿 pián

[日] ヘン〔いちまいあばら〕

[字解] **통갈비 변.** ¶ 骿脅(변협).

[字源] 形聲. 骨+幷〔音〕

[骿脅 변협] 갈빗대가 나란히 붙어서 통뼈처럼 보이는 갈비. 통갈비.

8 ⑱【髀】 넓적다리 비[上]紙 | 髀 bì

[日] ヒ〔もも〕 [英] thigh

[字解] **넓적다리 비**(股外也).

[字源] 形聲. 骨+卑〔音〕

[髀肉之歎 비육지탄] 오랫동안 말을 타지 않았기 때문에 살이 쪘다는 탄식. 영웅이 부질없이 세월을 보내며 공을 세우지 못함을 탄식함을 이르는 말.

11 ㉑【髏】 해골 루 [平]尤 | 髅 lóu

[日] ロ〔されこうべ〕 [英] skeleton

[字解] **해골 루**(首骨也).

[字源] 形聲. 骨+婁〔音〕

[髑髏 촉루] 해골.

¹³₂₃ 【髑】 해골 촉
㊀독
㊁屋
dú

髑 ^(草)

�日 ドク〔されこうべ〕 ㊐ skeleton

字解 해골 촉(頂骨). ¶ 髑髏(촉루).

字源 形聲. 骨+蜀〔音〕

¹³₂₃ 【髓】 골수 髓
㊀紙
suǐ

髓 ^(草)

�日 ズイ〔のうみそ〕 ㊐ marrow

字解 골 수(骨中脂). ¶ 腦髓(뇌수). 精髓(정수).

字源 形聲. 骨+遀〔音〕

[精髓 정수] ㉠ 뼛속에 있는 골수. ㉡ 사물의 본질을 이룬 가장 뛰어난 부분.

¹³₂₃ 【體】 몸 체
㊀薺
tǐ

体 ^(草)

ᄼ ᄼ 骨 骨 骨 骨 體 體

�日 タイ〔からだ〕 ㊐ body

字解 ① 몸 체(身也). ¶ 身體(신체). ② 사지 체(四肢). ③ 바탕 체(本也). ¶ 本體(본체). ④ 모양 체(形狀). ¶ 姿體(자체). ⑤ 물건 체(物體). ¶ 液體(액체). ⑥ 행할 체(行也). ¶ 體驗(체험).

字源 形聲. 骨+豊〔音〕

[體格 체격] 몸의 생김새.
[體系 체계] 일정한 원리에 따라서 계통을 세운 지식을 통일한 전체.
[體軀 체구] 몸.
[體言 체언] 활용을 하지 않으며, 문장의 주어가 될 수 있는 낱말.
[體統 체통] 사람이 차리는 체면.
[體驗 체험] 몸소 경험함. 또, 그러한 경험.
[胴體 동체] 몸통.
[肉體 육체] 사람의 몸.
[形體 형체] 사물의 모양과 바탕.

¹⁴₂₄ 【髕】 종지뼈
빈㊀震
bin

髌 ^(草)

�日 ヒン〔ひざさら〕 ㊐ kneecap

字解 종지뼈 빈(膝蓋骨).

字源 形聲. 骨+賓〔音〕

¹⁵₂₅ 【髖】 허리뼈
관㊀寒
kuān

髋 ^(草)

�日 カン〔こしぼね〕 ㊐ waist bone

字解 ① 허리뼈 관(髀上也, 腰骨). ② 사타구니 관(兩股間也).

字源 形聲. 骨+寬〔音〕

高 〔10획〕 部
（높을고부）

⁰₁₀ 【高】 높을 고
㊀豪
gāo

高 ^(草)

ᆞ ᅳ �懐 古 古 高 高 高

�日 コウ〔たかい〕 ㊐ high

字解 높을 고(崇也). ¶ 高架(고가). 高低(고저).

字源 象形. 성의 망루의 모양. 높은 건물의 뜻. 후에 단순히 높음의 뜻이 됨.

[高架 고가] 땅 위에서 높이 건너 걸침. ¶ 高架道路(고가 도로).
[高價 고가] 비싼 값. 값이 비쌈.
[高見 고견] ㉠ 훌륭한 의견. ㉡ 남을 높여서 그 의견을 이르는 말.
[高粱 고량] 수수.
[高名 고명] ㉠ 이름이 높이 남. ㉡ 상대자의 이름의 높임말.
[高尙 고상] ㉠ 기품이 있고 취미가 높음. ㉡ 야비하지 않고 정도가 높음.
[高手 고수] 기예가 뛰어남. 또, 그 사람.
[高低 고저] 높낮이.
[崇高 숭고] 거룩하고 고상함.
[提高 제고] 쳐들어 높임.

⁰₁₁ 【髙】 高(고)(部首)의 俗字

髟 〔10 획〕 部
(터럭발밑부)

0 ⑩ 〖髟〗 머리털 늘어질 표[平]蕭 biāo

[日] ヒョウ〔かみがたれさがる〕

[字解] **머리털늘어질 표**(髮長垂).

[字源] 會意. 長과 彡(터럭)의 합자.

3 ⑬ 〖髡〗 머리깎을 곤[平]元 kūn

[日] コン〔そる〕 [英] cut

[字解] ① **머리깎을 곤**(去髮). ② **가지칠 곤**(剪枝).

[字源] 形聲. 髟+兀〔音〕

[參考] 髨(髟部 2획)은 俗字.

[髡鉗 곤겸] 머리를 깎고 칼을 씌움. 또, 그러한 형벌에 처해진 죄인.

3 ⑬ 〖髢〗 다리 체[去]霽 dì

[日] テイ〔かもじ〕 [英] hairpiece

[字解] **다리 체**(月子). ¶ 施髢(시체).

[字源] 形聲. 髟+也〔音〕

10 획

4 ⑭ 〖髣〗 비슷할 방[上]養 fǎng

[日] ホウ〔よくにる〕 [英] resemble

[字解] **비슷할 방**(相似). ¶ 髣髴(방불).

[字源] 形聲. 髟+方〔音〕

[參考] 彷(彳部 4획)은 同字.

[髣髴 방불] 그럴듯하게 비슷함.

4 ⑭ 〖髥〗 구레나룻 염[平]鹽 [去]豔 rán

[日] ゼン〔ひげ〕 [英] whiskers

[字解] **구레나룻 염**(頰須也). ¶ 美髥(미염).

[字源] 形聲. 髟+冄〔音〕

[參考] 髯(髟部 5획)은 俗字.

4 ⑭ 〖髦〗 [一]다팔머리 모[平]豪 [二]오랑캐 무[平]尤 máo

[日] ボウ〔たれがみ〕

[英] bouncing hair

[字解] [一] **다팔머리 모**(兒生三月翦髮爲鬌及長猶爲事父母之飾). [二] **오랑캐 무**(四夷別名).

[字源] 形聲. 髟+毛〔音〕

5 ⑮ 〖髫〗 늘어뜨린 머리 초[平]蕭 tiáo

[日] チョウ〔たれがみ〕

[字解] **늘어뜨린머리 초**(童子垂髮也).

[字源] 形聲. 髟+召〔音〕

5 ⑮ 〖髭〗 윗수염 자[平]支 zī

[日] シ〔ひげ〕 [英] moustache

[字解] **윗수염 자**(口上鬚). ¶ 霜髭(상자).

[字源] 形聲. 髟+此〔音〕

5 ⑮ 〖髮〗 머리 발[入]月 发 fà

[日] ハツ〔かみ〕 [英] hair

[字解] **머리 발**(頭上毛也). ¶ 頭髮(두발).

[字源] 形聲. 髟+犮〔音〕

[髮膚 발부] 머리털과 살. 모발(毛髮)과 피부.

[削髮 삭발] 머리를 박박 깎음.

5 ⑮ 〖髴〗 비슷할 불[入]物 fú

[日] フツ〔よくにる〕 [英] like

[字解] **비슷할 불**(若似也). ¶ 髣髴(방불).

[字源] 形聲. 髟+弗〔音〕

5 ⑮ 〖髯〗 髥(염)(髟部 4획)의 俗字

6 ⑯ 〖髻〗 [一]상투 계 [去]霽 [二]부엌귀신 결[入]屑 | jì jié

[日] ケイ〔もとどり〕·ケツ〔かまとのかみ〕 [英] topknot

[字解] **[一] 상투 계**(總髮髺結). ¶ 髻子(계자). **[二] 부엌귀신 결**(竈神).

[字源] 形聲. 髟+吉〔音〕

8 ⑱ 〖鬆〗 헝클어질 송[平]冬 [平]東 | 松 sōng

[日] ソウ〔あらい〕 [英] get tangled

[字解] **① 헝클어질 송**(髮亂也). **② 거칠 송**(粗也). ¶ 粗鬆(조송).

[字源] 形聲. 髟+松〔音〕

9 ⑲ 〖鬉〗 머리흩어질 종[平]東 | zōng

[日] ソウ〔かみかみだれる〕 [英] be dishevelled

[字解] **① 머리흩어질 종. ② 갈기 억센말 종.**

[字源] 形聲. 髟+嵏〔音〕

11 ㉑ 〖鬘〗 다리 만 [平]删 | mán

[日] バン〔かつら〕 [英] hairpiece

[字解] **다리 만**(月子).

[字源] 形聲. 髟+曼〔音〕

12 ㉒ 〖鬚〗 수염 수 [平]虞 | 须 xū

[日] シュ〔ひげ〕 [英] beard

[字解] **수염 수**(頤毛). ¶ 多鬚(다수).

[字源] 會意. 髟과 須(턱수염)의 합자. 또, 「須(수)」는 음을 나타냄.

[參考] 須(頁部 3획)와 同字.

[鬚髯 수염] 턱수염과 구레나룻.

12 ㉒ 〖鬛〗 鬣(렵)(髟部 15획)의 略字

13 ㉓ 〖鬟〗 쪽 환 [平]删 | huán

[日] カン〔まげ〕 [英] chignon

[字解] **① 쪽 환**(結髮). **② 계집종 환**(婢也). **③ 산색 환**(山色).

[字源] 形聲. 髟+瞏〔音〕

[丫鬟 아환] 소녀 또는 계집종.

14 ㉔ 〖鬢〗 살쩍 빈 [去]震 | 鬓 bìn

[日] ヒン〔びんづら〕 [英] sideburns

[字解] **살쩍 빈**(頰髮).

[字源] 形聲. 髟+賓〔音〕

[鬢髮 빈발] 귀밑털과 머리털.
[鬢雪 빈설] 귀밑털이 흼. 늙음을 이르는 말.

15 ㉕ 〖鬣〗 갈기 렵 [入]葉 | liè

[日] リョウ〔たてがみ〕 [英] mane

[字解] **① 갈기 렵**(馬領毛). **② 비끝 렵**(帚端).

[字源] 形聲. 髟+巤〔音〕

[參考] 鬛(髟部 12획)은 略字.

10 획

鬥 〔10 획〕 部
(싸울투부)

0 ⑩ 〖鬥〗 [一]싸울 투[去]宥 [二]싸울 각[入]覺 | 斗 dòu

[日] トウ·カク〔たたかう〕 [英] fight

[字解] **[一] 싸울 투**(鬪也). **[二] 싸울 각**(鬪也).

[字源] 象形. 두 사람의 병사가 무기

를 들고 서로 마주 보고 있는 모양.

5 ⑮ 〖鬧〗 시끄러울 뇨 㐾効 nào 𩰌

囯 ドウ〔さわがしい〕 英 noisy

字解 시끄러울 뇨(不靜也喧囂). ¶ 喧鬧(훤뇨).

字源 會意. 鬥+市

[鬧市 요시] 번잡한 시장.

[熱鬧 열뇨] 많은 사람이 모여 떠들썩함.

6 ⑯ 〖鬨〗 ─싸울 홍 㐾送 hòng ─싸울 항 㐾絳 xiàng 𩰍

囯 コウ〔たたかう〕 英 fight

字解 ─ 싸울 홍(鬪也). ─ 싸울 항(鬪也).

字源 形聲. 鬥+共〔音〕

8 ⑱ 〖鬩〗 ─다툴 혁 ㄌ錫 xì ─고요할 격 ㄌ陌 hè 𩰏

囯 ゲキ〔せめぐ〕・カク〔しずかなさま〕 英 quarrel, quiet

字解 ─ 다툴 혁(鬪也). ─ 고요할 격(靜也).

字源 形聲. 鬥+兒〔音〕

10 ⑳ 〖鬪〗 싸움 투 㐾宥 㐾尤 dòu 𩰘

丨 丨′ 丨″ 丨‴ 鬥 鬥 鬥 鬪

囯 トウ〔たたかう〕 英 fight

字解 싸움 투(爭也, 競也). ¶ 戰鬪(전투).

字源 形聲. 鬥+尌(斷)〔音〕

參考 鬭(鬥部 14획)는 本字.

[鬪爭 투쟁] 싸움.

[鬪志 투지] 싸우려고 하는 의지.

[死鬪 사투] 죽을 힘을 다하여 싸움.

---

14 ㉔ 〖鬭〗 鬪(투)(鬥部 10획)의 本字.

鬯 〔10 획〕 部
(술창부)

0 ⑩ 〖鬯〗 술이름 창 㐾漾 chàng 鬯

囯 チョウ〔さけのな〕

字解 ① 술이름 창(奉宗廟香酒). ¶ 鬯酒(창주), 鬱鬯酒(울창주). ② 활집 창(弓衣也).

字源 象形. 凵(그릇) 속에 쌀을 넣어 향초(香草)와 함께 술을 빚고 있는 모양.

[鬯酒 창주] 옻기장으로 빚은 술. 강신제(降神祭)에 씀.

19 ㉙ 〖鬱〗 답답할 울 ㄌ物 yù 鬱

囯 ウツ〔しげる〕 英 depressed

字解 ① 답답할 울. ¶ 鬱寂(울적). ② 우거질 울(木叢生積也, 盛也). ③ 막힐 울(滯也).

字源 形聲. 林을 바탕으로 '鬱(울)'의 생략형이 음을 나타냄.

[鬱陶 울도] ㉠ 마음이 답답하고 유쾌하지 못함. ㉡ 날씨가 무더움.

[鬱鬱 울울] 수목이 빽빽하게 우거진 모양. ¶ 鬱鬱蒼蒼(울울창창).

[鬱寂 울적] 마음이 답답하고 쓸쓸함.

[鬱蒼 울창] 나무가 빽빽하게 우거짐.

[鬱鬯酒 울창주] 울금향(鬱金香)을 쪄서 창주(鬯酒)에 섞은 술. 강신(降神)하는 데 씀.

鬲 〔10 획〕 部
(솥력부)

〔鬲部〕

0
⑩【鬲】 ■솥 력
(入)錫
■막을 격
(入)陌
lì
gé

⊕ レキ〔かなえ〕・カク〔へだてる〕
⊛ kettle, partition

字解 ■ 솥 력(曲脚鼎). ■ 막을
격(隔也).

字源 象形. 세 개의 발이 있고 복부
(腹部)에 무늬가 있는 솥의 모양.

7
⑰【鬴】 가마솥 부
(上)虞
fǔ

⊕ フ〔かま〕 ⊛ cauldron

字解 가마솥 부(鍑屬無足).

字源 形聲. 鬲+甫〔音〕

8
⑱【鬵】 용가마 심
(上)侵
xín

⊕ シン〔おおがま〕 ⊛ cauldron

字解 용가마 심(大釜).

字源 形聲. 鬲+兓(심)〔音〕

11
㉑【鬺】 삶을 상
(上)陽
shāng

⊕ ショウ〔にる〕 ⊛ boil

字解 삶을 상(煮也, 飪也).

字源 形聲. 鬲+煬〈省〉〔音〕

12
㉒【鬻】 ■죽 죽
(入)屋
■팔 육
(入)屋
■어릴 국
(入)屋
zhōu
yù
jū

⊕ シュク〔かゆ〕・イク〔ひさぐ〕・
キク〔おさたい〕
⊛ rice gruel, sell, young

字解 ■ 죽 죽(糜也). ■ 팔 육(賣
也). ■ 어릴 국(稚也).

字源 會意. 鬲(음식을 삶는 그릇)과
弼(김)과 米의 합자. 충분히 삶은
쌀의 뜻.

[鬻賣 육매] 팖. 판매함.

鬼 〔10획〕 部
(귀신귀부)

0
⑩【鬼】 귀신 귀
(上)尾
guǐ

' 冂 冃 冄 由 尹 鬼 鬼

⊕ キ〔おに〕 ⊛ demon

字解 귀신 귀(人死魂魄).

字源 會意. 由(사람의 머리)과 儿
(사람)의 합자. 「厶(사)」의 전음이
음을 나타내며, 사자의 혼의 뜻.

[鬼神 귀신] ㉠ 눈에 보이지 않는 무
서운 영혼. ㉡ 죽은 사람의 영혼.
㉢ 재주가 뛰어난 사람을 비유하는
말.

[鬼才 귀재] 매우 뛰어난 재능. 또,
그런 재능을 가진 사람.

[鬼火 귀화] 도깨비불.

[寃鬼 원귀] 원통하게 죽은 사람의
귀신.

4
⑭【魁】 우두머리
괴(上)灰
kuí

⊕ カイ〔かしら〕 ⊛ chief

字解 ① 우두머리 괴(首領也).
魁首(괴수). ② 클 괴(大也). ¶ 魁
偉(괴위). ③ 언덕 괴(小阜). ¶ 魁
陵(괴릉).

字源 形聲. 斗+鬼〔音〕

[魁首 괴수] 우두머리. 두목.

[魁偉 괴위] 체격이 크고 훌륭함.

[魁擢 괴탁] 과거에서 첫째로 뽑힘.

[魁蛤 괴합] 살조개. 안다미조개.

4
⑭【魂】 넋 혼
(上)元
hún

二 三 云 动 动 神 魂 魂

⊕ コン〔たましい〕 ⊛ soul

字解 넋 혼(附氣之神, 人陽神也). ¶
靈魂(영혼).

字源 形聲. 鬼+云〔音〕

[魂膽 혼담] 혼과 간담.

10
획

[魂飛魄散 혼비백산] 혼이 날고 백이 흩어짐. 곧, 몹시 놀라 어쩔 줄 모름을 이르는 말.

[鎭魂 진혼] 죽은 사람의 넋을 진정시킴.

---

5 〔魃〕 가물귀 신 발 ㈠曷 | 魃 bá | *魃*
⑮

㈰ バツ〔ひでりのかみ〕

㈎ drought demon

字解 ① 가물귀신 발(旱鬼). ② 가물 발(旱也).

字源 形聲. 鬼+犮〔音〕

---

5 〔魅〕 도깨비 매 ㈜미 ㈏寘 | 魅 mèi | *魅*
⑮

㈰ ミ〔ばけもの〕 ㈎ demon

字解 ① 도깨비 매(怪物也). ¶ 魑魅(이매). ② 호릴 매. ¶ 魅惑(매혹).

字源 形聲. 鬼+未〔音〕

[魅力 매력] 남의 마음을 끌어 호리는 이상한 힘.

[魅惑 매혹] 남의 마음을 끌어 홀리게 함.

---

5 〔魄〕 ㈠넋 백 ㈎陌 ㈡재강 박 ㈏藥 ㈢영락할 탁 ㈐藥 | pò bó tuò | *魄*
⑮

㈰ ハク〔たましい・かす〕・タク〔おちぶれる〕

㈎ soul, sediment of fermented liquor, be ruined

字解 ㈠넋 백(附形之靈, 人生始化). ¶ 魂魄(혼백). ㈡재강 박(糟也, 粕也). ㈢영락할 탁(零替). ¶ 落魄(낙탁).

字源 形聲. 鬼+白〔音〕

---

8 〔魍〕 도깨비 망 ㈜養 | wǎng | *魍*
⑱

㈰ モウ〔すだま〕 ㈎ demon

字解 도깨비 망(山川之精物也). ¶ 魍魎(망량).

字源 形聲. 鬼+罔〔音〕

[魍魎 망량] 도깨비. 산수(山水)·목석(木石)의 정령(精靈).

---

8 〔魎〕 도깨비 량 ㈜養 | 魎 liǎng | *魎*
⑱

㈰ リョウ〔すだま〕 ㈎ demon

字解 도깨비 량(山川之精物).

字源 形聲. 鬼+兩〔音〕

[魍魎 망량] 도깨비.

---

8 〔魏〕 높을 위 ㈎未 | 魏 wèi | *魏*
⑱

㈰ ギ〔たかい〕 ㈎ lofty

字解 ① 높을 위(高也). ② 나라 이름 위(舜禹所都).

字源 形聲. 鬼+委〔音〕

[魏魏 위위] 높고 큰 모양.

---

11 〔魑〕 도깨비 리 ㈜치 ㈏支 | 魑 chī | *魑*
㉑

㈰ チ〔すだま〕 ㈎ ghost

字解 도깨비 리(鬼屬). ¶ 魑魅(이매).

字源 形聲. 鬼+离〔音〕

---

11 〔魔〕 마귀 마 ㈏歌 | 魔 mó | *魔*
㉑

㈰ マ〔まもの〕 ㈎ devil

字解 ① 마귀 마(狂鬼能眩人). ¶ 惡魔(악마). ② 마술 마(不可思議之術法). ¶ 魔法(마법).

字源 形聲. 鬼+麻〔音〕

[魔鬼 마귀] 요사스럽고 못된 짓을 하는 귀신.

[魔手 마수] 흉악한 손길. 해치는 손길.

[魔術 마술] ㉠ 요술. ㉡ 사람을 호리는 기괴한 술법.

[病魔 병마] 병을 악마에 비유하여 이르는 말.

14획
24 【魘】 ■잠꼬대할 염 ㊤琰 yǎn
■가위눌릴 엽 ㊥압 ye
⑧葉

魘

㊐ エン・ヨウ〔おそわれる〕
㊄ talk bosh, be hagridden

字解 ■잠꼬대할 염(夢驚也). ¶ 魘魅(염매). ■가위눌릴 엽(睡中氣窒).

字源 形聲. 鬼+厭〔音〕.

魚 〔11획〕 部
(고기어부)

0 【魚】 고기 어 ㊤魚 yú
11

ノ ク ク 夕 台 角 角 魚 魚

㊐ ギョ〔うお〕 ㊄ fish

字解 고기 어(鱗蟲總名). ¶ 魚類(어류).

字源 象形. 물고기 모양을 본뜬 글자. 하부는 꼬리와 지느러미.

[魚網 어망] 물고기를 잡는 그물.
[魚肉 어육] ㉠ 생선의 고기. ㉡ 물고기와 짐승의 고기. ㉢ 남에게 참살(斬殺)당함의 비유.
[白魚 백어] 뱅어.
[養魚 양어] 물고기를 길러 번식시킴.
[稚魚 치어] 새끼 물고기.

4 【魯】 미련할 로 ㊤麌 lǔ
15

㊐ ロ〔おろか〕 ㊄ stupid

字解 ①미련할 로(愚也). ¶ 魯鈍(노둔). ②노나라 로(伯禽所封國名).

字源 形聲. 日(白)+魚〔音〕.

[魯鈍 노둔] 어리석고 둔함.

---

4 【魨】 복 돈 ㊤元 tún
15

魨

㊐ トン〔ふぐ〕 ㊄ globefish

字解 복 돈(河豚).

字源 形聲. 魚+屯〔音〕.

4 【魴】 방어 방 ㊤陽 fáng
15

魴

㊐ ホウ〔おしきうお〕
㊄ yellowtail

字解 방어 방(鯿魚).

字源 形聲. 魚+方〔音〕.

5 【鮎】 메기 점 ㊤념 nián
16

鮎

㊐ デン・ネン〔なまず〕 ㊄ catfish

字解 메기 점.

字源 形聲. 魚+占〔音〕.

5 【鮑】 절인어 물 포 ㊤巧 bào
16

鮑

㊐ ホウ〔しおづけ〕 ㊄ salted fish

字解 절인물고기 포(以鹽漬魚).

字源 形聲. 魚+包〔音〕.

[鮑尺 포척] 깊은 물속에 들어가서 전복을 따는 것을 업으로 하는 사람.

5 【鮒】 붕어 부 ㊤遇 fù
16

鮒

㊐ フ〔ふな〕 ㊄ crucian carp

字解 붕어 부(鯽也).

字源 形聲. 魚+付〔音〕.

5 【鮓】 젓 자 ㊤馬 zhǎ
16

鮓

㊐ サ〔つけうお〕
㊄ salted fish guts

字解 젓 자(魚菹).

字源 形聲. 魚+酢〈省〉〔音〕.

5 【鱭】 갈치 제 ㊤薺 ji
16

鱭

ⓔ セイ〔えつ〕 ⓐ hairtail
字解 갈치 제(刀魚狹薄頭長如刀).
字源 形聲. 魚+此〔音〕

---

6 ⑰〔鮞〕 곤이 이 ⑭支 鮞

ⓙ ジ〔はららご〕 ⓐ hard roe
字解 곤이 이(鯤也, 子子也).
字源 形聲. 魚+而〔音〕

---

6 ⑰〔鮪〕 다랑어 유 ⑭有 鮪 wěi

ⓙ ユウ〔まぐろ〕 ⓐ tuna
字解 다랑어 유(鮥也, 鱣屬).
字源 形聲. 魚+有〔音〕

---

6 ⑰〔鮫〕 상어 교 ⑭看 鮫 jiāo

ⓙ コウ〔さめ〕 ⓐ shark
字解 상어 교(海魚也).
字源 形聲. 魚+交〔音〕

[鮫皮 교피] 상어 가죽을 말린 것. 칼
자루를 감는 데 씀.

---

6 ⑰〔鮭〕 ■복 규 ⑭齊 / ■어채 해 ⑭佳 鮭 guī / xié

ⓙ ケイ〔ふぐ〕・カイ〔さかな〕
ⓐ swellfish
字解 ■ 복 규(河豚). ■ 어채 해
(魚菜總名).
字源 形聲. 魚+圭〔音〕

---

6 ⑰〔鮮〕 ■고울 선 ⑭先 / ■적을 선 ⑭銑 / ■성 선 ⑭霰 鮮 xiān / xiǎn / xiàn

ノ ク 勺 各 魚 魚 鮮 鮮

ⓙ セン〔あざやか・すくない・せい〕
ⓐ fine, few, family name

字解 ■ ① 고울 선(華也, 好也).
¶ 鮮明(선명). ② 새 선(新也). ¶
新鮮(신선). ③ 날 선(生魚也). ¶
鮮膾(선회). ④ 좋을 선(善也). ■
적을 선(少也). ¶ 鮮少(선소). ■
성 선.

字源 形聲. 魚와 羴의 생략형 羊으
로 이루어지며, 「羴(선)」의 생략형
이 음을 나타냄.

[鮮明 선명] ㉠ 산뜻하고 밝음. 조촐
하고 밝음. ㉡ 흐리멍덩한 점이 없
이 분명함.
[鮮少 선소] 적음. 사소함.
[鮮血 선혈] 신선한 피, 선지피.
[新鮮 신선] 새롭고 산뜻함.

---

6 ⑰〔鮟〕 아귀 안 ⑭翰 鮟 àn

ⓙ アン〔あんこう〕 ⓐ angler
字解 아귀 안(魚名, 口頰大). ¶ 鮟
鱇(안강).
字源 形聲. 魚+安〔音〕

---

7 ⑱〔鯀〕 곤어 곤 ⑭阮 鯀 gǔn

ⓙ コン〔おおうお〕
字解 곤어 곤(大魚).
字源 形聲. 魚와 孫의 생략형 系로
이루어지며, 「系=孫(손)」의 전음
이 음을 나타냄.

---

7 ⑱〔鯁〕 뼈 경 ⑭梗 鯁 gěng

ⓙ コウ〔ほね〕 ⓐ fishbone
字解 ① 뼈 경(魚骨). ② 가시걸릴
경(食魚骨留喉中也).
字源 形聲. 魚+更〔音〕
[鯁骨 경골] 기질이 곧고 굳음.

---

7 ⑱〔鯉〕 잉어 리 ⑭紙 鯉 lǐ

ⓙ リ〔こい〕 ⓐ carp
字解 잉어 리(三十六鱗魚有赤白黃
三種). ¶ 鯉魚(이어).

字源 形聲. 魚+里〔音〕

[鯉素 이소] 잉어의 뱃속에서 흰 비단에 쓴 편지가 나왔다는 고사에서, '편지' 라는 뜻으로 쓰임.

[鯉魚 이어] 잉어.

---

7 │ 피라미
18 【鰷】 조⊕蕭 │ tiáo │ 條

㊐ ユウ〔はや〕 ㊍ minnow

字解 피라미 조(好游魚).

字源 形聲. 魚+攸〔音〕

---

7 │ 문절망둑
18 【鯊】 사⊕麻 │ shā │ 鯊

㊐ サ〔はぜ〕 ㊍ goby

字解 ① 문절망둑 사(鮀也). ② 상어 사(鮫也).

字源 形聲. 魚+沙〔音〕

---

8 │ ■청어 청
19 【鯖】 ⊕青 │ qīng │ 鯖
│ ■오후정 zhēng
│ 정⊕青

㊐ セイ〔にしん〕・ショウ〔りょうりのな〕 ㊍ herring

字解 ■ 청어 청(魚名青色有枕骨). ■ 오후정 정(五侯鯖, 煮魚煎肉).

字源 形聲. 魚+青〔音〕

[鯖魚 청어] 고등어.

---

8 │ 도미 조
19 【鯛】 ⊕蕭 │ diāo │ 鯛

㊐ チョウ〔たい〕 ㊍ sea bream

字解 도미 조(棘鬣魚).

字源 形聲. 魚+周〔音〕

---

8 │ 도롱 예
19 【鯢】 농⊕齊 │ ní │ 鯢

㊐ ゲイ〔さんしょううお〕 ㊍ salamander

字解 ① 도롱농 예(刺魚也). ② 암코래 예(大魚名, 雄曰鯨, 雌曰鯢).

字源 形聲. 魚+兒〔音〕

---

8 │ 곤이 곤
19 【鯤】 ⊕元 │ kūn │ 鯤

㊐ コン〔はららご〕 ㊍ hard roe

字解 곤이 곤(魚子). ¶ 鯤鮞(곤이).

字源 形聲. 魚+昆〔音〕

---

8 │ 고래 경
19 【鯨】 ⊕庚 │ jīng │ 鯨

㊐ ゲイ〔くじら〕 ㊍ whale

字解 고래 경(海中大魚). ¶ 鯨鯢(경예).

字源 形聲. 魚+京〔音〕

[鯨飮 경음] 고래가 물을 먹듯 술을 많이 마심.

---

8 │ 돌잉어
19 【鯫】 추⊕尤 │ zōu │ 鯫

㊐ シュ〔みごい〕

字解 돌잉어 추(白魚也).

字源 形聲. 魚+取〔音〕

---

9 │ 가자미
20 【鰈】 접入葉 │ dié │ 鰈

㊐ チョウ〔かれい〕 ㊍ flatfish

字解 가자미 접(比目魚). ¶ 鰈魚(접어).

字源 形聲. 魚+葉〔音〕

---

9 │ 미꾸라
20 【鰍】 지 추 │ qiū │ 鰍
│ ⊕尤

㊐ シュウ〔どじょう〕 ㊍ loach

字解 미꾸라지 추(魚名生淺淖中似鯔).

字源 形聲. 魚+秋〔音〕

參考 鰌(魚部 9획)는 同字.

[鰍魚湯 추어탕] 미꾸라짓국. 추탕(鰍湯).

---

9 │ 전복 복
20 【鰒】 入屋 │ fù │ 鰒

㊐ フク〔あわび〕 ㊍ ear shell

字解 전복 복(右決明也).

11 획

[字源] 形聲. 魚+复〔音〕

9 ⑳ 【鰓】 아가미 새[平]灰 | 鰓 sāi

[日] サイ〔えら〕 [英] gill

[字解] ① **아가미 새**(魚頰中骨). ¶ 鰓蓋(새개). ② **두려워할 새**(懼貌也). ¶ 鰓鰓(새새).

[字源] 形聲. 魚+思〔音〕

[鰓蓋 새개] 아가미 딱지.
[鰓鰓 새새] 두려워하는 모양.

9 ⑳ 【鰐】 악어 악[入]藥 | 鰐 è

[日] ガク〔わに〕 [英] crocodile

[字解] **악어 악**(似蜥易水潛呑人, 長一丈有四足).

[字源] 形聲. 魚+咢〔音〕

9 ⑳ 【鰕】 새우 하[平]麻 | 鰕 xiā

[日] カ〔えび〕 [英] shrimp

[字解] **새우 하**(水蟲長鬚).

[字源] 形聲. 魚+叚〔音〕

[參考] 蝦(虫部 9획)는 同字.

9 ⑳ 【鰌】 鰍(추)(魚部 9획)와 同字

11 획

10 ㉑ 【鰣】 준치 시[平]支 | 鰣 shí

[日] シ〔ひら〕 [英] a kind of herring

[字解] **준치 시**(美魚似魴多鯁).

[字源] 形聲. 魚+時〔音〕

10 ㉑ 【鰥】 홀아비 환[本]관[平]刪 | 鰥 guān

[日] カン〔やもめ〕 [英] widower

[字解] **홀아비 환**(無妻也).

[字源] 形聲. 魚+眔〔音〕

[鰥寡孤獨 환과고독] 늙고 아내가 없는 사람, 늙고 남편이 없는 사람, 어려서 어버이가 없는 아이와 늙어서 자식이 없는 사람. 곧, 매우 외롭고 의지할 곳이 없는 사람.

10 ㉑ 【鰭】 지느러미 기[平]支 | 鰭 qí

[日] キ〔ひれ〕 [英] fin

[字解] **지느러미 기**(魚脊上骨, 魚背上鬣). ¶ 尾鰭(미기).

[字源] 形聲. 魚+耆〔音〕

[鰭狀 기상] 지느러미와 같은 형상.

10 ㉑ 【鰩】 날치 요[平]蕭 | 鰩 yáo

[日] ヨウ〔とびうお〕 [英] flying fish

[字解] **날치 요**(飛魚也).

[字源] 形聲. 魚+䍃〔音〕

11 ㉒ 【鱇】 《日》 아귀 강 | 鱇 kāng

[日] カウ〔あんこう〕 [英] angler

[字解] 《日》 **아귀 강**.

[字源] 形聲. 魚+康〔音〕

11 ㉒ 【鰻】 뱀장어 만[平]寒 | 鰻 mán

[日] バン〔うなぎ〕 [英] eel

[字解] **뱀장어 만**(白鱓). ¶ 鰻鱺(만리).

[字源] 形聲. 魚+曼〔音〕

11 ㉒ 【鰲】 鼇(오)(黽部 11획)와 同字

12 ㉓ 【鱒】 송어 준[上]阮 | 鱒 zūn, zún

[日] ソン〔ます〕 [英] trout

[字解] **송어 준**(松魚, 赤目魚).

[字源] 形聲. 魚+尊〔音〕

12 ㉓ 【鱖】 [一]쏘가리 궐[入]月 [二]쏘가리 궤[去]霽 | 鱖 jué guì

ⓗ ケツ・ケイ〔あさじ〕
ⓔ mandarin fish

字解 ■ 쏘가리 궐(水豚). ■ 쏘가리 궤(水豚).

字源 形聲. 魚+厥〔音〕

12
㉓ 【鱗】 비늘 린 ⊕眞 | 鳞 | lín

ⓗ リン〔うろこ〕 ⓔ scale

字解 비늘 린(魚甲).

字源 形聲. 魚+粦〔音〕

[鱗甲 인갑] ㉠ 비늘과 껍데기. ㉡ 비늘 모양을 한 단단한 껍데기.

[鱗毛 인모] ㉠ 어류와 수류(獸類). ㉡ 충어조수(蟲魚鳥獸)를 이름.

13
㉔ 【鱣】 ■ 철갑상 어 전 ⊕先 ■ 드렁허 리 선 ⊕銑 | 鳣 | zhān shàn

ⓗ テン〔ちょうざめ〕・セン〔うみへび〕
ⓔ sturgeon, a kind of freshwater eel

字解 ■ ① 철갑상어 전(鰉魚也). ② 잉어 전. ■ 드렁허리 선(鱓魚也).

字源 形聲. 魚+亶〔音〕

13
㉔ 【鱧】 가물치 레 ⊕薺 | 鳢 | lǐ

ⓗ レイ〔やつめうなぎ〕
ⓔ snakehead

字解 가물치 레(鮦也).

字源 形聲. 魚+豊〔音〕

16
㉗ 【鱸】 농어 로 ⊕虞 | 鲈 | lú

ⓗ ロ〔すずき〕 ⓔ sea bass

字解 농어 로(巨口細鱗似鱖四腮魚). ¶ 鱸魚(노어).

字源 形聲. 魚+盧〔音〕

16
㉗ 【鱷】 鰐(악)(魚部 9획)과 同字

鳥 〔11 획〕 部
(새조부)

0
⑪ 【鳥】 새 조 ⊕篠 | 鸟 | niǎo

ノ ｒ ｆ ｆ ｆ 鳥 鳥 鳥

ⓗ チョウ〔とり〕 ⓔ bird

字解 새 조(羽族總名).

字源 象形. 꽁지가 긴 새의 모양을 본뜸.

[鳥瞰圖 조감도] 높은 데서 내려다 본 것처럼 그린 그림.

[鳥獸 조수] 새와 짐승.

[鳥足之血 조족지혈] 새발의 피. 분량이 아주 적음.

[候鳥 후조] 철새.

2
⑬ 【鳧】 물오리 부 ⊕虞 | 凫 | fú

ⓗ フ〔かも〕 ⓔ wild duck

字解 물오리 부(家鴨也). ¶ 鴨鳧(압부).

字源 形聲. 鳥+几〔音〕

2
⑬ 【鳩】 비둘기 구 ⊕尤 | 鸠 | jiū

ⓗ キュウ〔はと〕 ⓔ pigeon

字解 ① 비둘기 구(鳥名). ¶ 鳩巢(구소). ② 모을 구(聚也, 集也). ¶ 鳩合(구합). ③ 편안할 구, 편안히할 구(安也).

字源 形聲. 鳥+九〔音〕

[鳩巢 구소] ㉠ 비둘기의 둥우리. ㉡ 초라한 집.

[鳩首 구수] 머리를 서로 맞댐. ¶ 鳩首會議(구수회의).

[傳書鳩 전서구] 통신에 이용하는 비둘기.

3
⑭ 【鳴】 울 명 ⊕庚 | 鸣 | míng

ｒ ｍ ｍ ｍ ｍ 鸣 鳴 鳴

11
획

[日] メイ〔なく〕 [英] chirp

[字解] **울 명, 울릴 명**(凡物出聲).

[字源] 會意. 鳥와 口의 합자로 새가 운다는 뜻.

[鳴動 명동] 울리어 진동함. ¶ 泰山鳴動鼠一匹(태산명동서일필).

[鳴箭 명전] 우는 화살.

3 ⑭ 〖鳳〗 봉새 봉 [去]送 | 凤 fèng

丿 几 几 凡 凧 凬 鳳 鳳

[日] ホウ〔ほうおう〕

[英] Chinese phoenix

[字解] **봉새 봉**(神鳥).

[字源] 形聲. 鳥+凡〔音〕

[鳳凰 봉황] 상상적인 신령스러운 새. 수컷은 봉, 암컷은 황이라고 함.

3 ⑭ 〖鳶〗 솔개 연 [平]先 | 鸢 yuān

[日] エン〔とび〕 [英] kite

[字解] ① **솔개 연**(鷙鳥鴟類). ¶ 鳶肩(연견). ② **연 연**. ¶ 紙鳶(지연).

[字源] 會意. 鳥+弋

[鳶肩 연견] 솔개의 어깨와 비슷한 모양의 어깨.

4 ⑮ 〖鴃〗 때까치 격[入]錫 | 鴃 jué

[日] ゲキ〔もず〕 [英] shrike

[字解] **때까치 격**(博勞鳥).

[字源] 形聲. 鳥+夬〔音〕

[鴃舌 격설] 때까치가 우는 소리. 외국인이 알아듣지 못할 말.

4 ⑮ 〖鳷〗 새매 지[平]支 | zhī

[日] シ〔はいたか〕

[英] sparrow hawk

[字解] **새매 지**(鳥名). ¶ 鳷鵲(지작).

[字源] 形聲. 鳥+支〔音〕

4 ⑮ 〖鴂〗 [一] 뱁새 결 [入]屑 [二] 두견이 계[去]霽 | 鴂 jué guì

[日] ケツ〔ふくろう〕・ケイ〔ほととぎす〕

[英] Korean crow-tit, cuckoo

[字解] [一] **뱁새 결**(巧婦鳥). [二] **두견이 계**(子規). ¶ 鶗鴂(제계).

[字源] 形聲. 鳥+夬〔音〕

4 ⑮ 〖鴆〗 짐새 짐 [去]沁 | 鸩 zhèn

[日] チン〔どくちょうのな〕

[字解] **짐새 짐**(毒鳥). ¶ 鴆毒(짐독).

[字源] 形聲. 鳥+冘〔音〕

[鴆毒 짐독] 짐새의 털을 술에 담가서 만든 독.

[鴆殺 짐살] 짐독이 든 술로 사람을 죽임.

4 ⑮ 〖鴇〗 능에 보 [上]晧 | 鸨 bǎo

[日] ホウ〔のがん〕 [英] bustard

[字解] **능에 보**(似鴈野雁). ¶ 鴇母(보모).

[字源] 形聲. 鳥+旱〔音〕

4 ⑮ 〖鴉〗 큰부리 까마귀 아[平]麻 | 鸦 yā

[日] ア〔はしぶとがらす〕

[英] large-billed crow

[字解] ① **큰부리까마귀 아**(烏別名). ¶ 鴉陣(아진). ② **검을 아**(漆黑). ¶ 鴉鬢(아빈).

[字源] 形聲. 鳥+牙〔音〕

[鴉陣 아진] 날아가는 까마귀 떼.

4 ⑮ 〖鴈〗 기러기 안[去]諫 | yàn

一 厂 厂 𠩺 𠩺 鴈 鴈 鴈

[日] ガン〔かり〕 [英] wild goose

[字解] ① **기러기 안**(雁也). ② **가짜 안**(贗也).

[字源] 形聲. 鳥(새)와 음을 나타내는 「雁(안)」의 생략형 𠂆으로 이루어짐.

[參考] ①은 雁(隹部 4획)과 同字. ②는 贗(貝部 15획)과 통용.

5 ⑯ 〖鴣〗 자고 고 [平]虞 | 鸪 gū

[日] コ〔しゃこ〕 [英] partridge

[字解] **자고 고.**

[字源] 形聲. 鳥+古〔音〕

[鷓鴣 자고] 메추라기와 비슷하며 조금 큰 새.

5 ⑯ 〖鴕〗 타조 타 [平]歌 | 鸵 tuó

[日] ダ〔だちょう〕 [英] ostrich

[字解] **타조 타**(熱帶產大鳥).

[字源] 形聲. 鳥+它〔音〕

[鴕鳥 타조] 사막에 사는 새의 한 가지. 타조(駝鳥).

5 ⑯ 〖鴒〗 할미새 령 [平]青 | 鸰 líng

[日] レイ〔せきれい〕 [英] wagtail

[字解] **할미새 령**(鳥名, 雀屬). ¶ 鶺鴒(척령).

[字源] 形聲. 鳥+令〔音〕

5 ⑯ 〖鴟〗 올빼미 치 [平]支 | 鸱 chī

[日] シ〔ふくろう〕 [英] owl

[字解] **올빼미 치**(鳥名). ¶ 鴟梟(치효).

[字源] 形聲. 篆文은 隹+氐〔音〕

[鴟顧 치고] 올빼미처럼 몸을 움직이지 아니하고 모가지만 돌려 뒤를 돌아다봄.

5 ⑯ 〖鴨〗 오리 압 [入]洽 | 鸭 yā

[日] オウ〔かも〕 [英] duck

[字解] **오리 압**(家鶩舒鳧).

[字源] 形聲. 鳥+甲〔音〕

[鴨黃 압황] 오리 새끼.

5 ⑯ 〖鴞〗 올빼미 효 [平]蕭 | 鸮 xiāo

[日] キョウ〔ふくろう〕 [英] owl

[字解] **올빼미 효**(鶚鴞).

[字源] 形聲. 鳥+号〔音〕

5 ⑯ 〖鴡〗 물수리 저 [平]魚 | 鴡 jū

[日] ショ〔みさご〕 [英] osprey

[字解] **물수리 저**(雎也). ¶ 鴡鳩(저구).

[字源] 形聲. 鳥+且〔音〕

5 ⑯ 〖鴛〗 원앙 원 [平]元 | 鸳 yuān

[日] エン〔おしどり〕

[英] mandarin duck

[字解] **원앙 원**(匹鳥雄鴛雌鴦).

[字源] 形聲. 鳥+夗〔音〕

[鴛綺 원기] 아름다운 직물(織物).

[鴛鴦 원앙] 오릿과의 새. 암수가 서로 떨어지지 않는 데서 '금실이 좋은 부부' 를 비유하는 말.

5 ⑯ 〖鴦〗 원앙 앙 [入]陽 | 鸯 yāng

[日] オウ〔おしどり〕

[英] mandarin duck

[字解] **원앙 앙**(匹鳥). ¶ 鴛鴦(원앙).

[字源] 形聲. 鳥+央〔音〕

[鴦錦 앙금] 아름다운 비단.

[鴛鴦 원앙] 원앙새.

6 ⑰ 〖鴻〗 큰기러기 홍 [平]東 | 鸿 hóng

[日] コウ〔ひしくい〕 [英] big goose

[字解] ① **큰기러기 홍**(隨陽鳥鴈之大者). ¶ 鴻毛(홍모). ② **클 홍**(大

11획

也). ¶ 鴻恩(홍은).

[字源] 形聲. 鳥+氵(水)+工〔音〕

[鴻鵠之志 홍곡지지] 큰 기러기와 고니의 뜻. 큰 인물이나 영웅의 큰 뜻을 이르는 말.

[鴻毛 홍모] ㉠ 기러기의 날개 털. ㉡ 아주 가벼운 사물의 비유.

[鴻恩 홍은] 넓고 큰 은혜.

6 ⑰ **〖鵂〗** 수리부엉이 휴 [平]尤 | xiū

[日] キュウ〔みみずく〕 [英] eagle owl

[字解] **수리부엉이 휴**(怪鴟也).

[字源] 形聲. 鳥+休〔音〕

7 ⑱ **〖鵑〗** 두견이 견[平]先 | 鹃 juān

[日] ケン〔ほととぎす〕 [英] cuckoo

[字解] **두견이 견**(鳥名, 一名杜宇, 子規).

[字源] 形聲. 鳥+肙〔音〕

[杜鵑 두견] 두견이.

7 ⑱ **〖鵜〗** 사다새 제[平]齊 | 鹈 tí

[日] テイ〔がらんちょう〕 [英] pelican

[字解] **사다새 제**(水鳥也).

[字源] 形聲. 鳥+弟〔音〕

7 ⑱ **〖鵠〗** 고니 곡 [本]혹[入]沃 | 鹄 hú gū

[日] コク〔はくちょう〕 [英] swan

[字解] ① **고니 곡**(水鳥也). ¶ 鴻鵠之志(홍곡지지). ② **정곡 곡**(所射之主). ¶ 正鵠(정곡).

[字源] 形聲. 鳥+告〔音〕

7 ⑱ **〖鵡〗** 앵무새 무[上]麌 | 鹉 wǔ

[日] ム〔おうむ〕 [英] parrot

[字解] **앵무새 무**(能言鳥也).

[字源] 形聲. 鳥+武〔音〕

[鸚鵡 앵무] 앵무새.

7 ⑱ **〖鵝〗** 거위 아 [平]歌 | 鹅 é

[日] ガ〔がちょう〕 [英] goose

[字解] **거위 아**(家所畜舒鴈).

[字源] 形聲. 鳥+我〔音〕

[參考] 鵞(鳥部 7획)는 同字.

[鵝毛 아모] 거위의 털. 희고 가볍기 때문에 '눈(雪)'을 비유함.

7 ⑱ **〖鵞〗** 鵝(아)(鳥部 7획)와 同字

8 ⑲ **〖鶏〗** 鷄(계)(鳥部 10획)의 俗字

8 ⑲ **〖鵬〗** 붕새 붕 [平]蒸 | 鹏 péng

[日] ホウ〔おおとり〕

[英] Chinese phoenix

[字解] **붕새 붕**(想像上大鳥名).

[字源] 形聲. 鳥+朋〔音〕

[鵬程 붕정] 붕새가 날아갈 길이란 뜻에서 '머나먼 길'을 뜻함. ¶ 鵬程萬里(붕정만리).

8 ⑲ **〖鵲〗** 까치 작 [入]藥 | 鹊 què

[日] ジャク〔かささぎ〕 [英] magpie

[字解] **까치 작**(綠背白腹鳥).

[字源] 形聲. 鳥+昔〔音〕

[鵲報 작보] 까치가 전하는 기쁜 소식. 작희(鵲喜).

[鵲語 작어] 까치가 우는 소리. 좋은 일이 있을 징조라고 함.

8 ⑲ **〖鵷〗** 원추새 원[平]元 | 鹓 yuān

[日] エン〔えんすう〕

[英] Chinese phoenix

[字解] **원추새 원**(鳳屬). ¶ 鵷雛(원추).

[字源] 形聲. 鳥+宛〔音〕

11획

8
⑲ 【鶉】 메추라기 鹑 chún
메추라기 순㊀眞
㊀ ジュン〔うずら〕 ㊇ quail
字解 메추라기 순(鶉也).
字源 形聲. 鳥+享〔音〕
[鶉衣 순의] 메추라기의 꼬리가 보잘것없는 것처럼, 누덕누덕 기운 남루한 옷.

9
⑳ 【鶖】 무수리 鹙 qiū
무수리 추㊀尤
㊀ シュウ〔はげこう〕 ㊇ adjutant
字解 무수리 추(水鳥似鶴).
字源 形聲. 篆文은 鳥+木〔音〕

9
⑳ 【鶩】 집오리 鹜 wù
집오리 목㊈屋
㊀ ボク〔あひる〕 ㊇ tame duck
字解 집오리 목(舒鳧也).
字源 形聲. 鳥+秋〔音〕

10
㉑ 【鶴】 두루미 鹤 hè
두루미 학㊈藥
⺊ ⺏ ⺏ 隺 雈 鸖 鶴 鶴
㊀ カク〔つる〕 ㊇ crane
字解 두루미 학(仙禽).
字源 形聲. 鳥+隺〔音〕
[鶴首 학수] 학처럼 목을 길게 늘여 몹시 기다림.

10
㉑ 【鶺】 할미새 鹡 jí
할미새 척㊈陌
㊀ セキ〔せきれい〕 ㊇ wagtail
字解 할미새 척(鳥名鶺䳫雀屬也).
字源 形聲. 鳥+脊〔音〕
[鶺鴒 척령] 할미새. 또, 위급(危急)·곤란(困難)의 비유로 쓰임.

10
㉑ 【鶻】 ▇송골매 골㊈홀
㊁나라이름 홀㊈月
鹘 gǔ
hú

㊁ コツ〔はやぶさ〕 ㊇ duck hawk
字解 ▇송골매 골(鷹屬也). ▇나라이름 홀.
字源 形聲. 鳥+骨〔音〕
[鶻鳩 골구] 산비둘기.

10
㉑ 【鷁】 새이름 익 鹢 yì
새이름 익㊀易㊈錫
㊀ ゲキ〔とりのな〕
字解 새이름 익(水鳥似鷁而大).
字源 形聲. 鳥+益〔音〕

10
㉑ 【鷄】 닭 계 鸡 jī
닭 계㊀齊
⺌ ⺌ 爫 奚 雞 䴕 鶏 鷄
㊀ ケイ〔にわとり〕 ㊇ cock, hen
字解 닭 계(知時畜翰音有五德).
字源 形聲. 鳥+奚〔音〕
參考 雞(佳部 10劃)는 同字.
[鷄冠 계관] ㉠ 닭의 볏. ㉡ 맨드라미.
[鷄口 계구] ㉠ 닭의 입. ㉡ 작은 단체의 우두머리의 비유. ¶ 寧爲鷄口無爲牛後(영위계구무위우후).

10
㉑ 【鷇】 새새끼 구 鷇 kòu
새새끼 구㊂有�去遇
㊀ コウ〔ひな〕 ㊇ chick
字解 새새끼 구(鳥子).
字源 形聲. 鳥+殼〔音〕

10
㉑ 【鶯】 꾀꼬리 앵 莺 yīng
꾀꼬리 앵㊀庚
㊀ オウ〔うぐいす〕 ㊇ oriole
字解 꾀꼬리 앵(黃鳥, 一名金衣公子).
字源 形聲. 鳥+熒〈省〉〔音〕
[鶯語 앵어] 꾀꼬리가 우는 소리.

11
㉒ 【鷓】 자고 자 鹧 zhè
자고 자㊀禡

㉟ シャ〔しゃこ〕 ⑨ partridge

字解 자고 자(鳥名, 越雉). ¶ 鷓鴣
(자고).

字源 形聲. 鳥+庶〔音〕

11
㉒【鷗】갈매기 │ 鸥
구⑨尤 │ ōu

丁 크 르 鬲 戽 鸥 鷗 鷗

㉟ オウ〔かもめ〕 ⑨ seagull

字解 갈매기 구(似漚而白鷺也).

字源 形聲. 鳥+區〔音〕

[鷗鷺 구로] 갈매기와 해오라기.
[白鷗 백구] 갈매기.

11
㉒【鷙】━맹금 지 │ 鸷
⑤眞 │ zhì
━의심할 │ zhì
질⑥質

㉟ シ〔あらどり〕・チツ〔うたがう〕
⑨ bird of prey, doubt

字解 ━① 맹금 지(摯殺鳥也). ②
칠 지(摯也). ━ 의심할 질(疑也).

字源 會意. 鳥와 執(잡음)의 합자.
다른 새를 잘 잡는 새의 뜻. 또,「執
(집)」의 전음이 음을 나타냄.

12
㉓【鷦】뱁새 초 │ 鹪
⑤蕭 │ jiāo

㉟ ショウ〔みそさざい〕
⑨ Korean crow-tit

字解 뱁새 초(桃蟲). ¶ 鷦鷯(초료).

字源 形聲. 鳥+焦〔音〕

12
㉓【鷯】뱁새료 │ 鹩
⑤蕭 │ liáo

㉟ リョウ〔みそさざい〕
⑨ Korean crow-tit

字解 뱁새 료(桃雀). ¶ 鷦鷯(초료).

字源 形聲. 鳥+寮〔音〕

12
㉓【鷸】도요새 │ 鹬
휼⑤質 │ yù

㉟ イツ〔しぎ〕 ⑨ snipe

字解 도요새 휼(涉水鳥).

字源 形聲. 鳥+矞〔音〕

12
㉓【鷳】백한 한 │ 鹇
⑪删 │ xián

㉟ カン〔しらきじ〕

字解 백한 한(似雉白鳥也).

字源 形聲. 鳥+閒〔音〕

12
㉓【鷢】물수리 │ 鹫
궐⑨月 │ jué

㉟ ケツ〔みさご〕 ⑨ osprey

字解 물수리 궐(似鷹白鳥也).

字源 形聲. 鳥+厥〔音〕

12
㉓【鷲】수리 취 │ 鹫
⑤宥 │ jiù

㉟ シュウ〔わし〕 ⑨ eagle

字解 수리 취(鵰也).

字源 形聲. 鳥+就〔音〕

[鷲瓦 취와] 망새. 큰 기와집 지붕의
장식.

12
㉓【鷺】백로로 │ 鹭
⑤遇 │ lù

㉟ ロ〔さぎ〕 ⑨ egret

字解 백로 로(水鳥雪客).

字源 形聲. 鳥+路〔音〕

[白鷺 백로] 해오라기.

13
㉔【鷹】매응 │ 鹰
⑪蒸 │ yīng

㉟ ヨウ〔たか〕 ⑨ hawk

字解 매 응(鷙鳥強如鸇而善捕雉類
者征鳥).

字源 形聲. 鳥+應〔省〕〔音〕

[鷹視 응시] 매처럼 눈을 부릅뜨고 봄.
[鷹爪 응조] ㉠ 매의 발톱. ㉡ 매 발
톱같이 생긴 상품의 차(茶).

13
㉔【鷽】비둘기 │ 鷽
학⑧覺 │ xué

ⓙ カク〔はと〕 ⓔ pigeon

字解 비둘기 학(小鳩).

字源 形聲. 鳥+學〈省〉〔音〕

---

17 **【鸚】** 앵무새 앵 鸚
28 앵⊕庚 yīng

ⓙ オウ〔おうむ〕 ⓔ parrot

字解 앵무새 앵(能言鳥也).

字源 形聲. 鳥+嬰〈省〉〔音〕

[鸚鵡 앵무] 앵무샛과에 속하는 새. 사람의 말을 잘 흉내 냄.

---

18 **【鸛】** 황새 관 鸛
29 ⊕翰 guàn

ⓙ カン〔こうのとり〕

ⓔ white stork

字解 황새 관(水鳥似鵠).

字源 形聲. 鳥+雚〔音〕

---

19 **【鸝】** ■꾀꼬리 리⊕支 鸝
30 ■꾀꼬리 려⊕齊 lí

ⓙ リ・レイ〔こうらいうぐいす〕

ⓔ oriole

字解 ■꾀꼬리 리(黃鳥倉庚). ■ 꾀꼬리 려(黃鶯倉庚).

字源 形聲. 鳥+麗〔音〕

---

19 **【鸞】** 난새 란 鸞
30 ⊕寒 luán

ⓙ ラン〔とりのな〕

ⓔ Chinese phoenix

字解 ① 난새 란(神鳥鳳凰屬也). ¶ 鸞鳳(난봉). ② 방울 란. ¶ 鸞鈴 (난령).

字源 形聲. 鳥+䜌〔音〕

[鸞駕 난가] 임금의 수레.
[鸞鈴 난령] 천자의 수레에 단 방울.
[鸞鳳 난봉] ㉠ 상상(想像)의 신령스 러운 새인 난새와 봉황. ㉡ 덕이 높 은 군자의 비유. ㉢ 부부의 인연의 비유.

鹵 〔11 획〕 部

(소금밭로부)

---

0 **【鹵】** 염밭 로 卤
11 ⊕麌 lǔ

ⓙ ロ〔しおち〕 ⓔ salt land

字解 ① 염밭 로(西方鹹地也). ¶ 鹵田(노전). ② 노략질할 로(掠也). ¶ 鹵獲(노획). ③ 소금 로(天生曰 鹵). ④ 우둔할 로(魯也).

字源 象形. 암염(岩鹽)을 싼 모양을 본뜸.

[鹵田 노전] 염분이 있는 땅.
[鹵獲 노획] 전쟁에서 적의 군용품 을 빼앗아 가짐. ¶ 鹵獲品(노획품)

---

9 **【鹹】** 짤 함⊕咸 咸
20 ⊕賺 xián

ⓙ カン〔しおけ〕 ⓔ salty

字解 짤 함(鹽味).

字源 形聲. 鹵+咸〔音〕

[鹹水 함수] 짠물. 바닷물.

---

13 **【鹼】** ■소금기 험⊕鹽 碱 jiǎn
24 ■갯물 감⊕賺 jiǎn

ⓙ ケン〔しおけ〕・カン〔あく〕

ⓔ saltiness, alkaline solution

字解 ■ 소금기 험(鹽分). ■ 갯물 감(灰滷水). ¶ 石鹼(석감).

字源 形聲. 鹵+僉〔音〕

---

13 **【鹽】** 소금 염 盐
24 ⊕鹽 yán

ⓙ エン〔しお〕 ⓔ salt

字解 소금 염(鹵也, 人造曰鹽).

字源 形聲. 鹵+監〔音〕

參考 塩(土部 10획)은 俗字.

[鹽田 염전] 바닷물을 끌어들여 수

분을 증발시켜 소금을 만드는 밭.
[食鹽 식염] 식용하는 소금.

鹿 〔11 획〕 部
(사슴록부)

0 ⑪ 【鹿】 사슴 록 [入]屋 | lù
丶 广 户 户 声 声 声 鹿
[日] ロク〔しか〕 [英] deer
[字解] **사슴 록**(麞屬仙獸牡有角).
[字源] 象形. 사슴의 모양을 본뜸.
[鹿茸 녹용] 사슴의 새로 돋은 연한 뿔. 보혈 강장제로 쓰임.
[鹿皮 녹피] 사슴의 가죽.
[逐鹿 축록] 사냥꾼이 사슴을 쫓는다는 뜻으로, 사람들이 제위 또는 정권·지위 등을 얻으려고 다투는 일.

2 ⑬ 【麁】 麤(추)(鹿部 22획)의 俗字

5 ⑯ 【麇】 [一]노루 균[平]眞 [二]떼질 군[平]文 | jūn kǔn
[日] キン〔のろ〕・クン〔むらがる〕
[英] deer, flock
[字解] [一] **노루 균**(麞也). [二] **떼질 군**(羣也).
[字源] 形聲. 鹿+囷〈省〉〔音〕

5 ⑯ 【麈】 고라니 주[上]麌 | zhǔ
[日] シュ〔おおしか〕 [英] elk
[字解] **고라니 주**(麋屬尾能辟塵).
[字源] 形聲. 鹿+主〔音〕

6 ⑰ 【麋】 순록 미 [平]支 | mí
[日] ビ〔となかい〕 [英] reindeer
[字解] **순록 미**(鹿屬似水牛).
[字源] 形聲. 鹿+米〔音〕
[麋鹿 미록] ㉠ 순록(馴鹿)과 사슴. ㉡ 비천한 것.

7 ⑱ 【麌】 수사슴 우[上]麌 [平]虞 | yǔ
[日] グ〔おじか〕 [英] stag
[字解] **수사슴 우**(牡鹿).
[字源] 形聲. 鹿+吳〔音〕

8 ⑲ 【麕】 [一]노루 균 [平]眞 [二]떼질 군 [平]文 | jūn qún
[日] キン〔のろ〕・クン〔むらがる〕
[英] deer, flock
[字解] [一] **노루 균**(鹿屬). [二] **떼질 군**(羣也).
[字源] 形聲. 鹿+囷〔音〕

8 ⑲ 【麒】 기린 기 [平]支 | qí
[日] キ〔きりん〕 [英] giraffe
[字解] **기린 기**(仁獸).
[字源] 形聲. 鹿+其〔音〕
[麒麟 기린] ㉠ 상상의 신령스러운 짐승 이름. 성군(聖君)이 날 징조로 나타난다고 함. ㉡ 재주와 덕이 뛰어난 사람을 비유하는 말. 기린아(麒麟兒). ㉢ 아프리카에 사는 목과 발이 긴 짐승의 이름.
[麒麟兒 기린아] 재능·기예가 남달리 뛰어난 젊은이.

8 ⑲ 【麓】 산기슭 록[入]屋 | lù
[日] ロク〔ふもと〕
[英] foot of a mountain
[字解] **산기슭 록**(山足).
[字源] 形聲. 林+鹿〔音〕
[山麓 산록] 산기슭.

8 ⑲ 〖麗〗 [一]고울 려[去]霽 [二]나라 이름 려 [本]리 [平]支 | 丽 lì lí

一 丆 丽 严 严 麗 麗

[日] レイ〔うるわしい〕·リ〔くにのな〕 [英] beautiful

[字解] [一] ① **고울 려**(美也). ¶ 麗句(여구). ② **붙을 려**(附也, 着也). ¶ 麗天(여천). ③ **맑을 려**(淸也). ¶ 山高水麗(산고수려). ④ **빛날 려**(華也). [二] **나라이름 려.** ¶ 高麗(고려).

[字源] 會意. 丽(고운 사슴 가죽 두 장)와 鹿의 합자.

[麗句 여구] 아름다운 글귀. ¶ 美辭麗句(미사여구).
[麗朝 여조] '고려 왕조'의 준말.
[麗天 여천] 하늘에 걸림. 해와 달이 하늘에 있음을 말함.

10 ㉑ 〖麝〗 사향노루 사 [去]禡 | shè

[日] ジャ〔じゃこうじか〕 [英] musk deer

[字解] **사향노루 사**(似麞臍香).

[字源] 形聲. 鹿+射(䠶)〔音〕

[麝香 사향] 궁노루의 향낭(香囊)을 말려서 만든 향료. 약재로도 쓰임.

11 ㉒ 〖麞〗 노루 장 [平]陽 | zhāng

[日] ショウ〔のろ〕 [英] roe deer

[字解] **노루 장**(鹿屬無角).

[字源] 形聲. 鹿+章〔音〕

12 ㉓ 〖麟〗 기린 린 [平]眞 | lín

[日] リン〔きりん〕 [英] giraffe

[字解] **기린 린**(牝麒也).

[字源] 形聲. 鹿+粦〔音〕

[麟角 인각] 암기린의 뿔. 지극히 희귀함을 비유한 말.

22 ㉝ 〖麤〗 거칠 추 [平]虞 | cū

[日] ソ〔あらい〕 [英] rough

[字解] **거칠 추**(疎也).

[字源] 會意. 鹿을 셋 합하여 많은 사슴이 멀리 뛰어 제각기 떨어져 나감의 뜻.

[參考] 麁(鹿部 2획)은 俗字.

[麤物 추물] 거칠고 못생긴 사람.

麥 〔11 획〕 部
(보리맥부)

0 ⑪ 〖麥〗 보리 맥 [入]陌 | 麦 mài

一 丆 双 来 夾 夾 夾 麥 麥

[日] バク〔むぎ〕 [英] barley

[字解] **보리 맥**(五穀之一有芒穀來麰秋種夏熟).

[字源] 會意. 來(보리의 모양)와 夂(발)의 합자. 고래로 보리는 하늘이 내린 것으로 믿고 있었음.

[參考] 麦(麥部 0획)은 俗字.

[麥飯 맥반] 보리밥.
[麥酒 맥주] 비어(beer).

0 ⑦ 〖麦〗 麥(맥)(部首)의 俗字

4 ⑮ 〖麩〗 밀기울 부[平]虞 | 麸 fū

[日] フ〔ふすま〕 [英] bran

[字解] **밀기울 부**(小麥屑皮).

[字源] 形聲. 麥+夫〔音〕

[麩醬 부장] 밀기울로 만든 장.

4 ⑮ 〖麪〗 밀가루 면[去]霰 | 面 miàn

[日] メン〔むぎこ〕 [英] flour

11
획

[字解] **밀가루 면**(麥屑末).

[字源] 形聲. 麥+丏〔音〕

[麪麴 면국] 밀가루로 만든 누룩.

[麪麭 면포] 빵.

5 ⑯ 〖麭〗 경단 포 [去]效 | pào

[日] ホウ〔だんご〕 [英] dumpling

[字解] **경단 포**(餌也, 粉餠也).

[字源] 形聲. 麥+包〔音〕

[麪麭 면포] 빵.

6 ⑰ 〖麰〗 보리 모 [本]무[平]尤 | móu

[日] ボウ〔おおむぎ〕 [英] barley

[字解] **보리 모**(大麥五穀之長).

[字源] 形聲. 麥+牟〔音〕

6 ⑰ 〖麯〗 누룩 국 [入]屋 | 曲 qū

[日] キョク〔こうじ〕 [英] yeast

[字解] **누룩 국**(酒母也).

[字源] 形聲. 麥+曲〔音〕

[參考] 麴(麥部 8획)과 同字.

[麯子 국자] 누룩.

8 ⑲ 〖麴〗 누룩 국 [入]屋 | 曲 qū

[日] キク〔こうじ〕 [英] yeast

[字解] **누룩 국**(酒母也).

[字源] 形聲. 麥+匊〔音〕

[麴母 국모] 누룩밑.

[麴生 국생] 술. 국군(麴君).

[紅麴 홍국] 약술을 담그는 데 쓰이는 누룩.

9 ⑳ 〖麵〗 麪(면)(麥部 4획)의 俗字

麻 〔11 획〕 部 (삼마부)

0 ⑪ 〖麻〗 삼 마 [平]麻 | má

亠 广 广 斤 庥 府 麻 麻

[日] マ〔あさ〕 [英] hemp

[字解] ① **삼 마**(枲屬). ¶ 麻衣(마의). ② **마비될 마**. ¶ 麻醉(마취).

[字源] 會意. 广(집)과 林(삼의 껍질을 벗김)의 합자. 집 안에서 삼 껍질을 벗김의 뜻.

[麻藥 마약] 마취 작용을 하고 습관성을 가진 약. 아편·모르핀·코카인 따위.

[麻衣 마의] 삼베옷.

[麻醉 마취] 약의 힘으로 일시(一時) 전신 또는 몸의 일부의 감각을 잃음.

3 ⑭ 〖麽〗 잘 마 [平]歌 [上]哿 | mó, ma, me

[日] マ〔こまかい〕 [英] small

[字解] ①**잘 마, 가늘 마**(細瑣也). ② **그런가 마**(耶也).

[字源] 形聲. 幺+麻〔音〕

[參考] 麼(麻部 3획)는 俗字.

4 ⑮ 〖麾〗 대장기 휘[平]支 | huī

[日] キ〔さしずばた〕 [英] flag

[字解] ① **대장기 휘**(大將旗). ¶ 麾下(휘하). ② **가리킬 휘**(指揮).

[字源] 形聲. 고자(古字)는 摩. 手를 바탕으로 「靡(미)」의 전음이 음을 나타냄. 手가 毛로 변한 글자.

[麾下 휘하] ㉠ 대장기의 아래. 곧, 장군의 통솔 아래에 있는 모든 병졸. ㉡ 지휘자의 아래에 있는 사람. 부하(部下).

[指麾 지휘] 지시해 일을 하도록 시킴.

黃 〔12 획〕 部 (누를황부)

0 ⑫【黃】 누를 황 ㊥陽 | huáng

一 艹 芋 苎 苎 芢 黃 黃

㊐ コウ〔きいろい〕 ㊤ yellow

字解 누를 황(五色之中央土色).

字源 會意. 田과 炗(光의 고자(古字))과의 합자. 밭의 빛. 즉, 땅의 색의 뜻.

[黃塵 황진] ㉠ 누른 흙먼지. ¶ 黃塵萬丈(황진만장). ㉡ 속세의 번잡한 일.

[黃泉 황천] ㉠ 지하. 땅속. ㉡ 저승.

[黃昏 황혼] ㉠ 해가 져서 어둑어둑할 무렵. ㉡ 종말에 이른 때.

5 ⑰【黈】 누를 주 ㊤두㊤有 | tǒu

㊐ トウ〔きいろ〕 ㊤ yellow

字解 누를 주, 누른빛 주(黃也).

字源 形聲. 黃+主〔音〕

13 ㉕【黌】 학교 횡 ㊥庚 | hóng

㊐ コウ〔まなびや〕 ㊤ school

字解 학교 횡, 글방 횡(學舍).

字源 形聲. 學〈省〉+黃〔音〕

黍 〔12 획〕 部

(기장서부)

0 ⑫【黍】 기장 서 ㊤語 | shǔ

㊐ ショ〔きび〕 ㊤ millet

字解 기장 서(禾屬粘者).

字源 會意. 본디 禾+水

[黍粟 서속] 기장과 조.

3 ⑮【黎】 검을 려 ㊥齊 | lí

㊐ レイ〔くろい〕 ㊤ black

字解 ① 검을 려(黑也). ¶ 黎明(여명). ② 많을 려, 뭇 려(衆也).

字源 形聲. 黍+利〈省〉〔音〕

[黎明 여명] ㉠ 밝아 오는 새벽. ㉡ 희망의 빛.

[黎民 여민] 검은 머리의 사람들. 곧, 백성을 뜻함.

5 ⑰【黏】 粘(점)(米部 5획)과 同字

11 ㉓【黐】 끈끈이 리 ㊥支 | lí

㊐ チ〔とりもち〕 ㊤ birdlime

字解 끈끈이 리(木膠也).

字源 形聲. 黍+离〔音〕

[黐黏 이점] 끈끈이.

黑 〔12 획〕 部

(검을흑부)

0 ⑫【黑】 검은빛 흑 ㊤職 | hēi

丨 冂 冂 四 甲 里 罗 黑 黑

㊐ コク〔くろい〕 ㊤ black

字解 검은빛 흑(五色之一北方陰色, 晦也).

字源 象形. 炎(불꽃)이 굴뚝에서 내뿜는 모양을 본뜸.

[黑幕 흑막] ㉠ 검은 장막. ㉡ 겉으로 드러나지 않는 음흉한 내막.

[黑髮 흑발] 검은 머리털.

[黑白 흑백] ㉠ 흑과 백. ㉡ 악과 선. 부정과 정(正).

[黑心 흑심] 음흉하고 부정한 욕심을 품은 마음.

[黑字 흑자] ㉠ 검은 글자. ㉡ 수지 결산상의 이익.

[暗黑 암흑] ㉠ 어둡고 캄캄함. ㉡ 암담하고 비참한 상태의 비유.

[漆黑 칠흑] 옻칠처럼 검고 광택이 있음. 또는 그 빛깔.

12
획

4
⑯ 【黔】 ■검을 검
㊤鹽 ㊀귀신이름 금㊤侵
qián
qián

�譜 ケン〔くろい〕・キン〔かみのな〕
㊤ black, demon

字解 ■ 검을 검(黎也). ¶ 黔首(검수). ● 귀신이름 금(天上造化神名).

字源 形聲. 黑+今〔音〕

〔黔首 검수〕 일반 백성. 관을 쓰지 않은 검은 머리의 뜻.

4
⑯ 【黕】 때 담
㊤感
dǎn

�譜 タン〔あか〕 ㊤ dirt

字解 때 담(滓垢也).

字源 形聲. 黑+尤〔音〕

4
⑯ 【默】 잠잠할
묵㊉職
mò

㊀ 口 甲 里 黑 黙 默 默

�譜 モク〔だまる〕 ㊤ silent

字解 잠잠할 묵(不語也).

字源 形聲. 犬+黑〔音〕

〔默念 묵념〕 ㊀ 잠잠히 생각함. ㊁ 마음속으로 빎.

〔默殺 묵살〕 알고도 모른 체하고 내버려 둠. 문제 삼지 아니함.

5
⑰ 【黜】 떨어뜨
릴 출㊉職
chú

㊀ チュツ〔しりぞける〕 ㊤ lower

字解 ① 떨어뜨릴 출(貶下也). ② 물리칠 출(擯斥).

字源 形聲. 黑+出〔音〕

〔黜斥 출척〕 내쫓고 쓰지 아니함.

5
⑰ 【黝】 검푸른
빛 유
㊤有
yǒu

㊀ ユウ〔あおぐろ〕 ㊤ dark blue

字解 검푸른빛 유(青黑色). ¶ 黝

牛(유우).

字源 形聲. 黑+幼〔音〕

5
⑰ 【點】 점 점
㊤琰
diǎn
点

㊀ 口 甲 里 黑 黑 點 點

�譜 テン〔ぼち〕 ㊤ dot

字解 ① 점 점(小黑也). ¶ 點綴(점철). ② 켤 점. ¶ 點燈(점등). ③ 조사할 점(檢也). ¶ 點檢(점검).

字源 形聲. 黑+占〔音〕

參考 点(火部 5획)은 略字.

〔點檢 점검〕 낱낱이 검사함.

〔點燈 점등〕 불을 켬.

〔點綴 점철〕 점을 찍은 듯이 여기저기 이어져 있음.

〔點火 점화〕 불을 켜거나 붙임.

〔缺點 결점〕 잘못되거나 모자란 점.

〔採點 채점〕 점수를 매김.

5
⑰ 【黛】 눈썹먹
대㊄隊
dài

㊀ タイ〔まゆずみ〕
㊤ eyebrow pencil

字解 눈썹먹 대(畫眉墨). ¶ 青黛(청대).

字源 形聲. 黑+代〔音〕

〔黛墨 대묵〕 눈썹을 그리는 먹.

6
⑱ 【黠】 약을 할
㊉黠㊉點
xiá

㊀ カツ〔わるがしこい〕 ㊤ crafty

字解 ① 약을 할(慧也). ¶ 姦黠(간할). ② 교활할 할(惡也).

字源 形聲. 黑+吉〔音〕

〔黠智 할지〕 교활한 꾀.

8
⑳ 【黥】 자자 경
㊤庚
qíng

㊀ ゲイ〔いれずみ〕 ㊤ tattoo

字解 자자 경(墨刑在面). ¶ 黥罪(경죄).

字源 形聲. 黑+京〔音〕

[黥面 경면] 자자(刺字)한 얼굴. 얼굴을 자자함.

[黥首 경수] 입묵(入墨)한 이마. 형벌의 하나.

8／20 【黧】 ▬검을 리 ㊤支 ▬검을 려 ㊤齊 | lí

㊠리・레이〔くろい〕 ㊤ black

字解 ▬ 검을 리(黑也). ▬ 검을 려.

字源 形聲. 黑+利〔音〕.

8／20 【黨】 무리 당 ㊤養 | 党　dǎng

丷 丷丷 ⺍ 骨 曾 當 黨 黨

㊠トウ〔ともがら〕 ㊤ group

字解 무리 당(朋也, 輩也). ¶ 徒黨(도당), 朋黨(붕당).

字源 形聲. 黑+尙〔音〕.

[黨派 당파] ㉠ 어떤 목적으로 뭉쳐진 무리. ㉡ 당의 분파.

[與黨 여당] 정당 정치에서 현재 정권을 담당하고 있는 정당.

[政黨 정당] 일정한 정치 이상의 실현을 위해 정치 권력의 참여를 목적으로 하는 정치 단체.

9／21 【黮】 ▬오디심 ㊤寢 ▬검을 담 ㊤感 ▬어두울 탐 ㊤勘 | shèn dàn tàn

㊠シン〔くわのみ〕・タン〔くろい・くらい〕 ㊤ mulberries, black, dark

字解 ▬ 오디 심(桑實). ▬ 검을 담(黑也). ¶ 黮黮(암담). ▬ 어두울 탐(不明貌).

字源 形聲. 黑+甚〔音〕.

9／21 【黯】 검을 암 ㊤豏 | àn

㊠アン〔くろい〕 ㊤ black

字解 검을 암(深黑色).

字源 形聲. 黑+音〔音〕.

11／23 【黴】 곰팡이 미 ㊤支 | 霉　méi

㊠バイ〔かび〕 ㊤ mold

字解 곰팡이 미(物中久雨靑黑).

字源 形聲. 黑+微(省)〔音〕.

[黴菌 미균] 박테리아. 세균.

14／26 【黶】 ▬사마귀 염 ㊤琰 ▬검은점 암 ㊤豏 | yǎn

㊠エン〔ほくろ〕・アン〔くろあざ〕 ㊤ black mole, black spot

字解 ▬ 사마귀 염(黑子). ▬ 검은점 암(黑痕).

字源 形聲. 黑+厭〔音〕.

15／27 【黷】 더러울 독 ㊤屋 | 黩　dú

㊠トク〔けがれる〕 ㊤ dirty

字解 더러울 독(汚也).

字源 形聲. 黑+賣〔音〕.

[黷武 독무] 함부로 전쟁을 하여 무덕(武德)을 더럽힘.

黹 〔12 획〕 部
(바느질할치부)

0／12 【黹】 바느질할 치 ㊤紙 | zhǐ

㊠チ〔ぬい〕 ㊤ sew

字解 바느질할 치(縫紩衣).

字源 象形. 자수한 헝겊의 모양을 본뜸.

5／17 【黻】 슬갑 불 ㊤物 | fú

㊠フツ〔ひざかけ〕 ㊤ kneepad

字解 슬갑 불(韋鞸, 以蔽膝也).
字源 會意. 黹+友

7
⑲ 【黼】수보 ⊕蠾 fū

㈰ ホ〔ぬいもよう〕 ⊛ embroidery
字解 수 보(裳繡斧形也).
字源 形聲. 黹+甫〔音〕

[黼黻 보불] 임금이 예복으로 입는 치마에 놓은 도끼와 亞자 모양의 수.

黽 〔13획〕 部
(맹꽁이맹부)

0
⑬ 【黽】＝맹꽁이 맹⊕梗
＝힘쓸 민⊕軫
＝고을이름 면⊕銑
měng
mǐn
miǎn

㈰ ボウ〔あおがえる〕・ビン〔つとめる〕・ベン〔ちめい〕
⊛ frog, endeavor
字解 ＝ 맹꽁이 맹(黽䳂似青蛙而腹大). ＝ 힘쓸 민(勉也). ¶ 黽勉(민면). ＝ 고을이름 면(弘農郡縣名). ¶ 黽池(면지).
字源 象形. 개구리 모양을 본뜸.

[黽勉 민면] 부지런히 힘씀.

4
⑰ 【黿】자라 원 ⊕元 yuán

㈰ ゲン〔おおすっぽん〕
⊛ sea turtle
字解 자라 원(介蟲之元似鱉而大以黿爲雌).
字源 會意. 元(큼)과 黽(거북)과의 합자. 또, 「元(원)」이 음을 나타냄.

[黿鼉 원타] 큰 자라와 악어.

5
⑱ 【鼂】아침 조 ⊕蕭 cháo

㈰ チョウ〔あさ〕 ⊛ morning
字解 아침 조(朝也).
字源 會意. 黽과 旦(아침)과의 합자. 아침을 뜻함.

6
⑲ 【蛙】＝개구 리 와 ⊕麻
＝개구리 왜⊕佳
wā
wā

㈰ ワ・ワイ〔かえる〕 ⊛ frog
字解 ＝① 개구리 와(形似蝦蟆, 蛙也). ② 음란할 와(淫也). ＝ 개구리 왜(蛙也), 음란할 왜(淫也). ¶ 蛙聲(왜성).
字源 形聲. 黽+圭〔音〕

11
㉔ 【鰲】자라 오 ⊕豪 áo

㈰ ゴウ〔おおすっぽん〕 ⊛ turtle
字解 자라 오(海中大鱉).
字源 形聲. 黽+敖〔音〕

12
㉕ 【鱉】자라 별 ⊕屑 biē

㈰ ベツ〔すっぽん〕 ⊛ turtle
字解 자라 별(介蟲龜屬, 一名神守).
字源 形聲. 黽+敝〔音〕

[鱉甲 별갑] 자라의 등껍데기. 약재로 사용함.

鼎 〔13획〕 部
(솥정부)

0
⑬ 【鼎】솥 정 ⊕迥 dǐng

㈰ テイ〔かなえ〕 ⊛ tripod
字解 솥 정(烹飪器三足兩耳).
字源 象形. 세발솥의 모양을 본뜸.

[鼎立 정립] 솥의 발과 같이 셋이 대립함.

[鼎業 정업] 천자(天子)의 사업.

[鼎鐺尚有耳 정쟁상유이] 천하에 귀가 있는 자는 모두 들었음.

[鼎鼎 정정] ㉠ 몸을 잘 단속하지 않는 모양. 칠칠찮은 모양. ㉡ 성대(盛大)한 모양. ㉢ 세월이 빨리 흐르는 모양.

2
15 【鼐】 가마솥 내㊥隊 ㊤賄 | nài

㊐ ダイ〔おおがなえ〕 ㊇ cauldron
字解 가마솥 내(大鼎).
字源 形聲. 鼎+乃〔音〕.

鼓 〔13 획〕 部
(북고부)

0
13 【鼓】 북 고 ㊤麌 | gǔ

十 土 吉 责 壴 壴 皷 鼓

㊐ コ〔つづみ〕 ㊇ drum
字解 북 고(樂器名).
字源 會意. 壴(북)과 支(손에 막대기를 들고 침)와의 합자. 북을 침의 뜻.
參考 皷(皮部 12획)는 俗字.

[鼓角 고각] 북과 나팔.
[鼓動 고동] 심장이 뜀.
[鼓舞 고무] ㉠ 북을 치면서 춤춤. ㉡ 부추겨서 힘이 나게 함. 격려(激勵).

5
18 【鼕】 북소리 동㊥冬 ㊤東 | dōng

㊐ トウ〔つづみのおと〕
㊇ sound of a drum
字解 북소리 동(鼓聲). ¶ 鼕鼕(동동).
字源 形聲. 鼓+冬〔音〕.

6
19 【鼗】 땡땡이 도㊤豪 | táo

㊐ トウ〔ふりつづみ〕 ㊇ toy drum
字解 땡땡이 도(加鼓而小, 持其柄搖之, 旁耳還自擊).
字源 形聲. 鼓+兆〔音〕.

8
21 【鼙】 마상고 비㊥齊 | pí

㊐ ヘイ〔うまのりつづみ〕
字解 마상고 비(騎鼓).
字源 形聲. 鼓+卑〔音〕.

鼠 〔13 획〕 部
(쥐서부)

0
13 【鼠】 쥐 서 ㊤語 | shǔ

㊐ ソ〔ねずみ〕 ㊇ rat
字解 ① 쥐 서(穴蟲之總名似獸善盜). ¶ 鼠族(서족). ② 근심할 서(愁也). ¶ 鼠思(서사).
字源 象形. 쥐의 이와 몸을 본뜸.

[鼠盜 서도] 좀도둑.
[鼠思 서사] 근심함.

4
17 【鼢】 두더지 분㊤吻 ㊥文 | fén

㊐ フン〔もぐら〕 ㊇ mole
字解 두더지 분(蚡也).
字源 形聲. 鼠+分〔音〕.

5
18 【鼦】 담비 초㊥蕭 | diāo

㊐ チョウ〔てん〕 ㊇ marten
字解 담비 초(鼠屬黃黑色).
字源 形聲. 鼠+召〔音〕.

5
18 【鼪】 족제비 생㊤庚 | shēng

㊐ セイ〔いたち〕 ㊇ weasel

字解 ① 족제비 생(鼬鼠). ② 날다람쥐 생(飛生鼠).
字源 形聲. 鼠+生〔音〕
[鼪鼬 생유] 족제비와 날다람쥐.

5 / 18 【鼬】 족제비 유㊅宥 | yòu

ⓙ ユウ〔いたち〕 ⓔ weasel
字解 족제비 유(黃鼠狼).
字源 形聲. 鼠+由〔音〕

7 / 20 【鼯】 날다람쥐 오㊊虞 | wú

ⓙ ゴ〔むささび〕 ⓔ flying squirrel
字解 날다람쥐 오(飛生鼠似蝙蝠一名夷由). 다람쥣과에 속하는 동물. 다람쥐와 비슷하며, 전후 양지(兩肢) 사이에 피막(皮膜)이 있어 나무 사이를 날아다닌다.
字源 形聲. 鼠+吾〔音〕
[鼯鼠 오서] 날다람쥐.
[鼯鼠之技 오서지기] 날다람쥐는 날기, 나무 오르기, 헤엄치기, 구멍파기, 달리기 등 다섯 가지를 다 할 줄 아나 모두 서투르다는 뜻으로, 재주는 많으나 제대로 이룬 것이 하나도 없음의 비유.

9 / 22 【鼴】 두더지 언㊊阮 ㊊銑 | yǎn

ⓙ エン〔もぐら〕 ⓔ mole
字解 두더지 언(地中鼠).
字源 形聲. 鼠+匽〔音〕
[鼴鼠 언서] 두더지.

10 / 23 【鼷】 생쥐 혜㊊薺 | xī

ⓙ ケイ〔はつかねずみ〕 ⓔ mouse
字解 생쥐 혜(小鼠也). 쥐의 일종. 쥐의 종류 중에서 가장 작음.
字源 形聲. 鼠+奚〔音〕
[鼷鼠 혜서] 생쥐. 정구(鼱駒).

鼻 〔14 획〕 部
(코비부)

0 / 14 【鼻】 코 비㊍寘 | bí

宀 白 白 皀 皍 皐 鼻 鼻 鼻

ⓙ ビ〔はな〕 ⓔ nose
字解 ① 코 비(所以司嗅呼吸也). ¶ 鼻孔(비공). ② 시초 비(始也). ¶ 鼻祖(비조).
字源 形聲. 自+畀〔音〕
[鼻孔 비공] 콧구멍.
[鼻笑 비소] 코웃음.
[鼻祖 비조] ㉠ 처음으로 사업을 일으킨 사람. ㉡ 한 겨레의 맨 처음 조상.

3 / 17 【鼾】 코고는소리 한㊊翰 | hān

ⓙ カン〔いびき〕 ⓔ snore
字解 코고는소리 한(臥息也).
字源 形聲. 鼻+干〔音〕
[鼾聲如雷 한성여뢰] 코고는 소리가 우레같이 요란함.

4 / 18 【衄】 코피 뉵㊄屋 | nǜ

ⓙ ジク〔はなぢ〕 ⓔ nosebleed
字解 코피 뉵(鼻血).
字源 形聲. 鼻+丑〔音〕

5 / 19 【鼿】 코고는소리 후㊅尤 | hōu

ⓙ コウ〔いびき〕 ⓔ snore
字解 코고는소리 후(鼻息).
字源 形聲. 鼻+句〔音〕
[鼿鼿 후후] 코고는 소리의 형용.

9 / 23 【齇】 주부코 사㊅麻 차㊅麻 | zhā

🗐 サ〔あかばな〕 🇬🇧 whisky nose

字解 주부코 사(鼻上皰).

字源 形聲. 鼻+查〔音〕

11
㉕ 【齇】 ┣주부코
사㊥麻
┣주부코
차㊥麻 zhā 鑪

🗐 サ〔あかばな〕 🇬🇧 whisky nose

字解 ┣ 주부코 사(鼻上皰). ┣ 주부코 차(鼻上皰).

字源 形聲. 鼻+盧〔音〕

13
㉗ 【齈】 ㊥冬
㊤送 콧물 농 nóng
nòng

🗐 ドウ〔はなじる〕 🇬🇧 snivel

字解 콧물 농(鼻病, 多涕).

字源 形聲. 鼻+農〔音〕

齊 〔14 획〕 部
(가지런할제부)

0
⑭ 【齊】 ┣가지런
할제㊥齊
┣재계할
재㊥佳
┣옷자락
자㊤支 qí
zhāi
zī 齐 齊

一 十 亠 亣 亣 亣 亣 亣 齊

🗐 セイ〔ひとしい〕・サイ〔ものいみ〕・シ〔もすそ〕

🇬🇧 arrange, purification, lower ends of clothes

字解 ┣ ① 가지런할 제(等也). ¶ 整齊(정제). ② 엄숙할 제(肅也). ③ 재빠를 제(疾也). ④ 제나라 제(國名). ┣ 재계할 재(戒潔也). ¶ 齊戒(재계). ┣ ① 옷자락 자(衣下之裳). ② 상복 자(喪服五等之一). ¶ 齊衰(자최).

字源 象形. 곡물의 이삭이 가지런히 돋은 모양을 본뜸. 二는 땅을 가

리킴.

[齊衰 자최] 상복(喪服)의 한 가지. 좀 굵은 생베로 지은 상복.

[齊家 제가] 집안을 다스림.

[齊東野人之語 제동야인지어] 제나라 동부 지방의 시골뜨기의 말. 믿을 수 없는 황당한 말. 제동야어(齊東野語).

[齊唱 제창] 여러 사람이 함께 노래를 부름.

[一齊 일제] 여럿이 한꺼번에 함.

[整齊 정제] 정돈되어 한결같이 가지런함.

3
⑰ 【齋】 ┣재계 재
㊥佳
┣상복 자
㊤支 斋 zhāi
zī 齊

🗐 セイ〔ものいみ〕

🇬🇧 purification, mourning dress

字解 ┣ 재계 재(戒潔也). ┣ 상복 자(喪服也).

字源 形聲. 示+齊〈省〉〔音〕

[齋戒 재계] 부정(不淨)을 피하고 심신을 깨끗이 함. ¶ 沐浴齋戒(목욕재계).

[齋日 재일] 재계하는 날.

4
⑱ 【齏】 ┣불땔제
㊤霽 斎 jì

🗐 セイ〔かしぐ〕 🇬🇧 burn wood

字解 불땔 제(炊也).

字源 形聲. 火+齊〔音〕

7
㉑ 【齎】 ┣가져갈 재
㊤支
┣재물 자
㊥支
┣가져갈 제
㊥齊 jī 齎

🗐 セイ〔もたらす・たからもの〕・セイ〔もたらす〕

🇬🇧 bring, property, carry

字解 ┣ 가져갈 재(送附). ┣ 재물 자(財物). ┣ 가져갈 제(持也).

字源 形聲. 「齊(제)」가 음을 나타냄. 貝(돈)를 가져감·가져옴의 뜻.

9 【齏】회 제 虀
㉓ ㊥齊 jī

日 セイ〔なます〕
英 minced row meat

字解 회 제, 나물 제(菜肉之細切者, 凡醢醬所和, 葅菜肉之通稱).

字源 形聲. 韭+齊〔音〕

齒 〔15획〕 部
(이치부)

0 【齒】이 치 齒
⑮ ㊤紙 chǐ

丨丨丬丬齿齿齿齿齿齿

日 シ〔は〕 英 tooth

字解 ① 이 치(口齗骨也). ② 이빨 치(齒牙). ③ 나이 치(年也, 齡也). ¶ 年齒(연치). ③ 나란히설 치(列也). ¶ 齒齒(치치).

字源 形聲. 幽(이의 모양)을 바탕으로 「止(지)」의 전음이 음을 나타냄.

3 【齕】깨물 흘 齕
⑱ ㋀月 hé

日 コツ〔かむ〕 英 bite

字解 깨물 흘, 씹을 흘(齧也). ¶ 齮齕(의흘).

字源 形聲. 篆文은 齒+气〔音〕

4 【齖】말듣지 않을 아 齖
⑲ ㊥麻 yá

日 ガ〔ききいれない〕

字解 말듣지않을 아(不聽人語).

字源 形聲. 齒+牙〔音〕

4 【齗】잇몸 은 齗
⑲ ㊥文 yín

日 ギン〔はぐき〕 英 gums

字解 ① 잇몸 은(齒根肉). ② 말다툴 은(辯爭). ¶ 齗齗(은은).

字源 形聲. 齒+斤〔音〕

5 【齰】깨물 색 齰
⑳ ㋀陌 zé

日 サク〔かむ〕 英 bite

字解 깨물 색, 씹을 색(齧也).

字源 形聲. 齒+乍〔音〕

5 【齟】맞지않을 서 齟
⑳ 주 ㊤語 jǔ

日 ソ〔くいちがう〕 英 discrepant

字解 맞지않을 서(齒不相値也).

字源 形聲. 齒+且〔音〕

[齟齬 서어] ㉠ 아래윗니가 서로 잘 맞지 않음. ㉡ 일이 서로 어긋남.

5 【齠】이갈 초 齠
⑳ ㊥蕭 tiáo

日 チョウ〔みそばがえ〕
英 gnash teeth

字解 이갈 초(齔也, 毀齒).

字源 形聲. 齒+召〔音〕

5 【齡】나이 령 齡
⑳ ㊥青 líng

日 レイ〔とし〕 英 age

字解 나이 령(年也).

字源 形聲. 齒+令〔音〕

[年齡 연령] 나이.
[適齡 적령] 알맞은 나이.

5 【齣】일절 착 齣
⑳ ㋀陌 chū

日 シャク〔くぎり〕 英 paragraph

字解 일절 착, 일회 착(一回也).

字源 會意. 齒와 句의 합자. 희곡·전기의 일회의 뜻으로 쓰임은 차용임. 또, 원뜻과 자음의 유래는 불명.

6
㉑【齦】
■잇몸 은
㊊文
■깨물 간
㊟阮
龈 $yín$ / $kěn$

㊐ギン〔はぐき〕・コン〔かむ〕 ㊎ gums, bite

字解 ■잇몸 은(齒根肉). ■깨물 간(齧也).

字源 形聲. 齒＋艮(㠯)〔音〕

6
㉑【齧】
깨물 설
㊊얼 ㊟屑
$niè$

㊐ゲツ〔かむ〕 ㊎ bite

字解 깨물 설(噬也).

字源 形聲. 齒＋㓞〔音〕

[齧噬 설서] 깨묾.

7
㉒【齬】
맞지않을
어 ㊊語
$yǔ$

㊐ゴ〔くいちがう〕 ㊎ discrepant

字解 맞지않을 어(齒不相値也).

字源 形聲. 齒＋吾〔音〕

[齟齬 서어] 아래윗니가 서로 어긋남.

7
㉒【齪】
작을 착
㊟覺
$chuò$

㊐サク〔せまい〕 ㊎ small

字解 ① 작을 착, 잘달 착(小貌). ② 악착할 착(急促局陿貌).

字源 形聲. 齒＋足〔音〕

[齷齪 악착] 도량이 좁고 억지스러움.

8
㉓【齰】
깨물 색
㊟陌
$zé$

㊐サク〔かむ〕 ㊎ bite

字解 깨물 색(齧也).

字源 形聲. 齒＋昔〔音〕

[齰齧 색설] 물어뜯음.

9
㉔【齲】
충치 우
㊊구 ㊟麌
$qǔ$

㊐ク〔むしば〕 ㊎ carious tooth

字解 충치 우(齒病).

9
㉔【齵】
字源 形聲. 齒＋禹〔音〕

9
㉔【齷】
작을 악
㊟覺
$wò$ ㊎ small

字解 ① 작을 악, 잘달 악(齒小貌).
② 악착할 악(急促局陿貌).

字源 形聲. 齒＋屋〔音〕

[齷齪 악착] ㉠ 마음이 조급함. ㉡ 성질이 모질고 깜찍스러움. ㉢ 조그만 일에도 끈기 있고 모짊.

10
㉕【齺】
마주대
할 착
㊟覺
$zōu$

㊐サク〔むきあう〕

字解 마주대할 착(齒相迎也).

字源 形聲. 齒＋芻〔音〕

龍 〔16획〕 部
(용룡부)

0
⑯【龍】
■용 룡
㊊冬
■언덕
룡 ㊊腫
龙 $lóng$ / $lǒng$

亠 亣 亨 肙 肙 育 龍 龍 龍

㊐リョウ〔たつ・おか〕 ㊎ dragon, hill

字解 ■① 용 룡(四靈之一, 想像上獸). ¶龍頭(용두). 龍床(용상). ② 말 룡(馬高八尺以上). ■언덕 룡(丘壠也).

字源 象形. 머리 부분에 辛자 모양의 장식이 있는 뱀을 본떠, 「용」의 뜻을 나타냄.

[龍頭蛇尾 용두사미] 용의 머리에 뱀의 꼬리라는 뜻으로, 크게 시작했다가 흐지부지 끝나는 것을 비유하는 말.

[龍馬 용마] ㉠ 모양이 용같이 생겼다는 상상의 말. ㉡ 아주 잘 닫는 말.

16획

[龍床 용상] 임금이 앉는 자리.

[龍虎相搏 용호상박] 용과 범이 서로 싸움. 강자끼리 승부를 겨룸을 이르는 말.

[臥龍 와룡] ㉠ 도사리고 누워 있는 용. ㉡ 초야에 묻혀 있는 큰 인물의 비유.

---

2 ⑱ 【龎】 龎(방)(次條)의 俗字

---

3 ⑲ 【龐】 ━ 어지러울 방㊀江 ━ 찰 롱㊀東

庞 páng lóng 庬

�日 ホウ〔みだれる〕・ロウ〔みちる〕 ㊍ confusion, faithful

字解 ━ ① 어지러울 방(雜亂貌). ② 클 방, 높을 방(高大也). ━ 찰 롱, 살질 롱(充實也).

字源 形聲. 广+龍〔音〕.

[龐龐 농롱] 살찐 모양. 충실한 모양.

[龐眉皓髮 방미호발] 큰 눈썹과 센 머리털.

[龐涓 방연] 전국(戰國)시대 위(魏)나라의 병법가(兵法家). 손빈(孫臏)과 함께 병법을 배웠음. 뒷날에 제(齊)나라의 군사(軍師)가 된 손빈과 싸워 마릉(馬陵)에서 패사(敗死)하였음.

[龐錯 방착] 뒤섞임.

---

6 ㉒ 【龔】 이바지할 공㊀冬

龔 gōng 龔

�日 キョウ〔つつしむ〕 ㊍ provide

字解 ① 이바지할 공(奉也). ② 공손할 공(恭也).

字源 形聲. 龍+共〔音〕.

[龔勝 공승] 전한말(前漢末)의 고절(高節)의 선비. 애제(哀帝) 때 간의대부(諫議大夫)가 되어 왕망(王莽)이 정사(政事)를 전횡(專橫)하자 단식(斷食)하고 죽었음.

[龔黃 공황] 한(漢)나라의 순리(循吏)인 공수(龔遂)와 황패(黃霸).

---

6 ㉒ 【龕】 감실 감㊀覃

龕 kān 龕

�日 ガン〔ずし〕 ㊍ shrine

字解 감실 감(塔下室).

字源 形聲. 龍+今〔音〕.

[龕室 감실] ㉠ 신주를 모시어 두는 장. ㉡ 탑 맨 밑에 만들어 놓은 방.

龜 〔16 획〕 部
(거북귀부)

---

0 ⑯ 【龜】 ━ 거북 귀㊀支 ━ 나라이름 구㊀尤 ━ 틀 균㊀眞

龟 guī qiū jūn 龜

龜 龜 龜 龜 龜 龜 龜 龜

�日 キ〔かめ〕・キュウ〔くにのな〕・キン〔ひびがきれる〕 ㊍ tortoise, crack

字解 ━ ① 거북 귀(甲蟲之長外骨內肉天性無雄以蛇爲雄). ② 본뜰 귀(鑑也). ━ 나라이름 구(西域國名). ¶ 龜玆(구자). ━ 틀 균(手凍皲坼).

字源 象形. 거북의 모양을 본뜸.

參考 亀는 略字.

[龜鑑 귀감] 본보기가 될 만함.

[龜甲 귀갑] 거북 등의 껍데기.

[龜文鳥跡 귀문조적] 거북 등껍데기의 무늬와 새의 발자국. 모두 문자(文字)의 기원(起源)을 이름.

[龜趺 귀부] 비석의 받침으로 돌을 거북 모양으로 깎아 만든 것.

[龜裂 균열] 갈라져 터짐. 또, 갈라져 터진 것.

[龜坼 균탁] ㉠ 그슬린 거북 껍데기에 나타난 금. 이것으로 길흉을 판단함. ㉡ 땅이 갈라진 틈.

---

0 ⑪ 【亀】 龜(구·균·귀)(前條)의 俗字

5
㉑ **[龝]** 秋(추)(禾部 4획)의 古字

龠 〔17 획〕 **部**
(피리약부)

0
⑰ **[龠]** 피리 약
八藥 | yuè

日 ヤク〔ふえ〕 英 flute

字解 ① 피리 약(管龠, 三孔笛).
② 작 약(量名, 一勺).

字源 會意. 品(피리의 구멍)과 侖
(조리(條理))과의 합자. 피리의 음
에도 조리가 있음의 뜻.

[龠合 약홉] 곡량(穀量)의 적은 수량
을 이름.

4
㉑ **[龡]** 불 취
㐀支 | chuī

日 スイ〔ふく〕 英 blow

字解 불 취(以氣推發其聲).

字源 會意. 龠과 欠(숨을 토해 냄)
과의 합자.

5
㉒ **[龢]** 和(화)(口部 5획)의 古字

9
㉖ **[龥]** 부를 유
去遇 | yù

日 ユ〔よぶ〕 英 call

字解 ① 부를 유(呼也). ② 고를 유
(和也).

字源 形聲. 頁+龠〔音〕

10
㉗ **[龤]** 저이름 지
지㐀支 | chí

日 チ〔よこぶえ〕 英 fife

字解 저이름 지(籈也, 笓也, 管樂).

字源 形聲. 龠+虒〔音〕

부　록

차 례

부

록

(1) 교육용 기초 한자 색인
(教育用基礎漢字索引)

① 본 기초 한자는 문교부가 1972년 8월 16일에 확정
　공표한, 중학교용 900 자, 고등학교용 900 자, 도합
　1,800 자의 한문 교육용 기초 한자다.
② 2000년 12월 30일, 중학교용 4 자, 고등학교용 40
　자를 조정한 바, 이번 개편에 반영하였습니다.

음	중학교용	고등학교용
가	家 佳 街 可 歌 加 價 假	架 暇
각	各 角 脚	閣 却 覺 刻
간	干 間 看	刊 肝 幹 簡 姦 懇
갈	渴	
감	甘 減 感 敢	監 鑑
갑	甲	
강	江 降 講 強	康 剛 鋼 綱
개	改 皆 個 開	介 慨 概 蓋
객	客	
갱	更	
거	去 巨 居 車 擧	距 拒 據
건	建 乾	件 健
걸		傑 乞
검		儉 劍 檢
격		格 擊 激 隔
견	犬 見 堅	肩 絹 遣 牽
결	決 結 潔	缺
겸		兼 謙
경	京 景 輕 經 庚 耕 敬 驚 慶 競	竟 境 鏡 頃 傾 硬 警 徑 卿
계	癸 季 界 計 溪 鷄	系 係 戒 械 繼 繫 契 桂 啓 階
고	古 故 固 苦 考 高	枯 姑 庫 孤 鼓 稿

부 록

고	告 顧
곡	谷 曲 穀 哭
곤	困 坤
골	骨
공	工 功 空 共 公 孔 恭 攻 恐 貢
과	果 課 科 過 誇 寡
곽	郭
관	官 觀 關 館 管 貫 慣 冠 寬
광	光 廣 鑛 狂
괘	掛
괴	塊 愧 怪 壞
교	交 校 橋 教 郊 較 巧 矯
구	九 句 口 舊 求 救 究 久 具 丘 俱 懼 龜 球 狗 區 構 驅 苟 拘
국	國 菊 局
군	君 郡 軍 群
굴	屈
궁	弓 宮 窮
권	卷 權 勸 券 拳
궐	厥
궤	軌
귀	貴 歸 鬼
규	叫 規 糾
균	均 菌
극	極 克 劇
근	近 勤 根 斤 僅 謹
금	金 今 禁 錦 禽 琴
급	及 給 急 級
긍	肯
기	己 記 起 其 期 基 氣 技 幾 旣 紀 忌 旗 欺 奇 騎 寄 豈 器 棄 祈 企 機 饑
긴	緊
길	吉
나	那
낙	諾
난	暖 難
남	南 男

납　納
낭　娘
내　乃　內　奈　耐
녀　女
년　年
념　念
녕　寧
노　怒　奴　努
농　農
뇌　腦　惱
능　能
니　泥
다　多　茶
단　丹　但　單　短　端　旦　段　壇　檀　斷　團
달　達
담　談　淡　擔　踏
답　答　畓
당　堂　當　唐　糖
대　大　代　待　對　帶　臺　貸　隊
덕　德
도　刀　到　度　道　島　徒　倒　挑　桃　跳　逃　塗　渡　陶　途　稻　導　盜
독　讀　都　圖　獨　毒　督　篤
돈　豚　敦
돌　突
동　同　洞　童　冬　東　動　銅　凍
두　斗　豆　頭
둔　鈍　屯
득　得
등　等　登　燈　騰
라　羅
락　落　樂　絡
란　卵　亂　蘭　欄
람　覽　濫
랑　浪　郎　廊
래　來
랭　冷
략　略　掠

음	한자	한자
량	良　兩　量　涼	梁　糧　諒
려	旅	麗　慮　勵
력	力　歷	曆
련	連　練	鍊　憐　聯　戀　蓮
렬	列　烈	裂　劣
렴		廉
렵		獵
령	令　領	嶺　零　靈
례	例　禮	隷
로	路　露　老　勞	爐
록	綠	祿　錄　鹿
론	論	
롱		弄
뢰		雷　賴
료	料	了　僚
룡		龍
루	柳　留　流	屢　樓　累　淚　漏
류	六　陸	類
륜	倫	輪
률	律	栗　率
륭		隆
릉		陵
리	里　理　利　李	梨　吏　離　裏　履
린		隣
림	林	臨
립	立	
마	馬	麻　磨
막	莫	幕　漠
만	萬　晚　滿	慢　漫
말	末	
망	亡　忘　望	茫　妄　罔
매	每　買　賣　妹	梅　埋　媒
맥	麥	脈
맹		孟　猛　盟　盲
면	免　勉　面　眠	綿
멸		滅
명	名　命　明　鳴	銘　冥

부 록

모	母 毛 暮 某 謀 模 貌 募 慕 侮 冒
목	木 目 牧 睦
몰	沒
몽	夢 蒙
묘	卯 妙 苗 廟 墓
무	戊 茂 武 務 無 舞 貿 霧
묵	墨 默
문	門 問 聞 文
물	勿 物
미	米 未 味 美 尾 迷 微 眉
민	民 敏 憫
밀	密 蜜
박	朴 泊 拍 迫 博 薄
반	反 飯 半 般 班 返 叛 伴
발	發 拔 髮
방	方 房 防 放 訪 芳 妨 傍 邦
배	拜 杯 倍 培 配 排 輩 背
백	白 百 伯
번	番 煩 繁 飜
벌	伐 罰
범	凡 氾 範 犯
법	法
벽	壁 碧 辟
변	便 變 辯 辨 邊
별	別
병	丙 病 兵 竝 屏
보	保 步 報 普 譜 補 寶
복	福 伏 服 復 腹 複 卜 覆
본	本
봉	奉 逢 峯 蜂 封 鳳 付 副 符 簿 附 赴 府
부	不 夫 扶 父 富 部 婦 否 浮 腐 負 賦
북	北
분	分 紛 粉 奔 墳 憤 奮
불	不 佛 拂
붕	朋 崩
비	比 非 悲 飛 鼻 備 批 卑 婢 碑 妃 肥

영	永 英 迎 榮 泳 詠 營 影 映
예	藝 豫 譽 銳
오	五 吾 悟 惡 午 誤 烏 嗚 汚 傲 娛
옥	玉 屋 獄
온	溫
옹	翁 擁
와	瓦 臥
완	完 緩
왈	曰
왕	王 往
외	外 畏
요	要 樂 腰 搖 遙 謠
욕	欲 浴 慾 辱
용	用 勇 容 庸
우	于 憂 宇 右 又 尤 牛 友 遇 雨 羽 郵 愚 偶 優
운	云 雲 運 韻
웅	雄
원	元 圓 原 願 遠 園 怨 員 源 援 院
월	月 越
위	位 危 爲 偉 威 胃 委 慰 僞 謂 圍 緯 衛 違
유	由 遊 油 柔 酉 有 幼 遺 猶 唯 維 乳 儒 裕 幽 惟 愈 悠 誘
육	肉 育
윤	閏 潤
은	恩 銀 隱
을	乙
음	音 吟 飮 陰 淫
읍	邑 泣
응	應 凝
의	衣 意 依 義 議 矣 醫 宜 儀 疑
이	二 移 以 已 耳 而 異 易 夷
익	益 翼

부
록

출	出
충	充　忠　蟲　衝
취	取　吹　就　臭　醉　趣
측	側　測
층	層
치	治　致　齒　値　置　恥
칙	則
친	親
칠	七　漆
침	針　侵　寢　沈　枕
칭	稱
쾌	快
타	他　打　妥　墮　托
탁	濁　濯　卓
탄	歎　彈　炭　誕
탈	脫　奪
탐	探　貪
탑	塔
탕	湯
태	太　泰　怠　殆　態
택	宅　澤　擇
토	土　吐　討
통	通　統　痛
퇴	退
투	投　透　鬪
특	特
파	破　波　派　播　罷　頗　把
판	判　板　販　版
팔	八
패	貝　敗
편	片　便　篇　編　遍　偏
평	平　評
폐	閉　肺　廢　弊　蔽　幣
포	布　抱　暴　包　胞　飽　捕　浦
폭	暴　爆　幅
표	表　標　漂　票
품	品
풍	風　豐

피	皮 彼　疲 被 避
필	匹 筆 必　畢
하	下 夏 賀 何 河　荷
학	學　鶴
한	閑 寒 恨 限 韓 漢　旱 汗
할	割
함	咸 含 陷
합	合
항	恆 降　巷 港 項 抗 航
해	害 海 亥 解　奚 該
핵	核
행	行 幸
향	向 香 鄕　響 享
허	虛 許
헌	軒 憲 獻
험	險 驗
혁	革
현	現 賢　玄 絃 縣 懸 顯
혈	血　穴
혐	嫌
협	協　脅
형	兄 刑 形　亨 螢 衡
혜	惠　慧 兮
호	戶 乎 呼 好 虎 號 湖　互 胡 浩 毫 豪 護
혹	或　惑
혼	婚 混　昏 魂
홀	忽
홍	紅　洪 弘 鴻
화	火 化 花 貨 和 話 畫 華　禾 禍
확	確 穫 擴
환	歡 患　丸 換 環 還
활	活
황	皇 黃　況 荒
회	會 回　悔 懷
획	獲 劃
횡	橫

효	孝	效		曉	
후	後	厚		侯	候
훈	訓				
훼				毀	
휘				揮	輝
휴	休			携	
흉	凶	胸			
흑	黑				
흡				吸	
흥	興				
희	希	喜		稀	戲

(2) 인명용 추가 한자표(人名用追加漢字表)

(개정 2004. 10. 18)

부록

가	嘉嫁稼賈駕伽迦 柯呵哥枷柯痂苛 茄袈訶珈舸
각	珏恪殼愨
간	艮偘杅玕竿揀諫 墾稈奸柬桿澗癇 磵稈艱
갈	葛曷喝曷碣竭褐 蝎鞨
감	勘堪瞰坎憾嵌 柑橄疳紺邯龕
갑	鉀匣岬胛閘
강	杠堈岡崗姜橿疆 慷畺疆縫絳羌 舡薑襁襁踡
개	价凱愷塏堦愾芥 芥豈鎧玠
객	喀
갱	坑粳羹
각	醵
거	渠遽鉅炬倨据祛 踞鋸
건	巾虔楗鍵愆腱蹇 騫
걸	杰桀
검	瞼鈐黔
겁	劫怯迲
게	揭偈憩
격	檄鬲覡
견	鵑甄繭譴
결	訣抉
겸	鎌搛箝鉗
경	倞鯨坰昃更梗 憬暻璟擎儆檠 俓涇莖勁逕潁冏 勍燗璥痙磬綱脛 頸驚冏槳
계	娃誡堺屆悸棨磎 稧谿
고	叩敲皐暠呱尻拷 橋沽痼辜羔股膏 菰菰藁蠱袴詁賈 辜錮雇杲
곡	斛梏鵠
곤	昆崑琨錕梱棍滾 袞鯤
골	汨滑
공	珙控拱蚣鞏
곶	串
과	菓跨緺顆戈瓜
곽	廓槨藿
관	款琯錧灌瓘梡串 棺罐菅
괄	括刮恝适
광	优洸珖桄匡曠眈 壙筐胱
괘	卦罫
괴	乖傀拐槐魁
굉	宏紘肱轟
교	僑喬嬌膠咬攪攪 狡咬絞翹蕎蛟轎 餃驕鮫姣
구	坵玖矩邱銶溝購 鳩軀耉枸仇勾咎 嘔坵寇嫗毆傴歐 毆毬炎瞿絿白舅 衢謳述鉤駒鷗
국	鞠鞫麴
군	窘裙
굴	窟堀掘
궁	躬穹芎
권	圈眷倦捲港 闕顴蕨蹶
궤	机櫃潰詭饋
귀	龜句晷鎪
규	圭奎珪揆達窺葵 槻硅竅赳閨糺
균	昀鈞勻筠龜
귤	橘
극	剋隙戟棘
근	漢墐槿瑾嫤筋劤 憨芹菫覲饉
글	契
금	衾襟昑妗搄檎芩 衿
급	汲伋扱
긍	亘兢矜
기	淇琪璂祺錤麒 麒玘杞埼崎琦綺 錡箕歧沂圻沂斮 璣磯夔璂嗜畸咭 伎夔妓菲崎碁祈 祇羈磯幾肌饑棋
길	佶桔姞拮
김	金
끽	喫
나	奈奈娜挐儺喇懦 拏挐舮罕
난	煖捼捏
남	楠湳枏
납	衲
낭	囊
내	奈
년	撚
념	恬拈捻
녕	寗儜
노	弩瑙駑 膿濃
뇨	尿閙撓
눈	嫩
눌	訥
뉴	紐鈕杻
니	尼柅
닉	匿溺
다	爹
단	緞鍛亶彖湍簞蛋 祖耶
달	撻達瀨疸
담	譚膽澹覃啖坍儋 曇湛痰聃蕁錟潭 杳湛
답	遝
당	塘鐺撞幢戇棠螳 坣玳袋戇撞吳坮 岱黛
덕	悳
도	堵棹燾燾燾鍍蹈 屠嶋悼掉搗櫂淘 滔睹萄覩賭韜
독	瀆牘犢禿纛
돈	墩惇暾燉頓旽沌 焞
돌	乭
동	棟蕫潼垌瞳涑仝 憧疼峒桐橦疃彤 炯
두	杜枓兜竇荳讀 逗阧
둔	遁臀芚遯
등	藤騰鄧橙橙
라	螺喇懶癩蘿邏 剆
락	珞酪烙駱洛
란	瀾瓓丹欒鑾爛
랄	剌辢
람	嵐嵺攬欖籃纜襤 藍婪

랍	拉朧蠟
랑	琅瑯狼瑯朗
래	崍崃徠
량	亮倆樑涼粮梁輛
려	呂侶閭黎儷廬戾 椐瀘儢藜儮艪驪
력	瀝礫攊靂
련	煉璉攣漣輦孌
렬	洌冽
렴	濂蘞斂殮
령	伶夻姈呤鈴齡怜 囹岺笭羚翎聆逞 泠
례	澧禮
로	魯盧鷺撈擄櫓澇 瀘簵虜輅鹵螹
록	彔碌菉蓾
롱	瀧瓏籠礱朧聾
뢰	瀨儡牢磊賚賚
료	遼寮廖燎療瞭聊 蓼
루	壘婁嶁褸樓鏤 陋
류	琉劉瑠硫瘤旒榴 溜瀏謬
륙	戮
륜	侖崙綸淪錀
률	慄
륵	勒肋
름	凜廩
릉	綾菱稜凌楞
리	俚莉离璃悧俐厘 唎浬犁狸蜊籬羅 嬴釐鯉浬蔽
린	潾磷麟各嶙躪 鱗撛獜鄰
림	琳霖淋
립	笠粒砬
마	瑪摩痲碼魔
막	寞膜邈
만	万曼蔓鏋卍娩巒

	巒挽灣輓輐饅鬘 蠻
말	茉秣抹沫襪韤 網芒劵鞱邙
매	寐昧枚煤罵邁魅 貊陌鶱
맹	萌氓
멱	冪覓
면	晃棉沔眄緬麵
멸	蔑
명	溟暝榆皿暝茗蓂 螟酩愰洺
몌	袂
모	摸牟謨姆帽摹牡 珝眸耗芼茅矛
목	穆鶩沐
몰	歿
몽	朦
묘	描錨畝昴杳渺猫 玅
무	拇珷畝撫懋巫憮 棽毋繆蕪誣鵡
문	汶炆紋刎吻紊 蚊雯
물	沕
미	渼薇彌嵄媄媚嵋 楣楣湄謎靡亹媺 燘
민	玟旻旼珉岷忞 慜忟愍潣頤泯 砇琝緡顝碈
밀	謐
박	珀璞鉑箔駁樸 箔柏縛膊雹駮
반	畔頒潘磐拌搬攀 斑槃泮瘢盼磻攀 絆蟠
발	潑鉢渤勃撥跋醱 魃
방	坊彷昉龐榜尨幇 旁枋滂紡肪膀 舫芳蚌謗

배	陪裵湃俳徘焙胚 褙賠北
백	佰帛魄柏
번	蕃幡樊燔磻藩 閥筏
범	帆汎氾范梵泛汎 琺
법	琺
벽	壁闢僻劈擘檗癖 蘗霹
변	卞弁便 瞥繁龞瓣粉
병	幷倂瓶軿鉼炳柄 晒秉棅餠騈
보	堡甫輔菩潽洑湺 珤
복	馥復僕匐宓伏葍 輹輻鍑
볼	乶
봉	捧琫烽棒蓬鋒 熢縫
부	高捬椊屑泍洑渫 裒溍离鼓契
섬	纖濆蟦剡纖蟾盼閂 陝
섭	燮葉
성	晟娍珹惺醒成 猩筬腥聖胜
북	汾芬盆吩噴岔扮 盻棼糞賁雰
불	彿弗
붕	鵬棚硼繃
비	庇枇琵扉譬乤匕 匪憊斐榧悲秕沸 泌痺砒妣秕緋菲 脾臂菲棐神誹鄙 棐
빈	彬斌濱嬪儐儐 玭嚬檳殯浜牝 邠繽
빙	憑騁
사	泗砂糸娑徙奢 嗣赦乍些伺俟傺 唆柶梭渣瀉獅祠 篩肆莎蓰姿飼駟 麝
삭	數索

산	珊傘刪汕疝蒜霰 酸
살	薩乴撒煞
삼	參蔘杉衫滲芟森
삽	挿澁鈒颯
상	庠湘箱翔爽塽孀 峠庠橡觴樣
새	璽賽
색	嗇穡塞
생	牲甥省笙
서	抒舒瑞棲曙壻惰 諝胥嶼揲筮絮 胥署鋤黍鼠嶼
석	碩晰汐淅晳祏鉐 錫潟蓆
선	扇饍瑄愃墡膳繕 琁璿璇羨嬋銑珗 嬞嫙敾燹鐥腺蘚 蟬詵跣鐥饍
설	卨揲屑渫洩渫 褻暹离薛契
섬	纖暹蟾剡纖贍閃 陝
섭	燮葉
성	晟娍珹惺醒成 猩筬腥聖胜
세	貰笹說忕
소	沼炤紹邵韶巢疏 迺柖炤嘯塐宵搔 梳溯瀟甦瘙簫 蕭逍艎愫穌劋蘛 凍瀟贖
손	遜巽蓀飱
솔	率帥
송	宋淞悚
쇄	殺灑碎鎖
쇠	釗
수	洙隨銖粹穗繡隋 髓袖嗽嬔岫羞戌 漱燧籹陲豎綏 綬羑茱蓚蓚藪讐 瀡邃綉隧嶲氂 瞬

숙	塾琡璹橚夙潚菽
순	洵珣荀筍舜淳焞
	諄錞醇徇恂栒楯
	橓蕣舜詢馴盾
	鈍
술	崒崧
숭	瑟膝瑟蝨
습	褶
승	丞陞繩蠅升滕丞
	塍
시	柴特匙嘶媤尸屎
	屍弒柿猜翅蒔蓍
	諡豕豺偲
식	栻埴殖湜軾寔拭
	熄篒蝕
신	紳莘薪迅訊侁呻
	娠宸燼腎藎蜃辰
	璶
실	悉
심	沁沈潯芯諶
십	什拾
아	娥峨衙婀俄啞莪
	蛾訝鴉鵝阿婀
악	樂堊嶽幄愕握渥
	鄂鍔顎鰐鰪
안	晏按鞍鮟
알	斡軋閼
암	庵菴唵癌閽
압	鴨狎
앙	昂鴦怏秧
애	厓崖艾埃曖隑阨
	靉
액	液扼掖縊腋
앵	鶯櫻罌鸚
야	冶倻惹椰揶爺若
약	葯蒻
양	襄孃漾佯恙攘敭
	暘瀁煬瘁痒癢禳
	釀易

얼	孽蘖
엄	奄俺掩儼淹
업	業
엔	円
여	歟璵礖旟茹舁妤
	旟繹
역	晹繹
연	衍淵妍娟涓沇筵
	瑌娫曣瓀挻椽
	涎埏鳶硯曣燃醼
	兗
열	說咽
염	琰艶厭焰苒閻髥
염	爆曄焜
엽	爗曄
영	渶煐瑛暎瑩濚盈
	楹鐭甖穎瓔咏塋
	嶸潁濚瀯嬰嫛
예	叡預芮乂倪刈曳
	汭濊蚬穢藥詣
	霓睨埶橤珮
오	伍吳旿珸琣奧俉
	塢墺寤悞敖澳
	熬獒筽娛鰲梧
	寤
옥	沃鈺
온	瑥媼穩瘟縕蘊
올	兀
옹	雍壅瓮饔雝邕饔
와	渦窩窪蛙蝸訛
완	玩坑浣莞琓琬婠
	婉梡梡翫豌睕
	腕豌阮頑忨岏
왕	旺汪尫
왜	倭娃歪矮
외	嵬巍猥
요	夭堯饒曜燿瑤姚
	僥凹妖嶢拗擾樂
	橈爔窈窯繞蟯
	邀曤
욕	縟褥
용	溶瑢瑢榕蓉湧涌
	埇踊鏞茸墉甬俉

우	佑祐禹瑀寓堣隅
	玗釪迂霻吁盂禑
	紆芋藕虞雩扜
욱	旭昱煜郁頊彧勖
	栯棫
운	沄澐耘暉会暈橒
	殞煴芸蕓隕
	蔚鬱夭
원	袁垣洹沅瑗媛嫄
	愿苑轅婉寃湲爰
	猿阮鴛褑
월	鉞
위	尉韋瑋暐渭魏婑
	葦蔿蝟
유	侑洧宥庾兪喩楡
	瑜歈瑈愉柚攸柚
	琟釉孺牖游瘉
	臾萸諛踰踰逾
	鍮曘婑
은	垠殷誾漂垠慇憗
	億听璁圻薿檼檃
	釿
음	蔭
	揖
음	瘖膺聽
의	倚誼穀擬懿椅檥
	薏蟻
이	珥伊易弛怡彛彛
	頤姨痍肄苡荑貽
	邇飴弐嫛杝
익	翊瀷謚翌熤燡
인	咽湮綑茵蚓靭靷
	刃喇芒
일	溢鎰馹份佚壹
임	姙恁稔恁荏衽
입	卄
잉	剩仍孕礽

자	仔滋磁藉瓷呇孜
	炙煮疵茨蔗諮雌
작	灼妁雀鵲勺嚼斫
	灼綽
잔	屠棧潺盞
잠	箴岑簪蠶
장	匠杖裝樟橦璋暲
	薔蔣仗檣橚漿狀
	獐臧臟醬
재	梓縡齋溨滓齎
쟁	錚爭諍
저	苧邸楮佇儲咀
	姐杵褚狙猪疽
	箸羜菹葅躇這
	雎齟
적	迪勣吊翟狄炙翟
	荻謫迹籍笛蹟
전	佺牷詮銓塼甸瑱
	奠荃雋鄟佃剪塼
	廛悛甎煎畑癲
	荃箋箭篆纏輾鈿
	鐫顚餞
절	晢截浙癤
점	帖粘霑鮎
접	摺
정	汀玎町呈桯珵娗
	偵湞幀楨禎珽挺
	綎鼎晶晸柾鉦淀
	錠鋌鄭靖靚鋥珵
	涏玎鋌頲婷婧
	瀞睛碇穽梃崝酊
	霆彭埩姃妌
제	悌梯堤霽啼臍薺
	躋醍霽
조	彫措晁窕祚趙肇
	詔釣曹漕眺俎凋
	嘈曺棗糟爪瑵
	稠粗糟繰藻蚤躁
	阻雕
족	簇鏃
졸	崒
종	倧琮淙棕椶綜瑽
	鍾慫腫踵踵椶柊

좌 挫

주 冑湊炷註疇遇遘
駐妊澍姝侏做呪
嗾廚籌紂紬綢蛛
誅躊輳酎燽鉒拄
惆

죽 粥

준 峻浚晙埈焌竣畯
駿隼濬雋儁埻隼
窩樽蠢逡純葰壿

줄 苗

즉 卽

즐 櫛

즙 汁檝葺

증 烝拯繒

지 旨沚址祉趾祇芝
摯鋕脂咫枳漬砥
肢芷蚔識贄汦厎

직 稙稷

진 晉瑨璡津璡秦袗
塵禛珍嶺塡賑溱
袗畛嗔桭榛帕診
珒疹瞋縉臻蓁袗
鉁陳螓

질 瓆帙叱嫉峌桎窒
膣蛭跌迭

짐 斟朕

집 什潗楫輯鏶緝

징 澄

차 車叉瑳侘嵯嵯磋
剳茶蹉遮硨皻姹

착 搾窄鑿皵

찬 撰纂粲澯燦爨瓚
纘鑽窾篡餐饌攢
巑

찰 札刹擦紮

참 僭塹懺斬站讖識

창 菖昶彰敞廠倡娼
愴槍漲猖瘡艙
滄

채 采琗寀蔡綵寨砦
釵琗責倸婇

책 柵

처 凄悽

척 陟垢倜刺剔慽擲
滌瘠脊躑隻

천 仟阡喘擅玔穿舛
釧闡韆茜

철 喆澈撤轍綴凸輟
僉瞻沾甛簽籤詹
詔

첩 帖捷堞牒疊睫堞
貼輒

청 菁鯖

체 締諦切剃涕

초 樵焦蕉楚剿哨憔
梢椒炒硝礁稍苕
貂酢醋醮岧鈔

촉 囑矗蜀

촌 忖邨

총 寵叢塚恩憁憁
總

촬 撮

최 崔

추 楸樞鄒錐錘墜椎
湫皺芻菆諏趨僦
鎚雛騶鰍

축 軸竺筑蹙蹴

춘 椿瑃賰

출 朮黜

충 珫沖衷

췌 萃悴膵贅

취 翠聚嘴炊娶脆驟
鷲

측 仄厠惻

치 熾峙嵯馳侈幟幟
梔淄梔痴癡稺緇
緻蚩輜梔

칙 勅飭

칠 柒

침 琛砧鍼

칩 蟄

칭 秤

쾌 夬

타 咤唾惰拖朶楕舵
陀馱鴕

탁 度倬琸晫託擢鐸
拓啄坼柝琢

탄 呑坦灘嘆憚綻

탐 耽

탑 榻

탕 宕帑糖蕩

태 汰兌台胎邰笞苔
跆駘

택 垞

탱 撑

터 攄

토 兎

통 桶慟洞筒

퇴 堆槌腿褪頹

투 偸套妒

특 慝

틈 闖

파 巴芭琶坡杷婆擺
爬跛

판 阪瓣辦鈑

팔 叭捌

패 覇浿佩牌唄悖沛
狽稗

팽 彭澎烹膨

퍅 愎

편 扁翩鞭騙

폄 貶

평 坪枰泙萍

폐 陛吠斃獘

포 葡褒砲鋪佈匍匏
咆哺圃怖抛暴袍
疱脯苞莆袍逋觖
曝瀑輻

표 杓豹彪驃俵剽慓
瓢飇飄

품 稟

풍 諷馮楓

피 披陂

필 弼泌珌苾祕鉍佖
䪻

핍 乏逼

하 厦昰霞瑕蝦遐鰕
呀碬煆

학 叡謔嗃

한 澣瀚翰閒悍罕澗
犫

할 轄

함 函涵檻喊檻緘
銜鹹

합 哈盒蛤閤閣陜

항 亢沆姮嫦杭桁
缸肛行降

해 偕楷諧咳孩懈
瀣蟹邂駭骸咍

핵 劾

행 杏倖荇

향 珦響餉饗

허 墟噓

헌 櫶軒

헐 歇

혁 赫爀奕焱衁烌

현 見峴睍泫炫玹鉉
眩昡絢眩俔睍絃
衒弦儇儇炫

혈 孑頁

협 俠挾峽浹夾狹脅
莢鋏頰

형 型邢珩泂炯瑩瀅
馨熒榮瀅荊逈鎣

혜 蕙彗譿憓暳蹊
醯鞋

호 晧皜澔昊淏濠灝
祜琥瑚護扈鎬
濠壺滸滸祜弧狐
瓠糊縞芦葫蒿蝴
皞

혹 酷

혼 渾琿

홀 惚笏

홍 泓烘虹鉄哄汞訌

부
록

화	嬅樺譁靴		匯徊洄獪膾鄶蛔	훤	喧暉萱煊	흡 洽恰翕
확	廓攫		賄灰	훼	卉喙毀	희 姬晞僖熺橲禧嬉
환	喚奐渙煥晥幻桓	횡	鐄鈜	휘	彙徽暉煇諱麾	憙熹熙義犧曦俙
	鐶驩宦紈鰥	효	㴛爻驍哮嚆髐梟	휴	烋畦虧	囍憘犧噫咥熙烯
활	闊滑猾豁		涍肴酵皛歊	휼	恤譎鷸	詰
황	凰媓晃滉榥堭	후	后垕逅吼嗅帿朽	흉	兇匈洶	
	璜熀幌徨恍愰慌		煦珝喉	흔	欣炘昕痕忻	
	晄湟潢篁簧蝗遑	훈	勳君熏薫壎鑂	흘	屹吃紇訖	
	隍		暈	흠	欽欠歆	
회	廻恢晦檜澮繪誨	훙	薨			

주 : 위 한자는 이 표에 지정된 발음으로만 사용할 수 있다. 그러나 첫
소리가 "ㄴ" 또는 "ㄹ"인 한자는 각각 소리나는 바에 따라 "ㅇ"
또는 "ㄴ"으로 사용할 수 있다.

부
록

(3) 부수(部首)에 대하여

한자를 주로 자형의 성립에 따라 분류하는 방법이 있다. 그 분류된 무리들을 각각 部(부)라고 하며, 그 대표 문자를 **부수**라고 한다. 이를테면, '糸部'에는 '系(계)'·'素(소)'·'紙(지)'·'細(세)'·'絹(견)'·'線(선)' 등과 같이 '糸(사)'를 바탕으로 해서 이루어진 글자를 모으고, '糸(사)'를 '부수(部首)'로 삼고 있다.

부(部) 속의 한자는 일반적으로 그 부수(部首)의 뜻과 관계가 있다. 이를테면, '糸'部에 속하는 글자는 '糸'와 관계가 있고, '水'部에 속하는 글자는 '水'와 관계가 있다.

부수에 해당하는 한자가 다른 글자 속에 포함될 때는 보통은 모양이 조금 변한다. 이것을 '변·방'이라고 한다.

◎ **주요한 부수(部首)와 '변·방'의 보기**

○ **人部**(인부) : '사람'과 관계가 있음
 • 亻(사 람 인 변)…位(위)·休(휴)·信(신) 따위

○ **刀部**(도부) : '칼붙이·날붙이·베다' 따위와 관계가 있음
 • 刂(칼 도 방)…刊(간)·別(별)·前(전) 따위

○ **力部**(역부) : '힘·일하다' 따위와 관계가 있음
 • 力(력)·加(가)·助(조)·勞(로) 따위

○ **口部**(구부) : '입·먹다·마시다' 따위와 관계가 있음
 • 口(입 구 변)…味(미)·吸(흡)·唱(창) 따위

○ **土部**(토부) : '흙·지형(地形)' 따위와 관계가 있음

•土(흙 토 변)…地
(지)·場(장) 따위

○ 心部(심부) : '사람의 마
음'과 관계가 있음
•忄(심 방 변)…快
(쾌)·性(성)·情(정)
따위

○ 手部(수부) : '손이나 손
으로 하는 일'과 관
계가 있음
•扌(재 방 변)…打
(타)·投(투)·持(지)
따위

○ 水部(수부) : '물·강·액
체' 따위와 관계가
있음
•氵(삼 수 변)…河
(하)·漢(한)·池(지)
따위

○ 火部(화부) : '불·빛·
열' 따위와 관계가
있음
•火(불 화 변)…燒
(소)·燈(등)·燃(연)
따위
•灬(연 화 발)…照
(조)·熱(열)·無(무)
따위

○ 糸部(사부) : '실·천' 따

위와 관계가 있음
•糸(실 사 변)…紙
(지)·細(세)·絹(견)
따위

○ 艸部(초부) : '식물'과 관
계가 있음
•艹(초 두 밑)…花
(화)·草(초)·葉(엽)
따위

○ 雨部(우부) : '기상'과 관
계가 있음
•雨(비 우 부)…雲
(운)·雪(설)·電(전)
따위

부수(部首)의 수는 여러 가
지 분류법이 있어 일정하지
않지만, 가장 대표적인 분류
법으로는 214가지의 부수를
들고 있다.

부수란 '변'·'방'·'머리'·
'발'·'몸'·'밑'·'받침'등 일곱
종류의 형을 대표해서 가리
키는 말이다.

① 변 女(계 집 녀 변)…姉
(자)·妹(매) 따위
車(수 레 거 변)…轉
(전)·輪(륜) 따위

② 방 彡(터럭삼. 삐친석삼)
…形(형) 따위

隹(새추)…雜(잡)·難
(난) 따위
③ 머리 宀(갓머리)…安
(안)·宮(궁) 따위
竹(대죽머리)…筆
(필)·管(관) 따위
④ 발 灬(연화발)…照(조)·
熱(열) 따위
皿(그릇명받침)…益
(익)·盟(맹)·監(감)
따위
⑤ 몸 囗(에운담몸·큰입구

몸)…國(국)·園(원)
따위
門(문문)…間(간)·開
(개)·關(관) 따위
⑥ 밑 厂(민엄호밑)…原
(원)·厚(후) 따위
广(엄호밑)…店(점)·
庭(정) 따위
⑦ 받침 走(달아날주변)…
起(기) 따위
辶(책받침)…進(진)·
近(근) 따위

(4) 한자의 필순(筆順)

一. 필순이란 무엇인가

필순이란, 글자를 쓸 때의 일정한 차례를 말한다. 필순은 전체의 글자 모양이 정돈되고 구조적(構造的)으로도 바르며, 또 무리 없이 쓸 수 있도록 옛 사람이 오랜 동안 연구하여 오늘날까지 전해 내려온 것이므로, 그에 따라 쓰는 것이 능률적이고 또한 효과적이다.

세상에는 필순 따위는 필요 없다는 설을 주장하는 이도 있다. 예를 들어, '囚'은 '口大'의 차례로 쓰든, '大口'의 차례로 쓰든 어쨌든 '囚'자 모양만 갖춰지면 그만 아니냐 하겠지만, 실제로 써 보면 역시 전통적인 원칙에 의한 '冂大一'의 차례가 그 중 편하다는 것을 알게 된다.

필순은 원칙적으로 각 글자마다 일정한 차례가 정해져 있지만, 개중에는 예외적인 필순이 일반적으로 인정되고 있는 것도 있다. 또 개중에는 두 가지 또는 세 가지의 필순을 가지고 있는 것도 있다. (예를 들면, '馬' 또는 'ㄕ' 따위) 이 경우에 다른 필순은 서로 '다른' 것일 뿐, 어느 쪽도 '틀린' 것이 아님을 우리는 명심해야 한다.

필순에서 해서체(楷書體)와 행서체(行書體)는 공통의 한 체를 이루며, 초서체(草書體)는 별개의 한 체를 이룬다. 즉, 초서체의 필순은 전혀 다른 계통에 속하는 것이다.

보기 : 本…木 一(해서체)   夲(초서체)

그리하여, 해서체의 필순은 원칙적으로 행서체의 필순과 일치시키고 있다. 곧, 해서체의 필순을 생각함에 있어서는 필요에 따라 행서체의 필순을 참고로 삼게 된다.

같은 해서체 중에도 이른바 진짜 해서체가 있고, 또 행서체에 가까운 해서체도 있다. 대체로 필기체(筆記體)는 전자에 속하고, 서예가(書藝家)들이 쓰는 것은 후자에 속한다.

보기 : 無…ᅳ ᅳ 無 無 無 (필기체)
　　　　ᅳ ᅳ ᆖ 無 無 (서예체)

　　　馬…丨 厂 卩 馬 馬 (필기체)
　　　　丨 卩 馬 馬 馬 (서예체)

二. 필순의 원칙

1. 단독자와 변・머리・몸・다리에서 필순이 다른 경우가 있다.

　보기 : (단독자의 필순)　(변으로서의 필순)

　　牛…ㄥ ㅗ 牛　　ㄥ ㅏ 牛 牛 (소우변)

　　耳…一 ㅌ 耳　　一 ㄒ 开 耳 (귀이변)

　　羊…ㅇ 쓰 羊　　ㅇ 丷 羊

그래서 '善'과 '美'에 있어서 그 윗부분의 필순이 다르게 된다.

　보기 : 美…쓰 羊 美

　　　　善…쓰 쓰 羊 羊 养 善

다만, 이 경우 서예적(書藝的)인 '善'의 필순은 'ㅇ 羊 养 善'이다.

2. 어떤 글자에는 두 가지 이상의 바른 필순이 있다. 그 가장 두드
러진 예가 '必'자이다.

　(ㄱ) ㅇ ㅈ 必 必 必

　(ㄴ) ㅈ ㄴ 必 必 必

본디 이 '必'자는 '弋'과 '八'이 합쳐진 글자인데, 명조 활자(明
朝活字)의 서체에서는 마치 '心'에 삐침 'ㅈ'이 더해진 것 같은 꼴
로 되어 있으므로, 일반 사람이 자연히 '心ㅈ'의 필순을 따르는 수
가 많다. 그러다가 다시 'ㄴ 心 必 必'의 필순도 생긴 것이지만, 역시
(ㄱ)의 필순이 가장 좋은 순서라 하겠다.

3. 자형(字形)의 구성의 차이에 따라 필순이 다른 경우가 있다.

　　　　(ㄱ)　　　　(ㄴ)

　보기 : 感(咸心)　　(厸ㄨ)

　　　　盛(成皿)　　(盇ㄨ)

보통은 (ㄱ)의 필순을 선호하는 것 같으나, (ㄴ)쪽이 서예적이다.

4. 자원(字源)에 따라 자형에 사소한 차이가 있으며, 그에 의해서
필순이 달라지는 것이 있다.

　보기 : (자원)　　(자형)　　　(필순)　　(글자례)

　　ㄱ (오른손의 상형) ナ　ノ ナ　　右 有 布

　　ㄘ (왼손의 상형) ナ　一 ナ　　左

'右'의 자원에 속하지만, 실제로는 '左'의 필순으로 자리바꿈을

하고 있는 것(友 : 다만, 초서에서는 자원에 따른 필순대로 씀)과 자원은 다르지만 결과적으로 '右'의 필순에 속하는 것을 아래에 든다.

右 필순 계통…㕛   左 필순 계통…友 存 在

5. 책받침과 민책받침 및 '直'은 나중에 쓴다.

    보기 : 近…斤近   建…聿建   直…直直

같은 받침이라도 '走' '是' '免' 따위는 먼저 쓴다.

    보기 : 起…走起   題…是題   勉…免勉

6. '火'와 '水'

좌우가 대칭적(對稱的)으로 되어 있는 '小', '水' 따위는 가운데를 먼저 쓰고 좌우의 차례로 나아간다.

    보기 : 小…亅小   水…亅水   糸…纟纟糸
           當…丶丷當   赤…土方赤   泰…夫未泰

이에 대하여, '火'와 '忄'는 좌우부터 쓰고 가운데는 나중에 쓴다.

    보기 : 火…丶丷少火   忄…丶丶忄   性…丶忄性

7. 오른쪽 어깨의 점은 나중에 찍는다.

    보기 : 犬…大犬   貳…貢貳貳   伐…代伐伐
           博…甫博博

8. 아래로 꿰뚫린 작대기는 맨 나중에 쓴다.

    보기 : 中…口中   申…曰申   半…丶丷半
           車…直車   事…彐事

9. 다만, 아래에서 막힌 작대기는 먼저 쓴다.

    보기 : 生…牛牛生   虫…口中虫   書…彐聿書書

이 중 '書'는 본디 자체가 아래로 빠진 것이므로, '彐聿書書'처럼 나중에 쓰는 필순도 허용된다. 한편, 서예에서는 '彐聿書書'처럼 맨 나중에 작대기를 내리긋는 필순으로 쓰는 경우가 많다.

10. 위가 막힌 작대기는 맨 나중에 쓴다.

    보기 : 手…三手   乎…㔾乎

11. 아래위가 모두 막힌 작대기는 윗부분, 세로획, 아랫부분의 차례로 쓴다. 따라서, 맨 아래의 가로획을 마지막에 쓴다.

보기 : 里…田旦里　重…ノ亡盲重
　　　謹…訁訐謹謹

12. 왼쪽 삐침을 먼저 쓴다.

보기 : 九…ノ九　及…ノ乃及

예외적으로 나중에 쓰는 왼쪽 삐침도 있다.

보기 : 力…フ力　方…亠亍方

왼쪽 삐침과 오른쪽 삐침이 만나는 것은 왼쪽 삐침을 먼저 쓴다.

보기 : 文…ナ文　史…中史

만나지 않을 때에도 왼쪽 삐침을 먼저 쓴다.

보기 : 人…ノ人　入…ノ入　欠…ケ欠
　　　金…ノ亼金

13. 좌우로 꿰지른 획은 맨 나중에 쓴다.

보기 : 女…く女女　母…レ口母母　子…了子
　　　舟…门舟舟

14. 위로부터 아래로 써 내려간다.

보기 : 工…一丁工　言…一二言言

윗부분부터 아랫부분으로 차례로 써 내려간다.

보기 : 喜…士喜喜壴喜　　貴…口虫貴貴貴

15. 왼쪽에서부터 오른쪽으로 써 나간다.

보기 : 川…ノ川川　　學…ヽ゛゛″″学
　　　徒…彳彳彳徒　潔…氵津潔潔

16. 가로획을 먼저 쓴다.

가로획과 세로획이 교차(交叉) 때에는 일반적으로 가로획을 먼저 쓴다.

보기 : 十…一十　士…一十士

① 가로·세로·세로의 차례

보기 : 共…一廿共共

② 가로·가로·세로의 차례

보기 : 用…门月用　　末…一二丰末
　　　夫…一二丰夫　春…一二三丰夫春

③ 가로·가로·세로·세로의 차례

보기 : 井…一 二 丰 井　耕…二 扌 耒 耒 耕

④ '田'과 그 응용

보기 : 田…冂 日 田 田　男…冂 田 男 男　曲…冂 日 曲 曲

⑤ '王'과 그 응용

보기 : 王…一 二 王　　　　　差…丷 羊 羊 差

　　　 寒…宀 宓 宓 实 窜 寒

이 경우에는 '馬'는 두 가지 필순이 있다는 것을 앞에서 이미 설명하였다.

17. 바깥쪽을 먼저 쓴다.

에워싸는 꼴을 취하는 바깥쪽을 먼저 쓴다.

보기 : 同…丨 冂 冋 同　月…丿 刀 月 月

　　　 國…丨 冂 國 國　間…門 門 門 間

여기에도 예외는 있다.

보기 : 區…一 厂 品 區　匹…一 兀 匹

　　　 可…一 丆 可　　医…一 歨 医

18. 특히 주의해야 할 필순

보기 : 止…丨 卜 止 止　武…一 丁 千 正 武

　　　 上…丨 卜 上　店…丶 亠 广 庐 店

　　　 祭…夕 夕 夕 夗 祭

　　　 發…フ ㄡ ㄡ ㄡ 癶 發

　　　　 フ ㄡ 癶 癶 發

　　　 興…丨 丩 佣 뛰 興

　　　　 同 佣 뛰 興

19. 특수한 자형의 필순

보기 : 凸…丨 丨 丌 凸 凸　凹…丨 丨 凹 凹 凹

　　　 亞…一 丆 丆 币 币 而 亞 亞

(5) 중국의 간체자표(簡體字表)

이 표는 중국의 간체자표이다. 이 표로 현재 중국에서 통용되고 있는 한자의 자체가 우리나라의 어느 문자에 상당하는지를 검색할 수 있다.

1. 이 표의 왼쪽 줄은 중국의 자체이다. 오른쪽 줄은 이에 상당하는 우리나라의 문자, 다시 말하면, 약자화(略字化)되기 이전의 구자체(舊字體) 및 중국에서 사용하지 않게 된 이체자(異體字)이다.

ㄱ) 간체자에 있어서, 干·个·历 따위의 경우, 干은 乾·幹, 个는 個·箇, 历은 歷·曆처럼 2 문자에 공통되는 간체자임을 보인다.

ㄴ) ㅏ·了·干 등처럼, 그 자체가 본래의 의미를 갖고 동시에 다른 문자의 간체자 구실을 겸하는 경우, 당연히 그 본래의 뜻으로 쓰인다. 따라서, 了를 예로 들면, 終了의 了 외에 明瞭도 明了로 쓰인다. 또, 干은 干涉·干支의 干 외에, 乾燥도 干燥, 幹部도 干部로 쓰이어, 干·幹·乾의 3 文字의 뜻을 아울러 갖는 셈이 된다.

2. 배열은 총획수순(總畫數順)으로 하고, 같은 획수이면 첫 획째의 필획(筆畫)에 따라, 가로획(一), 세로획(丨), 삐침(丿), 점(丶), 각 (ㄱ)의 차례에 따랐다.

3. 한자에 붙인 기호는
　☆표…'간체자'로 쓰이는 외에, 본래의 뜻으로도 쓰이는 한자.
　＊표…'간체자' 가운데 다른 문자의 구성 부분(변이나 몸 따위)이 될 때에도 응용되는 자체.
　○표…'새 자형' 가운데 위와 똑같이 응용되는 자체.
　△표…이체자(異體字) 정리에 의해서 폐지된 자체.

가) 이체자(異體字)의 정리
한자 가운데에는 자체는 달라도 발음이 같고 뜻도 공통인 예를 흔히 볼 수 있다. 예컨대, 峰과 峯, 氷과 冰은 음이나 뜻이 똑같다. 또, 遺跡의 跡은 蹟·迹으로도 쓰이었지만, 이 3 글자는 '자취'라는 공통의 뜻을 가지고 있고 음도 같다. 이런 종류의 문자를 정리하여 한자의 자수 줄이기를 꾀한 것이 이체자 정리(異體字整理)이다. 이 경우에 우리나라에서는 峰·氷·蹟이 일반적으로 널리 쓰이고 있으나, 중국에서는 峰·冰·迹이 선택되어, 峯·氷·跡·蹟은 이체자로 정리됨으로써 사용하지 않기로 정하고 있다. 이러한 이체자 정리의 결과를 모은 것이 1955년에 중국 문화부 문자 개혁 위원회(文化部文字改革委員會)에서 발표한 제일비 이체자 정리표(第一批異體字整理表)이다. 이에 의해서 정리된 이체자 가운데 주된 것을 이 표의 오른쪽에 △표를 붙여 보였다.

나) 간체자에 관하여

한편, 종래의 한자 가운데 획수가 많아 쓰기에 번거로운 글자의 획수를 줄여 쓰기에 간편하도록 만든 글자체가 간체자(簡體字)이다. 중국에서는 이를 간화자(簡化字)라고 이른다. 이러한 자형 정리는 송(宋)·원(元) 이래의 간자(簡字)를 주로 하되, 생략의 방법은 동일 자형에 대해서는 대체로 철저하게 이루어져 있다. 이 자형 정리는 여러 차례 개정되었으며, 1964년에 공포된 '간화자 총표(簡化字總表)'와 다시 이에 바탕을 두고 북경(北京)·상해(上海)의 주요 인쇄소용으로 작성된 '인쇄 통용 한자 자형표'가 기준이 되고 있다.

부록

ㄱ) 간체자에는 다음의 3 종류가 있다.

① 단독자일 때에만 사용하는 것
(보기 : 兒 → 儿○ … 倪 → 伲×)

② 단독자일 때뿐만 아니라 변이나 몸이 될 때에도 사용하는 것
(보기 : 門 → 门○ … 聞 → 闻○)

③ 단독자일 때에는 사용하지 않고, 변이나 몸이 될 때에만 사용하는 것
(보기 : 言 → 讠×語 → 语○)

③의 변이나 몸에만 사용하는 것에는 言 외에 食(饣), 昜(𠃓), 糸(纟), 臤(収), 𤇾(龷), 臨(𠂉), 戠(只), 金(钅), 𦥯(⺍), 睪(𠬤), 巠(𢀖), 䜌(亦), 咼(呙) 등이 있다.

ㄴ) 중국의 한자 간략화는 대체로 다음 8 가지 원칙으로 이루어졌다.

① 이체자의 정리 … 항간에 통용되고 있는 필획이 적고 많이 쓰이는 자체를 정자(正字)로서 채용한다.
(보기 : 淚·泪 → 泪를 정자로 삼는다.)

② 본디 자체의 일부분을 제거한다.
   (보기 : 標 → 标   奮 → 奋   聲 → 声 따위)

③ 변이나 몸을 고친다.
   (보기 : 億 → 亿   潔 → 洁   戲 → 戏 따위)

④ 초서체(草書體)를 채용한다.
   (보기 : 爲 → 为   車 → 车   書 → 书 따위)

⑤ 같은 음의 한자로 대치한다.
   (보기 : 鬥 → 斗   乾 → 干   葉 → 叶 따위)

⑥ 새로운 자체를 만들어 낸다.
   (보기 : 護 → 护   歲 → 岁   衆 → 众 따위)

⑦ 간단한 고자(古字)로 대용한다.
   (보기 : 廣 → 广   雲 → 云   築 → 筑 따위)

⑧ 변이나 몸을 다른 간체자에서 유추하여 간략화한다.
   (보기 : 軍 → 军〔車 → 车로부터의 유추〕 따위)

부록

二 畫		☆于	△於	*门	門	开	開
		亏	虧	*义	義	*无	無
厂	廠	☆才	纔	尸	△屍	*韦	韋
☆卜	蔔	*与	與	卫	衛	☆云	雲
儿	兒	*万	萬	飞	飛	*专	專
☆几	幾	☆千	韆	习	習	*艺	藝
☆了	瞭	亿	億	*马	馬	厅	廳
		个	個	*乡	鄉	*区	區
三 畫			△箇			*历	歷
		么	麼	四 畫			曆
干	乾	*广	廣	☆丰	豐	*车	車
	幹						

부 록

제1열 (우측)

간체	번체
处	處
☆冬	鼕
*鸟	鳥
务	務
*刍	芻
饥	饑
冯	馮
闪	閃
兰	蘭
*汇	匯
	彙
头	頭
汉	漢
*宁	寧
评	評
讨	討
*写	寫
让	讓
礼	禮
训	訓

제2열

간체	번체
灭	滅
*东	東
*轧	軋
*卢	盧
*业	業
旧	舊
帅	帥
*归	歸
叶	葉
号	號
电	電
☆只	隻
	祇
叹	嘆
们	們
仪	儀
丛	叢
○印	印
*尔	爾
*乐	樂
△册	冊

제3열

간체	번체
忆	憶
计	計
订	訂
○户	戶
认	認
讥	譏
☆丑	醜
办	辦
劝	勸
*双	雙
*队	隊
书	書

五　畫

간체	번체
击	擊
*戋	戔
扑	撲
*节	節
术	術
*龙	龍
厉	厲

제4열 (좌측)

간체	번체
*冈	岡
*贝	貝
*见	見
*气	氣
升	△昇
*长	長
☆仆	僕
仇	△讎
币	幣
仅	僅
○反	反
从	從
*仑	侖
	△崙
*仓	倉
*风	風
*乌	烏
凤	鳳
*为	爲
☆斗	鬥
	△鬪

※ 아래 표는 세로쓰기 원본을 오른쪽 칸부터 왼쪽 칸 순서로 옮긴 것이며, 각 쌍은 「간체자 | 정자」이다.

첫째 칸 (맨 오른쪽)

간체	정자
*岁	歲
回	迴
	△廻
*岂	豈
则	則
刚	剛
网	網
☆朱	硃
*迁	遷
*乔	喬
伟	偉
传	傳
优	優
伤	傷
价	價
伦	倫
伧	傖
*华	華
伙	夥
伪	僞
△伫	佇

둘째 칸

간체	정자
*尧	堯
划	劃
迈	邁
*毕	畢
贞	貞
*师	師
尘	塵
*当	當
	嘗
吁	籲
吓	嚇
*虫	蟲
☆曲	麯
	麴
团	團
	糰
○吕	呂
△吊	弔
△吃	喫
△吗	嗎
屿	嶼

셋째 칸

간체	정자
巩	鞏
*执	執
扩	擴
扫	掃
扬	揚
场	場
*亚	亞
朴	樸
☆机	機
权	權
*过	過
协	協
压	壓
*厌	厭
*页	頁
夸	誇
夺	奪
灰	灰
*达	達
*夹	夾
轨	軌

넷째 칸 (맨 왼쪽)

간체	정자
议	議
记	記
☆出	齣
辽	遼
*边	邊
*发	發
	髮
*圣	聖
*对	對
☆台	臺
	檯
	颱
邓	鄧
驭	馭
丝	絲

六　畫

간체	정자
○耒	耒
*动	動
	△働
托	託

부록

簡	繁		簡	繁		簡	繁		簡	繁
☆向	嚮		冰	△氷		讳	諱		妈	媽
后	後		*庄	莊		讴	謳		戏	戲
*会	會		庆	慶		军	軍		观	觀
*杀	殺		*刘	劉		讷	訥		欢	歡
☆合	閤		*齐	齊		许	許		*买	買
众	衆		*产	產		讹	訛		红	紅
爷	爺		决	△決			△譌		纤	纖
伞	傘		闭	閉		论	論		驯	馴
创	創		问	問		讼	訟		约	約
朵	△朵		闯	闖		农	農		级	級
杂	雜		○并	并		讽	諷		纪	紀
负	負			△併		设	設		驰	馳
犷	獷			△並		访	訪			
凫	鳧			△竝		*寻	尋		**七　畫**	
○争	爭		关	關		*尽	盡		*寿	壽
饧	餳		灯	燈			△儘		*麦	麥
壮	壯		污	汙		导	導		*进	進
☆冲	衝		汤	湯		异	△異		远	遠
妆	妝		忏	懺		*孙	孫		违	違
	△粧		兴	興		奸	△姦		运	運
			讲	講		妇	婦			

부 록

[우측 첫째 칸]

간체	정체
财	財
针	針
	△鍼
钉	釘
乱	亂
每	每
体	體
佣	傭
佛	彿
彻	徹
余	餘
*金	僉
☆谷	穀
肠	腸
*龟	龜
☆奂	奐
免	免
☆犹	猶
狈	狽
飑	颶
○角	角

[둘째 칸]

간체	정체
卤	滷
邺	鄴
坚	堅
*时	時
○吴	吳
☆县	縣
里	裏
	△裡
园	園
围	圍
吨	噸
困	睏
呗	唄
员	員
☆听	聽
鸣	鳴
别	彆
帏	幃
岗	崗
帐	帳
岚	嵐

[셋째 칸]

간체	정체
苍	蒼
*严	嚴
芦	蘆
劳	勞
克	剋
苏	蘇
极	極
杨	楊
*两	兩
*丽	麗
医	醫
励	勵
还	還
歼	殲
*来	來
连	連
欤	歟
轩	軒
步	步
*卤	鹵

[넷째 칸 (좌측)]

간체	정체
抚	撫
坛	壇
	罎
抟	搏
坏	壞
扰	擾
贡	貢
坝	壩
☆折	摺
抢	搶
坟	墳
护	護
*壳	殼
志	△誌
块	塊
声	聲
报	報
拟	擬
芜	蕪
苇	葦
☆芸	蕓

*条	條
岛	島
饩	餼
饭	飯
饮	飲
系	係
	繫
冻	凍
状	狀
亩	畝
况	△況
库	庫
疗	療
疠	癘
应	應
这	這
庐	廬
弃	△棄
闰	閏
闲	閑
	△閒

间	間
羌	羌
灶	竈
灿	燦
沣	灃
沥	瀝
沦	淪
沧	滄
沟	溝
沪	滬
☆沈	瀋
沉	△沈
怀	懷
忧	憂
怅	悵
怆	愴
*穷	窮
灾	△災
证	證
启	啓
评	評

补	補
识	識
诈	詐
诉	訴
诊	診
诃	訶
译	譯
*灵	靈
层	層
迟	遲
张	張
姊	△姉
刭	剄
劲	勁
鸡	鷄
纬	緯
驱	驅
纯	純
纲	綱
纳	納
纵	縱

纶	綸
纸	紙
驴	驢
纽	紐
阱	穽
阵	陣
阳	陽
阶	階
*阴	陰

八 畫

环	環
责	責
现	現
表	錶
规	規
拢	攏
拔	拔
拣	揀
垆	壚
担	擔

顶	頂	丧	喪	*虏	虜	贮	貯
拥	擁	*画	畫	贤	賢	图	圖
势	勢	枣	棗	昙	曇	制	製
拧	擰	*卖	賣	果	△菓	迭	叠
拂		矾	礬	昆	△崑		△疊
拨	撥	矿	礦	*国	國	氛	△雰
择	擇		△鑛	邮	郵	刮	颳
苹	蘋	码	碼	*黾	黽	岳	△嶽
范	範	奋	奮	咒	△呪	侠	俠
茔	塋	态	態	鸣	鳴	侦	偵
茕	煢	欧	歐	咛	嚀	侧	側
○直	直	殴	毆	咏	△詠	凭	憑
茎	莖	垄	壟	岩	△巖	侨	僑
枥	櫪	轰	轟	*罗	羅	货	貨
柜	櫃	顷	頃		囉	侬	儂
板	闆	转	轉	帜	幟	*质	質
枞	樅	斩	斬	岭	嶺	☆征	徵
☆松	鬆	轮	輪	凯	凱	径	徑
枪	槍	软	軟	败	敗	☆舍	捨
构	構	○非	非	账	賬	怂	慫
杰	△傑	*齿	齒	购	購	籴	糴

부
록

簡	繁	簡	繁	簡	繁	簡	繁
采	△採	变	變	泾	涇	寻	△簟
觅	覓	庞	龐	怜	憐	弥	彌
贪	貪	庙	廟	学	學		瀰
邻	鄰	疟	瘧	宝	寶	驾	駕
	△隣	疠	癘	庞	寵	*参	參
贫	貧	剂	劑	*审	簾	艰	艱
肤	膚	废	廢	帘	審	线	綫
肿	腫	净	△淨	实	實		△線
肮	骯	*郑	鄭	试	試	练	練
胁	脅	卷	捲	诗	詩	组	組
	△脇	*单	單	戾	戾	细	細
周	週	炉	爐	诚	誠	织	織
迩	△邇	浅	淺	衬	襯	终	終
*鱼	魚	泷	瀧	视	視	绐	繾
狞	獰	泸	瀘	话	話	驺	騶
备	備	泪	△淚	诞	誕	驻	駐
饯	餞	注	△註	详	詳	绎	繹
邹	鄒	泞	濘	*肃	蕭	绍	紹
饰	飾	泼	潑	*录	錄	驿	驛
饱	飽	泽	澤		隸	经	經
饲	飼				△隸	贯	貫

(간체자표 — 읽기 순서: 왼쪽 열부터 오른쪽 열로)

제1열 (왼쪽)

简	繁
际	際
陆	陸
陇	隴
陈	陳
坠	墜

九　畫

简	繁
贰	貳
△挂	掛
项	項
挟	挾
赵	趙
垫	墊
挥	揮
*荐	薦
*带	帶
萤	螢
荞	蕎
垩	堊
荣	榮
莹	瑩

제2열

简	繁
荧	熒
☆胡	鬍
药	藥
标	標
栈	棧
栉	櫛
栋	棟
栌	櫨
栎	櫟
栏	欄
柽	檉
树	樹
咸	鹹
砖	磚
☆郁	鬱
☆面	麵
牵	牽
鸥	鷗
残	殘
轳	轤
轹	轢

제3열

简	繁
轻	輕
蛊	蠱
战	戰
点	點
临	臨
览	覽
竖	豎
*尝	嘗
显	顯
哑	啞
贵	貴
虾	蝦
蚁	蟻
虽	雖
咽	咽
勋	勛
△勋	勳
哗	嘩
响	響
罚	罰
贱	賤

제4열 (오른쪽)

简	繁
°骨	骨
钟	鍾
钢	鋼
钥	鑰
拜	拜
毡	氈
选	選
适	適
种	種
☆秋	鞦
复	復
复	複
复	覆
俨	儼
俪	儷
贷	貸
顺	順
侦	偵
俭	儉
°鬼	鬼

부록

简	繁
骁	驍
骄	驕
绘	繪
给	給
陕	陝

十　畫

简	繁
艳	艷
帮	幫
蚕	蠶
顽	頑
盏	盞
载	載
盐	鹽
损	損
换	換
赞	贊
热	熱
壶	壺
耻	△恥
*聂	聶

简	繁
恼	惱
*举	舉
觉	△覺
宫	宫
宪	憲
突	突
窃	竊
袄	襖
祢	禰
误	誤
说	說
垦	墾
○既	既
昼	晝
费	費
逊	遜
贺	賀
垒	壘
绕	繞

简	繁
差	差
养	養
☆姜	薑
类	類
*娄	婁
总	總
炼	煉
炽	△鍊
炮	△砲
烂	爛
洼	窪
洁	潔
洒	灑
浊	濁
浏	瀏
济	濟
浓	濃
浔	潯
恸	慟
恺	愷

简	繁
须	須
	鬚
剑	劍
胧	朧
胆	膽
胜	勝
胞	胞
脉	△脈
独	獨
狱	獄
贸	貿
饶	饒
峦	巒
弯	彎
*将	將
奖	獎
迹	△跡
	△蹟
*亲	親
闻	聞
闾	閭

获	獲	轿	轎	乘	△乘	皱	皺
获	穫	较	較	敌	敵	馀	餘
莸	蕕	毙	斃	积	積	凄	△凄
晋	△晉	☆致	緻	称	稱	栾	欒
恶	惡	*虑	慮	*笔	筆	恋	戀
	噁	*监	監	笑	唉	浆	漿
		紧	緊	☆借	藉	准	準
莹	瑩	*党	黨	值	値	症	癥
莺	鶯	晒	曬	倾	傾	斋	齋
荫	蔭	晓	曉	赁	賃	痈	癰
°真	眞	唤	喚	臭	臭	效	效
栖	△棲	*罢	罷	舰	艦	*离	離
矫	橋	圆	圓	耸	聳	*凉	△涼
桩	椿	觊	覬	*爱	愛	竞	競
样	樣	赃	臟	胭	△臁	烧	燒
栗	△慄	钱	錢	脍	膾	烛	燭
迤	邐	钻	鑽	脏	臟	烟	△煙
郦	酈	铁	鐵		髒	递	遞
砺	礪	铎	鐸	胶	膠	涡	渦
砾	礫	铎	鐸	脑	腦	☆涂	塗
础	礎	缺	犧	玺	璽	涤	滌
顾	顧	牺	犧				

부록

涩	澀	骊	驪	酝	醞	矫	矯
△澁		绣	繡	聋	聾	秽	穢
涌	湧	△繍		袭	襲	笺	箋
悔	悔	验	驗	赍	賫	笼	籠
宽	寬	继	繼	辆	輛	敏	敏
☆家	傢			○虚	虛	偿	償
*宾	賓	**十一畫**		悬	懸	假	儻
窍	竅			晚	晚	衅	衛
请	請	悫	愨	啭	囀	衔	銜
诸	諸	据	據	跃	躍	舻	艫
读	讀	职	職	啮	齧	盘	盤
冢	△塚	萝	蘿	盅	蠱	龛	龕
袜	襪	○黄	黃	累	纍	欲	△慾
课	課	萤	螢	啸	嘯	领	領
谈	談	营	營	婴	嬰	脸	臉
恳	懇	萧	蕭	圈	圈	☆象	象
剧	劇	梦	夢	铗	鋏		像
姬	姬	梅	梅	铙	鐃	逸	逸
娱	娛	检	檢	铠	鎧	猎	獵
娘	△孃	棂	欞	铼	鍛	减	△減
难	難	*啬	嗇	铲	鏟	鸯	鴛
		敕	△勅				

부록

癢	癢	頸	頸	鵬	鸝	儐	儐
癢	鏇	颈	续	鶗	觊	儐	懲
旋	鏇	续	绳	鹏	觎	惩	懲
闡	闡	绳	陷	磩	礆	☆御	禦
着	蓋	陷	巢	确	確	释	釋
盖	蓋	巢		雺	霳	☆腊	臘
断	斷			辈	輩	鲁	魯
兽	獸	**十二畫**		凿	鑿	急	憊
湎	澠			赏	賞	馋	饞
渊	淵	琼	瓊	喷	噴	亵	褻
渔	漁	趋	趨	践	踐	蛮	蠻
淀	澱	揭		遗	遺	装	裝
惧	懼	插		喝		痈	癰
惊	驚	搜	△蒐	黑		粪	糞
惯	慣	搀	攙	赎	贖	滞	滯
窑	△窯	壹		铸	鑄	湿	濕
祸	禍	联	聯	铺	鋪	渴	渴
谗	讒	韩	韓		△舖	溅	濺
敢	敢	稜	△稜	锁	鎖	湾	灣
弹	彈	棋	△碁	锅	鍋	游	遊
巢	孋	椟	櫝	☆筑	築	营	營
婶	嬸	椤	欏	胾	牘	*窜	竄
		惠					

부
록

간체	번체
○辟	闢
嫔	嬪
缚	縛
缠	纏

十四畫

간체	번체
瑶	瑤
韬	韜
墙	墻
蔷	薔
槟	檳
榨	△搾
酽	釅
酿	釀
愿	願
霁	霽
蜡	蠟
蝇	蠅
蝉	蟬

간체	번체
蜗	蝸
置	置
辞	辭
锣	鑼
签	簽
签	籤
愈	△癒
遥	遙
鲈	鱸
触	觸
雏	雛
酱	醬
韵	△韻
誊	謄
粮	糧
满	滿
滤	濾
溪	溪
滨	濱
誉	譽
谨	謹

간체	번체
勤	
蓝	藍
☆蒙	濛
	懞
	矇
*献	獻
榄	欖
榇	櫬
楼	樓
榉	欅
赖	賴
	△頼
碛	磧
碎	碎
雾	霧
龄	齡
虞	虞
鉴	△鑑
暗	△闇

간체	번체
窝	窩
窗	△窓
禅	禪
*属	屬
屡	屢
强	△強
疏	△疎
缆	纜
堕	墮
随	隨
*隐	隱
飨	饗

十三畫

간체	번체
摄	攝
摆	擺
	襬
摇	搖
摈	擯
毂	轂
摊	攤

穩	穩	櫻	櫻	**十六畫**		**十九畫**
篭	籠	飄	飄	顛	顛	巔
簫	簫	靨	靨	櫓	櫓	巔
與	輿	贋	贋	贊	贊	**二十一畫**
銮	鑾	霉	霉	△贊	△贊	覇
粹		题	題	篱	籬	霸
		踪	△蹤	魉	魎	髓
十五畫		镇	鎮	雕	△彫	癲
聪	聰	褒	褒	辩	辯	△癲
鞑	韃	齑	齏	濑	瀨	
樯	檣	颜	顏			

(6) 실용 4 자 성어

* 이 성어 모음은 일상 생활에서 비교적 널리 쓰이고 있는
4 자 성어 약 700어(語)를 모아서 가나다 순으로 배열하고,
그 뜻풀이와 전거(典據)를 보인 것임.

ㄱ 部

〖呵呵大笑〗가가대소 : 하도 우스워 껄 껄 웃음. 〔晋書〕

〖家鷄野鶩〗가계야목 : 어디에나 있는 흔한 것을 멀리하고, 새로운 것이나 진 귀한 것을 존중함의 비유. 〔蘇軾〕

〖可高可下〗가고가하 : 어진 사람은 지 위(地位)의 상하를 가리지 않음. 〔國語〕

〖家給人足〗가급인족 : 집집마다 풍족하 고 사람마다 넉넉하여 세상이 융성(隆盛)함. 〔漢書〕

〖苛斂誅求〗가렴주구 : 세금 등을 가혹 하게 거둬들임. 또, 그러한 혹정(酷政).

〖家無儋石〗가무담석 : 집에 저축이 조 금도 없음. 석(石)은 한 섬, 담(儋)은 두 섬. 〔史記〕

〖葭莩之親〗가부지친 : 아주 먼 친척. 가 부(葭莩)는 지극히 얇은 것. 〔漢書〕

〖可與樂成〗가여낙성 : 함께 일의 성공 을 즐길 수 있음. 〔史記〕

〖佳人薄命〗가인박명 : 여자의 용모가 너무 아름다우면 운명이 기박하거나 명 이 짧거나 하다는 말. 〔蘇軾〕

〖假虎威狐〗가호위호 : 신하(臣下)로서 군주(君主)의 권위를 가지고 딴 신하를 공갈(恐喝)함. 〔戰國策〕

〖刻苦勉勵〗각고면려 : 심신을 괴롭히고 노력함. 대단히 고생하여 힘써 정성을 들임. 각고정려(刻苦精勵).

〖刻骨銘心〗각골명심 : 마음 깊이 새겨 둠. 〔後漢書〕

〖刻舟求劍〗각주구검 : 배를 타고 가다 가 칼이 물속에 떨어지자 뱃전에 칼 자 국을 새겨, 배가 가는 줄도 모르고 칼 자 국 있는 뱃전 근처 물속을 뒤지면서 칼 을 찾는 어리석음. 옛 것을 지키다가 시 세(時勢)의 추이(推移)도 모르고 있다 는 비유. 〔呂氏春秋〕

〖刻燭爲詩〗각촉위시 : 촛불이 한 치 타 는 동안에 시(詩)를 지음. 〔南史〕

〖幹國之器〗간국지기 : 국가를 다스릴 기량(器量)이 있음. 〔後漢書〕

〖艱難辛苦〗간난신고 : 곤란하고 쓰라린 갖은 고초를 다 겪음.

〖肝腦塗地〗간뇌도지 : 간장(肝臟)과 뇌 수(腦髓)가 땅 위에 흐트러지도록 참혹 한 죽음을 당함. 〔史記〕

〖肝膽相照〗간담상조 : 서로의 마음을 터놓고 숨김없이 친하게 사귐.

〖姦聲亂色〗간성난색 : 간사한 소리는 귀를 어지럽게 하고, 좋지 못한 색(色) 은 눈을 어지럽게 함. 〔禮記〕

〖干將莫邪〗간장막야 : 오(吳)나라 사람 간장(干將)과 그의 아내 막야(莫邪). 각 각 자기 이름을 붙인 보검(寶劍)을 만들 었음. 후세에 보검의 별칭이 됨.

〖渴而穿井〗갈이천정 : 목이 말라야 비 로소 샘을 판다는 말로, 미리 준비하지 않고 있다가 일이 생긴 뒤에 비로소 서 둘러 봐도 아무 소용이 없다는 뜻. 〔說 苑〕

〖甲論乙駁〗갑론을박 : 갑이 논하면 을 이 반박한다는 뜻으로, 서로 제 의견을 주장하며 논함. 또, 말다툼이 되어 논의 가 통일되지 않음.

〖江山之助〗강산지조 : 산수(山水)의 풍 경이 사람의 시정(詩情)을 도와 좋은 작 품을 만들게 함. 〔唐書〕

〖綱常之變〗강상지변 : 삼강(三綱)과 오 상(五常)에 관한 변고(變故).

〖剛毅木訥〗강의목눌 : 의지가 굳고 꾸 밈이 없음. 〔論語〕

〖開卷有得〗개권유득 : 책을 펴고 글을 읽으면 새로운 지식을 얻음.〔宋書〕

〖改頭換面〗개두환면 : 속마음을 그대로 두고 단지 표면(表面)만을 고침.

〖開物成務〗개물성무 : 사람이 아직 모르는 곳을 개발하고, 사람이 하고자 하는 바를 성취시킴.〔易經〕

〖開闢以來〗개벽이래 : 천지가 열린 이래.〔後漢書〕

〖鎧袖一觸〗개수일촉 : 상대방을 간단히 지게 만듦.

〖去者日疎〗거자일소 : 친밀한 사이라도 죽어서 이 세상을 뜨면 점점 서로의 정이 멀어짐.〔文選〕

〖居寵思危〗거총사위 : 득의(得意)한 때에는 실의(失意)할 때가 있을 것을 생각하여 조심하라는 말.〔書經〕

〖乾坤一擲〗건곤일척 : 하늘과 땅을 걸고 주사위를 던짐, 일을 할 때에 단팔결이로 승부나 성패를 겲.

〖桀犬吠堯〗걸견폐요 : 자기 상관에게 충성을 다함의 비유.

〖黔驢之技〗검려기기 : 검(黔) 땅의 당나귀가 호랑이를 찾다가 도리어 호랑이에게 잡혀 먹혔다는 고사(故事)로, 재주 없는 자의 졸렬한 기량(技倆)의 비유.〔柳宗元〕

〖格物致知〗격물치지 : 사물의 도리를 궁구하여 학문·지식을 습득함.〔大學〕

〖激濁揚淸〗격탁양청 : 탁류(濁流)를 몰아내고 청파(淸波)를 끌어들임. 악(惡)을 미워하고 선(善)을 좋아함.〔舊唐書〕

〖隔靴搔痒〗격화소양 : 신은 구두 위에서 가려운 데를 긁음. 뜻대로 되지 않아 안타깝고 성이 차지 않음의 비유.〔無門關〕

〖堅甲利兵〗견갑이병 : 튼튼한 갑옷과 날카로운 무기. 정병(精兵)의 뜻.

〖牽强附會〗견강부회 : 도리에 맞지 않는 일을 제가 편하도록 끌어다 붙임.

〖狷介孤高〗견개고고 : 자기의 의지를 굳게 지켜, 속인에게서 멀리 떠나 품격을 보전하는 일.

〖牽連之親〗견련지친 : 서로 관련되는 먼 친척.

〖見利思義〗견리사의 : 이익되는 것을 보면 먼저 의리에 합당한지를 생각해야 함.〔論語〕

〖肩摩轂擊〗견마곡격 : 사람의 어깨와 어깨가 서로 스치고 수레의 바퀴통과 바퀴통이 서로 마주침. 사람이나 수레의 왕래가 심하여 혼잡함의 비유.〔戰國策〕

〖犬馬之養〗견마지양 : 부모를 봉양만 하고 경의(敬意)가 없음. 봉양만 하는 것은 효도가 아니라는 뜻.〔論語〕

〖犬牙相制〗견아상제 : 개의 어금니가 서로서로 맞지 않는 것같이 국경선이 볼록 나오고 오목 들어가 서로 견제하려는 형세.〔史記〕

〖堅忍不拔〗견인불발 : 의지가 굳어 꾹 참고 견디어 마음이 동하지 않음.〔蘇軾〕

〖見兎放狗〗견토방구 : 토끼를 발견한 후에 사냥개를 풀어 잡게 하여도 늦지 않음. 일이 일어남을 기다린 후에 응해도 좋다는 뜻.

〖犬兎之爭〗견토지쟁 : 개와 토끼가 서로 다투다가 둘이 다 지쳐 죽어 농군이 주위 갔다는 고사(故事).〔春秋春語〕

〖輕擧妄動〗경거망동 : 잘 생각도 하지 않고 경솔하게 행동함.

〖輕諾寡信〗경낙과신 : 무슨 일에나 승낙을 잘 하는 사람은 믿음성이 적어 약속을 어기기 쉽다는 말.〔老子〕

〖經世濟民〗경세제민 : 세상을 다스리고 백성을 구제함.

〖輕施好奪〗경시호탈 : 제 것을 남에게 잘 주는 이는 무턱대고 남의 것을 탐낸다는 말.

〖慶雲之瑞〗경운지서 : 오색의 구름이 보이는 천하태평의 상서(祥瑞).

〖傾危之士〗경위지사 : 궤변(詭辯)을 늘어놓아 국가를 위태로운 지경으로 몰아넣게 하는 인물.〔史記〕

〖敬而遠之〗경이원지 : 신(神)을 모시어 마음을 깨끗이 하고, 또한 화복(禍福) 때문에 마음을 유혹당하지 아니함. 또, 존경하되 가까이하지 않음을 이름.〔論語〕

부록

『驚天動地』경천동지 : 하늘을 놀래고 땅을 움직임의 뜻. 세상을 몹시 놀라게 할 큰일의 비유. 〔白居易〕

『鏡花水月』경화수월 : 거울에 비친 꽃, 물 위에 비친 달. 곧, 볼 수만 있고 가질 수 없는 것의 비유.

『鷄豚同社』계돈동사 : 닭과 돼지가 한데 어울린다는 뜻. 한 고을 사람이 계(契)를 이룸의 비유.

『鷄鳴狗盜』계명구도 : 닭이 우는 흉내를 내어 사람을 속이거나, 개처럼 남의 것을 훔치거나 하는 비천한 자. 또, 그와 같은 하찮은 짓밖에 할 수 없는 자. 아무리 하찮은 일이라도 소용될 데가 있다는 뜻의 비유. 〔史記〕

『鷄鳴之助』계명지조 : 임금을 받드는 현명한 왕비의 내조(內助). 〔詩經〕

『鷄皮鶴髮』계피학발 : 늘어서 주름살이 잡히고 백발이 됨.

『股肱之臣』고굉지신 : 보필하는 신하. 임금이 가장 신임하는 중신(重臣). 〔書經〕

『高談雄辯』고담웅변 : 물이 흐르듯 도도한 의론(議論).

『膏粱子弟』고량자제 : 부귀한 집안에 자라서 고생을 모르는 젊은이.

『枯木發榮』고목발영 : 고목에서 꽃이 핌. 죽은 사람이 다시 살아남의 비유. 〔曹植〕

『枯木死灰』고목사회 : 형체가 마른 나무가 선 것처럼 움직이지 않고, 마음은 죽은 재처럼 아무 생각이 없음. 사람의 무위무심(無爲無心)함을 이름. 〔莊子〕

『枯木寒巖』고목한암 : 말라 죽은 나무와 차가운 바위. 세속(世俗)에서 떠나 무심(無心)한 모양의 비유.

『高文典冊』고문전책 : 귀중한 문서. 〔西京雜記〕

『鼓腹擊壤』고복격양 : 배불리 먹어 배를 두드리고, 만족해서 땅을 치며 노래하고 기뻐함. 좋은 정치가 고루 미쳐서 태평천하를 구가(謳歌)하는 모습을 나타냄. 〔十八史略〕

『故事來歷』고사내력 : 예로부터 전해

내려온 사물에 관한 유래나 역사. 또, 사물이 그런 결과가 된 이유나 경위(經緯).

『高山流水』고산유수 : 높은 산과 흐르는 물. 맑은 천지 자연을 형용하는 말. 또, 오묘한 음악의 비유. 〔列子〕

『孤城落日』고성낙일 : 사면이 적에 포위되어 원군도 없이 함락당할 날만 기다릴 뿐인 성(城)과 서쪽 하늘 기우는 저녁 해. 옛 기세는 자취도 없이 아무 도움도 없는 채 고립된 비참한 정상의 비유. 〔王維〕

『孤臣孽子』고신얼자 : 원신(遠臣)과 서자(庶子). 임금과 어버이에게 사랑을 받지 못하는 불우한 신하와 자식. 〔孟子〕

『枯楊生稊』고양생제 : 시든 버드나무에 싹이 튼다는 뜻으로, 노인이 젊은 여자에게 장가듦을 이름. 〔易經〕

『孤掌難鳴』고장난명 : 손바닥 하나로는 소리를 내지 못함. 혼자서는 일을 하지 못함의 비유. 〔傳燈錄〕

『高才疾足』고재질족 : 키가 크고 걸음이 빠르다는 뜻으로, 뛰어난 재능과 수완이 있음. 또, 그러한 사람. 〔史記〕

『高足弟子』고족제자 : 우수한 제자. 〔世說〕

『曲突徙薪』곡돌사신 : 굴뚝을 구부리고 장작을 옮겨 화재를 예방함. 미연에 재앙을 방지함의 비유. 〔漢書〕

『曲水流觴』곡수유상 : 삼월 삼짇날의 주연(酒宴). 빙 돌아 흐르는 물에 잔을 띄우고 마심.

『曲學阿世』곡학아세 : 도리에 어긋나는 학문으로 시세나 권력에 아첨하고 인기를 얻으려는 일. 〔史記〕

『骨肉之親』골육지친 : 부자(父子)나 형제 같은 가까운 혈족. 〔呂氏春秋〕

『空谷足音』공곡족음 : 텅 빈 산중에 사람이 찾아왔을 때의 기쁨을 이르는 말. 〔莊子〕

『公明正大』공명정대 : 마음이 공평하고 사심이 없으며, 밝고 바름.

『公序良俗』공서양속 : 공공의 질서와 선량한 풍속.

〖拱手傍觀〗공수방관 : 아무것도 하지 않고 두 손을 맞잡은 채 곁에서 보고 있기만 함. 수수방관(袖手傍觀).

〖攻玉以石〗공옥이석 : 옥을 가는 데 돌로써 함. 곧, 천한 물건으로 귀한 물건을 수리함. 〔後漢書〕

〖空前絶後〗공전절후 : 비길 만한 예가 과거에도 없고 또 장래에도 없음. 곧, 아주 드문 모양.

〖空中樓閣〗공중누각 : 공중에 쌓아 세운 높은 건물. 곧, 근거 없는 논리, 가공(架空)의 사물의 비유.

〖瓜葛之親〗과갈지친 : 외나 칡덩굴이 서로 얽히듯이 인척간(姻戚間)에 서로 관계가 맺어져 있음을 비유한 말.

〖果敢之氣〗과감지기 : 날카롭고 강한 기질. 〔王安石〕

〖過目不忘〗과목불망 : 한번 본 것은 잊어버리지 않음. 〔晉書〕

〖過化存神〗과화존신 : 성인(聖人)이 지나가는 곳에는 백성이 그 덕(德)에 화(化)하고, 성인이 있는 곳에는 그 덕화(德化)가 신묘(神妙)하여 헤아릴 수 없다는 말. 〔孟子〕

〖冠蓋相望〗관개상망 : 수레 덮개를 서로 바라본다는 뜻으로, 앞뒤의 차가 서로 잇달아 왕래(往來)가 그치지 않음을 이름. 〔戰國策〕

〖觀過知仁〗관과지인 : 사람의 과실은 군자와 소인에 따라 판이하여, 군자의 과오는 관대하고 정이 두터운 것이고, 소인의 과오는 냉혹하고 잔인한 것이므로, 인(仁)과 불인(不仁)은 곧 알 수 있다는 말. 〔論語〕

〖寬大長者〗관대장자 : 너그럽고 덕망이 있어 여러 사람의 위에 설 수 있는 사람. 〔漢書〕

〖寬猛相濟〗관맹상제 : 정사(政事)를 해나가는 데 관용과 위엄이 조포(粗暴)에 떨어지지 않고 우유(優柔)에 흐르지 않음을 이름. 〔左傳〕

〖貫蝨之技〗관슬지기 : 이를 쏘아 뚫는 기술. 곧, 궁술(弓術)의 묘(妙).

〖寬仁大度〗관인대도 : 너그럽고 어질며 도량이 넓음. 〔史記〕

〖觀者如堵〗관자여도 : 구경하는 이가 많아 마치 담장처럼 죽 줄지어 늘어서 있음. 〔禮記〕

〖關雎之化〗관저지화 : 관저(關雎)는 시경(詩經)의 첫 시(詩)로, 저구(雎鳩)의 암수가 서로 유별(有別)한 것처럼 문왕(文王)의 후비(后妃)가 덕(德)이 있음을 노래한 것. 부부의 도(道)가 행하여져 가정이 잘 다스려짐을 이름.

〖管中窺豹〗관중규표 : 보는 시야가 좁고 작음. 〔魏志〕

〖刮目相對〗괄목상대 : 눈을 비비고 자세히 봄. 남의 학식이나 포부가 놀랍게 향상된 것을 말함. 〔吳志〕

〖狂言綺語〗광언기어 : 도리에 맞지 않는 말과 교묘하게 꾸민 말. 소설(小說) 따위를 일컬음. 〔白居易〕

〖光陰如箭〗광음여전 : 세월이 화살처럼 빠름의 비유.

〖曠日彌久〗광일미구 : 헛되어 시일을 허비하여 일을 질질 끌고 오래 머무름. 〔韓非子〕

〖光風霽月〗광풍제월 : 해가 비칠 때 상쾌하게 부는 바람과 비 갠 하늘에 뜬 맑은 달. 마음속이 산뜻하게 집착이 없으며 매우 상쾌하고 명쾌함의 비유. 〔宋史〕

〖怪力亂神〗괴력난신 : 괴이(怪異)한 것. 만용(蠻勇), 패란(悖亂) 및 귀신의 일컬음. 이성(理性)으로는 설명할 수 는 불가사의한 현상이나 존재의 비유. 〔論語〕

〖教婦初來〗교부초래 : 신부의 교육은 시집 왔을 때에 바로 하라는 말. 〔顔氏家訓〕

〖喬松之壽〗교송지수 : 교는 왕자진(王子晋), 송은 적송자(赤松子). 모두 불사(不死)의 선인(仙人)이므로 장생(長生)의 뜻으로 쓰임.

〖巧言令色〗교언영색 : 교묘한 말을 쓰거나 얼굴빛을 보기 좋게 꾸밈. 말을 꾸미거나 입에 발린 말을 하거나 하여 남에게 아첨하고 아양을 부림의 비유. 〔論

語]

〔矯枉過直〕교왕과직 : 굽은 것을 바르게 고쳐 펴려다가 지나치게 곧게 함.

〔膠柱鼓瑟〕교주고슬 : 변통성 없는 꼭 달라붙은 소견.

〔交淺言深〕교천언심 : 교제한 지는 얼마 안 되지만, 서로 심중을 털어놓고 이야기함. 〔戰國策〕

〔教學相長〕교학상장 : 남을 가르쳐 주거나 스승으로부터 배우거나 다 나의 학업을 증진시킨다는 말. 〔禮記〕

〔九年面壁〕구년면벽 : 달마 대사(達磨大師)가 숭산(嵩山) 소림굴(小林窟)에서 벽을 향하여 구 년 동안 앉아 참선(參禪)한 다음 비로소 도(道)를 깨달았다는 고사(故事).

〔九年之水〕구년지수 : 옛날 요(堯) 임금 때 구 년 동안 홍수가 계속하였음을 이름.

〔口尙乳臭〕구상유취 : 입에서 아직 젖내가 난다는 말로, 유치함을 형용하는 말.

〔九牛一毛〕구우일모 : 많은 수 가운데 가장 적은 수. 하찮다는 뜻.

〔口耳之學〕구이지학 : 들은 풍월로 아무런 연구성이 없는 천박한 학문.

〔九鼎大呂〕구정대려 : 하(夏)나라 우왕(禹王) 때 구주(九州), 곧 중국 전역으로부터 구리를 바치게 하여 주조한 아홉 개의 솥과, 주(周)나라 종묘(宗廟)의 대려(大呂) 곡조에 맞는 큰 종(鐘). 귀중한 것, 중한 지위, 명망 등의 비유. 〔史記〕

〔國士無雙〕국사무쌍 : 나라 안에서 둘도 없는 특별히 뛰어난 인물. 〔史記〕

〔踢天蹐地〕국천척지 : 높은 하늘 아래에서도 늘 머리를 굽히고 너른 대지에서도 살금살금 걸음. 몹시 두려워하여 움츠림. 또, 황송하여 조심조심 세상을 살아감의 비유. 〔陸機〕

〔群分類聚〕군분유취 : 서로 다른 것은 분류하고, 비슷한 것은 모음. 〔易經〕

〔群疑滿腹〕군의만복 : 많은 사람이 다 의심을 품고 있음. 〔後出師表〕

〔君子三樂〕군자삼락 : 군자는 세 가지 낙이 있다는 말. 첫째는 부모가 구존(俱存)하고 형제가 무고한 것, 둘째는 하늘과 사람에게 부끄러워할 것이 없는 것. 셋째는 천하의 영재를 얻어서 교육하는 일. 〔孟子〕

〔君子豹變〕군자표변 : 군자는 잘못인 줄 알면 곧 고쳐서 선(善)으로 옮김이 뚜렷하다는 말. 현재에는 절조 없이 생각이 금세 바뀌는 데에도 씀. 〔易經〕

〔窮寇勿迫〕궁구물박 : 궁지에 빠진 적을 추격하지 말라는 뜻. 잘못하다가는 오히려 해를 입게 된다는 말. 〔孫子〕

〔窮年累世〕궁년누세 : 자기의 한평생과 자손대대. 〔荀子〕

〔弓折箭盡〕궁절전진 : 활이 꺾이고 화살이 다 함. 술계(術計)가 다하여 어찌할 도리가 없음. 〔傳燈錄〕

〔窮鳥入懷〕궁조입회 : 쫓긴 새가 품안에 날아든다는 뜻으로, 곤궁한 사람이 와서 의지함을 비유. 〔顏氏家訓〕

〔拳拳服膺〕권권복응 : 항상 마음속에 받들어 지녀 잊지 않음. 다른 사람의 가르침이나 말을 늘 마음에 새기어 소중히 지킴. 〔中庸〕

〔勸善懲惡〕권선징악 : 선행(善行)를 권장하고 격려하며, 악행(惡行)을 경계하고 징치함. 〔漢書〕

〔權出於一〕권출어일 : 권위는 단 한 사람 군주로부터 나온다는 뜻. 〔荀子〕

〔捲土重來〕권토중래 : 한 번 실패한 자가 다시 기세를 돋구어 쳐들어옴. 〔杜牧〕

〔鬼哭啾啾〕귀곡추추 : 뜬귀신의 울음 소리가 나는 모양. 으스스하고 무시무시한 모양. 〔杜甫〕

〔龜毛兔角〕귀모토각 : 거북의 털과 토끼의 뿔. 실제로 있을 턱이 없는 것의 비유. 〔首楞嚴經〕

〔貴耳賤目〕귀이천목 : 듣기를 잘 하고, 함부로 보지 말라는 뜻.

〔貴人賤己〕귀인천기 : 군자는 인(仁)과 용서하는 마음이 있으므로, 만사에 자신보다 다른 사람을 높인다는 뜻. 〔禮記〕

〚規矩準繩〛규구준승 : 컴퍼스와 자 및 수준기(水準器)와 먹줄. 곧, 사물의 준칙(準則), 표준·법칙 등의 비유. 〔孟子〕

〚橘中之樂〛귤중지락 : 장기나 바둑을 두는 즐거움.

〚克己復禮〛극기복례 : 욕망이나 사된 마음 등을 자기 자신의 의지력으로 억제하고 예의에 어그러지지 않도록 함. 〔論語〕

〚克伐怨欲〛극벌원욕 : 네 가지 악덕(惡德). 남을 이기기를 즐기는 일, 자기의 재능을 자랑하는 일, 원한을 품는 일, 욕심을 내고 탐내는 일. 〔論語〕

〚金科玉條〛금과옥조 : 황금과 옥과 같이 몹시 귀중한 법률이나 중요한 규칙. 전하여, 자기의 주장·처지 등을 지키기 위한 절대적인 근거. 〔揚雄〕

〚金口木舌〛금구목설 : 훌륭한 언설(言說)로 사회를 가르치고 이끌어 나가는 사람의 비유. 〔論語〕

〚金甌無缺〛금구무결 : 황금으로 만든 사발이 조금의 흠도 없이 온전함. 사물이 완전무결함. 특히 국가가 견고하여 다른 나라의 침략을 받지 않음의 비유. 〔南史〕

〚金丹玉膿〛금단옥첩 : 금단은 불로불사의 선약(仙藥), 옥첩은 선술(仙術)을 기재한 패(牌).

〚金馬玉堂〛금마옥당 : 한(漢)나라 때 금마문(金馬門) 옥당전(玉堂殿)은 문학하는 선비가 출사(出仕)하는 관아. 후세에 한림원(翰林院)을 일컫는 이름이 됨.

〚錦上添花〛금상첨화 : 아름답고 고운 데다 더욱 미려(美麗)함. 〔王安石〕

〚金石之言〛금석지언 : 금석과 같이 확실한 말. 〔荀子〕

〚金聲玉振〛금성옥진 : 재주와 지혜, 인덕(人德)을 충분히 조화 있게 갖추고 있음의 비유. 또, 인격이 대성(大成)함의 비유. 특히 공자(孔子)의 완성된 인격을 가리키는 말로 쓰임. 〔孟子〕

〚金城湯池〛금성탕지 : 황금으로 만든 성과 끓는 물을 채운 못. 매우 견고한 성

과 해자(垓字). 전하여, 침해받기 어려운 장소의 비유. 〔後漢書〕

〚琴瑟不調〛금실부조 : 부부가 서로 화락하지 못함.

〚錦心繡口〛금심수구 : 비단처럼 아름다운 마음과 수놓은 것처럼 아름다운 언어. 아름다운 생각이나 말을 갖추고 시문(詩文)의 재능이 뛰어남을 비유.

〚金玉君子〛금옥군자 : 금옥같이 굳세고 변함 없는 사람. 〔宋史〕

〚金玉滿堂〛금옥만당 : 금옥 같은 보물이 집에 가득함. 조정에 어진 사람이 가득함의 비유. 〔老子〕

〚錦衣玉食〛금의옥식 : 좋은 옷과 맛있는 음식. 사치스러운 생활의 비유. 〔宋史〕

〚金殿玉樓〛금전옥루 : 황금이나 옥으로 꾸민 궁전. 화려하고 아름다운 궁전. 〔李商隱〕

〚金枝玉葉〛금지옥엽 : 빛깔 좋은 나뭇잎처럼 고운 구름. 또, 제왕의 자손을 이름.

〚急流勇退〛급류용퇴 : 급류를 건너듯 용감하게 미련을 가지는 벼슬 자리를 단연 버리고 물러감의 비유.

〚急轉直下〛급전직하 : 사태·상황·정세 등이 급격히 크게 변화함. 또, 사태·정세 따위가 갑자기 바뀌어서 해결되고 결말이 남. 또는, 그와 같은 방향으로 다가가고 향함.

〚起承轉結〛기승전결 : 한시(漢詩)의 구의 구성법의 하나. 절구(絶句)에서는 제1구가 기(起), 제 2구가 승(承), 제3구가 전(轉), 제 4구가 결(結)이고, 율시(律詩)에서는 제 1·2구가 기, 제 3·4구가 승, 제 5·6구가 전, 제 7·8구가 결임. 기에서는 시의(詩意)를 일으키고, 승에서는 이를 받으며, 전에서는 앞의 구를 일전(一轉)시켜서 별개의 경지를 열고, 결에서는 전체를 맺고 마무리지음. 전하여, 널리 일반적으로 사물의 전개에도 비유적으로 쓰일 때가 있음.

〚旣往不咎〛기왕불구 : 이미 지난 일은 어쩔 도리가 없고, 오직 장래의 일이나

삼가야 한다는 말. 〔論語〕

『氣韻生動』기운생동 : 글씨나 그림 등의 기품·풍격·정취가 생생하게 약동함의 뜻. 〔輟耕錄〕

『機杼一家』기저일가 : 베틀로 베를 짜듯이 일가(一家)를 이룬 독특한 문장을 지어 냄을 이름. 〔北史〕

『旗幟鮮明』기치선명 : 깃발의 빛깔이 산뜻하다는 뜻으로, 주의·주장·태도 등이 확실함의 비유.

『奇貨可居』기화가거 : 진기한 물건은 사서 잘 보관해 두면 장차 큰 이득을 본다는 말. 〔史記〕

『佶屈聱牙』길굴오아 : 문장이 어려워 읽기 어렵고 이해하기 어려움. 〔韓愈〕

ㄴ 部

『羅浮之夢』나부지몽 : 수(隋)나라 조사웅(趙師雄)이 나부산(羅浮山)의 매화촌(梅花村)에서 꿈속에 담장소복(淡粧素服)한 미인을 만나 즐겁게 놀다가 깨 보니 달빛만이 차갑게 흐르고 있을 뿐 미인은 온데간데 없다는 고사(故事). 〔柳宗元〕

『樂極哀生』낙극애생 : 즐거움이 다하면 슬픔이 생긴다는 말. 〔列女傳〕

『樂以忘憂』낙이망우 : 쾌락에 도취되어 근심을 잊음. 〔論語〕

『樂而不淫』낙이불음 : 즐거움의 도를 지나치지 않음. 〔論語〕

『落穽下石』낙정하석 : 사람이 함정에 빠진 것을 보고도 그 위에서 돌을 던진다는 말로, 남이 환난을 당했을 때에 더욱 해를 끼침을 비유. 〔韓愈〕

『樂只君子』낙지군자 : 도(道)를 즐기는 군자. 지(只)는 조사(助辭). 〔詩經〕

『落花流水』낙화유수 : 남녀의 상사(相思)하는 그리운 심정을 비유한 말. 〔白居易〕

『暖衣飽食』난의포식 : 따뜻한 옷을 입고 배불리 먹음. 물질적으로 부족 없는 충족된 생활의 비유. 〔孟子〕

『難中之難』난중지난 : 어려운 가운데 더욱 어려움이 있다는 말. 〔無量壽經〕

『蘭摧玉折』난최옥절 : 난초는 꺾이고 옥은 깨짐. 미인 또는 현인(賢人)의 죽음의 비유. 〔隋書〕

『難解難入』난해난입 : 법화(法華)의 법리(法理)가 깊어서 깨닫기 어려움. 〔法華經〕

『難兄難弟』난형난제 : 형제가 모두 덕이 있어 우열을 가릴 수 없다는 뜻으로, 인물의 갑을(甲乙)을 정하기 어려움을 이르는 말. 〔世說〕

『南柯之夢』남가지몽 : 당(唐)나라 순우분(淳于棼)이 회나무 밑에서 낮잠을 자다가 꿈에 대괴안국(大槐安國)의 왕의 사위가 되어 20년 동안 남가군(南柯郡)의 태수가 되어 지극한 영화를 누렸는데, 꿈에서 깨어 보니 회나무 밑에 두 개의 개미굴이 있는데, 하나는 왕개미가 살고 있고, 하나는 남쪽으로 난 나뭇가지를 향하고 있더라는 이야기. 전하여, 한때의 부귀와 권세는 꿈과 같다는 말.

『男來女往』남래여왕 : 남녀간에 왕래하여 서로 사귐. 〔北齊書〕

『南蠻鴃舌』남만격설 : 이민족의 뜻이 통하지 않는 말을 멸시하여 일컫는 말. 〔孟子〕

『南船北馬』남선북마 : 남쪽에서는 배를 타고 나아가고, 북쪽에서는 말을 몰아 나아간다는 말. 이곳 저곳을 부지런히 여행함. 곳곳을 쉴 새 없이 여행함의 비유.

『南田北畓』남전북답 : 소유한 전토(田土)가 여러 곳에 흩어져 있음.

『藍田生玉』남전생옥 : 현명한 아버지라야 현명한 아들을 둔다는 말. 〔三國志〕

『男尊女卑』남존여비 : 사람은 타고나면서부터 권리와 지위에 있어 남자가 높고 여자가 낮다는 말. 〔列子〕

『南酒北餠』남주북병 : 옛날에 서울 남촌(南村)의 술과 북촌(北村)의 떡이 유명하다는 말.

『男婚女嫁』남혼여가 : 자녀의 혼인을 일컬음.

『男欣女悅』남흔여열 : 부부가 화락함을

일컬음.

〖囊中之錐〗낭중지추 : 주머니 속에 있는 송곳은 그 예리한 끝으로 주머니를 뚫고 나오듯이, 포부와 역량이 있는 사람은 어디서나 그 재능을 발휘할 수 있다는 말.〔史記〕

〖內憂外患〗내우외환 : 내부나 국내에 생기는 걱정거리와 외부나 국외로부터 생기는 번거로운 사태. 내란(內亂)과 외구(外寇).〔管子〕

〖內者可追〗내자가추 : 지나간 일은 어쩔 수 없지만, 미래의 일은 잘 할 수 있다는 말.〔論語〕

〖內淸外濁〗내청외탁 : 마음은 깨끗하나 행동은 흐림.

〖冷汗三斗〗냉한삼두 : 식은땀이 서 말이나 날 정도로 무서운 생각이나 부끄러운 생각이 난다는 말.

〖老當益壯〗노당익장 : 늙을수록 더욱 뜻을 굳세게 가져야 한다는 말.〔後漢書〕

〖勞而不功〗노이불공 : 힘껏 일하였으나 공(功)이 없음. 도로(徒勞).〔莊子〕

〖勞而不怨〗노이불원 : 효자(孝子)의 행위.〔論語〕

〖老婆心切〗노파심절 : 남을 위하여 지나치게 걱정함. 흔히, '절(切)'을 떼고 '노파심(老婆心)'이라고 함.〔傳燈錄〕

〖弄假成眞〗농가성진 : 가짜를 진짜처럼 보이게 함. 또, 장난으로 한 짓이 진짜처럼 됨.

〖農爲國本〗농위국본 : 농업은 국정(國政)의 기본임.

〖弄璋之喜〗농장지희 : 사내아이를 낳은 기쁨.〔詩經〕

ㄷ 部

〖多岐亡羊〗다기망양 : 학문의 길이 너무나도 여러 갈래로 갈라져 있으므로, 쉽게 진리를 파악할 수 없음의 비유. 또 전하여, 방침이 여러 가지 있어서 어느 것을 택할지 망설이게 됨을 이르는 말.〔列子〕

〖多多益善〗다다익선 : 많을수록 더욱 좋다는 말.〔史記〕

〖多士濟濟〗다사제제 : 뛰어난 사람이 많음. 인재가 풍부함.〔詩經〕

〖多才多藝〗다재다예 : 재능과 기예가 많음.〔書經〕

〖多賤寡貴〗다천과귀 : 모든 상품은 다과(多寡)에 의해서 그 값의 고하(高下)가 이루어짐.

〖斷簡零墨〗단간영묵 : 글로 쓴 것의 일부나 천 조각에 쓴 문장. 대수롭지 않은 글월의 비유.

〖短褐不完〗단갈불완 : 가난한 사람의 제대로 차리지 못한 옷차림. '단갈'은 짧은 잠방이.〔荀子〕

〖斷金之交〗단금지교 : 친구의 정의(情誼)가 썩 깊음.〔晋書〕

〖斷機之戒〗단기지계 : 학업을 중단해서는 안 된다는 것을 경계하는 말. 학업을 중도에 폐함이 피륙을 짜던 날을 끊는 것과 같이 아무런 공익(功益)이 없다는 뜻.〔後漢書〕

〖單刀直入〗단도직입 : 한 칼로 거침없이 대적(大敵)을 쳐들어감. 군말을 빼고 바로 본론으로 들어감의 비유.〔傳燈錄〕

〖短兵接戰〗단병접전 : 짧은 무기로 가까이 가서 육박(肉薄)하는 싸움.〔史記〕

〖簞食瓢飮〗단사표음 : 청빈(淸貧)한 생활에 만족함.

〖簞食壺醬〗단사호장 : 도시락밥과 장병. 여행할 때 싸 가지고 다니는 음식.〔孟子〕

〖斷長補短〗단장보단 : 긴 곳을 잘라 짧은 곳을 메워서 들쭉날쭉한 것을 곧게 함.〔禮記〕

〖斷章取義〗단장취의 : 시(詩)를 해석하는 법으로, 지은이의 본뜻에 거리낌없이 자기 소용으로 만듦.〔孟子〕

〖膽大心小〗담대심소 : 대담하고 배짱이 좋으며, 게다가 세심한 주의를 기울임.〔舊唐書〕

〖談論風發〗담론풍발 : 담화나 논의가 활발하게 이루어짐.

〖當今無輩〗당금무배 : 이 세상에서는

어깨를 겨룰 사람이 없음. 〔三國志〕

『黨同伐異』당동벌이 : 도리가 있고 없고 간에 또 옳고 그르건 간에, 같은 당파끼리는 편을 들고, 다른 당파 사람은 배척하거나 공격하는 일. 〔後漢書〕

『當路之人』당로지인 : 중요한 지위에 있는 사람. 〔孟子〕

『大姦似忠』대간사충 : 간사한 사람의 짓은 매우 교묘해서 언뜻 보기에는 충성을 다하는 것 같다는 말. 〔宋史〕

『大喝一聲』대갈일성 : 크게 한 번 소리침. 〔水滸傳〕

『大巧若拙』대교약졸 : 훌륭한 기교는 도리어 졸렬한 듯하다는 말. 〔老子〕

『大器晩成』대기만성 : 큰 인물은 그 기량을 나타내는 데는 느리지만 이윽고 두각을 드러내어 대성한다는 말. 〔老子〕

『大器小用』대기소용 : 큰 그릇을 작은 데에 씀. 큰 인물을 미관말직에 임용하는 따위. 〔後漢書〕

『大同小異』대동소이 : 대체로는 같고 조금만 다름. 미세한 부분은 다르지만 전체적으로는 비슷하여 큰 차가 없음. 〔莊子〕

『大勇不忮』대용불기 : 큰 용기를 가진 자는 함부로 남을 해치지 않음. 〔莊子〕

『大義滅親』대의멸친 : 큰 의리를 위해서 부자(父子)의 사사로운 정을 끊음. 〔左傳〕

『大智如愚』대지여우 : 대인 군자의 소행은 어디까지나 공명정대하고 잔재주를 부리지 않음. 〔蘇軾〕

『大千世界』대천세계 : 삼천세계(三千世界)의 첫째로, 십억국토(十億國土)를 이름. 〔維摩經〕

『德無常師』덕무상사 : 덕을 닦는 데는 일정한 스승이 없음. 〔書經〕

『陶犬瓦鷄』도견와계 : 질그릇으로 만든 개와 애벌구이한 닭. 형태는 그럴듯하나 쓸모없는 것의 비유. 〔金樓子〕

『圖南之翼』도남지익 : 큰 사업을 계획함의 비유. 〔莊子〕

『屠龍之技』도룡지기 : 용을 잡는 재주. 곧, 쓸데없는 재주. 〔莊子〕

『稻麻竹葦』도마죽위 : 벼, 삼, 대, 갈대가 빽빽이 나 있음. 또, 그와 같이 사람이나 물건이 많이 무리지어 있음. 또, 여러 겹으로 에워싸고 있는 모양의 비유. 〔法華經〕

『道傍苦李』도방고리 : 사람들에게 시달림을 받으며 길가에 서 있는 자두나무. 사람에게 버림받음의 비유. 〔世說〕

『道不拾遺』도불습유 : 나라가 평화롭고 풍습이 아름다워서, 길에 떨어진 물건을 줍지 않음. 〔孔子家語〕

『屠所之羊』도소지양 : 도살장에 끌려가는 양. 곧, 죽음이 목전에 닥친 자의 비유.

『道聽塗說』도청도설 : 길에서 들은 이야기를 그대로 당장 그 길에서 다른 사람에게 이야기함. 전하여, 남에게서 좋은 이야기를 듣고도 마음에 새겨 두고 자기의 것으로 만들지 않음의 비유. 또, 얻어들은 풍월을 제 생각인 양 받아 옮기는 짓. 〔論語〕

『塗炭之苦』도탄지고 : 진흙길을 걷고 숯불 속으로 들어가는 고통. 백성의 심한 고통을 일컬음. 〔書經〕

『刀筆之吏』도필지리 : 글씨를 쓰는 천한 구실아치. 〔戰國策〕

『獨立獨行』독립독행 : 남을 믿지 않고 저 혼자서 생각하고 판단하여, 자기가 믿는 길을 나아감.

『讀書三到』독서삼도 : 독서하는 데에는 눈으로 보고, 입으로 읽고, 마음으로 해득해야 된다는 말.

『讀書尙友』독서상우 : 책을 읽어서 옛 현인(賢人)을 벗삼는다는 말. 〔孟子〕

『獨陽不生』독양불생 : 혼자서는 아이를 낳을 수 없으며, 반드시 상대가 있어야 한다는 말. 〔穀梁傳〕

『咄咄怪事』돌돌괴사 : 놀랍고 괴상한 일. 해괴하고 마땅찮은 일. 〔晉書〕

『同工異曲』동공이곡 : 같은 악공(樂工)끼리 연주된 곡조가 서로 다름. 동등한 재주를 가진 작가라도 문장의 체에 따라 특이한 광채(光彩)를 낸다는 말. 〔韓愈〕

〘同功一體〙동공일체 : 같은 공(功)으로 같은 처지에 있음. 〔史記〕

〘童男童女〙동남동녀 : 사내아이와 계집아이. 〔史記〕

〘同門爲朋〙동문위붕 : 같은 스승 밑에서 공부한 벗. 〔論語〕

〘洞房花燭〙동방화촉 : 부인의 방에 촛불이 아름답게 비침. 혼례(婚禮)의 뜻. 〔庾信〕

〘同病相憐〙동병상련 : 고난을 같이 겪는 사람은 서로 불쌍히 여겨 동정하고 돕는다는 말.

〘同床異夢〙동상이몽 : 같은 이불 속에 자면서 서로 다른 꿈을 꿈. 전하여, 같은 동료나 같은 일을 하고 있는 자라도 생각이나 목적이 서로 다름의 비유. 〔陳亮〕

〘多扇夏爐〙동선하로 : 겨울의 부채와 여름의 화로. 아무 소용이 없는 물건. 〔論衡〕

〘同聲相應〙동성상응 : 같은 소리는 서로 응한다는 말. 의견을 같이하면 자연히 서로 합친다는 뜻. 〔易經〕

〘同而不和〙동이불화 : 겉으로는 동의를 표시하면서 속마음은 그렇지 않음. 〔論語〕

〘東行西走〙동행서주 : 사방으로 바쁘게 다님.

〘斗南一人〙두남일인 : 두남은 북두칠성의 남쪽. 온 천하에서 제일 가는 현재(賢才). 〔唐書〕

〘斗筲之人〙두소지인 : 한 말 두 되가 드는 대그릇처럼 식견과 기량이 좁은 사람. 〔論語〕

〘得一忘十〙득일망십 : 하나를 알면 다른 열 가지 일을 잊어버림. 기억력이 좋지 못함을 이르는 말. 〔陸游〕

〘得親順親〙득친순친 : 부모의 뜻에 들고, 부모의 뜻에 순종함. 효자의 행실. 〔孟子〕

〘登高自卑〙등고자비 : 높은 데에 오르려면 얕은 곳에서부터 올라가야 하듯이, 무슨 일이든지 순서가 있다는 말. 〔中庸〕

ㅁ 部

〘馬家五常〙마가오상 : 형제가 모두 재명(才名)이 높음을 이름. 마씨(馬氏) 오 형제가 다 재명이 있었는데, 자(字)에 모두 상(常)자가 있는 데서 연유한 말.

〘麻姑搔痒〙마고소양 : 마고(麻姑)는 선녀로서, 손톱이 길어 가려운 곳을 긁으면 시원해진다는 뜻에서, 일이 뜻과 같이 됨의 비유. 〔神仙傳〕

〘馬上得之〙마상득지 : 전쟁을 통해서 천하를 얻었다는 말. 〔史記〕

〘馬耳東風〙마이동풍 : 말의 귀는 동풍, 곧 봄바람이 불어도 아무 느낌도 없다는 데서, 남의 말을 귀담아 듣지 않고 지나쳐 흘려 버림의 비유. 쇠귀에 경읽기. 〔李白〕

〘麻中之蓬〙마중지봉 : 꾸부러진 쑥도 꼿꼿한 삼밭에 나면 자연히 꼿꼿하게 자란다는 뜻으로, 환경에 따라 악도 선으로 고쳐진다는 말.

〘莫逆之友〙막역지우 : 마음이 맞아 서로 거스르는 일이 없는 사생(死生)과 존망(存亡)을 같이할 수 있는 친밀한 벗. 〔莊子〕

〘幕天席地〙막천석지 : 하늘을 장막으로 삼고 땅을 자리로 삼는다는 뜻에서, 천지를 자기의 거처로 삼아 뜻이 웅대함을 이름. 또, 작은 일에 구애되지 않음의 비유. 〔劉伶〕

〘萬古千秋〙만고천추 : 과거·미래를 통하여 영구히. 〔沈佺期〕

〘萬里同風〙만리동풍 : 천하가 통일되어 멀고 가까운 곳이 모두 풍속이 같다는 말. 〔漢書〕

〘滿面春風〙만면춘풍 : 기쁨에 넘치는 얼굴. 〔王賈甫〕

〘萬歲不易〙만세불역 : 영구불변. 〔荀子〕

〘末大必折〙말대필절 : 가지가 크면 줄기가 필경 부러진다는 뜻으로, 지족(支族)이 강대하면 종가(宗家)가 쓰러진다는 말. 〔左傳〕

【亡國之聲】망국지성 : 멸망한 나라의 음악, 곧 음탕하고 슬픈 음악. 〔韓非子〕

【望梅解渴】망매해갈 : 목이 마른 병졸이 신 살구 이야기를 듣고 침이 고여 목마름을 풀었다는 고사(故事). 〔世說〕

【亡羊之歎】망양지탄 : 달아나는 양을 쫓다가 여러 갈래의 길에 양을 잃고 탄식하였다는 말로, 학문의 길도 여러 갈래로 길을 잡기 어렵다는 말. 〔列子〕

【妄自尊大】망자존대 : 망령되이 저만 잘났다고 뽐내어 자신을 높이고 남을 업신여김. 〔後漢書〕

【脈絡貫通】맥락관통 : 조리가 일관하여 계통이 서 있음을 이르는 말. 〔朱熹〕

【麥秀之嘆】맥수지탄 : 기자(箕子)가 은(殷)나라 도읍을 지나가며 보니, 고국은 망하여 궁전은 폐허가 되고 궁전 터는 보리밭이 된 것을 탄식하여 맥수가(麥秀之歌)를 지어 불렀다는 고사(故事). 〔史記〕

【盲龜浮木】맹귀부목 : 좀처럼 만나기 어려움의 비유. 또, 좀처럼 만나기 어려운 행운을 만남. 〔阿含經〕

【孟母三遷】맹모삼천 : 자식의 교육에는 환경이 중요하다는 경계. 〔列女傳〕

【盲者失杖】맹자실장 : 장님이 지팡이를 잃듯이 의지하는 바를 잃음의 비유.

【面壁九年】면벽구년 : 달마대사(達磨大師)가 숭산(嵩山) 소림사(少林寺)에서 벽을 면하여 9년 동안 좌선(坐禪)하여 깨쳤다는 고사(故事). 어떤 한 목적을 향하여 끈기 있게 오랜 세월에 걸쳐 마음을 기울여 쏟음의 비유. 〔傳燈錄〕

【面從腹背】면종복배 : 겉으로는 복종하는 듯이 거짓 보이게 하고 내심으로는 배반하고 있음.

【明見萬里】명견만리 : 총명함의 비유. 〔後漢書〕

【明鏡不疲】명경불피 : 밝은 거울은 몇 번이나 사람의 얼굴을 비춰도 피로하지 않음을 이름. 〔世說〕

【明鏡止水】명경지수 : 맑은 거울과 고요한 물. 마음에 사념(邪念)이 없는 밝고 맑은 심경(心境)의 비유. 〔莊子〕

【明眸皓齒】명모호치 : 맑고 아름다운 눈동자와 희고 예쁜 이. 또, 그와 같은 미인. 〔杜甫〕

【名山大川】명산대천 : 이름난 큰 산과 큰 내. 〔書經〕

【命世之才】명세지재 : 천명(天命)을 받아 이 세상에 태어나 세상을 구할 만한 뛰어난 인재.

【明月爲燭】명월위촉 : 달빛이 방을 비추는 것을 촛불로 삼음. 〔唐書〕

【名詮自性】명전자성 : 이름은 그 사물의 성질을 나타내는 말. 〔成唯識論〕

【明窓淨几】명창정궤 : 밝은 창과 청정한 책상. 밝고 잘 정돈된 깨끗한 서재의 비유. 〔歐陽脩〕

【明哲保身】명철보신 : 총명하여 이치와 도리에 따라 사물을 처리하고, 안전하게 자기의 몸이나 지위를 지킨다는 말. 〔詩經〕

【暮春三月】모춘삼월 : 봄이 저물어 가는 음력 삼월. 〔杜甫〕

【目光如炬】목광여거 : 눈빛이 횃불과 같다는 뜻으로, 노기 띤 눈을 형용한 말. 〔南史〕

【沐雨櫛風】목우즐풍 : 비로 머리감고 바람으로 머리를 빗는다는 뜻으로, 신산 고초를 견뎌 가며 일한다는 말.

【沐猴而冠】목후이관 : 원숭이가 사람의 관을 썼다는 뜻으로, 이관을 갖추어 외모는 사람 같지만, 속마음은 사람이 아니라는 말. 조급하고 사나움을 비웃는 말. 〔史記〕

【無價大寶】무가대보 : 값을 헤아릴 수 없는 귀중한 보물. 〔三國遺事〕

【武陵桃源】무릉도원 : 세상과 동떨어진 별천지. 이상향의 비유. 〔陶淵明〕

【毋望之福】무망지복 : 바라지 않은 복. 곧, 우연한 복. 〔史記〕

【無用之用】무용지용 : 세상에 쓰여지지 않는 것이 도리어 크게 쓰여진다는 말. 〔莊子〕

【無偏無黨】무편무당 : 어느 한쪽에 기울지 않고 중정(中正) 공평(公平)함. 〔書經〕

부록

〖刎頸之交〗문경지교 : 생사를 같이하여 목을 잘러도 한이 없으리만큼 친밀한 사이. 〔史記〕

〖文武兼備〗문무겸비 : 문무의 재능을 겸함. 〔唐書〕

〖文房四友〗문방사우 : 종이・붓・먹・벼루의 네 문방구.

〖聞一知十〗문일지십 : 한 가지를 들으면 열 가지를 안다는 뜻으로, 총명함을 이르는 말. 〔論語〕

〖門前雀羅〗문전작라 : 옛날과 같은 인기가 없어져 찾아오는 이도 없고, 문 앞에는 참새가 떼지어 놀고 있어 그물을 쳐서 잡을 수 있을 정도로 쓸쓸하다는 말. 〔史記〕

〖未來永劫〗미래영겁 : 미래에 걸쳐 영원함. 끝이 없는 미래.

〖未辨東西〗미변동서 : 아직 동서의 방위도 분간하지 못한다는 뜻으로, 도리를 통하지 못함을 이름. 〔白居易〕

〖尾生之信〗미생지신 : 작은 신의(信義). 〔史記〕

ㅂ 部

〖博覽强記〗박람강기 : 널리 책을 읽고, 그것을 잘 기억하여 풍부한 지식을 가지고 있음.

〖博文約禮〗박문약례 : 학문을 널리 알고 예절을 지킴. 〔論語〕

〖博我以文〗박아이문 : 시서(詩書)로써 견식을 넓힌다는 뜻, 안연(顏淵)이 스승 공자(孔子)의 교수 방침을 탄미한 말. 〔論語〕

〖璞玉渾金〗박옥혼금 : 갈고 닦지 않은 옥과 아직 제련하지 않은 금. 검소하고 질박한 사람을 칭찬하는 말. 〔晉書〕

〖博學篤志〗박학독지 : 널리 공부하여 덕을 닦으려고 뜻을 굳건히 함. 〔論語〕

〖盤根錯節〗반근착절 : 구부러진 나무 뿌리와 울퉁불퉁한 나무의 마디. 얽히고 설켜 처리하기에 곤란한 사물. 또, 세상 일에 난관이 많음의 비유. 〔後漢書〕

〖半面之識〗반면지식 : 서로 깊이 알지 못하는 사이. 〔後漢書〕

〖半生半熟〗반생반숙 : 기술이 아직 숙달하지 못함. 〔拊掌錄〕

〖盤石之安〗반석지안 : 견고한 기초. 반석지종(盤石之宗).

〖伴食宰相〗반식재상 : 무능한 허수아비 대신. 〔唐書〕

〖斑衣之戱〗반의지희 : 노래자(老萊子)가 어린이 모양으로 알록달록한 옷을 입고 부모의 연로(年老)함을 잊어 버리게 했다는 고사로, 효성(孝誠)을 이르는 말. 〔蒙求〕

〖撥亂反正〗발란반정 : 어지러워진 세상을 다스려서 본디의 바른 세상으로 되돌림. 〔公羊傳〕

〖拔本塞源〗발본색원 : 폐단의 근원을 뽑고 막아 없앰. 〔左傳〕

〖發憤忘食〗발분망식 : 분발하여 끼니조차 잊고 노력함을 이름. 〔論語〕

〖拔山蓋世〗발산개세 : 힘과 기개가 있는 모양. '역발산 기개세(力拔山氣蓋世)'의 준말. 〔史記〕

〖傍若無人〗방약무인 : 좌우에 사람이 없는 것같이 언행을 마음대로 함. 〔史記〕

〖方底圓蓋〗방저원개 : 모난 그릇에 둥근 뚜껑을 덮는다는 뜻. 서로 맞지 않음을 이른 말.

〖杯盤狼藉〗배반낭자 : 술자리에서 술잔이나 접시 따위가 어지럽게 널려 있는 모양. 〔史記〕

〖背水之陣〗배수지진 : 물을 등지고 진을 침. 〔尉繚子〕

〖杯中蛇影〗배중사영 : 문설주에 걸려 있는 활에 뱀이 그려져 있는데, 그 밑에서 술을 마시다가 잔 속에 비친 뱀 그림자에 놀라 병을 앓게 되었다는 고사(故事). 의심이 많음을 이름. 〔晉書〕

〖白面書生〗백면서생 : 사무에 능숙지 못한 젊은이. 풋내기. 〔晉書〕

〖百發百中〗백발백중 : 백 발을 쏘아 백발이 모두 명중함. 예상・예언・계획 따위가 모두 그대로 됨. 〔史記〕

〖百世之師〗백세지사 : 오랜 후세까지도

우러러 본받을 만한 스승. 〔孟子〕

〖白首北面〗 백수북면 : 재주와 덕이 없는 사람은 나이를 먹어도 스승 앞에서 북향(北向)하고 앉아 가르침을 바란다는 말. 〔文中子〕

〖百藥之長〗 백약지장 : 술의 별칭. 〔漢書〕

〖白衣宰相〗 백의재상 : 흰 옷을 입은 평민이 재상의 대우를 받음을 이름. 〔南史〕

〖伯仲之勢〗 백중지세 : 낫고 못함이 거의 없는 어금지금한 형세.

〖百尺竿頭〗 백척간두 : 백 척이나 되는 장대의 끝. 막다른 위험에 빠짐을 이름.

〖煩言碎辭〗 번언쇄사 : 번거롭고 자차분한 말. 〔漢書〕

〖伐性之斧〗 벌성지부 : 사람의 타고난 양심을 끊는 도끼. 즉, 여색(女色)과 요행(僥倖). 〔呂氏春秋〕

〖法約三章〗 법약삼장 : 한(漢)나라 고조(高祖)가 진(秦)의 가혹한 법을 고쳐 세 조문으로 줄인 일. 〔史記〕

〖法語之言〗 법어지언 : 올바른 말로 사람들을 가르치는 일. 〔論語〕

〖兵貴神速〗 병귀신속 : 용병(用兵)을 하는 데는 신속해야 한다는 말. 〔魏志〕

〖輔車相依〗 보거상의 : 수레의 덧방나무와 수레바퀴가 모두 있어야 수레가 운행하듯이, 두 나라가 서로 도움을 이름. 〔左傳〕

〖報本反始〗 보본반시 : 선조의 은덕에 보답함. 〔禮記〕

〖福過禍生〗 복과화생 : 지나친 행복은 재해를 가져오는 원인이 됨. 〔宋書〕

〖伏龍鳳雛〗 복룡봉추 : 엎드려 있는 용인 제갈공명(諸葛孔明)과 봉의 새끼인 방사원(龐士元). 곧, 특출한 인물의 비유. 〔蜀志〕

〖腹心之友〗 복심지우 : 마음이 맞는 극진한 친구. 〔漢書〕

〖覆車之戒〗 복차지계 : 이전 사람들이 실패한 일은 뒷사람들이 보고 거울삼아 경계한다는 말. 〔潘岳〕

〖蓬頭垢面〗 봉두구면 : 쑥대강이와 때가 낀 얼굴. 몸단장이 말쑥하지 못하고 지저분함. 〔魏書〕

〖富貴在天〗 부귀재천 : 부귀는 하늘에 달려 있음. 〔論語〕

〖不得要領〗 부득요령 : 요령을 얻지 못함. 〔漢書〕

〖父母之邦〗 부모지방 : 내가 태어난 나라. 조국. 〔論語〕

〖浮生若夢〗 부생약몽 : 인생이 꿈과 같이 덧없음. 〔李白〕

〖父慈子孝〗 부자자효 : 아버지 된 사람은 자애(慈愛)를 주로 하고, 자식된 자는 효행을 주로 함. 〔禮記〕

〖夫唱婦隨〗 부창부수 : 남편이 말을 꺼내고 아내가 거기에 따름. 부부가 화목함을 이름. 〔關尹子〕

〖粉骨碎身〗 분골쇄신 : 뼈가 가루가 되고 몸이 부서지도록 노력함. 〔證道歌〕

〖焚書坑儒〗 분서갱유 : 책을 태워 버리고 유학자를 생매장함. 진시황(秦始皇)이 정치 비판을 금하기 위하여 주로 유가(儒家)에 대하여 벌인 언론 통제 정책. 전하여, 학문이나 사상 등을 탄압하는 일. 〔孔安國〕

〖不可思議〗 불가사의 : 상식으로 헤아려 알 수 없음. 〔法苑珠林〕

〖不俱戴天〗 불구대천 : 깊은 원한이나 노여움이 있어 상대를 살려 둘 수 없음. 이 세상에서 함께 살 수 없을 정도로 서로 미워하는 사이의 비유. 〔禮記〕

〖不老不死〗 불로불사 : 늙지 않고 죽지 않음. 사람이 장수함. 〔列子〕

〖不立文字〗 불립문자 : 불도(佛道)는 마음으로 전하는 것이지 문자로 전하는 것이 아님.

〖不免虎口〗 불면호구 : 호랑이 아가리를 면치 못함. 곧 위험을 면치못함. 〔莊子〕

〖不惜身命〗 불석신명 : 불도(佛道)를 닦으려면 스스로의 몸이나 목숨을 아끼지 말아야 함. 일반적으로 자기의 몸을 돌보지 않음을 이름. 〔法華經〕

〖不言之教〗 불언지교 : 노장(老將)의 무위자연(無爲自然)의 가르침을 이르는 말. 〔老子〕

〖不恥下問〗불치하문 : 자기보다 아랫
사람에게 배우는 것을 부끄러이 여기지
않음. 〔論語〕

〖鵬程萬里〗붕정만리 : 바다가 몹시 넓
음의 형용. 또, 사람이 해외로 여행하는
데 앞길이 요원함을 이름.

〖非禮勿視〗비례물시 : 예가 아닌 것은
보지 말라. 곧, 사욕(邪慾)은 삼가라는
말. 〔論語〕

〖非禮之禮〗비례지례 : 예절에 어긋나는
예식(禮式). 〔孟子〕

〖飛龍在天〗비룡재천 : 성인이 천자의
지위에 있음. 〔易經〕

〖髀肉之嘆〗비육지탄 : 무사가 오랫동안
싸움터에 나가지 않아 말탈 기회가 없었
기 때문에 다리에 살이 쪄서 공명(功名)
을 세우지 못함을 한탄하는 일. 〔蜀志〕

〖飛耳長目〗비이장목 : 먼 데 것을 잘 듣
는 귀와 먼 데 것을 잘 보는 눈. 학문이
나 사물의 관찰에 날카롭고 정통함. 또,
그와 같이 되기 위한 수단인 책의 비유.
〔管子〕

〖比翼連理〗비익연리 : 남녀의 맺어짐이
굳고 정이 깊음. 두 마리의 새가 나란히
나는 것을 비익조(比翼鳥)라 하고, 나뭇
가지가 다른 나무의 가지와 연해서 맥리
(脈理)를 접하는 것을 연리지(連理枝)
라 이름. 〔白居易〕

〖牝鷄之晨〗빈계지신 : 암탉이 울어 때
를 알린다는 뜻으로, 음양의 이치가 바
뀌어 집안이 망할 징조. 아내가 남편의
권리를 빼앗음의 비유. 〔書經〕

〖氷肌玉骨〗빙기옥골 : 추운 겨울 하얀
꽃이 피는 매화의 딴 이름. 빙자옥골(氷
姿玉骨).

人 部

〖士農工商〗사농공상 : 백성의 네 계급.
〖四大奇書〗사대기서 : 수호전(水滸傳),
삼국지 연의(三國志演義), 서유기(西遊
記), 금병매(金甁梅)의 4 가지 명(明)나
라 소설.
〖四面楚歌〗사면초가 : 주위가 모두 적

에게 포위되어, 우리 편이 없고 고립 상
태에 빠짐의 비유. 〔史記〕

〖四分五裂〗사분오열 : 넷으로 나뉘어지
고 다섯으로 갈라진다는 뜻으로, 질서나
통일 없이 뿔뿔이 흩어져 어지러움. 〔戰
國策〕

〖死生有命〗사생유명 : 사람의 생사는
천명이므로 사람의 힘으로 좌우할 수 없
다는 말. 〔論語〕

〖射石爲虎〗사석위호 : 돌을 호랑이로
잘못 보고 쏘았더니, 화살이 돌에 깊이
꽂혔다는 고사(故事). 〔呂氏春秋〕

〖史有三長〗사유삼장 : 역사(歷史)를 쓰
는 사람은 재주·학문·식견의 세 가지
장점을 갖추지 않으면 안 된다는 말. 〔唐
書〕

〖死而後已〗사이후이 : 사람이 태어나
일을 하되, 죽음에 이르러 비로소 그친
다는 말. 의지가 굳음의 비유. 〔論語〕

〖獅子奮迅〗사자분신 : 사자가 몸을 일
으켜 성을 내는 기세. 사람이 사물에 대
처할 때의 기세가 대단함의 비유. 〔法華
經〕

〖使錢如水〗사전여수 : 돈을 아끼지 않
고 물 쓰듯 함.

〖四通八達〗사통팔달 : 사면팔방으로
길이 통해 있음. 전하여, 왕래가 심한
곳, 번화한 곳. 사통오달(四通五達).
〔晋書〕

〖四海兄弟〗사해형제 : 온 세상의 사람
들은 모두 형제처럼 친해야 한다는 말.
사해동포(四海同胞). 〔論語〕

〖殺身成仁〗살신성인 : 몸을 바쳐 옳은
도리를 실천함. 〔論語〕

〖森羅萬象〗삼라만상 : 하늘과 땅 사이
에 존재하는 모든 현상. 〔法句經〕

〖三三五五〗삼삼오오 : 삼사인 또는 오
륙인씩 떼를 지어 다님. 〔李白〕

〖三人成虎〗삼인성호 : 거짓말이라도 여
러 사람이 말하면 남이 참말로 믿기 쉽
다는 말. 한두 사람이 거리에 호랑이가
나타났다고 하면 곧이듣지 않다가도, 세
사람이 그렇게 말하면 곧이듣게 된다는
말. 〔戰國策〕

〖三尺童子〗삼척동자 : 오륙 세 가량의 어린이.

〖三寒四溫〗삼한사온 : 겨울철에 사흘 동안 추웠다가 그 뒤 나흘 동안 따스한 날이 계속되어, 이런 상태가 되풀이되는 기상 현상.

〖喪家之狗〗상가지구 : 상을 당한 집의 개. 먹지 못하여 여윔을 이름. 또, 일설에는, 집을 잃고 헤매는 개라고도 함. 상 갓집 개. 〔孔子家語〕

〖桑田碧海〗상전벽해 : 뽕나무밭이었던 곳이 푸른 바다로 변함. 세상이 변화하는 것이 격심함의 비유.

〖塞翁之馬〗새옹지마 : 이익이 손실이 되고, 복이 화가 된다는 말로, 인생의 길 흉화복은 예측할 수 없음의 비유. 〔淮南子〕

〖色卽是空〗색즉시공 : 모든 형체가 있는것, 물질적인 것은 그 본질에 있어서 모두 실체(實體)가 없이 공(空)이라는 말. 〔般若心經〕

〖生而知之〗생이지지 : 학문은 닦지 않아도 태어나면서부터 안다는 뜻으로, 성인(聖人)을 이름. 〔論語〕

〖西施捧心〗서시봉심 : 서시는 옛 오(吳)나라의 미인으로, 마음이 아파 가슴을 움켜안고 있을 때 오히려 더욱 아름다웠다고 하는데, 무턱대고 이를 흉내내어 세상의 웃음거리가 됨의 비유. 〔莊子〕

〖席不暇暖〗석불가난 : 동서(東西)로 분주하여 한 곳에 안정하지 않고서 앉은 자리가 더욱 틈이 없음. 〔韓愈〕

〖先聲後實〗선성후실 : 처음에는 허성(虛聲)을 올리고 다음에 실력을 행사함. 〔史記〕

〖先憂後樂〗선우후락 : 천하의 안위(安危)에 관하여 근심할 일. 다른 사람들보다 앞서서 걱정하고, 즐기는 것은 남들보다 뒤늦게 즐긴다는 말. 〔大戴禮〕

〖先卽制人〗선즉제인 : 남을 앞질러 일을 하면 남을 제압할 수 있음. 〔史記〕

〖仙風道骨〗선풍도골 : 풍채 골격이 범인과 다름. 〔李白〕

〖盛者必衰〗성자필쇠 : 성한 자는 반드시 쇠망한다는 말. 이 세상이 무상(無常)함을 표현한말. 성자필멸(盛者必滅). 〔仁王經〕

〖城下之盟〗성하지맹 : 적이 성 밑까지 쳐들어와서 항복하고 체결하는 맹약. 아주 굴욕적인 강화(講和). 〔左傳〕

〖城狐社鼠〗성호사서 : 성에 사는 여우와 사당에 깃들여 사는 쥐. 자신이 공격 당할 일이 없는 안전한 곳에 있으면서 못된 것을 하는 자, 임금 옆에 있는 간사한 신하의 비유. 〔韓非子〕

〖勢利之交〗세리지교 : 권세와 재리(財利)를 위하여 하는 교제. 〔漢書〕

〖勢不兩立〗세불양립 : 대립할 수 없는 두 개의 세력. 〔史記〕

〖世態炎涼〗세태염량 : 세력 있을 때는 붙좇고 권세가 없어지면 푸대접하는 세상 인심.

〖小心翼翼〗소심익익 : 겸건한 마음으로 삼가는 모양. 전하여, 소심해서 겁을 먹고 있는 모양. 또 작은 일에까지 세심하게 배려하여 주의 깊게 행동하는 모양을 이름. 〔詩經〕

〖所願成就〗소원성취 : 원하던 바를 이룸.

〖宵衣旰食〗소의한식 : 날이 밝기 전에 옷을 입고 해가 진 뒤에 식사를 한다는 뜻으로, 임금이 정사(政事)에 부지런함을 이름. 〔唐書〕

〖笑中有刀〗소중유도 : 웃음 속에 칼이 있다는 뜻으로, 겉으로는 친절하되 속마음으로는 해치려 함의 비유. 〔唐書〕

〖所向無敵〗소향무적 : 나아가는 곳에 적이 없음. 소향무전(所向無前). 〔後漢書〕

〖孫康映雪〗손강영설 : 진(晋)나라의 손강(孫康)이 가난하여 등잔불을 밝힐 기름을 사지 못하여 겨울 밤에는 책을 눈에 비추어 읽었다는 고사(故事). 〔蒙求〕

〖宋襄之仁〗송양지인 : 춘추 시대 송(宋)나라의 양공(襄公)이 적을 불쌍히 여겨 측근의 진언(進言)을 듣지 않고 초(楚)나라에 패배하여 세상의 웃음거리

가 되었다는 고사. 소용없는 동정의 비유. 〔左傳〕

〖手舞足蹈〗수무족도 : 춤을 춤. 〔孟子〕

〖手不釋卷〗수불석권 : 쉬지 않고 책을 읽음.

〖首鼠兩端〗수서양단 : 머뭇거리며 진퇴나 거취를 결정짓지 못하고 관망(觀望)함. 망설이고 형세를 봄의 비유. 두길마보기. 〔史記〕

〖漱石枕流〗수석침류 : '침석수류(枕石漱流)'라고 말해야 할 것을 실수하여 '수석침류'라고 말하고도 그럴듯하게 꾸며 대어 억지를 부린 고사에서, 오기가 있고 지기 싫어서 자기의 의견을 끝까지 고집하거나 억지 쓰기를 잘 하는 것의 비유. 〔晉書〕

〖修身齊家〗수신제가 : 자기의 몸을 닦고 집안을 잘 다스림. 〔大學〕

〖水魚之交〗수어지교 : 임금과 신하 사이의 친밀한 관계. 또, 부부의 친밀한 사이.

〖守株待兔〗수주대토 : 송(宋)나라의 한 농부가 나무 그루에 토끼가 부딪쳐서 죽는 것을 보고, 농사를 팽개치고 그루에 토끼가 나타나기를 기다렸다는 고사(故事). 구습에만 젖어 시대의 변천을 모름. 〔韓非子〕

〖壽則多辱〗수즉다욕 : 오래 살아 수치스러운 일을 많이 겪음. 〔莊子〕

〖熟讀玩味〗숙독완미 : 뜻을 잘 곱씹어 생각하며 책을 읽어, 충분히 그 의미를 감상함. 〔小學〕

〖夙興夜寐〗숙흥야매 : 아침에 일찍 일어나고 잠은 늦게 잠. 〔詩經〕

〖蒓羹鱸膾〗순갱노회 : 진(晉)나라 장한(張翰)이 순채국과 농어회를 먹으려고 관직을 사퇴하고 고향에 돌아간 고사. 고향의 맛, 망향의 정을 누를 길 없음의 비유. 〔晉書〕

〖脣亡齒寒〗순망치한 : 입술이 없으면 이가 시리다는 뜻으로, 가까운 둘 중에 하나가 망하면 다른 하나도 그 영향을 받음의 비유. 〔左傳〕

〖脣齒輔車〗순치보거 : 이해관계가 밀접하여 서로 돕고 받쳐 주어서 성립되고 있는 관계. 〔孫楚〕

〖順風滿帆〗순풍만범 : 순풍을 잔뜩 받아 돛에 바람이 가득함. 사물이 막힘 없이 순조롭게 진행됨의 비유.

〖勝敗之數〗승패지수 : 싸움에 승패를 결정하는 운수. 〔史記〕

〖是非之心〗시비지심 : 옳고 그른 것, 선악을 가릴 줄 아는 마음. 〔孟子〕

〖視死若歸〗시사약귀 : 죽음을 두려워하지 않아, 죽음을 마치 집에 돌아가는 것같이 대수롭지 않게 여김. 〔韓非子〕

〖是是非非〗시시비비 : 옳은 것은 옳다 하고 잘못된 것은 잘못이라고 함. 옳고 그른 것을 분명히 인정하여 공정한 처지에서 사물을 판단함. 〔荀子〕

〖尸位素餐〗시위소찬 : 공로 없이 직책을 다하지 못하면서 한갓 높은 벼슬 자리만 차지하고 녹을 받아 먹음. 〔漢書〕

〖信賞必罰〗신상필벌 : 칭찬해야 할 공로가 있는 자에게는 반드시 상을 주고, 죄를 저지른 자에게는 반드시 벌을 준다는 말. 상벌의 기준을 엄격히 적용함. 〔漢書〕

〖薪水之勞〗신수지로 : 땔나무를 하고 물을 긷는 수고. 〔韓愈〕

〖身言書判〗신언서판 : 당(唐)나라 때 사람을 취함에 있어, 신체·언사·글씨·판단력의 4 가지를 가지고 가렸다는 말. 〔唐書〕

〖身體髮膚〗신체발부 : 머리끝부터 발끝까지의 온몸 전체. 〔孝經〕

〖神出鬼沒〗신출귀몰 : 귀신처럼 자유자재로 나타났다 사라졌다 함. 거처를 쉽게 알 수 없는 경우나, 불쑥 나타났다 없어졌다 하는 모양의 비유. 〔淮南子〕

〖實事求是〗실사구시 : 사실, 즉 실제에 임하여 그 일의 진상을 찾고 구함. 〔漢書〕

〖深謀遠慮〗심모원려 : 멀리 앞일까지 생각하여 깊이 계획을 짬. 〔賈誼〕

〖心腹之友〗심복지우 : 가장 친밀한 벗. 〔唐書〕

〖深山幽谷〗심산유곡 : 깊은 산과 그윽

한 골짜기.〔列子〕

〖心正筆正〗심정필정 : 마음이 바른 사람은 필법(筆法)도 스스로 바름.〔柳公權〕

〖十目所視〗십목소시 : 열 사람의 눈, 곧 많은 사람이 봄. 저 혼자 숨어서 하는 일도 세상 사람은 다 안다는 말.〔大學〕

ㅇ 部

〖阿鼻叫喚〗아비규환 : 비참한 상황에 빠져 울부짖으며 구원을 바라는 모양의 비유. '아비'는 '아비지옥(阿鼻地獄)'의 준말.

〖我心如秤〗아심여칭 : 내 마음은 저울과 같이 공평무사하다는 말.

〖啞然大笑〗아연대소 : 크게 소리내어 웃음.〔列子〕

〖我田引水〗아전인수 : 자기의 논에 물을 끌어 댄다는 뜻으로, 일을 제게 이롭도록 처리하는 일.

〖惡事千里〗악사천리 : 나쁜 짓이나 못된 소문은 금세 세상에 퍼진다는 말.〔北夢瑣言〕

〖安心立命〗안심입명 : 신념(信念)에 안주하여 일신의 안위(安危)를 조금도 걱정하지 않음.〔傳燈錄〕

〖安車蒲輪〗안차포륜 : 노인을 위로하고 후하게 대접하는 일. 포륜(蒲輪)은 부들로 수레바퀴를 싸서 바퀴가 구를 때 흔들리지 않게 하는 일.〔漢書〕

〖暗中摸索〗암중모색 : 확실하게 알고 있지 못한 것을 상상으로 추측함.〔隋書〕

〖曖昧模糊〗애매모호 : 사물의 실질이나 실체가 분명하지 않아 희미하게 보임.

〖夜郎自大〗야랑자대 : 자기의 역량도 모르고 큰소리 치고 으스댐의 비유. 야랑(夜郎)은 중국 서남쪽의 오랑캐.〔史記〕

〖野無遺賢〗야무유현 : 현명한 사람이 모두 등용(登用)되어 민간에 인물이 없음.〔書經〕

〖藥石之言〗약석지언 : 사람을 훈계하는

말.〔左傳〕

〖弱肉强食〗약육강식 : 약한 자가 강한 자에게 먹힘. 약한 것이 강자에게 정복됨의 비유.〔韓愈〕

〖羊頭狗肉〗양두구육 : 양의 대가리를 걸어 놓고 실은 개고기를 팖. 선전이나 외견은 훌륭하지만 내용은 일치하지 않음의 비유.

〖梁上君子〗양상군자 : 도둑이 들보 위에 숨어 있는 것을 비꼬아 들보 위의 군자라고 한 고사(故事)에서, 도둑의 일컬음.〔後漢書〕

〖羊質虎皮〗양질호피 : 실지는 양이지만 호랑이 가죽을 뒤집어쓰고 있음. 겉보기는 훌륭하나 실질이 거기에 따르지 못함의 비유.〔揚子法言〕

〖養虎遺患〗양호유환 : 호랑이를 길러 후환을 부름. 스스로 만들어서 화를 당함의 비유.〔史記〕

〖漁父之利〗어부지리 : 조개와 황새가 서로 다투다가 어부에게 둘 다 잡힌 것과 같이, 두 사람이 이해 관계로 서로 다투고 있는 동안에 엉뚱한 다른 사람이 이득을 보게 됨의 비유.

〖抑强扶弱〗억강부약 : 강한 자를 누르고 약한 자를 도와 줌.〔後漢書〕

〖偃武修文〗언무수문 : 무기를 감추고 학문을 닦아 나라를 태평하게 함.〔書經〕

〖言語道斷〗언어도단 : 너무나도 심하여 말도 안 나올 정도임. 말로 표현할 수 없을 정도로 나쁨.〔瓔珞經〕

〖言行相反〗언행상반 : 말과 행동이 일치하지 않음.〔荀子〕

〖掩耳盜鈴〗엄이도령 : 귀를 가리고 방울을 훔침. 곧, 나쁜 짓을 하고 남의 비난을 듣지 않으려고 제 귀를 막아도 아무 소용이 없다는 말.〔呂氏春秋〕

〖如履薄氷〗여리박빙 : 얇은 얼음을 밟듯 몹시 위험함을 가리키는 말.〔詩經〕

〖與民同樂〗여민동락 : 왕이 백성과 더불어 낙을 같이 나눔.〔孟子〕

〖如意寶珠〗여의보주 : 이 구슬을 가지고 있으면 무슨 일이든지 소원대로 된다

는 구슬. 〔知度論〕

〖女中丈夫〗 여중장부 : 남자에 못지않는
여자. 여장부.

〖如出一口〗 여출일구 : 여러 사람의 입
으로부터 나오는 말이 한 사람 입에서 나
오는 말과 같음을 이름. 〔戰國策〕

〖延年益壽〗 연년익수 : 나이를 많이 먹
고 오래오래 삶. 〔漢書〕

〖緣木求漁〗 연목구어 : 나무 위에 올라
가서 물고기를 잡으려 한다는 듯으로,
되지 않을 일을 억지로 하려는 것을 이
르는 말. 〔孟子〕

〖蓮花世界〗 연화세계 : 극락세계의 일
컬음.

〖厭離穢土〗 염리예토 : 번뇌로 더러워진
이승이 싫어서 속세를 떠남.

〖榮枯盛衰〗 영고성쇠 : 사람의 일생은
성하기도 하고 쇠하기도 한다는 말.

〖五車之書〗 오거지서 : 다섯 수레에 가
득 실을 만큼 많은 장서(藏書). 〔莊子〕

〖五穀不升〗 오곡불승 : 오곡이 모두 열
매를 맺지 않았다는 뜻으로, 흉작을 이
름. 〔韓詩外傳〕

〖梧桐一葉〗 오동일엽 : 오동 한 잎을 보
고 입추(立秋)가 온 것을 안다는 말.

〖五里霧中〗 오리무중 : 깊은 안개로 방
향도 분간할 수 없는 상태. 사정을 도무
지 알 수 없어 갈피를 잡지 못함. 또, 손
으로 더듬어서 나아감의 비유. 〔後漢書〕

〖五百羅漢〗 오백나한 : 석가가 세상을
떠난 후 그의 유경(遺經)을 모으기 위하
여 모였던 제자들.

〖吳越同舟〗 오월동주 : 사이가 나쁜 사
람끼리 한 장소나 같은 처지에 있음의 비
유. 또, 사이가 나빠 반목하면서도 이해
가 일치할 때에는 협력함의 비유. 〔孫
子〕

〖五日京兆〗 오일경조 : 겨우 닷새 동안
경조윤(京兆尹)을 지냈다는 뜻으로, 관
직에 오래 있지 않음을 이름. 〔漢書〕

〖五風十雨〗 오풍십우 : 닷새에 한 번 바
람이 불고 열흘에 한 번 비가 온다는 말
로, 기후가 순조로움을 이름. 〔論衡〕

〖吳下阿蒙〗 오하아몽 : 노숙(魯肅)이 오

랜만에 여몽(呂蒙)을 만나 전과는 딴판
으로 학식이 뛰어난 것을 보고 놀라 '그
대는 오나라에 있을 때의 몽(蒙)이 아니
로군.' 이라고 말한 고사(故事)에서, 학
문의 소양이 없는 변변치 못한 인물을 뜻
하는 말. 아(阿)는 어조사(語助詞). 〔三
國志〕

〖烏合之衆〗 오합지중 : 어중이떠중이.
맹목적으로 모여든 무리들. 〔後漢書〕

〖玉石俱焚〗 옥석구분 : 옥과 돌이 함께
탄다는 뜻으로, 선한 사람이나 악한 사
람이 함께 망함을 이름. 〔書經〕

〖玉石混淆〗 옥석혼효 : 좋은 것과 나쁜
것, 뛰어난 것과 열등한 것이 구별 없이
섞여 있음. 〔抱朴子〕

〖沃野千里〗 옥야천리 : 기름진 들이 썩
넓음을 이름. 〔史記〕

〖溫故知新〗 온고지신 : 옛 일을 연구하
여 거기에서 새로운 지식이나 도리를 찾
아냄. 〔論語〕

〖溫柔敦厚〗 온유돈후 : 성품이 상냥하고
인정이 두터움. 〔禮記〕

〖雍齒封侯〗 옹치봉후 : 한(漢)나라 고조
(高祖)가 평소에 미워했던 옹치(雍齒)
를 봉(封)하여 여러 부하 장수를 진무
(鎭撫)한 계책(計策). 〔史記〕

〖蛙鳴蟬噪〗 와명선조 : 개구리나 매미가
시끄럽게 울어댐. 전하여, 쓸데없는 말
이 많고 내용이 빈약한 서툰 문장이나,
오직 시끄럽기만 할 뿐 소용이 없는 논
의의 비유.

〖臥薪嘗膽〗 와신상담 : 월(越)나라 왕
구천(勾踐)이 쓸개를 핥고 오(吳)나라
왕 부차(夫差)가 불편한 섶에 누워 잠
을 잤다는 뜻으로, 원수를 갚기 위하여
때를 기다리며 고심함. 〔吳越春秋〕

〖玩物喪志〗 완물상지 : 진귀한 것에 마
음이 뺏겨서 그것을 가지고 놀고 있으
면 소중한 자기의 본뜻을 잃어버리게
된다는 말. 〔書經〕

〖龍頭蛇尾〗 용두사미 : 머리는 용이고
꼬리는 뱀. 처음에는 기세가 왕성하다가
마지막으로 감에 따라 기세를 떨치지 못
하고 보잘것이 됨을 이름. 〔碧巖錄〕

〖龍蟠虎踞〗용반호거 : 용이 서리고 호랑이가 웅크리듯, 어떤 장소를 근거지로 삼아 위세를 떨침을 이름. 또, 지세가 험준하여 적을 막기 좋은 목. 〔李白〕

〖龍驤虎視〗용양호시 : 용처럼 하늘로 올라가고 호랑이처럼 노려봄. 강한 자가 위세를 떨치는 모양. 〔蜀志〕

〖勇往邁進〗용왕매진 : 목표나 목적을 향하여 씩씩하게 곧장 나아감.

〖右顧左眄〗우고좌면 : 오른쪽을 보았다 왼쪽을 보았다 분명하지 않음. 주위의 눈이나 의견을 염려하여 자신이 없고 결단을 내리지 못함을 이름. 좌고우면(左顧右眄). 좌우고면(左右顧眄).

〖牛刀割鷄〗우도할계 : 소 잡는 칼로 닭을 잡는다는 말로, 작은 일을 처리하는 데 대기(大器)로 함을 이름. 〔論語〕

〖右文左武〗우문좌무 : 우문은 문학을 숭상하는 것, 좌무는 무예를 숭상하는 것. 문무 양도(兩道)로써 천하를 다스림.

〖牛溲馬勃〗우수마발 : 소의 오줌과 말의 똥. 곧, 질 낮은 나쁜 약재(藥材). 〔韓愈〕

〖優勝劣敗〗우승열패 : 뛰어난 자가 이기고 못한 자가 진다는 말. 특히 생존 경쟁에서 강자와 적자(適者)가 번영을 누리고 약자와 부적격자가 쇠망함.

〖優柔不斷〗우유부단 : 꾸물거리며 결단력이 부족함. 〔漢書〕

〖愚者一得〗우자일득 : 어리석은 사람도 때에 따라 좋은 고안(考案)을 낸다는 말. 〔晏子春秋〕

〖羽化登仙〗우화등선 : 신선이 되어 날개가 돋쳐서 하늘로 올라감. 또, 술에 취하여 좋은 기분에 도취됨. 〔蘇軾〕

〖運否天賦〗운부천부 : 좋은 운을 만날지, 비운에 눈물 짓는지는 하늘이 시키는 일이라는 뜻으로, 운을 하늘에 맡기고 일을 함을 이름.

〖雲散霧消〗운산무소 : 구름이나 안개가 바람없이 햇빛을 받아 흔적도 없이 사라지듯, 사물이 깨끗이 사라짐의 비유.

〖雲集霧散〗운집무산 : 많은 것이 모이고 또 흩어짐. 〔班固〕

〖遠交近攻〗원교근공 : 먼 나라와 사이 좋게 지내고, 가까운 나라를 공격한다는 외교 정책. 〔戰國策〕

〖圓頭方足〗원두방족 : 둥근 머리에 모진 발, 곧 사람을 이름. 〔淮南子〕

〖怨入骨髓〗원입골수 : 원한이 골수에 사무침. 〔史記〕

〖圓轉滑脫〗원전활탈 : 모나지 않고 사물을 막힘 없이 진행해 나감. 언행이 자유자재로운 모양.

〖圓鑿方枘〗원조방예 : 네모난 장부촉을 둥근 장부 구멍에 박을 수 없듯이 사물이 서로 맞지 않음의 비유. 방예원조(方枘圓鑿). 〔史記〕

〖月卿雲客〗월경운객 : 공경(公卿)과 당상관(堂上官). 곧, 귀족의 일컬음.

〖月下氷人〗월하빙인 : 월하로(月下老)와 빙상인(氷上人). 결혼 중매인. 〔晋書〕

〖危機一髮〗위기일발 : 머리카락 한 올만큼의 작은 차이로 아주 위험한 상태가 될 뻔한 아슬아슬한 처지.

〖緯武經文〗위무경문 : 무(武)를 날실, 문(文)을 씨실로 하여 나라를 짜낸다는 뜻으로, 문무로써 나라를 다스림의 비유. 〔晋書〕

〖爲富不仁〗위부불인 : 재산을 모아 부자가 되면 남에게 어진 일을 베풀지 않음을 이름. 〔孟子〕

〖爲善最樂〗위선최락 : 선한 일을 하는 것은 인생 최대의 낙이라는 말. 〔後漢書〕

〖危如累卵〗위여누란 : 알을 쌓아올린 것과 같은 위태로움. 아주 위험한 상황. 〔司馬相如〕

〖威而不猛〗위이불맹 : 위엄은 있으나 결코 난폭하지 않음. 〔論語〕

〖韋編三絶〗위편삼절 : 독서에 힘씀. 공자(孔子)가 대쪽을 가죽끈으로 엮은 역경(易經) 책을 가죽끈이 세 번 끊어질 정도로 읽었다는 고사(故事). 〔史記〕

〖柔能制剛〗유능제강 : 약한 사람이 도리어 강한 사람을 제압할 때가 있다는

말.〔三略〕

〚流連荒亡〛유련황망 : 집에 돌아가는 것도 잊고 사냥이나 놀이에 탐닉함. 유련은 노는 재미에 빠져 집에 돌아가지 않고, 황망은 사냥이나 술마시기에 빠짐. 〔孟子〕

〚柳綠花紅〛유록화홍 : 자연에 조금도 인공을 가하지 않음을 이름.

〚有名無實〛유명무실 : 명예뿐이고 실지가 없음.〔漢書〕

〚流觴曲水〛유상곡수 : 삼월 삼일 삼짇날의 주연. 빙 돌아 흐르는 물에 잔을 띄우고 마심.

〚流水不腐〛유수불부 : 흐르는 물은 썩지 않음. 항상 움직이는 것은 썩지 않는다는 말.〔呂氏春秋〕

〚唯我獨尊〛유아독존 : 이 세상에 나보다 존귀한 사람은 없다는 말. 전하여, 저만 잘났다고 자부하는 독선적인 태도의 비유.〔端惠本起經〕

〚有爲轉變〛유위전변 : 이 세상의 현상이나 존재는 인연이 얽혀서 생긴 것이므로, 한순간도 머무르지 않고 변해 간다는 말.

〚唯唯諾諾〛유유낙낙 : 일의 선악이나 시비에 관계 없이 남이 하라는 대로 하는 모양.

〚遺臭萬年〛유취만년 : 나쁜 이름을 후세에 오래도록 남김.〔晉書〕

〚六尺之孤〛육척지고 : 열너댓 살의 부모 없는 아이. '육척'은 작은 형용.〔論語〕

〚融通無得〛융통무애 : 행동이나 사고(思考) 등이 그 무엇에도 구애되지 않고 자유롭고 활달함.

〚殷鑑不遠〛은감불원 : 남의 실패를 거울삼음. 은(殷)나라 사람으로서 명심할 것은 가까운 전 시대인 하(夏)나라가 망한 원인을 알아야 한다는 뜻.〔詩經〕

〚慇懃無禮〛은근무례 : 지나치게 공손하여 오히려 무례가 됨. 또, 말이나 행동이 겉으로는 매우 정중하지만, 실상은 아주 거만함.

〚陰德陽報〛음덕양보 : 남몰래 덕을 닦

은 이는 비록 사람들이 몰라 준다 해도 하늘이 알아 주어 겉으로 나타날 만한 복을 받는다는 말.〔淮南子〕

〚應天順人〛응천순인 : 천명에 응하고 인위(人爲)에 순응하여 일을 함.〔易經〕

〚意氣軒昻〛의기헌앙 : 기세와 패기가 대단함. 원기 왕성한 모양.

〚意馬心猿〛의마심원 : 사람의 마음이 번뇌나 욕정 때문에 어지러워짐을 누르기 어려움. 말과 원숭이에 비유한 말.

〚意味深長〛의미심장 : 말이나 글의 뜻이 매우 깊음.

〚疑心暗鬼〛의심암귀 : 마음속에 의심을 품고 있으면 아무렇지도 않은 일까지 불안해지거나 무서워지거나 함.〔列子〕

〚異口同音〛이구동음 : 많은 사람들이 똑같은 말을 함. 많은 사람의 의견이나 하는 말이 일치함. 이구동성(異口同聲).

〚理氣合一〛이기합일 : 명(明)나라 왕양명(王陽明)의 설로서, 천지는 원래가 한 원기(元氣)로서 이(理)는 기(氣) 속의 조리(條理)라고 주장함.〔傳習錄〕

〚以卵投石〛이란투석 : 달걀로 바위 치기. 약한 것이 강한 것에 부딪치면 즉시 부서져 버린다는 말.〔墨子〕

〚魑魅魍魎〛이매망량 : 도깨비. '이매'는 사람의 얼굴에 네발 짐승의 몸을 하고 있어 사람을 잘 홀리며, '망량'은 세 살 먹은 아이 같은 적흑색의 물의 신(神).〔左傳〕

〚理非曲直〛이비곡직 : 도리에 맞는 일과 이치에 벗어난 일. 잘못된 일과 올바른 일.

〚以心傳心〛이심전심 : 말을 주고받지 않아도 서로의 생각이 상대방에게 통함.〔傳燈錄〕

〚異域之鬼〛이역지귀 : 타국의 귀신. 곧, 타국에서 죽음을 이름.〔李陵〕

〚利用厚生〛이용후생 : '이용'은 장인(匠人)이 그릇을 만들고 장수가 재물을 운반하는 일 따위이고, '후생'은 옷을 입고 고기를 먹어 추위에 떨지 않고 굶주리지 않는 것 등을 이름.〔書經〕

〚以血洗血〛이혈세혈 : 피로써 피를 씻

으면 더욱 더러워진다는 뜻으로, 나쁜 일을 다스리려 더욱 악(惡)을 범함을 이름. 〔唐書〕

〖因果應報〗 인과응보 : 그 사람의 전생이나 과거의 행적이 원인으로 갖가지 결과를 그 대갚음으로 받음.

〖人面獸心〗 인면수심 : 사람의 얼굴을 하였으나 마음은 짐승과 다름없는 인정이 없는 자. 또, 괴물(怪物)의 형상. 〔史記〕

〖因循故息〗 인순고식 : 옛 관행이나 이제까지의 방식에 구애되어 고치려 하지 않고 임시방편으로 시종함. 또, 소극적이며 결단력이 없어 꾸물거림.

〖仁者無敵〗 인자무적 : 어진 사람은 모든 사람을 사랑하므로 천하에 적이 없음. 〔孟子〕

〖仁者樂山〗 인자요산 : 어진 사람은 모든 일을 의리에 따라 하여, 행동이 신중한 것이 태산(泰山) 같으므로 산을 즐겨함. 〔論語〕

〖一刻千金〗 일각천금 : 극히 짧은 시간이 천금의 값에 상당함. 소중한 때나 즐거운 때가 지나가기 쉬움을 아쉬워하는 말. 〔蘇軾〕

〖一擧兩得〗 일거양득 : 한 동작이나 행동으로 두 가지 이익을 얻음. 〔晉書〕

〖日居月諸〗 일거월저 : 일월(日月), 거(居)와 저(諸)는 조사(助辭). 〔詩經〕

〖一氣呵成〗 일기가성 : 단숨에 문장 따위를 지어냄. 또, 사물을 한숨에 몰아쳐서 해냄.

〖一騎當千〗 일기당천 : 혼자서 천 명의 적을 대항할 수 있음. 그토록 강한 용사의 형용. 전하여, 남달리 뛰어난 기술이나 경험이 있음의 비유.

〖一期一會〗 일기일회 : 평생에 단 한 번 만남. 또, 그 일이 생애에 단 한 번뿐인 일임. 사람과의 만남 등의 기회를 소중히 함의 비유.

〖一諾千金〗 일낙천금 : 일단 승낙하고 떠맡았으면 천금으로도 바꿀 수 없는 가치가 있다는 말. 한번 약속한 것은 절대로 깨지 않음. 두터운 신뢰가 있음의 비

유. 〔史記〕

〖一刀兩斷〗 일도양단 : 한 칼에 둘로 나누듯이 일이나 행동을 선뜻 결정함을 가리키는 말. 〔朱子語錄〕

〖一動一靜〗 일동일정 : 때로는 움직이고 때로는 조용함. 〔禮記〕

〖日落西山〗 일락서산 : 해가 서산에 짐. 나이 늙어 죽음이 다가옴의 비유. 〔李密〕

〖一蓮托生〗 일련탁생 : 죽은 뒤에 극락 세계에서 같은 연꽃 위에서 태어남. 전하여, 결과야 어떻든, 또 좋건 나쁘건 행동이나 운명을 같이함의 비유.

〖一粒萬倍〗 일립만배 : 한 알의 씨앗에서 만 배의 수확이 있음. 사소한 것에서부터 대단히 많은 이익을 얻음의 비유. 전하여, 얼마 안 되는 것이라도 소홀히 해서는 안 된다는 말. 〔報恩經〕

〖一網打盡〗 일망타진 : 그물을 한 번 던져 많은 물고기를 잡음. 전하여, 한꺼번에 일당을 모조리 붙잡음. 〔宋史〕

〖一面如舊〗 일면여구 : 처음 만나 보고 옛 벗처럼 친밀함. 〔晉書〕

〖日暮途遠〗 일모도원 : 해는 저물고 갈 길은 멂. 나이는 늙고 앞으로 할 일은 많음의 비유. 〔史記〕

〖一目瞭然〗 일목요연 : 한 번 보고 사물의 모습을 분명히 함.

〖日不暇給〗 일불가급 : 할 일이 많아 시일이 부족함. 〔漢書〕

〖一悲一喜〗 일비일희 : 슬퍼하기도 하고 기뻐하기도 함.

〖一事無成〗 일사무성 : 한 가지도 일을 이룬 것이 없음. 〔白居易〕

〖一瀉千里〗 일사천리 : 일의 진행이 세차서 급속하게 진척됨. 또, 변설이나 문장 따위가 거침없이 술술 풀려 나감. 〔陳亮〕

〖一石二鳥〗 일석이조 : 돌 하나를 던져 새 두 마리를 맞힘. 한 가지 일을 하여 동시에 두 가지 목적을 달성하거나 두 가지 이익을 얻음의 비유.

〖一視同仁〗 일시동인 : 누구누구의 차별 없이 모든 사람을 평등하게 보고 똑같이

인애의 마음을 베풂. 〔韓愈〕

〖一陽來復〗 일양내복 : 음(陰)이 다하고 다시 양(陽)이 돌아옴. 음력 11월 또는 동지(冬至)를 가리킴. 겨울이 가고 봄이 돌아옴. 새해가 옴을 이름. 전하여, 좋지 않은 일이 계속된 뒤에 겨우 좋은 방향으로 돌아섭의 비유. 〔易經〕

〖一言半辭〗 일언반사 : 단 한마디의 말. 적은 말의 뜻. 일언반구(一言半句). 〔史記〕

〖一衣帶水〗 일의대수 : 한 가닥의 띠처럼 좁은 강이나 바다. 또, 그와 같은 좁은 물 흐름에 의해 격해 있음의 비유. 〔南史〕

〖一日三秋〗 일일삼추 : 그리워하고 몹시 애태우며 기다림. 〔論經〕

〖一日之長〗 일일지장 : 다른 사람보다 나이가 조금 많음. 또, 조금 나음을 이름. 〔論語〕

〖一資半級〗 일자반급 : 대수롭지 않은 낮은 벼슬자리.

〖一字之師〗 일자지사 : 시 또는 문장의 부적절한 글자 하나를 고쳐 명편(名篇)이 되게 해 준 사람을 존경하여 이름. 또, 단 한 자를 배워도 역시 선생이라는 말. 〔葆化錄〕

〖一場春夢〗 일장춘몽 : 한바탕의 봄꿈. 덧없는 부귀 영화의 비유. 〔侯鯖錄〕

〖一朝一夕〗 일조일석 : 하루 아침이나 하루 저녁처럼 대단히 짧은 시간을 이름. 〔易經〕

〖一知半解〗 일지반해 : 하나쯤 알고 반쯤 깨달음. 곧, 지식이 적음. 〔滄浪詩話〕

〖一進一退〗 일진일퇴 : 앞으로 나아갔다 뒤로 물러났다 함. 〔管子〕

〖一唱三嘆〗 일창삼탄 : 시문 따위를 한 번 읊고 몇 번씩이나 감탄함. 뛰어난 문장을 칭찬하는 말. 〔蘇軾〕

〖一切衆生〗 일체중생 : 이 세상에 살아 있는 모든 사람. 〔法華經〕

〖一觸卽發〗 일촉즉발 : 조금만 닿아도 곧 폭발할 것 같음. 전하여, 사소한 계기로 곧 어떤 사태가 터질 것같이 매우

급박한 모양. 대단히 위험한 사태에 직면하고 있는 모양.

〖日就月將〗 일취월장 : 학업이 날이 가고 달이 갈수록 진보함을 이름. 취(就)는 '이루다'의 뜻. 장(將)은 '앞으로 나아간다'는 뜻. 〔詩經〕

〖一敗塗地〗 일패도지 : 크게 패하여 다시 일어날 수 없게 됨. 〔史記〕

〖一暴十寒〗 일포십한 : 초목을 기르는 데 하루 볕에 쬐고 열흘 동안 응달에 둔다는 뜻으로, 단 하루 공부하고 열흘이나 노는 게으름의 비유. 〔孟子〕

〖一攫千金〗 일확천금 : 한꺼번에 큰 이익을 얻음.

〖臨機應變〗 임기응변 : 그때그때 일의 기틀에 따라 적당하게 처리함. 〔晉書〕

〖入境問禁〗 입경문금 : 국경에 들어서면 그 나라에서 금하는 것을 물어 보라는 말. 〔禮記〕

〖粒粒辛苦〗 입립신고 : 낟알 하나하나가 모두 농부의 땀의 결정이듯, 무엇을 성취하기 위하여 꾸준히 고생이나 노력을 쌓음. 〔李紳〕

ㅈ 部

〖自家撞着〗 자가당착 : 언행이 앞뒤가 서로 모순되는 모양. 〔禪林類聚〕

〖自彊不息〗 자강불식 : 스스로 쉬지 않고 줄곧 힘씀. 〔易經〕

〖刺股讀書〗 자고독서 : 졸음이 오면 송곳으로 다리를 찔러 가며 열심히 책을 읽었다는 소진(蘇秦)의 고사(故事). 〔戰國策〕

〖自今以後〗 자금이후 : 지금으로부터 이후. 〔後漢書〕

〖子路負米〗 자로부미 : 공자(孔子)의 제자인 자로(子路)는 가난하여 매일 쌀을 등짐으로 져서 백 리 밖까지 운반하여 그 운임을 받아 양친을 봉양했다는 고사(故事). 〔孔子家語〕

〖子卯不樂〗 자묘불락 : 자일(子日)과 묘일(卯日)은 나쁜 날이라고 하여 음악을 하지 않음. 은(殷)나라 주왕(紂王)은 갑

자(甲子)에 망하고, 하(夏)나라 걸왕(桀王)은 을묘(乙卯)에 망하였으므로, 자묘(子卯)를 꺼림.〔禮記〕

〖自業自得〗자업자득 : 자기가 지은 업(業)의 갚음은 자기 자신이 받는다는 말. 자기가 한 짓의 결과는 자기 자신이 떠맡아야 함.〔正法念處經〕

〖子爲父隱〗자위부은 : 부자지간의 천리인정(天理人情)으로, 나쁜 일은 아버지는 자식을 위해서 숨기고, 자식은 아버지를 위하여 숨긴다는 말.〔論語〕

〖子子孫孫〗자자손손 : 대대로 이어지는 자손.〔書經〕

〖自取富貴〗자취부귀 : 제 힘으로 부귀를 누리게 됨을 이름.〔事文類聚〕

〖自暴自棄〗자포자기 : 일이 뜻대로 풀리지 않거나 하여, 자기 자신을 소중히 하지 않고 희망을 버리어 될 대로 되라는 식으로 행동하는 일.〔孟子〕

〖作舍道傍〗작사도방 : 집을 길가에 짓는데 오고가는 사람에게 상의하자, 저마다 자기 의견을 주장하여 이론(異論)이 많아서 결정을 내리지 못하고, 마침내 집을 짓지 못하게 되었다는 말.〔後漢書〕

〖長命富貴〗장명부귀 : 수명이 길고 재산이 많고 지위가 높음.〔唐書〕

〖將門有將〗장문유장 : 장군 집안에 장군이 난다는 말.

〖張三李四〗장삼이사 : 장씨네의 삼남과 이씨네의 넷째 아들. 곧, 이름 없는 사람들. 평범한 사람의 비유.〔傳燈錄〕

〖長袖善舞〗장수선무 : 소매가 긴 옷을 입으면 춤추기에 좋음. 무슨 일에 자재(資材)가 풍부하면 일을 이루기가 쉽다는 말.〔韓非子〕

〖長夜之飮〗장야지음 : 날이 새어도 창을 가리고 불을 켜 놓은 채 계속 하는 술자리.

〖莊周之夢〗장주지몽 : 장자(莊子)가 꿈에 나비가 되었는데, 깬 후에 장자가 나비가 되었는지 나비가 장자가 되었는지 의심하였다는 말. 자아(自我)와 외물(外物)은 본시 동일하다는 이치를 설명

한 것.

〖才氣煥發〗재기환발 : 머리가 뛰어나고, 활발하며 두드러짐. 재기(才氣)가 왕성하게 겉으로 나타나는 모양.

〖爭長競短〗쟁장경단 : 장점과 단점을 가지고 서로 다툼.〔宋文鑑〕

〖電光石火〗전광석화 : 번개나 부싯돌이 내는 불꽃. 동작이나 거동, 사물의 움직임 등이 매우 재빠름의 비유.〔碧巖錄〕

〖戰戰兢兢〗전전긍긍 : 두려워서 매우 조심함.〔詩經〕

〖輾轉反側〗전전반측 : 이리저리 뒤척이며 잠을 이루지 못함. 걱정이나 근심으로 밤에 잠을 못 이루는 모양.〔詩經〕

〖轉禍爲福〗전화위복 : 재앙이 도리어 복이 됨.〔史記〕

〖切問近思〗절문근사 : 실제에 적절한 질문을 하여 곧 실행하고자 생각함.〔論

〖絶長補短〗절장보단 : 긴 곳을 잘라 짧은 데를 보충함.〔孟子〕

〖切磋琢磨〗절차탁마 : 돌이나 옥을 갈듯이, 학문·기예·인품 등을 닦음. 끊임없는 노력에 의해 자기의 역량, 소질을 닦음의 비유.〔詩經〕

〖切齒扼腕〗절치액완 : 이를 갈고 자기의 팔을 불끈 쥠. 분개하거나 분해하는 모양.〔史記〕

〖定省溫淸〗정성온정 : 자식의 부모에 대한 예절. 곧, 조석으로 부모의 잠자리를 정돈하고 안부를 살피며, 따뜻하고 서늘함을 보살핌. 혼정신성(昏定晨省)과 동온하정(冬溫夏淸).〔禮記〕

〖濟濟多士〗제제다사 : 인재가 많고 성함.〔詩經〕

〖諸行無常〗제행무상 : 이 세상의 모든 현상은 항상 변화하고 생멸(生滅)하여 영구 불변하지 않는다는 말.〔傳燈錄〕

〖糟糠之妻〗조강지처 : 곤궁할 때 고난을 함께 해 온 아내. 본처(本妻).〔後漢

〖朝令暮改〗조령모개 : 아침에 명령을 내리고 저녁에는 그것을 고침. 명령이 차례로 바뀌고 일정하지 않음의 비유.

〔漢書〕

【朝三暮四】조삼모사 : 송(宋)나라 저공(狙公)이라는 사람이 기르는 원숭이의 먹이를 줄이려고, 도토리를 아침에 세 개, 저녁에 네 개를 주마고 했더니 원숭이가 듣고 일어나 노하매, 아침에 네 개, 저녁에 세 개를 주겠다고 하니 원숭이들이 기뻐했다는 이야기. 곧 결과는 같음을 모르고 눈앞의 이해에 사로잡혀 사물을 본질을 이해하지 못하는 것. 또, 궤변이나 속임수를 써서 남을 속임의 비유. 〔列子〕

【爪牙之士】조아지사 : 발톱이나 이빨이 짐승의 몸을 보호하는 것이 것처럼, 국가를 보필하는 신하를 일컬음. 〔詩經〕

【造次顚沛】조차전패 : 조차는 창졸간, 전패는 엎드러지고 자빠질 때. 급한 경우나 일이 뜻대로 되지 않는 경우. 잠깐 사이, 순식간의 뜻. 또, 잠시도 게을리하지 않고 힘쓰는 모양도 일컬음. 〔論語〕

【左命之士】좌명지사 : 천명(天命)을 받아 천자가 될 사람을 보필하여 대업을 성취시키는 사람. 〔漢書〕

【主客顚倒】주객전도 : 일의 경중, 처지 따위가 거꾸로 됨. 주인과 손의 입장이 바뀜의 비유.

【晝耕夜誦】주경야송 : 낮에는 밭을 갈고 밤에는 공부를 함. 〔魏書〕

【酒囊飯袋】주낭반대 : 술 부대와 밥 주머니. 밤낮 먹고 마시는 일에만 매달려 있는 사람, 곧, 아무짝에도 쓸모가 없는 사람.

【晝想夜夢】주상야몽 : 낮에 생각한 것이 밤에 꿈에 나타남. 〔列子〕

【朱脣皓齒】주순호치 : 붉은 입술과 흰 이. 미인의 형용. 〔楚辭〕

【晝夜兼行】주야겸행 : 밤낮 쉬지 않고 길을 서두름. 밤낮 구별 없이 계속 일을 함. 〔吳志〕

【酒池肉林】주지육림 : 술과 고기가 풍부하고 호사스러운 술잔치. 〔史記〕

【竹頭木屑】죽두목설 : 대나무 조각과 나무 부스러기. 곧, 자디잔 것, 작은 일도 소홀히 하지 않음의 비유. 〔晉書〕

【樽俎折衝】준조절충 : 주석에서의 외교 교섭에서, 상대의 기세를 비켜 유리하게 교섭을 하는 일. 상대방과 교섭할 때의 흥정의 비유. 〔新序〕

【衆口鑠金】중구삭금 : 뭇사람이 참소하는 말은 쇠라도 녹일 만큼 무서운 힘이 있음. 〔楚辭〕

【中途而廢】중도이폐 : 힘이 미처 다하기 전에 중도에서 그만둠. 〔論語〕

【重門擊柝】중문격탁 : 몇 겹으로 문을 닫고 딱따기를 쳐서 경계함. 〔易經〕

【衆人環視】중인환시 : 여러 사람이 둘러싸고 보고 있음.

【卽心是佛】즉심시불 : 내 마음이 곧 부처라는 뜻. 오도(悟道)하면 마음은 곧 불심(佛心)이므로 내 마음을 떠나서는 부처가 없다는 말. 〔傳燈錄〕

【櫛風沐雨】즐풍목우 : 바람으로 빗질하고 비로 목욕한다는 말. 오랜 세월을 비바람을 무릅쓰고 동분서주하여 많은 고생을 함의 비유. 〔莊子〕

【指鹿爲馬】지록위마 : 진(秦)나라의 조고(趙高)가 사슴을 가리켜 말이라고 하였다는 고사(故事). 윗사람을 농락하여 권세를 마음대로 부림을 뜻함. 〔史記〕

【知命之年】지명지년 : 천명을 아는 나이. 곧, 오십세를 이름. 〔潘氏〕

【知者不言】지자불언 : 지식이 있는 사람은 지식을 마음속에 간직한 채 함부로 지껄이지 않음. 〔老子〕

【知者不惑】지자불혹 : 지자는 사물의 도리에 밝아, 일을 당하여 의혹하는 일이 없이 잘 분별함. 〔論語〕

【智者樂水】지자요수 : 지자는 도리를 잘 통달하여 막힘이 없음이 물과 흡사하여 물을 즐김. 〔論語〕

【知足不辱】지족불욕 : 족한 것을 아는 사람은 치욕을 당하지 않음. 〔老子〕

【知足者富】지족자부 : 족한 것을 알고 현재에 만족하는 사람이 부자라는 말. 〔老子〕

【咫尺之義】지척지의 : 작은 의(義). 〔史記〕

부록

〖咫尺之地〗지척지지 : 좁은 땅. 〔史記〕

〖地平天成〗지평천성 : 천지가 잘 다스려짐을 이름. 〔書經〕

〖知彼知己〗지피지기 : 병가(兵家)의 말로서, 전쟁을 하는 데에는 적의 내정과 나의 내정을 잘 알아야 함. 〔孫子〕

〖志學之年〗지학지년 : 나이 열다섯의 일컬음. 〔論語〕

〖直情徑行〗직정경행 : 감정이 닫는 대로 꾸미지 않고 행동함. 〔禮記〕

〖盡善盡美〗진선진미 : 완전무결함. 〔論語〕

〖陳勝吳廣〗진승오광 : 진(秦)나라 말기에 초(楚)나라 사람 진승과 오광이 먼저 진나라에 반기(反旗)를 들었으므로, 일의 발단을 여는 것을 진승오광을 한다고 함. 〔史記〕

〖進寸尺退〗진촌척퇴 : 한 치를 나아가다 한 자를 물러난다는 뜻으로, 소득이 없음을 이름. 〔老子〕

〖盡忠報國〗진충보국 : 충성을 다하여 나라에 보답함. 〔宋史〕

〖進退維谷〗진퇴유곡 : 앞으로 나아가지도 못하고 뒤로 물러서지도 못하여 어쩔 수 없이 궁지에 빠짐. 〔詩經〕

〖塵合泰山〗진합태산 : '티끌 모아 태산'과 같은 뜻.

〖疾風迅雷〗질풍신뢰 : 대단히 빠른 바람과 요란한 우렛소리. 행동이나 움직임이 매우 빠르고 격렬함의 비유. 〔禮記〕

ㅊ 部

〖借虎威狐〗차호위호 : 윗사람의 권위를 빌려 공갈을 하는 자를 이름. 〔戰國策〕

〖借賞濫刑〗참상남형 : 상벌(賞罰)을 함부로 함. 〔左傳〕

〖創業垂統〗창업수통 : 먼저 사업을 일으켜서 자손이 이어받을 실마리를 드리워 줌. 〔孟子〕

〖滄海一粟〗창해일속 : 푸른 바닷속의 한 알의 좁쌀같이 미미한 존재라는 뜻. 천지간(天地間)의 사람을 일컬음. 〔赤壁賦〕

〖採薪之憂〗채신지우 : 아파서 나무를 할 수 없다는 뜻으로, 자기의 병(病)의 겸사말. 〔孟子〕

〖尺山寸水〗척산촌수 : 높은 산에서 내려다본 경치의 형용. 〔張船山〕

〖千古不易〗천고불역 : 영원히 변하지 않음.

〖天高地下〗천고지하 : 하늘은 높고 땅은 낮다는 뜻으로, 각각 상하의 구별이 있음을 이르는 말. 〔禮記〕

〖天朗氣淸〗천랑기청 : 날씨가 화창하여 산과 수풀 밑의 공기가 상쾌함. 〔王羲之〕

〖千慮一得〗천려일득 : 바보도 생각하는 바가 맞는 때가 있다는 말. 〔晏子春秋〕

〖千里同風〗천리동풍 : 천 리나 되는 먼 곳까지 똑같은 바람이 분다는 뜻. 온 세상이 태평함의 비유. 또, 반대로 어지러운 세상을 이르기도 함. 〔論衡〕

〖千里命駕〗천리명가 : 천 리나 되는 먼 곳에 있는 친구를 방문하기 위하여 수레 준비를 시킴. 〔晉書〕

〖千里之駒〗천리지구 : 천리마(千里馬). 또, 연소한 재사(才士)의 비유.

〖天網恢恢〗천망회회 : '천망 회회 소이 불실(天網恢恢疎而不失)'의 준말. 하늘이 둘러친 그물은 대단히 크고 그물코도 성긴 것 같지만, 악인을 남김없이 잡는다는 뜻. 하늘은 결코 못된 자나 못된 짓을 놓치는 일이 없다는 말. 〔老子〕

〖天無二日〗천무이일 : 하늘에는 오직 하나의 해만 있을 뿐이라는 말. 〔禮記〕

〖千變萬化〗천변만화 : 사물이 다채롭게 차례차례로 변화함. 〔列子〕

〖千兵萬馬〗천병만마 : 병마(兵馬)가 많음. 〔南史〕

〖千山萬水〗천산만수 : 그윽한 깊은 산속.

〖泉石膏肓〗천석고황 : 그윽한 산수의 자연을 사랑하는 뜻이 고질처럼 되어 있음. 〔世說〕

〖千歲一時〗천세일시 : 다시 만나기 어려운 좋은 기회. 천재일우(千載一遇). 〔晉書〕

〖天圓地方〗 천원지방 : 하늘은 둥글고 땅은 네모짐.

〖天衣無縫〗 천의무봉 : 천상(天上)의 사람이 입는 옷에는 솔기가 없다는 뜻. 전하여, 시가(詩歌)나 문장에 기교를 부린 흔적이 없이 자연스러우면서 완벽하게 아름답다는 비유. 또, 인품이 천진난만하고, 마음이 그대로 언동에 드러나는 모양. 〔靈怪錄〕

〖千紫萬紅〗 천자만홍 : 보랏빛이나 붉은 빛 등 갖가지 빛깔의 꽃. 또, 가지각색의 꽃이 흐드러지게 핌. 비유적으로 다채롭고 풍성한 모양을 나타나기도 함.

〖千載一遇〗 천재일우 : 천 년에 한 번밖에 만날 수 없는 일. 절호의 기회. 다시 없이 좋은 기. 〔袁宏〕

〖天尊地卑〗 천존지비 : 하늘은 높으므로 존귀하고, 땅은 낮아 비천하다는 말. 〔易經〕

〖天眞爛漫〗 천진난만 : 꾸밈이나 거짓이 없이 하늘에서 타고난 순진한 성질 그대로 말이나 행동에 나타남. 〔蘇軾〕

〖千秋萬歲〗 천추만세 : 천년 만년 오래 삶. 장수를 축수하는 말.

〖千篇一律〗 천편일률 : 시문의 작법이 모두 같아 변화가 없음.

〖天下泰平〗 천하태평 : 천하가 평온하게 다스려져 평화로움. 전하여, 아무 일 없이 평은 무사하고 한가로움을 이름. 〔禮記〕

〖徹頭徹尾〗 철두철미 : 처음부터 끝까지. 〔楗子〕

〖鐵心石腸〗 철심석장 : 쇠나 돌처럼 단단한 정신, 의지의 비유. 무엇도 동하지 않는 강한 마음. 〔蘇軾〕

〖晴耕雨讀〗 청경우독 : 맑은 날에는 밖에 나가 논밭을 갈고, 비 오는 날에는 집에서 독서함. 유유자적의 생활, 자유롭고 풍아(風雅)한 생활의 비유.

〖靑雲之志〗 청운지지 : 고결한 지조(志操). 또, 큰 공을 세우고자 하는 큰 뜻.

〖靑天白日〗 청천백일 : 하늘이 맑고 푸르게 갠 화창한 날씨. 또, 그런 대낮. 전하여, 마음에 부끄럽다고 느끼거나 남의 눈을 의식하거나 하지 않는 상태. 특히, 죄 없음이 밝혀져 떳떳한 상태.

〖草根木皮〗 초근목피 : 풀의 뿌리와 나무의 껍질.

〖寸善尺魔〗 촌선척마 : 한 치의 선(善)과 한 자의 마(魔)의 뜻. 세상에는 좋은 일은 적고 나쁜 일이 많다는 말. 또, 조금 좋은 일이 있은 다음에는 나쁜 일이 많이 일어남의 비유.

〖寸進尺退〗 촌진척퇴 : 한 치 나아가고 한 자를 물러남. 조금 전진하고 크게 후퇴함. 또, 얻는 것은 적고 잃는 것이 많음. 〔老子〕

〖寸鐵殺人〗 촌철살인 : 한 치밖에 안 되는 칼로 사람을 죽인다는 뜻으로, 문장이나 논의 따위에 많은 말을 쓰지 않고 요령이 있음을 평하는 말.

〖秋霜烈日〗 추상열일 : 가을 서리와 여름의 따가운 태양. 전하여, 권위·지조·형벌 등이 대단히 엄함의 비유.

〖麤枝大葉〗 추지대엽 : 엉성하게 성긴 가지와 큰 잎. 문장의 까다로운 규칙에 얽매이지 않고 자유분방하게 글을 씀. 느긋하고 풍격이 있음의 비유. 〔朱子類語〕

〖春蘭秋菊〗 춘란추국 : 봄의 난초와 가을의 국화는 각각 특색이 있어 어느 것이 더 낫다고 할 수 없다는 말. 〔太平廣記〕

〖出將入相〗 출장입상 : 나가서는 장군이 되고, 들어와서는 재상(宰相)이 된다는 뜻으로, 문무(文武)를 겸비한 대신을 일컫는 말. 〔唐書〕

〖忠言逆耳〗 충언역이 : 정성스럽고 바른 말은 귀에 거슬림. 〔孔子家語〕

〖忠孝兩全〗 충효양전 : 충성과 효도를 둘 다 겸함. 〔李貴〕

〖吹毛求疵〗 취모구자 : 털을 불어 헤쳐서 그 속의 흉터를 찾는다는 뜻. 남의 조그만 잘못을 샅샅이 찾아냄을 이름. 〔韓非子〕

〖醉生夢死〗 취생몽사 : 가치 있는 일은 아무것도 하지 않고, 헛되이 일생을 보냄의 비유. 〔小學〕

부
록

〖翠帳紅閨〗취장홍규 : 초록색 방장과 붉은 침실. 곱게 꾸민 귀부인의 침실의 비유.

〖惻隱之心〗측은지심 : 불쌍하고 가엽게 여기는 마음. 〔孟子〕

〖七顚八倒〗칠전팔도 : 일곱 번 구르고 다시 일어나서 여덟 번 쓰러진다는 뜻. 대단히 고생함. 〔朱子語類〕

〖針小棒大〗침소봉대 : 바늘처럼 작은 것을 몽둥이처럼 크게 말함. 사물을 과장해서 말함의 비유.

ㅋ 部

〖快刀亂麻〗쾌도난마 : 얽힌 사물, 말썽 많은 사물을 산뜻하고 명쾌하게 처리함의 비유.

ㅌ 部

〖脫兎之勢〗탈토지세 : 토끼가 울에서 튀어나오듯 신속한 기세를 이름. 〔孫子〕

〖泰山北斗〗태산북두 : 태산과 북두칠성. 어떤 한 방면에서, 모든 사람이 우러러보고 존경하는 사람. 〔唐書〕

〖兎角龜毛〗토각귀모 : 토끼에 뿔이 나고 거북 등에 털이 난다는 뜻으로, 세상에 있을 수 없는 일. 〔楞嚴經〕

〖土崩瓦解〗토붕와해 : 흙이 무너지고 기와가 깨짐. 밑바닥부터 무너져, 도저히 되돌릴 방법이 없음의 비유. 〔鬼谷子〕

〖兎死狗烹〗토사구팽 : 교토사 주구팽(狡兎死走狗烹), 곧 날쌘 토끼가 죽으니 사냥개는 소용없이 되어 삶아 먹힌다는 뜻으로, 쓸모있는 동안에는 부림을 당하다가 소용이 다하면 버림을 받는다는 말. 〔史記〕

〖吐哺握髮〗토포악발 : 식사 때나 머리 감을 때 사람이 찾아오면, 입안의 밥을 뱉고 감던 머리를 움켜쥐고 곧 나와 맞이함. 주공(周公)이 어진 사람을 맞이한 고사(故事). 뛰어난 인재를 맞아들이기에 열심임. 〔韓詩外傳〕

ㅍ 部

〖爬羅剔抉〗파라척결 : '파'는 긁음, '라'는 망라함, '척'은 뼈를 발라냄, '결'은 우벼냄의 뜻. 긁어모으고 우벼냄. 전하여, 숨은 인재를 찾아내어 씀. 또, 남이 숨기고 있는 일을 까발려 폭로함. 〔韓愈〕

〖破竹之勢〗파죽지세 : 군세가 강하여 거침없이 적을 물리치고 쳐들어가는 기세. 〔晋書〕

〖八大地獄〗팔대지옥 : 큰 지옥이 여덟 곳 있음을 이름. 즉, 등활(等活) 지옥, 흑승(黑繩) 지옥, 중합(衆合) 지옥, 규환(叫喚) 지옥, 대규환(大叫喚) 지옥, 초열(焦熱) 지옥, 대초열(大焦熱) 지옥, 무간(無間) 지옥. 〔智度論〕

〖八面玲瓏〗팔면영롱 : 팔방이 투명하고 선명하며 아름다움. 전하여, 누구에게나 원만하고 교묘하게 행동함의 비유. 〔馬熙〕

〖八面六臂〗팔면육비 : 한 몸통에 여덟 개의 얼굴과 여섯 개의 팔을 가지고 있음. 전하여, 혼자서 몇 사람 몫의 일을 함. 다방면으로 눈부신 활약을 함의 비유.

〖偏旁冠脚〗편방관각 : 한자(漢字)를 구성하는 부분의 이름으로, 왼쪽의 '편(偏)'과 오른쪽의 '방(旁)'과 머리와 '발'의 일컬음. 또, 그 총칭.

〖抱關擊柝〗포관격탁 : 문지기와 야경꾼. 천한 관리의 비유. 〔孟子〕

〖炮烙之刑〗포락지형 : 기름을 바른 구리 기둥을 숯불 위에 놓고 죄인으로 하여금 그 위를 걸어가게 하여 미끌어져 떨어져 타 죽게 하는 형벌. 〔史記〕

〖抱腹絶倒〗포복절도 : 너무 우스워서 배를 안고 쓰러질 정도로 크게 웃음.

〖布衣之交〗포의지교 : 평민의 교제. 포의는 베옷으로, 벼슬 없는 선비가 입음. 〔史記〕

〖暴虎馮河〗폭호빙하 : 호랑이를 맨손으로 잡고, 큰 강을 맨발로 건넌다는 뜻.

무모한 용기, 혈기만 믿고 날뜀, 매우 위험한 일을 이름. 〔論語〕

〖風聲鶴唳〗 풍성학려 : 바람 소리와 두루미의 울음소리. 싸움에 진 병정이 바람 소리와 학의 울음소리도 적군인 줄 알고 놀랐다는 고사(故事)에서, 겁에 질린 사람이 조그만 일에도 놀라고 두려워함의 비유. 〔晉書〕

〖風樹之嘆〗 풍수지탄 : 자식이 부모를 공양하고 싶어도 이미 부모는 별세하여 세상에 있지 않은 한탄. 〔韓詩外傳〕

〖風餐露宿〗 풍찬노숙 : 바람을 맞으며 식사를 하고, 이슬에 젖으며 한데서 잠. 〔陸游〕

ㅎ 部

〖夏爐冬扇〗 하로동선 : 여름의 화로와 겨울의 부채. 제철에 맞지 않는 사물. 쓸모없는 물건의 비유. 〔論衡〕

〖汗馬之勞〗 한마지로 : 혁혁한 전공(戰功). 또, 물건을 운반하는 고역(苦役).

〖汗牛充棟〗 한우충동 : 수레에 실어 소로 하여금 끌게 하면 소가 땀을 흘릴 정도이며, 집에 두어 쌓아 놓으면 용마루에 닿을 정도라는 뜻으로, 장서(藏書)가 많음의 비유. 〔柳宗元〕

〖汗出沾背〗 한출첨배 : 땀이 등에 밴다는 뜻으로, 몹시 창피함의 형용. 〔史記〕

〖偕老同穴〗 해로동혈 : 살아서는 함께 늙고, 죽어서는 같이 구덩이에 묻힘. 죽은 뒤까지도 부부가 의좋게 지냄. 또, 부부의 맹세가 굳음의 비유. 〔詩經〕

〖解語之花〗 해어지화 : 말이 통하는 꽃이란 뜻으로, 미인의 일컬음.

〖行尸走肉〗 행시주육 : 걸어다니는 송장과 달리는 살코기의 뜻으로, 형체는 있으나 영혼이 없는 고깃덩이와 같은 자, 무능하고 무식하며 아무 가치도 없는 사람을 이르는 말. 〔拾遺記〕

〖行雲流水〗 행운유수 : 하늘을 떠 가는 구름과 흘러 내려가는 물. 자연 그대로 거침없이 움직임. 또, 자연을 거스르지 않고 되어 가는 대로 행동함의 비유. 〔宋史〕

〖鄕黨尙齒〗 향당상치 : 마을에서는 나이 많은 사람을 존중함. 〔莊子〕

〖虛心坦懷〗 허심탄회 : 아무런 사심(邪心)이 없고, 마음이 고요하고 산뜻함.

〖懸河之辯〗 현하지변 : 쏟살같이 내려가는 강물처럼 거침없이 유창하게 하는 말솜씨. 〔晉書〕

〖形影相弔〗 형영상조 : 자기의 몸과 그 그림자가 저도 불쌍하게 여긴다는 뜻. 매우 외로워 의지할 곳이 없음을 이름. 〔李密〕

〖狐假虎威〗 호가호위 : 신하가 임금의 권위를 빌려 다른 뭇사람들을 위협함을 이름. 〔戰國策〕

〖好生之德〗 호생지덕 : 인자하게 사랑하고 살상을 하지 않는 덕. 〔書經〕

〖虎視眈眈〗 호시탐탐 : 호랑이가 날카로운 눈으로 먹이를 노리고 있는 모양. 가만히 기회를 노리고 엿봄의 비유. 〔易經〕

〖浩然之氣〗 호연지기 : 천지간에 충만되어 있는 바른 원기(元氣). 전하여, 반성하여 추호의 가책(苛責)이 없는 도덕적 용기. 〔孟子〕

〖狐疑逡巡〗 호의준순 : 의심이 많아 결단을 못 내리고 망설임. 꾸물거림.

〖昊天罔極〗 호천망극 : 끝없는 하늘과 같이 부모의 은혜가 대단히 큼. 〔孫綽〕

〖渾金璞玉〗 혼금박옥 : '혼금'은 인공을 가하지 않은 땅에서 파낸 그대로의 금. '박옥'은 땅에서 파낸 그대로의 옥. 〔晉書〕

〖紅燈綠酒〗 홍등녹주 : 화려한 등불과 녹색을 띤 술. 환락과 포식(飽食)을 이르는 말.

〖和光同塵〗 화광동진 : 자기의 뛰어난 지혜·재능·덕 등을 숨기고 세속에 파묻혀 삶. 〔老子〕

〖畵龍點睛〗 화룡점정 : 용을 그리고 마지막에 눈동자를 그려 넣었더니, 그 용이 하늘로 올라갔다는 고사(故事), 사물의 안목, 소중한 곳의 비유. 또, 사소한 일이지만, 그것을 더함으로써 사물이 완

성·성취됨의 비유. 〔歷代名畫記〕

〖禍福同門〗화복동문 : 화나 복이나 모두 자신이 불러온다는 말. 〔文子〕

〖禍福無門〗화복무문 : 스스로 악한 일을 하면 그것은 악이 들어오는 문이 되고, 착한 일을 하면 그것은 복이 들어오는 문이 됨. 곧, 화복이 이르는 것은 일정한 문이 없음. 〔左傳〕

〖華胥之夢〗화서지몽 : 황제(黃帝)가 꿈에 화서국(華胥國)에 놀러 간 고사(故事). 좋은 꿈을 이름. 〔列子〕

〖花鳥風月〗화조풍월 : 자연의 아름다운 풍경과 풍물. 또, 그것들을 감상하는 일, 자연을 소재로 한 시가·그림 등 문예 작품을 즐김, 풍아(風雅)한 예도(藝道)의 비유.

〖確乎不拔〗확호불발 : 의지가 굳어 사물에 동요되지 않음. 확호부동(確乎不動). 〔易經〕

〖換骨奪胎〗환골탈태 : 선인(先人)의 시문 따위의 발상이나 표현을 본뜨되 창의(創意)를 더하여 새로이 독자적인 작품을 만듦. 〔冷齋夜話〕

〖鰥寡孤獨〗환과고독 : 늙어서 아내가 없는 홀아비, 남편이 없는 과부, 어려서 부모가 없는 고아, 노경에 자식이 없는 독신자를 이름. 〔孟子〕

〖活潑潑地〗활발발지 : 물고기가 뛰듯이 기세가 왕성한 모양. 팔팔하고 생기 있게 활동하는 모양. 〔中庸〕

〖荒唐無稽〗황당무계 : 언행이 허황하여 믿을 수 없음. 엉터리임.

〖會稽之恥〗회계지치 : 전쟁에 진 치욕. 월왕(越王) 구천(勾踐)이 오왕(吳王) 부차(夫差)와 회계산(會稽山)에서 싸우다 잡혀 굴욕적인 강화를 맺은 옛일. 〔史記〕

〖會者定離〗회자정리 : 만나면 반드시 헤어지게 마련임. 이 세상이 무상하고 허무함. 〔遺敎經〕

〖橫說竪說〗횡설수설 : 조리가 없는 말을 함부로 지껄임. 〔事苑〕

〖橫行天下〗횡행천하 : 세상에서 제멋대로 날뜀. 〔史記〕

〖朽木糞牆〗후목분장 : 시들어 죽은 나무와 썩은 토담. 어떻게 손을 쓸 수 없는 것의 비유. 특히, 의지나 소질이 없는 자는 아무리 가르치려 해도 소용이 없다는 말. 〔論語〕

〖後生可畏〗후생가외 : 후진들이 선배보다 나아질 가망이 많기 때문에 나중에 두려운 존재가 될 수 있다는 말. 〔論語〕

〖厚顔無恥〗후안무치 : 뻔뻔스럽고 부끄러운 줄 모름.

〖毁譽褒貶〗훼예포폄 : 칭찬하는 일과 비방하는 일.

〖黑白分明〗흑백분명 : 선악이 분명함.

〖欣求淨土〗흔구정토 : 극락정토를 바라고 원함.

〖欣喜雀躍〗흔희작약 : 너무 좋아서 뛰며 기뻐함.

〖喜怒哀樂〗희로애락 : 기쁨, 노염, 슬픔, 즐거움. 사람이 가지고 있는 갖가지 감정. 〔中庸〕

(7) 육십사괘(六十四卦)

䷀	乾下乾上 (건하 건상)	爲天 (위천)	乾 (건)	䷌	離下乾上 (이하 건상)	天火 (천화)	同人 (동인)
䷁	坤下坤上 (곤하 곤상)	爲地 (위지)	坤 (곤)	䷍	乾下離上 (건하 이상)	火天 (화천)	大有 (대유)
䷂	震下坎上 (진하 감상)	水雷 (수뢰)	屯 (둔)	䷎	艮下坤上 (간하 곤상)	地山 (지산)	謙 (겸)
䷃	坎下艮上 (감하 간상)	山水 (산수)	蒙 (몽)	䷏	坤下震上 (곤하 진상)	雷地 (뇌지)	豫 (예)
䷄	乾下坎上 (건하 감상)	水天 (수천)	需 (수)	䷐	震下兌上 (진하 태상)	澤雷 (택뢰)	隨 (수)
䷅	坎下乾上 (감하 건상)	天水 (천수)	訟 (송)	䷑	巽下艮上 (손하 간상)	山風 (산풍)	蠱 (고)
䷆	坎下坤上 (감하 곤상)	地水 (지수)	師 (사)	䷒	兌下坤上 (태하 곤상)	地澤 (지택)	臨 (임)
䷇	坤下坎上 (곤하 감상)	水地 (수지)	比 (비)	䷓	坤下巽上 (곤하 손상)	風地 (풍지)	觀 (관)
䷈	乾下巽上 (건하 손상)	風天 (풍천)	小畜 (소축)	䷔	震下離上 (진하 이상)	火雷 (화뢰)	噬嗑 (서합)
䷉	兌下乾上 (태하 건상)	天澤 (천택)	履 (이)	䷕	離下艮上 (이하 간상)	山火 (산화)	賁 (비)
䷊	乾下坤上 (건하 곤상)	地天 (지천)	泰 (태)	䷖	坤下艮上 (곤하 간상)	山地 (산지)	剝 (박)
䷋	坤下乾上 (곤하 건상)	天地 (천지)	否 (비)	䷗	震下坤上 (진하 곤상)	地雷 (지뢰)	復 (복)

부
록

䷘	震下乾上 (진하 건상)	天雷 (천뢰)	无妄 (무망)	䷥	兌下離上 (태하 이상)	火澤 (화택)	睽 (규)
䷙	乾下艮上 (건하 간상)	山天 (산천)	大畜 (대축)	䷦	艮下坎上 (간하 감상)	水上 (수상)	蹇 (건)
䷚	震下艮上 (진하 간상)	山雷 (산뢰)	頤 (이)	䷧	坎下震上 (감하 진상)	雷水 (뇌수)	解 (해)
䷛	巽下兌上 (손하 태상)	澤風 (택풍)	大過 (대과)	䷨	兌下艮上 (태하 간상)	山澤 (산택)	損 (손)
䷜	坎下坎上 (감하 감상)	爲水 (위수)	坎 (감)	䷩	震下巽上 (진하 손상)	風雷 (풍뢰)	益 (익)
䷝	離下離上 (이하 이상)	爲火 (위화)	離 (이)	䷪	乾下兌上 (건하 태상)	澤天 (택천)	夬 (쾌)
䷞	艮下兌上 (간하 태상)	澤山 (택산)	咸 (함)	䷫	巽下乾上 (손하 건상)	天風 (천풍)	姤 (구)
䷟	巽下震上 (손하 진상)	雷風 (뇌풍)	恒 (항)	䷬	坤下兌上 (곤하 태상)	澤地 (택지)	萃 (췌)
䷠	艮下乾上 (간하 건상)	天山 (천산)	遯 (둔)	䷭	巽下坤上 (손하 곤상)	地風 (지풍)	升 (승)
䷡	乾下震上 (건하 진상)	雷天 (뇌천)	大壯 (대장)	䷮	坎下兌上 (감하 태상)	澤水 (택수)	困 (곤)
䷢	坤下離上 (곤하 이상)	火地 (화지)	晋 (진)	䷯	巽下坎上 (손하 감상)	水風 (수풍)	井 (정)
䷣	離下坤上 (이하 곤상)	地火 (지화)	明夷 (명이)	䷰	離下兌上 (이하 태상)	澤火 (택화)	革 (혁)
䷤	離下巽上 (이하 손상)	風火 (풍화)	家人 (가인)	䷱	巽下離上 (손하 이상)	火風 (화풍)	鼎 (정)

䷲	震下震上 (진하 진상)	爲雷 (위뢰)	震 (진)
䷳	艮下艮上 (간하 간상)	爲山 (위산)	艮 (간)
䷴	艮下巽上 (간하 손상)	風山 (풍산)	漸 (점)
䷵	兌下震上 (태하 진상)	雷澤 (뇌택)	歸妹 (귀매)
䷶	離下震上 (이하 진상)	雷火 (뇌화)	豐 (풍)
䷷	艮下離上 (간하 이상)	火山 (화산)	旅 (여)
䷸	巽下巽上 (손하 손상)	爲風 (위풍)	巽 (손)

䷹	兌下兌上 (태하 태상)	爲澤 (위택)	兌 (태)
䷺	坎下巽上 (감하 손상)	風水 (풍수)	渙 (환)
䷻	兌下坎上 (태하 감상)	水澤 (수택)	節 (절)
䷼	兌下巽上 (태하 손상)	風澤 (풍택)	中孚 (중부)
䷽	艮下震上 (간하 진상)	雷山 (뇌산)	小過 (소과)
䷾	離下坎上 (이하 감상)	水火 (수화)	旣濟 (기제)
䷿	坎下離上 (감하 이상)	火水 (화수)	未濟 (미제)

부
록

(8) 총획 색인(總畫索引)

1. 이 색인은 본 사전에 수록된 모든 표제자를 총획수순(같은 획수 안에서는 부수순(部首順))으로 배열한 것임.

2. 숫자는 본문(本文)의 페이지를 나타내고 한자(漢字) 왼편에 있는 작은 글자는 부수(部首)를 나타냄.

총획 색인

총획 색인

	坤 122		姐 147		岭 181		弥 209		怫 225
	坦 122		姑 147		岷 181		弩 209		怯 225
	坩 122		姒 147		岫 182	彑	彔 212		怭 225
	坪 122		姓 147		峀 182	彳	彼 215		悅 226
	垌 122		妻 147		岸 182		彽 215		怳 226
	坳 122		姜 147		岩 182		彿 215	戈	戕 250
	堯 123		委 147		岬 182		往 215		戔 250
	垢 123	子	孟 159		岱 182		徃 215		或 250
	坼 123		孤 159		岾 182		征 215	戶	戾 253
	垂 123		季 160		岡 182		徂 215		房 253
	坌 123		孥 160		帖 182		徑 215		所 253
	坮 123		學 160		岳 182	心	忠 221	手	承 255
	培 123	宀	宓 163	巾	帕 191		忩 221		抨 258
夕	夜 137		宏 163		帒 191		念 222		捄 258
大	奄 140		宕 163		帖 192		忽 222		拌 258
	奇 140		宗 163		帙 192		忿 222		披 259
	奈 140		官 163		帑 192		忝 222		抱 259
	奔 140		宙 164		帘 192		怍 224		抵 259
	奉 140		定 164		帚 192		怊 224		抹 259
女	姶 145		宛 164		帛 192		怏 224		抽 259
	妸 145		宜 164	干	并 197		快 224		押 259
	娗 146		宝 164		幸 197		怔 224		拂 260
	妵 146		実 164	广	底 199		怕 224		拄 260
	妬 146	寸	尋 172		庖 199		怖 224		担 260
	姐 146		尅 172		店 200		怙 224		拆 260
	妹 146	小	尙 175		庚 200		怛 224		拇 260
	姁 146	尸	居 177		府 200		怜 225		拈 260
	姆 146		届 177	弓	弣 209		怡 225		拉 260
	姉 146		届 178		弤 209		性 225		拊 260
	姊 146		屆 178		弦 209		怩 225		抛 261
	始 146	山	岑 181		弧 209		怪 225		拍 261

총획 색인

총획색인

총획
색인

	菲 674		裡 718		賊 763		軹 785		閔 840
	菴 675	両	覃 724		貼 763		軺 785		閏 840
	菶 675	見	視 725		貽 763		軻 785		閑 840
	菹 675		視 726		貳 763		軼 785		間 840
	菽 675		觇 726		貫 763	辛	辜 791		閒 841
	萁 675	角	觚 728		賁 763	辵	逍 800		閔 841
	萃 675		觜 728		貴 763		逮 800	阜	陽 851
	葡 675	言	訴 734		買 764		週 800		隅 851
	萆 675		詞 734		貸 764		進 800		隆 851
	萊 675		診 734		費 764		逴 800		隈 851
	萋 676		註 734		貿 764		達 800		隊 851
	萌 676		証 734		賀 764		透 800		隋 851
	萍 676		詰 734		貰 764		逸 800		隍 852
	萎 676		詆 734	赤	赧 771		逬 801		階 852
虍	虛 698		詎 735	走	趁 772	邑	都 812		隄 852
	虜 698		詐 735		超 772		鄂 812		隁 852
虫	蚵 701		詒 735		越 773	酉	酢 815	隹	集 856
	蛙 702		詔 735	足	跋 774		酣 815		雅 856
	蛛 702		評 735		跌 774		酤 815		雄 856
	蛟 702		詖 735		跎 774	采	釉 820		雁 856
	蛤 702		詗 735		跏 774	里	量 821		雇 856
	蛭 702		詛 736		跑 774	金	鈇 823	雨	雺 859
	蠻 702		詞 736		跖 775		釹 823		雯 859
血	衆 712		詠 736		跗 775		鈗 823		雲 859
	衉 712		訾 736		跋 775		鈑 823	革	靪 866
行	街 713		詈 736		距 775		鈍 823		靭 866
衣	裁 717	豕	象 757	車	軽 785		鈐 823	韋	靭 869
	裂 718	豸	貁 759		輪 785		鈔 823	頁	項 872
	裕 718		貌 759		軫 785		鈕 823		順 872
	裙 718	貝	貯 762		載 785		鈞 823		須 872
	補 718		貶 763		軸 785	門	開 840		頊 872

	嬋 156		潢 211		憹 245		夐 295		槳 356
	嬌 156	彡	影 214	戈	戮 252	斗	斝 298		樂 356
宀	審 170	彳	徵 219	手	摩 279	日	暴 314		槧 356
	憲 170		徹 219		摯 279		暶 315		槸 356
	寫 170		德 219		摹 279		暲 315	欠	歎 367
	寬 171	心	慶 240		擊 279		暳 315		歐 367
	寮 171		慂 240		摰 279		嘆 315		歡 367
尸	層 179		憂 241		摑 281		暫 315	歹	殣 372
	履 179		慼 241		撈 281		暬 315		殤 372
	屧 180		憑 241		撌 281		暮 315	殳	毅 374
山	嶝 186		慧 241		撐 281	木	槻 353		毆 375
	嶢 186		慫 241		撑 281		樊 353	毛	氄 377
	嶔 186		慮 241		撒 281		樺 354	水	潁 418
	嶠 187		慰 241		撓 281		概 354		漿 418
	嶨 187		憾 241		撕 281		樛 354		藜 418
巾	幞 195		慾 241		撙 282		樟 354		潾 423
	幟 195		慕 241		撚 282		槽 354		潤 423
	幡 195		慤 241		撟 282		槿 354		潛 423
	幢 195		憩 241		撞 282		樅 354		潩 423
	幣 195		慕 241		撟 282		樓 354		潎 423
广	廚 203		憒 244		撥 282		槾 355		潷 423
	廛 203		憎 244		撩 282		樗 355		潏 423
	廝 203		憐 244		撫 282		標 355		潑 423
	廞 203		憤 244		播 282		樻 355		潔 423
	廟 203		憔 245		撮 283		樞 355		潘 423
	廠 204		憚 245		撰 283		樟 355		潙 424
	廡 204		憒 245		撲 283		模 355		潛 424
	廢 204		憧 245		撤 283		樣 356		潜 424
	廣 204		憫 245	支	敵 294		槧 356		潃 424
廾	弊 206		憬 245		敷 295		樫 356		潟 424
弓	彈 210		憮 245		數 295		權 356		潟 424

	頺	875		鵙	907		嬰	157	擭	286	比	龜	376

火	爐	449	禾	穟	554	肉	臏	644	角	觴	729		醬	818
	燿	450		穡	554		臏	644	言	謨	749	里	釐	821
	爁	450		穚	554	臼	舊	650		謫	749	金	鎣	833
	燻	450		穖	554	舟	艟	654		謬	750		鍇	833
	燹	450	穴	竄	559	艸	薯	692		謳	750		鎌	833
	燾	450		竅	560		薰	692		謹	750		鎔	833
爪	爵	452	竹	簞	573		薺	692		謾	750		鎖	833
犬	獵	469		簟	573		藁	692		謦	750		鎖	833
	獲	469		簹	574		薳	692		謦	750		鎚	833
	獷	469		簡	574		藉	692	豆	豐	757		鎛	834
玉	璿	484		簣	574		藍	693	豸	貘	760		鎧	834
	璸	485		簦	574		薀	693	貝	贄	769		鎬	834
	璵	485		簪	574		藏	693		贅	769		鎭	834
	璿	485	米	糦	581		藐	693	足	蹈	780		鎰	834
瓦	甕	487		糧	581		藁	693		蹕	780	門	闔	844
	甕	488	糸	繒	605	虫	蟲	708		蹟	780		闖	844
疒	癒	506		織	605		蟒	708		蹠	780		闍	844
	癱	506		繕	606		蟠	708		蹤	780		闕	844
	癖	506		徹	606		蟣	708		蹙	780		闐	844
	癗	506		繙	606		蟪	708	身	軀	783	阜	隳	854
	癠	507		繚	606		蟬	709	車	轆	789	隹	雙	857
白	皦	511		繞	606		蟯	709		轉	789		膺	858
皿	鹽	516		續	606	衣	襖	722		轍	789		雛	858
目	瞿	525	缶	罇	611		襚	722	辵	邃	808		雜	858
	瞻	525	网	羂	615		襠	723		邇	808		離	858
	瞼	526	羽	翺	621		襟	723		邈	808		雞	858
	矇	526		翹	621		襦	723		邊	808		雚	858
	瞽	526		翻	622	襾	覆	724	酉	醨	818	雨	霤	862
石	磽	536		翻	622	見	觀	727		醪	818	革	鞦	868
	礎	536	耒	穖	625		覷	727		醯	818		鞫	868
示	禮	544	耳	職	628		覲	727		醫	818		鞠	868

총획 색인

	鞭	868	
	鞭	868	
	鞽	868	
	鞴	868	
韋	韀	869	
	韃	869	
頁	題	876	
	額	876	
	顎	876	
	顏	876	
	顓	876	
	顒	876	
	顗	876	
風	飀	879	
食	餬	884	
	餱	884	
香	馥	886	
馬	驊	890	
	雛	890	
	騎	890	
	騏	890	
	駢	890	
骨	骿	894	
	髀	894	
影	鬆	897	
鬥	鬩	898	
鬲	鬻	899	
鬼	魍	900	
	魑	900	
	魏	900	
魚	鯈	903	

鯊	903
鳥 鵑	908
鵜	908
鵠	908
鵡	908
鵝	908
鵝	908
鶩	908
鹿 麌	912
黑 點	916
黽 鼌	918
鼓 鼕	919
鼠 鼩	919
鼬	919
鼦	920
鼻 魾	920
齊 齋	921
齒 齔	922
龍 龐	924

十九畫

人 儳	46
儴	46
力 勸	73
口 嚦	113
嚥	113
嚮	113
囈	114
歟	114
土 壤	134
壞	134
壟	134

子 孼	161
宀 寵	171
寶	171
广 廬	204
心 懲	248
懶	248
懶	248
懷	248
手 攀	287
擺	288
擱	288
攏	288
方 旜	302
旞	302
日 曝	317
曠	317
木 櫌	361
櫝	361
橫	361
櫓	362
櫚	362
櫛	362
檻	362
櫟	362
櫪	362
囊	362
欠 歠	368
水 瀨	433
瀜	433
瀘	433
瀞	433

瀚	433
瀛	433
瀝	433
瀣	433
瀟	433
瀧	433
瀨	434
火 爆	450
爍	450
爇	450
片 牘	455
牛 犢	459
犨	459
犬 獸	469
獺	470
玉 璽	484
瓚	485
瓊	485
瓜 瓣	486
田 疆	496
疇	496
疒 癡	507
目 矉	526
矇	526
矢 矱	528
石 礙	536
示 禰	545
禱	545
禾 穧	554
穩	554
穫	555

穴 竄	560
竹 簫	574
簳	574
簾	575
簷	575
簸	575
簽	575
簾	575
簿	575
糸 繡	606
繩	606
繪	607
繰	607
繮	607
繳	607
繹	607
繭	607
繫	607
网 羅	615
羆	615
羊 羹	618
羶	618
羸	618
羽 翾	622
肉 臘	644
舟 艤	654
色 艷	655
艸 藕	693
藜	693
藝	693
藟	694

총획색인

	鑑 837	侖 龢 925		蘿 697	魚 鱎 904	虫 蠹 711
	鑒 837	**二十三畫**	虫 蠱 711		鱍 904		蠻 711
雨 霽 863		口 囍 115		蠻 711		鱗 905	行 衢 714
	霾 863	父 變 136		蠲 711	鳥 鷦 910	言 讒 754
	靆 863	山 巖 188	而 耏 725		鷸 910		讓 754
革 鞵 868		巘 188	言 讌 753		鷯 910		讕 754
音 響 871		心 戀 249		變 754		鵬 910		讖 755
頁 顥 878		慂 249		讎 754		鷩 910	貝 贛 771
食 饐 885		手 攣 289		讐 754		鷟 910	酉 釀 819
	饔 885		攤 289		讐 754		鷺 910	金 鑪 837
	饕 885		攪 289		讏 754	鹿 麟 913	雨 霹 863
	饗 885		攫 289	車 轣 790	黍 穄 915		霽 863
馬 驕 892		日 曬 318	辵 邐 808	黑 黴 917		靈 864
	驊 892	木 欄 364	金 鑚 837	鼠 鼹 920		靉 864
	驍 892		欖 364		鑛 837	鼻 齁 920	革 韆 868
	驕 892		欒 364		鑝 837	齊 齎 922	韋 韡 870
髟 鬖 897		犬 獲 470		鑠 837	齒 齰 923	頁 顰 878
	鬚 897	玉 瓚 485		鑢 837			馬 驟 893
鬲 鬻 899		疒 癰 507		鑣 837	**二十四畫**	骨 髓 895
魚 鰜 904		癱 508	面 黶 866		口 囑 115	髟 鬢 897
	鰻 904	白 皭 511	音 護 871		囓 115	鬥 鬪 898
	鰲 904	竹 籤 576	頁 顥 878	手 攬 289	鬼 魘 901
鳥 鷗 909		籥 576		顯 878	日 曤 318	魚 鱣 905
	鷗 910		籚 577	食 饜 885	木 欞 364		鱧 905
	鷙 910	米 糵 582	馬 驗 892	水 灝 435	鳥 鷹 910
鹿 麞 913		糸 纓 609		驛 893	疒 癲 508		鸎 910
鼠 鼱 920		纖 609		驚 893	目 矗 526	鹵 鹼 911
齒 齬 923		纏 609	骨 髇 895	糸 蠶 610		鹽 911
	齦 923	艸 蘿 697		髓 895	缶 罐 611	黽 鼇 918
龍 糞 924		蘿 697		體 895	网 羈 615	齒 齲 923
	龕 924		蘺 697	髟 鬟 897	色 艷 655		齷 923

총획 색인

(9) 자음 색인(字音索引)

1. 이 색인은 본 사전에 수록된 모든 표제어를 가나다 순으로 배열한 것이다.

2. 숫자는 본문의 페이지를 나타낸다.

자음 색인

자음
색인

자음 색인

对 172
對 174
岱 182
帶 193
待 215
懟 244
懟 247
戴 252
抬 263
擡 285
汏 381
旲 304
歹 370
毒 375
玳 473
璹 479
碓 533
臺 648
蔕 685
袋 717
貸 764
載 786
逮 800
錞 831
隊 851
隶 855
黛 916
댁 宅 162
덕 得 217
德 219
悳 232
도 倒 34
兜 50
刀 60
到 63
図 117
圖 119
堵 128
塗 130
壔 133
導 174
屠 179
島 183
嶋 186
度 200
徒 217
忉 220
悼 233
慆 240
挑 265
掉 270
掏 271
搗 277
搯 278
擣 286
桃 337
棹 345
檮 361
櫂 361
涂 399
淘 403
渡 409
滔 417
濤 430
燾 450
璹 484
瘏 503
盜 514
睹 523
禱 545
稌 550
稻 552
籌 575
絛 594
綢 594
綯 595
纛 610
舠 652
荼 669
菟 673
萄 675
覩 726
諂 749
賭 768
跳 776
蹈 779
逃 796
途 798
道 803
都 812
酴 816
鍍 832
闍 843
陶 850
韜 869
饕 885
鼗 919
독 嬻 157
櫝 362
毒 375
瀆 432
牘 455
犢 459
独 462
獨 468
督 523
秃 546
篤 572
纛 610
読 742
讀 753
讟 755
髑 895
黷 917
돈 噸 113
墩 131
弴 210
惇 233
敦 294
旽 304
暾 315
沌 385
焞 440
燉 447
豘 460
獤 468
盾 518
豚 757
遁 801
頓 873
飩 881
魨 901
돌 咄 97
堗 128
乭 528
突 556
頓 873
동 仝 17
侗 28
僮 44
冬 56
凍 57
動 71
同 92
垌 123
彤 213
憧 245
戙 251
曈 316
朣 322
東 330
桐 338
棟 344
洞 394
潼 426

	繡 599		侮 29		膜 642		朦 323		廡 204
	繻 600		侮 29		芼 657		檬 361		憮 235
	縣 601		冒 54		茅 664		濛 430		憮 245
	謱 750		冒 54		茆 665		瞢 524		懋 246
	面 865		募 73		莫 671		曚 526		戊 249
	面 866		厶 85		蝥 706		艨 654		拇 260
	麵 913		姆 146		謀 747		蒙 680		撫 282
	麵 914		姥 148		謨 749	**묘**	卯 81		无 302
	麵 918		帽 194		貌 760		墓 131		林 347
멸	滅 416		慕 242		髦 896		妙 145		武 369
	威 439		摹 279		鞋 914		廟 203		母 375
	蔑 685		摸 280	**목**	匹 77		描 274		無 441
명	冥 55		旄 301		木 323		昴 307		牟 456
	名 92		暮 315		翟 376		杳 327		牡 456
	命 98		某 335		沐 385		秒 327		瑦 483
	明 306		模 355		牧 457		淼 401		畝 492
	暝 314		母 375		目 516		渺 410		眸 520
	榆 343		毛 376		睦 522		猫 466		瞀 523
	椧 351		翟 376		瞀 523		畝 492		矛 526
	溟 415		牟 456		穆 553		眇 517		繆 605
	皿 512		牡 456		繆 605		秒 547		膴 643
	盟 514		犛 459		苜 661		玅 560		舞 651
	瞑 524		獏 467		鶩 909		苗 661		茂 664
	茗 665		瑁 479	**몰**	勿 74		茆 665		蕪 689
	蓂 682		兒 509		歿 371		藐 693		蝥 706
	螟 706		眊 517		沒 385		貓 760		袤 717
	酩 815		眸 520	**몽**	冢 55		錨 832		誣 741
	銘 827		矛 526		夢 137	**무**	亡 13		謬 750
	鳴 905		耗 578		懜 247		務 72		貿 764
몌	袂 715		氂 623		懞 247		姆 146		霧 862
모	侔 28		耗 624		曚 317		巫 189		鶩 891

	畔 492		醱 818		肪 632		胚 634		礴 536
	番 495		鉢 825		膀 641		背 635		攀 537
	瘢 504		髮 896		舫 652		蓓 683		繁 605
	盤 515		魃 900		芳 660		裴 720		繙 606
	盼 517	방	並 5		雱 681		襃 720		翻 622
	磐 535		仿 20		虻 700		褙 721		膰 643
	磻 536		倣 35		蚌 700		賠 766		蕃 687
	攀 537		傍 40		訪 733		輩 788		藩 694
	絆 589		匚 75		謗 748		配 814		蘩 697
	胖 633		厖 83		邦 809		陪 849		袢 716
	般 652		坊 121		防 846		轡 870		飜 880
	蟠 708		妨 145		髣 896	백	伯 21	벌	伐 21
	圖 758		尨 175		魴 901		佰 26		撥 282
	返 794		幫 194		麗 924		帛 192		筏 566
	頒 873		幇 196		麗 924		拍 261		罰 613
	飯 881		彭 214	배	俳 33		柏 332		閥 841
발	勃 71		彷 214		倍 34		栢 335	범	凡 58
	哱 102		房 253		啡 104		白 509		几 58
	悖 231		搒 277		坏 121		百 509		帆 191
	拔 262		放 291		培 125		陌 847		机 325
	撥 282		方 300		妃 144		魄 900		梵 339
	浡 397		旁 301		徘 217	번	反 87		氾 380
	渤 409		昉 306		拜 258		播 131		汎 380
	潑 423		枋 329		拝 263		幡 195		泛 390
	癶 508		棒 344		排 271		旛 302		犯 460
	発 508		榜 351		杯 327		樊 353		範 571
	發 508		汸 383		桮 340		潘 423		范 664
	魬 655		滂 416		湃 411		煩 443	법	法 389
	茇 665		膀 455		焙 440		燔 448		琺 472
	跋 774		磅 534		琲 479		璠 483		珐 479
	軷 785		紡 586		盃 512		番 495	벽	僻 44

자음 색인

자음 색인

퇴	堆 125		貸 764		跛 775		湏 399		猵 465
	推 272	**름**	闖 844		霸 863		渼 404		篇 571
	敦 294				靶 866		牌 454		編 600
	槌 352		**ㅍ 部**		頗 874		狽 463		翩 621
	焞 440			**팍**	濼 432		珮 475		蝙 705
	腿 641	**파**	坡 122	**판**	判 62		稗 550		褊 720
	褪 721		婆 152		反 87		粺 579		諞 745
	追 796		巴 190		坂 121		菲 664		辨 791
	退 796		帕 191		拌 258		芨 665		辯 792
	鎚 833		弝 208		板 328		覇 725		遍 802
	隤 853		怕 224		泮 391		詩 740		鞭 868
	頹 875		把 257		版 454		貝 760		騙 890
투	偸 39		播 282		瓣 486		霈 861	**폄**	砭 530
	套 141		擺 287		販 761		霸 863		窆 557
	妒 145		杷 328		辦 791	**팽**	彌 210		貶 763
	妬 146		欙 364		辨 791		彭 214	**평**	坪 122
	姤 146		波 390		鈑 823		旁 301		平 196
	婾 153		派 396		阪 845		泙 389		抨 258
	愉 237		爬 452	**팔**	八 51		澎 426		泙 391
	投 257		玻 473		叭 89		烹 440		枰 331
	渝 408		琶 477		捌 267		砰 530		砰 530
	透 797		番 495	**패**	佩 25		絣 591		硼 532
	鍮 832		皤 511		唄 102		膨 642		苹 663
	骰 894		破 530		悖 231	**팍**	愎 238		萍 676
	鬥 897		磻 536		拔 262	**편**	便 29		評 735
	鬪 898		笆 563		捭 269		偏 38		辯 791
	鬭 898		簸 575		擺 287		平 196	**폐**	俾 33
특	忒 221		罷 614		敗 293		徧 218		吠 93
	慝 241		耙 625		旆 301		惼 237		嬖 157
	特 457		芭 659		沛 386		扁 253		幣 195
	犆 458		菠 673		派 396		片 454		廢 202
			覇 725						

呀 95
呵 96
嚇 113
夏 136
廈 202
昰 307
河 387
煆 442
瑕 480
瘕 503
罅 611
芦 658
荷 669
蝦 706
訶 734
賀 764
䙈 771
遐 803
霞 862
鰕 904
학 壑 133
斈 136
学 160
學 161
李 296
涸 402
狢 462
瘧 504
翯 621
虐 697
謔 748
貉 759
鶴 909
鷽 910
한 厂 83
寒 168
恨 228
悍 230
扞 255
捍 267
旱 304
暵 315
汗 381
漢 421
澣 427
瀚 433
灘 435
熯 446
狠 462
癇 506
癎 506
瞯 525
罕 612
翰 621
覵 727
軒 784
邯 810
閈 839
閑 840
閒 841
限 847
韓 869
馯 890
鷴 910
鼾 920
할 割 67
害 166
愒 236
曷 319
瞎 524
舝 651
轄 789
鎋 833
黠 916
함 凾 59
函 60
含 95
咸 100
啣 104
喊 106
嗛 109
妗 144
感 235
㦑 247
撼 284
檻 361
泔 389
涵 402
濫 431
緘 598
艦 654
菡 671
蹡 757
轞 790
邯 810
銜 827
陥 849
陷 850
頷 875
鹹 911
합 合 92
柙 333
榼 352
洽 395
溘 415
盍 513
盒 513
盖 513
蓋 683
蛤 702
閤 841
闔 844
陜 848
霅 861
頜 874
항 況 12
亢 13
伉 20
姮 149
嫦 156
巷 190
恒 228
恆 228
抗 258
杭 327
桁 337
沆 384
港 407
㳟 413
炕 437
缸 610
缿 611
肛 631
舡 652
航 652
行 712
降 847
項 872
頏 873
骯 894
鬨 898
해 亥 13
偕 38
咳 99
垓 123
奚 141
孩 160
害 166
廨 204
懈 247
楷 349
欬 365
海 396
海 399
瀣 433

자
음
색
인

자음 색인

엣센스 民衆活用玉篇

1983년 3월 10일 초 판 발행
2007년 1월 10일 제 2 판 발행
2025년 1월 10일 제 19 쇄 발행

編　者　民衆書林編輯局
發行人　金　哲　煥

발행처 사전전문 民衆書林

10881 경기도 파주시 회동길 37-29
(파주출판문화정보산업단지)
전화 (영업) 031) 955-6500~6 (편집) 031) 955-6507
Fax (영업) 031) 955-6525 (편집) 031) 955-6527
E-mail editmin@minjungdic.co.kr (편집)
홈페이지 http://www.minjungdic.co.kr
등록 1979. 7. 23. 제2-61호

정가 27,000원

＊ 파본은 교환해 드립니다.
＊ 상호(商號)에 대한 주의 요망 ＊
　사전의 명문 민중서림은 유사 민중○○
　들과 다른 회사입니다.
　구매에 착오 없으시기 바랍니다.

韻字表

四聲	平聲		上聲	去聲	入聲
	下平	上平			
一〇六韻	先・蕭・肴・豪・歌・麻・陽・庚・青・蒸・尤・侵・覃・鹽・咸。（十五韻）	東・冬・江・支・微・魚・虞・齊・佳・灰・眞・文・元・寒・删。（十五韻）	董・腫・講・紙・尾・語・麌・薺・蟹・賄・軫・吻・阮・旱・潸・銑・篠・巧・皓・哿・馬・養・梗・迥・有・寢・感・琰・豏。（二十九韻）	送・宋・絳・寘・未・御・遇・霽・泰・卦・隊・震・問・願・翰・諫・霰・嘯・效・號・箇・禡・漾・敬・徑・宥・沁・勘・豔・陷。（三十韻）	屋・沃・覺・質・物・月・曷・黠・屑・藥・陌・錫・職・緝・合・葉・洽。（十七韻）

部 首 索 引

〈 • 는 部首의 변형 글자〉